DICTIONNAIRE DU

cinéma

DICTIONNAIRE DU cinéma

A - K

sous la direction de

Jean-Loup PASSEK

17 Rue du Montparnasse 75298 Paris cedex 06

Coordination éditoriale
Michel Guillemot

Lecture-Correction
Service de lecture-correction de Larousse

Composition
Michel Vizet

Fabrication
Janine Mille

Couverture
Olivier Caldéron

Distributeur exclusif au Canada : les Éditions Françaises Inc.

ISBN 2-03-**750001**-7 (volume 1)
ISBN 2-03-**750003**-3 (édition complète)

À la mémoire de Jean-Pierre Frouard,
qui a toujours su conjuguer l'amitié
et l'extrême compétence professionnelle.

JEAN-LOUP PASSEK
assisté de
MICHEL CIMENT
CLAUDE MICHEL CLUNY
JEAN-PIERRE FROUARD

Secrétariat de rédaction
JACQUELINE BRISBOIS

COLLABORATEURS

Gérard ALAUX (G. A.)
Barthélémy AMENGUAL (B. A.)
Michel BAPTISTE (M. BA.)
Olivier BARROT (O. B.)
Raphaël BASSAN (R. BA.)
Mehmet BASUTÇU (ME. B.)
Robert BENAYOUN (R. BN.)
Régis BERGERON (R. B.)
Jean-Pierre BERTHOMÉ (J.-P. B.)
Claude BEYLIE (C. B.)
Anne-Marie BIDAUD (A.-M. B.)
Michel BOUJUT (M. B.)
Jean-Loup BOURGET (J.-L. B.)
Patrick BRION (P. B.)
Freddy BUACHE (F. B.)
Anne-Marie CATTAN (A.-M. C.)
Paul CHEVILLARD (P. C.)
Michel CHION (M. CH.)
Raymond CHIRAT (R. C.)
Michel CIMENT (M. C.)
Claude Michel CLUNY (C. M. C.)
Lorenzo CODELLI (L. C.)
Peter COWIE (P. CO.)
Michel DEMOPOULOS (M. D.)
Attila DORSAY (A. D.)
Olivier EYQUEM (O. E.)
Abbas FAHDEL (A. F.)
Don FAINARU (D. F.)
Jacques FRAENKEL (J. F.)
Jean-Pierre FROUARD (J.-P. F.)
Jack GAJOS (J. G.)
Alain GARSAULT (A. G.)
Jean-A. GILI (J.-A. G.)
Bertrand GIUJUZZA (B. G.)
Jean-Marie GUINOT (J.-M. G.)
Philippe HAUDIQUET (P. H.)
Michael HENRY (M. H.)
Jean-Pierre JEANCOLAS (J.-P. J.)
Martine JOUANDO (M. J.)
Khemais KHAYATI (KH. KH.)
Petr KRAL (P. K.)
Éric KRISTY (E. K.)
† Fabien LABOUREUR (F. LAB.)
Francis LACASSIN (F. L.)
René LALOUX (R. LA.)
Raymond LEFÈVRE (R. L.)
Gérard LEGRAND (G. L.)
Jacques LEVY (J. L.)
André MARTIN (A. MAR.)
Marcel MARTIN (M. M.)
Alain MASSON (A. M.)
Henri MICCIOLO (H. M.)
Dominique NOGUEZ (D. N.)
Costa OLIVEIRA (C. O.)
Paulo Antonio PARANAGUA (P. A. P.)
Jean-Loup PASSEK (J.-L. P.)
Philippe PILARD (P. P.)
Marie-Claire QUIQUEMELLE (M.-C. Q.)
Dominique RABOURDIN (D. R.)
Jean RADVANYI (J. R.)
Claude ROCLE (C. R.)
Lucien ROHMAN (L. R.)
Jean-Charles SABRIA (J.-C. S.)
Daniel SAUVAGET (D. S.)
Franz SCHMITT (F. S.)
Michel SINEUX (M. S.)
Agostin SOTTO (A. S.)
Georges STROUVÉ (G. S.)
André TALMA (A. T.)
Max TESSIER (M. T.)
Claudine THORIDNET (C. T.)
Christian VIVIANI (C. V.)
Eva ZAORALOVA (E. Z.)
Hachemi ZERTAL (H. Z.)
Comité de Rédaction (C. D. R.)

Nous tenons également à remercier Piet Hein Honig et Hanns-Georg Rodek qui ont très aimablement prêté leur concours à l'élaboration de ce dictionnaire ainsi que Mesdames Catherine Arnaud, Malika Bérak, Nelly Grangé-Cabane, Nicole Karoubi, Colette Kouchner, Nathalie Kristy, Axelle Leenhardt, Emmanuelle Lépine, Catherine Ruelle, Michèle Sarrazin, Janine Sarhes, Hélène Tersac, Messieurs Costas Assimacopoulos, Gilles Ciment, Valdemar Dos Santos Marques, Olivier Garcia, Michel Grapin, Sylvain Laboureur, Christian Leclère, Jérôme Leenhardt, Vittorio Martinelli, Rafiq as-Sãbban, Marc Silvera, Claude Soulé, Stéphane Watelet, José Xavier.

PRÉFACE

Le spectateur, ce voyageur immobile, qu'il soit cinéphile ou téléphile, a de nos jours, plus que jamais, besoin d'une boussole et d'un carnet de route. Le territoire est devenu trop vaste et trop divers. Il est nécessaire non seulement d'explorer les voies royales de l'aventure cinématographique mais aussi tous les petits chemins vicinaux qui cachent des trésors plus secrets. Les nouveaux historiens doivent donc désormais travailler en équipe, sans jamais oublier qu'ils doivent l'essentiel de leur savoir aux défricheurs solitaires, aux Georges Sadoul et aux Jean Mitry qui leur ont transmis cette soif de connaissances et ce besoin d'analyse sans lesquels l'écrivain de cinéma n'est qu'un échotier superficiel et peu fiable. Un dictionnaire du cinéma ne saurait par conséquent ressembler à un répertoire, qui, de toute façon, ne pourrait prétendre à l'exhaustivité, ni à une accumulation de jugements péremptoires, qui ne renverraient qu'à l'imaginaire partisan de leurs auteurs. L'idéal serait bien que chacun des collaborateurs d'un tel ouvrage mette son point d'honneur à communiquer aux lecteurs son propre savoir sans pour autant surévaluer l'importance du domaine où s'exerce ce savoir. Le cinéma, n'étant pas un art figé, ne peut éternellement suivre certaines « échelles de valeur » qui lui ont été appliquées par les pionniers de la critique. Cet art du mouvement est aussi un art « en mouvement », influencé par l'air du temps, les climats politiques, sociaux, économiques, psychologiques, voire oniriques, et nullement insensible aux modes esthétiques et aux codes de la morale. Par ailleurs, les grands films sont loin d'être toujours ceux qui n'ont pas rencontré leur public, et l'aval des spectateurs n'est pas non plus un critère de qualité, loin s'en faut. La rigueur la plus efficace n'empêchera jamais les erreurs de s'infiltrer, car le recul n'est que relatif et la sensibilité de celui qui écrit partiale de nature. Nous revendiquons donc le droit à l'erreur comme faisant partie des règles du jeu. Mais nous souhaitons également éviter tout jugement qui ne tienne compte des corrections apportées par le temps et l'évolution des mœurs et des formes.

Comme Henri Langlois, nous pensons qu'il faut « sauver » tous les films, y compris ceux qui nous apparaissent aujourd'hui comme médiocres, afin de préserver une éventuelle remise en question dans l'avenir. Les films dépourvus de valeur artistique sont en effet parfois précieux pour le sociologue, qui peut ainsi prendre le pouls d'une époque dans la représentation la moins sophistiquée qu'elle donne d'elle-même. Mais les limites mêmes d'un dictionnaire obligent au choix, à la sélection. L'historien dans ce domaine doit apprendre la modestie tout en s'imposant comme règle essentielle de faire partager sa propre passion. Un dictionnaire de cinéma n'est rien s'il n'aiguise pas la curiosité de ceux qui le consultent. Il n'est rien non plus s'il ne parvient pas à rendre contagieux cet esprit d'enthousiasme, cette ouverture sur le monde et aussi cette lucidité à l'égard des pouvoirs de l'image. Il devrait en conséquence tempérer les effets nocifs du sectarisme et de cette publicité dévoyée que l'on appelle le « matraquage ».

Un dictionnaire dont l'ambition serait d'être la mémoire vivante du cinéma se doit donc de privilégier le renseignement. Il doit aussi se livrer plutôt qu'à la polémique à l'analyse – même subjective – des courants et des œuvres.

Parmi tous ceux qui ont aimé le cinéma, parmi tous ceux qui ont cherché à propager autour d'eux cette passion, une place privilégiée doit être réservée aux « éveilleurs ». Avouons notre dette particulière à trois d'entre eux. Les deux premiers, André Bazin et Jean-Louis Bory, critiques, essayistes, quoique fort différents l'un de l'autre, ont su poser des questions au cinéma, faire en sorte que le lecteur s'interroge à son tour et devienne ainsi un amateur à la fois éclairé, exigeant et fondamentalement curieux lui aussi. Le troisième – auquel personnellement je dois beaucoup – est un combattant de l'ombre. Jean-Louis Cheray pendant de nombreuses années a animé avec une sympathie chaleureuse les « mardis » du Studio Parnasse à Paris. Il a formé toute une génération de cinéastes et de critiques. Mais son plus beau mérite aura été sans doute d'avoir formé toute une génération de spectateurs. C'est à ces « éveilleurs », ces hommes de passion communicative, ces hommes DEBOUT que nous dédions ce dictionnaire.

Jean-Loup PASSEK

AVANT-PROPOS

Un dictionnaire général du cinéma se doit de répondre aujourd'hui à un besoin de plus en plus manifeste, exprimé par les universités, où les chaires de cinéma se multiplient, aussi bien que par le public des amateurs.

La « civilisation de l'image » qui s'est imposée au monde moderne a reconnu l'art du film comme un art majeur, d'abord nourri de ceux qui l'avaient précédé depuis des siècles, puis les enrichissant à son tour et même, parfois, assurant le relais de quelque tradition – animation, opéra chinois... –, ou, hélas, contribuant à leur effacement, comme en témoigne la disparition progressive du théâtre rural en Inde... La conception du présent ouvrage ne pouvait être en conséquence qu'internationale, au sens le plus large, et encyclopédique dans ses entrées, afin de satisfaire à des interrogations complémentaires et d'offrir à la recherche les indispensables orientations historiques, techniques, économiques ou esthétiques sur l'art et l'industrie du film dans le monde, des origines de la prise de vues à l'année même de sa publication.

Aussi les entrées concernent-elles les hommes qui font le cinéma – cinéastes, opérateurs, inventeurs, musiciens, scénaristes, décorateurs... ; les studios et les firmes de production ; les acteurs (en mettant en valeur l'impact qu'ils ont pu avoir sur la sensibilité ou la mythologie sociale de leur temps) ; les réglementations qui gèrent ou étranglent ou protègent... ; les « genres » dont le succès s'est imposé dans la durée, et dont l'évolution, éthique ou technique, se doit d'être analysée : western, musical, thriller, catastrophe, péplum, science-fiction, dessin animé... Il appartenait également à un ouvrage de cette nature et de cette ambition de faire le point, historique et technique, sur les aspects multiples de la « mécanique » et de l'exploitation cinématographiques, sur les appareils, les procédés (procédés optiques, sonores, couleur, trucages, procédés de copie et de conservation, acoustique et formats...). Ce sont les jalons de l'histoire technique du film, les progrès qui ont permis son extraordinaire évolution esthétique et sociologique. Une attention particulière a été donnée à cette part essentielle du livre, rédigée dans un langage que nous espérons clair, accessible au non-initié, et néanmoins d'une constante précision.

On remarquera donc l'étendue d'un souci d'information portant bien au-delà des limites acceptées par les ouvrages qu'il est loisible de consulter, y compris par les meilleurs dictionnaires anglo-américains. Lesquels font d'ailleurs l'impasse, à peu d'exceptions près, sur ce qui ne relève ni de la production des pays occidentaux ni de la période classique russe et soviétique (la seule « ouverture » récente de ces dictionnaires concerne le Japon). Or, une volonté, plus que jamais logique, de satisfaire à une connaissance comparée du cinéma considéré comme un art, de ses origines à nos jours, ne pouvait que prévaloir pour la conception, l'organisation et la rédaction du présent ouvrage.

Il importait de rompre avec une habitude de mépris, ou d'ignorance (mais, en matière de connaissance, n'y a-t-il pas réversibilité, à l'évidence, de ces facteurs ?), qui pèse sur des productions parfois aussi anciennes que l'art même du film ou qui ne se sont au contraire développées qu'après l'accès à l'indépendance des immenses territoires coloniaux. La reconnaissance de ces nombreuses cinématographies – d'Australie, du Brésil, de l'Égypte, de l'Inde, du Maroc ou de la Thaïlande... –, saisies à travers l'histoire, les données économiques, esthétiques ou sociologiques, se devait d'exclure l'à-peu-près, de récuser la surenchère ou la dépréciation artificielles. Aussi un nombre important d'artistes, d'hommes de cinéma, qui ont participé au développement du 7e *art dans le monde, qu'ils soient chinois ou ivoiriens, argentins ou portugais, grecs ou cinghalais, polonais ou finlandais, ont-ils ici leur place, à leur rang. Le refus de ce qui est différent a commencé de céder sous la poussée des festivals, des manifestations, des programmes d'art et essai, éveillant l'intérêt du public. Il nous est apparu primordial d'aider à une telle évolution, donc à l'accueil des cinémas à venir, par l'information comparée, commentée, situant sans préjugé et les hommes et les œuvres.*

*Le film, en effet, est comme toute création le produit d'une culture et d'un moment. Combien de cinéastes sont nés dans une entité depuis longtemps disparue, l'Autriche-Hongrie, et combien peu de cinéastes polonais, par exemple, ont eu la chance de naître et de vivre dans une Pologne libre ? À partir de 1932, la plupart des créateurs ont dû fuir devant le nazisme. Cet apport des cultures d'Europe centrale à la créativité, à la richesse du cinéma américain est considérable. Au contraire, on le verra dans ces pages, l'influence « hollywoodienne » sur les pays d'Amérique latine a le plus souvent été négative. En Chine, les guerres, puis le terrorisme idéologique ont mutilé la carrière de tous les grands acteurs, de tous les cinéastes importants. Si peu de temps qu'il ait duré, le néoréalisme, ce « mouvement » qui n'en était pas un, au sens d'école théorisante, a joué, longtemps encore après sa disparition, un rôle rénovateur (ou d'incitation) dans les pays les plus éloignés. De curieuses interactions ont eu lieu, d'autres se font jour encore. Des formes de récit cinématographiques se recopient ; d'autres, en Asie ou dans les ateliers de l'*underground*, sont soudain capables de nous étonner. Cette diversité, ces rapports ont été pris en compte. L'économie générale du livre propose donc un équilibre nouveau des valeurs sans, nous l'avons souhaité et nous y avons veillé, discrimination ni démagogie. Sans, non plus, nous le croyons, trop d'insuffisances.*

Pourtant, la connaissance du cinéma, art nouveau, industrie récente, demeure entachée d'incertitudes, sinon d'erreurs. Que d'œuvres perdues et détruites, et que de films plus que difficilement accessibles ! Plus on ouvre le champ de l'intérêt, plus les zones d'ombre s'étendent. Priorité des brevets, exactitude des génériques, intégrité des copies, état civil des personnes, il n'est rien qui ne fasse problème. Nous sommes bien éloignés du terrain balisé de la littérature. L'archivage est, comme la conservation des films, presque partout aléatoire. Bien peu d'œuvres ont été sauvées des productions indiennes et de celles du Japon pour les années antérieures à la Seconde Guerre mondiale... On comprendra que nous ayons partout préféré la prudence là où les documents font défaut.

Afin d'assurer (dans ces conditions d'inconfort « historique ») un maximum d'entrées biofilmographiques, on s'est efforcé de restreindre raisonnablement l'ampleur des articles consacrés aux sujets pour lesquels le lecteur, même non spécialiste, dispose déjà de travaux, de vulgarisation ou de référence. Le plus « connu » n'est donc pas privilégié. Qui, d'ailleurs, feindrait de croire que le succès du jour gage le futur ? Mais aussi, qui n'est porté à voir un rapport direct de la longueur d'un article à l'importance de l'œuvre ? Le principe n'est ni tout à fait faux, ni tout à fait vrai. Des inconnus du grand public ont souvent joué un rôle de premier plan ; d'autre part, bien des œuvres ne répondent plus à leur niveau de réputation. Il convenait donc de pondérer lignage et opinions, tout en respectant la sensibilité et l'argumentation de chacun des rédacteurs d'un ouvrage qui n'a pas été conçu comme un palmarès, mais comme un livre de référence s'ouvrant aussi largement que possible à une curiosité « plurielle », qu'il s'agisse du cinéma des pionniers d'hier ou du cinéma en train de se faire, ici même et dans le monde entier, sous les aspects les plus divers. On s'est efforcé d'en définir les limites comme les originalités, de faire connaître et comprendre les différences sans les ériger pour autant en valeurs absolues.

L'ampleur du panorama ainsi dessiné fait, par voie de conséquence, que les rapports et les perspectives peuvent paraître nouveaux. Si les cinémas d'Europe occidentale, et le cinéma américain, demeurent largement dominants, le lecteur verra qu'ils ne sont pas isolés au cœur d'un monde « indéchiffrable » jusqu'alors ignoré, qu'il s'agisse de l'Amérique latine ou de l'Orient. C'est dans le respect de ces réalités que nous avons travaillé.

Une entreprise de cette nature ne peut citer ses sources : on trouvera donc une orientation bibliographique en fin d'ouvrage, classée en fonction des entrées. *Écrire cependant que l'histoire du film ou que les travaux les plus connus sont des modèles de fiabilité scientifique équivaudrait, rappelons-le, à une politesse de pure forme. Témoignages et sources se contredisent à l'envi et charrient inlassablement les mêmes erreurs. Le présent dictionnaire n'en est sans doute pas exempt, et nous sommes par avance reconnaissants au lecteur qui prendrait la peine de nous les signaler.*

Une remarque encore, qui a trait à la finalité même de cet ouvrage.

Si, à son stade primitif, le cinéma eut la chance d'être adopté et popularisé par les forains, et, par ailleurs, littéralement colporté à mesure qu'il enregistrait l'événement – l'actualité – grâce à ses propres opérateurs, il ne parvint pas aisément à se faire admettre au rang des arts. « Art de saltimbanque » : il resta ainsi longtemps marqué, pour les meilleurs esprits, en dépit de la caution ou de la collaboration (heureuse ou malheureuse) de personnalités parfois prestigieuses. Dans plusieurs pays, il passa pour une émanation des pouvoirs infernaux ou plus simplement pour le repaire de gens de mauvaises mœurs. Il reste un objet de suspicion pour tout pouvoir politique autoritaire. Nous ne sommes pas certains que toutes les réticences, que toutes les incompréhensions soient tombées aujourd'hui encore. Mais la réprimande fameuse : « perdre son temps à lire ! » n'aurait-elle pas disparu des comportements – si elle en a disparu effectivement – que parce qu'on croit que les enfants ne lisent plus ? Ils voient des films – et la télévision. Nous aimerions qu'ils apprennent à voir le cinéma avec l'émerveillement des lecteurs de Jules Verne autrefois, ou avec celui d'un Élie Faure face à la naissance d'un art nouveau, le film, le seul des arts inventés depuis quelque deux mille ans et qui vient de fêter son premier siècle. S'il est une dette de l'esprit qu'on doive avouer, qu'on doive revendiquer ensemble en signant cet ouvrage, c'est bien à l'égard de la leçon, de la vision de Faure, de celle d'André Malraux, de Bela Balázs ou d'Eisenstein. Car ils furent parmi les premiers à concevoir et à situer le cinéma, dans son appartenance à une culture, à une réalité sociale, économique et politique, en tant qu'œuvre à part entière se devant de fonder, techniquement et esthétiquement, ses lois propres.

Le Comité de Rédaction

À L'ATTENTION DU LECTEUR

Entrées biographiques

Les biographies sont classées naturellement au patronyme usuel. Le ou les prénoms et le patronyme d'origine sont indiqués entre parenthèses ainsi que les dates et lieux de naissance et éventuellement de décès. On remarquera entre crochets les réserves qu'il convient de signaler [?] quant à l'exactitude des renseignements obtenus. Les modifications apportées par l'histoire récente à la toponymie et aux nationalités ont été mises en évidence. Il n'est pas indifférent, et il est même parfois essentiel, de pouvoir situer les hommes dans leur contexte historique, linguistique ou politique. Pour la Grande-Bretagne, on a précisé l'appartenance à l'Écosse, à l'Irlande (ou à l'Ulster), au pays de Galles ; les États sont indiqués pour l'Australie et l'Inde, les provinces pour le Canada et la Chine ; l'abréviation des États selon la liste ci-après suit toujours le nom des localités sises aux États-Unis ; d'une manière générale, on s'est efforcé d'éviter les sources de confusion, quitte à noter, si nécessaire, les États du Brésil ou les préfectures du Japon. Enfin, on s'est attaché à souligner l'appartenance aux différentes nationalités soviétiques (Azerbaïdjan, Géorgie, Ukraine, Estonie, Ouzbékistan, etc.) ou aux groupes linguistiques et culturels d'Asie et d'Afrique (hindi, malayalam, wolof...).

Translittération des noms et titres de films

La translittération des noms a tenu compte du souci du lecteur de retrouver aisément ceux que l'usage a imposés, mais que des systèmes récents transforment parfois radicalement.

URSS. Les noms russes sont classés selon l'ancienne graphie, la translittération nouvelle figurant cependant entre crochets. En revanche, le système recommandé par l'Organisation internationale de normalisation a été adopté pour les titres des films.

CHINE. Les noms et les titres chinois sont transcrits selon la méthode pinyin, mais le particularisme présenté par Hongkong crée quelques distorsions à cette règle.

PAYS ARABES. Les noms et les titres arabes présentent souvent de notables différences selon les ouvrages consultés. La francisation traditionnelle au Maghreb est en régression, mais on n'a pas cru devoir modifier l'usage. On s'est cependant efforcé de limiter à des indications essentielles (voyelles longues ā, ī, ū) les signes dont le lecteur n'a pas l'habitude ; les voyelles sont à peu près équivalentes en prononciation aux voyelles anglaises, langue qui donne d'ailleurs des noms arabes une transposition plus fidèle à l'oreille pour ce qui n'est pas le Maghreb (Muhammad au lieu de Mohamed).

JAPON. Les noms japonais obéissaient à un usage qui voulait que le patronyme précédât le prénom (Mizoguchi Kenji ou Kurosawa Akira par exemple). Cet usage se perd au profit du mode de présentation occidental, que nous avons adopté. Dans les notices biographiques, le prénom figure donc entre parenthèses à la suite du patronyme. La translittération choisie est celle qui est en usage universellement. Les voyelles longues sont repérables grâce à un tiret (*ā, ō, ū*). Il convient de savoir que le *u* doit être lu *ou* et que le *g* est toujours dur.

HONGRIE. Les noms hongrois obéissent, en ce qui concerne la place du patronyme et du prénom, à la même règle que les noms japonais.

Titres de films

Les titres des films étrangers, qu'ils apparaissent dans le corps des articles ou dans les filmographies, sont traités à partir des règles suivantes :

- le titre français *en usage* (c'est-à-dire adopté lors de la sortie « commerciale » du film) est toujours employé prioritairement ; il est suivi, dans le texte (s'il n'y a pas de filmographie ou s'il n'y est pas repris), du titre original entre parenthèses et de l'année de sortie du film ;
- si le titre de la version française n'a pas prévalu ou se révèle inutile, le titre original est seul utilisé (ex. : *Stazione Termini* ; *La dolce vita*) ;
- si, faute d'exploitation, un titre français n'a jamais été reconnu, on a conservé le titre original pour les langues suivantes, considérées comme les plus usuelles : anglais, allemand, espagnol, italien et portugais ;
- pour les autres langues, une traduction littérale est proposée et signalée par des guillemets anglais [“ ”] (qui évitent de prendre le titre pour une « citation » ou de le considérer comme usuel). Le lecteur ne doit cependant attribuer à ces guillemets qu'une valeur indicative : ils signalent moins une affirmation qu'une réserve. Il nous a semblé important, en effet, de ne pas créer de confusion entre une équivalence littérale et un titre passé dans l'usage. Il arrive cependant que la fréquence avec laquelle un film apparaît dans les histoires du cinéma et les ouvrages de référence, ou avec laquelle il est projeté dans les festivals et les rétrospectives, confère au titre français, à défaut de la reconnaissance d'une exploitation commerciale, une valeur définitive, auquel cas les guillemets anglais sont abandonnés.

Filmographies

Lorsqu'une filmographie est complète au dernier film cité, le signe ▲ apparaît :

- soit en fin d'article, lorsque tous les films sont inclus dans le texte ;
- soit à la suite du mot **Films** lorsque la filmographie comporte une liste exhaustive des films, y compris de ceux figurant dans le texte ;
- soit en fin de filmographie, lorsque celle-ci vient en complément des titres cités dans le texte (dans ce cas, la filmographie débute par la mention : Autres films).

Lorsque le signe ▲ n'apparaît pas, la filmographie est sélective.

Dans les articles consacrés aux cinéastes, tout film cité l'est sous son titre français, suivi, entre parenthèses, de son titre original et de sa date de sortie dans son pays d'origine. Dans les autres articles biographiques, seul le titre français apparaît (s'il existe ou si l'équivalence littérale s'impose), suivi entre parenthèses du nom du réalisateur et de la date de sortie du film dans son pays d'origine. Pour connaître le titre original d'un film, il suffit donc de se reporter à l'article consacré au cinéaste cité. Nous avons voulu éviter l'un des inconvénients majeurs que l'on rencontre dans de nombreux dictionnaires anglo-américains, qui, d'une part, n'indiquent pas toujours le titre original des films cités et, d'autre part, omettent le nom des cinéastes dans les filmographies d'acteurs ou de techniciens.

Une barre oblique (/) séparant les titres de films signifie que le film cité a été connu sous deux titres différents, soit deux titres dans la langue du pays producteur d'origine, soit deux titres dans deux langues différentes s'il s'agit d'une coproduction internationale ou encore de deux marchés différents.

En cas de production étrangère ou de coproduction, les noms des pays concernés sont indiqués au moyen de lettres-code.

Les téléfilms n'apparaissent dans un article que lorsqu'ils ont eu une importance particulière dans la carrière du cinéaste ou de l'acteur cité. Les filmographies complètes excluent donc (sauf exceptions) les films conçus pour une diffusion à la télévision et qui n'auraient pas connu ultérieurement d'exploitation en salle de cinéma.

Datation des films

Il est souvent très délicat de dater un film. Il faut choisir entre la date du début ou de la fin de tournage, celle du copyright, celle des premières projections privées, des présentations corporatives ou de gala, enfin celle de la première projection publique en salle. Nous avons opté pour cette dernière. Il peut arriver cependant que la sortie d'un film soit retardée pour des raisons diverses (décès, censure, événements historiques ou politiques ou tout simplement faute de distribution immédiate). Dans le cas où l'écart entre la finition et l'exploitation commerciale du film dépasse deux années, les deux dates sont signalées (la date de fin de tournage est indiquée par l'abréviation RÉ).

Rappelons l'incertitude et la fragmentation des données d'archives de l'histoire du cinéma. Si, pour certains pays, des renseignements fiables peuvent être aujourd'hui obtenus, pour d'autres, l'absence de documents précis nous a conduits à suivre les sources existantes à défaut de pouvoir toujours les vérifier.

Articles sur l'histoire des cinématographies nationales

L'astérisque (*) indique une entrée dans le dictionnaire à l'ordre alphabétique.

ABRÉVIATIONS USUELLES

ADAPT	Adaptation
ANIM	Film d'animation
ASS	Assistant
CHOR	Chorégraphe chorégraphie
CM	Court métrage
CO	En collaboration/ coréalisation/ coscénario/ cophotographie...
COMM	Commentaire
COUL	Couleur
DA	Dessin animé
DEC	Décor, décorateur
DIAL ou D	Dialogue, dialoguiste
DOC	Documentaire
D'AP	D'après, adapté de
INT	Interprète, acteur
LM	Long métrage
MM	Moyen métrage
MONT	Montage
MUS	Musique, musicien
PH	Directeur de la photo, chef opérateur, photographie
PR	Production, producteur
RÉ	Réalisation, réalisateur
SC	Scénario, scénariste
TH	Théâtre
ASS/RÉ	Assistant réalisateur
VF	Version française
VO	Version originale

ABRÉVIATIONS DES NOMS DE PAYS

AFRS	Afrique du Sud
ALB	Albanie
ALG	Algérie
ALL	Allemagne
ARG	Argentine
AUSTR	Australie
AUT	Autriche
BEL	Belgique
BOL	Bolivie
BR	Brésil
BULG	Bulgarie
CAM	Cameroun
CAN	Canada
CHIL	Chili
CHINE	Chine
CR	Costa Rica
CDI	Côte-d'Ivoire
DAN	Danemark
EG	Égypte
EQU	Équateur
ESP	Espagne
US	États-Unis
ETH	Éthiopie
FIN	Finlande
FR	France
GB	Grande-Bretagne
GR	Grèce
HK	Hongkong
HONG	Hongrie
INDE	Inde
INDON	Indonésie
IRL	Irlande
ISR	Israël
IT	Italie
JAM	Jamaïque
JAP	Japon
KOW	Koweït
LIB	Liban
MAD	Madagascar
MAL	Malaisie
MALI	Mali
MAR	Maroc
MAUR	Mauritanie
MEX	Mexique
NIC	Nicaragua
NOR	Norvège
NZ	Nouvelle-Zélande
PAK	Pakistan
PAN	Panamá
PAR	Paraguay
PB	Pays-Bas
PER	Pérou
PH	Philippines
POL	Pologne
POR	Portugal
RDA	Rép. démocr. all.
RFA	Rép. féd. d'All.
ROUM	Roumanie
SEN	Sénégal
SRL	Sri Lanka
SUE	Suède
SUI	Suisse
SYR	Syrie
TCH	Tchécoslovaquie
THAI	Thaïlande
TUN	Tunisie
TUR	Turquie
URSS	Union soviétique
URUG	Uruguay
VEN	Venezuela
VIET	Viêt-nam
YOUG/YU	Yougoslavie

ABRÉVIATIONS DES ÉTATS ET DISTRICTS DES ÉTATS-UNIS

(Ala.)	Alabama
(Alaska)	Alaska
(Ariz.)	Arizona
(Ark.)	Arkansas
(Ca.)	Californie
(N.C.)	Caroline du Nord
(S.C.)	Caroline du Sud
(Colo.)	Colorado
(Conn.)	Connecticut
(N.D.)	Dakota du Nord
(S.D.)	Dakota du Sud
(Del.)	Delaware
(D.C.)	Distr. de Columbia
(Fla.)	Floride
(Ga.)	Géorgie
(Haw.)	Hawaii
(Idaho)	Idaho
(Ill.)	Illinois
(Ind.)	Indiana
(Iowa)	Iowa
(Kans.)	Kansas
(Ky.)	Kentucky
(La.)	Louisiane
(Maine)	Maine
(Md.)	Maryland
(Mass.)	Massachusetts
(Mich.)	Michigan
(Minn.)	Minnesota
(Miss.)	Mississippi
(Mo.)	Missouri
(Mont.)	Montana
(Nebr.)	Nebraska
(Nev.)	Nevada
(N.H.)	New Hampshire
(N.J.)	New Jersey
(N.Y.)	New York
(N. Mex.)	Nouveau-Mexique
(Ohio)	Ohio
(Okla.)	Oklahoma
(Oreg.)	Oregon
(Pa.)	Pennsylvanie
(R.I.)	Rhode Island
(Tenn.)	Tennessee
(Tex.)	Texas
(Utah)	Utah
(Vt.)	Vermont
(Va.)	Virginie
(W. Va.)	Virginie-Occid.
(Wash.)	Washington
(Wis.)	Wisconsin
(Wyo.)	Wyoming

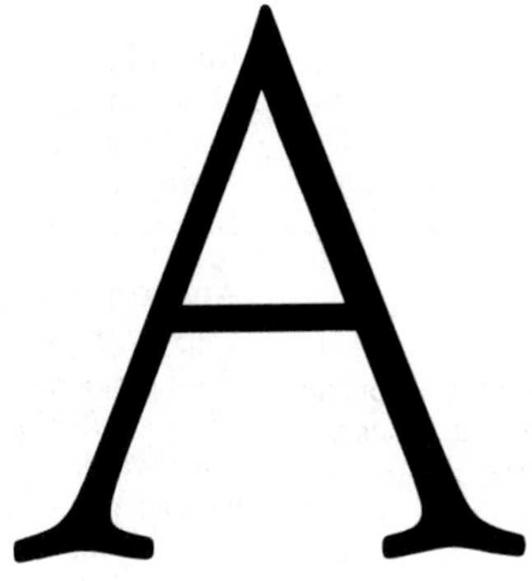

AAES *(Erik), décorateur danois (Nordby 1899 - Charlottenlund 1966).* Assistant décorateur à la Nordisk Film Kompagni et au Folkteatret à Copenhague, il collabore avec Sven Gade à Berlin de 1920 à 1922, puis vient en France, où il se lie avec les meilleurs réalisateurs de l'époque : Alberto Cavalcanti (*Yvette,* 1927 ; *En rade,* id. ; *la P'tite Lili,* 1928) et Jean Renoir (*la Petite Marchande d'allumettes,* 1928), pour lesquels il invente un univers décoratif baigné d'une poésie sans afféterie. De retour dans son pays, il travaille avec Carl Dreyer (*Dies irae/ Jour de colère,* 1943 ; *Ordet,* 1955), retrouve Cavalcanti à Vienne en 1956 pour son adaptation de Brecht (*Maître Puntila et son valet Matti,* 1956), puis épaule les deux chefs de file du *nouveau cinéma danois :* Palle Kjaerulff-Schmidt (*Week-End,* 1962) et, surtout, Henning Carlsen (*la Faim,* 1966), qui lui offre l'occasion d'achever sa carrière sur une superbe *recréation* d'atmosphère (Christiania, la capitale de la Norvège en 1890). J.-L.P.

AATON → CAMÉRA

ABATANTUONO *(Diego), acteur italien (Milan 1955).* Très célèbre en Italie où il fait figure de star, Abatantuono provient du cabaret où il a exercé ses talents dans le groupe des « Chats de la ruelle des miracles ». À partir de 1976, il tourne dans une vingtaine de comédies populaires qui lui valent un succès considérable malgré la médiocrité des films. Pressentant ses qualités de comédien, Pupi Avati lui donne sa vraie chance en 1986 avec *Regalo de Natale,* suivi en 1987, d'*Ultimo minuto* aux côtés d'Ugo Tognazzi. Repéré également par Luigi Comencini (*Un garçon de Calabre* [Un ragazzo di Calabria], 1987), il devient un acteur fétiche pour Giuseppe Bertolucci (*Strana la vita,* 1988 ; *I cammelli, id.*) et Gabriele Salvatores (*Marrakech Express,* 1989 ; *Strada blues,* 1990 ; *Mediterraneo,* 1991, *Puerto Escondido,* 1992). Désormais associé au succès de nombreux films (*Nel continento nero,* Marco Risi, 1993 ; *E arrivata la bufera,* D. Luchetti, *id.* ; *Per amore solo per amore,* Giovanni Veronesi, 1994 ; *Il toro,* C. Mazzacurati, *id.*), il réussit à imposer une personnalité généreuse d'homme extraverti à la façon méridionale. J.-A.G.

ABBADIE D'ARRAST *(Harry d'), cinéaste américain (Buenos Aires, Argentine, 1897 - Monte-Carlo 1968).* D'origine française basque, élève au lycée Janson-de-Sailly à Paris, Harry d'Abbadie d'Arrast, l'un des plus brillants auteurs de comédies cinématographiques à Hollywood dans les années 20, a connu une carrière météorique. Il arrive à Los Angeles en 1922, travaille avec Chaplin sur *l'Opinion publique* (1923), puis devient son assistant pour *la Ruée vers l'or* (1925). Il suit Adolphe Menjou à la Paramount et signe en 1927 un contrat de quatre films pour cette compagnie. Ce sont des comédies de mœurs élégantes, brillantes, au rythme nerveux et à la photographie chatoyante. On y sent l'influence de Lubitsch et du Chaplin de *l'Opinion* *publique.* Après ce carré d'as (*Service for Ladies, A Gentleman of Paris, Serenade,* 1927 ; *The Magnificent Flirt,* 1928), il tourne encore *Dry Martini* (1928), *Raffles* (non crédité et terminé par George Fitzmaurice), *Laughter* en 1930, *Topaze* en 1933. Malgré l'accueil chaleureux du public et de la critique, d'Arrast se voit éloigné de Hollywood par des producteurs avec qui il entrait souvent en conflit. Il tourne *The Three Cornered Hat* (1934) en Espagne d'après Alarcón. Après la guerre, il s'installe sur la Côte d'Azur, où il meurt vingt ans plus tard, oublié de tous. M.C.

ABBAS *(Khwaja Ahmad), cinéaste indien (Pānīpat, Pendjab* [auj. *Haryana*], *1914 - Bombay 1987).* D'abord journaliste de cinéma au *Bombay Chronicle,* il fonde l'Association théâtrale du peuple indien (IPTA), qui monte des pièces et produit des films à préoccupations sociales. Marqué par l'agitation de masse de son temps, influencé par Upton Sinclair et John Steinbeck, il se veut socialiste sans parti. Tous ses films, sans cesser d'être des mélodrames, abordent des thèmes sociaux ou politiques (la famine, l'enfance abandonnée, l'irrigation, les luttes de libération nationale), mais aucun n'a obtenu le succès de ceux qu'il a écrits pour Raj Kapoor : *'le Vagabond'* (1951), *'Monsieur 420'* (1955), *'Dans l'ombre de la nuit'* (1957) ou *Bobby* (1978). Langue : hindi. H.M.

Films : *'les Enfants de la terre'* (*Dharti Ke Lal,* 1946) ; *'l'Enfant perdu'* (*Munna,* 1954) ; *'l'Étranger'* (*Pardesi,* 1957 ; coprod. avec Mosfilm [URSS]) ; *'le Rêve et la Cité'* (*Gyarah Hazaar Ladkiyan,* 1962) ; *'Bombay en pleine nuit'* (*Bombai Raat Ki Bahon Mein,* 1968) ; *'Sept Indiens'* (*Saat Hindustani,* 1969) ; *'Deux Gouttes d'eau'* (*Do Boond Pani,* 1971) ; *The Naxalites* (1980).

ABBOTT *(George), cinéaste américain (Forestville, N. Y., 1887 - Miami Beach, Fla., 1995).* Son activité d'auteur et de metteur en scène à Broadway est très novatrice : *On Your Toes* (1936) élargit le rôle du ballet, *Pal Joey* (1940) invente un ton effronté, *On the Town* (1944) modernise l'image de la ville. Ces trois comédies musicales inspireront Hollywood. Le film de Paul Fejos, *Broadway* (1929), doit son pathos au livret dont Abbott est le coauteur. Il réalise lui-même *Why Bring That Up ?* (1929) et l'adaptation de trois pièces qu'il a montées : *Too Many Girls* (1940) et, en collaboration avec Stanley Donen, *Pique-Nique en pyjama* (*The Pajama Game,* 1957) et *Damn Yankees* (1958). A.M.

ABBOTT *(William,* dit *Bud)* [*Asbury Park, N. J., 1895 - Los Angeles, Ca., 1974*] et **COSTELLO** *(Louis Francis Cristillo,* dit *Lou)* [*Paterson, N. J., 1906 - Beverly Hills, Ca., 1959*], *acteurs américains.* Abbott, le faire-valoir, est maigre et intraitable ; Costello, le bouffon, gros et niais. Rodé au théâtre et à la radio, leur comique se fonde sur des situations absurdes et une folle mécanique verbale. *Buck Privates* (A. Lubin, 1941) et *Pardon My Sarong* (E. C. Kenton, 1942) sont de grands succès du box-office. *Deux Nigauds contre Frankenstein* (*Abbott and Costello Meet Frankenstein* de Charles Barton, 1948) leur ouvre une voie nouvelle, celle de la parodie ; une longue série s'ensuivra. A.M.

'ABD AL-WAHHĀB *(Fātin), cinéaste égyptien (1913-1972).* Assistant dès 1934 aux récents studios Miṣr du Caire, il y réalise en 1948 son premier film, *Nādiyā.* Le succès de *'la Maison hantée'* (*Bayt al-'achbāh,* 1951) incite les producteurs à exploiter l'acteur comique Ismā'īl Yasīn. Une fois dégagé de ces films en série, 'Abd Al-Wahhāb s'oriente vers une comédie de mœurs souvent heureuse, même si elle doit sacrifier aux conventions, chant, danse et star system. S'il rappelle Niyāzī Muṣṭafā, il a plus d'ironie et d'élégance. Ses satires narquoises d'une société satisfaite et crédule (*'Ma femme est PDG'* [*Imra'atī mudīr 'ām*], 1965) ou ses comédies légères à la René Clair (*'le Fantôme de ma femme'* [*'Ifrītu mra'atī*], 1968) lui confèrent une place particulière dans les cinémas arabes. Il a signé plusieurs sketches et 53 longs métrages, dont *'Mademoiselle Hanafī'* (*al-Anīsa Ḥanafī,* 1954), *'la Treizième Épouse'* (*az-Zawja ath-thālitha 'achar,* 1961), *'les Trois Cavaliers'* (*al-Fursān ath-thalātha, id.*), *'Renvoyé du paradis'* (*Ṭarīdu al-Firdaws,* 1964), *'Terre de mensonge'* (*Arḍu an-nifāq,* 1968), *'Sept Jours au paradis'* (*Sab'atu ayyām fi aj-Janna,* 1969), *'les Mensonges d'Ève'* (*Akādhību Hawwā,* 1970), *'le Fiancé de ma mère'* (*Khaṭīb māmā,* 1971) et *'les Lumières de la ville'* (*Aḍwā al-madīna,* 1972). C.M.C.

'ABD AS-SALĀM *(Shādī), cinéaste égyptien (Alexandrie 1930 - Le Caire 1986).* Diplômé en architecture (Beaux-Arts du Caire), il s'oriente vers le cinéma : assistant décorateur (*Cléopâ-*

tre, de Mankiewicz) ; directeur artistique (*Pharaon,* de Kawalerowicz ; *Lutte pour la survie,* de Rossellini, film de la RAI). Réalise *la Momie* (*al-Mūmiyā',* 1969), dont la sobre beauté et le regard porté sur l'Égypte étonnent. Primé plusieurs fois, le film attend dix ans une sortie bâclée au Caire. Directeur du Centre expérimental du film dès sa création (1968), il y enseigne et pratique une conception exigeante du cinéma : *le Paysan éloquent* (*al-Fallāh al-faṣīḥ,* 1970, CM), *les Armées du soleil* (*Juyūsh ash-Shams,* 1975), *la Chaise* (*Kursi Tūt 'Amnakh Amūn adh-dhahabī,* 1982). C.M.C.

ABDRACHITOV *(Vadim)* [*Vadim Jusupovič Abdrašitov*], *cinéaste soviétique (Kharkov 1945).* Diplômé en 1967 de l'Institut technique de chimie de Moscou, il travaille d'abord dans une usine d'électronique puis aborde le cinéma au début des années 1970. Élève de Mikhail Romm et Lev Koulidjanov, il réalise en 1974 son film de diplôme *'Arrêtez Potapov' (Ostanovite Potapova).* On remarque dans ses films suivants, dont les scénarios sont écrits en collaboration avec Aleksandr Mindadze un non-conformisme évident et une propension à décrire la réalité sociale sans masques ni mensonges : *la Parole est à la défense (Slovo dlja zaščity,* 1976), *le Tournant* (*Povorot,* 1978), *'la Chasse aux renards'* (*Ohota na lis,* 1980), *le Train s'est arrêté* (*Ostanovilsja poezd,* 1982), *le Défilé des planètes* (*Parad planet,* 1984), *Plioumboum* (*Pljumbum ili opasnaja igra,* 1986), *le Valet/le Domestique* (*Sluga,* 1989), *Armavir id.,* 1991), *Pièce pour un passager (Pjesa dlja passažira,* 1995). J.-L.P.

ABE *(Yutaka), cinéaste japonais (préf. de Miyagi 1895 - Tōkyō 1977).* Durant un long séjour (de 1912 à 1925) à Hollywood, il suit des cours d'acteur, travaille avec Sessue Hayakawa et tient de petits rôles, sous le nom de Jack Abe, dans des films de Thomas Ince, Cecil B. De Mille et d'autres. De retour au Japon, il tourne de très nombreuses comédies *à la Lubitsch,* parmi lesquelles son plus grand succès, maintes fois repris, *'la Femme qui toucha les jambes'* (*Ashi ni Sawatta Onna,* 1926). Il réalise environ cinq films par an pendant les années suivantes, dont plusieurs de tendance nationaliste comme *'le Ciel en flammes'* (*Moyuru Ozora,* 1940) ou *'le Bouquet des mers du Sud'* (*Nankai no Hanataba,* 1942). Malgré les purges de l'après-guerre, il poursuivra sa carrière jusqu'en 1961. M.T.

ABEL *(Alfred), acteur allemand (Leipzig 1879 - Berlin 1937).* Après divers métiers, il se consacre au théâtre et, dès 1913, au cinéma sous l'impulsion d'Asta Nielsen. Parmi les nombreux films qu'il a tournés, on ne peut guère retenir que ses collaborations avec Fritz Lang (*Docteur Mabuse, Metropolis)* et avec Murnau *(la Terre qui flambe, Phantom, les Finances du grand-duc).* Il y a imposé un personnage élégant et distingué, toujours plein de dignité et d'humanité et souvent condamné à être la victime des *méchants.* On l'a vu aussi dans *l'Argent* de L'Herbier et dans le pamphlet antimilitariste *la Mort invisible* de Mikhaïl Doubson. Il a réalisé lui-même trois films : *Narkose* (1929), *Glückliche Reise* (1933) et *Alles um eine Frau* (1935), où l'on décèle l'influence des grands maîtres avec lesquels il a travaillé, Murnau et Lang. M.M.

ABERRATION. Défaut susceptible d'affecter l'image fournie par un objectif : *aberration chromatique, aberration de sphéricité,* etc. (→ OBJECTIFS.)

ABOULADZÉ *(Tenguiz)* [*Tengiz Evgen'evič Abuladze*], *cinéaste soviétique (Koutaisi, Géorgie, 1924 - Tbilissi 1994).* Avec son ami Revaz Tchkheidze, dont la carrière se confondra avec la sienne jusqu'en 1956, il étudie à l'Institut théâtral de Tbilissi, puis au VGIK de Moscou (sous la houlette de Mikhail Romm et de Sergueï Youtkevitch). Leur diplôme de fin d'études est un documentaire sur un grand compositeur géorgien : Dimitri Arakichvili (*Dimitrij Arakišvili,* 1952). Quatre ans plus tard, ils cosignent un moyen métrage, *l'Âne de Magdana* (*Lurdža Magdany*), dont les qualités de fraîcheur et de sensibilité sont les signes avant-coureurs d'une renaissance du cinéma géorgien, dont ils seront effectivement, l'un comme l'autre, les principaux artisans. Abouladze poursuit sa carrière en tournant désormais seul *'les Enfants d'une autre'* (*Čužie deti,* 1958) puis *'Moi, grand-mère, Iliko et Illarion'* (*Ja, babuška, Iliko i Illarion,* 1963). En 1968, il réalise un film poétique et symbolique, *l'Incantation* ou *la Prière (Mol'ba),* qui se réfère à l'œuvre du poète national Važa Pšavela. Après le documentaire *'Un musée sous le ciel'* (*Muzej pod otkrytym nebom,* 1972), il tourne *'Un collier pour ma bien-aimée'* (*Ožerel dlja moej ljubimoj,* 1973) puis *l'Arbre du désir* (*Drevo želanija,* 1976), une parabole philosophique qui dépeint avec brio et sympathie l'âme populaire géorgienne. En 1987, il obtient le Prix spécial du jury à Cannes pour *Repentir* (*Pokajanie,* 1986 [RÉ 1984]), violente satire contre la dictature en général et celles de Staline et Beria en particulier dont le retentissement fut considérable en URSS et qui apparut ensuite dans tous les pays du monde comme l'un des films marquants de la perestroïka de Gorbatchev. ▲ J.-L.P.

ABRAHAM *(Fahrid Murray,* dit *F. Murray),* acteur américain *(Pittsburgh, Pa., 1939).* Quand F.M. Abraham obtint l'oscar pour sa création magistrale du tragique Salieri, rongé de jalousie et de remords, dans *Amadeus* (M. Forman, 1984), beaucoup se sont demandé d'où il sortait. Il avait cependant une carrière cinématographique et théâtrale conséquente : il avait débuté en 1971 et avait déjà joué les seconds couteaux dans *Scarface* (B. De Palma, 1983). Depuis, dans *le Nom de la rose* (J.-J. Annaud, 1986) ou dans *le Bûcher des vanités* (B. De Palma, 1990), il a continué d'afficher la même discrétion et le même talent. Au milieu de prestations toujours inventives, même si le rôle relève du cliché (sombre traître, très souvent, comme dans *Last Action Hero,* John McTiernan, 1993), retenons le mystérieux professeur d'escrime de *Par l'épée* (*By the sword,* J. P. Kagan, 1993), figure d'abord sombre puis émouvante, et toujours discrète, comme F. Murray Abraham lui-même. C.V.

ABRIL *(Victoria Merida Rojas,* dite *Victoria), actrice espagnole (Madrid 1959).* Depuis son apparition mémorable en baigneuse nue dans *la Fille à la culotte d'or* (V. Aranda, 1979), elle n'a cessé d'incarner à l'écran les brunes brûlantes et désirables (*la Hora Bruja,* J. de Armiñan, 1985 ; *Attache-moi,* P. Almodovar, 1990). Mais, outre sa sensualité naturelle, qu'elle sait bien mettre en valeur, elle possède l'étoffe d'une comédienne sensible, particulièrement douée pour les rôles dramatiques (*Mater amatisima,* Josep A. Salgot, 1980). Grande vedette en Espagne (*Padre nuestro,* Francisco Regueiro, 1985 ; *La noche más hermosa,* M. Gutiérrez Aragón, *id. ; Amantes,* V. Aranda, 1991 ; *Talons aiguilles,* P. Almodovar, *id. ; Kika, id.,* 1993), elle tourne aussi régulièrement en France *(la Lune dans le caniveau,* J.-J. Beineix, 1983 ; *Une époque formidable,* G. Jugnot, 1991 ; *Casque bleu, id.,* 1994 ; *Gazon maudit,* J. Balasko, 1995). A.F.

ABSTRAIT (cinéma). Toute forme de cinéma qui délaisse peu ou prou l'aptitude de l'image à représenter (voire simplement à évoquer) des êtres ou des objets reconnaissables. Paradoxalement – car c'est ce pouvoir *mimétique,* accru par le mouvement, qui avait paru à ses premiers spectateurs la principale vertu du cinématographe –, le cinéma abstrait (ou *non figuratif, non représentatif, non objectif*) va passer dès les années 20 pour la quintessence du cinéma, pour le cinéma le plus *pur.*

C'est qu'il fait, dans son dépouillement, ressortir deux caractères plus spécifiques encore du cinéma : l'un d'être un art du rythme visuel, l'autre d'être un art de la lumière. Autre paradoxe : cette problématique du cinéma *pur,* qui prétend libérer le cinéma de ce qui n'est pas essentiellement lui et donc de la tutelle des autres arts (et qui consiste en fait à l'écarter du roman ou de la peinture figurative pour le rapprocher de la musique), est d'abord une problématique de peintres et ne peut se dissocier du grand mouvement qui, entre 1908 et 1914, fait sortir de l'ère de la représentation la peinture d'un Kandinsky, d'un Mondrian, d'un Delaunay... ou d'un Arnaldo Ginna. Car le coréalisateur en 1910, avec Bruno Corra son frère, du premier film abstrait a peint dès 1908 deux toiles non figuratives. Cherchant à créer des *thèmes chromatiques* qui soient au tableau abstrait ce qu'un thème musical est à un simple accord, les frères Corradini fabriquent d'abord un *piano chromatique* (dont les 28 touches correspondent à 28 ampoules colorées). L'insuccès de cette tentative les conduit au cinématographe, et ils réalisent entre 1910 et 1912 des sortes de ballets de formes colorées directement peints sur la pellicule (ce que fait, semble-t-il, de son côté, en 1911, l'Allemand Hans Stoltenberg). Un autre peintre, Léopold Survage, avec un point de départ *musicaliste* du même genre, peint entre 1912 et 1914 une centaine de cartons destinés à donner, filmés un par un, des *Rythmes colorés.* La guerre fait échouer son projet. En 1915, parallèlement à la conception de *Vita futurista* (réalisé par Ginna), qui comprend, entre autres, un passage semi-abstrait de jeux de lumière et, croit-on, un passage peint sur la pellicule, les futuristes publient le manifeste *la Cinématographie futuriste,* dont plusieurs propositions – « symphonies de couleurs, de lignes » , « drames d'objets», «reconstructions irréelles du corps humain», «équivalences linéaires, plastiques, chromatiques (...) de sentiments, de poids, d'odeurs», «drames de lettres humanisées» , «drames géométriques» – annoncent bon nombre des créations futures du cinéma abstrait. D'autres sont également sur cette piste : le Russe El Lissitzky, le Hongrois Vilmos Huszar, l'Anglais Duncan Grant et l'Allemand Werner Graeff, ces deux derniers travaillant sur des rouleaux. Mais aucun n'aboutit alors et, comme les films futuristes ont disparu, les seuls fragments de cinéma abstrait antérieurs aux années 20 qui subsistent aujourd'hui sont quelques plans filmés dans des miroirs déformants par Abel Gance en 1915 *(la Folie du Dr Tube).* En fait, les plus anciens films entièrement abstraits que nous ayons sont les premières œuvres du Suédois Viking Eggeling et des Allemands Hans Richter, Walter Ruttmann et Oskar Fischinger. Dans ses *Opus,* Ruttmann – qui fut sans doute le premier des quatre à montrer une œuvre terminée, en 1921 – utilise peinture sur verre, dessins et découpages, tandis que Eggeling filme des formes d'abord dessinées sur rouleaux (*Diagonale Symphonie,* sans doute finie en 1924). Les deux autres vont élargir techniques et perspectives : tandis que Richter (*Rythmus 21, 23* et *25,* après 1924) fait, dans *Filmstudie* (1926), de l'abstraction avec des objets concrets – comme parfois Gance dans *la Roue* (1921-1923) –, Fischinger, retrouvant le souci des Castel, Scriabine, Baranoff-Rossiné et autres créateurs de pianos optiques, s'intéresse aux rapports des formes abstraites avec la musique (*Studien,* 1929-1934). Après la montée du nazisme, tous deux émigrent aux États-Unis, y fécondant un cinéma expérimental où les films abstraits existent déjà (*H_2O,* de Ralph Steiner, 1929 ; *Rhythm in Light,* de Mary Ellen Bute, 1936 ; *Fantasmagoria I,* de Douglas Crockwell, 1938). À ce moment-là, les œuvres abstraites ou semi-abstraites sont surtout faites, on l'a vu, en Allemagne (où, en outre, Moholy Nagy filme en 1930 son modulateur luminocinétique dans *Jeu de lumière noir, blanc, gris*), en France (Man Ray, Léger, Duchamp, Chomette), en Angleterre (Len Lye, Blakeston et Bruguière, McLaren), en Italie (Corrado d'Errico, Veronesi) et en Pologne (Szczuka, Franciszka et Stefan Thermerson). La situation change après 1940 : excepté Hains, La Villeglé, Hy Hirsch, Mitry, Breer et les lettristes en France ou Kubelka en Autriche, la plupart des cinéastes utilisant l'abstraction travaillent au Canada (McLaren) ou aux États-Unis (Grant, Harry Smith, Belson, les frères Whitney, Tony Conrad, Paul Sharits), du moins avant le renouveau expérimental européen des années 70-80. Les nouvelles problématiques (cinéma *structurel* ou *minimal,* cinéma *élargi*), qui font porter en quelque sorte l'abstraction sur le processus filmique lui-même, l'étendent à presque tous les films expérimentaux et rendent alors plus difficile la distinction entre cinéma abstrait et cinéma non abstrait, déjà dépassée dans les années 20 par la complexité d'œuvres mixtes : *Ballet mécanique* de Léger (1924) ou *Emak Bakia* de Man Ray (1927). C'est qu'il est divers degrés dans la non-figurativité et divers moyens d'y atteindre : radicalement, en filmant des cartons monochromes et en obtenant des clignotements, ou même, sans caméra, en faisant alterner pellicule vierge et amorce noire, voire en utilisant le seul faisceau du projecteur (Kubelka, Conrad, Iimura, McCall). Ou bien en faisant paraître des dessins abstraits filmés image par image (Eggeling), obtenus par ordinateur (Whitney) ou directement tracés sur la pellicule (Lye). Mais on peut aussi – comme Mondrian passant peu à peu des arbres et de la mer de Domburg à des oppositions de verticales et d'horizontales pures – partir du concret pour fixer ce que celui-ci porte d'abstrait ou pour brouiller ses apparences. La première voie va des cadrages appliqués à ne garder que les formes géométriques d'un mur ou les taches de couleur régulières d'une frondaison jusqu'au *cinéma pur,* qui, dans *la Roue* de Gance, chez Chomette, dans les derniers Dulac et les premiers Ivens, ne fait que mettre en rythme, par le montage, des objets ou des êtres identifiables. La seconde voie ne nous fait pas moins entrer en coquetterie avec le monde, puisque (chez Brakhage, par exemple) ce sont des vues tout à fait figuratives que perturbent, pour retrouver la diaprure d'une vision préconceptuelle, la sur- ou la sous-exposition, les filtres, le flou, l'accéléré, le filé, le zoom brusque, la surimpression, le négatif, le filmage image par image ou l'intervention directe sur la pellicule. C'est peut-être que le cinéma est inévitablement lié au monde visible. À condition d'admettre que le visible n'est qu'un équilibre de l'esprit entre la sensation brute qu'il élabore et l'intelligible auquel il aspire. Le cinéma abstrait, qui explore ces deux *invisibilités,* trouve là sa réelle justification. D.N.

ABŪ SAYF *(Ṣalāḥ), cinéaste égyptien (Le Caire 1915).* Il poursuit tout d'abord des études commerciales ; après un début aux usines textiles Miṣr, passionné par le cinéma, il réussit à se faire affecter aux studios Miṣr créés par le même groupe bancaire grâce à Niyāzī Muṣṭafā. Au cours de son apprentissage de monteur, il rencontre Wafīqa Abū-Gabal, qu'il épouse ; elle sera la monteuse de la plupart de ses films. Après un voyage de formation en Europe (1939), il devient assistant réalisateur de Kamāl Sālim sur *la Volonté.* Son premier film, en 1946, est un remake de *Waterloo Bridge* (M. LeRoy), et le succès lui vient assez vite avec une œuvre inspirée par les figures de *Antar et Abla,* inusables héros de la production égypto-libanaise. Mais, en adaptant très librement *Thérèse Raquin,* de Zola, sous le titre *'Ton jour viendra'* (1951), et avec *'le Contremaître Hassan'* (1952), il amorce l'orientation fondamentale à laquelle il sera fidèle : le réalisme. Si ses précurseurs sont bien Kamāl Sālim ou Muḥammad Karīm, on peut discerner dans ses origines modestes (il est né dans le quartier très populaire de Bulaq), comme dans la découverte du réalisme poétique français de Carné et de Renoir, les vraies sources de son esthétique et de ses intentions. Habilement, il impose une mutation, non pas une rupture. Le recours à un support littéraire est une constante du film égyptien, et Abū Sayf y souscrit en travaillant à partir de romans ou d'œuvres théâtrales, de scénarios commandés à des écrivains, notamment à Nagīb Maḥfūẓ. L'importance consentie aux dialogues sous-tend une œuvre par ailleurs attentive aux pouvoirs expressifs de l'image et aux ressources offertes par le son et le montage, sans pour autant rompre avec les habitudes du public oriental.

Mais, cinéaste de studio par goût, Abū Sayf exige des reconstitutions minutieuses (les halles du Caire pour *le Costaud*), réalistes et parfois d'une réelle beauté plastique *(Le porteur d'eau est mort).* L'exactitude est chez lui le premier élan de l'imagination. Décors, gestes, costumes, graffiti sont étudiés avec soin. Sa direction d'acteurs s'emploie à rendre crédibles des vedettes dans des rôles et des caractères populaires, humbles, voire comiques. Fātin Ḥamāma, Sanā Gamīl (la sœur sacrifiée dans *le Commencement et la Fin*), Su'ād Husnī, Farīd Shawqī, entre autres, doivent beaucoup à cette exigence d'authenticité souvent ignorée dans les studios cairotes. Dès lors s'affirmait un réalisme ouvert sur des mondes cachés : trafics des mandataires des halles ; trafics de protections autour d'un arriviste *(Le Caire 30),* aux expressions de la sexualité féminine en butte aux interdits (*'Jeunesse d'une femme',* 1956) ou aux bons plaisirs de l'homme (*la Seconde Épouse,* avec Su'ād Husnī et Sanā Gamīl).

Ainsi le cinéma égyptien se trouve-t-il porté, sur un terrain dramatique neuf et riche, à une critique violente ou pleine d'humour *(le Procès 68).* C'était une des conditions d'un renouveau que parut d'abord cautionner le régime nassérien, et Abū Sayf va diriger l'Organisme général du cinéma de 1963 à 1965. Il y a, de fait, dans *le Commencement et la Fin* (1960) une vision mélodramatique mais sociologiquement précise, de la fragilité de cette petite bourgeoisie ambitieuse et sans ressources d'où sont issus, pour une grande part, les « Officiers libres » qui renversèrent la monarchie (1952). Mais l'ironie du *Procès 68* (adapté d'une pièce de Lutfī al-Khūlī) fut mal reçue par le pouvoir au lendemain de la défaite de 1967. Jusqu'au *Porteur d'eau est mort* (1978), élégie sur la mémoire au cœur même du vieux Caire, et dont la sensibilité et la tonalité sont uniques dans les cinémas arabes, l'œuvre marque, sinon un temps d'arrêt, du moins une chute de qualité thématique et stylistique *(les Bains de Malatili ; le Menteur),* liée sans doute au revirement du pouvoir dans ses rapports avec le cinéma (→ ÉGYPTE).

Sa carrière, qui est une leçon de professionnalisme, lui vaut aujourd'hui la réputation d'un maître. Auteur d'une *Aube de l'islām* honnête et solide, il se verra confier en Iraq une superproduction historique, *al-Qadisiyya* (1981). Mais son classicisme demeure ouvert, dans le cadre de son public. Avec plus de complexité et de conviction que Barakāt, il a mis en lumière le statut de la femme égyptienne ; il a su dégager l'érotisme des séquences de danse qui l'isolaient et le déviaient, en en suggérant la force et le rôle par le regard, le recadrage, voire la musique. Il a véritablement imposé le réalisme, et les thèmes sociopolitiques sont nombreux dans son œuvre, miroir humaniste (mais non privé d'humour) de l'Égypte contemporaine. Esthétiquement, il s'est nourri de Fritz Kramp, du meilleur Ahmad Badrakhān, du réalisme poétique français (préfigurant au Caire le néoréalisme encore à venir), réussissant un mariage souvent heureux du verbe et de l'image. Il a produit ou coproduit une grande part de ses films. C.M.C.

Films ▲ : *'Dans mon cœur à jamais'* (*Dā' iman fī qalbī,* 1946) ; *'le Vengeur'* (*al-Muntaqim,* 1947) ; *les Aventures d'Antar et Abla* (*Mughāmarāt ' Antar wa 'Abla,* 1948) ; *'Rue du Polichinelle'* (*Shāri' al-Bahlawān,* 1949 ; *'le Faucon'* (*as-Saqr,* 1950) ; *'L'amour est scandaleux'* (*al-Hubb bahdhala,* 1951) ; *'Ton jour viendra !'* (*Lak yūm yā zālim,* id.) ; *'le Contremaître Hassan'* (*al'-ust'ā Ḥasan,* 1952) ; *'Raya et Sekkina'* (*Rayā' wa Sakīna,* 1953) ; *le Monstre* (*al-Wahsh,* 1954) ; *'Jeunesse d'une femme' ('la Sangsue')* [*Shabāb imra'a,* 1956] ; *le Costaud* (*al-Futuwwa,* 1957) ; *'l'Oreiller vide'* (*al-Wisāda al-Khāliyya,* id.) ; *'Nuit sans sommeil'* (*Lā anām,* id.) ; *'Voleur en vacances'* (*Mujrim fī ijāza,* 1958) ; *'l'Impasse'* (*at-Tarīq al-masdūd,* id.) ; *'C'est ça l'amour'* (*Hādha huwwa al-ḥubb,* id.) ; *Je suis libre* (*Anā ḥurra,* id.) ; *Entre ciel et terre* (*Bayna as-samā' wa al-arḍ,* 1959) ; *'Splendeur de l'amour'* (*Law'a al-hubb,* 1960) ; *'les Filles de l'été'* (*al-Banāt wa as-sayf,* sketch, id.) ; *le Commencement et la Fin* ou *Mort parmi les vivants* (*Bidāya wa nihāya,* id.) ; *'N'éteins pas le soleil'* (*Lā tut'fi' ash-shams,* 1961) ; *'Lettre d'une inconnue'* (*Risāla min imra'a majhūla,* 1962) ; *'Pas de temps pour l'amour'* (*Lā waqt lil-ḥubb,* 1963) ; *Le Caire 30* (*al-Qāhira thalāthīn,* 1966) ; *la Seconde Épouse* (*az-Zawja ath-thāniyya,* 1967) ; *le Procès 68* (*al-Qadiyya 68,* 1968) ; *'Trois Femmes'* (*Thalāth nisā',* sketch, 1969) ; *'Une certaine douleur'* (*Shay'un min al-'adhāb,* id.) ; *l'Aube de l'islām* (*Fajr al-Islām,* 1970) ; *les Bains de Malatili* ou *Une tragédie égyptienne* (*Hammām al-Malātītī,* 1973) ; *'le Menteur'* (*al Kadhdhāb,* 1975) ; *'Première Année d'amour'* (*Sana ūlā ḥubb,* sketch, 1976) ; *'Dans un océan de miel'* (*Wa saqaṭ'at fī baḥr min al-'asal,* id.) ; *Le porteur d'eau est mort* (*as-Saqqā' māt,* 1977) ; *al-Qadisiyya* (1981) ; *l'Empire de Satan* (*al-Bidaya,* 1988).

ACADEMY → ce mot. → aussi BANDE PASSANTE, ÉGALISATION.

ACADEMY AWARD → OSCAR.

ACADEMY OF MOTION PICTURE ARTS AND SCIENCES, association américaine fondée en 1927 et comptant en 1980 plus de 3 000 membres, admis sur invitation (réalisateurs, producteurs, acteurs, directeurs de la photographie, décorateurs, monteurs, compositeurs, scénaristes, etc.). Surtout connue par le fait qu'elle décerne annuellement les *Oscars,* cette association contribue également à la définition des standards techniques du cinéma. En particulier, la *courbe Academy,* déterminée au début des années 40 à partir d'une statistique portant sur un certain nombre de salles américaines, sert de référence quasi universelle pour la projection des films à piste sonore optique : la bande sonore de ces films est élaborée – notamment aux niveaux du mixage et de l'établissement du négatif son – en faisant l'hypothèse que la courbe de réponse des salles (→ BANDE PASSANTE) sera conforme à la *courbe Academy.* Cette conformité est assurée dans la salle appartenant à l'Academy elle-même, en sorte qu'on peut aussi bien définir la *courbe Academy* comme la courbe de réponse de cette salle *de référence.* J.-P.F.

ACCÉLÉRÉ. Truquage rendant les mouvements plus rapides sur l'écran qu'ils ne le sont à la prise de vues. (→ EFFETS SPÉCIAUX, TIRAGE.)

ACCESSOIRISTE. Technicien chargé de fournir et de préparer les accessoires de décors, et éventuellement de les entreposer.

ACÉTATE. *Acétate de cellulose,* constituant des supports de sécurité. (Voir aussi TRIACÉTATE.)

ACHARD *(Marcel), écrivain et scénariste français (Sainte-Foy-lès-Lyon 1899 - Paris 1974).* Auteur dramatique, il collabore entre 1935 et 1950 à de nombreux films qui gardent un charme après avoir obtenu du succès : *Mayerling* (A. Litvak, 1936), *l'Alibi* (P. Chenal, 1937), *Gribouille* et *Orage* (M. Allégret, 1938), *l'Étrange Monsieur Victor* (J. Grémillon, *id.*), *Félicie Nanteuil* (M. Allégret [RÉ, 1942], 1945), *Madame de* (Max Ophuls, 1953). Il avait travaillé avec Lubitsch (*la Veuve joyeuse,* 1934) et avec Del Ruth pour la version française de *Folies-Bergère* (1935). Après Jean Choux (1931), il porte lui-même sa pièce *Jean de la Lune* à l'écran (1949). On lui doit aussi, en tant que réalisateur, *la Valse de Paris* (1950). R.C.

ACHROMATIQUE. Se dit d'un objectif corrigé de l'aberration chromatique. (→ OBJECTIFS.)

ACHTERNBUSCH *(Herbert), écrivain et cinéaste allemand (Munich 1938).* D'abord peintre, il a écrit une dizaine de livres (romans et nouvelles) depuis 1969 et des pièces de théâtre. À partir de 1974 (*le Sentiment d'Andechs* [*Der Andechser Gefühl*]), il écrit, produit, réalise, interprète et distribue au moins un film par an, généralement dans des conditions matérielles dérisoires. C'est une œuvre parfaitement originale, centrée sur l'artiste dans ses relations avec la société, sur ses rapports à la Bavière, aussi, et sur une sorte de désir de fin du monde. Le tragique est souvent travesti en bouffonnerie, et l'humour — toujours présent — peut être placé dans la lignée du grand cabarettiste munichois Karl Valentin, seule influence explicitement désignée. Achternbusch excelle dans la provocation, notamment contre la référence bavaroise (*la Guerre de la bière* [*Bierkampf,* 1976] ou *le Nègre Erwin* [*Der Neger Erwin,* 1980]), dans la parabole visionnaire (son évocation d'une Bavière prise dans les glaces de *Salut la Bavière* [*Servus Bayern,* 1977]), le pamphlet antireligieux (*le Jeune Moine* [*Der junge Monch,* 1978]). En 1982, il présente *le Dernier Trou (Das letzte Loch),* qui exprime l'obsession de l'exécution de six millions de juifs tout en prolongeant ses semi-confessions sur ses rapports avec les femmes. Ses variations provocatrices sur la période nazie et les crimes de guerre sont au centre des principaux films qu'il réalise ensuite, de *la Médaillée olympique* (*Die olympia Siegerin,* 1983) à *Hades* (1994). Un individualisme forcené dans la volonté d'expression et la modestie de ses budgets le conduisent à faire des films quelque peu désordonnés, théâtraux et narcissiques mais, néanmoins, parfois très inventifs. On lui doit aussi le scénario du film de Herzog, *Cœur de verre* (1976). D.S.

Autres films : *la Traversée de l'Atlantique à la nage* (*Die Atlantikschwimmer,* 1975) ; *le Comanche* (*Der Komantsche,* 1979) ; *Der Depp* (1982) ; *le Fantôme* (*Das Gespenst,* id.) ; *Rita Ritter* (id.) ; *Der Wanderkrebs* (1984) ; *Blaue Blumen* (1985) ; *Die Föhnforscher* (id.) ; *Heilt Hitler !* (1986) ; *Punch Drunk* (id.) ; *Wohin ?* (1988) ; *Mix Wix* (1989) ; *Hick's Last Stand* (1990) ; *Niemansland* (1991) ; *I Know the Way to the Hofbraühaus* (1992) ; *Ich bin da ich bin da* (1993) ; *En route pour le Tibet ! (Ab nach Tibet ! id.).* ▲

A.C.L. → CAMÉRA.

ACOUSTIQUE. Dans un cinéma de taille moyenne, le spectateur du premier rang se trouve typiquement à 5 mètres environ du haut-parleur, et celui du dernier rang à 25 mètres environ. Si le son se propageait dans la salle comme il se propage en plein air, où l'intensité sonore reçue varie en sens inverse du carré de la distance à la source (→ SON), le spectateur du dernier rang, 5 fois plus éloigné du haut-parleur, recevrait une intensité sonore 25 fois (5 x 5) inférieure à celle reçue par le spectateur du premier rang. C'est évidemment inacceptable.

Heureusement, le son se propage différemment selon que l'on se trouve en plein air ou à l'intérieur d'un local. Dans le second cas, compte tenu des réflexions sur les parois, il peut parvenir à l'auditeur selon plusieurs trajets différents (figure 1).

On distingue :

— le son *direct,*

— les sons *réfléchis,* qui parviennent à l'auditeur après une ou plusieurs réflexions sur les parois.

En plein air, l'auditeur ne recevrait évidemment que le seul son direct. Dans le local, les sons réfléchis ajoutent leur intensité sonore à celle du son direct, et on conçoit qu'il est ainsi possible d'homogénéiser les intensités sonores reçues par les différents spectateurs. Jouer sur les réflexions pose cependant un certain nombre de problèmes, parfois ardus, qui constituent toute la difficulté de l'acoustique des locaux.

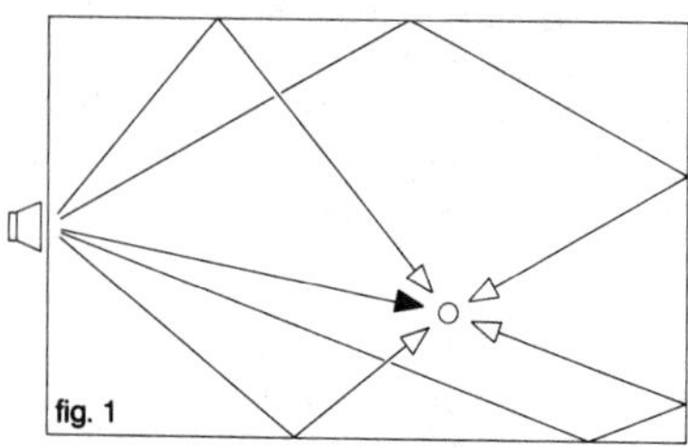

L'auditeur reçoit le son direct (flèche noire) et les sons réfléchis par les parois.

La réverbération. Le son direct et les sons réfléchis ne parviennent pas à l'auditeur au même instant ni avec la même intensité. Le son direct parvient le premier, puisqu'il suit le trajet le plus court. Les sons réfléchis parviennent avec d'autant plus de retard que leur trajet est plus long. Et, plus ils parviennent tard, plus leur intensité est faible, puisque *plus tard* signifie trajet plus long et réflexions multiples sur des parois qui sont toujours plus ou moins absorbantes.

Plaçons-nous alors dans la salle, pendant l'émission d'un son. Si les parois étaient totalement absorbantes, l'auditeur ne percevrait que le son direct. En réalité, les sons réfléchis ajoutent leur intensité (figure 2). L'idéal est, bien entendu, que l'intensité globale soit la même en tous les points de la salle.

Faisons maintenant cesser brutalement l'émission du son. Avec des parois totalement absorbantes, l'intensité sonore reçue par l'auditeur cesserait tout aussi brutalement. En réalité, l'auditeur va continuer à entendre, pendant un certain temps, les sons réfléchis qui lui parviennent plus tard que le son direct. C'est le phénomène de la *réverbération.* (Comme l'intensité des sons réfléchis est d'autant plus faible qu'ils parviennent plus tard, la courbe de décroissance de l'intensité sonore reçue a toujours l'allure de la courbe de la figure 2.)

Pour caractériser le *certain temps* évoqué ci-dessus, les acousticiens mesurent le *temps de réverbération* du local, défini par convention comme la durée nécessaire pour que l'intensité sonore ne soit plus que le millionième de l'intensité initiale. En fait, cette convention n'est pas très réaliste, car les sons réfléchis cessent d'être audibles bien avant que leur intensité soit tombée aussi bas : le temps de réverbération *perçu* est nettement inférieur au temps de réverbération conventionnel. (Pour mesurer le temps de réverbération, on fait émettre par le haut-parleur un son continu que l'on interrompt brutalement. Un micro placé dans le local est relié à un enregistreur rapide de niveau sonore, qui fournit la courbe de la figure 2.)

Le temps de réverbération est un élément capital de l'acoustique d'un local. Tout *message* sonore (parole, musique, etc.) est en effet une suite de sons. Si l'un de ces sons parvient

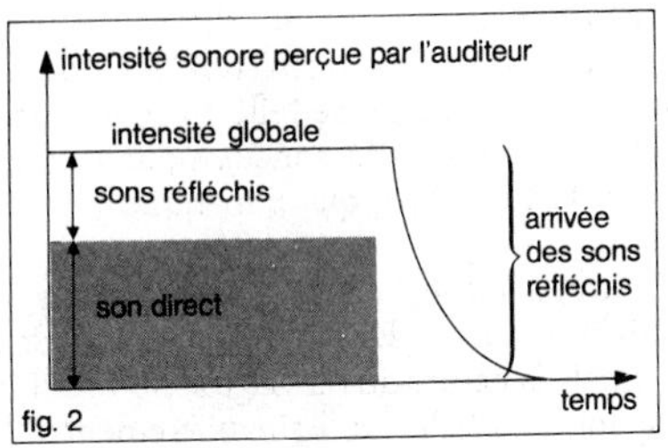

Réverbération : l'arrivée des sons réfléchis prolonge la sensation sonore.

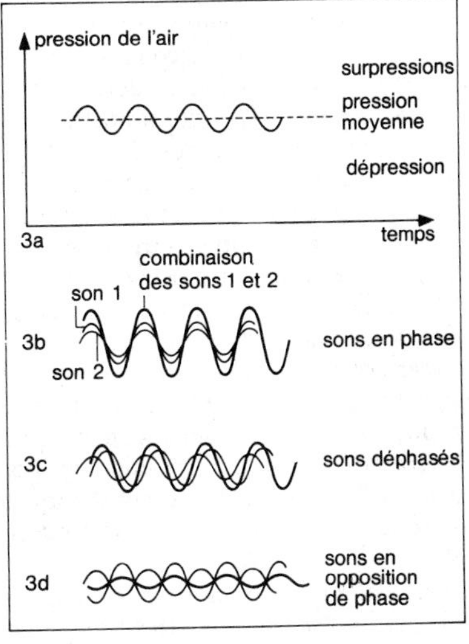

Tout son est une combinaison de sons « simples » provoquant une variation périodique de la pression (fig. 3 a). Deux sons peuvent se combiner de façon très différente selon leur décalage dans le temps (fig. 3 *b* à 3 *d*).

à notre oreille alors que les sons réfléchis du son précédent sont encore audibles, le message perçu sera confus, voire inintelligible.

Une écoute satisfaisante demande donc que le temps de réverbération ne soit pas trop long.

Il ne doit pas non plus être trop court. Un temps de réverbération très court signifie en effet qu'il n'y a pratiquement pas de sons réfléchis. Or, c'est grâce aux sons réfléchis que l'on peut homogénéiser les intensités sonores perçues par les différents auditeurs. En outre, sinon surtout, l'absence de sons réfléchis donne l'impression d'un son *sourd.* Quiconque assiste à l'exécution en plein air (véritablement en plein air, c'est-à-dire sans qu'un mur de fond de scène ne réfléchisse les sons) d'une œuvre musicale conçue pour l'exécution en salle sent bien qu'« il manque quelque chose ».

Tout cela suggère la notion d'un temps de réverbération *idéal.* En réalité, ce temps idéal dépend de la nature du message sonore, ce qui complique d'ailleurs singulièrement la conception des salles polyvalentes. La parole demande un temps de réverbération (conventionnel) inférieur à la seconde, valeur au-delà de laquelle le discours devient vite confus, sauf à parler lentement et distinctement. Jazz et musique de chambre s'accommodent bien d'un temps un peu plus long (de 1 à 1,5 s) ; orchestre, opéra, chœurs, admettent un temps encore plus long (de 1,5 à 2,5 s). S'agissant des salles de cinéma, où il faut restituer correctement la parole, le temps de réverbération idéal se situe entre 0,8 seconde pour les petites salles et 1 seconde pour les grandes salles. (Toutes choses égales par ailleurs, le temps de réverbération croît avec les dimensions de la salle, puisque le trajet et, donc, le temps de parcours des sons réfléchis sont allongés. Les critères sont par conséquent moins sévères pour les grandes salles que pour les petites.) Dans les salles récentes correctement conçues et réalisées, cet idéal est respecté.

(Dans les édifices religieux, le temps de réverbération est souvent très long. Cela résulte de la conception même de ces édifices. La parole d'une seule personne doit pouvoir être entendue par un auditoire important. La seule méthode consiste à utiliser au maximum la réflexion des sons, d'où l'emploi de la pierre lisse ou du marbre et le recours fréquent à des surfaces concaves, puisque les lois de la réflexion des sons sont les mêmes que celles de la lumière. Le temps de réverbération élevé oblige l'orateur à une certaine lenteur d'élocution pour que les syllabes ne se chevauchent pas, et il explique par ailleurs le caractère particulier de la musique liturgique.)

Le temps de réverbération caractérise la durée nécessaire pour que les diverses absorptions *étouffent* le son. Or, l'absorption des parois, ou des revêtements de paroi, varie avec la fréquence (→ SON). Le temps de réverbération varie donc lui-même avec la fréquence.

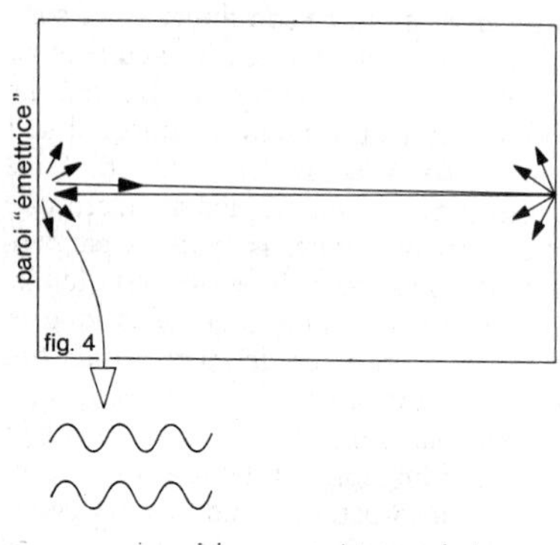

Pour certaines fréquences, le son « émis » par une paroi est « en phase » avec le son réfléchi par la paroi opposée : il y a renforcement du son (fig. 3b).

Les valeurs indiquées ci-dessus correspondent aux fréquences moyennes, celles où l'on trouve l'essentiel du son *utile.* Aux fréquences basses, on trouve généralement des valeurs plus élevées.

L'écho. On confond parfois *réverbération* et *écho.* En réalité, il y a écho lorsqu'il s'écoule au moins un dixième de seconde entre l'arrivée du son direct et l'arrivée du son réfléchi : l'auditeur perçoit alors deux sons *distincts,* phénomène fréquent en montagne. Compte tenu de la vitesse du son (plus de 330 m/s), cela implique une *différence* de longueur des trajets d'au moins 33 mètres. L'écho ne peut donc éventuellement se rencontrer que dans les grandes salles. (Si c'est le cas, il est évidemment impératif de recouvrir de matériaux fortement absorbants la paroi qui donne lieu à écho.)

Les résonances. Tout son peut être considéré (→ SON) comme une superposition de sons *simples* dont chacun provoque (figure 3*a*) une variation périodique de la pression de l'air de part et d'autre de la valeur moyenne de cette pression.

Lorsque l'un de ces sons *simples* parvient à l'auditeur par deux trajets différents (compte tenu des réflexions sur les parois), l'auditeur reçoit en fait deux sons, décalés dans le temps l'un par rapport à l'autre en fonction de la différence des temps de parcours. Selon cette différence, ces deux sons peuvent être *en phase* (figure 3*b*) ou bien *déphasés* (figure 3*c*), un cas particulier de déphasage étant (figure 3*d*) l'*opposition de phase.* (Sur ces notions, → PHÉNOMÈNES PÉRIODIQUES.) L'auditeur perçoit évidemment la combinaison des variations de pression produites par les deux sons. On voit aisément (figure 3) que le résultat est extrêmement variable selon les cas et que les intensités sonores sont susceptibles aussi bien de s'additionner (sons en phase) que de se retrancher (sons en opposition de phase).

Cela peut donner lieu à deux phénomènes distincts.

Lorsqu'une paroi, que nous qualifierons d'« émettrice » , réfléchit un son vers la paroi opposée, qui le réfléchit à son tour vers la paroi émettrice, il peut se faire que le son revenant sur la paroi émettrice soit en phase avec le son *émis* par celle-ci (figure 4). Ce phénomène peut se produire, a priori, pour toutes les fréquences telles que la distance entre parois soit un multiple entier de la longueur d'onde. (Pour la notion de longueur d'onde, → PHÉNOMÈNES PÉRIODIQUES.) Pour ces *fréquences propres* (sous-entendu : propres au local, car elles dépendent des dimensions de ce dernier), il y a renforcement, puisque les sons sont en phase, de l'intensité sonore reçue. En pratique, dans les salles de cinéma, le phénomène se manifeste surtout pour les plus basses des diverses fréquences possibles. Et l'expérience montre que ces fréquences sont généralement suffisamment basses (typiquement : vers 30 à 40 Hz) pour que le phénomène ne soit pas gênant, car il est noyé dans les autres imperfections de la restitution de ces fréquences.

En certains points de la salle, le hasard peut faire que, pour certaines fréquences (variables d'ailleurs d'un point à l'autre), un nombre particulièrement élevé des différents sons qui parviennent au spectateur lui parviennent en phase — ou, au contraire, en opposition de phase. En ces points, il y a alors renforcement notable (ou, au contraire, affaiblissement notable) des fréquences considérées. Lorsqu'on se déplace dans la salle, l'intensité sonore perçue peut ainsi varier, pour certaines fréquences, dans un rapport allant parfois jusqu'à 1 à 10. Ce phénomène, à peu près inévitable (on peut seulement s'efforcer de le limiter), est d'autant plus gênant qu'il se manifeste surtout dans les fréquences moyennes, les plus significatives pour la compréhension du message sonore.

On qualifie de *résonance,* même si c'est souvent abus de langage, les phénomènes qui renforcent, pour certaines fréquences, l'intensité sonore perçue. Il s'agit généralement des phénomènes décrits aux paragraphes précédents. Il peut s'agir d'un temps de réverbération particulièrement élevé pour telle ou telle fréquence. Il peut s'agir d'une résonance au sens strict, comme cela se rencontre assez couramment dans les appartements, où les vitrages « entrent en résonance » pour certaines fréquences, par exemple au passage d'un camion.

L'acoustique des cinémas. Dans une salle de cinéma, deux types de sons peuvent être émis :

— le son d'écran, émis par le ou les haut-parleurs situés derrière l'écran ;

— le son d'ambiance (CinémaScope, 70 mm, Dolby Stéréo), émis par des haut-parleurs implantés sur les murs latéraux et en fond de salle.

La diffusion du son d'ambiance est beaucoup moins critique que celle du son d'écran. S'agissant de ce dernier, il faut homogénéiser autant que possible le niveau sonore dans toute la zone d'implantation des sièges, en maintenant le temps de réverbération en dessous de la seconde. Ces deux exigences sont quelque peu contradictoires : la première implique des parois réfléchissantes, la seconde des parois relativement absorbantes.

En raison de l'absorption par la moquette, par le rembourrage des sièges et surtout par le public, le sol est peu réfléchissant. (L'absorption par le public varie... avec l'affluence. La moquette permet d'avoir dans tous les cas un sol peu réfléchissant.) Pour renvoyer le son vers les spectateurs, on se sert presque toujours de la partie avant du plafond, qui doit donc rester réfléchissante. La partie arrière du plafond et les parois latérales sont, par contre, rendues absorbantes, de façon à maîtriser le temps de réverbération. Quant à la paroi de fond de salle, elle est toujours l'objet d'un traitement acoustique soigné, tant pour éviter une réflexion vers l'avant des sons d'écran que pour assurer un bon isolement de la cabine.

On ne procède pas nécessairement à des calculs acoustiques préliminaires poussés. On s'inspire des règles ci-dessus, et on se contente généralement, pour traiter les parois (au moins les parois latérales), de les recouvrir de tissu ou de moquette, ce qui signifie (→ SON) qu'on se préoccupe assez peu de l'absorption des fréquences basses, même si les faux plafonds, d'usage courant, absorbent plus ou moins ces fréquences. Dans les salles petites ou moyennes et sans balcons, qui sont aujourd'hui la règle, cette pratique conduit facilement, compte tenu de l'expérience acquise par les architectes spécialisés dans l'aménagement des cinémas, à un résultat satisfaisant. (Par contre, si l'on fait l'économie d'un traitement des parois, le résultat peut ne pas être satisfaisant du tout.) Dans les salles de grandes dimensions ou présentant une architecture complexe (balcons, par exemple), il convient d'étudier préalablement l'acoustique par le calcul ou par des simulations sur maquette.

L'acoustique des locaux. Ce qui a été exposé au long des paragraphes antérieurs se transpose sans difficulté au cas de n'importe quel local. En particulier, tout local se caractérise par son temps de réverbération.

Le son porté par le film contient déjà une certaine réverbération : celle du local où il a été enregistré. Cette réverbération, s'ajoutant à celle de la salle de projection, doit être aussi faible que possible sous peine de conduire à une réverbération globale excessive. Les parois des studios de prise de vues ou de prise de son sont donc toujours traitées de façon à réduire le temps de réverbération. (Si le son doit sembler provenir d'un local réverbérant, ou bien l'on modifie l'acoustique du studio grâce à des panneaux réfléchissants, ou bien l'on utilise un artifice électronique.)

Lorsque l'on tourne en son *direct* dans des décors réels, et notamment dans des appartements réels, on récupère par contre la réverbération – souvent importante – de ce décor. Pour cette raison, l'ingénieur du son, responsable de l'intelligibilité de ce qu'entendent les spectateurs, est souvent réticent vis-à-vis de ce mode de tournage. D'autant plus réticent que, s'il est aujourd'hui relativement facile d'éclairer un appartement, il est difficile d'en modifier l'acoustique. (Nous n'avons mentionné que la réverbération. Il faut aussi penser, par exemple, aux *fréquences propres,* sensiblement plus élevées dans un petit appartement que dans une salle de cinéma. Il faut enfin penser aux bruits divers : rue, appartements voisins, survol des avions, etc.) En fait, tout dépend de la nature du film. Si l'*authenticité* de la scène est primordiale, on conservera (ou on s'efforcera de conserver) le son direct. Sinon, il sera parfois préférable, voire indispensable, de reconstituer le son en studio. J.-P.F./M. BA.

ACRES *(Birt), inventeur et cinéaste britannique (Richmond, Va., 1854 - Londres 1918).* Il est considéré comme le pionnier du film documentaire. D'abord fabricant d'instruments d'optique et photographiques, il s'associe avec Robert W. Paul, en février 1895. En mars, il filme *la Course de bateaux Oxford-Cambridge (Oxford-Cambridge Boat Race)* et, trois mois plus tard, *le Derby d'Epsom (The Derby).* Le 25 mai 1895, Acres et Paul déposent le brevet d'un appareil de prise de vues, le *Theatrograph :* caméra à manivelle, plus légère que le Kinétoscope d'Edison. Ils fabriquent aussi un projecteur. Ce matériel est présenté à la Société royale de photographie de Londres, le 14 janvier 1896. P.P.

ACTINISME. Capacité d'une lumière à impressionner la pellicule : les pellicules n'étant pas également sensibles à toutes les radiations, certaines lumières sont plus *actiniques* que d'autres. (→ RAPIDITÉ, TEMPÉRATURE DE COULEUR, ÉCLAIRAGE.)

« ACTION ! ». Équivalent anglais de *« partez ! ».*

ACTORS STUDIO. École d'art dramatique fondée à New York en 1947 par Elia Kazan, Robert Lewis et Cheryl Crawford. Son influence considérable allait marquer le théâtre et le cinéma américains de l'après-guerre. Elle prolonge le travail accompli pendant les années 30 par le Group Theatre (dirigé par Lee Strasberg et Harold Clurman), lui-même héritier des leçons de Stanislavski et du Théâtre d'Art de Moscou. À partir de 1951, Lee Strasberg en assure la direction et s'identifie à l'école, en particulier après 1960, lorsque Kazan prend du champ. L'Actors Studio forme les comédiens à partir de la fameuse Méthode, entraînement intensif basé sur la recherche de l'*acte* pour exprimer l'émotion, sur la solitude publique, sur la *mémoire affective* et sur l'utilisation des objets pour retrouver des sentiments enfouis. La Méthode permet d'atteindre des moments de réalisme intense et excelle dans la peinture de la confusion des sentiments. L'Actors Studio s'est trouvé lié aux meilleurs dramaturges américains (Tennessee Williams, Arthur Miller, William Inge, Edward Albee). Des metteurs en scène y ont collaboré régulièrement (Arthur Penn, Martin Ritt, Mike Nichols). Elia Kazan, par son prestige, y a attiré toute une génération d'apprentis comédiens, qu'il a à son tour fait travailler dans ses films. Marlon Brando en reste l'élève le plus célèbre aux côtés de James Dean, Montgomery Clift, Paul Newman, Rod Steiger, Elli Wallach, Joanne Woodward, Lee Remick, Ben Gazzara, Steve McQueen, mais l'impact de l'Actors Studio se fait sentir encore de nos jours puisque les jeunes stars du nouveau cinéma américain (Robert De Niro, Dustin Hoffman, Al Pacino, Harvey Keitel) sont passés par ses rangs. Ce laboratoire, toujours actif, a essaimé dans le monde : on enseigne la Méthode aussi bien en Californie qu'en Europe. M.C.

ACTUALITÉS (ou presse filmée). Court métrage d'information et de documentation relatant les faits et événements récents dans les domaines les plus divers : politique, économique, culturel... Comparables dans leur conception et leur finalité à la presse écrite, les actualités cinématographiques étaient éditées à intervalles réguliers et courts (hebdomadaires ou bihebdomadaires), et projetées en salle avant le grand film. S'inscrivant dans le processus de déclin du court métrage, ayant perdu de leur crédit auprès des spectateurs et des exploitants de salle, fortement concurrencées par la télévision, les actualités cinématographiques françaises devinrent magazine avant de disparaître en 1980.

Les actualités sont nées avec le cinéma (*la Sortie des usines Lumière,* 1894). Les premiers reporters, Promio, Doublier, Mesguisch, parcourent le monde alors que Georges Méliès tourne en studio des actualités reconstituées. Mais c'est en 1908 que paraît le premier hebdomadaire d'actualités filmées, le Pathé-Journal, qui, sous l'emblème du coq chantant, sera distribué dans de nombreux pays. Moins de deux ans après, Gaumont-Actualités, Éclair-Journal et Éclipse-Journal verront le jour. Essentiellement foraines dans les premiers temps, les projections cinématographiques s'installeront progressivement dans des salles spécialisées.

C'est une bande d'actualités Pathé de 1909 présentant une quadruple exécution capitale qui sera à l'origine de la censure cinématographique. Mais, avec l'instauration du système de projection pour avis aux représentants du ministère de tutelle, la presse filmée souffrira plus de l'autocensure que du contrôle gouvernemental.

Après la guerre de 1914, au cours de laquelle sera créé le Service cinématographique de l'armée (avec les opérateurs mobilisés), comme après la Seconde Guerre mondiale, les éditeurs de presse filmée tenteront de résoudre leurs graves difficultés par de nombreuses mais brèves fusions. Leur indépendance retrouvée, et jusqu'en 1969, cinq journaux seront édités : les Actualités françaises (dont 51 p. 100 sont propriété de l'État), Fox-Movietone, Éclair-Journal, Pathé-Journal et Gaumont-Actualités.

Maisons d'édition de presse écrite et filmée se ressemblent fort : les documents recueillis dans le monde entier par les correspondants ou envoyés spéciaux sont montés sous la responsabilité d'un directeur en chef. Les actualités sont suivies de magazines et de sujets *compensés* ou publicitaires. Enfin, de nombreuses copies sont tirées et louées à un tarif établi selon le nombre d'entrées et l'ancienneté des actualités.

Malgré l'aide financière de l'État et des accords de coopération, le déclin engendré par l'avènement de la télévision sera irréversible. Après avoir racheté leurs concurrents, les deux derniers journaux, Gaumont et Pathé, n'éditeront plus que des magazines avant de disparaître en 1980, laissant aux historiens 80 années d'archives cinématographiques, à la fois source d'études (sociohistoriques) et de films de montage d'un intérêt souvent remarquable. P.C.

ACUTANCE. Capacité d'une pellicule à fournir une image localement contrastée des détails, donc une image avec des détails lisibles.

ADAM *(Jean-François), cinéaste français (Paris 1938* - id. *1980).* Assistant (Truffaut, Melville, Varda), acteur et metteur en scène de théâtre, il réalise en 1970 *M comme Mathieu. Le Jeu du solitaire* (1976) et *Retour à la bien-aimée* (1979) révèlent sous une trame policière la même quête d'un souvenir fuyant, la même fascination pour la pathologie du sentiment amoureux. Acteur dans son dernier film, il joue également dans *Passe ton bac d'abord* (M. Pialat, 1979). Il se suicide à 42 ans. J.-P.B.

ADAM *(Ken), décorateur britannique (Berlin, Allemagne, 1921).* Il émigre en Grande-Bretagne à l'âge de treize ans et fait des études d'architecture à la London University. Après avoir été pilote dans la RAF pendant la guerre, il entre dans le cinéma, d'abord comme dessinateur, puis il devient directeur artistique et enfin chef décorateur (à partir de 1959). Fortement marqué par l'expressionnisme de sa jeunesse (en particulier par *le Cabinet du Dr Caligari,* R. Wiene, 1919), travaillant à partir de dessins très stylisés, il privilégie l'imagination et le théâtral. On peut le considérer comme le véritable auteur de la série des *James Bond,* dont il conçoit décors et machines. Kubrick remarque *James Bond 007 contre Dr No* (1962) et l'engage sur *Docteur Folamour* (1963), pour lequel il imagine et construit la fameuse salle de guerre. On lui doit aussi l'étonnant labyrinthe du *Limier* (1972) de Joseph L. Mankiewicz. Considéré comme l'un des grands décorateurs contemporains, il a collaboré avec Jacques Tourneur (*Rendez-vous avec la peur,* 1957), John Ford (*Inspecteur de service,* 1959), Robert Aldrich (*Trahison à Athènes,* id.), Lewis Gilbert (*Moonraker,* 1979), Bruce Beresford (*Crimes du cœur,* 1986), Nicholas Meyer (*The Deceivers,* 1988), John Frankenheimer (*Dead Bang,* 1989), Andrew Bergman (*The Freshman,* 1990) et excelle dans la reconstitution historique. Oscar en 1975 pour *Barry Lyndon* de Stanley Kubrick. M.C.

ADAPTATEUR. Auteur d'une adaptation.

ADAPTATION. Transposition pour un film d'une œuvre conçue dans un but différent.

ADDAMS *(Dawn), actrice britannique (Felixtowe 1930 - Londres 1985).* Très jeune, elle se partage entre la Grande-Bretagne, l'Inde et Hollywood, où elle débute comme figurante MGM (1950). Remarquée dans *la Tunique* (H. Koster, 1953), elle est lancée comme vedette *sexy* par Preminger (*La lune était bleue,* 1953) et poursuit dès lors une carrière internationale. Sa sensualité piquante se nuance aisément de distinction et, le cas échéant, d'émotion. On ne voit souvent en elle que l'intelligent faire-valoir de Chaplin dans *Un roi à New York* (1957) : c'est oublier que la plupart des films où elle est apparue étaient intéressants, ou valaient au moins par sa présence (*la Treizième Heure* [H. French, 1952], *Secrets d'alcôve* [le sketch de G. Franciolini, 1954], *l'Île du bout du monde* [E. T. Gréville, 1959], *les Deux Visages du Dr Jekyll* [T. Fischer, 1960], *le Diabolique Dr Mabuse* [Fritz Lang, *id.*], *les Menteurs* [E. T. Gréville, 1961], *l'Éducation sentimentale* [A. Astruc, 1962]). Après 1965, fixée à Londres, elle se consacre au théâtre et ne reparaît guère au cinéma que comme « guest star » (*Zeta One,* Michael Cort, 1971). G.L.

ADDINSELL *(Richard), musicien britannique (Londres 1904 - id. 1977).* Son œuvre prolifique s'est partagée entre le théâtre, le cinéma et la télévision. Il en est à ses débuts lorsque Korda lui commande l'illustration musicale de *l'Invincible Armada* (1937). Il s'impose avec *Goodbye Mr. Chips* (S. Wood, 1939), *Gaslight* (T. Dickinson, 1940) et connaît la célébrité pour son *Concerto de Varsovie,* entendu dans *Dangerous Moonlight* (Brian Desmond Hurst, 1940). Ses partitions remarquées sont ensuite celles de *L'esprit s'amuse* (N. Coward et D. Lean, 1945), *les Amants du Capricorne* (A. Hitchcock, 1949), *le Beau Brummel* (C. Bernhardt, 1954), *le Prince et la Danseuse* (L. Olivier, 1957), *l'Homme qui aimait la guerre* (Ph. Leacock, 1962). R.L.

ADDISON *(John), compositeur britannique (West Chobham 1920).* Compositeur pour le cinéma depuis 1950. Sa musique néo-classique, sombre ou allègre, semble réfractaire à toute influence contemporaine : il n'est pas étonnant qu'il ait aussi bien réussi son pastiche du XVIIIe siècle pour *Tom Jones* (T. Richardson, 1963) qui lui vaut un Oscar. Il reste lié à l'explosion du cinéma des jeunes gens en colère et plus spécialement à Tony Richardson pour qui il sut être à loisir sobre et émouvant (*la Solitude du coureur de fond,* 1962) ou épique et ironique (la *Charge de la brigade légère,* 1968). On retiendra également sa participation atypique mais intéressante à *l'Homme à la tête fêlée* (I. Kerschner, 1966) et celle, vive et brillante, à *Guêpier pour trois abeilles* (J.L. Mankiewicz, *id.*). C.V.

ADDITIF. *Synthèse additive,* méthode de restitution des couleurs consistant à superposer sur l'écran plusieurs images colorées. (→ COULEUR, PROCÉDÉS DE CINÉMA EN COULEURS.) *Tireuse additive,* tireuse où la lumière employée pour la copie est obtenue par recombinaison de trois faisceaux colorés distincts obtenus par division du faisceau blanc fourni par la lampe. (→ ÉTALONNAGE.)

ADDY *(Wesley), acteur américain (Omaha, Nebr., 1913).* Venu au cinéma en 1951 après plusieurs années de théâtre *(Hamlet, Roméo et Juliette, Antigone, Candida),* sa formation classique confère un relief particulier aux personnages, le plus souvent haïssables et insidieusement menaçants, qu'il interprète. Robert Aldrich, en particulier, exploite habilement son port rigide, sa mine sévère, son élocution précise et glacée dans *En quatrième vitesse* (1955), *Tout près de Satan* (1959), *Quatre du Texas* (1963) et *Pas d'orchidées pour Miss Blandish* (1971). Durant dix ans, il travaille exclusivement pour ce metteur en scène, puis avec John Frankenheimer (*l'Opération diabolique,* 1966), Richard Fleischer (*Tora ! Tora ! Tora !,* 1970), Sidney Lumet (*Network,* 1976 ; *le Verdict,* 1982), et enfin James Ivory qui lui confie, en 1979, le rôle du patriarche puritain des *Européens.* O.E.

ADJANI *(Isabelle), actrice française (Paris 1955).* Née d'un père algérien d'origine turque et d'une mère allemande, elle figure pour la première fois dans un film à l'âge de quatorze ans. En 1972, elle entre à la Comédie-Française : elle est Agnès dans *l'École des femmes,* avant d'interpréter *Port-Royal* de Montherlant, puis *Ondine* de Giraudoux. Elle tient son premier grand rôle à l'écran dans une comédie de Claude Pinoteau, *la Gifle* (1974). Elle quitte la Comédie-Française pour incarner Adèle Hugo dans le film de François Truffaut, *Histoire d'Adèle H.* (1975) ; dans un registre hyperexpressif, elle y compose un personnage de femme déchirée, poursuivant jusqu'au désespoir et la folie un amant indifférent. Sa beauté, son interprétation passionnée l'imposent très vite comme une des comédiennes les plus douées de sa génération. Évoluant entre cinéma d'auteur et cinéma grand public, elle alterne des rôles dramatiques et des personnages plus légers. Mais qu'elle incarne des jeunes filles délurées, des héroïnes romantiques ou possédées, des femmes énigmatiques, elle s'engage totalement et intensément dans l'acte de jouer. Téchiné dans *Barocco* (1976), Claude Miller dans *Mortelle Randonnée* (1983), Bruno Nuytten dans *Camille Claudel* (1988) où elle campe avec énergie et inspiration le rôle-titre, Patrice Chéreau dans *la Reine Margot* (1994) ont su mieux que d'autres sans doute mettre en valeur ses dons d'actrice. C.D.R.

Autres films : *Faustine ou le Bel Été* (N. Companeez, 1972) ; *le Locataire* (R. Polanski, 1976) ; *Violette et François* (J. Rouffio, 1977), *Driver* (W. Hill, 1978) ; *Nosferatu, fantôme de la nuit* (W. Herzog, *id.*) ; *les Sœurs Brontë* (A. Téchiné, 1979) ; *Possession* (A. Żulawski, 1981) ; *Quartet* (J. Ivory, *id.*) ; *Tout feu, tout flamme* (J.-P. Rappeneau, 1982) ; *Antonieta* (C. Saura, 1983) ; *l'Été meurtrier* (Jean Becker, *id.*) ; *Subway* (Luc Besson, 1985) ; *Ishtar* (Elaine May, 1987) ; *Toxic Affair* (Philomène Esposito, 1993).

ADLER *(E. Maurice,* dit *Buddy), producteur américain (New York, N. Y., 1909 - Los Angeles, Ca., 1960).* Sous contrat à la Columbia (1947-1954), il connaît un succès retentissant avec *Tant qu'il y aura des hommes* (F. Zinnemann, 1953). En 1956, il succède à Darryl F. Zanuck à la tête de la production de la 20th Century Fox. Ses adaptations de pièces ou romans à succès (*Arrêt d'autobus* [J. Logan, 1956], *South Pacific* [*id.*, 1958], *l'Auberge du sixième bonheur* [M. Robson, *id.*], etc.) lui ont valu le Irving Thalberg Award (1956) et le Cecil B. De Mille Award (1957). M.H.

ADLON *(Percy), cinéaste allemand (Munich 1935).* D'abord acteur de théâtre puis réalisateur de télévision, il débute au cinéma avec une réussite qui attire l'attention, *Céleste* (1981) d'après les souvenirs de la gouvernante de Marcel Proust. *Les Cinq Derniers Jours* (*Fünf letzte Tage,* 1982) est un émouvant hommage aux résistants allemands antinazis du groupe « la Rose blanche ». L'étonnante actrice Marianne Sägebrecht est pour une bonne part à l'origine du succès international de *Bagdad Café* (*Out of Rosenheim,* 1987). Le réalisateur l'avait déjà choisie pour le rôle principal de *Sugarbaby* (Zuckerbaby, 1984) et lui restera fidèle pour *Rosalie fait ses courses* (*Rosalie Goes Shopping,* 1989). Le succès de *Bagdad Café* lui permet de continuer à tourner en Amérique.

Il réalise successivement *Salmonberries* (*id.*, 1991), filmé dans le cadre très particulier du Grand Nord en Alaska, puis une production californienne : *Younger and Younger* (1993). M.M.

ADMINISTRATEUR. *Administrateur général*, technicien chargé des problèmes administratifs du tournage d'un film. (→ GÉNÉRIQUE.)

ADOMAÏTIS *(Regimantas) [Regimantas Vajtekovič Adomajtis], acteur soviétique d'origine lituanienne (Chiaoulaï 1937).* Acteur de théâtre (il joua notamment le rôle de Franz dans *les Séquestrés d'Altona* de Sartre), il se fait remarquer à l'écran dès 1965 dans *Personne ne voulait mourir* de Vitautas Jalakiavicius. Élancé, athlétique, séduisant, il sait se montrer exigeant sur ses interprétations et ne semble jamais être prisonnier d'un stéréotype. Il incarne successivement le héros d'origine modeste dans *'Sergueï Lazo'* (*Sergej Lazo,* Aleksandr Gordon, 1968), un jeune veuf qui sait faire taire sa douleur dns *'Sentiments'* (Almantas Grikiavicius, 1970), Edmond le fils illégitime du *Roi Lear* (G. Kozintsev, 1971), le révolutionnaire convaincu de *Ce doux mot : liberté* (Jalakiavicius, 1973). Il devait se montrer à son avantage dans *'les Ennemis'* (*Vragi,* Rodion Nakhapetov, 1977), *'Sans abri' (Ztraceny domov,* Grikiavicius, *id.)* et surtout dans *la Fiancée* (G. Reisch et Gunther Rücker, RDA, 1980), *De la vie des estivants* (N. Goubenko, *id.*), où il incarne un vacancier insolite au charme très tchékhovien, *'la Joie de Matveï'* (*Matveeva radost',* Irina Poplavskaia, 1986) et *Un Dieu rebelle* (P. Fleischmann, 1990). J.-L.P.

ADORÉE *(Jeanne de La Fonte,* dite *Renée), actrice française (Lille 1898 - Tujunga, Ca., 1933).* Artiste de cirque, danseuse aux Folies-Bergère, une tournée la conduit aux États-Unis en 1920. Elle s'oriente vers le cinéma, où sa très grande beauté et sa grâce délicate en font vite une jeune première demandée. Après son succès dans *la Grande Parade* (K. Vidor, 1925), la MGM lui donne souvent comme partenaires Lon Chaney (*l'Oiseau noir,* T. Browning, 1926), John Gilbert (*The Show,* id., 1927) ou Ramon Novarro (*Chanson païenne,* W. S. Van Dyke, 1929). Après *le Chanteur de Séville* (Ch. Brabin, 1930), sa santé précaire la confine dans un sanatorium, où elle s'éteint discrètement, minée par la tuberculose. C.V.

ADORF *(Mario), acteur allemand (Zurich, Suisse, 1930).* Il étudie en Allemagne et joue sur scène où, face à Leonard Steckel, il se révèle dans *Maître Puntila et son valet Matti* de Brecht. Il trouve ses premiers rôles importants devant la caméra dans les trois *08-15* (P. May, 1954-55). Puis il tourne régulièrement dans son pays et en Italie. F.B.

Films : *Les SS frappent la nuit* (R. Siodmak, 1957) ; *la Fille Rosemarie* (R. Thiele, 1958) ; *À cheval sur le tigre* (L. Comencini, 1961) ; *Lulu* (R. Thiele, 1962) ; *La visita* (A. Pietrangeli, 1964) ; *Major Dundee* (S. Peckinpah, 1965) ; *Opération San Gennaro* (D. Risi, 1966) ; *l'Affaire Matteotti* (F. Vancini, 1973) ; *la Faille* (P. Fleischmann, 1975) ; *l'Honneur perdu de Katharina Blum* (V. Schlöndorff, *id.*) ; *Fedora* (B. Wilder, 1978) ; *le Tambour* (Schlöndorff, 1979) ; *Lola, une femme allemande* (R. W. Fassbinder, 1981) ; *la Cote d'amour* (Charlotte Dubreuil, 1982) ; *Amerika, rapports de classe* (J. M. Straub et D. Huillet, 1984) ; *Vado a riprendermi il gatto* (Giuliano Biagetti, 1987) ; *Der Teufels Paradies* (Vadim Glowna, *id.*) ; *Une nuit italienne* (*Una notte italiana,* Carlo Mazzacurati, *id.*) ; *Gioco di societa* (N. Loy, 1989) ; *les Enfants de Bronstein* (J. Kawalerowicz, 1990) ; *Café Europa* (Franz X. Bogner, *id.*) ; *Abissinia* (Francesco Martinotti, 1993) ; *Amigo mio* (*J. Meerapfel et Alcides Chiesa,* id.).

ADRIAN *(Adrian Adolph Greenberg,* dit *Gilbert A.), costumier américain (Naugatuck, Conn., 1903 - New York, N. Y., 1959).* Après avoir travaillé pour le music-hall, il est engagé en 1926 par Cecil B. De Mille. En 1928, il entre à la MGM, où il va s'affirmer comme l'un des artistes les plus originaux de sa spécialité. Il est bientôt le couturier de prédilection de nombreuses grandes vedettes, et notamment de Greta Garbo, qui lui inspire ses créations les plus audacieuses *(la Reine Christine, Anna Karenine, le Roman de Marguerite Gautier),* mais il « habille » également Joan Crawford, Norma Shearer, Carole Lombard, Jean Harlow et Janet Gaynor, qui deviendra son épouse. Sa renommée était telle qu'une robe qu'il avait créée pour Joan Crawford dans *Captive* de Clarence Brown en 1932 s'est vendue à 500 000 exemplaires... En 1943, il entre dans une semi-retraite et fonde sa propre maison de couture. C.V.

AÉRIEN. *Image aérienne,* image réelle mais non matérialisée sur un écran. (→ OPTIQUE GÉOMÉTRIQUE, EFFETS SPÉCIAUX.)

AFOCAL. *Système optique afocal,* système optique n'ayant pas de foyers. (→ OPTIQUE GÉOMÉTRIQUE.)

AGE (*Agenore Incrocci,* dit), *scénariste italien (Brescia 1919).* Auteur de sketches comiques pour la radio avant et après la guerre, chanteur occasionnel, il rencontre en 1947 l'écrivain Furio Scarpelli dans le fertile milieu des journaux satiriques romains (d'où jaillissent de nombreux tandems de scénaristes : Vittorio Metz et Marcello Marchesi, Ruggero Maccari et Ettore Scola, etc.). Depuis *Totò cerca casa* (Steno et M. Monicelli, 1949), ils écrivent ensemble et avec d'autres de nombreuses comédies populaires soit pour Totò, soit pour des vedettes de variétés : Renato Rascel *(L'eroe sono io* de C. L. Bragaglia, 1951), Aldo Fabrizi (*Rome-Paris-Rome* [*Signori in carrozza*] de L. Zampa, id.), Alberto Sordi (*Bravissimo,* de L. F. D'Amico, 1955). Le succès international du *Pigeon* (M. Monicelli, 1958) leur permet de créer des scénarios plus audacieux, souvent inspirés de leurs expériences, de leurs recherches sur les dialectes régionaux et les langages hybrides des mass media. *La Grande Guerre* (Monicelli, 1959) et *la Grande Pagaille* (L. Comencini, 1960) traitent des deux catastrophes nationales d'un point de vue démystificateur ; *les Camarades* (Monicelli, 1963) aborde avec humour les débuts du syndica lisme ; *l'Armée Brancaléone* (Monicelli, 1966) se moque du Moyen Âge. Pour Dino Risi, ils écrivent de féroces comédies politiques et de mœurs : *les Monstres* (1963), *Fais-moi très mal, mais couvre-moi de baisers !* (1968), *Moi, la femme* (1971), *Au nom du peuple italien* (id.), *le Fou de guerre* (1985). Pour Ettore Scola, ils composent un diptyque historique et social sur les déceptions de leur génération : *Nous nous sommes tant aimés* (1974), *la Terrasse* (1980), où Age est également acteur. L.C.

AGEE (*James Rufus Agee,* dit *James*), *scénariste américain (Knoxville, Tenn., 1909 - New York, N. Y., 1955).* Poète, romancier, coauteur, avec le photographe Walker Evans, d'un célèbre ouvrage sur les petits paysans du Sud : *Louons maintenant les grands hommes* (*Let Us Now Praise Famous Men*), il tient durant les années 40 la rubrique cinéma de *Time* et de *Nation.* Il y dénonce les conventions et l'irréalisme de la production hollywoodienne, réclamant des films qui fassent appel à la liberté et l'imagination du spectateur. Il en trouve l'exemple le plus achevé dans l'œuvre de John Huston, à laquelle il consacre une importante étude. Après avoir rédigé le commentaire et les dialogues du *Petit Noir tranquille* (S. Meyers, 1949), il collabore avec Huston au scénario final de *The African Queen* (1952), classique de l'anti-épopée, où son sens de la dérision, son non-conformisme, son respect des valeurs fondamentales et son goût notoire pour les boissons fortes trouvent leur expression naturelle dans le personnage de Charlie Allnutt (Humphrey Bogart), ivrogne pusillanime régénéré par l'amour d'une vieille fille. En 1952, il écrit *The Bride Comes to Yellow Sky,* un des deux épisodes du film *Face to Face* (B. Windust et J. Brahm). Peu avant sa mort, il adapte *la Nuit du chasseur,* unique réalisation de Charles Laughton, fable initiatique sur l'innocence et le péché qui contient certaines des images les plus intenses et les plus poétiques jamais consacrées à l'enfance.

Son roman *A Death in the Family,* porté à la scène en 1960, a fait l'objet d'une adaptation cinématographique sous le titre *All the Way Home* (Alex Segal, 1963). O.E.

AGENCE POUR LE DÉVELOPPEMENT RÉGIONAL DU CINÉMA (ADRC) → EXPLOITATION/AIDE SÉLECTIVE.

AGFACOLOR, nom de marque de deux procédés successifs de cinéma en couleurs proposés par la firme allemande Agfa : un procédé additif sur film gaufré ; un procédé soustractif, inversible (1936), puis négatif-positif (1939), qui fut le précurseur des procédés professionnels actuels (→ PROCÉDÉS DE CINÉMA EN COULEURS). J.-P.F.

AGIT-PROP, abréviation russe de « agitation et propagande » , forgée aux premiers jours de la révolution soviétique pour désigner toute activité artistique militante (théâtre, cinéma, musique, peinture) destinée à provoquer une action psychologique et intellectuelle immédiate sur le public. Au cinéma, les *agitki* sont des films, le plus souvent de court métrage, conçus pour appuyer directement une campagne d'incitation politique, militaire, sociale, sanitaire. On les compare à des tracts, à des fables mimées, aux affiches-bandes dessinées que Maïakovski composait chaque jour pour les vitrines de la ROSTA (Agence télégraphique russe). Les films-slogans sont bâtis sur le modèle de l'exposé et de la causerie ; ils font grand usage d'intertitres parfois très longs. Les films à sujet sont bâtis sur le modèle des œuvres dramatiques ; ils empruntent aux genres traditionnels : mélodrame, aventure, merveilleux, burlesque. La portée politique de leur affabulation est faible et reste très dépendante du texte des *cartons.* Entre 1918 et 1921, une soixantaine d'*agitki* sont reproduits. Conçus par des scénaristes d'occasion (parfois même hostiles au régime), tournés en hâte par des artisans, ils n'ont, à de très rares exceptions près, dues à des cinéastes professionnels, aucune valeur artistique et guère de valeur politique. Les *agitki* sont essentiellement diffusés par les trains et bateaux de propagande : les trains *Lénine* (1918), *Révolution d'Octobre* (1919), *Cosaque rouge* (1920), le bateau *Étoile rouge* (1919). Alexandre Medvedkine a ressuscité l'*agit-prop* entre 1930 et 1934. B.A.

AGOSTINI *(Philippe), chef opérateur et cinéaste français (Paris 1910).* Assistant à partir de 1933, il devient chef opérateur en 1941 et signe ses plus belles images pour Autant-Lara (*Douce,* 1943 ; *Sylvie et le Fantôme,* 1946), Bresson (*les Anges du péché,* 1943 ; *les Dames du bois de Boulogne,* 1945), Carné (*les Portes de la nuit,* 1946), Grémillon (*Pattes blanches,* 1949), Ophuls (*le Plaisir* [*le Modèle*], 1952) ou Dassin (*Du rififi chez les hommes,* 1955). Il réalise aussi de nombreux films à caractère religieux et, pour la TV, les scénarios de sa femme Odette Joyeux. Autres réalisations : *le Naïf aux 40 enfants* (1957), *le Dialogue des carmélites* (co R. P. Bruckberger, 1960), *Rencontres* (1962), *la Soupe aux poulets* (1963). J.-P.B.

AGRESTI *(Alejandro), cinéaste argentin (Buenos Aires, 1961).* Formé de manière éclectique, aussi bien à la télévision qu'au Super 8, il tisse des liens avec des producteurs hollandais dès son premier long métrage expérimental, *El hombre que ganó la razón* (1983). *El amor es una mujer gorda* (1987) révèle à la fois une personnalité et un talent multiformes, avec un goût prononcé pour les virtuosités de la caméra, qu'il manie lui-même. Installé aux Pays-Bas, il réunit les inquiétudes d'une génération argentine grandie sous la dictature militaire et les recherches des jeunes cinéastes européens en quête d'une écriture filmique en phase avec leurs contemporains. *Boda secreta* (1988) confirme cette double inspiration. Avec des hauts et des bas, il tourne ensuite plusieurs films à l'ancrage plus nettement européen : *Luba* (1990), *Everyone Wants to Help Ernst* (1991), *Modern Crimes* (1992), *A Lonely Race (id.),* avant de revenir à ses origines, avec *El acto en cuestión* (1993). P.A.P.

AGUETTAND *(Lucien Aguettand-Blanc,* dit *Lucien), décorateur français (Paris 1901-Nogent-sur-Marne 1989).* Il travaille pour Copeau et Jouvet avant de venir au cinéma en 1927. Chez Pathé-Natan de 1930 à 1935, il dirige le service décoration de Pathé-Cinéma de 1941 à 1948. Sa carrière se prolonge jusqu'au milieu des années 60, jalonnée de quelques belles réussites : *Poil de carotte* (J. Duvivier, 1932), *les Deux Orphelines* (M. Tourneur, 1933), *le Dernier Milliardaire* (R. Clair, 1934), *l'Équipage* (A. Litvak, 1935), *Kœnigsmark* (M. Tourneur, *id.*), *le Joueur d'échecs* (J. Dréville, 1938), *Derrière la façade* (G. Lacombe et Y. Mirande, 1939), *Nous les gosses* (L. Daquin, 1941), *Germinal* (Y. Allégret, 1963). J.-P.B.

AHERNE *(Brian), acteur britannique (King's Norton, 1902 - Venice, Fla., 1986).* Après une carrière théâtrale précoce, il débute au cinéma en Angleterre, puis s'établit aux États-Unis en 1933. Jeune premier dans *Cantique d'amour / le Cantique des cantiques* (R. Mamoulian, 1933), *Fontaine* (*The Fountain* [J. Cromwell], 1934) ou *Sylvia Scarlett* (G. Cukor, 1935), il a prouvé dès *The Great Garrick* (J. Whale, 1937) qu'il excellait dans la comédie : *Madame et son clochard* (N. Z. McLeod, 1938), et dans la composition : *Juarez* (W. Dieterle, 1939). C'est dans ce registre qu'Hitchcock le dirige dans sa meilleure prestation, le juge de *la Loi du silence* (1953). Il se consacre au théâtre depuis les années 60. Auteur d'un livre de souvenirs : *A Proper Job* (1969). C.V.

AIDES AU CINÉMA. Avant la Seconde Guerre mondiale, le cinéma était soumis aux seules lois du marché, l'intervention des pouvoirs publics se limitant au contrôle des films. Faisaient exception l'URSS (où le cinéma avait été étatisé), l'Allemagne (où le gouvernement avait suscité en 1917, pour faire contrepoids aux cinémas des Alliés, l'émergence de la puissante UFA) et surtout l'Italie, où l'on trouve la préfiguration des systèmes modernes d'aide au cinéma (avec, par ex., la mise en place d'un système bancaire spécialisé).

Depuis la guerre, simultanément à l'étatisation du cinéma dans les pays devenus socialistes, de nombreux pays d'économie libérale se sont dotés de systèmes d'aides pour protéger leur cinéma tant comme véhicule culturel que comme secteur d'activité économique, face à la double concurrence du cinéma américain, particulièrement offensif dans l'immédiat après-guerre en raison non seulement de sa puissance propre mais aussi de l'important stock de films tournés pendant les hostilités et de la télévision.

L'aide publique en faveur du cinéma peut revêtir de nombreuses formes, notamment :

— subventions ;

— réduction spécifique de la fiscalité ;

— garanties apportées aux établissements financiers pratiquant le prêt au cinéma ;

— mesures protectionnistes vis-à-vis de la concurrence étrangère : quotas de programmation, obligation de tirer sur place les copies des films importés ou de ne distribuer que des versions doublées ;

— mesures protectionnistes vis-à-vis de la télévision : quotas limitant la diffusion de films, instauration d'un délai minimum entre la sortie en salle et la diffusion à l'antenne, contribution de la télévision au financement de l'aide au cinéma ;

— incitations à investir, tel le mécanisme des tax shelters — littéralement : « abris fiscaux » — en vigueur aux États-Unis dans les années 70 : les entreprises de toute nature qui réinvestissaient une partie de leurs bénéfices dans certaines activités, dont la production de films, pouvaient déduire ces sommes de leurs bénéfices imposables ;

— soutien apporté à l'exportation des films nationaux.

À l'inverse, des raisons politiques peuvent pousser les gouvernements à favoriser l'importation de films en provenance de pays avec lesquels ils souhaitent entretenir des relations privilégiées. Si l'intervention des pouvoirs publics est en général fondamentalement destinée à protéger ou à aider les cinémas nationaux, le cinéma peut donc aussi être considéré par les gouvernements comme un des éléments de leur diplomatie.

Quelle que soit leur forme, on peut distinguer deux types d'aide :

— les aides *automatiques* qui sont attribuées de façon mécanique : chacun y a droit dès lors qu'il satisfait à un certain nombre de conditions préalablement définies ;

— les aides *sélectives* qui ne sont attribuées qu'à des entreprises ou à des films sélectionnés.

En France, ces deux types d'aide coexistent, avec une prédominance quantitative de l'aide automatique.

Puisque les systèmes d'aide sont essentiellement destinés à tempérer les lois du marché (marché intérieur ou marché international), ils changent nécessairement à mesure que ces marchés évoluent.

L'aide au cinéma en France. Dès la fin des années 30, les difficultés rencontrées par les industriels du cinéma français avaient conduit à envisager une intervention publique. Il fallut toutefois attendre 1941 pour qu'apparaisse le premier mécanisme d'aide au cinéma français : le Crédit national était autorisé à participer, sur fonds d'État, au financement de certains films.

L'aide française au cinéma fonctionne depuis 1948 sur le même principe fondamental qui consiste à répartir entre les bénéficiaires - industriels français - une fraction des sommes versées par les spectateurs aux guichets de toutes les salles, y compris celles programmant des films étrangers. Depuis 1972, la télévision apporte sa contribution au titre de l'année. À compter de 1987, les sommes versées par la télévision sont supérieures à celles enregistrées aux guichets des salles. J.G.

AÏMANOV *(Chaken)* [*Šaken Kenžetaevič Ajmanov*], *cinéaste soviétique (Baïan-Aoul, Kazakhstan, 1914 - Moscou 1970).* Neveu du chanteur Kali Beïjanov, il entre d'abord à l'Institut pédagogique de Semipalatinsk puis se consacre au théâtre, où il s'impose bientôt comme un des grands acteurs de son temps (il est spécialisé notamment dans le répertoire shakespearien). Il se tourne vers le cinéma au début des années 50. Il est l'interprète du célèbre barde populaire Djamboul dans le film homonyme (E. Dzigan, 1953). Puis, passant à la réalisation, il devient l'un des chefs de file du cinéma kazakh : *le Poème d'amour* (*Poema o ljubvi,* 1954 ; co : K. Gakkel), *Notre cher docteur* (*Naš milyj doktor,* 1958), *l'Appel de la chanson* (*Pesn'zovet,* 1961), *le Trompeur imberbe* (*Bezborodyj obmančik,* 1965), *la Terre des ancêtres* (*Zemlija otcov,* 1966), *l'Ange en calotte* (*Angel v tjubetejke,* 1968), *la Fin de l'ataman* (*Konec atamana,* 1970). J.-L.P.

AIMÉE *(Nicole Françoise Dreyfus,* dite *Anouk), actrice française (Paris 1932).* Fille de comédiens, elle étudie le théâtre et la danse en France et en Angleterre. Son premier grand rôle est une occasion manquée : *la Fleur de l'âge* (M. Carné, 1947), qui ne sera jamais achevé, mais Jacques Prévert lui offre une nouvelle première chance avec *les Amants de Vérone* (A. Cayatte, 1949), qui fait d'elle une vedette. *Le Rideau cramoisi* (A. Astruc, 1953), *les Mauvaises Rencontres* (id., 1955), *Montparnasse 19* (J. Becker, 1958), *la Tête contre les murs* (G. Franju, 1959) ou *les Dragueurs* (J. P. Mocky, *id.*) imposent d'elle une image quasi immatérielle, celle d'un amour idéal, fragile et obstiné. *La dolce vita* (F. Fellini, 1960) et *Lola* (J. Demy, 1961) révèlent une Anouk Aimée différente, en qui s'incarnent aussi bien la sensualité blasée que la confiance aveugle dans le Destin. Les années qui suivent la trouvent en Italie, où elle interprète l'épouse névrosée dans *Huit et demi* (Fellini, 1963). Après son immense succès dans *Un homme et une femme* (C. Lelouch, 1966) et un rôle énigmatique dans *Un soir un train* (A. Delvaux, 1968), sa carrière chaotique se transporte aux États-Unis, où elle interprète *le Rendez-vous* (S. Lumet, 1969), *Justine* (G. Cukor, *id.*) et *Model Shop* (J. Demy, *id.*), retrouvant dans ce dernier film son personnage de Lola, vieilli et désabusé. Après une absence des écrans de sept ans, elle change à nouveau d'image de marque, en particulier dans *le Saut dans le vide* (M. Bellochio, 1979), où elle incarne les frustrations d'une vieille fille toute vouée à son frère, et dans *la Tragédie d'un homme ridicule* de Bertolucci (1981), où elle est l'épouse d'Ugo Tognazzi. En 1983, elle interprète *le Général de l'armée morte* (L. Tovoli) puis, de Claude Lelouch *Viva la vie* (1984) et *Un homme et une femme : vingt ans déjà* (1986). On la retrouve ensuite fugitivement dans *Ruptures* (Christine Citti, 1993), *les Marmottes* (Elie Chouraqui, 1993) et *Prêt-à-porter* (R. Altman, 1994). Elle a été notamment l'épouse de Nico Papatakis, Pierre Barouh et Albert Finney. J.-P.B.

AIMOS (*Raymond Caudurier,* dit), *acteur français (La Fère 1889 - Paris 1944).* Jusqu'à sa mort, mal expliquée, sur les barricades de la Libération, il a voué son existence au cinéma. Le muet l'utilise abondamment, le parlant consacre son accent faubourien et son allure dégingandée : *Justin de Marseille* (M. Tourneur, 1935), *la Bandera* (J. Duvivier, id.), *la Belle Équipe* (*id.,* 1936), *Quai des brumes* (M. Carné, 1938), *Ils étaient neuf célibataires* (S. Guitry, 1939), *le Déserteur* (L. Moguy, *id.*), *Monsieur La Souris* (G. Lacombe, 1942), *Lumière d'été* (J. Grémillon, 1943). Son emploi de titi lui apporta une incontestable popularité. R.C.

AITKEN *(Harry E.), producteur et distributeur américain (Waukesha, Wis., 1870 - Chicago, Ill., 1956).* Cet industriel joue un rôle de premier plan dès les débuts du muet : président de la Chicago Film Exchange (fondée en 1906), il crée la Western Film Exchange, puis sa propre société de production, Majestic Pictures, en 1911 (contrant ainsi ouvertement la Edison), puis en 1912 la Mutual Film Corporation, qu'il préside également. Il accueille D. W. Griffith à la Majestic en octobre 1913, participe au financement de *Naissance d'une nation* et en assure la distribution (1915). L'été de cette même année, Aitken fonde la Triangle Pictures Corporation avec Adam Kessel, Charles Bauman et Mack Sennett, et en reste président jusqu'en 1918. Il abandonne le cinéma après sa faillite, en 1920. Notons encore que W. S. Hart et Douglas Fairbanks ont eu sa confiance et son appui. C.M.C.

AÏTMATOV *(Tchinguiz)* [*Čingiz Ajtmatov*], *écrivain soviétique d'origine kirghize (Cheker 1928).* D'abord vétérinaire puis traducteur en kirghiz de romans russes, il fait partie depuis 1957 de l'Union des écrivains d'URSS et publie des nouvelles et des romans que la jeune génération du cinéma kirghiz adaptera avec empressement et vénération. Il est notamment l'auteur de *Djamilia* (publié dans la revue *Novy*

Mir en 1958 et porté à l'écran par Irina Poplavskaia onze ans plus tard), *le Premier Maître* (1961 ; film de A. Mikhalkov-Kontchalovski en 1965), *le Champ de la mère* (1963 ; film de Gennadi Bazarov en 1967), *Adieu Goulsary !* (1966 ; film de Sergueï Ouroussevski intitulé *le Pas de l'amble* en 1968), *le Bateau blanc* (1970 ; film de Bolot Chamchiev en 1975), *Chien tacheté courant au bord de la mer* (1977). Parmi les autres adaptations cinématographiques de ses romans, il faut citer *Chaleur torride* (L. Chepitko, 1963, d'après *l'Œil du chameau*), *la Pomme rouge* (T. Okeev, 1975), *les Cigognes précoces* (Chamchiev, 1979). J.-L.P.

AKAD *(Lütfi Ömer), cinéaste turc (Constantinople [auj. Istanbul] 1916).* Comptable, puis chef de production chez Erman Film, la MGM turque, il parvient à réaliser son premier film en 1948 : *'Frappez la putain' (Vurun kahpeye).* Avec un sens du récit cinématographique tout nouveau dans le cinéma turc, il devient vite le chef de file de la *génération des cinéastes* qui remplacent les vieux routiers du théâtre. Il aborde tous les genres – le film policier avec un brin de « réalisme poétique » : *'Au nom de la loi'* (*Kanun namina,* 1952), *'la Ville qui tue'* (*Öldüren sehir,* 1953), *'la Bicyclette à trois roues'* (*3 Tekerlekli bisiklet,* 1962) ; le film de constat social : *'le Mouchoir blanc'* (*Beyaz mendil,* 1955) ; le film d'essai de mise en scène originale : *Zümrüt* (1958), *'le Quai des solitaires'* (*Yalnizlar Rihtimi,* 1959) ; le film d'époque : *'Au feu ! '* (*Yangin var,* 1960) ; le documentaire : *'la Forêt, cadeau de Dieu'* (*Tanrinin bağişi Orman,* 1963) ; même la comédie et le *musical.* *'La Loi des frontières'* (*Hudutlarin kanunu,* 1966) et *'le Fleuve'* (*Irmak,* 1972) sont d'âpres dénonciations de problèmes sociaux. *'La Légende du mouton noir' (Kizilirmak-Karakoyun,* 1967) est la mise en images très réussie d'un conte populaire réécrit par le poète Nazim Hikmet. *'La Mère'* (*Ana,* 1967) n'est pas sans rappeler Gorki, et *Gökçe Çiçek* (1972) recherche les racines d'une culture populaire préislamique. Sa trilogie : *'la Mariée'* (*Gelin,* 1973), *'les Noces'* (*Düğün,* 1974) et *'le Prix'* (*Diyet,* 1975), qui traite du choc vécu par la paysannerie émigrée à la grande ville, est d'une importance capitale. Néanmoins, son insuccès a condamné Akad à l'inactivité professionnelle depuis 1976. A.D.

AKAN *(Tarik), acteur turc (Istanbul 1948).* Il fait ses premiers pas au cinéma en 1971, après avoir gagné un concours organisé par un magazine populaire. On lui confie alors, durant de longues années, des rôles de jeune premier traditionnel dans de nombreux films sans importance. Au moment où son étoile commençait à pâlir, il choisit de s'investir dans des compositions plus ambitieuses, sous la direction des meilleurs cinéastes du pays. Acteur le plus accompli de sa génération, il est l'interprète des principaux films turcs qui ont été sélectionnés par les festivals internationaux, distribués en salle ou diffusés par les télévisions, dans les pays étrangers : *le Troupeau* (*Sürü,* Y. Güney et Z. Ökten, 1978), *le Sacrifice* (*Adak,* A. Yilmaz, 1979), *Yol* (Güney et Gören, 1981), *les Nuits de couvre-feu* (*Karartma Geceleri,* Yusuf Kurçenli, 1990), *le Voyageur* (*Yolcu,* B. Sabuncu, 1993). ME.B.

AKERMAN *(Chantal), cinéaste belge (Bruxelles 1950).* Elle fréquente l'INSAS en 1967-68, puis tourne dès 1968 son premier court métrage, *Saute ma ville,* où elle interprète l'unique rôle. On sent poindre, dans ce film loufoque, son penchant pour l'autobiographie et le narcissisme. Aux États-Unis, en 1971, elle découvre les travaux des cinéastes expérimentaux qui influencent son premier long métrage, *Hôtel Monterey* (1972). Dans *Je, tu, il, elle* (1974), un langage épuré dans lequel le temps réel, brut, non découpé, se substitue aux codes habituels de la dramaturgie. Avec *Jeanne Dielman, 23, quai du Commerce, 1080 Bruxelles* (1975), Akerman filme trois jours de la vie d'une ménagère, prostituée d'occasion, de manière quasi documentaire. Avec *News From Home* (1977), film monté avec des plans tournés jadis aux États-Unis, elle rompt avec certaines conceptions de ses débuts. Dans sa première véritable fiction, *les Rendez-Vous d'Anna* (1978), elle approfondit sa réflexion sur l'enracinement culturel. Quatre ans de silence forcé, après l'échec de divers projets, la conduisent à concevoir un film différent des précédents, *symphonique,* éclaté : *Toute une nuit* (1982), où l'émotion tient lieu de personnage principal. Après *les Années 80* (1983), elle participe au film à sketches *Paris vu par... vingt ans après* (1984) puis tourne *The Golden Eighties* avec Delphine Seyrig (1986), *Histoires d'Amérique* (1988), *Nuit et jour* (1991), *Contre l'oubli* (CM,

1992), *le Déménagement* (MM, 1992), *D'Est* (1993), *Portrait d'une jeune fille des années 60 à Bruxelles* (1994). R.BA.

AKINS *(Claude), acteur américain (Nelson, Ga., 1918 - Altadena, Los Angeles, Ca., 1994).* Il débute au théâtre et fait sa première apparition à Broadway en 1951, dans *The Rose Tattoo.* Sa carrure massive, son physique typé lui valent d'être engagé pour un rôle de « dur » dans *Tant qu'il y aura des hommes* (F. Zinnemann, 1953). Il poursuit assidûment dans cette voie, créant de mémorables silhouettes de brutes naïves, loquaces et avinées dans *Collines brûlantes* (S. Heisler, 1956), *Rio Bravo* (H. Hawks, 1959), *Comanche Station* (B. Boetticher, 1960), etc. Passé du troisième couteau au second plan, il change de registre et tient des rôles colorés mais attachants dans *Les maraudeurs attaquent* (S. Fuller, 1962), *À bout portant* (D. Siegel, 1964), *l'Indien* (C. Reed, 1970), *Alerte à la bombe* (J. Guillermin, 1972), avant de devenir la vedette de la série *L'aventure est au bout du chemin (Movin'On),* où il incarne un «routier sympa». Parmi ses autres films, on peut également citer *Ouragan sur le Caine* (E. Dmytryk, 1954), *Porgy and Bess* (O. Preminger, 1959), *Procès de singe* (S. Kramer, 1960), *Les maraudeurs attaquent* (S. Fuller, 1962). O.E.

AKUTAGAWA *(Hiroshi), acteur japonais (Tōkyō 1920* - id. *1981).* Fils du célèbre écrivain Akutagawa Ryûnosuke *(Rashômon).* Avant tout acteur de théâtre très connu au Japon, il interprète quelques rôles marquants au cinéma après 1950, notamment dans : *'Eaux troubles'* (T. Imai, 1953), *'Là d'où l'on voit les cheminées'* (H. Gosho, *id.*), *'les Oies sauvages'* (S. Toyoda, *id.*), *'le Pousse-Pousse'* (H. Inagaki, 1958), *'Nuit et Brouillard du Japon'* (N. Oshima, 1960), et *'Dodes'kaden'* (A. Kurosawa, 1970). M.T.

ALAOUIE ou **'ALAWIYA** *(Burhān), cinéaste libanais (Arnūn 1941).* Après des études cinématographiques à l'INSAS de Bruxelles de 1968 à 1973, il reconstitue dans son premier long métrage, avec une rigueur documentariste et une réelle intensité dramatique, le massacre d'un village arabe par les Israéliens, en 1956 : *Kafr Kassem* (*Kafr Qāsim,* 1974). Il réalise en collaboration *Il ne suffit pas que Dieu soit avec les pauvres* (1976), documentaire consacré, sous l'égide de l'UNESCO, à l'architecte Hasan Fatḥī. *La Rencontre (Bayrūt al-liqā',* 1982) témoigne, d'une manière distanciée mais émouvante, du drame du Liban. Ce qui lui fait découvrir un nouveau style épistolaire pour traiter des questions libanaises dans *Lettres d'un temps de guerre I et II* (*Rasāïl min zaman Al-Harb,* 1986 et *Min zaman Al-Harb,* 1988). C.M.C.

ALASSANE *(Mustapha), cinéaste nigérien (N'Dongou 1942).* Autodidacte, il apprend un peu de technique à Niamey avec Jean Rouch, puis s'initie, au Canada, à l'animation auprès de Norman McLaren. *La Bague du roi Koda* (1964), *la Mort de Gandji* (1965) et *Bon Voyage, Sim* (1966) sont les premiers dessins animés d'Afrique noire. Il tourne des courts métrages documentaires, des fables (*al-Barka le conteur / Deela,* adapté de la tradition orale des griots [1971]) et des parodies à intention satirique. *F. V. V. A.* – initiales de femmes, villa, voiture, argent – est son premier long métrage (1972). *Toula ou le Génie des eaux* (id.) veut, à travers une légende, « attirer l'attention sur le problème angoissant de la sécheresse » . C.M.C.

ALAZRAKI *(Benito), cinéaste mexicain (Mexico 1923). Racines* (*Raíces,* 1953), son premier film – quatre épisodes sur l'univers misérable des Indiens, dont le réalisme tranche avec l'idéalisation jusqu'alors mise en scène par Fernandez et Figueroa – s'avère le précurseur peu conscient d'un cinéma indépendant au Mexique. Sa carrière ultérieure, tout à fait commerciale et conformiste (mélodrames, films d'horreur destinés au marché national), démontre que le mérite de *Racines* était surtout dû à Manuel Barbachano Ponce, le producteur, et à Carlos Velo, le coscénariste. Parmi ses autres films, on peut citer *Café Colón* (1958), *El toro negro* (1959), *Balún Canán* (1976). P.A.P.

ALBANIE. La production albanaise semble avoir été inexistante avant la Libération (1944). En 1947, le gouvernement de la République populaire socialiste décrète la nationalisation des salles et la création de l'Entreprise cinématographique d'État ; en 1952 sont inaugurés les studios de Tirana *Albanie nouvelle (Shqiperia e Re).* Les premières années sont réalisés documentaires et actualités. La production de longs métrages débute en 1953 avec la coproduction soviéto-albanaise réalisée par Serge Youtkevitch*, *Skanderbeg* (primé à Cannes en 1954 pour la réalisation), évocation à grand spectacle de la lutte menée par le héros national Georges Castriota (dit Skanderbeg) contre l'envahisseur ottoman au XVe siècle ; une autre coproduction avec l'URSS est réalisée en 1959 par Kristaq Dhamo et Youri Ozerov : *la Tempête (Futuna),* épopée de la guerre de Libération.

Le premier long métrage spécifiquement albanais est *Tana,* de Kristaq Dhamo (1957), sur la collectivisation des campagnes, suivi de *Debatik,* de Hysen Hakani (1961), sur la résistance des enfants pendant l'Occupation. La production, limitée à un film annuel environ jusqu'en 1965, s'accroît peu à peu (six en 1974 et dix en 1975) et atteint une moyenne de cinq longs métrages par an ; une production de dessins animés a également débuté au milieu des années 70 ; la télévision produit de son côté des films et des feuilletons.

Le nombre des salles, qui était de 17 en 1944, s'élevait à 76 en 1964 ; en 1975, on recensait environ 450 *unités de projection,* y compris les salles fixes et les unités mobiles ; le nombre de spectateurs, qui ne dépassait pas 150 000 avant la Libération, s'est élevé en 1975 à vingt millions pour une population d'environ deux millions et demi d'habitants, soit une fréquentation moyenne relativement forte (8).

Le cinéma albanais est fondé sur les principes idéologiques et esthétiques du *réalisme socialiste :* il est « socialiste et révolutionnaire par son contenu, national par sa forme ». La production repose sur le travail collectif, à la fois dans la conception (il est tenu compte des demandes du public quant aux thèmes à traiter) et dans la réalisation (les films sont présentés aux collectifs de création et à des échantillons de public avant leur sortie). Les traits fondamentaux des films sont : « l'esprit prolétarien », « la position de classe », « le rôle du héros positif », « le reflet de l'optimisme et du pathos révolutionnaire des masses ». Les thèmes traités concernent avant tout « la lutte de Libération nationale » et « l'édification socialiste du pays ». La formation des jeunes travailleurs du cinéma est assurée par des leçons théoriques et pratiques données à l'Institut supérieur des arts et dans les studios.

Les réalisateurs les plus importants semblent être Kristaq Dhamo : *Tana* (1957), *les Premières Années* (1965), *Matins de guerre* (*Mengjeze lufte,* 1971), *les Sillons* (*Brazdat,* 1973) ; Dimiter Anagnosti : *le Commissaire de la lumière* (co V. Gjika, *Kamisari i oritës,* 1966), *les Plaies anciennes* (*Plage te vjetra,* 1969), *les Vertes Montagnes* (*Malet me blerim mbuluar,* 1971), *la Fille des montagnes* (*Cuca e maleve,* 1974), *Dans notre maison* (1979) ; Viktor Gjika : *les Chemins blancs* (*Rrugete bardha,* id.), *l'Affrontement* (*Perballimi,* 1976), *En toute saison* (1980). *Une fable de jadis* (1988) montre que Dimiter Anagnosti est une valeur sûre. À signaler, *Avril brisé* de Cujtim Cashku (1986) d'après le roman d'Ismaïl Kadaré et l'adaptation d'un autre roman du même auteur, *le Général de l'armée morte.* M.M.

ALBATROS, société de production française créée en 1922 et dirigée par Alexandre Kamenka (1888-1969). Cette firme prit en fait la suite de la Société Ermolieff, fondée en 1920 par Ermolieff et Kamenka, et qui s'était établie dans des studios à Montreuil (Seine-Saint-Denis), avec l'aide de Pathé. Privilégiant au départ les films tournés ou joués par des émigrés russes (Volkoff, Tourjansky, Protazanov, Mosjoukine, Nathalie Lissenko, Nicolas Rimsky), Kamenka n'en produisit pas moins certains films des grands metteurs en scène français de l'époque comme Marcel L'Herbier (*Feu Mathias Pascal,* 1925), René Clair (*Un chapeau de paille d'Italie,* 1928) ou Jacques Feyder (*les Nouveaux Messieurs,* 1929). J.-L.P.

ALBERINI *(Filoteo), producteur et cinéaste italien (Orte 1865- Rome 1937).* Pionnier du cinéma italien, Alberini invente en 1894 le Kinetografo, appareil pour la prise de vues, le tirage et la projection des images animées. Cet appareil, breveté en 1895, voit son champ d'application réduit à néant par l'apparition en Italie du Cinématographe Lumière (printemps 1896). Alberini poursuit ses recherches et met au point diverses inventions, notamment, en 1914, un système de prise de vues panoramique, que Guazzoni utilise en 1919 pour le tournage de *Clemente VII e il sacco di Roma.* Actif également dans le domaine commercial, Alberini ouvre une salle de projection à Florence en 1901, puis, à Rome, en 1904, le Moderno (il s'agit vraisemblablement de la première salle construite en dur spécialement pour le cinéma). En décembre 1904 (ou en août 1905), il se lance dans la production en fondant avec Sante Santoni le premier établissement italien de manufacture cinématographique, Alberini et Santoni. Cette société devient, en 1906, la S. A. Cines, dont les studios, porte San Giovanni à Rome, seront actifs jusqu'à la fin des années 30. La Cines, société par actions soutenue par le Banco di Roma (organisme lié au Vatican), devient rapidement une des plus grosses entreprises italiennes de production de films. Homme à tout faire, Alberini met en scène certains des films produits par la société, notamment en 1905 *La presa di Roma,* premier film à sujet de la cinématographie italienne, une œuvre en costumes, longue déjà de 250 mètres et évoquant l'assaut des Piémontais à Porta Pia et la prise de Rome en 1870. Le film inaugure le filon historique et nationaliste si prolifique dans la cinématographie italienne muette. Après 1910, Alberini est progressivement écarté du rôle essentiel qui avait d'abord été le sien dans la société primitive et il n'assume plus que la fonction de directeur technique de la Cines. J.-A.G.

ALBERS *(Hans), acteur allemand (Hambourg 1891 - Tutzing 1960).* D'abord actif dans le cirque, le music-hall et l'opérette, il vient au cinéma en 1924, parallèlement à sa carrière théâtrale (il fait partie du *Deutsches Theater* de Max Reinhardt en 1926-1928), avec un personnage de jeune premier dynamique et enjoué, aventureux et gaillard, une sorte de Douglas Fairbanks local. On le voit dans de nombreux films muets (*la Danse de mort* [U. Gad, 1912], *Ein sommer nachtstraum* [Hans Neumann, 1925], *Eine Dubarry von Heute* [A. Korda, 1926], *Prinzessin Olala* [Robert Land, 1928]). Remarqué dans *Asphalt* (J. May, 1929) et *l'Ange bleu* (J. von Sternberg, 1930), il tourne dans les années 30 et 40 sous la direction de Carl Froelich (*La Nuit est à nous,* 1929), Richard Eichberg (*Der Greifer,* 1930), Kurt Gerron (*Der Weisse Damon,* 1932), Robert Siodmak *(Quick, id.),* Gustav Ucicky (*Au bout du monde,* 1933), Karl Hartl (*l'Or,* 1934), Fritz Wendhausen *(Peer Gynt, id.),* Herbert Selpin (*Sergent Berry,* 1938 ; *Carl Peters,* 1942), Helmut Käutner (*la Paloma,* 1944), mais c'est avec le rôle-titre des *Aventures fantastiques du baron de Münchhausen* (J. von Baky, 1943) qu'il obtient son plus grand succès. Il poursuivra sa carrière jusqu'à la fin des années 50. J.-L.P.

ALBERT *(Edward Albert Heimberger, dit Eddie), acteur américain (Rock Island, Ill., 1908).* Du théâtre, il passe au cinéma en 1938, avec l'adaptation d'une pièce qu'il avait jouée à Broadway : *Brother Rat* (William Keighley). Son physique ordinaire et la mobilité de ses traits le désignent pour des emplois secondaires, dans de petites comédies, à la Warner. *Un amour désespéré* (W. Wyler, 1952) le fait remarquer dans un rôle dramatique. Il brille ensuite dans le même registre : *Attaque* (R. Aldrich, 1956), *les Racines du ciel* (J. Huston, 1958) ; et toujours dans la comédie : *la Petite Maison de thé* (Daniel Mann, 1956), *les Arpents verts* (*Green Acres,* feuilleton télévisé, Richard L. Bare, 1965-1969). Il mène aussi une carrière de chanteur. Son fils a joué un moment sous le nom d'Eddie Albert Jr. A.G.

ALBERTAZZI *(Giorgio), acteur et cinéaste italien (Fiesole 1925).* Interprète de théâtre, il apparaît au cinéma dans *Lorenzaccio* (Raffaello Pacini, 1952) et à la télévision (acteur, réalisateur). Il est connu surtout pour le rôle qu'il tient dans *l'Année dernière à Marienbad* (A. Resnais, 1961). Il a signé, mis en scène et interprété une adaptation de *la Gradiva* de Jensen en 1970. Depuis, il se consacre principalement au théâtre. F.B.

ALBICOCCO *(Jean Gabriel), cinéaste français (Cannes 1936).* Fils du chef opérateur Quinto Albicocco, dont il partage le goût pour une image empreinte d'afféterie, il est assistant de Dassin pour *Celui qui doit mourir* (1956), puis réalise quelques discutables adaptations littéraires : *la Fille aux yeux d'or* (1961), *Un rat d'Amérique* (1962), *le Grand Meaulnes* (1967), *le Cœur fou* (1969), *le Petit Matin* (1971). C.D.R.

ALCORIZA *(Luis), cinéaste et scénariste mexicain (Badajoz, Espagne, 1921 - Cuernavaca, Mexique, 1992).* Fils d'un couple de comédiens espagnols, il s'installe au Mexique au lendemain de la guerre civile. Il débute lui aussi comme acteur de théâtre et de cinéma : une quinzaine de rôles, de *La torre de los suplicios* (R. J. Sevilla, 1940) au *Grand Noceur* (L. Buñuel, 1949). Il apprend le métier de scénariste auprès de l'Américain Norman Foster et participe à l'écriture de plus de cinquante films entre 1946 et 1960. Il est notamment le collaborateur de dix films mexicains de Buñuel, dont *Los olvidados* (1950), *Tourments* (1952) et *l'Ange exterminateur* (1962). Lassé de voir ses projets édulcorés par les tâcherons d'une industrie déjà complètement sclérosée, il passe à la mise en scène avec *Los jóvenes* (1961). À contre-courant de la débâcle du cinéma mexicain, il s'impose avec *Tlayucan* (1962), *Pêcheurs de requins* (*Tiburoneros,* 1963) et *Toujours plus loin* (*Tarahumara,* 1965) comme un réalisateur original et incisif. Il procède dans ces trois films à une véritable redécouverte de la réalité nationale, celle de la province, puis des pêcheurs, et enfin des Indiens, sans les artifices traditionnels ou l'idéalisation des Fernandez et Figueroa. Plutôt qu'une influence de Buñuel, il y révèle une identité de vues, une même volonté de subversion, le goût de l'insolite et du sarcasme, le recours à l'érotisme libérateur. À la différence de son aîné, il se montre davantage intégré à son pays d'adoption, plus attentif à l'insertion des personnages dans le paysage et dans un contexte social précis. Il dévoile l'envers du décor de *prospérité* d'Acapulco et de Mexico et révèle sans complaisance les laissés-pour-compte du système, dans *Paraíso* (1970) et *Mecánica nacional* (1972). Il s'oriente ensuite vers la fable, avec *Presagio* (1975), écrit en collaboration avec Gabriel García Márquez, et *Las fuerzas vivas* (1975), dont l'action se situe à l'époque de la révolution mexicaine. Il a réalisé également *Amor y sexo* (1964), *El gángster* (1965), *Divertimento* (1967), *La puerta* (1968), *El oficio más antiguo del mundo* (1970), *El muro del silencio* (1974), *A paso de cojo* (1978), *Lo que importa es vivir* (1985), *Dia de difuntos* (1987), des sketches de *Antología del miedo* (1968) et *Fe, esperanza y caridad* (1974). P.A.P.

ALCOTT *(John), chef opérateur britannique (Londres 1931 - Cannes 1986).* Son nom reste associé à celui de Stanley Kubrick : après son travail sur la photographie additionnelle de *2001, l'Odyssée de l'espace* (1968), le cinéaste lui fit constamment confiance. C'est donc à lui que l'on pense en évoquant la lumière glacée et terrifiante d'*Orange mécanique* (1971) ou de *Shining* (1980) ou encore les légendaires clairs-obscurs dus à la bougie de *Barry Lyndon* (1975). Le prestige de cette collaboration le fit solliciter par les États-Unis. Il faut cependant reconnaître que, pour être toujours aussi compétent, son travail y était plus anonyme, comme dans *le Policeman* (D. Petrie, 1980) ou *Sens unique* (R. Donaldson, 1987), son dernier film, que le réalisateur dédie à sa mémoire. Mais on peut avoir une bonne idée de sa facilité d'adaptation en comparant l'aspect quasi documentaire de *Under Fire* (R. Spottiswoode, 1983) à l'enluminure chatoyante de *Greystoke* (H. Hudson, 1984). C.V.

ALCOVER *(Pedro Antonio Alcover,* dit *Pierre), acteur espagnol (Châtellerault, France, 1893 - Paris 1957).* Il ne semble pas avoir jamais sollicité sa naturalisation. Sorti du Conservatoire pour entrer à la Comédie-Française, c'est un colosse à la figure énergique qui devient vite un des «poids lourds» du cinéma français : *Champi-Tortu* (J. de Baroncelli, 1921), *Feu Mathias Pascal* (M. L'Herbier, 1925), puis *l'Argent* (id., 1929) le sacrent grand premier rôle. Pourtant, le parlant le tient un peu à l'écart : *la Petite Lise* (J. Grémillon, 1930), *Liliom* (F. Lang, 1934), *l'Homme de nulle part* (P. Chenal, 1937), *Un carnet de bal* (J. Duvivier, *id.*), *Drôle de drame* (M. Carné, *id.*), *le Château des quatre obèses* (Ivan Noé, 1939), *le Colonel Chabert* (René Le Hénaff, 1943). R.C.

ALCY *(Charlotte Faës,* dite *Jehanne d'), actrice française (Vaujours 1865 - Versailles 1956).* Venue à Paris vers 1888 pour tenter sa chance, elle rencontre le directeur du théâtre Robert-Houdin, qui s'appelle Georges Méliès. Lorsque celui-ci se passionne pour le cinéma naissant, elle participe aussitôt aux courtes bandes où fleurissent les trucages (*le Voyage dans la Lune,* 1902) et s'épanouit la poésie. Plus tard, lorsque le magicien est oublié, elle l'épouse (1925) et l'aide à vendre des jouets gare Montparnasse. On les retrouve, on leur rend hommage. Seule survivante de cette époque fabuleuse, la première vedette du cinéma français se consacre jusqu'à sa mort au culte de son mari. R.C.

ALDA *(Alan), acteur américain (New York, N. Y., 1936).* Fils de l'acteur Robert Alda *(New york, N. Y., 1914 - Los Angeles, Ca., 1986),* Alan Alda est lui-même acteur de théâtre, de cinéma, de télévision, auteur, producteur et metteur en scène. Il fait ses débuts sur scène à l'âge de seize ans à Barnesville en Pennsylvanie, accompagne son père en Europe, où il fait des apparitions sur les scènes romaines et à la télévision. Sa célébrité exceptionnelle aux États-Unis vient surtout de la reprise pour la télévision de *M*A*S*H*, dont il met en scène un épisode. Il apparaît au cinéma, notamment dans : *la Guerre des bootleggers* (R. Quine, 1970), *Satan mon amour* (P. Wendkos, 1971), *Même heure, l'année prochaine* (R. Mulligan, 1978), *California Hotel* (H. Ross, *id.*), *la Vie privée d'un sénateur* (J. Schatzberg, 1979). Il est également scénariste de ce film, ainsi que de *Four Seasons* (1981) et de *Sweet Liberty* (1986), dont il a assuré la mise en scène. Les récents développements de sa carrière (*Betsy's Wedding*, 1990, où il se dirige lui-même derrière l'œil de la caméra) font d'Alan Alda un artiste boulimique, soucieux d'accéder au statut d'auteur complet de ses productions. En 1989, il s'impose définitivement comme un acteur brillant et subtil dans *Crimes et délits* de (et avec) Woody Allen et, en 1993, dans *Meurtres mystérieux à Manhattan* du même W. Allen. L'acteur rappelle, sans l'égaler, Cary Grant. Il en a la vivacité et la causticité, mais non le charisme. M.S.

ALDO *(Aldo Graziati,* dit *G. R.), chef opérateur italien (Scorze 1905 - Albara di Pianiga, Padoue, 1953).* Venu très jeune en France, Aldo a d'abord travaillé comme photographe de plateau : ses photos de films français des années 30 comptent parmi les meilleures du genre. Après la guerre, ayant suivi en Italie le tournage de *la Chartreuse de Parme* (Christian-Jaque), il se fixe à Rome en 1948 et devient rapidement un des chefs opérateurs les plus recherchés. Son exceptionnel sens plastique, son goût des cadrages précis, sa maîtrise des éclairages contrastés sont mis au service de cinéastes comme Visconti (*La terre tremble,* 1948), De Sica (*Miracle à Milan,* 1951 ; *Umberto D,* 1952 ; *Stazione Termini,* 1953), Genina (*la Fille des marais,* 1949 ; *Histoires interdites,* 1952), Soldati *(la Provinciale / la Marchande d'amour,* 1953). Il collabore avec Brizzi à la photographie d'*Othello* de Welles (1952). En 1953, il retrouve Visconti pour *Senso.* D'emblée, il se révèle un maître dans l'utilisation de la couleur : un accident d'automobile interrompt brutalement sa carrière (*Senso* sera terminé par Robert Krasker et Giuseppe Rotunno). J.-A.G.

ALDRICH *(Robert), cinéaste américain (Evanston, R. I., 1918 - Los Angeles, Ca., 1983).* Venu à Hollywood en 1941, il est engagé par la RKO comme simple employé à la production, et gravit de façon traditionnelle les échelons de la profession, devenant employé sur les scripts, puis administrateur délégué et enfin assistant (de Milestone, Renoir, Wellmann, Chaplin et surtout Polonsky et Losey). Scénariste et producteur d'une série télévisée, c'est le succès de celle-ci qui lui permet de réaliser (après un galop d'essai inédit en France) son premier film *personnel :* la vedette en est d'ailleurs Dan Duryea, déjà vedette de la série en question. Aldrich essaie d'y rompre la grisaille TV au profit de recherches d'angle et de chocs spectaculaires. En outre, *World for Ransom,* film d'aventures à médiocre budget (dont le titre sonne comme un défi), indique le type d'action où Aldrich sera toujours à l'aise (d'où les échecs répétés dans la comédie de cet homme plein d'humour) : le récit picaresque, voire *éclaté,* plutôt que l'intrigue bien ficelée. S'il aborde le thriller, c'est toujours en éliminant les éléments de compréhension analytique que le genre avait hérités malgré tout du *policier :* le spectacle l'intéresse plus que le suspense. Pendant trois ou quatre ans, Aldrich va s'affirmer par des films d'aventures dont l'outrance délibérée va de pair avec une ambition *cosmique* qui culminera dans *En quatrième vitesse,* où un récit médiocre se transforme en allégorie de la condition humaine à l'ère atomique. L'influence formelle d'Orson Welles est flagrante dans ces films. Plus coté que le précédent aux yeux de certains critiques, *le Grand Couteau* (qui dénonce la *corruption* d'Hollywood) pèche par un excès de lourdeur dans la dramaturgie, en contraste avec l'extrême liberté de ton de *Vera Cruz* (où Aldrich n'est nullement pris au dépourvu par le Scope-couleur). Cette lourdeur théâtrale formera plus tard chez Aldrich un mélange instable et *insoluble* avec son goût pour les effets de montage et surtout les plans *assenés* comme autant de provocations aux instants de tension extrême.

Dès 1955, les ennuis commencent pour Aldrich. Éliminé du tournage de *Racket dans la couture,* il essaie à la fois de la réalisation itinérante en Europe, avec des résultats plutôt décevants, et de l'autoproduction : *El perdido* est malheureusement un film inégal, une sorte de *western inversé* (au profit d'une rêverie romantique) sur un scénario de Dalton Trumbo. Ce n'est qu'en 1963 qu'Aldrich se relance commercialement, avec *Qu'est-il arrivé à Baby Jane ?*, récital de *monstres sacrés* où une sorte d'attendrissement tempère une horreur grand-guignolesque. La même frénésie dérape vers l'absurde dans *Douze Salopards,* film voulu antibelliciste par son auteur mais où la violence quasi gratuite entretient une ambiguïté difficilement supportable. L'incontestable succès des deux films permettra à Aldrich d'être, pendant quelques années, le seul producteur-réalisateur américain à posséder ses propres studios.

Pendant toute cette période, Aldrich n'a pas dissimulé ses options libérales (antiracistes, notamment) et sa haine d'une certaine hypocrisie qui affecte aussi bien l'Amérique que Hollywood même. À partir de 1968, le metteur en scène exaspère (sur des matériaux d'un intérêt variable) les contradictions de son style, en même temps qu'il souligne son goût, d'une part, pour les brutes viriles *(l'Empereur du Nord),* d'autre part, pour les vieilles actrices, éventuellement homosexuelles *(Faut-il tuer Sister George ?).* Il pratique les collages les plus audacieux (la séquence finale du *Démon des femmes* est à cet égard exemplaire), et sa tendance au *grotesque* (au sens hugolien du terme) se déploie dans des films pleins de bruit et de fureur, toujours plus saccadés même dans les plans longs, comme s'ils n'étaient plus composés que de *morceaux choisis* (auxquels ne manquent même pas de rares et précieux instants de tendresse : *la Cité des dangers*). Évocation de plus en plus directe du déclin de la société américaine (Aldrich est issu de la grande bourgeoisie) mais aussi du crépuscule de ce cinéma dont le cinéaste, formé au croisement de la routine et de la modernité, aura été l'un des derniers grands témoins. En 1977, il a été réélu président de la Directors Guild. G.L.

Films ▲ : *The Big Leaguer* (1953) ; *Alerte à Singapour* (*World for Ransom,* 1954) ; *Bronco Apache* (*Apache,* id.) ; *Vera Cruz* (id.) ; *En quatrième vitesse (Kiss Me Deadly,* 1955) ; *le Grand Couteau* (*The Big Knife,* id.) ; *Feuilles d'automne* (*Autumn Leaves,* 1956) ; *Attaque* (*Attack !,* id.) ; *Racket dans la couture* (*The Garment Jungle,* 1957 : film terminé et signé par Vincent Sherman) ; *Trahison à Athènes* (*The Angry Hills,* 1959) ; *Tout près de Satan* (*Ten Seconds to Hell,* id.) ; *El perdido* (*The Last Sunset,* 1961) ; *Sodome et Gomorrhe* (*Sodom and Gomorrah / Sodoma e Gomorra,* 1962 ; co Sergio Leone) ; *Qu'est-il arrivé à Baby Jane ?* (*What Ever Happened to Baby Jane ?,* id.) ; *Quatre du Texas* (*Four of Texas,* 1963) ; *Chut, chut, chère Charlotte* (*Hush... Hush Sweet Charlotte,* 1965) ; *le Vol du Phénix* (*The Flight of the Phoenix,* 1966) ; *les Douze Salopards* (*The Dirty Dozen,* 1967) ; *le Démon des femmes* (*The Legend of Lylah Clare,* 1968) ; *Faut-il tuer Sister George ?* (*The Killing of Sister George,* id.) ; *Trop tard pour les héros* (*Too Late the Hero,* 1970) ; *Pas d'orchidées pour Miss Blandish* (*The Grissom Gang,* 1971) ; *Fureur apache* (*Ulzana's Raid,* 1972) ; *l'Empereur du Nord (Emperor of the North Pole,* 1973) ; *Plein la gueule* (*The Mean Machine / The Longest Yard,* 1974) ; *la Cité des dangers* (*Hustle,* 1975) ; *l'Ultimatum des trois mercenaires* (*Twilight's Last Gleaming,* 1977) ; *Bande de flics* (*The Choirboys,* id.) ; *Un rabbin au Far West* (*The Frisco Kid,* 1979) ; *Deux Filles au tapis* (*All The Marbles,* 1981).

ALEA → GUTIERREZ ALEA (TOMÁS).

ALEKAN *(Henri), chef opérateur français (Paris 1909).* Après des études aux Arts et Métiers et à l'Institut d'optique, il devient assistant opérateur ou cameraman (de 1928 à 1940) de divers directeurs de la photographie (Périnal, Toporkoff, Kelber, Shüfftan), puis chef opérateur (1941). Il acquiert une immédiate célébrité dès la Libération en signant la photographie de quelques-uns des plus grands films de l'époque : *la Bataille du rail* (R. Clément, 1946), *la Belle et la Bête* (R. Clément et J. Cocteau, *id.*), *les Maudits* (R. Clément, 1947), *les Amants de Vérone* (A. Cayatte, 1949). La précision et la sensibilité de ses images sont remarquables tout autant dans le style documentaire *(la Bataille du rail)* que dans le raffinement poétique *(la Belle et la Bête),* mais il ne s'est jamais livré à des recherches esthétisantes. La qualité de son travail éclate non seulement dans les films de Clément mais aussi dans ceux de Carné (*la Marie du port,* 1950 ; *Juliette ou la Clé des songes,* 1951) et d'Yves Allégret (*Une si jolie petite plage,* 1949 ; *la Meilleure Part,* 1956). Il se révèle un maître de la couleur, comme il l'avait été du noir et blanc, dans *Austerlitz* (A. Gance, 1960), *la*

Princesse de Clèves (J. Delannoy, 1961) et dans les grandes productions internationales comme *Topkapi* (J. Dassin, 1964), *Lady L* (P. Ustinov, 1965), *Mayerling* (T. Young, 1968) ou *Soleil rouge* (*id.*, 1971), aussi bien que dans des œuvres plus originales comme *Deux Hommes en fuite* de Losey (1970), *la Truite* (*id.*, 1982), *l'État des choses* (W. Wenders, *id.*, photo en noir et blanc), *Wundkanal* (Thomas Harlan, 1984), *A Strange Love Affair* (Eric Kuyper et Paul Verstraeten, 1985), *Esther* (A. Gitai, *id.*), *les Ailes du désir* (Wenders, 1987), *Berlin-Jérusalem* (Gitai, 1989). Il a photographié plus de cent films et réalisé lui-même un documentaire d'art, *l'Enfer de Rodin* (1958). Il a mis au point (avec Georges Gérard) le procédé Transflex, système analogue à la *transparence* mais utilisant la projection frontale sur un écran spécial en billes de verre. M.M.

ALEKAN-GÉRARD (PROCÉDÉ) → EFFETS SPÉCIAUX.

ALEKSANDROV *(Grigori Mormonenko,* dit *Grigori) [Grigorij Vasil'evič Aleksandrov], cinéaste soviétique (Iekaterinbourg* [auj. *Sverdlovsk*] *1903 - Moscou 1983).* Il débute comme décorateur et costumier au théâtre local et, en 1921, devient acteur au premier théâtre ouvrier du Proletkult à Moscou. Il rencontre Eisenstein, dont il sera le collaborateur pendant une dizaine d'années. Dans *la Grève* (*Stačka,* 1925) et *le Cuirassé Potemkine* (*Bronenosec Potemkin,* id.), il est assistant réalisateur (et acteur) ; pour *Octobre* (*Oktjabr',* 1927) et *la Ligne générale* (*Staroe i Novoe,* 1929), il devient coréalisateur. En 1930, en route pour les États-Unis avec Eisenstein et Tissé, il participe à Paris avec eux à la réalisation d'un court métrage impressionniste, *Romance sentimentale,* dont la responsabilité lui revient plus qu'à Eisenstein. Puis il est coauteur de *¡ Que viva México !* (1931-32), célèbre fresque historique restée inachevée.

Sa carrière personnelle débute en 1934 avec *les Joyeux Garçons (Veselye rebjata),* comédie musicale (sur une partition fameuse de Dounaïevski) et burlesque qui fait figure d'archétype (avec *le Bonheur,* de Medvedkine, alors occulté) d'une tradition nationale de comédie légère d'où l'influence américaine n'est pas absente. Dans la même veine, il réalise ensuite *le Cirque* (*Cirk,* 1936) puis *Volga Volga* (1938) : la vedette de ces trois films est Lioubov Orlova, sa femme, une comédienne pleine de dynamisme et d'humour ; ces films ne sont pas seulement des divertissements mais aussi des satires de la bureaucratie, voire du racisme *(le Cirque).* Après la guerre il renoue, mais avec un moindre succès, avec cette inspiration drolatique et farfelue dans *le Printemps* (*Vesna,* 1947). La période de la guerre froide est marquée dans son œuvre par un film politique, *Rencontre sur l'Elbe* (*Vstreča na El'be,* 1949), vision engagée des relations soviéto-américaines. Puis il revient au genre musical avec une biographie, *Glinka* (*Kompozitor Glinka,* 1952) et deux films « expérimentaux » , *D'homme à homme* (*Čelovek čeloveku,* 1958) et *Souvenir russe* (*Russkij suvenir,* 1960). En 1966, il tourne *Lénine en Suisse,* un documentaire. En 1979, il signe une version de *¡ Que viva Mexico !* à partir du matériel original restitué par les Américains. M.M.

ALERME *(André), acteur français (Dieppe 1877 - Montrichard 1960).* Dans *Amour et Carburateur* (Pierre Colombier, 1925), il apparaît pour la première fois à l'écran en petit-bourgeois coléreux et vaniteux. Il évite rarement cet emploi (*Nord Atlantique* [M. Cloche, 1939]), mais Feyder sait gonfler sa silhouette (*Pension Mimosas,* 1935 ; *la Kermesse héroïque,* id.). Des comédies de Guitry (*le Blanc et le Noir,* 1931) aux fantaisies prévertiennes (*l'Arche de Noé* [Henry Jacques, 1947]), il a fait preuve d'une constante autorité : *la Dame de chez Maxim's* (A. Korda, 1933), *Paradis perdu* (A. Gance, 1940), *la Comédie du bonheur* (M. L'Herbier, 1942), *Lettres d'amour* (C. Autant-Lara, *id.*), *le Baron fantôme* (S. de Poligny, 1943), *Pour une nuit d'amour* (E. T. Gréville, 1947). C.B.

ALESSANDRINI *(Goffredo), cinéaste italien (Le Caire, Égypte, 1904 - Rome 1978).* Assistant de Blasetti (1929-30) pour *Sole* et *Terra madre,* il travaille ensuite à Hollywood au doublage des films MGM. Revenu en Italie, il dirige la version italienne d'un film de Wilhelm Thiele : *La segretaria privata* (1931). Il passera de la comédie brillante (*Seconda B,* 1934) à la biographie picaresque (*Caravaggio / Il pittore maledetto,* 1941), mais aussi au film de propagande fasciste (*Giarabub,* 1942 ; *Noi vivi,* id. ; *Addio, Kira !,* id.). Cinéaste quasi officiel du régime depuis *Luciano Serra, pilota* (1938), auquel avait collaboré Vittorio Mussolini, il fait sa rentrée en 1947 avec *Furia,* que suit en

1948 *le Juif errant (L'Ebreo errante),* fable antiraciste d'une grande dignité et d'une certaine qualité artistique, primée à Venise la même année. En 1951, il entreprend *les Chemises rouges (Camicie rosse),* film qui sera terminé par le jeune Francesco Rosi (1952). Après s'être occupé de production, Alessandrini n'est revenu au cinéma que dans les années 60, comme acteur de second plan pour quelques films (*La Celestina* [Lizzani, 1965]). Il avait été marié brièvement à Anna Magnani.
G.L.

ALEXANDROV *(Grigori)* → ALEKSANDROV.

ALEXEIEFF *(Alexandre), cinéaste et dessinateur français d'origine russe (Kazan 1901 - Paris 1982).* Fixé en France en 1920, il travaille comme décorateur et costumier pour Gaston Baty, Louis Jouvet, Georges Pitoëff et les Ballets russes, et comme illustrateur de livres. Il se tourne vers le cinéma en 1930 avec une invention originale et féconde, *l'écran d'épingles,* qu'il met en œuvre avec sa collaboratrice et épouse Claire Parker. Il s'agit d'un panneau (1,30 m × 1 m) percé de quelque 500 000 trous dans lesquels sont engagées autant d'épingles mobiles, qui, éclairées en lumière oblique, donnent suivant leur émergence toutes les nuances du noir au blanc, le tout étant filmé image par image selon le principe de l'*animation.* De 1932 à 1934, il réalise avec ce procédé *Une nuit sur le mont Chauve,* illustration visuelle de Moussorgski, un chef-d'œuvre d'imagination et d'atmosphère fantastiques. Suivant le même procédé, il réalise encore, au Canada, *En passant* (1943), d'après une chanson populaire, puis, en France, *le Nez,* d'après Gogol (1963), *Tableaux d'une exposition* (1972) et *Trois Thèmes* (1980), d'après Moussorgski, ainsi que le prologue du film d'Orson Welles, *le Procès* (1962), et des illustrations pour une édition du *Docteur Jivago.* Il s'est aussi consacré, dès les années 30, au cinéma publicitaire, où il a réalisé des chefs-d'œuvre grâce à un autre procédé de son invention, la *totalisation* (principe du « pendule composé » , repris par Étienne Raïk), permettant des trucages raffinés et inventifs, ainsi qu'une grande poésie visuelle *(Fumées, Pure Beauté, Sève de la terre).* M.M.

ALFA *(Joséphine Alfreda Bassignot,* dite *Michèle), actrice française (Gujan-Mestras 1915-1989).* La scène lui apporte plus de satisfactions que l'écran, mais, pendant l'Occupation, elle est l'une des vedettes les plus employées. Auparavant, elle n'avait fait que de la figuration : on l'entrevoit dans des films tournés à Berlin ; toutefois, *le Corsaire* (M. Allégret, 1939), dont elle doit être l'héroïne et que la guerre interrompt, lui permet de jouer le premier rôle de nombreux films entre 1940 et 1944 : *le Dernier des six* (G. Lacombe, 1941), *Le pavillon brûle* (J. de Baroncelli, *id.*), *le Lit à colonnes* (R. Tual, 1942), *le Comte de Monte-Cristo* (R. Vernay, 1943), *le Secret de Mme Clapain* (A. Berthomieu, *id.*). Puis le silence, ou peu s'en faut (*Premières Armes* [R. Wheeler, 1950]).
R.C.

ALGÉRIE *(Barr al-Djazā'ir).* En 1962, il n'existe aucune infrastructure de production, sinon les studios de télévision de la capitale. Avant l'indépendance, le parc de salles se limitait à quelque 350 salles pour la diffusion des films européens et américains, dont certains évoquaient l'exotisme du bled, des oasis, sans effleurer les réalités. Si le fameux opérateur des frères Lumière, Félix Mesguich*, natif d'Alger, filme un programme de *scènes vues* en 1899, si Camille de Morlhon tourne dès 1911 les premières fictions dans le Sud algérien *(En mission, la Belle Princesse et le marchand, l'Otage, Pour voir les mouquères),* Feyder*, lui, doit rompre avec Gaumont pour tourner, dans le Hoggar, une partie de *l'Atlantide* (1921). L'Algérie n'est qu'un décor, ou un sujet de *documentaires* réalisés pour le Gouvernement général. C'est, à partir de 1957, à un autre *documentarisme* (celui du combat) que sont formés les premiers opérateurs et cinéastes algériens du Front de libération nationale (FLN) autour de Tébessa, puis à Tunis, Belgrade, Prague... Après la guerre, Ahmed Rachedi* et Mohamed Lakhdar Hamīna* vont réaliser avec peu de moyens les premiers films algériens, marqués par le souci de témoigner : *l'Aube des damnés,* de Rachedi (1965), ou d'exalter la lutte populaire pour la libération : *le Vent des Aurès,* de Lakhdar Hamīna (1966), parfois sous forme de fresque assez romanesque : *La nuit a peur du soleil,* de Mustafā Badie (1965), coproduit par la télévision (RTA) et le Centre national du cinéma (CNC). Ce dernier est absorbé en 1967 par l'Office national pour le commerce et l'industrie cinématographiques (ONCIC), auquel est dévolu le monopole de production et de distribution. Mais l'Office des actualités algériennes (1965-1974), notamment, bénéficie de nombreuses dérogations avant d'être, lui aussi, absorbé par l'ONCIC. Pourtant, depuis 1978, la production est dominée par la RTA. La volonté de centralisation et de coordination s'applique difficilement. La fonctionnarisation n'assure pas un dynamisme nécessaire. Le taux d'importation, âprement disputé, a pu être ramené à un niveau assez bas (de 450 films en 1962 à 110 en 1979) sans pour autant donner un coup de fouet à la production nationale. Les studios et moyens mis en place à Alger et Oran assurent, sauf pour les traitements du film et le sous-titrage, une relative autonomie à une production encore peu nombreuse (5 LM pour l'ONCIC en 1979). Les années de guerre et de l'immédiat après-guerre privilégient le court métrage, film militant, documentaire, de montage ; puis la fiction relaie le témoignage dans des films à sketches (*l'Enfer à dix ans,* 1969) ou des productions lourdes, en couleurs : *l'Opium et le Bâton* (*Thāla* [Rachedi, 1970]). Ce cinéma ne satisfait pas absolument un désir de participation critique à l'élaboration d'une société algérienne nouvelle. Les héros quasi anonymes de la guerre *(le Vent des Aurès)* sont devenus les jeunes gens de *l'Obstacle* (CM de Mohamed Bouamari*, 1966) en butte aux interdits de la tradition, frères aînés du titi algérois de *Omar Gatlato* (Merzaq Allouache*, 1976), ou des marginaux : *le Charbonnier* (*al-Fahhām,* 1972), de Bouamari ; *les Nomades (ar-Ruhhal),* de Sid 'Alī Māzīf* (1975). Aussi le cinéma algérien développe-t-il concurremment deux courants complémentaires. À l'analyse du passé, dont Abdellaziz Tolbī réussit un sobre poème épique, *Noua* (1972), Lakhdar Hamīna une fresque flamboyante, *Chronique des années de braise* (Palme d'Or à Cannes en 1975), ou Lamīne Merbāh une belle reconstitution fondée sur l'arrivée des réfugiés d'Alsace-Lorraine après la défaite de 1870 et leur mainmise sur l'Ouarsenis (*les Déracinés* [*Beni-Hendel*], 1976), répondent des œuvres en prise sur le quotidien : l'évolution des campagnes (*le Peuplier* [*Min quīb as-Saf-saf*], de Moussā Haddād, 1972) ; la résurgence des *féodalités* ou des privilèges (*les Bonnes Familles,* de Djaffār Damardji [1973], produit par le parti [FLN], ou *l'Héritage,* de Bouamari [1974]).

Les deux films consacrés par Mohamed Ifticène à la jeunesse, *Gorine* (1971) et *Jalti* (1980), produits par la RTA, révèlent les failles d'une société qui n'a pas encore équilibré modernisme et tradition. La délinquance juvénile y est *interprétée* par des garçons pris dans la rue, sans espoir et sans attaches. Le cinéma algérien n'a pas oublié ses origines et manifeste la volonté de témoigner, aussi près que possible, du quotidien, du vécu : Haddād, Merbāh, Tolbī, ont eux aussi recours à des interprètes non professionnels (peut-être parce que les auteurs algériens sont, d'abord, issus du théâtre : Keltoum, Rouiched, Hassan al-Hassani). Mohamed Chouikh* et Mohamed Zinet* sont aussi, quant à eux, occasionnellement des cinéastes. D'autre part, des noms nouveaux apparaissent, dont celui d'une romancière, Assia Djebar, venue à la caméra (*la Nouba des femmes du mont Chenoua,* 1977 ; *la Zerda et les Chants de l'oubli,* 1982), de Mehdi Charef (*le Thé au harem d'Archimède,* 1985), de Mohamed Chouikh (*la Citadelle,* 1988 ; *Youcef,* 1993) ou de Mohamed Rachid Benhadj (*la Rose des sables* [Louss], 1989 ; *Touchia,* 1993).

Il est remarquable que le cinéma égyptien n'a eu aucune influence sur le développement d'un art souvent assez proche du réalisme de l'âge d'or soviétique mais dont le lyrisme, le ludisme, l'invention (chez Allouache, Zinet, Lallem) sont souvent imprévisibles et singuliers. Si le scénario est trop souvent la part faible des films, les techniciens ont de grandes qualités, notamment des chefs opérateurs comme Rachid Merabtine, Youssef Sahraoui, Noureddine Adel. Un curieux particularisme a valu à la production de la télévision d'accéder à un rang égal en qualité (et en audience à l'étranger avec un film comme *Noua*) à celle de la production *lourde.* On décèle d'autre part une extrême prudence quant au choix des sujets abordés, ce qui n'est pas sans freiner un cinéma peu porté à faire des films neutres ou à vocation simplement mercantile, alors que les structures paraissent privées, depuis 1979, d'un moteur capable de relancer les projets de l'ONCIC, ce qui est doublement dommageable à l'Algérie, bien placée parmi les jeunes nations. Scindée en deux structures de production et de distribution (ENAPROC et ENADEC), l'activité cinématographique s'en est trouvée affaiblie. Le retour à une structure unique (CAAIC) n'a cependant guère permis à la production de s'épanouir, d'autant plus que la situation politique en Algérie à partir des années 90 n'est évidemment pas favorable au développement d'une industrie comme celle du 7e Art. C.M.C.

ALLASIO *(Marisa), actrice italienne (Turin 1936).* Ayant débuté comme figurante à quinze ans, elle devient vedette dès 1955 avec des films comme *la Chasse aux maris* (*Ragazze d'oggi* de L. Zampa) et l'excellent *Pauvres mais beaux* (D. Risi, 1956). Elle incarne la jeune fille sans préjugés, éprise d'indépendance et faussement rouée, avec un charme physique éclatant et une réelle sensibilité d'actrice. Sauf pour une incursion dans le péplum (*Sous le signe de la croix,* G. Brignone, 1956), elle ne s'évadera pas de ce personnage, dont le succès culmine dans *Marisa la civetta* (M. Bolognini, 1957), *Carmela e una bambola* (Gianni Puccini, 1958) et surtout *Venise, la lune et toi* (D. Risi, *id.*). Peu après, elle abandonne l'écran. G.L.

ALLÉGRET *(Catherine), actrice française (Paris 1946).* Fille d'Yves Allégret et de Simone Signoret, elle suit brièvement le cours René Simon avant de débuter au théâtre de l'Atelier sous la direction d'André Barsacq. Elle vient au cinéma avec *Compartiment tueurs* (Costa-Gavras, 1965). Parmi ses rôles, les plus marquants sont ceux qu'elle tient dans *Smic, smac, smoc* (C. Lelouch, 1971), *le Dernier Tango à Paris* (B. Bertolucci, 1972) et *Vincent, François, Paul et les autres* (C. Sautet, 1974). Elle s'est fait remarquer par sa spontanéité pleine de désinvolture et par sa vivacité d'esprit. Elle se produit aussi (parfois également comme auteur) au café-théâtre, au music-hall et à la télévision. M.M.

ALLÉGRET *(Marc), cinéaste français (Bâle, Suisse, 1900 - Paris 1973).* Fils du pasteur Élie Allégret, il passe longtemps, à tort, pour le neveu d'André Gide. C'est en accompagnant l'écrivain dans son périple africain qu'il tourne son premier film, *le Voyage au Congo.* Plus tard, il lui consacrera encore un long portrait : *Avec André Gide.* Il travaille d'abord avec Robert Florey, puis sa longue carrière de réalisateur habile et commercial, commencée avec *Mam'zelle Nitouche* et *la Petite Chocolatière,* se place sous le double signe du dosage et de la découverte. Dosage des genres, maîtrise d'un ton qui le fait évoluer sur cette ligne étroite et périlleuse qui sépare le drame réaliste de la comédie volontiers funambulesque. *Lac aux dames* en 1934, *Entrée des artistes* en 1938 (évocation du monde des étudiants au Conservatoire de Paris, avec Louis Jouvet dans le rôle d'un maître qu'on dit proche de ce qu'il était dans la vie) illustrent cette finesse qui fit la réputation du cinéaste. Découverte, celle de nombreuses *Futures Vedettes* (titre d'un film qu'il réalise en 1955), qui font, sous sa direction attentive, les premiers pas d'une carrière souvent brillante. Ainsi, dans les années 30, fait-il débuter Simone Simon, merveilleuse Puck de *Lac aux dames ;* avant Vadim (qui est son assistant de 1947 à 1956), il consacre Brigitte Bardot dans *En effeuillant la marguerite* (1956). Dans ses derniers films, il met le pied à l'étrier à des débutants, tels Alain Delon (dans *Sois belle et tais-toi,* 1958) ou Jean-Paul Belmondo (dans *Un drôle de dimanche,* id.).

La personnalité de Marc Allégret a marqué les meilleures de ses comédies. En revanche, elle s'efface dans les nombreuses adaptations romanesques qui jalonnent son œuvre jusqu'au *Bal du comte d'Orgel* (1970), son dernier film : il n'est plus là qu'un technicien froid, certes consciencieux, mais dépourvu d'originalité. J.-P.J.

Films ▲ : *Voyage au Congo* (DOC, 1927) ; *le Blanc et le Noir* (CO R. Florey, 1931) ; *les Amants de minuit* (CO : A. Genina, *id.*) ; *Mam'zelle Nitouche* (id.) ; *la Petite Chocolatière* (1932) ; *Fanny* (id.) ; *Lac aux dames* (1934) ; *l'Hôtel du Libre Échange* (id.) ; *Zouzou* (id.) ; *Sans famille* (id.) ; *les Beaux Jours* (1935) ; *Sous les yeux d'Occident* (1936) ; *les Amants terribles* (id.) ; *Aventure à Paris* (id.) ; *Gribouille* (1937) ; *la Dame de Malacca* (id.) ; *Orage* (1938) ; *Entrée des artistes* (id.) ; *le Corsaire* (1939) ; *Parade en sept nuits* (1941) ; *l'Arlésienne* (1942) ; *la Belle Aventure* ([RÉ : 1942] ; 1945) ; *Félicie Nanteuil* ([RÉ : 1942] ; 1945) ; *les Petites du quai aux Fleurs* (1944) ; *Lunegarde* (1946) ; *Petrus* (id.) ; *Jusqu'à ce que mort s'ensuive* (*Blanche Fury ;* GB, 1947) ; *Maria Chapdelaine* (1950) ; *Blackmailed* (GB, 1951) ; *Avec André Gide* (DOC, 1952) ; *la Demoiselle et son revenant* (id.) ; *Julietta* (1953) ; *Eterna femmina* [*I Cavalieri dell 'illusione*] et

L'amante di Paride (IT, 1955) ; *Futures Vedettes* (id.) ; *l'Amant de lady Chatterley* (id.) ; *En effeuillant la marguerite* (1956) ; *L'amour est en jeu* (1957) ; *Sois belle et tais-toi* (1958) ; *Un drôle de dimanche* (id.) ; *les Affreux* (1959) ; *les Démons de minuit* (CO Charles Gérard, 1961) ; *les Parisiennes* (1962) ; *l'Abominable Homme des douanes* (1963) ; *le Bal du comte d'Orgel* (1970).

ALLÉGRET *(Yves), cinéaste français (Asnières-sur-Seine 1905 - id. 1987).* Le frère de Marc Allégret est un marginal du groupe surréaliste, lié aux trotskistes. Membre du groupe Octobre, avec lequel il effectue la tournée de 1933 à Leningrad et à Moscou, longtemps assistant (d'Alberto Cavalcanti, de Jean Renoir, de son frère Marc), il dirige des courts métrages et des films publicitaires pendant les années 30. Son premier long métrage (*Tobie est un ange,* 1941) est détruit dans un incendie. Sa véritable carrière d'auteur commence à la Libération.

Entre 1945 et 1949, il réalise plusieurs longs métrages (interprétés par Simone Signoret, qui est alors son épouse et dont il a une fille, elle-même actrice sous le nom de Catherine Allégret) qui sont le meilleur de son œuvre. Il y retrouve le réalisme noir de l'avant-guerre, la désespérance des ports et des cafés enfumés, l'implacable pouvoir de l'argent, l'hypocrisie d'une société qui piétine la jeunesse et la beauté. Solidement charpentés par le scénariste Jacques Sigurd, ses films sont alors rigoureux, précis dans les détails du décor ou la mise en place des personnages secondaires.

Ce sont ces qualités mêmes, figées en poncifs, qui oblitèrent la suite de sa production, inégale et généralement décevante. On a dit de lui avec quelque légèreté qu'il était « le plus sartrien des réalisateurs français » , parce qu'il a adapté dans *les Orgueilleux* (1953, avec Gérard Philipe et Michèle Morgan) un scénario du philosophe existentialiste, et parce qu'on a cru retrouver dans ses meilleurs films un écho de ce pessimisme désabusé auquel une imagerie simplificatrice réduisait la pensée de Sartre dans les années 50. En fait, sa vision du monde est plus celle de Pierre Mac Orlan ou de Julien Duvivier que celle illustrée par *la Nausée* ou *les Chemins de la liberté.*

Après 1953, la carrière d'Yves Allégret oscille entre une générosité militante qui lui sied mal (*la Meilleure Part,* 1956 ; *Germinal,* 1963) et l'écho de ses anciens succès (*Oasis,* 1954, première production française en CinémaScope ; *la Fille de Hambourg,* 1958).
J.-P.J.

Films ▲ : *Tobie est un ange* (1941) ; *les Deux Timides* ([RÉ 1941], 1943) ; *la Boîte aux rêves* ([RÉ 1943], 1945) ; *les Démons de l'aube* (1946) ; *Dédée d'Anvers* (1948) ; *Une si jolie petite plage* (1949) ; *Manèges* (1950) ; *Les miracles n'ont lieu qu'une fois* (1951) ; *Nez de cuir* (1952) ; *les Sept Péchés capitaux* [*la Luxure*] (id.) ; *la Jeune Folle* (id.) ; *les Orgueilleux* (1953) ; *Mam'zelle Nitouche* (1954) ; *Oasis* (1955) ; *la Meilleure Part* (1956) ; *Méfiez-vous fillettes* (1957) ; *Quand la femme s'en mêle* (id.) ; *la Fille de Hambourg* (1958) ; *l'Ambitieuse* (1959) ; *Chien de pique* (1961) ; *Terreur sur la savane* [*Konga Yo*] (DOC, 1962) ; *Germinal* (1963) ; *Johnny Banco* (FR-IT-ALL, 1967) ; *l'Invasion* (1970) ; *Orzowei* (1975) ; *Mords pas on t'aime* (1976).

ALLEMAGNE. La première manifestation du cinéma allemand se situe en 1895 au Jardin d'hiver de Berlin, avec le Bioscope des frères Skladanowsky, quelques mois avant la projection publique des frères Lumière à Paris. Jusqu'en 1910, pourtant, l'Allemagne n'aura pas d'industrie cinématographique. Cinémas ambulants et théâtres affichent des films italiens, français et américains auxquels on peut ajouter les premières tentatives nationales de Franz Porten, Kurt Stark ou Oskar Messter*. Parallèlement, des metteurs en scène de théâtre avant-gardiste, tel que Max Reinhardt*, manifestent intérêt et curiosité pour le nouvel art balbutiant. À la tête de la firme Projektion-AG Union, Paul Davidson fait appel à l'actrice danoise Asta Nielsen*, qui deviendra la première *star* des productions germaniques. Notamment dans *Engelein* (1913), qu'elle tourne sous la direction de son mari, danois lui aussi, Urban Gad*.

Venu du théâtre, l'acteur Paul Wegener* réalise en 1913 *l'Étudiant de Prague,* en collaboration avec le metteur en scène danois Stellan Rye*. « *L'Étudiant de Prague* introduisit à l'écran un thème qui allait devenir une obsession du cinéma allemand, écrit Siegfried Kracauer* dans son *De Caligari à Hitler :* un intérêt profond et effrayant pour les fondements mêmes de l'être. » Et Lotte H. Eisner souligne, dans *l'Écran démoniaque,* que « l'histoire, empreinte de mysticisme, est celle du redoutable double qui hantait déjà le romantisme allemand ».

De son côté, Max Reinhardt tourne à Corfou avec sa troupe *l'Île des bienheureux* (*Die Insel der Seeligen,* 1913), fête galante et pantomime érotique où gambadent nymphes et dieux, plus en quête de luxure que de spiritualité. *L'Autre* (*Der Andere,* 1913), de Max Mack, sur le thème du double, *le Golem* (1914), de Paul Wegener et Henrik Galeen*, et *Homunculus* (*id.,* 1916), de Otto Rippert*, marquent pour longtemps l'ancrage de la production dans la manière expressionniste.

« C'est avec ce film que j'ai pénétré plus profondément dans le domaine du cinéma pur, déclare Paul Wegener à propos du *Golem.* Tout y dépend de l'image, d'un certain *flou* où le monde fantastique du passé rejoint le monde du présent. Je me rendis compte que la technique de la photographie allait déterminer la destinée du cinéma. La lumière, l'obscurité jouent au cinéma le rôle que jouent le rythme et la cadence en musique. »

Jusqu'à la fin de la guerre, la production allemande reste dominée par la compagnie danoise Nordisk. C'est pour lutter contre la concurrence étrangère que le gouvernement encourage le regroupement de l'industrie cinématographique nationale. Cette volonté donnera naissance à la création, fin 1917, de l'Universum Film Aktiengesellschaft, autrement dit : l'UFA*, qui jouera un rôle capital dans l'histoire de cinéma allemand sous la direction du producteur Erich Pommer*.

Longtemps membre de la troupe de Max Reinhardt, le Berlinois Ernst Lubitsch* est pourtant moins sensible que les autres cinéastes allemands à son influence, humour juif oblige. *Madame du Barry* (1919), avec Pola Negri*, comme *Anne Boleyn* (1920) feront de lui le spécialiste de l'Histoire chatoyante et romancée en costumes d'époque. Le premier connaîtra un triomphe à New York, forçant le blocus établi par les pays vainqueurs à l'encontre de la production allemande. À la suite de Lubitsch, d'autres réalisateurs se lancent à leur tour dans le grand spectacle. C'est le cas tout spécialement de Dimitri Buchowetzki*, dont le *Danton* (1921), inspiré du drame de Georg Büchner, manifeste une dramaturgie en crescendo jusqu'aux plans ultimes de la montée à l'échafaud. Le cas aussi de Richard Oswald* dans *Lucrèce Borgia* (1922), d'Arthur von Gerlach* (*Vanina, id.*), ou d'Arzen von Cserépy* (*Fridericus Rex, id.*).

Mais c'est *le Cabinet du Dr Caligari* (1919), de Robert Wiene*, d'après l'histoire de Carl Meyer et Hans Janowitz, qui va symboliser à lui seul la naissance d'un cinéma allant au-delà de la *fausse réalité.* Film-manifeste de l'expressionnisme, *Caligari* en marque aussi les limites : décors stylisés, maquillages outranciers des acteurs (Werner Krauss* dans le rôle du Dr Caligari et Conrad Veidt* dans celui du somnambule).

« Ici, écrit Jean Mitry, les décors ne stylisent plus. Ils créent un univers discordant qui accuse le déséquilibre mental du héros : les rues contrefaites, les maisons de travers, les ombres et les lumières, qui s'opposent en de violentes taches blanches et noires peintes à même le décor, participent de la ligne brisée... On voit quels sont les buts de l'expressionnisme : traduire symboliquement, par les lignes, les formes ou les volumes, la mentalité des personnages, leur état d'âme, leur *intentionnalité* aussi, de telle façon que le décor apparaisse comme la traduction plastique de leur drame. »

Caligari, au demeurant, restera sans vraie postérité. Wiene lui-même tentera de prolonger le *caligarisme* dans ses films suivants : *Genuine* (1920), *Raskolnikov* (1923) et *les Mains d'Orlac* (1924). Seul, Paul Leni* dans *le Cabinet des figures de cire* (1924), sur un scénario de Henrik Galeen, reprendra la leçon à son compte. Dans *Torgus* (1920), de Hans Kobe, et dans *De l'aube à minuit* (*Von Morgens bis Mitternachts,* id.) de Karl Heinz Martin, l'expressionnisme devient synonyme d'atmosphères oppressantes et de stylisations déformantes. Dans le second *Golem* (1920), Wegener ressuscite le *robot* d'argile des légendes rabbiniques dans les décors de l'architecte Hans Pölzig. Particulièrement féconde, l'année 1921 verra apparaître des œuvres aussi essentielles que *Nosferatu le Vampire* de Friedrich Wilhelm Murnau*, chef-d'œuvre du réalisme fantastique, et *le Rail,* de Lupu Pick*, sur un scénario de Carl Meyer, où tout est dit par l'image et l'image seule.

C'est *Nosferatu* (tourné en décors naturels) qui apportera à Murnau la consécration internationale. Beaucoup plus qu'un simple film de terreur, le chef-d'œuvre du cinéma vampirique, que brandira en son temps le surréalisme naissant, est une épure admirablement mise en scène. La forme hideuse du comte Orlok, alias Nosferatu (l'acteur Max Schreck), avance lentement de la profondeur d'un plan jusqu'à nous. Le Maître approche et son souffle glacé annonce une autre *peste* sur le monde. Par la suite, d'autres films de Murnau tels que *la Terre qui flambe* (1922), *le Fantôme* (id.) et surtout *le Dernier des hommes* (1924) développeront la symbolique de ce visionnaire qui multipliait les angles de prise de vues pour mieux saisir « la réalité submergée par le rêve » . Après l'accueil triomphal du *Dernier des hommes* aux États-Unis, Murnau sera invité par la Fox et partira pour Hollywood en 1927. Il y réalisera notamment *l'Aurore* (1927), grand chant fluide dans lequel il oppose *mélodiquement* la ville à la campagne, et *Tabou* (1931), tourné à Tahiti en collaboration avec Robert Flaherty*, où il invente la fiction documentaire, mêlant étroitement fantastique et réalisme.

Marquées par les séquelles de la guerre, les années 20 voient se multiplier déchirements sociaux et difficultés économiques. Le climat d'insécurité et d'inquiétude qui en découle influencera, comme il se doit, l'inspiration des cinéastes. Et Fritz Lang*, fils d'un architecte viennois, plus que tout autre. Il va en effet mêler son attirance pour le fait divers réaliste et sa conception du monde, selon laquelle l'homme n'échappe jamais à son destin. Déjà, en 1919, avec *les Araignées,* abracadabrante suite d'aventures, se profilait le thème du surhomme. Tandis que dans *les Trois Lumières* (1921), écrit en collaboration avec son épouse Thea von Harbou*, Lang inscrivait sur l'écran le combat allégorique et délirant de l'ombre et de la lumière.

Avec *le Docteur Mabuse* (1921-22), Lang met en scène un être maléfique qui règne sur la masse par l'hypnose et la terreur. Écoutons-le : « La toile de fond de ce film était le présent d'alors, les années qui suivirent immédiatement la Première Guerre mondiale. Les hommes de cette époque devaient, pour la première fois, affronter une situation qui leur était inconnue : l'inflation. Ce fut une période d'incertitude, d'hystérie et de corruption effrénée. Je m'inspirai, consciemment, d'épisodes réellement survenus en Allemagne et ailleurs... Au début du film, je montrai en des images rapides des combats de rues et de barricades semblables à celles qui se dressèrent dans une Allemagne qui avait perdu la guerre... Sur cet arrière-plan, j'ai voulu placer le supercriminel, l'homme qui prépare ses méfaits quasi scientifiquement avant de les exécuter en personne ou de les faire exécuter par d'autres avec une précision mathématique. Il contrôle les membres de son organisation par la terreur. Le Dr Mabuse, qui dit lui-même : « Je suis la loi » , est le criminel parfait, le grand montreur de marionnettes. Il est en lutte ouverte avec les institutions sociales existantes, il est le grand joueur qui joue en Bourse avec l'argent, avec l'amour et avec le destin des hommes... »

Dans *les Nibelungen* (1924), film en deux parties, Lang atteint à la plus haute expression de son art : par l'équilibre plastique entre décor et tragédie. *Metropolis* (1927), fable apocalyptique dans la ville-usine du futur, systématise encore un peu plus la stylisation géométrique. Suivront *les Espions* (1927-28), *M le Maudit* (1931), son premier film parlant, avec Peter Lorre*, et *le Testament du Dr Mabuse* (1933). Peu après, Lang choisira l'exil (plutôt que d'accepter la direction du cinéma allemand que lui offre Goebbels) et commencera sa carrière américaine.

Autrichien, comme Fritz Lang, Georg Wilhelm Pabst* a toujours soigné lui aussi ses effets de lumière et de clair-obscur. Dans *la Rue sans joie* (1925), tableau de la vie à Vienne pendant l'inflation, il donne ses lettres de noblesse au mélodrame social et au réalisme de tendance libertaire. Le film s'attirera les foudres de maintes censures de par le monde et sera largement mutilé. Greta Garbo* devait y trouver son premier grand succès à l'écran. De même, dans *les Mystères d'une âme* (1926), *Loulou* (1929) ou *Journal d'une fille perdue* (id.), Pabst témoigne de son intérêt pour la psychanalyse et le rêve. Une lourde sensualité, une inquiétante poésie contribuent à donner à *Loulou* son intensité dramatique incomparable. Inspiré de deux pièces de l'écrivain Frank Wedekind, le film se confond désormais avec son interprète, Louise Brooks*. Le cinéaste retrouve une tonalité voisine dans *l'Opéra de quat'sous* (1931), d'après Brecht et Weil, parabole provocante sur un air de bastringue qui tourne à la fête noire et prophétique.

Dans *Quatre de l'infanterie* (1930), son premier film sonore, et dans *la Tragédie de la mine* (1931), c'est la préoccupation réaliste qui domine une fois encore, ainsi que le message social et le pacifisme. « *La Tragédie de la mine,* déclare cependant Pabst, a des tendances plus politiques que sociales ; il exalte le rapprochement du peuple français et du peuple allemand ; il démontre l'inanité des frontières. Chacun y parle sa propre langue et il n'y a qu'une seule version pour les deux pays. » Cela mérite d'être souligné, car dans la production de l'époque dominent les films revanchards exaltant les grandeurs et servitudes du patriotisme, et donc préparant le terrain au cinéma national-socialiste. C'est notamment le cas de *la Dernière Compagnie* (1930), de Kurt Bernhardt, consacré à un épisode de la campagne de Prusse de Napoléon, de *Montagnes en flammes* (1931) et du *Rebelle* (1932), tous les deux de Luis Trenker* (spécialiste des aventures en haute montagne), avec la collaboration, pour le premier film, de Karl Hartl et, pour le second, de Kurt Bernhardt. L'action du *Rebelle* se situe au Tyrol, en 1809, alors que d'ardents patriotes tentent de résister aux troupes de Napoléon et souhaitent réaliser l'unité de l'Allemagne. Par son sujet comme par son style, le film de Trenker (qui sera très apprécié du Führer) ouvrira la voie à la future production du cinéma nazi, mélange de « sentimentalisme alpestre, de nationalisme exacerbé et d'héroïsme légendaire » (Courtade et Cadars). À ce genre appartient de plein droit *la Lumière bleue* (1932), de Leni Riefenstahl*, primé à Venise, qui vaudra à l'auteur-interprète de devenir la cinéaste attitrée du nouveau régime.

À partir des années 30, le cinéma allemand connaît un net fléchissement qualitatif. Le parlant règne désormais sans partage dans les studios berlinois. La vogue des films musicaux et des opérettes façon UFA se développe : *le Chemin du paradis* (1930), de Wilhelm Thiele*, *la Guerre des valses* (1933), de Ludwig Berger*... Quelques œuvres d'exception vont néanmoins affirmer la révolution du parlant. Outre *M le Maudit* ou *l'Opéra de quat'sous* déjà cités : *l'Ange bleu* (1930), avec Marlène Dietrich* et Emil Jannings*, d'après le roman de Heinrich Mann, permettra à Josef von Sternberg*, de retour d'Hollywood, de développer sa symbolique troublante et cruelle à travers les personnages de Lola-Lola et du professeur Unrath. De la même époque, en 1931, il convient de citer encore quelques adaptations d'œuvres littéraires ou théâtrales : *Sur le pavé de Berlin* de Phil Jutzi*, autre drame des bas-fonds, adapté du livre d'Alfred Döblin, *Jeunes Filles en uniforme* de Carl Frölich* et Leontine Sagan*, *Autour d'une enquête,* de Robert Siodmak*, et *Émile et les détectives,* de Gerhardt Lamprecht*. *Ventres glacés* (1932), de Slatan Dudow*, sur un scénario de Bertolt Brecht*, modèle quasi unique du cinéma prolétarien allemand, est une œuvre d'*agit-prop* mise en musique par Hans Eisler*. « Pour la première fois dans l'histoire du film allemand, note Dudow, on montrait des ouvriers sur la toile et on exposait leurs besoins, leurs soucis, mais aussi leur combat pour une vie meilleure. »

Quelques années auparavant, une poignée de films expérimentaux ont été réalisés en marge de la production courante de l'UFA et de la Tobis. En particulier les œuvres de Walter Ruttmann* : *Berlin, symphonie d'une grande ville* (1927), dont le montage met en valeur la « musique optique » , et *la Mélodie du monde* (1929). Mais également les ombres chinoises des *Aventures du prince Ahmed* (1924-1926), de Lotte Reiniger*, voire les recherches picturales de Hans Richter* et de Viking Eggeling* : *Rythm 21* (1921-22). Il faut aussi réserver une place à part à Karl Valentin*, qui, de 1913 à 1941, poursuivit une œuvre grinçante et sarcastique. Metteur en scène, scénariste et interprète, il recrée un univers de petits artisans tourmentés par les soucis d'argent, à travers des *tragédies burlesques,* dont les plus marquantes se nomment : *les Mystères d'un salon de coiffure* (*Mysterien eines Frisiersalons,* 1922), *Der Sönderling* (1929), *Donner, Blitz und Sonnenschein* (1936).

L'année 1933 marque l'arrivée de Hitler au pouvoir. Dès lors, la mainmise du parti national-socialiste sur le cinéma va s'exercer tant sur le plan administratif qu'économique. Le ministère du Reich à l'Information et à la Propagande est confié à Joseph Goebbels, dont la première tâche sera d'encourager les films « aux tendances raciales pures ». *Le Jeune Hitlérien Quex* (1933), du Bavarois Hans Steinhoff*, constitue la première œuvre de combat du nouveau régime. Au-delà de son idéologie, le film applique à la fois les leçons du cinéma réaliste allemand et du cinéma de propagande soviétique. Le véritable but du film (selon Courtade et Cadars) : « Fanatiser une jeunesse à laquelle on propose un idéal, une vie meilleure et, surtout, une responsabilité politique. Combien de jeunes Allemands ont-ils dû prendre comme exemple ce Quex qui leur ressemblait tant, et mourir à leur tour, dix ans plus tard, au nom de l'Allemagne éternelle ! Pour la première fois dans l'histoire du cinéma, un grand film de propagande s'adressait ainsi directement à des moins de vingt ans. Par l'entremise de Baldur von Schirach, le chef des Jeunesses hitlériennes, c'était tout l'appareil du parti et du gouvernement qui patronnait l'entreprise... »

Steinhoff sera un des plus fidèles propagandistes du IIIe Reich, en même temps qu'un cinéaste authentique, ainsi qu'en témoigneront les films suivants, consacrés à la foi inébranlable des grands hommes : *la Lutte héroïque* (1939) et *le Président Krüger* (1941), interprétés tous les deux par Emil Jannings. La première production UFA projetée sur les écrans de l'Allemagne nazie, en présence du nouveau chancelier, sera *l'Aube* (*Morgenrot,* 1933), de Gustav Ucicky*, épopée d'un sous-marin pendant la Première Guerre mondiale. Le même réalisera par la suite *le Maître de poste* (1940), qui marqua le début du déferlement des bobines allemandes sur les écrans français. Égérie du régime, actrice et réalisatrice, Leni Riefenstahl va mettre son talent au service des grandes célébrations du Reich. Entre les spectacles qu'elle nous montre du congrès de Nuremberg (*le Triomphe de la volonté,* 1935) ou des jeux Olympiques de Berlin (*les Dieux du stade,* 1938), et l'idéologie qui les inspire, l'adéquation est parfaite. Ici, la mise en scène sublime le réel en un vaste mouvement symphonique. « Le metteur en scène a essentiellement quatre choses à sa disposition pour donner à un simple reportage cinématographique une forme artistique et une construction adéquate, énonce-t-elle dans un texte théorique : l'architecture du film, le rythme du montage, une utilisation particulière du son et la qualité de la prise de vues. »

Plus tard, Leni Riefenstahl tentera de se justifier. « Mon film, dira-t-elle évoquant *le Triomphe de la volonté,* n'est qu'un document. J'ai montré ce dont tout le monde alors était témoin ou entendait parler. Et tout le monde en était impressionné. Je suis celle qui a fixé cette impression, qui l'a enregistrée sur pellicule. Et c'est sans doute à cause de cela qu'on m'en veut : pour l'avoir saisie, mise en boîte... Ce film ne contient aucune scène reconstituée. Tout y est vrai. C'est de l'histoire. Un pur film historique... »

Karl Ritter*, lui, va se faire le spécialiste des histoires édifiantes de soldats : *Permission sur parole* (*Urlaub auf Ehrenwort,* 1937), *Pour le mérite* (1938), *Kadetten* (1941), ou de la propagande anticommuniste : *Guépéou* (*GPU,* 1942). Cinéaste officiel s'il en fut, Veit Harlan* se fait connaître avec *Crépuscule* (1937). Mais son œuvre la plus célèbre reste *le Juif Süss* (1940), avec Werner Krauss, prototype du film antisémite qui connut un triomphe. « Particulièrement recommandé » , par la propagande officielle, « pour sa valeur politique et artistique », le film eut une première mondiale à Venise en septembre 1940, en présence du réalisateur et de ses interprètes. Par la suite, Veit Harlan, comme Leni Riefenstahl, tentera de se justifier en amoindrissant la signification de son film. Avec *le Grand Roi* (1942), Harlan entame la veine d'exaltation du passé germanique à travers le portrait de Frédéric II, « grand précurseur de l'unité allemande, qui, seul et sûr de lui, trouve la force de vaincre ».

Au même genre appartiennent *Bismarck* (1940), de Wolfgang Liebeneiner*, *Friedrich Schiller* (*id.*), de Herbert Maisch*, ou *Der Höhere Befehl* (1935), de Gerhard Lamprecht. Drames paysans (*Friesennot,* 1935, de Peter Hagen), opérettes (*Premiere,* 1937, de Geza von Bolvary*, avec Zarah Leander*) et films d'évasion exotique (*Kautschuk,* 1938, de Eduard von Borsody*) sont mis eux aussi au service de la propagande. Pabst lui-même, de retour dans son pays, tourne deux œuvres de circonstance : *les Comédiens* (1941) et *Paracelse* (1943). Production de prestige en Agfacolor réalisée pour le vingt-cinquième anniversaire de l'UFA, *les Aventures fantastiques du baron de Münchhausen* (1943), de Josef von Baky*, restera une apothéose sans lendemain.

En 1945, le cinéma allemand entre dans le néant. Les studios sont détruits, l'UFA démantelée par les Alliés, les structures économiques anéanties. Les exilés de l'avant-guerre sont morts ou devenus citoyens américains. La production reprend sous le contrôle des

Alliés, avec *Les assassins sont parmi nous* (1946), de Wolfgang Staudte*. Bénéficiant des installations de Babelsberg, le cinéma de la RDA (République démocratique allemande) se réorganise sous les auspices de la DEFA, où commencent à travailler des réalisateurs tels que Staudte, Gerhard Lamprecht ou Slatan Dudow.

— ALLEMAGNE DE L'OUEST. Après la constitution de la RFA *(République fédérale allemande),* en 1949, l'industrie cinématographique redémarre lentement à l'Ouest. Erich Pommer, de retour en Allemagne, organise l'International Film AG et les studios Bavaria à Munich. D'autres studios sont édifiés à Hambourg et Tempelhof. Quelques œuvres ici et là échappent à l'insignifiance. Elles appartiennent à la lignée des Trümmerfilme (films des ruines) : *le Dernier Pont* (1954), et *le Général du diable* (1955), tous les deux de Helmut Käutner* ; *Un homme perdu* (1951), de Peter Lorre* ; *l'Amiral Canaris* (1954), d'Alfred Weidenmann* ; *Les SS frappent la nuit* (1957), de Robert Siodmak ; *Rosemarie* (1958), de Rolf Thiele ; *les Demi-Sel* (1956) et *Tötenschiff* (1959), de Georg Tressler, ou encore *le Pont* (1959), de Bernhard Wicki*... Dans les studios de Munich, Fritz Lang tourne un remake du *Tigre du Bengale* et du *Tombeau hindou* (1958-59). Il achève son cycle *mabusien* avec *le Diabolique Dr Mabuse* (1960). Retour sans lendemain, au demeurant.

C'est en 1962, lors du festival annuel d'Oberhausen, que 26 jeunes cinéastes publient un manifeste qui peut être considéré comme l'acte de naissance du *nouveau cinéma allemand.* Il mérite d'être cité : « L'effondrement du cinéma traditionnel allemand retire enfin sa base économique à une tournure d'esprit que nous refusons. De ce fait, le nouveau cinéma allemand a une chance de vivre. Les courts métrages de jeunes auteurs, réalisateurs et producteurs ont remporté au cours de ces dernières années un grand nombre de prix dans les festivals internationaux et ils ont été reconnus par la critique internationale. Ces œuvres et leur succès montrent que l'avenir du cinéma allemand est entre les mains de ceux qui ont prouvé qu'ils parlaient un nouveau langage cinématographique. De même que dans d'autres pays, en Allemagne aussi le court métrage est devenu l'école et le champ d'expérimentation du long métrage. Nous proclamons notre volonté de créer le nouveau long métrage allemand. Ce nouveau cinéma a besoin de nouvelles libertés. Liberté à l'égard des conventions habituelles de la profession. Liberté à l'égard de l'influence de l'associé commercial. Libération de la tutelle exercée par les groupes d'intérêts. Nous avons des idées concrètes intellectuelles, formelles et économiques en ce qui concerne la production du nouveau cinéma allemand. Nous sommes prêts à en supporter les risques économiques. Le vieux cinéma est mort. Nous croyons au nouveau. »

Le déclin économique et artistique de l'industrie cinématographique allemande ne facilitera pourtant pas le renouvellement de la profession. Le boom cinématographique des années 50 a trop longtemps exclu la jeune génération. La faillite est totale. Il faudra attendre 1965 et la création du Comité du jeune cinéma allemand pour que les débutants aient une chance de réaliser leur premier long métrage. La télévision sera pour beaucoup dans l'émergence d'un cinéma *autre.* Les chaînes régionales se mettent à prospecter et bientôt à subventionner les talents nouveaux. Gouvernement fédéral puis Länder apportent une maigre contribution, relayés par un Office d'encouragement au cinéma. Premiers bénéficiaires : les frères Schamoni* (*Es* [Ulrich Schamoni], 1965, et *La chasse au renard est fermée* [*Schonzeit für Fuchse,* Peter Schamoni], 1966) ; Volker Schlöndorff* (*les Désarrois de l'élève Törless,* id.) ; Alexander Kluge* (*Anita G.,* id.) ; Jean-Marie Straub (*Chronique d'Anna-Magdalena Bach,* 1967) ; Peter Fleischmann* (*Scènes de chasse en Bavière,* 1969) ; Rudolph Thome* (*Soleil rouge,* id.) ; Werner Schroeter* (*la Mort de Maria Malibran,* 1971) ; Rainer Werner Fassbinder* (*les Larmes amères de Petra von Kant,* 1972) ; Werner Herzog* (*Les nains aussi ont commencé petits,* 1970) ; Wim Wenders* (*l'Angoisse du gardien de but avant le penalty,* 1971). Ignorés dans leur propre pays et souvent en butte à l'incompréhension de leurs compatriotes, le combat pour l'existence d'un cinéma national a créé entre eux des liens qui ne gomment nullement leurs différences. Dans le vide laissé par leurs aînés, ils ont peu à peu forgé les instruments de leur survie, créant souvent leurs propres maisons de production. La liberté à l'égard des pratiques traditionnelles du cinéma commercial, garantie par les subventions publiques, a rendu possible une multiplicité de sujets et de styles.

L'Honneur perdu de Katharina Blum (1975), de Schlöndorff, d'après le roman homonyme de Heinrich Böll, va prendre figure de symbole. Pareillement, *le Second Éveil* (1977), de Margarethe von Trotta*, *Vera Romeyke n'est plus ici* (1976), de Max Willutzki*, ou *le Couteau dans la tête* (1978), de Reinhard Hauff*... ont montré le mécanisme de la chasse aux sorcières. *L'Allemagne en automne* (*Deutschland im Herbst,* 1978), film collectif de Kluge, Schlöndorff, Fassbinder et d'autres, est un témoignage à chaud sur le climat politique en RFA en octobre 1977, entre les obsèques de Hans Martin Schleyer et celles de Baader et de ses compagnons. Parmi le grand nombre d'œuvres de qualité des années 70, il faut citer d'abord celles de Werner Herzog, cinéaste visionnaire, qui traque, de film en film, l'indicible et ses démons nocturnes, à travers des personnages en proie au désarroi métaphysique : *Aguirre, la colère de Dieu* (1972), *l'Énigme de Kaspar Hauser* (1974), *Cœur de verre* (1976), *la Ballade de Bruno* (1977), *Nosferatu fantôme de la nuit* (1979) et *Woyzeck* (id.). « Je me sens près de Büchner et de Hölderlin, dit-il. D'une certaine manière, je pense renouer avec la grande culture allemande, rompue par le cataclysme de la guerre... Mes personnages appartiennent à la même famille. Ce sont des rebelles désespérés, solitaires. Ils savent leur révolte vouée à l'échec ; pourtant ils continuent sans relâche, blessés, de plus en plus seuls, jusqu'à la folie. » Rainer Werner Fassbinder, qui a commencé, lui, à exprimer son exhibitionnisme homosexuel dans des mélodrames kitsch, établit de plus en plus avec l'Histoire une relation charnelle et sexuelle. Sa fascination-répulsion pour le nazisme le mène à une représentation allégorique et *féminine* de l'histoire du IIIe Reich. « Dans son autoreprésentation, dit-il, ce régime a beaucoup de choses à voir avec la mise en scène. » Parmi ses principaux films : *Tous les autres s'appellent Ali* (1973), *Effi Briest* (1974), *le Droit du plus fort* (1975), *le Rôti de Satan* (1976), *Roulette chinoise* (id.), *Despair* (1978), *le Mariage de Maria Braun* (1979), *la Troisième Génération* (id.), *Lili Marleen* (1980). Wim Wenders, cinéaste des dérives et de l'errance, est sans doute plus que tout autre la conscience d'une génération en quête de son identité. Imprégnés de mythologie américaine, ses personnages sont en perpétuel déplacement dans une Allemagne où tout rappelle le drame du nazisme. « Une Allemagne, dit-il, où des âmes mortes errent dans un supermarché. » Il a lui-même produit et distribué (via la Filmverlag, fondée en 1970) ses premiers films, et notamment sa fameuse trilogie : *Alice dans les villes* (1973), *Faux Mouvement* (1975) et *Au fil du temps* (id.).

Palme d'or à Cannes en 1979, *le Tambour,* de Volker Schlöndorff, d'après le livre de Günther Grass, est à ce jour le seul film allemand contemporain à avoir dépassé les trois millions de spectateurs dans son propre pays. De leur côté, Werner Schroeter et Hans Jürgen Syberberg* poursuivent une thématique très personnelle. Le premier dans des allégories sociales et mystiques telles que *le Règne de Naples* (1978) et *Palerme ou Wolfsbourg* (1980), le second dans des oratorios historico-métaphysiques : *Louis II, requiem pour un roi vierge* (1972), *Karl May* (1974) et *Hitler, un film d'Allemagne* (1977). Dans ce dernier film, s'adressant à la *marionnette* Hitler, il s'exprime ainsi : « Tu as anéanti Berlin et Vienne... Tu nous a pris les couchers de soleil de Caspar David Friedrich... Tout le reste, tu l'as *occupé* et contaminé. Tout : l'honneur, la fidélité, la vie rustique, l'ardeur au travail, le cinéma, la dignité, la patrie... Mes félicitations !... »

Bientôt, une deuxième vague de jeunes cinéastes est à l'œuvre, développant une inspiration souvent dirigée contre l'*establishment,* ne faisant en cela que suivre l'exemple de leurs prédécesseurs immédiats. Parmi les plus originaux : Hans Noever* (*la Femme d'en face,* 1978), Helma Sanders-Brahms* (*Allemagne, mère blafarde,* 1979), Herbert Achternbusch* (*Servus Bayern,* 1977 ; *le Jeune Moine,* 1978), Robert Van Ackeren* (*la Pureté du cœur,* 1980), Margarethe von Trotta (*les Sœurs,* 1981), Percy Adlon* (*Céleste,* 1984).

Trop jeunes les uns et les autres pour avoir vécu le nazisme, ils sont cependant trop *vieux* pour n'en avoir pas subi le traumatisme et pour ne pas traîner derrière eux cette espèce de *faute originelle* qui semble les habiter. D'où une série de films inaugurée en 1976 par Kotulla avec *La mort est mon métier,* et qui traitera des rapports avec les générations précédentes : *Mon père* (*Mein Vater,* 1982) de Fritz Poppenberg, *le Pays des pères, le pays des fils* (*Land der Väter, Land der Söhne,* 1989) de Nico Hoffmann ; de la culpabilité des nazis et des sympathisants : *Martha Jellneck* (1989) de Kai Wessel, *À bas les Allemands* (*Nieder mit den Deutschen,* 1985) de Dietrich Schubert, *le Dernier trou* (1981) d'Herbert Achternbusch ; du sort des juifs : *David* (1979) de Peter Lilienthal, *Malou* (1981), *Au pays de mes parents* (*Im Land meiner Eltern,* 1982) de Jeanine Meerapfel et de nombreux autres titres parmi lesquels il faut retenir une série de remarquables films destinés aux enfants, dont *les Enfants du N° 67* (*Die Kinder aus N° 67,* 1979-80) d'Usch Barthelmess-Weller et Werner Meyer.

Beaucoup de jeunes réalisateurs se détournent des voies tracées par les grands noms du cinéma d'auteur pour se consacrer à la comédie (Doris Dörrie, Pia Frankenberg, Christian Rateuke) ou aux genres favorisés par la demande des chaînes de télévision (policiers par exemple). Néanmoins la réussite de *Heimat* de Reitz a encouragé certains de leurs collègues désireux d'œuvrer dans le réalisme historique et social : Joseph Vilsmaier avec *le Lait de l'automne* (*Herbstmilch,* 1988), Christian Wagner avec *le Dernier chemin de Waller* (*Wallers letzter Gang,* 1988), Uwe Janson avec *les Chemins de la survie* (*Verfolgte Wege,* 1989). Parallèlement l'école documentaire allemande s'enrichit chaque année de travaux remarquables, diffusés pour l'essentiel à la télévision.

À la fin des années 80, le cinéma d'Allemagne fédérale traverse une crise qui plonge ses racines dans les rapports avec le public. Les plus gros budgets vont à quelques rares films visant le marché international (comme ceux de Wolfgang Petersen) et à des œuvres de compromis entre cinéma et téléfilm. Les principaux auteurs n'occupent plus les mêmes positions qu'à la fin des années 70. Kluge et Kotulla tournent rarement et ont été tentés par la télévision ; Wenders, un des porte-drapeaux de la modernité internationale, tourne plus souvent à l'étranger qu'en Allemagne, de même que Herzog dont les rapports avec la tradition allemande deviennent schématiques ; d'autres croient trouver le salut dans l'émigration ou des projets européens en devenir. Les plus marginaux (Achternbusch, Rosa von Praunheim, Ulrike Ottinger) ont des difficultés croissantes à faire connaître leurs travaux et ne peuvent retrouver l'itinéraire d'un Schroeter ou d'un van Ackeren. C'est aussi le cas des cinéastes militants. M.B.

— RÉPUBLIQUE DÉMOCRATIQUE ALLEMANDE *(Deutsche Demokratische Republik).* C'est dans la zone soviétique d'occupation qu'ont été tournés les premiers films allemands de l'après-guerre, d'abord sous la forme d'un journal d'actualités, *Der Augenzeuge (le Témoin),* dès février 1946, sous la direction de Kurt Maetzig, auteur également de deux documentaires de circonstance : *Berlin en reconstruction* et *Unité parti socialiste-parti communiste.* Cette activité débutante trouve bientôt sa forme juridique définitive avec la création, le 17 mai 1946, sous le contrôle des autorités soviétiques, de la DEFA (Deutsche Film Aktien Gesellschaft), dont les membres fondateurs allemands, parmi lesquels Maetzig, sont des vétérans de la production.

Dès le début, on met l'accent sur l'urgence de la dénazification des esprits et de la participation à un nouvel ordre social. Ce qu'illustre fort bien le premier film de fiction produit par la DEFA, *Les assassins sont parmi nous,* de Wolfgang Staudte* (1946), dénonciation des complices masqués du génocide nazi. Ce film remarquable a le mérite d'assurer la continuité du cinéma allemand en renouant avec une tradition démocratique, tout en héritant de l'esthétique expressionniste. Staudte poursuivra dans la même voie avec deux autres réussites : *Rotation* (1949), critique de l'attentisme de beaucoup d'Allemands sous Hitler, et *Pour le roi de Prusse / le Sujet* (1951), brillante satire de l'esprit prussien d'obéissance passive. Caractéristiques aussi sont *Mariage dans l'ombre* (1947), de Kurt Maetzig* et *l'Affaire Blum* (1948), d'Erich Engel*, qui s'inspirent tous deux de faits authentiques pour dénoncer l'antisémitisme. Mais la figure la plus importante de cette période est celle de Slatan Dudow*, qui témoigne avec force et talent sur l'Allemagne en ruines (*Notre pain quotidien,* 1949) et sur la condition de la femme dans la nouvelle société (*Destins de femmes,* 1952).

Ces quatre pionniers d'une nouvelle cinématographie sont des vétérans du théâtre ou du cinéma. Staudte, d'abord acteur, a travaillé avec Max Reinhardt* et Piscator* ; Maetzig a été assistant et cameraman depuis 1933 ; Engel a collaboré avec Brecht au théâtre ; quant à Dudow, il a réalisé le célèbre *Kühle Wampe* d'après un scénario de Brecht. La République démocratique allemande est créée en octobre 1949, mais la circulation restera libre entre les deux Allemagnes jusqu'en 1961 : des cinéastes de l'Ouest (Gerhard Lamprecht*, Paul Verhoeven*, Arthur Maria Rabenalt*) viennent tourner à la DEFA ; au début des années 50, Staudte et Engel retournent définitivement en République fédérale, d'où ils venaient, tandis que, en sens inverse, se sont installés en 1948 à Berlin-Est deux journalistes de l'Ouest qui vont faire une brillante carrière dans le documentaire, Walter Heynowski* et Karl Gass*.

En septembre 1952, au plus fort de la guerre froide, une *conférence des cinéastes* convoquée par le parti communiste (SED) met l'accent sur la nécessité d'un engagement politique plus poussé, d'une plus précise attention à la forme et aux problèmes du mouvement ouvrier. De ces recommandations naît une vague de films historiques consacrés aux grands leaders prolétariens du passé, d'August Bebel et Karl Liebknecht à Ernst Thälmann, ainsi qu'à la résistance populaire au nazisme (*Plus fort que la nuit* [1954] de Dudow). L'obligation faite aux cinéastes de se conformer aux principes du *réalisme socialiste* conduit à un académisme qui contraste avec la vivacité et la diversité de style des films des débuts. Cette évolution est parallèle à celle qui se produit alors en URSS : le nombre des films diminue de 12 en 1949 à 6 en 1952 et 1953 (avant de remonter à la trentaine dans les années 60). Les *grands sujets* idéologiques sont privilégiés.

La mort de Staline (1953) va rapidement nuancer la ligne ainsi établie : un *dégel* idéologique et artistique (d'ailleurs assez bref) est visible aussi bien dans la thématique que dans l'esthétique. C'est ainsi que Gerhard Klein, un nouveau venu très doué qui mourra prématurément en 1970, réalise deux films qui font sensation par leur ton néoréaliste sur des thèmes empruntés à la vie quotidienne : *Romance berlinoise* (*Eine Berliner Romanze,* 1956) et *Carrefour Schönhauser (Berlin - Ecke Schönhauser,* 1957) ; Heiner Carow, autre débutant prometteur, montre la même liberté de ton et d'allure dans *Ils l'appelaient Amigo* (*Sie nannten ihn Amigo,* 1959) ; c'est aussi l'époque où sont réalisées quatre coproductions avec la France : *les Aventures de Till l'Espiègle* de Gérard Philipe*, *les Sorcières de Salem* de Raymond Rouleau*, *les Misérables* de Le Chanois* et *la Rabouilleuse* de Daquin*.

Mais la principale révélation de ces années, c'est Konrad Wolf* avec *Lissy* (1957), et surtout *Étoiles* (1959), qui aura un grand retentissement international : Wolf va désormais dominer la production de la RDA de toute la stature d'une thématique profondément engagée dans la contemporanéité, par exemple avec *le Ciel partagé* (1964), sur les drames individuels engendrés par la construction du mur de Berlin, et *l'Homme nu sur le stade* (1974), sur la nécessaire liberté de la création artistique : avec une conscience critique toujours en éveil, ce cinéaste apparaît comme le père spirituel des auteurs les plus responsables de la RDA.

Cependant, dès 1958, une autre *conférence des cinéastes* avait marqué la fin du *nouveau cours* institué timidement après la mort de Staline : pendant toutes les années 60, la production de fiction va stagner quelque peu, malgré les débuts d'autres cinéastes de talent (Frank Beyer*, Egon Günther*) et de deux scénaristes inspirés (Wolfgang Kohlhaase et Ulrich Plenzdorf), tandis que le documentaire connaît un épanouissement spectaculaire grâce à des auteurs qui renouvellent le genre en l'ouvrant, avec une grande lucidité dans la problématique, sur la vie quotidienne filmée dans un style proche du *cinéma vérité* (Karl Gass, Jürgen Böttcher, Gitta Nickel). La rigueur du contrôle idéologique se traduit par l'interdiction de plusieurs films, dont *les Chercheurs de soleil* (1958) de Konrad Wolf.

Il faudra attendre 1971 et le 8e congrès du SED pour voir disparaître certains interdits : « Il n'y a aucun tabou pour les artistes qui se tiennent fermement sur le terrain du socialisme », proclame Erich Honecker, secrétaire du parti. Dès lors, on voit se multiplier les films résolument neufs, par le thème et le style, comme *le Troisième* (E. Günther, 1971) et *la Légende de Paul et Paula* (*Die Legende von Paul und Paula,* de Heiner Carow, 1972) ; c'est à ce moment que se situe la petite révolution suscitée par la vision critique de Konrad Wolf sur les rapports entre l'art et le pouvoir dans son *Homme nu sur le stade,* et c'est Wolf encore (et encore d'après un scénario de Kohlhaase) qui donnera le film le plus controversé, mais le plus populaire, de ces dernières années, *Solo Sunny* (1979), peinture lucide et chaleureuse de la jeune génération à travers le personnage d'une chanteuse *pop*.

Malgré bon nombre de réussites (notamment : *la Fiancée* de Günter Reisch* et Gunther Rücker, 1980 ; *Der Aufenthalt* de Frank Beyer, 1982) et certaines œuvres de réalisateurs talentueux comme Roland Gräf, Horst Seeman, Lothar Warnecke, Joachim Kunert, Siegfried Kühn, Rolf Kirsten, Hermann Zschoche, Rainer Simon (dont le film *la Femme et l'Étranger* [*Die Frau und der Fremde*] remporte – ex æquo avec *Wetherby* du britannique David Hare – le Grand Prix du festival de Berlin en 1985), la production de l'Allemagne de l'Est n'est pas encore parvenue à percer de manière significative sur la scène internationale. Une certaine lourdeur bureaucratique et une indiscutable pesanteur idéologique peuvent expliquer cette trop lente maturation que ne parviennent pas à accélérer d'estimables réussites comme *la Maison au bord du fleuve* (*Das Haus am Fluss,* Roland Gräf, 1985) ou *le Rendez-vous de Travers* (*Treffen in Travers,* 1989) du débutant Michael Gwisdek. M.M.

– **ALLEMAGNE UNIFIÉE.** La chute du Mur de Berlin, à la fin de l'année 1989, c'est-à-dire la fin de la RDA et la première étape de l'unification, ont eu immédiatement des effets sur le cinéma. Ces événements historiques et leurs conséquences (sociales, culturelles, psychologiques) ont donné lieu à une série de remarquables documentaires. Leurs auteurs sont d'abord des cinéastes de l'Est. Andreas Voigt, qui avait filmé auparavant les manifestations de l'automne à Leipzig, signe *la Dernière Année du Titanic (Letztes Jahr Titanic),* Petra Tschörner, *Berlin/Prenzlauer Berg,* Jürgen Böttcher, *le Mur (Die Mauer),* sur la mort et le démontage du mur édifié en 1961. On peut citer encore Sybille Schönemann, une collaboratrice de la DEFA emprisonnée en 1984, qui réalise un film-enquête sur les lieux de son procès et de sa détention, *le Temps verrouillé* (*Verriegelte Zeit,* 1990). Des cinéastes de l'Ouest participent à ce mouvement : Peter Fleischmann*, Ulrike Ottinger*, et d'autres, tous attentifs aux ratés de l'unification allemande.

La fin du régime de la RDA a permis de connaître avec plus de vingt ans de retard une série de films interdits en décembre 1965, et réalisés par Frank Beyer*, Kurt Maetzig*, Jürgen Böttcher, Egon Günther*, Gerhard Klein, Hermann Zschoche et quelques autres, qui étaient en train d'élaborer une nouvelle forme de réalisme, contemporaine et critique, comme dans certains pays voisins. Les nouvelles conditions ont permis en 1990 et 1991 à plusieurs cinéastes de mener à bien des projets irréalisables auparavant. C'est le cas, par exemple, de Herwig Kippig (né en 1948) avec *le Pays derrière l'arc-en-ciel (Das Land hinter dem Regenbogen),* un film baroque et métaphorique sur la RDA, de Frank Beyer, avec *le Soupçon (Der Verdacht),* d'Egon Günther (passé à l'Ouest en 1978), qui revient à Babelsberg tourner *Stein,* sur l'émigration intérieure en 1968, ou de Helmut Dziuba, qui traite dans ses films pour enfants des sujets auparavant tabous. Dans les derniers mois d'existence de la RDA, *Coming out* (Heiner Carow, 1989), sur l'homosexualité, et *le Joueur de piano* (*Der Tangospieler,* Roland Gräf, 1990) annonçaient peut-être cette libération.

Dans le régime d'économie libérale, et avec la privatisation de la DEFA, les cinéastes de l'Est qui ont obtenu leur liberté d'auteur sont logés à la même enseigne que leurs collègues de l'Ouest. La contrainte économique pèse sur les projets malgré le maintien des divers systèmes (souvent régionaux) de l'aide publique. Certains font des films (et des téléfilms) selon ces règles nouvelles pour eux (Gräf, Beyer, Helke Misselwitz, Siegfried Kuhn, par exemple, ou l'acteur Michael Gwisdek, passé à la réalisation), d'autres ne peuvent mener à bien leurs projets. Quant aux cinéastes de l'Ouest, ils tentent, depuis le relatif déclin des années 1980, de donner un second souffle au cinéma d'auteur et n'ont que peu de prise sur le marché (si l'on excepte les auteurs de comédies comme Doris Dörrie et quelques cas particuliers comme Joseph Vilsmaier*). Une nouvelle génération de jeunes, nés aux environs de 1960, tend à s'imposer dans les années 1990 : le non-conformiste Christoph Schlingensief, le rusé et distant Detlev Buck, Dani Levy et Sonke Wortman dont les premiers films sont d'originales comédies, Christian Wagner, Niko Brücher, Jan Schütte, Mathias Allary, Nico Hoffman, ou encore

Andy Bausch (qui est luxembourgeois). Comme c'est le cas en France, les nouveaux cinéastes réalisent un ou deux films à petits budgets sans toujours avoir la possibilité de s'affirmer dans d'autres films. La situation de leurs aînés, à l'exception de réalisateurs comme Schondorff ou Wenders, et de ceux qui sont partis travailler aux États-Unis (Wolfgang Petersen, Roland Emmerich, Carl Schenkel, Uli Edel, voire Percy Adlon), ne présente aucun caractère d'amélioration depuis les années 1984-85. D.S.

ALLEN *(Corey), acteur et cinéaste américain (Cleveland, Ohio, 1934).* Après avoir incarné le persécuteur de James Dean dans *la Fureur de vivre* (N. Ray, 1955), il joue d'autres petites gouapes au sourire angélique dans *Traquenard* (*id.,* 1958), *Propriété privée* (L. Stevens, 1960), *Doux Oiseau de jeunesse* (R. Brooks, 1962) et *les Liaisons coupables* (G. Cukor, *id.*), où il séduit Claire Bloom pour le bénéfice de ses amis. Il passe alors à la réalisation : *les Exploits érotiques de Pinocchio* (*Pinocchio,* 1971), *Un cocktail explosif (Thunder and Lightning,* 1977), *Avalanche* (*id.,* 1978). J.-P.B.

ALLEN *(Dorothea Carothers Allen,* dite *Dede), monteuse américaine (Cleveland, Ohio, 1923).* Elle commence comme grouillot à la Columbia puis travaille sur le montage-son avant de devenir assistante monteuse. C'est Robert Wise qui lui donne son premier emploi de chef monteuse sur *le Coup de l'escalier* (1959). Considérée comme l'une des monteuses les plus créatrices du cinéma américain, elle travaille surtout avec des cinéastes résidant à New York et joue un rôle important en collaborant à des œuvres au montage très élaboré. La forme finale des films d'Arthur Penn, qui tourne une grande quantité de pellicule, lui doit en particulier beaucoup depuis *Bonnie and Clyde* (1967). Elle a aussi monté des films de Rossen (*l'Arnaqueur,* 1961), Kazan (*America America,* 1963), Paul Newman (*Rachel, Rachel,* 1968 ; *l'Affrontement,* 1984), Roy Hill (*Abattoir 5,* 1972), Lumet (*Serpico,* 1973 ; *Un après-midi de chien,* 1975), Warren Beatty (*Reds,* co Craig McKay, 1981), James Bridges (*Mike's Murder,* co Jeff Gourson, 1984), Robert Redford (*Milagro,* co Jim Miller, 1988), *Juste Cause* (Arne Glimcher, 1995). M.C.

ALLEN *(Irwin), cinéaste et producteur américain (New York, N. Y., 1916 - Malibu, Ca., 1991).* Après avoir travaillé dans le journalisme, à la radio et dirigé une agence de publicité, il se spécialise au début des années 50 dans des films semi-documentaires sur le monde naturel qu'il dirige et produit : *Cette mer qui nous entoure* (*The Sea Around Us,* 1953), *l'Histoire de l'humanité* (*The Story of Mankind,* 1957). Dans les années 60, il s'oriente vers le film d'aventures et la science-fiction : *le Sous-Marin de l'Apocalypse* (*Voyage to the Bottom of the Sea,* 1961), *Cinq Semaines en ballon* (*Five Weeks in a Balloon,* 1962). Au début des années 70, il produit des *films-catastrophes* spectaculaires, aux effets spéciaux très soignés, qui remportent un immense succès populaire : *l'Aventure du Poséidon* (R. Neame, 1972) et *la Tour infernale* (J. Guillermin, 1974). M.C.

ALLEN *(Lewis), cinéaste américain d'origine britannique (Wellington, Shropshire, 1905).* Acteur de théâtre à Londres, puis à New York, il arrive à Hollywood en 1941 pour étudier la technique à la Paramount. Le succès de son premier film, *la Falaise mystérieuse* (*The Uninvited,* 1943), le prédispose aux ambiances tourmentées, qu'il recrée sans originalité, mais avec compétence et efficacité : *l'Invisible Meurtrier* (*The Unseen,* 1945, sur un sujet de Raymond Chandler), *Une âme perdue* (*So Evil My Love,* 1948). Il s'oriente ensuite vers les films de gangsters : *Un pruneau pour Joe* (*A Bullet for Joey,* 1955), pour enfin, depuis 1960, se consacrer à la TV. C.V.

ALLEN *(Allen Stewart Konigsberg,* dit *Woody), comédien, auteur* et *cinéaste américain (New York, N. Y., 1935).* C'est le comique majeur des quinze dernières années. Ayant dépassé le statut d'amuseur numéro un, il accédera petit à petit au panthéon des auteurs *philosophes* les plus originaux de son époque.

Cet autodidacte de quartier devient vite un intellectuel néophyte et apprend à monnayer ses gags (50 par semaine pour 100 dollars), qui lui permettent de s'inscrire à l'université, puis au collège de New York, dont il se fait exclure très promptement. À dix-neuf ans, il vend ses gags à NBC, se marie et entre en analyse. Son don inné pour la rédaction des *one-liners* (plaisanteries en une seule ligne) lui fait gagner jusqu'à 1 500 dollars par semaine ; il écrit des sketches pour le *Show of Shows* de

Sid Caesar, que rédigent aussi Mel Brooks, Neil Simon et Carl Reiner. Devenu soliste de cabaret, il se produit dans les universités, à la télévision et en tournée. En 1964, le producteur Charles Feldman le voit au Blue Angel, lui demande de récrire le scénario de *Quoi de neuf, Pussycat ?* et l'emmène en Europe, lui confiant même un petit rôle auprès de Peter Sellers. Il joue ensuite le neveu de James Bond dans *Casino Royale,* qu'il remanie aussi. Mais ce docteur pour scénarios a d'autres ambitions : il écrit une pièce de théâtre, *Don't Drink the Water,* qui triomphera à Broadway, un scénario original et il commence à collaborer au *New Yorker.*

Il se fraye un chemin dans le cinéma par une opération de détournement : il remonte et commente très librement, en une sorte de collage, un film chinois en provenance de Hongkong, s'appropriant le matériau brut et le réinventant : c'est *Lily la Tigresse (What's Up, Tiger Lily ?,* 1966), dont il n'a tourné que quelques plans, mais qui déjà participe de son imaginaire. Puis il entreprend de conquérir la scène avec sa deuxième pièce de théâtre, *Play It Again, Sam,* 1969 (histoire d'un amoureux timide qui demande des tuyaux au fantôme d'Humphrey Bogart) et l'écran avec sa première mise en scène, *Prends l'oseille et tire-toi* (*Take the Money and Run,* id.), commentaire burlesque de la délinquance. L'univers de Woody Allen est déjà défini pratiquement, il ne lui reste qu'à s'épanouir et à s'approfondir. Il apprend son métier et progresse techniquement de *Bananas* (1971) à *Tout ce que vous avez toujours voulu savoir sur le sexe sans jamais oser le demander (Everything You Always Wanted to Know About Sex but Were Afraid to Ask,* 1972) et *Woody et les Robots* (*Sleeper,* 1973), passant du pamphlet politique au fantasme sexuel outrancier jusqu'à la science-fiction parodique. Il évolue aussi de la direction bâclée et de l'image incertaine jusqu'à une plastique dominée, une meilleure direction d'acteurs, un niveau supérieur du scénario. Lorsqu'il vient à Paris tourner *Guerre et Amour* (*Love and Death,* 1975), qui reste l'un de ses films préférés, il est déjà devenu maître de son langage et de ses ambitions. *Love and Death,* comédie sur la peur de la mort, révèle des soucis métaphysiques et intellectuels qui anticipent sur ce qui sera sa trilogie autobiographique.

Annie Hall (1977) ouvre la chronique d'un écrivain de Manhattan et le carnet intime de Woody, récapitulant sa liaison adulte, cathartique, avec Diane Keaton (qui partagea sa vie au sortir de son divorce amical avec sa seconde épouse, Louise Lasser). Woody s'exprime ici sur tous les sujets, et assume enfin pleinement cette personnalité d'homme équilibré, capable de plaire aux femmes et de conduire une morale libératrice, non machiste, face aux ambiguïtés de son métier, le show-business, intégrant harmonieusement son passé à son avenir. Après une expérience transitoire, celle d'*Intérieurs* (*Interiors,* 1978), film entièrement tragique où Allen, cédant à son admiration pour Ingmar Bergman, renonçait momentanément à toute comédie, il prolonge son auto-examen dans *Manhattan* (1979), hommage qu'il rend à sa ville favorite, hors de laquelle il ne peut vivre.

Stardust Memories (1980) est un nouvel acte d'indépendance de Woody, propos fortement individualisé d'un humoriste qui découvre les limites de l'humour dans une vie moyennement engagée. Woody Allen change définitivement l'appréciation qu'on avait avant lui de l'acteur comique présumé innocent, sexuellement inadéquat, tout comme il prétend percer à jour les raisons profondes du comique, ses limites morales, sa fonction thérapeutique et son niveau libérateur.

En 1982, dans un divertissement bergmano-shakespearien, *Comédie érotique d'une nuit d'été (Midsummer Night's Sex Comedy),* il replace son univers dans les vents coulis de ces étés luxuriants où la magie hante de nuit les frondaisons, ridiculisant les humains au travers de leurs vertiges. En professeur pédant, José Ferrer joue le rôle de ces raseurs tourneboulés qu'incarnait chez Bergman un Gunnar Bjornstrand, et Woody celui d'un Merlin bricoleur mâtiné de savant excentrique, dont les gadgets capricieux jouent parfois avec la voyance. *Zelig* (1983), qui reçoit un accueil triomphal, est une réflexion sur le cinéma, un conte borgésien où Woody Allen invente de toutes pièces un personnage historique imaginaire et s'amuse à parodier les médias de l'avant-guerre, sur un canevas digne d'un canular pirandellien, mêlant l'ubiquité à la psychanalyse et à l'amour triomphant. *Broadway Danny Rose* (1984) marque un retour à l'esprit comique de ses premiers films. Allen y campe un personnage d'impresario miteux impliqué dans le monde des gangsters.

D'une activité intense, il signe en 1985 *la Rose pourpre du Caire (The Purple Rose of Cairo)* où en décrivant la passion amoureuse d'une serveuse de bar pour un personnage de l'écran (et l'acteur qui interprète le rôle) il mélange avec habileté l'onirique et le réel. Dans la lignée d'*Intérieurs,* on retrouve une parenté bergmanienne, voire tchékhovienne dans *Hannah et ses sœurs (Hannah and her Sisters,* 1986) une chaleureuse saga familiale, *September* (*id.,* 1987) un huis-clos à six personnages à la recherche d'eux-mêmes et des autres, *Une autre femme* (*Another Woman,* 1988) une satire douce- amère de la psychanalyse. Entre deux œuvres d'une souriante gravité, Woody Allen tourne des films plus légers comme *Radio Days* (*id.,* 1987) où il accumule une suite de saynètes embuées de nostalgie « rétro » ou comme *Œdipus Wrecks* l'un des épisodes de *New York Stories* (*id.,* 1989, les deux autres épisodes étant réalisés par Scorsese et Coppola). En 1989, il réalise *Crimes et délits (Crimes and Misdemeanors),* en 1990 *Alice* où Mia Farrow tient (pour la troisième fois sous sa direction) un rôle majeur et en 1991 *Ombres et brouillard (Shadows and Fog).* Ces trois derniers films témoignent d'une inspiration qui ne cesse de se renouveler et de s'élargir. *Crimes et délits,* sans doute l'expérience la plus aboutie, assombrit la légèreté de Allen dans une intrigue aux fils multiples dont l'un, fait nouveau, est criminel. *Alice* a recours au merveilleux (une exquise séquence de lévitation) et à la conscience humanitaire (le visage obsédant d'une fillette indienne, aveugle et souriante, clôt le film). *Ombres et brouillard* évite moins bien la référence culturelle malgré une recréation plastique saisissante de l'univers noir et blanc de l'expressionnisme. *Maris et femmes* (*Husbands and Wides,* 1992) revient à une intrigue conjugale et new-yorkaise, dans un style faussement brouillon qui emprunte à la défunte nouvelle vague. Mais l'intérêt du film dépasse largement ce sympathique pastiche : il s'agit d'une des réussites les plus mordantes, peut-être les plus douloureuses, d'Allen dans le terrain de l'introspection. Le cinéaste, au sommet de ses moyens, s'y affirme comme un directeur d'acteurs de haute volée : Sydney Pollack et Judy Davis y campent un inoubliable, drôle et touchant, couple quadragénaire à la dérive. Ce film, que certains ont reçu comme un psychodrame, voit également la fin de la collaboration, tant artistique que conjugale, avec Mia Farrow. C'est Diane Keaton qui la remplace dans *Meurtre mystérieux à Manhattan* (*Manhattan Murder Mystery* 1993) : Allen semble vouloir retrouver alors ses qualités d'*« entertainer »* et signe une comédie policière qui est sans doute sa plus grande réussite purement comique depuis longtemps. La comédie est également mordante et dévastatrice dans l'éblouissant *Coups de feu sur Broadway* (*Bullets over Broadway* 1994) : ce mélange inattendu de film de gangsters et de pochade broadwayenne se charge en plus d'une réflexion grave et souvent amère sur la créativité et l'intégrité artistique. Woody Allen apparaît maintenant comme un cinéaste majeur qui allie une pensée profonde et originale à une forme d'une rare élégance.

Woody Allen a joué également comme acteur dans *Tombe les filles et tais-toi* (H. Ross, 1972), tiré de sa propre pièce *Play It Again, Sam, le Prête-Nom* (M. Ritt, 1976) et *Scènes de ménage dans un centre commercial* (P. Mazursky, 1990). Il a publié trois recueils de ses essais parus dans le *New Yorker.* R.BN.

Films ▲ : *Prends l'oseille et tire-toi* (*Take the Money and Run,* 1969) ; *Bananas* (*id.,* 1971) ; *Tout ce que vous avez toujours voulu savoir sur le sexe sans jamais oser le demander* (*Everything You Always Wanted to Know About Sex but Were Afraid to Ask,* 1972) ; *Woody et les robots* (*Sleeper,* 1973) ; *Guerre et amour* (*Love and Death,* 1975) ; *Annie Hall* (*id.,* 1977) ; *Intérieurs* (*Interiors,* 1978) ; *Manhattan* (*id.,* 1979) ; *Stardust Memories* (*id.,* 1980) ; *Comédie érotique d'une nuit d'été* (*Midsummer Night's Sex Comedy,* 1982) ; *Zelig* (*id.,* 1983) ; *Broadway Danny Rose* (*id.,* 1984) ; *la Rose pourpre du Caire* (*The Purple Rose of Cairo,* 1985) ; *Hannah et ses sœurs* (*Hannah and Her Sisters,* 1986) ; *Radio Days* (*id.,* 1987) ; *September* (*id., id.*) ; *Une autre femme* (*Another Woman,* 1988) ; *New York Stories* (épisode : *Œdipus Wrecks,* 1989) ; *Crimes et délits* (*Crimes and Misdemeanors, id.*) ; *Alice* (*id.,* 1990) ; *Ombres et brouillard* (*Shadows and Fog,* 1991) ; *Maris et femmes* (*Husbands and Wives,* 1992) ; *Meurtre mystérieux à Manhattan* (*Manhattan Murder Mystery,* 1993) ; *Coups de feu sur Broadway* (*Bullets Over Broadway,* 1994) ; *Don't Drink the Water* (TV 1995).

ALLGEIER *(Sepp), chef opérateur allemand (Fribourg-en-Brisgau 1895 - id. 1968).* Tôt spécialisé (son nom apparaît au générique d'un film sur le ski dès 1913), il travaille sous la direction d'Arnold Fanck à partir de 1920 *(Das Wunder des Schneeschuhs).* Il fait partie de la fameuse école Fanck, avec notamment Angst, Benitz et Schneeberger, et collabore à onze films du pionnier du film de montagne, dont *la Montagne sacrée* (1926), *Tempête sur le Mont-Blanc* (1930) et *Un Robinson* (1940). Il travaille également avec Luis Trenker dans les années 30. Sous les nazis, il est fréquemment sollicité pour des films de guerre se déroulant dans un cadre montagneux, et il participe à plusieurs œuvres de propagande. Il est célèbre pour sa collaboration au *Triomphe de la volonté* (L. Riefenstahl, 1935), où il dirige dix-huit opérateurs et vingt assistants. Après la guerre, il se consacre au documentaire et à la télévision, ne collaborant qu'à un film de fiction : *Grenzstation 58* (Harry Hasso, 1951). D.S.

ALLGOOD *(Sara), actrice britannique (Dublin, Irlande, 1883 - Los Angeles, Ca., 1950).* À la scène, Sara Allgood créa le très grand rôle de *Junon et le paon* de Sean O'Casey, entourée de la troupe du prestigieux Abbey Theatre irlandais qu'elle avait intégré en 1904. Elle reprit son rôle dans la version cinématographique, *Juno and the Peacock,* curieusement confiée à Hitchcock (1930). C'est sous la direction de celui-ci qu'elle avait débuté à l'écran l'année précédente, dans le rôle de la mère de l'héroïne criminelle de *Chantage* (un film australien dans lequel elle joua en 1918, *Just Peggy,* reste très obscur). Elle gagna les États-Unis au début de la Seconde Guerre mondiale et s'y affirma une admirable actrice de composition. Son grand rôle fut celui de la mère inépuisable et courageuse de *Qu'elle était verte ma vallée* (1941, J. Ford). Mais on ne saurait oublier la gardienne de prison peu commode du très drôle *Roxie Hart* (1942, W. Wellman), la logeuse bienveillante mais soupçonneuse de *Jack l'éventreur* (1944, J. Brahm), la gouvernante amidonnée de la *Folle Ingénue* (1946, E. Lubitsch) et de nombreuses figures de domestique stylée mais maternelle qu'elle a estampillées de sa silhouette rebondie qui est devenue si familière. C.V.

ALLIBERT *(Jean-Louis), acteur français (Paris 1897 - id. 1980).* Dès 1922, il joue à l'Atelier. L'année suivante, il apparaît sur les écrans : *Paris* (R. Hervil, 1924), *le Juif errant* (Luitz-Morat, 1926). Il silhouette avec esprit le copain envieux du *Million* (R. Clair, 1931) et devient l'Aramis des *Trois Mousquetaires* (H. Diamant-Berger, 1932). Guitry l'emploie à diverses reprises, ainsi que Lacombe dans *Jeunesse* (1934), et Renoir l'enrôle dans *la Marseillaise* (1938). Comédien d'une finesse extrême et d'une grande discrétion, il poursuit sa carrière jusqu'en 1977, où on l'aperçoit dans *le Passé simple* de Michel Drach. R.C.

ALLIO *(René), cinéaste français (Marseille 1924 - Paris 1995).* Peintre de formation, puis décorateur de théâtre, il est associé comme scénographe au travail de Roger Planchon au Théâtre de la Cité à Villeurbanne à partir de 1957. Il aborde le cinéma en 1959 avec un film d'animation qu'il dessine pour la représentation scénique des *Âmes mortes* de Gogol, puis réalise un court métrage en 1963.

La pratique d'Allio est fondée sur un rare respect du cinéma, qui l'amène à sans cesse théoriser sa propre démarche. Ses trois premiers films procèdent d'une réflexion sur le réalisme à partir des thèses de Bertolt Brecht (dont il adapte la nouvelle *la Vieille Dame indigne*). Après 1968, il tente d'intégrer l'histoire à une approche de plus en plus politique du réel, au nom de la reconquête de la mémoire populaire et d'un retour à la *région* opposé au centralisme de l'État. *Moi, Pierre Rivière...,* en 1976, participe encore de cette démarche et y ajoute la volonté de recruter sur place les figurants et les acteurs principaux de la chronique, par souci d'authenticité et pour briser les codes du spectacle. Malheureusement, le traitement cinématographique n'est pas toujours au niveau des ambitions affichées ; les films d'Allio souffrent d'une sécheresse qui trahit la difficulté du passage de l'interrogation sur le langage à un langage différent.

Après 1976, René Allio prend l'initiative de décentraliser son activité dans la région marseillaise, où il fonde un atelier de production. Le film *Retour à Marseille* (1980) illustre ce repli sur la province qui est aussi redécouverte d'un cinéma populaire, simplement narratif et fondé sur le métier de comédiens professionnels. J.-P.J.

Films ▲ : *la Meule* (CM, 1963) ; *la Vieille Dame indigne* (1965) ; *l'Une et l'Autre* (1967) ; *Pierre et Paul* (1969) ; *les Camisards* (1972) ; *Rude Journée pour la reine* (1973) ; *Moi, Pierre Rivière, ayant égorgé ma mère, ma sœur et mon frère...* (1976) ; *Retour à Marseille* (1980) ; *l'Heure exquise* (MM, 1981) ; *le Matelot 512* (1985) ; *Portrait de Jean Vilar* (TV, 1987) ; *Un médecin des lumières* (TV, 1988) ; *Transit* (1991) ; *Marseille, ou la vieille ville indigne* (1994).

ALLOUACHE *(Merzaq), cinéaste algérien (Alger* [auj. *al-Djazā'ir*] *1944).* Diplômé de l'IDHEC en 1967, stagiaire à l'ORTF, chargé ensuite d'une campagne de ciné-bus au moment de la révolution agraire (1971-72). Il tourne *Omar Gatlato* (*id.,* 1976), scènes quotidiennes d'un jeune Algérien comme les autres, puis *les Aventures d'un héros* (*id.,* 1978), sur un mode ludique. Mais *l'Homme qui regardait les fenêtres* (*al-Rajul al-ladhi yanzuru ilā al-nāfidha,* 1982) est le portrait presque strindbergien d'un bibliothécaire devenu fou. En 1988, il réalise *Un amour à Paris* et, après les émeutes qui ont lieu en Algérie cette même année, tourne en vidéo un film au titre évocateur, *l'Après-octobre* (1989). En 1994, il signe *Bab el Oued City* qui évoque avec brio la situation troublée de l'Algérie au début des années 90. C.M.C.

ALLYSON *(Ella Geisman,* dite *June), actrice américaine (Bronx, N. Y., 1917).* Modeste comédienne à Broadway, elle est engagée par Arthur Freed avec plusieurs acteurs de *Best Foot Forward,* pour le film qu'en tirera Edward Buzzell (1943). Débutant dans *Girl Crazy* (N. Taurog, 1943), elle chante et danse notamment dans *Du burlesque à l'opéra* (H. Koster, 1946) et *Vive l'amour* (Ch. Walters, 1947). La MGM, qui détermine sa carrière, fait d'elle l'une des vedettes les plus populaires aux États-Unis dans les années 50. L'allègre ingénue se change en fille sage (*les Quatre Filles du docteur March,* M. LeRoy, 1949) ou en femme honnête mais charmante (*les Trois Mousquetaires,* G. Sidney, 1948), voire piquante (*Drôle de meurtre,* D. Weis, 1953). Dans le drame, inébranlable compagne d'un homme éprouvé (*le Cirque infernal,* R. Brooks, 1953 ; *la Tour des ambitieux,* R. Wise, 1954), elle soutient le courage de James Stewart dans *Un homme change son destin* (S. Wood, 1949) et deux films d'Anthony Mann, *Romance inachevée* (1954) et *Strategic Air Command* (1955). Du film de J. Negulesco, *Les femmes mènent le monde* (1954) aux *Amants de Salzbourg* (D. Sirk, 1957), son exemplaire abnégation ne se dément pas. Après *Stranger in My Arms* (H. Käutner, 1959), elle ne fera guère qu'un bref retour à l'écran (*They Only Kill Their Masters,* James Goldstone, 1972 ; *New York ne répond plus* [*New York Blackout*], Eddy Matalon, CAN-FR-GB, 1978). Sa vivacité dans la comédie, son aisance, la spontanéité de son sourire et la gentillesse de sa voix lui permettent de composer une figure résolue et vertueuse, mais malicieuse et sympathique. A.M.

ALMEIDA *(Acácio de), chef opérateur portugais (Souto [Beira Alta] 1938).* Il est en 1964 l'assistant de Jean Rabier sur les *Îles enchantées* de Carlos Vilardebó puis travaille avec João Moreira, Elso Roque, Augusto Cabrita. Il signe sa première prestation comme directeur de la photographie en 1967 (*Sete Balas para Selma* d'Antonio de Maredo) et devient au cours des années 70 et 80 le plus grand magicien (avec Elso Roque) de la lumière portugais. Il a travaillé notamment avec António Da Cunha Telles (*O Cerco,* 1969), João Cesar Monteiro (*Qui court après les souliers d'un mort meurt nu-pieds,* 1970 ; *Chemins de traverse,* 1977 ; *Silvestre,* 1981 ; *A Flor do Mar,* 1986), Manuel de Oliveira (*le Passé et le Présent,* 1971), Alberto Seixas Santos (*Brandos Costumes,* 1974), Antonio Reis et Margarida Cordeiro (*Tras-os-Montes,* 1975 ; *Ana,* 1982 co E. Roque ; *Désert rose,* 1988), Rui Simões (*Deus, Pátria, Autoridado,* 1975), Antonio Campos (*Histoires sauvages,* 1978), Paulo Rocha (*l'Île des amours,* co E. Roque et K. Okasaki, 1982), João Botelho (*Conversa acabada,* 1981 ; *Un adieu portugais,* 1985), Raul Ruiz (*le Territoire,* id. ; *la Ville des pirates,* 1983 ; *l'Île au trésor,* 1985), Alain Tanner (*Dans la ville blanche,* 1982 ; *Une flamme dans mon cœur,* 1987), Christine Laurent (*Verti,* 1984), Jacques Rozier (*Maine-Océan,* id.), Jose Fonseca e Costa (*Ballade de la plage des chiens,* 1986) Jorge Silva Melo (*Agosto,* id.), Fiorella Infascelli (*La Maschera,* 1988) ; *Maestro* (Marion Hänsel, 1989). C.O.

ALMENDROS *(Nestor), chef opérateur français d'origine espagnole (Barcelone, Catalogne, 1930 - New-York, 1992).* Il découvre le cinéma au ciné-club de Barcelone et rejoint en 1948 son père exilé à La Havane. Il y étudie les lettres et la philosophie et réalise quelques films d'amateur, dont *Una confusión cotidiana* (1949) avec Thomas Gutiérrez Alea. Il suit les cours de Hans Richter à New York, puis ceux du Centro Sperimentale, à Rome en 1956. De retour à New York, il y réalise *58-59* (1959), avant de regagner Cuba après la chute de Batista pour y réaliser ou éclairer une vingtaine de courts métrages documentaires. Il s'exile à nouveau en 1961 et s'installe en France, où son film *Gente en la playa* (1961), interdit par la bureaucratie cubaine, lui permet de se lier avec les réalisateurs de la Nouvelle Vague. Il va s'imposer comme l'un des chefs opérateurs les plus doués de sa génération par les succès de *la Collectionneuse* (É. Rohmer, 1967) et *More* (B. Schröder, 1969). Sa carrière se partage depuis entre la France, où il dirige la photographie des films de Rohmer, Schröder ou Truffaut (*l'Enfant sauvage,* 1970), et les États-Unis, où il a obtenu de grands succès avec *les Moissons du ciel* (T. Malick, 1978), film pour lequel il a reçu l'Oscar, ou *Kramer contre Kramer* (R. Benton, 1979). C'est par excellence l'homme des tournages en extérieurs réels : il sait tirer le meilleur parti des éclairages naturels, et son exigence plastique ne sacrifie jamais l'authenticité de la lumière. Son travail en studio pour *Perceval le Gallois* (Rohmer, 1979) est moins convaincant, et l'on peut préférer les superbes images inspirées des peintres du XVIIIe siècle dans *la Marquise d'O* (*id.,* 1976) ou les glauques profondeurs de *la Chambre verte* (F. Truffaut, 1978). Très actif, il signe ensuite les prises de vues des films suivants : *le Dernier métro* (Truffaut, 1980), *le Choix de Sophie* (A. Pakula, 1982), *Pauline à la plage* (Rohmer, *id.*), *Vivement dimanche* (Truffaut, 1983), *les Saisons du cœur* (Benton, 1984), *la Brûlure* (M. Nichols, 1985), *Billy Bathgate* (Benton, 1991). Il a publié avec *Un homme à la caméra* (1980) un passionnant document sur son métier. Il a également réalisé deux documentaires critiques sur Cuba : *Mauvaise conduite* (*Improper Conduct/Conducta impropria, CO* Orlando Jiménez Leal, 1984) et *Personne ne voulait entendre* (*Nadie escucha, CO* Jorge Ulla, 1988). À titre posthume paraît un recueil d'écrits, *Cinemania* (1992), préfacé par Scorsese.

J.-P.B.

ALMIRANTE MANZINI *(Italia), actrice italienne (Tarente 1890 - São Paulo, Brésil, 1941).* Après des débuts au théâtre, elle commence à l'écran en 1911 dans *Gerusalemme liberata,* de Guazzoni. La notoriété lui vient dès 1914 grâce au rôle de Sophonisbe dans *Cabiria,* de Pastrone. Actrice aux allures nobles et au port de tête majestueux, elle est le prototype de l'héroïne dannunzienne, de la femme partagée entre la tentation et le renoncement sublime, entre l'artifice des apparences et la violence souterraine des passions. *Il poeta e la donna, Sul limite della follia, Amazzone macabra, La figlia della tempesta, Voluttà di morte* (tous de 1916), *Maternità* (1917), *Ironia della vita* (id.) sont autant de films qui expriment le goût décadent et mélodramatique de l'époque. En 1918, elle interprète son film le plus célèbre, *Femina,* de Genina, dans lequel elle incarne une femme fatale qui détruit l'inspiration d'un jeune sculpteur. En 1919, elle fonde sa propre maison de production, la Manzini Film, mais les œuvres réalisées n'atteignent pas le succès des films précédents. Après quelques titres de moindre intérêt comme *Hedda Gabler* (1919) de Pastrone, *L'orizzontale* (id.) de Righelli, *La statua di carne* (1921) et *L'arzigogolo* (1924) de Mario Almirante, elle abandonne le cinéma en 1926. Émigrée au Brésil, elle connaît jusqu'à sa mort un certain succès sur les scènes brésiliennes. J.-A.G.

ALMODÓVAR *(Pedro), cinéaste espagnol (Calzada de Calatrava, Mancha, 1949).* Il pratique divers métiers tout en écrivant des récits qu'il tourne lui-même en Super-8. L'un de ses premiers longs métrages, *le Labyrinthe des passions* (*Laberinto de pasiones* 1982), donne la clé de ses films à venir, mélodrames insolites et convulsifs où il met la provocation et l'humour noir au service de la pathologie des sentiments : *Dans les ténèbres* (*Entre tinieblas,* 1983), *Qu'est-ce que j'ai fait pour mériter ça !* (*¿ Que he hecho yo para merecer esto ?,* 1984), *Matador* (1986), son chef-d'œuvre, *la Loi du désir* (*La ley del deseo,* id.). Après un détour par la comédie sophistiquée : *Femmes au bord de la crise de nerfs* (*Mujeres al borde de un ataque de nervios,* 1988), il est revenu à son inspiration première dans *Attache-moi !* (*Atame !,* 1989), *Talons aiguilles* (*Tacones lejanos,* 1991) et *Kika* (1993). Il est également le producteur de *Acción mutante* (Alex de la Iglesia, 1992).

M.M.

ALONZO *(John A.), chef opérateur américain (Dallas, Tex., 1934).* C'est l'un des chefs opérateurs les plus représentatifs des années 70 et 80. On a beaucoup vanté et imité la manière dont il a recréé le style photographique des années 40 à l'aide de couleurs raffinées dans *Chinatown* (R. Polanski, 1974) et dans *Adieu ma jolie* (D. Richards, 1975). Mais en fait son style est très varié et s'adapte facilement à celui du film ou du réalisateur. Avec Martin Ritt, il a créé un ton élégiaque et sans ostentation, faisant grand usage des extérieurs (*Sounder,* 1972 ; *Conrack,* 1974 ; *Norma Rae,* 1979 ; *Cross Creek,* 1983). Mais on lui doit aussi des pastels délicats (*Harold et Maude,* H. Ashby, 1971), des éclats baroques aux couleurs saturées (*Scarface,* B. De Palma, 1984) ou un hyperréalisme tranchant (*Point limite zéro,* R. Sarafian, 1971). Ensuite, son style est devenu plus anonyme (*Potins de femmes,* H. Ross, 1989), même s'il reste de temps à autre capable d'un projet original (la froideur de *Affaires privées,* Mike Figgis, 1990). C.V.

ALOV *(Aleksandr) [Aleksandr Aleksandrovič Alov], cinéaste soviétique (Kharkov, Ukraine, 1923-Riga 1983).* Élève de l'Institut national de cinéma de Moscou (VGIK) dans la classe d'Igor Savtchenko, il est assistant de ce réalisateur pour *Tarass Chevtchenko* (1951) et, après la mort de celui-ci (1950), termine le film en compagnie de son camarade d'études Vladimir Naoumov, avec lequel il fera constamment équipe par la suite. Leur première réalisation commune, aux studios de Kiev, *Jeunesse inquiète* (*'Trevožnaja molodost',* 1954), est une œuvre typique du *dégel* consécutif à la mort de Staline, dans la mesure où elle remet en question les clichés optimistes du réalisme socialiste. *Pavel Kortchaguine* (*Pavel Korčagin,* 1956), d'après le roman de Nicolas Ostrovski *Et l'acier fut trempé,* déjà adapté par Donskoï, est une puissante fresque épique sur la guerre civile où l'on peut déceler l'influence de Savtchenko. Après ces brillantes démonstrations de dynamisme juvénile, on note dans *le Vent* (*Veter,* 1959) une sensible évolution vers une recherche plastique, où le combat difficile des premiers *komsomols* se trouve transfiguré en poème visuel par le raffinement des images. Cette tendance au formalisme de la *nouvelle vague* soviétique (qui va éclater au grand jour dans le premier film de Tarkovski, *l'Enfance d'Ivan*), met simultanément en œuvre les ressources de l'impressionnisme et de l'expressionnisme ; elle est sensible aussi dans *Paix à celui qui vient au monde* (*Mir vhodjaščemu,* 1961), qui évoque le dernier jour de la guerre parmi les soldats russes en Allemagne et obtient le prix spécial du jury à la Mostra de Venise. En 1962, Alov et Naoumov réalisent un téléfilm d'après l'écrivain progressiste américain Albert Maltz, *la Pièce de monnaie (Moneta).* Leur film suivant, *Une anecdote stupide* (*Skvernyj anekdot,* 1966, d'après Dostoïevski), n'ayant pas reçu l'agrément des autorités, vraisemblablement à cause de sa satire de la bureaucratie, n'est pas distribué avant 1987. Dans *la Fuite* (*Beg,* 1971), ils adaptent de manière assez académique le roman de Boulgakov, *la Garde blanche,* sur les heurs et malheurs des émigrés ; puis ils montrent plus de verve dans *la Légende de Till l'Espiègle* (*Legenda o Tile,* 1976) d'après Charles De Coster. Enfin, on leur doit une superproduction historique, *Téhéran 43* (1980), et l'adaptation d'un roman de Iouri Bondarev, *le Rivage* (*Bereg,* 1983). ▲ M.M.

ALTERNATIF. *Tireuse alternative,* tireuse dans laquelle les films sont entraînés par un mécanisme d'avance intermittente. (→ TIRAGE LABORATOIRE.)

ALTMAN *(Robert), cinéaste américain (Kansas City, Mo., 1925).* Sa très forte personnalité a marqué le cinéma américain des années 70. Mais les vicissitudes de sa carrière ne lui ont permis de s'épanouir pleinement qu'à l'âge de 45 ans. Si son nom a pu être associé à ceux de Scorsese ou Coppola, il n'appartient pas en fait à la même génération, et il a mené sa carrière en solitaire. Fils aîné d'un courtier d'assurances, il est élève chez les jésuites (sa mère est une catholique convertie). Après avoir obtenu son diplôme d'ingénieur mathématicien à l'université du Missouri, il entre à la Wentworth Military Academy et est mobilisé à la fin de la Seconde Guerre mondiale dans l'US Air Force, où il pilote des bombardiers. Rendu à la vie civile, il écrit des scénarios, des articles de journaux, des pièces radiophoniques, mène une vie de bohème à New York et s'occupe même de tatouage de chiens. De retour à Kansas City, il réalise entre 1947 et 1956 une vingtaine de films industriels, puis part pour Hollywood, ce qui lui permet de tourner, en 1957, son premier film, *The Delinquents,* suivi de *The James Dean Story.* Leur insuccès le conduit à travailler pour la télévision, où Alfred Hitchcock l'engage ; il tourne deux épisodes d'*Alfred Hitchcock presents : The Young One* (1957) et *Together* (1958). Il réalise ensuite de nombreux autres feuilletons jusqu'en 1963, date à laquelle il constitue à Westwood (Los Angeles) sa propre compagnie, Lions Gate Films, qui restera active pendant toute la décennie suivante. Deux films, *Countdown* (1968) et *That Cold Day in the Park* (1969) sont à nouveau des échecs commerciaux, bien que le second annonce par son thème et sa forme ses œuvres majeures.

Après avoir essuyé le refus d'une douzaine de réalisateurs, sa chance fut d'accepter le scénario de *M*A*S*H** (1970), que lui propose le producteur Ingo Preminger. Palme d'or au festival de Cannes (1970), le film connaît un triomphe public qui permet à Altman de capitaliser sur son succès et de tourner quinze films en dix ans avec une audace et une invention constantes. Il incarne mieux que personne le renouvellement des sujets et des styles que connaît Hollywood à la fin des années 60, mais lorsque le vent du conservatisme recommence à souffler, Altman persiste dans la voie qu'il s'est tracée, refuse de céder au conformisme ambiant et, après *Nashville* (1975), sommet de sa réputation, se voit de plus en plus contesté par la critique et abandonné par le public. Sa carrière n'en est pas moins, à ce jour, l'une des plus singulières et des plus riches du cinéma américain contemporain. Il a réussi à persévérer, malgré les obstacles, en formant une équipe unie, s'entourant d'acteurs fidèles et de collaborateurs qui, au gré des tournages, remplissent les fonctions les plus diverses. (Ainsi, Allan Nichols, comédien dans cinq de ses films, a été également producteur associé de *Quintet,* scénariste d'*Un mariage* et d'*Un couple parfait,* dont il a écrit la musique.) Il y a donc une *troupe* Altman, et la souplesse de ses productions lui a permis de réduire les coûts de fabrication, donc les risques d'échec. Au début des années 80, désabusé temporairement par l'industrie hollywoodienne, il se tourne vers la mise en scène d'opéra et de théâtre. Il réalise un film d'après une de ses productions *(Reviens, Jimmy Dean, reviens),* où il dynamise l'espace, survolte ses comédiennes, atteint à une fluidité de style faisant ainsi oublier l'origine scénique de l'œuvre. *Streamers* opère le même travail de concentration spatiale en enfermant six personnages dans une chambrée à l'époque de la guerre du Viêt-nam. *Secret Honor* va plus loin encore dans l'ascétisme scénique : un seul personnage dans un décor unique. Un Nixon à la fois bouffon et pathétique se fait l'avocat de lui-même. On retrouve le Altman sarcastique, fustigeur de son époque, tout comme dans *The Utterly Monstrous Mind-roasting Summer of O. C. and Stiggs,* une variation sur des personnages proches de la bande dessinée. En 1985, le cinéaste vient travailler en France où il adapte pour l'écran une pièce *The Laundromat,* histoire de deux femmes qui passent la nuit dans une laverie automatique.

Les films d'Altman sont référentiels. Le cinéaste est conscient de travailler à l'intérieur d'une tradition culturelle, et ses œuvres sont autant de commentaires et de variations sur les genres traditionnels : film de guerre (*M*A*S*H**), western *(John McCabe, Buffalo Bill et les Indiens),* film de gangsters *(Nous sommes tous des voleurs),* policier *(le Privé),* science-fiction *(Quintet),* musical *(Nashville, Un couple parfait),* etc. Ainsi s'élabore une réflexion sur les images produites par la culture américaine qu'Altman regarde d'un œil critique en débusquant mythes et stéréotypes.

Libéral mais résolument antiromantique, Altman peint des personnages qui défendent leur intégrité face à un milieu hostile, que ce soit John McCabe ou Popeye arrivant dans une ville qui rejette les étrangers, ou les amants traqués de *Nous sommes tous des voleurs* pendant la Dépression, ou le héros de *Quintet* poursuivant son errance solitaire après avoir échappé à une société rigide gouvernée par le jeu, ou encore les *Trois Femmes* prisonnières du cauchemar climatisé de la Californie. Bien que les films d'Altman adoptent les tons les plus divers (héroï-comique, lyrique, satirique, réaliste), on peut néanmoins reconnaître deux veines majeures dans son œuvre. La première, qui va de *M*A*S*H** à *Health* en passant par *Nashville* et *Un mariage,* privilégie la satire sociale, le grouillement des personnages et se caractérise par une certaine sécheresse que l'on a pu reprocher au cinéaste. La seconde

(*That Cold Day in the Park, Images, Trois Femmes, Quintet*) accorde à l'imaginaire, au mythe, une place prépondérante. Mais la richesse des films interdit toute séparation tranchée, et la force d'Altman est précisément de mener de front l'exploration du psychisme et la peinture d'une société. Ainsi *Popeye* est à la fois un commentaire sur un mythe populaire, une fable sur l'Amérique et un conte œdipien sur la recherche du père.

Si les premiers films du réalisateur ne font montre d'aucune originalité particulière, comme si Altman avait voulu, plus tard, se servir d'eux comme exemples à ne pas suivre, en revanche son cinéma se signale, à partir de *That Cold Day in the Park* et *M*A*S*H*,* mais surtout *Brewster McCloud,* par une très grande invention formelle. Chaque film est marqué par l'exploration d'un décor : les villages en bois de *John McCabe* et de *Popeye,* les salles de jeu de *California Split,* l'astrodrome de Houston *(Brewster McCloud),* Nashville, la ville glacée de *Quintet* ou le camp de *Buffalo Bill et les Indiens.* L'utilisation fréquente de la Panavision, combinée avec les effets de zoom et de téléobjectif, à la fois élargit et aplatit l'espace, brisant les effets de réalité et produisant un sentiment d'instabilité. Le recours à de nombreuses pistes sonores crée volontairement une confusion, un « chaos fertile » , selon l'expression de Robert Benayoun, relayé par une direction d'acteurs où l'improvisation *semble* se donner libre cours. La multiplication des personnages secondaires tout comme la présence d'un commentaire (conférencier de *Brewster McCloud,* émission de radio de *Nous sommes tous des voleurs,* haut-parleur de *M*A*S*H*,* chansons de Leonard Cohen dans *John McCabe,* thème musical joué par plusieurs instruments dans *le Privé*) achèvent de créer un sentiment de distanciation. Obsédé par la fragmentation comme par les phénomènes de dédoublement ou de schizophrénie, Altman n'en est pas moins également préoccupé par la recherche d'une explication globale du monde (voir *Quintet*) comme structure ludique. Après les succès mitigés de *Quintet, Un couple parfait* et *Health* (dont la distribution restera confidentielle), *Popeye,* production ambitieuse et originale financée par Disney, se révèle incapable de redorer le blason d'Altman auprès des financiers. Il s'oriente alors vers le théâtre et filme à peu de frais certaines de ses mises en scène *(Reviens, Jimmy Dean, reviens).* Il s'installe en Europe et sa retraite n'est qu'apparente ; en fait, il n'arrête pas de travailler : théâtre, opéra, télévision, vidéo, cinéma... À partir de situations volontiers minimalistes – par exemple dans les séquences montrant le président Nixon seul dans son bureau *(Secret Honor)* ou une ménagère dans une laverie automatique *(Laundromat)* –, il continue à expérimenter avec l'espace et les acteurs : ainsi *Basements,* téléfilm prestigieux et austère à partir de deux courtes pièces d'Harold Pinter, peut se prévaloir d'une distribution brillante (John Travolta, Linda Hunt). De temps à autre, un film de cinéma éclot, obstinément fidèle au style du réalisateur, et passe dans une indifférence polie *(Beyond Therapy, Fool for Love).* Tout à coup, sans qu'Altman ait remis en question sa démarche rigoureuse, *The Player* le remet en selle. Formellement éblouissante (le film s'ouvre sur un plan acrobatique d'une longueur interminable alors que la bande-son ironise sur les grands plans-séquences de l'histoire du cinéma), cette satire mordante du cinéma, à laquelle la profession participe en masse, doit son succès à ces cérémonies d'auto-flagellation que Hollywood aime à accomplir de temps à autre. *The Player* lui permet de s'atteler très vite à *Short Cuts* qui, bien que malmenant sérieusement les nouvelles de Raymond Carver, est bien accueilli à cause de l'engouement dont bénéficie l'écrivain. Cette vaste fresque, qui prend ses distances par rapport à l'anecdote pour s'attacher aux personnages, est une des grandes œuvres chorales du cinéaste : il y confirme un talent unique pour épingler un comportement quasi caricatural en le faisant basculer en une fraction de seconde dans une compassion sincère. On attend d'Altman une forte dose de méchanceté, voire de cruauté, sans réaliser que celle-ci est toujours contrebalancée par un humanisme presque renoirien qui aime à trouver à chacun ses raisons. Sans étiquette littéraire, *Prêt-à-porter,* qu'Altman portait en lui depuis longtemps, montre bien que le malentendu n'est pas dissipé : la critique (américaine particulièrement) est dure envers cette magnifique symphonie loufoque sur le sujet de la futilité. Plus encore qu'un film sur le monde de la couture, *Prêt-à-porter* est une réflexion sur la vanité des choses : logique,

Altman y prend ses aises envers un scénario prétexte et valorise une riche galerie de personnages à laquelle des acteurs littéralement inspirés et arrachés à leur routine donnent une humanité contrastée et chatoyante. Le parcours obstiné et rigoureux d'Altman nous renvoie finalement à notre propre versatilité et à notre inconstance. M.C.-C.V.

Films ▲ : *The Delinquents* (1957) ; *The James Dean Story* (CORE George W. George, *id.*) ; *Countdown* (1968) ; *That Cold Day in the Park* (1969) ; *M*A*S*H*,* (*id.*, 1970) ; *Brewster McCloud* (*id.*, id.) ; *John McCabe* (*McCabe and Mrs. Miller,* 1971) ; *Images* (*id.*, 1972) ; *le Privé* (*The Long Goodbye,* 1973) ; *Nous sommes tous des voleurs* (*Thieves Like Us,* 1974) ; *California Split* (*id.*, id.) ; *Nashville* (*id.*, 1975) ; *Buffalo Bill et les Indiens* (*Buffalo Bill and the Indians or Sitting Bull's History Lesson,* 1976) ; *Trois Femmes* (*Three Women,* 1977) ; *Un mariage* (*A Wedding,* 1978) ; *Quintet* (*id.*, 1979) ; *Un couple parfait* (*A Perfect Couple,* id.) ; *Health* (id.) ; *Popeye* (*id.*, 1980) ; *Reviens, Jimmy Dean, reviens (Come Back to the Five and Dime, Jimmy Dean, Jimmy Dean,* 1982) ; *Streamers* (1983) ; *Secret Honor* (1984) ; *Fool for Love* (1985) ; *O. C. and Stiggs* (id.) ; *Beyond Therapy* (*id.*, 1987) ; *Aria* (un des six épisodes, *id.*) ; *Basements* (*The Dumb Waiter, MM* et *The Room, MM,* id.) ; *Vincent et Theo* (*Vincent and Theo,* TV, 1990) ; *Black and Blue* (vidéo, 1991) ; *The Player* (1992) ; *Short Cuts* (1993) ; *Prêt-à-porter* (*id.*, 1994).

ALTON *(Jack Aldan,* dit *John), chef opérateur américain (Hongrie 1901).* Débutant comme caméraman à la Paramount en 1928, il travaille en Europe, puis en Argentine jusqu'en 1937. Il est révélé par *la Brigade du suicide* (A. Mann, 1948), où il recrée en extérieurs réels les clairs-obscurs et les compositions oppressives de l'expressionnisme. Le film *noir* lui doit ainsi quelques-uns de ses joyaux : *Il marchait dans la nuit* (A. Werker, 1948), *Marché de brutes* (A. Mann, *id.*), *Incident de frontière* (*id.*, 1949), *Association criminelle* (Joseph H. Lewis, 1955). À la MGM, sa collaboration avec Minnelli (du *Père de la mariée* à *la Femme modèle)* est couronnée par un Oscar en 1951 (pour le ballet final d'*Un Américain à Paris*), mais on mesure mieux son apport dans les derniers films d'Alan Dwan (*Quatre Étranges Cavaliers,* 1954 ; *le Bagarreur du Tennessee,* 1955 ; *Deux Rouquines dans la bagarre,* 1956), où ses raffinements de miniaturiste et sa palette élégiaque transcendent les contraintes de budgets très modestes. Il a également signé la photographie de plusieurs films de Brooks, dont *Elmer Gantry le Charlatan* (1960). Il est l'auteur de deux ouvrages techniques réputés, *Painting With Light* et *Photography and Lighting in General.* M.H.

ALTON *(Robert Alton Hart,* dit *Robert), chorégraphe et cinéaste américain (Bennington, Vt., 1906 - Los Angeles, Ca., 1957).* D'abord danseur et chorégraphe de théâtre, il règle au cinéma des danses d'ensemble brillantes et des numéros individuels raffinés (*L'amour vient en dansant* [*You'll Never Get Rich,* Sidney Lanfield, 1941], *Ziegfeld Follies* [V. Minnelli, 1946] ou *Parade de printemps* [Ch. Walters, 1948]). La variété de son talent éclate dans *le Pirate* (V. Minnelli, 1948), *Show Boat* (G. Sidney, 1951), mais surtout *la Belle de New York* (Ch. Walters, 1952) et *Appelez-moi Madame* (W. Lang, 1953). Il réalise *Chanson païenne* (*Pagan Love Song,* 1950), sans grand brio. A.M.

ÁLVAREZ *(Santiago), cinéaste cubain (La Havane 1919).* Après des études de philosophie, lettres et histoire à Cuba et aux États-Unis, il adhère au parti communiste en 1942. Il entre à l'Institut cubain de l'art et de l'industrie cinématographiques dès sa création (1959). Il y est responsable des Actualités latino-américaines hebdomadaires depuis 1960. Responsable du département de court métrage (1961-1967), puis vice-président de l'ICAIC, et enfin haut fonctionnaire du ministère de la Culture (1976), il est élu député de l'Assemblée nationale du pouvoir populaire. Il est le maître du documentaire cubain, l'école de la réalité par laquelle passent systématiquement tous les cinéastes du pays, ce qui est censé contribuer à leur connaissance de la société et à leur formation politique. Álvarez est aussi un de ceux qui ont su transformer les carences matérielles et techniques en point de départ pour la recherche de solutions esthétiques originales, notamment grâce au montage, qu'il assure personnellement, avec minutie. Le caractère militant ou didactique de son cinéma exclut cependant l'emphase. Le commentaire en voix off est réduit au minimum, voire supprimé. Lui est substitué le contrepoint ou la complémentarité de l'image et d'une musique choisie avec pertinence. Ainsi, les six minutes de *Now* (1965), contre le racisme aux États-Unis, s'appuient sur une chanson interprétée par Lena Horne. *Hanoi, Mardi 13* (1967) utilise des textes de José Martí, héros de l'indépendance cubaine, datant de 1889. Le réalisateur se sert également d'intertitres succincts ou de phrases en surimpression, au graphisme soigné. Il fait appel à un matériel de base fort hétérogène : photos de presse, reportages télévisuels, stock-shots, caricatures. Le collage est un des procédés appliqués avec intention et liberté. Le choc des images n'empêche pas le lyrisme, l'ironie, la pudeur ; l'émotion ne neutralise pas la réflexion. Alvarez réconcilie la pédagogie intrinsèque au film militant et au documentaire avec intelligence et sensibilité artistiques. Il alterne animation et prises de vues documentaires dans *Los dragones de Ha Long* (1976). *El sueño del pongo* (1970) constitue une incursion isolée dans la fiction, à partir d'un récit de l'écrivain péruvien José María Arguedas. Lorsque l'ICAIC en a les moyens, Álvarez a recours à la couleur, au format panoramique, à l'utilisation simultanée de plusieurs caméras ; mais ses films deviennent alors plus conventionnels et plus longs *(De America soy hijo y a ella me debo,* 1972, sur le voyage de Castro au Chili, dure 195 min). P.A.P.

Films : *Escambray* (1961) ; *Muerte al invasor* (*id.*, CORE : T. Gutiérrez Alea) ; *Ciclón* (1963) ; *Now* (1965) ; *Cerro Pelado* (1966) ; *Hanoi, Martes 13* (1967) ; *Hasta la victoria siempre* (id.) ; *L. B. J.* (1968) ; *79 Primaveras* (1969) ; *El sueño del pongo* (1970) ; *¿ Como, por qué y para qué se asesina a un general ?* (1971) ; *De America soy hijo y a ella me debo* (1972, LM) ; *El tigre saltó y mató, pero morirá... morirá* (1973) ; *Abril de Viet-nam en el Año del Gato* (1975) ; *Luanda ya no es de San Pablo* (1976) ; *Maputo : meridiano novo* (id.) ; *Morir por la patria es vivir* (id.) ; *Los dragones de Ha Long* (id.) ; *Mi hermano Fidel* (1977) ; *El octubre de todos* (id.) ; *La guerra necesaria* (1980) ; *Biografia de un carnaval* (1983) ; *Los antipodas de la victoria* (1986) ; *Brascuba* (1987) ; *Historia de una plaza* (1989).

ALWYN *(William), musicien britannique (Northampton 1905 - South Wold 1985).* Ancien étudiant de l'Académie royale de musique, il débute en 1936 avec les nombreux courts métrages de l'école documentariste anglaise et de la production de guerre. D'une filmographie impressionnante (45 CM et MM, 81 LM), on retient surtout : *l'Honorable M. Sans-Gêne* (S. Gilliat, 1945), *Huit Heures de sursis* (C. Reed, 1947), *Première Désillusion* (C. Reed, 1948), *la Salamandre d'or* (R. Neame, 1950), *la Boîte magique* (J. Boulting, 1951), *Mandy* (A. Mackendrick, 1952), *Trois Dames et un As* (R. Neame, *id.*), *l'Homme au million* (*id.*, 1953), *l'Épopée dans l'ombre* (*Shake Hands With the Devil,* M. Anderson, 1959), *la Lame nue* (*id.*, 1961), *le Deuxième Homme* (C. Reed, 1963). R.L.

AMADORI *(Luis Cesar), cinéaste argentin (Pescara, Italie, 1903 - Buenos Aires 1977).* Grâce à son expérience de la scène et des revues musicales, il devient un des principaux artisans de l'époque dorée de l'industrie argentine. Il s'exile en Espagne, après la chute de Perón (1955). Parmi ses films : *Maestro Levita* (1938), *El canillita y la dama* (id.), *Madreselva* (id.), *Soñar no cuesta nada* (1941), *Carmen* (1943), *Madame Sans-Gêne* (1945), *Albéniz* (1947), *Dios se lo pague* (1948), *Me casé con una estrella* (1951), *Una muchachita de Valladolid* (1958), *La Violetera* (id.), *¿ Donde vas, Alfonso XII ?* (id.), *La casta Susana* (1962). P.A.P.

AMATO *(Giuseppe Vasaturo,* dit *Giuseppe), producteur et cinéaste italien (Naples 1899 - Rome 1964).* Acteur (films tournés à Naples), il devient bientôt l'assistant de Rex Ingram (*Mare Nostrum,* 1926). De 1932 à la guerre, il produit trente mélodrames ou films comiques, dirigés notamment par Mario Bonnard (*Cinque a zero,* 1932), Camerini (*Il cappello a tre punte,* 1935 ; *Grands Magasins,* 1939), Blasetti *(la Farce tragique, 1941 ; Quatre Pas dans les nuages,* id.). Il fait débuter à la mise en scène son acteur favori, Vittorio De Sica, avec *Roses écarlates* (1940) qu'il codirige. Il produit plus de vingt films après la guerre, de grands succès, comme *le Petit Monde de Don Camillo* (J. Duvivier, 1952) ou des œuvres moins commerciales comme *Onze Fioretti de François d'Assise* (R. Rossellini, 1950), *Umberto D* (V. De Sica, 1952) et également sept films qu'il dirige lui-même, parmi lesquels *Malia* (1946), *Yvonne la nuit* (1949), *Morte di un bandito* (1961). L.C.

AMBIANCE (1). *Lumière d'ambiance,* lumière destinée à combler l'ombre créée par les lumières de base. (→ ÉCLAIRAGE.)

AMBIANCE (2). *Sons d'ambiance,* bruits durables dans lesquels baigne une scène : vent, pluie, ressac des vagues, etc. (→ BRUITAGE.) *Voie d'ambiance,* voie sonore qui porte, dans les procédés de stéréophonie, les sons « d'ambiance » destinés aux haut-parleurs implantés en fond de salle. (→ STÉRÉOPHONIE.)

AMBROSIO *(Arturo), producteur italien (Turin 1869 - Rome 1960).* Après des études de comptable, Ambrosio abandonne son emploi pour ouvrir, en 1902, un petit commerce de matériel photographique. Le succès est rapide ; en 1904, Ambrosio possède plusieurs magasins à Turin et à Milan ; parmi ses employés figure l'opérateur Giovanni Vitrotti et parmi ses clients Roberto Omegna. À l'incitation de ce dernier, Ambrosio s'intéresse au cinéma et commence à produire les films documentaires que Omegna tourne un peu partout en Italie. En 1905, Vitrotti, Omegna et Ambrosio réalisent divers films d'actualités et même quelques films comiques. Devant les exigences techniques, Ambrosio transforme une partie de sa villa de Turin en studios de tournage : plateaux dans les jardins, laboratoires dans les caves. Ces installations constituent les premiers studios italiens. À la fin de 1905 ou au début de 1906 (la date est incertaine) est fondée la société Arturo Ambrosio & Cie. Sont engagés des comédiens et des techniciens ; parmi eux se trouve Luigi Maggi, un typographe qui dirigeait la compagnie théâtrale amateur de la Bourse du travail. Les films réalisés en 1906 sont bien accueillis par le public ; la société se développe et de nouveaux studios sont construits. En avril 1907, l'Ambrosio & Cie se transforme en société par actions avec l'appui financier de la Banque commerciale de Turin. Grâce à cette consolidation, Ambrosio se lance dans une politique conquérante, qui donne ses fruits à partir de 1908. Des studios encore plus grands sont édifiés. Ambrosio se spécialise dans les documentaires, les drames, les reconstitutions historiques ; par contre, il ne s'intéresse pas aux films comiques. Le développement se poursuit dans les années 10 ; l'Ambrosio constitua alors avec l'Itala, également à Turin, et la Cines à Rome, une des structures portantes de l'industrie cinématographique italienne. Ambrosio fait figure de précurseur en demandant aux divers collaborateurs d'un film une meilleure préparation artistique et culturelle. En 1908, il confie à Luigi Maggi le soin de porter à l'écran *les Derniers Jours de Pompéi* ; le succès du film incite le producteur à poursuivre dans la voie des œuvres ambitieuses. Sont ainsi réalisés : *Nerone* (1909), *La regina di Ninive* (1910), *Il granatiere Roland* (1911), *Nozze d'oro* (id.), tous de Luigi Maggi ; *Lo schiavo di Cartagine* (1910) de Roberto Omegna, *La figlia di Jorio* (1911) de Edoardo Bencivenga. En 1910, la société Ambrosio obtient la collaboration du poète Guido Gozzano et en 1911 celle de Gabriele D'Annunzio, dont sept livres sont portés à l'écran. Ambrosio fait débuter au cinéma de grands acteurs de théâtre comme Ermete Novelli, Armando Falconi et surtout Eleonora Duse (*Cenere,* Febo Mari, 1916). En 1912, il fait construire des studios plus vastes encore que les précédents ; on y tourne une nouvelle version des *Derniers jours de Pompéi* (M. Caserini, 1913). L'âge d'or se termine : à partir de 1919, les difficultés surgissent, et, malgré la production de quelques œuvres importantes (*Theodora,* Leopoldo Carlucci, 1919 ; *La nave,* Gabriellino D'Annunzio, 1920), la société Ambrosio est emportée, en 1923, par la faillite de l'Union cinématographique italienne. Le producteur cesse alors presque toute activité et, après un passage à la Scalera Film de 1939 à 1943 comme directeur de production, il se retire définitivement. Arturo Ambrosio est une des figures les plus marquantes de la cinématographie italienne muette ; il représente le producteur qui, à l'instar d'un Pathé, d'un Gaumont, d'un Zukor, d'un Goldwyn, a fait passer le cinéma du stade artisanal au stade de grande industrie du spectacle. J.-A.G.

AMECHE *(Dominic Felix Amici,* dit *Don), acteur américain (Kenosha, Wis., 1908 - Scottsdale, Ariz., 1993).* D'origine italienne, imposé avec *Ramona* (H. King, 1936), il incarne durant une dizaine d'années les jeunes premiers sérieux et discrets, pimentés souvent d'une touche de fantaisie. Citons *l'Amour en première page* (T. Garnett, 1937), *l'Incendie de Chicago* (H. King, 1938), *la Folle Parade* (id., *id.), la Baronne de minuit* (M. Leisen, 1939) et surtout les rôles d'Alexander Bell dans *Et la parole fut* (*The Story of Alexander Graham Bell,* I. Cummings, *id.*), de d'Artagnan dans *les Trois Louf'quetaires* (A. Dwan, *id.*) et du pécheur en sursis dans *Le ciel peut attendre* (E. Lubitsch, 1943). Il poursuit ensuite une carrière discrète et retrouve une certaine notoriété au début des années 80 : *Un fauteuil pour deux* (*Trading Places,* John Landis, 1983), *Cocoon* (Ron Howard, 1985), *Parrain d'un jour* (D. Mamet, 1988), *Cocoon, le retour* (Daniel Petrie, *id.*), *Old Ball Hall* (Jackson Hunsicker, 1990), *Oscar* (J. Landis, 1991), *Corrina, Corrina* (Jessie Nelson, 1994). J.-P.B.

AMELIO *(Gianni), cinéaste italien (Catanzaro 1945).* D'abord collaborateur de revues de cinéma et animateur de ciné-clubs, il devient l'assistant de De Seta et de Liliana Cavani. Après quelques courts métrages, il réalise son premier long métrage, *la Fin du jeu* (*La fine del gioco*) en 1971. *La Cité du soleil* (*La città del sole,* 1973), inspiré du livre de Tommaso Campanella, révèle un cinéaste original à l'écriture très élaborée. Ses autres films, *Bertolucci secondo il cinema* (reportage sur le tournage de *1900,* 1975), *La morte al lavoro* (1978), *Il piccolo Archimede* (1979), *Droit au cœur* (*Colpire al cuore,* 1982), *I velieri* (1983), *I ragazzi di via Panisperna* (1988), *Portes ouvertes* (*Porte aperte,* 1990), *les Enfants volés* (*Il ladro di bambini,* 1991), *Lamerica* (1993), confirment la rigueur de son approche du langage cinématographique. Fasciné par la science et les sujets de société, Amelio inscrit sa réflexion dans la continuité du cinéma politique italien. J.A.G.

AMERICAN [American Film Manufacturing Co.], société de production américaine fondée par John R. Freuler et Harry Aitken en 1910 avec, à l'origine, deux points d'ancrage à Chicago et le troisième à Niles en Californie. Un studio fut construit en 1912 à Santa Barbara (Ca.). En 1915, l'American était constituée par diverses unités de production et par des sociétés associées, chacune d'entre elles se spécialisant dans un certain type de films (Beauty, Flying A, American Star Feature, Clipper Star Feature, Signal, Mustang). En 1921, l'American cessa ses activités. J.-L.P

AMERICAN FILM INSTITUTE, organisme américain fondé à Washington, D. C., en 1967 et dirigé depuis cette date par George Stevens Jr. Son objectif est essentiellement de préserver l'héritage cinématographique des États-Unis et d'assurer la promotion de l'art filmique dans ce pays. Parmi les principales activités de l'AFI, on notera la conservation des copies, la publication d'importants ouvrages référentiels et d'une revue mensuelle *American Film,* ainsi que la répartition de subventions accordées aux jeunes cinéastes. De l'AFI dépend également le Center for Advanced Film Studies, une école de formation située à Greystone (Ca.). J.-L.P.

AMERICAN SOCIETY OF CINEMATOGRAPHERS → ASC.

AMERICAN SOCIETY OF CINEMATOGRAPHERS (ASC), association américaine de directeurs de la photographie, fondée en 1919. (*Cinematographer* est le synonyme, en moins officiel, de *Director of photography.*) Son esprit est celui d'un club : on y entre par cooptation, et les membres font suivre leur nom, au générique, de la mention « A. S. C. ». Y compris les membres associés, choisis dans les professions en rapport direct avec la prise de vues, l'ASC compte environ 300 membres, pour la plupart américains. (Depuis sa fondation, elle a admis en son sein cinq directeurs de la photographie – dont G. Cloquet et N. Almendros – du cinéma français.) L'ASC édite un mensuel, *American Cinematographer* (P. O. Box 2230, Hollywood, California 90028). Il existe un équivalent britannique : la British Society of Cinematographers (BSC). J.-P.F.

AMES *(Preston), décorateur américain (1905-1983).* Le meilleur de la carrière de Preston Ames s'est déroulé entre 1945 et 1965 à la MGM. Son goût pour les formes arrondies, les couleurs chatoyantes et l'exotisme s'est particulièrement épanoui dans la comédie musicale et tout spécialement auprès de Vincente Minnelli. Cette collaboration lui valut deux Oscars : *Un Américain à Paris* (1951), avec son délicieux Paris de carte postale, et *Gigi* (1958), où il s'inspirait, cette fois, des caricatures de Sem. Mais il faut mentionner aussi la lande écossaise de studio de *Brigadoon* (1954), verte et trouée de kilts chamarrés, l'Arabie de pacotille de *Kismet* (1955), avec ses minarets dorés ou rose bonbon, ou encore, dans un registre plus dramatique, le fauteuil-trône rouge sang de Robert Mitchum dans *Celui par qui le scandale arrive* (1960). Pour Charles Walters, il recréa un cirque mythique (*la Plus belle fille du monde,* 1962) et un Far West aux coloris éclatants (*la Reine du Colorado,* 1964). Parmi ses derniers travaux, témoignant d'une volonté remarquable de renouvellement, on retiendra surtout l'astrodôme de Houston transformé en microcosme grouillant pour *Brewster McCloud* (1970) de Robert Altman. C.V.

AMFITHEATROF *(Daniele), compositeur américain d'origine russe (Saint-Pétersbourg 1901-Rome 1983).* Il fait ses études musicales à Rome et y signe la musique de *La signora di tutti* (Max Ophuls, 1934). Émigré aux États-Unis en 1937, il y compose notamment les musiques de : *la Fidèle Lassie* (Fred M. Wilcox, 1943), *Days of Glory* (J. Tourneur, 1944), *Lettre d'une inconnue* (Max Ophuls, 1948), *la Porte du diable* (A. Mann, 1950), *Salomé* (W. Dieterle, 1953), *Désirs humains* (F. Lang, 1954), *le Procès* (M. Robson, 1955), *la Dernière Chasse* (R. Brooks, 1956), *la Diablesse en collant rose* (G. Cukor, 1960) et *Major Dundee* (S. Peckinpah, 1965). J.-P.B.

AMIDEI *(Sergio), scénariste italien (Trieste, Autriche-Hongrie, 1904 - Rome 1981).* Figurant et assistant à Turin sur la série *Maciste* (G. Brignone, 1925-26), il arrive en 1936 à Rome où il écrit plusieurs films historiques et de cape et d'épée, comme *Pietro Micca* (A. Vergano, 1938), *La fanciulla di Portici* (M. Bonnard, 1940), *Don César de Bazan* (R. Freda, 1942), et trois films de F. M. Poggioli, dont les mélodrames *Jalousie* (1942) et *Il cappello da prete* (1944). Après la guerre, il écrit avec Fellini deux des grands films néoréalistes de Rossellini : *Rome ville ouverte* (1945) et *Paisà* (1946) ; avec Zavattini, entre autres, il brosse la chronique de l'Italie libérée dans *Sciuscià* (De Sica, 1946) ; avec Brancati, il fait la satire de la corruption fasciste dans *les Années difficiles* (L. Zampa, 1948). En 1950, avec *Dimanche d'août* (L. Emmer), il crée la comédie à sketches enchaînés, que lui et d'autres exploiteront souvent. Auteur de films sur le fascisme et la résistance pour Lizzani *(Chronique des pauvres amants,* d'après Pratolini, 1954), Rossellini *(le Général Della Rovere,* 1959), il invente plusieurs personnages comiques et amers pour Alberto Sordi : *Fumo di Londra* (A. Sordi, 1966), *Detenuto in attesa di giudizio* (N. Loy, 1971), *Un bourgeois tout petit petit* (M. Monicelli, 1977), *le Témoin* (J.-P. Mocky, 1978). En 1981, il adapte plusieurs récits de Charles Bukowski pour Marco Ferreri *(Conte de la folie ordinaire)* et meurt la même année, avant de voir la fin du tournage de son ultime scénario *(la Nuit de Varennes,* d'Ettore Scola). L.C.

AMO *(Antonio del Amo Algara,* dit *Antonio del), cinéaste espagnol (Valdelaguna 1911 - Madrid 1991).* Critique, il collabore aux revues *Popular Films* et *Nuestro cinema.* Pendant la guerre civile, il tourne des documentaires pour les républicains, et notamment pour le parti communiste. Après quelques années d'ostracisme, il n'arrive à faire carrière qu'au prix de l'adaptation au conformisme et à l'obscurantisme de rigueur durant les années d'apogée du *national-catholicisme.* Auteur notamment de *Cuatro mujeres* (1947), *Día tras día* (1951) et *Sierra maldita* (1954), il unit ensuite sa carrière à celle de Joselito, enfant-chanteur typique de cette époque (de *El pequeño ruiseñor,* 1956, à *El secreto de Tommy,* 1963). Il enseigne et écrit sur le cinéma. P.A.P.

AMORCE (1). En début ou en fin de bobine, longueur de film ne comportant pas d'images, permettant le chargement ou le déchargement du film.

AMORCE (2). *En amorce,* se dit d'un personnage ou d'un objet cadré en bord de champ, au tout premier plan, de telle sorte que sa partie vue soit clairement interprétée comme « amorçant » sa partie non vue. (→ SYNTAXE.)

AMPEX. Nom de marque du premier magnétoscope apparu sur le marché. *Ampexer,* terme vieilli pour enregistrer sur magnétoscope. (→ MAGNÉTOSCOPE.)

ANAGLYPHES. Méthode de photographie et de cinéma en relief utilisant deux images en couleurs complémentaires, généralement rouge et vert. (→ RELIEF.)

ANALOGIQUE. Se dit d'un système d'enregistrement ou de transmission où l'« information » à enregistrer ou à transmettre (son, images vidéo) est traduite par des variations continues d'une grandeur physique, par opposition aux systèmes où cette information est traduite en nombres. (→ NUMÉRIQUE.)

ANAMORPHOSE. Compression des images dans le sens horizontal. *Anamorphoseur,* ou *anamorphique,* ou *anamorphotique :* se dit d'un dispositif optique réalisant l'anamorphose des images. *Anamorphoser,* comprimer l'image par anamorphose.

Dans le monde du cinéma, le terme d'*anamorphose* est perçu comme synonyme de *compression de l'image dans le sens horizontal.* Cela s'explique aisément puisque c'est sur ce type d'anamorphose que reposent les procédés « Scope » .

En réalité, l'anamorphose est bien antérieure au cinéma, et la compression horizontale de l'image n'est qu'un cas particulier d'anamorphose.

Anamorphoses en général. À l'exception de la sculpture, lorsque nous voulons représenter ou enregistrer ce que nous voyons, nous aboutissons à une représentation plane : dessin, tableau, photographie..., écran de cinéma. Et, pour observer cette représentation, nous nous plaçons d'instinct *face* à elle, c'est-à-dire que l'axe du regard lui est (à peu près) perpendiculaire.

Dès que les règles de la perspective géométrique furent établies, à l'époque de la Renaissance, certains dessinateurs, tel Erhard Schön, eurent l'idée de réaliser des représentations curieuses, inintelligibles si on les observait dans les conditions usuelles, mais qui devenaient *compréhensibles* si on les observait dans des conditions insolites, par exemple complètement de biais. Ces *anamorphoses,* où les dessinateurs faisaient parfois preuve d'une belle virtuosité (certaines demandaient à être observées par réflexion sur un miroir déformant), connurent un réel succès de curiosité jusqu'au siècle dernier. (On s'en servait notamment pour *dissimuler* des scènes satiriques ou scabreuses.) Un des plus fameux exemples d'anamorphose figure dans la peinture d'Holbein intitulée *les Ambassadeurs,* et laisse apparaître, aux pieds des dignitaires, une tête de mort.

L'Hypergonar. Au sens restreint de compression horizontale des images, l'anamorphose n'est pas absolument spécifique du cinéma : il est arrivé, par exemple, qu'on s'en serve en photographie pour *affiner* légèrement les silhouettes. C'est néanmoins grâce au cinéma qu'elle est entrée dans les mœurs.

En 1926-27, Henri Chrétien conçut et réalisa un dispositif optique anamorphoseur (on dit aussi : anamorphotique, ou anamorphique) baptisé Hypergonar, capable de comprimer les images. (Chrétien avait choisi un rapport d'anamorphose égal à *deux.*) À la prise de vues, ce dispositif était placé devant l'objectif de la caméra, qui enregistrait ainsi des images comprimées. À la projection, il était placé devant l'objectif du projecteur. Les images étaient alors *décomprimées :* sur l'écran, les objets retrouvaient leurs proportions correctes à l'intérieur d'un cadre d'image deux fois plus large que le cadre normal.

Dès 1925, Claude Autant-Lara tournait avec l'Hypergonar *Construire un feu,* d'après une nouvelle de Jack London. Ce film muet ne fut malheureusement projeté en public qu'en 1930, au moment de la révolution du *parlant.* Du coup, le procédé n'attira guère l'attention, et il allait rester à peu près inemployé pendant vingt ans, à quelques exceptions près comme la projection en 1937, à l'Exposition internationale de Paris, de *Panorama au fil de l'eau,* projeté (grâce à deux projecteurs couplés, tous deux équipés d'un Hypergonar) sur un écran – gigantesque – de 10 mètres sur 60.

Pour la même raison, Hollywood n'avait pas manifesté d'intérêt pour l'Hypergonar, que Chrétien était allé lui proposer en 1929. Mais il s'en souvint au début des années 50. La concurrence de la télévision menaçait alors gravement l'industrie du film. Or, le succès du Cinérama*, inauguré en 1952, prouvait l'attrait du grand spectacle et du grand écran en particulier. Fin 1952, la Fox racheta à Henri Chrétien les Hypergonars qu'il possédait, et reprit aussitôt en anamorphose le tournage, déjà commencé, de *la Tunique.* Elle y ajouta le son stéréophonique et proposa l'ensemble dès 1953 sous le nom de marque de *CinémaScope.* L'énorme succés rencontré lança définitivement l'anamorphose, à tel point que la demande d'anamorphoseurs suscita rapidement l'apparition sur le marché d'un certain nombre de dispositifs optiques interchangeables avec l'Hypergonar : *Totalvision, Dyaliscope, Franscope,* etc. Pendant quelque temps, ces noms de marque figurèrent au générique des films et sur les affiches. Aujourd'hui, les affiches n'indiquent généralement même plus

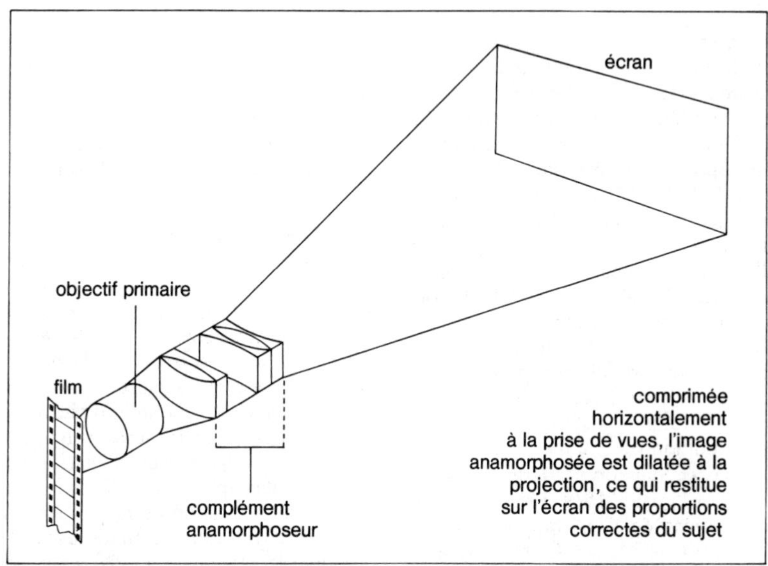
écran
objectif primaire
film
complément
anamorphoseur
comprimée
horizontalement
à la prise de vues, l'image
anamorphosée est dilatée à la
projection, ce qui restitue
sur l'écran des proportions
correctes du sujet

Anamorphose. *Schéma de principe de la projection d'un film en CinémaScope.*

si le film est anamorphosé, ou bien se limitent à indiquer : « Scope ». (→ SCOPE.)

Les anamorphoseurs. Il existe trois procédés pour anamorphoser l'image.

Les anamorphoseurs *à lentilles* font appel à un système de lentilles à surfaces *cylindriques.* C'était le principe de l'Hypergonar ; c'est le principe de la quasi-totalité des anamorphoseurs en service.

Les anamorphoseurs *à prismes* font appel à deux prismes montés en sens inverse. Relativement lourds et encombrants, ils présentent l'avantage de permettre, par rotation des prismes, une variation *continue* du rapport d'anamorphose (généralement entre le rapport 1 et le rapport 2), alors que ce rapport est fixé dans les dispositifs à lentilles. On les rencontre sur les tireuses optiques. (→ LABORATOIRE.)

Les anamorphoseurs *à miroirs* font appel à deux miroirs cylindriques, l'un concave et l'autre convexe. Moins lumineux que les dispositifs à lentilles, ils ne sont plus employés.

Les premiers anamorphoseurs, et notamment l'Hypergonar, étaient des *compléments optiques* placés *devant* l'objectif — qualifié d'objectif *primaire* — de la caméra ou du projecteur. On réalisa par la suite des systèmes optiques *monoblocs* regroupant les fonctions de l'objectif primaire et de l'anamorphoseur. À la prise de vues, la conception monobloc, qui simplifie les réglages, a complètement prévalu. En projection, où l'usage général de projeter à hauteur d'écran constante nécessite de toute façon de changer d'objectif primaire pour le passage des films Scope (→ FORMAT), on serait tenté de penser que cette même conception a également prévalu. En fait, elle conduit à des objectifs lourds, ce qui pose problème pour les projecteurs équipés d'une tourelle : dans ce cas, on préfère usuellement ne monter sur la tourelle que l'objectif primaire, l'anamorphoseur — monté sur un support rabattable — venant se positionner devant ce primaire.

Dans le vocabulaire du cinéma, *anamorphoser* signifie : comprimer l'image, *désanamorphoser* désignant l'opération inverse, qui restitue les proportions correctes du sujet. (Quand il s'agit de les distinguer des images anamorphosées, les images non anamorphosées sont qualifiées de *plates.*) Cela conduit souvent à appeler *désanarmorphoseur* le dispositif optique utilisé en projection.

Tous les dispositifs « Scope » se sont alignés sur la valeur retenue par Chrétien : rapport d'anamorphose égal à 2. Mais ce n'est pas une obligation en soi. D'autres rapports ont été employés, notamment le rapport 1,5 dans le Technirama (→ VISTAVISION) et le rapport 1,33 pour la projection Cinérama à partir d'un film unique. (→ CINÉRAMA.) J.-P. F./J.M. G./M.BA

Anamorphose en télévision. Le format 16/9 ou 1,78 (→ FORMATS), récemment apparu en télévision, met également en œuvre le principe de l'anamorphose. Il s'agit cette fois, d'une anamorphose électronique consistant à modifier le balayage (→ VIDÉO) pour comprimer horizontalement l'image au rapport 16/9. En effet, pour ce format, tous les travaux de production, de post-production et de diffusion se font à partir d'équipements initialement destinés au format de télévision 4/3 traditionnel.

Pour passer du format large 16/9 au format 4/3, l'image 16/9 est comprimée horizontalement dans un rapport 4/3 (ou 1,33) soit 16/9 : 4/3 = 4/3. Cette image ainsi comprimée horizontalement peut être traitée par une chaîne traditionnelle 4/3.

À la réception, l'opération inverse est effectuée en agissant sur le balayage du récepteur de télévision qui amplifiera horizontalement l'image dans un rapport 4/3 ce qui rétablira les proportions de l'image 16/9 initiales : 4/3 × 4/3 = 16/9.

Lorsqu'un programme 16/9 est diffusé sur un récepteur ne comportant pas de circuit de décompression, les images apparaissent trop étroites, elles sont anamorphosées au rapport 1,33.

ANCONINA *(Richard), acteur français (Paris 1953).* D'abord électricien, il décide, après une période de chômage, de chercher seul de petits rôles au théâtre et au cinéma. Son physique de jeune loubard le destinera naturellement à camper des personnages louches ou marginaux dans des films policiers. Après *le Bar du téléphone* (Claude Barrois, 1980) et *Inspecteur la Bavure* (C. Zidi, 1981), c'est dans *le Choix des armes* (A. Corneau, *id.*) qu'il impose son caractère fragile et imprévisible, à la violence sous-jacente. Sa prestation dans *Tchao Pantin* (C. Berri, 1983) lui vaut la consécration auprès d'un large public ainsi que deux Césars. Suivent, entre autres, *Paroles et musique* (Elie Chouraqui, 1984) et *Police* (M. Pialat, 1985). Après les échecs critiques et publics de *Zone rouge* (R. Enrico, 1986) et du *Môme* (A. Corneau, *id.*), il tourne *Lévy et Goliath* (G. Oury, 1987), son premier rôle résolument comique puis partage avec Jean-Paul Belmondo la tête d'affiche d'*Itinéraire d'un enfant gâté* (C. Lelouch, 1988) et retrouve Elie Chouraqui dans *Miss Missouri* (1990). E.K.

ANDERSON *(Max Aronson,* dit *G[ilbert] M.) « Broncho Billy », acteur et cinéaste américain (Pine Bluff, Ark., 1882 - Pasadena, Ca., 1971).* Acteur de music-hall et modèle, il débute à l'écran en 1902 *(The Messenger Boy's Mistake)* avant d'incarner un des trois hors-la-loi du premier (?) western de l'histoire du cinéma : *l'Attaque du Grand Rapide* (Edwin S. Porter, 1903), dont il écrit aussi l'argument. Il poursuit sa carrière de comédien chez Edison, puis à la Vitagraph et, en 1905, collabore avec Porter à la réalisation de *Raffles, the Amateur Cracksman.* En 1907, il fonde avec George K. Spoor la Essanay (S and A), pour laquelle il écrit, produit, réalise et interprète près de 400 westerns. Il crée, en 1908, le personnage auquel il reste identifié : Broncho Billy, héros naïf dont la maladresse (Anderson est lui-même piètre cavalier) et le physique disgracieux sont rachetés par la sincérité et la bonté d'âme. Devenu la première star du genre, Anderson continue d'exploiter ce héros avec succès durant sept années, dans des films comme : *Broncho Billy's Redemption, Broncho Billy's Heart, The Reward of Broncho Billy,* etc. En 1911, il crée la série des « Snakeville Comedies », avec Ben Turpin et, en 1912, poursuivant dans la veine burlesque, dirige Augustus Carney dans la série « Alkali Ike ». En 1918, il tourne son dernier film : *Shootin'Mad,* et, après avoir revendu ses parts dans la Essanay, achète un théâtre à New York. L'insuccès de son entreprise le ramène à Hollywood, où William S. Hart l'a depuis peu supplanté. Il abandonne le cinéma en 1920. O.E.

ANDERSON *(Frances Margaret Anderson,* dite *Judith), actrice américaine d'origine australienne (Adélaïde, Australie-Mérid[le], 1898 - Santa Barbara, Ca., 1992).* Après une brève carrière de jeune première, elle s'illustre à Broadway dans le répertoire tragique (Shakespeare, O'Neill) et se révèle au cinéma sous les traits de la gouvernante de *Rebecca* (A. Hitchcock, 1940). Ce personnage hanté et morbide inaugure une longue succession de femmes tourmentées évoluant au bord du crime et de la folie : la tante et rivale de Gene Tierney dans *Laura* (O. Preminger, 1944), la mère coupable de *la Vallée de la peur* (R. Walsh, 1947) et des *Furies* (A. Mann, 1950), l'Hérodiade de *Salomé* (W. Dieterlé, 1953). À compter des années 50, elle espace ses apparitions : *les Dix Commandements* (C. B. De Mille, 1956), *la Chatte sur un toit brûlant* (R. Brooks, 1958), *Un homme nommé Cheval* (E. Silverstein, 1970), et tourne tardivement son premier film australien, *Inn of the Damned* (Terry Bourke) en 1974. Elle a été nommée en 1960 « Dame Commander of the British Empire ». O.E.

ANDERSON *(Lindsay), cinéaste britannique (Bangalore, Mysore, Inde, 1923 - en France 1994).* Fils d'un officier de l'armée des Indes, il suit des études à Oxford, puis est mobilisé aux Indes à la fin de la Seconde Guerre mondiale. De retour à Oxford, il prend une part importante à la naissance de la revue *Sequence* (1946). Les autres rédacteurs en sont Gavin Lambert, Penelope Houston et Peter Ericson. Jusqu'en 1952 (dernier numéro dirigé par Anderson et Karel Reisz), la revue défendra les thèses d'un cinéma engagé, proche des réalités sociales, mais aussi art à part entière. Anderson y exprime son admiration pour des cinéastes comme Jean Vigo, John Ford, Humphrey Jennings. Il poursuit sa carrière journalistique par des critiques dans *The Times* et *The Observer* et des articles de fond dans *Sight and Sound.* En 1956, il y publie un article intitulé : « Stand up ! Stand up ! » dans lequel il attaque le cinéma conformiste de l'Establishment et plaide pour un cinéma libre *(free cinema),* personnel et critique. À la même époque, il programme au National Film Theatre (la Cinémathèque de Londres) des séances de jeunes réalisateurs originaux, britanniques ou étrangers, sous le titre *Free Cinema.*

Depuis 1948, il réalise lui-même des courts métrages ; d'abord en amateur (*Meeting the Pioneers,* 1948), puis pour des petites productions indépendantes, notamment : *Wakefield Express* (1953), *O Dreamland* (id.), *Thursday's Children* (1954, co Guy Brenton), *Foot and Mouth* (1955), *Green and Pleasant Land* (id.), *Every Day Except Christmas* (1957). Il signe également des réalisations à la télévision (en particulier des épisodes de la série *Robin des Bois* en 1957) et met en scène au théâtre les pièces de l'avant-garde anglaise, dont John Osborne.

En 1963, il tourne son premier long métrage *le Prix d'un homme (This Sporting Life),* dans lequel Richard Harris incarne un mineur amoureux d'une femme (Rachel Roberts) et qui connaît une gloire éphémère en devenant champion de rugby. Après *The White Bus* (MM, 1967) et *Raz Dwa Trzy* (*The Singing Lesson,* id.), son film *If...* (1968), violente critique des « high schools » , remporte la palme d'or au festival de Cannes en 1969 et fait scandale en Angleterre ; l'Establishment, que Lindsay Anderson a déjà passablement égratigné dans ses articles, supporte mal de se voir bafoué par une révolte estudiantine. Il devra attendre cinq ans avant de tourner *le Meilleur des mondes possibles* (*O Lucky Man,* 1973), chronique *voltairienne* de l'ascension et de la chute d'un ambitieux dans le monde des affaires. Suivent, en 1975, *In Celebration* (avec Alan Bates), parlant à nouveau des mineurs, en 1982, *Britannia Hospital,* satire *au vitriol* de l'establishment et, en 1987, *les Baleines du mois d'août (The Whales of August),* adaptation d'une pièce de théâtre de David Berry dont l'intérêt principal réside dans un casting surprenant (Bette Davis, Lilian Gish, Vincent Price, Ann Sothern). Ses films illustrent bien les engagements politiques et esthétiques de Lindsay Anderson. L'action de ce polémiste, l'un des hommes les plus prestigieux du monde du spectacle britannique des années 60-70, ne saurait cependant être réduite à ses longs métrages. ▲ P.P./B.G.

ANDERSON *(Maxwell), scénariste et dramaturge américain (Atlantic City, N. J., 1888 - Stamford, Conn., 1959).* Auteur d'une trentaine de pièces à succès et lauréat du Prix Pulitzer, la Grande Guerre lui fournit, en 1924, le thème de *What Price Glory ?* Cette comédie dramatique, célèbre pour la crudité de ses dialogues, connaît une vogue considérable et inspire jusqu'à la fin des années 30 une abondante série de films mettant en scène des *couples* d'amis aux tempéraments antagonistes et querelleurs (cf. *Une fille dans chaque port* [H. Hawks, 1928], et les tandems Victor McLaglen-Edmund Lowe, Clark Gable-Spencer Tracy et James Cagney-Pat O'Brien). Maxwell Anderson s'est fréquemment intéressé aux destins et tourments de certaines grandes figures féminines de l'Histoire, comme Marie Stuart, Élisabeth Ire, Anne Boleyn et Jeanne d'Arc. Scénariste ou coscénariste de *À l'Ouest rien de nouveau* (L. Milestone, 1930), *Pluie* (*id.*, 1932), *Death Takes a Holiday* (M. Leisen, 1934), *Jeanne d'Arc* (V. Fleming, 1948) et *le Faux Coupable* (A. Hitchcock, 1957), une douzaine de ses pièces ont été portées à l'écran, dont : *What Price Glory ?* par Raoul Walsh (1926) et John Ford (1952) ; *Saturday's Children*, par Gregory La Cava (1929), William Mc Gann (*Maybe It's Love*, 1935) et Vincent Sherman (1940) ; *Mary of Scotland*, par John Ford (*Marie Stuart*, 1936) ; *la Vie privée d'Élisabeth d'Angleterre*, par Michael Curtiz (1939) ; *The Eve of St. Mark*, par John M. Stahl (1944) ; *Key Largo*, par John Huston (1948) ; *Mauvaise Graine*, par Mervyn LeRoy (1956) et *Anne of the Thousand Days*, par Charles Jarrott (1969). O.E.

ANDERSON *(Michael), cinéaste britannique (Londres 1920).* Engagé aux studios d'Elstree en 1935 comme simple employé, il est successivement acteur, assistant (notamment d'Anthony Asquith et de Peter Ustinov), directeur de production (*Ceux qui servent en mer*, de Noël Coward et David Lean, 1942), puis coréalisateur avec Ustinov de *Private Angelo* (1949). Il s'impose ensuite, aussi bien en Grande-Bretagne qu'aux États-Unis, comme un cinéaste au style soigné et impersonnel. Son imposante filmographie révèle qu'il a abordé les genres les plus divers : *les Briseurs de barrages (The Dam Busters,* 1954), *le Tour du monde en 80 jours (Around the World in 80 Days,* 1956), *1984* (d'après G. Orwell, 1957), *la Lame nue (The Naked Edge,* 1961), *le Secret du rapport Quiller (The Quiller Memorandum,* 1966), *les Souliers de saint Pierre (The Shoes of the Fisherman,* 1968), *Jeanne, papesse du Diable* (*Pope Joan,* 1972), *Orca* (1977). R.L.

ANDERSSON *(Birgitta,* dite *Bibi), actrice suédoise (Stockholm 1935).* Elle n'était encore qu'une adolescente lorsqu'elle apparut pour la première fois à l'écran dans un film publicitaire tourné par Ingmar Bergman pendant une grève de studios en 1951. Son intention était alors de se consacrer en priorité au théâtre. Effectivement, elle fera une grande carrière sur les planches, notamment sous la direction d'Ingmar Bergman. Elle jouera Schehadé, Strindberg, Hjalmar Bergman, Tchekhov, Shakespeare, Genet, Anouilh, Albee, Arthur Miller, Tennessee Williams, Molière, Marcel Aymé, avec un succès constant. Sa blondeur et sa délicatesse ingénue l'imposent pareillement à l'écran. Bergman lui demande d'interpréter la compagne fidèle du baladin dans *le Septième Sceau* (1957), puis un double rôle dans *les Fraises sauvages* (id.) : l'amour de jeunesse du professeur Isak Borg (Victor Sjöström) et l'autostoppeuse qui prend le vieil homme en pitié pendant son voyage à Lund. On la retrouve dans *Au seuil de la vie* (1958), *le Visage* (id.), *l'Œil du Diable* (1960) et surtout dans *Persona* (1966), où, face à Liv Ullmann, elle est une étonnante Anna, l'infirmière qui a la garde de l'actrice malade. En tournant avec Vilgot Sjöman (*la Maîtresse,* 1962), en tentant de faire une carrière internationale (*la Bataille de la vallée du Diable* de Ralph Nelson en 1966, *la Lettre du Kremlin* de John Huston en 1970, *Jamais je ne t'ai promis un jardin de roses* d'Anthony Page en 1977), on sent qu'elle cherche à échapper à l'univers bergmanien. Peine perdue. On se souvient plus d'elle dans *Une passion* (1969), *le Lien* (1971) ou *Scènes de la vie conjugale* (1973) que dans *le Viol* ou *Blondy.* Le cinéma n'a jamais effacé en elle la passion théâtrale (elle fut en 1975 une remarquable Viola dans *la Nuit des rois* de Shakespeare au Théâtre royal de Stockholm, dans une mise en scène de... Bergman). P.CO.

Films ▲ : *Dum-Bom* (N. Poppe, 1953) ; *'Une nuit au château de Glimminge'* (*En natt på Glimmingehus,* T. Wickman, 1954) ; *le Trésor d'Arne* (G. Molander, *id.*) ; *'Une fille sous la pluie'* (A. Kjellin, 1955) ; *Sourires d'une nuit d'été* (I. Bergman, *id.*) ; *'Entrée privée'* (*Egen ingång,* H. Ekman, 1956) ; *le Dernier Couple qui court* (A. Sjöberg, *id.*) ; *le Septième Sceau* (I. Bergman, 1957) ; *'On demande villa pour l'été'* (*Sommarnöje sökes,* H. Ekman, *id.*) ; *les Fraises sauvages* (I. Bergman, *id.*) ; *'Tu es mon aventure'* (*Du är mitt äventyr,* Stig Olin, 1958) ; *Au seuil de la vie* (I. Bergman, *id.*) ; *le Visage* (I. Bergman, *id.*) ; *'le Jeu de l'amour' (Den kära leken,* Kenne Fant, 1959) ; *'Jour de noces'* (*Bröllopsdagen,* K. Fant, 1960) ; *l'Œil du Diable* (I. Bergman, *id.*) ; *'Carnaval'* (*Karneval,* Lenart Olsson, 1961) ; *'la Nuit des otages' (Nasilje na trgu,* Leonardo Bercovici ; YU, *id.) ; 'le Jardin des plaisirs'* (A. Kjellin, *id.) ; 'Pan' / 'L'été est court'/l'Amour sous le soleil de minuit* (B. Henning Jensen, 1962) ; *'la Maîtresse'* (V. Sjöman, *id.*) ; *Toutes* *ses femmes* (I. Bergman, 1964) ; *'Nuit de juin'* (*Juninatt,* Lars Eric Liedholm, 1965) ; *l'Île* (A. Sjöberg, 1966) ; *Ma sœur, mon amour* (Sjöman, *id.*) ; *Persona* (I. Bergman, *id.*) ; *la Bataille de la vallée du Diable* (R. Nelson, *id.*) ; *Scusi, lei e favorevole, o contrario ?* (A. Sordi, *id.*) ; *le Viol* (J. Doniol-Valcroze, 1967) ; *les Filles* (M. Zetterling, 1968) ; *'les Palmiers noirs'* (L. M. Lindgren, *id.) ; 'Histoire d'une femme'* (*Storia di una donna,* L. Bercovici ; IT, 1969) ; *'Pense à un nombre'* (P. Kjaerulff-Schmidt, *id.) ; Une passion* (I. Bergman, *id.*) ; *Violenza al sole / Un' estate in quattro / L'isola* (F. Vancini, *id.) ; la Lettre du Kremlin* (J. Huston, 1970) ; *le Lien* (I. Bergman, 1971) ; *'Un homme de l'autre monde'* (*Čelovek s drugoj storony,* Youri Egorov, *id.*) ; *Scènes de la vie conjugale* (I. Bergman, 1973) ; *la Rivale* (Sergio Gobbi, 1974) ; *After the Fall* (B. Cates, *id.*) ; *Il pleut sur Santiago* (H. Soto, 1975) ; *Blondy* (S. Gobbi, 1976) ; *'Jamais je ne t'ai promis un jardin de roses'* (*I Never Promised You a Rose Garden,* Anthony Page, 1977) ; *An Enemy of the People* (George Schaefer, 1978) ; *l'Amour en question* (A. Cayatte, id.) ; *Quintet* (R. Altman, 1979) ; *Airport 80-Concorde Airport 79-the Concorde,* D. Lowell Rich, *id.) ; Twee Wrouwen* (George Sluizer, *id.,* PB) ; *'Interdit aux enfants' (Barnförbjudet,* Marie-Louise de Geer Bergenstråhle, *id.) ; la Révolution des confitures* (E. Josephson, 1980) ; *'Je rougis'* (V. Sjöman, 1981) ; *'Une colline sur la face sombre de la Lune'* (*Berget på månens baksida,* Lennart Hjulström, 1983) ; *les Corbeaux (Svarte fugler,* Lasse Glomm, NOR, *id.) ; Exposed* (id., James Taback, *id.*) ; *'le Dernier Été'* (*Sista leken,* Jon Lindström, 1984) ; *'Demain'* (*Husmenna,* Julia Rosma, FIN, 1986) ; *le Festin de Babette* (G. Axel, 1987) ; *Los duenos del silencio* (Carlos Lemos, ARG, *id.*) ; *Fordringsägare* (Stefan Bohm, Keve Hjelm, John O. Olsson, 1988) ; *Il sogmo della farfalla* (M. Bellocchio, 1994) ; *'le Songe'* (*Drømspel,* Unni Straume, *id.*).

ANDERSSON *(Harriet), actrice suédoise (Stockholm 1932).* Elle avait fait du cabaret à Stockholm et joué quelques rôles modestes à l'écran – notamment dans *l'Esprit de contradiction* de Gustav Molander en 1952 – quand Ingmar Bergman lui proposa d'incarner l'héroïne de *Monika* (1953). Elle y campe une jeune prolétaire à l'érotisme agressif qui va conduire au désespoir un amoureux trop naïf. La femme fatale auréolée de *glamour* se métamorphose ici en garce des faubourgs pour un résultat identique. Harriet Andersson fait sensation dans cette interprétation fortement naturaliste. Elle devient ainsi l'une des toutes premières actrices *bergmaniennes.* Quelques prestations à la scène (*le Canard sauvage* d'Ibsen sous la direction du même Bergman en 1954, *le Journal d'Anne Frank* de Goodrich et Hackett sous celle d'un autre réalisateur de cinéma, Molander, en 1955), mais surtout une suite de rôles dans des films bergmaniens. Elle est successivement l'écuyère de *la Nuit des forains* (1953), la jeune fille frigide tentée par Lesbos d'*Une leçon d'amour* (1954), le modèle de *Rêves de femmes* (1955), Petra la soubrette de *Sourires d'une nuit d'été* (id.), Karin la schizophrène d'*À travers le miroir* (1961). Les années 60 lui donnent quelques occasions de se mettre en valeur, principalement dans *les Amoureux* (1964) de Mai Zetterling et dans les films de son époux d'alors, Jorn Donner (*Un dimanche de septembre,* 1963 ; *Aimer,* 1964 ; *Ici commence l'aventure,* 1965 ; *Anna,* 1969). Elle accepte certaines propositions à l'étranger, tourne avec Sidney Lumet, revient au théâtre et se voit offrir à nouveau par Bergman un rôle marquant : celui d'Agnès, l'agonisante de *Cris et Chuchotements* (1972). Harriet Andersson est passée du registre des adolescentes délurées à celui des femmes inquiètes, écartelées entre leur désir et leur devoir social. Elle a représenté pour les spectateurs une certaine *modernité à la suédoise* sans pour autant rester prisonnière de son image de marque (*Fanny et Alexandre,* Bergman, 1982). P.CO.

Films ▲ : *'Quand la ville dort' (Medan staden sover,* Lars-Erik Kjellgren, 1950) ; *'Deux escaliers sur la cour' (Två trappor över gården,* G. Werner, *id.) ; 'le Charlot de Mme Andersson' (Anderssonskans Kalle,* Rolf Husberg, *id.) ; 'les Cavaliers de la route' (Motorkavaljerer,* Elof Ahrle, 1951) ; *'le Bœuf et la Banane' (Biffen och bananen,* R. Husberg, *id.) ; 'Mon nom est Puck' (Puck heter jag,* Schamyl Bauman, *id.) ; 'la Maison de la folie' (Dårskapens hus,* H. Ekman, *id.) ; 'Divorce'* (G. Molander, *id.) ; 'le Sous-Marin 39'* (*Ubåt 39,* H. Faustman, 1952) ; *'l'Esprit de contradiction'* (Molander, *id.) ; Sabotage* (Eric Jonsson, *id.*) ; *Monika* (I. Bergman, 1953) ; *la Nuit des forains* (id., *id.*) ; *Une leçon d'amour* (id., 1954) ; *'Hop ! là ! '* (*Hoppsan !,* Stig Olin, 1955) ; *Rêves de femmes* (I. Bergman, *id.*) ; *Sourires d'une nuit d'été* (id., *id.*) ; *'les Enfants de la nuit' (Nattbarn,*

Gunnar Hellström, 1956) ; *'le Dernier Couple qui court'* (A. Sjöberg, *id.*) ; *'la Petite Fée de Solbakken'* (*Synnöve Solbakken,* G. Hellström, 1957) ; *'le Commandant de la flotte'* (*Flottans överman,* S. Olin, 1958) ; *'la Femme à la peau de léopard' (Kvinna i leopard,* Jan Molander, *id.) ; 'Crime au paradis'* (*Brott i paradiset,* L. E. Kjellgren, 1959) ; *'Nuit de noces' (Hääyö / En bröllopsnatt,* E. Blomberg, *id.) ; 'Barbara et les hommes'* (*Barbara,* F. Wisbar, 1961) ; *Á travers le miroir* (I. Bergman, *id.*) ; *Siska* (A. Kjellin, 1962) ; *'Rêve de bonheur'* (*Lyckodrömmen,* Hans Abramson, 1963) ; *Un dimanche de septembre* (J. Donner, *id.*) ; *Toutes ses femmes* (I. Bergman, 1964) ; *les Amoureux* (M. Zetterling, *id.*) ; *Aimer* (J. Donner, *id.*) ; *'le Pont de lianes'* (S. Nykvist, 1965) ; *Ici commence l'aventure* (J. Donner, *id.*) ; *'Que ne ferait-on pas pour ses amis ? ' (För vänskaps skull,* H. Abramson, *id.) ; le Serpent* (*Ormen,* id., 1966) ; *Stimulantia* (épisode *Elle et lui,* J. Donner ; PR, 1965-1967) ; *M 15 demande protection* (S. Lumet, *id.*) ; *Chassé-Croisé* (J. Donner, *id.*) ; *Sophie de 6 à 9* (H. Carlsen, *id.*) ; *les Filles* (M. Zetterling, 1968) ; *'J'aime, tu aimes' (Jag älskar, du älskar,* Stig Björkman, *id.*) ; *'l'Amour sans uniforme' (Oberman,* Hans Embach, *id.) ; Pour la conquête de Rome* (R. Siodmak, *id.*) ; *Anna* (J. Donner, 1970) ; *'Dans le ruban de la mer'* (*I havsbandet,* Bengt Lagerkvist, 1971) ; *Cris et Chuchotements* (I. Bergman, 1972) ; *le Jour où le clown pleura* (J. Lewis, *id.*, inachevé) ; *'le Nouveau-né'* (*Bebek,* Barbro et Gunes Karabuda, 1973) ; *'Monnismanie 1995' (Monnismanien 1995, Kenne Fant, 1975) ; 'Deux Femmes' (Två kvinnor ;* épisode *le Mur blanc,* S. Björkman, *id.) ; Hempas bar* (Lars G. Thelesman, 1977) ; *Linus* (V. Sjöman, 1979) ; *La Sabina* (José Luis Borau, *id.*) ; *Fanny et Alexandre* (I. Bergman, 1982) ; *'Un Casanova suédois'* (*Raskenstam,* Gunnar Hellström, 1983) ; *'Nuits d'été'* (*Sommarkväller på jorden,* G. Lindblom, 1987) ; *'l'Arme étincelante'* (*Blankt Vapen,* Carl-Gustav Nykvist, 1990 ; *'Au-delà du ciel'* (*Høyere enn himmelen,* Berit Nesheim, 1994) ; *il signo della farfalla* (M. Bellocchio, *id.*).

ANDRA *(Fern Edna Andrews,* dite *Fern), actrice américaine (Watseka, Ill., 1893 - Aiken, S.C., 1974).* Après avoir interprété quelques rôles dans son pays natal, elle part à Vienne suivre les cours de Max Reinhardt. Elle est active de 1917 à 1927 dans le cinéma allemand, à la fois comme actrice, productrice et même, parfois, réalisatrice. Elle est notamment remarquable dans *Genuine* (1920) et *Die Nacht der Königin Isabeau (id.),* deux films de Robert Wiene, et dans *le Cauchemar de Za-la-vie* (*Der Traum der Za-la-vie,* E. Ghione, 1924), suite expressionniste des aventures feuilletonesques de la série *Za-la-mort*). Parmi ses autres films, citons encore *Die Liebe ist der Frauen Macht* (Georg Bluen, 1924) et *Funkzauber* (R. Oswald, 1927). De retour aux États-Unis à la fin des années 20, elle ne fera plus que de brèves apparitions à l'écran (*The Lotus Lady,* P. Rosen, 1930), avant d'abandonner définitivement le cinéma. C.O.

ANDRADE *(Joaquim Pedro de), cinéaste brésilien (Rio de Janeiro 1932 -* id. *1988).* Après des études de physique, il suit des stages de cinéma en France, en Grande-Bretagne, aux États-Unis (auprès des frères David et Albert Maysles). Il s'intéresse d'abord au documentaire et consacre ses premiers courts métrages au sociologue Gilberto Freyre (*O Mestre de Apipucos,* 1959) et au poète Manuel Bandeira (*O Poeta do Castelo,* id.). Il aborde la fiction, marqué par le constat social, comme l'ensemble du Cinema Novo naissant : *Couro de Gato* (1960) est le portrait des gosses d'un bidonville de Rio, qui chassent les chats pour faire des tambourins avec leur peau. Mais le contraste est saisissant entre ce petit film d'une poésie sobre et les autres sketches de *Cinco Vezes Favela* (1962), schématiques et caricaturaux, auxquels il fut ultérieurement intégré. *Garrincha, Alegria do Povo* (1963), sur un footballeur, participe de cette découverte d'une nouvelle géographie humaine chère au Cinema Novo : le stade révèle les émotions et violences réfrénées, tandis que les politiciens capitalisent la victoire brésilienne à la Coupe du monde. *O Padre e a Moça* (1966) souligne l'originalité de l'auteur et les liens privilégiés qu'il entretient désormais avec la littérature brésilienne, ici de Carlos Drummond de Andrade. La passion d'un jeune curé et d'une fille dans un village est traitée avec pudeur et lyrisme.

Premier film du Cinema Novo à remporter un succès public appréciable (c'est, il est vrai, une de ses rares comédies), *Macunaíma* (1969) n'hésite pas à intégrer le comique des chanchadas si méprisées des spectateurs cultivés. Vedette du genre, l'acteur noir Grande Otelo y est un des interprètes du rôle-titre du roman parodique du *moderniste* Mario de Andrade (1893-1945). Aventures du *héros sans caractère* d'un Brésil qui veut *se civiliser,* caustique et mythique, *Macunaíma* rompt avec le réalisme en faveur du *tropicalisme,* vague de fond qui ébranla la culture brésilienne de la fin des années 60, aussi bien au cinéma qu'en musique ou au théâtre. *Os Inconfidentes* (1972) s'inspire d'une conspiration contre le pouvoir colonial au Minas Gerais au XVIIIe siècle. Ce n'est pas l'imagerie patriotique de l'*Inconfidência Mineira* qui intéresse l'auteur, mais la réflexion sur les rapports des intellectuels et du pouvoir, une recherche aussi de la vérité (coproducteur, la RAI le diffusa sous le titre *La congiura*). *Guerra Conjugal* (1974) adapte des contes ironiques de Dalton Trevisan. Nettement plus réussi est l'épisode réalisé pour *Contos Eróticos* (tourné en 1977) : le héros de *Vereda Tropical* fait l'amour avec des pastèques, sketch entièrement construit sur la faculté de suggestion des mots et des images. Dans *O Homem do Pau-Brasil* (1981), Joaquim Pedro de Andrade revient aux modernistes avec Oswald de Andrade (1890-1954) [précisons qu'aucun des Andrade cités n'appartient à la même famille]. Il s'agit d'une biographie très particulière du père spirituel du tropicalisme, l'auteur du *Manifeste anthropophagique* étant interprété simultanément par deux acteurs, dont une femme... Andrade est, au Brésil, un cas extrême d'exigence et d'originalité. ▲ P.A.P.

ANDRÉ *(Marcel), acteur français (Paris 1885-* id. *1974).* Il sait nuancer ses rôles à l'écran tout en les maintenant dans une sobriété convaincante. Berlin et Hollywood l'attirent : *le Procès de Mary Dugan* (M. de Sano, 1929), *Tumultes* (R. Siodmak, 1932). Son rôle ambigu dans *Baccara* (Y. Mirande, 1936) donne la mesure de son talent. Cocteau l'emploie sur scène et au studio : *la Belle et la Bête* (1946), *les Parents terribles* (1949). Il a l'art d'imprimer son cachet à de brèves apparitions : *la Vérité sur Bébé Donge* (H. Decoin, 1952), *Thérèse Raquin* (M. Carné, 1953). R.C.

ANDREANI *(Gustave Sarrus,* dit *Henri), cinéaste français (La Garde-Freinet 1872 - Paris 1936).* Secrétaire de Charles Pathé, il est ensuite acteur dans les scènes à trucages de Gaston Velle, dont il devient assistant ; il collabore ensuite avec Zecca (*Messaline,* 1910). Devenu producteur, il réalise des films d'inspiration biblique (*Moïse sauvé des eaux,* 1911 ; *Absalon,* 1912 ; *la Fille de Jephté* et *la Reine de Saba,* 1913). Son *Siège de Calais* (1911) est apprécié pour le décor et les mouvements de figuration. Plus tard viennent adaptations de romans (*l'Autre Aile* [1924], inspirée de Canudo) et drames d'espionnage. Il participe au tournage de *Napoléon* (A. Gance, 1927). R.C.

ANDREEV *(Boris) [Boris Fëdorovič Andreev], acteur soviétique (Saratov 1915 - Moscou 1982).* Grand, massif, il est utilisé tout d'abord comme l'archétype du héros soviétique populaire : à la fois simple, optimiste, foncièrement patriote et inébranlable dans ses convictions. Il joue le rôle d'un conducteur d'engins dans la comédie kolkhozienne d'Ivan Pyriev *les Tractoristes* (1939), d'un mineur dans *Une grande vie* (id.) de Leonid Loukov, du cosaque Dovbnia dans *Bogdan Khmelnitski* (1941) d'Igor Savtchenko. On le retrouve matelot dans *Moi, marin de la mer Noire* (*Ja, Černomorec,* 1944) d'Aleksandr Matcheret, ordonnance dans *Rencontre sur l'Elbe* (1949) de Grigori Aleksandrov. Dans *la Chute de Berlin* (M. Tchiaoureli, 1950), le soldat qui hisse le drapeau rouge sur le Reichstag, c'est lui. Après *Une grande famille* (I. Kheifits, 1954), il est choisi par Dovjenko pour *le Poème de la mer,* que réalisera en 1958 la veuve du cinéaste disparu. Youlia Solntseva lui demandera deux fois encore (*les Années de feu,* 1961 ; *la Desna enchantée,* 1964) d'être l'interprète des ultimes scénarios de Dovjenko. Ses rôles deviennent plus nuancés, plus riches. Il tourne notamment dans *'Cruauté'* (*Žestokost',* 1959) de Vladimir Skouibine, *Thomas Gordeiev* (id.) de Mark Donskoï, *'la Route du port'* (1962) de Gueorgui Danelia, *la Tragédie optimiste* (1963) de Samson Samsonov, *'les Enfants de Vaniouchine'* (1973) d'Evgueni Tachkov, *'les Aventures d'un retraité'* (1980) de Salomon Chouster. J.-L.P.

ANDREJEW ou **ANDREIEV** *(André), décorateur français d'origine russe (Saint-Pétersbourg 1887 - Loudun 1966).* Décorateur de théâtre pour Stanislavski à Moscou et Max Reinhardt à Berlin, il vient au cinéma avec *Raskolnikov* (R. Wiene, 1923). Toujours en Allemagne, il crée les décors de *Thérèse Raquin* (J. Feyder, 1928),

Loulou (G. W. Pabst, 1929) et *l'Opéra de Quat'sous* (*id.*, 1931) avant de suivre Pabst en France, où ils font ensemble *Don Quichotte* (1933). La puissance de ses décors, partagés entre réalisme et expressionnisme, a fait de lui un des grands décorateurs internationaux.

Parmi ses autres films, il convient de citer : *Nuits moscovites* (A. Granowsky, 1934) ; *Mayerling* (A. Litvak, 1936) ; *le Golem* (J. Duvivier, *id.*) ; *la Citadelle du silence* (M. L'Herbier, 1937) ; *Tarakanowa* (F. Ozep, 1938) ; *L'assassin habite au 21* (H.-G. Clouzot, 1942) ; *le Corbeau* (*id.*, 1943) ; *Anna Karénine* (J. Duvivier, GB, 1948) ; *Alexandre le Grand* (R. Rossen, 1956, US). J.-P.B.

ANDRESS *(Ursula), actrice allemande (Berne, Suisse, 1936).* Elle fait ses débuts dès 1953 dans les studios romains, mais, malgré quelques figurations, elle attire plus l'attention par son mariage avec le comédien et réalisateur John Derek (en 1957) que par ses premières interprétations. La révélation – éclatante – lui vient près de dix années après ses débuts avec le premier des James Bond, *James Bond 007 contre Dr No* (1962), sous la direction de Terence Young et aux côtés de Sean Connery. Son maillot de bain extrêmement réduit et son fusil-harpon lui valent alors quelques rôles plus ou moins déshabillés. Adroitement utilisée par Robert Aldrich avec Anita Ekberg, Frank Sinatra et Dean Martin dans *Quatre du Texas* (1963), on se souvient surtout d'elle en déesse du feu dans *She* (1965) de Robert Day, de ses scènes d'amour avec Belmondo dans *les Tribulations d'un Chinois en Chine* de Philippe de Broca (1965), et de la personnalité qu'elle affirmait dans *le Crépuscule des aigles,* de John Guillermin (1966) avec James Mason et George Peppard. Depuis, sa carrière n'a cessé de péricliter. Elle ne tourne plus que des films de second plan : *Soleil rouge* (T. Young, 1971), *le Choc des Titans* (D. Davis, 1980). D.R.

ANDREWS *(Dana), acteur américain (Collins, Miss., 1909 - Los Alamitos, Ca., 1992).* Sans avoir été véritablement une *star,* il a l'une des filmographies les plus impressionnantes de tous les comédiens de sa génération. Entre 1940 et 1958, il a tourné dans quelques-uns des films les plus importants d'Otto Preminger, Jacques Tourneur, Fritz Lang, Allan Dwan, William Wellman, Lewis Milestone, William Wyler et John Ford. Jean Renoir et Elia Kazan ont fait également appel à lui. Sa présence, sa gravité, l'intensité et la sobriété de son jeu, plus qu'un physique exceptionnel, avaient de quoi retenir l'attention de ces cinéastes.

Preminger le mit au centre de quatre de ses meilleurs films : *Laura* et *Mark Dixon détective,* avec Gene Tierney ; *Crime passionnel* et *Femme ou Maîtresse.* Dans les deux premiers, il est policier, mais c'est un emploi auquel il donne toujours beaucoup d'ambiguïté. Jacques Tourneur, dont il était l'ami personnel, l'utilise dans un western (*le Passage du canyon*), dans un film fantastique (*Night of the Demon,* une de ses rares incursions dans le genre) et dans un film d'espionnage (*The Fearmakers*). Fritz Lang en fait un journaliste dans *la Cinquième Victime* et un romancier dans *l'Invraisemblable Vérité,* ses deux derniers films américains. Dwan lui donna le rôle du marin de son avant-dernier film, *Enchanted Island,* d'après Melville. Sa filmographie est aussi riche en westerns (*l'Étrange Incident,* de Wellman) et, surtout, en films de guerre (*le Commando de la mort,* de Milestone).

Après 1958, sa carrière décline lentement. On ne le voit plus que dans des rôles secondaires et à la télévision. On eut cependant la surprise de le retrouver égal à lui-même dans *le Dernier Nabab* de Kazan, dont il avait déjà interprété *Boomerang,* près de trente ans auparavant. D.R.

Films : *le Cavalier du désert* (W. Wyler, 1940) ; *la Route du tabac* (J. Ford, 1941) ; *l'Étang tragique* (J. Renoir, *id.*) ; *Boule de feu* (H. Hawks, 1942) ; *l'Étrange Incident* (W. Wellman, 1943) ; *Laura* (O. Preminger, 1944) ; *Crime passionnel* (*id.*, 1945) ; *State Fair* (W. Lang, *id.*) ; *le Commando de la mort* (L. Milestone, 1946) ; *le Passage du canyon* (J. Tourneur, *id.*) ; *les Plus Belles Années de notre vie* (W. Wyler, *id.*) ; *Boomerang* (E. Kazan, 1947) ; *Femme ou Maîtresse* (Preminger, *id.*) ; *Mark Dixon détective* (*id.*, 1950) ; *la Cinquième Victime* (F. Lang, 1956) ; *l'Invraisemblable Vérité* (F. Lang, *id.*) ; *Night of the Demon / Curse of the Demon* (J. Tourneur, 1957) ; *The Fearmakers* (*id.*, 1958) ; *l'Île enchantée* (A. Dwan, *id.*) ; *Première Victoire* (Preminger, 1965) ; *le Dernier Nabab* (E. Kazan, 1976).

ANDREWS *(Harry), acteur britannique (Tonbridge 1911 - Sussex 1989).* Après une belle carrière théâtrale, il vient tardivement au cinéma dans *les Bérets rouges* (T. Young, 1953). Il se confirme comme l'un des meilleurs seconds rôles anglais dans des films comme *Moby Dick* (J. Huston, 1956), *Sainte Jeanne* (O. Preminger, 1957), *Barabbas* (R. Fleischer, 1962), *Cléopâtre* (J. L. Mankiewicz, 1963), *Tout ou Rien* (C. Donner, 1964), *la Colline des hommes perdus* (S. Lumet, 1965), *Modesty Blaise* (J. Losey, 1966), *la Charge de la brigade légère* (T. Richardson, 1968), *le Piège* (J. Huston, 1973) ou *Mort sur le Nil* (J. Guillermin, 1978).

J.-P.B.

ANDREWS *(Julia Elizabeth Wells,* dite *Julie), actrice américaine (Walton-on-Thames, Grande-Bretagne, 1935).* Née dans le monde du spectacle, elle débute sur scène à douze ans, et, en 1954, conquiert Broadway avec une production britannique importée, *The Boy Friend.* Chanteuse mieux qu'agréable, actrice d'une remarquable justesse, elle doit laisser à Audrey Hepburn le rôle principal de *My Fair Lady* (G. Cukor, 1964), qui avait été pour elle un triomphe à la scène. Elle débute à l'écran dans *Mary Poppins* (R. Stevenson, 1964), dans un rôle plaisant et par moments émouvant qui lui apporte d'emblée une célébrité mondiale. La même année, elle interprète une comédie satirique d'Arthur Hiller : *les Jeux de l'amour et de la guerre.* Elle se partage quelques années encore entre les comédies musicales à succès plus ou moins justifié : *la Mélodie du bonheur* (R. Wise, 1965), *Millie* (G. Roy Hill, 1967), *Star !* (Wise, 1968) et des rôles plus dramatiques (*Hawaii* de G. Roy Hill, 1966) dont elle s'acquitte parfois fort bien (*le Rideau déchiré,* d'A. Hitchcock, id). Sa vraie nature lui sera et nous sera révélée par son second mari, Blake Edwards, qui en 1970 fait d'elle la vedette de *Darling Lili* : fausse candeur et féminité soudain agressive sous les apparences du charme bourgeois n'altèrent en rien les qualités de la chanteuse et de la comédienne. Mais elle n'est guère reparue ensuite que dans trois films d'Edwards, le parodique *Top Secret* (1974), *Elle* (1979), *S.O.B.* (1981) et dans *Little Miss Marker* (1980) de Walter Bernstein, avant d'étonner son public dans un double rôle charmant et ambigu : celui de *Victor, Victoria* dans le film homonyme de Blake Edwards (1982). Il lui donne un rôle en retrait dans *l'Homme à femmes* (1983) : elle est la psychiatre qui écoute la confession de Burt Reynolds. Mais, dans l'autobiographique *That's Life* (1986), elle se trouve investie du rôle pivot : une femme mûre, peut-être atteinte d'un cancer, qui cache son angoisse pour faire face aux névroses infantiles d'un mari qui refuse de vieillir. Épanouie, émouvante, d'une dignité blessée qui ne lui fait jamais ignorer l'humour, Julie Andrews donne là, peut-être, son interprétation la plus belle. Si elle se tire remarquablement bien d'un mélodrame dangereux qui reprend le thème de la maladie (*Duo pour une soliste,* A. Mikhalkov-Kontchalovski, 1986), on est en droit de regretter le manque d'inspiration de *Tchin-Tchin* (G. Saks, 1990), morne adaptation de François Billetdoux qui ne vaut que par le charme de l'actrice et sa complicité avec Marcello Mastroianni.

G.L.

ANDREX (*André Jaubert,* dit), *acteur français (Marseille 1907* - id. *1989).* C'est l'un des plus fidèles compagnons de Fernandel, qu'il accompagne du *Coq du régiment* (Maurice Cammage, 1933) à *la Bourse et la Vie* (J.-P. Mocky, 1965). Sa voix fait merveille dans les opérettes, et il sait habilement camper des voyous à l'accent chantant. *Angèle* (M. Pagnol, 1934), *Un carnet de bal* (J. Duvivier, 1937), *l'Etrange Monsieur Victor* (J. Grémillon, 1938), *l'Entraîneuse* (A. Valentin, *id.*), *Circonstances atténuantes* (J. Boyer, 1939). Renoir, qui l'avait employé dès *Toni* (1935), lui donne un rôle sympathique dans *la Marseillaise* (1938). Il figure aussi dans *Manon* (H.-G. Clouzot, 1949).

R.C.

ANDREYOR *(Yvette Roye,* dite *Yvette), actrice française (Paris 1892* - id. *1962).* Ses débuts au théâtre après le Conservatoire se situent en Belgique, puis elle entre chez Gaumont, y rencontre Louis Feuillade, qui, dès 1911, la fait paraître dans d'innombrables films aux titres doucement romanesques. Elle figure en bonne place dans *Juve contre Fantômas* (1913) et dessine surtout une ingénue contrastant avec Musidora dans *Judex* (1917), suivi de *la Nouvelle Mission de Judex* (1918). Elle tient ensuite des rôles importants dans des films de Fescourt : *Mathias Sandorf* (1920) et *la Nuit du 13* (1921) ; de Germaine Dulac : *Âme d'artiste* (1925), et de Robert Péguy. Mariée à l'acteur Jean Toulout, elle continue sa carrière théâtrale. Un de ses derniers rôles muets lui fut proposé par René Clair (*les Deux Timides,* 1929). Sans l'ignorer tout à fait, le parlant ne lui accorde plus que des apparitions insignifiantes jusqu'en 1946. R.C.

ANDRIEN *(Jean Jacques), cinéaste belge (Verviers 1944).* Il étudie le cinéma à l'INSAS de Bruxelles en compagnie d'André Delvaux, réalise un premier court métrage en 1970 *(L'babou)* qui sera suivi de deux autres essais, *la Pierre qui flotte* (CM, 1971) et *le Rouge, le rouge et le rouge* (CM, 1972). Il aborde le long métrage en 1975 avec *le Fils d'Amr est mort.* Après *le Grand Paysage d'Alexis Droeven* (1981), il signe *Mémoires* (DOC, MM, 1985) et *Australia* (1989). C.O.

ANDRIOT *(Camille,* dite *Josette), actrice française (1886-1942).* Elle est la seule *actrice d'action* du cinéma français muet. Jusqu'à son retrait (1919), elle interprète une soixantaine de films exclusivement pour Éclair. Remarquée pour ses qualités sportives (équitation, natation, cyclisme, acrobatie) par Victorin Jasset, elle avait débuté dans ses séries de films d'aventures : les *Nick Carter* (1908-1909), les *Zigomar* (1911-1913).

Sous la direction de ce cinéaste et de ses successeurs, elle devient la très populaire interprète de Protéa dans une série de cinq films : *Protéa* (1913), *l'Auto infernale* (1914), *la Course à la mort* (1915), *les Mystères du château de Malmort* (6 épisodes, 1917), *Protéa intervient* (1919). F.L.

ANDRIOT *(Lucien), chef opérateur français (Paris 1897-1979).* Toute sa carrière s'est déroulée aux États-Unis. Pendant la guerre, il se joint aux Français qui y travaillent et photographie les films d'Albert Capellani (*The Feast of Life,* 1916) et de Léonce Perret (*Lafayette We Come !,* 1919). Il ne revient pas en France et collabore à Hollywood avec des réalisateurs notoires : Tod Browning, Walsh (*The Loves of Carmen,* 1927 ; *la Piste des géants,* 1930), Garnett (*Prestige,* 1932), Van Dyke, Vidor, Mamoulian, Renoir (*l'Homme du Sud,* 1945 ; *le Journal d'une femme de chambre,* 1946) et René Clair (*Dix Petits Indiens,* 1945). R.C.

ANÉMONE *(Anne Bourguignon,* dite*), actrice française (Paris 1950).* Très jeune, elle joue dans un des premiers films de Philippe Garrel, *Anémone* (1968), puis se forme au théâtre dans la troupe de Robert Hossein. En 1975, elle fonde un café-théâtre, La Veuve Pichard et rejoint la troupe du Splendid en 1979. Sa gouaille, son répertoire de grandes nunuches ou de naïves catastrophiques lui offrent des compositions un peu trop sur mesure. Avec *Péril en la demeure* (M. Deville, 1985), elle aborde enfin un autre registre, rassurant ceux qui voient en elle une nouvelle Arletty. A.T.

Autres films : *la Maison* (G. Brach, 1970), *l'Incorrigible* (Ph. de Broca, 1975), *Attention les yeux* (G. Pirès, 1976), *Un éléphant ça trompe énormément* (Y. Robert, *id.*), *Je vais craquer* (F. Leterrier, 1980), *Viens chez moi, j'habite chez une copine* (P. Leconte, 1981), *Le Père Noël est une ordure* (J.-M. Poiré, 1982), *le Mariage du siècle* (Philippe Galland, 1985), *le Grand Chemin* (Jean-Loup Hubert, 1987), *les Baisers de secours* (Ph. Garrel, 1989), *Maman* (R. Goupil, 1990), *Après après-demain* (Gérard Frot-Coutaz, *id., le Petit Prince a dit* (Ch. Pascal, 1992), *Aux petits bonheurs* (M. Deville, 1993), *Pas très catholique* (Tonie Marshall, 1994).

ANGELETTI *(Pio), producteur italien (Rome 1929).* Assistant de Carlo Ponti, directeur de production pour Clemente Fracassi, organisateur général à la Fair Film de Cecchi Gori, il fonde en 1969 avec Adriano De Micheli (Galatina, Lecce, 1934) la Dean Film. Premiers succès : *Une poule, un train... et quelques monstres* (D. Risi, 1969), *Drame de la jalousie* (E. Scola, 1970). Tous deux se spécialisent dans la comédie satirique avec vedettes : Gassman, Tognazzi, Giannini, Ornella Muti. Leurs *auteurs maison,* comme Dino Risi (*Parfum de femme,* 1974) et Ettore Scola, obtiennent des réussites internationales. Ils signent également des coproductions avec le Canada : *Cher Papa* (Risi, 1979) ou la France : *la Terrasse* (Scola, 1980). L.C.

ANGELI *(Anna-Maria Pierangeli,* dite *Pier), actrice italienne (Cagliari, Sardaigne, 1932 - Los Angeles, Ca., 1971).* Un film didactique consacré à l'éveil des sentiments chez les adolescents, *Demain, il sera trop tard* de Léonide Moguy (1949), et surtout *Teresa* de Fred Zinnemann (1951), où elle interprète la petite épouse de guerre d'un G. I., révèlent Pier Angeli : un fin et doux visage, une personnalité vulnérable et émouvante. Elle se fixe alors à Hollywood et épouse le comédien Vic Damone. Au cours d'une brève carrière, peu de films (sur les 31 qu'elle tourne) savent mettre en évidence sa sensibilité inquiète. Outre ceux de Moguy et de Zinnemann, on peut citer : *Miracle à Tunis* (R. Brooks, 1951), *Le diable fait le troisième* (*The Devil Makes Three* [A. Marton], 1952), *Marqué par la haine* (R. Wise, 1956) et *Sodome et Gomorrhe* (R. Aldrich, 1962). Elle se suicide à l'âge de 39 ans. P.H.

ANGELO *(Jean Barthélemy,* dit *Jean), acteur français (Paris 1875* - id. *1933).* Il entre en 1903 chez Sarah Bernhardt et, à ce titre, joue dans le film *la Reine Elizabeth* (L. Mercanton, 1912), qui obtient un triomphe aux États-Unis. Ses débuts devant la caméra remontent à 1908 (dans *l'Assassinat du duc de Guise*). Son physique, son jeu net le favorisent. Sa création dans *l'Atlantide* est restée célèbre tant pour la version muette (J. Feyder, 1921) que pour le film parlant (G. W. Pabst, 1932). Jean Epstein (*les Aventures de Robert Macaire,* 1925), Jean Renoir (*Nana,* 1926), Henri Fescourt (*Monte-Cristo,* 1929) savent l'apprécier et, dans *Surcouf* (Luitz-Morat, 1925), il montre beaucoup de brio. R.C.

ANGELOPOULOS *(Theodoros,* dit *Theo), cinéaste grec (Athènes 1935).* Après des études de droit puis un bref passage à Paris, il suit en 1962 les cours de l'IDHEC. De 1964 à 1967, il est critique cinématographique au quotidien *Allagi.* Un long métrage entrepris en 1965 avec le groupe de musiciens pop *Formix Story* ne pourra jamais être achevé. Quand Angelopoulos parvient en 1970 à persuader un jeune producteur (George Papalios) de financer son premier film, il n'a encore réalisé qu'un seul court métrage : *l'Émission* (*I ekpombi,* 1968). *La Reconstitution (Anaparastassi)* provoquera une certaine surprise en remportant en 1970 le grand prix de Salonique. À travers l'intrigue pseudo-policière du récit – un émigré, à son retour d'Allemagne, est assassiné dans un village retiré de l'Épire par sa femme et l'amant de celle-ci –, on remarque un style et une démarche idéologique dont l'originalité tranche sur le conformisme du cinéma grec de l'époque. Le fait divers retient moins l'attention du metteur en scène que l'enquête qu'il déclenche, ainsi que ses implications sociologiques individuelles et collectives.

Ses trois œuvres successives : *Jours de 36* (*Imerestou 36,* 1972), *le Voyage des comédiens* (*O thiassos,* 1975) et *les Chasseurs* (*I kynighi,* 1977) apparaissent comme une vaste trilogie sur l'histoire de la Grèce contemporaine. S'appuyant sur une forme de pensée à la fois dialectique et didactique héritée de Brecht, Angelopoulos fouille la mémoire collective de ses compatriotes afin d'en extraire une leçon politique et sociale. Il nie les procédés courants du récit filmique, se refuse à ce que le spectateur s'identifie à un quelconque héros ou épouse inconditionnellement une thèse préalablement établie. Il privilégie le choix d'un petit groupe social représentatif par rapport à la notion de masse et utilise avec virtuosité les richesses et les possibilités techniques du plan séquence, parce que sa longueur permet de subtiles variations sur le rapport espace-temps, autorise même parfois le télescopage de deux *moments* historiques distincts, en éclairant de manière quelquefois imprévue, quelquefois évidente, le passage du mythe à la réalité... En bref, le cinéaste sait brasser dans un même mouvement de caméra diverses composantes du récit. Cette ambition pourrait conduire à la confusion ou à l'intellectualisme abscons si elle n'était portée par une intelligence lucide et par une constante exigence formelle.

On retrouve cette liturgie très personnelle qui n'est pas sans évoquer certaines règles de tragédie grecque dans *Alexandre le Grand* (*Omegalexandros,* 1981), fable moraliste et amère sur un bandit justicier, figure quasi légendaire vénérée par le peuple, qui devient, par intransigeance et radicalisation, tyran mégalomane, et dans *le Voyage à Cythère* (*Taxidi sta Kythira,* 1984) où, à travers l'histoire d'un vieux combattant communiste de la guerre civile exilé en URSS et qui à son retour dans la mère patrie s'aperçoit qu'il n'y a plus de place ni pour lui ni pour ses idéaux, le cinéaste s'interroge sur les rapports du temps, de l'histoire et de la mémoire. Il réalise en 1986 *l'Apiculteur (O melissokomos)* avec Marcello Mastroianni, d'un style plus réaliste et plus intimiste, en 1988 *Paysage dans le brouillard (Topio stin omichli),* admirable voyage initiatique et poétique de deux enfants en quête d'un lien paternel et affectif, en 1991 *le Pas suspendu de la cigogne* (*To meteoro vima tou pelargou* avec Mastroianni, à nouveau, et Jeanne Moreau) et, en 1995, *le Regard d'Ulysse (To vlemma tou Odyssea),* splendide dérive à travers les Balkans d'un cinéaste d'origine grecque qui tente de retrouver le premier film mythique tourné à l'aube du siècle par les frères Manakias. Angelopoulos confronte mythes antiques et réalité contemporaine, une réalité saisie dans sa complexité et sa souffrance, brode de subtiles variations sur l'exil tant extérieur qu'intérieur et « donne à voir » par de longs plans, à la fois amples et lents, la complexité de cet enchevêtrement de populations balkaniques qui conduit le personnage central, nommé A (et incarné par Harvey Keitel), jusqu'à la ville martyre de Sarajevo. ▲ J.-L.P.

ANGÉNIEUX → OBJECTIFS.

ANGER *(Kenneth), cinéaste expérimental américain (Santa Monica, Ca., 1932).* Il est sans doute, avec Andy Warhol, le plus célèbre des cinéastes *underground.* Petit-fils d'une habilleuse de cinéma, il est très tôt fasciné par Hollywood, dont il célébrera les turpitudes dans son récit *Hollywood Babylone* (Pauvert, 1959). Son premier film important et public est *Fireworks* (1947). Interprétée par lui-même, cette histoire semi-onirique est sans doute la première transcription directe, au cinéma, de fantasmes homosexuels sadomasochistes. Cocteau dira du film qu'« il touche le vif de l'âme et que c'est là chose rare ». Cet encouragement et la censure qu'il affronte aux États-Unis (son film *The Love That Whirls* est détruit en 1949 par Kodak pour cause de nudité) l'amènent à se fixer à Paris. Il y tourne *la Lune des lapins* (1950), qui ne sera achevé qu'en 1972. Des deux projets entrepris avec les danseurs de Roland Petit, *le Jeune Homme et la Mort,* d'après Cocteau, et *les Chants de Maldoror,* il ne réalise que le premier en 1951. Les jardins de la Villa d'Este à Tivoli lui inspirent un petit *divertimento* bleu-vert, *Eaux d'artifice* (1953). En 1954, rentré à Los Angeles, il entame *Inauguration of the Pleasure Dome* (version finale : 1966), rituel érotico-mythologique à la manière de ceux qu'organisait au début du siècle Aleister Crowley dans son *abbaye* sicilienne (à laquelle Anger, passionné de magie, consacre un documentaire en 1955). Il salue le début de l'« ère du Verseau », avec *Scorpio Rising* (1962-1964), tourné à Brooklyn dans un milieu de motards, entre documentaire et fiction. C'est, par son montage et la *pop music* qui le scande, une sorte d'hymne à la violence. Le 26 octobre 1967, il publie dans *The Village Voice* un faire-part annonçant sa mort. On lui vole en Californie une partie du *Lucifer Rising* qu'il est en train de tourner. Il monte à Londres ce qu'il en reste, sur une musique de Mick Jagger, sous le titre *Invocation of My Demon Brother* (1969). Tout en réunissant ses principales œuvres dans un « Cycle de la lanterne magique », il y achève aussi, en 1974, la 1re partie d'un nouveau *Lucifer Rising.* D.N.

ANGLE. *Grand angle,* abrév. fam. de *objectif à grand angle de champ.* (→ OBJECTIFS.)

ANGST *(Richard), chef opérateur suisse (Zurich 1905 - Berlin, RFA, 1984).* Il débute en 1927 comme collaborateur des films d'Arnold Fanck (en compagnie de Sepp Allgeier et Hans Schneeberger) et a paru longtemps se cantonner dans le documentaire (de montagne et/ou exotique). Ce n'est qu'en 1954 qu'il renonce à ses activités de globe-trotter pour diriger la photo de films de fiction signés Harald Braun ou Kurt Hoffmann. En 1958, il est engagé (à la suite du décès de F. A. Wagner) pour *le Tigre du Bengale* et *le Tombeau hindou,* de Fritz Lang. Il s'acquitte de cette tâche avec une belle sensibilité à la couleur, qu'on retrouve dans *le Divin Marquis* (Cy Enfield, 1969), en collaboration avec Heinz Pehlke. G.L.

ANGULAIRE. *Grand angulaire,* syn. fam. de *grand angle.*

ANHALT *(Edward), scénariste américain (New York, N. Y., 1914).* Venu au cinéma après s'être occupé de la naissante TV en couleurs, il a eu une activité de producteur associé (notamment avec Stanley Kramer) assez considérable. Il a cosigné notamment le scénario de *Panique dans la rue* (E. Kazan, 1950), qui lui vaut un Oscar, *l'Homme à l'affût* (E. Dmytryk, 1952), *le Bal des maudits* (*id.,* 1958), *Becket* (P. Glenville, 1964 : autre Oscar), *l'Étrangleur de Boston* (R. Fleischer, 1968), *Jeremiah Johnson* (S. Pollack, 1972). G.L.

ANIMATION. Art d'animer l'immobile, de créer le mouvement par juxtaposition d'images, d'objets ou de photographies représentant les phases successives d'un même mouvement. Ce procédé, dit de l'image par image, fondé sur le passage à l'enregistrement de 24 images différentes par seconde de projection, est à la base même du principe cinématographique. Il a en fait précédé l'invention du cinéma et constitue sa préhistoire comme son aboutissement. Il s'est ensuite diversifié en procédés nombreux, à savoir : le dessin animé peint à la gouache sur cellulo *(le Sous-Marin jaune),* le film de marionnettes ou d'objets animés *(la Main* ou *Jeux de chapeaux),* la peinture animée *(la Poulette grise),* l'animation de personnages en papiers découpés *(le Théâtre de M. et Mme Kabal)* ou vivants (technique de la pixilation : *les Voisins, Tout écartillé*), l'écran d'épingles *(Une nuit sur le mont Chauve),* la stéréoscopie (films en relief de Raymond Spottiswoode), le film gravé directement ou peint sur pellicule sans intervention de la caméra *(Blinkity Blank, Color Box),* l'animation par ordinateur 2D *(la Faim),* la plastique animée *(Fermé le lundi),* l'animation de particules ou de matières *(le Mariage du hibou, le Château de sable).*

La préhistoire du cinéma réunit toutes les expressions de l'analyse du mouvement : les instantanés et séries photographiques d'Eadweard Muybridge, les disques et le fusil chronophotographique d'Étienne Marey, les théâtres d'ombres animées de Séraphin à Caran d'Ache, les fantasmagories et spectacles de projections lumineuses, plaques à transformations de lanterne magique, les lanternes de salon de Lapierre avec plaques en chromolithographies passées en boucle, le Phénakistiscope du Belge Joseph Plateau développé entre 1828 et 1832 avec disques sur verre, les projections stéréoscopiques, enfin le Praxinoscope d'Émile Reynaud, créé en 1876, avec ses douze miroirs (une trentaine après amélioration) où se reflètent des bandes de dessins. Il projette cette image unique et animée dans un petit théâtre miniature, puis sur un écran : c'est le *Théâtre optique* exhibé en 1888 au musée Grévin, et les fameuses *Pantomimes lumineuses* du *Pauvre Pierrot* en 1892, relayés par les photoscénographies d'acteurs : les clowns Footit et Chocolat enregistrés en 1896. Louis Lumière, qui vient de mettre au point le cinématographe, a repris à Reynaud son idée d'utiliser des bandes perforées et souples assurant une projection à mouvement continu sans flou ni sautillement, mais il la perfectionne en inventant un système de griffes qui en contrôlent l'entraînement mécanique.

L'invention du dessin animé, quoique d'origine controversée, car c'est une période fertile en inventions simultanées et en premières discutables (l'aviation, la radio), doit être attribuée à un Américain, le caricaturiste Stuart Blackton, qui a réalisé dès 1906 son historique *Humorous Phases of Funny Faces,* où une main dessine des graffiti qui aussitôt prennent vie sur l'écran. C'est lui qui signe aussi l'année suivante le merveilleux *Hôtel hanté,* premier film d'objets animés, modèle de ce qu'on appelait alors le *mouvement américain,* et qui en son temps émerveilla Émile Cohl. Stimulé, celui-ci croit être le premier à dessiner des personnages dotés de mouvement : quand il projette au théâtre du Gymnase, en 1908, son dessin animé *Fantasmagorie,* tracé directement sur pellicule, il ne sait pas que l'Américain l'a devancé depuis deux ans. Il avait conçu sa toute première créature, le Fantoche, pour la simplicité de son schématisme, alors que Stuart Blackton, à l'inverse, avec son *Stylo magique* (1907), se lançait naïvement dans la complication.

Cohl, après *Fantasmagorie,* réalise une centaine de films dont le génie *(les Joyeux Microbes, le Retapeur de cervelles)* inspire encore les amateurs contemporains. On peut dire que cette série, par son insurpassable qualité, fait de l'animation un art majeur ; mais c'est de manière relativement récente qu'on a redécouvert la quasi-perfection de Stuart Blackton, ce *primitif américain,* qui se défoule avec *Little Nemo* (1911), l'un des grands moments de l'extravagance et de l'imaginaire fou : il préfigure les grandes féeries musicales américaines des années 40. Il est vrai que dans ce dernier film Blackton produit et réalise les visions d'un autre graphiste, Winsor McCay dont on retient surtout la splendide adaptation de sa propre bande dessinée : *Little Nemo,* grand moment d'extravagance et d'imaginaire fou qui préfigure les célèbres féeries musicales américaines des années 40. On mesure le rôle des caricaturistes de la grande presse dans le dessin d'animation : Blackton vient du *New York World,* Cohl du *Charivari,* McCay du *New York Herald.* C'est à New York qu'en 1909 McCay projeta sur un écran un dessin animé qu'il commentait lui-même sur la scène, et dont le personnage principal, *Gertie le Dinosaure,* semblait lui obéir. Cette prestation fut elle-même filmée, et l'on vit en 1910 Winsor McCay expliquer à l'acteur John Bunny le dinosaure Gertie. Le cinéma, en somme, découvrait le dessin animé, qui lui avait donné naissance...

Jusqu'en 1924, les films d'animation étaient pratiquement réalisés sur du papier. Les premiers studios organisés étaient ceux de Raoul Barre (1913), où débuta Pat Sullivan, puis ceux de John Randolph Bray (venu de *Life, Puck* et du *Brooklyn Eagle*), producteur de la série *Colonel Heeza Liar* : c'est là que l'animateur Earl Hurd déposa un brevet pour une technique nouvelle de traçage à la gouache sur feuilles translucides (*Bobby Bump,* 1915). Ce fut l'invention capitale du cellulo, ou *cell,* qui devait peu à peu transformer l'animation en industrie. La terre d'élection de l'image par image, dès cette date, devint les États-Unis. Même Émile Cohl s'y installa pour développer un personnage nouveau : Snookums (en France : Zozor). Notre généalogie mondiale débute donc presque obligatoirement par les États-Unis.

États-Unis. De la Biograph appartenant à Edison sont nés les films du studio Barre, qui en 1915 se groupa avec celui de Charles Bowers (du *Chicago Tribune*) pour tourner les aventures de Mutt et Jeff, deux héros de bandes dessinées. Charlie Bowers fonda plus tard à Long Island les fameux studios d'Astoria, redevenus opérationnels. John Randolph Bray, après son association avec Earl Hurd, fonda les studios d'animation de la Paramount, avec le fermier Alfalfa de Paul Terry, et surtout les films de Max et Dave Fleischer, une entière dynastie d'animateurs qui se firent d'abord la main sur Koko le Clown, directement sorti de son encrier pour envahir les tables d'animation, dans un mélange d'image par image et de prises de vues directes. Les Fleischer finirent par fonder leurs propres studios, et la longue série des Koko donna naissance à la mythologie Betty Boop, symbole sexuel de la Dépression, au chien Bimbo et enfin au Popeye d'Isidore Sparber, Seymour Kneitel et Dave Tendlar, d'après Elzie Segar. Ils s'installèrent par la suite à Miami, en Floride, et se lancèrent dans le long métrage avec *les Voyages de Gulliver* (1939) et *Douce et Criquet s'aimaient d'amour tendre* (1941). Il est bien difficile de suivre à partir de là et à la trace tous les embranchements de la filiation américaine de l'image par image. Paul Terry, séparé des Fleischer, se lança dans les *Fables* d'Ésope et les *Terrytoons* (où débuta Tex Avery), qui furent dès lors développés par Mannie Davis et George Gordon.

Du syndicat de presse William Hearst et de la King Features naquirent les aventures de Krazy Kat (par Frank Moser et Bill Nolan), de Happy Hooligan et des Katzenjammer Kids (nos Pim, Pam, Poum), tous personnages sortis, comme l'on sait, des pages d'illustrés, les Screen Gems de Charles Mintz, fables mièvres tournées vite en couleurs (chaque studio voulait avoir les siennes). Ben Harrison et Manny Gould adoptèrent le galopin Scrappy ; de leur côté, les studios fondés par Walter Lantz à la Universal mirent au point Oswald le Lapin, de Bill Nolan (série où débuta Friz Freleng), les Snappy, puis Andy Panda et finalement le provocant pivert Woody Woodpecker, dont l'insolence porte la marque de Ben Hardaway.

C'est à Otto Messmer que revient le mérite d'avoir mis au monde, avec la collaboration du producteur Pat Sullivan, Félix le Chat, qui fut historiquement la première star de l'image par image. Son style, d'une rare élégance (ses films sont peut-être l'apogée du noir et blanc), est d'une invention prolixe et audacieuse qu'on n'a plus égalée. La série, où travaillèrent ensemble Bill Nolan et Raoul Barre, dura de 1919 jusqu'à la mort de Sullivan en 1932. Elle fut reprise et modernisée sans grand bonheur à la télévision dans les années 60.

Hugh Harman et Rudolph Ising, des *Happy Harmonies,* fondateurs des *Looney Tunes* et *Merrie Melodies,* sont eux à l'origine du fabuleux studio de la Warner, où le producteur Leon Schlesinger réunit une équipe exceptionnelle : Chuck Jones, Tex Avery, Friz Freleng, Robert Clampett, Robert Cannon, Paul Smith, Ben Hardaway, Frank Tashlin, Robert McKimpson, Abe Lewitow et Michael Maltese. C'est là que fleurirent des créatures désormais immortelles : tout d'abord Bugs Bunny la superstar, aujourd'hui encore suractif (→ Bugs Bunny), le canard Daffy Duck, le cochon Porky Pig, Elmer Fudd l'inepte, Tweety Pie le canari, le chat Sylvestre et Speedy Gonzales le souriceau véloce, enfin le duo sadomasochiste formé par le coyote des sables et son oiseau Mimi.

Aux studios MGM, qui lancèrent les *Happy Harmonies* de Harman et Ising en 1934, s'ouvrit sous Fred Quimby une unité brillante, où travaillèrent William Hanna, Friz Freleng et

Milt Gross. Dans les années 40, ils développèrent aux côtés de l'ours Barney la série explosive des Tom et Jerry, dirigés par Bill Hanna et Joe Barbera, dans un esprit de sadisme innocent, et accueillirent un temps le météorique Tex Avery, maître incontesté du dessin animé paroxystique, peut-être l'un des plus grands noms de toute l'animation.

C'est maintenant qu'il faut parler *(last but not least)* du plus célèbre : Walt Disney, à lui seul un empire parmi tous ces royaumes voisins parfois de quelques blocs, à Burbank par exemple où le boulevard Cahuenga, surnommé à juste titre « l'allée de l'animation », confronte de nombreuses unités rivales. C'est à Kansas City, en 1922, que Walter Elias Disney fonda avec son frère Roy les Laugh-o-grams, féeries animées où prendront place les films de la série Alice, puis Oswald le Lapin, produits tous deux par Charles Mintz. Ils cèdent la place en 1928 au nouveau héros de la maison, Mickey Mouse, conçu par Walt Disney et Ub Iwerks, et qui sera la seconde star de l'animation. Ce sont *Plane Crazy, The Galloping Gaucho.* De là s'accumulent des records incontestés : le premier dessin animé postsynchronisé, *Steamboat Willie* (1928) ; le premier dessin animé en Technicolor, *Flowers and Trees* (1932) ; le premier film en système multiplane, *le Vieux Moulin* (1937) ; le premier long métrage d'animation, *Blanche-Neige et les Sept Nains* (1937) ; le premier film en animation limitée, *The Reluctant Dragon* (1941), qui ouvrait la voie aux séries télévisées. Disney, qui avait créé les *Silly Symphonies,* dont l'immense succès public le tint longtemps à flot, développa chez RKO la technique du story-board (ou continuité dessinée), industrialisa totalement son unité, standardisant toutes les spécialités (intervallistes, gouacheurs, animateurs, décorateurs et séquenciers), créa des classes d'observation d'après nature avec modèles vivants, des bureaux d'études, des services de marketing et de ventes annexes, des produits dérivés (jouets, disques, éditions). Il affina ses vedettes, Pluto (créé par Norman Ferguson et Nick Nichols), Donald Duck (de Jack King et Grim Natwick), Goofy (de Jack Kinney). L'empire Disney créa une série de longs métrages prestigieux : *Pinocchio* (1940), *Fantasia* (id.), *Dumbo* (1941), *Bambi* (1942), *Cendrillon* (1950), *Alice au pays des merveilles* (1951), *Peter Pan* (1953), *la Belle au bois dormant* (1959), *les Cent Un Dalmatiens* (1961), *le Livre de la jungle* (1967), *les Aristochats* (1970), *Robin des Bois* (1973).À côté des dessins animés, Disney se mit à produire des documentaires sur la nature, des films d'aventures, des séries de télévision, puis des superproductions luxueuses, des parcs d'attraction gigantesques (Disneyland, Disneyworld), opérations si profitables, si indépendantes aussi qu'elles continuèrent à fonctionner après la mort de Walt Disney, puis celle de Roy. Aujourd'hui, Disney prolifère sans Disney, et ne semble rien avoir perdu de sa productivité, les longs métrages succédant aux longs métrages, dans un graphisme dégénéré mais avec un succès public jamais démenti. Il faut noter que cette école d'animation perfectionniste a enrichi les autres studios, non seulement en animateurs de génie (Chuck Jones, Tex Avery, Robert Cannon sont tous passés chez « l'oncle Walt »), mais en effectifs maison, à raison de plusieurs générations successives, accédant à leur tour à des postes de responsabilité croissante (Clyde Geronimi, Wolfgang Reitherman, Wilfred Jackson, Hamilton Luske, Jack Kinney, Norman Ferguson sont passés de l'animation à la mise en scène, puis à la production).

En 1941, une grève des animateurs aux studios Walt Disney provoqua une importante sécession sous l'impulsion de Stephen Bosustow, qui, en faisant appel à l'aide de la Columbia, fonda les Jolly Frolics, puis l'UPA (United Productions of America), riche en talents multiples (John Hubley, Pete Burness, Robert Cannon, Art Babbitt, William Hurtz, Ted Parmelee, Paul Julian, Abe Liss, ou Rudy Larriva), qui surent, le cas échéant, faire leur chemin séparément, non sans avoir fait date dans leur totale réévaluation des principes créateurs de l'animation. L'UPA accumula bien des chefs-d'œuvre, contra le style en O de Walt Disney en simplifiant le décor, en stylisant les personnages, en limitant le nombre des couleurs, en créant une animation simplifiée mais non exempte de subtilités. Les deux vedettes de l'UPA furent Mr. Magoo et Gerald McBoingBoing, respectivement de Pete Burness et Robert Cannon. John Hubley et Faith, sa femme, prolongèrent l'aventure en créant à New York un studio d'où sortirent, grâce à l'argent gagné avec des films publicitaires, quelques œuvres remarquables, notamment par un emploi original des voix : Hubley enregistrait ses enfants en train de jouer (*Moonbird,* 1960) ou ses amis Dizzie Gillespie et George Mathews parlant de la bombe atomique et des autres problèmes de l'existence (*The Hole,* 1962) pour imaginer ensuite une histoire dessinée sur les dialogues ainsi recueillis. Une autre révolution, bien moins heureuse, eut lieu lorsque de nombreuses séries, créées pour la télévision, firent l'économie d'un style pour envahir un marché devenu trop immense. On y vit le Superman de Dave Fleischer, Bozo le Clown de Larry Harmon, Bullwinkle et Rocky des productions Jay Ward, et les innombrables produits de Hanna et Barbera : Yogi Bear, les Flintstones, Huckleberry Hound, sans compter l'entière famille des héros de comic-books, issue des Marvel Comics, qui rivalise avec la concurrence japonaise dans le domaine très surfait de l'animation dite fonctionnelle, où la main-d'œuvre est sacrifiée au détriment de l'art.

N'oublions pas qu'à côté de ces produits d'usage courant existe encore une animation de recherche très active, où l'on relève les noms de Robert Breer, Stan Vanderbeek, Saul Bass, Carmen d'Avino, etc.

Inclassable et donc ici rangé à part, détachons Ralph Bakshi, un indépendant surgi des *Terrytoons* version télé, qui se fait une œuvre cohérente dans l'autobiographie picaresque et le mélange des genres. On lui doit notamment le contestataire *Fritz le Chat* (1972), *Flipper City* (*Heavy Traffic,* 1973), une chronique familiale des jungles new-yorkaises, *les Seigneurs de la guerre* (1976), et le contestable *Seigneur des anneaux* (1978), tiré de Tolkien, ainsi que Will Vinton maître bon enfant de la pâte à modeler qu'il a portée au plus haut niveau grâce à son sens du rythme et à son humour ravageur. Depuis 1975 et son premier film de 8 minutes présenté au Festival d'Annecy *(Fermé le lundi),* Vinton ne cesse de nous étonner avec des spots publicitaires, des vidéo-clips, des courts métrages (*Martin the Cobler,* 1976 ; *Rip van Winkt,* 1978 ; *The Great Cognito,* 1982) et un long métrage *The Adventures of Mark Twain* (1985) où une grande tendresse le dispute à une imagination débridée.

France. L'animation française, lancée avec éclat par les films prodigieux d'Émile Cohl, et aussi les trucages volubiles de Méliès, propose de nombreux noms à notre souvenir : ceux de Berthold Bartosch et Frans Masereel, auteurs de cette œuvre exceptionnelle, *l'Idée* (1932), hymne révolutionnaire en ombres chinoises d'un expressionnisme inspiré ; ceux de Hector Gross et Anthony Hoppin, auteurs d'une allégorie industrielle, *la Joie de vivre* (1934) ; celui d'un merveilleux marionnettiste, Ladislas Starevitch (*le Roman de Renart,* 1928-1939), et surtout celui d'un ingénieur admirable, Alexandre Alexeieff, inventeur de l'écran d'épingles, dont il tira *Une nuit sur le mont Chauve* (1934) et plus récemment *le Nez* (1963). Bien d'autres méritent d'être nommés : Omer Boucquey, Pierre Bourgeon, André Rigal, Mimma Indelli, Lortac, Benjamin Rabier, Alain Saint-Ogan...

Aucun n'a su imposer à la fois une œuvre personnelle, un style et un esprit comme Paul Grimault, fondateur de la firme Les Gémeaux, d'où sont sortis de purs joyaux d'une animation précise et délicate, d'un charme funambule et d'une irrévérence digne de son ami et scénariste, Jacques Prévert. Après *le Marchand de notes* (1943), *la Flûte magique* (1946), *le Petit Soldat* (1947), il se lance dans une œuvre de longue haleine, *la Bergère et le Ramoneur* (1953), son premier long métrage, qu'un conflit avec son producteur nous présente d'abord dans une version tronquée. Il la récuse, et, en 1980, la sort sous sa version définitive, *le Roi et l'Oiseau,* prix Delluc 1980. Sous son égide, de nouveaux animateurs sont là : Jacques Colombat (*Marcel, ta mère t'appelle,* 1963 ; *Calaveras,* 1969), Jean François Laguionie (*la Demoiselle et le Violoncelliste,* 1965 ; *l'Arche de Noé,* 1967 ; *la Traversée de l'Atlantique à la rame,* 1978), ou de fidèles compagnons comme Jacques Lacam, Jean Jabely, Jacques Vausseur, passés ensuite à leurs propres recherches. L'animation française est riche, surtout depuis ses apports étrangers, comme les collaborations de l'Anglais Peter Foldes, des Polonais Borowczyk et Jan Lenica, des Américains Frank Smith ou Jules Engel. Mais, aux côtés de routiers productifs comme Jean Image, Albert Pierru, Henri Gruel, on compte nombre de chercheurs inventifs comme Robert Lapoujade, Michel Boschet, Julien Pappé, Piotr Kamler, Paul Dopff, Bernard Palacios, Jacques Cardon, Marc Andrieux, Bernard Brévent, Manuel Otero, Jacques Rouxel, Jean

Hurtado, etc. Chaque confrontation annuelle renouvelle les effectifs et apporte de festival en festival (Annecy et Zagreb en alternance) son quotient de surprises. Le recensement de l'animation française n'en devient que plus difficile. Deux réussites dans le long métrage, *la Planète sauvage,* de Topor et René Laloux, et *le Chaînon manquant,* de Picha, contrebalancent le succès commercial des séries Astérix, nées en Belgique.

Canada. L'Office national du film à Ottawa et Montréal a confié depuis trente ans sa direction à Norman McLaren, disciple de Len Lye, Émile Cohl et Oskar Fischinger. Carrière éblouissante que la sienne : on ne compte plus les trouvailles du grand animateur, pionnier du dessin animé gravé sur pellicule (*Blinkity Blank,* 1955), du film stéréoscopique (*Around Is Around,* 1952), du pastel animé (*la Poulette grise,* 1947), de l'animation d'êtres vivants (*les Voisins,* 1952) et même du mélange entre acteurs et objets inanimés (*Histoire d'une chaise,* 1957). Il a fait plus que quiconque pour transformer l'animation en art individuel, placé dans le meilleur cas entre les mains d'un créateur unique et aux moyens modestes, aux pouvoirs d'autant plus libérateurs. Art solitaire et de réflexion dont il a été le plus fervent stimulateur. À ses côtés, formant une école canadienne modèle de parfait mécénat gouvernemental, on doit nommer Grant Munro, Wolf Koenig, George Dunning, Colin Low, Richard Verrall, Gerald Potterton et Mary Ellen Bute, bientôt rejoints par Pierre Hébert, Ryan Larkin, Caroline Leaf, Ron Tunis, Jacques Drouin, Derek May, Bernard Longpré, André Leduc, Lyn Smith, Laurent Codère, et le passage d'invités exceptionnels : Peter Foldes, Břetislav Pojar, Ishu Patel et Paul Driessen. Seul Frédéric Back, le premier militant écologiste du cinéma d'animation, s'impose ensuite avec un intéressant traitement aux crayons de couleur sur cellulos pour *Crac* (1981) et *l'Homme qui plantait des arbres* (1987).

Tchécoslovaquie. C'est en Tchécoslovaquie qu'est né un art totalement indépendant et séculaire, celui des théâtres de bois. L'animation est donc partie du film de marionnettes, dont Jiří Trnka fut l'initiateur. Cet illustrateur mondialement connu sut à la fois préserver la tradition des marionnettes et leur insuffler un esprit nouveau, en animant sur des sujets très populaires des poupées d'une grâce gauche, d'un charme maladroit qui verse dans la poésie ineffable et le lyrisme fou : *l'Année tchèque* (1947), *le Rossignol de l'empereur de Chine* (1948), *le Prince Bayaya* (1950), *le Songe d'une nuit d'été* (1959), *la Grand-Mère cybernétique* (1962). Elles savent à l'occasion accéder à l'héroïsme solennel, voire au tragique pur : *les Vieilles Légendes tchèques* (1952), *la Main* (1965). Parallèlement, Trnka sut renouveler le dessin animé européen, précédant l'UPA dans la stylisation des personnages, l'usage volontaire du plat dans le décor, et l'exaltation de la peinture naïve : *le Cadeau* (1946), *le Petit Poisson d'or* (1951). Sous sa direction, les studios « Frères en tricot », de Prague, surent lancer un nombre important d'animateurs talentueux comme Zdeněk Miler, Emil Lhotak, Eduard Hofman, Jiří Brdečka, Vaclav Bedrich, Joseph Kábrt, Cenek Duba, Zdeněk Zeidl, Hermina Týrlová.

Les disciples les plus prestigieux du regretté Trnka sont Břetislav Pojar, animateur acrobatique, illusionniste, fertile en tours de force : *Un verre de trop* (1954), *le Petit Parapluie* (1958), *le Lion et la chanson* (1959), *Romance* (1963), et Karel Zeman, amateur de voyages aventureux : *le Trésor de l'île aux oiseaux* (1952), *Voyage dans la préhistoire* (1954). Dans ses studios indépendants de Gottwaldov, il devint l'illustrateur tenace de Jules Verne dans d'excellents films à trucages : *Aventures fantastiques* (ou *l'Invention diabolique,* 1958), *le Baron de Crac* (1962), *l'Arche de M. Servadac* (ou *Sur la comète,* 1970). La Tchécoslovaquie est l'une des terres les plus fertiles de l'animation mondiale. En Slovaquie, Viktor Kubal joue le même rôle que le Tchèque Trnka. Au cours des années 70-80, des talents nouveaux apparaissent, notamment celui de Jan Švankmajer*, unique représentant à Prague de ce courant pessimiste qui se manifeste dans presque tous les autres pays d'Europe centrale, porté vers un surréalisme morbide et désuet (*la Fabrique des petits cercueils,* 1966 ; *Historia naturae,* 1967 ; *Ossuaire,* 1970), et qui s'épanouira en 1982 avec *les Possibilités du dialogue,* impressionnante entreprise de démolition d'un univers – le nôtre – qui, selon l'auteur, ne mérite pas d'exister ; et avec lui, d'autres cinéastes qui appartiennent à une génération plus jeune, comme Jiří Barta ou Pavel Koutsky.

Grande-Bretagne. Pendant longtemps, l'animation en Angleterre fut monopolisée par John Halas et Joy Batchelor, un couple productif, qui, après les essais de David Hand, George Pal ou Philip Stapp, connurent leur moment de gloire avec l'excellent *Animal Farm* (1954), d'après le fameux roman de George Orwell. On leur doit depuis *l'Histoire du cinéma* (1956), *Automania 2000* (1963), le long métrage *Ruddigore* (1964) et *les Contes d'Hoffnung* (id.). Entre-temps était née une école brouillonne, irrévérente, pleine de *pep* et de *nonsense*, qui va de Bob Godfrey, Jimmy Murakami et Derek Lamb jusqu'à Richard Williams : *la Petite Île* (1958), *Love Me, Love Me, Love Me* (1962), *A Christmas Carol* (1971). Ce dernier, force vive du nouveau dessin animé anglais, s'est illustré dans les génériques de films *(la Charge de la brigade légère, Quoi de neuf Pussycat ?)* et, battant le rappel de certains animateurs américains (Ken Harris, Art Babbitt), s'est engagé dans un long métrage de longue haleine : *Nasruddin,* qui a eu d'énormes problèmes de production. Il a mené à bien le remarquable *Raggedy Ann and Andy* (1977, une collaboration anglo-américaine) ainsi que l'animation de *Qui veut la peau de Roger Rabbit ?* (1988) pour Roger Zemeckis.

Mais l'influence majeure sur l'animation anglaise de l'après-guerre aura été celle du Canadien George Dunning, venu de Ottawa en Angleterre depuis 1956. Avec *l'Homme volant,* en 1962, film peint sur verre qui recrée l'impression d'un mouvement improvisé et tâtonnant par touches de couleur saisies au vol, il a révolutionné toute l'animation. Le point culminant de sa carrière est venu en 1968, lorsqu'au comble de la récréation Beatles il a réalisé *le Sous-Marin jaune* (avec la collaboration de l'Allemand Heinz Edelmann).

C'est en Angleterre, inspiré par Bacon et Sutherland, que le Hongrois Peter Foldes réalisa deux films ambitieux, *Animated Genesis* (1952) et *A Short Vision* (1954), hallucinants pamphlets comiques. En 1956, installé à Paris, il sera le premier à explorer le champ des recherches sur ordinateur (*la Faim, Métadata,* etc.). Au cours des années 80-90 Nick Park, un jeune auteur du studio Aardmanse présente, grâce à de bons scénarios, un travail très soigné avec la pâte à modeler et une mise en scène éblouissante (*Creature Conforts,* 1989 ; *A Grand Day Out,* 1989 et *The Wrong Trousers,* 1993, premières aventures de Wallace, le propriétaire pauvre, et de son esclave le chien Gromit) comme un maître de l'image par image.

Autres pays. La « révolution » tchèque, propagée en Europe comme une onde de choc, provoqua un sentiment de table rase chez les animateurs des pays de l'Est. La Yougoslavie, terre de passage où existait une tradition de la caricature satirique, vécut son premier bouleversement en 1950, quand les vieux studios Duga au standard disneyien adoptèrent une forme d'animation réduite qui les orienta sur la satire du western, du film de gangsters, du film de détectives. Des films comme *Cowboy Jimmy, Concerto pour mitraillette, Erzatz,* de Dušan Vukotić, apprirent aux spectateurs de festivals l'existence de cette fameuse école de Zagreb, qui fonctionnait un peu comme une famille. Ainsi, le scénariste Vatroslav Mimica, qui écrivait pour les autres artistes, anima lui-même des films d'angoisse à la Kafka comme *Un homme seul,* ou *L'inspecteur rentre chez lui,* avant de passer à la mise en scène de films directs. Les succès de l'école de Zagreb ramenèrent en Yougoslavie un exilé de génie, Vlado Kristl, au tempérament enfiévré, qui, après *le Vol du bijou* (1959) et *la Peau de chagrin* (1960, co Ivo Vrbanic), enleva dans un mouvement délirant son *Don Quichotte* (1961), en proie à l'enrégimentement bureaucratique et à l'automatisation. Lui aussi devint metteur en scène en Allemagne sur des films d'avant-garde. Son exemple fébrile inspira le caricaturiste Nedeljko Dragić pour son hallucinant *Dompteur de chevaux sauvages* (1966). L'école de Zagreb compte également Boris Kolar, au graphisme facétieux (*Boomerang,* 1962), et le décorateur Zlatko Bourek, grande influence graphique du studio, spécialiste des sabbats médiévaux à la Bosch (*De brouillard et de boue,* 1964 ; *l'Apprenti du forgeron,* 1961), également illustrateur des chants folkloriques de Slavonie (*la Ronde des prétendants,* 1966). Il inspire visiblement l'exquis *Temps des vampires* (1970) de Nikola Majdak. Pendant la même période, au studio Néoplanta Film de Novi Sad, Borislav Sajtinac, dessinateur humoristique ayant collaboré pendant deux ans au journal *Hara-Kiri,* exerce son ironie et son goût pour l'absurde avec *Tout ce qui vole n'est pas oiseau* (1969), *la Jeune Mariée* (1971) et *Don Quichotte* (1972).

Autre pays d'Europe célèbre pour ses traditions graphiques, la Pologne a produit d'excellents films de marionnettes, ceux de Halina Bielinska, Eduard Sturlis, et de nombreux auteurs comme Wladimir Lehky, Daniel Szczekura, Władisław Nehrebecki, Kazimierz Urbanski ou Witold Giersz. Elle a surtout donné naissance à deux auteurs considérables, Walerian Borowczyk et Jan Lenica, qui se sont depuis installés en France, mais que leur amour pour le surréalisme a réunis ensemble pour *Il était une fois* (1957) et *la Maison* (1958), deux hommages à Miró et Max Ernst respectivement, et dont le terrorisme inquiétant, humoristique, devait influencer l'un et l'autre dans leurs carrières personnelles d'animateurs : Borowczyk pour ses *Jeux des anges* (1964) et son long métrage macabre *le Théâtre de M. et Mme Kabal* (1967), Lenica pour ses films fantastiques, *Labyrinthe* (1962), *Adam II* (1969) ou *Ubu et la Grande Gidouille* (1979).

En Italie, après des tentatives de type disneyien comme *la Rose de Bagdad* (1949), d'Anton Gino Domeneghini, et *les Frères Dynamite* de Nino et Toni Pagot, on note peu de recherches, sinon celles de Bruno Bozzetto, humoriste strident (*Tapum, la storia delle armi,* 1958 ; *les Deux Châteaux,* 1963) qui sut passer le cap du long métrage (*Mon frère le surhomme,* 1968 ; *West and Soda,* 1965), et les exubérances lyriques d'Emmanuel Luzzati, dont les films stylisés retrouvent l'esprit de l'héraldique (*les Paladins de France,* 1960 ; *la Pie voleuse,* 1964).

L'animation soviétique, très influencée par le Disney le plus académique, ne sort guère des fables édifiantes de style *l'Antilope d'or,* ou *la Reine des neiges,* qui tiennent du livret de ballet officiel. De rares essais de rajeunissement comme *les Grands Ennuis,* de Z. et V. Brounberg, se soldent par un recours au dessin d'enfants. Toutefois, Youri Norstein, animateur visionnaire, s'impose avec *le Conte des contes* (1978) tout comme Andreï Krjanovski (la trilogie de *Pouchkine* 1977-1982), tandis qu'une école balte, notamment estonienne avec Rein Raamat (*le Chasseur de baleine,* 1976), Avo Paistik (*Klabuk dans le cosmos,* 1979) et Priit Pärn (*le Petit Déjeuner sur l'herbe,* 1988) fait preuve d'originalité certaine.

En Allemagne, où les pionniers abstraits de l'ère expressionniste, de Viking Eggeling et Hans Richter à Oskar Fischinger, allaient inspirer tant d'animateurs du monde entier, on ne remarque guère par la suite que les films d'ombres chinoises de Lotte Reiniger *(la Flûte enchantée, les Aventures du prince Achmed)* et différents films de collage inspirés par les expériences de Max Ernst, et que réalisèrent Helmut Herbst, Wolfgang Urchs, Jan Svankmajer, Boris Borresholm, ou le grand invité Jan Lenica.

En Roumanie, un nom s'impose, celui de Ion Popesco Gopo *(Sept Arts ; Homo sapiens),* dont on a pu penser à la longue qu'il était l'unique animateur de ce pays. La Bulgarie est, elle, très riche en cinéastes de talent (Todor Dinov, Donjo Donev, Ivan Vesselinov, Hristo Topouzanov et surtout Henri Koulev), de même que la Hongrie (Ottó Foky, György Kovásznai, Gyula Macskássy, József Nepp, Béla Vajda, Ferenc Rofuz).

Au Japon, les films de silhouettes à transparences colorées (*le Vaisseau fantôme, la Baleine,* de Noburo Ofugi) ont atteint une vraie perfection, ainsi qu'une fable fantastique aussi raffinée que le long métrage *Belladona,* mais ces réussites occasionnelles sont noyées dans le flot de séries télévisées au mouvement simpliste de style *Cyborg* ou *Goldorak* qui s'éparpillent en succédanés divers, faux feuilletons anglais, contes factices d'Andersen, sindbaderies affadies et aventures de jungle sans couleur. Un nom domine cependant, celui du sardonique Yoji Kuri, dont les gags féroces *(l'Œuf, AOS, Au secours)* ont la brièveté et l'impact de certains haïkaï. Dans les années 80, plusieurs artistes élevés dans le giron de la série télévisuelle se lancent avec bonheur dans le long métrage : Katsuhiro Otomo (*Akira,* 1988), Isao Takahata *(le Tombeau des lucioles, id.)* et surtout le prolifique et talentueux Hayao Miyazaki, avec plusieurs films dont le magique et émouvant *Mon voisin Totoro, id.*

L'animation a toujours été et demeure plus que jamais le laboratoire du septième art, qu'il provoque et stimule. Secteur pointe de la recherche, elle attire de plus en plus les jeunes, séduits par un niveau de l'industrie qui s'accommode fort bien du travail solitaire et par la tentation de l'exploit perfectionniste.

R.BN.

ANIMATION *(techniques de l').* Au XIXe siècle apparaissent des techniques d'images animées qui ne sont plus obtenues par des procédés mécaniques mais à partir de la production d'une séquence d'images statiques disposées en fonction du temps. La mise au point de ces techniques achève la préhistoire des spectacles optiques : trois mille ans d'images aériennes, d'ombres féeriques, de miroirs magiques ou de projections mécanisées. Lorsque les images animées se dotent de moyens mécanisés (verres à tirettes, chromatoscope à rotation, etc.), commence un art instrumental inédit : le cinéma d'animation. Que les séries de phases distinctes, statiques soient composées grâce à des moyens photocinématographiques, vidéoélectriques ou informatiques, cet art de l'image par image marque l'apparition d'une relation de l'individu à son environnement et des capacités d'analyse et de synthèse des phénomènes dynamiques. Ainsi va se confirmer un mariage des sciences et des arts que Riccotto Canudo n'appellera de ses vœux que bien plus tard, et qui, dans notre civilisation « mécanisée », ne va plus cesser de provoquer l'intérêt des générations d'ingénieurs, de créateurs et de dramaturges visuels.

Découverte de l'image par image. Rejoignant une observation de John Locke sur le cercle de feu produit lorsque l'on fait tourner un charbon ardent (1739), Peter Mark Roget a présenté à la Royal Academy, en 1824, un mémoire consacré aux effets de la persistance rétinienne sur la perception des objets mouvants. L'ère de la synthèse du mouvement visuel va s'ouvrir sur une floraison de jouets optiques à lecture directe qui exploreront les caractéristiques de la persistance des images rétiniennes et de la perception des mouvements apparents en autorisant un enchaînement de séries d'images fixes de plus en plus longues.

Le Thomatrope du docteur John Ayton Paris (1825-26) ne permet que de confondre deux images complémentaires, tracées sur les deux faces d'un disque tournant autour d'un fil. Exploitant les apports de la stroboscopie, Joseph Plateau et Simon Stampfer (1832) tirent un mouvement de 16 à 24 images à travers les créneaux du disque du Phénakistiscope reflété dans un miroir. En disposant les images successives sur une bande et en les plaçant dans un tambour crénelé, le zootrope de William George Horner portera jusqu'à 50 images.

Pour éviter la brutalité optique des procédés stroboscopiques, Émile Reynaud va *compenser* optiquement le passage d'une image à l'autre avec un prisme rotatif pour donner un mouvement enchaîné aux délicates figurines du Praxinoscope (1828) ou du Praxinoscope théâtre (1882), qui, grâce à des personnages tracés sur fond noir, les situe en surimpression sur un décor reflété par un miroir.

Le film comme support d'images. Reynaud échappe enfin au piège des disques et des tambours et aux cycles répétés de mouvements en fixant sur une bande souple et perforée progressivement déroulée un nombre indéfini de poses successives (jusqu'à 700), tracées et colorées à la main. C'est le Théâtre optique : *Un bon bock* (1889), *Clown et ses chiens* (1890) sont ainsi les premiers films d'animation de l'histoire de l'art ; le dispositif du Théâtre optique résout à la fois le problème de la projection, du film, de la fixation d'un nombre indéfini d'images successives, en bref, celui du spectacle de projection d'images animées.

La chronophotographie. La photographie, en se généralisant, va supplanter la production graphique des séries de positions des personnages. Mais, la saisie photographique instantanée n'étant pas encore réalisée, c'est à partir de poses successives que cette synthèse va être tentée (bioscope de Antoine Jean François Claudet (1852), Kinematoscope de Coleman Sellers (1863).

Avec le Kineograph de Thomas Linnett apparaît une forme de livre que Gutenberg n'avait pas prévue. Populaires vers 1897 sous le nom de *flip book* ou de *feuilletoscope,* les photos successives regroupées en carnet glissent sous les doigts comme un paquet de cartes à jouer en reproduisant le mouvement.

La mise au point de la photographie instantanée va étendre les capacités de saisie, d'analyse et de synthèse des images en mouvement. Une nouvelle étape de l'évolution des arts visuels s'engage avec l'apparition des méthodes chronophotographiques, qui, à partir de 1882, vont proposer une nouvelle famille de documents irréfutables qui traduisent l'idée de temps en termes d'espaces. Leurs positions condensées ou enchevêtrées ne participent plus à l'unité, du point de vue instauré par la Renaissance : Jules Janssen, Étienne-Jules Marey, Eadweard James Muybridge ou Thomas Eakins exploiteront différents dispositifs (plaque mobile, plaque fixe pour saisie stroboscopée, batterie d'appareils à déclenchements successifs et finalement film) qui fragmentent en positions successives les mouvements d'êtres vivants ou mécaniques.

Le cinématographe. En 1888, Marey met au point son chronophotographe à plaque mobile. George Eastman propose des bobines de papier négatif qui vont généraliser les observations et les communications visuelles fondées sur des séries indéfinies des photogrammes. Dès ces premières réussites se confirme l'importance des capacités d'analyse et de synthèse des images animées, par opposition à la simple reproduction des images d'enregistrement que va bientôt imposer le Cinématographe des frères Lumière et qui domineront, pendant presque un siècle, la conception et la production réaliste des imageries dynamiques du cinéma et de la télévision.

Partisans d'un visionnement individuel du spectacle cinématographique, Thomas Alva Edison réalise un Mutoscope (1895) qui, en bloquant successivement les plaquettes cartonnées portant des images photographiques et fixées sur une couronne tournante, restitue le mouvement photographié.

Reynaud met au point un Photo-scénographe (1895) animant par projection des séries de photos coloriées à la main et qui, tournées à 16 images par seconde, doivent être réduites à 4 par seconde, étant donné le système de déroulement manuel.

Ici commence une exploitation de la structure chronophotographique du film. Elle va encourager des formes de traitement arbitraire et irréaliste de la prise de vues cinématographique, formes que pratiqueront les écoles française, américaine et britannique de *films à trucs* à partir de 1898.

Alors que le spectacle cinématographique naît avec Georges Méliès, aux effets proprement photochimiques de la magie noire (surimpression, multiples expositions, cache/contre-cache, cadres composites) va s'ajouter toute une gamme de trucs fondés sur la succession des images. Le procédé de l'arrêt sur image (stopper le déroulement du film et reprendre le tournage en assurant une immobilité parfaite de la caméra permet de provoquer des apparitions ou des disparitions) sera progressivement perfectionné par un contrôle plus attentif des 4 ou 5 images assurant la transition de la disparition ou de la métamorphose : les substitutions sont renforcées par une transition dans le mouvement ou par le maintien calculé de quelques mouvements flous (*le Tonnerre de Jupiter,* Méliès, 1903) pour arriver à de véritables animations par prise continue de 4 ou 6 images successives : *Jack and the Beanstalk* (Edison, 1902) ; *Check to Order* (American Mutoscope and Biograph, 1903) – en tirant des mouvements inexplicables ; *le Locataire diabolique* (Méliès, 1909), qui annonce les animations en « stop motion » de Norman McLaren. Lorsque le cinéma devient un art industriel (de 1906 à 1911), les réalisateurs exploitent toutes les capacités de rupture et d'accélération (*les Effets d'une valse lente,* G. Velle, 1903) à un haut niveau de virtuosité instrumentale, parcourant dans le même film toutes les cadences de tournage de 18 images par seconde à 1 image pour 3 secondes de réalité, tels *Onésime horloger* et *Onésime et le Nourrisson* (1912) réalisé par Jean Durand pour Gaumont.

Le cinéma image par image. Toute extraction discontinue d'images instantanées prises à temps régulier d'un phénomène lent accélère ce dernier à la projection. Dès 1864, Louis Ducos du Hauron proposait d'appliquer ce principe à des instantanés successifs séparés par des délais réguliers afin de mettre en évidence la croissance des plantes ou la construction des édifices. En 1897, William Kennedy Laurie Dickson réalise une accélération de la reconstruction du Star Theatre de Broadway en prenant une image toutes les demi-heures et Robert William Paul brutalise, par un tournage réduit presque à l'image par image, le trajet de *On a Run Away Motor Car Through Picadilly Circus* (1898). Dès 1902, Lucien Buhl construit un dispositif filmant image par image le développement d'une colonne de botrylles. Ces méthodes de l'accéléré deviendront une approche indispensable du cinéma de recherche dans les années 20 et 30 (Bernard Lyot, MacMath, Jean Commandon).

Procédé d'observation, le tournage de non-reproduction des phénomènes, en tendant vers l'image par image, va devenir un moyen dynamique de composition scénographique, graphique et plastique. En 1895, Edison, qui n'était pas encore capable de tourner image par image à 1 image près, parvient à animer par blocs de plusieurs images successives certains passages de *The Execution of Mary Queen of Scots.* Léon Gaumont fait breveter en 1900 un procédé de tournage image par image de cartes et de schémas animés. Cette méthode assure la prise d'*une* image pour *un* tour de manivelle, « one tour, one picture » ; on l'appellera longtemps le mouvement américain. Secundo de Chomón réalise, avec *El hotel eléctrico* (1905), le premier film d'objets et de personnages vivants (cheveux, vêtements, meubles, etc.), immédiatement repris par James Stuart Blackton dans *Hôtel hanté* (1907) ainsi que par l'American Mutoscope and Biograph dans *Mister Hurry Up of New York* (1907) et *The Tired Tailor's Dream* (id.). De la réalisation de ces premiers films vont progressivement se dégager différentes techniques économiques et expéditives, autorisant une production solitaire, et des applications plus ou moins plastiques ou sculpturales, que l'on retrouvera à chaque nouveau départ de style national ou de créateurs indépendants, qu'il s'agisse de la naissance de l'Office du film au Canada en 1940, ou des styles européens vers la fin des années 50.

Animation d'objets et de personnages en volume. Stop motion, ou pixilation. À partir de ces quelques œuvres, il se développera une forme de création scénographique et de dramatisation, première forme de cinéma image par image en trois dimensions posant tous les problèmes de l'animation par mouvement arrêté. Le mouvement arrêté consiste à disposer objets ou personnages dans une position donnée, à prendre l'image, à les replacer ou à les déformer pour reprendre une autre image.

Afin, d'abord, de réaliser ce que McLaren appellera plus tard la « pixilation », mais que pratique déjà Émile Cohl (*les Chaussures matrimoniales,* 1909) avec un plan de chaussures qui marchent toutes seules, les meubles de *Mobilier fidèle* (Cohl, 1910), ou les ciseaux, fils et tissus dans *les Quatre Petits Tailleurs* (id., *id.*), et cela jusqu'à *Renaissance* (1963) de Walerian Borowczyk. Ce procédé ne cessera de réapparaître dans des passages truqués des films de Mack Sennett ou de Hal Roach, voire de fonder les petits films fantastiques de Willy O'Brien (*The Lost World,* 1925), ou d'être exploité dans quelques œuvres de McLaren : *Two Bagatelles* (1952), *les Voisins* (id.), *Il était une chaise* (1957), dans lesquels des animateurs s'immobilisent eux-mêmes dans des positions successives, changent de position et d'équilibre pour chaque image, aboutissant à la projection d'un mouvement continu image après image.

Films de marionnettes. Ce qui est réalisé en décor réel avec des personnages vivants provisoirement immobilisés dans une position donnée peut être plus facilement réglé, dans un décor miniature soigneusement éclairé, avec des marionnettes dont les articulations métalliques sont suffisamment souples pour pouvoir être disposées dans des attitudes successives exigées par l'animation image par image et suffisamment rigide pour conserver la position pendant toute la durée de prise de vues d'une phase de mouvement (inutile de dire que le pied fixé d'un personnage doit être solidement vissé au sol, pour éviter à la marionnette des écarts de position non contrôlés, et l'immobilité du décor rigoureusement maintenue, pour éviter des effets de tremblement de terre involontaires).

Segundo de Chomón donne des mouvements acrobatiques à ses *Vêtements cascadeurs* (1908) et, dans *la Liquéfaction des corps durs* (1909), déforme progressivement à coups de poing des mannequins soutenus par des carcasses de fil de fer. Émile Cohl dans *les Locataires d'à côté* (1909) et *Soyons sportifs* (id.) anime des marionnettes schématiques de bois pour donner le mouvement à de vraies poupées dans *le Tout Petit Faust* (1910) et *le Petit Chantecler* (id.).

En 1909, le Polonais Ladisłav Starevitch, commençant par animer des insectes morts, perfectionne dans *L'amour se venge* (1912) la mécanique des marionnettes afin d'obtenir une animation excellente ; *le Roman de Renard* (1932) égale en cela, par les foules fastueuses du Russe Aleksandr Ptouchko, *le Nouveau Gulliver* (1934). La méthode semble au point avec les *Funny Face Comedies* de Red Seal (*Cracked One,* 1924), qui combinent le changement de position et d'attitude avec un remplacement image par image de phases successives pour les touches ou des parties de visage, technique composite que George Pal amènera à un sommet de virtuosité caricaturale et spectaculaire dans *Pirate du ciel* (1934) et *En parade* (1936). La perfection de ses maquettes et de ses animations le conduira à devenir l'un des pionniers des trucages, des effets spéciaux et de la production des films fantastiques et d'anticipation, tel *Destination Lune* (I. Pichel, 1950), et à diriger *le Monde merveilleux des frères Grimm* pour le Cinérama (1962). Citons enfin l'école tchèque avec Karel Zeman (la série des *M. Prokouk*), Břetislav Pojar (*Un verre de trop,* 1954, *le Petit Parapluie,* 1957, et *le Lion et la Chanson,* 1959), Jiří Trnka avec ses courts et longs métrages.

Emploi de la pâte à modeler, ou claymation. Par rapport à la raideur du pantin articulé appelé « marionnette », qui véhicule inévitablement une impression de manipulation, de « jeu à la poupée » et qui, dans son souci de faire vrai reste limité au point de vue plastique, la technique de la pâte à modeler retrouve une souplesse et une apparente spontanéité, ainsi que des possibilités de transformation et d'invention qui font le charme du dessin animé (*The Great Cognito,* 1982).

Animation par changement d'états. Si l'animation consiste à modifier la disposition d'éléments distincts dans le champ de l'image saisie par la caméra, elle peut également être obtenue en modifiant les états plastiques successifs d'un tableau.

Modification par additions successives. Le dessin qui se fait (en procédant par addition successive pour chaque image prise) a été une des attractions primitives du cinéma d'animation graphique (Cohl, Blackton, etc.). Carmen d'Avino a poussé cette technique jusqu'à métamorphoser son modèle par additions successives (*The Big O,* 1958) pour finalement recouvrir une pièce entière, puis tout un paysage de rochers image par image : *Room* (1960) ; *A Trip* (1961) ; *Stone Sonata* (1962).

Modification par changement global. L'écran d'épingles. Illustrateur et graveur, Alexandre Alexeieff, impressionné par la matière massive ou brumeuse définie par Berthold Bartosch dans *l'Idée* (1932), met au point avec Claire Parker un procédé original d'animation : l'écran d'épingles. Dans un cadre, un million de pointes d'épingles situées chacune dans une alvéole accrochent des lumières latérales comme autant de pointes de cadran solaire. Comme elles coulissent, on peut les enfoncer ou au contraire les amener à sortir de l'écran. Plus elles dépassent, plus les traits d'ombre croisés sont foncés pour arriver à un noir profond. Au contraire, si on les enfonce totalement, l'absence d'ombre laisse apparaître le fond de l'écran blanc.

Ainsi s'anime la gravure, point par point, selon une technique qui, en ce qui concerne le façonnage du velours métallique, tient du modelage de l'écran et de la gravure quant au fonctionnement des ombres : *Une nuit sur le mont Chauve* (1934) ; *En passant* (1943) ; *le Nez* (1963).

Déplacements d'éléments découpés. Le déplacement imperceptible de morceaux de matériaux plats (bristols, feuille de métal léger, bouts de verres, galets, etc.) permet de composer des tableaux que l'on forme en déplaçant des éléments constitutifs pour chacune des prises de vues successives. Ce procédé plonge encore dans la préhistoire de l'animation puisque, dès 1903, de Chomón donne le mouvement à des lettres découpées en fixant les états successifs par groupes de 5 ou 6 images, la prise de vues d'une image pour un tour de manivelle n'étant pas encore mise au point. Edison (*The Whole Dam Family and the Dam Dog,* 1905) et l'American Mutoscope and Biograph (*Wanted a Nurse,* 1906) suivent de peu cette innovation.

Dans *Jones Meets Skinflint,* des productions Edison (1905), apparaît une main découpée, déplacée image par image au milieu des lettres ; un cœur et des microbes s'agitent dans *The Love Microbe* de l'AM & B (1907).

Cohl se lance dans l'animation des éléments découpés dans *Affaires de cœur* (1909) et *le Binettoscope* (1910).

Technique économique aux débuts des films d'animation caricaturaux, ce style de construction fournira aux créateurs individuels des années 40 et 50 un moyen d'échapper aux lourdes techniques dépersonnalisantes du dessin animé sur cellulo en réalisant et en décorant tous les moindres éléments de leurs films, participant ainsi à tous les débuts des nouvelles tendances techniques et expressives. Aussi bien à l'ONF du Canada avec René Jodoin (*Square Dance,* 1944), Grant

Munro (*The Man on the Flying Trapèze,* 1950), George Dunning et Colin Low (*Cadet Rousselle,* 1946) ou Norman McLaren (*Rythmetic,* 1956 ; *le Merle,* 1958), qu'en France, avec Henri Gruel (*Martin et Gaston,* 1953 ; *Gitanos et Papillons,* 1954 ; *Monsieur Tête,* CO J. Lenica, 1959), Walerian Borowczyck et Jan Lenica (*Il était une fois,* 1957 ; *la Maison,* 1958), Giulio et Emanuele Luzzati (*Histoire des paladins de France,* 1960 ; *la Pie voleuse* [*la Gazza ladra*], 1964) et Jean François Laguionie (*la Demoiselle et le Violoncelliste,* 1965 ; *l'Arche de Noé,* 1967), on assiste au renouveau plastique de l'animation des années 60.

La même technique permet l'animation d'objets minces ou de minuscules allumettes (*les Beaux Arts mystérieux,* Cohl, 1910). Dans le cas de films à personnages, l'animation de silhouettes plates et articulées simplifie le contrôle de la permanence des protagonistes découpés, permet de soigner la qualité anthropomorphique des mouvements : *Omelette fantastique* (1909) ; *les Douze Travaux d'Hercule* (id.) ; *les Peintres néo-impressionnistes* (1910) de Cohl.

Variante de cette forme : les silhouettes animées britanniques de Paul Armstrong (1910), qui consistent à donner le mouvement image par image à des découpages articulés placés sur un fond transparent éclairé par-dessous et, surtout, les ombres chinoises de Lotte Reiniger (*le Cercueil volant,* 1921 ; *les Aventures du prince Ahmed, LM,* 1926) en collaboration avec Berthold Bartosch.

Il faut également retenir plusieurs variations d'éléments plats ou de silhouettes articulées : le papier découpé « en phases », où le personnage est dessiné et colorié sur du papier, phase après phase, puis découpé et fixé sur cellulo, méthode qui permet d'approcher l'élasticité dans le mouvement du dessin animé, tout en préservant une certaine liberté graphique (*la Planète sauvage,* de René Laloux, 1973), les « marionnettes plates » de Břetislav Pojar (*Histoire du petit chat,* 1960 ; *l'Orateur Billards,* 1962) et Iouri Norstein (*le Conte des contes,* 1978), qui, en gardant les avantages du relief ou des matières animées, bénéficient des facilités de stabilité et de déplacement d'une animation sur plan horizontal.

Fondus enchaînés et pastels animés. En 1945, McLaren entreprend deux films : *C'est l'aviron* et *Là-haut sur ces montagnes,* réalisés dans une manière sombre, les motifs se détachant en clair sur des fonds nocturnes. Dans le premier, composé d'un effet de zoom continu, il enchaîne toutes les positions successives par des fondus de 5 à 8 images. Dans le second, influencé par la peinture en mouvement des films d'Alexeieff, il enchaîne des états graphiques successifs faisant courir des lumières sur le dos des collines et laissant apparaître des détails du paysage, renforçant toujours plus l'animation d'effets graphiques, flammes, émergence d'objets architecturaux dans *A Little Phantasy On a 19th Century Painting* (1946) et *la Poulette grise* (1947). Les effets de halo sont tracés et effacés verticalement afin que la poussière tombe naturellement, en prenant une image après chaque modification.

Animation de matières brutes. Quelques animateurs tracent d'un couteau précis des formes et même des figurines dans un baquet de matières brutes : peinture, taches liquides ou amas poudreux (sol, couleur, sable).

Robert Lapoujade tire de ces matières des formes de stylisation inédites (*Prison,* 1962 ; *Vélodrame,* 1963 ; *Trois Portraits d'un oiseau qui n'existe pas,* id.), et Piotr Kamler, des dentelles de personnages et de décor... Eliott Noyes façonne des figures d'un tracé expéditif (*Sandman,* 1973) et Caroline Leaf des scènes simplifiées dramatiquement situées dans des décors détaillés (*The Street,* 1977).

Le dessin animé. Toute l'histoire du film d'animation alterne entre l'exploitation des méthodes expéditives et individuelles d'animation par déplacement, modification, remodelage image par image des motifs (premières origines au début du siècle, multiplication des créateurs individuels et des écoles nationales dans les années 40 et 50) et les techniques du dessin animé, qui, elles, en exigeant une organisation concertée du travail, une spécialisation des tâches, autorisent des niveaux de productivité qui permettent une fabrication régulière et suffisamment importante pour tenir une place industrielle et commerciale dans le flot des communications visuelles (séries de courts métrages des années 20 et 30), *Blanche-Neige et les sept nains* (W. Disney, 1937), longs métrages d'animation des années 40 ou 70, séries télévisées des années 60.

Il fallait que, dans son histoire, le puissant moyen d'inscription visuelle en mouvement qu'est le cinéma d'animation rencontre le dessin et surtout le dessin humoristique. En 1895, Edison convoque Blackton, le fameux caricaturiste du *New York Evening World,* pour lui faire exécuter un « dessin express » en prise de vues accélérée. En 1901, *Love by the Light of the Moon* (AM & B) introduit, par une glissière dans un décor nocturne, sept phases d'expression de la lune. En 1900, dans *The Enchanted Drawing,* Blackton insère par arrêt sur l'image des séries de 2 à 4 phases d'expression de personnages pour aboutir dès 1906 aux enchaînements, substitutions et déplacements encore pétrifiés de *Humourous Phases of Funny Phases,* suivi de *Lightning Sketches* (1907) et *The Magic Fountain Pen* (1909).

Mais c'est l'animateur français Cohl qui, avec *le Cauchemar du Fantoche* (1908) et *Fantasmogorie* (id.), démontre du premier coup la puissance expressive et la vitalité dynamique du dessin animé, en donnant à ce genre ses premiers chefs-d'œuvre. L'œuvre de Cohl appartient encore à l'univers graphique des dessins pour rire « fin de siècle ». Travaillant seul, il utilise toutes les techniques expéditives de synthèse du mouvement graphique image par image (dessin complété trait par trait, animation d'éléments découpés, animation d'objets et phases graphiques successives).

La création d'un cinéma dessiné dont toutes les phases graphiques sont dessinées revient à Winsor McCay. Il a fallu pour cela donner une première solution au repérage et à la superposition parfaite des phases successives à l'étape du dessin puis du tournage. L'utilisation de feuilles coupées à angle droit et bloquées par des équerres résout le problème (*Little Nemo,* 1911 ; *Story of a Mosquito,* 1912), mais oblige à tout animer : personnages et décors (*Gertie the Dinosaur,* 1914). John Randolph Bray choisit un système de croix de repérage emprunté à la technique de l'imprimerie en couleurs. Vers 1914, Raoul Barré, puis Bray vont résoudre ce problème fondamental en soumettant tous les éléments dessinés à une perforation mécanique correspondant à des règles à ergots qui assurent une mise en place identique de tous les éléments de l'animation (décors, phases de mouvement, détail de premier plan) à toutes les étapes de préparation, de réalisation des phases ou du tournage sur table de prise de vues.

Les premiers dessins animés sont tracés sur papier et tournés sur table transparente éclairée par-dessous. Le décor et les personnages ne doivent pas s'enchevêtrer ; il faut donc animer les personnages dans les espaces que le décor laisse libre. Ainsi s'explique la mise en page aérée du dessin animé noir et blanc des années 20. Parfois un élément de décor doit être retracé sur chaque phase d'animation (ligne d'horizon, plancher ou porte qui s'ouvre)...

Très vite, l'immensité de la tâche requise par la création d'un cinéma dessiné conduit les réalisateurs à trouver des moyens de réduire la quantité de travail. Barré met au point le « Slash System », qui divise la représentation d'un personnage entre une partie fixe (parfois pendant plusieurs secondes) inscrite sur un calque stationnaire et une partie mobile (bras, jambe, tête) tracée sur un calque et bientôt un cellulo convenablement repéré mécaniquement et changé pour chaque image. Cherchant toujours à mieux dissocier les éléments constitutifs de l'image (personnages, décors, effets), Barré, dans la série des *Grouch Chaser,* utilise des matériaux transparents. D'abord, des plaques de verre pour tracer des effets spéciaux, image par image, sous la caméra : fumée de cigare ou jets de liquide, éléments du premier plan permettant au personnage de passer derrière un arbre sans que sa disparition doive être dessinée image par image. C'est aux studios Barré que Bill Nolan utilisera dès 1915 des décors en bande qui défilent sous la présentation image par image d'un cycle de phases de personnages marchant (horizontalement ou verticalement) ; brevetée par Bray et Earl Hurd en 1915, la technique du cellulo, en se généralisant, va permettre une organisation industrielle du dessin animé américain (Studio Bray, Paul Terry). Elle va faciliter la répartition, sur un plus grand nombre de collaborateurs, du poids de la création de toutes les phases successives de mouvement. Une telle organisation, rigoureuse, du travail va encourager la création des grands ateliers des années 30, la mise au point de personnages centraux, véritables vedettes internationales d'un très grand nombre de courts métrages, soutenir la mise au point d'un style plastique et caricatural qui dominera le dessin animé et le cinéma d'animation pendant un demi-siècle.

Pendant quelque temps, cependant, Barré, Pat Sullivan et Otto Mesmer (pour *Felix the Cat*) resteront fidèles à l'animation sur papier, sauvegardant ainsi les qualités de contraste et de simplification graphique qu'imposait ce dispositif, et qu'accentuait encore un tournage sur pellicule positive. Ainsi s'est établi un style particulier de dessin animé noir et blanc propre à l'école de New York des années 20, qui, de Barré à Mesmer et aux frères Fleischer de *Out of the Inkwell,* exploreront un style de cinéma dessiné propre à un univers graphique et typographique dans lequel l'encrier, la plume, l'encre noire et la main du dessinateur se disputent les premiers rôles.

La composition et la réalisation de films d'animation destinés à être distribués entre un grand nombre de collaborateurs artistiques exigent des méthodes de préconception et de planification précises (surtout si l'on s'attaque à un long métrage de dessin animé ou à des séries de programmes destinés à la télévision).

D'abord, une planification spatiale, qui définit les caractéristiques des personnages et des décors, décrit l'action scénique graphique et plastique à travers des croquis successifs de plus en plus soignés et détaillés (« scénarimage », ou *story board*), puis précise les échelles de plan, les champs d'action, les entrées et les sorties des personnages sur les décors.

Ensuite, une planification temporelle qui transforme le synopsis en scénario minuté puis en partition géométrique indiquant sur des bandes horizontales superposées et découpées en secondes le détail des actions, des pantomimes, des dialogues, des effets sonores et musicaux en mettant en évidence les nuances de mouvement en fonction du temps.

De ces tables de minutage seront tirées, lors de la réalisation de l'animation, les feuilles d'exposition qui porteront sur des feuillets verticaux les détails de superposition des cellulos, de mise en place sur le plateau de la table de prise de vues, de passage dans la caméra ou de mouvement de tournage, en accordant une ligne pour chaque image du film.

Vient alors le moment de produire l'animation proprement dite sur des documents : fonds, calques d'animation, cellulos portant tous les mêmes perforations de repérage afin de conserver une position définitive aux éléments à toutes les phases de la préparation, de la réalisation graphique, et du tournage.

Aux premiers croquis libres du réalisateur et des chefs animateurs qui donnent des silhouettes intenses et expressives du personnage succèdent des tracés plus précis, qui constitueront des *extrêmes* d'animation. Des assistants d'animation fourniront les phases intermédiaires nécessaires à une recomposition graphique du mouvement (les « intervalles ») à raison de 16 images par seconde pour le cinéma muet et de 24 ou 25 images par seconde pour le cinéma sonore et la télévision.

Ensuite, chacun des dessins est tracé sur cellulo avec des encres ou des gouaches de couleur (traçage) puis les différentes plages cernées par le dessin sont remplies de couleurs sur la face inverse du cellulo (gouachage) afin de s'imposer dynamiquement sur les décors (fonds) grâce à leur opacité.

Avec l'apparition du cinéma sonore (Western Electric, 1920-1922), les studios Walt Disney décident de produire des courts métrages accompagnés par une bande son, avec *Steamboat Willie* (1928) et la série *Silly Symphony* à partir de 1929. Cette série va d'ailleurs accroître la complexité de la planification temporelle en imposant des structures lyriques et métriques à une animation visuelle désormais renforcée par des bruitages, des effets sonores, un accompagnement musical et des séquences de danse ou d'exécution instrumentale.

Nouvelles méthodes électroniques et informatiques. Pendant plus de 80 ans, l'aspect de l'animation était guidé par le développement de techniques manuelles ou mécaniques de production d'images en mouvement et des procédures de synthèse chronographique qui n'ont pas varié depuis Reynaud. Mais, en entrant dans un âge informatique de la commande mécanisée, du traitement, de la synthèse et de l'animation automatisée, la position technologique et l'horizon expressif du cinéma image par image se trouvent considérablement déplacés.

Automatisation des dispositifs photomécaniques. Dès les années 40 apparaît une classe nouvelle de technique image par image recourant à des automates, qui, lorsque les paramètres de mouvement ont été précisés, engagent, poursuivent et achèvent dynamiquement le tracé d'une figure correspondant à leur domaine d'évolution.

Avec son Cam System, John Withney contrôle, avec un ordinateur analogue, les trajets successifs d'éléments générateurs élémentaires (points, traits, cercles, courbes) pour produire des traînées lumineuses, des enchevêtrements et des semis de formes, des animations de flous et d'incandescences (*Film Exercise,* 1943-44 ; *Catalog,* 1961) : origines de toute une esthétique abstraite, luministe et hypnotique qui a caractérisé les imageries de science-fiction et publicitaires des années 70. En enregistrant image par image les parcours de pendules composés dont ils modifiaient les rapports de jambage pour chaque image, Alexeieff et Claire Parker ont donné le mouvement à des formes périodiques (*Fumée,* 1952 ; *Sève de la terre,* 1955).

La précision et la répétabilité infaillible des contrôles informatiques permettent de régler les trajectoires de tournages de maquettes. La même banque de données assure le déplacement d'un traçage au trait sur un écran cathodique et le déplacement électromécanique d'une maquette suivant les mêmes lignes d'évolution, une superposition du véhicule, des effets de flammes, d'explosion, l'animation d'un ciel constellé d'étoiles. Le contrôle informatique des animations, des superpositions de combinaisons, d'inclusions cache-contre-cache a renouvelé le style et le réalisme des trucages des films épiques, ou de science-fiction (*2001 : l'Odyssée de l'espace* de Stanley Kubrick, 1968, et des films de la série *Star Wars,* 1977, ou *Star Trek,* 1979) en redonnant une importance accrue aux superproductions spectaculaires.

Les progrès du transfert de l'image vidéo sur films, le recours à la production d'effets sur des systèmes de télévision à haute définition et les progrès constants de l'image informatique vont obliger le cinéma d'animation à abandonner la chaîne de production photomécanique et des modes de réalisation encore artisanaux.

Traitement et synthèse informatique des images animées. Le couplage, à partir des années 50, du tube cathodique et de l'ordinateur provoque l'apparition d'un nouveau système de création visuelle : l'image numérique. La saisie de toutes les valeurs visuelles et leur transcription en train de pulsion électronique binaire aboutissent à une structuration des données sous forme de matrice numérique. Ainsi, toutes les images saisies aboutissent à des tableaux de chiffres qui définissent l'image à un point près. Tout tableau de chiffres donne une image. D'autre part, ces tableaux stockés dans une mémoire numérique sont infiniment remodelables par inclusion, suppression ou calcul ; ils ouvrent la voie à une création d'images et d'œuvres continuellement variables (voir déjà les jeux vidéo). Bientôt, un cinéma interactif (1984) va s'opposer à un audiovisuel classique d'œuvres fixées et définitives et d'exploitation par présentations ou diffusions répétitives.

Avec l'apparition des traitements analogiques graphiques et plastiques de la vidéo des années 60 et 70 (art vidéo, vidéoclips musicaux) et de l'image informatique (militaire dans les années 60, industrielle et architecturale des années 70, généralisée, scénographique et ludique des années 80), le cinéma d'animation perd son ancien privilège de création synthétique d'image et de mouvement, qui l'opposait traditionnellement au courant imitatif et documentaire de la prise de vues directe cinématographique ou de la transmission vidéo en direct. À partir de 1965 se développe un champ de création d'images animées artificielles qui ne répond plus seulement aux principes de discontinuité image par image qui définissaient jusqu'à présent le cinéma d'animation. Maintenant, le contrôle de l'image est réalisé à un point d'image près ; si la définition technique du cinéma d'animation demeure toujours un art de composition visuelle dynamique fondé sur le contrôle d'une succession d'éléments distincts, l'animation doit ajouter à l'unité du cadre (système de construction image par image) celle du point d'image (comme dans l'écran d'épingles d'Alexeieff), de nouvelles possibilités de contrôle fonctionnel sur des ensembles de points ou d'images successives, rafales de déplacements sur banc de prise de vues automatisé ; elle peut surtout manipuler des ensembles d'unités distinctes, instrumentalement, en temps réel, sans passer par un enregistrement image par image différé (simulation, contrôle gestuel de l'animation, recours à des fonctions câblées, etc.).

Par rapport à la création naturelle d'images manuelles, la réalisation d'images animées informatiques exige la maîtrise de méthodes complexes de description et de manipulation des objets visuels, puisqu'il faut décrire les images mathématiquement et organiser les données, les mots et les instructions suivant les règles des langages informatiques pour communiquer avec l'image mise sur machine : mais les progrès du codage qui permettent d'archiver les images, la transparence croissante des programmes, le recours de commandes interactives directes (manche à balai, boule roulante, etc.) laissent prévoir un accès beaucoup plus aisé à ces procédés de création. D'autre part, la réduction des tableaux à des primitives visuelles (points, lignes, zones, formes élémentaires), la reconstitution des attributs visuels offrent un renouvellement complet des problèmes et activités de composition et de dynamique.

Engagée sur des représentations de cartographie militaire ou des schématisations mécaniques, ergonomiques, électroniques, pédagogiques, la visualisation informatique sur console graphique va, à partir des années 70, encourager les applications artistiques, notamment avec les variations esthétiques sur des formes mathématiques développées par Whitney (*Arabesque,* 1975) puis par Larry Cuba, à partir de constructions périodiques dont on fait varier toutes les valeurs. Ce style de création informatique commandé par les langages de programmation va étendre le champ de composition abstraite en perfectionnant les possibilités de contrôle des points, grilles de points, zones d'images et des totalités du champ de visualisation : KC Knowlton des Bell Telephone Laboratories Beflix (1964) ; Explor (1970), dont Lilleau Schwartz tirera *Pixilation, Gogoplex, Olympiad.*

Déjà les synthétiseurs numériques permettent de créer à partir de fonctions câblées des dispositifs fonctionnant en temps réel. Bill et Louise Elra, Woddy et Steina Vasulka, Dan Saudin, en produisant des traitements immédiats de l'image devant un public (reprise de balayage, manipulation de zones d'images, pas de numérisation variable, tissage de lignes et de blocs de couleurs), retrouvent l'esprit du cinéma abstrait des années 20 et 30 (Fishinger, McLaren).

A.MAR.

ANKJERSTJERNE *(Johan), chef opérateur danois (Randers 1886 - Copenhague 1959).* Il est l'une des figures majeures de l'âge d'or du cinéma danois. Son sens de l'éclairage et des contrastes lui confère une place de choix parmi les grands pionniers de l'image. Il travailla notamment avec August Blom (*Atlantis,* 1913) et Benjamin Christensen qui lui doit beaucoup pour la renommée de *la Sorcellerie à travers les âges* (1921).

J.-L.P.

ANNABELLA (*Suzanne Charpentier,* dite), *actrice française (Paris 1907).* La future interprète du film de René Clair est effectivement née un 14 juillet et elle n'a que dix-huit ans lorsque Gance, frappé par la photogénie de son visage lumineux, la choisit pour interpréter Violine, personnage nimbé de poésie, de son *Napoléon* (1927). Après cet important tournage, Grémillon lui confie un rôle intéressant dans *Maldone* (1928). Ce sont toutefois les débuts du parlant qui lui apportent la chance en lui offrant les héroïnes gracieusement sentimentales du *Million* (1931) et de *Quatorze Juillet* (1933), deux films de René Clair. Elle acquiert vite une réputation européenne qui lui permet de transférer dans les studios berlinois son image de jeune fille au sourire tendre, aux gestes effarouchés, à la voix timide : *Autour d'une enquête* (R. Siodmak, H. Chomette, 1931), *Paris-Méditerranée* (Joe May, 1932). Elle tourne en Hongrie un de ses meilleurs films : *Marie légende hongroise* (P. Fejos, 1932), et c'est un Italien, Carmine Gallone, qui lui fait retrouver le Paris des faubourgs (*Un soir de rafle,* 1931). Première incursion à Hollywood en 1934, mais *Caravane* (E. Charell) n'est pas un succès. Sa carrière en France jusqu'en 1937 va passer du rire aux larmes, du drame à la comédie : *Un fils d'Amérique* (C. Gallone, 1932), *Mademoiselle Josette ma femme* (A. Berthomieu, 1933), *les Nuits moscovites* (A. Granowski, 1934). Elle force un peu son talent en acceptant des compositions dramatiques qui la confirment dans son vedettariat mais qui semblent la gêner et où elle paraît plus souvent figée que touchante : *l'Équipage* (A. Litvak, 1935), *Veille d'armes* (M. L'Herbier, *id.*), *Anne-Marie* (R. Bernard, 1936), *la Citadelle du silence* (L'Herbier, 1937). Dans *la Bandera* (1935), Duvivier lui fait tenir un contre-emploi, mais le rôle est court. C'est alors le départ pour les États-Unis, où elle rencontre Tyrone Power (elle avait précédemment épousé Jean Murat). Elle participe aux essais en couleurs de *la Baie du Destin* d'Harold Schuster (1937) et se fait diriger par Sjöström dans *Sous la robe rouge (id.).* Entre une comédie : *la Baronne et son valet* (W. Lang, 1938), et un film de prestige : *Suez* (A. Dwan, *id.*), elle revient à Paris le temps de paraître dans *Hôtel du Nord* (M. Carné, *id.*), mais son interprétation est vivement critiquée. La guerre et l'Occupation la fixent aux États-Unis ; elle y apparaît dans des films de propagande. En 1945, ayant rompu avec Tyrone Power, elle est victime d'une cabale. Après *13, rue Madeleine* (H. Hathaway, 1947), elle revient en France où on l'a un peu oubliée et y joue de temps en temps dans des films à tendance mélodramatique comme *Éternel Conflit* (G. Lampin, 1948). Elle s'éloigne encore une fois de son pays, s'installe en Espagne, où elle paraît dans quelques histoires qui ne laissent pas grand souvenir, puis elle se tait. Dans les années 30, celle qui avait choisi son pseudonyme en lisant Edgar Poe a réussi à donner de la jeune Française une image sentimentale qui garde encore du charme. Servie par un visage émouvant, gênée par une voix grêle, elle a souffert d'être une midinette égarée dans de lourdes productions. R.C.

ANNAKIN *(Ken), cinéaste britannique (Beverley 1914).* Après divers métiers, Ken Annakin vient au cinéma durant la guerre, comme assistant opérateur puis comme réalisateur avec *Holiday Camp* (1947). Il devient bientôt l'un des réalisateurs les plus sûrs et les plus prolifiques de l'industrie cinématographique anglo-américaine. Parmi plus de trente longs métrages, on peut citer : *Miranda* (1948) ; *la Femme du planteur* (*The Planter's Wife,* 1952), avec Claudette Colbert et Jack Hawkins ; *Qui perd gagne* (*Loser Takes All,* 1956), écrit et produit par Graham Greene ; *les Robinsons des mers du Sud* (*Swiss Family Robinson,* 1960) ; *V. I. P.* (*Very Important Person,* 1961) ; *Ces merveilleux fous volants dans leurs drôles de machines* (*Those Magnificent Men in Their Flying Machines,* 1965) ; *la Bataille des Ardennes* (*Battle of The Bulge,* id.) ; *Paper Tiger* (1975). P.P.

ANNAUD *(Jean-Jacques), cinéaste français (Juvisy-sur-Orge 1943).* Après avoir fait l'école de Vaugirard (1962) et l'IDHEC (1964), Jean-Jacques Annaud se lance dans la confection de films publicitaires ; il en tourne 400 entre 1966 et 1976. Son premier long métrage, *la Victoire en chantant* (FR-RFA-CDI, 1976), parabole très caustique sur le colonialisme, obtient l'Oscar du meilleur film étranger à Hollywood en 1977 (et il est alors reprogrammé sous le titre : *Noirs et Blancs en couleur*). Poursuivant dans la voie de la satire politico-sociale, Annaud brosse, dans *Coup de tête* (1979), une certaine mentalité provinciale encline aux pires injustices. *La Guerre du feu* (1981), film sans dialogues d'après le roman fameux de Rosny aîné, l'impose sur le marché international et lui permet d'obtenir plusieurs Césars. Il réussit en 1986 la gageure d'adapter *le Nom de la rose,* roman policier théologique et médiéval, érudit et labyrinthique d'Umberto Eco. Coproduction germano-italienne, le film remporte le César du meilleur film étranger en 1987. Il tourne ensuite *l'Ours* (1988), qui remporte un très grand succès international et adapte en 1991 *l'Amant* de Marguerite Duras. En 1995, il réalise *les Ailes du courage* sur l'épopée à travers les Andes du pilote de l'Aérospatiale, Guillaumet. Ce moyen métrage tourné avec une caméra IMAX 3 D fut présenté à New York sur l'écran géant (de 26 mètres sur 33) du Sony IMAX de Broadway. ▲ R.BA.

ANNENKOV *(Georges), créateur de costumes français d'origine russe (Petropavlovsk-Kamčatskij 1891 - Paris 1974).* L'essentiel de sa carrière est consacré au théâtre, d'abord en URSS, puis en France, où il s'exile au milieu des années 20. Au cinéma, il aurait contribué au *Faust* de F. W. Murnau (1926), mais c'est en France qu'il s'impose. Peintre et portraitiste, il excelle à créer des costumes dont la stylisation souligne l'accord intime entre décor et sujet : *Mademoiselle Docteur* (G. W. Pabst, 1937), *Mayerling* (A. Litvak, *id.*), *Nuits de feu* (M. L'Herbier, *id.*), *Tarakanowa* (F. Ozep, 1938), *le Drame de Shanghai* (Pabst, *id.*), *la Duchesse de Langeais* (J. de Baroncelli, 1942), *Pontcarral, colonel d'Empire* (J. Delannoy, *id.*), *l'Éternel Retour* (*id.,* 1943), *Patrie* (L. Daquin, 1946), *la Symphonie pastorale* (Delannoy, *id.*), *la Chartreuse de Parme* (Christian-Jaque, 1948). Pour Max Ophuls, sur qui il a publié en 1962 un passionnant livre de souvenirs, il crée les habits de poupées de *la Ronde* (1950), les «filles de tous draps» du *Plaisir* (1952), les variations en noir et blanc de *Madame de...*

(1953) et la parade superbement colorée de *Lola Montès* (1955). Il a publié un autre livre de souvenirs : *En habillant les vedettes* (1951). J.-P.B.

ANN-MARGRET (*Ann-Margret Olsson,* dite), *actrice américaine d'origine suédoise (Valsobyn, Jamtland, 1941).* Elle débute comme ingénue romantique dans *Milliardaire pour un jour* de Frank Capra en 1961. George Sidney ayant mis en valeur, dans *Bye Bye Birdie* (1963), ses talents de chanteuse et de danseuse, son dynamisme et son sens de l'humour, et *la Chatte au fouet* (*Kitten With a Whip,* 1964), de Douglas Heyes, exhibé sa sensualité, elle est vouée depuis lors à jouer les vamps caricaturales (*Tommy,* K. Russell, 1975), dans des comédies musicales ou non. Une sensibilité profonde apparaît dans ses rôles dramatiques (*Ce plaisir qu'on dit charnel,* M. Nichols, 1971). Aux États-Unis, la meneuse de revue éclipse l'actrice. Cependant, de temps à autre, celle-ci sait se faire remarquer dans des rôles intéressants (ainsi *le Retour du soldat* d'Alan Bridges, *Lookin'to Get out* de Hal Ashby, *I Ought to Be in Pictures* d'Herbert Ross en 1982, *Paiement Cash* de J. Frankenheimer en 1986 ou *A Tiger's Tale* de Peter Douglas en 1987). A.G.

ANNONCE. Annonce faite à voix haute, en début de prise, des principales informations de la claquette. (→ REPIQUAGE.)

ANOUILH *(Jean), auteur dramatique et dialoguiste français (Bordeaux 1910 - Lausanne, Suisse, 1987).* Employé dans la célèbre agence Damour, il travaille sur des films publicitaires avec Jean Aurenche, Jacques Prévert, Paul Grimault, mais c'est le théâtre qui le passionne. Sa première pièce est montée en 1932, et il devient secrétaire du théâtre de Louis Jouvet. De 1936 à 1939, il écrit des dialogues de films avec Aurenche, et, en 1943, il met en scène une adaptation de sa pièce *le Voyageur sans bagages.* Il signera huit ans plus tard sa deuxième mise en scène de cinéma : *Deux Sous de violettes.* Bien qu'il se consacre essentiellement au théâtre, il collaborera à sept films de 1947 à 1960, dont *Monsieur Vincent* (M. Cloche, 1947), *Pattes blanches* (J. Grémillon, 1949), *le Chevalier de la nuit* (Robert Darène, 1954) et *la Mort de Belle* (É. Molinaro, 1961). D.S.

ANSCHÜTZ *(Ottomar), photographe allemand (1846 - 1907).* Sans doute originaire de Lissa (Leszno) en Posnanie. Précurseur du cinéma, dans la lignée des travaux de Muybridge et Marey, il s'intéresse à l'analyse et à la synthèse du mouvement. Il est surtout connu pour son Tachyscope (ou Tachyskop) électrique ou Électrotachyscope (1889), amélioration d'un Tachyscope légèrement antérieur. Dans cet appareil, présenté au public berlinois du 19 au 21 mars 1887, 24 photographies sur verre représentant les phases successives d'un mouvement cyclique étaient montées à la périphérie d'une roue métallique de grand diamètre : un contact électrique déclenchait une impulsion lumineuse au passage de chaque vue derrière la fenêtre d'observation, *immobilisant* ainsi cette vue pour l'œil. En 1884, il avait réalisé un projecteur Tachyscope à deux roues, portant respectivement les vues paires et impaires, un mécanisme de Croix de Malte faisant avancer une roue pendant que l'autre était immobilisée. J.-P.F.

ANSCOLOR → PROCÉDÉS DE CINÉMA EN COULEURS.

ANSTEY *(Harold Macfarlane Anstey,* dit *Edgar), cinéaste, producteur et théoricien britannique (Watford 1907 - Londres 1987).* Spécialisé dans le cinéma documentaire et le film industriel, il réalise, en 1933, *Unchartered Waters* et, en 1934, *Eskimo Village,* puis il assure le montage sonore de *Granton Trawler* (J. Grierson, 1934). Il signe en tant que réalisateur (*Housing Problems,* 1935 [co A. Elton] ; *Enough to Eat ?,* 1936) ou producteur (*Advance Democracy,* 1939) quelques documentaires à préoccupations sociales. Mais Anstey, par ailleurs critique à *The Spectator* (1941-1946) et à la BBC (1946-1949), est surtout connu pour son inlassable activité de producteur et d'animateur (Shell Film Unit, 1934-1935 ; March of Time, 1936-1938 ; ministère de l'Information, pendant les années de guerre ; et British Transports, où il supervise *Journey into Spring* [1957] et *Terminus* [1961]). R.L.

ANSWER PRINT. Locution anglaise pour *copie zéro.* (Voir ce mot.)

ANTAMORO *(Giulio), cinéaste italien (Rome 1887 - id. 1945).* D'origine aristocratique, Antamoro commence à travailler à la Cines en

1910. Il tourne les premiers films comiques de Ferdinand Guillaume (Polidor), notamment *Pinocchio* (1911). Il dirige aussi des mélodrames avec les grandes actrices du moment, Hesperia, Leda Gys, Diana Karenne, Fernanda Negri Pouget. Toutefois, c'est dans le domaine du film d'inspiration religieuse qu'il donne le meilleur de lui-même. Si *Frate Francesco* (1926) et *Antonio di Padova* (1931) sont des œuvres simplement estimables, *Christus* (1916), en revanche, doit être considéré comme un classique du genre, aussi bien par l'importance des moyens mis en œuvre (une partie du film fut tournée en Palestine et en Égypte) que par l'intensité du sentiment religieux. J.-A.G.

ANTEL *(Franz), cinéaste allemand d'origine autrichienne (Vienne 1913).* Ancien assistant opérateur, puis chargé de production sous le IIIe Reich, il ne devient réalisateur qu'en 1948. Il tourne beaucoup, principalement des comédies (dont le remake du *Congrès s'amuse* [*Der Kongress tanzt*], 1955) et des films d'aventures (*le Trésor des SS* [*Schusse im Morgengrauen*], 1959). Depuis la fin des années 60, il tourne (parfois sous le pseudonyme de François Legrand) des comédies sexy fort médiocres – dont la série des *Frau Wirtin* en 1969-1973 –, même lorsqu'il atteint un budget plus confortable : *Treize Femmes pour Casanova* (*Casanova and Company,* 1977). En 1981, il réalise en Autriche *Der Bockerer* sur le nazisme et la guerre vus par un petit bourgeois de Vienne. Six années plus tard, il renoue avec les thèmes traditionnels, produisant et réalisant une biographie de Johann Strauss : *Der König ohne Krone.* D.S.

ANTHONY *(Joseph Deuster,* dit *Joseph), cinéaste américain (Milwaukee, Wis., 1912 - Hyannis, Mass., 1993).* Acteur de théâtre (1935-1954), il tient aussi quelques rôles à l'écran, dans *la Source de feu* (Irving Pichel et Lansing C. Holden, 1935), *l'Ombre de l'introuvable* (W. S. Van Dyke II, 1941) et *Joe Smith, American* (R. Thorpe, 1942). De 1947 à 1954, il se produit régulièrement à la télévision, puis se consacre à la mise en scène théâtrale (*The Rainmaker ; The Lark ; A Clearing in the Woods ; Winesburg, Ohio ; The Best Man ; Rhinoceros ; Mary, Mary,* etc.). Pour ses débuts de réalisateur, il dirige Burt Lancaster et Katharine Hepburn dans l'adaptation de *The Rainmaker* (*le Faiseur de pluie,* 1956). Il poursuit dans une veine essentiellement théâtrale, centrée sur la performance d'acteur, et dirige Shirley Booth dans *la Meneuse de jeu* (*The Matchmaker,* 1958), puis Dean Martin et Shirley MacLaine dans *En lettres de feu* (*Career,* 1959) et *Il a suffi d'une nuit* (*All in a Night's Work,* 1961). Après le tournage, en Italie, de *l'Arsenal de la peur* (*La città prigioniera,* 1962), il revient au théâtre. En 1972, il signe *Tomorrow,* d'après William Faulkner. O.E.

ANTIHALO. *Couche antihalo,* couche absorbant la lumière, incorporée aux films négatifs pour éviter la formation d'une image parasite par réflexion des rayons lumineux sur la face dorsale du film. (→ FILM.)

ANTÍN *(Manuel), cinéaste argentin (Las Palmas, prov. du Chaco, 1926).* Il est l'auteur le plus intellectuel et le plus littéraire du *nuevo cine.* À l'exception de *Los venerables todos* (1962), remarquable étude des mentalités pré-facistes restée inédite, ses premiers films s'inspirent de l'œuvre de Julio Cortázar : *La cifra impar* (1961, d'après *Lettres à maman*), *Circe* (1963), *Intimidad de los Parques* (1964). Il quitte les méandres du fantastique quotidien et de l'intimisme pour mettre en scène un classique de la littérature gauchesque (*Don Segundo Sombra,* 1970), la biographie du plus controversé des patriarches de la nation (*Rosas,* 1971) et un voyage lyrique à travers la pampa sur les traces de l'écrivain Guillermo E. Hudson (*Allá lejos y nace tiempo,* 1977). Sous le gouvernement démocratique de Raúl Alfonsín, il assume la direction de l'Institut National du Cinéma (1983-1989) et impulse avec succès le renouvellement et la promotion du cinéma argentin. Ensuite, il crée l'Université du cinéma à Buenos Aires et se consacre à l'enseignement. P.A.P.

ANTIREFLETS. *Couche antireflets,* très fine couche transparente déposée à la surface d'une lentille pour diminuer la lumière réfléchie par cette surface. (→ OPTIQUE ONDULATOIRE.)

ANTOINE *(Léonard André), cinéaste français (Limoges 1858 - Le Pouliguen 1943).* De 1914 à 1922, le fondateur du Théâtre-Libre se voit confier par la SCAGL (Société cinématographique des auteurs et gens de lettres) et Pathé le soin de tourner neuf films. Ceux-ci s'appuient soit sur des romans célèbres de Dumas (*les Frères corses,* 1916), de Coppée (*le Coupable,* 1917), de Hugo (*Quatre-Vingt-Treize,* réalisé en 1914 et sorti en 1920, co A. Capellani ; et *les Travailleurs de la mer,* 1918) ou de Zola (*la Terre,* 1921), soit sur des pièces connues de Sandeau (*Mademoiselle de La Seiglière,* 1920) ou de Daudet (*l'Arlésienne,* 1922). En rupture totale avec les habitudes cinématographiques d'alors, il entraîne ses interprètes hors des studios. Il les met en contact direct avec la nature : la Corse ou la Provence, ou avec les rues et les faubourgs peu connus de Paris, ou les fait jouer au bord des canaux du Nord. Ainsi tourne-t-il en Belgique, en 1920, *l'Hirondelle et la Mésange,* qui est refusé par Pathé ; les rushes ont été retrouvés et montés par Henri Colpi (1983). Parmi les comédiens, il glisse d'authentiques paysans ou de véritables marins qui contribuent à donner aux films un accent de forte vérité. Trop en avance pour son époque, incompris et déçu, Antoine se retire vite du combat et se borne à tenir la critique cinématographique du *Journal.* R.C.

ANTOINE *(André Paul), scénariste français (Paris 1892 -* id. *1982).* Fils d'André Antoine à qui il rend hommage dans son livre *Antoine père et fils,* journaliste, auteur dramatique, il aborde le cinéma en collaborant au *Miracle des loups* (R. Bernard, 1924). En 1928, il réalise en collaboration avec Robert Lugéon un documentaire : *Chez les mangeurs d'hommes.* Son activité est considérable ; il travaille pour Max Ophuls (*la Tendre Ennemie,* 1936 ; *Sans lendemain,* 1940 ; *De Mayerling à Sarajevo,* id.), J. Duvivier (*le Golem,* 1936), Christian-Jaque (*Barbe-Bleue,* 1951), J. Renoir (*French Cancan,* 1955). *L'Inévitable Monsieur Dubois* (P. Billon, 1943) et *le Carrefour des enfants perdus* (L. Joannon, 1944) ont connu le succès. R.C.

ANTON *(Karel), cinéaste allemand d'origine austro-hongroise (Brünn, [*auj. *Brno, Tchécoslovaquie], 1898 - Berlin 1979).* Auteur prolifique — près de cent films —, il mène une carrière partagée entre la Tchécoslovaquie, où le film *Tonischka* (1930) le fait connaître (il s'agit du premier film sonore de ce pays), l'Allemagne, où il se fait prénommer Karl, se spécialise dans l'opérette et la comédie, tourne un *Croiseur Sébastopol* (*Weisse Sklaven,* 1938) de facture antisoviétique, assiste Hans Steinhoff pour *le Président Krüger* (1941), et la France, où de Karl il devient Charles et réalise entre 1932 et 1936 quelques divertissements anodins (il devait revenir curieusement dans les studios français en 1948 pour signer le scénario de *Barry* [R. Pottier]). J.-L.P.

ANTONELLI *(Laura), actrice italienne (Pola [auj. Pula], Yougoslavie, 1941).* Venue au cinéma (1968) après quelques films publicitaires pour la RAI, elle se voit imposer une classification *sexy* qui répond à son charme mais limite ses possibilités. Égarée dans des entreprises faussement intellectuelles comme *Vénus en fourrure,* de Max Dillman (Massimo Dallamano) [*Le malizie di Venere/Venere nuda,* 1975, RÉ 1969], elle a plus de succès dans ses rôles secondaires des *Mariés de l'an II* (J.-P. Rappeneau, 1970) ou de *Docteur Popaul* (C. Chabrol, 1972). En tête du box-office italien avec *Ma femme est un violon... sexe* (P. Festa Campanile, 1971) et surtout *Malicia* (S. Sampieri, 1973), films faits sur mesure pour sa beauté à la fois innocente et sensuelle, elle prouve ses qualités variées dans les sketches de *Sexe fou* (D. Risi, 1973) et dans une amusante composition « d'époque » : *Mon Dieu, comment suis-je tombée si bas ?* (L. Comencini, 1974). Elle soutient dignement un rôle écrasant dans *l'Innocent* (L. Visconti, 1976). Mais une sorte de nonchalance prévaut dans sa carrière, où elle dilapide en quelque sorte sa gentillesse et sa séduction : *les Monstresses* (L. Zampa, 1977), *Mi faccio la barca* (S. Corbucci, 1981), *les Derniers Monstres* (D. Risi, 1982), *la Vénitienne* (M. Bolognini, 1987), *L'avaro* (Tonino Cervi, 1990). G.L.

ANTONIONI *(Michelangelo), cinéaste italien (Ferrare 1912).* Après des études à Ferrare, puis Bologne (sciences économiques), il se consacre au journalisme. Parti pour Rome en 1939, il collabore à la revue *Cinema.* Il est envoyé en tant qu'assistant stagiaire auprès de Carné, qui réalise *les Visiteurs du soir.* Il entreprend en 1943 son premier essai, *Gente del Po* (CM documentaire) ; mais c'est comme scénariste qu'il participe à *Chasse tragique* (G. De Santis, 1948) et au *Cheikh blanc* (F. Fellini, 1952). Après une dizaine de courts métrages, il tourne *Chronique d'un amour* en 1950, début d'une filmographie relativement peu abondante, héritière pour une part du néoréalisme dans ses constats d'échecs sociaux *(les Vaincus*

– interdit en France jusqu'en 1963... – ou *le Cri)* et de l'interrogation pavésienne sur la solitude et l'incommunicabilité *(Femmes entre elles, L'avventura).* C'est ce dernier titre qui vaut à Antonioni la notoriété en 1960, comme il marque une rupture par rapport aux motivations psychologiques traditionnelles et à l'argumentation dramaturgique des films précédents. Par le jeu de la disparition d'une femme sur une île, et qui demeure inexpliquée – dissolution, éclatement de la réalité qu'on retrouvera dans *Blow Up, Zabriskie Point,* voire la *fuite* de l'objectif à la fin de *Profession : reporter* –, Antonioni accuse l'indicible qui sépare les êtres et se détache d'un temps logique du récit. Ainsi, *le Cri* (avec Alida Valli, Betsy Blair et Steve Cochran), qui peut paraître directement issu de *Gente del Po* par la voie du compromis néoréaliste, est-il à la fois aboutissement et transition. Si on excepte la scène finale, la caméra y approche la liberté d'écrire sans avoir à se justifier à mesure, sans définir arbitrairement cette part de l'être qui demeure secrète, fragile, immergée dans son espace et sa solitude. C'est cet espace que s'efforcent de cadrer *l'Éclipse, la Nuit, le Désert rouge* : tout y est en relation, et tout y est obstacle, clôture, solitude...

La fortune de ces films est due pour une part à ce qu'ils correspondent alors à un phénomène de sensibilité : l'incommunicabilité, la déshumanisation de la vie, l'agression du monde (si visuelle dans *le Désert rouge*), que regardent, impuissants, Monica Vitti ou Marcello Mastroianni, et, jusqu'au sentiment poignant de l'effacement du réel, David Hemmings dans *Blow Up.* Le néoréalisme, assez paradoxalement, a fait le lit du nouveau mal de vivre hérité, après l'effondrement des valeurs occidentales, de Sartre, ou de Pavese, dont Antonioni adapte le roman *Femmes entre elles.* Alors que, en 1967, comme à l'avant-garde d'une génération nouvelle, Marco Bellocchio s'en prend, dans *les Poings dans les poches,* à ce qui survit des valeurs condamnées, Antonioni s'oriente – avec, il est vrai, une incomparable élégance – vers l'exploration intimiste d'une faillite de civilisation que *le Désert rouge* amorce, puis que *Zabriskie Point,* tourné aux États-Unis pour la MGM, veut traduire par une gestuelle proche des attitudes et des représentations naïves d'une jeunesse en attente de révolte. On voit ainsi l'esthète désenchanté, sauf, peut-être, de son propre poème visuel, glisser de la mystérieuse *Avventura* à l'explosion répétitive qui conclut *Zabriskie Point,* puis à l'angoisse policière de *Blow Up.* Ce sont les progrès successifs d'un effacement : souvenons-nous que *Blow Up* s'achève, s'évanouit sur la répétition d'un simulacre : échange de balles imaginaires à quoi répondra le plan-séquence techniquement admirable de champs/contre-champs dans le hall de l'hôtel de Venise *(Identification d'une femme) :* mais il semble alors que, dans le no man's land esthétisant où nous sommes parvenus, ni *le portrait* ni son modèle ne nous proposent plus d'*identification ;* la réalité humaine des protagonistes s'est elle-même dissipée... Antonioni célèbre, d'une certaine manière, l'impossible innocence, que l'Occident a perdue. Mais il y a beaucoup de naïveté dans l'approche de la Chine (dans le film qu'il réalise pour la RAI), et trop d'artifices dans *Profession : reporter.* Le « nouveau sentiment de la réalité » (pour citer Alberto Moravia) qui sous-tend son œuvre depuis *le Cri* et *L'avventura,* explore d'abord un espace-temps où l'individu dans sa solitude tient la place prééminente. C'est ce qui fait que la trilogie *(L'avventura, la Nuit, l'Éclipse),* dans laquelle passent aussi les visages de Jeanne Moreau et d'Alain Delon, possède un pouvoir d'émotion sous le glaçage nocturne de l'image, une fascination (d'aucuns parlent plutôt de mystification) qui s'exerça en dépit des huées reçues, en 1960, au festival de Cannes, jusqu'à une date récente. Un désarroi se décèle pourtant chez le cinéaste, comme si, à la dissolution du réel, il ne parvenait plus à opposer une invention créatrice *(Identification d'une femme).* Les formes, les êtres se seraient-ils vidés de tout pouvoir, échappant à la saisie poétique, par effacement, comme la caméra, à la fin de *Profession : reporter,* échappe inexplicablement, par un travelling dans l'espace, à la chambre abandonnée ? À l'évidence, Antonioni est un cinéaste de la solitude. Son univers nocturne, déserté, et qu'habite le silence, où les paroles inutiles, convenues et dérisoires ne retiennent aucune dérive de s'accomplir, a su refléter un monde qui, pour une part, est aussi le nôtre. Et rien n'est jamais vulgaire, ni démagogique, ni dramatiquement exagéré dans son œuvre. C'est un cinéma de la « sous-conversation », ainsi que l'on a défini les romans de Nathalie Sarraute. Intellectuel et lyrique à la fois, Antonioni occupe, face à cette réelle impasse, une place bien particulière. L'importance qu'il accorde à l'esthétique est différente, dans sa nature même, du raffinement de Visconti, du baroque ironique de Fellini ; son sens de la réalité a pris, très tôt, ses distances par rapport à De Sica, à Lattuada. Après plusieurs années d'inactivité pour raisons de santé, il revient au cinéma avec l'appui de Wim Wenders (*Par-delà les nuages,* 1995). C.M.C.

Films ▲ : CM – *Gente del Po* (1943-1947) ; *N. U.* (*Nettezza urbana,* 1948) ; *L'amorosa menzogna* (1949) ; *Superstizione* (id.) ; *Sette canne un vestito* (id.) ; *La funivia del Faloria* (1950) ; *La villa dei mostri* (id.) ; *Uomini in più* (id.) ; LM – *Chronique d'un amour* (*Cronaca di un amore,* 1950) ; *les Vaincus / Nos fils* (*I vinti,* 1952) ; *la Dame sans camélias* (*La signora senza camelie,* 1953) ; *Suicides manqués (Tentato suicidio),* épisode de *l'Amour à la ville* (*L'amore in città,* id.) ; *Femmes entre elles* (*Le amiche,* 1955) ; *le Cri* (*Il grido,* 1957) ; *L'avventura* (*id.,* 1960) ; *la Nuit* (*La notte,* 1961) ; *l'Éclipse* (*L'eclisse,* 1962) ; *le Désert rouge* (*Deserto rosso,* 1964) ; *I tre volti* (épisode : *Il provino,* 1965) ; *Blow Up* (*id.,* GB, 1966) ; *Zabriskie Point* (*id.,* US, 1970) ; *Chung kuo, la Chine* (*Chung kuo, Cina,* 1972) ; *Profession : reporter* (*Il reporter,* 1975) ; *le Mystère d'Oberwald* (*Il mistero di Oberwald,* TV tourné en vidéo, 1980) ; *Identification d'une femme* (*Identificazione di una donna,* 1982) ; *Par-delà les nuages* (*co W. Wenders,* 1995).

ANTONUTTI *(Omero), acteur italien (Udine 1935).* En 1977, *Padre padrone,* des frères Taviani, révèle dans un rôle de père despotique un acteur de plus quarante ans qui s'était consacré jusque-là presque exclusivement au théâtre dans la compagnie du Teatro Stabile de Gênes : son répertoire allait de Shakespeare à Brecht en passant par Goldoni, Ibsen, Sartre, O'Neill, Miller. L'entente avec les Taviani se poursuit avec *la Nuit de San Lorenzo* (1982), *Kaos* (1984), *Good Morning Babylonia* (1987). Doté d'une forte présence physique qui lui permet d'exceller dans les figures autoritaires ou tutélaires non privées de tendresse, Antonutti est dirigé par de nombreux cinéastes italiens (*Quartetto Basileus,* F. Carpi, 1982 ; *Mio figlio non sa leggere,* F. Giraldi, 1984 ; *La visione del Sabba,* M. Bellocchio, 1988 ; *Una storia semplice,* E. Greco, 1991 ; *Genesis,* E. Olmi, 1994) et étrangers (*Alexandre le Grand,* T. Angelopoulos, 1980 ; *Mattosa,* Willi Herman, *id. ; El Sur,* V. Erice, 1983 ; *Bankomatt,* Herman, 1988 ; *El Dorado,* C. Saura, *id.*) ; *le Maître d'escrime* (P. Olea, 1992), *Farinelli* (G. Corbiau, 1994). On l'a vu aussi à la télévision dans l'adaptation des *Mains sales* réalisée par Elio Petri (1978) et dans *Giuseppe Verdi* de Renato Castellani (1983). J.-A.G.

APTED *(Michael), cinéaste britannique (Aylesbury, Buckinghamshire, 1941).* Après des études à Cambridge, il travaille pour Granada TV, puis s'oriente vers le cinéma. *Triple Écho* (*id.,* 1973) avec Glenda Jackson et Oliver Reed, sur un scénario de R. Chapman, était prometteur. Depuis, Apted a signé de nombreux films, réalisés en Grande-Bretagne ou aux États-Unis : *Stardust* (1974), *le Piège infernal* (*The Squeeze,* 1977), *Agatha* (1979), *Nashville Lady* (*Coal Miner's Daughter,* 1980), biographie romancée de Loretta Lynn, vedette de la country music, qui valut à Sissy Spacek un Oscar d'interprétation, *Gorky Park* (1983), *P'tang, Bang, Kipperbang* (1984), ou *Class Action* (1990). Le succès de *Gorilles dans la brume* (*Gorillas in the Mist,* 1988), production honorable et bien ficelée qui rend justice à Sigourney Weaver, fait de lui un spécialiste des « véhicules » pour stars : ainsi, *Nell* (*id.,* 1994), produit par Jodie Foster, où l'actrice joue avec conviction le rôle d'une sauvageonne. En fait, Apted n'a pas abdiqué toute ambition. On le voit quand, en 1992, il réalise deux films complémentaires sur un même sujet, la condition des Indiens dans l'Amérique moderne : *Incident à Oglala (Incident at Oglala),* produit par Robert Redford, est un documentaire où Apted retrouve les qualités qui le caractérisaient à ses débuts ; *Cœur de Tonnerre (Thunderheart)* reprend ce que le réalisateur a appris dans le film précédent pour le réutiliser à chaud dans un thriller original. On peut regretter que dans *Blink* (*id.,* 1993), bon film policier, Apted se contente à nouveau de ne jouer que sur son savoir-faire. P.P.

ARAGÓN → GUTIÉRREZ ARAGÓN *(Manuel).*

ARAKELIAN *(Hagop), maquilleur français (Ekaterinodar* [auj. *Krasnodar*]*, Russie, 1894 - Boulogne-Billancourt 1977).* En France depuis 1921, il suit l'enseignement de Chakatouny. Devenu chef maquilleur en 1933, il exerce ses talents dans près de 150 films, en particulier sous la direction de Gance (*J'accuse, la Vénus aveugle, Napoléon, Austerlitz*), Grémillon (*Pattes blanches, l'Étrange Madame X*), Carné (*les Portes de la nuit*), Melville (*les Enfants terribles*), Vadim (*Et Dieu créa la femme*), mais son chef-d'œuvre est le masque de la Bête porté par Jean Marais dans *la Belle et la Bête* de Jean Cocteau (1946). M.M.

ARANDA *(Vicente), cinéaste espagnol (Barcelone, Catalogne, 1926).* Il se trouve lié à l'école dite *de Barcelone,* dont l'esthétisme raffiné est nouveau dans le cinéma péninsulaire : *Fata Morgana* (1965) est une des œuvres les plus représentatives et les plus abouties de ce courant. Il aborde ensuite des genres plus commerciaux, soit le fantastique, soit l'érotique : *Las crueles* (1969), *La novia ensangrentada* (1972), *Clara es el precio* (1974), puis, avec davantage de rigueur, la transsexualité, dans *Cambio de sexo* (1976). Il porte enfin à l'écran, avec talent, *la Fille à la culotte d'or* (*La muchacha de las bragas de oro,* 1979), d'après Juan Marsé, incursion d'un écrivain franquiste dans son passé, *Asesinato en el Comité Central* (1982), d'après Manuel Vázquez Montalbán, film policier ironiquement teinté de politique, et *À coups de crosse* (*Fanny Pelopaja,* 1984), portrait sans concession d'une jeune loubarde et d'un policier corrompu. Il tourne ensuite *Tiempo de silencio* (1986), *El Lute-Camina o revienta* (1987), *Demain je serai libre* (*El Lute II-Mañana sere libre,* 1988) *Si te dicen que cai* (1989), *Amantes* (1991), *El amante bilingüe* (1993), *Intruso* (*id.*). P.A.P.

ARATA *(Ubaldo), chef opérateur italien (Ovada 1895 - Rome 1947).* Assistant opérateur à l'Aquila Film de Turin dès 1911, Arata commence sa carrière de chef opérateur en 1915, au temps du muet (nombreux films avec Righelli, Almirante, Negroni), et son activité se poursuit sans interruption jusqu'à sa mort : il travaille alors au *Cagliostro* de Gregory Ratoff. C'est un opérateur d'un grand professionnalisme, qui sait parfaitement adapter son style aux différents cinéastes avec lesquels il collabore. Parmi ses œuvres les plus marquantes, on peut citer : *Rails* (M. Camerini, 1929), *Je t'aimerai toujours* (*id.,* 1933), *La signora di tutti* (Max Ophuls, 1934), *Passaporto rosso* (G. Brignone, 1935), *Aldebaran* (A. Blasetti, *id.*), *Luciano Serra pilota* (G. Alessandrini, 1938), *Tosca* (Carlo Koch, 1941), *Carmen* (Christian-Jaque, 1943-1945), *Rome ville ouverte* (Rossellini, 1945). J.-A.G.

ARATAMA *(Michiyo), actrice japonaise (Nara 1930).* Elle débute au cinéma en 1951 et joue le plus souvent des personnages d'épouse ou de mère *typiquement* japonaises, exprimant des sentiments de pureté morale et de fidélité. Elle est, entre autres, la femme du héros idéaliste Kaji dans *la Condition de l'homme* (M. Kobayashi, 1959-1961, film en trois parties). Mais elle reste aussi l'interprète d'Ichikawa (*le Brasier,* 1958), Naruse (*Iwashigumo,* id.), Ozu (*l'Automne de la famille Kohayagawa / Dernier Caprice,* 1961) ou encore de Masaki Kobayashi (*Kwaidan,* 1964 ; *Pavane pour un homme épuisé,* 1968). M.T.

ARAU *(Alfonso), acteur et cinéaste mexicain (Mexico 1932).* Il a une formation classique de comédien et danseur, incluant l'étude de la pantomime à Paris. Il joue notamment dans des films d'Alberto Isaac (*El rincón de las vírgenes,* 1972 ; *Tívoli,* 1974). Il passe à la mise en scène avec des comédies comme *El Aguila Descalza* (1969), où il interprète un double rôle, et *Calzonzín inspector* (1973), inspirée par une bande dessinée et par Gogol. *Mojado Power* (1979), une comédie musicale sur les Chicanos, vise déjà le public des États-Unis, où le film a été tourné. Le succès arrive finalement avec la saga d'une famille mexicaine bouleversée par la Révolution, *les Épices de la passion* (*Como agua para chocolate,* 1991), adaptation du best-seller de son épouse Laura Esquivel, plus ou moins redevable du réalisme magique popularisé par García Márquez et Isabel Allende. En 1994, il signe *A Walk in the Clouds.* P.A.P.

ARAVINDAN *(Govindan), cinéaste indien (Kottayam, Kerala, 1935 - Trivandrum, 1991).* Après des études scientifiques, il touche à la peinture et au dessin, à la musique et à la dramaturgie. Il réalise son premier film en 1974, *Uttarayanam,* qui est remarqué, puis *Kanchana Seeta* (1977), *'le Chapiteau'* (*Thampu,* 1978), enfin, en 1979, *'le Croquemitaine'(Kummatty)* et *Estheppan.* La vie d'un cirque pauvre *(Thampu),* l'apparition d'un personnage errant *(Kummatty)* sont des approches subtiles de l'enfance et du quotidien que l'auteur sait rendre sensibles sans faire appel aux acteurs professionnels. Avec *Esthappan,* film plus ambitieux, le cinéaste nous donne une autre fable sur la réalité et le mythe dans le monde indien. *'Crépuscule'* (*Pokkuveyil,* 1981) révèle le monde intérieur d'un adolescent soumis à la fascination de la musique. Plusieurs fois primé, Aravindan, auteur du subtil *Chidambaram* en 1985, puis de *Il était une fois un village* (*Oridathu,* 1987), *Marattam* (TV, 1988) et *Unni* (INDE-US, 1990), est, avec Gopalakrishnan notamment, un des cinéastes indépendants représentatifs du Sud (films parlés en malayālam). En 1990, il réalise ce qui sera sa dernière œuvre, *Vasthuhara.* C.M.C.

ARBUCKLE *(Roscoe,* dit *Fatty), acteur américain (San Jose, Ca., 1887 - New York, N. Y., 1933).* C'était le gros homme jovial des comédies Keystone de Mack Sennett, où il débuta en 1909. Il fut longtemps l'égal de Charles Chaplin et dirigeait ses propres films. Il tourna avec Mabel Normand, Ford Sterling, Chester Conklin, Chaplin lui-même, et surtout engagea le jeune Buster Keaton, qui apparut à ses côtés dans treize films et qui le considérait comme son maître. Son obésité innocente et son sens de la malice, sa gaieté homérique et la légèreté surprenante de ses gambades en firent longtemps un roi du muet, à Hollywood, où il créa la Comique Film Corporation fondée avec Joe Schenck en 1917, jusqu'au moment où un scandale fameux le fit tomber dans une disgrâce fatale. Au cours d'une partie donnée à San Francisco chez l'acteur Lowell Sherman, la jeune actrice Virginia Rappe mourut d'une péritonite. La colonie hollywoodienne étant très puritaine, on cria à l'orgie, et Arbuckle fut accusé de viol et de meurtre. D'un seul coup, le physique plantureux de Fatty devint un symbole d'obscénité, et l'acteur fut mis au ban de l'industrie. Il fut pourtant acquitté par trois jurys, qui conclurent à l'injustice flagrante du procès et à son innocence, mais le mal était fait. Ce fut, selon l'expression fameuse, « le jour où les rires s'arrêtèrent ». Grâce à l'intervention secrète de Keaton, Arbuckle dirigea plusieurs films sous le nom de William B. Goodrich (ou Will B. Good), notamment *The Red Mill* avec Marion Davies et *Special Delivery* avec Eddie Cantor. Il mourut dans l'oubli. R.BN.

ARC. *Arc électrique,* puissante décharge électrique émettant une grande quantité de lumière, jaillissant entre deux électrodes peu écartées. *Arc à charbons,* arc électrique entre deux électrodes en graphite. *Lampe à arc,* source lumineuse à base d'arc électrique. (→ SOURCES DE LUMIÈRE, PROJECTION.)

ARCADY *(Alexandre), cinéaste français (Alger 1947).* Successivement acteur, réalisateur à la télévision, metteur en scène et directeur de théâtre à Suresnes, ce fils de rapatriés réalise son premier long métrage en 1979, *le Coup de sirocco,* chronique douce-amère de la petite bourgeoisie pied-noir au moment des rapatriements. Toujours fidèle à son acteur Roger Hanin, il obtient un grand succès commercial avec *le Grand Pardon* (1982), sur la mafia juive et ses parrains. *Le Grand Carnaval* (1983), fresque à gros budget sur le débarquement allié, en Afrique du Nord, clôture sa trilogie sur la saga des Français d'Algérie. Habile à tracer des portraits chaleureux et à décrire des ambiances pittoresques, il n'échappe pas toujours à la convention tant dans ses scénarios que dans la mise en scène. Après l'échec commercial de *Hold-up* (1985), comédie policière à gros budget réalisée pour Jean-Paul Belmondo, il tourne en 1986 *Dernier Été à Tanger* puis *l'Union sacrée* (1989), *Pour Sacha* (1991), *le Grand Pardon II* (1992) et *Dis moi oui* (1995). A.T.

ARCALLI *(Franco Orcalli,* dit *Kim), monteur, scénariste et cinéaste italien (Rome 1928 - id. 1978).* Il collabore à la mise en scène des premiers films de Tinto Brass : *Chi lavora è perduto* (1964) et *Ça ira, il fiume della rivolta* (1965). Il monte ou supervise le montage de cinquante films, devenant un technicien original et recherché. Au niveau du scénario comme à celui du montage, sa collaboration fondamentale avec Bertolucci (*le Conformiste,* 1971 ; *le Dernier Tango à Paris,* 1972 ; *1900,* 1976 ; *La luna,* 1979) n'est qu'une partie de son travail créatif pour des cinéastes différents, d'Antonioni à Bolognini, en passant par Samperi, Giraldi ou Liliana Cavani. L.C.

ARCAND *(Denys), cinéaste canadien (Deschambault, Québec, 1941).* Après des études d'histoire à l'université de Montréal, il travaille à l'ONF, où il réalise de nombreux courts métrages. En 1969-70, il dirige *On est au coton,* long métrage polémique sur les travailleurs du textile dans les usines du sud du Québec, qui met en évidence non seulement les rapports d'exploitation, mais aussi la relation entre ces rapports et le conflit entre francophones et anglophones. Le film est retenu plusieurs années par la direction de l'ONF, rare cas de censure dans le cinéma canadien. Dans la même veine de films documentaires et polémiques, il réalise ensuite un autre très long métrage consacré à l'histoire récente de la province : *Québec : Duplessis et après...* (1971-72). Après cette date, Denys Arcand met en scène trois films de fiction, dont le réalisme appuyé entretient des liens étroits avec l'évolution du Québec contemporain : *la Maudite Galette* (1972), *Réjeanne Padovani* (1973) et *Gina* (1975). En 1984 il signe *le Crime d'Ovide Plouffe*, en 1986 *le Déclin de l'empire américain* qui remporte un large succès international, *Jésus de Montréal* en 1988 et *De l'amour et des restes humains* (1994). J.-P.J.

ARCHIBUGI *(Francesca), cinéaste italienne (Rome 1960).* Après des études au Centro Sperimentale puis à l'École de Bassano créée par Ermanno Olmi, Francesca Archibugi réalise des courts métrages de fiction dans les années 82-84. Elle étudie ensuite la technique de l'écriture cinématographique dans l'atelier de Furio Scarpelli et obtient en 1986 le prix Solinas pour l'un de ses scénarios. *Mignon est partie* (*Mignon é partita,* 1988), son premier long métrage, obtient un succès justifié grâce à la description pleine de sensibilité d'un groupe d'enfants au moment du passage à l'adolescence. Suivent alors *Dans la soirée* (*Verso sera,* 1990), comédie nostalgique avec Marcello Mastroianni et Sandrine Bonnaire *la Grande Citrouille (Il grande cocomero,* 1993) qui analyse un cas d'épilepsie enfantine liée à un traumatisme psychologique, *les Yeux fermés* (*Con gli occhi chiusi,* 1995), mélodrame passionnel situé à Sienne au début du siècle. Analyste pénétrante de l'enfance comme moment authentique et incompris, Francesca Archibugi est une cinéaste d'une rare finesse psychologique. J.-A.G.

ARCHIMBAUD *(Antoine), ingénieur du son français (Aubervilliers 1902 - Paris 1974).* Avec W. R. Sivel et J. de Bretagne, il est un des premiers et des plus connus parmi les chefs opérateurs du son français. Il a été associé à plusieurs dizaines de films, dont un grand nombre d'œuvres classiques telles que *la Petite Lise* (J. Grémillon, 1930), *les Croix-de-bois* (R. Bernard, 1932), *les Misérables* (*id.,* 1934), *la Belle Équipe* (J. Duvivier, 1936), *Pépé le Moko* (*id.,* 1937), *Drôle de drame* (M. Carné, *id.*), *le Puritain* (J. Musso, 1938), *Mollenard* (R. Siodmak, *id.*), *les Portes de la nuit* (Carné, 1946), *Le silence est d'or* (R. Clair, 1947), *les Parents terribles* (J. Cocteau, 1949), *Rendez-vous de juillet* (J. Becker, *id.*), *Justice est faite* (A. Cayatte, 1950), *Gervaise* (R. Clément, 1956), *Sait-on jamais* (R. Vadim, 1957), *Une vie* (A. Astruc, 1958), *Pickpocket* (R. Bresson, 1959), *les Tontons flingueurs* (G. Lautner, 1963). O.B.

ARCHIVES DU FILM. Service du Centre national de la cinématographie auquel incombent la conservation et le catalogue des films cinématographiques. (→ DÉPÔT LÉGAL, CONSERVATION DES FILMS.)

ARDANT *(Fanny), actrice française (Saumur 1949).* Après des études universitaires elle débute sur les planches en 1974, avant de se consacrer essentiellement au cinéma à partir de 1979 (*les Chiens,* A. Jessua). Son physique très piquant lui ouvre une carrière cinématographique aussi riche que variée : *les Uns et les autres* (Cl. Lelouch, 1981), *la Femme d'à côté* (F. Truffaut, *id.*), *La vie est un roman* (A. Resnais, 1983), *Vivement dimanche* (Truffaut, *id.*), *Benvenuta* (A. Delvaux, *id.*), *Un amour de Swann* (V. Schlöndorff, 1984), *l'Amour à mort* (Resnais, *id.*), *l'Été prochain* (N. Trintignant, 1985), *les Enragés* (P. W. Glenn, *id.*), *Desiderio* (Anna-Maria Tato, *id.*), *Conseil de famille* (Costa-Gavras, 1986), *le Paltoquet* (M. Deville, *id.*), *Mélo* (Resnais, *id.*), *la Famille* (E. Scola, 1987), *Pleure pas my love* (Tony Gatlif, 1988), *Trois Sœurs* (M. von Trotta, *id.*), *Australia* (J. J. Andrien, 1989), *Aventures de Catherine C.* (Pierre Beuchot, 1990), *Afraid of the Dark* (Mark Peploe, 1991), *la Femme du déserteur* (Michal Bat-Adam, 1992), *le Colonel Chabert* (Yves Angelo, 1994). F.LAB.

ARDEN *(Eunice Quedens,* dite *Eve), actrice américaine (Mill Valley, Ca., 1912 - Los Angeles, Ca., 1990).* D'abord artiste de music-hall, elle crée dans *Pension d'artistes* (G. La Cava, 1937) un personnage vite populaire, auquel elle restera longtemps attachée. Observatrice plutôt que participante, elle commente et démystifie les actions des protagonistes. Ses aphorismes caustiques tombent comme des couperets, avec un sens aigu de l'à-propos. Elle est la confidente avertie, la compagne expérimentée, trop lucide pour se laisser aller à l'émotion. On la voit notamment dans *la Danseuse des Folies Ziegfeld* (R. Z. Leonard, 1941), *l'Entraîneuse fatale* (R. Walsh, *id.*), puis dans *la Reine de Broadway* (Ch. Vidor, 1944), *le Roman de Mildred Pierce* (M. Curtiz, 1945). En 1948, elle lance une série radiophonique, *Our Miss Brooks,* qu'elle transpose avec succès à la télévision. Elle s'éloigne ensuite progressivement des studios, interprète la secrétaire de James Stewart dans *Autopsie d'un meurtre* (O. Preminger, 1959) et fait une de ses dernières apparitions notables à l'écran dans *Grease* (Randal Kleiser, 1978). O.E.

ARDITI *(Pierre), acteur français (Paris 1944).* Formé par Tania Balachova, il débute au théâtre chez Marcel Maréchal en 1965. Rossellini en fait son Blaise Pascal en 1972 et, au cours des années 1970, il apparaît dans d'autres réalisations télévisuelles et dans quelques films comme *l'Amour violé* (1978) de Yannick Bellon, poursuivant parallèlement une carrière sur les planches. Sa rencontre avec Alain Resnais en 1979 est décisive : après *Mon oncle d'Amérique,* il enchaîne film sur film et retrouve le cinéaste pour trois autres titres dont *Mélo* qui lui vaut le César du meilleur second rôle masculin en 1987. S'il aime se définir comme « un comédien généraliste », on lui confie plus de rôles graves : musicien trahi en amour et en amitié (*Mélo,* A. Resnais, 1986), haut fonctionnaire inquiétant (*Agent trouble,* J.-P. Mocky, 1987), que d'emplois comiques (*Vanille-fraise,* G. Oury, 1989). En 1991, Nelly Kaplan lui offre le rôle central de *Plaisir d'amour.* En 1993, il remporte un grand succès dans le double film d'Alain Resnais *Smoking / No Smoking,* 1993). J.L.

ARDREY *(Robert), écrivain et scénariste américain (Chicago, Ill., 1908 - Kalkbaay, Le Cap, rép. d'Afrique du Sud, 1980).* On oublie souvent que cet essayiste célèbre, dont les livres (*l'Impératif territorial,* 1966 ; *le Contrat social,* 1970) ont influencé toute une génération par leurs théories sociobiologiques, fut auparavant un scénariste coté à Hollywood. Après des études en sciences naturelles et en anthropologie à l'université de Chicago, il est encouragé par Thornton Wilder à écrire des pièces pour Broadway dans les années 30. Dès le début des années 40, il travaille à Hollywood et signe des scénarios où domine le sens du romanesque et de l'aventure, tels *Passion immortelle* (*Song of Love,* C. Brown, 1947), *les Trois Mousquetaires* (G. Sidney, 1948), *Madame Bovary* (V. Minnelli, 1949), *Quentin Durward* (R. Thorpe, 1955), *l'Aventurier du Rio Grande* (R. Parrish, 1959), *les Quatre Cavaliers de l'Apocalypse* (Minnelli, 1962). M.C.

ARENA *(Maurizio di Lorenzo), acteur et cinéaste italien (Rome 1933 - Casal Palocco, Rome, 1979).* De *Bellezze in motoscooter* (C. Campogalliani, 1953) à *Pauvres mais beaux* (D. Risi, 1956), et aux nombreuses farces estivales suivantes, il perfectionne son personnage de jeune fanfaron et séducteur romain, qu'il exploite et autocritique en même temps dans les deux films dirigés par lui-même : *Il principe fusto* (1960), *Gli altri, gli altri e noi* (1967). À sa décadence comme acteur de genre dans des petits films correspond sa renommée inattendue de guérisseur miraculé, vénéré après sa mort. L.C.

ARGENTINA *(Magdalena Nile del Rio,* dite *Imperio), actrice espagnole d'origine argentine (Buenos Aires 1906).* Une des vedettes les plus populaires du cinéma espagnol de la première moitié du siècle, elle est mariée au metteur en scène Florian Rey, pour qui elle interprète *La hermana San Sulpicio* (deux versions, 1927 et 1934), *El novio de mamá* (1934), les grands succès *Nobleza baturra* (1935) et *Morena clara* (1936), *Carmen la de Triana* (1938), *La canción de Aixa* (1939), *La cigarra* (1948). Elle joue aussi dans *L'amour chante* (R. Florey, 1930), *Cinopolis* (José María Castellvi, 1931), *Su noche de bodas* (L. Mercanton, *id.*), *Melodiá de arrabal* (L. J. Gasnier, 1932), *Tosca* préparée par Jean Renoir (Carl Koch, 1940), *Goyescas* (B. Perojo, 1942), *Bambú* (J. L. Saenz de Heredia, 1945). Petite virtuose du chant et de la danse, elle se métamorphose d'Aragonaise en Gitane ou en Cubaine selon les besoins d'un cinéma qui affectionne les stéréotypes. Sa carrière finit avec quelques films en Argentine, puis des rôles mineurs (*Con el viento Solano,* Mario Camus, 1965 ; *Tata mia,* J.L. Borau, 1986). P.A.P.

ARGENTINE. Le cinématographe Lumière est présenté pour la première fois à Buenos

Aires le 18 juillet 1896. Le Belge Henri Lepage importe et diffuse des bandes. Son employé, le Français Eugène Py, enregistre les premières prises de vues locales (*La bandera argentina,* 1897), des actualités ou documentaires. La première salle fixe est inaugurée dans la capitale en 1900. Eugenio Cardini réalise la première tentative de fiction (*Escenas callejeras,* 1901), et Py illustre une série de chansons à partir de 1907. La formule de toute une suite de films de fiction est trouvée par l'Italien Mario Gallo, avec *El fusilamiento de Dorrego* (1908). Il s'inspire du *film d'art* français et italien et fait appel à des comédiens de théâtre reconnus, pour mettre en scène des reconstitutions historiques de plus en plus grandioses, telles *La revolución de Mayo* (1910) et *La batalla de Maipú* (1913) avec la participation d'un régiment de grenadiers. L'industriel Julio Raul Alsina construit le premier studio (1909) et exploite la même veine (*Facundo Quiroga,* 1912). *Nobleza gaucha* (Eduardo Martínez de la Pera, Ernesto Gunche et Humberto Cairo, 1915) contient des observations parallèles intéressantes sur la campagne et la métropole, en dépit d'une intrigue conventionnelle. Son immense succès révèle un public pour le film national et suscite de multiples vocations. Dans son sillage, *El último malón* (Alcides Greco, 1916), évoquant une révolte indienne, dénote un certain souci d'authenticité. L'Autrichien Max Glucksmann, nouveau maître de la maison Lepage, produit aussi bien des documentaires que des films de fiction et met sur pied un grand circuit d'exploitation s'étendant au Chili et à l'Uruguay. L'Italien Federico Valle* produit lui aussi beaucoup de documentaires, les premières actualités régulières et des films de fiction, incorporant les techniques d'animation à *El apóstol* (1917), satire du président Yrigoyen. L'actualité politique fait irruption encore dans *Juan sin ropa* (Héctor Quiroga et Georges Benoît, 1919), où l'on perçoit les échos de la répression contre les anarchistes, connue sous le nom de Semaine tragique. *Resaca* (Atilio Lipizzi, 1916) se rattache plutôt au cinéma américain, tandis que l'œuvre isolée de Roberto Guidi (*Mala Yerba,* 1920 ; *Escándalo a medianoche,* 1923) exprime une exigence intellectuelle et formelle restée sans suite. C'est à une sensibilité intuitive qu'on doit les trouvailles et réussites de José Agustín Ferreyra*, la personnalité la plus créative du muet et du début des années 30, dont la carrière commence en 1915.

L'avènement du parlant tue la plupart des fragiles cinématographies latino-américaines. Pour l'Argentine, en revanche, cette révolution technique signifie le démarrage d'une forte expansion, disputant le marché de langue espagnole au concurrent américain. Ferreyra réalise le premier film parlant, *Muñequitas porteñas* (1931). Le succès de *Tango* (Luis Moglia Barth, 1933), un défilé d'orchestres et de chanteurs, désigne la voie suivie par les nouveaux producteurs et consolide la Argentina Sono Film que vient de fonder Angel Mentasti*. *Los tres berretines* (Enrique T. Susini, 1933) ouvre la production de sa rivale, la compagnie Lumiton, qui bâtit des studios selon le modèle hollywoodien. Entre 1932 et 1942, le nombre de longs métrages passe de 2 à 56, record jamais plus égalé. Lors de l'apogée de l'industrie argentine, quatre mille techniciens et comédiens s'affairent dans une trentaine de studios. La municipalité de Buenos Aires institue des prix à la qualité, premier signe d'un intérêt officiel. Le secret du succès semble être : tango et Libertad Lamarque*, principal atout d'un star-system florissant (Luis Sandrini, Tita Merello, Pepe Arias, Nini Marshall, Mirtha Legrand, Mecha Ortiz). La chanson de Buenos Aires connaissait son âge d'or ; Carlos Gardel* tourne à Joinville et à New York. Les orchestres typiques étaient déjà souvent le clou du spectacle cinématographique dans la capitale du Río de la Plata, lorsqu'ils accompagnaient les films muets. Au début du parlant, on se contente de relier des numéros musicaux entre eux (*Ídolos de la radio,* Eduardo Morera, 1934) et le public est tout heureux de retrouver ses idoles. Ensuite, Ferreyra s'inspire du tango pour porter sa mythologie populaire à l'écran. Les rapports entre musique et cinéma s'approfondissent. Les titres de films copient ceux des chansons, et vice versa. Les hommes passent d'un domaine à l'autre, sans solution de continuité, tel Manuel Romero* (*Los muchachos de antes no usaban gomina,* 1937 ; *Tres anclados en Paris,* 1938). Deux poètes du tango apportent leur contribution au cinéma : Homero Manzi* en tant que scénariste et Enrique Santos Discépolo en tant qu'interprète et réalisateur (plusieurs films). La radio et le théâtre fournissent le renfort dont a besoin une industrie prospère, qui suscite des imitations au Chili et ailleurs. Puis cette mythologie populaire se fige, et on s'oriente vers une sophistication censée gagner le public des classes moyennes. Francisco Mugica est le spécialiste des comédies à l'eau de rose (*Margarita, Armando y su padre* et *Así es la vida,* 1939), Luis Cesar Amadori* le principal artisan au service de Mentasti, et Luis Saslavsky* le calligraphe zélé d'un croissant artifice. Le bandonéoniste Lucas Demare* traite des épisodes de l'histoire nationale selon une épique westernienne (*La guerra gaucha,* 1942). Mais les deux réalisateurs les plus personnels et les plus doués de cette période sont Mario Soffici* (*Prisioneros de la tierra,* 1939), chantre d'une Argentine profonde en détresse, et Leopoldo Torres Ríos* (*La vuelta al nido,* 1938), tourné vers un réalisme urbain et se vantant à juste titre de n'avoir jamais filmé des « téléphones blancs ».

La prospérité ne dure guère plus d'une dizaine d'années, cependant. Après la Seconde Guerre mondiale, le Mexique supplante l'Argentine sur le marché hispano-américain. Le lent déclin est dû autant à la sclérose esthétique qu'à la fragilité économique. La volonté d'*internationalisation* du cinéma argentin accentue le mimétisme envers les modèles dominants : le parler populaire est abandonné au profit d'une langue neutre, sans les accents ni les expressions du Río de la Plata ; on adapte Ibsen, Tolstoï, Strindberg, plutôt que de s'inspirer des œuvres ou des réalités nationales. Le public se détourne de ces pâles copies. Or, toute la machinerie de production est dépendante des distributeurs et des circuits d'exploitation, liés traditionnellement aux cinémas étrangers. Les producteurs nationaux n'ont pas investi dans les mécanismes de commercialisation, restant en fin de compte à la merci des intermédiaires, contrairement à ce qui se passe au Mexique. Le gouvernement du général Perón, si fertile en interventions étatiques, démontre n'avoir pas de politique cinématographique d'ensemble. Les mesures adoptées (projection obligatoire de films nationaux à partir de 1944, limitation des importations de films étrangers, facilités de crédits souvent empreintes de favoritisme) s'avèrent des palliatifs qui maintiennent plus ou moins quantitativement la production, mais n'en freinent pas la chute qualitative.

Deux débutants se détachent alors : Hugo del Carril* et Leopoldo Torre Nilsson*. Après le renversement de Perón (1955), la chute de la production s'accentue. Le marasme est tel que plusieurs cinéastes continuent leur carrière en Espagne, voire à Hollywood, tel Hugo Fregonese*. De même que l'échec de la Vera Cruz au Brésil, la crise favorise certaines prises de conscience. Une génération différente s'exprime d'abord au sein des ciné-clubs et des revues comme *Gente de cine* (1951) et *Cuadernos de cine* (1954). L'année 1956 voit naître une Association de cinéma expérimental, une Association de réalisateurs de courts métrages et l'Institut de cinéma de l'université du Litoral, de Santa Fé, sous la direction de Fernando Birri*. Une nouvelle loi du cinéma et la création de l'Institut national du cinéma (1957) relancent la production indépendante de courts et longs métrages, sous le gouvernement Frondizi. Le festival de Mar del Plata (1958) contribue à la diffusion internationale de ce qu'on appelle le *nuevo cine* argentin. Torre Nilsson en est une sorte de frère aîné. Fernando Ayala* appartient à sa génération. Parmi les jeunes cinéastes qui arrivent à vaincre les obstacles et à s'exprimer avec talent, on peut citer : l'ancien directeur de *Cuadernos de cine,* Simón Feldman (*El negoción,* 1959) ; l'intimiste David José Kohon (*Prisioneros de una noche,* 1960 ; *Tres veces Ana,* 1961) ; José Martinez Suarez, s'inspirant d'un roman de David Viñas (*Dar la cara,* 1962) ; Daniel Cherniasvsky, qui tourne un scénario de l'écrivain Augusto Roa Bastos* (*El terrorista,* 1962) ; l'ironique Rodolfo Kuhn* ; le très intellectuel Manuel Antín* ; l'inclassable René Mugica* et le comédien Lautaro Murua*, dont le passage à la mise en scène apporte la révélation la plus surprenante. Le *nuevo cine* marque aussi les débuts du chef opérateur Ricardo Aronovich*. Tantôt politique, tantôt psychologique (ou encore introspective), cette éclosion implique un renouvellement du regard des cinéastes argentins, une plongée dans les couches diverses de leur société.

La crise politique puis la dictature militaire (1966) estompent la progression de cette production indépendante et diversifient les voies empruntées. Face aux difficultés et à la censure, certains recourent aux films historiques et folkloriques ou aux adaptations littéraires, voire aux films d'art (le cinéma documentaire de Jorge Preloran* étant un cas à part). D'autres partent pour l'étranger, comme Humberto Ríos (*Eloy,* 1968, au Chili ; *Al grito de este pueblo,* 1971, en Bolivie), Alejandro Saderman (documentariste à Cuba), Hugo Santiago* ou Eduardo de Gregorio*. Les débutants libérés du carcan de l'intimisme sont peu nombreux (Leonardo Favio*, Raúl de la Torre*). Un courant *underground,* expérimental, se développe timidement, avec Miguel Bejo (*La familia unida espera la llegada de Hallowyn,* 1971), Edgardo Cozarinsky* et Julio Ludueña (*La civilización está haciendo masa y no quiere oir,* 1973). La radicalisation politique, qui traverse aussi bien la gauche que le péronisme, aboutit à un courant de cinéma clandestin, se réclamant des précédentes expériences d'Ivens*, Santiago Alvarez* et Birri. *L'Heure des brasiers* (Solanas* et Getino*, 1968) est le prototype d'un certain cinéma militant, auquel se rattache Gerardo Vallejo*. Le cinéma politique trouve encore d'autres partisans, comme Jorge Cedrón (*Operación Masacre,* 1972, écrit en collaboration avec Rodolfo Walsh) et Raimundo Gleyzer*.

La courte période de libéralisation politique, sous des gouvernements péronistes (1973-74), permet l'explosion sur les écrans d'une créativité diversifiée que souligne une hausse de la fréquentation (un marché de 50 millions de spectateurs) et de la production (40 longs métrages par an, contre une moyenne de 29 durant les années 1955-1970). Les films militants jusqu'alors interdits sortent en salle. D'autres, réalisés selon des conceptions plus classiques, les rejoignent par le courage du propos (*La Patagonia rebelde,* Héctor Olivera*, 1973 ; *Quebracho,* Ricardo Wulicher, *id.).* D'autres encore portent à l'écran des œuvres littéraires latino-américaines (*La tregua,* Sergio Renan, 1974 ; *Los gauchos judíos,* Juan José Jusid*, 1975). On élabore une nouvelle loi du cinéma qui s'attaque aux blocages de la distribution et de l'exploitation et soutient la production indépendante. Tout cela s'écroule brutalement avec le retour en force des militaires au pouvoir (1976). La répression, mortelle pour certains, incite à l'exil. La production retombe au niveau le plus bas (15 longs métrages en 1977). Elle ne remonte à une trentaine de films que pour s'installer dans la médiocrité. Les quelques *nouveaux* cinéastes poursuivant leur travail, sous une censure étouffante, doivent se contenter de films retenus, ambigus, ou d'illustrer la littérature nationale (*Saverio el cruel,* Wulicher, 1977 ; les entretiens de *Borges para millones,* id., 1978 ; *El poder de las tinieblas,* Mario Sábato, 1979) ou encore d'emprunter les codes classiques du thriller (*Tiempo de revancha,* Adolfo Aristarain*, 1981). Le retour à la démocratie et la gestion de Manuel Antín à la tête de l'Institut national du cinéma (1983-89) stimulent la production, les débuts de jeunes réalisateurs et la promotion des films argentins à l'étranger. Le meilleur symbole du retentissement obtenu reste l'Oscar attribué à *l'Histoire officielle* (Luis Puenzo*, 1986), un des nombreux titres qui évoquent les meurtrissures de la dictature militaire. Parmi les nouveaux metteurs en scène, on peut citer Bebe Kamin (*Los chicos de la guerra,* 1984), Carlos Sorín (*La película del rey,* 1985), Raúl Tosso (*Gerónima, id.*), Alberto Fischerman (*Los días de junio, id.),* le provocateur Jorge Polaco *(Diapasón, id.),* Miguel Pereira *(La deuda interna,* 1987), Alejandro Agresti* *(El amor es una mujer gorda, id.),* Gustavo Mosquera *(Lo que vendrá, id.),* Marcelo Céspedes et Carmen Guarini (*Buenos Aires, crónicas villeras,* DOC, 1988), Jeanine Meerapfel (*La amiga,* 1989), Eduardo Mignona (*Flop,* 1990), Javier Torre (*Las tumbas,* 1991), Tristán Bauer *(Después de la tormenta, id.),* Marcelo Piñeyro (*Tango feroz,* 1993), Lita Stantic *(Un muro de silencio, id.),* Alberto Lecchi (*Perdido por perdido,* 1993). Entre eux et les vétérans Ayala et Olivera, toujours sur la brèche, on trouve notamment María Luisa Bemberg* (*Camila,* 1983), Alejandro Doria (*Darse cuenta,* 1984), Solanas de retour d'exil, et Eliseo Subiela* (*Hombre mirando al sudeste,* 1985), l'une des révélations majeures de la décennie. Bref, de quoi faire vivre le cinéma argentin, à condition qu'il puisse surmonter son instabilité politique et économique chronique. Une nouvelle loi du cinéma (1995) essaye justement d'y remédier. P.A.P.

ARGENTO *(Dario), cinéaste et scénariste italien (Rome 1940).* Fils du producteur Salvatore Argento, d'abord critique au *Paese sera,* il collabore à plusieurs scénarios, dont celui d'*Il était une fois dans l'Ouest* de Sergio Leone. Il réalise son premier film en 1969 : *l'Oiseau au plumage de cristal (L'uccello dallo piume di cristallo),* un « thriller-spaghetti » teinté de sadisme. Suivront, dans le même style, *le Chat à neuf queues* (*Il gatto a nove code,* 1971) et *Quatre Mouches de velours gris* (*Quattro masche di velluto grigio,* id.), puis un film historique, *Le cinque giornate* (1973). Argento se lance ensuite dans le film d'horreur, plus ou moins parodique, avec *les Frissons de l'angoisse* (*Profondo rosso,* 1975), *Suspiria* (1977), *Inferno* (1979), *Ténèbres* (*Tenebrae,* 1983), *Phenomena* (1985), *Opera* (1987), *Trauma* (1993), ponctués de stridences musicales caractéristiques. C.B.

ARGOT. L'argot de cinéma n'est pas d'une richesse telle qu'elle mette le profane à l'écart du discours du cinéaste. Il tend d'ailleurs à tomber en désuétude, sans doute parce que son usage pourrait être pris comme une référence à une tradition plus ou moins rejetée. On lui préfère donc les altérations d'apparence plus moderne, telles que le diminutif (*projo* pour projecteur, *électro* pour électricien, *machino* pour machiniste, *pano* pour panoramique, etc.) ou l'américanisme (*dolly, clap,* etc.).

On peut néanmoins citer quelques mots ou locutions clefs qui permettent de passer pour initié. (Les étymologies sont souvent évidentes, parfois incertaines, parfois cocasses.)

audi : diminutif de *auditorium* (→ BANDE SONORE), a permis de trancher le douloureux problème du pluriel.

bada (porter le) : assumer la responsabilité d'une faute professionnelle.

barbouille : maquillage.

bécane : après avoir longtemps désigné l'enregistreur sonore, est maintenant utilisé pour la caméra.

bible : exemplaire du découpage technique appartenant au réalisateur.

bidon : tout ce qui est factice et dont seule l'apparence importe (whisky bidon, revolver bidon).

bijoute : meuble ou valise de rangement de l'accessoiriste.

boîte (c'est dans la) : indique que le plan est tourné.

bouffer (le trait) : dépasser l'horaire prévu.

cacheton : salaire quotidien d'un acteur.

caillou : objectif.

cale bastaing : petite cale débitée sur un bastaing.

cale sifflet : demi-cale bastaing, coupée en biais.

clap : claquette. (→ REPIQUAGE.)

coletard : champ de la caméra.

complexe : construction en studio d'un ensemble de lieux communiquant entre eux, permettant un passage continu de la caméra.

confiture : gelée inflammable utilisée pour simuler, entretenir ou propager les feux.

crabe : comédien. On dit aussi : *clown, comique.*

darrack : marteau de machiniste.

docucu (péjor.) : film documentaire traditionnel.

dolly (américanisme) : chariot sur pneu équipé d'un bras de grue pneumatique pour petits mouvements verticaux. (→ MOUVEMENTS D'APPAREIL.)

douceur (faire une petite) : améliorer la qualité photographique d'un gros plan de visage.

drapeau : grand coupe-flux (→ ÉCLAIRAGE) monté sur pied.

face : matériel d'éclairage placé autour de la caméra et qui éclaire donc le sujet *de face.*

fatal : évoque les mots interdits par superstition : corde, four, ficelle...

fausse teinte ! : annonce qu'un nuage est en train d'occulter la lumière du soleil.

feuille : 1° planche de contre-plaqué destinée à l'installation d'un plancher ; 2° châssis de bois entoilé dont l'assemblage, en studio, forme les parois du décor.

fil : désigne les cordes et ficelles dont la superstition interdit de prononcer le nom sur un lieu de tournage.

fondu (faire un) : s'éclipser discrètement.

frimant : acteur de complément. (Le radical de ce terme est passé dans l'argot commun : *frimer, frimeur.*)

gamelle : tout projecteur.

glingue : clou.

grenouille : graphique actualisé quotidiennement par le directeur de production, qui rend compte de l'avancement du film : plans, cachets, pellicule...

guette-le-chèque : technicien plus préoccupé par son salaire que par son travail. C'est l'anagramme phonétique de la phrase rituelle : « Check the gate » (Vérifiez la fenêtre) prononcée à la fin de chaque plan dans une équipe américaine.

hausse-mioche : tout ce qui peut contribuer à pallier la petite taille d'un acteur ou technicien (cube...).

henri : désigne un crucifix (par analogie avec « I. N. R. I. »).

kilo : abrév. de kilowatt. Un *cinq kilo* est un projecteur de 5 kilowatts.

lily : charte de couleurs filmée à chaque fin de plan, qui sert de référence pour étalonner le tirage. (→ ÉTALONNAGE.)

lorraine : planche.

loubarde (ou *loupiote*) *:* lampe.

mamma : coupe-flux (métallique, en tulle ou en Vitrex). Du nom de son inventeur : Chemamma, chef électricien.

mimile : projecteur de un kilowatt (*mille* watts).

nègre : panneau noir sur lequel on écrit le texte d'un comédien à la mémoire défaillante.

parlant (un) : rôle de figuration avec texte.

péloche : pellicule.

pelure : film positif laqué employé pour les trucages par *transparence* ou par *projection frontale.* (→ EFFETS SPÉCIAUX.)

ringard (péjor.) : comédien se cantonnant dans un emploi très conventionnel.

roulante : restaurant mobile pour les tournages en extérieur.

salade : toute végétation rapportée dans un décor.

silhouette : entre l'acteur de complément et le comédien, la silhouette a un rôle muet, suffisamment important pour être choisie par le metteur en scène.

sombreros (les [...] *vont voler bas) :* indique, lorsqu'une faute professionnelle a été commise, que l'on va en chercher le responsable.

sorbonne : atelier de décoration d'un studio.

soulager (la lumière) : réduire la puissance de l'éclairage, en général pendant les répétitions.

volet : coupe-flux métallique.

zinc : caméra démodée ou en mauvais état.

L'argot de projectionniste est très limité. En dehors de *caillou, loubarde, péloche, projo,* déjà cités, on retiendra :

cul-de-bouteille (péjor.) : objectif de qualité médiocre.

chrono : partie purement mécanique du projecteur (moteur, entraînements, couloir, débiteurs, etc.), à l'exclusion de la lanterne, de l'objectif, etc. Ce terme très employé remonte au début du siècle, d'après le nom de marque Chronophotographe des projecteurs Gaumont de l'époque.

toile : écran. (Plus usité dans l'argot commun – « se payer une toile » : aller au cinéma – que dans l'argot de métier.)

Contrairement à une légende bien établie, *sunlight* (pour projecteur d'éclairage) n'appartient pas à l'argot des métiers du cinéma.

J.F.

ARISTARAIN *(Adolfo), cinéaste argentin (Buenos Aires 1943).* Il possède un solide métier, appris pendant plusieurs années d'assistanat, en Argentine, puis en Espagne (notamment auprès de Mario Camus). Son premier long métrage, *La parte del león* (1978) révèle d'emblée son attirance pour le film noir et pour une efficacité narrative sans complexe vis-à-vis de Hollywood. Après *La playa del amor* (1979) et *La discoteca del amor* (1980), deux commandes, il signe *le Temps de la revanche* (*Tiempo de revancha,* 1981), thriller enlevé et métaphore sur l'oppression imposée par la dictature militaire, où il retrouve son interprète favori, Federico Luppi, figure emblématique de toute une époque. Ensuite, il tourne *Últimos días de la víctima* (1982), sur le même registre, et entame une carrière espagnole avec la série télévisée *Las aventuras de Pepe Carvalho* (1983-85), d'après Manuel Vázquez Montalbán. Après l'échec d'une production américaine (*Deadly,* 1987), il revient en Argentine et s'en remet brillamment grâce à *Un lieu dans le monde* (*Un lugar en el mundo,* 1992), portrait collectif d'une génération meurtrie et désenchantée par le retour à la démocratie, brossé avec la netteté et la générosité d'un western classique.

P.A.P.

ARKIN *(Alan), acteur et réalisateur américain (New York, N. Y., 1934).* Après des études d'art dramatique, il devient chanteur et guitariste, enregistre des disques pour enfants et écrit des nouvelles de science-fiction. Il débute en 1959 à Broadway, où il travaille avec Mike Nichols, Elaine May, Dustin Hoffman. En 1966, il fait ses premiers pas dans la mise en scène – toujours à Broadway. Pour le cinéma, il est l'un des interprètes de *Les Russes arrivent... les Russes arrivent,* de Norman Jewison. Sa carrière est un mélange de films relativement ambitieux : *Le cœur est un chasseur solitaire* (*The Heart Is a Lonely Hunter,* 1968) de Robert Ellis Miller, *Petits Meurtres sans importance* (*Little*

Murders, 1971), qu'il dirige lui-même, *Big Trouble* (J. Cassavetes, 1986) et de comédies où l'humour juif triomphe : *Catch 22* (M. Nichols, 1970), *les Anges gardiens* (Richard Rush, 1974), *Schmock !* (*Fire Sale,* A. Arkin, 1977). Il est en 1990 l'interprète de *Coupé de ville* (Joe Roth) et de *Havana* (S. Pollack). D.R.

ARKOFF *(Samuel Z.), producteur et distributeur américain (Fort Dodge, Iowa, 1918).* Avec James H. Nicholson, il fonde l'American International Pictures en 1955 quand disparaissent les studios spécialisés dans la série B. Alimentée en films par Roger Corman, l'AIP prospère en conquérant le public adolescent et le marché des *drive-in,* alors dédaignés par les Major Companies. Gestionnaire rigoureux, habile vendeur, S. Z. Arkoff exploite successivement des formules inédites (science-fiction, cycle E. A. Poe, comédies de plage, *Hell's Angels,* etc.) qui reflètent les rites ou les aspirations de la *sous-culture* californienne. Il a présidé l'AIP jusqu'en 1979, date de son absorption par Filmways. M.H.

ARLEN *(Richard Cornelius Van Mattimore,* dit *Richard), acteur américain (Charlottesville, Va., 1898 - Los Angeles, Ca., 1976).* Journaliste sportif avant de faire ses débuts à l'écran en 1920 et de conquérir un statut de vedette avec *In the Name of Love* (H. Higgin, 1925), il est vite spécialisé dans des rôles très physiques, et tourne dans de nombreux westerns. La période culminante de sa carrière se situe dans les années 30. On se souvient de lui dans quelques-uns des meilleurs films de William Wellman : *les Ailes* (1927) ; *Ladies of the Mob* (1928), où il est un gangster aux côtés de Clara Bow ; *les Mendiants de la vie* (id.), avec Louise Brooks et Wallace Beery ; *The Man I Love* (1929), où il est boxeur ; *Dangerous Paradise* (1930). Howard Hawks en fit en 1932 le rival d'Edward G. Robinson dans *le Harpon rouge.* Il continua par la suite une carrière régulière d'acteur de second plan. D.R.

ARLETTY (*Léonie Bathiat,* dite), *actrice française (Courbevoie 1898 - Paris 1992).* D'origine auvergnate et populaire (père mineur en Auvergne, puis ajusteur dans la région parisienne), elle exerce divers métiers (secrétaire, mannequin, girl de revue) avant de débuter au théâtre en 1920 comme actrice comique, puis au cinéma en 1930, et de mener parallèlement ces deux activités jusque dans les années 60. Ses premiers films sont des comédies légères : *Un chien qui rapporte* (J. Choux, 1931), ou des adaptations de comédies de boulevard : *Mais n'te promène donc pas toute nue* (CM de L. Joannon, *id.*). Elle tournera ainsi une soixantaine de films dont beaucoup sont, à juste titre, depuis longtemps oubliés, par exemple : *Enlevez-moi* (L. Perret, 1932), *Une idée folle* (Max de Vaucorbeil, 1933), *le Voyage de M. Perrichon* (Jean Tarride, 1934), *Amants et Voleurs* (R. Bernard, 1935), *la Garçonne* (Jean de Limur, 1936), mais aussi trois films de Sacha Guitry : *Faisons un rêve* (1937), *les Perles de la Couronne* (id.), *Désiré* (id.). Dans ces films (qui sont l'équivalent à l'écran de ce qu'elle joue au théâtre), elle se signale par son dynamisme et sa verve, créant des caractères populaires pleins de truculence, mais exempts de vulgarité, qui lui vaudront, sous la plume d'un critique, le qualificatif ambigu d'« impératrice des faubourgs », hommage sincère à l'espèce de noblesse altière et à la liberté souveraine qu'elle confère à tous ses personnages.

Pension Mimosas (J. Feyder, 1935) est le premier film important dans lequel elle apparaît, mais c'est avec *Hôtel du Nord* (M. Carné, 1938) qu'elle s'impose définitivement dans le personnage inoubliable de la péripatéticienne amie de Louis Jouvet : prenant « atmosphère » pour une injure, elle lance, grâce à Henri Jeanson, une réplique qui vaut tout autant par son accent *parigot* que par le talent du dialoguiste, et qui est certainement la plus fameuse et la plus souvent citée de l'histoire du cinéma. Dans *Le jour se lève* (Carné, 1939), elle est la collaboratrice écœurée et révoltée du sadique dresseur de chiens Jules Berry et l'héroïne d'une brève liaison avec l'ouvrier Jean Gabin. Avec ces deux œuvres majeures, elle a définitivement campé son personnage spécifique, celui d'une femme libre et forte, qui ne croit ni à Dieu ni à Diable, et encore moins aux hommes, mais qui se trouve entraînée dans leurs histoires et leurs drames par son insatiable besoin d'amour, amour pur ou vénal. Pourtant, elle garde au cœur un côté fleur bleue qui la fait se donner à qui lui plaît sans réticence ni fausse honte ; c'est ainsi qu'elle raille « ceux qui parlent tellement de l'amour qu'ils n'ont pas le temps de le faire ». Et sa silhouette fait désormais partie du décor, avec ses étroites jupes fendues sur la cuisse et ses impossibles *bibis* ou son célèbre *boa* d'*Hôtel du Nord.* Parmi ses derniers films de l'avant-guerre figurent aussi deux œuvres mineures mais qui ne sont pas moins savoureuses par leur drôlerie débridée (avec, en prime, la truculente présence de Michel Simon) : *Fric-Frac* (Maurice Lehman, 1939), d'après la pièce d'Édouard Bourdet, dans laquelle elle venait de faire un triomphe au théâtre, et *Circonstances atténuantes* (Jean Boyer, 1939), deux films où elle peut épanouir sans contrainte sa ravageuse désinvolture et sa verve gouailleuse, tout comme dans *Madame Sans-Gêne* (Roger Richebé, 1941).

La grande comédienne qui sommeille en elle va se réveiller dans ses deux personnages les plus accomplis, imaginés par Jacques Prévert et animés par Marcel Carné, Dominique des *Visiteurs du soir* (1942) et Garance des *Enfants du paradis* (1945) : si jamais l'expression *beauté du diable* a pu s'appliquer à une actrice, c'est bien à elle dans son personnage de complice du démoniaque Jules Berry, figure séduisante et ambiguë qui sème le trouble dans le cœur des hommes et déclenche un drame tout en cherchant à prévenir les irrésistibles effets de son pouvoir maléfique. Quant à Garance, elle incarne *la vérité toute nue,* sans manières mais sans impudeur, tandis que son cœur bat en secret pour le mime Baptiste, qui ne sait pas saisir sa chance ; et le plan final de ce film est certainement la plus belle image d'elle que le cinéma ait jamais donnée. Ces deux personnages reflètent symboliquement les deux aspects complémentaires de sa personnalité de comédienne, et peut-être de femme : la séduction de la beauté physique et la limpidité de l'âme.

À la Libération, ses imprudentes fréquentations allemandes pendant l'Occupation lui valent de sérieux ennuis : deux ans d'une sorte de résidence surveillée en province. Mais, dès 1947, elle fait partie de la distribution d'un film de Carné qui restera malheureusement inachevé, *la Fleur de l'âge.* Ce réalisateur lui reste encore fidèle en l'engageant pour *l'Air de Paris* (1954), qui sera le dernier film important d'une carrière dont la période d'après-guerre s'avère décevante par la banalité de la plupart des films où elle figure, parmi lesquels : *Portrait d'un assassin* (Bernard Roland, 1949), *le Père de Mademoiselle* (M. L'Herbier, 1953), *le Grand Jeu* (R. Siodmak, 1954), *Huis clos* (J. Audry, *id.*) et *le Jour le plus long* (PR D. Zanuck, 1962). En 1962, elle a un accident oculaire qui la conduit à une quasi-cécité et met pratiquement fin à sa carrière. M.M.

Autres films : *la Douceur d'aimer* (René Hervil, 1930) ; *la Belle Aventure* (R. Schünzel, 1932) ; *Un soir de réveillon* (K. Anton, 1933) ; *Je te confie ma femme* (René Guissart, *id.*) ; *la Guerre des valses* (L. Berger, *id.*) ; *le Vertige* (Paul Schiller, 1935) ; *la Fille de Mme Angot* (Jean Bernard-Derosne, *id.*) ; *Aventure à Paris* (M. Allégret, 1936) ; *le Mari rêvé* (Roger Capellani, *id.*) ; *Messieurs les ronds-de-cuir* (Y. Mirande, 1937) ; *Aloha ou le Chant des îles* (L. Mathot, *id.*) ; *Si tu m'aimes / Mirages* (Alexandre Ryder, 1938) ; *le Petit Chose* (M. Cloche, *id.*) ; *la Chaleur du sein* (Jean Boyer, *id.*) ; *Tempêtes* (Bernard-Deschamps, 1940) ; *Boléro* (J. Boyer, 1942) ; *la Femme que j'ai le plus aimée* (Robert Vernay, *id.*) ; *l'Amant de Bornéo* (Jean-Pierre Feydeau et René Le Hénaff, *id.*) ; *Gibier de potence* (R. Richebé, 1951) ; *l'Amour Madame* (G. Grangier, 1952) ; *Mon curé chez les pauvres* (H. Diamant-Berger, 1956) ; *Vacances explosives* (Christian Stengel, 1957) ; *le Passager clandestin* (Ralph Habib, 1958) ; *Et ta sœur* (Maurice Delbez, *id.*) ; *Maxime* (H. Verneuil, *id.*) ; *Un drôle de dimanche* (M. Allégret, *id.*) ; *la Gamberge* (N. Carbonnaux, 1962) ; *les Petits Matins* (J. Audry, *id.*) ; *la Loi des hommes* (Charles Gérard, *id.*) ; *le Voyage à Biarritz* (G. Grangier, *id.*) ; *Tempo di Roma* (D. de La Patellière, 1963). ▲

ARLISS *(George Augustus Andrews,* dit *George), acteur britannique (Londres 1868* - id. *1946).* Il débute très tôt au théâtre, fondant sa propre compagnie, et à 18 ans il joue ses propres pièces. En 1895, il épouse Florence Montgomery, qui sera souvent sa partenaire à l'écran et à la scène. Une triomphale tournée américaine lui vaut des propositions cinématographiques. En 1921, il tourne *The Devil* (E. Goulding) et la première version de *Disraeli* (Henry Kolker). Sa prestation dans la version parlante du même sujet (Alfred E. Green, 1929) lui rapporte un Oscar. Il tourne volontiers plusieurs versions de ses succès de la scène : *The Man Who Played God* (d'Harmon Weight en 1922 et de John Adolphi en 1932), *la Déesse rouge (The Green Goddess)* de Sidney Olcott en 1923 et d'Alfred E. Green en 1930.

Théâtral jusqu'à l'extrême, il joue avec malice et distinction de nombreux rôles historiques : *Alexander Hamilton* (John Adolphi, 1931), *Voltaire* (*id.*, 1933), *Rothschild (The House of Rothschild)* (A. Werker, 1934) ou *Cardinal Richelieu* (Rowland V. Lee, 1935). Peu cinématographique, son jeu plaisamment daté est un témoignage sur l'art de la comédie en Angleterre, à l'époque victorienne. En 1937, il revient dans son pays où il tourne encore *Dr. Syn* (R. W. Neill), avant de se retirer. Il est le père du cinéaste Leslie Arliss. Il a écrit deux volumes autobiographiques, en 1927 *Up the Years, in Bloomsbury,* et en 1940 *My Ten Years in the Studios.* C.V.

ARLISS *(Leslie Andrews,* dit *Leslie), cinéaste et scénariste anglais (Londres 1901* - id. *1987).* Fils du fameux comédien George Arliss, il est d'abord scénariste à partir de 1932 et passe à la réalisation en 1941 avec *The Farmer's Wife* (co Norman Lee). Suivent entre autres *l'Homme en gris* (*The Man in Grey,* 1943), *Romance d'amour* (*Love Story,* 1944), *le Masque aux yeux verts* (*The Wicked Lady,* 1945) et *Un homme dans la maison* (*A Man About the House,* 1947). Il se consacre après 1955 à la télévision. J.-P.B.

ARMAT *(Thomas), inventeur américain, pionnier du cinéma (Fredericksburg, Va., 1866 -Washington, D. C., 1948).* En 1894-95, partiellement en association avec Charles Francis Jenkins, il mit au point, après plusieurs tentatives, un projecteur dénommé Phantoscope (ou Fantoscope), qui assurait l'avance intermittente du film grâce à une came du type Demenÿ. Conçu pour projeter les films du Kinetoscope d'Edison, cet appareil donna lieu à des représentations publiques à Atlanta dès septembre 1895. En 1896, pris de court par l'apparition du Cinématographe Lumière, Edison passa un accord avec Armat pour commercialiser le Phantoscope sous le nom de «Vitascope d'Edison» dont la *première* publique a lieu à New York le 23 avril. Un conflit juridique, à propos de brevets, opposa ensuite Armat à Edison et à la Biograph jusqu'à ce que, finalement, il se joigne à eux lors de la formation de la Motion Pictures Patent Company. J.P.F.

ARMENDÁRIZ *(Juan Ramón Armendáriz Barrios,* dit *Montxo), cinéaste espagnol (Olleta, Navarre, 1949).* Découvert par le producteur Elías Querejeta, il débute dans le documentaire, décrivant des traditions et des paysages basques : *Carboneros de Navarra* (1981) annonce le sujet de son premier long métrage, *Tasio* (1984), où il excelle à évoquer l'écoulement du temps et la dignité d'un labeur en marge des critères de rentabilité contemporaine (le charbon végétal). Pudeur devant des personnages au bord de la marginalité, mise en scène économe et fluide, avec une caméra souvent en mouvement, caractérisent encore *27 heures* (*27 horas,* 1986) et *Lettres d'Alou* (*Las cartas de Alou,* 1990). Le premier a toujours pour cadre le Pays basque, avec une jeunesse en proie à la drogue et à la violence politique. Le second élargit son regard à l'ensemble de l'Espagne, portant sur l'écran, pratiquement pour la première fois, le drame de l'immigration d'origine africaine. Il signe ensuite *Historias del Kronen* (1995). P.A.P.

ARMENDÁRIZ *(Pedro), acteur mexicain (Mexico 1912 - Los Angeles, Ca., 1963).* Une des principales vedettes masculines du cinéma mexicain à l'époque de sa grande expansion. Il est notamment l'interprète favori d'Emilio Fernández, qui lui imprime une allure hiératique, dans une dizaine de rôles, dont *Flor silvestre* et *María Candelaria* (1943), *La perla* (1945), et *Enamorada* (1946). Il joue aussi pour Bracho (*Distinto amanecer,* 1943), Bustillo Oro (*La loca de la casa,* 1950), Buñuel (*El bruto,* 1952), Gavaldón (*La escondida,* 1956). Le succès le conduit à Hollywood et en Europe, mais sa carrière internationale est moins significative, à l'exception peut-être de trois films de John Ford : *Dieu est mort* (1947), *le Massacre de Fort Apache* (1948) et *le Fils du désert* (1949). Il se suicide en 1963 en apprenant qu'il est atteint d'un cancer. P.A.P.

ARMIÑÁN *(Jaime de), cinéaste et scénariste espagnol (Madrid 1927).* Auteur dramatique, puis scénariste prolifique pour la télévision, il débute au cinéma de manière médiocre, en mettant en scène Marisol dans *Carola de día, Carola de noche* (1969). Ses meilleures réussites constituent des approches assez lucides de la condition féminine en Espagne : *Mi querida señorita* (1971) et *Al servicio de la mujer española* (1978). Citons aussi *El amor del capitán Brando* (1974), *Jo, papá !* (1975), *Nunca es tarde* (1977), *El nido* (1980), *En septiembre* (1982),

Stico (1984), *la Hora bruja* (1985), *Mi General* (1986) et *Al otro lado del túnel* (1994). P.A.P.

ARMONTEL *(Roland), acteur français (Vimoutiers 1904 - Paris 1980).* C'est aux côtés de Max Linder qu'il débute, alors qu'il n'est qu'un enfant, mais c'est au temps du cinéma parlant qu'il fait véritablement carrière. C'est un second rôle original, discret, fin comédien dans de nombreux films des années 30, 40 et 50, notamment *les Gaietés de l'escadron* (M. Tourneur, 1932), *les Misérables* (R. Bernard, 1933), *Touchons du bois* (M. Champreux, *id.*), *Dédé* (R. Guissart, 1934), *la Dame aux camélias* (F. Rivers, *id.*), *Battements de cœur* (H. Decoin, 1939), *Jéricho* (H. Calef, 1945), l'*Idiot* (G. Lampin, 1946), *les Chouans* (Calef, *id.*), *le Silence est d'or* (R. Clair, 1947), *Clochemerle* (P. Chenal, 1948), *Occupe-toi d'Amélie* (C. Autant-Lara, 1949), *Ni vu, ni connu* (Y. Robert, 1958). D.S.

ARMSTRONG *(Gillian), cinéaste australienne (Melbourne).* Elle est la première femme à signer un long métrage australien depuis les années 30. En effet *My Brilliant Career* (1979), habile adaptation du roman autobiographique de Miles Franklin, avec Judy Davis dans le rôle principal, la conduit sur les voies de la renommée. Après *Starstruck* (1982), elle partage ses activités entre Hollywood *(Mrs Soffel,* 1984 ; *Fires Within,* 1991 ; *les Quatre Filles du Dr March [Little Women],* 1994) et l'Australie (*High Tide,* 1987 ; *The Last Days of Chez Nous,* 1991). Elle a également réalisé plusieurs documentaires (*Not Just a Pretty Face,* 1983 ; *Hard to Handle, 1986).* C.O.

ARNCHTAM *(Lev)* [*Lev Oskarovič Arnštam*], *cinéaste soviétique (Iekaterinoslav* [auj. *Dniepropetrovsk*] *1905 - Moscou 1979).* Après des études musicales au conservatoire de Leningrad, il collabore en tant que musicien au théâtre Meyerhold en 1924 et devient acteur. En 1929, Kozintsev et Trauberg font appel à lui afin de superviser le son de leur film *Seule* (1931), puis Youtkevitch l'engage dans les mêmes fonctions pour son film *Montagnes d'or* (id.), dont il est également le coscénariste, ainsi que pour le film suivant de Youtkevitch (et Ermler), *Contre-Plan* (1932). Il commence sa carrière de réalisateur avec un film délicat et sensible, *les Amies* (*Podrugi,* 1936) et poursuit dans la même veine avec *les Amis* (*Druz'ja* [co V. Eissymont], 1938). Son œuvre la plus célèbre est *Zoïa* (*Zoja,* 1944), émouvante biographie d'une héroïne de guerre. Il a été actif jusque dans les années 60, et on lui doit encore un *Glinka* (1947) et un *Roméo et Juliette* (*Romeo i Dzul'etta,* 1954) moins inspirés. M.M.

ARNHEIM *(Rudolf), théoricien américain d'origine allemande (Berlin 1904).* Diplômé de psychologie expérimentale de l'université de Berlin, il élabore dans son livre *Film als Kunst* (*le Film en tant qu'art,* 1932) une esthétique inspirée par la *Gestalttheorie :* il y formule le principe que l'œuvre d'art visuelle n'est pas une simple « imitation » de la réalité mais « la transformation des caractéristiques observées en formes d'expression ». Cette transformation s'effectue par les *éléments différenciateurs* (cadrage, montage, éclairage, absence de son et de couleur), qui sont les *moyens formateurs* spécifiques du cinéma. Très marqué par le cinéma muet (surtout soviétique), il intégrera par la suite le son au nombre de ces *moyens formateurs* (voix off, monologue intérieur, effets subjectifs). Il travaille à Rome, puis émigre aux États-Unis en 1940 (naturalisé en 1946). Il y poursuit une œuvre théorique abondante, en particulier dans ses ouvrages *Art and Visual Perception* (1954) et *Visual Thinking* (1969). Historiquement datée (réticences à l'égard du son) et quelque peu formaliste (dissociation de la *forme* et du *fond*), la théorie d'Arnheim est cependant une précieuse contribution à la définition de la spécificité filmique. M.M.

ARNOLD *(August), inventeur et industriel allemand (Werfen, Autriche-Hongrie, 1898).* Son nom est indissociable de celui de Robert Richter. Passionnés de mécanique et de cinéma, Arnold et Richter se lancèrent dès 1917, sous le sigle « Arri » obtenu par la réunion des premières lettres de leurs noms, dans la fabrication de tireuses puis d'autres matériels destinés à l'industrie cinématographique, notamment des tables de montage. Ils sont surtout connus pour l'Arriflex (1937), la première caméra dotée de la visée reflex. (→ CAMÉRA.) L'Arriflex et ses descendantes (40 000 exemplaires fabriqués) ont été et demeurent diffusées dans le monde entier. L'Arriflex existe en version 16 mm depuis 1951. J.-P.F.

ARNOLD *(Gunther Edward Arnold Schneider,* dit *Edward), acteur américain (New York, N. Y., 1890 - Encino, Ca., 1956).* De 1915 à 1919, il interprète de courts films d'action pour Essanay avant de se consacrer au théâtre. Il revient au cinéma en 1932 et tourne en 24 ans quelque 150 films, dans lesquels son physique massif et son autorité semblent le vouer aux brasseurs d'affaires et aux politiciens véreux. Il est le juge Porphyre dans *Remords / Crime et Châtiment* (J. von Sternberg, 1935), tient dans *Diamond Jim* (A. E. Sutherland, *id.*) le rôle du politicien « Diamond » Jim Brady, dans *Sutter's Gold* (J. Cruze, 1936) celui du conquérant californien John Sutter, et incarne le visage de la corruption menaçante dans deux films de Capra : *Monsieur Smith au Sénat* (1939) et *l'Homme de la rue* (1941). J.-P.B.

ARNOLD *(Jack), cinéaste américain (New Haven, Conn., 1912 - Woodland Hills, Ca., 1992).* Après une carrière d'acteur sur la scène et à l'écran, il réalise pour Universal, de 1955 à 1958, cinq films de science-fiction majeurs : *le Météore de la nuit* (*It Came From Outer Space,* 1953) ; *l'Étrange Créature du lac noir* (*Creature From the Black Lagoon,* 1954) et *la Revanche de la Créature* (*Revenge of the Creature,* 1955), qui introduisent un nouveau monstre dans le bestiaire du cinéma ; *Tarantula* (*id.* 1955) ; *l'Homme qui rétrécit* (*The Incredible Shrinking Man,* 1957), le plus achevé. Leurs qualités – densité, précision, sérieux – se retrouvent dans certains de ses autres films de genre : *le Salaire du diable* (*Man in the Shadow / Pay the Devil,* 1958), avec Jeff Chandler, ou *la Souris qui rugissait* (*The Mouse That Roared,* GB, 1959), avec Peter Sellers. Depuis 1960 environ, il travaille presque uniquement à la télévision en tant que producteur. A.G.

ARNOLD *(Malcolm), musicien britannique (Northampton 1921).* Il obtient l'Oscar pour *le Pont de la rivière Kwai* (D. Lean, 1957). Il s'est également rendu célèbre pour la marche solidement rythmée de *l'Auberge du sixième bonheur* (M. Robson, 1958). On peut citer parmi ses compositions les plus marquantes : *le Mur du son* (Lean, 1952), *la Nuit où mon destin s'est joué* (*The Night My Number Came Up* [Leslie Norman], 1955), *Hold-up en plein ciel* (M. Robson, *id.*), *Trapèze* (C. Reed, 1956), *Une île au soleil* (R. Rossen, 1957), *la Clé* (Reed, 1958), *les Racines du ciel* (J. Huston, *id.*), *les Fanfares de la gloire* (R. Neame, 1960), *le Lion* (J. Cardiff, 1962), *les Héros de Telemark* (A. Mann, 1965). R.L.

ARNOUL *(Françoise Gautsch,* dite *Françoise), actrice française (Constantine* [auj. *Qacentina*], *Algérie, 1931).* Née d'un père officier et d'une mère comédienne, elle vient en métropole au lendemain de la guerre et s'inscrit au cours d'art dramatique Andrée Bauer-Thérond. Ses débuts à l'écran remontent à 1949 dans *l'Épave,* de Willy Rozier : un rôle très déshabillé, qui lui vaut la célébrité. Elle enchaîne sur une comédie de Jean Boyer, *Nous irons à Paris.* On la cantonne quelque temps dans des rôles de fille perdue ou de gamine perverse : *le Fruit défendu, les Compagnes de la nuit, le Dortoir des grandes, la Rage au corps, Secrets d'alcôve...* En 1955, dans *French Cancan* de Jean Renoir, elle est la petite blanchisseuse de la butte Montmartre que Danglard (Jean Gabin) transforme en vedette du cancan : un rôle à sa mesure, d'autant qu'elle avait fait des études de danse. On la voit l'année suivante, de nouveau, aux côtés de Gabin, en serveuse de Restoroute, dans *Des gens sans importance* d'Henri Verneuil, puis en créature de Vadim, dans *Sait-on jamais* (1957). Elle est une séduisante espionne dans le diptyque *la Chatte* (1958), *La chatte sort ses griffes* (1959). Par la suite, on ne lui confiera guère que des rôles conventionnels de femme enfant, exception faite de quelques prestations intelligentes chez Pierre Kast *(la Morte-Saison des amours, Vacances portugaises).* En 1968, elle retrouve Jean Renoir pour un sketch de son *Petit Théâtre* (rôle de l'épouse délaissée du *Roi d'Yvetot*). Avec son compagnon, le cinéaste Bernard Paul, qui la dirigera en *guest star* dans *Dernière Sortie avant Roissy* (1977), elle se lance dans le syndicalisme. Elle a fait également du théâtre et de la télévision. « La carrière est une chose, a-t-elle déclaré, mais il importe d'abord de réussir sa vie. » On la retrouve en 1984 dans *Ronde de nuit* (Jean-Claude Missiaen), en 1990 dans *Voir l'éléphant* de Jean Marbœuf et en 1992 dans *les Années campagne* de Philippe Leriche. C.B.

ARNOUX *(Alexandre), romancier, critique et scénariste français (Digne 1884 - Paris 1973).* Collaborateur du *Mercure de France* et des *Nouvelles littéraires,* il se passionne pour le cinéma et devient rédacteur en chef de *Pour* *vous,* l'un des deux grands hebdomadaires de cinéma de l'avant-guerre. Il a publié *Cinéma* en 1929 et en 1946 une édition augmentée du même ouvrage sous le titre *Du muet au parlant, souvenirs d'un témoin.* « Le cinéma, y écrit-il, n'est qu'une résurrection de l'art primitif. Voilà son honneur et sa gloire. » Comme scénariste, on lui doit notamment *Maldonne* (J. Grémillon), *l'Atlantide, Don Quichotte* et *le Drame de Shanghai* (G. W. Pabst), *la Charrette fantôme* (J. Duvivier) et *Premier de cordée* (L. Daquin). Il fut membre de l'académie Goncourt. C.B.

ARNOUX *(Robert), acteur français (Lille 1899 - Paris 1964).* De formation classique (il fut le camarade de conservatoire de Charles Boyer et Pierre Blanchar), il tourne au début du parlant de nombreux films pour la UFA : *Le congrès s'amuse* (E. Charell, 1931), *Tumultes* (R. Siodmak, 1932), ainsi que pour la Paramount : *la Perle* (René Guissart, *id.*). On le voit dans *Liliom* (F. Lang, 1934), *Jeunesse* (G. Lacombe, *id.*). Gréville l'engage pour *Remous* (1935) et *Marchand d'amour* (id.). Son physique s'étant ensuite beaucoup alourdi, il campe les rondeurs avec humour et compose des rôles de profiteurs et de mercantis : *Voici le temps des assassins* (J. Duvivier, 1956), *la Traversée de Paris* (C. Autant-Lara, *id.*). R.C.

ARONOVICH *(Ricardo), chef opérateur argentin (Buenos Aires 1930).* Il est d'abord associé au *nuevo cine* argentin. Après quelques courts métrages (à partir de 1956), il signe en effet la photo de *Los de la Mesa Dies* (Simon Feldman, 1960), puis devient le proche collaborateur de Rodolfo Kuhn, David Kohon et Manuel Antín. Aussi à l'aise dans le réalisme dur et précis (*les Fusils,* de Ruy Guerra, en 1964, au Brésil) que dans la recréation stylisée d'une ville imaginaire que Borges inspira à son compatriote Hugo Santiago (*Invasión,* 1968), il s'impose comme un des grands cameramen latino-américains. Ruy Guerra fait appel à lui pour tourner en France *Tendres Chasseurs* (1969). Sa palette y fait merveille pour évoquer le pouvoir de l'imaginaire, comme le démontrera encore sa photo splendide de *Providence* (A. Resnais, 1977). Il vit en France depuis 1969 et a participé à de nombreux films, parmi lesquels *le Souffle au cœur* (L. Malle, 1971), *l'Attentat* (Y. Boisset, 1972), *Clair de femme* (Costa-Gavras, 1979), *Missing* (id., 1982), *Hanna K* (id., 1983), *le Bal* (E. Scola, *id.*) et *la Famille* (id., 1987). M.C.

ARQUILLIÈRE *(Alexandre), acteur français (Boën-sur-Lignon 1870 - Saint-Étienne 1953).* Acteur de théâtre, il se réclame d'Antoine et de Gémier ; vedette de cinéma, il doit tout à Victorin Jasset, qui le popularise sous les traits de Zigomar. *Zigomar, roi des voleurs* (1911), *Zigomar contre Nick Carter* (1912) et *Zigomar Peau d'anguille* (1913) brodent à partir de feuilletons les éternels combats du bien et du mal. Taillé en force, l'œil rusé, la mèche rebelle, excellent dans les personnages frustes, il va connaître le succès avec son rôle de *la Souriante Madame Beudet* (G. Dulac, 1923). On le voit encore en 1939 dans *la Fin du jour* (J. Duvivier). R.C.

ARRABAL *(Fernando), dramaturge et cinéaste espagnol (Melilla, Maroc espagnol, 1932).* Créateur du *théâtre panique,* dramaturge inventif et insolite, il met en scène quelques films, *Viva la muerte* (1971), *J'irai comme un cheval fou* (1973), *l'Arbre de Guernica* (1975), mêlant les obsessions autobiographiques au drame de l'Espagne de la guerre civile. Les tracasseries de la censure, d'un côté ou de l'autre des Pyrénées, expliquent peut-être une surévaluation critique hâtive : s'agit-il d'un après-surréalisme ou de son exploitation plus superficielle que significative ? En 1982, il signe un film pour enfants avec Mickey Rooney dans le rôle principal *(l'Empereur du Pérou).* Cinéaste inclassable, il restera l'auteur de quelques fulgurances lyriques, violentes, érotiques, voire scatologiques, à ranger dans la catégorie des « curiosa » cinématographiques. P.A.P.

ARRÊT SUR L'IMAGE. Truquage de laboratoire qui « arrête » le mouvement en reproduisant un certain nombre de fois la même image. (→ EFFETS SPÉCIAUX.)

ARRI BL → CAMÉRA.

ARRIETA *(Adolfo), cinéaste espagnol (Madrid 1942).* Peintre, il tourne chez lui *le Crime de la toupie* (1965-66), où l'on trouve déjà le ton de réalisme transfiguré, inspiré de Cocteau, qui sera celui de ses premiers films français, *l'Imitation de l'ange* (1967), *le Jouet criminel* (1970) et *le Château de Pointilly.* Avec *les Intrigues de Sylvia Couski* (1974), il brosse une fresque vive et pailletée des milieux marginaux de Saint-Germain-des-Prés. À l'image de *Tam Tam* (1975), où les invités d'une fête attendent en vain un jeune homme, son cinéma est un cinéma de l'attente (du grand amour) et, tout de même, de l'apparition : l'ange, dans les premiers films, ou le pompier de *Flammes* (1977-78). Rentré en Espagne, il tourne *Grenouilles* (1983), *la Gata* (1989), *Merlin* (1990). D.N.

ARRIFLEX → CAMÉRA, ARNOLD, RICHTER.

ART (FILM D') → DOCUMENTAIRE, FILM D'ART.

ART DIRECTOR → GÉNÉRIQUE.

ARTAUD *(Antonin), poète, acteur, homme de théâtre et scénariste français (Marseille 1896 - Ivry-sur-Seine 1948).* Chez Artaud, le cinéma est une préoccupation constante, mais sans que ses projets arrivent à se concrétiser. Il sera acteur pour des motifs essentiellement alimentaires. Dès 1924-25, il écrit des scénarios (*les Dix-Huit Secondes, la Révolte du boucher, la Coquille et le Clergyman, le Maître de Ballantrae,* etc.) dont un seul sera porté à l'écran : *la Coquille et le Clergyman,* par Germaine Dulac, en 1928. Mais Artaud ne put en contrôler la réalisation comme il l'aurait souhaité, et ce qui aurait pu être, avant *le Chien andalou* et *l'Âge d'or,* le premier film authentiquement surréaliste ne fut qu'un film d'avant-garde parmi d'autres. On peut aussi trouver certaines traces de ses idées sur le cinéma dans son adaptation du *Moine,* d'après Lewis, et par les photos qu'il fit réaliser selon ses indications (en 1931). Il reste aussi quelques articles (dont une étude sur les Marx Brothers publiée en 1932 dans *la NRF*). Finalement, c'est dans quelques-uns des 23 films qu'il a interprétés de 1924 à 1935 que l'on peut le mieux évaluer sa contribution à l'histoire du cinéma : *Napoléon,* d'Abel Gance, en 1927 (il est un inoubliable Marat) ; *la Passion de Jeanne d'Arc* (C. Dreyer, 1928) ; *Verdun, visions d'histoire* (L. Poirier, *id.*) ; *l'Argent* (M. L'Herbier, 1929) ; *Tarakanova* (R. Bernard, *id.*) ; *l'Opéra de quat'sous* (G. W. Pabst, 1931, vers. franç.) ; *Liliom* (F. Lang, 1934) ; *Lucrèce Borgia* (A. Gance, 1935). D.R.

ART ET ESSAI. *L'art et essai* est à la fois la fraction la plus culturelle et la moins commerciale du cinéma, et une notion s'appliquant plus spécialement à l'exploitation cinématographique. Appellation propre à la France (à l'étranger, on se contente généralement de parler de « cinéma d'art »), *l'art et essai* a produit un ensemble de règlements, de mesures incitatives et de subventions dont bénéficient les distributeurs et les salles diffusant le cinéma d'auteur, les films novateurs, les classiques du cinéma, des films issus des cinématographies nationales les moins diffusées, et des œuvres diverses au potentiel commercial limité (court métrage, documentaire).

L'*art et essai* est aussi un mouvement interne à l'exploitation, qui a fait naître un groupement de salles dont l'origine remonte à la fin des années 20. Les salles d'*avant-garde* de l'époque préfigurent une évolution qui s'est affirmée trente ans plus tard. Ce sont des salles parisiennes : le Vieux Colombier de Jean Tedesco, le *Studio des Ursulines* d'Armand Tallier, le *Panthéon* de Pierre Braunberger, le *Studio 28* de Jean Mauclaire, *l'Œil de Paris* de Jean Vallée, connues pour leur programmation de films expérimentaux, de films surréalistes, de films rejetés par les salles « normales » et (déjà) de films considérés comme des classiques par les animateurs des premiers ciné-clubs*. En 1955, sous l'impulsion d'Armand Tallier et des critiques de cinéma, notamment Jeander et Roger Régent, qui avaient créé en 1950 le *Cinéma d'essai* (destiné à ouvrir un marché à des films qui n'avaient pas été retenus par les distributeurs), cinq salles parisiennes créent l'AFCAE *(Association française des cinémas d'art et essai).* Le mouvement s'étend lentement (11 salles en 1956, 15 en 1959, 41 en 1950) avec le concours de Line Peillon *(Ursulines),* Simone Lancelot *(Studio de l'Étoile),* Jean-Louis Cheray *(Studio Parnasse),* Pierre Braunberger *(Panthéon),* Henri Ginet *(Ranelagh),* Jean Lescure (*Alcazar* d'Asnières), Pierre Édeline (*la Tannerie* à Versailles), Yvonne Decaris *(la Pagode),* etc. Ces salles jouent un rôle important dans la diffusion des films de cinéastes étrangers comme Kurosawa, Mizoguchi, Bergman, Satyajït Ray, et des nouveaux cinéastes français (A. Resnais, C. Marker, A. Varda, J. Rouch, E. Rohmer) ou étrangers (polonais, tchèques, brésiliens, britanniques, italiens).

L'*art et essai* s'institutionnalise en 1961. Le ministère de la Culture et le Centre National de la Cinématographie mettent en place des dispositifs d'encouragement au profit de ces salles. Les avantages consentis vont évoluer avec le temps, au gré des réformes souhaitées par l'administration. La mesure essentielle, et la plus constante, consiste en une subvention - il s'agit en fait d'une prime calculée d'après la qualité de la programmation de chaque salle candidate et ses résultats chiffrés. La dernière réforme (1992) a pour but de resserrer les critères et de lutter contre la banalisation du secteur. En effet, le nombre de salles classées *art et essai* était devenu de plus en plus important : de 191 (dont 59 à Paris) en 1967 à 794 (105 à Paris) en 1991. Il a légèrement baissé depuis, passant à 669 (82 à Paris) en 1994. Ces chiffres indiquent le nombre de salles (c'est-à-dire d'écrans) et non le nombre d'établissements. Ils représentent, en 1994, 15 p. 100 du parc français.

Peu à peu, et tout particulièrement dans le cadre de la réforme de 1992, les salles de *recherche*, distinguées au sein du parc d'art et essai pour la qualité de leur travail, ont bénéficié des subventions du CNC les plus élevées. Au nombre de 144 en 1994, elles constituent l'aristocratie du genre : part importante de films novateurs, films étrangers strictement présentés en VO sous-titrée, important travail d'animation auprès du public (et, à Paris, travail d'*édition*, c'est-à-dire de sortie des nouveaux films).

L'association française a constitué en 1955, avec notamment la Guilde créée en Allemagne en 1953 *(Gilde deutscher Filmkunsttheater)* et des salles belges et suisses, la *Confédération internationale des cinémas d'art et essai* (CICAE). Des salles fonctionnant dans 14 pays (12 en Europe) y adhèrent en 1994. Ce secteur est moins soutenu à l'étranger qu'en France, certains pays (Allemagne, Danemark, par exemple) se satisfaisant d'un système de primes à la qualité attribuées selon des critères beaucoup plus sélectifs. D.S.

ARTHUR *(George Brest,* dit *George K.), acteur britannique (Aberdeen, Écosse, 1899).* Après avoir joué dans quelques films anglais, il gagne Hollywood, où il tient de petits emplois, par exemple dans *Hollywood* (J. Cruze, 1923), *le Prince étudiant* (E. Lubitsch, 1927), ou dans trois œuvres de King Vidor, *la Grande Parade* (1925), *Bardelys le Magnifique* (1926) et *Mirages* (1928). Il a un rôle important dans la naissance de *The Salvation Hunters* (Sternberg, 1925), dont il est la vedette. Son visage poupin et ses mines éberluées lui valent de former avec Karl Dane un duo dans une série de films comiques (*Rookies* de Sam Wood, 1927). Il se retire en 1935. A.M.

ARTHUR *(Gladys Georgianna Greene,* dite *Jean), actrice américaine (New York, N. Y., 1905 - Carmel, Ca., 1991).* Fille d'un photographe, elle commence très jeune à poser. Remarquée, elle obtient en 1923 un contrat à la Fox. Après huit ans d'utilités à Hollywood, lassée, elle revient à New York, pour travailler au théâtre. Deux ans plus tard, elle est de retour à Hollywood avec un modeste contrat à la Columbia. Après deux films sans intérêt, *Toute la ville en parle* (J. Ford, 1935) impose définitivement « la voix la plus sexy du cinéma », un sens peu commun du rythme comique et un éblouissant débit dans un rôle d'employée dure au cœur de midinette – personnage qui sera souvent le sien. Elle devient une actrice recherchée, mais son contrat lui fait alterner les productions de routine et les grands films comme *l'Extravagant Monsieur Deeds* (F. Capra, 1936), où elle remporte un triomphe personnel et s'impose comme une grande comédienne. On la trouve au générique de grands films comme : *Vie facile* (M. Leisen, 1937), *Vous ne l'emporterez pas avec vous* (F. Capra, 1938) et *Monsieur Smith au Sénat* (*id.*, 1939). Mais elle est aussi une Calamity Jane séduisante et haute en couleur dans *Une aventure de Buffalo Bill* (C. B. De Mille, 1937). En fait, le drame lui réussit aussi bien que la comédie, comme le prouve sa création de Bonnie, la chorus-girl perdue parmi les aviateurs, dans *Seuls les anges ont des ailes* (H. Hawks, 1939). Peut-être aucun film n'a mieux montré l'étendue de ses possibilités que l'étrange et obsédant film de F. Borzage, *Le destin se joue la nuit* (1937), qui la fait passer de l'angoisse à la comédie, puis au drame. Les années 40 la confinent souvent dans des westerns agréables, mais mineurs. La comédie reste cependant son fort (*Plus on est de fous,* G. Stevens, 1943), même si elle vire quelquefois au drame (*la Justice des hommes,* id., 1942). Elle dessine une superbe silhouette de vieille fille saisie par l'amour dans *la Scandaleuse de Berlin* (B. Wilder, 1948) et se montre convaincante en épouse discrète, secrètement troublée par *l'Homme des vallées perdues* (G. Stevens, 1953). C.V.

ARTHUYS *(Philippe), musicien et cinéaste français (Paris 1928).* Après des études musicales, il travaille au Groupe de recherches musicales de l'ORTF avec Pierre Schaeffer et Pierre Henry. Il écrit des musiques de films : *Paris nous appartient* (J. Rivette, 1961), *les Carabiniers* (J.-L. Godard, 1963), *les Camisards* (R. Allio, 1972), *le Vent des Aurès, Chronique des années de braise, Vent de sable* et *la Dernière Image* (M. Lakhdar Hamina, 1966, 1975, 1982 et 1986). Il passe à la réalisation avec : *la Cage de verre* (co Jean-Louis Lévi-Alvarès, 1965), sur l'holocauste juif ; *Des Christs par milliers* (1969), sur la violence du monde (en polyvision) ; *Et courir de plaisir* (1974), sur les courses automobiles (en polyvision) ; *Noces de sève* (1979), parabole antinucléaire. Simultanément, il a collaboré comme réalisateur et/ou musicien à des spectacles très divers (théâtre, ballet, cirque). M.M.

ARTIFICES. Les artifices, qui sont souvent des *trucs* de caractère artisanal, forment une catégorie à part dans les effets spéciaux dans la mesure où ils ne reposent pas sur des effets d'optique ou de laboratoire (même s'ils sont parfois combinés avec ces derniers) : c'est ce que filme la caméra qui est lui-même truqué. Leur responsabilité incombe soit à l'accessoiriste, soit (dans les cas plus compliqués) à un technicien spécialisé, en liaison éventuellement avec le chef décorateur ou le chef opérateur.

Les innombrables artifices employés dans le cinéma peuvent pour l'essentiel se classer en trois grandes catégories.

Les trucages météorologiques. Pour le *brouillard* (ou la *fumée,* que l'image ne distingue pas du brouillard), on peut faire appel aux *machines à brouillard.* Quand il s'agit de créer de vastes nappes, leur principe consiste à vaporiser un mélange d'huile et de pétrole chauffé par résistance électrique. On obtient une émission de gouttelettes microscopiques, pulsée par ventilation, éventuellement refroidie à la neige carbonique si la nappe doit stagner au sol. Ce procédé efficace, peu polluant, non nocif, est malheureusement bruyant. Dans le cas de champ réduit, ou en intérieur, on utilise un simple appareil pour l'enfumage des abeilles, alimenté en encens.

Le réchauffement brutal d'un *corps à très basse température,* tel l'anhydride carbonique solidifié, provoque un intense dégagement de vapeur capable lui aussi de simuler le brouillard. On peut tout simplement précipiter cet anhydride dans des récipients d'eau chaude, mais on maîtrise alors mal le volume émis, et les sources sont trop ponctuelles. Des machines, qui combinent la production de vapeur et la distribution d'anhydride dans un système de ventilation, autorisent des effets prolongés et parfaitement dirigés. Parfois, on se contente de répandre sur le sol de l'air liquide, mais la basse température de celui-ci (- 183 °C) rend son emploi aléatoire.

On peut enfin avoir recours aux *produits chimiques.* Le tétrachlorure de titane, qui produit de la fumée en accaparant l'humidité de l'air, n'est plus utilisé, du fait de sa toxicité, que dans les cas où le personnel n'est pas en contact avec le produit. Mais il existe un nombre impressionnant de fumigènes, de toutes couleurs et densités, qui sont d'ailleurs plutôt employés pour la fumée que pour le brouillard.

En studio, pour la *neige qui chute,* on a longtemps utilisé la plume broyée, les céréales, le plâtre, projetés depuis les passerelles. Le polystyrène expansé et le polyuréthanne remplacent aujourd'hui ces matériaux, causes d'allergies. Les fins flocons plastiques sont projetés (à la main par l'accessoiriste, ou par des rampes distributrices couplées à des souffleries) devant des ventilateurs installés en hauteur. Plus les sources sont nombreuses, meilleur est l'effet.

En extérieur, on peut soit procéder comme ci-dessus, soit (si la température s'y prête) se servir d'un canon à neige, où des pains de glace sont broyés en fines particules entraînées par une puissante ventilation.

D'autres systèmes utilisent la mousse d'extincteur projetée par un ventilateur.

Pour la *neige déposée,* les particules plastiques, légères, ne conviennent pas dans toutes les circonstances (vent, déplacement de véhicules, etc.). Pour créer l'illusion d'un tapis de neige, on leur préfère alors le sable blanc, le plâtre, le sel. Plus onéreuse, la mousse d'extincteur est réservée aux cas où la neige doit épouser certains contours. Pour les vêtements et les petits accessoires, on se sert de bombes givrantes pour sapins de Noël. Pour les gros volumes, on a recours au plâtre allégé et... à la peinture blanche. Dans tous les cas, l'effet peut être amélioré par addition de particules scintillantes (mica broyé, etc.).

La *pluie* est généralement créée par des lances à eau (souvent celles des pompiers) dirigées vers le haut afin que les jets retombent en pluie. Après avoir arrosé le sol, on dispose les lances en profondeur, aux limites du champ de la caméra, en privilégiant le premier plan. Il existe aussi un matériel spécialisé, composé de pommes d'arrosage montées sur de très hauts pieds métalliques.

En studio, on dispose au-dessus du décor un réseau de tubes qui évacuent l'eau par des arroseurs issus du matériel d'incendie. Pour la pluie vue à travers une fenêtre, on emploie un cadre de dimensions réglables : l'eau, issue d'un tube supérieur percé d'orifices, est recueillie par une gouttière qui permet un fonctionnement en circuit fermé.

Le *vent* est bien entendu créé par des ventilateurs, lesquels existent en toutes dimensions. Pour les effets de vents violents sur de larges surfaces, il n'est pas de meilleur effet que le survol de la scène par un hélicoptère.

Selon l'intensité désirée, les *éclairs* sont simulés soit par un projecteur muni d'un obturateur très rapide, soit par un arc électrique mis brièvement en court-circuit.

Les effets de *cataclysmes,* de *tremblements de terre,* de *raz de marée* sont généralement réalisés sur maquettes.

Les trucages d'accessoires et de décors. Dans le domaine des *armes blanches,* la lame du poignard, montée sur ressort, rentre dans le manche dès l'impact avec le corps, protégé par un bouclier anatomique. On peut coupler le ressort avec un piston qui projette du sang factice, ou accrocher au bouclier une poche remplie de sang qui cède à la pression de la pointe. Les armes de grandes dimensions ont des lames télescopiques ; lorsque l'arme doit *transpercer* le corps, on fixe sous les vêtements, avant le tournage, sur une plaque métallique sanglée au corps, la réplique de la pointe qui est découverte ensuite par le mouvement de chute.

Pour les *flèches et couteaux lancés,* on fixe au point d'impact, sur un bouclier métallique revêtu d'une matière amortissante, un fil invisible, sur lequel on propulse, par élastique, soit une flèche faite d'un tube, soit un couteau évidé en son milieu. On peut aussi tourner le plan à l'envers ; le projectile, fiché dans un bloc de balsa ou de plastique dissimulé sous le vêtement, est vivement tiré en arrière par un fil invisible.

Le tir des *armes à feu légères* (pistolets, fusils, mitraillettes) s'effectue avec des cartouches à blanc. Pour écarter le danger présenté par la bourre de la cartouche, on soude un déchiqueteur à l'intérieur du canon. Il existe, dans la plupart des calibres, des cartouches en plastique suffisamment chargées pour faire fonctionner des armes automatiques.

Pour les *armes à feu lourdes* (canons, mortiers, etc.), on dispose une charge de poudre noire dans le canon, avec une mise à feu par détonateur électrique.

L'*impact d'une balle* sur un corps est facilement simulé par l'explosion d'un détonateur noyé dans une poche de sang factice, fixé à un bouclier anatomique dissimulé sous le vêtement. On utilise aussi des gélules contenant du sang factice et une pastille noire, projetées par un fusil pneumatique, la pastille qui vient se coller faisant illusion d'orifice.

Les *impacts au sol ou sur décor* font eux aussi appel aux détonateurs, enterrés et recouverts de poussières, noyés dans le plâtre d'un mur, dissimulés sous l'écorce d'un arbre.

Pour les *rafales au sol,* on préfère enterrer de longs tuyaux de plastique, percés d'orifices aux points d'impact et reliés à une bouteille d'air comprimé. La brusque décharge provoquée par l'ouverture de la bouteille projette la terre, mêlée de poussières et matériaux légers, donnant l'illusion parfaite d'une longue et puissante rafale.

Les *impacts sur vitre,* en particulier de voiture, se font en projetant, au fusil à air comprimé, des gélules contenant de la vaseline, de la poudre métallique et une pastille noire.

Les explosions de *bombes, mines, obus, grenades* sont de véritables explosions. L'astuce consiste à neutraliser l'effet destructeur pour ne conserver que l'effet spectaculaire. On prépare des cratères au fond desquels on dispose des sortes de marmites blindées contenant une charge de poudre noire, un flacon fragile de tétrachlorure de titane et un détonateur. Les cratères sont ensuite comblés avec des matières légères : poudre, liège, balsa, plâtre expansé, etc. Ce dispositif peut être complété par des poches en plastique remplies d'essence et de gazole, si l'on recherche un effet de bombe incendiaire.

Si les *destructions d'édifices* ont pour cause une explosion ou un bombardement, elles s'opèrent avec les dispositifs combinés explosion-fumée-feu. Les parties devant rester intactes sont construites en matériaux résistants ; les parties à détruire sont fabriquées à partir de matériaux légers et fragiles (tels le plâtre expansé ou le polystyrène expansé), et elles sont précassées là où elles doivent se briser.

Si elles sont dues à d'autres causes (heurts avec un véhicule, secousses sismiques, etc.), les parties devant s'effondrer sont construites (toujours en matériaux légers) en équilibre précaire, et elles sont soit maintenues par des électroaimants qu'on cesse d'alimenter le moment venu, soit repoussées par de très faibles charges explosives.

Pour les *destructions d'automobiles et autres véhicules,* on utilise également la combinaison explosion-fumée-feu, mais de sérieuses précautions doivent être prises pour limiter les effets de l'explosion. Il faut neutraliser les serrures et fermer les portes avec du ruban adhésif, ouvrir les fenêtres, éventuellement percer le plancher, démonter ou scier les parties dont l'artifice suggérera l'arrachement.

Les *incendies* sont réalisés par enflammage de réservoir contenant du gazole, auquel on peut ajouter des produits chimiques pour modifier la coloration.

Pour les *feux* de surfaces réduites, on utilise des rampes alimentées par des bouteilles de gaz. On dispose aussi de gelées à combustion lente et chaude, dont on enduit les accessoires et décors à brûler. Les feux de cheminée sont simulés par la combinaison de rampes à gaz et de bûches factices en plâtre.

Les objets factices. Le trucage est utilisé pour fabriquer la réplique d'un objet ou d'un élément de décor rare, ou d'un maniement difficile, voire dangereux. Il est aussi utilisé lorsque l'objet risque d'être détruit ou doit l'être. Pour ces fabrications, assurées sous la direction du chef décorateur, on a longtemps utilisé le moulage en plâtre (expansé ou non), le carton-pâte, le bois de balsa, le latex. Très léger, fragile, le bois de balsa (auquel on peut donner l'apparence des autres bois) sert à la fabrication des meubles, portes et fenêtres destinés à être détruits ; l'assemblage étant fait à la colle et à la cheville (c'est-à-dire sans pièce métallique), la dislocation est sans risque. Le latex, travaillé par moulage, permet de réaliser des masques minces qui laissent transparaître la mobilité du visage.

Facilement maîtrisées, bon marché, se pliant à toutes les exigences de la mise en scène, les matières plastiques dominent aujourd'hui la fabrication des objets factices. Chacune a ses propres qualités, souvent combinables : légèreté, souplesse, friabilité, transparence, etc. Elles peuvent être travaillées par moulage (mousse de polyuréthanne, résines) ou par sculpture et sciage (polystyrène expansé). Tout, ou presque, peut être ainsi reproduit : denrées alimentaires qui résistent au temps et à la chaleur, meubles qui se brisent, flacons qui éclatent, murs polis ou rugueux, rochers, arbres, lampadaires, sculptures, masques, etc. Le plâtre expansé reste toutefois toujours utilisé dans les cas où l'ininflammabilité et le poids sont indispensables au trucage. Quant aux vitres à casser, elles sont réalisées en *verre médical,* si fin et fragile que son bris est sans danger. (Autrefois, elles étaient faites en plaques de sucre fondu. Le sucre fondu, peu transparent, n'est plus employé que pour les vitres d'aspect ancien.) J.F.

ARTIFICIELLE. *Lumière artificielle,* appellation conventionnelle (quand on s'intéresse à la température de couleur de la lumière) pour désigner la lumière émise par les lampes à incandescence de studio. (→ TEMPÉRATURE DE COULEUR, SOURCES DE LUMIÈRE.)

ARTISTES ASSOCIÉS (United Artists). Fondée en 1919 par Chaplin, Fairbanks, Griffith et Mary Pickford, la United Artists occupe une place particulière dans l'histoire des *major companies* américaines. Dès l'origine, elle est animée par la volonté de privilégier les *créateurs,* en octroyant à ceux-ci un droit de contrôle artistique et commercial. Optant pour une structure légère, elle renonce, à l'origine, à se doter de salles et de plateaux, et ne participe pas au financement des films qu'elle distribue. Contrairement à ses rivales, elle ne pratique pas la vente en bloc *(block-booking)* de sa production. Conçue par des artistes au sommet de leur gloire, cette politique de prestige s'avère, en pratique, d'une application délicate. La firme distribue d'abord les productions de ses fondateurs : *le Lys de Brooklyn, le Signe de Zorro, Robin des Bois, l'Opinion publique,* etc., limitant l'apport extérieur à quelques titres soigneusement choisis (*Salomé* de Nazimova, *The Salvation Hunters* de Sternberg). Mais, face aux exigences des bailleurs de fonds et aux pratiques monopolistes de ses rivales, elle doit, dès 1926, acquérir des salles, ouvrir des succursales et faire appel à d'autres indépendants, tels Howard Hughes, Hal Roach, Gloria Swanson. Trois partenaires ambitieux : Samuel Goldwyn *(Stella Dallas, Street Scene, Ils étaient trois, Rue sans issue, le Cavalier du désert),* David O. Selznick *(Une étoile est née, le Prisonnier de Zenda, Rebecca)* et Alexander Korda *(la Vie privée d'Henry VIII, Elephant Boy, les Quatre Plumes blanches, le Voleur de Bagdad)* marquent l'histoire de la UA durant les années 30, apportant à celle-ci un renom considérable. Pourtant, l'insuffisance chronique des programmes (18 films en 1939, soit à peine un tiers de l'effectif des « majors ») et de sévères luttes internes contraignent la firme à adopter une nouvelle politique. À partir de 1945, la UA, investissant systématiquement dans la série B, devient le havre de producteurs comme Sol Lesser, Hunt Stromberg ou Frank et Maurice King. Les grands films *(le Journal d'une femme de chambre, Henry V, la Rivière Rouge)* se raréfient, et la fin des années 40 s'accompagne d'une dramatique récession.

En 1951, Arthur B. Krim et Robert S. Benjamin rachètent 50 p. 100 du capital de la compagnie et, en 1955 et 1956, acquièrent les parts de Chaplin et de Mary Pickford. Le succès de *La lune était bleue* (1953) et les avantages consentis aux indépendants suscitent alors un spectaculaire redressement économique. Des films comme *la Comtesse aux pieds nus, Othello, Marty, la Nuit du chasseur, le Grand Couteau, l'Homme au bras d'or, l'Ultime Razzia, le Roi et quatre reines, Un Américain bien tranquille* sont le symbole d'une nouvelle conception, destinée à avoir une influence profonde et durable sur la structure de la production américaine. Les années 50 sont marquées par l'approche réaliste de sujets *tabous,* l'arrivée d'une nouvelle génération de réalisateurs formés à la télévision, au contact du *direct.* Le cinéma d'auteur se donne ici les moyens concrets d'exister. Les années 60 voient la position de la firme se conforter, grâce à l'apport de partenaires fidèles : Billy Wilder, Stanley Kramer, la Mirish Corporation. Cette période est marquée par les succès d'*Exodus, la Garçonnière, les Misfits, West Side Story, la Grande Évasion* et les débuts des séries *James Bond* et *la Panthère rose.* En 1967, la firme est absorbée par la Transamerica Corporation et, en 1973, obtient la distribution, aux États-Unis, des films MGM pour une période de dix ans. De nouveaux réalisateurs affluent : Woody Allen, Martin Scorsese, Miloš Forman ; et la UA, fidèle à sa vocation, soutient des projets risqués *(Nous sommes tous des voleurs, Gros Plan, Stay Hungry).* Des productions commercialement sûres comme *Avanti* ou *The Missouri Breaks* se révèlent souvent des déceptions commerciales, les principaux succès venant de productions marginales, d'inspirations très diverses, comme *le Dernier Tango à Paris, Vol au-dessus d'un nid de coucou* et *Rocky,* à l'audience internationale.

En 1978, l'équipe Krim-Benjamin quitte la UA à la suite d'un conflit avec les dirigeants de la Transamerica et fonde Orion Pictures. Les recettes marquent un déclin croissant, qu'aggrave l'échec retentissant de *la Porte du paradis* de Michael Cimino, tentative mal venue pour restaurer le prestige du western. C'est dans ces conditions qu'en mai 1981 la MGM rachète la firme, marquant une nouvelle et cruciale étape dans son histoire. O.E.

ARVANITIS *(Yorgos), chef opérateur grec (Dilofon 1941).* Il débute dans la prise de vues dès 1959 et se voit confier la charge de directeur de la photographie sur un long métrage en 1966. Collaborateur fidèle de Theo Angelopoulos il a parfaitement su rendre l'atmosphère et la lumière souhaitées par le plus grand cinéaste grec dans tous ses films de *la Reconstitution* (1970) au *Regard d'Ulysse* (1995). Il a également travaillé avec Jean-Jacques Andrien (*le Fils d'Amr est mort,* 1975 ; *Australia,* 1989), Michael Cacoyannis (*Iphigénie,* 1977), *Jules Dassin* (*Cri de Femmes,* 1978), Stavros Tsiolis (*Une aussi longue absence,* 1985), Pandelis Voulgaris *(les Années de pierre, id.),* Fotos Lambrinos (*Doxobus,* 1987), Bernard Giraudeau (*l'Autre,* 1990), Volker Schloendorff (*The Voyager,* 1991), Bertrand Van Effenterre (*Poisson lune,* 1993), Marco Bellochio (*Il sogno de la farfalla,* 1994), Agnieska Holland (*Total Eclipse,* 1995). J.-L.P.

ARZNER *(Dorothy), cinéaste américaine (San Francisco, Ca., 1897 - La Quinta, id., 1979).* D'abord monteuse (*la Caravane vers l'Ouest,* J. Cruze, 1923), puis scénariste, Dorothy Arzner est devenue cinéaste en 1927. Étant la seule femme active dans la profession dans le Hollywood de l'âge d'or, elle a immanquablement éveillé l'attention. Malheureusement, souvent, son travail ne diffère guère de celui d'un artisan anonyme (*Get Your Man,* 1927 ; *The Wild Party,* 1929 ; *Sarah and Son,* 1930 ; *l'Inconnue du palace* [*The Bride Wore Red*], 1937). Parfois, l'un de ses films se singularise par son thème ou ses personnages (*la Phalène d'argent* [*Christopher Strong,* 1933], où Katharine Hepburn est excellente en aviatrice suicidaire), mais la mise en scène ne se met pas au diapason. Son meilleur film reste *l'Obsession de Mme Craig* (*Craig's Wife,* 1936), saisissant portrait d'une folie domestique, bien interprétée par Rosalind Russell. Elle se retire en 1943, après avoir tourné *First Comes Courage* (avec Merle Oberon dans le rôle principal). C.V.

ASA (initiales de *American Standard Association).* Indice de rapidité des films. (→ RAPIDITÉ.)

ASC → AMERICAN SOCIETY OF CINEMATOGRAPHERS.

ASHBY *(Hal), cinéaste américain (Ogden, Utah, 1929 - Malibu, Ca., 1988).* Coursier, assistant monteur puis monteur recherché (Oscar pour *Dans la chaleur de la nuit,* N. Jewison, 1967), Hal Ashby est devenu cinéaste avec une comédie grinçante, *le Propriétaire* (*The Landlord,* 1970), qui définissait bien ses qualités : ironie, humour, précision, tendresse, souplesse de la direction d'acteur. L'immense succès de *Harold et Maude* (*Harold and Maude,* 1971) l'a paradoxalement desservi : une mise en scène superficielle y étouffait finalement le scénario acide de Colin Higgins. Mais l'histoire d'amour de la septuagénaire et du jeune homme a conquis les cœurs, et les films suivants d'Ashby, tous plus personnels, ont souffert de ce voisinage envahissant. *La Dernière Corvée* (*The Last Detail,* 1973), où la tendresse s'abritait derrière un langage de charretier poète, était plus poignant, et *Shampoo* (*id.,* 1975), portrait au vitriol d'une Californie argentée, plus pénétrant. *Retour* (*Coming Home,* 1978), quelque peu bancal, essayait bravement de renouveler le mélodrame, parfois avec succès (le suicide, tant décrié, de Bruce Dern). *Bienvenue Mister Chance* (*Being There,* 1979) rend hommage à la personnalité de Peter Sellers, grâce à une mise en scène lumineuse et précise : Ashby, comme souvent, s'y mettait au service d'un acteur, par le truchement d'un brillant scénariste (l'écrivain Jerzy Kozinski). Son « grand » film est peut-être *En route pour la gloire* (*Bound for Glory,* 1976), qui dépeignait l'odyssée de Woody Guthrie dans l'Amérique de la dépression avec un souffle épique sans défaillance. C.V.

Autres films : *Second Hand Hearts / The Hamster of Happiness* (1981 [RE 1978]) ; *Lookin'to Get Out* (1982) ; *Rolling Stones* (id., *id.*) ; *The Slugger's Wife* (1985) ; *Huit Millions de façons de mourir (Eight Million Ways to Die,* 1986). ▲

ASHCROFT *(Dame Peggy), actrice britannique (Croydon 1907 - Londres 1991).* Grande dame de la scène britannique dès ses débuts en 1927, Dame Peggy a été avare de sa personne au cinéma. Au vu de l'excellence de ses rares interprétations, il est permis de le regretter. Après avoir campé une mémorable fermière taciturne et secrètement tourmentée par la chair dans un des épisodes les plus réjouissants des *Trente-neuf marches* (A. Hitchcock, 1935), elle ne tournera que trois films avant de se faire plus présente à partir de 1968. Cette année-là, elle fut pour Joseph Losey une des tantes excentriques et troubles de Mia Farrow dans *Cérémonie secrète.* Depuis, on retiendra des apparitions marquées par son art précis, sa diction parfaite et son élégante petite silhouette dans *Un dimanche comme les autres* (J. Schlesinger, 1971) ou *Hullabaloo Liver Georgie and Bonnie's Picture* (J. Ivory, 1979). A 77 ans, elle obtint l'Oscar du second rôle pour sa superbe création de vieille dame fanée, aventureuse et intérieurement bouleversée, qui est en fait le personnage central de *la Route des Indes* (D. Lean, 1984). On lui demanda à la suite de ce succès quelques créations discrètes qu'elle exécuta avec un métier consommé. C.V.

ASHER *(William), cinéaste américain (1919).* Production à petit budget, *Leather Gloves* (1948), son premier film, est réalisé en collaboration avec Richard Quine. Il passe ensuite plusieurs années à la TV puis revient au cinéma en 1957. *La Revanche du Sicilien* (*Johnny Cool,* 1963) est une fort bonne « série noire » dirigée avec un rythme et une efficacité nullement indignes de Don Siegel. Mais la réussite de *Johnny Cool* tient plus, peut-être, à l'excellent roman de John McPartland, à l'adaptation de Joseph Landon, à la photo en noir et blanc de Sam Leavitt et à l'interprétation de Henry Silva qu'au talent du réalisateur. La même année, son *Beach Party,* produit par American International, ne témoigne pas même de ces qualités. Après avoir dirigé quelques *beach films* pour la jeunesse, il s'est à nouveau essentiellement consacré à la télévision. D.R.

ASKOLDOV *(Aleksandr) [Aleksandr Iakovlevič Askoldov], cinéaste soviétique (Moscou 1937).* Diplômé du Cours supérieur de réalisation en 1965. Son premier film, *la Commissaire* (*Komisar,* 1967), d'après le récit de Vassili Grossman *Dans la ville de Berditchev*, strictement interdit (sous l'accusation de « propagande sioniste »), ne sera libéré qu'en 1987 et acclamé comme un chef-d'œuvre. Écarté du cinéma pendant vingt ans, Askoldov s'est consacré à la mise en scène de théâtre musical expérimental. M.M.

ASLAN *(Krikor Aslanian,* dit *Grégoire), acteur français (Constantinople* [auj. *Istanbul*] *1908 - Ashton, près de Helston, Grande-Bretagne, 1982).* Surnommé Coco, il joue d'abord les boute-en-train dans l'orchestre Ray Ventura et participe ainsi à des films musicaux : *Feux de joie* (J. Houssin, 1938), *Tourbillon de Paris* (H. Diamant-Berger, 1939). La guerre et l'exil influent sur sa carrière, qui devient internationale et s'appuie sur des réalisateurs importants : Welles (*Mr. Arkadin,* 1955), Dassin (*Celui qui doit mourir,* 1956), Huston (*les Racines du ciel,* 1958), Losey (*les Criminels,* 1960), Mankiewicz (*Cléopâtre,* 1963), Edwards (*le Retour de la panthère rose,* 1975). Il a également tourné avec Autant-Lara (*Occupe-toi d'Amélie,* 1949) et Claude Berri (*Mazel Tov ou le Mariage,* 1968). R.C.

ASPECT RATIO. Locution anglaise pour *format* (2).

ASPHÉRIQUE. Se dit des lentilles ayant une surface de révolution mais non sphérique. (Les lentilles cylindriques, dont la surface n'est pas de révolution, ne sont pas asphériques.) [→ OBJECTIFS.]

ASQUITH *(Anthony), cinéaste britannique (Londres 1902 - id. 1968).* Ce fils d'un ancien Premier ministre (son père, lord Herbert Asquith, a tenu les rênes du gouvernement de 1908 à 1916) est britannique jusqu'à la caricature. Les photos nous le montrent fin, élégant et aristocratique. Ses films nous le font imaginer tranquille et flegmatique. Il est sans doute quelque peu responsable de la réputation de grisaille qui fut pendant longtemps celle du cinéma anglais. L'esthétisme gracieux de ses films muets (*Un cottage à Dartmoor,* 1930 ; *Tell England,* 1931) est mesuré et méticuleux. Mais il dissipera ces tendances pour préférer un éclectisme qui est peut-être un manque de personnalité. Non qu'il n'y ait rien de bon dans sa filmographie. Mais il n'y a rien de solide ni de consistant, et l'on trouve souvent de bonnes raisons de faire partager ses réussites par quelqu'un d'autre : par exemple *Pygmalion* (1938), son meilleur film, est avant tout de George Bernard Shaw (l'auteur de la pièce), de Leslie Howard (qui cosigna la mise en scène) et de Wendy Hiller (l'actrice principale). Asquith ne semble qu'avoir installé la caméra bien en face des acteurs, pour leur permettre de rendre hommage à un texte exceptionnel. Après tout, grâces lui soient rendues pour ce manque de prétention. Car cette réserve, proche parfois de la somnolence, n'entame en rien le charme suranné de *l'Écurie Watson* (1939), de *l'Étranger* (1943), de *l'Homme fatal* (1944), de *Winslow contre le roi* (1948), de *la Femme en question* (1950), de *Il importe d'être constant* (1951) ou de *Doctor's Dilemma* (1959), où brillent Laurence Olivier, Michael Redgrave, Robert Donat, James Mason ou Dirk Bogarde. Accordons, pour être honnête, un peu plus d'attention à la solide et judicieusement grise adaptation de Terence Rattigan, *l'Ombre d'un homme* (1951), où Michael Redgrave trouve son meilleur rôle, et reconnaissons aussi que le chaos psychanalytique de *La nuit est mon ennemie* (1959) accroche l'attention. Mais préservons dans un silence pudique ses derniers films où même son élégance semble s'être évanouie. C.V.

Films ▲ : *Shooting Stars* (co A. V. Bramble, 1928) ; *Un cri dans le métro* (*Underground,* id.) ; *The Runaway Princess* (1929) ; *Un cottage à Dartmoor* (*A Cottage on Dartmoor,* 1930) ; *Tell England* (coGeoffrey Barkas, 1931) ; *Dance, Pretty Lady* (id.) ; *Lucky Number* (1933) ; *la Symphonie inachevée* (*Unfinished Symphony,* 1934, vers. britann. du film de Willi Forst : *Leise flehen meine Lieder*) ; *Moscow Nights* (1935, vers. britann. du film franç. d'A. Granowsky : *Nuits moscovites*) ; *Pygmalion* (co Leslie Howard, 1938) ; *l'Écurie Watson* (*French Without Tears,* 1939) ; *Freedom Radio / The Voice in the Night* (1940) ; *Quiet Wedding* (id.) ; *Cottage to Let* (1941) ; *Uncensored* (1942) ; *l'Étranger* (*The Demi-Paradise / Adventure for Two,* 1943) ; *Plongée à l'aube* (*We Dive at Dawn,* id.) ; *Welcome to Britain* (co Burgess Meredith, *id.*) ; *Two Fathers* (1944) ; *l'Homme fatal* (*Fanny by Gaslight / Man of Evil,* id.) ; *le Chemin des étoiles* (*The Way to the Stars/Johnny in the Clouds,* 1945) ; *While the Sun Shines* (1947) ; *Winslow contre le roi* (*The Winslow Boy,* 1948) ; *la Femme en question* (*The Woman in Question / Five Angles on Murder,* 1950) ; *l'Ombre d'un homme* (*The Browning Version,* 1951) ; *Il importe d'être constant* (*The Importance of Being Earnest,* 1952) ; *The Net / Project M-7* (1953) ; *The Final Test* (id.) ; *Évasion* (*The Young Lovers / Chance Meeting,* 1954) ; *Carrington V. C. / Court-Martial* (id.) ; *Ordre de tuer* (*Orders to Kill,* 1958) ; *The Doctor's Dilemma* (1959) ; *La nuit est mon ennemie* (*Libel,* id.) ; *les Dessous de la millionnaire* (*The Millionairess,* 1960) ; *Two Living, One Dead* (1961) ; *Sept Heures avant la frontière* (*Guns of Darkness,* 1962) ; *Hôtel International* (*The V. I. P's,* 1963) ; *An Evening With the Royal Ballet* (co Anthony Havelock Allan, *id.*) ; *la Rolls-Royce jaune* (*The Yellow Rolls-Royce,* 1964).

ASSAYAS *(Olivier), cinéaste français (Paris 1955).* Ancien critique de cinéma, collaborateur au scénario de deux films de Téchiné, *Rendez-vous* et *le Lieu du crime,* il réalise peu après *Désordre* (1986), qui inaugure une série d'œuvres romantiques attachées à décrire le malaise des individus, des familles, des groupes de jeunes. Souvent attachés à la description de fractures familiales et réalisés sous la lointaine influence de Truffaut et de Téchiné, ses films sont probablement parmi les plus représentatifs de l'évolution du film et du scénario dans le cinéma français des environs de 1990 : *l'Enfant de l'hiver* (1988), *Paris s'éveille* (1991), *Une nouvelle vie* (1993), *l'Eau froide* (1994). D.S.

ASSISTANAT. Fonction d'assistant. (→ ENSEIGNEMENT DU CINÉMA.)

ASSISTANT. Personne chargée d'assister un technicien : assistant réalisateur, assistant opérateur, assistant monteur. (→ GÉNÉRIQUE, MONTAGE, TOURNAGE.) *Premier assistant réalisateur,* ou *premier assistant,* technicien chargé de la préparation matérielle du tournage. (→ TOURNAGE, GÉNÉRIQUE.)

ASSOCIATION DE LUTTE CONTRE LA PIRATERIE AUDIOVISUELLE (ALPA) → PIRATERIE AUDIOVISUELLE.

ASTAIRE *(Frederick Austerlitz,* dit *Fred), acteur, danseur et chorégraphe américain (Omaha, Nebr., 1899 - Los Angeles, Ca., 1987).* Il apprend à danser pour suivre l'exemple de sa sœur Adele, avec laquelle il va former, dès l'âge de sept ans, un duo de music-hall. Passé l'adolescence, ils se produisent dans des comédies musicales de Gershwin ou de Kern, chez Ziegfeld ou Shubert ; ils incarnent généralement des personnages dépourvus de magie romanesque, et une trace distincte de cette allure subsistera dans le couple Astaire-Rogers ; leurs danses lient souvent la virtuosité au comique, parfois au burlesque : il faudra le cinéma pour donner sa portée à l'invention d'Astaire. La rumeur attribue d'ailleurs le mérite du duo à Adele plutôt qu'à Fred ; mais la jeune femme abandonne la scène en 1932, après *The Band Wagon.* Seule vedette de *la Joyeuse Divorcée,* Fred ne se satisfait pas de l'accueil qu'on fait à la pièce et décide d'accepter les offres qui lui viennent de Hollywood.

Il est commode de diviser l'œuvre cinématographique d'Astaire en trois parties. Après l'imparfaite tentative du *Tourbillon de la danse,* où il joue son propre rôle, mais n'influence pas la chorégraphie, c'est d'abord la période RKO (1933-1939). Astaire tourne alors dix films, où il joue des rôles de danseur, à l'exception d'*Amanda* qui fait de lui un psychanalyste. *Carioca* n'est qu'une ébauche de la formule ; *Demoiselle en détresse* substitue Joan Fontaine à la partenaire habituelle, et *Roberta* donne du schéma ordinaire une version affaiblie. Mais, pour le reste, ces films comportent le même argument et la même définition esthétique. Entre Fred Astaire et Ginger Rogers s'esquisse une complicité qu'on devine amoureuse, en dépit de quelque attachement qui semble retenir ailleurs la jeune femme. Un sentiment commun de la fantaisie ou du romanesque les unit, lui, entreprenant et vif, elle, plus rêveuse et plus réservée, plus tendre aussi et plus charnelle. Comme cette intrigue se déroule dans un monde allégé par l'irréalité des décors et la folle logique des dialogues, le public ne doit pas douter de l'heureuse issue des quiproquos qui séparent les amoureux, mais prendre garde à la manière, aux mouvements et aux jeux qui qualifient ce dénouement. C'est la mission des chansons et des danses de traduire les figures de ce marivaudage. Parfois couronnés par un grand final collectif où les héros trouvent pourtant un rôle bien individualisé, les numéros musicaux comportent au moins deux duos, l'un plus fantaisiste et plus rythmique, l'autre sentimental et langoureux, rapprochant les gestes magnétiques d'Astaire des hésitations et des abandons de Ginger Rogers. Astaire bénéficie toujours d'un ou deux solos, où son invention fait merveille : sur une idée de pantomime, un accessoire ou un instrument de musique, il développe une foule de variations narratives, invente des images et des rythmes jusqu'à un paroxysme élégant et emporté. Il revendique toute la responsabilité de ces morceaux étincelants, dont il continuera par la suite d'orner chacun de ses films. Mais la chorégraphie des numéros où il apparaît ne lui appartient pas moins, Hermes Pan, le chorégraphe en titre, n'ayant servi que de répétiteur, et n'ayant été chargé que du réglage des évolutions des chœurs. Les prises de vues, en particulier les longs plans spacieux, semblent aussi devoir beaucoup à l'influence du danseur, qui les affectionnera tout au long de sa carrière. Cette série de danses et, en particulier, les pas de deux ont une importance historique considérable : ils montrent comment la séduction et la passion, la pudeur et l'abandon peuvent trouver une forme directement chorégraphique. La danse d'un couple cesse d'être un ornement : plein exercice du corps, elle se fait en même temps expression immédiate du sentiment. C'est la voie que suivra toujours la comédie musicale. Mais Astaire, entouré par une troupe fidèle de comédiens loufoques, manifeste aussi son style d'acteur : légèrement ironique, il n'adhère guère à son personnage mais traduit ses émotions par une suite de mimiques nettes et discrètes ; par contraste, ses gestes de danseur se chargent d'une plénitude lyrique.

De 1940 à 1943, la carrière d'Astaire traverse une période indécise. Lassitude et crainte de la routine incitent Ginger Rogers et lui à mettre fin à leur association professionnelle. Absent des studios pendant un an, Astaire tourne ensuite *Broadway qui danse,* qui contient un solo remarquable de verve et de précision, et surtout un duo avec Eleanor Powell, sommet de la virtuosité d'Astaire comme danseur de claquettes. Tandis que les formes qu'il a adoptées dès les années 30 s'imposent progressivement à tout le genre musical, leur initiateur reste cependant passif. Ce n'est pas faute de renouvellement dans son style chorégraphique, mais les occasions manquent, les producteurs regardant toujours vers le passé. Malgré son budget modeste, *Swing Romance* est pourtant un succès, et les rencontres avec Rita Hayworth *(L'amour vient en dansant* et *Ô toi, ma charmante)* ne manquent pas de saveur, la perfection stylistique du danseur contrastant avec la vivacité d'une partenaire brillante mais moins soumise que lui aux règles de la tradition. Ici ou là, un solo esquisse des gestes plus modernes, moins élégants et plus brisés. Mais Astaire doit jouer le second rôle dans un film de Bing Crosby *(L'amour chante et danse),* et *The Sky's the Limit* est un grave échec.

La troisième période est essentiellement celle de la MGM, si l'on ne tient pas compte des adieux au film musical que constitue *la Vallée du bonheur,* ni de quelques rôles dans des films non musicaux (le seul qui mérite d'être rappelé reste le diplomate décontracté de *l'Inquiétante Dame en noir*). En 1944, Arthur Freed engage Astaire, qui danse dans *Ziegfeld Follies,* puis dans *Yolanda et le voleur* des numéros pleins de nouveauté. Les films qu'il tourne alors sous la direction de Walters lui offrent ses meilleurs rôles de comédien et contiennent des danses fort variées, parfois appuyées sur des trucages. Les solos de *Parade de printemps* et de *la Belle de New York* comptent parmi les mieux construits. Ceux de *Mariage royal* (la danse au plafond) et de *Drôle de frimousse* (la corrida sans taureau) donnent la mesure de son imagination gestuelle, tandis que, dans *la Belle de New York,* une danse d'une admirable simplicité lui offre l'occasion de définir son art poétique. Des duos lui permettent de retrouver Ginger Rogers *(Entrons dans la danse)* mais surtout de mettre en valeur, par sa retenue et sa rigueur, la souplesse de Cyd Charisse *(Tous en scène, la Belle de Moscou). Tous en scène* est d'ailleurs un véritable hommage à sa figure et lui permet de montrer toutes ses possibilités. Car, ce qui étonne dans ces derniers films, c'est la souplesse et l'exactitude avec laquelle Astaire se prête aux exigences de chorégraphes aussi résolument modernes que Kidd ou Loring, dont les grands numéros l'incitent à trouver dans son langage chorégraphique des formes nouvelles, dans son corps des images inédites.

Ce n'est pas que le style d'Astaire ait changé. Nul plus que lui n'a été fidèle à lui-même. Il ne compose guère d'autre rôle que celui d'un danseur de claquettes, plus très jeune, un peu petit, un peu chauve. Sa danse restera toujours maîtrisée. Il chantera avec facilité et précision, mais à mi-voix, avec un phrasé délicat, sans trace de passion. Le personnage garde donc une parfaite unité. Mais il se révèle beaucoup moins étroit qu'on n'y a sans doute pensé dans les années les moins fécondes de sa carrière. Avec des règles chorégraphiques parfaitement déterminées, il reste en effet toujours attentif à l'espace, aux objets et à sa partenaire (qu'elle se nomme Ginger Rogers, Lucille Bremer, Rita Hayworth, Eleanor Powell, Judy Garland ou Cyd Charisse) : il invente toujours. A.M.

Films ▲ : *le Tourbillon de la danse* (*Dancing Lady,* R. Z. Leonard, 1933) ; *Carioca (Flying Down to Rio,* Thornton Freeland, *id.) ; la Joyeuse Divorcée* (M. Sandrich, 1934) ; *Roberta* (W. Seiter, 1935) ; *le Danseur du dessus* (Sandrich, *id.*) ; *En suivant la flotte* (*id.,* 1936) ; *Sur les ailes de la danse* (G. Stevens, *id.*) ; *l'Entreprenant Monsieur Petrov* (Sandrich, 1937) ; *Demoiselle en détresse* (Stevens, *id.*) ; *Amanda* (Sandrich, 1938) ; *la Grande Farandole* (H. C. Potter, 1939) ; *Broadway qui danse* (N. Taurog, 1940) ; *Swing Romance* (*Second Chorus* [Potter], 1941) ; *L'amour vient en dansant (You'll Never Get Rich,* Sidney Lanfield, *id.) ; L'amour chante et danse* (Sandrich, 1942) ; *Ô toi, ma charmante* (W. Seiter, *id.*) ; *l'Aventure inoubliable* (*The Sky's the Limit,* Edward H. Griffith, 1943) ; *Yolanda et le voleur* (V. Minnelli, 1945) ; *Ziegfeld Follies* (*id.,* 1946) ; *la Mélodie du bonheur* (S. Heisler, *id.*) ; *Parade de printemps* (Ch. Walters, 1948) ; *Entrons dans la danse* (*id.,* 1949) ; *Trois Petits Mots* (*Three Little Words,* R. Thorpe, 1950) ; *Maman est à la page (Let's Dance,* N. McLeod, *id.) ; Mariage royal* (S. Donen, 1951) ; *la Belle de New York* (Walters, 1952) ; *Tous en scène* (Minnelli, 1953) ; *Papa longues jambes* (J. Negulesco, 1955) ; *Drôle de frimousse* (Donen, 1957) ; *la Belle de Moscou* (R. Mamoulian, *id.*) ; *le Dernier Rivage* (S. Kramer, 1959) ; *Mon séducteur de père* (*The Pleasure of His Company,* G. Seaton, 1961) ; *l'Inquiétante Dame en noir* (R. Quine, 1962) ; *la Vallée du bonheur* (F. F. Coppola, 1968) ; *Midas Run* (Alf Kjellin, 1969) ; *la Tour infernale* (J. Guillermin, 1974) ; *Hollywood Hollywood* (G. Kelly, 1976) ; *The Amazing Dobermans* (Byron Shudnow, 1977) ; *Un taxi mauve* (Y. Boisset, *id.*) ; *le Fantôme de Milburn* (*Ghost Story,* John Irvin, 1981).

ASTHER *(Nils), acteur américain d'origine suédoise (Copenhague, Danemark, 1897 - Stockholm 1981).* Il débute au Danemark et en Suède, puis va à Hollywood, via l'Allemagne et l'Angleterre. À la MGM, il joue avec Lon Chaney (*Ris donc, paillasse,* H. Brenon, 1928), avec Joan Crawford *(les Nouvelles Vierges,* H. Beaumont, *id.),* ou avec Greta Garbo (*The Single Standard,* J. S. Robertson, 1929). Sa création la plus mémorable est celle de l'énigmatique seigneur de la guerre dans *le Thé amer du général Yen* (F. Capra, 1933). Sa carrière décroît ensuite, et après quelques films bon marché dont les meilleurs sont *Barbe-Bleue* (E. G. Ulmer, 1944) et *le Sérum de longue vie (Man in Half Moon Street,* Ralph Murphy, *id.),* il subsiste en acceptant n'importe quel métier. C.V.

ASTI *(Adriana), actrice italienne (Milan 1933).* Sa carrière théâtrale, commencée en 1951, est parallèle à celle que lui vaut sa voix chaude et moelleuse dans le doublage de vedettes hollywoodiennes. Visconti lui donne son premier rôle cinématographique dans *Rocco et ses frères* (1960) ; après des apparitions dans *Accattone* (P. P. Pasolini, 1961) et *le Désordre* (F. Brusati, 1962), elle interprète la troublante tante du jeune protagoniste de *Prima della rivoluzione* (B. Bertolucci, 1964). Souvent mal utilisée (comédies érotiques), elle sait créer des personnages ambigus : par exemple, dans *le Fantôme de la liberté* (L. Buñuel, 1974) ou même dans *Caligula* (T. Brass, 1980). L.C.

ASTIGMATISME. Une des aberrations susceptibles d'affecter l'image fournie par un objectif. (→ OBJECTIFS.)

ASTOR *(Rolande Risterucci,* dite *Junie), actrice française (Marseille 1911 - Saint-Magnance 1967).* Longue fille flexible à la chevelure lourde et aux yeux troublants, elle prend plaisir à incarner des personnages pervers ; l'un d'eux lui vaut en 1937 le prix Suzanne-Bianchetti (*Club de femmes,* de Jacques Deval). Sa diction sèche la sert au mieux : *Adrienne Lecouvreur* (M. L'Herbier, 1938), *l'Éternel Retour* (J. Delannoy, 1943). Un rôle comique (*Adémaï aviateur,* J. Tarride, 1934), quelques espionnes au grand cœur et la vertueuse épouse de *Du Guesclin* (Bertrand de La Tour, 1949). Elle est émouvante dans *les Bas-Fonds* (J. Renoir, 1937), mais l'après-guerre la néglige et, devenue exploitante de salle, elle fonde l'Astor sur les Grands Boulevards à Paris et assure la direction du Rio-Opéra. Elle trouve la mort dans un accident de voiture. R.C.

ASTOR *(Lucille Vasconcellos Langhanke,* dite *Mary), actrice américaine (Quincy, Ill., 1906 - Woodland Hills, Ca., 1987).* Un concours de beauté fit débuter au cinéma cette actrice de quatorze ans, aux traits délicats d'ingénue préraphaélite (*Sentimental Tommy,* puis *The Beggar Maid,* 1921). Ses traits harmonieux la font remarquer par John Barrymore, qui l'impose pour partenaire dans *Beau Brummell* (H. Beaumont, 1924), puis qu'elle retrouve dans *Don Juan* (A. Crosland, 1926). Par ailleurs, forte d'une solide expérience radiophonique, Mary Astor est naturellement sollicitée par le parlant. Sans jamais devenir une vedette, elle fut toujours une actrice de grand talent, s'acquittant avec la même justesse d'un rôle ingrat dans l'épouse hypocrite de *la Belle de Saigon* (V. Fleming, 1932) et d'un rôle sympathique dans *Dodsworth* (W. Wyler, 1936), où elle irradie le charme et la sérénité. Les années n'entament en rien ses possibilités. Trop âgée pour le rôle, elle est cependant une inoubliable Brigid O' Shaughnessy, pleine de duplicité, névrosée et ravageuse, dans *le Faucon maltais* (J. Huston, 1941). Dans *le Grand Mensonge* (E. Goulding, 1941), qui lui vaut un Oscar (« best supporting actress »), elle tient bravement tête à Bette Davis. Discrète et effacée, elle est à nouveau parfaite dans le rôle de la mère dans *le Chant du Missouri* (V. Minnelli, 1944). Si on la voit moins souvent dans les années 50, ses créations attestent que l'actrice, intelligente et vive, est capable de se renouveler avec brio : elle sait, en effet, incarner la« grande dame du théâtre » brève et tranchante de *Young Blood Hawke* (D. Daves, 1964) et la vieille dame rongée de secrets dans *Chut, chut, chère Charlotte* (R. Aldrich, 1965). Son secret, c'est peut-être d'avoir préféré les bons rôles aux premiers rôles. Elle a écrit son autobiographie, *My Story* (suivie de *Life on Film*), puis quelques romans. C.V.

ASTRUC *(Alexandre), essayiste, romancier et cinéaste français (Paris 1923).* Célèbre par un article publié en 1948 dans *l'Écran français* (« Naissance d'une nouvelle avant-garde : la caméra-stylo »), où il salue dans le cinéma un moyen d'expression autonome et neuf, comparable à la peinture ou au roman, il aborde la réalisation par le biais de films expérimentaux. En 1953, son moyen métrage *le Rideau cramoisi* (adapté de Barbey d'Aurevilly et couronné par le prix Louis-Delluc) le rapproche d'un cinéma romanesque, soucieux de la vérité des êtres et de leur insertion dans un cadre soigneusement dessiné, qu'il illustre ensuite dans *les Mauvaises Rencontres* (1955) puis dans quelques films périphériques de la Nouvelle Vague : *Une vie* (1958), *la Proie pour l'ombre* (1961), *l'Éducation sentimentale* (1962), et deux remarquables moyens métrages, *le Puits et le Pendule* (1963), *Évariste Galois* (1967, [RÉ 1964]). Citons encore *la Longue Marche* (1966). Après l'échec de *Flammes sur l'Adriatique* (1968), Astruc se consacre à la télévision, au journalisme et à la littérature. J.-P.J.

ATTENBOROUGH *(sir Richard), acteur, réalisateur et producteur britannique (Cambridge 1923).* Il débute en 1942 dans *Ceux qui servent en mer* de David Lean et Noël Coward et interprète une trentaine de rôles de second plan dans les dix-sept années qui suivent. Il s'associe en 1959 avec le réalisateur Bryan Forbes pour créer une maison de production qui lui offre ses premiers rôles vraiment intéressants, ceux du briseur de grève obstiné dans *le Silence de la colère* (G. Green, 1960) et de l'ancien militaire-cambrioleur de *Hold-Up à*

Londres (B. Dearden, *id.*). Il atteint la notoriété internationale en jouant l'organisateur de *la Grande Évasion* (J. Sturges, 1963) et trouve ses meilleurs rôles dans *la Canonnière du Yang-Tsé* (R. Wise, 1966), *Un amant dans le grenier* (*The Bliss of Mrs. Blossom,* Joseph McGrath, 1968), *le Magot* (S. Narizzano, 1971) et surtout *l'Étrangleur de la place Rillington* (R. Fleischer, *id.*), où il est le psychopathe du titre. Dans *Brannigan* (Douglas Hickox, 1975), il oppose sa placidité de flic londonien aux méthodes du shérif John Wayne ; dans *les Joueurs d'échecs* (S. Ray, 1977, Inde), il incarne le pouvoir colonial anglais, manipulant les potentats locaux pour le profit de l'Empire britannique. Il a débuté dans la réalisation avec un musical grinçant et antimilitariste : *Ah ! Dieu, que la guerre est jolie !* (*Oh ! What a Lovely War !,* 1969), qui a été suivi par des œuvres plus ternes : *les Griffes du lion* (*Young Winston,* 1972), *Un pont trop loin* (*A Bridge Too Far,* 1977) et le curieux et peu convaincant *Magic* (*id.,* 1978, US). Il tourne en Inde une superproduction sur *Gandhi* (1982), qui le couvre d'Oscars, un divertissement musical, *A Chorus Line* (*id.,* 1985), un témoignage sur l'apartheid en Afrique du Sud, *le Cri de la liberté* (*Cry Freedom,* 1987). Académique, Attenborough cinéaste évite soigneusement les chocs, quel que soit le sujet qu'il traite : ainsi, ce dernier film aborde le problème de l'apartheid avec une prudence qui ne froisse personne. La famille Chaplin le choisit sans doute pour ces qualités : c'est avec sa bénédiction officielle qu'il porte à l'écran *Chaplin* (*id.,* 1992), hagiographie scrupuleuse mais indigente qui passe à côté de la véritable complexité du personnage (et de sa grandeur). Finalement, on le préfère quand il se confine au « mélofive o'clock », digne et distingué, comme dans les *Ombres du cœur* (*Shadowlands,* 1993). La même année, on a plaisir à le retrouver comme acteur, malgré une certaine tendance au cabotinage, en « mégalomane-papy gâteau », dans *Jurassic Park* (S. Spielberg). Il a été anobli en 1976. ▲ J.-P.B.

ATWILL *(Lionel), acteur américain (Croydon, Grande-Bretagne, 1885 - Pacific Palisades, Ca., 1946).* Après une carrière théâtrale en Angleterre, il part pour les États-Unis, où il débute au cinéma en 1918. Révélé par *Docteur X* et *Masques de cire* de Michael Curtiz, il doit à son port majestueux et sévère, ainsi qu'à son accent anglais, les emplois d'aristocrate (*le Cantique des cantiques,* R. Mamoulian, 1933), d'officier (*la Femme et le Pantin,* J. von Sternberg, 1935), de policier (*la Marque du vampire,* T. Browning, *id.* ; *le Fils de Frankenstein,* R. V. Lee, 1939) ou de « savant fou ». Il travailla surtout dans les genres populaires : policier, fantastique, ou science-fiction, toujours avec la plus grande conscience. A.G.

AUBERT *(Louis), distributeur et producteur français (Mayenne 1878 - Les Sables-d'Olonne 1944).* Ce pionnier mérite mieux que le seul souvenir de l'aphorisme ironique qu'on lui prête : « Le cinéma, c'est le tiroir-caisse ! » Il fonde, en 1911, la Société des établissements Louis Aubert, pratique une politique de rentabilité (péplum italien, mélo français) et investit dans la Société des grands films populaires. Il dirige les studios de Joinville, crée le circuit d'exploitation Aubert-Palace, devient président de la Chambre syndicale de la cinématographie française (1926) et distributeur des productions de la UFA. C'est aussi à lui qu'on doit, en 1929, la présentation en France du *Chanteur de jazz* de Al Jolson. Il vend la même année sa société à la Franco Film, qui prend le nom de Société Gaumont-Film-Aubert. Il pose en principe qu'« un film est une marchandise », mais a la prescience du rôle du cinéma comme industrie et comme... *média,* au sein de l'État. C.M.C.

AUBRY *(Anne-Marie-José Bénard,* dite *Cécile), actrice française (Paris 1929).* Sorte d'apparition météorique révélée par Clouzot (*Manon,* 1949), mignotée par Christian-Jaque (*Barbe-Bleue,* 1951), elle propose soudain à la société d'après-guerre en proie aux difficultés socio-économiques une image adolescente de l'amour fou, une sensuelle incitation à brûler la vie. Fugitive annonciatrice du « phénomène Bardot », dont la carrière a tourné court, elle donne naissance à *l'ingénue perverse,* qui effraiera les studios américains. Elle épouse ensuite le fils du Glaoui de Marrakech et en divorce. Elle est l'auteur de contes et de feuilletons pour la TV, dans lesquels apparaît son fils, Medhi. C.D.R.

AUCLAIR *(Michel Vladimir Vujović,* dit *Michel), acteur français (Coblence, Allemagne, 1922 - Saint-Paul-en-Forêt 1988).* Entré au Conservatoire de

Paris en 1940, il débute bientôt au théâtre de l'Œuvre sous la direction de Barrault, Rouleau et Bertheau. Il devient vite un des jeunes premiers de sa génération en jouant Musset, Claudel et Cocteau. En 1945, Jacqueline Audry lui propose un rôle dans *les Malheurs de Sophie* ; l'année suivante, c'est au tour de Cocteau pour *la Belle et la Bête.* Puis on le retrouve sous la direction de Clément dans *les Maudits* (1947) – un rôle de gestapiste –, et sous celle de Clouzot, en vedette cette fois, dans *Manon* (1949), où il incarne un Des Grieux cynique et veule à souhait, succès qui le pousse sur le devant de la scène. Dès ses premiers films, il semble ainsi voué aux personnages *douteux,* et on peut penser que cette étiquette abusive a fait du tort à sa carrière en le tenant injustement à l'écart de tous les grands films des années 50. Sa filmographie se révèle en effet particulièrement décevante alors qu'il a une carrière théâtrale brillante, où il a montré une sensibilité et une intelligence rares. Parmi les quelques films valables à son actif, il faut citer *Justice est faite* (A. Cayatte, 1950) et *la Fête à Henriette* (J. Duvivier, 1952). Les auteurs de la Nouvelle Vague ne feront pas beaucoup appel à lui, sauf Astruc (*l'Éducation sentimentale,* 1962) et Kast (*Vacances portugaises,* 1963). Il reprend alors, autour de 1968, une activité théâtrale avec Roger Planchon (il sera un remarquable Tartuffe) avant de retrouver ses habituels personnages *négatifs,* auxquels il confère une solide présence : *Décembre* (M. Lakhdar Hamina, 1972), *les Guichets du Louvre* (M. Mitrani, 1974), *Souvenirs d'en France* (A. Téchiné, 1975), *Sept Morts sur ordonnance* (J. Rouffio, *id.*), *le Juge Fayard dit « le Shérif »* (Y. Boisset, 1976), *le Bon Plaisir* (F. Girod, 1984). Michel Auclair offre l'exemple frappant d'un excellent comédien à qui la routine de la production n'a pratiquement jamais offert de rôles à la mesure de son talent. M.M.

AUDI. Abrév. de *auditorium.*

AUDIARD *(Michel), scénariste, dialoguiste et cinéaste français (Paris 1920 - Dourdan 1985).* Il est le grand inclassable du cinéma commercial français depuis 1950, son importance se mesurant à la dimension des caractères qui composent son nom sur les affiches. Il n'a écrit qu'un petit nombre de scénarios originaux, mais il a marqué d'une patte immédiatement reconnaissable d'innombrables répliques prononcées à l'écran par Jean Gabin, Lino Ventura, Annie Girardot ou Jean-Paul Belmondo. Honni par les tenants de la Nouvelle Vague, il a donné pourtant à la fonction spécifiquement française de dialoguiste un relief dont témoignent la fréquence et la violence des polémiques suscitées par le *style Audiard.* Moins rigoureux que ceux de Jean Aurenche et Pierre Bost, moins caustiques et moins brillants que ceux d'Henri Jeanson, ses dialogues ont une aisance, pas toujours exempte de démagogie ni de *mots* gratuits, qui les adapte à la personnalité du comédien leur donnant vie à l'écran : les colères sont taillées à la mesure de Jean Gabin, la gouaille virile et le clin d'œil sont dosés pour J.-P. Belmondo.

Audiard, qui a exercé de nombreux métiers (coureur cycliste, soudeur à l'arc, opticien, porteur de journaux, journaliste) avant de débuter au cinéma (comme scénariste-dialoguiste de *Mission à Tanger* d'André Hunebelle en 1949), se prétend « orfèvre en imbécillité » et justifie ses dialogues par une connaissance directe du parler contemporain acquise dans les rues de Paris ou au zinc des bistrots : « Le métier de dialoguiste ne s'apprend pas. La réussite vient peut-être de savoir écouter les gens. Le dialogue est une espèce de vérité des mots à l'intérieur d'une situation. » En réalité, sa culture littéraire est solide, la filiation qui le relie à Céline est incontestable, et il est sans doute moins innocent qu'il n'aime le paraître : volontiers conservateur, pessimiste, on l'a dit « anarchiste de droite », et on l'a vu prendre des positions publiques résolument réactionnaires.

Outre les quelque 120 films qu'il a *dialogués,* notamment pour Gilles Grangier (*Gas-Oil,* 1955), Denys de La Patellière (*les Grandes Familles,* 1958 ; *Un taxi pour Tobrouk,* 1961), Henri Verneuil (*Un singe en hiver,* 1962 ; *Mélodie en sous-sol,* 1963 ; *le Corps de mon ennemi,* 1976 ; *les Morfalous,* 1984), Georges Lautner (*les Barbouzes,* 1965 ; *le Professionnel,* 1981), Philippe de Broca (*l'Incorrigible,* 1975 ; *Tendre Poulet,* 1978 ; *le Cavaleur,* 1979), Robert Enrico (*Pile ou Face,* 1980), Claude Miller (*Garde à vue,* 1981 ; *Mortelle Randonnée,* 1983) ou Yves Boisset (*Canicule,* 1984), Michel Audiard réalise neuf films entre 1968 et 1974. Le choix des titres (*Faut pas prendre les enfants du bon Dieu pour des canards sauvages* en 1968,

Elle boit pas, elle fume pas, elle drague pas mais elle cause en 1970, *Comment réussir dans la vie quand on est con et pleurnichard* en 1974) situe l'ambition de huit d'entre eux : des comédies à la fois faciles et vulgaires qui visent, et atteignent, le public populaire au point d'être parmi les films les plus fréquemment repris à la télévision nationale. Le neuvième, *Vive la France !* (1974), est un pamphlet associant des documents d'archives à un commentaire polémique, film sans doute personnel, mais anachronique dans sa démarche et son propos, antigaulliste après la mort de G. Pompidou, et qui n'eut pas de succès.

Michel Audiard était également romancier.

J.-P.J.

AUDIO (du latin *audio,* j'entends). Se dit des bandes magnétiques, ou des cassettes, conçues pour l'enregistrement des sons et non pour l'enregistrement des images.

AUDITORIUM. Studio insonorisé destiné à l'enregistrement des voix ou du bruitage, ou à l'écoute du son pour le mixage. (→ BANDE SONORE.)

AUDRAN *(Colette Dacheville,* dite *Stéphane), actrice française (Versailles 1932).* Élève de Tania Balachova et Michel Vitold, découverte par Claude Chabrol, elle tient un petit rôle dans *les Cousins* (1959) avant de se révéler dans *les Bonnes Femmes* (1960) puis de paraître en vedette dans une quinzaine de films de ce réalisateur, devenu son mari ; on retiendra ses prestations dans *les Biches* (1968), *la Femme infidèle* (1969), *le Boucher* (1970), *les Noces rouges* (1973), *Violette Nozière* (1978), *le Sang des autres* (1984), *Poulet au vinaigre* (1985) ou *Betty* (1992) où, grâce à la qualité de son jeu, elle met beaucoup d'intelligence et une séduction un peu froide, dure et distante. Elle a tourné aussi avec Buñuel (*le Charme discret de la bourgeoisie,* 1972), Sautet (*Vincent, François, Paul et les autres,* 1974), Fuller (*Au-delà de la gloire,* 1979), Kast (*le Soleil en face,* 1980), Tavernier (*Coup de torchon,* 1981), Gabriel Axel, qui lui offre un superbe rôle dans *le Festin de Babette* (1987), et Alexandre Rockwell (*Sons,* 1989).

M.M.

AUDRY *(Jacqueline), cinéaste française (Orange 1908 - Poissy 1977).* Longtemps scripte puis assistante (de Pabst, Delannoy, Lacombe et Ophuls), elle réalise en 1943 son premier court métrage, *les Chevaux du Vercors,* et en 1945 son premier long métrage *(les Malheurs de Sophie).* Ses adaptations d'Olivia (*Olivia,* 1951) et des romans de Colette (*Gigi,* 1949 ; *Minne, l'Ingénue libertine,* 1950 ; *Mitsou,* 1956), qui sont la meilleure part de son œuvre, témoignent plus d'une sensibilité décorative qui sacrifie à la mode *Belle Époque* des années 50 que d'une personnalité affirmée. Après *la Caraque blonde* (1953), elle adapte *Huis clos* de Jean-Paul Sartre (en 1954), tourne *la Garçonne* (1957), *l'École des cocottes* (1958), *le Secret du chevalier d'Éon* (1960), *les Petits Matins* (1962), la pièce *Soledad* de sa sœur Colette Audry sous le titre *Fruits amers* (1967) et *le Lis de mer* (d'après A. Pieyre de Mandiargues, 1969). La plupart de ses films sont dialogués par Pierre Laroche, son mari.

J.-P.J.

AUER *(Mischa Ounskovski,* dit *Mischa), acteur américain d'origine russe (Saint-Pétersbourg 1905 - Rome, Italie, 1967).* Acteur de théâtre assez obscur, il débute à l'écran en 1928 et révèle ses dons comiques au cours des années 30 : *My Man Godfrey* (G. La Cava, 1936), *Vous ne l'emporterez pas avec vous* (F. Capra, 1938). Il allait dès lors faire merveille dans des compositions bouffonnes et excentriques, dont se détachent le faux *faux* prince russe d'*Hellzapoppin* (H. C. Potter, 1941) et le dresseur de puces de *Mr. Arkadin* (O. Welles, 1955). Il est mort en Europe, où, depuis 1949 (*Au diable la célébrité !,* film de Steno et Monicelli dont il est la vedette), sa silhouette famélique et ses yeux exorbités étaient devenus assez familiers. Il a tourné au total dans près de soixante films de très inégale valeur, mais où ses apparitions (à partir de 1937) sont inoubliées.

G.L.

AUGER *(Claudine Oger,* dite *Claudine), actrice française (Paris 1942).* Élue *Miss France* en 1958, elle est au Conservatoire l'élève de Robert Manuel. Appelée au TNP par Jean Vilar, elle y joue Molière et Giraudoux, puis devient au cinéma l'interprète de Jean Cocteau (*le Testament d'Orphée,* 1960), d'Henri Decoin (*le Masque de fer,* 1962), de Pierre Étaix (*Yoyo,* 1965). Devenue « James Bond girl » auprès de Sean Connery dans *Opération Tonnerre* (T. Young, 1965), un film de la très populaire série issue des romans d'espionnage de Ian Fleming, bien utilisée par Alain Jessua dans *Jeu de massacre* (1967), elle poursuit une carrière internationale sans cependant accéder au rang de star : *L'arcidiavolo* (E. Scola, 1966), *Triple Cross* (T. Young, *id.*), *Un peu de soleil dans l'eau froide* (J. Deray, 1971), *Un papillon sur l'épaule* (*id.*, 1978), *Fantastica* (G. Carle, 1980), *les Exploits d'un jeune don Juan* (G. Mingozzi, 1986). O.B.

AUGUST *(Bille), cinéaste danois (Brede 1948).* Après des études d'architecture, il se rend à Stockholm en 1967 où il étudie la photographie et fréquente l'École du film documentaire. Il obtient en 1971 son diplôme de directeur de la photo à l'École danoise du cinéma, réalise de nombreux films publicitaires, courts métrages et programmes divers pour la télévision, travaille comme chef opérateur en Suède avec plusieurs réalisateurs dont Jörn Donner. Il tourne son premier long métrage en 1978 : *Lune de miel (Honning måne).* Très populaire dans son pays pour s'être attaché à décrire avec sensibilité le domaine des enfants et des adolescents : *Zappa* (id., 1983), *Twist and Shout* (*Tro, håb og kærlighed,* 1984), *'le Monde de Buster'* (*Busters verden,* id., série télévisée), il acquiert une réputation internationale en remportant la Palme d'or à Cannes et un Oscar à Hollywood pour *Pelle le conquérant* (*Pelle erobreren,* 1988). Ingmar Bergman lui confie en 1990 le scénario de ce qui deviendra *les Meilleures Intentions* (*Den goda viljan*), qui n'est autre que l'histoire des parents du cinéaste suédois, et lui propose d'en être le metteur en scène. Bille August remportera une nouvelle Palme d'or à Cannes pour cette adaptation. En 1993, il réalise une coproduction internationale, *la Maison des esprits* (*The House of Spirits*). C.O.

AUGUST *(Joseph H.), chef opérateur américain (Idaho Springs, Colo., 1890 - Los Angeles, Ca., 1947).* Assistant opérateur de Thomas Ince dès 1911, il devient chef opérateur l'année suivante et éclaire avant 1920 nombre de films de Reginald Barker ou W. S. Hart. Dans les années 20, il collabore régulièrement avec Wellman, Hawks ou Ford. Parmi ses meilleures réussites parlantes, on trouve *Ceux de la zone* (1933) et *Comme les grands* (1934) de F. Borzage, *Sylvia Scarlett* (G. Cukor, 1935), *Quasimodo* (1939) et *le Portrait de Jennie* (1949) de Dieterle, et douze films de Ford, dont *le Mouchard* (1935) et *Marie Stuart* (1936). J.-P.B.

AUMONT *(Jean-Pierre Salomons,* dit *Jean-Pierre), acteur français (Paris 1911).* Né dans une famille où les comédiens sont à l'honneur autant que les écrivains, tout le dispose à s'épanouir dans le milieu théâtral. Après le Conservatoire, il a la chance d'être remarqué par Louis Jouvet et de débuter à la Comédie des Champs-Élysées. Au même moment, il entre dans les studios avec une courte apparition dans *Jean de la Lune* (J. Choux, 1931). Dès lors, il va se manifester avec régularité sur la scène et sur l'écran. Favorisé par un physique avenant, d'une juvénilité extrême et qu'il saura garder longtemps, il incarne le garçon sain, sportif et sympathique pour qui la comédie vaut mieux que le drame. Grâce à Marc Allégret, il obtient un rôle en or en 1934 dans *Lac aux dames ;* la même année lui apporte les rôles du jeune ouvrier de *Dans les rues* (V. Trivas) et d'un prétendant de *Maria Chapdelaine* (J. Duvivier). Il devient ensuite timide professeur de piano (*les Yeux noirs* de V. Tourjansky, 1935), aviateur séducteur (*l'Équipage* d'A. Litvak, *id.*), cosaque au large sourire (*Tarass Boulba* d'A. Granowsky, 1936), aspirant amoureux (*la Porte du large* de M. L'Herbier, *id.*), jeune ingénieur voué au suicide (*le Messager* de R. Rouleau, 1937). Ces personnages aimables sont heureusement suivis de compositions plus singulières : le laitier moqueur de *Drôle de drame* (M. Carné, 1937), l'amant trop lâche de *Hôtel du Nord* (*id.*, 1938), le poilu de la Grande Guerre (*le Déserteur* de L. Moguy, 1939) et le bagnard de *Chéri-Bibi* (L. Mathot, 1938). La guerre lui fait rejoindre les Forces françaises libres, et les films qu'il peut tourner alors sont américains et font œuvre de propagande : *Assignment in Brittany* (J. Conway, 1943), *The Cross of Lorraine* (T. Garnett, *id.*). Dorénavant, il va poursuivre une carrière internationale : aux États-Unis (*Sheherazade* [W. Reisch, 1946], *l'Atlantide* [Gregg Tallas, 1948]) et en France, où il apparaît plus ou moins longtemps dans les films de F. Villiers, son frère (*Hans le Marin,* 1949). Guitry lui fait revêtir la pourpre cardinalice (*Si Versailles m'était conté,* 1954). Il avait paru auparavant dans une comédie musicale (*Lili,* Ch. Walters, 1953). En 1958, c'est un film de corsaires : *John Paul Jones, maître des mers* (*John Paul Jones,* J. Farrow) ; plus tard, un film de guerre inattendu : *Un château en enfer* (S. Pollack, 1969). Enfin, son rôle dans *la Nuit américaine* (F. Truffaut, 1973) et celui de *Des journées entières dans les arbres,* qu'il avait créé à la scène (M. Duras, 1977), parachèvent son abondante carrière artistique parfois décevante (*la Java des ombres,* Romain Goupil, 1983). On le rencontre encore dans les années 90 dans de petits rôles (*Jefferson à Paris,* J. Ivory, 1995). Il a prolongé sa carrière en exploitant ses dons d'auteur dramatique et d'écrivain (*Souvenirs provisoires,* 1957 ; *la Pomme de mon œil,* 1969 ; *le Soleil et les Ombres,* 1976 ; *Il fait beau mais ne le répétez pas,* 1980 ; *Dis-moi d'abord que tu m'aimes,* 1986). Marié d'abord avec l'actrice Blanche Montel, il épousa Maria Montez qui mourut prématurément, puis Marisa Pavan. Sa fille, Tina Aumont, s'est fait remarquer dans diverses productions. Il reste le symbole d'une certaine jeunesse de l'avant-guerre, fraîche, optimiste et étourdie. R.C.

AUREL *(Jean), cinéaste français (Rasvolitza, Roumanie, 1925).* Formé à l'IDHEC, réalisateur de courts métrages, puis scénariste, notamment pour René Clair *(Porte des Lilas)* et Jacques Becker *(le Trou).* Ses six premiers films (deux films de montage et quatre comédies) sont réalisés avec la collaboration de l'écrivain Jacques Laurent (Cecil Saint-Laurent). J.-P.J.

Films : *14-18* (DOC, 1963) ; *la Bataille de France* (DOC, 1964) ; *De l'amour* (1965) ; *Lamiel* (1967) ; *Manon 70* (1968) ; *les Femmes* (1969) ; *Êtes-vous fiancée à un marin grec ou à un pilote de ligne ?* (1970) ; *Comme un pot de fraises* (1974) ; *Staline* (DOC, 1984).

AURENCHE *(Jean), scénariste français (Pierrelatte 1903).* Scénariste et réalisateur de films publicitaires au début des années 30 (il y emploie Jean Anouilh, Paul Grimault ou Max Ernst), il coréalise aussi deux courts métrages avec Pierre Charbonnier en 1933 : *Pirates du Rhône* et *Bracos de Sologne.* Il devient vite un scénariste coté, participe à *l'Affaire Lafarge* (P. Chenal, 1938), *Hôtel du Nord* (M. Carné, *id.*) et est associé à tous les films de Claude Autant-Lara à partir de 1937, signant parallèlement les scripts de plusieurs courts métrages d'animation pour Paul Grimault (1943 et 1944). En 1943, il commence, avec *Douce* d'Autant-Lara, une collaboration de trente ans avec Pierre Bost (il a participé quatre ans plus tôt à *l'Héritier des Montdésir* d'A. Valentin). L'équipe Aurenche-Bost va devenir pour de longues années le symbole d'une certaine qualité du cinéma français, solidement charpenté et ne laissant nulle place à l'improvisation ; une conception qui permettra les plus grands films d'Autant-Lara, Clouzot ou Clément avant d'être balayée par l'impatience de la Nouvelle Vague et les pressions économiques.

Aurenche construisant, Bost dialoguant, c'est une œuvre commune de plus de trente films qui s'édifie ainsi, principalement mise en scène par Autant-Lara : *Sylvie et le Fantôme* (1946), *le Diable au corps* (1947), *Occupe-toi d'Amélie* (1949), *l'Auberge Rouge* (1951), *le Blé en herbe* (1954), *le Rouge et le Noir* (id.), *la Traversée de Paris* (1956), *En cas de malheur* (1958) ; par Delannoy : *la Symphonie pastorale* (1946), *Dieu a besoin des hommes* (1950) ; par Clément : *Au-delà des grilles* (1949), *Jeux interdits* (1952), *Gervaise* (1956), *Paris brûle-t-il ?* (1966). *L'Horloger de Saint-Paul* (B. Tavernier, 1974), qui les réunit après une éclipse de six ans, est aussi le dernier film de Pierre Bost. Aurenche, qui a encore signé sans son complice une quinzaine de films, en particulier pour Autant-Lara, continue seul cette nouvelle carrière, notamment avec Tavernier : *Que la fête commence* (1975), *le Juge et l'Assassin* (1976), *Coup de torchon* (1981), et Pierre Granier-Deferre : *l'Étoile du Nord* (1982). [→ BOST.]

J.-P.B.

AURIC *(Georges), musicien français (Lodève 1899 - Paris 1983).* Après des études au Conservatoire de Paris, il suit des cours de composition à la Schola cantorum. Il est un des fondateurs du groupe des Six, et ses mélodies, sa musique de ballet et de film le font connaître. On remarque la composition syncopée, imitative du cœur, du *Sang d'un poète,* de Cocteau (1931), lequel lui confie avec bonheur encore presque tous ses films, dont *la Belle et la Bête* (musique primée à Cannes en 1946). Son inspiration parodique, élégiaque et toujours élégante accompagne sans surcharge aussi bien *À nous la liberté* (R. Clair, 1931) que *l'Éternel Retour* (J. Delannoy, 1943), *Moulin Rouge* (J. Huston, 1953) ou *Lola Montès* (Max Ophuls, 1955), que *le Mystère Picasso* (H.-G. Clouzot, 1956). Membre de l'Institut (1962), président de l'Académie du cinéma, il a publié des souvenirs : *Quand j'étais là* (Paris, 1979). C.M.C.

AURIOL *(Jean Huyot,* dit *Jean George), critique français (Paris 1907 - Chartres 1950).* Cinéphile exigeant, lucide, raffiné, J. G. Auriol fonda en 1928 chez Corti les cahiers *Du cinéma,* devenus peu après *la Revue du cinéma,* éditée chez Gallimard. S'y élabora une critique non conformiste, tranchant avec bonheur sur la routine de l'époque. On relève au sommaire les noms de Brunius, Louis Chavance, Paul Gilson, mais aussi ceux de Gide, Soupault, Drieu La Rochelle, Fabre-Luce, Eisenstein, toute l'intelligentsia rassemblée. La revue eut 29 numéros. En 1946, Auriol lança une deuxième série, avec pour collaborateurs Bazin, Doniol-Valcroze, Lo Duca, etc. À la mort d'Auriol, *les Cahiers du cinéma* prirent le relais. Ce journaliste de talent fut aussi quelque temps scénariste, notamment de Marcel L'Herbier *(l'Épervier, Forfaiture)* et Max Ophuls *(Divine).* C.B.

AURTHUR *(Robert Alan), scénariste et cinéaste américain (New York, N. Y., 1922 - id. 1978).* Auteur de romans et de pièces, il écrit des scripts pour la TV et tire de l'un d'eux le scénario de *l'Homme qui tua la peur* (M. Ritt, 1957). Après les scripts de *l'Homme aux colts d'or* (E. Dmytryk, 1959) et *Lilith* (R. Rossen, 1964), très marqués par la psychanalyse, on lui doit encore ceux de *Grand Prix* (J. Frankenheimer, 1966), *Mon homme* (Daniel Mann, 1968) et *Que le spectacle commence* (B. Fosse, 1979), ainsi que la réalisation d'un unique film : *l'Homme perdu* (*The Lost Man,* 1969). J.-P.B.

AUSTRALIE. L'Australie est un des pays pionniers du cinéma. Le premier de ses films qui nous soit parvenu, *The Melbourne Cup,* de Maurice Sestier, date de 1896 et inaugure une forte tradition documentaire. En outre, dès 1901, William Booth et J. H. Perry tournent un des premiers films épiques religieux, *Soldiers of the Cross,* sous l'égide de l'Armée du salut. Les documentaires sur les aborigènes d'Australie centrale de l'anthropologiste sir Richard Baldwin sont déjà d'une grande qualité d'images, tandis que *The Story of the Kelly Gang* de Charles Tait (1906), superproduction très convaincante pour l'époque, est considérée comme étant peut-être le premier long métrage mondial (66 min).

Le succès de ce film est à l'origine de la vague de production des années suivantes. La brousse, les villes naissantes, les forçats, les pionniers sont les principaux thèmes de films qui, tournés à la hâte, pour un profit rapide, sont pour la plupart de pauvre qualité. Le producteur Cozens Spencer, cependant, attire les meilleurs talents, des chefs opérateurs Tasman, Ernest et Arthur Higgins à la première *star,* Lottie Lyell, qui fut aussi la coscénariste de nombreux films, sans oublier Raymond Longford*. Acteur, puis cinéaste et producteur, Longford émerge comme le seul vrai talent de cette époque. Le rythme et le parti pris de réalisme d'un de ses premiers films, *The Romance of Margaret Catchpole* (1911), en sont une preuve flagrante.

Face aux films américains et européens qui inondent déjà le marché, la compétition est serrée. La Première Guerre mondiale élimine la compétition européenne mais fait de l'Australie un marché sur mesure pour les productions hollywoodiennes. L'industrie locale subit alors sa première crise. Malgré tout, Beaumont Smith produit et dirige en 1917 le premier d'une série de films comiques *ruraux* qui feront recette, d'après les sketches à succès de Steve Rudd. Par ailleurs, Frank Hurley, explorateur et chef opérateur de guerre, tourne en Nouvelle-Guinée un documentaire de grande valeur, *Pearls and Savages* (1921). Raymond Longford, lui, continue sur sa lancée, un des seuls à ne pas sacrifier sa créativité au leurre des productions commerciales. Ses meilleurs films sont sans doute *On Our Selection* (1919), sa propre version des sketches de Rudd, et *The Sentimental Bloke* (1920), description de situations familières à la classe ouvrière, et, désormais, un classique.

Vers 1925, le cinéma est une des formes les plus populaires de divertissement dans le pays. Mais les contrats des distributeurs avec les firmes hollywoodiennes laissent peu de place aux films locaux, le fameux « quota des 5 p. 100 » qui impose la projection de 5 p. 100 de films non américains par an aux distributeurs n'étant qu'un alibi du gouvernement.

En dépit de ces difficultés et de la pauvreté du matériel local, c'est au plus profond de la Dépression que sont jetées les bases du cinéma parlant australien. Des semi-monopoles de production et de distribution apparaissent : c'est la grande époque des studios Cinesound qui, dans le cadre du groupe Australasian Films, produisent la majorité des films de l'époque, assurés de leur distribution par les circuits de l'Union Theatres. Dirigé par Ken G. Hall, Cinesound expérimente ou invente de nouvelles techniques, réunit les meilleurs cinéastes, techniciens et acteurs. Les films mis en scène par Hall sont surtout des comédies comme *On Our Selection* (1932), une autre version à succès des fameux sketches, ou des mélodrames comme *The Silence of the Dean Maitland* (1934), avec Frank Hurley comme chef opérateur.

En 1937, l'Union Theatres cesse de distribuer des films australiens dans le cadre des 5 p. 100 et les remplace par des films anglais. En 1940, Cinesound doit fermer ses portes, laissant un vide énorme dans cette industrie bourgeonnante mais fragile, qu'achèveront la guerre puis la prise de contrôle des deux principaux circuits de distribution par des compagnies américaines.

Charles Chauvel*, cinéaste et producteur indépendant, continuera pourtant jusqu'en 1955 une carrière commencée en 1925 avec *Moth of Mombi.* Naïf avec des traits de génie, Chauvel luttera toute sa vie contre l'invasion hollywoodienne et mourra en 1958, ruiné par les distributeurs. Ses films, où le pire voisine avec le meilleur, reflètent parfaitement sa personnalité. Découvreur d'acteurs, il donne sa première chance à Errol Flynn dans *In the Wake of the Bounty* (1933). *Forty Thousand Horsemen* (1941), récit d'une des dernières grandes charges de l'histoire, lance la carrière de Chips Rafferty*, principal acteur de l'après-guerre. Son dernier film, *Jedda* (1955), aborde pour la première fois le problème aborigène au cinéma.

Par ailleurs, les années 40 voient l'émergence d'un mouvement documentariste important avec des cinéastes comme Damien Parer *(Kokoda Front Line).* Ce mouvement se poursuit après la guerre avec, par exemple, *The Back of Beyond* (1954) de John Heyer. Mais entre la fin de la guerre et 1960, l'Australie est surtout un terrain de prédilection pour les producteurs étrangers qui ont découvert ses espaces, son climat et ses techniciens. C'est alors que l'Anglais Harry Watt* tourne *la Route est ouverte* (1946) et *Eureka Stockade* (1949), et que Ralph Smart signe *Bush Christmas* pour la Rank (1946). Quant aux producteurs locaux, ils ne financent que trop souvent, dans l'espoir d'une distribution à l'étranger, de pâles copies du cinéma américain. Il faut toutefois mentionner *Into the Straight* (1949) et *Three in One* (1956) du socialiste Cecil Holmes, trilogie sur la vie australienne et sans doute le meilleur film de l'époque.

C'est avec le mouvement progressiste des années 60 que le cinéma australien sort de sa léthargie. Encouragés par une intelligentsia qui réclame l'établissement d'un cinéma national, de nouveaux cinéastes apparaissent qui font fi de l'imitation américaine. Les courts métrages australiens recueillent de plus en plus de prix dans les festivals internationaux, des coopératives de production et de distribution comme la Sydney UBU School montrent la voie de la distribution indépendante et favorisent les expériences les plus avant-gardistes, tandis que le mouvement documentariste se poursuit avec des cinéastes tels que Ian Dunlop.

Mais c'est en 1970, avec la création de l'Australian Film Development Corporation (devenue Australian Film Commission), et celle de l'Experimental Film Fund, que ce que l'on appelle *le nouveau cinéma australien* prend son essor. Subventions ou prêts de l'AFC sont octroyés pour la réalisation de scénarios « commercialement viables » et au « contenu nettement australien » : ces conditions ont donné aux longs métrages une marque de fabrique souvent controversée.

Les premiers films australiens des années 70 sont des comédies qui reflètent non seulement la libération des mœurs, phénomène de l'époque, mais aussi une réaction contre une censure d'un autre âge (*The Naked Bunyip,* John B. Murray, 1970). Malgré le succès commercial de ces comédies, les cinéastes vont petit à petit abandonner ce genre, ou l'enrichir considérablement, comme Bruce Beresford* avec *Don's Party* (1976) - une veillée électorale dans un milieu de gauche -, pour trouver dans le passé d'autres sources d'inspiration, plus dignes de l'identité australienne qu'ils recherchent.

Avec le plus célèbre des films de cette époque *Pique-nique à Hanging Rock* (1975), et grâce au talent de Peter Weir*, les Australiens découvrent qu'ils ont à nouveau un cinéma dont ils peuvent être fiers. Ils préfèrent à l'image naturaliste des buveurs de bière, la vision élégante que leur renvoie Peter Weir, même si en contrepoint demeure la brutalité mystérieuse de l'environnement. Les rapports de l'homme à une nature hostile ne cessent de hanter le cinéma australien. Deux cinéastes étrangers illustreront mieux que quiconque cette réalité australienne. Le canadien Ted Kotcheff*, dans *Réveil dans la terreur* (1971), brosse une description en forme de cauchemar du séjour d'un jeune instituteur dans une petite agglomération aux confins du désert, tandis que Nicholas Roeg*, dans *Walkabout* (1970), transcende l'angoisse grâce à son héros aborigène, qui nous fait découvrir une harmonie possible entre l'homme et le désert. Avec la nature omniprésente dans tant de films australiens, on assiste à une reprise des thèmes chers aux premiers cinéastes : le « bush », les grands espaces, la valeur rédemptrice du travail à la campagne que l'on oppose à l'influence corruptrice des villes. *Sunday Too Far Away* (Ken Hannam, 1975), *The Last of the Knucklemen* (Tim Burstal, 1978) décrivent avec plus de réalisme que les premiers cinéastes la vie rude des tondeurs de moutons dans une station éloignée, ou celle des mineurs à la limite du désert. *The Irishman* (Donald Crombie, 1977), *We of the Never Never* (Igor Auzins, 1981), *The Man From Snowy River* (George Miller, 1981), tiré du célèbre poème de Banjo Patterson, appartiennent à la même veine d'inspiration. Des convicts (*Journey Among Women,* Tom Cowan, 1977) aux bandits des grands chemins (*Mad Dog Morgan,* Philippe Mora, 1975), les mythes et la réalité australienne se confondent jusqu'à *Mad Max* (1978) et *Mad Max 2* (1981) de George Miller et *Crocodile Dundee* (Peter Faiman, 1986).

Jusqu'au début des années 80, les cinéastes vont largement puiser dans le passé en adaptant des romans classiques : *The Getting of Wisdom* (Beresford, 1977), *My Brilliant Career* (Gillian Armstrong, 1978). Ils s'inspirent aussi d'événements historiques : *Breaker Morant* (Beresford, 1979), un épisode de la guerre des Boers, *Gallipoli* (P. Weir, 1980), la tragédie des Dardanelles. Après avoir tourné en 1975 *The Devil's Playground,* Fred Schepisi* fait éclater la violence traumatisante, pour les Australiens, de son très beau film *The Chant of Jimmie Blacksmith* (1977) où se révèle la culpabilité de l'homme blanc vis à vis des aborigènes. On retrouve paysages urbains et passé plus proche dans *Caddie* de Donald Crombie (1975), et *Newsfront* de Phil Noyce (1977). John Duigan avec *Mouth to Mouth* (1977) continue à aborder le temps présent avec le problème des jeunes sans emploi.

À partir de 1981, l'aide gouvernementale prend la forme d'abattements fiscaux, le « 10 BA ». Il en découle une augmentation immédiate et importante du nombre de films produits, dont malheureusement la qualité laisse bien souvent à désirer. Le « 10 BA » durera jusqu'en 88-89, pour être remplacé par la Film Financing Corporation, un fonds de financement aussi controversé aujourd'hui que l'a été le « 10 BA » ces dernières années. Grâce au maintien d'une aide au cinéma, une nouvelle génération est venue rejoindre les metteurs en scène les plus célèbres dont beaucoup, comme Peter Weir, Fred Schepisi, Bruce Beresford, George Miller, Gillian Armstrong, Phil Noyce tournent de plus en plus régulièrement aux États-Unis.

À l'instar de John Duigan (*Winter of Our Dreams,* 1981), les cinéastes abordent de plus en plus des thèmes contemporains et urbains : ainsi Paul Cox (*Lonely Hearts,* 1981 ; *Man of Flowers,* 1983), Carl Schultz (*Good Bye Paradise,* 1981 ; *Careful, He Might Hear You,* 1982) et Ken Cameron (*Monkey Grip,* 1981). Le Sud-Est asiatique est évoqué dans *Far East* de John Duigan (1981) et *l'Année de tous les dangers* de Peter Weir (1982). Parmi les autres films marquants on peut citer encore *Annie's Coming out* (Gill Brealy, 1983), *Bliss* (Ray Lawrence, 1985), *Fran* (Glenda Hambley, 1984), *High Tide* (G. Armstrong, 1986) et *Unfinished Business* (Bob Ellis, 1985). *A Street to Die* de Bill Bennett (1985) nous rappelle que les Australiens se sont aussi battus au Viêtnam, tandis que *Backlash,* du même réalisateur, est un autre regard sur les rapports d'une prisonnière aborigène et de la police. *Malcolm* (Nadia Tass, 1985), *Young Einstein* (Yahoo Serious, 1985) et *Emerald City* (Michael Jenkins, 1988) semblent vouloir renouveler le genre des comédies australiennes. *Shame* (Steve Jodrell, 1986), *Calme Blanc* (Phil Noyce, 1987), *Ghosts of the Civil Dead* (John Hillcoat, 1987), *Un cri dans la nuit* (F. Schepisi, 1987), *Sweetie* (J. Campion*, 1988), *la Preuve* (*Proof* Jocelyn Moorhouse, 1991) font alterner le suspense, les drames psychologiques et des sujets réels ou imaginaires.

Parallèlement l'Australie continue de produire un grand nombre de courts métrages et de documentaires. Le mouvement documentariste (Dennis O'Rourke, Ian Dunlop, Curtis Lévy, Gary Kildea, David Bradbury, Conolly et Anderson) n'a en effet jamais connu d'interruption même aux moments les moins favorables de l'histoire cinématographique de l'Australie.

La querelle entre un cinéma d'auteur et un cinéma commercial continue comme dans le reste du monde, agravée toutefois par le fait que l'Australie n'ayant que 16 millions d'habitants et étant un pays de langue anglaise, la tentation est grande de ne produire des films qu'en songeant au marché américain.

A.-M.C./C.T.

AUTANT-LARA *(Claude Autant,* dit *Claude), cinéaste français (Luzarches 1901).* Son père est l'architecte Édouard Autant, sa mère la comédienne Louise Lara, vedette du Théâtre-Français, qui refuse de s'associer aux manifestations chauvines organisées pendant la Première Guerre mondiale et doit s'exiler en Angleterre avec son fils. Claude Autant-Lara découvre le cinéma en 1919 en travaillant comme décorateur pour Marcel L'Herbier. Dans les années qui suivent, il collabore avec Fernand Léger, Mallet-Stevens et Alberto Cavalcanti dans ce véritable atelier que L'Herbier a réuni autour de lui.

Après avoir réalisé deux courts métrages expérimentaux (dont *Construire un feu,* où il emploie pour la première fois l'objectif anamorphique du professeur Chrétien – qui sera, 25 ans plus tard, à l'origine du CinémaScope commercialisé par la 20th Century Fox), il passe deux ans à Hollywood, où il tourne la version française de films américains, de Buster Keaton notamment. En 1933, il réalise son premier long métrage personnel, une adaptation de *Ciboulette* à laquelle collabore Jacques Prévert. Francis de Croisset, l'auteur du livret de l'opérette initiale, proteste dans la presse et déchaîne une polémique où le jeune cinéaste donne la mesure de sa verve insolente. Le film est mutilé par ses producteurs, et la carrière de son auteur connaît une longue éclipse.

Même s'il a dirigé un film à Londres en 1936, même s'il a servi de *nègre* à Maurice Lehmann en dirigeant pour lui, à la veille de la guerre, trois films qu'il ne signe pas, c'est seulement sous l'Occupation qu'il amorce véritablement son œuvre avec trois films, interprétés par Odette Joyeux, qui sont à la fois d'un calligraphe habile à reconstituer une esthétique *fin de siècle* alors fort prisée, et d'un moraliste féroce qui ne ménage pas les classes possédantes. *Douce* (1943) est de ce double point de vue une manière de chef-d'œuvre, qui met le doigt sur l'hypocrisie de la famille jugée comme une institution étouffante et maléfique, sur un fond d'opposition de classes, caricaturée dans la célèbre visite de Marguerite Moreno à « ses » pauvres.

Les mêmes qualités d'écriture et de causticité font, en 1946 et 1947, le succès et le scandale du *Diable au corps* (d'après Raymond Radiguet, avec Gérard Philipe et Micheline Presle). Les incidents et les polémiques qui entourent la présentation du film à Bruxelles et sa sortie en France en accentuent la dimension pacifiste et antimilitariste, et confèrent à son auteur une image de cinéaste de combat, anarchisant, contempteur des valeurs patriotiques et religieuses, qui le marque pour une quinzaine d'années.

Pendant douze ans (le temps de la IVe République, dont il est peut-être le cinéaste emblématique), Autant-Lara réalise plus de dix films, certes inégaux, mais jamais indifférents. Ce sont rarement des brûlots dévastateurs, mais leur impact sur la société française est décuplé par les controverses, voire les interdictions, qui entourent la sortie de *l'Auberge Rouge,* une farce jovialement anticléricale, ou du *Blé en herbe,* une adaptation du roman de Colette jugée immorale par les cercles conservateurs qui font bannir le film de plusieurs grandes villes, déchaînant débats juridiques et procès à propos de la *censure des maires.* En 1956, *la Traversée de Paris* (un des premiers films à évoquer les petits côtés de la France occupée, à rebours de l'imagerie héroïque qui sera de mise dans les années suivantes) et, en 1958, *En cas de malheur* sont encore deux de ses films majeurs, Jean Gabin y composant deux images complémentaires du bourgeois fascinant et honni.

Dans les dernières années 50, Autant-Lara est violemment pris à partie par les tenants d'une jeune critique qui s'épanouira avec la Nouvelle Vague. Traité de « faux martyr » parce qu'il se plaint de ne pouvoir tourner, pendant la guerre d'Algérie, le film sur l'objection de conscience qui lui tient à cœur, et de « cinéaste bourgeois » par de *jeunes turcs* qui lui reprochent une esthétique dépassée et la part trop belle qu'il donne aux scénarios et aux dialogues de ses collaborateurs attitrés, Jean Aurenche et Pierre Bost, il n'en continue pas moins à tourner un grand nombre de films mineurs, où ne se retrouve que par brefs éclats le souvenir de ce ton sarcastique qui avait fait sa rare originalité. En 1961, il dirige en Yougoslavie, avec mille difficultés, son *Objecteur,* que ses producteurs français, sous la pression de l'armée, l'obligent à rebaptiser *Tu ne tueras point.* Au cours des années 1980, le cinéaste défraye la chronique par des prises de position politiques d'extrême droite. J.-P.J.

Films ▲ : *Fait divers* (CM, 1923) ; *Construire un feu* (CM, 1928 [RÉ 1926]) ; *Ciboulette* (1933) ; *My Partner Mister Davis* (GB, 1936) ; *l'Affaire du courrier de Lyon* (CO M. Lehmann, 1937) ; *le Ruisseau* (CO Lehmann, 1938) ; *Fric-Frac* (CO Lehmann, 1939) ; *le Mariage de Chiffon* (1942) ; *Lettres d'amour* (id.) ; *Douce* (1943) ; *Sylvie et le Fantôme* (1946) ; *le Diable au corps* (1947) ; *Occupe-toi d'Amélie* (1949) ; *l'Auberge Rouge* (1951) ; *les Sept Péchés capitaux,* sketch *l'Orgueil* (1952) ; *le Bon Dieu sans confession* (1953) ; *le Blé en herbe* (1954) ; *le Rouge et le Noir* (id.) ; *Marguerite de la nuit* (1956) ; *la Traversée de Paris* (id.) ; *En cas de malheur* (1958) ; *le Joueur* (id.) ; *la Jument verte* (1959) ; *les Régates de San Francisco* (1960) ; *le Bois des amants* (id.) ; *Vive Henri IV, vive l'amour* (1961) ; *le Comte de Monte Cristo* (id.) ; *Tu ne tueras point* (1963 [RÉ 1961]) ; *le Meurtrier* (id.) ; *le Magot de Josefa* (id.) ; *le Journal d'une femme en blanc* (1965) ; *Nouveau Journal d'une femme en blanc / Une femme en blanc se révolte* (1966) ; *le Plus Vieux Métier du monde,* un sketch (1967) ; *le Franciscain de Bourges* (1968) ; *les Patates* (1969) ; *Gloria* (1977).

AUTEUIL *(Daniel), acteur français (Alger, Algérie, 1950).* Après avoir passé la majeure partie de son enfance dans le milieu du spectacle (son père était chanteur d'opéra), il entre au cours Florent. Il fait ses débuts au T. N. P., puis joue pendant deux ans dans la comédie musicale *Gospel* (1972). Gérard Pirès lui offre son premier rôle au cinéma dans *l'Agression* (1975). Menant parallèlement deux carrières (à la scène et à l'écran), il participe aux productions de Claude Zidi (dont *les Sous-doués* et leurs nombreuses suites) et d'Édouard Molinaro : *Pour cent briques, t'as plus rien* (1982), *l'Amour en douce* (1984), *Palace* (1985). Mais c'est dans les emplois plus dramatiques qu'il donne le meilleur de son talent, mélange d'angoisse et de violence (*le Paltoquet,* M. Deville, 1986). Son interprétation d'Ugolin dans *Jean de Florette* et *Manon des sources* (C. Berri, 1986) l'impose comme une nouvelle « gueule » du cinéma français. Il tourne ensuite notamment *Quelques jours avec moi* (C. Sautet, 1988), *Romuald et Juliette* (C. Serreau, 1989), *Lacenaire* (F. Girod, 1990), *Un cœur en hiver* (C. Sautet, 1992), *Ma saison préférée* (A. Téchiné, 1993), *la Séparation* (Ch. Vincent, 1994), *la Reine Margot* (P. Chéreau, *id.*), *Une femme française* (R. Wargnier, 1995). E.K.

AUTOBLIMPÉ (franglais d'après *blimp*). Se dit d'une caméra comportant, par construction, un blimp incorporé. (→ CAMÉRA.)

AUTOMATE. Accessoire de cabine de projection, parfois incorporé au projecteur, sur lequel l'opérateur peut programmer l'exécution automatique de tâches telles que la fermeture des rideaux de scène, l'éclairage de la salle, etc. (→ PROJECTION.)

AUTOSILENCIEUX. *Caméra autosilencieuse,* caméra ne comportant pas de blimp incorporé, mais conçue pour que son bruit soit à peu près inaudible. (→ CAMÉRA.)

AUTRICHE. L'histoire du cinéma autrichien est mal connue, brouillée par les événements historiques (fin de l'Empire austro-hongrois en 1919, annexion par l'Allemagne nazie, 1938-1945), rendue parfois confuse par la carrière de cinéastes et d'acteurs nés en Autriche sans y avoir jamais tourné de films, souvent confondue avec certains chapitres de l'histoire du cinéma allemand : la communauté de langue a non seulement suscité de nombreuses coproductions, mais de tout temps attiré artistes et techniciens vers Berlin.

Le cinéma a fait son apparition à Vienne dès 1896, en présence de l'empereur. On commence à tourner des films en 1908, et, en 1911-1912, Alexander Joseph Sascha Kolowrat-Krakowsky, un comte autrichien qui avait épousé la fille d'un industriel américain, fonde la Sascha Film, embauche notamment le jeune

Karl Freund* et crée des actualités cinématographiques. À la veille de la guerre, les écrivains les plus représentatifs ont déjà travaillé pour le cinéma : Hoffmansthal, Grillparzer, Arthur Schnitzler, ou encore Felix Dörmann qui s'investit dans la production. C'est dans des films autrichiens que débutent Fritz Kortner*, Liane Haid, Friedrich Feher*, Fern Andra*, Lilian Harvey*, qui ne vont pas tarder à aller chercher la gloire à Berlin. De même, des techniciens comme le réalisateur Paul Czinner*, venu de Hongrie (*Inferno* est tourné à Vienne en 1920), Karl Grüne* (alors acteur), Wilhelm Thiele*, Gustav Ucicky*, Richard Oswald*, Rudolf Meinert, Julius von Borsody s'initient au cinéma en Autriche avant de se rendre à Berlin, comme bien d'autres Autrichiens auront fait plus directement (Joe May*, Pabst*, Carl Mayer*, Otto Rippert*, puis Billy Wilder*, Fred Zinnemann*, etc. sans oublier Fritz Lang*, qui a écrit plusieurs scénarios à Vienne).

Les années 20 sont favorables aux studios viennois, visités par des étrangers comme Jacques Feyder* (*Das Bildnis [l'Image],* 1924). Max Linder*, qui y tourne en 1924 son dernier film, Robert Wiene* pour *les Mains d'Orlac,* Carl Fröhlich* dont Pabst est alors l'assistant. Cette politique d'internationalisation correspond aussi à une brève période où l'Autriche tente de rivaliser avec les films historiques allemands et américains. Mihaly Kertesz* (futur Michael Curtiz), Laszlo Vajda* et Sandor Korda*, venus de Hongrie en 1919, s'illustrent dans une série de films à grands spectacles : *Samson et Dalila,* de Korda, *Sodome und Gomorrhe* (ou *le Sixième Commandement*), *le Jeune Médard, l'Esclave-reine,* tous trois de Kertesz qui sera bientôt appelé à Hollywood.

Hors des grands studios, de petites sociétés produisent à Graz, à Innsbruck ou à Salzbourg des films montagnards et régionalistes tandis que d'autres captent les événements de l'actualité pour les traduire à l'écran : la mort du Kronprinz, l'affaire du colonel Redl (datant de 1913 mais révélée par le journaliste E.E. Kisch en 1924), ou la condamnation de Sacco et Vanzetti. La crise s'abat très vite sur le cinéma autrichien.

En 1927, il est au plus bas, et « Sascha », le plus ambitieux de ses producteurs, meurt en décembre. Cette même année voit pourtant la réalisation d'un film significatif qui réunit Willi Forst* et Marlene Dietrich* : *Café Electric,* de Gustav Ucicky. Willi Forst est de ceux qui illustreront dès l'avènement du parlant la comédie légère et le film musical, spécialités viennoises qui s'affirmeront dans les années 30 et se perpétueront après la guerre.

Après l'Anschluss, les autorités nazies mettent en place de nouvelles structures sous la dépendance de la UFA dans le but d'empêcher toute expression patriotique autrichienne tout en préservant la spécificité de l'art de l'Ostmark, le charme et l'élan viennois. D'où les *Wiener Blut* et *Operette,* les vies de musiciens, les comédies utilisant le populaire acteur local Hans Moser, et les films du montagnard Luis Trenker*. Mais aussi des films de propagande, tels *Heimkehr* (Ucicky, 1941) ou l'antisémite *Wien 1910* (E.W. Emo, 1943).

Dans les années 50, Willi Forst*, Franz Antel* et les Marischka* s'inscrivent dans la tradition de légèreté. La série des *Sissi* est un énorme succès international et les acteurs autrichiens s'exportent bien : Romy Schneider*, Oskar Werner*, Maria et Maximilian Schell*, Helmut Berger*. La permanence des intérêts soviétiques à Vienne aura permis à Cavalcanti* et à Louis Daquin* de tourner des films différents, et plus tard, aux environs de 1960, quelques cinéastes autrichiens nés en Autriche (B. Wicki*, Alf Brustellin*, Herbert Vesely*) contribueront à la naissance d'une « Nouvelle Vague » en Allemagne. Mais il faudra attendre les années 1975-1980 pour voir s'affirmer un véritable mouvement d'auteurs dans le pays même, avec notamment Axel Corti*, Antonis Lepeniotis, grec d'origine, Jörg A. Eggers, allemand fixé à Vienne, l'Arménien Mansur Madavi, le documentariste Bernhard Frankfurter, et Robert Dornhelm qui tournera aux États-Unis *She dances alone (1980).*

On découvre alors : Valie Export, réalisatrice venue du cinéma expérimental (*Adversaires invisibles [Unsichtbare Gegner],* 1977), Franz Novotny, également issu de l'avant-garde avec *Exit-nur keine Panik* (1980), le canadien John Cook avec (*la Lenteur de l'été [Langsammer Sommer],* 1977) et *l'Étuve (Schwitzkasten,* 1981), Peter Patzak avec *Kassbach* (1978), Titus Leber avec *Schubert (Feind bin ich eingezogen,* 1977) et *Anima* (1981), l'acteur passé à la réalisation Maximilian Schell* avec *Geschichten aus dem Wiener Wald* (*Histoires de la forêt viennoise,* 1979).

Le renforcement des aides publiques, à partir de 1980, et l'implication de la télévision ont favorisé l'affirmation du talent de personnalités déjà expérimentées : Axel Corti* et sa trilogie *Welcome in Vienna* (1981-86), Christian Berger (*Raffl,* 1984, *Hanna en mer [Hanna Monster Liebling],* 1989) par ailleurs chef-opérateur réputé, ou Michael Haneke, qui après une carrière à la télévision a réalisé trois films exceptionnels : *le Septième Continent* (*Der siebente Kontinent,* 1988), *Benny's video* (1992) et *71 fragments d'une chronologie du hasard* (*71 fragments einer Chronologie des Zufalls,* 1994). Des cinéastes plus jeunes se sont révélés, comme Milan Dor : *Malambo* (1984), *Pink Palace, Paradise Beach,* 1990 ; Maria Knilli : *Lieber Karl* (1981), *Follow me* (1988) ; Wolfram Paulus : *Heidenlöcher* (1986), (*les Enfants de chœur [Die Ministranten],* 1990 (*Tu me rendras fou [Du bringst mich noch um],* 1994) ; l'acteur-réalisateur Paulus Manker : *Schmutz* (1985) (*la Nuit de Weininger [Weiningers Nacht],* 1989 (*l'Œil du typhon [Das Auge des Taifin],* 1993) ; Andreas Gruber : *Shalom General* (1989), *Hasenjagd [l'Espace de la grâce],* 1994). D.S.

AUTRY *(Gene), acteur américain (Tioga, Tex., 1907).* Lancé par Will Rogers, ce cow-boy chantant, de 1934 à 1954, galope sur son cheval Champion pour Republic ou Columbia. Prude, chevaleresque et bien mis, il incarne sa propre personne, figure artificielle et mièvre, dans des westerns indifférents au lieu et à l'époque : *Colorado Sunset* (G. Sherman, 1939), *Melody Ranch* (Joseph Santley, 1940), *Blue Canadian Rockies* (George Archainbaud, 1952) entre vingt autres. De 1937 à 1942, il occupe les premières places au box-office (il fait partie des dix *top moneymakers*), avant d'être plus ou moins supplanté par son homologue et rival Roy Rogers. A.M.

AUVI-NON-STOP. Nom de marque d'un dérouleur sans fin, de grande capacité, pour appareil de projection. (→ PROJECTION.)

AVAILABLE LIGHT («lumière disponible»). Locution anglaise pour *lumière naturelle.*

AVAKIAN *(Aram), cinéaste et monteur américain (New York, N. Y., 1926 - id. 1987).* Après des études à Yale et à la Sorbonne, il travaille comme monteur à la télévision américaine puis au cinéma. Il a une prédilection pour le montage fragmenté, sophistiqué, au point d'avoir sans doute influencé le style de certains films auxquels il a collaboré. En effet, *Lilith* (R. Rossen, 1964), *Mickey One* (A. Penn, 1965), *Big Boy* (F. F. Coppola, 1967) se distinguent des autres films de leurs auteurs par un rythme visuel très particulier. Les caractéristiques d'Aram Avakian comme monteur se retrouvent dans le premier film qu'il a dirigé, *Au bout du chemin* (*End of the Road,* 1970), d'après le roman de John Barth. Moins personnelles sans être plus réussies se révèlent ses œuvres suivantes, *Flics et Voyous* (*Cops and Robbers,* 1973) et *Fric-Frac rue des Diams* (*11, Harrowhouse,* 1974). M.C.

AVANCE SUR RECETTES. L'avance sur recettes constitue l'élément majeur de l'aide sélective à la production de films français.

Comme sa dénomination l'indique, le mécanisme de l'avance sur recettes mis en place en 1953 consiste à avancer des fonds pour la production des films retenus, le remboursement devant s'effectuer par prélèvement d'un pourcentage convenu des recettes réalisées par les films quand ils sont mis en exploitation. Si les recettes sont insuffisantes pour assurer un remboursement complet, la fraction non remboursée de l'avance reste acquise au producteur. Les avances sont versées par le CNC sur les crédits du Compte de soutien, également abondés par le budget général de l'État depuis 1982.

L'octroi des avances est décidé par le ministre de la Culture après avis d'une commission dont il désigne les membres titulaires. Depuis 1953, la procédure d'avance sur recettes s'est considérablement affinée. La commission est composée de deux collèges : l'un examine les projets de premiers films, le second se prononce sur les autres projets. Les collèges peuvent accorder une aide à la réécriture des scénarios. Quarante à cinquante films par an sont produits grâce à l'avance sur recettes. G.A.

AVANT-GARDE. Historiens et théoriciens du cinéma désignent sous ce nom des réalités différentes : la *première avant-garde* est l'école française des années 20, soit un courant esthétiquement novateur au sein d'un cinéma commercial ; la *deuxième* et la *troisième avant-*

gardes sont internationales ; elles produisent un cinéma expérimental, marginal, étranger aux structures du cinéma industriel.

La première avant-garde (1920-1925) a reçu d'Henri Langlois l'appellation d'*impressionnisme français,* qui traduit excellemment le goût du plein air, la touche *divisionniste,* les jeux de lumière et d'ombre ainsi que le poudroiement kaléidoscopique des images de cette école. Celle-ci rêve d'abord (essentiellement avec Abel Gance) de faire du cinéma un art radicalement neuf, un langage visuel planétaire destiné aux masses et préparant une civilisation nouvelle, puis elle se replie sur un compromis : ménager le grand public et le commerce du film sans capituler sur le plan de l'invention artistique. René Clair le dit : « La principale tâche du réalisateur consiste à introduire, par une sorte de ruse, le plus grand nombre de thèmes purement visuels dans un scénario fait pour contenter tout le monde. » Marcel L'Herbier, Abel Gance, Louis Delluc, Germaine Dulac, Jean Epstein explorent systématiquement, parfois avec un réel génie, toutes les possibilités visuelles, symboliques, dramatiques, rythmiques du film en direction de la photogénie (la subjectivité rendue visible), d'une poésie d'esthète et de la *musique silencieuse.* On leur a reproché leur mépris du sujet et leur mépris du public (en fait, ils croient souvent très fort en leurs scénarios grandiloquents ou puérils), leur esprit bourgeois, leur obsession de la littérature, leur indifférence aux réalités sociales du moment. Gance par sa démesure, Delluc par son *américanisme,* Clair par son populisme ironique restent ceux qui ont le mieux su concilier qualité artistique et audience universelle.

La deuxième avant-garde a plusieurs visages. Entre 1921 et 1926, elle est picturale. En Allemagne, elle s'efforce de retrouver au cinéma l'abstraction lyrique et le rythme pur que les arts plastiques (du cubisme et du futurisme au simultanéisme et au suprématisme) ont déjà conquis. Avec Viking Eggeling, Hans Richter, Walter Ruttmann, Oskar Fischinger, elle anime la peinture et la fait *devenir.* En France, cette recherche demeure concrète, figurative. Fernand Léger, Man Ray, Jean Grémillon, Henri Chomette prennent leurs matériaux dans le monde réel et les soumettent aux transfigurations de la lumière, de la vitesse, des jeux de miroirs. Entre 1924 et 1930, la deuxième avant-garde est *dadaïste* et *surréaliste.* René Clair *(Entr'acte),* Man Ray, Marcel Duchamp, Luis Buñuel *(Un chien andalou, l'Âge d'or),* Jean Painlevé en France, Adrian Brunel en Angleterre, Hans Richter, Moholy-Nagy en Allemagne, Charles Dekeukeleire en Belgique, Robert Florey aux États-Unis, font passer dans leurs films, presque toujours de court métrage, l'esprit négateur, les provocations sociales, les blasphèmes, la *déraison,* l'onirisme, l'érotisme, la logique de l'inconscient — thèmes et valeurs subversives dont Tristan Tzara pour *dada* et André Breton pour le surréalisme sont alors les hérauts.

La troisième avant-garde (1927-1930) est documentaire. Influencée par le *ciné-œil* de Dziga Vertov et la rationalité du Bauhaus, elle pose sur le monde réel un regard neuf, poétique et souvent politique. Elle s'attache au collectif, filme les capitales, les grands rassemblements humains. Ruttmann *(Berlin, symphonie d'une grande ville),* Joris Ivens *(Borinage, Zuiderzee),* Vigo *(À propos de Nice),* Richter *(Inflation),* Siodmak *(les Hommes le dimanche),* Jay Leyda *(A Bronx Morning)* portent témoignage sur un monde en crise. La troisième avant-garde produit en Grande-Bretagne l'*école documentariste anglaise* (1929-1940) et inspire en Italie le meilleur des ciné-clubs universitaires fascistes (CineGUF, 1934-1941). Elle resurgira avec le néoréalisme italien, le *free cinema* anglais des années 50 et, dans les années 60, avec les différents courants du cinéma direct. B.A.

AVATI *(Giuseppe,* dit *Pupi), cinéaste italien (Bologne 1938).* Avec son frère Antonio (qui fondera la AMA Film), il produit, écrit et dirige un des premiers films « régionaux » : *Balsamus l'uomo di Satana* (1968), comédie grotesque et féerique. Après des farces grinçantes (*La mazurka del barone della santa e del fico fiorone,* 1974 ; *Bordella,* 1975), il dirige deux excellentes œuvres du fantastique moderne, inspirées par des légendes du Pô : *la Maison des fenêtres qui rient* (*La casa dalle finestre che ridono,* 1976) et *les Étoiles dans le puits* (*Le strelle nel fosso,* 1978). Ses premiers succès populaires sont dus à deux feuilletons autobiographiques et ironiques pour la TV : *Jazz Band* (1978), *Cinema ! ! !* (1979).

En double version pour le cinéma et la TV, il a dirigé *Aidez-moi à rêver (Aiutami a sognare,*

1981), un musical nostalgique (chorégraphies de Hermes Pan) qui se déroule en Émilie pendant la dernière guerre, à l'arrivée des Américains. Il signe ensuite *Dancing Paradise* (1982), *Zeder* (1983), *la Balade inoubliable* (*Una gita scolastica,* 1984), *Une saison italienne* (*Noi tre,* id.), *Impiegati* (1985), *Festadi Laurea* (id.), *Regalo di Natale* (1986), *Ultimo minuto* (1987), *Sposi* (CORE Luciano Mannuzzi, C. Bastelli, F. Farina, Antonio Avati, *id.*), *Histoire de garçons et de filles* (*Storia di ragazzi e ragazze,* 1989), *Bix* (1991), *Fratelli e sorelle* (1992), *Magnificat* (1993), *L'amico d'infanzia* (id.), *Dichiarazione d'amore* (1994). L.C.

AVERBAKH *(Ilja) [Il'ja Aleksandrovič Averbah], cinéaste soviétique (Leningrad 1934 - Moscou 1986).* Après des études de médecine, il suit le cours supérieur de scénario et de réalisation ; il travaille aux studios Lenfilm depuis 1967. Il débute comme réalisateur et scénariste en 1968 : *le Degré de risque (Stepen' riska),* puis *Drame de la vieille vie* (*Drama iz starinnoj žizni,* 1971). Il est révélé à l'étranger par un film d'une finesse psychologique attachante et qui doit beaucoup à l'excellent scénario d'Evgueni Gabrilovitch : *Monologue* (*Monolog,* 1973). Ses autres films appartiennent à la même veine intimiste : *Lettres d'autrui* (*Čužie pis'ma,* 1976), *Déclaration d'amour* (*Ob'jasnenie v ljubvi,* 1978), *la Voix* (*Golos,* 1982). M.M.

AVERY *(Fred Avery,* dit *Tex), cinéaste d'animation américain (Dallas, Tex, 1908 - Burbank, Ca., 1980).* Maître incontesté du cartoon paroxystique, spécialiste des gags d'exagération et d'agression, son importance est considérable, bien qu'il fût longtemps demeuré mystérieux dans le milieu du dessin animé, où son existence même était mise en doute (on croyait à un prête-nom). Il est finalement reconnu dans les années 50, devient l'objet de nombreuses études et se voit consacrer des hommages rituels à la télévision. Né à Dallas, Texas, comme l'indique son surnom, Tex Avery a débuté en 1930 en animant les *Fables d'Ésope* de Charles Mintz, en travaillant ensuite chez Harrison et Gould sur *Krazy Kat,* puis avec Walter Lantz sur la série *Oswald le Lapin,* enfin aux studios de la Warner chez Léon Schlesinger, où, avec Chuck Jones, Bob Clampett et Ben Hardaway, il contribua à l'invention de la superstar des Looney Tunes, Bugs Bunny. Tex, un géant borgne hilare qui s'adonnait aux farces, créa aussi le chien Droopy, lugubre et balbutiant, chiot minuscule qui s'oppose (à la manière de Buster Keaton) à des troupeaux de moutons voraces, à des bandes de hors-la-loi, à des taureaux furieux, ou à son propre double.

À la Warner, il contribue également à l'élaboration du canard Daffy Duck, du pingouin Chilly Willy, de l'écureuil fou Screwy Squirrel et de l'imbécile Elmer Fudd. Ses pas le conduisent encore à la Universal, la Paramount et à la MGM sous Fred Quimby, enfin aux studios publicitaires Cascade, où se termine sa carrière. Devenu légendaire parmi les autres animateurs, énormément copié, il a posé sa marque sur un style de récit à base de répétitions folles, de changements de taille colossaux (le canari géant, le pygmée demi-portion, histoires rituelles de puces et d'éléphants), d'obsessions de vacarme ou d'insomnie, de boulimies extraordinaires *(Billy Boy),* de fixations sexuelles délirantes centrées sur des créatures de contes de fées (Cendrillon, le Petit Chaperon rouge, devenues provocantes bombes sexuelles), toutes attribuées au même loup libidineux. Il a créé le *Long isnt it ?,* gag reposant sur le passage interminable d'un objet oblong devant l'écran, mystifié les projectionnistes en dessinant des poils directement sur pellicule ; et, dans sa dérision des fables édifiantes de gentilles créatures de la forêt ou de gnomes cordonniers, il a su s'imposer comme l'anti-Disney définitif.

Son œuvre est relativement courte : environ 130 films longs de 5 à 8 minutes, mais il garde les proportions d'un maître satiriste absurde digne d'Edward Lear ou de Kafka. Son univers de contrastes aberrants mène au vertige des infinis. En un sens, ce gagman *pascalien,* qui, comme Stirner, a fondé sa cause sur le rien, a dépassé le cadre des courts métrages burlesques pour passer à l'Histoire comme un poète visionnaire à la Benjamin Péret ou à la W. C. Fields. R.BN.

AVILDSEN *(John G.), cinéaste américain (Chicago, Ill., 1936).* Formé dans la publicité écrite et filmée, il est, à partir de 1964, assistant, chef opérateur, etc., tout en réalisant, produisant, photographiant, montant ses propres films. *Joe, c'est aussi l'Amérique* (*Joe,* 1970) surprend par l'acuité du portrait, autant que par la rugosité du style, et lui vaut un gros succès. Avildsen, qui s'appuie déjà sur l'acteur – ici Peter Boyle –, ne cesse ensuite de se mettre au service de vedettes : Jack Lemmon dans *Sauvez le tigre* (*Save the Tiger,* 1973), Sylvester Stallone, qui en a écrit le scénario, dans *Rocky* (*id.,* 1976), qui lui vaut un Oscar, Marlon Brando et George C. Scott dans *la Formule* (*The Formula,* 1980), le jeune Ralph Maccio dans *le Moment de vérité* (*The Karate Kid,* 1984) et ses suites *The Karate Kid II* (1986), *The Karate Kid III* (1989). Il devient d'ailleurs le spécialiste des « suites » (*Rocky V,* 1990). Il perd ainsi toute force et toute originalité, excepté dans un mélodrame incongru : *Slow Dancing* (*Slow Dancing in the Big City,* 1978). A.G.

AVIV *(Nurith), chef opératrice israélienne (Tel Aviv 1945).* Photographe de presse en Israël puis diplômée de l'IDHEC à Paris en 1967. Collaboratrice de nombreux cinéastes (cinéma et TV) dont René Féret *(Histoire de Paul),* René Allio *(Moi, Pierre Rivière...),* Agnès Varda *(Daguerréotypes, L'une chante l'autre pas, Jane B. par Agnès V.)* et, en Israël, Amos Gitai *(Journal de campagne, Berlin-Jérusalem).* Elle coréalise avec Eglal Errera le long métrage documentaire *Kafr Qara,* ISR, 1988). M.M.

AWASHIMA *(Chikage), actrice japonaise (Tōkyō 1924).* Elle débute au cinéma en 1950, à la Shochiku. Une des meilleures actrices de l'après-guerre, elle est l'interprète de plusieurs cinéastes importants, dans des rôles très divers. Parmi les plus intéressants, retenons ceux de *Eaux troubles* (T. Imai, 1953) ; *Printemps précoce* (Y. Ozu, 1956, où elle est l'épouse de Ryo Ikebe), et surtout *Relations matrimoniales* (S. Toyoda, 1955, où elle est la geisha), film pour lequel elle obtient le prix d'interprétation féminine au Japon. M.T.

AXE. *Pellicules de même axe,* pellicules découpées dans un même ruban large de film vierge. (→ FILM.)

AXEL *(Gabriel), cinéaste danois (Aarhus 1918).* Études dramatiques à Copenhague, acteur dans la troupe de Louis Jouvet (1945-1950). Il tourne de nombreux films pour la télévision au Danemark et en France. Au cinéma, depuis 1955, auteur d'une vingtaine de films, dont une saga médiévale, *la Mante rouge* (*Den roede kappe,* 1968) et de pochades libertines : *le Marquis sadique* (*Jeg en marki,* 1967), *le Joujou chéri* (*Det kaere legetoej,* 1968). Il a acquis une réputation internationale avec *le Festin de Babette* (*Babettes gaestebud,* 1987, Oscar du meilleur film étranger). Il réalise ensuite *Christian* (1989) et *le Prince du Jutland* (*Prince of Jutland,* 1993), coproduction européenne d'initiative britannique. M.M.

AXELROD *(George), scénariste et réalisateur américain (New York, N. Y., 1922).* Auteur de comédies de théâtre à succès, il fait porter sa satire sur les fantasmes érotiques de la petite bourgeoisie *(The Seven Year Itch)* ou sur les ambitions des cols blancs (*Will Success Spoil Rock Hunter ?),* il illustre sur le mode burlesque les quiproquos engendrés par un changement de sexe *(Goodbye Charlie) ;* ces trois pièces seront plus tard portées à l'écran. Au cinéma, il prend pour cible un monde régi par le principe de représentation : publicité politique, prostitution de luxe, spectacle. Ses scénarios, mêlant, à la mode des années 60, causticité chic et romantique (*Diamants sur canapé,* B. Edwards, 1961), sont centrés sur un thème privilégié : la *confusion,* qui peut naître d'une manipulation psychologique (*Un crime dans la tête,* J. Frankenheimer, 1962) ou d'une brutale irruption de la fiction dans la réalité (*Deux Têtes folles,* R. Quine, 1964, d'après *la Fête à Henriette* de Duvivier ; *Comment tuer votre femme,* id., 1965). Dans la même veine, George Axelrod a écrit, produit et réalisé deux films : *Lord Love a Duck* (1966) et *The Secret Life of an American Wife* (1968). O.E.

AYALA (*Fernando*), *cinéaste et producteur argentin* (*Gualeguay, Entre Ríos, 1920*). Issu de l'industrie traditionnelle, il fait des débuts (*Ayer fue primavera,* 1954 ; *Los tallos amargos,* 1957) porteurs d'espoirs, confirmés par *El jefe* (1958), portrait d'un caudillo latino-américain. *El candidato* (1959), écrit comme le précédent par le romancier David Viñas, est moins réussi. Associé à Héctor Olivera (*Argentinisima,* 1969 ; *La Patagonia rebelde,* 1973 ; *La nona,* 1979), Ayala fonde l'importante maison de production Aries. Il est considéré pendant un temps comme l'auteur de transition (avec Torre Nilsson) entre le vieux cinéma argentin et le *nuevo cine* (*Paula cautiva,* 1963). Il préfère finalement une ligne commerciale plus conformiste. À l'issue de la dictature militaire, il réussit assez bien à décrire l'ambiance déliquescente d'une époque caractérisée par la corruption et l'argent facile dans *Plata dulce* (1982), *El arreglo* (1983) et *Pasajeros de una pesadilla* (1984). P.A.P.

AYKROYD *(Daniel Edward,* dit *Dan), acteur américain d'origine canadienne (1953 Ottawa).* L'un des plus brillants représentants de toute une génération de comédiens éclos dans le sérail télévisuel du Saturday Night Live, Dan Aykroyd y créa, avec son complice John Belushi, les personnages récurrents des Blues Brothers. Leur popularité était telle qu'on décida de leur consacrer un film entier (*The Blues Brothers,* J. Landis, 1980) : Aykroyd en fut naturellement l'interprète et le co-scénariste, avec le succès que l'on sait. Auparavant, il avait déjà tourné quelques films moins marquants, dont une participation à *1941* (S. Spielberg, 1979). Depuis, il a beaucoup tourné dans des comédies au trait large qui n'ont pas laissé de traces durables : *S.O.S. Fantômes* (I. Reitman, 1984) et sa suite (1989) ou encore *Dragnet* (Tom Mankiewicz, 1985) ne représentent que le haut du panier. Il tourne deux films par an en moyenne. Il se gaspille car *Un fauteuil pour deux* (J. Landis, 1983) lui a donné l'occasion d'une création comique beaucoup plus fine et *Miss Daisy et son chauffeur* (B. Beresford, 1989) a prouvé qu'il pouvait jouer dans un registre plus grave. Il incarna Mack Sennett dans *Chaplin* (R. Attenborough, 1993). C.V.

AYMÉ *(Marcel), écrivain et scénariste français (Joigny 1902 - Paris 1967).* Auteur pour qui l'imaginaire prend son vol à partir du réalisme le plus terre à terre, il fait ses débuts en 1933 en écrivant les dialogues de son roman *la Rue sans nom* (P. Chenal). Le même cinéaste lui confie encore ceux de *Crime et Châtiment* (1935) et des *Mutinés de l'Elseneur* (1936). Par la suite, il va dialoguer des adaptations (*le Voyageur de la Toussaint,* L. Daquin, 1943), travailler sur des sujets originaux (*Papa, Maman, la Bonne et Moi,* J.-P. Le Chanois, 1955) ou fournir la caution de ses propres œuvres : *la Belle Image* (C. Heymann, 1951), *le Passe-Muraille* (J. Boyer, *id.*), *la Table aux crevés* (H. Verneuil, 1952), *le Chemin des écoliers* (M. Boisrond, 1959), *la Jument verte* (C. Autant-Lara, *id.*), sans qu'aucun de ces films retrouve le ton si particulier des récits. Seuls Autant-Lara, Aurenche et Bost le restituent grâce à l'amertume de *la Traversée de Paris* (1956). R.C.

AYRES *(Agnès Hinkle,* dite *Agnès), actrice américaine (Carbondale, Ill., 1896 - Los Angeles, Ca., 1940).* Après des courts métrages comiques à la Essanay, Agnès Ayres connut la célébrité en 1921 quand, dans *le Cheikh* (*The Sheik,* de George Melford), elle éveillait la concupiscence de Rudolph Valentino. Sa collaboration la plus suivie fut celle avec Cecil B. De Mille, qui la dirigea très souvent : *The Affairs of Anatol* (1921), *les Dix Commandements* (1923), entre autres. En 1926, elle reprit son rôle auprès de Valentino dans *le Fils du cheikh* (G. Fitzmaurice), mais sa carrière finit avec le muet. Elle tenta un retour en 1937 dans *Âmes à la mer* (H. Hathaway), mais mourut quelques années plus tard d'une hémorragie cérébrale. C.V.

AYRES *(Lew), acteur américain (Minneapolis, Minn., 1908).* Il débute à l'écran en 1928 (il est le partenaire de Greta Garbo dans *le Baiser* de Jacques Feyder), mais doit sa célébrité à un seul film : *À l'ouest rien de nouveau* (L. Milestone, 1930), où il incarne un soldat pacifiste. Cantonné ensuite dans des rôles secondaires (à l'exception de *Vacances* de G. Cukor en 1938) ou des serials *(Dr. Kildare),* il reste populaire jusqu'en 1941 ; se déclarant objecteur de conscience, il refuse, quand la guerre mondiale éclate, de porter l'uniforme et se voit boycotté par les studios. Néanmoins, s'étant engagé dans un service médical, il se distingue sous le feu et retrouve dès 1946 le chemin de l'écran. Il n'y tiendra cependant plus que des emplois épisodiques (*Johnny Belinda,* J. Negulesco, 1948 ; *Tempête à Washington,* O. Preminger, 1962). En 1976, il produit, photographie et dirige un documentaire de 150 minutes, *Altars of the World,* où se reflète sa conception mystique de la non-violence et qui fait suite à *Altars of the East,* documentaire en cinq parties tourné en 1955 d'après son propre livre. Divorcé de Lola Lane, il avait été de 1934 à 1941 l'époux de Ginger Rogers. G.L.

AZCONA *(Rafael), scénariste espagnol (Logroño 1926).* Caricaturiste et romancier, son travail pour l'écran commence auprès de Marco Ferreri (*El pisito,* 1958), un des réalisateurs auxquels il reste attaché (*El cochecito,* 1960 ; *le*

Lit conjugal, 1963 ; *le Mari de la femme à barbe,* 1964 ; *la Grande Bouffe,* 1973 ; *Y'a bon les blancs,* 1988). Il est le collaborateur régulier de Luis G. Berlanga, depuis *Plácido* (1961) jusqu'à *la Vaquilla* (1985), et de Carlos Saura, entre *Peppermint frappé* (1967) et *la Cousine Angélique* (1973), exception faite de *Stress es tres, tres* (1968). Désabusé, un peu misogyne, voire misanthrope, c'est par un humour caustique et parfois noir qu'il se fait reconnaître au départ, dans ses collaborations avec Ferreri et Berlanga. Il fait montre avec Saura d'un registre plus nuancé et, surtout, du savoir-faire nécessaire à la structuration de scénarios plus complexes. Il travaille aussi à d'autres films italiens : *Il mafioso* (A. Lattuada, 1962). Il est l'auteur de *La corte de Faraón* (J. L. García Sanchez, 1985), de *l'Année des lumières* (*El año de las luces,* Fernando Trueba, 1986), du *Vol de la colombe* (*El Vuelo de la paloma,* J. L. García Sanchez, 1989), de *¡ Ay Carmela !* (Saura, 1990) et de *Tirano Banderas* (J.L. García Sánchez, 1993). P.A.P.

AZEMA *(Sabine), actrice française (Paris 1949).* Ancienne élève d'Antoine Vitez au Conservatoire, elle commence une carrière théâtrale et obtient quelques rôles au cinéma (*la Dentellière,* C. Goretta, 1977 ; *On n'est pas des anges... elles non plus,* Michel Lang, 1981). Mais c'est Alain Resnais qui lui offre, avec *La vie est un roman* (1983), l'occasion de révéler ses talents de comédienne. Son jeu vif et léger dans *Un dimanche à la campagne* (B. Tavernier, 1984) lui vaut le César de la meilleure actrice. Fidèle à ses comédiens, Resnais lui donne le premier rôle dans *l'Amour à mort* (1984) et dans *Mélo* (1986). Elle est l'interprète principale de *Zone rouge* (R. Enrico, 1986), avant de jouer dans *la Puritaine* (J. Doillon, *id.*), *la Vie et rien d'autre* (Tavernier, 1989), *Vanille fraise* (G. Oury, *id.*), *Trois Années* (Fabrice Cazeneuve, 1990) et surtout *Smoking / No Smoking* (A. Resnais, 1993). E.K.

AZMI *(Shabana), actrice indienne (Bombay 1952).* Son père est le grand poète urdū Kaifi Azmi ; sa mère, une célèbre comédienne (Shaukat Azmi). Elle étudie l'art dramatique à l'Institut de Poona et se voit offrir un premier rôle important par Shyam Benegal dans *'la Graine'* (1973). Elle tourne plusieurs autres films sous la direction du même cinéaste : *'l'Aube'* (1975) ; *'Un vol de pigeons'* (1978) ; *Mandi* (1983); *Susman* (1986). Elle se partage entre les films d'auteurs : *les Joueurs d'échecs* (S. Ray, 1977), *'Pourquoi Albert Pinto se met en colère ?'* (*Albert Pinto Ko Gussa Kyon Ata Hai,* Saeed Mirza, 1980), *les Ruines* (M. Sen, 1984), *la Traversée* (*Paar,* Gautam Ghose, *id.*), *Genesis* (Sen, 1986), *Pestonjee* (Vijaya Mehta, 1988), *'Soudain, un jour'* (Sen, 1989), *Sati* (Aparna Sen, *id.*) *Patang* (Ghose, 1993) et les films à vocation populaire : *Amar Akbar Anthony* (Manmohan Desai, 1978), *Arth* (Mahesh Bhatt, 1982), *Masoon* (Shekhar Kapoor, 1982). Elle tourne également dans des productions internationales: *Madame Sousatzka* (J. Schlesinger, 1988), *la Nuit bengali* (Nicolas Klotz, *id.*), *la Cité de la joie* (R. Joffé, 1992) *In Custody* (Ismail Merchant, 1993). J.-L.P.

AZNAVOUR *(Shahnour Varenagh Aznavourian, dit Charles), chanteur-compositeur et acteur français (Paris 1924).* Chanteur dès son plus jeune âge, il mène à partir de 1956 (*Une gosse sensass,* de R. Bibal) une double carrière d'acteur aux rôles inégaux et de chanteur-compositeur d'audience internationale. *La Tête contre les murs,* de Franju, lui vaut le prix d'interprétation du cinéma français en 1959, mais son meilleur rôle reste celui que lui offre François Truffaut dans *Tirez sur le pianiste* (1960). Il apparaît également dans *le Passage du Rhin* (A. Cayatte, 1960), *Un taxi pour Tobrouk* (D. de La Patellière, 1961), *la Métamorphose des cloportes* (P. Granier-Deferre, 1965), *Paris au mois d'août* (id., 1966), *Le facteur s'en va-t-en guerre* (C. Bernard-Aubert, *id.*), *Folies bourgeoises* (C. Chabrol, 1976), *le Tambour* (V. Schlöndorff, 1979), *Qu'est-ce qui fait courir David ?* (Élie Chouraqui, 1982), *Viva la vie* (C. Lelouch, 1984), *Mangeclous* (Moshe Mizrahi, 1988), *Maestro* (Marion Hänsel, 1989), *les Années campagne* (Philippe Leriche, 1992). P.C

B

BAAROVA *(Ludmila Babková* dite *Lida), actrice tchécoslovaque* (*Prague* 1914). Très active en Tchécoslovaquie et en Allemagne au cours des années 30, elle apparaît dans *Okénko* (V. Slavinsky, 1933), *Barcarole* (G. Lamprecht, 1935), *Patriotes* (K. Ritter, 1937), *Virginité* (Vavra, *id.*), *l'Été flamboyant* (*Ohnivé léto,* F. Cap et V. Krska, 1939), *la Fille en bleu* (*Divka v modrém,* Vavra, 1940), *l'Amante masquée (id., id.), la Turbine* (*id.,* 1941). Impliquée dans une relation amoureuse avec Josef Goebbels, qui se voit contrariée par ordre d'Hitler (lequel ira jusqu'à interdire en Allemagne la diffusion des films de Baarova), elle fuit d'abord dans son pays natal en 1938, puis en Italie en 1941. On lui prête au cours de ces années tumultueuses diverses activités d'espionnage antinazi. Poggioli l'invite à tourner *Un chapeau de prêtre* (1944). Elle retourne à nouveau à Prague après la guerre – ville où elle fut emprisonnée pendant plus d'un an pour ses amitiés antérieures avec le régime du IIIe Reich – puis revient tourner en Italie quelques films dont *Gli amanti di Ravello* (F. De Robertis, 1951) et *les Vitelloni* (F. Fellini, 1953). J.-L.P.

BABENCO *(Héctor), cinéaste brésilien d'origine argentine (Buenos Aires 1946).* Il tourne le documentaire *O Fabuloso Fittipaldi* (1972), remonté et signé par son producteur Roberto Farias. Il débute dans la fiction par le portrait d'un bohème, *O Rei da Noite* (1975), être amoral et solitaire. *Lúcio Flávio, o Passageiro da Agonia* (1977), vu par cinq millions de Brésiliens, expose la collusion entre police et criminels et l'utilisation politique des escadrons de la mort. *Pixote, la loi du plus faible* (*Pixote, a Lei do Mais Fraco,* 1980), sur les mineurs délinquants, glisse du constat vers l'introspection. Babenco emprunte des codes classiques, mais explore l'âpre ambiance urbaine avec efficacité. En 1985, il réalise *le Baiser de la femme araignée (O Beijo da Mulher Aranha)* qui rencontre un succès international, en 1987, *Ironweed - la Force d'un destin (Ironweed)* et en 1990 *En liberté dans les champs du Seigneur (At Play in the Fields of the Lord),* ces deux derniers aux États-Unis. P.A.P.

BABOTCHKINE *(Boris)* [*Boris Andreevič Babočkin*], *acteur et cinéaste soviétique (Saratov 1904 - Moscou 1975).* Acteur de théâtre, il interprète à la charnière du cinéma muet et du cinéma parlant quelques rôles de composition dans *'la Révolte'* (*Mjatež,* Semen Timochenko, 1929), *'le Complot des morts'* (*Zagovor mertvyh,* 1930), *'le Retour de Nathan Becker'* (*Vozvraščenie Nejtana Bekkera,* B. Chpis et R. Milman, 1932), *'le Premier Peloton'* (*Pervyi vzod,* V. Korch-Sabline, *id.*) et *'Deux fois né'* (*Dvaždy roždennyj,* Édouard Archanski, 1934). Sa création du rôle de Tchapaiev dans le film homonyme (1934) de Sergueï et Gueorguï Vassiliev le hisse au sommet de la célébrité : il devient alors l'archétype du héros révolutionnaire, combattant convaincu et fin stratège. Dans *les Amies* (L. Arnchtam, 1936), il reprend plus ou moins son rôle de Tchapaiev, mais il apparaît en espion dans *la Défense de Tsaritsyne* (*Oborona Caricyna,* S. et G. Vassiliev, 1942). On le voit encore dans *'les Invincibles'* (S. Guerassimov et M. Kalatozov, 1942), *l'Actrice* (*Aktrisa,* L. Trauberg, 1943), *Histoire d'un homme véritable* (A. Stolper, 1948), *la Grande Force* (F. Ermler, 1950), *Jeunesse inquiète* (Alov et Naoumov, 1954), *Annouchka* (B. Barnet, 1959), *'Ivan Rybakov'* (B. Ravenskih, 1961), *'la Fuite de M. McKinley'* (M. Chveitzer, 1975).

Il a tourné en tant que réalisateur : *'les Champs natals'* (*Rodiye polja,* 1945) et *'Histoire de l'« Invincible »'* (*Povest' o « Neistovom »,* 1947).

J.-L.P.

BABURAO PAINTER → PAINTER.

BAC *(André), chef opérateur français (Paris 1905 - id. 1989).* D'abord reporter photographe, chef opérateur depuis 1945, il participe (en collaboration avec Page, Douarinou et Pecqueux) au tournage du reportage de Jean Grémillon sur la Normandie martyre, *le 6 Juin à l'aube* (1946), puis signe la photo, toujours très élaborée dans sa simplicité, de nombreux courts métrages et de quelques films importants : *le Point du jour* (L. Daquin, 1949), *Noces de sable* (A. Zwoboda, *id.*), *Occupe-toi d'Amélie* (C. Autant-Lara, *id.*), *l'Auberge Rouge* (*id.,* 1951), *le Dialogue des carmélites* (P. Agostini et R. P. Bruckberger, 1960), *la Guerre des boutons* (Y. Robert, 1962). Il a travaillé jusqu'au milieu des années 60.

M.M.

BACALL *(Betty Joan Perske,* dite *Lauren), actrice américaine (New York, N. Y., 1924).* À dix-neuf ans, Lauren Bacall vient d'entamer une modeste carrière théâtrale *(Johnny 2 × 4 ; Franklin Street),* lorsque la femme de Howard Hawks, « Slim », la remarque en couverture du *Harper's Bazaar.* Le réalisateur la prend personnellement sous contrat. Il voit en elle une « nouvelle Dietrich, plus chaleureuse », et la prépare à devenir la partenaire de Humphrey Bogart dans *le Port de l'angoisse.* Il l'aide à exploiter ou acquérir tous les traits caractéristiques de la *femme hawksienne* (esquissée par Louise Brooks, Joan Crawford, Carole Lombard et Jean Arthur) : allure légèrement androgyne, démarche féline, timbre grave. Bacall gagne, par mimétisme, l'insolence nécessaire à son rôle. Dans l'atmosphère romantique, nonchalante et quasi musicale d'un film où les combats politiques ont vite été relégués au second plan, Bogart et Bacall se livrent une des joutes amoureuses les plus envoûtantes des années 40 *(« If you want anything, all you have to do is whistle »).* L'actrice atteint d'emblée son sommet, et fixe d'un coup le registre, relativement étroit, où elle évoluera.

Car son abattage, si réjouissant encore dans *le Grand Sommeil,* se révèle bientôt un piège. Il force les réalisateurs à déployer autour du personnage bacallien un réseau d'affrontements *virils* hors duquel elle ne peut guère jouer qu'un rôle décoratif ou, dans l'immédiat après-guerre, tenir l'emploi de *garce froide,* plus propice à Joan Crawford, Bette Davis et Barbara Stanwyck. Delmer Daves *(les Passagers de la nuit)* et John Huston *(Key Largo)* ne renouvelleront donc pas l'exploit de Hawks, et Bacall devra attendre le Michael Curtiz de *la Femme aux chimères* pour triompher dans un rôle de mante religieuse exploitant à nouveau tout son potentiel dramatique.

Après ce bref retour au film noir, elle s'oriente vers la comédie *(Comment épouser un millionnaire, Les femmes mènent le monde),* qui lui fait arborer le visage d'une femme adulte, accomplie et sûre d'elle-même. Déliée, suprêmement élégante, mondaine sans afféterie, elle laisse toujours deviner le tempérament d'une lutteuse fière de ses prérogatives (*la Femme modèle,* son film le plus accompli dans ce registre, sera tourné pendant la longue agonie de Bogart, qui mettra fin, en 1957, à douze années de mariage, jalonnées par quatre films en commun). Le mélodrame *Écrit sur du vent* tempère légèrement cette image, estompe son relief, privilégie une certaine vulnérabilité, sans altérer pour autant la distinction, la drôlerie et le tempérament très direct de la comédienne. Ces films mettent plus en valeur une forte *personnalité* qu'une actrice (c'est ainsi que Hawks la caractérisait, lucidement). Et c'est encore à ce titre, en *survivante* gouailleuse des années 40, qu'elle a animé à la scène *Cactus Flower* et *Applause* (version musicale de *Eve,* qui lui a valu le Tony). Après son dernier grand rôle, celui de l'émouvante veuve qui vit un amour en demi-teintes avec un « gunman » malade de cancer dans *le Dernier des géants,* le cinéma continue de faire appel à elle mais pour des rôles de complément. Intelligente, Lauren Bacall les accepte de bonne grâce et s'acquitte de sa tâche avec l'élégance et le professionnalisme qui sont depuis longtemps associés à son nom. En raison de son image, les rôles d'éditrice mondaine *(Misery)* ou de chroniqueuse de mode *(Prêt-à-porter)* ne lui posent aucun problème. Mais on la voit parfois dans des emplois plus inhabituels *(Mr. North)*. Elle a publié une autobiographie *(Lauren Bacall, par moi-même)*, en 1978 et un livre de mémoires *(Maintenant)*, en 1995. O.E.

Films ▲ : *le Port de l'angoisse* (H. Hawks, 1944) ; *Agent secret* (H. Shumlin, 1945) ; *Two Guys from Milwaukee* (D. Butler, cameo, 1946) ; *le Grand Sommeil* (Hawks, *id.*) ; *les Passagers de la nuit* (D. Daves, 1947) ; *Key Largo* (J. Huston, 1948) ; *la Femme aux chimères* (M. Curtiz, 1950) ; *le Roi du tabac* (id., *id.*) ; *Comment épouser un millionnaire* (J. Negulesco, 1953) ; *Les femmes mènent le monde* (*id.*, 1954) ; *la Toile d'araignée* (V. Minnelli, 1955) ; *l'Allée sanglante* (W. Wellman, *id.*) ; *Écrit sur du vent* (D. Sirk, 1957) ; *la Femme modèle* (Minnelli, *id.*) ; *The Gift of Love* (Negulesco, 1958) ; *Aux frontières des Indes* (*North West Frontier*, J. L. Thompson, 1959) ; *Shock Treatment* (D. Sanders, 1964) ; *Une vierge sur canapé* (R. Quine, *id.*) ; *Détective privé* (J. Smight, 1966) ; *le Crime de l'Orient-Express* (S. Lumet, 1974) ; *le Dernier des géants* (D. Siegel, 1976) ; *Health* (R. Altman, 1979) ; *The Fan* (Edward Bianchi, 1981) ; *Rendez-vous avec la mort* (M. Winner, 1988) ; *Mr. North* (Danny Huston, *id.*) ; *Une étoile pour deux* (*A Star for Two*, Jim Kaufman, 1990) ; *Misery* (R. Reiner, *id.*) ; *Prêt-à-porter* (R. Altman, 1994).

BACALOV *(Luis Enrique), musicien italien d'origine argentine (San Martín, Buenos Aires, 1933).* Pianiste classique en Amérique du Sud et en Espagne, il commence à travailler dans le cinéma italien en 1959, sous le pseudonyme de Luis Enriquez, pour des petites comédies : *La banda del buco* (Mario Amendola, 1960) ; *I due della legione* (Lucio Fulci, 1962). Suivant le sillage de Ennio Morricone, il compose des partitions riches en contrastes et marquées par les rythmes tropicaux, soit pour des films comiques (*La congiuntura*, E. Scola, 1964 ; *Lo scatenato*, Franco Indovina, 1967), soit pour des westerns (*El Chuncho*, D. Damiani, 1967), ou des drames (*À chacun son dû*, E. Petri, 1967 ; *L'amica*, A. Lattuada, 1969 ; *La rosa rossa*, F. Giraldi, 1974). Avec la musique nostalgique de *la Cité des femmes* (F. Fellini, 1980), il devient en quelque sorte l'héritier de Nino Rota. Il compose en 1988 une musique évocatrice du XVIIIe siècle pour *La maschera* de Fiorella Infascelli. L.C.

BACH *(Charles Joseph Pasquier,* dit), *acteur français (Fontanil 1882 - Nogent-le-Rotrou 1953).* Créateur de la chanson *la Madelon*, fondateur du théâtre phonographique, premier comique au Châtelet, Bach met au point avec la complicité d'Henry Wulschleger, son metteur en scène attitré, un bonhomme têtu et bonasse, matois et rusé, qui célèbre les joies de la caserne en poussant la chansonnette. Il reste fidèle jusqu'en 1949 à ce personnage qui a ses amateurs : *l'Affaire Blaireau* (Henry Wulschleger, 1931), *En bordée* (id., *id.*), *Tire-au-flanc* (id., 1933), *Sidonie Panache* (id., 1935) et un populaire *Mon curé chez les riches* (J. Boyer, 1939), d'après Clément Vautel. R.C.

BACHELET *(Jean), chef opérateur français (Azans 1894 - Cannes 1977).* Opérateur d'actualités et de films en Russie pour Gaumont et Khanjonkov (1912-1914), chef opérateur de quelques-uns des premiers films de Renoir *(la Fille de l'eau, Marquita, la Petite Marchande d'allumettes)*, il se fait connaître par ses images raffinées et poétiques. Il travaillera encore pour Renoir (*Tire-au-flanc*, 1928 ; *Madame Bovary*, 1934 ; *le Crime de M. Lange*, 1936 ; *la Règle du jeu*, 1939, co), pour Grémillon (*la Petite Lise*, 1930), Daquin (*Nous les gosses*, 1941), Guitry (*le Destin fabuleux de Désirée Clary*, 1942), au cours d'une féconde carrière qui s'étend jusqu'au milieu des années 50. M.M.

BACHHAN *(Amitabh), acteur indien (Allāhābād, Uttar Pradesh, 1942).* Il obtient son premier rôle en 1969, dans *Saat Hindustani* de Khwaja Ahmad Abbas, où il interprète le rôle d'un poète. Il devient médecin humaniste dans *Anand* d'Hrishikesh Mukherjee l'année suivante. Sa popularité croît dans le public, et il est la grande star des années 70 et 80, rassemblant autour de son nom les suffrages des spectateurs en quête de héros : *Zanjeer* (Prakash Mehra, 1973) ; *Sholay* (Ramesh Sippy, 1975) ; *Deewar* (Yash Chopra, *id.*) ; *Kabhie Kabhie* (id., 1976) ; *Amar Akbar Anthony* (Manmohan Desai, 1977) ; *Trishul* (Y. Chopra, 1978) ; *Mugaddar Ka Sikandar* (Prakash Mehra, *id.*) ; *Mr. Natwarlal* (Rakesh Kumar, 1979) ; *Naseeb* (Desai, 1981) ; *Coolie* (id., 1983) ; *Inquilab* (T. Rama Rao, 1984) ; *Mard* (Desai, 1985) ; *Ajooba, le prince noir* (Shashi Kapoor et Guennadi Vassiliev, 1989) ; *Agneepath* (Mukul S. Anand, 1990) ; *Hum* (*id.*, 1991) ; *Khuda Gawah* (*id.*, 1992). J.-L.P.

BACK *(Frédéric), cinéaste canadien (Sarrebruck, Allemagne,* 1924). Après des études à l'école des Beaux-Arts de Rennes, il s'installe au Canada en 1948. À Montréal, il enseigne d'abord à l'école du meuble et à l'école des Beaux-Arts, puis entre, en 1952, à la société Radio Canada, nouvellement créée, où il conçoit des illustrations, des maquettes et des effets visuels pour les émissions éducatives, tout en s'initiant à la peinture sur verre. En 1968, Radio Canada s'adjoint un studio d'animation et Back entame une carrière de réalisateur qui va se partager entre deux grandes périodes. La première, jusqu'en 1978, nous vaudra des films pour enfants inspirés de vieilles légendes canadiennes d'un graphisme assez conventionnel, *Abracadabra* (1970) avec Graem Ross, *Inon ou la conquête du feu* (1971), ou *la Création des oiseaux* (1973). Avec *Illusion ?* (1974) qui dénonce les dégâts de l'urbanisme et la destruction de la nature, l'écologiste qui sommeille en lui se réveille annonçant une importante évolution. L'artiste se rebelle de la violence faite à notre milieu de vie et cherche à l'exprimer dans son travail. Il s'écarte de la technique traditionnelle en dessinant aux crayons de couleurs sur des feuilles d'acétate dont le recto mat rappelle le grain du papier et réalise alors avec une élégance et une fraîcheur graphiques assez rares : *Crac !* (1981) qui dépeint la société québécoise à travers l'histoire d'une chaise à bascule, et *l'Homme qui plantait des arbres* (1987), deux films primés aux Oscars. À ce moment-là, le style de Frédéric Back se caractérise par une modification constante de l'image tout entière et par une très grande fluidité de la lumière. En 1993, il retrouve l'histoire du Canada avec *le Fleuve aux grandes eaux (le Saint Laurent),* mais son graphisme commence à se resserrer dans un réalisme peu inspiré et le commentaire, d'une grande pesanteur, occulte toute éventuelle séduction de l'image. R.LA.

BACK LIGHT. Locution anglaise pour *décrochage* ou *contre-jour.*

BACKUS *(James Gilmore Backus,* dit *Jim), acteur américain (Cleveland, Ohio, 1913 - Santa Monica, Ca., 1989).* C'est un vétéran de la scène, de la radio et du music-hall lorsqu'il débute au cinéma dans *Easy Living* (J. Tourneur, 1949). C'est lui qui, dans les années 50, prête sa voix au grommeleur Mr. Magoo, mais son rôle le plus connu est celui du père trop faible de James Dean dans *la Fureur de vivre* (N. Ray, 1955). On l'a vu aussi dans *M* (J. Losey, 1951), *Bas les masques* (R. Brooks, 1952), *Mademoiselle Gagne-Tout* (G. Cukor, *id.*), *Johnny Cool* (W. Asher, 1963), *Que vienne la nuit* (O. Preminger, 1967) ou *Peter et Elliott le Dragon* (D. Chaffey, 1977). J.-P.B.

BACLANOVA *(Olga), actrice américaine d'origine russe (Moscou 1899 - Vevey, Suisse, 1974).* Sa carrière cinématographique débute en 1914 en Russie (*Symphonie d'amour et de mort,* de V. Tourjansky en 1914 ; *Celui qui reçoit des gifles,* d'A. Ivanov-Gaï en 1917), mais elle profite d'une tournée aux États-Unis pour s'y fixer en 1923. Elle y joue les filles perdues ou les cruelles exotiques dans *le Roi de Soho* (M. Stiller, 1928), *les Damnés de l'océan* (J. von Sternberg, *id.*) et plusieurs films de R. V. Lee (*Trois Coupables* [*Three Sinners*], 1928 ; *The Wolf of Wall Street,* 1929 ; *le Démon des tropiques* [*A Dangerous Woman*], id.). Le parlant, auquel sa carrière ne résistera pas, lui apporte pourtant son rôle le plus fameux, celui de l'infidèle Cléopâtre dans *la Monstrueuse Parade* (T. Browning, 1932). J.-P.B.

BACON *(Lloyd), acteur et cinéaste américain (San José, Ca., 1890 - Burbank, Ca., 1955).* Acteur de théâtre puis de cinéma (notamment à la Mutual, où il rejoint Charlie Chaplin en 1918, et à la Triangle, en 1919), il dirige de 1921 à 1926 quelques films pour Mack Sennett et Lloyd Hamilton puis entre à la Warner. Il a réalisé quelque cent films en tous genres, dont un *Moby Dick* avec John Barrymore (1930), des policiers à tendance sociale (*San Quentin,* 1937) et des comédies loufoques pour Red Skelton (*le Marchand de bonne humeur,* 1949) ou Lucille Ball (*Miss Grain de sel,* 1949 ; *En plein cirage,* 1950). Mais il est surtout connu pour avoir signé *le Fou chantant* interprété par Al Jolson, qui consacra le succès du *cinéma* *sonore,* et comme réalisateur de *42e Rue,* film voué aux chorégraphies de Busby Berkeley dans le cadre approprié d'un music-hall. C'est d'ailleurs à ce registre de la comédie musicale scintillante, voire froufroutante, que Lloyd Bacon, metteur en scène constamment populaire, devait peut-être se vouer avec le plus de prédilection. Sa direction, qualifiée par d'aucuns de fluide, est en fait assez plate et sert seulement les numéros dansés, réglés par d'autres *(Gold Diggers of 1937).* Particularité encore plus manifeste dans ses films d'après-guerre, dont plusieurs sont supportables, mais uniquement grâce aux numéros dansés et à la conviction d'agréables interprètes (Janet Leigh dans *Walking My Baby Back Home,* Jane Russell dans *The French Line*). G.L.

Films : *le Fou chantant* (*The Singing Fool,* 1928) ; *Honky Tonk* (1929) ; *Moby Dick* (1930) ; *Office Wife* (id.) ; *42e Rue* (*42nd Street,* 1933) ; *Prologues* (*Footlight Parade,* id.) ; *Wonder Bar* (1934) ; *Tête chaude* (*Frisco Kid,* 1935) ; *Chercheuses d'or de 1937* (*Gold Diggers of 1937,* 1936) ; *Femmes marquées* (*Marked Woman,* 1937) ; *le Révolté* (*San Quentin,* id.) ; *Un meurtre sans importance* (*A Slight Case of Murder,* 1938) ; *Boy Meets Girl* (id.) ; *Menaces sur la ville* (*Racket Busters* id.) ; *Terreur à l'Ouest* (*The Oklahoma Kid,* 1939) ; *Brother Orchid* (1940) ; *Affectionately Yours* (1941) ; *The Sullivans* (*J'avais cinq fils,* 1944) ; *Miss Grain de sel* (*Miss Grant Takes Richmond,* 1949) ; *le Marchand de bonne humeur* (*The Good Humour Man,* 1950) ; *En plein cirage* (*The Fuller Brush Girl,* id.) ; *Call Me Mister* (1951) ; *Walking My Baby Back Home* (1953) ; *French line* (*The French Line,* 1954).

BACSÓ *(Péter), cinéaste hongrois (Kassa* [auj. *Kosiče, Tchécoslovaquie*] *1928).* Scénariste pendant une quinzaine d'années (notamment pour *Anna* [1958] et *Deux Mi-Temps en enfer* [1961] de Zoltán Fábri), il signe sa première mise en scène en 1963 : *En été c'est simple (Nyáron egyszerü).* Très attaché à décrire de façon souriante (*Cyclistes amoureux* [*Szerelmes biciklisták*], 1965 ; *l'Été sur la colline* [*Nyár a hegyen*], 1967) ou plus dramatique (*À bout portant* [*Fejlövés*], 1968) les problèmes de la jeunesse, il sait aussi manier la satire politique (*le Témoin* [*A tanu*], 1969) et évoquer avec acuité certains aspects conflictuels du monde ouvrier (*Rompre le cercle* [*Kitörés*], 1971 ; *Temps présent* [*Jelenidö*], 1972 ; *le Dernier Élan* [*Harmadik nekifutás*], 1973). Il est l'auteur de plusieurs comédies telles que *le Raseur rasé* (*Forró vizet a Kopaszra,* 1972) ou *Parlons plutôt d'amour* (*Ki beszél itt szerelemröl ?,* 1979). En 1985 il réalise *Quelle heure est-il Réveille matin ? (Hány az óra Vekker ùr ?),* puis *Titanie, Titanie* ou *la Nuit des doublures (Titania, Titania avagy a dublörök ejszakáju,* 1988*), la Fiancée de Staline* (*Sztálin menyasszonya,* 1990), *Live Show* (1992), *le Retour du témoin* (*Megint tanú,* 1995). J.-L.P.

BADAL *(János, puis Jean), chef opérateur français d'origine hongroise (Budapest 1927).* Après ses études à l'École du cinéma de Budapest de 1947 à 1951, il s'expatrie en 1957, ayant affirmé son talent dans deux beaux films, *le Traîneau* (*A szánkó,* 1955) de Mihály Szemes et *Un amour du dimanche* (*Bakaruhában,* 1957) d'Imre Fehér. Son nom reste associé à quelques-unes des œuvres les plus personnelles du cinéma français : *Rendez-vous de minuit* (R. Leenhardt, 1961), *les Mauvais Coups* (F. Leterrier, *id.*), *Kriss Romani* (J. Schmidt, 1963), *Un roi sans divertissement* (Leterrier, *id.*), *Playtime* (J. Tati, 1967). Il a également travaillé avec Zinnemann (*Et vint le jour de la vengeance,* 1964), Nelly Kaplan (*la Fiancée du pirate,* 1969), Dassin (*la Promesse de l'aube,* 1970), Carné (*les Assassins de l'ordre,* 1971). P.H.

BADGER *(Clarence), cinéaste américain (San Francisco, Ca., 1880 - Sydney, Australie, 1964).* Après des études au Boston Polytechnic Institute, il entre dans le journalisme, puis écrit des scénarios pour Mack Sennett à la Triangle-Keystone en 1915. Très vite, il passe à la mise en scène, tourne des films de deux bobines où il infléchit le style burlesque de Sennett vers un genre de comédie plus sophistiquée : c'est là qu'apparaissent, notamment, Gloria Swanson et Bobby Vernon. En 1918, il entre au service de Samuel Goldwyn. Pendant les années 20, il sera un auteur de comédies parmi les plus réputés. D'une œuvre abondante, mal connue et souvent disparue, il faut distinguer *Hands Up* (1926) avec Raymond Griffith sur fond de guerre de Sécession, dont les gags ne sont point indignes du *Mécano de la « General »,* et *It* (1927) avec Clara Bow, fort brillante comédie de mœurs autour d'une jeune fille des années folles. En 1940, il prend sa retraite et s'exile en Australie. M.C.

BADHAM *(John), cinéaste américain d'origine britannique (Luton 1939).* Après une bonne expérience à la télévision, John Badham a débarqué dans le cinéma d'une manière à la fois tonitruante et anonyme avec *la Fièvre du samedi soir* (*Saturday Night Fever,* 1977). Irréprochable et passe-partout, Badham a depuis confirmé sa réputation de technicien à toute épreuve mais il a également, dans de modestes limites, fait montre d'ambition. On retiendra un mélo médical assez réussi, *C'est ma vie après tout* (*Who's Life is it, after all ?,* 1979), qui valait surtout par le duo de Richard Dreyfuss et John Cassavetes. Ou l'intéressant thriller *Tonnerre de Feu* (*Blue Thunder,* 1978), rondement raconté et bien joué par Roy Scheider et Malcolm McDowell. Le duo d'acteurs, formule qui réussira souvent à Badham, suggère parfois, chez lui, une préoccupation humaniste derrière le film d'action mécanique. On prend un indéniable plaisir à suivre le couple pourtant éculé du vieux et du jeune flic (Richard Dreyfuss et Emilio Estevez) dans le très réussi *Étroite Surveillance* (*Stakeout,* 1990), même si *Drop Zone* (*id.* 1994) tourne à vide. On retrouve cependant chez lui dans ses meilleurs jours le goût du travail bien fait qui faisait jadis le prix de la meilleure production de série américaine. C.V.

BADRAKHĀN *(Ahmad), cinéaste égyptien (1909-1969).* Il appartient à la vague de techniciens, producteurs, décorateurs auxquels les nouveaux studios Miṣr, créés en 1934 au Caire, ont assuré une formation professionnelle en Europe avant de leur confier l'ambitieux programme de production de la firme. Dès son retour de Paris, Badrakhān devient premier assistant de Fritz Kramp sur *Widād* (1936), musical d'une belle rigueur plastique, avec, en vedette, Umm Kulthūm. La carrière du cinéaste épouse les genres mis en valeur par les studios Miṣr, et d'abord le musical, auquel il s'efforce d'assurer une qualité dramatique et visuelle (les prises de vues sont souvent très soignées) : *'la Chanson de l'espoir' (Nashīd al-amal)* en 1936 avec Umm Kulthūm, *'Un petit rien de rien' (Chuya min al-chuya)* en 1939 avec Nagāt 'Alī et, en 1944, un autre succès avec Farīd et Ismahān al Atrash, *'Victoire de la jeunesse' (Intiṣār ash-shabāb).* La faiblesse des scénarios et les exigences du box-office vont incliner Badrakhān à des compromis de moins en moins heureux. S'il reste un des meilleurs professionnels de son époque, il ne parvient pas à donner un style ni une cohésion à une œuvre qui compte une bonne quarantaine de titres, dont quelques machines historico-patriotiques : *Mustafā Kemal* (1952), ou *'Dieu est avec nous'* (*Allāh ma'na,* 1954). Son ultime succès, *Sayyid Darwīsh* (1968), et *Nādiyā,* qu'il tourne avant sa mort, n'ont plus la qualité de ses premiers films. C.M.C.

BADRAKHĀN *('Ali), cinéaste égyptien (Le Caire 1946).* Fils du précédent et son assistant sur ses deux derniers films. Diplômé de l'Institut du cinéma du Caire (1967), assistant de Yūsuf Chāhīn sur *le Choix,* et *le Moineau,* il réalise son premier film en 1971 : *'l'Amour qui fut' (al-Ḥubb al-ladhī kān),* puis *al-Karnak,* en 1975, inspiré par les répressions politiques sous Nasser. Il a épousé l'actrice Su'ād Ḥusnī, qu'on retrouve également dans *Shafiqa wa Matwali* (1979), film « en costumes » assez superficiel, et dans une comédie amère, *les Gens de la haute* (*Ahl al-qimma,* 1982), aux côtés de Nur as-Sharif. Cette satire de la société cairote ne manque ni d'humour noir ni de vigueur. *La faim* (*Al Gu',* 1986), adapté du roman de N. Maḥfūẓ, malgré les beaux décors de Salah Marii, demeure en deçà de l'œuvre et des espoirs attendus. C.M.C.

BAE Ch'angho *[PAE Ch'angho], cinéaste coréen (Taegu, province du Kyŏngsang du Nord, 1953).* Diplômé en gestion des entreprises, étudiant de la faculté de commerce de l'université de Yŏnse, il tourne plusieurs films en 8 mm tout en poursuivant ses études. En 1978 il part au Kenya comme représentant de la firme automobile Hyundai. Au début des années 80, il opte pour le cinéma, devient l'assistant de Yi Changho puis tourne son premier film en 1982 : *les Gens d'un bidonville (Khobangdongne Saramdûl)* suivi de *Des hommes de fer (Ch'ŏlindŭl, id.), les Fleurs équatoriales* (*Chŏkdo-ŭi Kkot,* 1983), *la Chasse à la baleine* (*Koraesanyang,* 1984), *Il faisait doux cet hiver-là (Kŭhae Kiŏulŭn ttattŭthaettne, id.), la Nuit bleue et profonde (Kip'ko p'urŭn pam, id.), la Chasse à la baleine II* (1985), *Hwang Chini* (*id.,* 1986), *Tendre Jeunesse* (*Kippŭn uri cholmŭn nal,* 1987), *Bonjour, Dieu !* (*Annyŏnghaseyo hananim,* 1988), *le Rêve* (*Kk'um,* 1990), *l'Escalier du paradis*

(*Ch'ŏn' guk-ŭi kyedan,* 1992). Il s'impose comme un réalisateur original et très habile parmi ses camarades de la génération des années 80. J.-L.P.

BAFFLE. Grande plaque rigide, comportant au voisinage de son centre un trou derrière lequel on fixe un haut-parleur, destinée à améliorer le rendement de ce haut-parleur. Ce terme est parfois employé, improprement, pour enceinte acoustique. (→ HAUT-PARLEUR.)

BAGHDADI *(Maroun), cinéaste libanais (Beyrouth 1950 - id. 1993).* Journaliste au Liban alors qu'il est encore étudiant, il vient à Paris et se forme à l'IDHEC. Il tourne avec des moyens minimes un premier film sur le conflit libanais, *Beyrouth, ya Beyrouth,* qui est le brouillon de *Petites Guerres* (1982), le film qui le révèle au public. Il tourne ensuite en France *l'Homme voilé* (1987), inspiré des mêmes événements, puis *Hors la vie* (1991) qui évoque la situation des otages. Le style percutant de ce film l'amène à tourner *la Fille de l'air* (1993) d'après un fait divers authentique. Il est mort accidentellement à Beyrouth où résidait sa famille. Il a également travaillé pour la télévision française à partir de 1988. D.S.

BAGUE. *Bague allonge,* bague intercalée entre l'objectif et la caméra pour filmer de très près. (→ OBJECTIFS.) *Bague intermédiaire,* dispositif mécanique permettant d'utiliser des objectifs sur une caméra.

BAHGAT *(Nihād), décorateur et peintre égyptien (Le Caire 1944).* Il étudie le décor scénique (université américaine du Caire). D'abord accessoiriste, il devient ensuite décorateur, enfin directeur artistique, créant avec un goût très sûr les cadres les plus étranges ou les plus simples : *Pension Miramar* (K. ash-Shaykh, 1969), *'la Peur'* (S. Marzūq, 1972), *le Moineau* (Y. Chāhīn, 1973), *Alexandrie, pourquoi ? (id.,* 1978), *'la Mosquée' (al-Akmar,* de Hishām Abu al-Naṣr, *id.)* et *'Café Mawardi' (Qahwa al-Māwardī,* id., 1982). Il a consacré un court métrage au peintre Sayf Wālī *(ar-Riḥla).* C.M.C.

BAI HUA (*Chen Youhua,* dit), écrivain, poète et scénariste chinois *(Xinyang, Henan, 1930).* Il commence à écrire au lycée. À moins de 17 ans, il s'engage dans l'armée communiste. À partir de 1949, il s'affirme comme écrivain et publie poèmes et nouvelles ainsi que deux scénarios : *'le Convoi' (Shanjian lingxiang mabang lai,* Wang Weiyi, 1954) et *'l'Escadron tibétain' (Zangmin qibingdui).* Condamné comme droitier en 1957, il traverse ensuite près de vingt ans d'obscurité (il réussit néanmoins à publier une pièce de théâtre en 1962, qui est alors primée) et c'est seulement après la chute de la *«bande des quatre»* qu'il peut à nouveau donner sa mesure comme un écrivain prolifique qui touche à tous les domaines. Il écrit en particulier plusieurs scénarios de films : *'l'Aurore' (Shuguang,* Shen Fu, 1979), sur les luttes fratricides qui ont déchiré le parti communiste dans les années 30 ; *'Ce soir, les étoiles brillent' (Jinye xingguang canlan,* Xie Tieli, 1980), où il s'inspire de ses souvenirs de jeune soldat pendant la guerre civile ; *'la Princesse Paon' (Kongxue gongzhu),* d'après une légende du Yunnan, une région où il a vécu de nombreuses années ; et surtout *'Amour amer' (Kulian,* Peng Ning, 1981) qui provoque de violentes réactions au sein de l'armée et du parti, entraînant l'interdiction du film et la condamnation de son scénariste rendue publique par un article du *Journal de l'armée* qui réveille les douloureux souvenirs de la Révolution culturelle et entraîne une vaste campagne d'opinion. Depuis, Bai Hua a continué d'écrire. Au printemps 83, sa pièce de théâtre *la Hallebarde d'or du roi de Wu et l'épée du roi de Yue (Wuwang jinge, Yuewang jian)* a été jouée à Pékin. En 1988, il adapte pour le cinéma une nouvelle de l'écrivain taiwanais Bai Xianyong dont Xie Jin tire le film *les Derniers Aristocrates* (*Zuihou de guizu,* 1989).

Son frère jumeau, **Ye Nan** (*Chen Zuohua,* dit), est également écrivain et scénariste. En 1962, il collabore avec Xi Nong au scénario de *'la Bataille navale de 1894' (Jiawu fengyun* de Lin Nong). En 1979, il écrit le scénario de *Aolei Yilan* de Tang Xiaodan en deux épisodes et de *'Une forêt au bout du monde'* (*Lühai tianya* de Shu Shi). En 1980, *'Nuit pluvieuse à Bashan'* (*Bashan yeyu* de Wu Yigong – sous la supervision du Wu Yonggang). C.D.R.

BAILLIE *(Bruce), cinéaste expérimental américain (Aberdeen, S. D., 1931).* Après avoir étudié le cinéma à l'université de Minnesota, puis à Londres, il réalise à San Francisco son premier film *On Sundays* (1960-61). Ce portrait d'une jeune Chinoise émigrée est, dit-il, « un mélange de documentaire et de fiction ». Tels seront ses principaux films : *Mass* (1964), dédié aux Indiens Sioux et structuré comme une messe, avec Introït et Gloria, *Castro Street* (1966), « film en forme de rue », ou *Valentin de las Sierras* (1968). *Quixote* (1964-65) est un bon exemple de ce réalisme lyrique. Il passe ensuite à un registre plus grave (et plus abscons) avec *Quick Billy* (1971). Il avait fondé Canyon Cinema (1961), principal lieu du film expérimental en Californie. D.N.

BAINTER *(Fay), actrice américaine (Los Angeles, Ca., 1891* - id. *1968).* Elle débute au cinéma à plus de quarante ans, après une longue carrière théâtrale, se spécialisant dans les rôles de mère de famille à la vertu solide, voire empesée. Sœur de Katharine Hepburn dans *Pour un baiser* (G. Stevens, 1937), épouse de Thomas Mitchell dans *Place aux jeunes* (L. McCarey, *id.*), épouse de Claude Rains et courtisée par Donald Crisp dans *Filles courageuses* (M. Curtiz, 1939), mère de Danny Kaye dans *la Vie secrète de Walter Mitty* (N. Z. McLeod, 1947), elle reçoit un Oscar (« best supporting actress ») pour *l'Insoumise* (W. Wyler, 1938), où elle est la tante de Bette Davis, et joue son dernier rôle dans *la Rumeur* (*id.*, 1962). J.-L.B.

BAI YANG (*Yang Chengfang,* dite), *actrice chinoise (Pékin 1920).* À l'âge de onze ans, elle tient son premier rôle dans *'Nouveaux Chagrins dans le palais'* (*Gugong xinyuan,* Hou Yao, 1932). Puis elle se fait connaître au théâtre, en particulier dans *la Dame aux camélias* (*Chahua nü,* 1934). Mais c'est son rôle dans le film *Carrefour* (*Shizi jietou,* Shen Xiling, 1937), aux côtés de Zhao Dan, qui la révèle au grand public, à moins de dix-sept ans. Pendant la guerre, elle se consacre principalement au théâtre au Yunnan et au Sichuan, ce qui lui vaut d'être couronnée l'une des quatre meilleures comédiennes de Chongqing. À cette époque, elle joue également dans trois films : *'Fils et Filles de Chine'* (*Zhonghua ernü,* Shen Xiling, 1939) ; *'Dix Mille Lis de ciel'* (*Changkong wanli,* Sun Yu, 1940) ; *'Jeune Chine'* (*Qingnian Zhongguo,* Su Yi, *id.*). De retour à Shanghai, après la guerre, elle revient au cinéma et, comme elle est très célèbre, elle est engagée par les studios gouvernementaux malgré ses sympathies avouées pour les communistes. Elle tourne, en 1947, pour la compagnie progressiste Kunlun, deux films dont elle est la vedette incontestée : *'Huit Mille Lis de lune et de nuages'* (*Baqianli lu yun he yue,* Shi Dongshan) et *'les Larmes du Yangtsé'* (*Yijiang chunshui xiang dong liu,* Cai Chusheng et Zheng Junli), en deux parties, qui eut un succès exceptionnel. En 1948, elle se réfugie à Hong Kong où elle joue dans des films progressistes comme *'Crémation'* (*Huo zang,* Zhang Junxiang, 1948). Revenue en Chine, elle poursuit sa carrière : *'Levons-nous et demain' (Tuanjie qilai dao mingtian,* Zhao Ming, 1951) ; *'Pour la paix' (Weile heping,* Zuo Lin, 1956) ; *le Sacrifice du nouvel an (Zhufu,* Sang Hu, *id.)* d'après une nouvelle de Lu Xun ; *'Le printemps règne partout'* (*Chun man renjian,* id., 1959) ; *Jin Yuji* (Wang Jiayi, 1960) ; *'le Prunus d'hiver'* (*Dongmei,* Wang Yan, 1961). Désignée en 1956 comme l'une des cinq comédiennes les plus appréciées du public, elle est nommée, l'année suivante, vice-présidente de l'Association des cinéastes. Élue à trois reprises député à l'Assemblée nationale populaire avant la révolution culturelle, elle est actuellement membre du comité de la Conférence consultative politique. Elle est l'auteur de *'Notes sur l'interprétation cinématographique'* (1979). Bai Yang reste appréciée surtout pour son naturel, sa réserve et la qualité de ses interprétations. En cinquante ans de vie artistique, elle a été la vedette d'une trentaine de films et d'une quarantaine de pièces de théâtre. R.B.

BAJON *(Filip), cinéaste polonais (Poznań, 1947).* Diplômé en droit, il étudie à l'école supérieure de cinéma de Łodz. Après quelques essais à la TV : *'le Retour'* (Powrót, 1976), *'le Record du monde'* (*Rekord świata,* 1977), *'le Pays vert'* (*zielona ziemia,* 1978), il se fait connaître par son premier long métrage de cinéma *Aria pour un athlète* (*Aria dla atlety,* 1979). Les œuvres suivantes ont conforté la place importante qu'il occupe parmi les metteurs en scène polonais des années 70-80 : *1901, enfants en grève* (*Wizja lokalna, 1901,* 1980), *'la Pendalette'* (Wahadełko, T.V., 1981), *Une limousine Daimler-Benz* (*Limuzyna Daimler-Benz,* 1982), *'Engagement'* (T.V. 1984), *'le Magnat'* (*Magnat,* 1987), *'Bal à la station Koluszki'* (*Bal na dworcu w Koluszkach,* 1989). J.-L.P.

BAKER *(Carroll), actrice américaine (Johnstown, Pa., 1931).* Après des débuts comme danseuse de night-clubs, un passage par l'Actors Studio et quelques pièces à Broadway, c'est George Stevens qui la fait sérieusement débuter à l'écran en 1956 dans *Géant* (elle était fugitivement apparue en 1953 dans *Easy to Love* de Ch. Walters). La notoriété lui arrive avec *Baby Doll* (1956). Sous la direction d'Elia Kazan, elle obtient un gros succès personnel, autant, semble-t-il, pour des raisons de scandale (les allusions sexuelles y sont innombrables et parfaitement explicites) que pour son talent propre. La suite de sa carrière n'allait pas confirmer ce coup d'éclat. Tout juste peut-on citer deux rôles à contre-emploi dans deux westerns de John Ford, *la Conquête de l'Ouest* (1962) et *les Cheyennes* (1964). Dans *les Ambitieux* (E. Dmytryk, 1964), elle personnifie une star dans laquelle il était bien difficile de ne pas reconnaître Jean Harlow, avant d'interpréter la biographie de la même actrice sous la direction de Gordon Douglas (*Harlow, la blonde platine,* 1965). Son dernier film notable est un *policier* du même Gordon Douglas : *Sylvia* (1965). Elle tourne à partir de 1966 plusieurs films peu convaincants en Italie et en Espagne, et on ne la retrouve au générique d'un film américain qu'en 1977 (*Bad* [*Andy Warhol's Bad*], de Jed Johnson). En 1987, elle tourne aux côtés de Meryl Streep *Ironweed - la Force d'un destin* d'Héctor Babenco. D.R.

BAKER *(Joséphine), danseuse, chanteuse et actrice française d'origine américaine (Saint Louis, Mo., 1906 - Paris 1975).* La triomphante étoile de *la Revue nègre* présentée à Paris en 1925, au corps magnifique, à la voix mélodieuse, possédée par le démon du rythme et de la danse, est sollicitée par le cinéma dès 1926 (elle tourne dans un court métrage : *la Folie du jour*). L'année suivante, elle fait partie de *la Revue des revues.* Elle ne retrouve pas sur l'écran ses succès de la scène, d'où sa brève filmographie : un film avec Gabin : *Zouzou* (M. Allégret, 1934), un autre tourné par E. T. Gréville (*Princesse Tam-Tam,* 1935), et un rôle épisodique dans *Fausse Alerte* (J. de Baroncelli, 1945 [RÉ 1940]). R.C.

BAKER *(Roy Ward), cinéaste anglais (Londres 1916).* Il est assistant à partir de 1934. De 1947 à 1967, ses films relèvent de la production commerciale de qualité, sauf *Troublez-moi ce soir (Don't Bother to Knock),* film policier nerveux, tourné aux États-Unis en 1952, avec Marilyn Monroe et Richard Widmark, *Atlantique latitude 41º* (*A Night to Remember,* 1958), transposition dense de l'histoire du *Titanic,* et *le Cavalier noir* (*The Singer Not the Song,* 1961), qui mêle l'homosexualité à la critique de la religion. Après 1967, il se partage entre les feuilletons télévisés et les films fantastiques ou de science-fiction pour la plupart, produits par la Hammer, auxquels le classicisme de son style apporte sérieux et profondeur : *les Monstres de l'espace* (*Quatermass and the Pit,* 1967), *Docteur Jekyll and Sister Hyde* (*id.,* 1971), *Asylum* (*id.,* 1972). A.G.

BAKER *(sir Stanley), acteur britannique (Ferndale, pays de Galles, 1928 - Malaga, Espagne, 1976).* Fils de mineur, il débute au cinéma en 1943 dans un rôle d'adolescent *(Undercover)* et entre dans la troupe théâtrale du Birmingham Repertory en 1945. Dès 1949, on lui propose surtout des rôles de militaires ou d'aventuriers qui correspondent à sa large carrure et à l'aspect un peu « brute » de son visage. Il commence à échapper à cette spécialisation lorsque Laurence Olivier lui demande d'incarner Henri Tudor, duc de Richmond, vainqueur de la fameuse bataille de Bosworth (*Richard III,* 1956). Mais c'est Joseph Losey qui l'impose définitivement comme acteur de premier plan en révélant l'étendue de son registre. Il est l'« inspecteur » de *l'Enquête de l'inspecteur Morgan* (1959), le gangster évadé des *Criminels* (1960), le romancier déchu d'*Eva* (1962) et le professeur d'université dilettante d'*Accident* (1967). Stanley Baker avait accédé au vedettariat international lorsque la maladie l'emporta brusquement, peu après le tournage d'une série télévisée adaptée du roman de Richard Llewellyn, *Qu'elle était verte ma vallée.* Stanley Baker, qui avait été anobli quelques mois avant sa mort (*sir* Stanley Baker), produisit également le film de Peter Collinson, *L'or se barre* (*The Italian Job,* 1969). R.L.

Films : *Undercover* (Serguei Nolbankov, 1943) ; *All Over the Town* (Derek Twist, 1949) ; *Home to Danger* (T. Fisher, 1951) ; *Lili Marlene* (A. Crabtree, *id.*) ; *Capitaine sans peur* (R. Walsh, *id.*) ; *la Mer cruelle* (Ch. Frend, 1953) ; *les Bérets rouges* (T. Young, *id.*) ; *l'Enfer au-dessous de zéro* (*Hell Below Zero,* M. Robson, 1954) ; *Les bons meurent jeunes (The Good Die Young,* L. Gilbert, *id.)* ; *les Chevaliers de la Table* *ronde* (R. Thorpe, *id.*) ; *Richard III* (L. Olivier, *id.*) ; *Hélène de Troie* (R. Wise, 1956) ; *Alexandre le Grand* (R. Rossen, *id.*) ; *Child in the House* (C. Endfield, *id.*) ; *Train d'enfer* (*Hell Drivers,* id., 1957) ; *Jeunesse délinquante* (*Violent Playground,* B. Dearden, 1958) ; *Sea Fury* (Endfield, *id.*) ; *l'Enquête de l'inspecteur Morgan* (J. Losey, 1959) ; *Trahison à Athènes* (R. Aldrich, *id.*) ; *les Criminels* (*The Criminal,* Losey, 1960) ; *les Canons de Navarone* (*The Guns of Navarone,* J. Lee Thompson, 1961) ; *Sodome et Gomorrhe* (Aldrich, 1962) ; *les Clés de la citadelle* (*A Prize of Arms,* Cliff Owen, *id.*) ; *Eva* (Losey, *id.*) ; *À la française* (R. Parrish, 1963) ; *Zoulou* (*Zulu,* Endfield, 1964, également coprod.) ; *les Sables du Kalahari* (*Sands of the Kalahari* [*id.*], 1965, également coprod.) ; *Dingaka* (James Uys, *id.*) ; *Accident* (*id.,* Losey, 1967) ; *Trois Milliards d'un coup* (*Robbery,* P. Yates, *id.,* également coprod.) ; *la Fille au pistolet* (M. Monicelli, 1968) ; *Where's Jack ?* (J. Clavell, *id.,* également coprod.) ; *The Games* (M. Winner, 1970) ; *Zorro* (*id.,* D. Tessari, 1975).

BAKSHI *(Ralph), cinéaste américain d'origine russe (New York, N. Y., 1939).* À l'École d'art industriel de Manhattan, où il accomplit ses études, il manifeste un vif intérêt pour le dessin. Il est d'abord engagé par la CBS en tant que dessinateur de maquettes pour films publicitaires, puis il fonde en 1971, avec Steve Krantz, la Bakshi-Krantz Animation Steve Krantz Productions, pour laquelle il tourne, d'après la BD de Robert Crumb, son premier long métrage (*Fritz le Chat* [*Fritz the Cat*], 1972), véritable bombe dans l'univers du dessin animé : sexualité, drogue, etc., tous les mythes de la contre-culture, alors à la mode, se donnent rendez-vous dans un domaine demeuré jusque-là assez prude. Bakshi expérimente, par la suite, diverses techniques comme le mélange de dessin et de prises de vues réelles dans *Flipper City* (*Heavy Traffic,* 1973), l'adjonction de bandes d'actualités aux plans dessinés (*les Sorciers de la guerre* [*Wizards*], 1977) ou la reprise sous forme graphique de scènes tournées en vidéo avec des acteurs (*le Seigneur des anneaux* [*Lord of the Rings*], 1978), d'après l'œuvre de Tolkien. Ensuite, il réalise *American Pop* (1981), *Tygra, la glace et le feu* (*Fire and Ice,* 1982), *Cool World* (1992). R.BA.

BAKY *(Josef von), cinéaste allemand (Zombor, Autriche-Hongrie, 1902 - Munich 1966).* Après avoir travaillé dans la distribution de films, il devient l'assistant de Geza von Bolvary et passe à la réalisation en 1936. À la fin de la guerre, il a dirigé neuf films, dont plusieurs « musicaux » et le célèbre *les Aventures fantastiques du baron de Münchhausen* (*Münchhausen,* 1943), produit pour le 25e anniversaire de l'UFA. Grande fantaisie en couleurs, le film a poursuivi sa carrière au-delà de 1945 ; il a été restauré en 1979 par la fondation Murnau. Josef von Baky a tourné de nombreux films dans l'Allemagne d'Adenauer, dont *Petite Maman* (*Das doppelte Löttchen,* 1950), *le Maître de poste* (*Dunja,* 1955), *les Frénétiques* (*Die Frühreifen,* 1957), et *Avouez, docteur Corda* (*Gestehen Sie, Dr Corda !,* 1958). D.S.

BALASKO *(Josiane), actrice, scénariste et cinéaste française (Paris 1952).* Après des cours d'art dramatique, elle entre dans la troupe du Splendid en 1975. Très vite, elle participe à l'élaboration des pièces et écrit plusieurs scénarios pour le cinéma : *Retour en force* (Jean-Marie Poiré, 1980), *l'Année prochaine si tout va bien* (Jean-Loup Hubert, 1981). C'est avec sa participation d'actrice et de scénariste dans *Les hommes préfèrent les grosses* (J.-M. Poiré, 1981) qu'elle impose son personnage d'anti-sex-symbol rondelet, goguenard et dévastateur, à la répartie et à l'émotion toujours prêtes. Continuant à écrire et à jouer pour le théâtre, participant aux adaptations de ses pièces au cinéma, elle s'essaie, sans convaincre, à la réalisation en 1985 avec *Sac de nœuds,* tourne son second film en 1987, *les Keufs,* puis *Ma vie est un enfer* (1991) et *Gazon maudit* (1995) qui remporte un vif succès public – elle en est également l'interprète principale avec Victoria Abril. A.T.

Autres films : *le Locataire* (R. Polanski, 1976), *Dites-lui que je l'aime* (C. Miller, 1977), *les Petits Câlins* (J.-M. Poiré, 1978), *les Bronzés* (P. Leconte, *id.*), *Clara et les chics types* (Jacques Monnet, 1981), *le Maître d'école* (C. Berri, *id.*), *Papy fait de la résistance* (J.-M. Poiré, 1983), *Trop belle pour toi* (Bertrand Blier, 1989), *Tout le monde n'a pas eu la chance d'avoir des parents communistes* (Jean-Jacques Zilbermann, 1993).

BALÁZS *(Herbert Bauer,* dit *Béla), écrivain et théoricien hongrois (Szeged 1884 - Budapest 1949).* Poète, romancier, dramaturge, librettiste (pour Béla Bartók), il passe, comme son ami

György Lukács, de l'idéalisme au marxisme, dont il est le premier en date des théoriciens du cinéma. En 1908, il publie une *Esthétique de la mort* et en 1909 des *Fragments d'une philosophie de l'art ;* en 1914, il se porte volontaire et fait la guerre comme caporal. Auteur de plusieurs films aujourd'hui perdus (*Obistos,* 1917 ; *Sphinx,* 1918), il participe en 1919 à la révolution hongroise. Condamné à mort après l'écrasement de la république des Conseils, sauvé au dernier moment, il se réfugie en Autriche. À Vienne, il reprend ses activités cinématographiques, qu'il poursuivra en Allemagne, où il s'installe en 1926. À Berlin, il se consacre au théâtre d'*agit-prop,* collabore avec Erwin Piscator et Max Reinhardt, prend une part active à l'implantation d'un cinéma prolétarien et d'avant-garde. Il est journaliste, critique, scénariste. Il adhère au parti communiste en 1931 et doit émigrer en URSS dès la prise de pouvoir par Hitler. De 1933 à 1945, il est professeur à l'Institut supérieur du cinéma de Moscou (VGIK). Il rentre en Hongrie en 1945, fonde et dirige l'Institut hongrois du cinéma. Il enseigne à Prague, Varsovie, Rome. En mars 1949, il reçoit le prix Kossuth. Depuis 1960, un studio expérimental de Budapest porte son nom.

L'œuvre théorique de Balázs n'est pas organisée en système. Elle est faite de l'examen méthodique de toutes les ressources — virtuelles ou réelles, pressenties ou vérifiées — du cinéma, illustré d'exemples chaque fois que possible. *L'Homme visible* (1924), premier ouvrage de l'auteur qui en récusera bientôt la dimension souvent utopique, devance étonnamment la pensée de McLuhan. Balázs dénonce notre civilisation de l'imprimé, de l'écrit et prophétise, rendue possible par le cinéma, une civilisation de l'image, du visible, qui redonnera son rôle social au langage du corps et de la physionomie, à la voix et à la formation *tactile* de la personnalité. Pour Balázs, le film est un art figuratif. Les trois moteurs fondamentaux de son langage visuel sont *le cadrage et l'angle* (« à travers l'angle de prise de vues, le regard devient jugement ou sentiment »), *le gros plan* (situé hors de l'espace, il suscite la microphysionomie et ses microdrames), et *le montage* (qui rythme le récit et la pensée du film). Ces trois principes valent pour le son comme pour la couleur, qui ne sont pas des *compléments* à l'image mais des *faits centraux,* non des *perfectionnements* réalistes mais des facteurs de transfiguration. Le cadrage les élabore, le gros plan les isole et les grandit, le montage les articule dans le synchronisme ou l'asynchronie. La caméra est créatrice, utilisée par un créateur qui guide l'œil et les sens du spectateur. Poète autant que théoricien, Balázs a un sens très fort de la formule suggestive : « les oiseaux poètes » (le montage) ; « l'œil flaire » ; « les images ne se conjuguent pas » (elles restent au présent) ; « le spectateur danse » (ses points de vue varient) ; « le son ne porte pas d'ombre » (non spatial, il peut être déporté). Balázs tient le cinéma pour un art de masse et il s'est toujours attaché à sa fonction politique et sociale : « Le cinéma, qui est l'art du voir, ne doit pas rester entre les mains de ceux qui ont beaucoup à cacher. » B.A.

Films ▲ (comme scénariste) : *les Aventures d'un billet de dix marks (Die Abenteuer eines Zehnmarkscheines,* B. Viertel, 1926) ; *1 + 1 = 3* (F. Basch, 1926) ; *Madame Wünscht Keine Kinder* (A. Korda, *id.*) ; *Doña Juana* (P. Czinner, 1927) ; *Narkose* (A. Abel, 1929) ; *l'Opéra de quat'sous* (*Die Dreigroschenoper,* G. W. Pabst, 1931) ; *la Lumière bleue* (*Das blaue Licht,* Leni Riefenstahl, 1932) ; *Quelque part en Europe* (*Valahol Europa'Ban,* G. Radvanyi, 1947).

BALÁZSOVITS *(Lajos), acteur hongrois (Nagykanizsa 1946).* Il obtient le diplôme de l'École supérieure des arts dramatiques et du cinéma de Budapest en 1968. Encore étudiant, il débute au théâtre et au cinéma et y fait montre d'une assurance hautaine, d'un tempérament dominateur qui n'excluent pas l'expression d'une vibrante intériorité. Il est lancé par Jancsó dans *Ah ! ça ira* (1969) et se retrouve en vedette sous sa direction dans *Agnus Dei* (1971), *Psaume rouge* (1972), *Pour Électre* (1975), *Vices privés, vertus publiques* (1976), *Rhapsodie hongroise* (1979), *la Saison des monstres* (1987), *Dieu marche à reculons* (1991), *la Valse du Danuble bleu* (1991). Il travaille aussi avec Sándor Sára (*la Pierre lancée,* 1969), János Rózsa (*les Adorables,* 1970), András Kovács (*Course de relais,* 1971) et Márta Mészáros (*Marie,* 1969 ; *Pleurez pas, jolies filles,* 1970). M.M.

BALCON *(sir Michael), producteur britannique (Birmingham 1896 - Hartfield, East Sussex, 1977).* Après un bref passage dans l'industrie et la publicité, Balcon aborde la production cinématographique en s'associant à Victor Saville et à Graham Cutts, ce dernier signant la réalisation de *Woman to Woman* (1923). [À noter que l'assistant réalisateur, scénariste et décorateur de ce film n'est autre qu'Alfred Hitchcock.] C'est pour Balcon le début d'une carrière qui comptera quelque 350 films, produits principalement pour les sociétés Gainsborough (qu'il fonda en 1928), Gaumont-British (dont il fut le directeur de production en 1932), MGM-British (où il occupa les mêmes fonctions en 1936) et Ealing. En effet, en 1938, il prend le commandement des studios d'Ealing, charge qu'il assurera pendant vingt ans et qui lui permettra d'être à l'origine de nombreux films d'humour célèbres dans le monde entier sous le label *école d'Ealing*. En 1951, Balcon est nommé président du British Film Institute Experimental Fund (qui deviendra le BFI Production Board). Ce *fonds expérimental* aidera des réalisateurs débutants tels que Kevin Brownlow, Jack Gold, Don Levy, Robert Vas, Ken Russell, Ridley Scott, Peter Watkins, Stephen Frears, etc. En 1959, il devient producteur indépendant et se maintient à la tête de Bryanston Films et de British Lion. Il est anobli en 1948 (*sir* Michael Balcon). En 1969, il publie son autobiographie, *A Lifetime in Films*. P.P.

Films : *The Lodger* (A. Hitchcock, 1926) ; *l'Homme d'Aran* (R. Flaherty, 1934) ; *Les Trente-Neuf marches* (A. Hitchcock, 1935) ; *Vive les étudiants* (J. Conway, 1938) ; *Convoy* (P. Tennyson, 1940) ; *Next of Kin* (T. Dickinson, 1942) ; *San Demetrio-London* (C. Frend, 1943) ; *Painted Boats* (C. Crichton, 1944) ; *Au cœur de la nuit* (Crichton, Cavalcanti, Hamer, Dearden, 1945) ; *La route est ouverte* (H. Watt, 1946) ; *À cor et à cri* (C. Crichton, 1947) ; *Nicholas Nickleby* (A. Cavalcanti, *id.*) ; *Il pleut toujours le dimanche* (R. Hamer, *id.*) ; *l'Aventure sans retour* (C. Frend, 1948) ; *Noblesse oblige* R. Hamer, 1949) ; *Passeport pour Pimlico* (H. Cornelius, *id.*) ; *Whisky à gogo* (A. Mackendrick, *id.*) ; *l'Homme au complet blanc* (id., 1951) ; *De l'or en barres* (C. Crichton, *id.*) ; *Quand les vautours ne voleront plus* (H. Watt, *id.*) ; *Mandy* (A. Mackendrick, 1952) ; *la Mer cruelle* (*The cruel Sea,* C. Frend, 1953) ; *Tueurs de dames* (A. Mackendrick, 1955) ; *Dunkerque* (*Dunkirk,* Leslie Norman, 1958) ; *le Bouc émissaire* (R. Hamer, 1959).

BALDI *(Gian Vittorio), cinéaste et producteur italien (Bologne 1930).* Après des études au Centro sperimentale de Rome, il dirige sept courts métrages ethnographiques et d'analyse sociale, dont *Il pianto delle zitelle* (1958), *Luciano* (1960), *La casa delle vedove (id.),* qui obtiennent de nombreux prix, et participe avec l'épisode *La prova d'amore* à l'enquête collective *Les femmes accusent* (*Le italiane e l'amore,* 1961) conçue par Zavattini. Il organise un circuit de distribution pour les documentaires et fonde en 1962 sa maison de production, la Idi Cinematografica, qui produit des premières œuvres et des films difficiles comme *Chronique d'Anna-Magdalena Bach* (J. M. Straub, 1967), *Trio* (G. Mingozzi, 1968), *Journal d'une schizophrène* (N. Risi, 1969), *Porcherie* (P. P. Pasolini, 1970). Son premier long métrage, *Luciano, una vita bruciata* (1967 [RÉ 1963]), développe le même thème que le court métrage, chronique de la *vie violente* d'un voyou de la banlieue romaine. Avec *Fuoco !* (1968), il approfondit sa recherche d'un nouveau réalisme, à partir d'un fait divers. *La notte dei fiori* (1972) et *le Dernier Jour d'école avant les vacances de Noël* (*L'ultimo giorno di scuola prima delle vacanze di Natale,* 1975) montrent une certaine stérilité stylistique dans sa démarche entre fiction dramatique et vérité documentaire. En 1988 il tourne *ZEN-Zona Espansione Norte.* L.C.

BALIN *(Mireille), actrice française (Monte-Carlo 1911 - Paris 1968).* Ancien mannequin de belle et grande allure, elle personnifie pendant une dizaine d'années la femme fatale, dont elle fixe deux portraits fascinants comme partenaire de Jean Gabin dans *Pépé le Moko* (J. Duvivier, 1937) et *Gueule d'amour* (J. Grémillon, *id.*). C'est Pabst qui l'avait découverte et imposée dans *Don Quichotte* (1933), où elle jouait le rôle de Dulcinée auprès de Chaliapine. *Naples au baiser de feu* (A. Genina, 1937) lui donne comme partenaire Tino Rossi, qui, durant quelques années, sera également son partenaire dans la vie. De nouveau sous la direction de Genina, elle participe en 1939 au film *les Cadets de l'Alcazar,* à la gloire de la cause franquiste, puis retrouve ses rôles de vamp dans *Macao l'enfer du jeu* (J. Delannoy, 1942 [RÉ 1939]) et *Dernier Atout* (J. Becker, 1942). À la fin de la guerre, éloignée des studios, malade, elle abandonne le cinéma, où Gréville lui avait offert un rôle plus nuancé dans *Menaces* (1940). R.C.

BALINT *(András), acteur hongrois (Pécs 1943).* Diplômé en 1965 de l'École supérieure des arts dramatiques et du cinéma de Budapest, il débute au théâtre à Pécs, puis joue à Budapest, où il est découvert par István Szabó, qui le lance avec *l'Âge des illusions* (1965) et lui assure une immédiate popularité. Il lui confie la vedette de plusieurs de ses films : *Père* (1966), *Un film d'amour* (1970), *25, rue des Sapeurs* (1973) et *Contes de Budapest* (1977). Simultanément, il travaille avec Jancsó (*Ah ! ça ira,* 1969 ; *Psaume rouge,* 1972), Máriássy (*Imposteurs,* 1969), Kovács (*Course de relais,* 1971), Johannes Schaaf (*Trotta,* 1972), Fábri (*la Phrase inachevée,* 1975), Krisztina Deák (*le Livre d'Esther* [*Eszterkönyv*], 1990), Judith Elck (*l'Éveil,* 1994). Il fait preuve d'élégance et de caractère dans chacune de ses compositions. M.M.

BALL *(Lucille), actrice américaine (Celoron, N. Y., 1911 - Los Angeles, Ca., 1989).* Elle débute à Broadway dans l'opérette *Rio Rita* et à Hollywood comme «Goldwyn Girl» dans des revues musicales. La RKO la cantonne dans des seconds rôles, le plus souvent comiques (*Pension d'artistes,* G. La Cava, 1937 ; *Panique à l'hôtel,* W. Seiter, 1938 – avec les Marx Brothers) jusqu'à *Dance Girl Dance* (D. Arzner, 1940). Tournant pour la MGM, la Paramount ou la Columbia avec Red Skelton ou Bob Hope pour partenaires, elle se spécialise dans le *splapstick* et la comédie burlesque. Rares sont ses emplois dramatiques : *l'Impasse tragique* (H. Hathaway, 1946), *Des filles disparaissent* (D. Sirk, 1947), *Easy Living* (J. Tourneur, 1949). Elle tourne ensuite notamment deux films de Lloyd Bacon : *Miss Grain de Sel* (1949) et *En plein cirage* (1950), puis à partir de 1951 se produit avec son mari Desi Arnaz dans un show télévisé *(I Love Lucy),* le premier à ne pas être enregistré en direct, qui connaît une popularité et une longévité exceptionnelles. Le couple interprète *la Roulotte du plaisir* (V. Minnelli, 1954), se consacre ensuite à la société Desilu Productions, qui rachète les studios RKO en 1958 et produit des émissions pour la télévision *(The Lucy Show).* Les retours épisodiques de l'actrice au cinéma se sont soldés par le désastre de la superproduction musicale *Mame* (Gene Saks, 1974). M.H.

BALLARD *(Lucien), chef opérateur américain (Miami, Okla., 1904 - Rancho Mirage, Ca., 1988).* Il fait ses classes entre 1930 et 1935, sous la férule de Josef von Sternberg, dont il est l'assistant opérateur pour *Cœurs brûlés* (1930), *la Femme et le Pantin* (1935), *Remords / Crime et Châtiment* (id.) et *Sa Majesté est de sortie* (1936). De ce prestigieux parrainage, Ballard a gardé le sens des nuances subtiles, du *sfumato* impalpable et du clair-obscur menaçant. Ces qualités sont en évidence dans *l'Obsession de Mme Craig* (Dorothy Arzner, 1936) et surtout dans *Blind Alley* (Ch. Vidor, 1939), un des classiques de la série B. Les années 40 et son mariage avec Merle Oberon allaient faire de lui un spécialiste du gros plan satiné et des ambiances «gothiques». *Jack l'éventreur* (J. Brahm, 1944), *Notre cher amour* (*This Love of Ours* [W. Dieterle], 1946) ou *Tentation* (*Temptation,* I. Pichel, 1947) sont de parfaits exemples de cet art. Plus brillant encore, *Berlin Express* (J. Tourneur, 1948) emprunte parfois la nudité de la lumière néoréaliste. Progressivement, son style se décante et *Baïonnette au canon* (S. Fuller, 1951) ou *Return of the Texan* (D. Daves, 1952) sont traités dans un blanc et noir lumineux, mais sec et sobre. Enfin, Raoul Walsh, dans *l'Esclave libre* (1957) et *Un roi et quatre reines* (id.), perçoit en Ballard un coloriste émouvant et dépourvu d'afféteries. Sa collaboration avec Sam Peckinpah exaltera cet aspect de sa personnalité et Ballard deviendra le peintre privilégié du crépuscule des cow-boys : *Coups de feu dans la Sierra* (1962), *la Horde sauvage* (1969), *Junior Bonner* (1972). Feuilles rougies, prairies dorées, neiges bleutées, petits matins gris créent dans *100 Dollars pour un shérif* (H. Hathaway, 1969) et dans *Will Penny, le Solitaire* (T. Gries, 1968), une inoubliable atmosphère de fin du monde. C.V.

BALLHAUS *(Michael), chef opérateur allemand (Berlin 1935).* Il se fait connaître en 1968-1970 en collaborant à des films de cinéma et de télévision dirigés par quelques représentants du jeune cinéma allemand, Vesely ou les frères Schamoni. Travaillant essentiellement à Munich, il devient entre 1970 et 1978 le chef opérateur de plusieurs films importants de Fassbinder, où il excelle dans la froide représentation des intérieurs bourgeois et petits-bourgeois (*les Larmes amères de Petra von Kant,*

1972 ; *le Droit du plus fort,* 1975 ; *Maman Kuster s'en va au ciel,* id.). On lui doit aussi les images, plus brillantes, de *Bolwieser* (1977) ; *Despair* (1978), *le Mariage de Maria Braun* (1979), du même Fassbinder. Il s'adapte également à des réalisateurs aussi différents que Peter Stein (*les Invités [Sommergäste]*, 1976) et Rudolf Thome (*Made in Germany and USA,* 1974) et tourne ensuite avec, notamment, Peter Lilienthal, Jeanine Meerapfel, Walter Bockmayer, Peer Raben. Martin Scorsese l'invite aux États-Unis pour signer les images de *After Hours* (1985), *la Couleur de l'argent* (1986), *la Dernière Tentation du Christ* (1988), *les Affranchis* (1990), *le Temps de l'innocence* (1993). On lui doit également les prises de vues de *Mort d'un commis voyageur* (V. Schlöndorff, 1985), *la Ménagerie de verre* (P. Newman, 1987), *Susie et les Baker Boys* (Steve Kloves, 1989), *la Liste noire* (*Guilty by Suspicion,* Irwin Winclair, 1990), *Malina* (W. Schroeter, *id.*), *Dracula* (F. Coppola, 1992). D.S.

BALLING *(Erik), cinéaste danois (Nyborg 1924).* Il remplace en 1952 Ole Palsbo (mort en cours de tournage) pour le film *Nous sommes de pauvres pécheurs.* Puis il signe notamment *Adam et Ève* (*Adam og Eva,* 1953), *Kispus* (1956), *Qivitoq* (*id.,* tourné au Groenland), *le Poète et sa muse* (*Poeten og Lillemor,* 1959), *la Foi, l'Espérance et la Sorcellerie* (*Tro, Hab og Trolddom,* 1960), *la Chère Famille* (*Den Kaere familie,* 1962), *À l'enseigne du Ciel-de-Lit* (*2 × 2 im himmelbett,* 1965), *Frappe le premier Freddy* (*Sla forst Frede,* 1966) – une parodie de James Bond –, *Annie Cat* (1967) – une comédie musicale –, *C'était un samedi soir* (*Det var en Lørdag aften,* 1968), avant de connaître dans son pays un durable succès populaire avec les aventures de *la Bande à Olsen* (13 films entre 1968 et 1982). J.-L.P

BALOGUN *(Ola), cinéaste nigérian (Aba 1945).* Après des études à Lagos, Dakar, Caen et à l'IDHEC (1968), il obtient un poste à l'université d'Ife au Nigeria. Il dirige le Centre audio-visuel du musée de Lagos. En 1972, il tourne *Alpha,* son premier film, sur le thème de l'exil. Un des rares cinéastes africains à travailler régulièrement, il signe quinze films entre 1972 et 1980 (dont la moitié de courts métrages). L'insertion du cinéma dans la vie africaine et la nécessité de communiquer avec le public le préoccupent, d'où son attention aux possibilités du *musical.* Citons *Ajani Ogun* (1975), *Muzik Man* (1976), *Black Goddess* (1978), et puis l'excellent *Money Power* (1982), satire de la corruption. Cinéaste indépendant, il fonde en 1974 l'Afrocult Foundation Ltd, société de production et d'action culturelle. La langue parlée est l'uruba. C.M.C.

BALPÉTRÉ *(Antoine), acteur français (Lyon 1898 - Paris 1963).* Massif et pourvu d'une belle voix de tragédien, il est un des acteurs favoris de Cayatte : *Justice est faite* (1950), *Nous sommes tous des assassins* (1952), *le Dossier noir* (1955). Après un séjour glorieux à l'Odéon, il entre à la Comédie-Française en 1934 ; ses démêlés avec la maison de Molière consécutifs à l'épuration qui l'en chasse sont relatés dans son livre *Comédies chez Molière.* Il s'est fait apprécier dans *le Corbeau* (H.-G. Clouzot, 1943), *la Main du diable* (M. Tourneur, *id.*), *le Journal d'un curé de campagne* (R. Bresson, 1951), *le Plaisir* (Max Ophuls, 1952). R.C.

BALSAM *(Martin), acteur américain (New York, N. Y., 1919).* Membre de l'Actors Studio, il s'illustre à la scène sous la direction d'Elia Kazan, qui le fait débuter à l'écran dans *Sur les quais,* en 1954. Son physique *carré,* sa robustesse placide l'amènent à jouer le plus souvent des hommes de confiance, des professionnels dévoués et sûrs : le détective Arbogast dans *Psychose* (A. Hitchcock, 1960), un conseiller de la Maison-Blanche dans *Sept Jours en mai* (J. Frankenheimer, 1964), un officier dans *Aux postes de combat* (J. B. Harris, 1965), un directeur de compagnie ferroviaire dans *le Crime de l'Orient-Express* (S. Lumet, 1974), un journaliste dans *les Hommes du Président* (A. J. Pakula, 1976). Il reçoit un Oscar (« Best supporting actor ») pour *A Thousand Clowns* de Fred Coe en 1965. On le retrouve en 1986 dans *Second Serve* d'Anthony Page et en 1991 dans les *Nerfs à vif* (M. Scorsese). O.E.

BÁN *(Frigyes), cinéaste hongrois (Kassa* [auj. *Košice, Tchécoslovaquie*] *1902 - Budapest 1969).* S'intéressant très tôt au cinéma, Bán ne peut y faire ses premiers pas qu'en 1934, après un long détour par le théâtre. Il travaille alors comme directeur de production, assistant, monteur et scénariste. Le premier de ses 33 films, comme ceux qui suivront, lui vaut les faveurs du public : *Mátyás, redresseur de torts*

(*Mátyás rendet csinál,* 1939). Au cours d'une carrière bien remplie, Bán sait aborder tous les genres. Mais c'est à *Un lopin de terre* (*Talpalatnyi föld,* 1948), un vigoureux drame paysan réalisé après la nationalisation du cinéma hongrois, qu'il doit sa notoriété. Par la suite, il va insuffler vie à quelques pages mémorables de l'histoire nationale, évoquant tour à tour la noble figure du Dr Semmelweis, les luttes du prince Rákóczi et celles des Jacobins hongrois. P.H.

BANCROFT *(Anna Maria Italiano,* dite *Anne), actrice américaine (New York, N. Y., 1931).* Après une brève carrière à la télévision newyorkaise, elle signe un contrat avec la Fox et débute à l'écran dans *Troublez-moi ce soir* (R. Baker, 1952). Durant deux ans, elle joue le plus souvent les utilités, tournant avec un bonheur variable dans : *le Trésor du Guatemala (Treasure of the Golden Condor)* et *les Gladiateurs* [*Demetrius and the Gladiators*] (D. Daves, 1953 et 1954), *The Raid* (H. Fregonese, 1954) et *Gorilla at Large* (Harmon Jones, *id.*). Redevenue indépendante, elle travaille sous la direction d'Anthony Mann (*la Charge des Tuniques bleues,* 1955), Jacques Tourneur (*Night-fall,* 1957) et Allan Dwan (*la Ville de la vengeance,* id.), sans parvenir pour autant à se trouver un registre précis. Après cinq années chaotiques et frustrantes, elle rompt avec Hollywood et se révèle à Broadway grâce à *Two for the Seesaw,* qui marque le début d'une fructueuse association avec William Gibson et Arthur Penn. En 1959, le trio remporte un nouveau triomphe avec *The Miracle Worker.*

Elle fait un retour en force à l'écran dans l'adaptation de cette pièce, un des films les plus intenses et les plus lyriques de Penn (1962). À trente ans, elle réalise enfin son potentiel et trouve là *son* personnage. Sa seconde carrière fait d'elle une femme à poigne : éducatrice, médecin (*Frontière chinoise,* J. Ford, 1966), avocate (*Viol et Châtiment* [*Lipstick*], Lamont Johnson, 1976), danseuse (*le Tournant de la vie,* H. Ross, 1977) ou comédienne (*Elephant Man,* David Lynch, 1980), elle possède les qualités et le tempérament nécessaires à la réussite sociale. Elle n'en paie pas moins son tribut à des stéréotypes toujours vivaces : la névrose (*le Mangeur de citrouille,* J. Clayton, 1964), l'abandon (*le Lauréat,* M. Nichols, 1967) ou le suicide (*Frontière chinoise*) sanctionnent fréquemment son non-conformisme. Dans ses conquêtes comme dans ses malheurs, celle qui fut la Marie-Madeleine du *Jésus de Nazareth* de Zeffirelli (1977) reflète ainsi les ambivalences des années 60, qu'elle prend en charge et parvient à tourner à son avantage. Actrice éminemment moderne, ce sont en effet les genres les plus datés – aventures orientales (*Frontière chinoise*), ou confrontation mélodramatique entre deux femmes, à la mode des années 40 (*le Tournant de la vie*) – qui mettent le plus en valeur son acidité, son expressivité et son allant. Sa première réalisation, *Fatso* (1980), une comédie à l'italienne, produite sous l'égide de son mari Mel Brooks et avec les *complices* habituels de ce dernier, se signale en revanche par un humour et un sentimentalisme des plus épais. Elle apparaît ensuite dans *Night Mother* (Tom Moore, 1986), *84 Charing Cross Road* (David Jones, 1987) et *Torch Song Trilogy* (Paul Bogart, 1990). O.E.

BANCROFT *(George), acteur américain (Philadelphie, Pa., 1882 - Santa Monica, Ca., 1956).* Ayant débuté au théâtre, auquel il reviendra dans les années 30, il se tourne tardivement vers le cinéma (1921). Dès *The Pony Express* (J. Cruze, 1925), il incarne un bandit. Jouant sur ses traits expressifs et tourmentés, et sur sa puissante carrure, Sternberg fait de lui, dans *les Nuits de Chicago* (1927), le premier archétype du gangster à l'écran. Il lui donne un rôle similaire dans *la Rafle* (1928) et dans *l'Assommeur* (1929). Dans *les Damnés de l'océan* (1928), il lui conserve le même caractère, bien que le film ne soit pas un policier. Par la suite la carrière de Bancroft se partage entre le film noir : *les Anges aux figures sales* (M. Curtiz, 1938), *À chaque aube je meurs* (W. Keighley, 1939), et le western : *la Chevauchée fantastique* (J. Ford, 1939), *les Tuniques écarlates* (C. B. De Mille, 1940). Il sait même étoffer les silhouettes par son humanité : *l'Extravagant Mr. Deeds* (F. Capra, 1936). A.G.

BANC-TITRE. Support de caméra, permettant le déplacement (généralement vertical) de la caméra par rapport à une surface plane sur laquelle prennent place les documents (titres, dessins d'animation, etc.) à filmer.

BANDE. *Double bande,* forme sous laquelle se présente un film sonore lorsque l'image et le son sont portés par deux bandes distinctes. (→ BANDE SONORE.)

BANDE-ANNONCE. La *bande-annonce* – ou *film-annonce* – est un film très court qui fait partie du matériel publicitaire normal d'un long métrage. À l'époque où la majorité des salles changeait de programme chaque semaine, la bande-annonce présentait un film à venir, et elle comportait d'ailleurs presque toujours un carton : « Prochainement sur cet écran ». Parallèlement à cet usage traditionnel, la bande-annonce sert également, aujourd'hui, à attirer l'attention du public sur les films projetés dans les autres salles du complexe, ou du circuit auquel appartient la salle. Sauf exceptions rarissimes, la bande-annonce est obtenue par montage de courts fragments de plans empruntés au long métrage. Ce montage, qui présente les principaux comédiens, vise surtout à donner une idée choc ou séduisante du film et à annoncer son genre (action, comique, psychologie, etc.). J.-P.F.

BANDE CACHE. Bande, avançant d'un cran à chaque changement de plan, interposée sur le faisceau lumineux des tireuses soustractives pour régler la lumière de tirage. (→ ÉTALONNAGE.)

BANDE CODE. Bande, avançant d'un cran à chaque changement de réglage, qui commande sur les tireuses additives le réglage de la lumière de tirage. (→ ÉTALONNAGE.)

BANDE INTERNATIONALE. Bande sonore magnétique, comportant plusieurs pistes où sont enregistrés séparément les différents éléments sonores d'un film (paroles, effets, musique), confectionnée en vue de la fabrication de versions en langues étrangères. (→ BANDE SONORE, DOUBLAGE, MIXAGE.)

BANDE LISSE. Bande magnétique non perforée. (→ BANDE MAGNÉTIQUE, REPIQUAGE.)

BANDE MAGNÉTIQUE. Bande sur laquelle s'effectue l'enregistrement magnétique des sons (bande audio) ou l'enregistrement magnétique des images (bande vidéo).

Les bandes magnétiques employées soit pour l'enregistrement des sons (on parle alors de *bandes audio*), soit pour l'enregistrement magnétique des images *(bandes vidéo),* sont composées de deux couches : le support, qui assure la tenue mécanique de la bande ; la couche active, encore appelée *enduit,* généralement constituée à base d'oxyde de fer et qui « garde en mémoire » l'aimantation reçue lors du passage devant la tête d'enregistrement.

En fonctionnement, une bande magnétique subit des efforts parfois importants, ne serait-ce que l'effort de traction subi notamment lors des bobinages ou rebobinages rapides. La qualité d'une bande ne dépend donc pas seulement de la qualité de la couche active ; elle dépend aussi, dans une large mesure, de la qualité du support et de la bonne adhérence de la couche active au support.

Le support. Au tout début de l'enregistrement magnétique, on employa le fil d'acier, puis le ruban d'acier. Les premières bandes à deux couches, c'est-à-dire de même configuration que les bandes actuelles, apparurent en 1928 avec un support en... papier. Quelques années plus tard, on employa, comme pour le film image, le diacétate puis le triacétate de cellulose. Vinrent ensuite le chlorure de polyvinyle (PVC), et enfin le polyester, couramment appelé *mylar,* d'après le nom de marque déposé par la firme américaine Du Pont. L'emploi du polyester s'est aujourd'hui généralisé en raison de l'ensemble des qualités de ce matériau : souplesse, qui permet à la bande de bien s'appliquer contre les têtes d'enregistrement ou de lecture ; grande stabilité (alors que le triacétate, par exemple, s'allonge ou se rétracte en fonction de la température ou de l'hygrométrie et a en outre tendance à vieillir) ; résistance mécanique élevée, qui permet de réduire l'épaisseur des bandes et, par là, d'offrir une plus grande longueur de bande (donc, une durée accrue d'enregistrement) pour un diamètre donné des bobines. Dans les cassettes *triple durée* (C 120), l'épaisseur du support descend jusqu'à 0,50/100 de mm. Pour les usages professionnels, il faut écarter le risque d'un étirement ou d'une rupture de la bande ; aussi l'épaisseur du support est-elle typiquement d'environ 3,5/100 de mm pour les bandes audio *standards,* et environ moitié moins pour les bandes *longue durée.*

Pour l'enregistrement des sons et notamment pour la prise de son sur le lieu de tournage des films, les professionnels emploient le plus communément la bande dite *quart de pouce,* ou encore *6,35* (prononcer : « six trente-cinq ») puisqu'un quart de pouce vaut 6,35 mm. (En réalité, la largeur de cette bande est normalisée à 6,25 mm.) Dans l'industrie du disque, où l'on enregistre simultanément mais séparément les divers instruments (ou les divers groupes d'instruments) de l'orchestre, on fait appel aux bandes : *demi-pouce,* de largeur 12,70 mm ; *un pouce,* de largeur 25,4 mm ; *deux pouces,* de largeur 50,8 mm. Sur cette dernière, il est possible d'enregistrer simultanément jusqu'à 24 pistes, voire 32. À l'opposé, il existe des bandes de largeur 3,81 mm, presque exclusivement destinées aux cassettes. Pour les besoins spécifiques du cinéma (→ MONTAGE), on fabrique en outre des bandes *perforées* (les bandes non perforées sont qualifiées de *lisses*) géométriquement superposables aux films images de formats 35 mm, 16 mm. Pour ces bandes perforées, le support polyester s'est maintenant généralisé. À l'exception des cassettes, les bandes audio sont conditionnées et manipulées ou bien en bobines (bandes lisses), ou bien en galettes (bandes perforées).

Pour l'enregistrement des images, les professionnels emploient des bandes *un pouce, trois quarts de pouce* ou *demi-pouce* (ces dernières en cassettes). Les bandes *deux-pouces* ont été employées jusqu'en 1988. Les magnétoscopes d'amateur fonctionnent avec des cassettes *demi-pouce,* ou des bandes 8 mm.

Destinées à des usages différents, les bandes audio et vidéo sont de conception différente. Il est donc exclu d'employer par exemple une bande audio *demi-pouce* sur un magnétoscope *demi-pouce.* (L'opération inverse serait, elle, envisageable, même si en pratique on ne le fait jamais, après une modification adéquate des réglages du magnétophone.)

La couche active. La couche active est généralement constituée de minuscules particules d'oxyde de fer $Fe_2 O_3$ (il existe d'autres oxydes de fer), d'oxydes de chrome ou de fer pur (bande métal). Ces particules, généralement en forme d'aiguilles dont la longueur est de l'ordre de 0,001 mm, sont noyées dans un *liant* destiné à la fois à les agglomérer et à faire adhérer cette couche active au support.

L'oxyde de fer présente des performances suffisantes dès que l'on enregistre à vitesse relativement élevée sur des pistes relativement larges, ce qui est le cas des matériels professionnels. L'apparition des magnétophones à cassette, où l'on enregistre sur des pistes étroites défilant lentement, conduisit à rechercher des couches actives plus performantes. On fit appel pour cela à l'oxyde de chrome CrO_2, ou à l'association oxyde de cobalt-oxyde de fer. Plus récemment, des bandes au *fer pur,* encore plus performantes, ont fait leur apparition : elles présentent la particularité de ne pas contenir de liant, les particules actives adhérant directement au support.

Pour l'enregistrement des sons, l'épaisseur de la couche active varie entre 3 μm (3/1 000 de mm) pour les cassettes C 120, et une douzaine de μm pour les bandes standards. L'épaisseur totale de la bande varie ainsi entre un peu moins de 1/100 de mm pour les cassettes C 120 et environ 5/100 de mm pour les bandes standards.

Fabrication des bandes magnétiques. Le *couchage,* qui consiste à déposer l'oxyde sur le support choisi, est une opération délicate que l'on pratique dans des salles hors poussière sur des rouleaux de support de grande largeur (jusqu'à un mètre) et de grande longueur (plusieurs kilomètres), la machine ne devant pas s'arrêter si l'on veut obtenir une couche d'épaisseur parfaitement régulière.

Les oxydes, préalablement broyés et traités chimiquement, sont intimement mélangés avec le liant au cours d'une agitation de plusieurs heures, de façon que les caractéristiques magnétiques soient homogènes en tous les points de la couche. Après enduction, le rouleau est soumis à un champ magnétique qui oriente convenablement les particules d'oxyde. Il est ensuite séché, démagnétisé, puis découpé en bandes de la largeur désirée. Le cas échéant, ces bandes seront ensuite perforées.

Les copies à piste magnétique. Traditionnellement, les copies d'exploitation des films comportent une piste sonore optique. Depuis une trentaine d'années (en 35 mm depuis l'apparition du CinémaScope), il existe également des films à piste magnétique. Le

70 mm ne connaît même que le son magnétique. Dans ce cas, c'est le film qui sert de support : on y dépose, de façon comparable à ce qui vient d'être décrit, une ou plusieurs couches actives ayant la largeur désirée. Chaque piste crée un relief. Dans les cas, le 16 mm par exemple, où l'on n'utilise qu'une seule piste, ce relief conduirait à ce que le film s'enroule en biais sur la bobine. On dépose donc, sur la marge opposée du film, une piste *de compensation* de même épaisseur que la piste *utile.* (En principe, cette piste de compensation n'est pas employée, sauf sur certains projecteurs d'amateurs.) Le problème ne se pose pas pour les copies 70 mm, ou 35 mm type CinémaScope, qui comportent une piste utile sur chaque marge.

Bande magnétique « numérique ». Avec l'apparition des enregistreurs audionumériques, les caractéristiques des bandes magnétiques traditionnelles sont devenues insuffisantes pour y enregistrer une très forte densité d'information. Les bandes employées sont très proches de celles utilisées dans les magnétoscopes pour l'enregistrement des images. L'enduction à partir d'un mélange d'oxydes et de liant est remplacée par un dépôt d'une ou plusieurs couches d'oxydes métalliques déposées par vaporisation sous vide. Le support, en polyester, de très faible épaisseur (quelques centièmes de mm) se trouve ainsi recouvert d'une très mince couche (quelques microns) de très fines particules d'oxydes métalliques. Il est possible d'enregistrer sur de telles bandes des fréquences très élevées, de plusieurs mégahertz (1 MHz = 1 000 000 Hz) à des vitesses de défilement faibles, généralement inférieures à 5 cm/s. En raison de leur fragilité, ces bandes « numériques » sont conditionnées en cassettes dont certaines sont de très petites dimensions : une heure de programme stéréo peut être enregistrée sur un volume équivalent à une petite boîte d'allumettes. L'enregistrement numérique sur de telles bandes a permis d'améliorer de manière significative la qualité des enregistrements audio : bande passante audio étendue (20 Hz - 20 kHz), bruit de fond et distorsions pratiquement inaudibles.

J.-P.F./M.BA.

BANDE PAROLE. Bande sonore comportant uniquement les dialogues d'un film, à l'exclusion de tout autre son. (→ BANDE SONORE, MIXAGE.)

BANDE PASSANTE. Plage de fréquences restituées par un système d'enregistrement et de reproduction, ou de transmission, des sons ou des images vidéo. (→ aussi HAUTE-FIDÉLITÉ.)

L'oreille humaine perçoit les sons de fréquences comprises entre environ 30 Hz (hertz) et environ 15 000 Hz. Idéalement, tout système d'enregistrement et de reproduction des sons devrait donc être capable de restituer l'intégralité de cette gamme de fréquences.

Dans les conditions du laboratoire, on sait aujourd'hui approcher de très près cet idéal. Dans la pratique quotidienne, et notamment dans les salles de cinéma, ce n'est pas le cas. La plage des fréquences restituées est appelée *bande passante.* Elle se caractérise par une limite inférieure et une limite supérieure. Par exemple, le procédé traditionnel d'enregistrement optique monophonique des sons permet typiquement de restituer, dans les salles de cinéma, les sons de fréquences comprises entre une cinquantaine de Hz et environ 8 000 Hz, ce qui se note : « bande passante 50-8 000 Hz ». La fréquence supérieure est portée à 12 000 Hz dans le cas des sons enregistrés en Dolby Stéréo avec un système réducteur de bruit de fond. (On constate que le spectateur est privé de la restitution des sons les plus graves et des sons les plus aigus.)

Pour qualifier de *restituée* une fréquence captée par le micro du dispositif d'enregistrement, il ne suffit pas que cette fréquence soit présente dans l'ensemble des sons qui parviennent à l'auditeur. Il faut aussi qu'elle lui parvienne avec un niveau sonore suffisant. Imaginons par exemple que le son capté soit composé de trois sons *simples* d'égale intensité et de fréquences respectives F_1, F_2, F_3. Si le son de fréquence F_1, bien que présent dans les sons restitués, n'y est présent qu'avec une intensité mille fois inférieure à celle des deux autres sons, il est trop faible pour être perçu : en pratique, il est absent.

Cette remarque indique la voie à suivre pour déterminer la bande passante d'un système. Mesurons, pour toutes sortes de fréquences, le rapport entre l'intensité sonore du son restitué et l'intensité sonore du son capté, puis traçons la courbe qui représente

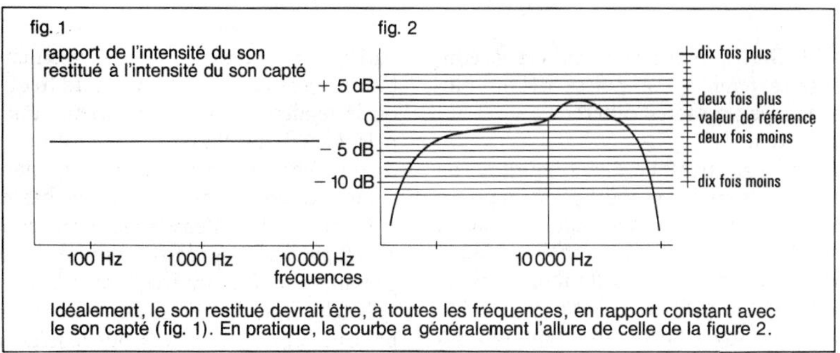

Idéalement, le son restitué devrait être, à toutes les fréquences, en rapport constant avec le son capté (fig. 1). En pratique, la courbe a généralement l'allure de celle de la figure 2.

l'évolution de ce rapport en fonction de la fréquence. Cette courbe est appelée *courbe de réponse,* ou encore *caractéristique de transfert.*

Idéalement, le rapport des intensités sonores captées et restituées devrait être constant tout au long de la gamme des fréquences audibles. Idéalement, la courbe de réponse devrait donc être une droite, comme sur la figure 1. (Pour la commodité, l'échelle des fréquences est graduée de façon *logarithmique.* → SON.)

Dans la pratique, on n'obtient pas cette courbe idéale mais, généralement, une courbe du type de celle représentée figure 2 : un palier plus ou moins régulier encadré par deux chutes plus ou moins prononcées. Le rapport des intensités sonores est tout naturellement exprimé en dB (→ DÉCIBEL). Pour qui n'aurait pas l'habitude de lire en décibels, on a indiqué, à droite de la figure, la traduction de cette échelle. Indépendamment de son évolution en fonction de la fréquence, ce rapport dépend bien entendu du réglage du volume sonore dans le local d'écoute. Pour pouvoir tracer la courbe, il faut donc se fixer une référence. Usuellement, on prend comme valeur de référence le rapport des intensités sonores mesuré pour la fréquence 1 000 Hz avec un réglage *normal* du volume d'écoute. L'expérience montre que la courbe n'est pas modifiée si l'on se place à un réglage différent, du moins tant que celui-ci n'est ni vraiment trop fort ni vraiment trop faible.

Cette courbe est fort différente de la courbe idéale de la figure 1. Heureusement, l'oreille est peu sensible aux variations de l'intensité sonore : une variation du simple au double (c'est-à-dire un écart de plus ou moins 3 dB, comme on peut le vérifier sur l'échelle figurant à droite de la figure 2) n'est pratiquement pas perçue. Il en résulte que, dans le palier de la courbe, tant que celle-ci ne s'écarte pas de plus de 3 dB (en plus ou en moins) par rapport à sa valeur moyenne, tout se passe à peu près pour l'oreille comme s'il s'agissait d'un palier parfait, analogue à celui de la figure 1. Dans l'exemple considéré, cela conduit (figure 3) à une *bande passante à* ± 3 *dB* s'étendant d'environ 120 Hz à environ 3 500 Hz.

Mais cela ne signifie pas, en raisonnant toujours sur le même exemple, que les sons de fréquence inférieure à 120 Hz ou supérieure à 3 500 Hz sont trop faibles pour être audibles. Les sons de fréquence 70 Hz, par exemple, sont perçus, même si leur niveau est inférieur à ce qu'il devrait être. On admet généralement de fixer la frontière 10 dB en dessous de la valeur moyenne du palier, ce qui correspond à une réduction de moitié (→ DÉCIBEL) de la *sensation* sonore perçue. Dans l'exemple choisi, cela conduit (figure 3) à une *bande passante* d'environ 50 Hz à environ 8 000 Hz.

Il faut donc distinguer : la courbe de réponse, qui traduit des données *mesurables ;* la bande passante, qui est une *interprétation* de la courbe de réponse. Dire qu'un système possède une bande passante 50-12 000 Hz n'implique pas que les sons de fréquence inférieure à 50 Hz ou supérieure à 12 000 Hz ne sont pas restitués ; cela signifie seulement que, en dessous d'*environ* 50 Hz, les sons sont trop faibles pour être raisonnablement qualifiés d'audibles. (Il en va de même au-delà de 12 000 Hz *environ.*) Cela ne veut pas dire non plus que les fréquences comprises entre 50 Hz et 12 000 Hz sont toutes correctement (ou à peu près correctement) restituées du point de vue de l'intensité sonore ; seules le sont les fréquences comprises dans la bande passante à ±3 dB. On comprend que, selon la sévérité des critères retenus, on puisse définir plusieurs bandes passantes différentes pour un même système !

Il n'est pas possible, en pratique, de mesurer *directement* la courbe de réponse considérée jusqu'ici. On détermine en fait les courbes de réponse des divers maillons de la chaîne sonore, en mesurant le rapport de *ce qui entre* dans le maillon à *ce qui en sort.* Par combinaison des courbes de réponse, on obtient la courbe de réponse globale recherchée.

Une telle analyse montre qu'un bon amplificateur n'introduit aucune limitation notable de la bande passante. Il en est de même des microphones et des magnétophones professionnels employés lors de la prise de son ou lors des différents reports préalables à l'établissement des copies. Les limitations de la bande passante sont dues essentiellement :

– du côté des hautes fréquences, au support de diffusion ;

– du côté des basses fréquences, à la restitution du son dans la salle.

En 35 mm, l'enregistrement optique permet théoriquement la transcription de toutes les fréquences audibles. Cela implique toutefois l'emploi d'une fente lumineuse d'une extrême finesse, de l'ordre de 0,02 mm, ce qui limite la restitution des sons aigus à 12 000 Hz pour les films 35 mm. Du côté des basses fréquences, par contre, le son optique ne souffre en principe d'aucune limitation.

Les copies à piste magnétique présentent, elles, une certaine limitation dans les basses fréquences mais ce phénomène est masqué par la limitation, plus sévère, due aux dispositifs de restitution du son. Dans les hautes fréquences, on atteint 12 000 Hz et 16 000 Hz avec l'emploi de systèmes de réduction de bruit de fond en 70 mm. Les copies 35 mm, aujourd'hui disparues, avaient, au maximum, une bande passante de 10 000 à 12 000 Hz.

Il est assez facile de réaliser des haut-parleurs, ou des assemblages de haut-parleurs, restituant correctement les fréquences moyennes ou hautes. Il en va différemment dans l'extrême grave. Pour une salle de cinéma, descendre jusque vers 50 Hz constitue une ambition raisonnable. Cela ne signifie pas que, au-dessous de 50 Hz, les haut-parleurs n'émettent rien. Simplement, on tombe alors dans un domaine de fréquences où le rendement des haut-parleurs traditionnels devient insuffisant et où il est nécessaire d'employer des haut-parleurs spéciaux ne restituant que les fréquences très basses.

C'est en fait l'ensemble *haut-parleurs + acoustique de la salle* qui limite la bande passante du côté des fréquences basses.

Finalement, les limitations de la bande passante apparaissent essentiellement au niveau de la salle, considérée dans son ensemble (installation de lecture du projecteur, haut-parleurs, acoustique du local). La courbe de réponse de la chaîne sonore globale, depuis l'enregistrement du son jusqu'à l'audition du son par le public, est donc essentiellement déterminée par la courbe de réponse de la salle, toujours considérée dans son ensemble. On obtient facilement cette dernière courbe en projetant un film test spécial comportant un éventail de fréquences enregistrées à niveau constant, et en mesurant les intensités sonores dans la salle, moyennant certaines précautions. (→ ÉGALISATION.) La courbe des figures 2 et 3 est une schématisation de ce qu'on peut typiquement relever dans une salle projetant correctement une copie 35 mm à piste optique traditionnelle.

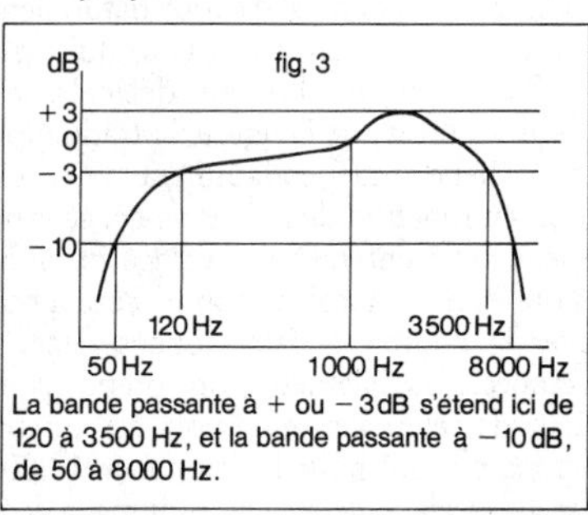

La bande passante à + ou − 3 dB s'étend ici de 120 à 3500 Hz, et la bande passante à − 10 dB, de 50 à 8000 Hz.

Étant donné que l'oreille est sensible aux fréquences comprises entre 30 et 15 000 Hz, une bande passante 35-12 000 Hz apparaît à première vue comme amputant la restitution des sons. En réalité, si l'on *dissèque* les différents sons possibles (→ SON), on s'aperçoit que la limite 12 000 Hz est suffisamment élevée pour que soient restituées les fréquences fondamentales et une bonne partie des harmoniques de la musique ou de la voix humaine, ce qui assure l'*intelligibilité* du message sonore. Et la limitation dans les graves s'avère compenser heureusement la limitation dans les aigus : si les graves étaient intégralement restitués, l'oreille percevrait un déséquilibre en leur faveur. (On a pu chiffrer cette compensation et énoncer la règle suivante : le produit de la limite inférieure et de la limite supérieure de la bande passante doit être voisin de 400 000, ce qui est d'ailleurs le cas dans l'exemple considéré jusqu'ici. Cette règle empirique explique pourquoi les « transistors de poche », bien que fortement limités à la fois dans les graves et dans les aigus, fournissent néanmoins « quelque chose d'audible ».)

Dans le cas des copies 35 mm monophoniques, la limitation à 8 000 Hz n'en est pas moins pénalisante pour la restitution des harmoniques élevés et surtout des transitoires (→ SON). Or la limite intrinsèque du son optique se situe, nous le savons, plus haut. Si les enregistrements optiques sont traditionnellement *coupés* à 8 000 Hz, c'est pour deux raisons essentielles.

Il a d'abord existé un obstacle technologique. Pendant longtemps, le cinéma sonore a souffert d'un *bruit de fond* relativement important. Or, par suite de la nette prédominance des fréquences moyennes et basses dans le message sonore, le bruit de fond est surtout perceptible dans l'aigu. Couper à 8 000 Hz au moment de l'établissement du négatif sonore constituait un compromis satisfaisant : il y avait suffisamment d'aigus pour que le son fût intelligible, et suffisamment peu pour que le bruit de fond *perçu* restât acceptable. En d'autres termes : étendre la bande passante au-delà de 8 000 Hz aurait accentué la perception du bruit de fond sans grand bénéfice pour le son *utile* puisque le bruit de fond aurait noyé une bonne partie des fréquences théoriquement gagnées.

Par ailleurs, pour restituer à tous les spectateurs un son satisfaisant, il aurait fallu standardiser la courbe de réponse, d'une part, pour homogénéiser les résultats d'une salle à l'autre, et surtout, d'autre part, pour permettre aux techniciens de l'enregistrement de « savoir où ils mettaient les pieds ». (À quoi bon enregistrer jusqu'à 12 000 Hz si les salles *moyennes* n'étaient pas capables de restituer mieux que 8 000 Hz ?) Dans le monde entier, la référence en la matière fut la courbe définie au début des années 40 par l'Academy of

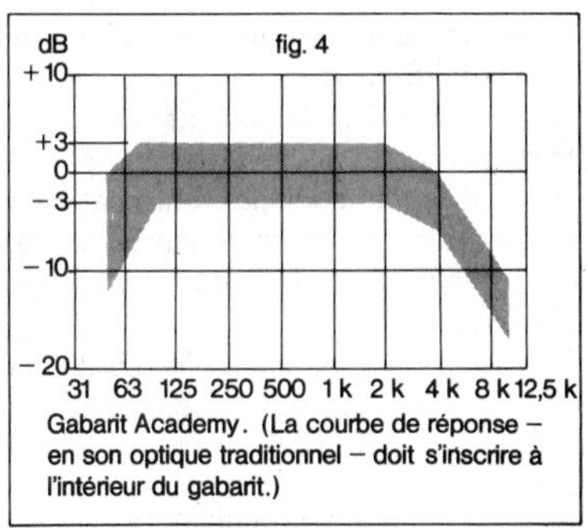

Gabarit Academy. (La courbe de réponse – en son optique traditionnel – doit s'inscrire à l'intérieur du gabarit.)

Motion Picture Arts and Sciences, et qu'on appela tout naturellement « courbe Academy ». (→ ACADEMY.)

Cette courbe est représentée figure 4, entourée de son *gabarit* à ± 3 dB. (L'oreille est en effet à peu près insensible à des variations de ± 3 dB de l'intensité sonore. Le critère n'est donc pas que les courbes de réponse des salles suivent exactement la courbe standard, mais qu'elles s'inscrivent dans le gabarit, lequel est d'ailleurs élargi dans les graves pour tenir compte de la difficulté de restituer correctement ces fréquences.) On vérifie que la bande passante à 10 dB s'arrête bien vers 8 000 Hz.

Si utile qu'elle eût été, puisqu'il fallait bien une référence, la courbe Academy figeait pourtant la situation. Les progrès techniques l'ont rendue aujourd'hui discutable. On continue néanmoins de s'aligner sur elle pour les copies à piste optique traditionnelle. Le procédé Dolby Stéréo, qui inclut un procédé de réduction du bruit de fond (→ BRUIT DE FOND), levait l'obstacle évoqué un peu plus haut. Du coup, la bande passante a pu être portée à 12 000 Hz, ce qui a conduit à établir un nouveau gabarit de référence, lui aussi d'origine américaine. Ce gabarit n'a de sens, bien entendu, que pour la projection de copies Dolby Stéréo dans une salle équipée pour *lire* ce genre de copies. Lorsque cette même salle projette une copie monophonique, il faut ramener la courbe de réponse à l'intérieur du gabarit Academy, de façon à ne pas envoyer sur les haut-parleurs les fréquences comprises entre 8 000 et 12 000 Hz et qui ne sauraient être que du bruit de fond puisque les copies traditionnelles ne comportent pas de son *utile* au-delà de 8 000 Hz. (Cette commutation s'effectue grâce à un filtre électronique placé avant l'amplificateur.)

En 70 mm, la bande passante des copies à piste magnétique est à peu près comparable à celle du Dolby Stéréo. Une commutation doit donc, là aussi, intervenir lorsque l'on passe d'une copie magnétique à une copie optique traditionnelle.

En 16 mm, où le film défile sensiblement moins vite qu'en 35 mm, la bande passante des copies optiques (il n'existe pas de copies Dolby en 16 mm) est limitée vers 6 000 Hz, ce qui nuit parfois à l'intelligibilité du texte. En son magnétique, on retrouve à peu près les performances du 35 mm optique monophonique.

Emploi des réducteurs de bruit de fond. L'emploi de ces systèmes (→ BRUIT DE FOND) permettant de minimiser le bruit de fond apporté par les équipements d'enregistrement associés à leurs supports (magnétiques ou photographiques pour le cinéma) a permis d'étendre la bande passante pouvant être reproduite. Avec les systèmes Dolby A ou Dolby SR, la bande passante en son photographique est sensiblement linéaire jusqu'à 12 kHz. Le gabarit de la courbe Academy a donc été étendu en conséquence (- 7 dB au lieu de - 14 dB à 10 kHz).

Enregistrements numériques. Pour les systèmes employés dans le cinéma, la bande passante s'étend jusqu'à 20 kHz. Toutefois, pour conserver la compatibilité entre les systèmes analogiques avec réducteur de bruit de fond et les systèmes numériques, la bande passante de la chaîne de reproduction (amplificateurs et haut-parleurs) reste identique à celle prévue pour la reproduction analogique avec système de réduction de bruit de fond. Les procédés numériques pour le cinéma permettent d'obtenir, dans les salles équipées, une qualité de reproduction sonore comparable à celle obtenue avec les CD audio.

J.-P.F./M.BA

BANDE PILOTE. Bande qui défile dans les tireuses en synchronisme avec le film à copier et qui commande l'avance de la bande cache. (→ ÉTALONNAGE.)

BANDE POCHETTE. Variante de la bande cache. (→ ÉTALONNAGE.)

BANDE RYTHMO. Film, portant l'indication du temps (en secondes), projeté sous l'écran, en synchronisme avec la bande qui porte les images, lors d'un mixage ou d'un doublage.

BANDE SONORE ou **BANDE-SON.** Support matériel sur lequel sont enregistrés les éléments sonores d'un film. Par extension, ces éléments, tels qu'ils sont perçus par le spectateur.

BANDE SONORE. De même que *film* désigne aussi bien le support matériel d'une œuvre que l'œuvre inscrite sur ce support, *bande sonore* (ou *bande-son*) est une expression à double sens, qui peut désigner :

— le ou les supports matériels sur lesquels sont enregistrés les éléments sonores d'un film ;

— ces éléments en eux-mêmes, tels qu'ils sont perçus par le spectateur.

Bande sonore des copies. S'agissant d'un film *achevé,* le support matériel du son dépend des cas.

Pour les copies d'exploitation standards, c'est la *piste sonore optique* inscrite à côté de l'image. (→ PROCÉDÉS DU CINÉMA SONORE.)

Pour les copies 35 mm ou 16 mm à *son magnétique,* pour les copies 70 mm (et pour les films sonores Super 8), ce sont une ou plusieurs *pistes magnétiques* couchées sur la pellicule. (→ BANDE MAGNÉTIQUE.)

Pour les copies en *double bande,* ainsi nommées parce que leur projection nécessite le défilement simultané de deux bandes indépendantes (l'une portant l'image et l'autre le son), c'est évidemment la bande magnétique porteuse du son. La méthode du procédé *double bande* permet de projeter le film, soit pour le montrer, soit pour contrôler une dernière fois le montage et le mixage, avant le tirage des copies. C'est également la méthode de travail normale de la télévision.

Dans les premiers temps du cinéma parlant, le son était enregistré sur des disques synchronisés avec le projecteur. (→ PROCÉDÉS DU CINÉMA SONORE.) Le terme de *bande sonore* ne s'imposait donc pas encore.

Élaboration de la bande sonore. Lors de la prise de son effectuée pendant le tournage, le son est enregistré sur bande magnétique *lisse* (c'est-à-dire non perforée), le synchronisme du son et de l'image étant assuré grâce à l'enregistrement d'une *fréquence pilote.* (→ REPIQUAGE.) Cette bande est usuellement de 6,25 mm, encore qu'un modèle très compact emploie une bande de largeur 3,81 mm, identique à celle des cassettes pour magnétophones.

Souvent, le tournage donne lieu à l'établissement de plusieurs bandes : une bande, synchrone à l'image, comportant les paroles et, d'une façon générale, tous les sons émis pendant le tournage ; une ou plusieurs bandes de *son seul,* comportant uniquement les bruits (→ BRUITAGE) ; une bande de *silence,* souvent appelé *silence plateau* (→ BRUITAGE).

C'est également sur bande lisse qu'est enregistrée, en studio, la musique.

Afin de pouvoir procéder au montage, on recopie les bandes précédentes, ainsi que les éléments sonores puisés dans une sonothèque (→ BRUITAGE), sur autant de bandes magnétiques perforées géométriquement superposables au film image. (→ REPIQUAGE.) Cela permet de faire défiler facilement en synchronisme rigoureux, sur la table de montage, le film image et une ou plusieurs bandes sonores (généralement jusqu'à trois ou quatre). Par coupe et assemblage de ces bandes, en relation avec le montage de l'image, on obtient, pour chaque bobine de bande image montée, un certain nombre de bandes sonores (couramment six ou sept, mais ce peut être beaucoup plus) que l'on peut classer en : bandes *paroles,* bandes *effets* (c'est-à-dire bandes *bruits*), bande *musique.*

Il arrive couramment que le montage conduise à enregistrer, en synchronisme avec la projection de l'image, de nouveaux éléments sonores : commentaire, voix off, bruits recréés par un bruiteur. Ces éléments, directement inscrits sur bande magnétique perforée, s'ajoutent ou sont incorporés aux diverses bandes évoquées ci-dessus.

Le mixage consiste essentiellement à *faire la somme,* en dosant leurs niveaux respectifs, des éléments sonores issus du montage. Il en résulte une nouvelle bande magnétique perforée, qui porte le son définitif du film.

Après projection de contrôle en double bande, cette ultime bande magnétique est transcrite en laboratoire sous forme d'un négatif sonore optique, lequel servira ensuite au tirage des copies.

Si le film doit donner lieu à des copies en son magnétique ou en son stéréophonique, le processus précédent est inchangé dans son principe. Il est simplement plus ou moins alourdi. Par exemple, dans le cas de la stéréophonie, il faut veiller à ce que soient portés par des pistes sonores distinctes les éléments sonores que l'on veut pouvoir *localiser,* indépendamment les uns des autres, sur tel ou tel haut-parleur.

Son direct et postsynchronisation. En France, les cinéastes travaillent de préférence en *son direct,* c'est-à-dire avec le son capté au tournage. En Italie, au contraire, les films sont presque toujours *postsynchronisés* : les voix sont enregistrées après coup, en studio, selon la méthode employée pour le doublage. Cette technique permet notamment aux Italiens d'intégrer à leurs films des comédiens étrangers, américains ou autres.

A priori, le son direct présente l'avantage de conserver l'*authenticité* du son. Ce jugement doit toutefois être nuancé. Même dans les films en son direct, la plupart des bruits ne proviennent pas, ou pas directement, du tournage (→ BRUITAGE) et les voix elles-mêmes sont couramment postsynchronisées lorsque l'enregistrement direct n'est pas satisfaisant. En effet, les conditions de tournage – notamment dans le cas de tournage en décors réels – ne sont pas toujours idéales pour la qualité de l'enregistrement, en particulier pour l'*intelligibilité* des paroles. Voilà pourquoi certains cinéastes très attentifs au son, tel Jacques Tati, travaillent systématiquement en postsynchronisation. (Quand une postsynchronisation est prévue, on enregistre néanmoins, au tournage, un *son témoin,* qui servira par la suite de guide ou de repère.)

Play back. Pour les films musicaux, on a recours au *play back* : le son, préalablement enregistré, est diffusé sur le lieu de tournage et il commande le mouvement des acteurs.

Version internationale. Le doublage en langue étrangère est facilité s'il suffit de réenregistrer les *voix.* Quand une exportation est prévue, on réalise donc au mixage une version dite « internationale » (VI), laquelle comporte uniquement les bruits, les ambiances et la musique, à l'exclusion des dialogues et du commentaire. Cette opération nécessite de reconstituer, le cas échéant, les bruits captés en même temps que la parole et qui ne sont donc pas portés par une bande *effets.* (On enregistre généralement, sur la VI, parallèlement aux effets et à la musique, une piste qui porte la totalité des éléments sonores, voix incluses : cette piste servira de référence pour le doubleur.)

Musique. La musique est enregistrée dans des studios de l'industrie du disque, qui travaillent avec des techniques notablement différentes de celles appliquées en cinéma : l'enregistrement s'effectue couramment sur 16 ou 24 pistes, voire plus, les différents chanteurs, instruments ou groupes d'instruments étant chacun enregistré sur une piste.

À partir de la bande ainsi obtenue, qui servira par ailleurs à l'édition des disques ou des cassettes de la *bande sonore* du film, le studio établit une bande mixée. Souvent, cette bande ne comporte qu'une seule piste : cela n'autorise, au mixage du film, qu'un dosage global de la musique par rapport aux autres éléments sonores. Si le mixeur du film désire pouvoir doser séparément, en fonction du contenu de l'image, les divers éléments de la musique, il demande la fourniture d'une bande où il disposera par exemple de quatre pistes : soliste, chœurs, section rythmique, reste de l'orchestre.

Auditorium. On appelle *auditorium* (plus communément *audi*) un studio parfaitement insonorisé destiné soit à l'enregistrement des voix ou du bruitage, soit à l'écoute du son pour le mixage, et doté d'un écran où peut être projetée la bande image en fonction de laquelle on travaille. En toute rigueur, il conviendrait de distinguer : les auditoriums de mixage, dont l'acoustique doit être aussi proche que possible de l'acoustique *standard* des salles où le film sera exploité ; les auditoriums de doublage ou de bruitage, dont il est souhaitable de pouvoir modifier l'acoustique pour obtenir des enregistrements ayant la *couleur* désirée. (Mais cette *couleur* peut aussi être obtenue par des moyens électroniques.)

Bande sonore. On appelle *bande sonore,* ou *bande-son,* la continuité et la somme des éléments sonores du film tels qu'ils sont réalisés, choisis et assemblés par les différents auteurs du film et telle qu'elle est perçue par le spectateur. Un léger abus de terme conduit à parler de « bande sonore originale » pour des disques ou des cassettes qui reproduisent en fait *uniquement la musique* du film et non les dialogues ou les bruits. La publication discographique de *bandes sonores* complètes, avec les paroles et les bruits, est encore assez rare. De toute façon, le terme de *bande sonore* prête à contestation, car il postule une indépendance des éléments sonores, qui feraient comme un « bloc » face à l'image. Or, ces éléments sont perçus par le spectateur en fonction de leur rapport avec l'image. Il est donc rare que la bande sonore d'un film constitue en elle-même un ensemble susceptible d'être écouté de façon autonome. C'est cependant le cas dans les films musicaux, tournés et construits sur une musique préexistante. (On peut aussi citer certains cas limites, comme *Son nom de Venise dans Calcutta désert* de Marguerite Duras, conçu à partir de la bande sonore, déjà entièrement réalisée, de *India Song.*) M.CH./J.-P.F.

BANDE SYNCHRO. Film, portant le texte à dire, projeté sous l'écran, en synchronisme avec le film portant les images, lors d'un doublage ou d'une postsynchronisation. (→ DOUBLAGE.)

BANDERAS *(José Antonio Domínguez Banderas,* dit *Antonio), acteur espagnol (Málaga, 1960).* Après une courte expérience théâtrale, Almodóvar le fait débuter sur l'écran dans *Labyrinthe des passions* (1982). Il devient l'une des figures préférées du réalisateur à la mode, puisqu'il joue dans *Matador* (1986), *la Loi du désir* (id.), *Femmes au bord de la crise de nerfs* (1988) et *Attache-moi !* (1989). Son magnétisme de jeune premier lui vaut d'être sollicité aussi par Carlos Saura (*Los zancos,* 1984), José Luis García Sánchez (*La corte de Faraón,* 1985), Vicente Aranda (*Si te dicen que caí,* 1989), et d'entamer une carrière internationale, avec *le Voleur d'enfants* (G. Amelio, 1991), *The Mambo Kings* (Arnold Glimcher, 1991), *la Maison des esprits* (Bille August, 1993), *Desperado* (Robert Rodriguez, 1994). P.A.P.

BANDO *(Tsumasaburo,* dit *Bantsuma), acteur japonais (Tōkyō 1901 - Kyōto 1953).* L'une des vedettes masculines les plus populaires de son époque, il fut, avec Matsunosuke Onoe et Denjiro Okochi, le prototype du samouraï depuis le muet, en particulier dans les films de Shozo Makino, ou de sa propre compagnie fondée en 1924. Durant sa carrière, qui s'étale sur trente ans, de 1923 à sa mort, il tourne plus de cent films, le plus connu restant sans doute *le Pousse-pousse,* de Hiroshi Inagaki (1943), dont un remake fut réalisé par le même metteur en scène en 1958, avec Toshiro Mifune. M.T.

BANGLADESH. La partition de l'Inde en 1947 fait que le Bengale oriental devient le Pakistan oriental jusqu'à la sécession et l'accession à l'indépendance. Ces phases historiques conditionnent le sort d'un cinéma né en 1956 et qui a produit depuis cette date près de 500 films. Leurs conditions de réalisation demeurent peu *professionnelles* jusqu'à la fin des années 70 et, enfin, l'implantation de studios et de laboratoires d'État (Film Development Corporation Studio), qui suppléent les moyens d'infortune auxquels on recourt depuis 1959. D'abord influencé par les films bengalis de Calcutta et le succès de *Pāther Pancāli* de Satyājit Ray, la production se voit dominée et réduite à peu de chose par celle de Lahore (Pakistan occidental). Il n'y a aucune école de cinéma ; les films sont produits et tournés par des amateurs et recopient les clichés et schémas indiens des années 40 – ou, au mieux, s'inspirent de Ray : *Sutorang* de Subhash Duta (1964) ; *'la Femme et la rivière' (Nadi o nari)* de Sadek Khan (1965). Cette même année, réagissant contre la dominante pakistanaise, Salahuddin tourne, sur un thème de folksong local, *Roopban,* dont le succès inespéré et considérable incite la production à mettre en coupe réglée le folklore bengali, mais sans recherches de formes ni de langage. C'était pourtant l'indication d'une volonté d'émancipation nationale. La guerre de sécession de 1971 va inspirer nombre de films, aussi médiocres que ceux de la production précédente, à l'exception de quelques titres : *'Ces onze hommes' (Ora egarojon)* de Shashi Nazrul Islam et *'Dans les flammes de l'aube' (Arunodoyer agnishakhi)* de Dutta (1972), ou *Dhirey bahe Meghna* de Alamgir Kabir (1973). Ce dernier, en 1978, propose avec *Rupali Shaikatey* un constat romancé des luttes pendant les années 60. La thématique paraît se diversifier, et l'État pratique une politique d'aide à la qualité. Les quelque 85 millions de Bengalis, en 1981, disposaient de près de 300 salles, y compris les établissements saisonniers, soit environ 130 000 sièges, ce qui assure la rentabilité d'une production aux coûts relativement bas, mais encore artisanale par bien des aspects, comme en témoigne encore *la Maison tragique (Surja digal bari),* réalisé en 1979 par Masi ud-Dīn Shaker et Shaykh Niamat Alī, film qui traite de la corruption. C.M.C.

BANIONIS *(Donatas)* [*Donatas Juozovič Banionis*], *acteur soviétique (Kaunas, Lituanie, 1924).* Acteur de théâtre renommé, il est lancé à l'écran par Vitautas Jalakiavicius, qui lui offre le rôle d'un président de soviet rural dans *Personne ne voulait mourir* (1965). Il est ensuite un des membres de l'expédition Nobile au pôle Nord dans *la Tente rouge* (M. Kalatozov, 1971), le duc d'Albany dans *le Roi Lear* (G. Kozintsev, 1971), Goya et Beethoven dans les films homonymes de Konrad Wolf (1971) et Horst Seeman (1976), deux productions de la RDA. Mais c'est Tarkovski qui l'impose à l'attention internationale en lui confiant le rôle principal de *Solaris* (1973). On le voit ensuite dans *la Fuite de Mister McKinley* (M. Chveitzer, 1975), *Maman, je suis en vie* (K. Wolf, 1977), *les Centaures* (V. Jalakiavicius, 1978), *la Floraison du seigle non semé* (*Cvetenie nesejanoj roži,* Marionas Gedris, 1979). J.-L.P.

BANKHEAD *(Tallulah), actrice américaine (Huntsville, Ala., 1903 - New York, N. Y., 1968).* Cette héritière d'une riche famille sudiste, devenue actrice par goût du paradoxe, est un phénomène essentiellement théâtral, qui n'a que rarement trouvé à l'écran un véhicule à la hauteur de sa personnalité explosive. En 1918, elle avait déjà tourné deux films (*When Men Betray,* d'Ivan Abramson, et *Thirty a Week,* de Harry Beaumont), sans grand succès. Elle s'expatria à Londres qui lui fit une légende de monstre sacré du théâtre anglo-saxon. Plus *glamoureuse* que belle, élégante, extravagante, auréolée de gloire, elle réapparaît à l'écran en 1928, en Angleterre *(His House in Order* et *A Woman's Law).* Il était inévitable que Hollywood, à ce moment avide de talents scéniques, lui fasse un pont d'or. Hélas, la Paramount, où elle était sous contrat, la distribua dans de sombres mélodrames où son tempérament flamboyant eut peu l'occasion de s'embraser. Pourtant, son premier film, *Tarnished Lady* (G. Cukor, 1931), brillant et amusant malgré un scénario lacrymal, laissait bien augurer de l'avenir. Par manque d'imagination, on en fit un décalque de

Marlene Dietrich. Tallulah, elle-même peu enthousiaste, laissa sa carrière aller à vau-l'eau, dans des productions peu inspirées comme *My Sin* (G. Abbott, 1931), *The Cheat* (id., 1931), *le Démon du sous-marin* (Marion Gering, 1932), *Thunder Below* (Richard Wallace, *id.*) ou *Faithless* (H. Beaumont, *id. ;* pour la MGM). Si bien qu'en 1933 elle quitta Hollywood pour Broadway, où elle fit quelques-unes des grandes créations du théâtre américain et scandalisa certains par ses fantaisies imprévisibles. Le cinéma ne fit plus appel à elle qu'occasionnellement. Mais, en la voyant en journaliste, sophistiquée et acide échouée dans *Lifeboat* (A. Hitchcock, 1944), ou en tsarine de fer, vulnérable aux beaux officiers, dans *Scandale à la cour* (O. Preminger, 1945), on peut regretter que le cinéma soit passé à côté de ce personnage exceptionnel. Elle apparaît brièvement dans *Main Street to Broadway* de Tay Garnett (1953). C.V.

BANKS *(Leslie), acteur britannique (West Derby 1890 - Londres 1952).* Il commence jeune, et d'abord au théâtre, une carrière anglo-américaine. Puis il apparaît, inquiétant et mémorable, en comte Zaroff, dans le film devenu classique de Schoedsack et Pichel (*les Chasses du comte Zaroff,* 1932). Sa distinction prévaut dans *l'Homme qui en savait trop* (A. Hitchcock, 1934) – rôle repris, lors du remake, par James Stewart – ou le Leicester de *l'Invincible Armada* (W. K. Howard, 1937) ; sa diction et son métier lui valent d'être le Chœur dans *Henry V* (L. Olivier, 1944). Pourtant, sa notoriété s'est perdue dans trop de films et de rôles secondaires : *Bozambo* (Z. Korda, 1935), *Wings of the Morning* (H. Schuster, 1937) ; *l'Auberge de la Jamaïque* (A. Hitchcock, 1939). C.M.C.

BANKS *(Mario Bianchi,* dit *Monty), acteur et cinéaste américain d'origine italienne (Cesano 1897 - Arona 1950).* Venu aux États-Unis à dix-sept ans avec un numéro de danseur acrobatique, il débute à Hollywood dans les films de « Fatty » Arbuckle, où il joue aux côtés de ce dernier les rôles de souffre-douleur. Il dirige bientôt ses propres courts métrages comiques. Il s'installe en Angleterre en 1928, y épouse la comédienne Gracie Fields et y réalise une vingtaine de films, dans lesquels il joue aussi à l'occasion. La guerre et sa nationalité italienne l'obligent à regagner les États-Unis en 1940. Il y tourne un médiocre dernier film : *Quel pétard !* (*Great Guns,* 1941) avec Laurel et Hardy. Connu aussi sous le nom de Montague Banks, il revint finir sa vie en Italie. J.-P.B.

BANKY *(Vilma Lonchit,* dite *Vilma), actrice américaine d'origine hongroise (Nagyrogod* [auj. *Budapest*] *1898 - Los Angeles, Ca., 1991).* Samuel Goldwyn lui fait quitter l'Europe pour Hollywood ; elle y joue son premier rôle face à Ronald Colman, dans *l'Ange des ténèbres,* mélodrame de George Fitzmaurice (1925). Mais elle est surtout connue pour trois films : *l'Aigle noir* (C. Brown, 1925, d'après Pouchkine), où elle dispute victorieusement Doubrovski (Rudolph Valentino) à Catherine II (Louise Dresser) ; *le Fils du Cheikh* (G. Fitzmaurice, 1926), également avec Valentino, où elle est la danseuse Yasmin ; enfin, *Barbara, fille du désert* (H. King, *id.*) avec Ronald Colman. Pour mémoire, elle était apparue en 1925 aux côtés de Max Linder dans *le Roi du cirque (Der Zirkuskönig)* de Émile-Édouard Violet (et M. Linder) et sera dirigée par Victor Sjöström en 1930 dans *A Woman to Love.* Mariée spectaculairement à Rod La Rocque en 1927, elle met fin à sa carrière en 1932. J.-L.B.

BAÑOS *(Ricardo de), cinéaste espagnol (Barcelone, Catalogne, 1882* - id. *1939).* Il est un des pionniers du cinéma en Catalogne. Ancien employé de Gaumont à Paris, il s'associe à Alberto Marro, fondateur de Hispano Film (1906). Il tourne un grand nombre de reportages, quelques zarzuelas et plusieurs films de fiction, notamment *Don Juan Tenorio* (1908 ; une autre version en 1922), *Secreto de confesión* (1909), *Locura de amor* (1910), *Don Pedro el Cruel* (1911), *Los amantes de Teruel* (1912), *La madre* (id.), *Amor andaluz* (1913), *La malquerida* (1914), *Sangre y arena* (1916), *Juan José* (1917), *La sombra del polaco* (1918), *Fuerza y nobleza* (id.), *la Gitane blanche* (*Los arlequines de seda y oro,* 1919), *El judío polaco* (1920), *El relicario* (1933). Son frère, l'opérateur Ramón de Baños *(Barcelone 1890 - id. 1980),* collabore à la plupart de ses films, sauf pendant la courte période où il travaille au nord du Brésil (1911-1914). Bons techniciens, les frères Baños fréquentent tous les genres (feuilletons, *espagnolades,* comédies, tragédies, épisodes historiques), la théâtralité et le statisme de la caméra typiques du cinéma primitif n'empêchant pas l'adhésion enthousiaste des spectateurs. P.A.P.

BANTON *(Travis), costumier américain (Waco, Tex., 1894 - Los Angeles, Ca., 1958).* Avec Adrian, *le* grand costumier d'Hollywood. Sa carrière, bien entamée dès le muet, trouve sa consécration avec les toilettes fiévreuses qu'il imagine pour Marlene Dietrich, dirigée par Josef von Sternberg dans *Morocco* (1930), *X 27* (1931), *Shanghai Express* (1932), *Blonde Vénus* (id.), *l'Impératrice rouge* (1934) et surtout dans *la Femme et le Pantin* (1935). Le meilleur de son travail, il le fit à la Paramount. Dans les années 40, à la 20th Century Fox et à l'Universal, il devint plus anonyme, ne se singularisant qu'exceptionnellement (*Lettre d'une inconnue,* Max Ophuls, 1948). C.V.

BAQUET *(Maurice), acteur français (Villefranche-sur-Saône 1911).* Ami des frères Prévert et vedette du Châtelet, il sait combiner tout au long des années les joies du violoncelle et les plaisirs de la montagne avec cette fantaisie sympathique qui fait le charme de ses apparitions dans *le Crime de M. Lange* (J. Renoir, 1936), *Hélène* (J. Benoît-Lévy, *id.*), *la Mort du cygne* (*id.,* 1937), *les Bas-Fonds* (Renoir, *id.*), *l'Alibi* (P. Chenal, *id.*), *Gueule d'amour* (J. Grémillon, *id.*), *Dernier Atout* (J. Becker, 1942), *Premier de cordée* (L. Daquin, 1944), *Adieu Léonard* et *Voyage surprise* (P. Prévert, 1943 et 1947), *les Aventures des Pieds Nickelés* (Marcel Aboulker, 1948), *Bibi Fricotin* (Marcel Blistène, 1951). R.C.

BARA *(Margit), actrice hongroise (Cluj* [auj. *Cluj-Napoca*] *Roumanie, 1927).* Elle débute au théâtre dans sa ville natale, puis s'installe à Budapest en 1955 et entreprend simultanément une carrière au cinéma. Elle est révélée par le film d'Imre Fehér, *Un amour du dimanche* (1957), une des œuvres marquantes du renouveau hongrois : sa beauté et son romantisme, dans cette touchante histoire d'un amour malheureux, restent inoubliables. Le miracle ne se reproduira pas (ni pour le cinéaste ni pour elle) malgré ses prestations de grande qualité sous la direction de Máriássy (*Contrebandiers,* 1958 ; *Imposteurs,* 1969), Ranódy (*Danse macabre,* 1957), Makk *(la Maison au pied du roc,* 1958), Kovács (*'Averse',* 1961 ; *Jours glacés,* 1966), Szemes (*'Doux et amer'* [*Édes és Keserü*] 1967). Depuis le début des années 70, elle abandonne peu à peu le cinéma. M.M.

BARA *(Theodosia Goodman,* dite *Theda), actrice américaine (Cinncinati, Ohio, 1890 - Los Angeles, Ca., 1955).* On est bien en peine de parler de la légendaire Theda Bara, dans la mesure où, de sa riche carrière, ne semble subsister que *A Fool There Was* (Frank Powell, 1915). Celle qui a été la première *vamp* cinématographique nous est plus connue par ses photos que par ses films : on la voit, l'œil charbonneux et fixe, plus ou moins couverte de perles et de pierreries, languide, sur des peaux de bêtes, à proximité d'un squelette ou d'un crâne. À juger de *A Fool There Was,* ses prestations cinématographiques semblent assez primitives et, vues avec le recul, bien sages. Néanmoins, ce mythe fabriqué de toutes pièces par le producteur William Fox reste exemplaire d'un certain Hollywood. Theodosia Goodman de Cincinnati devint Theda Bara (anagramme d'Arab Death), née sur les rives du Nil, de l'union d'un artiste français et d'une princesse arabe, investie de pouvoirs occultes, cause du suicide de nombreux hommes du monde. Cette publicité bien montée fit son effet et, pendant cinq ans, Theda Bara jouit d'un succès ravageur. Malgré quelques tentatives pour adoucir son personnage (*les Deux Orphelines,* H. Brenon, 1915), *Roméo et Juliette* [*Romeo and Juliet*], J. Gordon Edwards, 1916), c'était la vamp que le public réclamait. Il serait intéressant de découvrir les vastes productions que Raoul Walsh (*Carmen,* 1915 ; *la Reine des Césars,* 1916) ou J. Gordon Edwards, grand-père de Blake Edwards (*Under Two Flags,* 1916 ; *Cléopâtre* [*Cleopatra*], 1917 ; *la Rose de sang* [*The Rose of Blood*], id. ; *Madame du Barry,* 1918 ; *Salomé,* id. ; *le Démon femelle* [*The She-Devil*], 1919 ; *le Chant de la sirène* [*The Sirene Song*], id.), lui confectionnaient, et dont quelques photos attestent l'éclat. Theda Bara épousera le cinéaste Charles Brabin (qui l'avait dirigée en 1919 dans *Kathleen Mavourneen*) et verra peu à peu sa carrière décliner. En 1926, elle apparaît une fois encore — la dernière — dans un court métrage, *Madame Mystery* de Hal Roach, où elle se parodie. Cependant, jusqu'à sa mort, elle avait laissé entendre qu'elle était prête à considérer toute proposition de retour à l'écran. C.V.

BARAKĀT *(Henry), cinéaste égyptien (Le Caire 1914).* Il s'initie à la production, puis au montage (avec Aḥmad Badrakhān), et à la réalisation (avec Aḥmad Gallāl), avant d'entreprendre une carrière facile et régulière : quelque soixante films depuis 1941, dont une large part de *musicaux* souvent produits au Liban avec des vedettes de la chanson tels Fayrūz et Farīd al-Aṭrash, sans jamais dépasser les conventions du genre. Une brève tentative de réalisme (*Hassan et Naïma / Ḥasan wa Na'īma,* 1958) favorable à une révision du statut de la femme (*la Porte ouverte / al-Bāb al-maftūḥ* 1963) aboutit à marquer une date avec *le Péché* (*al-Ḥarām,* 1965). Mieux que dans le précédent et trop romanesque *Appel du courlis* (*Da 'wā al-karawān,* 1959), la réalité rurale et la condition féminine y sont traitées sans emphase et dans un milieu ignoré des studios : une jeune paysanne qu'un de ses maîtres a violée accouche dans un champ, pendant la récolte. Cette figure devenue archétypale doit beaucoup à la sensibilité et à la mesure de Fātin Ḥamāma, qui rompait avec l'habituel jeu théâtral du film égyptien ; mais la mise en scène, cette fois maîtrisée, confère au drame, dont le rude arrière-plan agraire est esquissé sans démagogie ni trop de naïveté, une certaine grandeur. Si *le Péché* s'avère un classique, la notoriété de Barakāt se révèle ambiguë, trop entachée d'un savoir-faire commercial complaisant. La plus grande part de sa filmographie est constituée de divertissements et comédies musicales, dont on peut rappeler *'Chant immortel'* (*Lah nal-khulūd,* 1952), *'Chaînes de soie'* (*Salāsil min harīr,* 1962), *Safarbalek* (1967), *'le Fil fin'* (*al-Khaït ar-rafi,* avec Fātin Ḥamāma, 1971) et *'Ni diable ni ange'* (*Lastu shaytānan wola malākan,* avec Nur as-Sharif, 1980). C.M.C.

BARANOVSKAÏA *(Vera)* [*Vera Ferodovna Baranovskaja*], *actrice soviétique (Moscou 1885 - Paris 1935).* Formée par le théâtre d'Art de Moscou, élève de Stanislavski, elle n'avait joué que des rôles sans grand relief à l'écran (sous la direction de Bontch-Tomatchevski, Tatichtchev et Leo Mour) quand elle fut appelée par Vsevolod Poudovkine pour incarner l'héroïne principale de *la Mère* (1926), d'après l'œuvre de Gorki. Ce rôle puissant — l'éveil de la conscience de classe chez une humble femme du peuple — devait la marquer profondément. Dans un registre assez proche, elle tourna *la Fin de Saint-Pétersbourg* (1927), du même Poudovkine, et, après avoir quitté l'URSS en 1929, *Telle est la vie* (1929), du cinéaste sudète Carl Junghans. Elle se fit appeler à Prague et à Paris Vera Barsoukov, apparut encore dans des productions mineures de Karl Anton (*Monsieur Albert,* 1932) et Alexis Granowsky (*les Aventures du roi Pausole,* 1933), puis se retira discrètement de la vie du spectacle. J.-L.P.

BARATIER *(Jacques Baratier de Rey,* dit *Jacques), cinéaste français (Montpellier 1918).* D'abord auteur de courts métrages (dont *Désordre,* 1949, sur Saint-Germain-des-Prés, *Métier de danseur,* 1953, et *Paris, la nuit,* 1956, co Jean Valère), il tourne son premier grand film en Tunisie en 1957 : *Goha le simple,* sur un scénario de Georges Schéhadé. Cinéaste ambitieux, Baratier travaillera par la suite avec Audiberti (*la Poupée,* 1962), Arrabal (*Piège,* 1969), Christiane Rochefort (*la Décharge,* 1970, film sur les bidonvilles, remanié plus tard sous le titre *la Ville-Bidon,* 1976). Il a exprimé un humour très personnel dans *l'Or du duc* (1965). Aucun de ses films n'a rencontré de succès commercial, à l'exception peut-être de *Dragées au poivre* (1963). « Le cinéma, déclare Baratier, a toujours été pour moi une aventure plus qu'un métier. » Il réalise en 1986 *l'Araignée de satin.* C.B.

BARATTOLO *(Giuseppe), producteur italien (Naples 1881 - Rome 1949).* D'abord actif dans le secteur de la distribution, Barattolo fonde en 1913 la société de production Barattolo-Giomini-Panella, qui devient l'année suivante la Caesar Film. Le succès de cette maison est lié aux films tournés avec Francesca Bertini, la première grande *diva* du cinéma italien. Pour elle, Barattolo crée même en 1918 la Bertini Film, filiale de la Caesar. Afin de résoudre les problèmes de production nés au lendemain de la guerre, Barattolo est à l'origine de l'Union cinématographique italienne, trust constitué en 1919 par le regroupement des principales sociétés italiennes. La faillite de l'UCI en 1923 est largement imputable à la politique peu avisée du producteur. Avec les débuts du film sonore, Barattolo relance la Caesar Film (1931-1934) et produit quelques titres marquants (notamment des œuvres de Palermi). En 1938, la Caesar Film est absorbée par la Scalera Film, pour laquelle Barattolo devient directeur de production. Il est à l'origine de la fondation, en 1942, des studios Scalera de Venise. J.-A.G.

BARBACHANO PONCE *(Manuel), producteur mexicain (Mérida, Yucatán, 1924 – Mexico 1994).* Initiateur d'un timide courant indépendant, en marge de l'industrie traditionnelle (sclérosée, mais encore puissante), il a produit notamment *Raíces* (B. Alazraki, 1953), *Toro* (C. Velo, 1956), *Nazarin* (L. Buñuel, 1958), *Sonatas* (J. A. Bardem, 1959), *El gallo de oro* (R. Gavaldón, 1964), *Pedro Páramo* (C. Velo, 1966), *Frida, naturaleza viva* (P. Leduc, 1984), *Tequila* (Rubén Gámez, 1992) et plusieurs films de J.H. Hermosillo parmi lesquels *Maria de mi corazón* (1979), *Doña Herlinda y su hijo* (1984), *La tarea* (1990), *La tarea prohibida* (1992). Complice de Zavattini lors de ses séjours latino-américains, Barbachano est un cas assez rare de producteur resté fidèle à ses premières inquiétudes. P.A.P.

BARBARO *(Umberto), scénariste, critique et théoricien italien (Acireale 1902 - Rome 1959).* Également dramaturge et romancier, il réalise un long métrage, *Ultima nemica* (1937), la même année qu'il est nommé professeur au Centro sperimentale de Rome, où l'influence de son enseignement, appuyé sur l'étude des films ou des textes de Eisenstein, Koulechov, Balázs, est sensible. À partir de 1945 et jusqu'en 1948, il dirige la revue *Bianco e nero,* apportant au néoréalisme une théorisation parallèle, sans cesser de prolonger ses réflexions sur les problèmes du langage cinématographique, les rapports de l'art au marxisme, le rôle du film documentaire (il a réalisé quelques CM, dont, en collaboration avec Roberto Longhi, un *Carpaccio,* 1947, et un *Caravaggio,* 1948). Il écrit pour Giuseppe De Santis le scénario de *Chasse tragique* (1948), où il imbrique avec efficacité les données sociopolitiques et le mécanisme dramatique. Il a pu croire que le néoréalisme serait l'expression d'un lyrisme national à l'image de l'âge d'or soviétique. Mais l'importance qu'il accorde au langage, au scénario, à l'esthétique lui vaut une audience réelle. Il a incité à la traduction de textes étrangers essentiels (Poudovkine, Balázs, Eisenstein), et publié lui-même plusieurs ouvrages, dont : *Soggetto e sceneggiatura* (Rome 1948) ; *Il film e il rinarcimento marxista dell'arte* (Rome 1960) ; *Servitu e grandezza del cinema* (Rome 1962) ; *Il mestiere del critico* (Milan, *id.*). C.M.C.

BARBERA *(Joseph, dit Joe), producteur et cinéaste d'animation américain (New York, N. Y., 1911).* Entré en 1937 dans les studios d'animation de la MGM, il s'associe avec William Hanna pour réaliser à partir de 1940 la série fantastiquement populaire des *Tom et Jerry,* qui leur vaudra sept Oscars. Ils deviennent leurs propres producteurs en 1955 et quittent la MGM en 1957 pour produire la série des *Loopy the Loop* puis des séries télévisées de plus en plus médiocres, fondées sur la standardisation, puis l'usage des ordinateurs d'image pour l'animation (*les Pierrafeu* [*The Flintstones*], *Yogi Bear,* etc.) [→ HANNA.] J.-P.B.

BARDÈCHE *(Maurice), écrivain français (Dun-sur-Auron 1909)* et **BRASILLACH** *(Robert), journaliste et romancier français (Perpignan 1909 - Fort de Montrouge* 1945). Robert Brasillach est le critique littéraire en titre de *l'Action française* quand il publie en 1935, avec son beau-frère Maurice Bardèche, une *Histoire du cinéma* (chez Denoël), rééditée, avec de nombreuses additions et modifications, en 1943, 1948 et 1953. Le plus grand mérite de ce livre, de grande audience à l'époque, contestable sur bien des points mais toujours passionné (et passionnant), est d'être l'un des tout premiers à avoir une ambition aussi universelle. Lors de la première publication de leur ouvrage, les deux auteurs avaient tout juste vingt-six ans. D.R.

BARDEM *(Juan Antonio), cinéaste espagnol (Madrid 1922).* Fils d'un couple de comédiens, il suit des études d'ingénieur puis de cinéma. Il est frappé par la découverte du néoréalisme italien, qui guide ses premiers pas dans la mise en scène. Alors que le *national-catholicisme* domine encore le cinéma espagnol, il est un des premiers, avec Luis García Berlanga, à essayer d'ouvrir une brèche dans le système étroitement contrôlé par le franquisme. Ensemble, ils réalisent *Esa pareja feliz* (1951) ; ensuite, Bardem collabore au scénario de *Bienvenue Mr. Marshall* et *Novio a la vista* (Berlanga). Le premier film dont il est l'auteur complet, *Cómicos* (1953), en partie autobiographique, démontre des qualités, confirmées par *Mort d'un cycliste* (1955) et *Grand'Rue* (1956), qui lui valent une consécration internationale. L'activité de Bardem s'exerce également sur d'autres plans : cofondateur de *Objetivo* (1953), une des premières revues spécialisées indépendantes, il anime aussi les Conversations de Salamanque (1955), rassemblant tous ceux qui entendent transformer le cinéma espagnol ; il préside la maison de production Uninci lorsqu'elle produit *Viridiana* (L. Buñuel, 1961). Il est arrêté plusieurs fois pour son appartenance au parti communiste. Malgré cela, il se fait élire au syndicat officiel. Ses premiers films révèlent une capacité d'observation sociale, gauchie par une démarche trop « cérébrale », voire didactique, qui le porte à l'emphase. Les croissantes difficultés rencontrées pour mener à bien ses projets le font rechercher des coproductions internationales ou tourner à l'étranger, le résultat se révélant souvent médiocre. Figé dans une conception académique du cinéma, sa progressive désinvolture compromet même ses compétences techniques. Les sujets sociopolitiques choisis après la mort de Franco ne suffisent pas à lui faire remonter cette pente *(El puente* et *les Sept Jours de janvier),* il ne fait plus alors qu'illustrer laborieusement la ligne de *réconciliation nationale* du PCE. P.A.P.

Films ▲ : *Esa pareja feliz* (co L. G. Berlanga, 1951) ; *Cómicos* (1953) ; *Felices Pascuas* (1954), *Mort d'un cycliste* (*Muerte de un ciclista,* 1955), *Grand'Rue* (*Calle Mayor,* 1956), *la Vengeance* (*La venganza,* 1958), *Sonatas* (1959), *A las cinco de la tarde* (1960) ; *Los inocentes* (1962) ; *Une femme est passée* (*Nunca pasa nada,* 1963) ; *les Pianos mécaniques* (1965) ; *El último día de la guerra* (1969) ; *Variétés* (1971) ; *l'Île mystérieuse,* (co H. Colpi, 1972) ; *La corrupción de Chris Miller* (id.) ; *El poder del deseo* (1976) ; *El puente* (1977) ; *les Sept Jours de janvier* (*Siete días de enero,* 1978) ; *l'Avertissement* (*Preduprеždenie,* BULG, URSS, RDA, 1982) ; *Lorca, mort d'un poète* (*Lorca, muerte de un poeta,* six épis., TV, 1988).

BARDOT *(Brigitte), actrice française (Paris 1934).* Issue de la « bonne bourgeoisie » (ce qui lui sera reproché quand elle effarouchera sa classe d'origine), elle étudie la danse dès l'enfance et fait un peu de théâtre. Ayant posé pour des journaux féminins (1950), elle débute à l'écran en vedette dès son deuxième film, dont l'audience est aussi modeste que le budget. Mais, remarquée par Marc Allégret et le producteur Raoul Lévy, elle devient une valeur commerciale : en 1956, quand *Et Dieu créa la femme* (premier film de Vadim, son premier mari) provoque un scandale et la rend célèbre. C'est la fulgurante apparition d'une sensualité juvénile et sans complexes. D'entrée de jeu, « B. B. » (comme on l'appelle déjà) occupe, nue et bronzée, toute la longueur du Scope.

En fait, elle a été *invitée* en Italie et en Grande-Bretagne avant même d'être fameuse en France. Ses coiffures sauvages, sa moue, son sourire et son *allure* lui ont drainé un public disparate, où les lycéens côtoient des intellectuels chevronnés : Jean Cocteau, Simone de Beauvoir, Marguerite Duras lui consacrent des articles. Sa renommée mondiale bouleverse les canons reçus à l'époque en matière de séduction. Son indépendance de comportement y ajoute une aura de perversité qu'elle n'a pas cherchée. Incarnation sans vrai précédent de la *femme-enfant,* elle suscite des hargnes égales aux admirations, mais ses imitatrices sont innombrables. Pendant une dizaine d'années, le mot *bardolâtrie* ne sera pas excessif pour désigner cet état d'esprit diffus, non sans oppositions, aggravées du fait que la foule fait peur à cette *antivamp.* Elle essaie de se réconcilier avec la « morale » *(Babette),* et Louis Malle tente de *démythifier* son ascension *(Vie privée) :* c'est peine perdue. La comédienne connaît ses limites : souvent touchante (par instinct), peu douée pour le drame, elle ne manque ni de fantaisie ni d'humour, et sa grâce éclaire encore ses films les plus médiocres. Dans d'autres conditions de production, elle aurait sans doute pu déployer un abattage dont ses shows à la TV ont témoigné. Trop fréquemment dirigée par des cinéastes qu'elle n'inspirait pas (sauf Vadim, quelquefois Boisrond, plus tard Deville), elle a visiblement préféré son existence à sa carrière. Elle a su prendre en 1973 une retraite bien calculée (après *Don Juan 73,* où elle incarne... Don Juan, et *Colinot Trousse-Chemise*) et elle n'y a mis aucune prétention. Elle a proposé une nouvelle silhouette de la jeune femme vouée à l'air et au soleil, porteuse d'un érotisme candide dans sa provocation, où ce qui subsiste des anciens fétichismes se déleste d'une *noirceur* démodée. Cette libération de l'image a annoncé la libération des mœurs, même si les générations suivantes ne s'y sont pas reconnues. Il reste de ses films (seul *Et Dieu créa la femme* fait peut-être exception) des morceaux choisis narrant l'histoire d'un corps, d'un visage et donc d'une *âme,* qui sont ceux-là et nuls autres. Bien loin d'être, comme on l'a dit, un fantasme du supposé *inconscient collectif* (l'imagination populaire ne travaille de nos jours que sur un modèle déjà fourni), l'effigie à laquelle elle s'est absolument identifiée, quitte à l'abandonner ensuite, ne porte que son nom. Aussi survit-elle dans la mémoire non comme une star traditionnelle, ni comme le *sex-symbol* qu'en fit la publicité, mais comme un emblème très particulier de la fascination cinématographique. G.L.

Films ▲ : *le Trou normand* (J. Boyer, 1952) ; *Manina, la fille sans voiles* (W. Rozier, *id.*) ; *les Dents longues* (D. Gélin, 1953) ; *le Portrait de son père* (A. Berthomieu, *id.*) ; *Si Versailles m'était conté* (S. Guitry, 1954) ; *Un acte d'amour* (A. Litvak, *id.*) ; *Haine, Amour et Trahison* ([*Tradita*], M. Bonnard, *id.*) ; *le Fils de Caroline chérie* (Jean Devaivre, 1955) ; *Futures Vedettes* (M. Allégret, *id.*) ; *Rendez-vous à Rio* ([*Doctor at sea*], Ralph Thomas, *id.*) ; *les Grandes Manœuvres* (R. Clair, *id.*) ; *Hélène de Troie* (*Helen of Troy*, R. Wise, 1956) ; *la Lumière d'en face* (G. Lacombe, *id.*) ; *Cette sacrée gamine* (M. Boisrond, *id.*) ; *les Week-ends de Néron* (*Mi figlio Nerone*, S. V. Steno, *id.*) ; *En effeuillant la marguerite* (M. Allégret, *id.*) ; *Et Dieu créa la femme* (R. Vadim, *id.*) ; *La mariée est trop belle* (P. Gaspard-Huit, *id.*) ; *Une Parisienne* (Boisrond, 1957) ; *les Bijoutiers du clair de lune* (Vadim, 1958) ; *En cas de malheur* (C. Autant-Lara, *id.*) ; *la Femme et le Pantin* (J. Duvivier, 1959) ; *Babette s'en va-t-en guerre* (Christian-Jaque, *id.*) ; *Voulez-vous danser avec moi ?* (Boisrond, *id.*) ; *la Vérité* (H.-G. Clouzot, 1960) ; *la Bride sur le cou* (Vadim, 1961) ; *les Amours célèbres* (sketch *Agnès Bernauer*, Boisrond, *id.*) ; *le Repos du guerrier* (Vadim, 1962) ; *Vie privée* (L. Malle, *id.*) ; *le Mépris* (J.-L. Godard, 1963) ; *Une ravissante idiote* (E. Molinaro, 1964) ; *Dear Brigitte* (H. Koster, 1965 : « guest star ») ; *Viva Maria* (Malle, *id.*) ; *À cœur joie* (S. Bourguignon, 1967) ; *Histoires extraordinaires* (sketch *William Wilson*, Malle, 1968) ; *Shalako* (E. Dmytryk, *id.*) ; *les Femmes* (J. Aurel, 1969) ; *l'Ours et la Poupée* (M. Deville, 1970) ; *les Novices* (Guy Casaril, *id.*) ; *Boulevard du rhum* (R. Enrico, 1971) ; *les Pétroleuses* (Christian-Jaque, *id.*) ; Don Juan 1973 (Vadim, 1973) ; *l'Histoire très bonne et très joyeuse de Colinot Trousse-Chemise* (N. Companeez, *id.*).

BARKER *(Reginald), cinéaste américain d'origine britannique (Bothwell, Écosse, 1886 - Los Angeles, Ca., 1945).* D'abord acteur, une tournée théâtrale l'amène aux États-Unis en 1910. Acteur et assistant pour D. W. Griffith, il débute dans la réalisation en 1913. Selon Kevin Brownlow, il réalise en fait « bon nombre des meilleurs films attribués à Thomas Ince » : *la Colère des dieux* (*The Wrath of the Gods,* 1914) ; *le Gondolier de Venise* (*The Italian,* 1915) ; *le Lâche* (*The Coward,* id.). Son plus grand titre de gloire est d'avoir dirigé de grands acteurs du muet dans de grands succès, notamment William S. Hart dans *le Serment de Rio Jim / la Capture de Rio Jim* (*The Bargain,* 1914) et Charles Ray dans *le Lâche* (1915). Il dirige aussi, souvent, Renée Adorée, entre 1923 et 1926. Dès le parlant, il passera aux petites productions pour s'éloigner définitivement des studios en 1935. C.V.

BARNES *(George), chef opérateur américain (1893 - Los Angeles, Ca., 1953).* Il se maria sept fois, notamment avec Joan Blondell. C'est l'un des maîtres de sa profession. D'une carrière extrêmement riche, retenons ses collaborations avec Henry King (*The Winning of Barbara Worth,* 1926 ; *le Brigand bien-aimé,* 1939 ; *Stanley and Livingstone,* id.) ou avec Alfred Hitchcock (*Rebecca,* 1940) ; *la Maison du Dr Edwardes,* 1945), où son art raffiné et volontiers décoratif s'est épanché avec bonheur. Avec *Jane Eyre* (R. Stevenson, 1944), il a peut-être atteint le sommet de son art, dans la manière des gravures et des eaux-fortes romantiques anglaises. Il a également travaillé avec Fred Niblo, King Vidor, Clarence Brown, Frank Capra, Ernst Lubitsch, Raoul Walsh, Allan Dwan, Frank Borzage, Fritz Lang, Robert Siodmak, Billy Wilder et Cecil B. De Mille ; il est à l'origine de la carrière de Gregg Toland. C.V.

BARNET *(Boris)* [*Boris Vasil'evič Barnet*], *cinéaste soviétique (Moscou 1902 - Riga, Lettonie, 1965).* Après des études de physique, il est un temps boxeur, puis élève de l'Institut du cinéma de Moscou (classe de Koulechov). D'abord acteur dans le film de Koulechov, *les Aventures extraordinaires de Mister West au pays des Bolcheviks* (1924), où il joue un rôle de cow-boy dans un style délibérément excentrique, ainsi que dans le premier film de Fédor Ozep, *Miss Mend* (1926), dont il est également coscénariste et coréalisateur, on l'aperçoit brièvement dans *la Fièvre des échecs,* de Poudovkine (1925).

Il devient réalisateur à part entière avec *la Jeune Fille au carton à chapeau* (*Devuška s korobkoj,* 1927), qui est déjà une manière de chef-d'œuvre par sa vivacité, sa tendresse et sa drôlerie. Voilà aussi un exemple type des comédies légères qui se multiplient pendant la période de la NEP : l'action prend pour prétexte la crise du logement, mais elle est centrée sur un billet de loterie gagnant et sur les amours de la jeune fille en question. On trouve déjà dans cette comédie alerte et amusante la poésie et l'humour qui feront le prix des grands films de Barnet ; le film est plein de situations désopilantes et de trouvailles visuelles qui font mouche : ainsi l'héroïne se pique au doigt en cousant et, comme son amoureux suce la goutte de sang qui perle, elle se pique à la lèvre et lui tend une bouche gourmande. *Moscou en octobre* (*Moskva v Oktjabre,* 1927), un des films de commande réalisés pour le dixième anniversaire de la révolution, est le récit mouvementé des combats menés par les bolcheviques pour s'assurer le contrôle de Moscou ; son style est d'un réalisme quasi documentaire.

Barnet revient à la comédie avec *la Maison de la place Troubnaïa* (*Dom na Trubnoj,* 1928), où le côté social est plus marqué sans que la vigueur satirique en souffre : ce sont les *nouveaux riches* de la NEP qui subissent le feu de la critique parce qu'ils ne respectent pas les droits syndicaux des travailleurs ; naturellement, tout finit bien pour la sympathique héroïne du film, indûment chassée par sa patronne, laquelle est mise en demeure d'appliquer la loi. La mise en scène est extrêmement brillante (agilité de la caméra, rapidité du montage) et elle fourmille de gags spécifiquement filmiques (accéléré, rétroversion, etc.).

La Débâcle (*Ledolom,* 1931), d'un tout autre ton, illustre directement la campagne de *dékoulakisation* alors en cours. Dans un village, les koulaks refusent de livrer leur blé, puis tuent un komsomol et le vieux paysan qui allait les dénoncer : les villageois, scandalisés par ces crimes, se rangent unanimement aux côtés des représentants locaux du parti communiste. Ce beau film, injustement méconnu, est loin de n'être qu'une œuvre de circonstance et de combat, car Barnet y transcende le didactisme politique par une approche nuancée des personnages, positifs ou négatifs, et par une mise en scène qui ne trahit rien de son talent affirmé : admirables images de la campagne sous la neige, effets de montage métaphoriques à la manière de Poudovkine. Ce n'est pas diminuer les mérites de Barnet que de déceler l'influence qu'a pu avoir sur lui le réalisateur de *Tempête sur l'Asie,* pour lequel il a joué comme acteur dans ce film (1929) et aux côtés duquel il a figuré dans *le Cadavre vivant* de Fédor Ozep (1928).

Et puis c'est *Okraina* (1933), reconnu comme l'un des plus beaux films soviétiques, une réussite merveilleusement délicate et tendre, traitée dans un style plus *réaliste* que précédemment (c'est son premier film parlant) mais littéralement transfigurée par des images d'une lumineuse beauté et par la présence de la radieuse Elena Kouzmina dans le rôle principal, celui de la fille d'un cordonnier de village qui tombe amoureuse d'un jeune Allemand prisonnier (l'action se situe durant la Grande Guerre) travaillant dans l'atelier de son père, au grand scandale du vieil homme, tandis qu'éclate la révolution de février et que les bolcheviques entreprennent leur action. On retient du film les timides tête-à-tête de Marika et de l'Allemand, scènes pleines de gentillesse et d'humour, mais aussi la vigoureuse évocation du contexte de la guerre et de la révolution ; si le style est simple, il est pourtant rehaussé par de nombreux effets de montage métaphoriques qui montrent que le cinéaste reste fidèle à lui-même. C'est le cas aussi dans son film suivant, *Au bord de la mer bleue* (*U samogo sinego morja,* 1936), dont l'action se passe dans un kolkhoze de pêcheurs : on y retrouve la délicieuse Kouzmina ; ici encore, les images sont d'une réelle splendeur plastique à l'unisson du lyrisme du montage et de la musique.

Une nuit de septembre (*Noč' v sentjabre,* 1939) est le portrait d'un mineur de choc inspiré par la figure de Stakhanov : c'est une œuvre sévère où le thème du sabotage soutient un propos didactique, mais les images sont toujours très soignées. Durant les hostilités, Barnet réalise deux courts sujets pour le magazine *Cinéjour-*

nal de guerre : le Courage (*Mužestvo,* 1941) et *Une tête sans prix* (*Bescennaja golova,* 1942). Après la guerre, il signe deux films qui n'ont pas fait date : *Une fois, la nuit* (*Odnaždy noč'ju,* 1945) et *Pages de la vie* (*Stranicy žizni,* 1948, co A. Matcheret), ainsi qu'un film d'espionnage, *Personne ne le saura / l'Exploit de l'éclaireur / l'Exploit de l'agent secret* (*Podvig razvedčika,* 1947), récit des aventures mouvementées d'un agent soviétique en territoire russe occupé. Avec *Un été prodigieux* (*Ščedroe leto,* 1951), qui a du charme et du dynamisme, *Concert des maîtres de l'art ukrainien* (*Koncert masterov ukrainskogo iskusstva,* 1952), *Liana* (*Ljana,* 1955) et *le Poète* (*Poet,* 1957), il semble chercher à retrouver son inspiration de l'avant-guerre, mais les résultats sont assez décevants : il est marqué, lui aussi, par les effets stérilisants de la difficile période que traverse le cinéma soviétique. Il y a plus de brio et d'invention dans *le Lutteur et le Clown* (*Borec I Kloun,* id., co Konstantin Youdine), qui se situe dans le milieu du cirque au début du siècle et décrit avec justesse et sympathie la vie des gens du voyage. On lui doit encore *Annouchka* (*Annuška,* 1959), *Alenka* (*id.,* 1962) et *la Halte* (*Polustanok,* 1963), où il n'est plus que l'ombre de lui-même ; en 1959 est finalement exploité un film qu'il avait réalisé en 1940, *le Vieux Jockey (Staryj naezdnik).*

En 1959, il écrivait : « Je ne suis pas un homme de théories mais je prends la matière de mes films dans la vie. Bien ou mal, j'ai toujours essayé de montrer l'époque contemporaine, l'homme vrai des temps soviétiques. Mais ce n'est pas facile (...) Pour moi, j'aime les choses drôles dans un drame, et les éléments tragiques dans la comédie. » (Cité par Georges Sadoul.) La conscience d'un idéal difficilement accessible et de la difficulté de l'exprimer, c'est peut-être ce qui l'a conduit au suicide en 1965. ▲ M.M.

BARON *(Auguste), ingénieur français, pionnier du cinéma (Paris 1855 - Neuilly-sur-Seine 1938).* Il est l'auteur de très nombreuses inventions techniques et fait notamment breveter entre 1896 et 1900 les quatre premiers procédés de synchronisation absolue de cinéma sonore et parlant (dont, en 1898, un Graphonoscope (ou Graphoscope), qui inspira plus tard le Chronophone Gaumont, et, en 1899, un Cinématorama animé, en couleurs et parlant). Il présente en 1899 devant l'Académie des sciences le film d'une actrice en train de chanter. Ces inventions ne purent malheureusement être commercialisées et en restèrent au stade expérimental. Auguste Baron n'en poursuivit pas moins ses recherches dans divers domaines (photographie aérienne, électricité, aviation, matériel militaire) et, vers la fin de sa vie, fit breveter l'Hélio-glyptographe, procédé de cinéma en relief. J.-P.F.

BARON *(Suzanne), chef monteuse française (Nice 1927).* Elle compose de la musique concrète avec Pierre Schaeffer et Pierre Henry. Mais la notoriété lui vient grâce à son travail de montage de grande qualité pour certains films de Tati (*les Vacances de M. Hulot,* 1953 ; *Mon oncle,* 1958), Rossif (*Mourir à Madrid,* 1962), Rouch (*les Fils de l'eau,* 1951), Malle (*le Feu follet,* 1963 ; *Viva Maria,* 1965 ; *le Souffle au cœur,* 1971 ; *Atlantic City,* 1980), et Schlöndorff (*le Tambour,* 1979, *le Faussaire,* 1981). En 1963, elle réalise un court métrage, *Afrique de la légende,* et, pour la télévision, *Trente Ans d'histoire* (1965). P.C.

BARONCELLI *(Jacques de Baroncelli-Javon,* dit *Jacques de), cinéaste français (Bouillargues 1881 - Paris 1951).* Après avoir tâté du journalisme, ce descendant d'une noble famille du Midi opte dès 1915 *(la Maison de l'espoir),* et définitivement, pour le cinéma. C'est l'un des réalisateurs prisés du muet, tant pour la probité de ses adaptations (*Champi-Tortu,* 1919 ; *Ramuntcho,* 1919 ; *le Père Goriot,* 1921 ; *la Légende de sœur Béatrix,* 1923) que pour le charme de ses évocations maritimes (*Pêcheurs d'Islande,* 1924). Mais il s'essaye également au mélodrame (*Roger-la-Honte,* 1922 ; *Nêne,* 1923) à l'épopée héroïque (*Veille d'armes,* 1925) et au drame bourgeois (*la Femme et le Pantin,* 1929). Le parlant le sollicite en des genres trop divers : *Crainquebille* (1934), *Michel Strogoff* (1936), *la Belle Étoile* (1938), *l'Homme du Niger* (1940), *la Duchesse de Langeais* (1942), *les Mystères de Paris* (1943), *Fausse Alerte* (1945 [RÉ 1940]). R.C.

BAROUX *(Lucien), acteur français (Toulouse 1888 - Hossegor 1968).* Sa bonhomie le voue aux emplois d'un comique mi-ému, mi-réjoui. Peu de muet, mais l'essor dès 1930. Yves Mirande lui réserve de nombreux rôles de premier plan (*Baccara,* 1936), *Café de Paris*

(1938), *Derrière la façade* (co G. Lacombe, 1939). Sacha Guitry en fait le confident de Louis XV (*Remontons les Champs-Élysées,* 1938) et le sacre roi de France (*Napoléon,* 1955). Il sait jouer un rôle attendri (*le Mioche,* L. Moguy, 1936) aussi bien que doux-amer (*Feu de paille,* J. Benoît-Lévy, 1940). Il finit évêque cocasse (*le Diable et les Dix Commandements,* J. Duvivier, 1962). R.C.

BARRAULT *(Jean-Louis), acteur français (Le Vésinet 1910 - Paris 1994).* Engagé à l'Atelier par Dullin en 1931, il s'y voit confier ses premières mises en scène cinq ans plus tard. En 1935, il rencontre Étienne Decroux, qui l'initie au mime, se lie avec Artaud et le groupe surréaliste et fait ses débuts au cinéma. Il poursuivra dès lors deux carrières, l'une au théâtre en compagnie de Madeleine Renaud, qu'il épouse en 1940 et avec qui il fonde six ans plus tard la Compagnie Renaud-Barrault, l'autre au cinéma dont il se désintéressera peu à peu après *les Enfants du paradis.* Il est pourtant l'un des premiers à utiliser des projections cinématographiques dans sa mise en scène du *Christophe Colomb* de Paul Claudel (1953).

Son physique dicte ses emplois : sa maigreur, son regard enflammé le condamnent aux étudiants faméliques, bohèmes de préférence, aux puritains illuminés ou aux grands hommes consumés par un feu dévorant (Bonaparte, Berlioz, Dunant, Louis XI !). Dans ses meilleurs rôles, c'est avec son corps qu'il joue et c'est de lui qu'on se souvient, passant du numéro de mime admirablement expressif des *Enfants du paradis* (repris dans *le Dialogue des carmélites*) aux contorsions grimaçantes d'Opale dans *le Testament du docteur Cordelier.* Et puis il y a Krantz, le tueur de bouchers de *Drôle de drame,* où Barrault utilise toutes ses ressources, vocales, faciales et gestuelles, pour donner une manière de quintessence de son art. J.-P.B.

Principaux films : *les Beaux Jours* (M. Allégret, 1935) ; *Sous les yeux d'Occident* (*id.,* 1936) ; *Un grand amour de Beethoven* (A. Gance, *id.*) ; *Jenny* (M. Carné, *id.*) ; *Mayerling* (A. Litvak, *id.*) ; *Mademoiselle Docteur* (G. W. Pabst, 1937) ; *les Perles de la Couronne* (S. Guitry et Christian-Jaque, *id.*) ; *Drôle de drame* (Carné, *id.*) ; *le Puritain* (J. Musso, 1938) ; *Mirages* (A. Ryder, *id.*) ; *Orage* (M. Allégret, *id.*) ; *l'Or dans la montagne* (Max Haufler, Suisse, 1939) ; *Montmartre-sur-Seine* (G. Lacombe, 1941) ; *le Destin fabuleux de Désirée Clary* (S. Guitry, 1942) ; *la Symphonie fantastique* (Christian-Jaque, *id.*) ; *l'Ange de la nuit* (A. Berthomieu, 1944) ; *les Enfants du paradis* (Carné, 1945) ; *la Part de l'ombre* (J. Delannoy, *id.*) ; *le Cocu magnifique* (E. G. de Meyst, 1947) ; *D'homme à hommes* (Christian-Jaque, 1948) ; *la Ronde* (M. Ophuls, 1950) ; *le Dialogue des carmélites* (R. P. Bruckberger et P. Agostini, 1960) ; *le Miracle des loups* (A. Hunebelle, 1961) ; *le Testament du docteur Cordelier* (J. Renoir, *id.*) ; *la Grande Frousse* (J. P. Mocky, 1964) ; *Chappaqua* (C. Rooks, US, 1967), *la Nuit de Varennes* (E. Scola, 1982).

BARRAULT *(Marie-Christine), actrice française (Paris 1944).* Après le cours Simon et le Conservatoire, elle passe deux saisons au Théâtre de France sous la direction de son oncle Jean-Louis Barrault. Révélée par Éric Rohmer (*Ma nuit chez Maud,* 1969) dans un rôle de jeune femme fervente et rigoriste où elle apporte quelque chose de brûlant et glacé à la fois, elle est lancée par le succès de *Cousin, cousine* (J. C. Tacchella, 1975). Elle tourne avec André Delvaux (*Femme entre chien et loup,* 1979), Woody Allen (*Stardust Memories,* 1980) et Andrzej Wajda (*Un amour en Allemagne,* 1983). On l'aperçoit en Mme Verdurin vue par Schlöndorff (*Un amour de Swann,* 1984). En 1985 elle est l'interprète principale de *Vaudeville* de Jean Marbœuf, en 1987 du *Jupon rouge* (Geneviève Lefebvre), en 1988 de *Prisonnières* (Charlotte Silvera), *l'Œuvre au noir* (A. Delvaux) et *Jésus de Montréal* (D. Arcand), en 1991 de *Marie Curie* (M. Boisrond ; T.V.) et *l'Amour nécessaire* (F. Carpi) et en 1993 de *la Prochaine Fois le feu* (id.). M.M.

BARRE DE SÉPARATION. Intervalle opaque entre deux images consécutives.

BARRETO *(Luiz Carlos), producteur et chef opérateur brésilien (Sobral, Ceará, 1929).* Ancien photographe de presse, il est l'auteur de l'argument de *l'Attaque du train postal* (R. Farias, 1962) et le directeur de la photographie de deux œuvres fondamentales du Cinema Novo : *Sécheresse* (N. Pereira dos Santos, 1963) et *Terre en transes* (G. Rocha, 1967). Devenu producteur, il est l'homme clé de la Difilm, la maison de distribution fondée par les nouveaux cinéastes, obtenant les plus grands succès au box-office : *Dona Flor et ses deux maris* (1976), mis en scène par son fils Bruno Barreto, vu par dix millions de personnes, a battu les records de fréquentation des films brésiliens, n'étant devancé que par *les Dents de la mer* (S. Spielberg, 1975), avec plus de douze millions de spectateurs au Brésil. Embrafilme, l'entreprise mixte dont cet ancien stratège du Cinema Novo possède les rares actions privées, favorise une certaine concentration de la production. Barreto se situe parmi les grands producteurs, à côté de Oswaldo Massaini, Jarbas Barbosa, Alvaro Pacheco, Walter Clark. Il a produit (seul ou avec d'autres), notamment, des œuvres de Joaquim Pedro de Andrade, Glauber Rocha, Carlos Diegues, Nelson Pereira dos Santos, Bruno Barreto, Eduardo Escorel, Roberto Santos, Walter Lima Jr. P.A.P.

BARRETO *(Victor Lima), cinéaste et scénariste brésilien (Casa Branca, São Paulo, 1906 - Campinas,* id., *1982).* Il est le plus prestigieux réalisateur de la Vera Cruz (1949-1954), cette tentative de transplantation du modèle des studios hollywoodiens qui se solda par un fiasco artistique et financier. Il s'initie au cinéma au début des années 40, en tournant des courts métrages. Suivent deux documentaires : *Painel* (1951), sur une peinture murale de Portinari, et *Santuário* (1952, primé à Venise l'année suivante), sur les statues religieuses de l'Aleijadinho. Un long métrage, *O Cangaceiro* (1953), seul succès critique et public de la Vera Cruz, prétend élever le banditisme du Nordeste au niveau d'un mythe cinématographique, à force de chevauchées et d'action inspirées du western, d'une abondante musique folklorique, mais sans référence sociale, géographique ou historique permettant de *situer* le phénomène. Victime de son propre succès, Lima Barreto ne mène plus à son terme que *A Primeira Missa* (1961), tristement académique. Son scénario *Quelé do Pajéu* a été repris et mis en scène par Anselmo Duarte en 1970. P.A.P.

BARROS *(José Leitão de), cinéaste portugais (Lisbonne 1896* - id. *1967).* Peintre, journaliste, auteur de pièces de théâtre, il se joint en 1918 au groupe de la Lusitania Film. Il introduit le cinéma parlant au Portugal en tournant en 1931 *la Severa (A Severa)* et anime le mouvement qui conduira à la création de la Tóbis Portuguesa. Parmi ses autres films, il convient de citer : *Maria do Mar* (1930) et *Lisboa, Crónica Anedótica* (id.), deux essais documentaires de grande qualité, *les Pupilles de M. le Recteur* (*As Pupilas do Senhor Reitor,* 1935), *Marie Coquelicot* (*Maria Papoila,* 1937), *la Véranda des rossignols* (*A Veranda dos Rouxinóis,* 1939), *Ala-arriba* (1942), *Inês de Castro* (1945), *Camoens* (*Camões,* 1946) et *Tempête merveilleuse* (*Vendaval Maravilhoso,* 1949). J.-L.P.

BARROS *(Luiz de), cinéaste et producteur brésilien (Rio de Janeiro 1893* - id. *1981).* Il est l'un des réalisateurs les plus prolifiques de toute l'histoire du cinéma brésilien : entre 1914 (*A Viuvinha,* inédit) et 1977 *(Ele, Ela, Quem ?),* sa filmographie approche la centaine de titres. À l'époque du muet, il tourne aussi bien des mélodrames urbains ou ruraux que des comédies légères ou des actualités (il a été parfois son propre chef opérateur). Le protagoniste de *Perdida* (1915) était joué par Leopoldo Froes, principale vedette masculine du théâtre de l'époque. Il fait à l'occasion une incursion dans les adaptations de classiques de la littérature romantique, très prisées alors (*Ubirajara,* 1919, d'après José de Alencar) et dans les films érotiques « réservés aux messieurs » (*Depravação,* 1926 ; *Messalina,* 1930). Il signe le premier film brésilien entièrement sonorisé, *Acabaram-se os Otários* (1929), début d'un duo comique populaire, Genésio Arruda et Tom Bill. Il devient spécialiste de la comédie musicale, bientôt figée dans les conventions de la *chanchada,* dont le tournage est souvent bâclé en quelques jours. Mais ses projets plus sérieux (*O Cortiço,* 1946, d'après un roman d'Aluízio de Azevedo), ses films à la gloire des militaires brésiliens (*Por um Céu de Liberdade,* 1961) ne valent pas mieux. Il a publié un livre de souvenirs anecdotiques (*Minhas Memórias de Cineasta,* éd. Artenova et Embrafilme, Rio de Janeiro, 1978). P.A.P.

BARRY *(John), musicien britannique (York 1933).* Il débute par le jazz, en dirigeant une petite formation, The John Barry Seven. Ses premières partitions pour le cinéma en portent la marque, au début des années 60. Le succès vient très vite, puisque dès 1961 John Barry est amené à composer la musique du deuxième James Bond, *Bons Baisers de Russie* (T. Young, 1963). Il travaille avec les cinéastes britanniques à succès, dans les genres les plus divers (John Guillermin, Bryan Forbes, Guy Hamilton, Terence Young) mais, à partir de 1965, une partie importante de sa carrière s'effectue aux États-Unis. Il est amené le plus souvent à composer les musiques « mémorisables » de productions à gros budget (*Un lion en hiver,* A. Harvey, 1968 ; *Boom,* J. Losey, *id. ; Macadam Cowboy,* J. Schlesinger, 1969 ; *King Kong,* J. Guillermin, 1976), sans trop se soucier des nuances. Un James Bond digne de ce nom ne se conçoit pas sans lui (*Goldfinger,* G. Hamilton, 1964). Au cours des années 80 on voit son nom apparaître au générique de *Peggy Sue s'est mariée* (F. F. Coppola, 1986) et *Tuer n'est pas jouer* (*The Living Dayligths,* John Glen, 1987). D.R.

BARRYMORE *(Ethel Mae Blythe,* dite *Ethel), actrice américaine (Philadelphia, Pa., 1879 - Beverly Hills, Ca., 1959).* Sœur de Lionel et de John, issus tous trois du plus célèbre couple du théâtre new-yorkais de l'époque (Maurice Barrymore [Herbert Blythe] et Georgiana Drew), elle débute sur les planches à quinze ans avec son oncle John Drew et devient vedette de Broadway en 1900. La « première dame du théâtre américain » aborde sans complexe le cinéma en 1914 et l'abandonne en 1919 pour n'y revenir qu'en 1933 dans une entreprise familiale : *Raspoutine et sa cour* (R. Boleslawski), qui lui vaut un grand succès personnel (John est le prince Yousoupov et Lionel est Raspoutine). Elle retourne au théâtre puis réapparaît à l'écran dans un film expérimental de Clifford Odets, *Rien qu'un cœur solitaire* (1944) ; dès lors, elle entame une seconde carrière (le film lui a valu un Oscar [« best supporting actress »]). Elle jouera les mères abusives (*la Rose du crime,* G. Ratoff, 1947) ou angoissées (*le Fils du pendu,* F. Borzage, 1948) et les vieilles bourgeoises infirmes victimes de sombres machinations (*Kind Lady,* J. Sturges, 1951) ou au contraire énergiquement vouées à la défense de la bonne cause (*Bas les masques,* de Richard Brooks, en 1952, l'un de ses derniers et meilleurs rôles) avec la même conviction proche de l'outrance, mais justifiée par la certitude de sa *présence* dramatique, qui a quelque chose d'envoûtant. On n'oublie pas non plus ses apparitions dans *le Portrait de Jennie* (W. Dieterle, 1949), *Deux Mains la nuit* (R. Siodmak, 1945) ou *The Secret of Convict Lake* (M. Gordon, 1951). Dans *le Procès Paradine* (1948), Alfred Hitchcock a fait d'elle le souffre-douleur terrorisé de son époux, le juge (Ch. Laughton). G.L.

BARRYMORE *(John Sidney Blythe Barrymore,* dit *John), acteur américain (Philadelphia, Pa., 1882 - Los Angeles, Ca., 1942).* Pendant son adolescence, il essaie d'échapper à la tradition familiale en devenant dessinateur dans un journal, et aussi en contractant un alcoolisme qui ne fera que s'aggraver avec les années. Toutefois il débute à Broadway en 1903 et devient le membre le plus illustre de la « famille royale », notamment grâce à ses créations shakespeariennes (Richard III en 1920, Hamlet en 1922). Il avait débuté à l'écran dès 1913, non sans succès, en se faisant remarquer dans son étonnante interprétation de *Docteur Jekyll et Mr. Hyde* (J. S. Robertson, 1920), pour laquelle il refusa le secours du maquillage, passant d'une personnalité à l'autre par sa seule expressivité (et par des éclairages habiles). Il joua aussi dans l'un des derniers films d'Albert Parker (*Sherlock Holmes,* 1922) avant d'interpréter le rôle-titre de *Beau Brummel* (H. Beaumont, 1924), le capitaine Achab (*The Sea Beast,* Millard Webb, 1926) et *Don Juan,* film doté d'une partition sonore (A. Crosland, 1926), et dont la *première* à Los Angeles est un triomphe pour le procédé Vitaphone... et pour lui. Mais le parlant est sans doute arrivé trop tard pour cet acteur au regard magnétique et à l'admirable gestuelle, qui devait cependant beaucoup à sa voix. De plus, quatre mariages, qui furent autant d'échecs, et de nombreuses aventures entretenaient autour de lui une atmosphère de scandale. Excellent dans *Grand Hôtel* (E. Goulding, 1932) ou dans *les Invités de huit heures* (G. Cukor, 1933), il joue son propre rôle transposé dans *Train de luxe* (H. Hawks, 1934) mais ne peut voir aboutir un projet de *Hamlet* en couleurs (1933), car ses trous de mémoire se multiplient. Dans *Roméo et Juliette* (G. Cukor, 1936), il interprète Mercutio et surclasse toute la distribution. Mais un film autobiographique, *The Great Profile* (W. Lang, 1940), sonne le glas de sa célébrité tumultueuse, dont la décadence est le sujet de son ultime film, *Playmates* (D. Butler, 1941). Ainsi s'acheva, bouclée sur elle-même, une carrière inextricablement mêlée à la vie privée de l'acteur, qui a tourné au total dans cinquante films. Il a été le père de deux acteurs (malheureux) : Diana Barrymore (issue de son mariage avec la poétesse Michael Strange [Blanche Delrichs]) et John « Drew » Barrymore Jr (né de son mariage avec l'actrice Dolores Costello). G.L.

BARRYMORE *(Lionel Blythe,* dit *Lionel), acteur américain (Philadelphia, Pa., 1878 - Van Nuys, Ca.,* 1954). L'aîné des trois Barrymore était sans doute le plus doué pour le cinéma. Il fut en tout cas le premier à en saisir l'importance : après ses débuts au théâtre, où il devint vedette en 1900, et un voyage en Europe, il entra à la Biograph dès 1909. Interprète de Griffith, il fut aussi souvent son coscénariste. En 1924, il se fixa à Hollywood. Partenaire attitré de Pearl White, puis de Greta Garbo, il saura adapter son jeu au parlant. Il enchante par un double rôle : celui surtout de la vieille Mrs. Mandelip dans *les Poupées du diable* (T. Browning, 1936). Son masque puissant et sa présence despotique lui vaudront de vieillir sans difficulté dans des rôles de composition, même lorsque (après 1938) il ne pourra plus jouer que dans un fauteuil de paralytique. Son cabotinage ne fut dès lors que la rançon d'une vigueur et d'une intelligence intactes, servies par une diction aussi admirable que celle de son frère John. Monstre sacré dans toute la force du terme, il fut aussi homme de radio, peintre et graveur, compositeur de musique et écrivain (il est notamment l'auteur de *We Barrymores,* 1951). Il avait dirigé quelques films muets, dont *Life's Whirlpool* (1917) avec sa sœur Ethel en vedette. Il reçut un Oscar en 1931 pour *A Free Soul* de Clarence Brown. G.L.

Films (env. 250 films) : *Friends* (D. W. Griffith, 1912) ; *Judith de Bétulie* (id., 1914) ; *The Exploits of Elaine* (L. Gasnier, 1915, et les suites de ce long serial) ; *America* (D. W. Griffith, 1924) ; *The Temptress* (F. Niblo, 1926) ; *Sadie Thompson* (R. Walsh, 1928) ; *Mata Hari* (G. Fitzmaurice, 1932) ; *Grand Hotel* (E. Goulding, *id.*) ; *les Invités de huit heures* (G. Cukor, 1933) ; *l'Île au trésor* (V. Fleming, 1934) ; *David Copperfield* (Cukor, 1935) ; *la Marque du vampire* (T. Browning, *id.*) ; *le Roman de Marguerite Gautier* (Cukor, 1937) ; *Capitaines courageux* (V. Fleming, 1937) ; *Vous ne l'emporterez pas avec vous* (F. Capra, 1938) ; *Depuis ton départ* (J. Cromwell, 1944) ; *Duel au soleil* (K. Vidor, 1947) ; *Key Largo* (J. Huston, 1948) ; *Main Street to Broadway* (T. Garnett, 1953 : conformément à la tradition familiale, il y tient son propre rôle).

BARSACQ *(André), décorateur, metteur en scène de théâtre et cinéaste français d'origine russe (Feodosiya* [anc. *Theodosia, ou Kaffa*], *Russie, 1909 - Paris 1973).* Formé à l'école de Dullin et de Copeau, cofondateur du théâtre des Quatre-Saisons, directeur de l'Atelier à partir de 1940, où il montera notamment Anouilh, Marcel Aymé, Félicien Marceau et de nombreuses pièces du répertoire, il a fait quelques incursions — remarquées — dans le cinéma : assistant de Jean Grémillon, il crée avec Lazare Meerson les décors de *l'Argent* (M. L'Herbier, 1929), du *Martyre de l'obèse* (P. Chenal, 1933), de *Yoshiwara* (Max Ophuls, 1937), de *l'Honorable Catherine* (L'Herbier, 1943). On lui doit en outre la réalisation, en 1952, d'un unique film : *le Rideau rouge.* C.B.

BARSACQ *(Léon), décorateur français (Feodosiya* [anc. *Theodosia, ou Kaffa*] *1906 - Paris 1969).* Après l'École des arts décoratifs à Paris, il obtient un diplôme d'architecte et devient, de 1931 à 1938, assistant d'André Andrejew, Jean Perrier, Robert Gys et, entre autres, André Barsacq son frère. Il signe en collaboration les beaux décors de *la Marseillaise* (J. Renoir, 1938) et assiste encore Trauner, réduit à la clandestinité, pour les maquettes de *Lumière d'été* (J. Grémillon, 1943) et *des Enfants du paradis* (M. Carné, 1945). Dès *les Mystères de Paris* (J. de Baroncelli, 1943) s'affirment les traits qui caractériseront son œuvre : la maîtrise dans la fusion des éléments empruntés au réel avec la fantaisie propre du décorateur, la finesse avec laquelle les décors établissent une atmosphère, un goût particulier enfin pour les difficultés de la reconstitution d'époque. Ces traits trouvent leur expression idéale dans une longue collaboration avec René Clair dont il décore tous les films (sauf le sketch de *la Française et l'Amour*), depuis *Le silence est d'or* (1947) jusqu'aux *Deux Pigeons* (1962). Autres films : *Boule-de-Suif* (Christian-Jaque, 1945), *l'Idiot* (Georges Lampin, 1946), *les Dernières Vacances* (R. Leenhardt, 1948), *Pattes blanches* (J. Grémillon, 1949), *le Château de verre* (R. Clément, 1950), *Violettes impériales* (R. Pottier, 1952), *Bel Ami* (L. Daquin, 1955), *les Diaboliques* (H.-G. Clouzot, *id.*), *les Aventures de Till l'Espiègle* (G. Philipe, 1956), *Pot-Bouille* (J. Duvivier, 1957), *Phèdre* (P. Jourdan, 1968). Son livre *le Décor de film* a été publié en 1970. J.-P.B.

BARSKAÏA *(Margarita Aleksandrovna Tchardinina-Barskaïa,* dite *Margarita) [Margarita Barskaja], cinéaste soviétique (Bakou, Azerbaïdjan, 1901 - Moscou 1937).* Elle débute comme actrice en 1925, tient des rôles de second plan dans des films géorgiens et ukrainiens. Elle est l'héroïne du premier film de Dovjenko : *le Petit Fruit de l'amour* (1926). Le cinéma devenu parlant, elle se spécialise, comme scénariste et puis cinéaste, dans le film pour enfants. On lui doit un insolite chef-d'œuvre, *les Souliers percés* (*Rvanye bašmaki,* 1933), qui recrée remarquablement l'atmosphère des quartiers populaires de Hambourg au moment où le nazisme, pénétrant dans les écoles, divise et fait s'affronter les enfants eux-mêmes. Barskaïa acclimate dans le cinéma sonore le grand style soviétique du montage. Ce film, comme le reste de son œuvre qui semble perdu, est tombé dans un regrettable oubli. B.A.

BARTHELMESS *(Richard Semler Barthelmess,* dit *Richard), acteur américain (New York, N. Y., 1895 - Southampton, N. Y., 1963).* Fils d'une célèbre actrice qui l'oriente vers le théâtre, Richard Barthelmess s'est fait vite remarquer par Alla Nazimova, dont il devient le partenaire cinématographique : *War Brides* (H. Brenon, 1916). Sa carrière n'a pas tardé à prendre de l'ampleur, dès que D. W. Griffith lui confie le rôle du doux missionnaire chinois du *Lys brisé* (1919). Toutes les caractéristiques de Barthelmess sont déjà en évidence : douceur et retenue du jeu, intensité du regard, grâce de la gestuelle. Son succès est foudroyant et il devient l'un des acteurs les plus populaires du muet. Après une autre prestation pour Griffith, dans *À travers l'orage* (1920), où il est subordonné à Lillian Gish, il devient son propre producteur et met sur pied l'adaptation d'un roman de Joseph Hergesheimer, *Tol'able David* (1921), que dirige Henry King. Son interprétation de l'adolescent David, confronté à la Nature et aux forces du Mal, est un triomphe absolu. Il se spécialisera avec beaucoup de bonheur dans des drames ruraux où son naturel et sa spontanéité s'expriment pleinement. Barthelmess est différent des autres acteurs du muet par son jeu discret et d'une intensité intérieure peu commune (*Soul Fire,* J.S. Robertson, 1925 ; *Ramsom's Folly,* S. Olcott, 1926 ; *The Patent Leather Kid,* A. Santell, 1927 ; *The Drop Kick,* M. Webb, *id. ; The Noose,* J.F. Dillon, 1928). Ces qualités lui assureront un victorieux passage au parlant, dont il sera aussi une des vedettes les plus populaires jusqu'en 1933. Il devient l'interprète d'élection des mélodrames sociaux de la Warner Bros : comptable honnête, dans le Sud des spéculations cotonnières (*Ombres vers le Sud,* M. Curtiz, 1932), médecin à la carrière difficile, qui se sacrifie pour son frère (*Alias the Doctor,* M. Curtiz et L. Bacon, 1932), héros obscur détruit par la société du premier après-guerre (*Héros à vendre,* A. Wellman, 1933). Mais son interprétation la plus belle reste celle de l'ancien pilote désenchanté de *The Last Flight* (W. Dieterle, 1931), admirable peinture sur le vif de la génération perdue. Malheureusement, sa popularité décroît à mesure que son physique se marque, et il ne tourne bientôt plus que des productions de second rayon. Mais Howard Hawks, qui l'avait dirigé dans un de ses plus grands succès, *la Patrouille de l'aube* (1930), exige sa présence dans le rôle du pilote tourmenté par sa lâcheté passée dans *Seuls les anges ont des ailes* (1939). C'est un personnage secondaire ; Barthelmess a vieilli. Mais la magie est intacte : il provoque un mélange de mépris et de compassion qui est le signe du très grand acteur qu'il est toujours. D'autres emplois de complément suivront. Pourtant Barthelmess se retire définitivement en 1942. C.V.

BARTHOLOMEW *(Frederick LLewellyn,* dit *Freddie), acteur britannique (Harlesden 1924 - Sarasota, Fla., 1992).* Il interprète encore tout enfant deux films en Grande-Bretagne avant 1932, mais rencontre la gloire aux États-Unis avec le rôle-titre de *David Copperfield* (G. Cukor, 1935). Ses boucles brunes et sa minceur gracile le vouent aux rôles de petits aristocrates et feront de lui durant quelques années une des vedettes les plus populaires de la MGM dans des films comme *Anna Karenine* (C. Brown, 1935), *le Petit Lord Fauntleroy* (J. Cromwell, 1936) ou *Capitaines courageux* (V. Fleming, 1937). Sa carrière, ralentie après 1940, s'interrompt en 1951 avec *St. Benny the Dip* (E. G. Ulmer). J.-P.B.

BARTLETT *(Hall), cinéaste et scénariste américain (Kansas City, Mo., 1922 - Los Angeles, Ca., 1993).* Après des études à Yale, il s'occupe de production : *Navajo* (1952) est un documentaire de long métrage couvert de récompenses. Ambitieux dans quelques-uns de ses sujets produits par sa société (*The Caretakers,* 1963, sur les hôpitaux psychiatriques), il a réalisé avec Jules Bricken un bon western pacifiste, *le Pays de la haine* (*Drango,* 1957), qui doit beaucoup à la photo noir et blanc de James Wong Howe. Il se lance ensuite dans des *affaires* variées, dont une au moins est un grand succès commercial malgré sa niaiserie intrinsèque : *Jonathan* (*Jonathan Livingston Seagull,* 1973). Il a épousé l'actrice Rhonda Fleming. G.L.

BARTLETT *(Richard), acteur et cinéaste américain (né en 1925 ?).* Il fait ses débuts en 1954 avec un petit film de série B, *Silent Raiders* (avec Earle Lyon), qu'il produit, écrit, dirige et interprète. Il entre à l'Universal international, et presque tous ses films sont interprétés par Jock Mahoney. À l'exception de *I've Lived Before,* qui traite de la réincarnation (1956), il s'agit de westerns. Deux sont sortis en France, *Joe Dakota* (*id.,* 1957) et *l'Héritage de la colère* (*Money, Women and Guns,* 1959), dont l'originalité et la qualité étaient très évidentes. Au début des années 60, quand la télévision a remplacé la série B, Richard Bartlett s'est tout naturellement reconverti, toujours dans son genre préféré, le western. D.R.

BARTOLINI *(Elio), scénariste, cinéaste et écrivain italien (Conegliano Veneto 1922).* Avec Antonioni, il collabore à trois analyses du désespoir existentiel : *le Cri* (1957), *l'Avventura* (1960), *l'Éclipse* (1962). Il écrit encore sept films, dont un drame sur la résistance contre le fascisme : *Il carro armato dell'8 settembre* (G. Puccini, 1960), une curieuse adaptation de Pirandello : *Liola* (A. Blasetti, 1964), et une œuvre autobiographique sur la crise idéologique d'un ex-partisan : *les Saisons de notre amour* (F. Vancini, 1966). Dans sa première réalisation, *L'altro Dio* (1975), il aborde l'éclatement d'une famille ouvrière. Il approfondira ce thème dans son enquête pour la RAI : *Ragazze di un paese con fabbrica* (1980). L.C.

BARTOSCH *(Berthold), cinéaste français d'origine austro-hongroise (Polaun, Bohême, 1893 - Paris 1968).* Le jeune Bartosch fréquente l'Académie des beaux-arts de Vienne (peinture et architecture) puis se consacre au cinéma à partir de 1918 (documentaires divers [*Occupation de la Rhénanie,* 1925], scientifiques et pédagogiques) à Vienne puis à Berlin. Il devient le collaborateur de Lotte Reiniger pour la réalisation des films d'ombres chinoises qui sont la spécialité de cette animatrice : *les Aventures du Prince Ahmed* (1926), *la Chasse au bonheur* (1930), où il tient même un rôle aux côtés de Jean Renoir. Il s'installe ensuite à Paris, où il poursuit ses recherches et réalise en 1932 un moyen métrage, *l'Idée,* animant des gravures de Frans Masereel, sur une partition d'Arthur Honegger, selon une technique qui anticipe sur la *multiplane* de Walt Disney : ce beau film, à l'esthétique à la fois expressive et raffinée, est un pamphlet contre l'exploitation et la répression des mouvements populaires et un cri d'espoir en la victoire de *l'idée* démocratique sur la force brutale. M.M.

BARUA *(Pramathesh Chandra), cinéaste et acteur indien (Gauripur, Assam, 1903 - Calcutta, Bengale, 1951).* Authentique prince, fils du mahārāja de Gauripur, il se lance, après un voyage en Europe, dans le cinéma, à la fin du muet. Il réalise, entre 1930 et 1949, une quinzaine de films (bengalis) : quelques comédies et surtout des drames romantiques. Il est le scénariste et l'acteur principal de la plupart de ses films. Les meilleurs sont ceux qu'il réalise dans les années 30 pour la compagnie New Theatres. Citons *Illusion* (*Maya,* 1936), *Libération* (*Mukti,* 1937), *Autorité* (*Adhikar,* 1938), *Rajat Jayanti* (1939), *la Vie* (*Zindagi,* 1940), *Shesh Uttar / Jawab* (1942). Son œuvre la plus célèbre est *Devdas* (1935), histoire de deux amants séparés par des différences de classe. Barua joue dans la version bengalī, Saigal dans la version hindī. Une version tamoul est réalisée en 1936. Bimal Roy en fait un remake en 1955. Les chansons originales jouissent encore d'une grande popularité. H.M.

BARZMAN *(Ben), scénariste et romancier américain (Toronto, Ontario, Canada, 1911 - Santa Monica, Ca., 1989).* Après avoir travaillé au Federal Theatre et collaboré à plusieurs spectacles syndicaux, il écrit pour Joseph Losey l'apologue antiraciste du *Garçon aux cheveux* *verts* (1948) et adapte pour Edward Dmytryk *Christ in Concrete,* une parabole sur l'injustice sociale (*Donnez-nous aujourd'hui,* 1949). Porté sur les « listes noires », il s'associe, en Angleterre puis en France, à d'autres exilés, comme Jules Dassin (*Celui qui doit mourir,* 1956) ou Losey (*Un homme à détruire,* 1952 ; *Temps sans pitié,* 1957 ; *l'Enquête de l'inspecteur Morgan,* 1959). Après s'être égaré dans la superproduction pour Samuel Bronston (*le Cid,* A. Mann, 1961, ou *la Chute de l'Empire romain,* id., 1964), il est retourné aux sujets *engagés* avec *l'Attentat* (Y. Boisset, 1972). M.H.

BASE (1). *Lumière de base* ou *effet,* lumière principale d'éclairage d'un plan, créant l'effet de lumière, cohérent avec le décor, qui assure à l'image son impact dramatique. (→ ÉCLAIRAGE.)

BASE (2). Socle spécial permettant de fixer la caméra lorsqu'il n'est pas possible d'installer un pied (caméra au ras du sol, en haut d'une échelle, etc.). [→ MOUVEMENTS D'APPAREIL.]

BASEHART *(Richard), acteur américain (Zanesville, Ohio, 1914 - Los Angeles, Ca., 1984).* Il débute sur scène à Broadway en 1938. Lauréat du prix de la critique new-yorkaise, il est remarqué par Hollywood. Après avoir interprété le psychopathe d'*Il marchait dans la nuit* (A. Werker, 1948), le Robespierre démoniaque du *Livre noir* (A. Mann, 1949) et le suicidaire de *Quatorze Heures* (H. Hathaway, 1951), il tourne indifféremment en Amérique ou en Europe, faisant preuve d'un rare éclectisme dans le choix de ses rôles : il a été le *fou* de *La strada* (F. Fellini, 1954), le voleur novice de *Il bidone* (1955), Ishmael dans *Moby Dick* (J. Huston, 1956), Ivan dans *les Frères Karamazov* (R. Brooks, 1958), le Führer dans *Hitler* (S. Heisler, 1962). M.H.

BAŞER *(Tevfik), cinéaste turc (Çankiri 1951).* Après des études d'art graphique et photographique en Turquie, il poursuit sa formation à l'Académie des beaux-arts de Hambourg. Il s'affirme comme l'un des plus talentueux auteurs de sa génération avec deux films réalisés en Allemagne fédérale, où il réside depuis 1980. Dans *Allemagne 40 m²* (*40 metrekare Almanya,* 1986) et *Adieu au faux paradis* (*Yanliş Cennete Elveda,* 1989), il fait preuve de précision et de rigueur esthétique dans la mise en scène de la vie des femmes turques immigrées en R. F. A. ; la profondeur psychologique de ses personnages émerge sous un regard juste et sobre. La solitude et l'isolement - qui imprègnent particulièrement son troisième long métrage : *Au revoir étrangère* (*Lebewohl Fremde,* 1991) tourné sur un îlot de la mer du Nord - sont les principaux thèmes de son cinéma, qui marie avec élégance le réalisme social à la fiction. ME.B.

BASEVI *(James), décorateur et créateur d'effets spéciaux américain d'origine britannique (Plymouth 1890).* Il arrive à Hollywood en 1924 et débute comme décorateur à la MGM, pour qui il travaille sur *la Grande Parade* (K. Vidor, 1925) ou *la Tentatrice* (F. Niblo, 1926). De 1930 à 1937, il crée des effets spéciaux, en particulier le fameux tremblement de terre dans *San Francisco* (W. S. Van Dyke, 1936) et les trucages de *Hurricane* (J. Ford, 1938). Il dirige ensuite le département décoration de la 20th Century Fox et conclut sa carrière sur deux réussites : *À l'est d'Éden* (E. Kazan, 1955) et *la Prisonnière du désert* (1956), de Ford, qui lui avait déjà confié huit de ses films. J.-P.B.

BASINGER *(Kim), actrice américaine (Athens, Ga., 1953).* Lauréate d'un concours de beauté à dix-sept ans, elle devient mannequin. La télévision la révèle : elle apparaît en 1976 dans la série « Drôles de dames », avant de commencer une carrière cinématographique en 1980, où on la remarque dans *Hard Country,* de David Greene (1981). Elle tourne avec des réalisateurs souvent remarquables : Irvin Kershner, Blake Edwards, Robert Altman, Robert Benton. Son passé de mannequin semble encore faire obstacle à l'épanouissement d'une comédienne qui ne parvient pas toujours à faire oublier le statut de sex-symbol dans lequel on la cantonne trop souvent : *Jamais plus jamais* (I. Kershner, 1982), où elle est une James Bond girl, *Neuf Semaines et demie* (Adrian Lyne, 1984), porno soft, avec Mickey Rourke, *Sans pitié* (Richard Pearce, 1986), *J'ai épousé une extraterrestre* (R. Benjamin, 1988) ou *Batman* (Tim Burton, 1989), *Sang chaud pour meurtre de sang-froid* (*Final Analysis,* Phil Joanou, 1991). Seuls, Robert Altman (*Fool for Love,* 1985) et surtout Blake Edwards (*l'Homme qui aimait les femmes,* 1983, et *Boire et déboires,* 1986) se sont employés à varier son registre. Mais les producteurs manquent peut-être d'imagination et l'on trouve le réel talent de l'actrice gâché dans des productions routinières comme *Guet-apens* (*The Getaway,* Roger Donaldson, 1994). Heureusement un Robert Altman a bien vu ses possibilités et l'on est content de la voir, surprenante chroniqueuse de télévision au sourire de poupée et à la faconde inépuisable, dans *Prêt-à-porter* (1994). M.S.

BASS *(Saul), dessinateur et cinéaste américain (New York, N. Y., 1920).* Venu du dessin publicitaire, il crée en 1946 une société de dessin appliqué au cinéma : films publicitaires et surtout génériques. Il fait de cette dernière branche une spécialité, qu'il révolutionne par son style graphique quasi abstrait, où le défilé des noms est subordonné à l'image choc. Sa collaboration avec Preminger (*Carmen Jones,* 1954 ; *l'Homme au bras d'or,* 1955 ; *Sainte Jeanne,* 1957 ; *Bonjour tristesse,* 1958 ; *Autopsie d'un meurtre,* 1959 ; *Exodus,* 1960 ; *Tempête à Washington,* 1962 ; *le Cardinal,* 1963), Hitchcock (*Sueurs froides,* 1958 ; *la Mort aux trousses,* 1959), Wise (*West Side Story,* 1961), Dmytryk (*la Rue chaude,* 1962), Frankenheimer (*Opération diabolique* et *Grand Prix,* 1966) a été efficace et parfois éclatante. Collaborateur au prédesigning de *Psychose* (Hitchcock, 1960), il s'est attribué le mérite de la célèbre séquence du meurtre sous la douche. Il a réalisé quelques documentaires et un film de science-fiction, *Phase IV* (1974). Il tourne en 1984 un court métrage, *Quest.* G.L.

BASSERMANN *(Albert), acteur allemand (Mannheim 1867 - océan Atlantique 1952).* Présent sur la scène théâtrale depuis 1890, il se rend à Berlin en 1909 et devient vite célèbre (il fait partie de la troupe de Max Reinhardt entre 1909 et 1915). Au cinéma, il est le principal protagoniste d'un des plus anciens films de l'école allemande, *l'Autre* (*Der Andere,* Max Mack, 1913). Partenaire d'Asta Nielsen dans la version de *Loulou* due à Leopold Jessner (1923), il tourne dans *Lucrèce Borgia* (R. Oswald, 1922), *la Femme du pharaon* (E. Lubitsch, *id.*) et de nombreux films muets allemands et autrichiens. Le cinéma parlant le confirme dans sa position de vedette (films d'Oswald, Siodmak, A. Korda, Lamprecht), mais il quitte l'Allemagne lorsque les nazis prennent le pouvoir. En France, en Suisse, il a, hélas, rarement l'occasion de jouer. Aux États-Unis, en revanche, de 1939 à 1946, il tourne beaucoup, mais ne se voit offrir que des rôles secondaires : *Il était une fois* (G. Cukor, 1941), *Madame Curie* (M. LeRoy, 1943), *Since You Went Away* (J. Cromwell, 1944). Après un dernier rôle dans *les Chaussons rouges,* en Grande-Bretagne (M. Powell et E. Pressburger, 1948), il s'établit à Zurich et se voit accaparé par le théâtre. Il meurt dans un accident d'avion au-dessus de l'Atlantique. D.S.

BASSET *(Marie-Louise,* dite *Gaby), actrice française (Varenne-Saint-Sauveur 1902).* De 1925 à 1933, elle partage la vie de Jean Gabin, dont c'est la première épouse. Frange sur le front et voix acidulée, elle interprète alors des soubrettes délurées. Aux côtés de Gabin, elle joue dans *Chacun sa chance* (H. Steinhoff, 1930) et plus tard apparaît en tenant des seconds rôles dans *Touchez pas au grisbi* (J. Becker, 1954), *Voici le temps des assassins* (J. Duvivier, 1956), *Maigret tend un piège* (J. Delannoy, 1958), *Archimède le clochard* (G. Grangier, 1959), *Rue des prairies* (D. de La Patellière, *id.*) ; elle tient aussi un rôle pittoresque dans *Feu de paille* (J. Benoît-Lévy, 1940). R.C.

BATAILLE *(Sylvia Maklès,* dite *Sylvia), actrice française (Paris 1912 -* id. *1993).* Des films excellents conservent l'image de cette jolie brune, sensible et prête à glisser dans la mélancolie : *le Crime de monsieur Lange* (J. Renoir, 1936), *Jenny* (M. Carné, *id.*), *l'Affaire du courrier de Lyon* (M. Lehmann et C. Autant-Lara, 1937), *les Gens du voyage* (J. Feyder, 1938), *l'Enfer des Anges* (Christian-Jaque, 1939). De *Vous n'avez rien à déclarer ?* (L. Joannon, 1937) à *Ils étaient cinq permissionnaires* (P. Caron, 1945 [RÉ 1940]), il y a des titres fâcheux, mais rien ne peut ternir son souvenir dans *Une partie de campagne* (Renoir, 1946 [RÉ 1936]) ni sa discrète apparition dans *les Portes de la nuit* (Carné, 1946). Elle fut l'épouse du psychanalyste Jacques Lacan. R.C.

BATALOV (*Alekseï* [*Aleksej Vladimirovič Batalov*]*), acteur et cinéaste soviétique (Vladimir 1928).* Né dans une famille d'acteurs (il est le neveu de Nikolaï Batalov), il étudie au studio-école du théâtre d'Art de Moscou (1946-1950) puis joue dans ce même théâtre (1950-1953). Il débute au cinéma en 1954 dans *Une grande famille* de Iossif Kheifits et s'impose rapidement comme vedette dans d'excellents films : il tient le rôle de Pavel Vlassov (le même qu'avait tenu son oncle trente ans auparavant) dans *la Mère* de Donskoï (1956), puis il marque de sa personnalité *Quand passent les cigognes* (M. Kalatozov, 1957), *la Dame au petit chien* (I. Kheifits, 1960) et surtout *Neuf Jours d'une année* (M. Romm, 1962). Il compose des personnages tout à la fois introvertis et pathétiques, exprimant sans grandiloquence les blessures de l'âme comme les crises de la raison. On le voit encore dans nombre de films, dont *la Fuite* (Alov et Naoumov, 1971), *l'Étoile du merveilleux bonheur* (*Zvezta plenitel'nogo sčast'ja,* Vladimir Motyl, 1975), *Moscou ne croit pas aux larmes* (*Moskva slezam ne verit,* Vladimir Menchov, 1979) et *le Week-end* (Igor Talankine, 1989).

Assistant réalisateur de *Très cher humain* (Kheifits, 1958), il passe lui-même à la mise en scène avec une remarquable adaptation de Gogol, *le Manteau* (*Šinel',* 1960), puis avec une comédie truculente d'après Iouri Olecha, *les Trois Gros* (*Tri tolstjaka,* 1966) et une belle version du *Joueur* (*Igrok,* 1972) de Dostoïevski, où il tient le rôle principal. M.M.

BATALOV *(Nikolaï), acteur soviétique (Moscou 1899* - id. *1937).* Élève du studio du théâtre d'Art de Moscou dès 1916, puis acteur dans ce même théâtre à partir de 1924, il débute simultanément au cinéma dans le film de science- (et politique-) fiction de Protazanov, *Aélita* (1924). Mais c'est sa performance dans le rôle de Pavel Vlassov de *la Mère* de Poudovkine (1926) qui lui vaut la célébrité par la sensibilité et l'intelligence de son jeu : il impose dès lors un type de héros familier, issu du peuple et porteur des valeurs de la société nouvelle. Il n'est pas moins remarquable dans le rôle du mari de *Trois dans un sous-sol* d'Abram Romm (1927), brillante comédie sur le thème du ménage à trois. Il est encore en vedette dans *le Chemin de la vie* de Nikolaï Ekk (1931), où il incarne avec beaucoup de conviction un éducateur partisan de méthodes nouvelles pour la réhabilitation sociale des enfants abandonnés après la guerre civile. On le verra encore dans quelques films, dont *Horizon* (L. Koulechov, 1932) et *Trois Camarades* (*Tri tovarišča,* Semen Timochenko, 1935). Il est apprécié à la fois pour sa décontraction souriante et sa vigueur dramatique. M.M.

BATCHEFF *(Pierre), acteur français d'origine russe* [*Petr Bačev*] *(Harbin* [anciennement *Karbin*], *Mandchourie, 1901 - Paris 1932).* Débutant à Genève avec les Pitoëff, il vient vite au cinéma (1924), pour lequel il interprète quelque 25 films en huit ans : *Feu Mathias Pascal* (M. L'Herbier, 1925), *le Joueur d'échecs* (R. Bernard, 1927), *Napoléon* (A. Gance, *id.*), *les Deux Timides* (R. Clair, 1929), *Baroud* (R. Ingram, 1933). En dépit d'une brillante carrière de jeune premier, il est ouvert à toutes les recherches et on le connaît surtout pour son interprétation dans *Un chien andalou* (L. Buñuel, 1928). Son suicide interrompt un projet avec les frères Prévert. J.-P.B.

BATCHELOR *(Joy), productrice et cinéaste d'animation britannique (Watford 1914-1991)* → HALAS (John).

BATES *(Alan), acteur britannique (Allestree, Derbyshire, 1934).* Fils de musiciens classiques, il étudie à l'Académie royale d'art dramatique et participe au renouveau du théâtre anglais en jouant, au Royal Court de Londres, la pièce célèbre de John Osborne, *la Paix du dimanche.* Il débute au cinéma sous la direction de Tony Richardson dans l'adaptation d'une autre pièce d'Osborne : *le Cabotin (The Entertainer).* Il partage ensuite ses activités entre la scène et l'écran. Son interprétation d'employé modeste dans *Un amour pas comme les autres* (J. Schlesinger) lui vaut un prix au festival de Berlin. Il connaît un triomphe dans la pièce d'Harold Pinter, *The Caretaker,* qu'il rejoue d'ailleurs en 1964 dans une adaptation cinématographique de Clive Donner. Excellent acteur de composition, il a interprété les personnages les plus divers, jouant avec sa présence physique ou au contraire avec un masque expressif, égaré, tourmenté : un employé arriviste et sans scrupules (*Tout ou rien,* C. Donner), un jeune inspecteur d'enseignement, amoureux de la nature (*Love,* de K. Russell, où il bravait le tabou du nu masculin à l'écran), un romancier timide (*Zorba le Grec,* M. Cacoyannis), un soldat anglais devenu le souverain des fous (*le Roi de cœur,* Ph. de Broca), un berger philosophe (*Loin de la foule déchaînée,* J. Schlesinger), un fermier confronté au drame de la mésalliance (*le Messager,* J. Losey), Rudi von Stamberg, homme de main de Bismarck (*Royal Flash,* R. Lester), un pensionnaire de clinique psychiatrique (*le Cri du sorcier,* J. Skolimowski), un mécène pervers (*Quartet,* J. Ivory), un officier amnésique (*le Retour du soldat,* A. Bridges). R.L.

Films ▲ : *le Cabotin* (T. Richardson, 1960) ; *Whistle Down the Wind* (B. Forbes, 1961) ; *Un amour pas comme les autres* (J. Schlesinger, 1962) ; *le Deuxième Homme* (C. Reed, 1963) ; *The Caretaker* (C. Donner, *id.*) ; *Tout ou rien* (id., 1964) ; *Zorba le Grec* (M. Cacoyannis, *id.*) ; *Georgy Girl* (S. Narizzano, 1966) ; *le Roi de cœur* (Ph. de Broca, 1967) ; *Loin de la foule déchaînée* (Schlesinger, *id.*) ; *l'Homme de Kiev* (J. Frankenheimer, 1968) ; *Love* (K. Russell, 1969) ; *les Trois Sœurs* (L. Olivier, 1970) ; *le Messager* (J. Losey, 1971) ; *A Day in the Life of Joe Egg* (Peter Nedak, 1972) ; *l'Impossible Objet* (Frankenheimer, 1973) ; *Butley* (H. Pinter, 1974) ; *A Profile of Greekness* (M. Theodorakis [MM, narrateur du commentaire], *id.*) ; *Royal Flash* (R. Lester, 1975) ; *In Celebration* (L. Anderson, *id.*) ; *la Femme libre* (P. Mazursky, 1978) ; *le Cri du sorcier* (J. Skolimowski, *id.*) ; *Very Like a Whale* (A. Bridges, 1979) ; *The Rose* (M. Rydell, 1980) ; *Nijinsky* (H. Ross, *id.*) ; *Quartet* (J. Ivory, 1981) ; *le Retour du soldat* (A. Bridges, 1982) ; *The Wicked Lady* (M. Winner, 1983) ; *Dr. Fischer of Geneva* (Michael Lindsay-Hogg, 1984) ; *Duo pour une soliste* (A. Mikhalkov-Kontchalovski, 1987) ; *l'Irlandais* (*A Prayer for a Dying, Mike Hodges,* id.) ; *We Think the World of You* (Colin Gregg, 1989) ; *Force majeure* (Pierre Jolivet, 1989) ; *Mister Frost* (Philippe Setbon, 1990) ; *Dr. M.* (C. Chabrol, id.) ; *Hamlet* (F. Zeffirelli, id.) ; *Shuttlecock* (Andrew Paddington, 1991) ; *Secret Friends* (Dennis Potter, *id.*).

BATES *(Florence Rabe,* dite *Florence), actrice américaine (San Antonio, Tex., 1888 - Burbank, Ca., 1954).* Elle est l'un des plus brillants *seconds rôles* hollywoodiens, encore qu'elle débute à l'âge de cinquante ans ! On la remarque pour sa saisissante compostition de riche douairière dans *Rebecca* (A. Hitchcock, 1940). Elle poursuit sa belle carrière jusqu'en 1953, donnant profondeur et fantaisie à ses silhouettes inoubliables dans *le Masque de Dimitrios* (J. Negulesco, 1944), *l'Intrigante de Saratoga* (S. Wood, 1945), *le Journal d'une femme de chambre* (J. Renoir, 1946) ou *Chaînes conjugales* (J. L. Mankiewicz, 1949). C.V.

BATHING BEAUTIES (ou *Bathing Girls.* En français : « jolies baigneuses »). Jeunes femmes en costume de bain de fantaisie laissant le genou nu, qui apparaissaient à tout moment et surtout sans raison dans les films burlesques de Mack Sennett des années 1916-17. De nombreuses stars débutèrent comme *bathing beauty :* Marie Prévost, Phyllis Haver, Sally Eilers, Jacqueline Logan, Gloria Swanson, Carole Lombard...

C'est en remarquant que les journaux honorent plus une jolie femme que le président des États-Unis et après avoir assisté à un concours de maillots de bain que Mack Sennett eut l'idée de créer les Bathing Beauties.

Après les groupes de pompiers et de policiers, l'intervention des Bathing Beauties, ces « poupées excentriques » (J. Mitry), trouve sa logique dans le style même des comédies de Mack Sennett, « ces poèmes fantaisistes où des clowns, des baigneuses, une automobile, un petit chien, un pot de lait, le ciel, la terre et quelque explosif sont les éléments interchangeables dont chaque combinaison provoque le rire et l'émerveillement » (R. Clair), où « l'absurbe devient la source intarissable d'une bouffonnerie poétique » (J. Mitry). P.C.

BATTEUR. *Mécanisme batteur,* mécanisme employé pour l'avance intermittente du film sur les tireuses optiques de précision. (Il se différencie du mécanisme de la griffe en ce que les contre-griffes sont fixes, ce qui assure un positionnement précis du film : à chaque cycle, le mécanisme fait avancer le film d'une image, puis le réintroduit sur les contre-griffes.)

BAUER → PROJECTION.

BAUER *(Evgueni)* [*Evgenij Francevič Bauer*], *cinéaste russe (Moscou 1865 - Crimée 1917).* Homme de vaste culture, familier des cercles littéraires et artistiques, il est l'un des premiers dans son pays à croire au cinéma comme moyen d'expression spécifique et, à ce titre, est justement considéré comme l'une des personnalités les plus riches et les plus originales du cinéma prérévolutionnaire. Éclectique, exubérant, esthète (il sait imaginer des décors raffinés et créer une *atmosphère*), il signe ses premiers films en 1913. Quoique tenté parfois par la farce et la comédie, il affectionne surtout les mélodrames brûlants d'un réalisme crépusculaire et fataliste qui dérivent parfois jusqu'aux rives du fantastique mystique. Ce prince de la décadence a notamment tourné *K le bossu* (*Strašnaja mest'gorbuna K*, 1913), *Gloire sanglante* (*Krovavaja slava*, id.), *le Crépuscule d'une âme féminine* (*Sumerki ženskoj duši*, id.), *l'Enfant de la grande ville* (*Ditja bol'šogo goroda*, 1914), *le Châtiment* (*Vozmezdie*, 1915), *les Abîmes de l'âme humaine* (*Čelovečeskie bezdny*, 1916), *la Reine de l'écran* (*Koroleva ekana*, id.), *Mensonge* (*Lož*, id.), *le Tocsin* (*Nabat*, 1917), *le Roi de Paris* (*Korol'Pariža*, id.), *le Révolutionnaire* (*Revoljucioner*, id.). Il a été également un grand *découvreur d'acteurs* parmi lesquels Ivan Mosjoukine (*la Vie dans la mort* [*Žizn v smerti*], 1914) et Vera Kholodnaïa (*le Chant de l'amour triomphant* [*Pesn' toržestvajuščej Ljubvi*], 1915, *Vie pour vie* [*Žizn na Žizn*], 1916). J.-L.P.

BAUGÉ *(André), chanteur et acteur français (Toulouse 1893* - id. *1966)*. Ex-premier baryton de l'Opéra-Comique, vedette de nombreux opéras, opéras-comiques et opérettes sous le pseudonyme de Grillaud, il joue dans l'un des premiers films parlants français, *La route est belle* (R. Florey, 1930), puis interprète de nombreux films musicaux. (Pendant la Seconde Guerre mondiale, il fonde les Concerts populaires André Baugé.) On le vit également dans : *la Fleur des Indes* (Théo Bergerat, 1921), *la Ronde des heures* (A. Ryder, 1931), *le Roman d'un jeune homme pauvre* (A. Gance, 1935). P.C.

BAUMER *(Jacques), acteur français (Paris 1885* - id. *1951)*. Il aborde tard le cinéma après avoir remporté de nombreux succès dans le répertoire boulevardier. Sa création dans *Ce cochon de Morin* (G. Lacombe, 1932) lui permet d'imposer sa dégaine rageuse, sa voix incisive et son autorité. Tour à tour fonctionnaire servile : *Mollenard* (R. Siodmak, 1938), commissaire avisé : *Café de Paris* et *Derrière la façade* (Y. Mirande et G. Lacombe, 1938 et 1939), juge hypocrite : *les Inconnus dans la maison* (H. Decoin, 1942), notaire louche : *le Colonel Chabert* (René Le Hénaff, 1943), il campe même à l'occasion Clemenceau : *Entente cordiale* (M. L'Herbier, 1939). R.C.

BAUR *(Henri,* dit *Harry), acteur français (Montrouge 1880 - Paris 1943).* S'il est un acteur à qui s'appliquent exactement les termes de *monstre sacré*, c'est bien Harry Baur. De bonne formation théâtrale, lauréat du Conservatoire de Marseille, il arrive à occuper rapidement une place de premier plan sur les scènes parisiennes. Tant que le cinéma reste muet, il ne lui accorde qu'une attention limitée mais participe tout de même à un film marquant comme *l'Âme du bronze* (H. Roussell, 1918) ou notoire, comme le dernier film de Sarah Bernhardt : *la Voyante* (L. Abrams, 1923). L'avènement du parlant le propulse tout à coup au firmament. Il n'en descendra plus. Duvivier, dont il est l'une des vedettes fétiches, lui donne le rôle de sa vie dans *David Golder* (1931), qui lui permet de jouer toute la gamme de ses émotions : de la tendresse à la fureur, de la haine à la résignation. Puis il lui réserve des compositions très étudiées dans *la Tête d'un homme* (1933), où il campe un commissaire Maigret très proche du modèle. Il se montre émouvant dans *Poil de carotte* (1932), pittoresque dans *Golgotha* (1935), inquiétant dans *le Golem* (1936), mais laisse percer un peu trop son métier dans *Un carnet de bal* (1937). Il joue en effet de toute son âme, mais aussi de tous ses tics, que les gros plans mettent par trop en évidence : ses rides se creusent, ses joues tremblent ; et puis, sa voix se fait insinuante, sifflante, hurlante et tonitruante pour se briser dans des sanglots selon des besoins de l'action. Il cabotine beaucoup, avec une virtuosité éblouissante, une sorte de génie. Son pouvoir sur le public est grand, surtout après sa prise de possession du rôle de Jean Valjean dans les trois films que Raymond Bernard tire en 1934 des *Misérables.* Il tourne beaucoup (il paraît dans six films en 1937), avec une prédilection marquée pour les productions d'atmosphère slave. Marchand de blé opulent et redoutable des *Nuits moscovites* (A. Granowsky, 1934), il devient l'année suivante sous la direction de Pierre Chenal le juge Porphyre de *Crime et Châtiment,* prétexte à un étonnant numéro d'acteur avivé encore par la réplique que lui donne Pierre Blanchar. En 1935 encore, le voici maître d'hôtel d'un grand établissement, blessé dans son amour-propre (*les Yeux noirs,* V. Tourjansky). S'emparant du rôle principal de *Tarass Boulba* (A. Granowsky, 1936), il s'y dépense sans compter, ne ménageant ni outrance de jeu, ni raffinement de maquillage. 1937 le transforme en maître de poste que sa fille fait souffrir (*Nostalgie,* Tourjansky) ; enfin *le Patriote* (M. Tourneur) et *la Tragédie impériale* (M. L'Herbier) lui procurent en 1938 deux personnages à sa taille : le tsar Paul Ier, un fou que la raison d'État fait abattre par son meilleur ami, et Raspoutine, dont la fin est, somme toute, analogue. Tous ces drames sur fond de clochers à bulbes et d'isbas enneigées, avec accompagnement de balalaïka, ne l'empêchent pas de camper avec son autorité magistrale des premiers rôles de boulevard. Ainsi est-il chirurgien dans *Cette vieille canaille* (A. Litvak, 1933), financier vindicatif dans *Samson* (M. Tourneur, 1936), procureur dans *le Président Haudecœur* (J. Dréville, 1940). Seuls les rôles à tendances comiques lui réussissent moins : ni *Un homme en or* (J. Dréville, 1934) ni *Paris* (J. Choux, 1936) ne sont convaincants, et sa lourde composition du Levantin *Volpone* (M. Tourneur, 1941), accentuée par l'emploi d'un faux nez, est pénible et laborieuse. Il reste à l'aise pour camper des aventuriers de grand style, pour donner de la saveur et une certaine ambiguïté à une figure de forban dans *les Hommes nouveaux* (L'Herbier, 1936), une verve puissante et de la violence contenue à son capitaine *Mollenard* (R. Siodmak, 1938). Viennent la guerre et l'Occupation, qui le surprennent et le mettent sur la défensive. Craignant qu'on ne le soupçonne d'être juif, il tente de jouer au plus fin avec les Allemands. On le voit aux réceptions collaboratrices, il est l'un des premiers acteurs à paraître dans les productions de la Continental : *l'Assassinat du Père Noël* (Christian-Jaque, 1941) et *Péchés de jeunesse* (M. Tourneur, 1941), qui va être son chant du cygne dans les studios français. Annoncé à grand fracas, son départ pour tourner à Berlin *Symphonie d'une vie* (*Symphonie eines Lebens,* H. Bertram, 1943) est abondamment commenté. Son retour va s'envelopper de mystère. Dénoncé, les persécutions racistes s'abattent sur lui. Torturé par la Gestapo, mis au secret, Harry Baur n'est relâché qu'agonisant déjà. Il meurt sans que la lumière ait jamais été complètement faite sur sa fin dramatique, à la mesure des rôles qu'il affectionnait, de ces géants battus par le destin, comme celui que Gance voulut magnifier dans *Un grand amour de Beethoven* (1936) et auquel Harry Baur prêta son masque ravagé. R.C.

BAUTISTA *(Aurora), actrice espagnole (Villanueva de los Infantes, Valladolid, 1926).* Vedette assez populaire, au talent plutôt irrégulier, elle a interprété notamment *Locura de amor* (Juan de Orduña, 1948), *Pequeñeces* (*id.,* 1949) et *Agustina de Aragón* (*id.,* 1950), *Condenados* (Mur Oti, 1953) ; *Sonatas* (J. A. Bardem, 1959) ; *Teresa de Jesus* (de Orduña, 1961) ; *La tía Tula* (Miguel Picazo, 1964) ; *El derecho de nacer* (Tito Davison, 1966, au Mexique) ; *Extramuros* (Picazo, 1985) ; *Divinas palabras* (J.L. García Sánchez, 1987) ; *Amanece, que no es poco* (José Luis Cuerda, 1988). P.A.P.

BAVA *(Mario), cinéaste italien (San Remo 1914 - Rome 1980).* Fils d'un célèbre chef opérateur du muet, il devient lui-même, après des études aux Beaux-Arts, chef opérateur en 1943 ; la qualité de ses images et de ses trucages le fait remarquer. Il est ensuite assistant et cinéaste de seconde équipe. Ayant terminé, à ce titre, *la Bataille de Marathon* (J. Tourneur, 1959), il peut réaliser *le Masque du démon* (*La maschera del demonio,* 1960). Sur un canevas classique, tiré d'une nouvelle de Gogol, par le soin du décor, le souci des éclairages, le traitement du noir et blanc, les mouvements d'appareil, par l'érotisme lié à Barbara Steele, il apporte au cinéma fantastique une forme neuve et donne une impulsion déterminante au courant européen du genre. Puis, dans le champ du cinéma populaire, il œuvre dans une veine déjà ouverte, le péplum : *Hercule contre les vampires* (*Ercole al centro della terra,* 1961) ; le fantastique : *le Corps et le Fouet* (*La frusta e il corpo,* 1963) ; le western : *La strada per Fort Alamo* (1965, sous le pseud. John M. Old), et l'espionnage : *Operazione paura* (1966). Ou bien il découvre des veines nouvelles que l'on exploite, comme le thriller fantastique : *la Fille qui en savait trop* (*La ragazza che sapeva troppo,* 1963), *Six Femmes pour l'assassin* (*Sei donne per l'assassino,* 1964) et la science-fiction : *Terrore nello spazio* (1965). D'autres tarissent vite, comme l'adaptation de roman-photo : *Danger Diabolik* (*Diabolik,* 1968). Quatre constantes dans ces œuvres inégales : le raffinement de la mise en scène et de l'image (Bava resta son propre opérateur), le goût des thèmes et des symboles psychanalytiques (inceste, castration, etc.), l'érotisme savant et compliqué, le penchant pour le sadisme et la morbidité, qui domine au point qu'il a engendré un film entier : *la Baie sanglante* (*L'ecologia del delitto / Reazione a catena,* 1971). Après cette date, la modestie de Bava l'a poussé à s'effacer derrière des sujets imposés et ses derniers films répètent les premiers : *la Maison de l'exorcisme* (*La casa dell'esorcismo,* 1975), *Shock* (*id.,* 1977). Il a fait en Europe et aux États-Unis de nombreux émules, dont Dario Argento et son propre fils Lamberto Bava. A.G.

BAXTER *(Anne), actrice américaine (Michigan City, Ind., 1923-1985).* Petite-fille de l'architecte Frank Lloyd Wright, élevée à New York, elle est à onze ans l'élève de Maria Ouspenskaya et débute à Broadway deux ans plus tard. Elle apporte à l'écran (1940) un métier sans faille dans des emplois de jeunes premières ; mais, plus charmante que jolie, elle ne réussit pas à s'imposer parmi les stars. Sa candeur révélera peu à peu une rouerie qui, pour le rôle de la jeune vedette capable d'évincer Bette Davis dans *Ève,* lui vaut une deuxième nomination à l'Oscar (après celle du *Fil du rasoir*). Elle tourne fréquemment avec de grands metteurs en scène dans des films de prestige, mais sa carrière décline au fil des années 50 en dépit d'une assurance de plus en plus affirmée. En 1961, elle abandonne pour de longs mois Hollywood et choisit de vivre dans le *bush* australien, expérience dont elle tirera un livre *(Intermission : a True Story)* publié en 1976. Dans les années 70, elle renonce pratiquement à l'écran et reprend (1971) au théâtre un rôle tenu par Lauren Bacall, dans *Applause,* comédie musicale basée sur *Ève :* c'est celui-là même que tenait Bette Davis dans le film tourné vingt et un ans plus tôt. G.L.

Principaux films : *l'Étang tragique* (J. Renoir, 1941) ; *la Splendeur des Amberson* (O. Welles, 1942) ; *les Cinq Secrets du désert* (B. Wilder, 1943) ; *J'avais cinq fils* (L. Bacon, 1944) ; *Scandale à la cour* (O. Preminger, 1945) ; *le Fil du rasoir* (E. Goulding, 1946) ; *la Ville abandonnée* (W. Wellman, 1948) ; *Ève* (J. L. Mankiewicz, 1950) ; *la Loi du silence* (A. Hitchcock, 1953) ; *la Femme au gardénia* (F. Lang, *id.*) ; *les Forbans* (J. Hibbs, 1955) ; *les Dix Commandements* (C. B. De Mille, 1956) ; *Infamie* (Russell Birdwell, *id.*) ; *Cimarron* (A. Mann, 1960) ; *la Rue chaude* (E. Dmytryk, 1962), « guest star » dans *les Tontons farceurs* (J. Lewis, 1965) ; *Jane Austen in Manhattan* (J. Ivory, TV, 1980).

BAXTER *(Feodora Forde,* dite *Jane), actrice britannique d'origine allemande (Brake 1909).* Cette célèbre actrice de la scène britannique a fait quelques apparitions au cinéma : *The Constant Nymph* (B. Dean, 1933), *We Live Again* (R. Mamoulian, 1934). Elle a poursuivi sa carrière à la scène et à la télévision. B.G.

BAXTER *(Warner), acteur américain (Columbus, Ohio, 1889 - Beverly Hills, Ca., 1951).* Après une brève expérience théâtrale, il fait ses débuts à l'écran en 1918 et devient une vedette romantique du muet. Il est le premier Gatsby du cinéma (H. Brenon, 1926) et obtient l'Oscar pour son interprétation dans *In Old Arizona* (R. Walsh, 1929). Parmi ses très nombreux films, citons le western mélodramatique *The Squaw Man* (C. B. De Mille, 1931) et le musical *42ᵉ Rue* (L. Bacon, 1933). Il prête au héros de *Je n'ai pas tué Lincoln* (J. Ford, 1936) ses qualités habituelles : distinction et pathétique. J.-L.B.

BAYE *(Nathalie), actrice française (Mainneville 1948).* Après des études de danse et de théâtre, elle débute dans *la Nuit américaine* (1973) de Truffaut, qui la reprendra dans *l'Homme qui aimait les femmes* (1977), puis dans *la Chambre verte* (1978). Elle a été appréciée dans *la Gueule ouverte* (M. Pialat, 1974), puis dans *Mado* (C. Sautet, 1976), *Sauve qui peut (la vie)* de J.-L. Godard (1980), *Une semaine de vacances* (B. Tavernier, *id.*), *la Provinciale* (C. Goretta, 1981), *Une étrange affaire* (P. Granier-Deferre, *id.*), *le Retour de Martin Guerre* (Daniel Vigne, 1982), *la Balance* (Bob Swaim, *id.*), *J'ai épousé une ombre* (Robin Davis, 1983), *Notre histoire* (Bertrand Blier, 1984), *Rive droite, rive gauche* (Philippe Labro, *id.*), *Détective* (J.-L. Godard, 1985), *le Neveu de Beethoven* (P. Morrissey, *id.*), *Lune de miel* (Patrick Jamain, *id.*), *En toute innocence* (A. Jessua, 1988), *la Baule-les-Pins* (D. Kurys, 1990), *Gioco al massacro* (D. Damiani, *id.*), *Un week-end sur deux* (N. Garcia, *id.*), *The Man Inside* (Bobby Roth, id.), *la Voix* (P. Granier-Deferre, 1992), *la Machine* (F. Dupeyron, 1994). M.M.

BAZIN *(André), critique français (Angers 1918 - Bry-sur-Marne 1958).* Se destinant à l'enseignement, Bazin étudie aux écoles normales de La

Rochelle et de Versailles, puis à l'École normale supérieure de Saint-Cloud (où il fonde un groupe Esprit) ; il se tourne vers la critique et la pédagogie du cinéma (à la Maison des lettres dès 1942, à l'IDHEC en 1943, à Travail et Culture à partir de 1945). Il anime conférences, cours, stages, débats de ciné-clubs. Le journalisme le requiert. Critique au *Parisien libéré,* il devient un rédacteur essentiel de *l'Écran français,* d'*Esprit,* de *la Revue du cinéma,* de *Radio-cinéma* (aujourd'hui *Télérama*). En 1951, avec Doniol-Valcroze et Lo Duca, il fonde les *Cahiers du cinéma,* qu'il dirige jusqu'à sa mort. Cela lui vaut d'être tenu – abusivement – pour le père spirituel de la Nouvelle Vague, qui a hérité de sa passion exigeante du film, mais guère de sa lucidité généreuse.

Étrangement pour un militant, Bazin est convaincu, dès 1943, « que l'on ne saurait modifier la qualité des films en éduquant préalablement le goût du public, mais que c'est au contraire la qualité de ces films qui peut l'éduquer ». Il ne désespère pas du grand public, loin de là (« son goût de la compétence » si efficient dans le domaine du sport pourrait jouer dans celui du cinéma), mais il croit à la nécessité d'une élite agissante et même à la fonction positive du snobisme.

Bazin n'a pas édifié de système esthétique. Il n'est pas un théoricien, moins encore un dogmatique, mais un éveilleur. Un film, même mauvais, lui est l'occasion de développer des hypothèses historiques ou sociologiques, de réfléchir aux voies de la création. Il établit sa démarche sur le paradoxe, attitude féconde si le paradoxe est, dialectiquement, le vrai qui semble faux. Partant de l'aspect le plus contradictoire d'un film, il en démontre la nécessité esthétique. Le *Journal d'un curé de campagne, les Parents terribles* sont d'autant plus *du cinéma* qu'ils respectent scrupuleusement l'un la lettre de l'œuvre littéraire, l'autre la substance théâtrale de la pièce. Il fait l'éloge du *cinéma impur.* Il devance l'analyse structurale en justifiant les *défauts* ou les *anomalies* des chefs-d'œuvre, aussi indispensables que les *qualités* à leur fonctionnement global. Catholique, prosélyte dès vingt ans du personnalisme selon Emmanuel Mounier, Bazin a logiquement développé une critique spiritualiste : dans la réalité du monde, il veut voir « le côté pile de la face de Dieu ».

Quelques grands thèmes confèrent à sa pensée critique toute sa cohérence. Pour Bazin, l'origine photographique du film fonde la nouveauté et la fascination du cinéma. La photo est une sorte de duplicata – certes imparfait – du monde, un reflet pétrifié dans le temps à quoi le cinéma rend la vie : « Pour la première fois, l'image des choses est aussi celle de leur durée et comme la momie du changement. » Tout ce qui est filmé *a été.* Fasciné, Bazin parle du *réalisme ontologique* du cinéma. Il n'ignore pas toutefois que le réalisme n'est pas donné, qu'il est à faire. Dès 1944, il distingue le réalisme technique (photographique) du réalisme stylistique (forme et contenu). Si l'apport essentiel du cinéma est le réalisme, ce sentiment de réalité dont il persuade le spectateur, tout ce qui va à son encontre est suspect. Bazin rejette les morcellements du montage si propice aux trucages et aux manipulations et privilégie le plan en continuité et en profondeur de champ : le plan-séquence. Vers la fin des années 60, la critique *gauchiste,* dans une lecture réductrice et souvent sectaire, ne veut trouver chez Bazin qu'idéalisme bourgeois, naïvetés chrétiennes, obsessions, mysticisme, esprit de réaction. Pourtant, Bazin peut paraître le théoricien prophétique du *cinéma différent :* en libérant le plaisir des exigences dramaturgiques ; en impliquant le spectateur dans une relation active à l'écran ; en déliant l'espace et la durée des servitudes de l'anecdote. B.A.

BÉART *(Emmanuelle), actrice française (Saint-Tropez 1965).* Fille du chanteur-compositeur Guy Béart, elle débute au cinéma dans *Demain les mômes* (Jean Pourtalé, 1976), mais elle tourne peu jusqu'à *Premiers désirs* (David Hamilton, 1984) et *Un amour interdit* (Jean-Pierre Dougnac, *id.*). C'est *Manon des Sources* (C. Berri, 1986) qui la révèle au grand public et lui permet de mener habilement sa carrière en veillant à l'équilibre entre cinéma d'auteur et cinéma dit commercial : *les Enfants du désordre* (Y. Bellon, 1989), *la Belle Noiseuse* (J. Rivette, 1991), *J'embrasse pas* (A. Téchiné, *id.*), *Un cœur en hiver* (C. Sautet, 1992), *l'Enfer* (C. Chabrol, 1994), *Une femme française* (R. Wargnier, 1995) *Nelly et M. Arnaud* (C. Sautet, id.). D.S.

BEATLES *(les), groupe de musique pop britannique, qui se produit en tant que tel de 1962 à 1970.*

Il se compose de quatre musiciens originaires de Liverpool : Ringo Starr [Richard Starkey] (né en 1940), John Lennon (né en 1940 - New York, N. Y., 1980), Paul McCartney (né en 1942), George Harrisson (né en 1943). Acteurs dans *Quatre Garçons dans le vent* (1964) et *Au secours !* (1965) de Richard Lester, *Magical Mystery Tour,* qu'ils réalisent eux-mêmes (1967), et *Let It Be* [DOC] de Michael Linsay Hogg (1970). Ils inspirent le dessin animé construit autour de leurs chansons : *le Sous-Marin jaune,* de George Dunning (1968). Chacun des membres joue par la suite dans divers films : Starr (*Candy,* Christian Marquand, *id. ; 200 Motels,* Franck Zappa, 1971), etc. ; Lennon (*Comment j'ai gagné la guerre,* R. Lester, 1967), Harrisson (*The Concert for Bangla Desh,* Paul Swimmer, 1972), Mc Cartney (*Rendez-vous à Broad Street* [*Give My Regards to Broad Street*], Peter Webb, 1984). Sous la direction de Lester, les Beatles donnent le meilleur d'eux-mêmes. C'est Lennon qui possède la personnalité la plus forte du groupe. Dès sa rencontre en 1966 avec l'artiste d'avant-garde Yoko Ono (qu'il épouse en 1969), il décide de prendre ses distances avec l'image que l'industrie donne de lui et de ses amis. Le couple réalise, entre 1969 et 1972, une quinzaine de films expérimentaux dont on peut retenir *Imagine* (1971), qui illustre, par une foule d'inventions plastiques, les morceaux de l'album du même nom. John Lennon est assassiné à New York en 1980.

R.BA.

BEATON *(Cecil), costumier britannique (Londres 1904 - Broad Chalke 1980).* Il débute en 1927 et s'affirme comme un grand spécialiste de l'époque edwardienne. On fera donc appel à lui pour habiller à l'écran des pièces d'Oscar Wilde, tel *Un mari idéal* (A. Korda, 1947). C'est un homme au goût irréprochable, mais dont le travail méticuleux a tendance à jouer les vedettes : si Vincente Minnelli (*Gigi,* 1958 ; *Mélinda,* 1970) a su le maîtriser, George Cukor (*My Fair Lady,* 1964) s'est, en revanche, laissé submerger par son invention envahissante.

C.V.

BEATTY *(Henry Warren Beaty,* dit *Warren), acteur et cinéaste américain (Richmond, Va., 1937).* Frère cadet de l'actrice Shirley MacLaine, il poursuit des études universitaires, puis d'art dramatique à New York. Kazan lui confie, aux côtés de Natalie Wood, le rôle de Bud, adolescent étouffé par les conventions, passionné, malheureux – ce que Beatty et Kazan furent sans doute eux-mêmes : *la Fièvre dans le sang* (1961). Puis il est le gigolo italien séduisant Vivien Leigh dans *le Visage du plaisir (The Roman Spring of Mrs. Stone),* d'après T. Williams, seul film qui sauve de l'oubli le cinéaste José Quintero. On voit en Beatty un successeur de Dean, de Brando. Son charme, sa jeunesse, une aura de solitude (*Lilith* de Rossen, 1964 ; *Mickey One* de Penn, 1965) compensent des tics pris à ces *modèles,* et sa composition de tueur psychopathe (Clyde Barrow), avec Faye Dunawaye, dans *Bonnie and Clyde* (A. Penn, 1967) lui vaut l'Oscar du meilleur acteur. C'est à partir de ce film qu'il déclare prendre réellement conscience des exigences de son métier. Il affronte Liz Taylor dans *Las Vegas... un couple* (*The Only Game in Town,* G. Stevens, 1970), devient l'hirsute, l'inattendu et convaincant *John McCabe* d'Altman (1971) face à Julie Christie, et enquête sur la mort d'un candidat à la présidence dans *À cause d'un assassinat* (A. J. Pakula, 1974). Il change de registre avec plus ou moins de bonheur, selon les cinéastes qui le dirigent. Il produit *Shampoo* (dont il est coscénariste) et s'y donne un rôle frisant l'autodérision (A. Ashby, 1975). Écrit avec Elaine May, *Le ciel peut attendre* (*Heaven Can Wait,* 1978), qu'il dirige et interprète, est en fait un remake du *Défunt récalcitrant (Here Comes Mr. Jordan),* signé en 1941 par Alexander Hall et Robert Montgomery. Bien *lancé* par Beatty, le film obtient un large succès public. En 1981, il réalise une ambitieuse biographie du journaliste John Reed, qu'il interprète également : *Reds,* et neuf ans plus tard il est à nouveau devant et derrrière la caméra pour *Dick Tracy,* un film qui prend pour héros le plus célèbre menton en galoche de l'histoire de la B.D. : le détective Dick Tracy, menacé par le truand Big Boy et la vamp Breathless Mahoney. Autres rôles : *l'Ange de la violence* (J. Frankenheimer, 1962) ; *Promise Her Anything* (A. Hiller, 1966) ; *le Gentleman de Londres* (*Kaleidoscope,* J. Smight, *id.*) ; *Dollars* (R. Brooks, 1971) ; *la Bonne Fortune* (M. Nichols, 1975) ; *Ishtar* (Elaine May, 1987) ; *Bugsy* (*id.*, B. Levinson, 1991) ; *Love Affair* (Glenn Gordon Caron, 1994). ▲

C.M.C.

BEAUDINE *(William), cinéaste américain (New York, N. Y. 1892 - Los Angeles, Ca., 1970).* En 1909, il entre dans les studios new-yorkais de la Biograph, où il est successivement assistant de D. W. Griffith, Dell Anderson et Marshall Neilan. Sa carrière prolifique de réalisateur débute en 1915 avec la série comique *Ham et Bud.* Son impressionnante filmographie comporte plus de 300 titres, dont l'immense majorité est maintenant tombée dans l'oubli (la quantité l'a toujours emporté sur la qualité, l'homme d'affaires ayant toujours pris le dessus sur l'artiste). Artisan à tout faire du cinéma familial et commercial, il eut pourtant le privilège de diriger Mary Pickford dans *la Petite Annie* (*Little Annie Rooney,* 1925) et surtout dans *les Moineaux* (*Sparrows,* 1926), considéré comme son meilleur film avec *Penrod and Sam* (1931). W. C. Fields a également contribué à le tirer de l'oubli en jouant sous sa direction *Parade et Rire* (*The Old-Fashioned Way,* 1934). L'étonnante abondance de cette œuvre ne se limita pas à l'activité cinématographique, puisque Beaudine a dirigé près de 200 émissions pour la télévision. R.L.

BEAULIEU → CAMÉRA.

BEAUMONT *(Harry), cinéaste américain (Abilene, Kans., 1888 - Santa Monica, Ca., 1966).* Débute comme metteur en scène en 1915, après avoir été acteur. Il est amené à travailler jusqu'en 1948, date de sa retraite cinématographique, pour plusieurs grands studios (Essanay, Fox, Metro, Warner, MGM). Se détachent au sein d'une fructueuse carrière *The Gold Diggers* (1923), *Beau Brummell* (1924) avec John Barrymore, *Babbitt* (id.), *The Broadway Melody* (1929) et surtout deux films joués par Joan Crawford, *les Nouvelles Vierges* (*Our Dancing Daughters,* 1928) et *Dance, Fools, Dance* (1931), qui sont un reflet fidèle de l'Amérique enfiévrée de la prohibition et du charleston, mais aussi – pour le second film – du krach de 1929. P.B.

BEAUREGARD *(Edgar Denys Nau de Beauregard,* dit *Georges de), producteur français (Marseille 1920 - Paris 1984).* Avec *À bout de souffle* (1960) de Jean-Luc Godard, il devient pour dix ans le producteur attitré de la Nouvelle Vague. Demy (*Lola,* 1961), Rozier (*Adieu Philippine,* 1962), Melville (*Léon Morin, prêtre,* id. ; *le Doulos,* 1963), Agnès Varda (*Cléo de 5 à 7,* 1962), Schoendoerffer *(la 317e Section,* 1964), Rivette (*la Religieuse,* 1966) et Rohmer (*la Collectionneuse,* 1967) lui doivent le vrai départ de leur carrière, mais il a aussi produit Chabrol, Grangier ou Françoise Sagan, et surtout six autres films de Godard, du *Petit Soldat* (1960) à *Numéro deux* (1975). Il a été également le producteur des films de Bardem, *Mort d'un cycliste* (1955) et *Grand'Rue* (1956). J.-P.B.

BECH *(Lili Beck Magnussen,* dite *Lili), actrice danoise (1885-1939).* Elle débute dans son pays natal (*les Morphinomanes* [*Morfinisten,* 1911] de L. von Kohl) puis rencontre Victor Sjöström, qu'elle épouse. Elle tourne alors sous la direction de son mari (*le Jardinier,* 1912 ; *les Enfants de la rue,* 1914 ; *Therese,* 1916) et sous celle de Mauritz Stiller (*les Masques noirs,* 1912 ; *la Vampire,* id. ; *l'Enfant,* 1913 ; *l'Oiseau de la tempête,* 1914 ; *les Ailes,* 1916), les premières œuvres importantes du cinéma suédois. Elle retourne au Danemark en 1916 après son divorce. J.-L.P.

BECKER *(Jacques), cinéaste français (Paris 1906 - id. 1960).* Né d'un père français et d'une mère écossaise, il est élevé dans la grande bourgeoisie intellectuelle parisienne : c'est chez les Cézanne qu'il est présenté à Jean Renoir, en 1924, et dans l'entourage immédiat de l'auteur de *la Grande Illusion* (film dans lequel il tient un petit rôle) qu'il apprend son futur métier. Figurant dans *le Bled* (1929), puis assistant de *Boudu sauvé des eaux* (1932) à *la Marseillaise* (1938), il est coréalisateur de *La vie est à nous* (1936), dont il aurait dirigé l'épisode paysan avec Gaston Modot. Simultanément, il réalise (avec Pierre Prévert) deux moyens métrages adaptés de Courteline.

Le volume de l'œuvre personnelle de Jacques Becker n'est pas à la mesure de son importance : treize films seulement entre 1942 et 1959. Mais ces films attestent de telles qualités de clarté, de mesure, ils témoignent d'une telle maîtrise – jusque dans le ton adopté (propre à chaque film et à chaque genre) – qu'ils sont vraiment uniques. Si on veut bien admettre que *Dernier Atout,* qu'il tourne en 1942, souffre du flou que les contraintes de l'Occupation ont imposé à son scénario (une intrigue policière située dans une Amérique latine convenue), ou qu'*Ali Baba et les quarante voleurs,* réalisé au Maroc en

1955, est une œuvre de commande mineure dans sa filmographie, tous les exégètes de Becker ont pu s'accorder au moins pour voir en lui le plus français des cinéastes français, le plus attentif à une approche du réel qui ne doit rien à la tradition noire de l'avant-guerre, ni au goût italien dont il est contemporain, mais qui est totale reconstruction à partir d'une observation fine de l'époque (la sienne, ou une Belle Époque de convention dont il explore les deux faces contradictoires dans *Casque d'or* et *les Aventures d'Arsène Lupin*).

En 1943, *Goupi Mains Rouges* est la description d'une communauté paysanne, aux frontières d'un fantastique noir que Becker maîtrise et refuse au profit d'une série de portraits chaleureux (Fernand Ledoux, Robert Le Vigan) brossés à contre-courant de l'imagerie du retour à la terre des années Pétain. *Falbalas,* au contraire, peint le monde de la haute couture parisienne avec sensibilité et rigueur (Becker ne condamne pas ses personnages, la mort de Raymond Rouleau à la fin est bouleversante comme une injustice), avec aussi des notations de réalisme fugitives et fortes.

La même attention aux menus détails unit, d'*Antoine et Antoinette* à *Rue de l'Estrapade,* les quatre comédies qui composent, ensemble, la chronique la plus juste et la plus tendre de l'après-guerre. Sauf celui de *Rendez-Vous de juillet* (dû à la collaboration de Jacques Becker et de Maurice Griffe), qui a une réelle épaisseur romanesque, les scénarios en sont extrêmement ténus, simples prétextes à des variations sentimentales délicatement dessinées. *Casque d'or* (1952), qui rompt la série des comédies au présent, est l'un des plus beaux films jamais produits en France. À partir d'un moment de la chronique des bas-fonds parisiens (l'authentique affrontement, pour une belle, de deux voyous de barrière en 1902), Becker donne la vie à une galerie de personnages dont la justesse psychologique prend constamment le pas sur la composante folklorique. L'époque est plus évoquée cette fois que reconstituée, mais avec une grande vérité (autour du vieil artisan incarné par Gaston Modot notamment) qui fait sourdre dans le drame crapuleux toute la mémoire du peuple de Paris. Le style est fluide, la caméra épouse le rythme de l'émotion (dans la séquence de la guinguette, par exemple, ou au bord de la Marne), les comédiens sont portés par cet *état de grâce* que Simone Signoret, éternelle Casque d'or, évoque dans ses souvenirs.

Touchez pas au grisbi (1954) inaugure la veine *série noire* à la française, au rythme détendu, avec le souci d'humaniser les héros d'un roman d'Albert Simonin (qui collabore au scénario), et la révélation d'un Jean Gabin pesant et précis, qui inaugure là sa seconde carrière après dix années difficiles.

Arsène Lupin est une fantaisie Belle Époque, décorative, d'un humour délicieux. *Montparnasse 19,* projet ophulsien que Jacques Becker dut reprendre à son compte après la mort de l'auteur de *Lola Montès,* délaisse la fresque facile au profit d'une réflexion sur la solitude qui ne fut guère comprise à la sortie du film, en 1958.

Enfin, *le Trou* (sorti en 1960 quelques semaines après la mort de son auteur) est le second grand film de Jacques Becker – film sur l'univers carcéral (il s'agit de l'affrontement de cinq hommes qui préparent une évasion dans le huis clos d'une cellule), épure de mise en scène dont la rigueur rejoint celle des meilleurs films *de prison* hollywoodiens, mais empreint de chaleur humaine, l'ultime message de Becker moraliste. J.-P.J.

Films ▲ : *Le commissaire est bon enfant* (MM., 1935) ; *Le gendarme est sans pitié* (MM, *id.*) ; *l'Or du Cristobal* (terminé par Jean Stelli, 1939) ; *Dernier Atout* (1942) ; *Goupi Mains Rouges* (1943) ; *Falbalas* (1945) ; *Antoine et Antoinette* (1947) ; *Rendez-Vous de juillet* (1949) ; *Édouard et Caroline* (1951) ; *Casque d'or* (1952) ; *Rue de l'Estrapade* (1953) ; *Touchez pas au grisbi* (1954) ; *Ali Baba et les quarante voleurs* (id.) ; *les Aventures d'Arsène Lupin* (1957) ; *Montparnasse 19* (1958) ; *le Trou* (1960).

BECKER *(Jean), cinéaste français (Paris 1933).* Fils de Jacques Becker. Il a débuté comme assistant et signé trois films policiers dont la vedette était Jean-Paul Belmondo : *Un nommé La Rocca* (1961), *Échappement libre* (1964) et *Tendre Voyou* (1966) et une comédie farfelue : *Pas de caviar pour tante Olga* (1965). Après avoir œuvré dans le film publicitaire pendant plusieurs années, il est revenu au cinéma avec deux succès commerciaux, dus essentiellement à l'impact publicitaire de l'actrice choisie pour interpréter le rôle principal : Isabelle Adjani pour *l'Été meurtrier* (1983) et Vanessa Paradis pour *Élisa* (1995). C.O.

BEERY *(Noah), acteur américain (Smithville, Mo., 1882 - Los Angeles, Ca., 1945).* Frère aîné de Wallace Beery, acteur de théâtre, puis de cinéma, spécialisé dans les rôles de *méchants,* souvent des agents d'autorité sadiques : délégué aux affaires indiennes (*la Race qui meurt* [*The Vanishing American*], George B. Seitz, 1925), sergent de la Légion (*Beau Geste,* H. Brenon, 1926), gardien de prison (*les Damnés du cœur,* C. B. De Mille, 1929). Au cours de sa prolifique carrière, on peut encore citer *le Signe de Zorro* (F. Niblo, 1920), *le Loup des mers* (*The Sea Wolf,* George Melford, *id.*), *The Dove* (R. West, 1927), *l'Arche de Noé* (M. Curtiz, 1929), *les Quatre Plumes blanches* (M. C. Cooper, E. B. Schoedsack et L. Mendes, *id.*), *Lady Lou* (*She Done Him Wrong,* L. Sherman, 1933). J.-L.B.

BEERY Jr *(Noah), acteur américain (New York, N. Y., 1913 - Tehachapi, Ca., 1994).* Fils de Noah Beery et neveu de Wallace Beery, il est d'abord enfant acteur à la fin du muet (*le Signe de Zorro,* F. Niblo, 1920). Il commence sa véritable carrière en 1939 avec *Seuls les anges ont des ailes* de Howard Hawks, réalisateur avec lequel il tournera nombre de films dont *Sergent York* (1941), *la Rivière rouge* (1948) ; on le voit dans des rôles secondaires de cow-boy pittoresque dans divers films et séries télévisées. B.G.

BEERY *(Wallace), acteur américain (Kansas City, Mo., 1885 - Los Angeles, Ca., 1949).* Sa carrière hollywoodienne commence vers 1913, après des débuts au cirque. Son physique n'est pas exactement celui d'un jeune premier. Il joue donc les brutes et les personnages hauts en couleur. Antipathique pour commencer, il sert de faire-valoir à des personnages beaucoup plus distingués que le sien : Douglas Fairbanks dans *The Mollycoddle* (V. Fleming, 1920) ou *Robin des bois* (A. Dwan, 1922, où il est Richard Cœur de Lion), Rudolph Valentino dans *les Quatre Cavaliers de l'Apocalypse* (R. Ingram, 1921) ou Buster Keaton dont il est le *rival* dans *les Trois Âges,* en 1923. Mais il plaît au public, devient une vedette considérable, et l'on se met à construire des films pour lui. Son âge d'or se situe entre 1927 et 1940. Dans *les Mendiants de la vie* (1928), William Wellman lui donne son emploi type : Oklahoma Red, le chef d'une bande de clochards, qui cache un cœur d'or sous une apparence de brute. À la fin du film, il se sacrifie pour assurer le bonheur de Louise Brooks, qu'il aime en secret. L'année suivante, dans son premier film parlant, *Chinatown Nights,* Wellman fait de lui à nouveau un chef de bande régénéré par l'amour de Florence Vidor. Dès lors, à peu près systématiquement, Wallace Beery va se trouver confronté à des personnages fragiles, des jeunes femmes ou des enfants. En 1930, il est convict dans *Big House* de George W. Hill, Pat Garrett dans *Billy the Kid* de King Vidor (*id.*), boxeur déchu protecteur d'un enfant dans *le Champion* (du même Vidor en 1931, avec Jackie Cooper). En 1932, il est industriel dans *Grand Hôtel* d'Edmund Goulding, puis un lutteur allemand ridiculisé par une femme dans *Une femme survint* (1932) de John Ford. En 1934, il est l'admirable Pancho Villa de *Viva Villa* d'Howard Hawks et Jack Conway, et le rival de George Raft dans *The Bowery,* de Raoul Walsh. Après *l'Île au trésor* (V. Fleming, 1934), *Au service de la loi* (J. von Sternberg, 1939), la qualité de ses films va vraiment décliner, mais non sa popularité jusqu'à sa mort en 1949. D.R.

BEGLEY *(Edward James,* dit *Ed), acteur américain (Hartford, Conn., 1901 - Los Angeles, Ca., 1970).* Venu de la radio locale, très populaire à la TV, il a incarné avec une belle constance à l'écran (depuis *Boomerang* d'E. Kazan, 1947) des personnages antipathiques, que son masque accentué et son précoce vieillissement rendent intéressants. Son rôle de démagogue cruel, corrompu et faussement rusé dans *Doux Oiseau de jeunesse* (R. Brooks, 1962) lui vaut un Oscar (« best supporting actor »). G.L.

Principaux films : *la Dernière Rafale* (W. Keighley, 1948) ; *la Maison dans l'ombre* (N. Ray, 1952) ; *Bas les masques* (R. Brooks, *id.*) ; *Douze Hommes en colère* (S. Lumet, 1957) ; *le Coup de l'escalier* (R. Wise, 1959) ; *The Oscar* (R. Rouse, 1966) ; *Firecreek* (Vincent Mac Eveety, 1968).

BĒHĪ *(Ridhā [al-Bahī]), cinéaste tunisien (Kairouan 1947).* Études de lettres à Tunis, de sociologie et d'ethnographie à Paris. Initié au cinéma par l'actif ciné-club de Kairouan dès 1964, il écrit des scénarios (*Sous la pluie de l'automne,* Ahmed Kechine, 1968) et se fait remarquer par un court métrage, *Seuils interdits* (1972). Son premier long métrage traite également de la mutation socioculturelle que provoque le tourisme : *Soleil des hyènes (ash-Shams wa adh-dhibā',* 1978). Il réalise des documentaires pour le Koweit, puis *Les anges ont froid l'hiver (el-Malaïka)* en 1983 et *la Mémoire tatouée* en 1986. Il aborde la question palestinienne à travers la révolte des Pierres dans *Chronique des nuits ensoleillées* (*Waqāï' al Layalī al Mushmisa,* 1990), grande production tuniso-palestino-hollandaise. En 1994, il signe *Les hirondelles ne meurent pas à Jérusalem.* C.M.C.

BEINEIX *(Jean-Jacques), cinéaste français (Paris 1946).* Forgé par l'assistanat auprès de réalisateurs comme R. Clément, C. Berri ou C. Zidi, et par le court métrage *(le Chien de M. Michel),* il adapte, en 1981, un roman policier de Delacorta, *Diva,* qui met en scène les aventures modernes d'un postier, d'une cantatrice, et de divers marginaux. Le film obtient un tardif mais vif écho auprès des spectateurs qui y reconnaissent l'esthétique des années 80 et en font un film-culte. Il peaufine, à la limite du maniérisme, ce parti pris dans *la Lune dans le caniveau* (1983). Il attend 1986 pour adapter un troisième roman noir, *37°2 le matin* (d'après Philippe Djian) qui obtient un véritable succès auprès d'un large éventail de spectateurs, en attente d'un romantisme aux couleurs du temps. *Roselyne et les lions* (1989) en revanche ne trouvera pas son public. En 1992, il réalise *I.P. 5, l'île aux pachydermes* avec Yves Montand dans son dernier rôle. A.T.

BEK-NAZAROV *(Amo Ivanovič Bek-Nazarov / Beknazarjan,* dit *Amo), acteur et cinéaste soviétique arménien (Erivan 1892 - Moscou 1965).* Il débute comme acteur en 1915 dans *'Enver Pacha, traître de la Turquie',* de Vladimir Gardine, et apparaît dans plusieurs films de Vesselovski, Svetlov, Gromov et Evgueni Bauer. Après l'instauration du pouvoir soviétique, il sera le fondateur de la cinématographie arménienne et l'un des animateurs – avec Ivan Perestiani notamment – de la cinématographie géorgienne. En Géorgie, il tourne *'Au pilori'* (*U pozornogo stolba,* 1924), *'les Trésors disparus'* (*Propavšie sokrovišča,* id.), *'Natella'* (id., 1926). *Namous / l'Honneur* (*Namus,* 1926) est le premier long métrage de fiction arménien. L'année 1927 est une année faste pour le cinéaste qui signe également *'Zare'* (id.) et la ciné-comédie *'Chor et Chorchor'* (*Šor i Šoršor).* Parmi les films ultérieurs de Bek-Nazarov, il faut citer *'Khas-Pouch'* (*Has-Puš,* 1927), le documentaire *'la Terre de Nairi'* (*Strana Nairi,* 1931), le célèbre et très populaire *Pepo* (id., 1935), *'Zanguezour'* (*Zangezur,* 1938) *'David-Bek'* (id., 1944) et *'la Fille de l'Ararat'* (*Devuška Araratskoj doliny,* 1950). J.-L.P.

BELAFONTE *(Harold George,* dit *Harry), chanteur et acteur américain (New York, N. Y., 1927).* Il passe son enfance à la Jamaïque, dont son père est originaire, puis s'engage dans l'US Navy (1944). En 1952, il est devenu l'un des chanteurs noirs les plus en vogue des cabarets et music-halls américains, introducteur notamment de rythmes antillais. Il débute à l'écran en 1953 et Preminger l'engage comme vedette masculine de *Carmen Jones* (1954). Malgré ses dons manifestes, sa carrière ultérieure au cinéma se limitera à quelques films seulement, dont *Une île au soleil* (R. Rossen, 1957), *le Monde, la Chair et le Diable* (R. Mac Dougall, 1959) et *le Coup de l'escalier* (R. Wise, 1959). Tout en poursuivant à la scène et par le disque sa fabuleuse carrière, Belafonte s'associera avec Sidney Poitier vers 1970 pour produire des films entièrement joués et réalisés par des Noirs, où il apparaît quelquefois. G.L.

BELÉN *(María del Pilar Cuesta Acosta,* dite *Ana), actrice et cinéaste espagnole (Madrid 1950).* Débute à l'écran alors qu'elle est encore adolescente (*Zampo y yo,* Luis Lucía, 1964), et mène une carrière à la fois de chanteuse et de comédienne. Sa popularité et sa beauté ne l'empêchent pas de choisir ses rôles avec une certaine exigence, comme en témoignent *Sonámbulos* (1977) et *Démons dans un jardin* (1982) de Manuel Gutiérrez Aragón, *La colmena* (1982) et *La casa de Bernarda Alba* (1987) de Mario Camus, *La corte de Faraón* (1985) et *Divinas palabras* (1987) de José Luis García Sánchez, ainsi que *La pasion turca* (1995) de Vicente Aranda. Elle a mis en scène *Cómo ser mujer y no morir en el intento* (1991). P.A.P.

BEL GEDDES *(Barbara Geddes Schreiver,* dite *Barbara), actrice américaine (New York, N. Y., 1922).* Plus active au théâtre et à la télévision qu'au cinéma, où elle débute en 1947 avec *The Long Night* de Litvak, elle n'en sait pas moins interpréter avec beaucoup de clarté et de sensibilité des personnages féminins réservés, plus sympathiques que séduisants : *Panique dans la rue* (E. Kazan, 1950), *Sueurs froides* (A. Hitchcock, 1958) ou *Millionnaire de cinq sous* (M. Shavelson, 1959). Elle tient avec aisance un rôle de première importance dans *Tendresse* (G. Stevens, 1948), film qui lui permet d'obtenir un Oscar (« best supporting actress »), et *Caught* (Max Ophuls, 1949).

A.M.

BELGIQUE. Quelques points sont à préciser lorsqu'on aborde cette cinématographie. La Belgique, comme le Canada, est un pays biculturel, où se côtoient Wallons et Flamands. La proximité de la France attire à elle, depuis les origines du 7e art, acteurs, techniciens et cinéastes (Jacques Feyder*, Charles Spaak*, Fernand Ledoux*, Raymond Rouleau*, etc.). Si de purs Flamands comme Dekeukeleire* et Storck* ont dû souvent utiliser le français dans leurs films, la tradition flamande imprègne toutefois fortement les mentalités. Ces diverses interpénétrations culturelles donnent, tout de même, un caractère d'unité – ou du moins certains traits communs – au cinéma belge. Il ne nous a donc pas semblé utile de faire une étude différenciée de chaque zone. La présence de références picturales, allant de Bosch et Bruegel à Paul Delvaux et Magritte en passant par Félicien Rops et James Ensor, l'attachement à la terre, le goût du fantastique marquent cette cinématographie ; par ailleurs, le jeu des acteurs l'éloigne, jusqu'à une période récente, de la réussite au niveau de la fiction. Le cinéma belge s'impose surtout par le documentaire, l'essai formaliste et le film sur l'art.

La préhistoire du cinéma compte deux Belges dans ses rangs. Étienne G. Robert (dit Robertson) met au point en 1797 le Phantascope, genre de lanterne magique qui autorise les ombres projetées à changer de forme par des embryons de mouvements. Joseph Plateau conçoit, lui, en 1832, le Phénakistiscope, dans lequel un disque, pourvu de fentes permettant de voir des images dessinées, donne l'illusion du mouvement.

C'est le 1er mars 1896 qu'a lieu la première projection publique du cinématographe ; au programme : quelques bandes des frères Lumière. En 1904, Louis Van Goitsenhoven inaugure le cinéma permanent dans la capitale. En 1906, le docteur Decroly tourne le premier film du cru. Le véritable précurseur du cinéma belge est le Français Alfred Machin*, alors employé chez Pathé*. Ce dernier, à l'opposé de Gaumont*, préfère envoyer ses réalisateurs sur place, travailler avec des équipes locales, plutôt que de diffuser à outrance les œuvres de la mère patrie de par le monde. Cette politique empêche le cinéma belge de se créer une tradition filmique authentique, à l'instar de ses voisins suédois ou danois. Machin reste en Belgique de 1912 à 1914 et y réalise une vingtaine de films, dont *Histoire de Minna Claessens,* premier long métrage du pays (1912). *La Fille de Delft* et *Maudite soit la guerre,* deux films de 1913, ont été sauvés. Dans le premier, un mélodrame, on note un emploi très novateur du montage alterné. *Maudite soit la guerre,* film prémonitoire, est terminé en septembre 1913 ; il est bloqué jusqu'en juin 1914 par son producteur que les prises de position pacifistes de Machin effarouchent.

De l'immédiat après-guerre jusqu'au milieu des années 20, aucune œuvre marquante n'est réalisée. Mais le pays se dote d'infrastructures. Hippolyte De Kempeneer installe de vastes studios à Machelen en 1921 et y invite les Français Julien Duvivier* et Jacques de Baroncelli*. De nombreux documentaires et quelques films à scénario voient également le jour dans ces années-là. C'est à cette époque que débutent le marquis de Wavrin (*Au cœur de l'Amérique du Sud,* 1924) et Gaston Schoukens (*Monsieur mon chauffeur,* 1926), respectivement pionniers du film ethnographique et du film de fiction.

En 1927 apparaissent les premiers cinéastes belges authentiques : Charles Dekeukeleire et Henri Storck. Ce sont des avant-gardistes qui s'orientent ensuite vers le documentaire. *Combat de boxe* (1927), *Impatience* (1928), *Histoire de détective* (1929) et *Flamme blanche* (1930), films expérimentaux très radicaux, utilisant l'alternance du négatif et du positif, le montage rapide, etc., classent leur auteur, Charles Dekeukeleire, parmi les maîtres du genre. Son effacement historique est dû au fait qu'il échappe aux classifications : ses films, qui ne sont ni abstraits ni dadaïstes, se trouvent marginalisés par les orthodoxes de tout poil. Plus éclectique, à ses débuts, Henri Storck subit l'influence du surréalisme et de Flaherty*. Après quelques films tournés dans le format 9,5 mm en 1927-28, il réalise une série d'essais poétiques et impressionnistes : *Images d'Ostende* (1929), *Sur les bords de la caméra* (1932), *Une idylle à la plage* (1931). Le document social (*Histoire du soldat inconnu,* 1932 ; *Borinage* [coauteur : Joris Ivens*], 1933, peut-être le premier film belge engagé politiquement), et les films sur l'art (*Regards sur la Belgique ancienne,* 1936) vont se partager sa carrière. Ce sont en général des courts métrages. Il n'est guère présomptueux de comparer ce courant documentariste des années 30 au mouvement britannique du GPO. Œuvre dans laquelle le cinéaste fait un parallèle entre les hommes et les paysages qui ont jadis inspiré les peintres et leurs incarnations actuelles, *Thèmes d'inspiration,* de Dekeukeleire (1938), est, par exemple, primé à Venise. André Cauvin inaugure une nouvelle voie dans le domaine du film sur l'art en appliquant les potentialités du langage filmique (gros plans, mouvements de caméra, etc.) à l'analyse d'œuvres picturales : *l'Agneau mystique* et *Memling* (1938). Par la suite, Cauvin s'oriente vers le film ethnographique (*Congo, terre d'eaux vives,* 1939 ; *Bwana Kitoko,* 1952, etc.), dont il est un spécialiste avec Gérard De Boe (*Kisantu,* 1939 ; *Yangambi,* 1943, etc.). À côté de ces bandes, le film expérimental se porte également bien : *la Perle* d'Henri d'Ursel et Georges Hugnet (1929), *Fleurs meurtries* de Roger Livet et René Magritte (1929), *Monsieur Fantômas* d'Ernst Moërman (1937) en sont les plus notoires exemples.

Entre les deux guerres, le cinéma de fiction est essentiellement représenté par deux hommes : Gaston Schoukens et Jan Vanderheyden. Le premier est un touche-à-tout qui donne dans des genres populaires : mélodrame (*Tu ne sauras jamais,* 1927), drame patriotique (*les Croix de l'Yser,* 1938) et comédies loufoques (*En avant la musique,* 1935 ; *Bossemans et Copenolle* 1938). Vanderheyden reste surtout l'homme d'un seul film : *Filasse* (*De Witte,* 1934), qu'il coréalise avec Willem Benoy. Cette histoire d'un Poil de carotte flamand possède un sens extraordinaire de l'authenticité pour l'époque : décors naturels, acteurs non professionnels, régionalisme, etc. Par la suite, Vanderheyden ne retrouvera jamais cette manière de faire. En 1936, Dekeukeleire élabore un long métrage de fiction, *le Mauvais Œil,* dans lequel il tente de restituer la survivance de certaines superstitions en milieu rural flamand.

L'occupation allemande n'est guère favorable à l'épanouissement du cinéma en Belgique ; on peut difficilement y réaliser des longs métrages. Storck tourne la difficulté en proposant des projets pour quatre courts métrages, auxquels il en ajoute un cinquième, *Noces paysannes,* qui doit articuler le rythme des saisons inclus dans les autres parties ; ainsi *Symphonie paysanne,* son œuvre la plus lyrique, voit le jour (1942-1944). À la Libération, Émile De Meyst termine un film sur la Résistance, entrepris pendant l'Occupation (*Soldats sans uniforme,* 1944), et poursuit dans le même esprit avec *Baraque nº 1* (1945).

Après la guerre, il y a une brève flambée créatrice qui concerne surtout le court métrage : Storck, De Boe continuent, de nouveaux cinéastes comme Paul Haesaerts* (*De Renoir à Picasso,* 1949 ; *Un siècle d'or,* 1953, etc.) qui introduit la critique comparative dans le film sur l'art, Luc De Heusch* (*Perséphone,* 1951 ; *Fête chez les Hamba,* 1955, etc.), esprit curieux et éclectique proche d'un Storck, Lucien Deroisy, Émile Degelin (*Bruges,* 1953) apparaissent. Degelin et Deroisy réalisent par la suite des longs métrages assez remarqués : respectivement *Si le vent te fait peur* (1960), attachante chronique intime dont le sujet frise l'inceste, et *les Gommes* (1959), adaptation intelligente du roman homonyme de Robbe-Grillet. Mais le véritable premier film belge de fiction, digne de ce nom, est *Les mouettes meurent au port* (1955), conçu par trois jeunes cinéastes anversois : Rik Kuypers, Ivo Michiels et Roland Verhavert. Fondé sur un canevas policier (les dernières heures d'un criminel traqué), ce film, à la plastique expressionniste, renouvelle le genre d'une manière peu orthodoxe.

Vers cette époque, le cinéma commence à être pris au sérieux en Belgique. Le festival de Bruxelles tente, en 1947, de concurrencer Cannes, encore embryonnaire, et Venise, marqué par son passé. En 1963, une subvention à la production est accordée par l'État ; des commissions de sélection se forment (en 1964 pour le côté flamand, en 1967 pour la partie francophone) : cette politique ressemble au système français de l'avance sur recettes. Des écoles de cinéma sont fondées au début des années 60 : l'IAD (Institut des arts de diffusion), l'INSAS (Institut national supérieur des arts du spectacle et des techniques de diffusion) et le RITCS, son homologue flamand. Toutes choses qui autorisent de profondes mutations. En 1966, *l'Homme au crâne rasé* d'André Delvaux*, premier film à bénéficier de l'aide de l'État, est remarqué dans de nombreux festivals et focalise sur son auteur l'intérêt de la critique internationale. En 1975, *Jeanne Dielman, 23, quai du Commerce, 1080 Bruxelles,* attire l'attention sur sa réalisatrice, Chantal Akerman*.

Mais, dès 1960, le cinéma belge commence à s'affirmer : cette année-là est tourné *Déjà s'envole la fleur maigre* de Paul Meyer, film qui décrit les conditions de vie misérables de la main-d'œuvre étrangère. Cette veine filmique se poursuit avec la création, en 1964, à l'initiative de Paul De Vree, du groupe indépendant Fugitive Cinéma, également actif aux Pays-Bas. Robbe De Hert et Guido Henderickx se joignent bientôt à Paul De Vree. Le groupe produit essentiellement des films militants : *S. O. S. Fonske* (Robbe De Hert, 1968), *Mort d'un homme sandwich* (De Hert et Henderickx, 1971). Même si cela peut paraître curieux dans ce pays de documentaristes, cette tradition du film de combat était pratiquement inexistante dans le cinéma belge, à l'exception de *Borinage* de Storck et Ivens et de *Combattre pour nos droits* de Frans Buyens (1960-61). Un film produit selon les nouveaux critères, *Jeudi on chantera comme dimanche* de Luc De Heusch (1967), nous parle de problèmes quotidiens dans les milieux ouvriers ; peut-être la sensibilité de Fugitive Cinéma n'a-t-elle pas laissé De Heusch insensible !

Les années 60 et 70 voient enfin se réaliser, dans des films de fiction bien construits et portés par d'authentiques scénarios, cette appétence des Belges pour le fantastique. Outre les films de Delvaux (*l'Homme au crâne rasé,* 1966 ; *Un soir un train,* 1968 ; *Rendez-Vous à Bray,* 1971 ; *Benvenuta,* 1983), qui mettent en jeu un fantastique intériorisé, proche de celui des romantiques allemands, on peut citer à la rigueur ceux d'Harry Kümel (par ex. *Monsieur Hawarden,* 1968 ; *les Lèvres rouges,* 1970 ; *Malpertuis,* 1972) ou *Michaella* d'André Cavens (1968), et *Chronique d'une passion* de Roland Verhavert (1972).

Grâce aux cinq festivals de cinéma expérimental organisés par la Cinémathèque royale à Knokke-Le-Zoute depuis 1949, le mouvement *underground* s'est montré très vivace en Belgique. Citons aussi Roland Lethem, qui œuvre volontiers dans la subversion anarchisante (*les Souffrances d'un œuf meurtri,* 1967 ; *la Fée sanguinaire,* 1968 ; *le Sexe enragé,* 1969, etc.), ainsi que les films de Marcel Broodthaers (*la Clef des champs,* 1958), de Patrick Hella (*les Caméléons,* 1967), de Jos Pustjens (*Essentieel,* 1964), de Marc Ghens et Jean-Noël Gobron (*Screentest for Eurydice,* 1974), de Boris Lehman (*Couple, regards, positions,* 1983), de Jan Decorte (*Hedda Gabler, id.*)...

Pour l'animation, à côté des productions des studios Belvision, parmi les plus importants d'Europe (produisant, entre autres, les séries *Astérix, Lucky Lucke, Tintin*), mentionnons les travaux de Raoul Servais (*Goldframe,* 1969 ; *Pegasus,* 1973 ; *Harpya,* 1978) et ceux de Gérard Frydman (*Scarabus,* 1973) qui renouent avec une certaine iconographie surréaliste. L'animation belge a connu une notoriété internationale avec les longs métrages de Picha (*Tarzoon, la honte de la jungle,* 1975, et *le Chaînon manquant,* 1979).

Le cinéma belge semble avoir grandi trop vite : Delvaux et Akerman ont du mal à tourner régulièrement ; Robbe De Hert, après son ambitieux film de combat, *le Filet américain* (1978), réalise un remake de l'œuvre de 1934, *De Witte* (1980), puis une comédie populaire, *les Costauds* (1984) ; Thierry Zeno (*Vase de noces,* 1974) donne dans le plus contestable des tape-à-l'œil (*Des morts,* coréalisé avec Jean-Paul Ferbus et Dominique Garny, 1978). Des cinéastes de talent comme Maurice Rabinowicz (*le Nosfërat,* 1974 ; *Une page d'amour,* 1977) ou Jean-Jacques Andrien (*Le fils d'Amr est mort,* 1975 ; *le Grand Paysage d'Alexis Droeven,* 1980) n'ont pas réussi à atteindre une grande renommée hors de leurs frontières. De nouveaux venus apparaissent : Chris Vermorkhen (*Io sono Anna Magnani,* 1980), Annick Leroy (*Berlin de l'aube à minuit,* 1981), Mary Jimenez (*21 h 12, piano bar,* id.), Marc Didden (*Brussels by Night,* 1984), Gérard Corbiau (*le Maître de musique,* 1989 ; *l'Année de l'éveil,* 1991), Jaco Van Dormael (*Toto le héros,* 1991). La tradition du documentaire reste vivace : Manu Bonmariage (*Allo police,* 1987, *les Amants d'Assise,* 1991, *Keufs dans la ville,* 1995), Thierry Michel (*Hôtel particulier,* 1985, *Gosses de Rio,* 1990, *Zaïre : le cycle du serpent,* 1992), Jean-Jacques Andrien* (*Mémoires,* 1984, *Australia,* 1989), etc. Le film sur l'art devient plus sophistiqué, mêlant souvent documentaire et fiction, ou recherches subjectives, comme dans *Permeke* (Patrick Conrad et Henri Storck*, 1985), chez Thierry Zeno, Marcel Broodthaers, Thierry Knauff, Éric Pauwels. La Belgique reste aussi un bastion du film d'avant-garde, expérimental, surréaliste, égocentrique : Boris Lehmann*, Philippe Simon, Roland Lethem, Olivier Smolders...

La production de longs métrages de fiction recherche le succès populaire. Après *Hector* (1988) et *Koko Flanel* (1990) réalisés autour du personnage d'Urbanus, le comique le plus populaire des pays néerlandophones, Stijn Coninx réalise une grande fresque historique et sociale, *Daens* (1992), Robbe de Hert, après *Blueberry Hill* (1988), réalise *Dupont et Dupont tournent un film* (*Janssen en Janssen draaien een film,* 1990), Yves Hanchar tourne *la Partie d'échecs* (1993), avec Catherine Deneuve. Des écrivains sont passés à la réalisation : Hugo Claus (*le Sacrement,*, 1990), Jean-Philippe Toussaint (*Monsieur,* 1989, *la Sévillane,* 1993). Marion Hansel* tourne en différents pays d'Europe depuis *Dust* (1984), et, dans des genres différents, Jaco Van Dormael (*Toto le héros,* 1991) et Gérard Corbiau* se sont fait connaître bien au-delà des frontières. En 1992, un film à très petit budget, *C'est arrivé près de chez vous,* a révélé Rémy Belvaux et Benoît Poelvoorde, associés au Français André Bonzel.

Depuis l'évolution des institutions du pays vers le fédéralisme, les communautés flamandes et francophones se sont dotées chacune d'un fonds d'aide au cinéma. L'une collabore le plus souvent avec les Pays-Bas et parfois la Grande-Bretagne, l'autre avec la France, voire la Suisse. C'est ainsi que Freddy Copens, Robbe de Hert, Stijn Coninx, Marc-Henri Wajnberg (*Just Friends,* 1993), le chef-opérateur Charlie Van Damme (*le Joueur de violon,* 1994), Henri Xhonneux (*Marquis,* 1989), Jean-Pierre et Luc Dardenne (*Je pense à vous,* 1993), Lucas Belvaux (*Parfois trop d'amour,* 1991-93), J.-P. Toussaint, Dominique Deruddere, Marian Handwerker, Mary Mandy, Yves Hanchar ont pu réaliser leurs films. R.BA./D.S.

BELL *(Marie-Jeanne Bellon-Downey,* dite *Marie), actrice française (Bègles 1900 - Neuilly-sur-Seine 1985).* Elle entre en 1921 à la Comédie-Française, dont elle va devenir une des grandes sociétaires. Le muet lui propose des évocations historiques : *Madame Récamier* (Gaston Ravel, 1928). Le parlant la consacre vedette à part entière dès *La nuit est à nous* (H. Roussell et C. Froelich, 1930). Elle tourne beaucoup sans bien choisir ses films mais peint de façon romantique l'héroïne d'*Un carnet de bal* (J. Duvivier, 1937). Feyder lui confie le double rôle de la blonde et de la brune du *Grand Jeu* (1934), et Jacqueline Audry celui de *la Garçonne* (1937). C'est un monstre sacré dont Visconti se souviendra dans *Sandra* (1965) et Jean-Claude Brialy dans *les Volets clos* (1973). R.C.

BELL *(Monta), cinéaste américain (Washington, D. C., 1891 - Los Angeles, Ca., 1958).* Après des débuts dans le journalisme (en particulier au *Washington Herald*), il se lie à Hollywood avec Charlie Chaplin. Il joue un rôle dans *le Pèlerin* (1923), puis est monteur sur *l'Opinion publique* (id.). C'est ce film ainsi que l'œuvre de Lubitsch qui vont l'influencer durablement. À la Warner, et surtout à la MGM, il dirige en particulier des comédies qui sont parmi les plus remarquables des années 20 avec celles de Harry d'Abbadie d'Arrast et Jean de Limur. Outre le premier film de Garbo en Amérique, *le Torrent* (*The Torrent,* 1926), il faut noter, dans une œuvre abondante, *Upstage* (id.), *Man, Woman and Sin* (1927), *Bellamy Trial* (1929), *Young Man of Manhattan* (1930). Pendant les années 30, il travaille essentiellement comme producteur à la Paramount. M.C.

BELLAMY *(Margaret Philpott,* dite *Madge), actrice américaine (Hillsboro, Tex., 1900 - Upland, Ca., 1990).* Au cours d'une carrière qui s'étend de 1920 à 1935, elle joua surtout les jeunes filles bien éduquées, innocentes et douces, dans de nombreux films tels *The Riddle Woman* (Edward José, 1920), *Hail the Woman* (J.G. Wray, 1921), *Lazybones* (F. Borzage, 1925), *Bertha the Sewing Machine Girl* (I. Cummings, 1926), *The Telephone Girl* (H. Brenon, 1927), *White Zombie* (Victor Halperin, 1932). Mais il semble que ses rôles les plus convaincants sont ceux de *Lorna Doone* de Maurice Tourneur en 1922 et du *Cheval de fer* de John Ford en 1924. J.-L.P.

BELLAMY *(Ralph), acteur américain (Chicago, Ill., 1904 - Santa Monica, Ca., 1991).* D'abord acteur de théâtre, la première partie de son abondante carrière lui réserve des rôles de jeune premier et de souffre-douleur comique. Il est le rival infortuné de Gary Cooper dans *Soir de noces* (K. Vidor, 1935), de Cary Grant dans *Cette sacrée vérité* (L. McCarey, 1937) et *la Dame du vendredi* (H. Hawks, 1940), le détective myope qui poursuit inlassablement *la Femme aux cigarettes blondes* (T. Garnett, 1939). Il tourne sous la direction de Frank Capra (*Amour défendu,* 1932), John Ford (*Air Mail,* id.), Raoul Walsh (*Wild Girl,* id.) et, dès 1933, apparaît en vedette dans des séries B. En 1940, il tient le rôle d'Ellery Queen dans quatre épisodes de la série homonyme (le personnage se transformant, en conformité avec son image, en détective gaffeur). À partir des années 50, il abandonne les rôles comiques et se consacre principalement au théâtre (rôle de Franklin D. Roosevelt dans *Sunrise at Campobello*) et à la TV, faisant ses plus notables apparitions à l'écran dans *Condamné au silence* (O. Preminger, 1955), *les Professionnels* (R. Brooks, 1966), *Rosemary's Baby* (R. Polanski, 1968) et *Pretty Woman* (Gary Marshall, 1990). O.E.

BELL ET HOWELL → CAMÉRA.

BELLI *(Agostina Magnoni,* dite *Agostina), actrice italienne (Milan 1947).* C'est grâce à une petite annonce de Carlo Lizzani, qui recherchait en 1968 des inconnues pour son film *Bandits à Milan,* qu'elle fait ses débuts au cinéma. La même année, Yves Boisset lui donne un petit rôle dans *Cran d'arrêt* (1970). Ensuite, elle tourne régulièrement : *Mimi Métallo blessé dans son honneur* (L. Wertmuller, 1970), *Barbe-Bleue* (*Bluebeard,* E. Dmytryk, 1972), et, jusqu'en 1974, une série de films italiens qui n'ont pas dépassé les frontières de la péninsule. Alain Robbe-Grillet fait d'elle l'une des héroïnes de son *Jeu avec le feu* (1975) et, surtout, Dino Risi lui confie dans *Parfum de femme* (1974), aux côtés de Vittorio Gassman, le plus piquant de ses personnages. Le succès est éclatant. Mais, malgré une nouvelle rencontre avec Risi et Vittorio Gassman (*la Carrière d'une femme de chambre,* 1976), dans le rôle d'une star des années 40, le cinéma ne lui propose qu'avec parcimonie des interprétations intéressantes. D.R.

BELLOCCHIO *(Marco), cinéaste italien (Plaisance 1939).* Il accomplit ses études dans des établissements religieux. Après la faculté de philosophie, il s'inscrit à l'académie des Filodrammatici (Milan), puis au Centro sperimentale (Rome), dont il est diplômé. Il parachève sa formation à Londres (School of Fine Arts). Après quelques courts métrages, il réalise *les Poings dans les poches* (1966), dont le retentissement en Italie et ailleurs est considérable. La destruction d'une famille bourgeoise par le fils cadet (interprété par Lou Castel), lui-même tué par une crise d'épilepsie, fait l'effet d'une bombe dans une nation qui ne prévoit pas ou ne veut pas imaginer le processus de dissolution et de violences qui la menace. Buñuel lui-même est étonné par cette rage froide. Le ton de Bellocchio, sa mise en scène rigoureuse sont en rupture totale avec le néoréalisme. Il ne préserve rien : son héros adolescent, *justicier* naturellement dément à force de logique, est-il vraiment « dannunzien », ainsi qu'il le définissait dans une lettre à Pasolini ? Avec *La Chine est proche,* Bellocchio s'en prend cette fois aux prurits *révolutionnaires* et sexuels de la bourgeoisie provinciale, tandis que *Au nom du Père* attaque de front, avec une vigueur satirique et expressive éclatante, la foi italienne et son tombeau, l'Église : l'enseignement des bons pères a porté des fruits vénéneux. Ce qui fait ces films implacables, c'est l'acuité de l'analyse qui les provoque, et l'efficacité d'un style capable de détourner le mélodrame, d'élever assez la satire pour la décanter de toute démagogie. Il adopte une ligne fidèle aux positions du parti communiste italien et tournera pour lui deux films *collectifs : Paola* (sur des squatters en Calabre), et *Vive le 1er Mai rouge !,* signant par ailleurs un sketch intitulé *'Discutons, discutons'* (1969), dans lequel étudiants et professeurs pratiquent la sacro-sainte contestation à la mode du moment. *Viol en première page* est un film de moindre portée, et Bellocchio se consacre surtout à un long travail, mené en collaboration avec des spécialistes, sur la réinsertion d'aliénés mentaux dans la société *(Tre storie),* et à la peinture sans fard des établissements psychiatriques. Les responsables du système médico-social sont la cible de *Fous à délier ;* mais ce film, conçu comme *non-directif,* reflète la poésie tragique qui, plus que le discours, est le don majeur de ce cinéaste singulier, don qu'on retrouve dans les meilleurs moments de *la Marche triomphale,* mise en carnaval de l'éternelle nostalgie fasciste : un carnaval aux résonances proches de celles des premières œuvres, la famille et l'Église ayant cédé la place à la caserne.

Polémiste et satiriste, mais non pas d'une façon négative, Bellocchio a pris le parti d'exprimer la révolte des uns (le *saut dans le vide* de la jeunesse et des exclus), la médiocrité des autres, avec un lyrisme, une âpreté, une ironie remarquables. C.M.C.

Films ▲ : *les Poings dans les poches* (*I pugni in tasca,* 1966) ; *La Chine est proche* (*La Cina è vicina,* 1967) ; *la Contestation* (*Amore e rabbia,* épisode *Discutiamo, discutiamo !,* 1969) ; *Paola* (collectif, *id.*) ; *Vive le 1er Mai rouge ! (Viva il 1o maggio rosso, CO, id.) ; Au nom du Père* (*Nel nome del Padre,* 1971) ; *Viol en première page* (*Sbatti il mostro in prima pagina !,* 1972) ; *Tre storie,* et *Nessuno o tutti* (collectifs dirigés avec Stefano Rulli, Silvano Agosti et Sandro Petraglia, 1974) [une partie est diffusée sous le titre *Fous à délier*] (*Matti da slegare,* 1975)] ; *la Marche triomphale* (*Marcia trionfale,* 1976) ; *la Mouette* (*Il gabbiano,* 1977) ; *la Machine cinéma* (*La macchina cinema,* collectif TV avec Agosti, Rulli et Petraglia, 1978) ; *le Saut dans le vide* (*Salto nel vuoto,* 1979) ; *les Yeux, la bouche* (*Gli occhi e la bocca,* 1982) ; *Henri IV* (1984) ; *le Diable au corps* (*Il diavolo in corpo,* 1986) ; *la Sorcière* (*La visione del Sabba,* 1987) ; *Autour du désir* (*La condanna,* 1990) ; *Il sogno de la farfalla* (1994).

BELLON *(Loleh), actrice française (Bayonne 1925).* Elle étudie le théâtre avec Julien Bertheau et Tania Balachova, puis débute à la scène en 1944 et au cinéma en 1945. Révélée par *le Point du jour* de Louis Daquin (1949), où elle crée un personnage de fille de mineur d'une simplicité et d'une vérité convaincantes, elle reste fidèle à ce cinéaste pour *le Parfum de la dame en noir* (id.) et *Maître après Dieu* (1951), avec la même présence émouvante et discrète, avant de tenir un rôle modeste mais marquant dans *Casque d'or* (J. Becker, 1952). Elle a obtenu le prix des Jeunes Comédiens en 1949. On l'a vue encore dans *le Bel Âge* (1960) et *la Morte-Saison des amours* (1961) de Pierre Kast, mais c'est surtout au théâtre qu'elle se produit. Elle est mariée à l'écrivain Claude Roy. M.M.

BELLON *(Yannick), cinéaste française (Bayonne 1924).* Sœur de Loleh Bellon. Élève de l'IDHEC, elle mène parallèlement une carrière de monteuse et de cinéaste. Assistante de Nicole Védrès pour *Paris 1900* (1948), elle réalise des courts métrages remarqués, parmi lesquels : *Goémons* (1948, grand prix du documentaire à Venise en 1949), *Colette* (1950), *Varsovie quand même* (1954), *les Hommes oubliés* (1957), *Zaa le petit chameau blanc* (1960). Son premier long métrage est émouvant : *Quelque part quelqu'un* (1972).

Chacun de ses films se fonde sur une intention : *la Femme de Jean* (1974) est une réflexion sur le couple, *Jamais plus toujours* (1976) explore le souvenir. Le féminisme inspire *l'Amour violé* (1978), le cancer *l'Amour nu* (1981). *La Triche* (1984) aborde l'homosexualité par le biais du film policier et *les Enfants du désordre* (1989) traite le problème de l'adolescence délinquante. En 1992, elle signe *l'Affût.* ▲ M.M.

BELMONDO *(Jean-Paul), acteur français (Neuilly-sur-Seine 1933).* Fils du sculpteur Paul Belmondo et d'une mère artiste peintre. Après une scolarité turbulente (école de la rue Henri-Barbusse, École alsacienne, lycée Louis-le-Grand), marquée par la découverte de la boxe, qu'il pratiquera longtemps en amateur, il est tenté par la carrière d'acteur et passe une audition peu concluante devant André Brunot. Après avoir débuté sur scène dès 1950 avec une tournée dans les hôpitaux de Paris (rôle du Prince de *la Belle au bois dormant*), il prépare le Conservatoire chez Raymond Girard et passe le concours d'entrée en 1951. Il en sortira le 1er juillet 1956, plébiscité par ses camarades de promotion contre le jury, qui ne lui décernera qu'un premier accessit pour *Amour et piano* de Feydeau et un second accessit pour *les Fourberies de Scapin.*

Son ascension sera rapide, puisqu'en 1960 il devient du jour au lendemain une star grâce à son interprétation de Michel Poicard dans *À bout de souffle,* qui révèle en même temps au public le critique et cinéaste Jean-Luc Godard. Parmi ses apparitions à l'écran avant cette date charnière, deux titres sont à retenir : *À double tour* (C. Chabrol, 1959) où, par sa *présence,* il vole la vedette aux têtes d'affiche, et *Classe tous risques* (C. Sautet, 1960).

Né avec la Nouvelle Vague, dont il est l'une des mascottes, Belmondo modifie l'image traditionnelle du jeune premier. Par son physique et par sa technique de jeu, il permet le mélange des genres. Il aborde la tragédie comme la comédie avec une désinvolture où se mêlent indissociablement le cynisme et la sincérité, composantes d'un certain nouveau romantisme, rose ou noir, qu'annonçait un Laurent Terzieff, dans *les Tricheurs* (M. Carné, 1958), où figurait déjà Belmondo. Il semble d'ailleurs pouvoir tout jouer et, jusqu'en 1963, il est sollicité pour collaborer, en France, mais aussi en Italie, avec des cinéastes alors aussi prestigieux qu'Alberto Lattuada (*la Novice,* 1960), Peter Brook (*Moderato cantabile,* id.), Mauro Bolognini (*La viaccia,* id.), Vittorio De Sica (*La ciociara,* id.), Philippe de Broca (*Cartouche,* 1961), Jean-Pierre Melville (*Léon Morin, prêtre,* id. ; *le Doulos,* 1963 ; *l'Aîné des Ferchaux,* id.). L'étendue de son registre est telle qu'on le compare alors à Humphrey Bogart, James Dean, James Cagney, Jean Gabin, Michel Simon ! Un physique unique qui met en cause les canons du charme et de la beauté, des rôles qui soulignent une fragilité existentielle contrastant avec une vitalité anarchique font de Belmondo une étoile unique, un acteur charismatique.

Mais, peu à peu, cette spontanéité créatrice sera cultivée trop systématiquement par l'acteur, qui paraît de plus en plus soucieux de n'en conserver que l'extériorité et de la figer en *image de marque.* Sa cote lui permet d'intervenir de plus en plus aux divers niveaux de la production des films, dont les artisans (scénaristes, dialoguistes, réalisateurs) sont choisis par affinités, et plus pour pérenniser des modèles ayant fait leurs preuves sur le public que pour explorer des voies nouvelles ou élargir son registre. *Pierrot le Fou* (J.-L. Godard, 1965) constitue, de ce point de vue, la dernière audace de l'acteur. Dix ans plus tard, l'échec de *Stavisky* (A. Resnais, 1974) semblera le conforter dans sa volonté de se tenir à l'écart de toute nouvelle entreprise expérimentale. Son attitude sera parfois critiquée à cet égard et ses activités de producteur (Cerito films) comparées négativement à celles de son rival Alain Delon. Belmondo se veut vedette *populaire* et travaille régulièrement depuis 1964 avec des cinéastes (Philippe de Broca, Henri Verneuil, Georges Lautner) et des comédiens (la « bande à Bébel ») qui l'aident à broder les variantes d'un stéréotype, résultante souriante mais aseptisée des quelques rôles majeurs qui auront *fait* son personnage dans les premières années de sa carrière *(Classe tous risques, Cartouche, le Voleur) :* alternativement policier ou gangster, simultanément voyou, séducteur, anarchiste, redresseur de torts. Faux marginal, il incarne en réalité certaines valeurs simplistes et conservatrices d'ordre, de virilité agressive, voire de muflerie bon enfant, dont l'efficacité cathartique sur son public paraît peu contestable si l'on en juge par le succès de *Docteur Popaul, l'Héritier, l'Animal, Flic ou Voyou, le Guignolo* ou *le Professionnel.*

Auteur d'une autobiographie, *Trente Ans et vingt-cinq films,* Belmondo a été de 1963 à 1966 président du Syndicat des acteurs français. En 1987 puis en 1990, il remonte sur les planches dans *Kean* et *Cyrano de Bergerac* (mise en scène de R. Hossein). M.S.

Films ▲ : *À pied, à cheval et en voiture* (Maurice Delbez, 1957) ; *Sois-belle et tais-toi !* (M. Allégret, 1958) ; *Un drôle de dimanche* (id., *id.*) ; *les Copains du dimanche* (Henri Aisner, *id.*) ; *les Tricheurs* (M. Carné, *id.*) ; *Mademoiselle Ange* (Geza Radvanyi, 1959) ; *Charlotte et son Jules* (CM, J.-L. Godard, *id.*) ; *À double tour* (C. Chabrol, *id.*) ; *Classe tous risques* (C. Sautet, 1960) ; *les Distractions* (Jacques Dupont, *id.*) ; *la Française et l'amour* ([sketch *l'Adultère*] ; H. Verneuil, *id.*) ; *À bout de souffle* (Godard, *id.*) ; *la Novice* (A. Lattuada, *id.*) ; *Moderato cantabile* (P. Brook, *id.*) ; *La ciociara* (V. De Sica, *id.*) ; *Léon Morin, prêtre* (J.-P. Melville, 1961) ; *La viaccia* (M. Bolognini, *id.*) ; *Une femme est une femme* (Godard, *id.*) ; *les Amours célèbres* ([sketch du *Duc de Lauzun*], M. Boisrond, *id.*) ; *Un nommé La Rocca* (Jean Becker, *id.*) ; *Cartouche* (P. de Broca, *id.*) ; *Un singe en hiver* (Verneuil, 1962) ; *le Doulos* (Melville, 1963) ; *la Mer à boire* (R. Castellani, *id.*) ; *Peau de banane* (Marcel Ophuls, *id.*) ; *Dragées au poivre* (J. Baratier, *id.*) ; *l'Aîné des Ferchaux* (Melville, *id.*) ; *l'Homme de Rio* (de Broca, *id.*) ; *Échappement libre* (Jean Becker, 1964) ; *Cent Mille Dollars au soleil* (Verneuil, *id.*) ; *la Chasse à l'homme* (E. Molinaro, *id.*) ; *Week-end à Zuydcoote* (Verneuil, *id.*) ; *Par un beau matin d'été* (J. Deray, *id.*) ; *Pierrot le Fou* (Godard, 1965) ; *les Tribulations d'un Chinois en Chine* (de Broca, *id.*) ; *Paris brûle-t-il ?* (R. Clément, 1966) ;

Tendre Voyou (Jean Becker, *id.*) ; *Casino Royale* (J. Huston, cameo, 1967) ; *le Voleur* (L. Malle, *id.*) ; *Ho !* (R. Enrico, 1968) ; *le Cerveau* (G. Oury, 1969) ; *la Sirène du Mississippi* (F. Truffaut, *id.*) ; *Un homme qui me plaît* (C. Lelouch, *id.*) ; *Borsalino* (Deray, 1970) ; *les Mariés de l'an II* (J.-P. Rappeneau, *id.*) ; *le Casse* (Verneuil, *id.*) ; *Docteur Popaul* (Chabrol, *id.*) ; *la Scoumoune* (J. Giovanni, *id.*) ; *le Magnifique* (de Broca, 1973) ; *l'Héritier* (Philippe Labro, *id.*) ; *Stavisky* (A. Resnais, 1974) ; *l'Incorrigible* (de Broca, 1975) ; *Peur sur la ville* (Verneuil, *id.*) ; *l'Alpagueur* (Labro, 1976) ; *le Corps de mon ennemi* (Verneuil, *id.*) ; *l'Animal* (C. Zidi, 1977) ; *Flic ou Voyou* (G. Lautner, 1979) ; *le Guignolo* (id., 1980) ; *le Professionnel* (id., 1981) ; *l'As des as* (Oury, 1982) ; *le Marginal* (Deray, 1983) ; *les Morfalous* (Verneuil, 1984) ; *Joyeuses Pâques* (Lautner, 1984) ; *Hold-up* (Alexandre Arcady, 1985) ; *le Solitaire* (J. Deray, 1987) ; *Itinéraire d'un enfant gâté* (Lelouch, 1988) ; *l' Inconnu dans la maison* (Lautner, 1992) ; *les Cent et Une Nuits* (A. Varda, 1995) ; *les Misérables* (Lelouch, *id.*).

BELMONT *(Charles), acteur et cinéaste français (Courbevoie 1936).* Après des études dramatiques, il débute comme acteur au théâtre, puis au cinéma, en particulier sous la direction de Claude Chabrol dans *les Bonnes Femmes* (1960) et surtout *les Godelureaux* (1960), où il est la victime impuissante d'un Brialy satanique. Puis il passe à la réalisation : *l'Écume des jours* (1968), adaptation de Boris Vian ; *Rak* (1972), sobre évocation du drame intime d'une cancéreuse ; *Pour Clémence* (1977), portrait d'un jeune couple en crise ; *Histoires d'A* (co Marielle Issartel, 1974), pamphlet pour l'avortement libre. M.M.

BELSON *(Jordan), cinéaste expérimental américain (Chicago, Ill., 1926).* Il reçoit une formation de peintre aux Beaux-Arts et à l'université de Californie. Son œuvre est intimement liée à l'*esprit* de la côte Ouest (jazz, drogues, orientalisme) : des formes abstraites, cycliques, s'y offrent souvent à la méditation (*Mandala,* 1953). De 1957 à 1959, Belson collabore aux *Vortex Concerts,* spectacles musico-lumino-cinématographiques organisés par le compositeur Henry Jacobs à l'observatoire Morrison de San Francisco. À partir d'*Allures* (1961) et de *Re-Entry* (1964), ses préoccupations spirituelles (yoga, teilhardisme) lui inspirent une série de films *cosmiques* et, selon le mot en vogue, *planants,* où l'abstraction géométrique s'associe aux formes figuratives : *Phenomena* (1965), *Samadhi* (1967), *Momentum* (1969), *Cosmos World* (1970), *Meditation* (1971), *Chakra* (1972), *Light* (1973), *Cycles* (1975), *Music of the Spheres* (1977). D.N.

BELUSHI *(John), acteur américain (Chicago, Ill., 1949 - Los Angeles, Ca., 1982).* Propulsé au sommet de la popularité par le spectacle télévisé « Saturday Night Live » et son prolongement cinématographique, *The Blues Brothers* (J. Landis, 1980), John Belushi n'a guère eu le temps de sortir de la caricature grossière et provocante qu'il s'était dessinée. Il avait déjà tenu un rôle excessif et mémorable de pilote déjanté dans *1941* (S. Spielberg, 1979) et celui d'une brute d'un acabit voisin dans le western *En route vers le Sud* (J. Nicholson, 1978). Sa mort brutale d'une overdose l'a, en quelque sorte, mythifié mais il faut bien reconnaître que sa filmographie n'est guère exaltante. Son frère, le comédien James Belushi, qui, jusque-là, s'était tenu dans son ombre, s'affirma alors comme un jeune premier léger et parfois dramatique (*Oublier Palerme,* F. Rosi, 1990). C.V.

BEMBERG *(María Luisa), cinéaste argentine (Buenos Aires 1923 - id. 1995).* Issue d'une famille aisée, elle écrit le scénario de *Crónica de una mujer* (Raúl de la Torre, 1970), après être passée par le théâtre. Pour mieux maîtriser la problématique qui lui tient à cœur, elle passe à la mise en scène. Son premier long métrage, *Momentos* (1980), et *Señora de nadie* (1981) montrent d'emblée une attention particulière aux personnages et à l'univers féminins, qu'elle cherche à fouiller dans leur densité psychologique. Sans abandonner ce point de vue, elle élargit néanmoins son registre et prend ses distances vis-à-vis de l'intimisme avec *Camila* (1983), champion au box-office argentin, romantique évocation du XIXe s. à travers l'amour interdit entre une jeune fille de l'aristocratie et un prêtre. Le succès l'amène à faire appel à des vedettes d'autres pays, sans pour autant renoncer à une inspiration personnelle. *Miss Mary* (1986), avec Julie Christie, revient sur les origines du péronisme. *Moi, la pire de toutes, Yo, la peor de todas* (1991), avec Assumpta Serna et Dominique Sanda, remémore de manière stylisée et brillante Sor Juana Inés de la Cruz, après l'essai que lui consacra Octavio Paz. Enfin, *De eso no se habla* (1993), avec Marcello Mastroianni, montre María Luisa Bemberg toujours en mouvement, puisqu'elle aborde les mystères de la passion avec, pour la première fois, une certaine dose d'humour. P.A.P.

BEN 'AMMĀR *('Abdel-Laṭīf), cinéaste tunisien (Tunis 1943).* Après des études à l'IDHEC, il devient cameraman de reportage (1965-1968), assistant dans *les Aventuriers* (R. Enrico, 1967), puis assistant réalisateur dans *Justine* (G. Cukor, 1969). Après *Une si simple histoire* (1970) et des courts métrages, dont *Kairouan* (1973), il s'affirme avec *Sejnane* [*Sijnān*] (1974), qui évoque la force des traditions et l'éveil du syndicalisme à la fin de la Régence de Tunis. On retrouve la même clarté classique, une égale attention portée aux sensations dans *'Azīza ' (1980), portrait d'une jeune femme seule dans une société mal préparée à son évolution moderniste.* C.M.C.

BEN 'AMMĀR *(Tarak), producteur tunisien (Tunis 1949).* Après des études d'économie à l'université de Georgetown, il rentre en Tunisie et s'intéresse au cinéma. Il crée une société de prestations de services avec deux studios, à Monastir et El Kantaoui, qui accueilleront des superproductions américaines comme *la Guerre des étoiles, les Aventuriers de l'arche perdue* (Steven Spielberg) ou *Jésus de Nazareth* (Franco Zeffirelli). Il passe lui-même à la production avec *La Traviata* (Franco Zeffirelli), *Deux heures moins le quart avant Jésus-Christ* (Jean Yanne), *Pirates* (Roman Polanski).

Avec sa société Carthago Films, il produira des films de Chabrol, Comencini, Arcady ou Henri Verneuil *(Mayrig, 588 rue Paradis)* et sera à l'origine du tournage du *Collier perdu de la colombe* (Nacer Khémir), d'*Écran de sable*, premier film de Randa Chahal Sabbag, et de *l'Autre* (Bernard Giraudeau). H.Z.

BENAVENTE *(Jacinto), dramaturge espagnol (Madrid 1866 - id. 1954).* Écrivain de la « génération de 98 », prix Nobel, il s'intéresse de près au cinéma. Il fonde une maison de production et met en scène *La madona de las rosas* (1919) et *Más allá de la muerte* (1924). Ses œuvres, souvent portées à l'écran, ont donné lieu à deux coproductions franco-espagnoles réalisées en 1922 par Benito Perojo : *Pour toute la vie* et *Au-delà de la mort.* Citons encore *la Mal-Aimée (La malquerida),* dirigée au Mexique par Emilio Fernández, avec Pedro Armendariz et Dolores del Rio (1949). P.A.P.

BENAYOUN *(Robert), écrivain et cinéaste français (Port-Lyautey* [*auj.* Kenitra], *Maroc, 1926).* Il rejoint le surréalisme en 1948 et fonde la revue *l'Âge du cinéma* avec Ado Kyrou en 1950. Il écrit et dirige *Paris n'existe pas* (1969) puis *Sérieux comme le plaisir* (1975), où il renoue avec le filon de la comédie américaine *nonsensique,* dont il est un fervent admirateur et défenseur. Critique notamment à *Positif,* on lui doit aussi des essais : *le Dessin animé après Walt Disney* (1961), *John Huston* (1966), *l'Érotique du surréalisme* (1965), *Bonjour monsieur Lewis* (1972), *Alain Resnais* (1980), *le Regard de Buster Keaton* (1982). C.M.C.

BENAZERAF *(José), cinéaste français (Casablanca, Maroc, 1922). Soft,* puis *hard* avec moins de succès et de conviction peut-être, il semble aujourd'hui dépassé par une nouvelle génération du cinéma érotique sans se réfugier pour autant, comme un Max Pécas, dans la vulgarité troupière. Ambitieux et provocateur, il se réclame d'abord de Samuel Fuller et de Jean-Luc Godard. Il tourne quelques striptease réussis, joue volontiers des atmosphères troubles à la limite du fantastique superficiel, et ne dédaigne pas paraître devant l'objectif. On peut citer *le Cri de la chair* (1962), *le Concerto de la peur* (id.), *l'Enfer sur la plage* (1966), *Joe Caligula* (1969 [RÉ 1966]), *Frustration* (1971)... Il a réalisé quelques films aux États-Unis, notamment *Flesh and Fantasy* (1967) et *Racism* (1972). C.M.C.

BEN BARKA *(Souhayl), cinéaste marocain (Tombouctou, AOF* [auj. *Mali*], *1942).* Il fait ses études au Maroc, puis en Italie ; il est licencié en sociologie et diplômé du Centro sperimentale de Rome. Sorti major de sa promotion, Ben Barka travaille avec Pasolini (*l'Évangile selon Matthieu,* 1964 ; *Œdipe roi,* 1967). Après d'excellents courts métrages pour la RAI, il tourne au Maroc *les Mille et Une Mains* (1972), œuvre inégale mais dont les qualités critiques et plastiques sont évidentes, ainsi que dans *La guerre du pétrole n'aura pas lieu* (1975). Si, dans un contexte peu favorable, son orientation ambitieuse risque l'échec (*Noces de sang*, 1977), son rôle de producteur n'est pas, d'autre part, sans importance. En 1985, il signe *Amok*. 1990 voit le retour de Ben Barka avec une superproduction tournée dans les studios de Leningrad : *la Bataille des trois rois* ou *les Tambours de feu*. C.M.C.

BENDIX *(William), acteur américain (New York, N. Y., 1906 - Los Angeles, Ca., 1964).* Apparu dans un film de la Vitagraph à cinq ans, il fait beaucoup de théâtre çà et là avant d'aborder Broadway (1939). Sa carrière à Hollywood depuis 1942 repose d'abord sur sa célébrité à la scène, à la radio, puis à la TV. Il joue les *vilains* (*la Clé de verre*, S. Heisler, 1942) aussi bien que les policiers, son physique massif pouvant exprimer la brutalité comme la naïveté. Outre *la Belle et la Brute* (*The Hairy Ape*, 1944) d'Alfred Santell et *The Babe Ruth Story* (1948) de Roy Del Ruth, ses prestations les plus remarquables restent le marin blessé de *Lifeboat* (A. Hitchcock, 1944) et le prétendu enquêteur militaire qui se révèle être une rusée fripouille dans *Ça commence à Veracruz* (D. Siegel, 1949). G.L.

BENE *(Carmelo), acteur et cinéaste italien (Lecce 1937).* Venu du théâtre, il est Créon dans l'*Œdipe roi* de Pasolini, en 1967 ; l'année suivante, il réalise et interprète *Notre-Dame des Turcs (Nostra signora dei turchi)*, prix spécial du Jury à Venise (1968). Cette adaptation du roman homonyme dont il est aussi l'auteur révèle l'inspiration baroque d'un esprit à la fois agressif et séduisant, rêvant le massacre historique de la population d'Otrante par les Ottomans. Aucun des films suivants n'a retrouvé la veine inventive du premier, sauf, peut-être, *Don Giovanni* (1970), dans leur abandon complaisant aux confus effets décoratifs et aux excès psychédéliques sur des thèmes un peu trop littéraires – qu'il s'agisse de *Capricci* (1969), de *Salome* (1972) ou de *Un Hamlet de moins* (*Un Amleto di meno*, 1974), qu'il interprète également. C.M.C.

BENEDEK *(Lázsló,* dit *Laslo), cinéaste américain d'origine hongroise (Budapest 1907 - New York 1992).* Après avoir étudié la médecine et la psychanalyse à Vienne, Benedek devient assistant opérateur à la UFA et à la Terra (Berlin), puis opérateur et assistant du producteur Joe Pasternak, qu'il accompagne en 1933 à Vienne. Il se retrouve ensuite en France, où il écrit des scénarios pour une firme anglaise. En 1937, il gagne les États-Unis. Il y travaille comme monteur à la MGM. Un temps scénariste au Mexique, il regagne Hollywood, où il devient producteur associé de quelques musicaux auprès de Pasternak, qui produit son premier film, *le Brigand amoureux* (*The Kissing Bandit*, 1948), avec Frank Sinatra. *La Brigade des stupéfiants* (*Port of New York*, 1949), petit policier réalisé dans un style semi-documentaire, attire d'abord l'attention sur Benedek, mais ce sont ses œuvres suivantes, fort peu conformistes et produites par Stanley Kramer, qui le rendent célèbre. *Mort d'un commis voyageur* (*Death of a Salesman*, 1951), peinture amère des rêves et des désillusions d'un Américain moyen, adaptation d'une pièce d'Arthur Miller et film fondé sur des retours en arrière, assume intelligemment son origine théâtrale. Dans *l'Équipée sauvage* (*The Wild One*, 1954), Benedek sonde les mentalités d'une petite ville américaine troublée par l'irruption, le temps d'un week-end, de deux bandes de jeunes motards, et donne un témoignage social aux accents prophétiques. Il fixe aussi un archétype : celui du motard vêtu de cuir noir, interprété par Marlon Brando. Sur sa lancée, il signe *la Révolte des Cipayes* (*Bengal Brigade*, id.). Moins connu, *Des enfants, des mères et un général* (*Kinder, Mütter und ein General*, 1955), produit par Erich Pommer et tourné en Allemagne, n'est pas indigne de ses prédécesseurs. À travers l'histoire d'un groupe d'écoliers fanatisés qui veulent aller au combat et que leurs mères cherchent en vain à arracher à la mort, Benedek brosse un tableau intimiste de l'Allemagne à la veille de la défaite, sans souci de dédouaner qui que se soit. Malgré la générosité de leur inspiration, les films suivants, *Affair in Havana* (1957), *Malaga / Moment of Danger* (GB, 1959), *Recours en grâce* (FR, 1960), *Namu the Killer Whale* (1966), *le Commando intrépide* (*The Daring Game*, 1968), sont beaucoup plus faibles. Benedek n'arrive pas à trouver un second souffle et, après une dernière tentative infructueuse (*The Night Visitor*, 1971), cet homme modeste et lucide s'éloigne des studios pour se consacrer à l'enseignement du cinéma. ▲ P.H.

BENEDETTI *(Paolo [Paulo]), producteur et chef opérateur brésilien d'origine italienne (Italie 1863*

- *Rio de Janeiro 1944).* Pionnier du muet, il débute à Barbacena (Minas Gerais) comme exploitant, vers 1909. Bricoleur de génie, il fait des expériences avec le son, le sous-titrage et la couleur. Après avoir tourné des actualités, il met en scène la troisième version cinématographique de l'opéra *O Guarany* de Carlos Gomes (1912), et *Um Transformista Original* (1915). À Rio de Janeiro, il devient l'opérateur de trois films de Vittorio Capellaro (*O Cruzeiro do Sul,* 1917 ; *Iracema,* 1918 ; *O Garimpeiro,* 1920), puis le propriétaire d'un important laboratoire et le producteur attentif de plusieurs films, dont *A Gigolete* (Vittorio Verga, 1924) et surtout *Barro Humano* (A. Gonzaga, 1928), grâce auquel l'équipe de la revue *Cinearte* peut mettre ses idées en pratique. Il assura toujours avec compétence la prise de vues de ses productions. P.A.P.

BENEGAL *(Shyam), cinéaste indien (Hyderābād, Andhra Pradesh, 1934).* Fondateur du ciné-club de Hyderābād, diplômé en économie, vétéran du film publicitaire (600 films), il est un des représentants les plus en vue de la nouvelle vague indienne. Refusant les stéréotypes du cinéma hindī, découvreur et excellent directeur d'acteurs, il tient néanmoins à toucher un vaste public, réalisant des films qui, évitant toute recherche formelle trop marquée, s'appuient sur des situations authentiques de conflits sociaux : la tyrannie des propriétaires ruraux (*'la Graine'* [*Ankur*], 1973) ou la révolte contre cette oppression (*'l'Aube'* [*Nishant*], 1975), la difficile installation d'une coopérative laitière en milieu rural (*'le Barattage'* [*Manthan*], 1976). Le thème de l'humiliation de la femme, déjà très présent dans ces films, est ensuite traité spécifiquement : *'le Rôle'* (*Bhumikā, id.*), portrait d'une actrice de cinéma, qu'incarne Smita Patil, tentant d'assumer sa vie ; *'le Talisman'* (réalisé en hindī [*Kondura*] et en telugu [*Anugraham*], 1977), destruction d'une jeune femme par l'oppression religieuse ; *'Un vol de pigeons'* (*Junoon,* 1978) retrace la révolte des cipayes en 1857, tandis que *Kalyug* (1980) évoque l'aliénation et la corruption du monde des affaires à travers la rivalité impitoyable de deux familles appartenant au milieu industriel des grandes villes. Benegal tourne ensuite *'l'Ascension'* (*Aarohan,* 1982), *Mandi* (1983), deux documentaires, l'un sur *Nehru* (id.), l'autre sur le cinéaste *Satyajit Ray* (1985), *Trikaal* (id.), *Susman* (1986), le *Septième Cheval du soleil* (*Suraj Ka Satvan Godha,* 1992), *Mammo* (1994). H.M.

BENGELL *(Norma), actrice et cinéaste brésilienne (Rio de Janeiro 1935).* Elle débute au cinéma dans des chanchadas : *O Homem do Sputnik* (Carlos Manga, 1959), ou des comédies : *Mulheres e Milhões* (Jorge Ileli, 1961), mais obtient sa consécration dans des rôles dramatiques : *la Plage du désir* (R. Guerra, 1962) et *la Parole donnée* (A. Duarte, 1962). Profitant de la répercussion de ces derniers, elle ébauche une carrière en Italie (*Il mafioso* [A. Lattuada], 1962), puis revient au Brésil, répétant ses succès précédents avec *le Jeu de la nuit* (W. H. Khoury, 1964). Depuis, elle a notamment joué dans des films des cinéastes marginaux Julio Bressane (*O Anjo Nasceu,* 1969) et Rogério Sganzerla (*O Abismo,* 1978), de Glauber Rocha (*l'Âge de la Terre,* 1980) d'Ana Carolina Teixeira Soares (*Mar de Rosas,* 1977) et de Jorge Duran (*A cor do seu destino,* 1986). En 1987 elle met en scène son premier long métrage : *Eternamente Pagu,* suivi de *O Guarany* (1995). P.A.P.

BENIGNI *(Roberto), acteur et cinéaste italien (Castiglion Fiorentino 1952).* Doué d'un physique de caoutchouc et d'une volubilité surréaliste, Roberto Benigni mène de front cabaret et télévision avant de tourner son premier film sous la direction de Giuseppe Bertolucci (*Berlinguer ti voglio bene,* 1977). On le voit alors dans *Pipicacadodo* (*Chiedo asilo,* M. Ferreri, 1979), *Il Pap'occhio* (Renzo Arbore, 1980), *Il minestrone* (S. Citti, 1981), *Down By Law* (J. Jarmush, 1986), *La voce della luna* (F. Fellini, 1990), *Night on Earth* (Jarmush, 1992), *le Fils de la Panthère Rose* (B. Edwards, 1993). Passé à la réalisation en 1982 avec *Tu mi turbi,* il a connu un immense succès en Italie avec *Non ci resta che piangere* (1984, co Massimo Troisi), *le Petit Diable* (*Il piccolo diavolo,,* 1989), *Johnny Stecchino* (1992) et, surtout, *le Monstre* (*Il mostro,* 1994), dont la fréquentation dépassa celle de *Jurassic Park* dans la péninsule. Avec beaucoup d'ironie et un zeste de fausse modestie, Benigni déclara : « Plutôt que d'être le Groucho Marx italien, je préférerais être l'Anna Magnani suisse. » J.-A.G.

BENJAMIN *(Richard), acteur américain (New York, N. Y., 1938).* Marié à Paula Prentiss.

Débutant comme jeune premier (*Goodbye Columbus,* 1969, de Larry Peerce), il n'a pas su tenir la distance et s'est spécialisé dans les compositions de «jeune cadre dynamique» stupide et suffisant. Un emploi limité, certes, mais dont Benjamin s'acquitte avec un métier consommé : *Journal intime d'une femme mariée* (F. Perry, 1970), *The Marriage of a Young Stockbroker* (Lawrence Turman, 1971), *Portnoy et son complexe* (*Portnoy's Complaint,* 1972) d'Ernest Lehman. Il semble ensuite être cantonné dans les seconds rôles. En 1982 il réalise un premier film talentueux : *Où est passée mon idole ? (My Favorite Year),* et poursuit désormais une carrière de metteur en scène : *les Moissons du printemps* (*Racing With the Moon,* 1984), *Haut les flingues* (*City Heat,* id.), *Une baraque à tout casser* (*The Money Pit,* 1986), *Little Nikita* (1988), *J'ai épousé une extraterrestre* (*My Stepmother Is an Alien,* id.), *Deux flics à Down Town* (*Down Town,* 1990), *les Deux sirènes* (Mermaids, id.), *Made in America* (1993), *Milk Money* (1994). C.V.

BENNENT *(Heinrich August,* dit *Heinz), acteur allemand (Atsch 1921).* Acteur de théâtre, très actif à la télévision depuis 1954, il semble plus sélectif dans ses apparitions sur grand écran. Depuis son premier rôle important (*Kopfstand, Madame,* Christian Rischert, 1966), il tourne principalement avec ses amis Geissendörfer (*Perahim,* 1974) ou Schlöndorff (*l'Honneur perdu de Katharina Blum,* 1975 ; *le Tambour,* 1979). Sa carrière internationale débute avec Bergman (*l'Œuf du serpent,* 1977, suivi de *De la vie des marionnettes,* 1980), et il apparaît notamment dans *Clair de femme* (Costa Gavras, 1979) et *le Dernier métro* (F. Truffaut, 1980). Parlant français, résidant en Suisse, il travaille avec des cinéastes du cru : Soutter (*l'Amour des femmes,* 1981) ou Goretta (*la Mort de Mario Ricci,* 1983). Il est le père d'Anne Bennent, née en 1963, qui, enfant, a tourné plusieurs films en Allemagne, et de David Bennent, né en 1966, qui sera le héros du *Tambour* de Schlöndorff. D.S.

BENNETT *(Herman Brix,* dit *Bruce), acteur américain (Tacoma, Wash., 1909).* Sa carrière, après quelques petits rôles, commence en 1934 lorsqu'on engage cet ancien champion olympique pour concurrencer Johnny Weissmuller, dont les *Tarzan* font la fortune de la MGM. *The New Adventures of Tarzan* sont réalisées par Edward Krull et W. F. McGaugh en 1935. Ayant jusque-là tourné sous son vrai nom, il entreprend une seconde carrière à partir de 1940 sous celui de Bruce Bennett : *Plus on est de fous* (G. Stevens, 1943), *le Trésor de la Sierra Madre* (J. Huston, 1948), *Strategic Air Command* (A. Mann, 1955). C.D.R.

BENNETT *(Robert Compton-Bennett,* dit *Compton), cinéaste britannique (Tunbridge Wells 1900 - Londres 1974).* Décorateur, puis monteur pour Alexander Korda (1932), il réalise quelques films éducatifs pour l'armée (1939) et signe son premier et meilleur long métrage de fiction, *le Septième Voile (The Seventh Veil),* en 1945. Le succès de ce drame romantique teinté de freudisme lui vaut de diriger trois films à Hollywood, dont *les Mines du roi Salomon* (*King Solomon's Mines,* 1950 ; co Andrew Marton). Revenu en Grande-Bretagne, il y réalise une dizaine de films impersonnels jusqu'en 1965 et travaille beaucoup pour la TV. G.L.

BENNETT *(Constance), actrice américaine (New York, N. Y., 1904 - Fort Dix, N. J., 1965).* Après des commencements hasardeux, durant lesquels quelques succès (*Poupées de théâtre,* E. Goulding, 1925) ne l'empêchent pas de préférer filer le parfait amour avec le millionnaire Phillip Plant ou le marquis de la Falaise de Coudray, elle revient à Hollywood aux débuts du parlant, bien décidée à se défendre. Avec une ténacité et un sens du spectacle hérités de son père, le célèbre acteur de théâtre Richard Bennett, elle discuta ses contrats avec une alacrité proverbiale et devint vite la vedette la mieux payée de la capitale du cinéma. Dramatiquement limitée, elle eut le coup de génie d'introduire dans ses interprétations lacrymales un recul ironique et un perpétuel clin d'œil au public. On ne croyait pas beaucoup à ses personnages de fille mère, mais on venait voir la belle actrice aux yeux pétillants de malice, à la ligne élégante et aux toilettes mirobolantes. Souvent peu convaincantes, ses créations sont toutes cependant irrésistiblement séduisantes. Aux sombres mélodrames réalisés sans humour par Paul L. Stein (*Born to Love,* 1931) ou Archie Mayo (*Bought,* id.), on préférera ceux de Gregory La Cava et de George Cukor, qui, mieux que personne, ont compris Constance Bennett. Dans *Bed of Roses* (La Cava, 1933) ou dans

Rockabye (G. Cukor, 1932), la comédie s'empare du drame et l'actrice y jette tous ses feux. Son meilleur film reste l'émouvant *What Price Hollywood ?* (Cukor, 1932), où elle fut, sans ironie, convaincante et juste en serveuse de restaurant propulsée au firmament du cinéma. À partir de 1933, sa popularité bat de l'aile : La Cava lui confie un rôle brillant mais bref, dans *Benvenuto Cellini* (*The Affairs of Cellini,* 1934). *Le Couple invisible* (1937), sa suite *Fantômes en croisière* (1939) et *Madame et son clochard* (1938), tous de Norman Z. McLeod, lui assurent un regain de célébrité et lui permettent de faire ce qu'elle fait de mieux : jouer la comédie. Mais, après, elle ne joue plus que des rôles de complément, dont certains très réussis : la rivale de Garbo dans *la Femme aux deux visages* (Cukor, 1941), la belle-mère de Lana Turner dans *Madame X* (David Lowell Rich, 1966), son dernier film. Liée aux noms de La Cava et de Cukor, et à la période 1930-1933, Constance Bennett fut *la* comédienne de la comédie américaine naissante. C.V.

BENNETT *(Enid), actrice américaine d'origine australienne (York, Australie, 1893 - Malibu, Ca., 1969).* Venue aux États-Unis au cours de la Première Guerre mondiale avec une troupe de comédiens de théâtre, elle s'établit à Hollywood et devient peu à peu une actrice de renom à l'écran grâce à Thomas Ince. Son rôle le plus célèbre est celui de Lady Marian dans le *Robin Hood* d'Allan Dwan en 1922, où elle a pour partenaire Douglas Fairbanks. Elle épousa le réalisateur Fred Niblo et l'aida, dit-on, dans la préparation et la réalisation de *Ben-Hur* (1926). Parmi ses autres films, on peut citer *The Girl Glory* (R. W. Neill, 1917), *The Vamp* (Jerome Storm, 1918), *The Virtuous Thief* (F. Niblo, 1919), *Hairpins* (*id.*, 1920), *The Courtship of Miles Standish* (Frederick Sullivan, 1923), *l'Aigle des mers* (F. Lloyd, 1924), *A Woman's Heart* (Phil Rosen, 1926). J.-L.P.

BENNETT *(Joan), actrice américaine (Palisades, N. J., 1910 - White Plains, N. Y., 1990).* Fille d'un célèbre ménage de comédiens, elle fait sa première apparition à la scène à quatre ans et, en 1915, participe avec sa famille au tournage d'un mélodrame, *The Valley of Decision.* Elle s'éloigne de la scène et des écrans (où se font rapidement connaître ses sœurs Constance et Barbara) et débute vraiment dans *Bulldog Drummond* (F. Richard Jones, 1929). Jeune première mondaine, blonde et élégante dans *Disraeli* (Alfred E. Green, 1929), *Moby Dick* (L. Bacon, 1930) et *Doctor's Wives* (F. Borzage, 1931), elle révèle un mordant sans apprêt dans *Wild Girl* et *For Me and My Gal* (R. Walsh, 1932), une vivacité étonnamment moderne dans *les Quatre Filles du docteur March* (G. Cukor, 1933). Ces réussites alternent avec des tentatives infructueuses dans la comédie *loufoque,* avant sa prise sous contrat par le producteur Walter Wanger, qui l'aide à imposer un personnage nouveau, plus sophistiqué. Délicieux et romantique, *la Femme aux cigarettes blondes* (T. Garnett, 1939) marque sa métamorphose en brune et son passage à un registre plus uniformément dramatique. Sous la direction de Fritz Lang, elle joue la prostituée cockney de *Chasse à l'homme* (1941), tient le rôle-titre de *la Femme au portrait* (1944), dont elle tourne une variante réaliste dans *la Rue rouge* (1945). Volontiers *fatale,* un rien perverse, acide et ironique, elle connaît ses meilleurs moments dans l'univers feutré et trouble du film noir auquel se rattachent aussi *la Femme sur la plage* (J. Renoir, 1946), *le Secret derrière la porte* (F. Lang, 1948) et *les Désemparés* (Max Ophuls, 1949). Avec les années 50, elle passe progressivement à des rôles de mère plus effacés : *le Père de la mariée* (V. Minnelli, 1950), *There's Always Tomorrow* (D. Sirk, 1956). Elle connaît ensuite une longue éclipse cinématographique. Elle se consacre au théâtre et à la télévision et remporte un succès durable dans la série de Dan Curtis, *Dark Shadows,* dont elle tourne aussi une médiocre adaptation filmée. En 1977, Dario Argento la fait participer en « guest-star » à *Suspiria.* O.E.

BENNETT *(Richard Rodney), musicien britannique (Broadstairs, Kent, 1936).* Il débute au cinéma en 1956 (*Song of the Clouds, MM,* John Armstrong). Ses meilleures créations allient le sens de la mélodie prégnante au goût pour les sonorités modernes. Au sein d'une œuvre abondante et variée, on remarque une nette prédilection pour les films de Losey (*l'Enquête de l'inspecteur Morgan,* 1959 ; *Cérémonie secrète,* 1968 ; *Deux Hommes en fuite,* 1970) ou de John Schlesinger (*Billy le Menteur,* 1963 ; *Loin de la foule déchaînée,* 1967 ; *Yanks,* 1979). R.L.

BENNY *(Benjamin Kubelsky, dit Jack), acteur américain (Waukegan, Ill., 1894 - Los Angeles,*

Ca., 1974). Après quinze ans de music-hall, il débute au cinéma dans *Hollywood Revue of 1929* (Charles F. Reisner, 1929), mais c'est la radio qui consacre sa célébrité à partir de 1932, puis la TV dès 1955. Il reprend le plus souvent dans ses films le personnage odieux de suffisance et de pingrerie qu'il peaufine à la radio. Toutefois, on le remarque davantage dans *Artistes et Modèles* (R. Walsh, 1937), *Charley's Aunt* (A. Mayo, 1941), *George Washington Slept Here* (W. Keighley, 1942) et surtout *To Be or Not to Be* (E. Lubitsch, *id.*), où il « fait à Shakespeare ce que les Allemands ont fait à la Pologne ». J.-P.B.

BENOÎT-LÉVY *(Jean), cinéaste français (Paris 1888* - id. *1959).* Son activité, qui commence en 1920 (il est en 1922 directeur artistique du premier film de Jean Epstein, *Pasteur*), est à double face. D'une part, son travail de documentariste (inauguré au cours des années 20 par des films pédagogiques réalisés en collaboration avec des associations à buts sociaux et philanthropiques) et d'éducateur l'amène pendant la guerre à enseigner le cinéma à New York puis à occuper en 1946 de hautes fonctions à l'UNESCO. Il laisse ainsi de nombreux courts métrages (notamment sur la danse) et des écrits *(le Cinéma d'enseignement et l'Éducation, les Grandes Missions du cinéma).* D'autre part, il réalise des films que le public accueille favorablement : *Peau de pêche* (co Marie Epstein), *Âmes d'enfants* (1928, co M. Epstein), *la Maternelle* (1933, co M. Epstein) d'après le roman de Léon Frapié, *Itto* (1935, co M. Epstein), *Hélène* (1936), *la Mort du cygne* (1937), *Altitude 3200* (1938), *Feu de paille* (1940). R.C.

BENSHI *(litt. « homme parlant »).* Nom donné au Japon aux commentateurs des films muets, qui résumaient ou paraphrasaient à leur guise l'action et lisaient les intertitres pour un public souvent analphabète. La popularité des *benshi* était telle que les spectateurs venaient parfois plus pour eux que pour voir les films. La transition du muet au parlant, autour de 1930, donna lieu à des incidents violents, à cause de la résistance des *benshi.* M.T.

BENTLEY *(Thomas), cinéaste britannique (Londres 1880* - id. *1951).* Il se rend célèbre dès l'époque du muet en se faisant une spécialité des adaptations de Dickens : *Oliver Twist* (1912), *David Copperfield* (1913), *les Aventures de M. Pickwick* (*The Adventures of Mr. Pickwick,* 1921). Il tourna même trois versions de *la Maison d'antiquités* (*The Old Curiosity Shop,* 1914, 1921, 1934). Au sein d'une abondante filmographie, on retient surtout : *Milestone* (1916), *The American Prisoner* (son premier film parlant, 1929) ; *Young Woodley* (1930), *Hobson's Choice* (1931), *Those Were the Days* (1934), *Old Mother Riley's Circus* (son dernier film, 1941). R.L.

BENTON *(Robert), cinéaste et scénariste américain (Waxahachie, Tex., 1932).* Collaborateur technique de la revue *Esquire,* coauteur, avec David Newman, d'une comédie musicale sur Superman, ce qui l'amène à travailler au scénario du film de Richard Donner, il écrit, avec le même Newman, les scénarios de *Bonnie and Clyde* (A. Penn, 1967) et du *Reptile* (J. L. Mankiewicz, 1970). Son premier film comme réalisateur, *Bad Company* (*id.,* 1972), célèbre, sur un mode picaresque, les hors-la-loi, et contribue à démythifier les héros de western. *Le chat connaît l'assassin* (*The Late Show,* 1977), produit par Robert Altman, est encore fondé sur des personnages d'originaux. Cette œuvre fait revivre de façon humoristique les poncifs du film noir. Privé du support des genres, dans *Kramer contre Kramer* (*Kramer Vs. Kramer,* 1979), il sacrifie sujet et style à la sensibilité du moment, connaît un premier et très gros succès comme cinéaste, et se voit décerner plusieurs Oscars. En 1982, il tourne *la Mort aux enchères (Still of the Night),* en 1984 *les Saisons du cœur (Places in the Heart*), en 1987 *Nadine* (id.), en 1990 *Billy Bathgate* et en 1994 *Nobody's Fool.* A.G.

BENVENUTI *(Leo), scénariste italien (Florence 1923).* Il débute en écrivant une série de farces pour Macario, dirigées par Carlo Borghesio (*Come persi la guerra,* 1947 ; *Come scopersi l'America,* 1949). Dès 1955, il travaille presque toujours en tandem avec le scénariste Piero De Bernardi. Ils se spécialisent dans la satire sociale (*Guendalina,* A. Lattuada, 1957 ; *Arrangiatevi,* M. Bolognini, 1960 ; *Fantozzi,* L. Salce, 1975), travaillent avec bonheur pour Valerio Zurlini (*les Jeunes Filles de San Frediano,* 1954 ; *la Fille à la valise,* 1961), écrivent des comédies virulentes pour Pietro Germi (*Serafino,* 1968 ; *Alfredo Alfredo,* 1972) et pour Mario Monicelli (*Mes chers amis,* deux films, 1975 et 1982 ; *I*

Picari, 1987). En collaboration avec Golfiero Colonna et Franco Rossi, Benvenuti a signé son unique mise en scène : *Calypso* (1959), un documentaire exotique. L.C.

BÉRARD *(Christian), peintre, décorateur et créateur de costumes français (Paris 1902 - id. 1949).* Peintre de formation, il travaille à la scène avec Jouvet, Barrault, Balanchine ou Massine, avec Jean Cocteau surtout, qui l'entraîne dans son aventure cinématographique. Dans *la Belle et la Bête* (1946), il mêle l'imagerie propre du poète aux lumières empruntées de Vermeer ou Doré. En 1948, ce sont encore le « baroquisme élégamment maîtrisé » (C. Beylie) de *l'Aigle à deux têtes,* le décor unique de *la Voix humaine* (réalisé en Italie par R. Rossellini), et en 1949 la « roulotte » bohème des *Parents terribles.* Les décors d'*Orphée* (1950) s'inspirent de ses maquettes. J.-P.B.

BEREMÉNYI *(Géza), cinéaste hongrois (Budapest 1946).* Romancier, dramaturge, scénariste (*Romantika,* 1972, et *Cher voisin,* 1979, de Z. Kezdi-Kovacs ; *Le diable bat sa femme,* 1977, de Ferenc András ; *Temps suspendu,* 1983, de Peter Gothar), il tourne en 1985 son premier film *les Disciples (A tanitványok),* et signe trois ans plus tard *Eldorado/le Prix de l'or (Eldorádo),* qui remporte le prix européen du cinéma puis *la Tournée (Turné,* 1993). J.-L.P.

BERENGER *(Tom), acteur américain (Chicago, Ill., 1950).* Il fait d'abord du théâtre à New York avant de sillonner les États-Unis en jouant le rôle de Stanley Kowalski dans *Un tramway nommé désir* de Tennessee Williams. *La Sentinelle des maudits* (*The Sentinel,* M. Winner, 1976) marque ses débuts à l'écran. Après une série de rôles secondaires, notamment dans *À la recherche de Mister Goodbar* (R. Brooks, 1977) et dans *les Copains d'abord* (L. Kasdan, 1983) il atteint la notoriété grâce à sa prestation dans le rôle du sergent psychopathe de *Platoon* (1986) d'Oliver Stone. Costa-Gavras lui confiera son premier vrai grand rôle, celui du fermier fasciste de *la Main droite du diable* (1988), avant qu'Alan Rudolph ne le sorte du registre des personnages antipathiques en lui faisant jouer un détective déjanté dans *l'Amour poursuite* (1990), une comédie policière dans laquelle la voix enrouée de Berenger, son regard humide et sa démarche nonchalante font merveille. Il apparaît ensuite dans *The Field* (Jim Sheridan, *id.*), *Shattered* (W. Petersen, *id.*) et *En liberté dans les champs du Seigneur* (H. Babenco, *id.*). Mais peut-être sa composition crédible et inquiétante de criminel potentiel et pervers dans *Sliver* (Ph. Noyce, 1993) lui ouvre-t-elle de nouvelles voies ? A.F.

BERENSON *(Marisa), actrice américaine (New York, N. Y. 1947).* Petite-fille d'Elsa Schiaparelli, une des grandes créatrices de la haute-couture, petite-nièce de l'historien d'art Bernard Berenson, elle commence une carrière prometteuse dans la mode où sa beauté insolite et fragile séduit. Attirée par le cinéma (on l'aperçoit dans *Mort à Venise* de Visconti en 1971 et dans *Cabaret* de Bob Fosse en 1972) elle reçoit de Stanley Kubrick un rôle marquant dans *Barry Lyndon* (1975). Pendant de nombreuses années elle ne se verra plus offrir de prestations aussi nobles. On la retrouvera dans des œuvres (hélas pour elle) moins prestigieuses *SOB* (B. Edwards, 1980), *la Tête dans le sac* (Gérard Lauzier, 1984), *l'Arbalète* (S. Gobbi, id.), *Flagrant désir* (C. Faraldo, 1986), *Perfume Over the Cyclone* (David Irving, 1990), *Chasseur blanc, cœur noir* (C. Eastwood, 1990), *le Grand Blanc de Lambarené* (Bassek ba Kobhio, 1995). C.O.

BERESFORD *(Bruce), cinéaste australien (Sydney 1940).* Cinéaste prolifique, aux thèmes nationaux, il incarne parfaitement l'explosion du nouveau cinéma australien, pour laquelle il était prêt : en 1972, il a déjà participé à une centaine de courts métrages, en Australie, à la Nigerian Film Unit ou au British Film Institute. Conteur avant tout, ses films vont de la satire mordante, mais sans intolérance et parfois douloureuse, des composantes de la vie australienne (*The Adventures of Barry McKenzie,* 1972 ; *Don's Party,* 1976 ; *The Club,* 1981 ; *Puberty Blues,* 1982) au règlement de comptes avec l'époque victorienne (*The Getting of the Wisdom,* 1977 ; *Breaker Morant,* 1980). Aux États-Unis il réalise successivement *le Roi David* (*King David,* 1985), *Crimes de cœur* (*Crimes of the Heart,* 1986), *The Fringe Dwellers (id.), Aria* (un épisode, 1987), *Son alibi* (*Her Alibi,* 1988), *Miss Daisy et son chauffeur* (*Driving Miss Daisy* 1989), qui remporte l'Oscar du meilleur film en 1990, *Mister Johnson* (id., *id.*), *la Robe noire* (*Black Robe,* 1991), *Rich in Love* (1992), *Un Anglais sous les* *tropiques* (*A Good Man in Africa,* 1993), *Silent Fall* (1994). A.M.C.

BERGEN *(Candice), actrice américaine (Beverly Hills, Ca., 1946).* Fille du ventriloque Edgar Bergen, mannequin, elle débute par un rôle très fort, dans *le Groupe* (S. Lumet, 1966), sans en retrouver plus tard l'équivalent. Digne et froide comme une star d'autrefois, dans le mystère (*Jeux pervers,* Guy Green, 1968), dans l'aventure la plus sordide (*Soldat bleu,* R. Nelson, 1970) ou la plus romanesque (*la Chevauchée sauvage,* R. Brooks, 1975), elle semble entretenir une distance à l'égard de ses rôles, sauf dans *Merci d'avoir été ma femme* (A. J. Pakula, 1979), où elle paraît ne pas jouer mais être elle-même. On l'a vue également dans *Vivre pour vivre* (C. Lelouch, 1967), *Ce plaisir qu'on dit charnel* (M. Nichols, 1971), *le Lion et le Vent* (J. Millius, 1975) et dans *Gandhi* (R. Attenborough, 1983), *Stick, le justicier de Miami* (B. Reynolds, 1985). Elle est aussi journaliste et photographe. A.G.

BERGER *(Helmut Steinberger,* dit *Helmut), acteur autrichien (Bad Ischl 1944).* Ayant débuté dans de petits rôles aux studios de Munich et de Rome, il est découvert par Luchino Visconti, qui l'emploie dans son sketch des *Sorcières* (1967) et surtout dans *les Damnés* (1969). Il se fait apprécier ensuite dans deux films du même réalisateur : *Ludwig /le Crépuscule des dieux* (il interprète le rôle du roi ; 1972) et *Violence et Passion* (1975), ainsi que dans *le Jardin des Finzi-Contini* (V. De Sica, 1970). De nombreux réalisateurs italiens (Florestano Vancini, Massimo Dallamanno, Umberto Lenzi, Sergio Grieco, Duccio Tessari, Tinto Brass, Maurizio Liverani, etc.) ainsi que Joseph Losey (*Une Anglaise romantique,* 1975), Sergio Gobbi, Larry Peerce et Marvin Chomsky l'ont fait tourner dans des films de moindre intérêt. Il retrouve, en 1994, le personnage de Louis II de Bavière dans *Ludwig 1881* de Fosco et Donatello Dubini. Il ne doit pas être confondu avec Helmut Berger (né à Graz en 1949), acteur dans des films autrichiens, allemands et suisses et réalisateur à partir de 1987 : *Toi, moi aussi (Du mich auch).* D.S.

BERGER *(Ludwig Bamberger,* dit *Ludwig), cinéaste allemand (Mayence 1892 - Schlangenbad 1969).* Formé par l'opéra et le théâtre shakespearien, il aborde le cinéma en 1920, réalisant *l'Alcade de Zalamea* (*Der Richter von Zalamea*). Sa réputation de spécialiste de films distractifs s'établit bientôt avec *le Verre d'eau* (*Das Spiel der Königin / Ein Glas Wasser,* 1923) et *Cendrillon* (*Der verloren Schuh,* id.). Ayant réalisé sept films et écrit plusieurs scénarios, il est engagé à Hollywood (1927-1930), dirigeant notamment Maurice Chevalier dans *Playboy of Paris* (1930) ainsi que dans la version française du même film *(le Petit Café)* et Jeanette MacDonald dans *The Vagabond King* (1930). De retour en Allemagne, il ne tourne que deux films musicaux, émigre en 1933, réalisant *Pygmalion* aux Pays-Bas (1937) et *Trois Valses* en France (1939) — ce film dans la tradition de l'opérette viennoise, qu'il avait déjà illustrée en 1926 avec *Rêve de valse (Ein Walzertraum)* et en 1933 avec *la Guerre des valses (Walzerkrieg).* Ses travaux ultérieurs sont peu nombreux : coréalisation avec Michael Powell et Tim Whelan du *Voleur de Bagdad* (1940), réalisation en France d'un film de ballet, *Ballerina* (1949), et collaboration au scénario du film à la gloire de l'homme politique *Stresemann* (Alfred Braun, 1956). Il se retira du cinéma pour exploiter une brasserie à Luxembourg. D.S.

BERGER *(Nicole), actrice française (Paris 1935 - Rouen 1967).* Interprète de *Julietta* (M. Allégret, 1953), elle est révélée par *le Blé en herbe* (1954) de Claude Autant-Lara, où elle incarne une Vinca très fidèle à Colette. Mais c'est Helmut Kaütner qui, lui confiant dans *Ein Mädchen aus Flandern* (1955) le rôle d'une jeune fille belge amoureuse d'un soldat allemand pendant la Grande Guerre, met le mieux en évidence sa personnalité fragile et obstinée, son jeu discret et frémissant. Nicole Berger tourne ensuite avec Gérard Philipe, Jules Dassin, Jean-Pierre Mocky et surtout François Truffaut (*Tirez sur le pianiste,* 1960). Après une longue absence, elle réapparaît dans *la Permission* de Melvin Van Peebles (1968) avant d'être victime d'un accident de la route. P.H.

BERGER *(Senta), actrice autrichienne (Vienne 1941).* Elle débute au cinéma très jeune, en 1957, après avoir suivi quelques cours de danse et de théâtre et apparaît dans de nombreux films allemands, dont *le Brave Soldat Švejk* (Axel von Ambesser, 1960) et *Das*

Wunder des Malachias (B. Wicki, 1961). Après *Sherlock Holmes et le collier de la mort,* tourné par Terence Fisher en Allemagne (coréalisé par Frank Witherstein, 1962), elle est la vedette de nombreux films d'aventures réalisés dans divers pays d'Europe et elle participe à quelques productions américaines. Ayant fondé en 1965 une société de production, elle produit les films de son mari et associé Michael Verhoeven, *Couples* (1967). Par la suite, elle apparaît dans des rôles secondaires et dans quelques œuvres de télévision. D.S.

BERGGREN *(Thommy), acteur suédois (Mölndal 1937).* Élevé à Göteborg, il veut d'abord être marin, mais s'inscrit dans un cours privé d'art dramatique. Il fait déjà du théâtre depuis sept ans quand il débute à l'écran dans *la Nacre* (*Pärlemor,* 1961, mis en scène par Torgny Anderberg). Il tourne avec Harriet Andersson le premier long métrage de Jörn Donner, *Un dimanche de septembre* (1963). Mais c'est Bo Widerberg qui lui donne sa vraie chance en lui confiant les rôles du jeune amant du *Péché suédois* (id.), du jeune auteur rebelle du *Quartier du corbeau* (id.) et de l'officier déserteur d'*Elvira Madigan* (1967). Son physique agréable, sa sensibilité et son air romantique lui valent d'être constamment demandé tant au théâtre qu'au cinéma, même s'il n'obtient qu'un seul grand rôle hors de Suède, dans *les Aventuriers* (*The Adventurers,* 1970) de Lewis Gilbert. Son interprétation la plus approfondie est celle qu'il a donnée du chanteur itinérant injustement condamné à mort dans le *Joe Hill* (1971) de Widerberg. Il tourne ensuite notamment *Giliap* (Roy Andersson, 1976), *Ciel brouillé* (*Brusten Himmel,* I. Thulin, 1982), *'Une colline sur la face sombre de la lune'* (*Berget på måncens baksida,* Lennart Hjulström, 1983), *'les Enfants du dimanche'* (*Söndagsbarn,* Daniel Bergman, 1992). P.CO.

BERGMAN *(Ingmar), cinéaste suédois (Uppsala 1918).* Fils d'un pasteur luthérien et d'une mère dominatrice d'origine wallonne, Ingmar Bergman grandit dans une famille très stricte, où l'on considère la bonne conduite et le refoulement des instincts comme autant de vertus. Rien d'étonnant que sa sœur Margareta et lui-même se réfugient dans un univers imaginaire : ensemble, ils achètent des bouts de films pour le projecteur familial et ils construisent un théâtre de marionnettes. Bergman n'a pas vingt ans lorsqu'il quitte ses parents pour s'installer à Stockholm. Dès lors, il se consacre au théâtre universitaire et c'est à cette époque, vers la fin des années 30 et le début des années 40, qu'il se lie d'amitié avec certains de ceux qui devaient par la suite dominer le cinéma suédois de leur influence, comme Erland Josephson et Vilgot Sjöman.

En 1942, à la suite de la première d'une de ses pièces, *la Mort de Punch,* Bergman est invité à se joindre à l'équipe de scénaristes de la Svensk Filmindustri, où il passe deux ans à remanier des scénarios tout en continuant à écrire pour la scène des pièces que la critique accueille d'ailleurs favorablement. Pourtant, Bergman ne tarde pas à se rendre compte que, s'il doit jouer un rôle au théâtre, ce ne sera pas en tant qu'auteur, mais bien plutôt en insufflant la vie aux œuvres d'autrui, et en leur apportant l'originalité de son imagination créatrice. Par la suite, Bergman ne devait jamais cesser de travailler pour le théâtre, ne fût-ce que par intermittence. Dans les années 50, par exemple, il monte au moins deux nouvelles pièces tous les hivers au théâtre municipal de Malmö, s'attirant les louanges de la critique internationale pour ses mises en scène d'Ibsen, Strindberg, Molière, Shakespeare et Tennessee Williams.

Les mois d'été, il les réserve au tournage de ses films ; lorsqu'on connaît le caractère et la personnalité des œuvres de cette période, on peut supposer quelle rigueur exigea leur réalisation.

Plus qu'aucun autre réalisateur, I. Bergman aura été marqué par son enfance. Son premier scénario, *Tourments,* porté à l'écran par Alf Sjöberg, le plus grand cinéaste suédois de l'époque, repose sur un souvenir personnel : la terreur inspirée par l'un de ses professeurs – le Caligula du film –, dont il avait subi les brimades à Stockholm. Évocation fidèle de l'atmosphère qui régnait alors dans son pays, de l'angoisse et du désespoir de l'intelligentsia devant la neutralité suspecte de la Suède, *Tourments* était en même temps un portrait saisissant d'un psychopathe : le maître incarné par Stig Järrel.

L'année suivante (en 1945), la Svensk Filmindustri donne à Bergman l'occasion de diriger son premier film, *Crise,* adapté d'une pièce danoise et dont le héros, comme dans tous ses premiers films, est un alter ego à peine déguisé de l'auteur, qui par son truchement exprime ses appréhensions, son anxiété, ses aversions ou ses aspirations personnelles. Irrémédiablement coupé de son environnement, l'être humain se trouve constamment en conflit avec l'autorité sous quelque forme qu'elle se manifeste, et alors qu'il n'a pas même le moyen de croire en une puissance supérieure. Si *Bateau pour les Indes* (1947) et *Prison* (1949, le premier film entièrement écrit et réalisé par Bergman) sont parfaitement représentatifs de cette période, les deux derniers films de la décennie *(la Soif* et *Vers la joie)* témoignent en revanche d'une préoccupation nouvelle chez Bergman, qui aborde le thème du couple engagé dans une guerre sans merci. Prisonniers l'un de l'autre, les amants de Bergman se livrent un combat au corps à corps, une joute oratoire impitoyable et qui n'est pas sans rapport avec les empoignades domestiques chères à Strindberg.

Les années 50 permettent à Bergman de s'affirmer. Dès le début de la décennie, c'est dans les îles situées au large de Stockholm qu'il tourne deux éclatantes histoires d'amour qui exaltent à la fois les splendeurs de l'été suédois et les feux éphémères de la passion : *Jeux d'été* (1951), qu'illumine le jeu de Maj-Britt Nilsson, et *Monika* (1953), où s'épanouit la sexualité de Harriet Andersson. Deux thèmes désormais s'entrecroiseront, se succéderont, se chasseront l'un l'autre : le premier, méditatif et philosophique, analysera l'angoisse d'un monde qui s'interroge sur Dieu, le Bien et le Mal et, d'une façon plus générale, le sens de la vie ; le second, caustique, brillant et satirique, brode de subtiles variations sur l'incommunicabilité au sein du couple.

La carrière suédoise de Bergman manque pourtant de se trouver freinée par la critique, qui vilipende *la Nuit des forains,* analyse cinglante, voire désespérée, du désir, du sentiment de culpabilité et de ce qu'il y a de plus vulnérable chez l'homme. Grâce au prix spécial du Jury décerné à Cannes, en 1955, à *Sourires d'une nuit d'été,* une comédie rococo où le cinéaste sait se montrer à la fois charmeur et féroce à la manière d'un Beaumarchais, Bergman retrouve les faveurs de ses juges et parvient à mettre sur pied un projet qu'il caressait depuis longtemps : *le Septième Sceau* (1957). *Le Septième Sceau,* allégorie anxieuse sur la vie et la mort, c'est le *Faust* de Bergman. S'il est un film dans lequel s'expriment tout à la fois sa conception affective et intellectuelle de Dieu et son intuition d'un éventuel holocauste nucléaire – la peste médiévale symbolisant la menace que la guerre froide faisait alors peser sur le monde –, c'est bien celui-là.

Le Septième Sceau devait en outre établir solidement sur la scène internationale une remarquable troupe d'acteurs, dont Max von Sydow, Gunnar Björnstrand, Bibi Andersson et Gunnel Lindblöm. Par ailleurs, pendant les années 50, Bergman reste également fidèle à une même équipe technique : l'opérateur Gunnar Fischer, le décorateur P. A. Lundgren et le compositeur Erik Nordgren, pour ne citer que ceux-là.

Le succès éclatant remporté par *le Septième Sceau* permet à Bergman de réaliser coup sur coup quatre films importants : *les Fraises sauvages* (1957), tout d'abord, avec l'ancien metteur en scène Victor Sjöström devenu pour l'occasion son interprète principal. Pour cette approche lucide et bienveillante de l'entrée dans la vieillesse, avec son cortège de regrets et de récriminations, l'auteur fait une nouvelle fois appel à ses souvenirs d'enfance. C'est ensuite un exercice d'apparence plus documentaire, *Au seuil de la vie* (1958), qui dissèque avec une précision quasi chirurgicale les réactions de trois femmes dans une maternité. Pour être campé dans le XIXe siècle, *le Visage* (1958) n'en met pas moins en scène un certain Vogler (Max von Sydow), un *magicien* qui n'est évidemment autre que Bergman lui-même, l'amuseur qui gagne sa vie en charmant son public tout en s'exposant à ses sarcasmes. *La Source* (1960), enfin, deuxième incursion de Bergman dans le Moyen Âge, est une histoire cruelle de viol, de meurtre et de vengeance en forme de ballade du temps jadis.

En 1960, Bergman semblait avoir atteint l'apogée de son art. Cependant, au cours des années suivantes, son style se modifiera sensiblement. Le cinéaste aborde en effet une période apparemment plus austère. Une technique plus épurée, une thématique plus appronfondie, un cadre infiniment moins flamboyant au service d'une pensée inquiète et déchirée : Bergman semble bien réconcilier la forme et le fond. Il délaisse la forme symphonique pour le quatuor à cordes. Sa trilogie (*À travers le miroir, les Communiants* et *le Silence,* trois films réalisés entre 1960 et 1962) lui permettra de régler définitivement ses comptes avec son éducation religieuse. En cessant de se préoccuper de la place de l'Homme dans l'univers pour considérer celle de l'artiste dans la société, Bergman se fait l'interprète d'auteurs contemporains comme Antonioni, Robbe-Grillet ou Beckett, comme lui persuadés que l'être humain est parvenu à un stade critique de son évolution et que l'apathie du monde moderne n'est que le reflet d'un certain désenchantement.

Le tournage de *Persona,* en 1965, devait réunir Bergman, maintenant établi dans l'île désolée de Fårö, dans la Baltique, et l'actrice norvégienne Liv Ullmann, qui marqua du sceau de sa personnalité l'œuvre de cette période. Autour d'elle, et souvent avec Max von Sydow, Bergman élabore en effet une série de drames âpres et violents (*l'Heure du loup, la Honte, Une passion*), que *Persona* surpasse cependant par la maîtrise de sa réalisation : plus complexe dans sa structure, puisqu'il entremêle avec virtuosité le rêve et l'imaginaire, le film doit également beaucoup à l'interprétation de Bibi Andersson et de Liv Ullmann. C'est certainement aussi, de toute l'œuvre de Bergman, le film le plus profondément marqué par la psychanalyse : manifestement influencé par Jung, *Persona* traite en effet du transfert de personnalité et des conflits entre la *persona* (le masque extérieur) et l'*alma* (l'image de l'âme intérieure).

En 1970, Bergman cède à la tentation de tourner un film en langue anglaise : *le Lien,* avec Elliott Gould. Malgré le jeu bouleversant de Bibi Andersson, le film sera un échec commercial. À l'inverse, *Cris et Chuchotements* (1973), hallucinante étude en noir et rouge des derniers jours de la vie d'une femme atteinte d'un cancer et du comportement de ses sœurs, est l'œuvre d'un Bergman souverain. Reprenant une idée qu'il avait déjà exploitée en 1964 lorsqu'il montait *Hedda Gabler* pour le théâtre, Bergman choisit de faire évoluer ses acteurs dans un décor des plus saisissants, dont la couleur purpurine évoque irrésistiblement le ventre maternel.

Il ne faut pas longtemps à Bergman pour prendre conscience de l'impact de la télévision. C'est ainsi qu'il avait réalisé dès 1969 *le Rite* pour le petit écran. En 1973, il choisit de tourner pour la télévision *Scènes de la vie conjugale* : six épisodes de cinquante minutes chacun, qu'il monte simultanément en une version cinématographique de trois heures. Cette peinture des aspects tout à la fois tragiques et ridicules du mariage bourgeois trouve une immense audience en Scandinavie, de même que l'admirable production télévisée de *la Flûte enchantée. Face à Face* (1975) devait rencontrer un succès moindre, Bergman y donnant l'impression d'enfoncer des portes déjà grandes ouvertes.

En 1976, l'humiliation d'un scandale fiscal monté de toutes pièces pousse Bergman à s'exiler à Munich, où il réalise *l'Œuf du serpent* pour Dino De Laurentiis, ambitieuse reconstitution du Berlin de l'immédiat après-guerre. Ce film fait écho au désarroi et aux préoccupations de son auteur, tout comme *De la vie des marionnettes* (1980), dans lequel s'expriment l'impuissance et le sentiment d'échec d'un individu persécuté par la société. Dans *Sonate d'automne* (1978), il offre à Ingrid Bergman son plus beau rôle : celui d'une pianiste de concert opposée à sa fille (Liv Ullmann) dans un duel verbal qui la conduit à affronter tout un passé d'égoïsme. En 1982, Bergman tourne *Fanny et Alexandre,* qu'il présente comme sa dernière création pour le grand écran. De fortes notations autobiographiques éclairent rétrospectivement les thèmes de son œuvre : la fascination pour le monde des acteurs, la crainte des interdits religieux, la complicité avec l'univers féminin, la découverte de la mort..., le tout inscrit dans le cadre d'une grande famille d'Uppsala – ville natale du cinéaste – au début du XXe s. et vu à travers le regard d'un enfant de douze ans – plausible alter ego du cinéaste. Il publie en 1987 un remarquable ouvrage autobiographique : *Laterna magica.* P.CO.

Films ▲ : *Crise* (*Kris,* 1946) ; *Il pleut sur notre amour* (*Det regnar på vår kärlek,* id.) ; *Bateau pour les Indes / l'Éternel Mirage* (*Skepp till Indialand,* 1947) ; *Musique dans les ténèbres* (*Musik i mörker,* 1948) ; *Ville portuaire* (*Hamnstad,* id.) ; *la Prison* (*Fängelse,* 1949) ; *la Soif / la Fontaine d'Aréthuse* (*Törst,* id.) ; *Vers la joie* (*Till glädje,* 1950) ; *Cela ne se produirait pas ici* (*Sånt händer inte här,* id.) ; *Jeux d'été* (*Sommarlek,* 1951) ; *l'Attente des femmes* (*Kvinnors väntan,* 1952) ; *Monika / Un été avec Monika / Monika et le désir* (*Sommaren med Monika,* 1953) ; *la*

Nuit des forains (*Gycklarnas afton,* id.) ; *Une leçon d'amour* (*En lektion i kärlek,* 1954) ; *Rêves de femmes* (*Kvinnodröm,* 1955) ; *Sourires d'une nuit d'été* (*Sommarnattens leende,* id.) ; *le Septième Sceau* (*Det sjunde inseglet,* 1957) ; *les Fraises sauvages* (*Smultronstället,* id.) ; *Au seuil de la vie* (*Nära livet,* 1958) ; *le Visage* (*Ansiktet,* id.) ; *la Source* (*Jungfrukällan,* 1960) ; *l'Œil du diable* (*Djävulens öga,* id.) ; *À travers le miroir* (*Såsom i en spegel,* 1961) ; *les Communiants* (*Nattvardsgästerna,* 1963) ; *le Silence* (*Tystnaden,* id.) ; *Toutes ses femmes / À propos de toutes ses femmes* (*För att inte tala om alla dessa kvinnor,* 1964) ; *Persona* (id., 1966) ; *Stimulantia* (épisode : *Daniel,* 1967) ; *l'Heure du loup* (*Vargtimmen,* 1968) ; *la Honte* (*Skammen,* id.) ; *le Rite* (*Riten,* 1969), *Une passion* (*En passion,* id.) ; *Mon île Fåro* [DOC] (*Fåro dokument,* 1970) ; *le Lien* (*Beröringen / The Touch,* 1971, SUE-US) ; *Cris et Chuchotements* (*Viskningar och rop,* 1972) ; *Scènes de la vie conjugale* (*Scener ur ett äktenskap,* 1973) ; *la Flûte enchantée* (*Trollflöjten,* 1975) ; *Face à face* (*Ansikte mot ansikte,* 1976) ; *l'Œuf du serpent* (*Das Schlangenei / The Serpent's Egg,* 1977, ALL-US) ; *Sonate d'automne* (*The Autumn Sonata,* 1978, GB-NOR) ; *Mon île Fårö* (*Fårö dokument,* 1979, [DOC] 1979) ; *De la vie des marionnettes* (*Aus dem Lebender Marionetten,* 1980) ; *Fanny et Alexandre* (*Fanny och Alexander,* 1982), *Après la répétition* (*After the Rehearsal,* 1983) ; *le Visage de Karin* (*Karin Ansikte,* 1983-1985, CM).

BERGMAN *(Ingrid), actrice suédoise (Stockholm 1915 -Londres 1982).* Ingrid Bergman débute à dix-sept ans au Théâtre royal de Stockholm, où elle décroche rapidement des rôles de premier plan. Prise sous contrat par la Svenskfilmindustri en 1933, elle fait sa première apparition à l'écran dans *'le Comte de Munkbro'* et s'impose comme vedette dès son cinquième film, *'Du côté du soleil'.* Elle cultive les genres les plus divers, avec une préférence marquée pour la comédie sentimentale et le mélodrame, qui exaltent son aura de jeune première fraîche, saine et spontanée. Dès 1935, elle est considérée comme une des découvertes les plus prometteuses du cinéma suédois et mène l'essentiel de sa première carrière sous l'égide de Gustav Molander, qui la dirige notamment dans *le Visage d'une femme* et *Intermezzo.*

Alerté sur sa réputation, David O. Selznick l'appelle à Hollywood en 1939, pour lui faire tourner, aux côtés de Leslie Howard, un fidèle remake de ce dernier film. Pygmalion ambitieux, éminent découvreur d'actrices, il mise avec intelligence sur son image établie : naturel, probité, pureté, énergie. L'essai s'avère concluant. Ingrid Bergman s'établit à Hollywood, où sa carrière se poursuivra durant six ans, modelée de façon directe ou occulte par Selznick, et largement influencée par le curieux mélange de romantisme et de puritanisme propre au producteur d'*Autant en emporte le vent.* Ingrid Bergman s'insurge cependant très tôt contre les goûts et les exigences de son mentor. Elle réclame des rôles plus âpres, dont le premier est celui d'Ivy, la barmaid de *Docteur Jekyll et Mr. Hyde* (1941). Elle alterne dès lors systématiquement les rôles *pervers* et *vertueux,* passant de *l'Intrigante de Saratoga* aux *Cloches de Sainte-Marie,* de *la Maison du Dr Edwardes* aux *Enchaînés,* d'*Arc de triomphe* à *Jeanne d'Arc.* Elle révèle son côté *noir* dans *la Proie du mort, Docteur Jekyll et Mr. Hyde, Arc de triomphe* et *les Amants du Capricorne,* qui tissent autour d'elle des univers piégés, en font la victime de longs cauchemars, une hédoniste apathique, vouée à la déchéance.

À l'inverse, *Pour qui sonne le glas, la Maison du Dr Edwardes* et *les Cloches de Sainte-Marie* éclairent le pôle positif du personnage bergmanien, en célèbrent l'idéalisme et le caractère *solaire,* qui séduisait Selznick. (Notons ici la passion de Bergman pour Jeanne d'Arc, figure clé qu'elle incarnera deux fois à la scène et autant à l'écran.)

Refusant le partage entre la noirceur gothique et un angélisme sans nuance, *Casablanca* et *les Enchaînés* assument avec une subtilité plus *européenne* l'indécision morale du personnage bergmanien. L'héroïne est ici écartelée entre deux antagonistes masculins, déracinée, jetée dans un contexte cosmopolite trouble. Elle est le jouet de forces qui la dépassent, la protagoniste ambivalente de drames historiques, où l'égoïsme et la raison politique ne sont jamais clairement distincts, où sacrifice ne signifie plus nécessairement rédemption.

À la fin des années 40, Ingrid Bergman est l'actrice européenne la plus populaire d'Hollywood. Moins mythique que ses rivales immédiates, Garbo et Dietrich, sa malléabilité, son goût de la composition, un contact suivi avec le théâtre (elle remporte un Tony pour *Joan of Lorraine*) lui ont permis d'acquérir une indépendance considérable.

La *période Rossellini* s'ouvre en 1949 sur un « scandale » retentissant, dérisoire, qui révèle les liens affectifs entre Ingrid Bergman et le public américain. Jetée de force dans une nouvelle carrière, l'actrice va s'essayer avec le réalisateur à explorer des lignes narratives plus ouvertes. Pourtant, les films de cette période (dont trois relatent, curieusement, la désagrégation d'un couple) constituent moins une réfutation de la mythologie hollywoodienne d'Ingrid Bergman qu'une *dénaturation* de celle-ci. Tous exploitent, en effet, son récent passé cinématographique : la tentation de la sainteté, dans *Europe 51*, renoue avec l'inspiration de *Jeanne d'Arc*, l'enfer conjugal de *Stromboli* et *la Peur* avec les épreuves de *Hantise* et des *Amants du Capricorne*. Mais le jeu de l'actrice, toujours très construit, s'accommode mal des méthodes d'un réalisateur en quête d'un incertain compromis entre naturalisme et drame bourgeois. Il se dessèche, trahit une tension, une tendance inédite à l'hystérie.

Au terme de cette parenthèse de six ans, Ingrid Bergman fait son retour avec *Anastasia*, un véhicule fait sur mesure pour exploiter toutes les facettes de son talent. Les films qui suivent n'auront ni le lyrisme, ni la noirceur, ni la fantaisie de années 40 (dont *l'Intrigante de Saratoga* offre un bizarre et réjouissant cocktail). Bergman rattrape le temps perdu, l'actrice cède la place à la star internationale. Dans son jeu, elle souligne volontiers le trait, et sera désormais presque toujours trop bonne *(l'Auberge du sixième bonheur)*, trop mondaine et malheureuse *(Aimez-vous Brahms ?)* ou trop piquante *(Indiscret, Elena et les hommes)*. *A Walk in the Spring Rain* et *Fleur de cactus* s'efforceront tardivement de la faire descendre de son piédestal, où Vincente Minnelli la fera remonter avec *Nina*, hommage nostalgique à l'âge d'or hollywoodien qui essuiera un total échec commercial.

En 1978, Ingrid Bergman, retournant en Suède onze ans après le tournage de *Stimulantia*, trouve enfin avec *Sonate d'automne* son meilleur rôle depuis la fin de la période Selznick. S'exposant avec un rare courage au regard scrutateur d'Ingmar Bergman, elle y dessinera avec sa complicité un personnage riche de nuances et d'ambiguïtés, sans doute l'une des créations les plus contrôlées et les plus émouvantes de sa carrière. Elle a également fait quelques prestations remarquées à la télévision, dont l'interprétation du rôle de Golda Meir dans le film homonyme de Alan Gibson (1981). O.E.

Films ▲ : *'le Comte de Munkbro' (Munkbrogreven,* Edvin Adolphson et S. Vallen, 1935) ; *'les Récifs' (Bränningar,* Ivar Johansson, *id.)* ; *Swedenhielms* (G. Molander, *id.*) ; *'la Nuit de la Saint-Jean' / Amour défendu (Valborgsmässoafton,* G. Edgren, *id.)* ; *'Du côté du soleil' (På Solsidan,* Molander, 1936) ; *Intermezzo* (id., *id.*) ; *Dollar* (*id.*, 1938) ; *le Visage d'une femme (En Kvinnas ansikte,* id., *id.)* ; *les Quatre Compagnes (Die Vier Gesellen,* C. Froehlich, *id.)*, *'Une seule nuit' (En enda natt,* Molander, 1939) ; *la Rançon du bonheur (Intermezzo : A Love Story,* G. Ratoff, *id.)* ; *Quand la chair est faible (Juninatten,* Per Lindberg, 1940) ; *la Famille Stoddard (Adam Had Four Sons,* Ratoff, 1941) ; *la Proie du mort (Rage in Heaven,* W. S. Van Dyke, *id.)* ; *Docteur Jekyll et Mr. Hyde* (V. Fleming, *id.*) ; *Casablanca* (M. Curtiz, 1943) ; *Pour qui sonne le glas* (S. Wood, *id.*) ; *Hantise* (G. Cukor, 1944) ; *les Cloches de Sainte-Marie* (Leo McCarey, 1945) ; *Swedes in America* (I. Lerner, DOC, *id.*) ; *la Maison du Dr Edwardes* (A. Hitchcock, *id.*) ; *l'Intrigante de Saratoga* (S. Wood, 1945 [RÉ 1943]) ; *les Enchaînés* (Hitchcock, 1946) ; *Arc de triomphe* (L. Milestone, 1948) ; *Jeanne d'Arc* (V. Fleming, *id.*) ; *les Amants du Capricorne* (Hitchcock, 1949) ; *Stromboli* (R. Rossellini, 1950) ; *Europe 51* (id., 1952) ; *Nous les femmes* (*id.*, 4e épisode, 1953) ; *Voyage en Italie* (id., 1954) ; *Jeanne au bûcher* (id., *id.*) ; *la Peur* (id., *id.*) ; *Elena et les hommes* (J. Renoir, 1956) ; *Anastasia* (A. Litvak, *id.*) ; *Indiscret* (S. Donen, 1958) ; *l'Auberge du sixième bonheur (Inn of the Sixth Happiness,* M. Robson, *id.)* ; *Aimez-vous Brahms ?* (Litvak, 1961) ; *la Rancune* (B. Wicki, 1964) ; *la Rolls-Royce jaune* (A. Asquith, *id.*) ; *Stimulantia* (épisode : *'le Collier'*, Molander, 1967) ; *A Walk in the Spring Rain,* G. Green, 1970) ; *Fleur de cactus* (*Cactus Flower,* G. Saks, *id.*) ; *From the Mixed-up Files of Mrs. Basil E. Frankweiler* (F. Cook, 1973) ; *le Crime de l'Orient-Express* (S. Lumet, 1974) ; *Nina* (V. Minnelli, 1976) ; *Sonate d'automne* (Ingmar Bergman, 1978).

BERGNER *(Elisabeth Ettel,* dite *Elisabeth), actrice britannique (naturalisée en 1938) d'origine autrichienne (Drohobycz, Autriche-Hongrie* [auj. *Drogobytch, URSS*], *1897-Londres 1986).* Après des études d'art dramatique au Conservatoire de Vienne, elle fait des débuts remarqués à Zurich en 1919, puis joue les pièces du répertoire à Vienne, Munich et Berlin (Deutsches Theater de Max Reinhardt). Fuyant le régime hitlérien, elle se réfugie en 1933 en Grande-Bretagne et séjourne aux États-Unis pendant la Seconde Guerre mondiale. Célèbre au théâtre, elle n'a pas trouvé au cinéma les rôles qui auraient pu lui donner l'occasion de devenir une vedette de l'écran. Mais sa féminité brûlante et l'expressivité de son jeu convenaient parfaitement à l'inspiration *Kammerspiel* des premiers films de son mari le cinéaste Paul Czinner, qui ont contribué à sa juste réputation de comédienne : *À qui la faute ?* (*Nju,* 1924), *Der Geiger von Florenz* (1926), *Liebe* (1927), *Fräulein Else* (1929), *Ariane* (1932), *Der Träumende Mund* (id.). Ni *Catherine the Great* (1934), *Escape Me Never* (1935), *As You Like it* (1936), également dirigés par Czinner — ses films anglais —, ni son seul film américain *Paris Calling* (E. L. Marin, 1942), pas plus qu'une production tardive en Allemagne, *Die glückliche Jahre der Thorwalds* (W. Staudte, 1962), ne lui ont permis de confirmer ses possibilités. M.M.

BERKELEY *(William Berkeley Enos,* dit *Busby), cinéaste et chorégraphe américain (Los Angeles, Ca., 1895 - Palm Springs,* id., *1976).* Fils de gens du spectacle, il devient acteur et metteur en scène de théâtre et se spécialise dans les danses. Il monte des grands spectacles pour J. J. Shubert et Flo Ziegfeld. Attiré à Hollywood par Samuel Goldwyn, il y transpose son goût de la magnificence. Il règle et met en scène, imaginant décors et costumes, les numéros musicaux de films le plus souvent réalisés par d'autres. Si son invention purement chorégraphique ne brille guère, son style cinématographique est extraordinaire : dans sa période Warner (1933-1939), il lie la force imaginative et l'exactitude formelle ; la continuité visuelle n'entrave ni la liberté des prises de vues (plongées verticales, immenses mouvements d'appareil) ni la verve sensuelle ; le goût Arts déco de la géométrie et des kaléidoscopes se combine avec une vision du monde unanimiste et populiste. Mais les budgets alloués à ces divagations rythmiques ne tardent pas à diminuer, et Berkeley rejoint la MGM, où il s'exprime de manière plus souple et moins exubérante, mais parfois avec un charme irrésistible *(Minnie from Trinidad* dans *la Danseuse des Folies Ziegfeld).* Capable de se plier aux exigences délicates du musical moderne *(Place au rythme),* il préside aux débuts de Gene Kelly *(Pour moi et ma mie),* mais se voit reprocher sa prodigalité par l'équipe d'Arthur Freed et supporte mal l'affectivité de Judy Garland. À la fin de sa carrière, il retrouve l'occasion de créer des spectacles grandioses *(la Première Sirène).* Parmi ses mises en scène, il faut surtout et très curieusement souligner un film... policier *(Je suis un criminel).* A.M.

Films ▲ : — Chorégraphie : *Whoopee !* (Thornton Freeland, 1930) ; *Kiki* (Samuel Taylor, 1931) ; *Palmy Days* (E. Sutherland, *id.*) ; *le Roi de l'arène (The Kid From Spain,* L. McCarey, *id.) ; 42ᵉ Rue* (*42nd Street,* L. Bacon, 1933) ; *les Chercheuses d'or de 1933 (Gold Diggers of 1933,* M. LeRoy, *id.) ; Prologues (Footlight Parade,* Bacon, *id.) ; Roman Scandals* (F. Tuttle, *id.*) ; *Wonder Bar* (Bacon, 1934) ; *Fashions of 1934* (W. Dieterle, *id.*) ; *Dames* (R. Enright, *id.*) ; *In Caliente* (Bacon, *id.*) ; *Stars Over Broadway* (W. Keighley, *id.*) ; *les Chercheuses d'or de 1937* (*Gold Diggers of 1937,* Bacon, 1936) ; *The Singing Marine* (R. Enright, 1937) ; *Varsity Show* (W. Keighley, *id.*) ; *Gold Diggers in Paris* (Enright, 1938) ; *Broadway Serenade* (R. Z. Leonard, 1939) ; *la Danseuse des Folies Ziegfeld* (*Ziegfeld Girl,* R. Z. Leonard, 1941) ; *Lady Be Good* (N. Z. McLeod, *id.*) ; *Born to Sing* (Edward Ludwig, 1942) ; *Girl Crazy* (N. Taurog, 1943) ; *les Heures tendres* (*Two Weeks With Love,* R. Rowland, 1950) ; *Call Me Mister* (Bacon, 1951) ; *Two Tickets to Broadway* (James V. Kern, *id.*) ; *la Première Sirène* (*Million Dollar Mermaid,* LeRoy, 1952) ; *le Joyeux Prisonnier* (*Small Town Girl,* Leslie Kardos, 1953) ; *Easy to Love* (Charles Walters, *id.*) ; *Rose Marie* (LeRoy, 1954) ; *la Plus Belle Fille du monde* (*Billy Rose's Jumbo,* Walters, 1962).

— **Réalisation** : *She Had to Say Yes* (co George Amy, 1933) ; *les Chercheuses d'or de 1935* (*Gold Diggers of 1935,* 1935) ; *Bright Lights* (id.) ; *I Live For Love* (id.) ; *Stage Struck* (1936) ; *The Go-Getter,* (1937) ; *Hollywood Hotel* (id.) ; *Men Are Such Fools* (1938) ; *Garden of the Moon* (id.) ; *Caprice d'un soir* (*Comet Over Broadway,* id.) ; *Je suis un criminel* (*They Made Me a Criminal,* 1939) ; *Place au rythme* (*Babes in Arms,* id.) ; *Fast and Furious* (id.) ; *En avant la musique* (*Strike Up the Band,* 1940) ; *Forty Little Mothers* (id.) ; *Blonde Inspiration* (1941) ; *Débuts à Broadway* (*Babes on Broadway,* id.) ; *Pour moi et ma mie* (*For Me and My Girl,* 1942) ; *Banana Split* (*Gang's All Here,* 1943) ; *Cinderella Jones* (1946) ; *Match d'amour* (*Take Me Out to the Ball Game,* 1949).

BERLANGA *(Luis García), cinéaste espagnol (Valence 1921).* Diplômé de l'Institut de cinéma de Madrid, il est un des premiers, avec Bardem, à essayer de sortir le cinéma espagnol des ornières imposées par le franquisme. C'est en collaboration qu'ils débutent dans la mise en scène (*Esa pareja feliz,* 1951). *Bienvenue Mr. Marshall* (1952) révèle le penchant de Berlanga pour l'humour. La naïveté de villageois, vite déçus, qui attendent leur salut d'une délégation américaine lui donne l'occasion de brosser une série de caractères simples, mais justes. Il écrit plusieurs scénarios qui n'obtiennent pas d'autorisation de tournage ; *Los jueves, milagro* (réalisé en 1957) est bloqué pendant quatre ans par la censure et modifié. Cependant, une situation matérielle aisée lui permet de choisir l'inactivité prolongée plutôt que les compromis, contrairement à Bardem. *Plácido* (1961) marque le début d'une fructueuse collaboration avec le scénariste Rafael Azcona, auquel il reste fidèle. L'humour se fait désormais grinçant, le rire dissimule à peine un pessimisme profond. La charité, valeur chrétienne par excellence, s'y trouve mise au pilori. *Le Bourreau* (1963) est une nouvelle réussite, mettant face à face le vieux comédien José Isbert et le jeune Italien Nino Manfredi, celui-ci succédant à celui-là dans les basses besognes, malgré son aversion pour la violence, afin d'obtenir un logement. *Grandeur nature* (1973), tourné en France, est plus obsessionnel, plus introspectif dans son étude de l'onanisme, et l'auteur s'y montre moins à l'aise. Avec *la Carabine nationale* (1977), il revient aux personnages multiples, à la farce comme arme de critique (dans ce cas, envers la bourgeoisie et les dignitaires franquistes), et retrouve là son savoir-faire et sa meilleure inspiration, ce que ne confirme pas pourtant son film suivant, *Patrimoine national.* Berlanga se déclare anarchiste, sans avoir toutefois d'activité politique appréciable. Pendant dix ans, il enseigne le cinéma à Madrid. Il préside la Filmoteca Nacional, depuis 1975. P.A.P.

Films ▲ : *Esa pareja feliz* (1951, co J. A. Bardem) ; *Bienvenue Mr. Marshall* (*Bienvenido Mr. Marshall,* 1952) ; *Novio a la vista* (1953) ; *Los gancheros* (1955) ; *Calabuig* (*Calabuch,* 1956) ; *Los jueves, milagro* (1957) ; *Plácido,* (1961) ; *les Quatre Vérités* (sketch : *la Mort et le Bûcheron,* 1962) ; *le Bourreau* (*El verdugo,* 1963) ; *la Boutique / Las pirañas,* (1967) ; *Vivan los novios !* (1971) ; *Grandeur nature* (1973) ; *la Carabine nationale* (*La escopeta nacional,* 1977) ; *Patrimoine national* (*Patrimonio nacional,* 1980) ; *Nacional III* (1982) ; *La vaquilla* (1984) ; *Moros y cristianos* (1987) ; *Todos a la cárcel* (1993).

BERLEY *(André Obrecht,* dit *André), acteur français (Paris 1890* - id. *1936).* Son embonpoint et sa jovialité réjouissent, sa force contenue effraie. En 1928, il est l'un des juges de *la Passion de Jeanne d'Arc* (C. Dreyer). Il part pour Hollywood y interpréter des versions françaises parlantes : *Si l'empereur savait ça* (J. Feyder, 1930), *Big House* (P. Fejos, *id.*), *Buster se marie* (C. Autant-Lara, 1931). De retour, il tourne beaucoup pour la Paramount de Joinville. À son actif, ses créations dans *les Aventures du roi Pausole* (A. Granowsky, 1933), *le Martyre de l'obèse* et *les Mutinés de l'Elseneur* (P. Chenal, 1933 et 1936). R.C.

BERLIN *(Israël Isidore Baline,* dit *Irving), compositeur et parolier américain d'origine russe (Temoun, Sibérie, 1888 - New York, N. Y., 1989).* Sa famille émigre aux États-Unis dès 1893. Avant la Première Guerre mondiale, il soumet ses chansons à l'influence de rythmes venus du *ragtime* (son grand succès *Alexander's Ragtime Band* date de 1911). Mais ses plus grandes réussites sont des mélodies simples sur des paroles banales. La franchise de ses musiques convient particulièrement à Astaire : *le Danseur du dessus* (M. Sandrich, 1935 ; la chanson *Cheek to Cheek*), *Suivez la flotte* (*id.,* 1936), *Amanda* (*id.,* 1938), *Parade de printemps* (Ch. Walters, 1948). Cette facilité élégante peut réunir Astaire et Crosby : *L'amour chante et danse* (Sandrich, 1942 ; Oscar pour la chanson *White Christmas*) et *la Mélodie du bonheur* (S. Heisler, 1946). Dans *Noël blanc*

(M. Curtiz, 1954), Crosby souligne d'ailleurs à merveille la douceur des enchaînements et le lyrisme retenu des chansons. *Appelez-moi Madame* (W. Lang, 1953) contient des morceaux plus inventifs *(You're Just in Love)* et confirme la virtuosité avec laquelle Berlin joue avec le folklore local. En 1938 *la Folle Parade* (H. King) et en 1954 *la Joyeuse Parade* (W. Lang) composent un véritable florilège de son œuvre. Personnage légendaire, il apparaît dans *This Is the Army* (Curtiz, 1943) pour chanter une de ses chansons. Faciles à retenir, sobres, populaires, les thèmes de Berlin n'en sont pas moins variés ; écrits avec beaucoup de délicatesse, ils s'accordent au parler quotidien, mais l'allègent et l'aèrent. A.M.

BERMAN *(Pandro, S.), producteur américain (Pittsburgh, Pa., 1905).* Fils d'un dirigeant de l'Universal, il se consacre très vite à la production. Il travaille à la RKO de 1931 à 1940, puis à la MGM. Dans l'un et l'autre cas, il est à l'origine d'un très grand nombre de succès artistiques. Cukor, La Cava, Minnelli ou Richard Brooks lui doivent certains de leurs plus beaux films. Et puis il produit à la RKO tous les films de Fred Astaire et Ginger Rogers. Il sait allier un grand sens commercial à un goût très sûr et il a la grande intelligence de laisser s'exprimer librement les créateurs qui travaillent pour lui. En témoignent notamment : *Sylvia Scarlett* (G. Cukor, 1935), *Pension d'artistes* (G. La Cava, 1937), *Graine de violence* (R. Brooks, 1955), *la Croisée des destins* (Cukor, 1956), *Doux Oiseau de jeunesse* (R. Brooks, 1962). C.V.

BERNARD *(Armand), acteur français (Paris 1893 - id. 1968).* Sa solide formation classique le fait débuter au cinéma en 1917. La faveur du public lui est acquise et il triomphe en 1921 avec son interprétation de Planchet, le valet de d'Artagnan (*les Trois Mousquetaires* d'Henri Diamant-Berger). Le succès va s'accroître avec le parlant, où sa voix grave et ses mines compassées le cantonnent dans un comique funèbre : *Tumultes* (R. Siodmak, 1932), *Les dieux s'amusent* (R. Schünzel, 1935), *Michel Strogoff* (J. de Baroncelli, 1936), *les Disparus de Saint-Agil* (Christian-Jaque, 1938), *Raphaël le Tatoué* (*id.*, 1939), *Souvenirs perdus* (*id.*, 1950). R.C.

BERNARD *(Guy), musicien français (Chauny 1907).* L'un des plus prolifiques parmi les compositeurs français de musique de film, il s'est surtout illustré, au lendemain de la guerre, dans le court métrage. On lui doit la célèbre partition imitant le galop d'un cheval de *Naissance du cinéma* de Roger Leenhardt (1946). Suivront entre autres, pour le même cinéaste : *Du charbon et des hommes* (1951), *Victor Hugo* (id.), *François Mauriac* (1954), *Corot* (1965), *Monsieur Ingres* (1966) et, en long métrage, *les Dernières Vacances* (1948). Guy Bernard a travaillé aussi pour Georges Rouquier (*le Sel de la terre,* 1950), Alain Resnais (*Guernica,* id.), Margot Benaceraf (*Reveron,* 1958 ; *Araya,* 1959), Marc Allégret (*Julietta,* 1953), etc. Il est l'auteur d'un ballet : *Algues.* C.B.

BERNARD *(Paul), acteur français (Villeneuve-sur-Lot 1898 - Paris 1958).* Le théâtre, abordé en 1920, lui offre des rôles d'adolescents écrits par Bataille, Guitry ou Deval. Sur les écrans du muet (*les Mystères de Paris,* Charles Burguet, 1922), il ne trouve guère de rôles à sa mesure, non plus que dans la première décennie du cinéma parlant. Pour un rôle remarquable (*Pension Mimosas,* J. Feyder, 1935), ou un personnage plaisant (*Mon père avait raison,* S. Guitry, 1936), il doit s'acquitter de beaucoup de besognes alimentaires. 1940, l'exode, son séjour dans le Midi vont jouer pour lui. Grémillon lui confie le rôle du châtelain de *Lumière d'été* (1943), et il trace de cet homme au passé trouble et aux passions perverses un portrait saisissant qui va le cantonner dans des personnages qui ne seront pas toujours aussi nuancés. Gangster de *Voyage sans espoir* (Christian-Jaque, 1943), il est aussi le traître classique dans *le Bossu* (J. Delannoy, 1944) et *Roger la Honte* (A. Cayatte, 1946) ou l'espion d'*Un ami viendra ce soir* (R. Bernard, 1946). Il assassine dans *Panique* (J. Duvivier, 1947), *Fort de la solitude* (R. Vernay, 1948), *L'échafaud peut attendre* (A. Valentin, 1949) ; il trahit dans *les Maudits* (R. Clément, 1947) et il combine de louches activités dans *Sombre Dimanche* (J. Audry, 1948) et *Prélude à la gloire* (G. Lacombe, 1950). Grémillon lui fait rencontrer un autre châtelain inquiétant (*Pattes blanches,* 1949) après que Bresson lui eut confié le rôle masculin des *Dames du bois de Boulogne* (1945) dont il a su doser le mélange de politesse glacée, de muflerie élégante et d'amour passionné. La maladie l'oblige à restreindre son activité ; on le voit une dernière fois en lord anglais sadique dans *Rue des Bouches peintes* (R. Vernay, 1955). R.C.

BERNARD *(Raymond), cinéaste français (Paris 1891 -* id. *1977).* Fils de l'écrivain Tristan Bernard, il débute dans le spectacle comme acteur en 1915, jouant aux côtés de Sarah Bernhardt *Jeanne Doré,* écrit par son père. Il entre chez Gaumont, devient l'assistant de Feyder pour *le Ravin sans fond* (1917) sur un scénario de Tristan Bernard. Jusqu'en 1924, il continue à travailler sur les comédies paternelles (*le Petit Café* avec M. Linder, 1919). Le succès d'estime et de fréquentation couronne *le Miracle des loups* (1924). Le *Joueur d'échecs* (1927), *Tarakanova* (1929) exploitent cette veine du drame historique. En 1930, Pathé-Natan l'engage et lui fait tourner ses œuvres les plus populaires : *Faubourg Montmartre* (1931), *Tartarin de Tarascon* (1934), surtout *les Croix de bois* (1932) et l'épopée hugolienne des *Misérables* (1934), composée en triptyque. Il hésite ensuite entre drames et comédies, entre *le Coupable* (1937) et *J'étais une aventurière* (1938), entre *Amants et Voleurs* (1935) et *Marthe Richard* (1937). Peu avant la guerre, il tourne *Cavalcade d'amour* et *les Otages* (1939). Il interrompt ses activités pendant l'Occupation et retrouve le chemin des studios en 1946 *(Un ami viendra ce soir)* sans retrouver le succès passé. R.C.

BERNARD-AUBERT *(Claude), cinéaste français (Durtal 1930).* Reporter cameraman en Indochine puis correspondant de guerre, il a mis cette expérience au service de plusieurs de ses films, dont *Patrouille de choc* (1957), début qui lui vaut des ennuis avec la censure, et plus tard *Le facteur s'en va-t-en guerre* (1966) et *Charlie Bravo* (1980), qui se présentent comme des messages résolument pacifistes. Il attaque par ailleurs le racisme dans *les Tripes au soleil* (1959) et *Les lâches vivent d'espoir* (1961), l'intolérance dans *les Moutons de Praxos* (1962), et *l'Affaire Dominici* (1973), tous films aux intentions louables. Depuis 1976, il a également réalisé de nombreux films, cette fois pornographiques, mais sous le pseudonyme anagrammatique de Burd Tranbaree. En 1988, il fait une rentrée timide sur les écrans avec *Adieu je t'aime.* M.M.

BERNARD-DESCHAMPS *(Dominique Deschamps,* dit*), cinéaste français (Bordeaux 1892 - Paris 1966).* Il arrive au cinéma par la voie scientifique et collabore aux travaux de Henri Chrétien, notamment sur le procédé Hypergonar, ancêtre du CinémaScope. Ses débuts dans la réalisation datent de 1919 *(la Nuit du 11 septembre).* Deux ans plus tard, avec les mêmes acteurs, Séverin Mars et Gaby Morlay, il tourne *l'Agonie des Aigles.* Les deux films (le premier ayant été retenu par la censure) sortiront sur les écrans en 1922. Peu abondantes mais variées, ses œuvres parlantes ont un tour original : *le Rosier de M*[me] *Husson* (1932), où les personnages de Maupassant sont traités en marionnettes ; *la Marmaille* (1935), qui esquive la sensiblerie d'un roman d'Alfred Machard ; *Monsieur Coccinelle* (1938), satire acide de la petite bourgeoisie débouchant sur une poésie ironique ; enfin, un film méconnu, *Tempête* (1940), mélo de grand style où se côtoient Arletty, Dalio et Stroheim. Bernard-Deschamps reste un cinéaste non négligeable, quoique de second plan. R.C.

BERNHARDT *(Kurt* [aux États-Unis : *Curtis*]*), cinéaste allemand (Worms 1899 - Pacific Palisades, Ca., 1981).* Après avoir débuté dans son pays (*Das letzte Fort,* 1928 ; *l'Énigme / la Femme que l'on désire* [*Die Frau nach der Mann sich sehnt,* 1929], avec Marlene Dietrich ; *la Dernière Compagnie* [*Die letzte Kompanie,* 1930], *le Rebelle* [*Der Rebel,* CO : L. Trenker, 1932] ; *le Tunnel* [*Der Tunnel,* vers. franç. et allem., 1933]), il tourne en Angleterre *le Vagabond bien-aimé* (*The Beloved Vagabond,* 1936) et en France *l'Or dans la rue* (1934), *Carrefour* (1938), *Nuit de décembre* (1939). À Hollywood, il réalise des drames extravagants comme *la Voleuse* (*A Stolen Life,* 1946) et *Mélodie interrompue* (*Interrupted Melody,* 1955) ou des films noirs comme *La mort n'était pas au rendez-vous* (*Conflict,* 1945) et *le Mur des ténèbres* (*High Wall,* 1948). *La Possédée* (*Possessed,* 1947) et *la Belle du Pacifique* (*Miss Sadie Thompson,* 1953) confirment son goût pour les singularités de la passion. Il dirige Ronald Reagan dans *Million Dollar Baby* (1941), Dick Powell dans *Happy Go Lucky* (1943), Lana Turner dans *la Veuve joyeuse* (*The Merry Widow,* 1952) et Stewart Granger dans *Beau Brummel* (1954). Mais son talent égale trop rarement ses ambitions. A.M.

BERNHARDT *(Henriette-Rosine Bernard,* dite *Sarah), actrice française (Paris 1844 -* id. *1923).* « Reine de l'attitude et princesse du geste », la

«Voix d'or», comme on l'appelle encore, a marqué une longue époque par ses interprétations, ses tournées tumultueuses, son faste de directrice, sa magnificence et ses extravagances. Par sa volonté, aussi, et par l'amour de son art, qui lui firent surmonter les disgrâces de l'âge et de la maladie. Le cinéma (elle était apparue dès 1900 dans *le Duel d'Hamlet* de Clément Maurice et avait joué en 1908 dans *la Tosca,* film qui ne fut jamais projeté, et en 1912 dans *la Dame aux camélias,* de H. Pouctal) lui est redevable d'avoir incité Zukor à produire le film *la Reine Élisabeth* (*Queen Elizabeth,* L. Mercanton, 1912), tourné à Londres. Le producteur américain avait compris qu'en se réclamant d'un nom mondialement connu il pouvait lancer le film de long métrage et conquérir le marché américain. Spéculation heureuse. En 1913, Sarah Bernhardt tourne *Adrienne Lecouvreur* (L. Mercanton et H. Desfontaines), en 1915 *Jeanne Doré* (id.), en 1917 *Mères françaises* (id.), et c'est pendant la réalisation de *la Voyante* (Léon Abrams, 1923) qu'elle meurt sans avoir pu terminer son rôle. R.C.

BERNSTEIN *(Elmer), musicien américain (New York, N. Y., 1922).* Il reste l'un des compositeurs les plus remarquables de Hollywood. Il a fait ses études à la Juilliard School, puis à l'université de New York. Encouragé par Aaron Copland, il donne des récitals, travaille pour Glenn Miller pendant son service militaire puis pour Norman Corwin à la radio (NBC). À Hollywood, où il est actif dès 1951, il introduit des orchestrations plus légères et plus modernes. Deux partitions l'imposent, pour *les Dix Commandements* de Cecil B. De Mille (1956) et surtout pour *l'Homme au bras d'or* d'Otto Preminger (1955), film qui utilise le jazz de façon dramatique probablement pour la première fois à l'écran. Outre de grands succès populaires comme ses mélodies pour *les Sept Mercenaires* (J. Sturges, 1960) et *Cent Dollars pour un shérif* (H. Hathaway, 1969), il faut noter son travail exemplaire pour Robert Mulligan (*Du silence et des ombres,* 1962 ; *Une certaine rencontre,* 1963 ; *le Sillage de la violence,* 1965) et John Frankenheimer (*le Prisonnier d'Alcatraz,* 1962 ; *Les parachutistes arrivent,* 1969). Toujours très actif, il a beaucoup œuvré depuis 1970 pour faire connaître le patrimoine musical hollywoodien. Après une relative retraite consacrée à l'enseignement et à la recherche, il revient, inchangé, avec des réussites remarquables, toujours proches du jazz, jouant tantôt sur les rythmes syncopés (*les Arnaqueurs,* S. Frears, 1990), tantôt sur des mélodies plus « bluesy » (*Mad Dog and Glory,* J. Mc Naughton, 1993). M.C.

BERNSTEIN *(Leonard), musicien américain (Lawrence, Mass., 1918 - New York, N. Y., 1990).* Plus connu comme chef d'orchestre (il fut à la tête du New York Philharmonic de 1957 à 1970) et comme compositeur de symphonies, de ballets et d'une messe, Leonard Bernstein a néanmoins écrit deux comédies musicales pour Broadway, *On the Town* (1944) et *West Side Story* (1957), qui furent adaptées à Hollywood respectivement en 1949 et 1961 et devinrent des classiques du genre. Sa seule partition pour l'écran fut pour *Sur les quais* (1954). M.C.

BERRI *(Claude Langman,* dit *Claude), cinéaste, acteur et producteur français (Paris 1934).* Ses quelques petits rôles au cinéma et à la télévision n'avaient pas beaucoup fait parler de lui. Ses débuts comme réalisateur (son court métrage *le Poulet,* en 1963, lui apporta une distinction au festival de Venise et un Oscar à Hollywood) furent plus convaincants. Son premier long métrage, *le Vieil Homme et l'Enfant* (en 1967, avec Michel Simon), rencontre un très grand succès commercial et critique. Suivirent d'autres films à caractère semi-autobiographique (comme le premier) mais d'ambition plus limitée, qu'il interpréta souvent lui-même : *Mazel Tov ou le Mariage* (1968), *le Pistonné* (1970), *le Cinéma de papa* (id.), *Sex-Shop* (1972), *le Mâle du siècle* (1975). Il réalise ensuite *la Première Fois* (1976), *Un moment d'égarement* (1977), *Je vous aime* (1980), *le Maître d'école* (1981), et *Tchao Pantin* (1983, avec Coluche). Changeant de registre et de budget, il tourne *Jean de Florette* (1986) et *Manon des sources* (id.) d'après l'œuvre de Marcel Pagnol qui obtiennent un très large succès public tout comme *Uranus* (1991), adaptation du roman de Marcel Aymé, et *Germinal* (1993), d'après l'œuvre d'Émile Zola, qui est un peu le film symptomatique, dans sa genèse, sa promotion et son succès public, des efforts faits par le cinéma français pour reconquérir le marché : gros budget, acteurs (voire chanteurs) populaires, références socio-historiques, emprunts à la grande littérature. Comme producteur ou coproducteur, on lui doit notamment *Tess* (1979), de Roman Polanski, *l'Ours* (1988) et *l'Amant* (1992) de Jean-Jacques Annaud (d'après le roman de Marguerite Duras), *l'Homme blessé* (où il est également acteur, 1983) et *la Reine Margot* (1994) de Patrice Chéreau, *Gazon maudit* (1995) de Josiane Balasko. D.R.

BERRIAU *(Simone Bossis,* dite *Simone), actrice française de théâtre et de cinéma et productrice (Touques 1896 - Paris 1984).* L'une des *reines* de Paris dans les années 30, cette amie de Colette et de Cécile Sorel est la maîtresse en titre du pacha de Marrakech, puis l'épouse (successivement) du colonel Berriau et du Dr Schröder, enfin la compagne du dramaturge boulevardier et cinéaste Yves Mirande. Elle débute à l'Opéra-Comique dans *Pelléas et Mélisande.* Elle est aussi la directrice du théâtre Antoine depuis 1943 et l'interprète d'une quinzaine de films, sous la direction de Claude Autant-Lara (*Ciboulette,* 1933), Jean Benoît-Lévy (*Itto,* 1935, co Marie Epstein), Yves Mirande (*À nous deux madame la vie,* 1937 ; *Café de Paris,* 1938, co G. Lacombe) et surtout Max Ophuls (*Divine,* 1935, et *la Tendre Ennemie,* 1936, ses deux meilleurs rôles). Elle a été également la coproductrice et la directrice artistique des *Mains sales* (Fernand Rivers, 1951). C.B.

BERRY *(John [Jack]), cinéaste américain (New York, N. Y., 1917).* Acteur depuis l'enfance, engagé au Mercury Theater, assistant de Billy Wilder pour *Assurance sur la mort* (1944), il dirige à partir de 1946 des films inégaux mais où peu à peu s'affirme un talent, comme le prouvent *Casbah* (id., 1948) et surtout *Menaces dans la nuit* (*He Ran All the Way,* 1951). Porté sur la « liste noire » en 1950, il réalise le documentaire *The Hollywood Ten* destiné à soutenir les Dix d'Hollywood, puis s'exile en France, où il réalise plusieurs films commerciaux (le meilleur étant *Ça va barder,* en 1955, avec Eddie Constantine), et à Londres, où il monte des spectacles de théâtre. Après quelques tentatives infructueuses (*À tout casser,* FR, 1968), il fait sa vraie rentrée à l'écran aux États-Unis avec un film sensible et élégant, entièrement joué par des Noirs : *Claudine* (1974). Il signe ensuite deux autres films : *Thieves* (1977) et *The Bad News Bears Go to Japan* (1978) puis réalise en France *Voyage à Paimpol* (1985) et *Il y a maldonne* (1988). *A Captive in the Land* (1991) aborde le problème de la communicabilité entre deux hommes que tout sépare (langue, culture, idéologie) et qui sont contraints de lutter ensemble pour survivre. G.L.

BERRY *(Jules Paufichet,* dit *Jules), acteur français (Poitiers 1883 - Paris 1951).* Il débute très jeune au théâtre à Paris (Antoine, Ambigu, Mathurins, Nouveautés) puis à Bruxelles (Galeries Saint-Hubert), où il reste douze ans, acquérant sur la scène, essentiellement dans un répertoire boulevardier, l'extraordinaire métier qui lui vaudra de tourner près d'une centaine de films en vingt ans. Son premier contact avec le cinéma, en 1911, dans le *Cromwell* d'Henri Desfontaines, s'était avéré décevant parce que le muet ne lui permettait pas de s'exprimer entièrement, et ce n'est qu'en 1928 qu'il fera ses véritables débuts dans un petit rôle de *l'Argent,* pourtant encore muet, de L'Herbier. Il est aussitôt absorbé par la production sonore et tourne chaque année plusieurs films en poursuivant de front une intense activité théâtrale. Parmi ses premiers films, on peut citer, à titre indicatif, *Mon cœur et ses millions* (A. Berthomieu, 1931), *Arlette et ses papas* (Henry Roussell, 1934), *Jeunes Filles à marier* (Jean Vallée, 1935), *Et moi j'te dis qu'elle t'a fait d'l'œil* (Jack Forrester, *id.*). Il s'impose rapidement grâce à son abattage et à son dynamisme, à son extraordinaire présence faite d'aplomb imperturbable, d'insolence souveraine et d'ironie ravageuse, grâce aussi à son verbe intarissable et à son célèbre jeu de mains.

Tout cela rend inoubliable, dans *le Crime de M. Lange* (J. Renoir, 1936), le personnage de Batala, patron imprimeur escroc qui mène en bateau un naïf écrivain (René Lefèvre), usant d'une psychologie à la fois révoltante, désarmante et... séduisante ! Après cette première grande prestation, le comédien revient à ses rôles habituels de bourreau des cœurs ou de filou sympathique dans de nombreux films commerciaux dont on ne peut guère sauver que *Rigolboche* (Christian-Jaque, 1936), *le Mort en fuite* (A. Berthomieu, *id.*), *l'Habit vert* (R. Richebé, 1937), *le Voleur de femmes* (A. Gance, 1938).

Et puis viennent deux grands titres de Carné qui suffiraient à assurer sa place dans l'histoire du cinéma : *Le jour se lève* (1939) et *les Visiteurs du soir* (1942). Dans ces personnages (le sadique dresseur de chiens et le Diable venu sur la Terre), il révèle l'ampleur et la maîtrise de son talent : la crapulerie la plus cynique dans le premier film (ainsi dans la scène où il essaie d'attendrir Gabin en s'inventant une paternité mensongère à l'égard de la jeune fille que son interlocuteur courtise) mais également le côté grand seigneur dans le second film (sa soudaine apparition, dans un somptueux costume médiéval, au milieu de l'orage). Dans ces deux œuvres, le saltimbanque cède la place à un comédien grandiose, le baratineur intarissable devient l'interprète inspiré des remarquables textes de Prévert.

Malheureusement, après ces sommets, il va retomber dans la production la plus banale, à quelques exceptions près : *la Symphonie fantastique* (Christian-Jaque, 1942), *Marie-Martine* (Albert Valentin, 1943), *le Voyageur de la Toussaint* (L. Daquin, *id.*). Quasiment jusqu'à son dernier souffle, il dilapidera ainsi son talent avec l'évident plaisir de se donner en représentation, poussant le cabotinage jusqu'au grand art, tant à la scène qu'à l'écran. Il était vraiment une *bête de théâtre* et la comédie légère lui doit beaucoup, mais il a su prouver aussi qu'il était capable, quand des rôles prestigieux lui étaient offerts, de transcender en lui-même le boulevardier impénitent pour créer des figures exceptionnelles par leur séduction ambiguë et leur insolence hautaine. M.M.

BERRY *(Richard), acteur français (Paris 1950).* De 1972 à 1980, il est pensionnaire à la Comédie-Française. Après des débuts à l'écran dans *la Gifle* (1974) de Claude Pinoteau, sa silhouette s'étoffe (*Mon premier amour,* Elie Chouraqui, 1978 ; *Un assassin qui passe,* Michel Vianey, 1981 ; *l'Homme fragile,* Claire Clouzot, *id. ; le Crime d'amour,* G. Gilles, 1982). Jacques Demy lui donne le rôle d'un prolétaire dans son film chanté *Une chambre en ville* (1982). La même année, il remporte un succès populaire dans *la Balance* de Bob Swaim et obtient le rôle principal du *Jeune Marié* de Bernard Stora (1983) et de *la Trace* de Bernard Favre. On le voit ensuite dans *le Grand Carnaval* (Alexandre Arcady, *id.*), *l'Addition* (Denis Amar, 1984), *la Garce* (Christine Pascal, *id.*), *Urgence* (Gilles Béhat, 1985), *Spécial Police* (Michel Vianey, *id.*), *Lune de miel* (Patrick Jamain, *id.*), *l'Union sacrée* (A. Arcady, 1989), *Migrations* (A. Petrović, 1989 [1994]), Pour Sacha (*id.,* 1991), *Le Petit Prince a dit* (Ch. Pascal 1992). J.-L.P.

BERT *(Camille Bertrand,* dit *Camille), acteur français (Orléans 1880 - Paris 1970).* Il débute en 1909 et interprète de très nombreuses bandes chez Gaumont avant 1914. Henri Pouctal utilise son jeu sobre et sa physionomie énergique pour *Travail* (1919). Jean Choux lui confie un rôle important dans *la Vocation d'André Carrel* (1925). Il joue ensuite des traîtres : *le Joueur d'échecs* (R. Bernard, 1927), des financiers : *David Golder* (J. Duvivier, 1931), des médecins généreux : *les Deux Orphelines* (M. Tourneur, 1933), des militaires : *le Grand Jeu* (J. Feyder, 1934), des aristocrates : *les Bas-Fonds* (J. Renoir, 1937) ou, pourquoi pas ?, un vieil Alsacien dans *Paix sur le Rhin* (J. Choux, 1938). R.C.

BERTA *(Renato), chef opérateur suisse (Bellinzona 1945).* Il étudie au Centro sperimentale de Rome, puis travaille à la télévision suisse italienne. À partir de 1968, il devient le collaborateur attitré des principaux représentants du « nouveau cinéma » suisse : Alain Tanner (*Charles mort ou vif,* 1969 ; *la Salamandre,* 1971 ; *le Milieu du monde,* 1974 ; *Messidor,* 1978), Claude Goretta (*Pas si méchant que ça,* 1975), Michel Soutter (*Repérages,* 1977), Francis Reusser (*Vive la mort,* 1969 ; *le Grand Soir,* 1976), Daniel Schmid (*Cette nuit ou jamais,* 1972 ; *la Paloma,* 1974 ; *les Ombres des anges,* 1975 ; *Violanta,* 1977 ; *Hécate,* 1982 ; *le Baiser de Tosca,* 1984 ; *Jenatsch,* 1987), Thomas Koerfer (*le Directeur du cirque de puces,* 1974), mais aussi de Jean-Marie Straub (*Othon,* 1969 ; *Leçons d'histoire,* 1972 ; *Fortini Cani,* 1977), Jean-Luc Godard (*Sauve qui peut, la vie,* 1980), Patrice Chéreau (*l'Homme blessé,* 1983), Éric Rohmer (*les Nuits de la pleine lune,* 1984), André Téchiné (*Rendez-vous,* 1985), Jacques Rivette (*Hurlevent,* id.), A. Téchiné (*les Innocents,* id.), Louis Malle (*Au revoir les enfants,* id., et *Milou en mai,* 1990). M.M.

BERTHIOT → OBJECTIFS.

BERTHOMIEU *(André), cinéaste français (Rouen 1903 - Vineuil-Saint-Firmin 1960).* Il aborde la mise en scène en 1928 avec *Pas si bête,* dont il est également le scénariste. Son œuvre abondante (plus de 60 films) touche à tous les genres. Il dirige de grands acteurs (Michel Simon, Jules Berry, Fernandel, Bourvil) dans des films commerciaux généralement peu inspirés. Quelques comédies, tournées au début de sa carrière, échappent pourtant à la médiocrité, comme *le Mort en fuite* (1936) et surtout *Mon ami Victor* (1931), avec Pierre Brasseur et René Lefèvre, film inclassable qui préfigure l'âpreté du cinéma français des années 40. J.-P.J.

BERTINI *(Elena Seracini Vitiello,* dite *Francesca), actrice italienne (Florence 1892 - Rome 1985).* Autour de Francesca Bertini se développa le phénomène des divas qui caractérise le cinéma italien pendant les années 10. De toutes les actrices du temps, Francesca Bertini est la plus célèbre, la plus adulée : ses quelque 90 films réalisés pour l'essentiel entre 1909 et 1921 (après cette date, elle n'apparaît plus que très rarement à l'écran) lui valent une réputation internationale et des cachets mirobolants : le producteur Barattolo, pour qui elle travaille, crée même pour elle la Bertini Film en 1918. Ayant débuté dans des rôles secondaires au théâtre à Naples, elle est remarquée par un cinéaste de Pathé Italia. Venue à Rome, elle est engagée par la société Film d'art italien-Pathé, elle passe ensuite à la Cines, à la Celio (Baldassarre Negroni impose définitivement la jeune actrice dans des films comme *Idillio tragico, La maestrina, La madre, La bufera*), puis à la Caesar Film de Barattolo en 1915. Elle tourne alors le célèbre *Assunta Spina* (G. Serena, 1915). Parmi ses très nombreux films, on peut citer *La signora dalle camelie* (G. Serena, 1915), *Odette* (G. De Liguoro, 1916), *La donna nuda* (R. L. Roberti, 1918), *la Serpe* (*id.,* 1919), *Amore di donna* (*id.,* 1920). En 1930, elle est sous la direction de Marcel L'Herbier *la Femme d'une nuit.* Aussi à l'aise dans les rôles de vamp que dans les personnages populaires, Francesca Bertini a marqué profondément la cinématographie italienne ; sa place est d'autant plus éminente que l'on sait maintenant qu'elle participait étroitement à la réalisation des films qu'elle interprétait. Devenue comtesse Cartier, elle abandonne le cinéma très tôt. Lorsque Visconti la sollicite pour un *come-back* dans le rôle de la mère, dans *Sandra* (1965), l'ancienne diva demande l'impossible : cent millions de lires... On la reverra pourtant en 1976, âgée de 84 ans, dans *1900* de Bertolucci. J.-A.G.

BERTO *(Juliet), actrice française (Grenoble 1947 - Paris 1990).* Elle débute très jeune au théâtre, puis se consacre au cinéma (une quarantaine de films depuis 1966), en particulier avec Jean-Luc Godard, qui la découvre et l'impose dans *Deux ou Trois Choses que je sais d'elle* (1967), *la Chinoise* (id.) et *Week-end* (id.). Dès lors, elle marque de nombreux films de sa spontanéité, de son tempérament de révoltée, de son humour sans complexes. Elle épanouit sa personnalité avec Jacques Rivette dans *Out one* (1974 [RÉ 1971]) et *Céline et Julie vont en bateau* (1974), mais aussi avec Alain Tanner (*le Milieu du monde,* 1974), Joseph Losey (*Monsieur Klein,* 1976). Elle a aussi tourné avec Glauber Rocha (*Claro,* 1975) avant de réaliser avec Jean-Henri Roger *Neige* (1981) et *Cap Canaille* (1983). En 1986, elle signe *Havre* et apparaît dans *Un amour à Paris* (M. Allouache, 1988 RÉ 1986). M.M.

BERTOLUCCI *(Bernardo), cinéaste italien (Parme 1941).* Fils du poète et critique Attilio Bertolucci, poète lui-même dès son adolescence, il s'intéresse très tôt au cinéma amateur. Étudiant à l'université de Rome, il rencontre Pasolini, qui lui offre d'être son assistant sur *Accatone* (1961). L'année suivante, il dirige son premier film, *La commare secca* (c'est-à-dire *la Mort*), sur un scénario qu'il a écrit avec Pasolini mais que celui-ci n'a pu tourner. Aussi le vrai début de Bertolucci est-il *Prima della rivoluzione* (1964). Bien qu'encombrée de rhétorique et nourrie d'influences disparates, cette œuvre met pour la première fois l'accent sur le dilemme de l'intellectuel italien, à la fois communiste et pétri de culture, révolutionnaire et conservateur. Avec une force étonnante, Bertolucci y pose des principes qu'il n'abandonnera plus, même s'il les retouche ensuite : certes, principes tout instinctifs (le film est aussi le début d'une autoanalyse qui prendra peut-être fin avec *La luna*), mais qui doivent beaucoup à la cinéphilie. D'où la prédominance des plans longs et surtout l'apologie de la *lumière,* qui agit dans le film comme un élément unificateur du récit (de type littéraire). D'où, aussi, la mise en scène, dont Bertolucci se montre d'emblée l'un des maîtres, avec référence explicite à l'opéra, surtout à Verdi. *Prima* est salué avec enthousiasme par une poignée de critiques, tant à Cannes qu'à Venise. On peut passer sur *Partner* (1968), que Bertolucci regarde lui-même comme une erreur due à un excès d'introspection, sans recul par rapport aux particularismes d'une époque (alors que *Prima* les transcendait). Demandant à Jorge Luis Borges (*la Stratégie de l'araignée,* 1970) et à Alberto Moravia (*le Conformiste,* 1971) le *sujet* de ses films suivants, Bertolucci les amplifie et les décale jusqu'à rendre visuellement sensible, par la seule mise en scène, la recherche d'identité qui meut ses héros : décors pris comme des coulisses mobiles, topographie qui transforme en lieux imaginaires aussi bien le Paris du milieu des années 30 qu'une petite bourgade paysanne de l'Émilie. Dans *la Stratégie de l'araignée,* en particulier, Bertolucci réussit pleinement la *fusion* d'une personnalité en équilibre instable. Le succès de scandale du *Dernier Tango à Paris* (1972 ; avec Marlon Brando et Maria Schneider) fait oublier que ce beau film, centré sur deux interprètes omniprésents, est lié aux films antérieurs et comporte même à leur égard une légère *ironie* (le personnage de Léaud). Ce succès ouvre à Bertolucci la possibilité d'une superproduction : *1900.* Avec un courage dans la provocation qui n'est pas si fréquent, il entreprend de narrer sa vision personnelle de l'histoire du communisme italien et de la société rurale entre 1900 et la Libération. Malgré un long travail de préparation (deux ans), une interprétation *all stars* (avec Burt Lancaster en hommage accentué au *Guépard* de Visconti) et la splendeur de la réalisation, ce film spécifiquement bertoluccien par ses fantasmes et aussi par son formalisme subit un retentissant échec commercial, et ce d'autant qu'il est *saboté* aux États-Unis. Depuis lors, *La luna* et, à un moindre degré, *la Tragédie d'un homme ridicule* sont venues apporter la preuve que cet « enfant prodige » du cinéma italien savait élargir sa palette d'auteur. En 1987, il prend la Cité interdite de Pékin au début du XXe s. comme toile de fond pour peaufiner une grande fresque historique et spectaculaire sur la vie de Pu Yi, *le Dernier Empereur.* En 1990, il adapte le roman de Paul Bowles (*Un thé au Sahara*) qui décrit l'aventure d'un couple fitzgéraldien de touristes américains, littéralement aspirés — âmes et corps — par le désert d'Afrique du Nord. G.L.

Films ▲ : *La commare secca* (1962) ; *Prima della rivoluzione* (1964) ; *La via del petrolio* (DOC en 3 épisodes, TV, 1966) ; *Il canale* (CM DOC, 1966) ; *Partner* (1968) ; *Agonie* (*Agonia* : 2e sketch du film collectif *la Contestation* [*Amore e rabbia*], 1969) ; *la Stratégie de l'araignée* (*La strategia del ragno,* 1970) ; *le Conformiste* (*Il conformista,* 1971) ; *La salute è malata / I poveri muoiono prima* (DOC, 1971) ; *le Dernier Tango à Paris* (*Ultimo tango a Parigi,* FR-IT, 1972) ; *1900* (*Novecento,* 1976) ; *La luna* (id., 1979) ; *la Tragédie d'un homme ridicule* (*La tragedia di un uomo ridicolo,* 1981) ; *le Dernier Empereur* (*The Last Emperor/L'Ultimo Imperatore,* 1987) ; *Un thé au Sahara* (*The Sheltering Sky,* 1990) ; *Little Buddha* (*id.*, 1993) ; *Stealing Beauty* (1996).

BERTOLUCCI *(Giuseppe), cinéaste italien (Parme 1947).* D'abord assistant et scénariste de son frère aîné Bernardo, Giuseppe Bertolucci tourne son premier film sur le plateau de *ABCinema* (1975). Il réalise ensuite *Berlinguer ti voglio bene* (1977), film dans lequel il révèle Roberto Benigni (*Une femme italienne, Oggetti smarriti,* 1979), *Panni sporchi* (1980), *Effetti personali* (1983), *Segreti segreti* (1985), *Tutto Benigni* (1986), *Strana la vita* (1987), *I Cammelli* (1988), *Amori in corso* (1989), *le Dimanche de préférence* (*la Domenica specialmente,* co Ricky Tognazzi, G. Tornatore, Francesco Barilli, Dominique Deruddere, 1990), *Una vita in gioco* (1992), *Troppo sole* (1994). Analyste pénétrant de la psychologie féminine, Giuseppe Bertolucci est une des valeurs sûres du cinéma italien comtemporain. J.-A.G.

BERTRAND *(Paul), décorateur français (Chalon-sur-Saône 1915-1994).* Après des débuts dans la publicité, il devient assistant d'Alexandre Trauner et signe ses premiers décors pour Marc Allégret : *Félicie Nanteuil* (1945 [RÉ 1942]), *l'Arlésienne* (1942), *les Petites du quai aux Fleurs* (1944). Son sens aigu de la reconstitution réaliste incite Louis Daquin à faire appel à lui pour *les Frères Bouquinquant* (1947) et *le Point du jour* (1949). Pour René Clément, ce sont *les Maudits* (1947), *Jeux interdits* (1952), *Gervaise* (1956) et *Plein Soleil* (1960). Il a également collaboré à plusieurs films d'Alexandre Astruc et de Marcel Carné. J.-P.B.

BERTUCELLI *(Jean-Louis), cinéaste français (Paris 1942).* De formation scientifique et musicale, ingénieur du son, il travaille pour la télévision et réalise des courts métrages entre 1964 et 1969. En 1970, *Remparts d'argile,* tourné dans le Sud algérien à partir d'une étude ethnographique de Jean Duvignaud, allie la rigueur dénonciatrice à une poésie solaire, rare dans le cinéma français. Son œuvre évolue ensuite vers un cinéma moins personnel : *Paulina 1880* (1972), *On s'est trompé d'histoire d'amour* (id.), *Docteur Françoise Gailland* (1976), *l'Imprécateur* (1977), *Interdit aux moins de 13 ans* (1982), *Aujourd'hui, peut-être* (1991). J.-P.J.

BESSON *(Luc), cinéaste français (Paris 1959).* Jeune stagiaire en mise en scène et régie, il rencontre l'acteur Pierre Jolivet avec lequel il écrit et produit *le Dernier Combat* (1981), fable de science-fiction post-apocalyptique, film-gageure en scope noir et blanc, sans dialogue, au budget très réduit, mais dont l'efficacité et l'imagination emportent l'adhésion. En 1985, la Gaumont lui confie de gros moyens et des stars (Isabelle Adjani et Christophe Lambert, qui obtiendra le César du meilleur acteur) pour une superproduction, *Subway,* chronique de la vie de marginaux peuplant le monde souterrain du métro. Le film, hésitant entre réalisme et onirisme, à la limite du clip, remporte un succès public mais déçoit les admirateurs de la première heure. En 1986, il coécrit et produit *Kamikaze,* réalisé par Didier Grousset. Deux ans plus tard, Besson, en réalisant *le Grand Bleu,* provoque à la fois les réticences d'une partie de la critique et déchaîne l'enthousiasme d'un public adolescent qui fait de ce poème sur l'ivresse des profondeurs marines une sorte de film-culte des années 80. Il réalise en 1990 *Nikita,* en 1991 *Atlantis* et, en 1994, *Léon.* A.T.

BEST SUPPORTING ACTOR (ACTRESS). Meilleur(e) acteur (actrice) de second plan. Cette dénomination est notamment employée lors du palmarès des Oscars d'Hollywood pour désigner le comédien ou la comédienne qui dans un film ne figurent pas en tête de la distribution mais se sont fait remarquer par l'éclat de leur performance dans un rôle secondaire ou de composition. J.-L. P.

BETAMAX → MAGNÉTOSCOPE.

BETTI *(Laura Trombetti,* dite *Laura), actrice et chanteuse italienne (Bologne 1934).* Elle s'affirme à la fin des années 50 dans le cabaret intellectuel. Fellini la découvre dans la faune romaine snob qu'il porte à l'écran dans *La dolce vita* (1960). Amie et collaboratrice de Pasolini, elle apparaît dans beaucoup de ses films : *La ricotta* (1963), *Œdipe roi* (1967), *Théorème* (1968), où elle joue le rôle de la servante miraculée, *les Contes de Canterbury* (1972). Elle lui dédie un livre et lui voue un culte après sa mort. Sa personnalité impérieuse et sa voix tragique s'imposent dans une série de personnages forts : *Reazione a catena* (M. Bava, 1971), *la Grande Bourgeoise* (M. Bolognini, 1974), *Allonsanfan* (P. et V. Taviani, *id.*), *la Mouette* (M. Bellocchio, 1977) ; ces personnages culminent avec la femme sadique et fasciste de *1900* (B. Bertolucci, 1976). Son activité d'actrice et d'écrivain pour le théâtre et la radio (une pièce sur Mae West), sa production journalistique et polémique deviennent de plus en plus prééminentes par rapport à de trop rares apparitions cinématographiques : *Un papillon sur l'épaule* (J. Deray, 1978), *Noyade interdite* (P. Granier-Deferre, 1987), *Jenatsch* (D. Schmid, *id.*), *Jane B. par Agnès V.* (A. Varda, 1988, *Dames galantes* (J.-C. Tachella, 1990), *la Ribelle* (Aurelio Grimaldi, 1993), *Con gli occhi chiusi* (F. Archibugi, 1994), *Un eroe borghese* (M. Placido, 1995). L.C.

BETTY BOOP. Héroïne de dessins animés créée en 1932 par Max et Dave Fleischer pour le tout premier *talkartoons* de la Paramount, à l'aube du parlant, elle fut pendant la Dépression la star incontestée de l'animation avec Popeye. Née avec Koko le Clown et le chien Bimbo, elle symbolisait la *flapper* à poitrine plate, mêlant sarcastiquement Louise Brooks, Clara Bow, Ruby Keeler et Joan Crawford. On lui prêta, parodiée par Mae Questel, la voix de Helen Kane, la *boop a doop girl.* Mimétique, elle chantait avec Cab Calloway et Louis Armstrong, dansait le hulé, imitait Mae West et Maurice Chevalier. Mais cette créature suggestive et érotique, qui se mêlait aux bébés, aux *grandpapas* lubriques et aux petits chiens, scandalisait l'Amérique du Hays Office. Après avoir été modifiée, banalisée, elle fut finalement censurée en 1935 et les frères Fleischer s'en tinrent à Popeye, exclusivement. R.BN.

BEVILACQUA *(Alberto), cinéaste, scénariste et écrivain italien (Parme 1934).* Il collabore aux scénarios de films fantastiques et comiques : *Terrore nello spazio* (M. Bava, 1965), *Anastasia mio fratello* (Steno [pseudonyme de Stefano Vanzina], 1973). Ses deux premiers films en tant que metteur en scène sont tirés de ses romans à succès : *La califfa* (1971) et *Questa specie d'amore* (1972), deux drames d'amour sur toile de fond politique. *Attenti al buffone !* (1975) est une parabole grotesque sur la lutte des classes, efficacement interprétée par Nino Manfredi. *Le rose di Danzica* (1979) se voulait film historique aux ambitions viscontiennes. Il tourne en 1985 *La donna della meraviglie.* L.C.

BEYDTS *(Louis), musicien français (Bordeaux 1895 -* id. *1953).* Élève de André Messager et Reynaldo Hahn, il s'inspire du premier pour la partition de *Deburau,* de Sacha Guitry (1951), avec qui il collabore dès son *Pasteur* (1935), année où il signe aussi la musique de *la Kermesse héroïque* de Jacques Feyder. Il garde le goût des films *en costumes,* pour lesquels l'élégance parodique ou dramatique de son talent sait convenir : *Pontcarral, colonel d'Empire* (J. Delannoy, 1942), *le Colonel Chabert* (René Le Hénaff, *id.*), *le Diable boiteux* (S. Guitry, 1948), etc. Citons encore, avec Feyder, *la Loi du Nord* (1942), *la Dame de Malacca* de Marc Allégret (1937), *Les miracles n'ont lieu qu'une fois* de Yves Allégret (1951), même s'il y fait également preuve de plus de professionnalisme que de personnalité. C.M.C.

BEYER *(Frank), cinéaste allemand (Nobitz 1932).* Il étudie l'art de la mise en scène à l'école du cinéma de Prague à partir de 1952. Assistant d'Hans Müller et de Kurt Maetzig, il signe en 1957 son premier long métrage *Zwei Mütter,* qui est son diplôme de fin d'études. Très marqué par la guerre, le nazisme, les camps de concentration, il s'impose peu à peu comme l'un des cinéastes les plus personnels de la République démocratique allemande et réalise notamment : *Fünf Patronenhülsen* (1960), *Königskinder* (1962), *Nu parmi les loups* (*Nackt unter Wölfen,* 1963), *Karbid und Sauerampfer* (1964), *la Trace des pierres* (*Spur der Steine,* 1966), interdit à sa sortie et diffusé seulement en 1990, *Rottenknechte* (1970), *Die Sieben Affären der Doña Juanita* (1973), *Jacob le Menteur* (*Jakob der Lügner,* 1975) d'après le roman de Jurek Becker, *Das Versteck* (1977), *Geschlossene Gesellschaft* (1978), *Der Aufenthalt* (1982), *Bockshorn* (1984), *l'Effraction / le Casse* (*Der Bruch,* 1988), *le Soupçon* (*Der Verdacht,* 1991), *le Dernier Sous-marin* (*Das letzte U-Boot,* 1993). Après la chute du Mur de Berlin, il réalise plusieurs téléfilms, dont un sur les conséquences de la réunification (*Das grosse Fest,* 1992). J.-L.P.

BEYZAI *(Bahram), cinéaste et dramaturge iranien (Téhéran 1938).* Après des études de lettres, il enseigne aux Beaux-Arts de Téhéran. Il réalise quelques courts métrages dont *'le Voyage'* (*Safar,* 1972). *'L'Averse'* (*Ragbar,* 1972), son premier long métrage, est remarqué pour le portrait d'un instituteur extérieur au milieu où il exerce ; ce film exprime déjà le thème essentiel de *'l'Étranger et le Brouillard'* (*Gharibeh va meh,* 1974), œuvre très influencée par le cinéma de Mizoguchi et de Kurosawa. L'incommunicabilité, la poésie métaphorique des légendes et une esthétique parfois appuyée caractérisent une œuvre qui, dans *'le Corbeau'* (*Kalāgh,* 1977), recherche d'identité un peu proustienne, ou *'l'Averse',* peut faire preuve d'intimisme. *'La Ballade de Tara'* (*Taraneh Tara,* 1979) est suivie par *'la Mort de Yazdgerd'* (*Margué Yazdagerd,* 1980), retenue, semble-t-il, par la censure à cause de son prétexte historique. En 1985, Beyzai tourne *Bashu le petit étranger (Bashu, gharibe-ye kutchek),* en 1988 *' Un autre temps peut-être ' (Shayao Vaghti digar)* et, en 1992, *'les Voyageurs' (Mosaferan).* C.M.C.

BEZZERIDES *(Albert Isaac,* dit *A. I.), scénariste et romancier américain d'origine arménienne (1908).* Ses romans décrivent un microcosme social ou ethnique : milieu des routiers dans *The Long Haul,* porté à l'écran par Raoul Walsh (*Une femme dangereuse,* 1940), ou marché des fruits californiens dans *The Red of My Blood,* qu'il adapte pour Jules Dassin (*les Bas-Fonds de Frisco,* 1949). Réalisme et romantisme se marient avec le même bonheur dans ses adaptations de G. Butler (*la Maison dans l'ombre,* N. Ray, 1952), de Van Tilburg Clark (*Track of the Cat,* W. Wellman, 1954) ou de Mickey Spillane (*En quatrième vitesse,* R. Aldrich, 1955). M.H.

BIANCHETTI *(Suzanne), actrice française (Paris 1889 -* id. *1936).* Son mari, le critique René

Jeanne, fonde à sa mort le prix qui porte son nom, récompensant le talent d'une jeune actrice. Elle allie de la sensibilité à une sorte de grâce majestueuse. Elle passe ainsi des rôles de Française au grand cœur : *Trois Familles* (Henri Devarennes, 1917), *Verdun, visions d'histoire* (L. Poirier, 1928), à ceux de souveraines : Marie-Antoinette dans le *Napoléon* d'Abel Gance (1927) et le *Cagliostro* de Richard Oswald (1929), Eugénie dans *Violettes impériales* (H. Roussell, 1924 et 1932) et Marie-Louise dans *Madame Sans-Gêne* (L. Perret, 1925). Elle fut très demandée par Jean de Baroncelli dans les années 20 : *Flipotte* (1920), *le Père Goriot* (1921), *le Rêve* (1921). R.C.

BIANCO E NERO. Revue italienne de cinéma, fondée (en 1937) et dirigée par Luigi Chiarini (1900-1975), assisté de Umberto Barbaro (1902-1959). Organe du Centro sperimentale di cinematografia fondé à Rome en 1935, et se situant d'emblée sur un plan scientifique et pluridisciplinaire, elle intéresse à l'étude du cinéma artistes, critiques, littérateurs, philosophes, psychologues, pédagogues, sociologues, cinéastes de renom. Elle publie, la première en Europe, les travaux de tous les grands théoriciens et esthéticiens de l'époque, soviétiques et marxistes notamment (Poudovkine, Eisenstein, Balázs, Timochenko, Moussinac) et réussit la gageure d'être, malgré le régime fasciste, l'une des plus importantes revues spécialisées du monde. Elle cesse de paraître en 1943 du fait de la guerre mais renaît en 1947. Chassé en 1952 par certaines pressions politiques de la démocratie chrétienne, Chiarini fonde un « sosie » de *Bianco e Nero* : la *Rivista del cinema italiano,* qui ne vit que quatre ans. Depuis ce départ, *Bianco e Nero,* toujours très estimable, a perdu beaucoup de son originalité. B.A.

BIBERMAN *(Herbert J.), cinéaste, producteur et scénariste américain (Philadelphie, Pa., 1900 - New York, N. Y., 1971).* Après une longue activité théâtrale, il signe en 1935 son premier film *(One Way Ticket),* qui sera suivi de *Meet Nero Wolf* (1936) et de *The Master Race* (1939), mais doit bientôt se limiter à des entreprises de faible budget comme scénariste ou coproducteur. En 1947, il refuse de témoigner devant la Commission des activités antiaméricaines. En 1950, il fait partie des Dix d'Hollywood, est condamné à six mois de prison pour « outrage au Congrès ». Mis au ban d'Hollywood, il réalise en 1954, dans des conditions très précaires, *le Sel de la terre (Salt of the Earth),* drame puissant, délibérément didactique, qui dénonce les conditions de vie des mineurs au Nouveau-Mexique. Boycotté en Amérique (où il ne sera distribué qu'en 1965), le film impose le nom de Biberman grâce à son succès en Europe. Force est de reconnaître que ses qualités ne se retrouvent pas dans *Esclaves* (*Slaves,* 1969), dernière tentative du cinéaste : l'analyse idéologique n'y est pas approfondie et l'esthétique, assez factice. ▲ G.L.

BICHROMIE. Emploi de deux couleurs de base pour restituer les couleurs. (Cette restitution est nécessairement incomplète.) [→ COULEUR, PROCÉDÉS DE CINÉMA EN COULEURS.]

BICKFORD *(Charles), acteur américain (Cambridge, Mass., 1889 - Los Angeles, Ca., 1967).* Venu du théâtre, il est la vedette de *Dynamite* (C. B. De Mille, 1929) et donne la réplique à Garbo dans *Anna Christie* (C. Brown, 1930). Mais il s'impose surtout dans des rôles de composition, où son visage vieilli contraste avec son autorité généreuse ou têtue : *Crime passionnel* (O. Preminger, 1945), *la Femme sur la plage* (J. Renoir, 1946), *Duel au soleil* (K. Vidor, 1947), *les Démons de la liberté* (J. Dassin, *id.*), *Johnny Belinda* (J. Negulesco, 1948), *le Mystérieux Dr Korvo* (Preminger, 1950), *Une étoile est née* (G. Cukor, 1954), *les Grands Espaces* (W. Wyler, 1958), *le Vent de la plaine* (J. Huston, 1960), *Days of Wine and Roses* (B. Edwards, 1962). A.M.

BIDEAU *(Jean-Luc), acteur suisse (Genève 1940).* En 1959, il quitte sa ville natale pour entrer au Conservatoire d'art dramatique de Paris. Il travaille ensuite dans plusieurs théâtres, puis retourne au pays en 1968. Il obtient un petit emploi dans *Charles, mort ou vif* (A. Tanner, 1969) mais a le rôle principal dans *James ou pas* (M. Soutter, 1970), dans *la Salamandre* (Tanner, 1971) et dans *les Arpenteurs* (Soutter, 1972). Ces œuvres, qui témoignent de la naissance d'un nouveau cinéma suisse romand, assurent sa notoriété, confirmée par ses compositions dans *l'Invitation* (C. Goretta, 1972), *Belle* (A. Delvaux, 1973), *Projection privée* (F. Leterrier, *id.*), *Jonas qui aura 25 ans en l'an 2000* (Tanner, 1976), *Et la tendresse, bordel*

(P. Schulman, 1979), *Tout feu tout flamme* (J.-P. Rappeneau, 1982), *Fado majeur et mineur* (R. Ruiz, 1994). F.B.

BIETTE *(Jean-Claude), cinéaste français (Paris 1942).* Ancien critique de cinéma, collaborateur de Pasolini dans les années 60, il réalise quatre courts métrages en Italie (1966-1968) puis deux en France (1970-1972). *Le Théâtre des matières* (1977), son premier film, répudie tout effet esthétique et psychologique – une règle qu'il appliquera dans ses films ultérieurs, tous réalisés avec des petits budgets. Il est souvent question de théâtre dans ses films, et les mystères de l'intrigue sont autant de fausses pistes dans des récits qui font confiance aux dialogues : *Loin de Manhattan* (1981), *le Champignon des Carpates* (1988), *Chasse gardée* (1993). D.S.

BIFORMAT. Se dit des caméras ou des projecteurs acceptant deux formats (1) de film : caméra 16/35, projecteur 35/70, projecteur d'amateur 8/Super 8, etc. (→ PROJECTION.)

BIGAS LUNA *(José Juan), cinéaste espagnol (Barcelone, Catalogne, 1946).* Il débute dans le long métrage avec *Tatuaje* (1976), un récit policier. Ses deux films suivants, *Bilbao* (1978) et *Caniche* (1980), soulèvent l'enthousiasme bien exagéré de la jeune critique péninsulaire, par leur recours à un fétichisme vaguement pervers. Il tourne *Reborn* (1981) aux États-Unis puis *Lola* (1985), *Angustia* (1987), *les Vies de Loulou* (*Las edades de Lulú*, 1990), *Jambon, jambon* (*Jamón, jamón*, 1992), *Macho* (*Huevos de oro*, 1993), *la Lune et le téton* (*la Teta y la luna*, 1994). L'inspiration paillarde de ses derniers films lui a valu un certain succès. P.A.P.

BIGELOW *(Kathryn ou Kathie), cinéaste américaine (1952).* Ancien peintre apprécié, Kathryn Bigelow aurait pu rester confinée dans un cinéma confidentiel ou militant. Elle est l'une des rares cinéastes américaines à avoir opté pour un cinéma populaire, qu'elle enrichit, à défaut de le subvertir, par un travail de scénario très approfondi. En effet, de ses premières expériences, elle a gardé l'habitude de collaborer de près à l'écriture de ses films, qui offrent presque toujours une étoffe psychologique inhabituellement dense. Plus que dans *Near Dark* (1987), dont les afféteries avaient touché une certaine critique intellectuelle américaine, c'est dans *Blue Steel* (*id.*, 1990), remarquable polar au féminin, que l'on prend la mesure de son originalité. On n'a pas assez noté l'intérêt de *Extrême limite* (*Point Break*, 1991), où Bigelow se colletait à un univers (les surfers) et, un genre (le thriller) dominés par une certaine idée de la virilité : non seulement elle s'acquittait avec panache des aspects les plus spectaculaires de l'affaire, mais encore, grâce à une direction d'acteur très fine (Keanu Reeves et Patrick Swayze), elle atteignait une vérité humaine qui reste ignorée par nombre de ses collègues masculins. En 1995, elle signe *Strange Days.* C.V.

BILLON *(Pierre), cinéaste français (Paris 1906 - id. 1981).* Il débute à la fin du muet dans l'ombre de Gaston Ravel, puis en 1931 et 1932 travaille à Berlin à la réalisation de versions françaises des films d'Anny Ondra. De 1934 *(la Maison dans la dune)* à 1957 *(Jusqu'au dernier),* il poursuit une carrière ininterrompue de metteur en scène consciencieux et sans génie. Bon technicien, il est appelé par Jean Cocteau pour tourner *Ruy Blas,* d'après Victor Hugo (1948, avec Jean Marais). Il a dirigé Raimu dans son dernier film (*l'Homme au chapeau rond,* 1946, d'après Dostoïevski). J.-P.J.

BINAIRE. *Numérotation binaire,* ou *binaire,* système de numérotation n'utilisant que deux chiffres (0 et 1), employé pour les enregistrements « numériques ». (→ NUMÉRIQUE.)

BINI *(Alfredo), producteur italien (Livourne 1926).* Organisateur de productions théâtrales et cinématographiques, il produit son premier film en 1960 : *le Bel Antonio* (M. Bolognini). Il fait débuter des cinéastes originaux comme Pasolini (*Accatone,* 1961), Ugo Gregoretti (*I nuovi angeli,* 1962), Mario Missiroli (*La bella di Lodi,* 1963) et finance les efforts pasoliniens plus anticonformistes comme *Comizi d'amore* (1965), *Des oiseaux petits et gros* (1966), *Notes pour une Orestie africaine* (1976, RÉ 1970). Ses grands succès commerciaux s'inscrivent dans le droit fil de l'érotisme exotique : *Bora Bora* (Ugo Liberatore, 1968), *Il dio serpente* (Piero Vivarelli, 1971), *Il Decamerone nero* (*id.,* 1972). L.C.

BINOCHE *(Juliette), actrice française (Paris 1964).* Elle débute au théâtre à l'âge de 16 ans (*le Malade imaginaire* de Molière, *Henri IV* de Pirandello) puis, après une brève apparition à la télévision, se consacre au cinéma. Après avoir interprété des rôles secondaires, notamment dans *Je vous salue Marie* (1985) de Jean-Luc Godard et *la Vie de famille* (1985) de Jacques Doillon, elle accède au vedettariat avec *Rendez-vous* (1985) d'André Téchiné. Elle sait se faire rare à l'écran, préférant se préserver pour mieux se donner aux réalisateurs qu'elle choisit, comme Philip Kaufman avec qui elle tournera *l'Insoutenable légèreté de l'être* (1988) et surtout Léos Carax dont elle sera l'interprète de prédilection dans *Mauvais sang* (1986) et dans *les Amants du Pont-Neuf* (1991). On la retrouve ensuite dans *Fatale* (L. Malle, 1992), *Trois couleurs : Bleu* (K. Kieslowski, 1993), *Trois couleurs : Blanc* (*id.*, 1994), *le Hussard sur le toit* (J.-P. Rappeneau, 1995), *Un divan à New York* (Ch. Ackerman, *id.*). A.F.

BIOGRAPH – 1. Appareil de projection américain qui fut utilisé pour la première fois en public le 12 octobre 1896, à l'Olympia Music Hall de New York. Pour le distinguer d'un appareil français homonyme breveté en 1894, on le nomma American Biograph. L'opérateur de D. W. Griffith, Billy Bitzer, avait commencé sa carrière comme projectionniste en utilisant le Biograph.

2. Société de production américaine fondée le 27 décembre 1895 par William K. L. Dickson, Herman Casler, Harry Marvin et Elias Koopman (d'abord appelée American Mutoscope Company, la société prit, en 1899, le nom d'American Mutoscope and Biograph Company, puis, en 1909, celui de Biograph Company ou, plus couramment, Biograph ou AB). Après une période d'âpre concurrence, la Biograph et l'Edison Company se lient pour former la Motion Picture Patents Company (MPPC) et tenter d'enrayer l'extension des nouvelles sociétés indépendantes. Les studios de la Biograph étaient situés au 11 East 14th Street à New York. Parmi les plus célèbres réalisateurs attachés à la Biograph, il faut citer essentiellement D. W. Griffith (qui tourne son premier film *les Aventures de Dolly* en 1908) et Mack Sennett.

Mais la Biograph avait aussi su s'attacher les services des premières grandes vedettes de l'écran : Mary Pickford, les sœurs Gish et la *Biograph Girl* Florence Lawrence. Quand Griffith quitte la compagnie, une période de déclin s'ensuit et s'achève sur la dissolution de la compagnie en 1915. J.-P.F.

BIOGRAPHE → INVENTION DU CINÉMA.

BIOSCOPE → INVENTION DU CINÉMA.

BIPACK. Se dit des procédés de prise de vues où deux films distincts défilent simultanément dans la caméra. (→ PROCÉDÉS DE CINÉMA EN COULEURS.)

BIRAUD *(Maurice), acteur français (Paris 1922 - id. 1982).* Parallèlement à une carrière radiophonique, il interprète, à ses débuts à l'écran, de nombreux rôles mineurs, avant d'être remarqué dans *Un taxi pour Tobrouk* (D. de La Patellière, 1961). Il a joué dans un certain nombre de films (surtout policiers) de Georges Lautner (*l'Œil du monocle,* 1962 ; *la Grande Sauterelle,* 1967 ; *Fleur d'oseille,* id.). Citons encore, avec des rôles également typés : *Le cave se rebiffe* (G. Grangier, 1961), *les Aventures de Salavin* (P. Granier-Deferre, 1963), *le Gitan* (J. Giovanni, 1975), *Un dimanche de flics* (M. Vianey, 1983). Il a travaillé pour la télévision (*Retour à Cherchell,* A. Cayatte, 1983, est sa dernière apparition à l'écran). F.LAB.

BIRGEL *(Wilhelm Maria, dit Willy), acteur allemand (Cologne 1891 - Dübendorf, Suisse, 1973).* Formé par le théâtre classique, il débute au cinéma en 1933 et devient le principal jeune premier du cinéma de l'ère nazie : vingt-deux grands rôles de 1935 à 1945. Vedette de films d'aventures tels *Verräter* (K. Ritter, 1936) ou *Congo-Express* (E. von Borsody, 1939) et de mélodrames signés Detlef Sierck (Douglas Sirk), il participe à quelques films très nationalistes : *les Frontaliers* (V. Tourjansky, 1940), *Kameraden* (Hans Schweikart, 1941),... *Reitet für Deutschland* (A. M. Rabenalt, *id.*). Sa popularité se maintient après la guerre, grâce à Erich Pommer et au très habile *Zwischen Gestern und Morgen* (Harald Braun, 1947), et il tourne encore une trentaine de films jusqu'en 1959. En 1966, il apparaît dans une des premières œuvres révélatrices du jeune cinéma allemand, *Schön-*

zeit für Füchse (Peter Schamoni). Il a réalisé un film en 1955 : *Rosenmontag.* D.S.

BIRKIN *(Jane), actrice et chanteuse britannique (Londres 1946).* Elle débute au cinéma dans deux rôles courts, mais remarqués : *le Knack,* de Richard Lester (1965) et, surtout, *Blow-Up,* d'Antonioni (1967), où sa nudité fut appréciée avant même l'humour et la gravité dont elle fera preuve par la suite. Sa rencontre avec Serge Gainsbourg (elle avait été l'épouse du compositeur John Barry) est déterminante : il lui écrit des chansons et interprète avec elle *Slogan* de Pierre Grimblat en 1969, *Cannabis* de Pierre Koralnik en 1969 et la fait tourner dans *Je t'aime moi non plus,* en 1975. Sa carrière est une alternance de films plus ou moins érotiques : *Don Juan 1973* (R. Vadim, 1973), et ambitieux : *le Mouton enragé* (M. Deville, 1974), *Sérieux comme le plaisir* (R. Benayoun, 1975), *Sept Morts sur ordonnance* (J. Rouffio, *id.*). L'échec commercial et artistique de *Catherine et C*[ie] (M. Boisrond, 1975) lui fait réduire nettement son rythme de tournage. On la retrouve cependant avec des ambitions nouvelles dans trois films de Jacques Doillon : *la Fille prodigue* (1981), *la Pirate* (1984) et *Comédie !* (1987), dans deux films de Jacques Rivette : *l'Amour par terre* (1984) et *la Belle Noiseuse* 1991), *la Femme de ma vie* (Régis Wargnier, 1986), *Soigne ta droite* (J.-L. Godard, 1987) et *Daddy Nostalgie* (B. Tavernier, 1990). Agnès Varda lui rend un hommage sensible dans *Jane B. par Agnès V.* (1988) et *Kung-fu Master* (id.). D.R.

BIRO *(Lajós), scénariste et dramaturge hongrois (Heves 1880 - Londres 1948).* Plusieurs de ses pièces sont adaptées à l'écran à l'époque du muet : *Paradis défendu* (E. Lubitsch, 1924), *Une moderne Du Barry* (A. Korda, 1926), *Hôtel Impérial* (M. Stiller, 1927). Quittant Hollywood, il accompagne Alexander Korda en Grande-Bretagne et participe aux plus ambitieuses productions de la London Films : *la Vie privée d'Henry VIII* (Korda, 1933) ; *la Vie privée de Don Juan* (*id.,* 1934) ; *le Mouron rouge* (*The Scarlet Pimpernel,* Harold Young, 1935) ; *Bozambo* (Z. Korda, *id.*) ; *Alerte aux Indes* (*id.,* 1938) ; *les Quatre Plumes blanches* (*id.,* 1939) ; *le Voleur de Bagdad* (M. Powell, 1940). R.L.

BIROC *(Joseph), chef opérateur américain (New York, N. Y., 1903).* Il filme la libération de Paris. On lui doit la photographie du premier film en relief : *Bwana le diable* (*Bwana Devil,* Arch Oboler, 1953). En dehors de *Bye Bye Birdie* (G. Sidney, 1963), *l'Amour en quatrième vitesse* (*id.,* 1964) avec Elvis Presley, *le Détective* (G. Douglas, 1968) et *la Tour infernale* (J. Guillermin, 1974), on le remarque surtout comme directeur de la photographie de la plupart des films de Robert Aldrich, notamment *Attaque* (1956), *Chut, chut, chère Charlotte* (1965), *le Vol du phénix* (1966), *Faut-il tuer Sister George ?* (1968), *le Démon des femmes* (id.), *Pas d'orchidées pour miss Blandish* (1971), *la Cité des dangers* (1975). P.B.

BIRRI *(Fernando), cinéaste argentin (Santa Fé 1925).* Formé au Centro sperimentale de Rome, il subit l'influence du néoréalisme italien. Il fonde et dirige l'Institut de cinéma de l'université du Litoral, à Santa Fé (1956), dont le rôle pionnier se fait sentir aussi bien en Argentine qu'au Brésil (dans les documentaires aux origines du Cinema Novo). Avec ses élèves, il tourne des dizaines de courts métrages et le moyen métrage *Tire dié* (1959) date dans l'éclosion du *nuevo cine,* précurseur du courant de témoignage social qui mène aux films militants de Solanas et Getino. Il dépasse le constat avec *Los inundados* (1962), long métrage de fiction fortement sous-tendu par une enquête documentée, et le drame d'une famille paysanne frappée par l'inondation n'exclut pas un humour bien tempéré. Birri contribue à la critique du cinéma argentin traditionnel, alors sur le déclin : « Un cinéma qui se fait le complice du sous-développement, dit-il, est un sous-cinéma. » Solanas et Getino prolongent cette mise en cause à travers leur *Manifeste pour un tiers cinéma.* Parmi les courts métrages de Birri, on peut citer *La Primera fundación de Buenos Aires* (1959), *Buenos días Buenos Aires* (1960), *La Pampa gringa* (1963), *Castagnino, Diario Romano* (1966). En Italie, il tourne le long métrage d'avant-garde *Org* (1978), assez éloigné de ses choix esthétiques antérieurs, et le documentaire *Rafael Alberti, un retrato del poeta por Fernando Birri* (1983). De retour en Amérique latine, il signe *Remitente : Nicaragua* (1984), *Mi hijo el Che* (DOC, 1985), *Un señor muy viejo con unas alas enormes* (à Cuba, d'après García Márquez, 1988) et *Diario de Macondo* (DOC, 1989). Il a dirigé l'École internationale de cinéma et télévision de San Antonio de los Baños (Cuba, 1987-1990). P.A.P.

BISON (Bison Life Motion Pictures), société de production américaine fondée en mai 1909 par Adam Kessel Jr., Charles Bauman et Fred Balshofer. D'abord établie dans le New Jersey à Coytesville, la compagnie émigra ensuite à Edendale en Californie et se spécialisa dans le tournage des westerns. Un accord passé avec le Wild West Show des frères Miller, 101 Ranch, eut comme résultat la transformation du nom de Bison en Bison 101. En 1912, la compagnie fusionna avec d'autres (et notamment la IMP de Carl Laemmle) : cet amalgame donna naissance à l'Universal. J.-L.P.

BISSET *(Jacqueline Frazer Bisset,* dite *Jacqueline), actrice britannique (Weybridge 1944).* Modèle à dix-huit ans, elle débute comme figurante dans *le Knack* de Lester en 1965. Comme pour toutes les actrices modernes, l'unité de sa carrière tient à sa personne et non aux personnages qu'elle incarne. Sa sensualité contraste avec son visage marmoréen, sa douceur et son énergie avec sa distinction hautaine. Une émouvante fragilité affleure dans ses meilleurs rôles : *Fureur sur la plage* (H. Hart, 1968), *le Détective* (G. Douglas, *id.*), *Bullitt* (P. Yates, *id.*), *Satan mon amour* (P. Wendkos, 1971), *la Nuit américaine* (F. Truffaut, 1973). Elle joue ensuite dans de grosses productions, où elle ne livre qu'une part de son talent : *le Crime de l'Orient-Express* (S. Lumet, 1974). Elle produit et interprète en 1981 *Riches et célèbres* de George Cukor. En 1984 elle tourne *Au-dessous du volcan* (J. Huston), en 1989 *Scenes From the Class Struggle in Beverly Hills* (Paul Bartel), en 1990 *l'Orchidée sauvage* (*Wild Orchid,* Zalman King), en 1993 *les Marmottes* (Elie Chouraqui), en 1995 *la Cérémonie* (C. Chabrol). A.G.

BITZER *(Johann Gottlob Wilhelm Bitzer,* dit *Billy), chef opérateur américain (Roxbury* [auj. *Boston*], *Mass., 1870 - Los Angeles, Ca., 1944).* Électricien de profession, cameraman-reporter à Cuba pendant la guerre (1898), il entre à la Biograph dès 1906 et y rencontre Griffith. De 1908 à 1919, il sera l'opérateur de tous ses films, tirant un parti extraordinaire de ressources rudimentaires (caméra à manivelle, emploi rarissime de la lumière artificielle) et collaborant de façon capitale à la réussite artistique ambitionnée par Griffith, qu'il s'agisse de *Naissance d'une nation,* d'*Intolérance* ou du *Lys brisé.* Sa franchise plastique et son instinct du cadrage ont assuré une fascination durable à des films matériellement usés. Il a mis au point les premières techniques du contre-jour (1909) et peut-être suggéré à Griffith l'invention du gros plan. Il est vain de vouloir distinguer, entre les deux hommes, vu leur entente à ce niveau d'innovation. Envoyé en 1917 sur le front français, Bitzer en rapporte 20 000 mètres de pellicule, utilisés par Griffith dans plusieurs films, et d'abord *Cœurs du monde* (1918). Après 1919 et le tournage du *Lys brisé,* Griffith aura d'autres opérateurs, notamment Hendrik Sartov, avec qui Bitzer collaborera pour *À travers l'orage* (1920), *les Deux Orphelines* (1922), *la Rose blanche* (1923), *Pour l'Indépendance* (1924), ou Karl Struss (co pour *l'Éternel Problème,* 1928) et *le Lys du faubourg* (1929). Bitzer cessa bientôt toute activité et devint plus tard bibliothécaire au Museum of Modern Art de New York. Il y écrivit des notes autobiographiques, publiées en 1973 sous le titre : *B. Bitzer – His Story.* G.L.

BIXIO *(Cesare Andrea), musicien italien (Naples 1896 - Rome 1978).* Particulièrement actif pendant les années 30, Bixio est le premier compositeur italien à travailler pour le cinéma sonore : en 1930, il signe la musique de *La canzone dell'amore* de Righelli, premier film parlant italien. Par la suite, il écrit de nombreuses partitions, notamment pour Brignone, Palermi, Mattoli, Camerini. Bixio est également connu comme auteur de chansons, lesquelles contribuèrent au succès de certains films, comme le fameux *Parlami d'amore Mariù,* que De Sica interprétait dans *Les hommes, quels mufles !* (1932) de Camerini. J.-A.G.

BJÖRK *(Anita), actrice suédoise (Tällberg 1923).* Elle suit les cours du Théâtre royal de Stockholm et partage sa carrière entre la scène, l'écran et la télévision. Pour la majeure partie du public international, elle reste à jamais *Mademoiselle Julie,* l'héroïne du film du même nom qu'Alf Sjöberg a tiré en 1951 de la pièce de Strindberg et qui a reçu le grand prix de Cannes. Anita Björk, dont l'extérieur réservé cache un tempérament passionné et volontaire, est heureusement présente, quoique de façon moins spectaculaire, dans plusieurs autres grandes productions : *le Chemin du ciel* (A. Sjöberg, 1942) ; *Femme sans visage* (G. Molander, 1947) ; *l'Attente des femmes* (I. Bergman, 1952) ; *les Gens de la nuit* (*Night people,* N. Johnson, 1954) ; *les Époux / la Vie conjugale* (*Giftas,* A. Henrikson, 1955) ; *la Charrette fantôme* (A. Mattsson, 1958) ; *les Amoureux* (M. Zetterling, 1964) ; *Adalen 31* (B. Widerberg, 1969) ; *l'Héritage* (A. Breien, 1979) ; *la Persécution* (*id.,* 1981). Elle avait épousé l'écrivain Stig Dagerman. P.CO.

BJÖRNSTRAND *(Gunnar), acteur suédois (Stockholm 1909* - id. *1986).* Comédien polyvalent, il est un de ceux, dans sa génération, qui résistent le mieux aux années. Björnstrand a travaillé pratiquement sur toutes les grandes scènes de Suède (il a suivi le même cours d'art dramatique qu'Ingrid Bergman au Théâtre royal de Stockholm et a commencé à faire du cinéma en 1931). Mais sa réputation repose surtout sur sa collaboration avec Ingmar Bergman, dont il fait la connaissance en 1941, à l'occasion d'une production théâtrale en milieu étudiant. Il joue dans une douzaine de films de Bergman, de *Il pleut sur notre amour* (1946) à *Fanny et Alexandre* (1982). Il s'y montre aussi doué pour la comédie *(l'Attente des femmes ; Une leçon d'amour ; Sourires d'une nuit d'été)* que pour les scénarios plus graves : *le Septième Sceau,* où il est en quelque sorte le Sancho Pança de Don Quichotte (Max von Sydow) ; *le Visage ; À travers le miroir ; le Rite.* Mais sa prestation la plus accomplie, et la plus éprouvante, est sûrement celle qu'il a faite dans *les Communiants,* le portrait par Bergman d'un pasteur doutant de sa foi dans une petite paroisse suédoise. Björnstrand a également travaillé avec succès pour d'autres réalisateurs scandinaves, notamment pour Mai Zetterling dans *les Amoureux,* Jan Troell dans *les Feux de la vie* et Vilgot Sjöman dans *Ma sœur, mon amour.* P.CO.

Films : *Nuit au port* (*Natt i hamn,* Hampe Faustman, 1943) ; *Tourments* (A. Sjöberg, 1944) ; *Vous qui entrez ici* (*I som här inträden,* A. Mattsson, *1945) ; Il pleut sur notre amour* (I. Bergman, 1946) ; *le Sacrifice du sang (Midvinterblot,* Gösta Werner, *id.) ; Soldat Boum* (L. E. Kjellgren, 1948) ; *l'Attente des femmes* (Bergman, 1952) ; *la Nuit des forains* (*id.,* 1953) ; *Une leçon d'amour* (*id.,* 1954) ; *Rêves de femmes* (*id.,* 1955) ; *Sourires d'une nuit d'été* (id., *id.*) ; *le Septième Sceau* (*id.,* 1957) ; *les Fraises sauvages* (id., *id.*) ; *le Visage* (*id.,* 1958) ; *l'Œil du diable* (*id.,* 1960) ; *À travers le miroir* (*id.,* 1961) ; *les Communiants* (*id.,* 1963) ; *la Robe* (V. Sjöman, 1964) ; *les Amoureux* (M. Zetterling, *id.*) ; *Ma sœur, mon amour* (Sjöman, 1966) ; *les Feux de la vie* (J. Troell, *id.*) ; *Persona* (Bergman, *id.*) ; *la Honte* (*id.,* 1968) ; *le Rite* (*id.,* 1969) ; *Face à face* (*id.,* 1976) ; *Sonate d'automne* (*id.,* 1978) ; *Fanny et Alexandre* (*id.,* 1982).

BLACK *(Karen Ziegler,* dite *Karen), actrice américaine (Park Ridge, Ill., 1942).* Après quelques petits rôles (*Easy Rider* de Hopper en 1962 ; *Big Boy* de Coppola en 1967), elle s'impose dans *Cinq Pièces faciles* (B. Rafelson, 1970), où elle incarne la petite amie sensuelle et naïve de Jack Nicholson, qui lui donnera un rôle analogue dans sa première réalisation : *Vas-y, fonce* (1971). Elle joue des personnages assez semblables dans *Gatsby le Magnifique* (J. Clayton, 1974), *Nashville* (R. Altman, 1975), *le Jour du fléau* (J. Schlesinger, *id.*) et *Complot de famille* (A. Hitchcock, 1976) ; mais c'est Ivan Passer dans *Né pour vaincre* (1971), *la Loi et la Pagaille* (1974) et *le Désir et la Corruption* (1975), puis Michael Raeburn dans *The Grass Is Singing* (1981) qui semblent avoir le mieux servi son talent. Au cours des années 80, on la retrouve notamment dans *Can She Bake a Cherry-Pie ?* (H. Jaglom, 1983), *Invaders From Mars* (Tobe Hooper, 1986), *Night Angel* (Dominique Othenin-Girard, 1990), *Miror, Miror* (Maria Sargenti, *id*)., *Children of the Night* (Tony Randel, 1992), *The Trust* (J. Douglas Kilmore, 1993). J.-P.B.

BLACKBURN *(Maurice), musicien canadien (Montréal, Québec, 1914* - id. *1988).* Un des premiers compositeurs engagés à l'Office national du film. Il écrit la musique de nombreux films québécois : *Jour après jour,* de Clément Perron (1962), *À tout prendre,* de Claude Jutra (1963), *Mourir à tue-tête,* d'Anne-Claire Poirier (1979). Mais il s'est imposé dès *A Phantasy* (1948-1953), une collaboration fructueuse avec Norman McLaren, pour lequel il va étudier la *musique aléatoire* à Paris en 1953 ou s'intéresser au son gravé sur la pellicule. En résulte la musique d'œuvres telles que *Blinkity Blank* (1955), *Lignes verticales* (1960) et *Pas de deux* (1968). D.N.

BLACK MARIA. Studio construit pour Edison à West Orange (Edison National Historic Site, N. J.), de fin 1892 à février 1893, sur les plans de son chef de laboratoire W. K. Laurie Dickson. Hangar revêtu de toile goudronnée, monté sur pivot et rail circulaire pour capter au maximum la lumière solaire par des pans de toit mobiles, il est peint en noir et peut assurer une obscurité parfaite. Dickson y photographie les premières bandes sur pellicule Eastman perfectionnée, pour les programmes du Kinetoscope dont la commercialisation se développe : scènes de luttes, scènes bouffonnes, jongleurs et même une scène d'incendie. Ces films primitifs font de Black Maria le lieu d'une « révolution qui donna naissance au cinéma » (J. Deslandes). Les images sont prises à la cadence de 40 par seconde. Le catalogue des sujets du Kinetoscope s'enrichit rapidement, d'autant que Dickson, avant de quitter Edison pour la Biograph Company en 1895, avait, parallèlement, entrepris avec succès des tournages en extérieurs, techniques poursuivies après son départ. Le nom du studio vient de sa relative analogie avec les fourgons cellulaires qu'on désignait ainsi. C.M.C.

BLACKTON *(James Stuart), cinéaste américain (Sheffield, Grande-Bretagne, 1875 - Los Angeles, Ca., 1941).* Journaliste à New York, il impressionne Edison par ses croquis, dont l'inventeur tire un film : *Blackton, the Evening World Cartoonist* (1896). Blackton achète alors un Kinetoscope et fonde (1897) la Vitagraph (associé à Albert E. Smith et à William T. Rock). Ils installent leurs studios à l'air libre au sommet d'un building et y tournent des reconstitutions de faits divers (crimes, etc.), où Blackton est aussi interprète. En 1898, au moment de l'affaire de Cuba, d'où s'ensuit la guerre hispano-américaine, il invente le film de propagande *(Tearing Down the Spanish Flag)* puis s'essaie à la fiction policière (*Raffles,* 1905), à l'adaptation de drames shakespeariens (1908), aux *scènes de la vie* réalistes (1908). Il lance la mode des comédies en deux ou trois bobines et, en 1915, écrit et dirige une fiction pacifiste sur l'invasion possible de New York par une armée étrangère *(The Battle Cry of Peace).* Dès 1910, le développement de la Vitagraph est tel que Blackton doit inaugurer le système de la *supervision* (par ses soins, de films produits et dirigés par d'autres). En marge de la Vitagraph, Blackton invente la technique du dessin animé image par image (1906-07) : *Humorous Phases of a Funny Face* (1906), *l'Hôtel hanté* (*The Haunted Hotel,* id.), *le Stylo magique* (*The Magic Fountain Pen,* 1907). Il fonde en 1915 la Motion Picture Board of Trade (la future AMPPA). Enfin, il crée le *Motion Picture Magazine.* Pionnier en tous genres, Blackton garde une importance historique considérable. (Son *Moïse* en cinq bobines fit sensation en 1910.) Jusqu'en 1926, la Vitagraph reste florissante, mais elle est absorbée cette même année par Warner. Lors de la crise (1929), Blackton perd toute sa fortune. Il devient fonctionnaire, puis directeur de production d'une firme obscure, l'Anglo-American Film Company. G.L.

BLAIER *(Andrei), cinéaste roumain (Bucarest 1933).* Il termine en 1956 ses études à l'Institut supérieur d'art cinématographique de Bucarest en réalisant le moyen métrage *'l'Heure H' (Ora H).* Après quelques autres essais (*'Ce fut mon ami'* [*Era prietenul meu*], 1963 ; *'la Maison inachevée'* [*Casa neterminată*], 1964), il s'impose à l'attention internationale en signant une œuvre d'une profonde finesse psychologique sur les problèmes de l'adolescence : *les Matins d'un garçon sage* (*Dimineţile unui băiat cuminte,* 1967). Devenu l'un des meilleurs représentants du cinéma roumain, il aborde des genres divers (*'Puis naquit la légende'* [*Apoi s-a născut legenda*], 1969 ; *'la Forêt perdue'* [*Pădurea pierdută*], 1972 ; *'Cartes postales illustrées avec des fleurs des champs'* [*Illustrate cu flori de cîmp*], 1974), s'efforce de transcrire en images le roman de Zaharia Stancu, parabole sur la condition humaine, dans *À travers les cendres de l'Empire* (*Prin cenusa Imperiului,* 1976), signe *'Des pas vers le ciel'* (*Trepte spre cer,* 1977) et *'Calamité'* (*Urgia,* CO I. Demian, *id.*) puis aborde la satire (*'Tout pour le football'* [*Totul pentru fotbal*], 1978). Après le succès d'une série télévisée de 33 épisodes, *'Lumière et ombres' (Lumini şi umbre),* revient au cinéma avec *'la Nuit blanche'* (*Intunericul alb,* 1983), *'Faits divers'* (*Fapt divers,* 1984), *'Ris donc, c'est la vie !'* (*Rîdeţi ca-n viaţă,* id.), *'les Grandes Vacances'* (*Vacanţa cea mare,* 1988), *'le Moment de la vérité'* (*Momentul ădevarului,* 1992), *'Croix de pierre'* (*crucea de piatra,* 1994). J.-L.P.

BLAIN *(Gérard), acteur et cinéaste français (Paris 1930).* Il commence sa carrière dès 1943 comme figurant à l'écran et au théâtre, mais n'obtient ses premiers vrais rôles qu'en 1954 (*les Fruits sauvages* d'Hervé Bromberger et *Avant le déluge* d'André Cayatte, *Voici le temps des assassins,* 1956, de Julien Duvivier, aux côtés de Jean Gabin et de Danièle Delorme). En 1958, il joue dans *les Mistons,* premier film de François Truffaut, puis, en Italie, *les Jeunes Maris* (1958), de Mauro Bolognini. Il incarne la jeunesse de l'après-guerre dans *le Beau Serge* (C. Chabrol, 1959) et *les Cousins* (id., *id.*), tous deux avec Jean-Claude Brialy. En Italie, Carlo Lizzani lui confie la composition du *Bossu de Rome* (1960) puis le rôle principal de *Traqués par la Gestapo* (1961). Hollywood l'appelle : dans *Hatari* (1962), il est le « petit brun révolté et violent » que l'on retrouve souvent dans l'œuvre de Hawks. Mais ce qui pourrait être pour Blain le grand départ dans la carrière le déçoit profondément. Son métier d'acteur le laisse insatisfait. En 1971, il passe de l'autre côté de la caméra : *les Amis,* film simple et courageux, est bien accueilli par la critique. On le rapproche de Bresson, un des cinéastes qu'il admire. Toujours scénariste de ses films, il interprète aussi le rôle principal dans *le Pélican* (1974). En 1975, il réalise *Un enfant dans la foule.* En règle générale, il tourne avec des moyens peu importants et sans comédiens très connus (exception faite pour *Un second souffle,* 1978, avec Robert Stack). Ces quelques films lui donnent une place particulière dans le cinéma français. *Le Rebelle,* en 1980, confirme sa maîtrise, son souci d'indépendance, et sa persévérance dans le choix des sujets (l'homosexualité, la quête filiale et paternelle, un anarchisme non intellectuel) de même que *Pierre et Djemila* (1987), sobre histoire d'un amour contrarié entre un apprenti géomètre de 17 ans et une toute jeune fille d'origine algérienne. En 1976, Wim Wenders lui confie l'interprétation d'un des rôles principaux de *l'Ami américain.* Il reprend de temps à autre le chemin des studios comme acteur : *la Flambeuse* (Rachel Weinberg, 1980), *Poussière d'ange* (Edouard Niermans, 1987), *Natalia* (Bernard Cohn, 1989). (RÉ : ▲) D.R.

BLAIR *(Betsy Roger,* dite *Betsy), actrice américaine (New York, N. Y., 1923).* Après avoir joué dans *la Fosse aux serpents* (A. Litvak, 1949) et dans *le Mystère de la plage perdue* (J. Sturges, 1950), elle obtient le grand prix d'Interprétation féminine au festival de Cannes pour sa performance dans *Marty* (Delbert Mann, 1955), où elle formait un couple inattendu avec Ernest Borgnine. Aussitôt Bardem lui offre le rôle de la vieille fille dans *Grand'Rue* (1956) et Antonioni la place sur l'itinéraire de son personnage désespéré du *Cri* (1957). Épouse de Gene Kelly puis de Karel Reisz. R.L.

BLANC *(Michel), acteur et cinéaste français (Courbevoie 1952).* Issu du café-théâtre (équipe du Splendid), ce petit homme frêle à l'humour nerveux et vindicatif apparaît dans plusieurs films (*la Meilleure Façon de marcher,* C. Miller, 1976 ; *le Locataire,* R. Polanski, *id.*), avant de connaître la popularité avec *les Bronzés* (P. Leconte, 1978). Voué à des emplois comiques, il tourne beaucoup, notamment avec Patrice Leconte (*Viens chez moi, j'habite chez une copine,* 1981). Il réalise son premier film en 1984, *Marche à l'ombre,* qui remporte un très grand succès public, tout comme *Grosse Fatigue* (1994). Sa carrière amorce un tournant avec *Tenue de soirée* (B. Blier, 1986), qui lui vaut le prix d'interprétation à Cannes pour son étonnante composition d'un Français moyen basculant dans l'homosexualité, et *Monsieur Hire* (P. Leconte, 1989) d'après Simenon. On le retrouve ensuite notamment dans *Uranus* (C. Berri, 1990) et *Merci la vie* (Bertrand Blier, 1991). Il réalise (et interprète), en 1994, *Grosse fatigue,* qui remporte un vif succès public. Devenu un acteur très populaire, il est également au générique de productions internationales : *Prêt-à-porter* (R. Altman, 1994), *le Monstre* (R. Benigni, *id.*). E.K.

BLANCHAR *(Pierre Blanchard,* dit *Pierre), acteur français (Philippeville* [auj. *Skikda, Algérie*] *1892 - Paris 1963).* Après le Conservatoire, il mène de front, dès 1921, une double carrière théâtrale et cinématographique qui fait de lui un jeune premier différent des autres, plus intellectuel mais aussi plus profondément romantique. Ses films muets marquants sont *Jocelyn* (L. Poirier, 1922), *le Joueur d'échecs* (R. Bernard, 1927) ou *le Capitaine Fracasse* (A. Cavalcanti, 1929). L'avènement du parlant va révéler la singularité de sa personnalité et imposer son jeu, marqué par une diction emphatique, un regard impérieux, nourri de tics et d'effets, néanmoins très cinématographique et manifestant un sens aigu de la composition intérieure. Après *les Croix de bois* (R. Bernard, 1932), il se fait une spécialité – partagée avec Harry Baur – du transfert à l'écran des héros de la littérature. À son Saint-Avit de *l'Atlantide* (G. W. Pabst, 1932) succèdent ainsi un Raskolnikov halluciné dans *Crime et Châtiment* (P. Chenal, 1935), Mathias Pascal dans *l'Homme de nulle part* (*id.*, 1937), Hermann dans *la Dame de pique* (F. Ozep, *id.*) ou Nikitine dans *le Joueur* (G. Lamprecht et L. Daquin, 1938). Les années 30 le voient aussi avorteur borgne dans *Un carnet de bal* (J. Duvivier, 1937), espion interlope dans *Mademoiselle Docteur* (G. W. Pabst, *id.*) ou condamné clamant son innocence dans *l'Affaire du courrier de Lyon* (M. Lehmann et C. Autant-Lara, 1937) et *l'Étrange Monsieur Victor* (J. Grémillon, 1938).

Pendant l'Occupation, Jean Delannoy lui donne un rôle populaire avec *Pontcarral, colonel d'Empire,* (1942). Il a, de plus, l'occasion de s'essayer à la réalisation. Respectivement adaptés de Tourgueniev et Balzac, *Secrets* (1943) et *Un seul amour* (id.) ne convainquent guère, mais confirment les ambitions d'un homme exigeant et honnête. Président du Comité de libération du cinéma, il dit le commentaire du film collectif sur *la Libération de Paris* (1944), qu'il présentera dans les pays alliés. Après *le Bossu* (Delannoy, 1944), *Patrie* (L. Daquin, 1946), *la Symphonie pastorale* (Delannoy, 1946) et *Docteur Laennec* (M. Cloche, 1949), sa carrière cinématographique connaît une éclipse de près de dix ans, qu'il consacre au théâtre. Sa dernière apparition dans *le Monocle noir* (G. Lautner, 1961) pastiche avec humour les tics bien connus de cet acteur singulier qui incarne – ô ironie ! – un nostalgique d'Hitler. L'actrice Dominique Blanchar est sa fille. J.-P.B.

BLANCHE *(Francis), acteur français (Paris 1921 - id. 1974).* Fils d'acteur, il fréquente très tôt les milieux du théâtre. Il commence sa carrière au cabaret, à l'âge de dix-sept ans, après des études secondaires brillantes. Son pessimisme foncier l'empêchera de s'engager dans une carrière universitaire que ses dons lui permettaient. Il préférera improviser sa vie, comme son métier, sous le signe d'un dilettantisme amusé et parfois subversif. Il abordera d'ailleurs toutes les formes d'expression du spectacle, avec le même bonheur, mais aussi la même désinvolture : music-hall, théâtre, radio, télévision. Il joue, avec Pierre Dac dans les années 50, un rôle un peu comparable à celui des *goons* britanniques, dont Peter Sellers est issu, avec la longue série des feuilletons *Malheur aux barbus* et *Signé Furax.* Il est l'auteur d'innombrables textes de chansons, de monologues, de dialogues de pièces de théâtre et de films. Sa participation au cinéma des années 50 à 70 est quantitativement impressionnante. Souvent *auteur secondaire* de ses personnages dans des œuvres de qualité très inégale signées par d'autres, il a traversé tout le cinéma comique et satirique français. Sa composition du commandant nazi, dans *Babette s'en va-t-en guerre,* auprès de Brigitte Bardot, restera emblématique de son art de la composition, dont la loufoquerie peut basculer dans la dérision grinçante. Principales apparitions à l'écran : *Tire-au-flanc* (Fernand Rivers, 1950), *Minuit quai de Bercy* (Christian Stengel, 1953), *Ah ! les belles bacchantes* (Jean Loubignac, 1954), *les Motards* (Jean Laviron, 1959), *Babette s'en-va-t-en guerre* (Christian-Jaque, *id.*), *les Tontons flingueurs* (G. Lautner, 1963). Il a écrit également un certain nombre de scénarios, parmi lesquels : *L'assassin est à l'écoute* (Raoul André, 1948), *Une fille à croquer* (*id.,* 1951). Francis Blanche a aussi cosigné les dialogues de *la Grande Bouffe* (M. Ferreri, 1973) et réalisé, en 1962, *Tartarin de Tarascon.* M.S.

BLANK *(Les), cinéaste américain (Tampa, Fla., 1935).* Dans la riche tradition du documentaire américain, l'œuvre de Les Blank occupe une place à part. Formé par le cinéma industriel et éducatif, Blank a très vite axé son travail sur la nourriture et la musique, deux éléments essentiels de la culture. Dédaignant tout propos didactique, les courts métrages de Les Blank refusent le commentaire et adoptent une démarche ethnographique. Dès ses débuts, il s'intéresse aux poulets (*Running Around Like a Chicken With Its Head Cut Off*, 1960) et à *Dizzie Gillespie* (1964). Il fait le portrait des chanteurs de blues Lightnin' Hopkins (*The Blues According to Lightnin' Hopkins*, 1968) et Mance Lipscomb (*A Well Spent Life*, 1971), du chanteur de rock Leon

Russell (*A Poem Is a Naked Person,* 1974) et du violoniste Tommy Jarrell (*Sprout Wings and Fly,* 1983). Il s'attache aux danseurs de polka (*In Heaven There Is No Beer,* 1984), à la culture cajun (*Dry Wood,* 1972 ; *Hot Pepper,* id.), aux chicanos (*Chulas Fonteras,* 1976 ; *Del Mero corazón,* 1979), aux Serbes de Californie (*Ziveli : Medicine for the Heart,* 1987). Célébrant la vie sous toutes ses formes avec un entrain dionysiaque, il chante les vertus et la saveur de l'ail (*Garlic Is As Good As Ten Mothers,* 1980). C'est l'ail qui parfume les chaussures de Werner Herzog que le réalisateur allemand mange en public (*Werner Herzog Eats His Shoe,* 1980). Il suit le même Herzog en Amérique du Sud pour filmer le tournage de *Fitzcarraldo* (*A Burden of Dreams,* 1982). M.C.

BLASETTI *(Alessandro), cinéaste italien (Rome 1900* - id. *1987).* Après avoir été employé de banque et conduit à terme des études de droit, Blasetti se lance dans le journalisme militant pour prendre la défense du cinéma italien et pour affirmer la nécessaire renaissance d'une industrie moribonde. D'abord collaborateur du quotidien *L'Impero,* il fonde en 1926 *Lo Schermo,* revue de culture cinématographique qui devient en 1928 *Cinematografo.* Blasetti crée également en 1928 *Lo Spettacolo d'Italia,* un autre hebdomadaire à vocation plus large que le précédent. Avec les lecteurs de *Cinematografo,* il fonde une coopérative de production, l'Augustus, grâce à laquelle il va pouvoir passer à la mise en scène : à partir d'un sujet d'Aldo Vergano, il tourne en 1928 *Sole.* Le succès du film lui ouvre la possibilité de travailler pour la société la plus puissante du moment, la Cines, de Pittaluga. Devenu, à partir de 1930, un cinéaste apprécié de la critique et du public, il apparaît beaucoup sur les écrans et se montre à l'aise dans les grandes reconstitutions historiques comme dans les films à thèmes contemporains ; il alterne aussi drames et comédies et tourne même quelques films fortement marqués par l'atmosphère fasciste. Parmi les films réalisés de 1930 à 1943, on peut citer *Nerone* (1930) avec Ettore Petrolini, *Terra madre* (1930), *La tavola dei poveri* (1932) avec Raffaele Viviani, *1860* (1933), *Vecchia guardia* (1935), un des rares films consacrés aux circonstances de l'arrivée au pouvoir des fascistes, puis *Aldebaran* (id.), *Ettore Fieramosca* (1938), *Retroscena* (1939), *Un' avventura di Salvator Rosa* (1940), *la Couronne de fer* (*La corona di ferro,* 1941), *la Farce tragique* (*La cena delle beffe,* 1941), *Quatre Pas dans les nuages* (*Quattro passi fra le nuvole,* 1942). Grâce à ce dernier film, Blasetti se prépare à prendre le tournant de l'après-guerre et à participer, certes de manière mineure, au courant néoréaliste. Dans cette perspective, il réalise *Un jour dans la vie* (*Un giorno nella vita,* 1946). Après le médiocre *Fabiola* (*id.,* 1949) et quelques années d'incertitude créatrice, Blasetti retrouve une seconde jeunesse en tournant deux films à sketches très appréciés du public *Heureuse Époque* (*Altri tempi,* 1952) ; *Quelques pas dans la vie* (*Tempi nostri,* 1954) et surtout en lançant le couple Sophia Loren-Marcello Mastroianni dans deux comédies brillamment enlevées : *Dommage que tu sois une canaille* (*Peccato che sia una canaglia,* 1955), *la Chance d'être femme* (*La fortuna di essere donna,* id.). En 1959, il inaugure, avec *Nuits d'Europe (Europa di notte,* suivi en 1961 de *Io amo tu ami),* un genre qui obtient immédiatement un grand succès, celui du film enquête sur la vie nocturne de grands cabarets internationaux. En 1966, il réalise le très personnel *Moi, moi, moi... et les autres (Io, io, io... e gli altri),* film dans lequel il dresse en quelque sorte le bilan de ses expériences passées. Depuis cette date, Blasetti a réalisé quelques films mineurs et s'est ensuite consacré à des travaux pour la télévision, notamment des anthologies de films comiques (*L'arte di far ridere,* 1976) et de films de science-fiction (*Racconti di fantascienza,* 1978). En plus d'un demi-siècle d'activité, Blasetti s'est montré, sans conteste, un des cinéastes italiens les plus productifs : doté d'un solide métier, apte à sentir l'évolution du goût du public avec lequel il a toujours maintenu un contact intelligent, il s'apparente aux cinéastes hollywoodiens de la grande époque : son univers personnel ne s'impose pas au premier abord mais sous-tend toute l'œuvre d'un fil continu. Surnommé « le metteur en scène en bottes » (il apparaît dans *Bellissima* de Visconti et dans *Une vie difficile* de Risi), Blasetti s'impose avec sa forte personnalité comme un homme de spectacle aux qualités évidentes, même si aucun de ses films ne le place vraiment au niveau des plus grands. Nul doute, toutefois, que, dans les années 30 et au début des années 40, il soit avec Camerini le meilleur cinéaste italien. J.-A.G.

BLAVETTE *(Charles), acteur français (Marseille 1902 - Suresnes 1967).* L'année de ses débuts (1934) lui est bénéfique : il obtient le rôle principal de *Toni* (J. Renoir, 1935) et campe deux silhouettes typiques (*Joffroi* et *Angèle* de Marcel Pagnol). Comédien chaleureux et sincère, on le remarque tout particulièrement dans *la Femme du boulanger* (Pagnol, 1938), *Remorques* (J. Grémillon, 1941 [RÉ 1939-40]), *la Fille du puisatier* (Pagnol, 1940). Renoir ne l'oublie pas : *La vie est à nous* (1936), *la Marseillaise* (1938), *le Déjeuner sur l'herbe* (1959) ; ni Pagnol : *Regain* (1937), *le Schpountz* (1938), *Naïs* (1946), *Manon des sources* (1953) ; et il figure dans *Quai des Orfèvres* (H.-G. Glouzot, 1947), *l'Eau vive* (François Villiers, 1958) et *Une aussi longue absence* (H. Colpi, 1961). R.C.

BLECH *(Hans Christian), acteur allemand (Darmstadt 1915 - Munich 1993).* Acteur de théâtre, il fait ses débuts au cinéma à Berlin-Est en 1948 (*l'Affaire Blum* [*Affäre Blum*] d'Erich Engel) et devient célèbre dans le rôle de Pazek de la série des *08/15,* trois films de Paul May (1954-55). Il fait une grande carrière théâtrale et, le cinéma allemand de l'époque ne pouvant lui convenir, il tourne peu. Ses plus grandes créations sont celles de *l'Enclos* (A. Gatti, 1961) et de *la Rancune* (B. Wicki, 1964). À partir de 1970, ses activités théâtrales se déroulent surtout à Munich, et il apparaît dans les films de plusieurs nouveaux cinéastes : *la Lettre écarlate* (W. Wenders, 1972), *Faux Mouvement* (*id.,* 1975), *Winterspelt* (Eberhard Fechner, 1977), *le Couteau dans la tête* (R. Hauff, 1978), *le Huitième jour* (*The 8th Day,* Reinhard Münster, 1990). D.S.

BLIER *(Bernard), acteur français (Buenos Aires, Argentine, 1916 - Paris 1989).* Fils d'un biologiste de l'Institut Pasteur et né au cours d'une mission de ce dernier en Amérique du Sud, Bernard Blier fait ses études au lycée Condorcet. Rêvant de devenir comédien, il s'inscrit au cours de Raymond Rouleau et de Julien Bertheau, est recalé à trois reprises à l'examen d'entrée au Conservatoire, avant d'être enfin admis, grâce aux encouragements de Louis Jouvet. Déjà le cinéma le réclame : en 1937, il débute dans *Trois, six, neuf* de Raymond Rouleau et *Gribouille* de Marc Allégret. Au théâtre, on le voit dans *Mailloche* et *l'Amant de paille.* Marcel Carné lui confie le rôle de l'éclusier d'*Hôtel du Nord,* en 1938. La même année, il est de l'équipe d'*Entrée des artistes* aux côtés du « patron » Jouvet. Pendant la guerre, démobilisé, il accumule les rôles de composition, à l'écran (le plus pittoresque étant celui du neveu ahuri de *Marie-Martine,* auquel Saturnin Fabre intime de tenir sa bougie... droite !) et à la scène *(Mamouret, Mademoiselle de Panamá).* En 1947, il s'impose dans le rôle du pianiste paumé de *Quai des Orfèvres,* de H.-G. Clouzot (de nouveau avec Jouvet). Ses prestations contrastées de *Dédée d'Anvers* (un mauvais garçon), *Manèges* (un mari minable) et *l'École buissonnière* (un jeune instituteur aux idées d'avant-garde) achèvent de lui valoir la notoriété. Sa rondeur bonasse et parfois inquiétante sera utilisée, dans les années 50, par Jean-Paul Le Chanois (*Sans laisser d'adresse, Agence matrimoniale, les Misérables,* où il campe un convaincant Javert), Georges Lampin *(les Anciens de Saint-Loup, Crime et Châtiment),* André Cayatte *(Avant le déluge, le Dossier noir),* Julien Duvivier *(l'Homme à l'imperméable, Marie-Octobre)* et bien d'autres, de Sacha Guitry à Berthomieu. Son physique à la Gino Cervi attire l'attention des Italiens, qui l'emploient habilement dans *la Grande Guerre* (M. Monicelli) et *le Bossu de Rome* (C. Lizzani). Il continuera par la suite à se partager entre la France et l'Italie, alternant avec aisance les rôles de grand bourgeois, de truand, de ganache et de cabot solennel. Michel Audiard et Jean Yanne le prennent comme mascotte dans presque tous leurs films. On est en droit de préférer ses interprétations plus nuancées chez Robin Davis *(Ce cher Victor),* Alain Corneau *(Série noire)* ou récemment Luigi Comencini *(Eugenio).*

Bernard Blier a deux enfants : Brigitte et Bertrand, devenu romancier et cinéaste (il a dirigé son père dans *Si j'étais un espion, Calmos* et *Buffet froid*). Bernard Blier a obtenu en 1973 le prix Balzac, au théâtre, pour son rôle dans *le Faiseur.* C.B.

Films : *Trois, six, neuf* (R. Rouleau, 1937) ; *Gribouille* (M. Allégret, *id.*) ; *Altitude 3 200* (J. Benoît-Lévy et M. Epstein, 1938) ; *Entrée des artistes* (M. Allégret, *id.*) ; *Hôtel du Nord* (M. Carné, *id.*) ; *Le jour se lève* (*id.,* 1939) ; *l'Enfer des Anges* (Christian-Jaque, *id.*) ; *Premier Bal* (*id.,* 1941) ; *l'Assassinat du Père Noël* (id., *id.*) ; *la Symphonie fantastique* (*id.,* 1942) ; *le Mariage de Chiffon* (C. Autant-Lara, *id.*) ; *la Nuit fantastique* (M. L'Herbier, *id.*) ; *Carmen*

(Christian-Jaque [RÉ : 1943], 1945) ; *Marie-Martine* (A. Valentin, *id.*) ; *les Petites du quai aux Fleurs* (M. Allégret, 1944) ; *Seul dans la nuit* (Christian Stengel, 1945) ; *Messieurs Ludovic* (J.-P. Le Chanois, 1946) ; *le Café du Cadran* (Jean Gehret, 1947) ; *Quai des Orfèvres* (H.-G. Clouzot, *id.*) ; *Dédée d'Anvers* (Y. Allégret, 1948) ; *D'homme à hommes* (Christian-Jaque, *id.*) ; *les Casse-Pieds* (J. Dréville, *id.*) ; *l'École buissonnière* (Le Chanois, 1949) ; *Monseigneur* (Roger Richebé, *id.*) ; *l'Invité du mardi* (J. Deval, 1950) ; *la Souricière* (H. Calef, *id.*) ; *Manèges* (Y. Allégret, *id.*) ; *les Anciens de Saint-Loup* (G. Lampin, *id.*) ; *Souvenirs perdus* (Christian-Jaque, *id.*) ; *Sans laisser d'adresse* (Le Chanois, 1951) ; *la Maison Bonnadieu* (Carlo Rim, *id.*) ; *Agence matrimoniale* (Le Chanois, 1952) ; *Je l'ai été trois fois* (S. Guitry, 1953) ; *Avant le déluge* (A. Cayatte, 1954) ; *le Dossier noir* (*id.*, 1955) ; *les Hussards* (A. Joffé, *id.*) ; *Mère Courage (Mutter Courage und ihre Kinder,* W. Staudte, non achevé, *id.) ; Crime et Châtiment* (Lampin, 1956) ; *l'Homme à l'imperméable* (J. Duvivier, 1957) ; *Retour de manivelle* (D. de La Patellière, *id.*) ; *les Misérables* (Le Chanois, 1958) ; *Sans famille* (A. Michel, *id.*) ; *les Grandes Familles* (La Patellière, *id.*) ; *Marie-Octobre* (Duvivier, 1959) ; *la Grande Guerre* (*La grande guerra,* M. Monicelli, *id.) ; Archimède le clochard* (G. Grangier, *id.*) ; *le Bossu de Rome* (*Il Gobbo,* C. Lizzani, 1960) ; *Arrêtez les tambours* (G. Lautner, *id.*) ; *le Président* (H. Verneuil, *id.*) ; *Vive Henri IV, vive l'amour* (Autant-Lara, 1961) ; *Le cave se rebiffe* (Grangier, *id.*) ; *le Septième Juré* (G. Lautner, 1962) ; *Germinal* (Y. Allégret, 1963) ; *les Camarades (I compagni,* Monicelli, *id.) ; Cent Mille Dollars au soleil* (H. Verneuil, *id.*) ; *les Tontons flingueurs* (Lautner, *id.*) ; *le Cocu magnifique* (*Il magnifico cornuto,* A. Pietrangeli, 1964) ; *les Barbouzes* (Lautner, 1965) ; *l'Étranger* (*Lo straniero,* L. Visconti, 1967) ; *Nos héros réussiront-ils à retrouver leur ami mystérieusement disparu en Afrique ?* (*Riusciranno i nostri eroi a ritrovare l'amico misteriosamente scomparso in Africa ?,* E. Scola, 1968) ; *Mon oncle Benjamin* (E. Molinaro, 1969) ; *le Distrait* (P. Richard, 1970) ; *le Grand Blond avec une chaussure noire* (Y. Robert, 1972) ; *Tout le monde il est beau, tout le monde il est gentil* (J. Yanne, *id.*) ; *Moi, y en a vouloir des sous* (*id.*, 1973) ; *Ce cher Victor* (Robin Davis, 1975) ; *Mes chers amis* (*Amici miei,* Monicelli, *id.*) ; *Calmos* (Bertrand Blier, 1976) ; *le Corps de mon ennemi* (Verneuil, *id.*) ; *Nuit d'or* (S. Moati, 1977) ; *Série noire* (A. Corneau, 1979) ; *Buffet froid* (Bertrand Blier, *id.*) ; *Eugenio* (L. Comencini, 1980) ; *Mes chers amis, numéro 2* (M. Monicelli, 1982) ; *Pourvu que ce soit une fille* (*id.*, 1986) ; *Je hais les acteurs* (G. Krawczyk, *id.*) ; *Mangeclous* (Moshe Mizrahi, 1988) ; *les Possédés* (A. Wajda, *id.*), *Migrations* (A. Petrović, 1989 [1994]).

BLIER *(Bertrand), cinéaste et romancier français (Boulogne-Billancourt 1939).* Fils de l'acteur Bernard Blier, il débute comme assistant de Christian-Jaque et Denys de La Patellière. Il tourne de nombreux documentaires avant d'être reconnu par la critique et le public, en 1962, grâce à une enquête sociologique filmée : *Hitler, connais pas,* où des jeunes Français, interrogés sur le nazisme, révèlent leur ignorance d'un moment de l'histoire que la mémoire collective a occulté. Après une période consacrée à l'écriture, interrompue seulement par la réalisation d'un film de genre (*Si j'étais un espion,* 1967), il accède à la notoriété en adaptant son propre roman *les Valseuses* (1974), qui révèle deux comédiens : Gérard Depardieu et Patrick Dewaere. Il poursuit ensuite une double carrière, littéraire et cinématographique. Après l'échec relatif de *Calmos* (1976) et avant ceux de *la Femme de mon pote* (1983) et de *Notre histoire* (1984), il connaît trois succès critiques et publics avec *Préparez vos mouchoirs* (1978), qui obtient un Oscar aux États-Unis, *Buffet froid* (1979) et *Beau-Père* (1981), adapté de son roman homonyme. Il signe en 1986 *Tenue de soirée,* en 1989 *Trop belle pour toi* qui remporte le prix spécial du jury au Festival de Cannes et le César du meilleur film, en 1991 *Merci la vie* et, en 1993, *Un, deux, trois, soleil.* Le cinéma de Bertrand Blier est celui d'un moraliste désabusé, mais tonique, qui ne dédaigne pas de recourir à la provocation, au cynisme, voire à l'absurde pour traduire sa vision grinçante du monde. M.S.

BLIMP (mot anglais). Caisson insonorisant, adaptable à une caméra de façon à rendre son bruit inaudible. (→ CAMÉRA.) *Blimper* (franglais d'après *blimp*) adapter un blimp à une caméra.

BLIN *(Roger), acteur français (Neuilly-sur-Seine 1907 - Evecquemont 1984).* Sa carrière est essentiellement théâtrale. Très influencé par Antonin Artaud, il est un des metteurs en scène français les plus importants et a contribué à rénover le théâtre contemporain. Son nom est en outre lié à celui de Samuel Beckett. Au cinéma, il a fait quelques apparitions dans les films de ses amis : *l'Alibi* (P. Chenal, 1937), *Entrée des artistes* (M. Allégret, 1938), *les Visiteurs du soir* (M. Carné, 1942), *Adieu Léonard* (P. Prévert, 1943), *Douce* (C. Autant-Lara, *id.*), *Orphée* (J. Cocteau, 1950) ; et son seul rôle en vedette est celui que lui a confié Edmond T. Gréville dans *Pour une nuit d'amour* (1947). Il a publié dans la première *Revue du cinéma* de remarquables études, en particulier sur King Vidor et Murnau. D.R.

BLISTÈNE *(Marcel Blitstein,* dit *Marcel), cinéaste français (Paris 1911-1991).* Son premier film est *Étoile sans lumière* (1945), dont la vedette est Édith Piaf, et il dirige Françoise Rosay, Simone Signoret, Paul Meurisse dans *Macadam* (1946), supervisé par Jacques Feyder. Il réalise ensuite des films souvent conventionnels, voire quelque peu rudimentaires (*Bibi Fricotin,* 1951), mais on se souvient néanmoins parfois de *Rapide de nuit* (1948), du *Sorcier du ciel* (1950), de *Cet âge est sans pitié* (1952), du *Feu dans la peau,* coproduit avec l'Italie (1954), de *Gueule d'ange* (1955), de *Sylviane de mes nuits* (1956) et des *Amants de demain* (1958). D.S.

BLOM *(August), cinéaste danois (Copenhague 1869* - id. *1947).* Chanteur à l'Opéra de Copenhague, il se lie avec Ole Olsen, qui l'attire vers le cinéma. Il écrit quelques scénarios et interprète plusieurs petits films avec Oda Alstrup. En 1910, il prend la succession de Viggo Larsen à la direction artistique de la Nordisk. Pionnier inventif du cinéma danois, il est avec Holger Madsen, Urban Gad, Benjamin Christensen et A. W. Sandberg l'une des personnalités les plus remarquables du cinéma européen pendant les années 10. On lui doit également la découverte de l'actrice Asta Nielsen, qui apparaît pour la première fois à l'écran dans un de ses films : *Devant la porte de la prison (Ved faenglets port,* 1911). Il est notamment le réalisateur de *Hamlet* (1910) tourné au château même d'Elseneur, *la Traite des blanches* (*Den hvide slavehandel,* id.), *la Danseuse* (*Balletdanserinden,* 1911), *le Chancelier noir* (*Den sorte Kansler,* 1912), *l'Ensorceleuse* (*Af elskovs naade,* 1913), *Atlantis* (id.), *Intrigue amoureuse* (*Elskovsleg,* id., co Holger-Madsen), *Un mariage pendant la révolution* (*Et Revolutionsbryllup,* 1914), *Pro Patria* (id.), *Tu dois aimer ton prochain* (*Du skal elske din naeste,* 1915), *Pour l'honneur de son pays* (*For sit lands baere,* id.), *la Fin du monde* (*Verdens undergang,* 1916), *la Favorite du Maharadjah* (*Maharajaens yndlingshustru,* 1919), *le Pasteur de Vejlby* (*Praesten i Vejlby,* 1920). J.-L.P.

BLOMBERG *(Erik), cinéaste finlandais (Helsingfors* [auj. *Helsinki*] *1913).* Acclamé pour sa brillante saga lapone *le Renne blanc* (*Valkoinen peura,* 1952), Blomberg a commencé sa carrière en 1935 comme cameraman, producteur et réalisateur de courts métrages. Comptent aussi au nombre de ses longs métrages : *'Quand on est amoureux'* (*Kun on tunteet,* 1954) et *'les Fiançailles'* (*Kihlaus,* id.) ; mais c'est *le Renne blanc* qui atteste sa parfaite maîtrise de l'éclairage et de la bande musicale, chaque fois que l'héroïne, une splendide jeune femme, se métamorphose en renne pour conduire les hommes à leur perte. Le film a obtenu des prix à Cannes et à Karlovy Vary ; il est remarquablement interprété par Mirjami Kuosmanen, l'épouse aujourd'hui disparue du cinéaste. P.CO.

BLONDELL *(Rose Joan Blondell,* dite *Joan), actrice américaine (New York, N. Y., 1906 - Santa Monica, Ca., 1979).* L'avènement du parlant la fait passer de la scène à l'écran. Vedette de la Warner dans les années 30, elle incarne une jeune femme moderne et familière, aussi neuve par rapport aux ingénues que par rapport aux vamps. Gironde et délurée, elle provoquera même l'hostilité des ligues de décence : *Convention City* (A. Mayo, 1933). Sa présence sensuelle convient aux films musicaux : *les Chercheuses d'or de 1933* (M. LeRoy, 1933), *Prologues* (L. Bacon, *id.*) et surtout *Dames* (R. Enright, 1934), où elle donne la sérénade... à des sous-vêtements masculins ! Sa franche aménité, sous des dehors cyniques, humanise plus d'un âpre drame : *Night Nurse* (W. Wellman, 1931), *La foule hurle* (H. Hawks, 1932) et des films policiers comme *l'Ennemi public* (Wellman, 1931). Son sens du tempo et ses mimiques calculées lui permettent de réussir dans la comédie (*The Greeks Had a Word for Them,* L. Sherman, 1932) et de créer des personnages pittoresques (*M. Dodd part pour Hollywood,* T. Garnett, 1937). Elle évolue dès lors vers des rôles de composition, comme dans *le Retour de Topper* (*Topper Returns,* R. Del Ruth, 1941) ou *le Lys de Brooklyn* (E. Kazan, 1945), puis vers des emplois secondaires : *la Blonde explosive* (F. Tashlin, 1957), *le Kid de Cincinnati* (N. Jewison, 1965), qui démontrent qu'elle conserve tout son abattage. Sous le titre de *Center Door Fancy,* elle publie un roman passablement autobiographique en 1972, sans abandonner le cinéma ; on la voit encore dans *le Champion* (F. Zeffirelli, 1979). A.M.

BLOOM *(Patricia Claire Blume,* dite *Claire), actrice britannique (Londres 1931).* Actrice à Oxford à quinze ans, elle débute à l'écran en 1948 (dans *The Blind Goddess* d'Harold French) et devient mondialement célèbre quand Chaplin la choisit pour sa partenaire de *Limelight* (1952) ; la même année, elle est engagée à l'Old Vic Theater. Le reste de sa carrière cinématographique, partagée entre l'Europe et Hollywood, ne comptera longtemps qu'un autre rôle mémorable : *les Liaisons coupables* de George Cukor, en 1962. Comédienne un peu statique, elle ne peut donner sa mesure qu'aux mains d'un directeur de premier ordre. Parmi ses autres films : *l'Homme de Berlin* (C. Reed, 1953), *Alexandre le Grand* (R. Rossen, 1956), *Richard III* (L. Olivier, *id.*), *les Frères Karamazov* (R. Brooks, 1958), *les Corps sauvages* (T. Richardson, 1959), *la Maison du diable* (R. Wise, 1963), *l'Espion qui venait du froid* (M. Ritt, 1965), *Charly* (R. Nelson, 1968), *l'Homme tatoué* (J. Smight, 1969), *la Maison de poupée* (J. Losey, 1973), *l'Île des adieux* (F. Schaffner, 1977), *Sammmy et Rosie s'envoient en l'air* (S. Frears, 1987), *Crimes et délits* (W. Allen, 1989). Elle fut l'épouse de Rod Steiger et s'est remariée en 1990 avec l'écrivain Philip Roth. G.L.

BLUE *(James), cinéaste américain (Tulsa, Okla., 1930 - New York, N. Y., 1980).* Diplômé de l'université d'Oregon (théâtre), il entre à l'IDHEC (1956-1958). Ses premiers courts métrages réalisés pour la Société algérienne de production cinématographique révèlent un grand documentariste *(Amal, l'Endormi, le Menuisier).* Son seul long métrage, *les Oliviers de la justice,* sur le problème de la colonisation en Algérie, obtient le prix de la Critique à Cannes en 1962. Qu'il travaille pour l'United States Information Agency (*Evil Wind Out, The March,* etc.), qu'il enseigne à l'UCLA ou à l'université Rice, ou qu'il interprète le rôle principal de *Sam Houston's Retreat* (B. Huberman, 1980), James Blue n'a cessé d'affirmer, non sans courage politique, sa passion et son intérêt sans cesse renouvelés pour l'homme, et ce quelle que soit la nature de ses réalisations — documentaires ou fictions —, qui comportent toujours une structure dramatique solide. P.C.

BLUE *(Monte), acteur américain (Indianapolis, Ind., 1890 - Milwaukee, Wis., 1963).* Il est engagé comme cascadeur et figurant par Griffith qui l'emploie entre autres dans *Intolérance* (1916) ou *les Deux Orphelines* (1922). Les années 20 font de lui une vedette et on le voit dans *le Remorqueur «Chief»* (W. S. Van Dyke, 1924), *Comédiennes* (E. Lubitsch, *id.*), *les Surprises de la T. S. F.* (*id.*, 1926), ou dans *Ombres blanches* (R. Flaherty et W. S. Van Dyke, 1928). Il incarne aussi Deburau dans *The Lover of Camille* (H. Beaumont, 1924), d'après Guitry. Sa carrière va décliner dès l'avènement du parlant. J.-P.B.

BLYTH *(Ann), actrice américaine (Mt. Kisco, N. Y., 1928).* Avant de débuter à Hollywood, en 1944, elle a fait de la radio, de l'opéra et du théâtre à Broadway et en tournée. Chanteuse et comédienne, sa carrière se distingue par une alternance de films musicaux et non musicaux. C'est ainsi qu'on la voit avec Donald O'Connor dans *Chipp Off the Old Block* (Charles Lamont, 1944) et avec Howard Keel dans *Rose Marie* (M. LeRoy, 1954) et *Kismet* (V. Minnelli, 1955). Elle sut également être une jeune première touchante et convaincante dans *le Roman de Mildred Pierce* (M. Curtiz, 1945), *les Démons de la liberté* (J. Dassin, 1947) ou *Tempête sur la colline* (D. Sirk, 1951), et l'héroïne sympathique de films d'aventures très enlevés comme *Le monde lui appartient* (R. Walsh, 1952) avec Gregory Peck ou *la Perle noire* (R. Thorpe, 1953). Elle a renoncé au cinéma après *Pour elle, un seul homme* (Curtiz, 1957). D.R.

BLYTHE *(Elizabeth Blythe Slaughter,* dite *Betty), actrice américaine (Los Angeles, Ca., 1893 - Woodland Hills, id., 1972).* Elle débute en 1918 dans les studios de la Vitagraph, connaît rapidement la célébrité, notamment après avoir obtenu le rôle titre de *Queen of Sheba* (J.G. Edwards, 1921). On la retrouve à l'affiche de très nombreux films muets, parmi lesquels *Over the Top* (Wilfrid North, 1918), *Nomads of the North* (David M. Hartford, 1920), *Mother O'Mine* (F. Niblo, 1921), *The Spitfire* (W.C. Cabanne, 1924), *She* (G.B. Samuelson, en Grande-Bretagne, 1925), *Glorious Betsy* (A. Crosland, 1928). Elle franchit avec douceur le cap du parlant (*The Scarlet Letter,* R.G. Vignola, 1934 ; *Maria Walewska,* C. Brown, 1937), jouant alors des rôles secondaires. On la remarque une ultime fois dans la séquence du bal de *My Fair Lady* de George Cukor en 1964. J.-L.P.

BOARDMAN *(Eleanor), actrice américaine (Philadelphie, Pa., 1898 - Santa Barbara, Ca., 1991).* Modèle chez Kodak pour des films publicitaires, elle est remarquée par King Vidor, qui lui fait tourner *la Sagesse des trois vieux fous* (1923). Devenue sa femme, elle participe à la plupart de ses films muets (*Fraternité,* 1925 ; *Bardelys le Magnifique,* 1926) ; mais on retient surtout sa très riche interprétation du rôle de Mary dans *la Foule* (1928). Après son divorce, elle tourne peu : *The Squaw Man* (C. B. De Mille, 1931), *La traviesa molinera* (1934) d'Harry d'Abbadie d'Arrast, qu'elle épouse en 1940. B.G.

BOBINE. Pièce de révolution, constituée d'un noyau cylindrique et de deux flasques circulaires (fixes ou démontables), sur laquelle on enroule les films. Par extension, le fragment d'une copie d'exploitation qui résulte du fractionnement de cette copie en parties susceptibles de prendre place sur une bobine de capacité standardisée (autrefois 300 m, aujourd'hui 600 m).

BOCKMAYER *(Walter), cinéaste et scénariste allemand (Fehrbach 1948).* Habilleur dans un théâtre, il s'associe en 1970 à son collègue Rolf Bührmann (Mayence 1942) pour faire du cinéma en Super 8. Ils réalisent ensemble un dessin animé, des films expérimentaux et des longs métrages qui, souvent *gonflés* en 16 mm, les font peu à peu connaître – en particulier grâce aux travestissements provocants d'œuvres célèbres *(Carmen, la Traviata)* et des mythes hollywoodiens *(Gay West).* Leur premier film professionnel, *Jane sera toujours Jane* (*Jane bleibt Jane,* 1977), est le curieux portrait d'une vieille femme qui se prétend l'épouse de Tarzan. Il est suivi d'une comédie, amère et ironique, sur le rêve de l'Amérique, *Cœurs enflammés* (*Flammende Herzen,* id.), puis, en 1980, de *Looping* et en 1982 de *Kiez* qu'ils ont écrit et réalisé en collaboration comme les précédents. En 1987, il signe seul *Geierwally* (Bührmann en étant le producteur). D.S.

BODANZKY *(Jorge), cinéaste et chef opérateur brésilien (São Paulo 1942).* D'abord photographe et réalisateur de courts métrages documentaires, il passe au long métrage avec *Os Caminhos de Valderez* (CO Hermano Penna, 1971). Ses principaux films, *Iracema* et *Gitirana,* tournés en 1974 et 1975, en collaboration avec le scénariste et cinéaste Orlando Senna, restent longtemps interdits. Le constat documentaire s'y trouve structuré de manière expressive et la fiction y favorise l'improvisation des acteurs. En revanche, *Os Mucker* (1978), coréalisé par Wolf Gauer, fiction classique évoquant une secte religieuse du XIXe siècle, est nettement moins convaincant, de même que *Jari* (1980), reportage sur l'Amazonie livrée aux multinationales. *Terceiro Milênio* (1981), long parcours de cette même région en compagnie d'un sénateur de l'opposition, est plus réussi. Il signe aussi *Amazônia, o Último Eldorado* (1982) et *Igreja dos Oprimidos* (1986). P.A.P.

BODARD *(Mag), productrice française (Turin, Italie, 1916).* Elle fonde Parc Film en 1961 et « règne » sur le cinéma français de la décennie en produisant Jacques Demy (*les Parapluies de Cherbourg,* 1964 ; *les Demoiselles de Rochefort,* 1967 ; *Peau d'Âne,* 1970), Michel Deville (*Benjamin,* 1968 ; *Bye bye Barbara,* 1969 ; *l'Ours et la Poupée,* 1970 ; *Raphaël ou le Débauché,* 1971), Robert Bresson (*Au hasard Balthazar,* 1966 ; *Mouchette,* 1967 ; *Une femme douce,* 1969), Agnès Varda (*le Bonheur,* 1965 ; *les Créatures,* 1966), Alain Resnais (*Je t'aime, je t'aime,* 1968), Jean-Luc Godard (*Deux ou trois choses que je sais d'elle,* 1967 ; *la Chinoise,* id.), André Delvaux (*Un soir, un train,* 1968 ; *Rendez-vous à Bray,* 1971), Maurice Pialat (*l'Enfance nue,* 1969). Par la suite, elle crée Cinémag en 1975 et se tourne vers la télévision où son activité est aussi prestigieuse avec notamment Nina Companeez (*Un ours pas comme les autres,* 1977 ; *les Dames de la côte,* 1980 ; *le Chef de famille,* 1981 ; *Deux amies d'enfance,* 1983). J.-C.S.

BODROV *(Sergueï) [Sergej Bodrov], scénariste et cinéaste soviétique (Smakova, 1948).* Entré au V.G.I.K. de Moscou en 1971 dans le département des scénarios, il en sort diplômé en 1974 et écrit plusieurs sujets de films qui seront portés à l'écran par Edouard Gavrilov, Pëtr Todorovski, Evgueni Guerassimov, Boulat Gabitov, Gueorgui Danelia, Khalmamed Kakabaev, Ivan Vassiliev tout en écrivant des textes littéraires (ses nouvelles publiées dans la revue *Krokodil* seront réunies en 1981 sous le titre *Autoportrait dans un corridor* (*Aftoportret v koridori*). Il débute comme metteur en scène en 1984 : *'Le jus de l'herbe a le goût du miel'* (*Sladkij sok vnutri travy,* co Amambek Alpiev) et réalise en 1986 *'Je te hais !'* (*Ja tibja nenavisu !*). Son œuvre suivante *les Amateurs* (*Neprofessionaly,* 1985-87) le fait remarquer. Il signe ensuite *'Je te hais'* (*Ja tebja nenavižu,* 1986), *la Liberté c'est le Paradis* (*S.E.R.,* 1989), *'Joueurs de cartes'* (*Katala,* 1990), *Je voulais voir les anges* (*Ja hotela uvidet' angelov,* 1992), *Roi blanc, Dame rouge* (*Belyj korol',* 1993). J.-L.P.

BODY *(Gabor), cinéaste hongrois (Budapest 1946 -* id. *1985).* Études de philosophie (thèse sur « la signification filmique »). Diplômé de l'École supérieure de cinéma et TV de Budapest avec *Amerikai anzix* (*Souvenir d'Amérique,* 1975), essai expérimental sur les photos de la guerre de Sécession. *Narcisz es Psyche* (*Narcisse et Psyché,* 1980) est une fable poétique nourrie de mythes antiques. *Kutya eji dala* (*Chant nocturne du chien,* 1983) raconte le voyage initiatique d'un pasteur en incluant Super-8 et vidéo, techniques dans lesquelles Body a réalisé de nombreux films expérimentaux. M.M.

BOEHM *(Sydney), scénariste et producteur américain (Philadelphie, Pa., 1908 - 1990).* Journaliste de 1930 à 1945, il signe son premier film en 1947 : *le Mur des ténèbres* (C. Bernhardt, 1948). Ensuite, ses meilleurs scénarios sont ceux de westerns ou de films noirs aux constructions efficaces mais sans véritable originalité. On lui doit surtout le script de *Règlements de comptes* (F. Lang, 1953), mais aussi de solides films pour Rudolph Maté, Hugo Fregonese et Henry Hathaway. Il est inactif depuis *l'Enquête* (G. Douglas, 1965) et *Violence à Jéricho* (A. Laven, 1967). J.-P.B.

BOESE *(Eduard Hermann Boese,* dit *Carl), cinéaste allemand (Berlin 1887 -* id. *1958).* Introduit dans les studios berlinois dès 1912, il fait ses premières mises en scène en 1918 avec *Der Fluch des Nori* (avec Hans Albers) et *Chopin* (avec Conrad Veidt). Réalisateur prolifique, il dirige 72 films muets en 12 ans, parmi lesquels *le Golem* (co Paul Wegener, 1920), *Die Tanzerin Barberina* (1921), un des trois *Maciste* tournés en Allemagne par Bartolomeo Pagano (*Maciste und die chinesische Truhe,* 1923), *le Dernier Fiacre de Berlin* (*Die letzte Groschke von Berlin,* 1926). Toujours aussi productif, et œuvrant dans les genres les plus divers, il tourne plus de 80 films parlants de 1930 à 1957. Sous Hitler, il dirige des comédies sentimentales, des films de guerre et de nombreux films musicaux. Après 1945, il se signale essentiellement par son film sur l'Allemagne en ruine, *Beate* (1948). D.S.

BOETTICHER *(Oscar Boetticher Jr.,* dit *Budd), cinéaste américain (Chicago, Ill., 1916).* Fasciné par la tauromachie au point de devenir matador professionnel au Mexique, il débute au cinéma comme conseiller technique sur *Arènes sanglantes* (R. Mamoulian, 1941). Il signe une dizaine de séries B sans prétention à la Columbia et à la Monogram — ses onze premiers films sont signés Oscar Boetticher — avant de réaliser *la Dame et le Toréador* (*The Bullfighter and the Lady,* 1951), dont une version intégrale reconstituée sera effectuée en 1984 à l'U.C.L.A. [Los Angeles]. Il dirige Audie Murphy, Robert Ryan, Rock Hudson dans de nombreux westerns et films d'aventures à la Universal : *l'Expédition du Fort King* (*Seminole,* 1953), *Révolte au Mexique* (*Wings of the Hawk,* id.). Sa passion des arènes lui inspire *le Brave et la Belle* (*The Magnificent Matador,* 1955). Après *Le tueur s'est évadé* (*The Killer Is Loose,* 1956), un thriller modeste mais original, il trouve enfin sa voie avec *Sept Hommes à abattre* (*Seven Men From Now,* id.) : « Peut-être le meilleur western que j'ai vu depuis la guerre », écrit alors André Bazin.

C'est le premier d'un cycle de westerns interprétés par Randolph Scott, écrits le plus souvent par Burt Kennedy, qui distillent les vertus du classicisme mais en les décantant jusqu'à l'abstraction : *l'Homme de l'Arizona* (*The Tall T.,* 1957) ; *Décision at Sundown* (id.) ; *l'Aventurier du Texas* (*Buchanan Rides Alone,* 1958) ; *la Chevauchée de la vengeance* (*Ride Lonesome,* 1959) ; *le Courrier de l'Or* (*Westbound,* id.) ; *Comanche Station* (1960). Autant de variations sur le motif du double itinéraire, géographique et moral : obsédé par une idée fixe (la vengeance, la justice), le héros mesure en chemin la relativité de sa cause, renonce à l'usage de la violence et trouve une sérénité désespérée dans une solitude désormais sans rémission. Avec une précision de géomètre, le cinéaste traite les situations archétypales du genre, comme les péripéties d'une partie de poker, où les rapports de force et les motivations complexes des joueurs comptent plus que l'enjeu avoué, souvent dérisoire.

Sous l'apparente impassibilité du regard perce une ironie tragique que l'on retrouve dans *la Chute d'un caïd* (*The Rise and Fall of Legs Diamond,* 1960). Boetticher y confirme sa maîtrise de l'espace et de l'ellipse, en prenant pour modèle les tout premiers films de gangsters. Parti tourner au Mexique pour un documentaire sur son ami le torero Carlos Arruza, il y reste sept ans (le film *Aruzza* tourné au prix de grandes difficultés de 1963 à 1967 sera de plus *gelé* jusqu'en 1971) et traverse une longue série d'épreuves qu'il a décrites dans *When in Disgrace.* De retour à Hollywood, il s'associe à Audie Murphy et tourne en Arizona *Qui tire le premier ?* (*A Time for Dying,* 1971 [RÉ 1969]), où il désacralise avec une alacrité teintée d'amertume les mythes de l'Ouest. Il est aussi l'auteur de l'histoire qui a inspiré *Sierra torride* (D. Siegel, 1970). Il achève sa trilogie sur la tauromachie en réalisant enfin (en 16 mm et en vidéo) *My Kingdom for* (1986 [sortie en vidéo], RÉ 1976-1985). M.H.

BOFFETY *(Jean), chef opérateur français (Chantelle 1925 - Paris 1988).* Il n'est pas seulement le directeur de la photo attitré de Claude Sautet depuis *les Choses de la vie* (1969) ; on lui doit également les images brillantes de *la Rivière du hibou* (1961) et *les Grandes Gueules* (1965) de Robert Enrico, *Yoyo* (1965) de Pierre Étaix, *Je t'aime, je t'aime* (1968) d'Alain Resnais, *Nous sommes tous des voleurs* (1974) et *Quintet* (1979) de Robert Altman, *Un papillon sur l'épaule* (1978) de Jacques Deray, *la Dentellière* (id.) de Claude Goretta, *les Uns et les Autres* (1981) et *Édith et Marcel* (1983) de Claude Lelouch. B.G.

BOGAERT *(Lucienne), actrice française d'origine belge (Caudry 1892 - Montrouge 1983).* Son talent raffiné s'affirme dans de courtes scènes qu'elle rend fascinantes : celle, entre autres, de la droguée de *Maigret tend un piège* (J. Delannoy, 1958). Avec *les Dames du bois de Boulogne* (1945), Bresson lui fournit un rôle dont elle fait vibrer toutes les résonances grâce à sa voix feutrée et métallique. Le théâtre garde ses préférences et, de Copeau à Jouvet et Dullin, les souvenirs qu'elle y laisse sont inoubliables ; à l'écran, en trente ans, elle n'apparaît que dans treize films. R.C.

BOGARDE *(Derek Van den Bogaerde,* dit *Dirk), acteur britannique (Hampstead, Londres, 1921).* Originaire des Pays-Bas, mais élevé dans le Sussex chez un père critique d'art et une mère actrice, Dirk Bogarde révèle très tôt des dons pour la comédie en jouant des saynètes domestiques, dont il rend compte dans son autobiographie. Il étudie l'art dramatique au Royal College of Arts. Après la guerre, qu'il fait en Birmanie et à Java, ses débuts au théâtre sont difficiles et son ascension lente, en dépit des conseils et de la protection de son aîné, Noel Coward. Ses premiers succès à la scène lui valent d'être pris sous contrat à la Rank, où on le cantonne longtemps, en raison de son physique agréable et de son élégance, dans les rôles de *beau jeune homme,* notamment avec la série des *Doctor...,* dont il fut l'un des protagonistes. *Le Cavalier noir,* de Roy Ward Baker, annonce pourtant déjà un changement d'emploi significatif ; c'est l'ambiguïté sexuelle et l'animalité subtilement inquiétante de sa personnalité qui sont soudain mises en valeur dans cet étrange *western,* intimiste et homosexuel. Évolution plus nette encore avec *Victim* (1961) de Basil Dearden, film policier par ailleurs classique, auquel son rôle d'homosexuel traqué confère une épaisseur et une morbidité certaines. L'année suivante, il est le partenaire de Judy Garland, dans le film *l'Ombre du passé* (1962), qui fixe sur la pellicule des numéros qu'il avait effectués sur scène avec elle dans un certain nombre de shows théâtraux. Mais la véritable et définitive éclosion du *personnage* Bogarde intervient en 1963, avec la rencontre conjuguée de Joseph Losey et d'Harold Pinter. Ce n'est pas sa première rencontre avec Losey, puisqu'il a déjà tourné sous sa direction, en 1954, dans *La bête s'éveille.* La réussite artistique totale de *The Servant* le comble au point qu'il décide de se consacrer au *cinéma d'auteur.* Il tournera encore trois fois avec Losey : dans *Pour l'exemple,* il tient le rôle complexe, mais non ambigu, de l'officier chargé d'assurer la défense du soldat déserteur que l'on va fusiller ; il fait, dans *Modesty Blaise,* une composition étonnante d'exhibitionnisme désespéré. Dans *Accident,* enfin, son adhésion à l'univers de Pinter et Losey est telle qu'il peut jouer la passivité presque absolue pour restituer l'ambiguïté, la complexité, la contradiction de son personnage, ainsi que les *blancs* d'une écriture, celle de Pinter, qui fonctionne davantage sur le non-dit que sur l'exprimé. Par un jeu à ce point intériorisé, Bogarde nous convainc que la fonction de l'acteur est celle d'un médium, d'un prisme entre l'œuvre et le spectateur, œuvre qu'il donne à sentir par un comportement fait d'une sorte de *passivité hantée.* Deux autres films sont à inscrire au palmarès de sa période britannique, davantage pour la performance de l'acteur, d'ailleurs, que pour l'achèvement intrinsèque d'œuvres qui n'ont pas la personnalité de celles de Losey ; *Darling,* de John Schlesinger, où il a pour partenaire Julie Christie ; il y effectue quelques variations subtiles, à la limite de la préciosité, sur le modèle magistralement mis au point dans *The Servant,* incarnation du Mal dans son expression la plus cynique ; *Chaque soir à neuf heures* de Jack Clayton, où sa passivité équivoque contribue à épaissir un climat fantastique suscité par les intermittences de l'inconscient.

Cette série de réussites exceptionnelles a haussé Dirk Bogarde au rang de star internationale. La collaboration avec Losey étant épuisée, l'acteur noue une relation également privilégiée avec Luchino Visconti, pour lequel il tournera deux films : *les Damnés* et *Mort à Venise.* Il est vraisemblable que sa brouille avec Losey lui a fait surestimer, relativement et dans l'absolu, son travail avec Visconti. *Les Damnés* marque comme une banalisation de son personnage, dont le magnétisme paraît gommé par une production tapageuse, en dépit d'excellentes scènes. Dans *Mort à Venise,* le rôle totalement passif de spectateur attribué à Bogarde dans le rôle d'Aschenbach n'a rien de commun avec ces médiums irradiants inventés par Pinter et Losey. Aschenbach n'est plus un homme qui meurt, mais une *illustration* qui n'a jamais accédé à la vie.

Après *Mort à Venise,* Bogarde espace ses apparitions. Deux films dominent sa filmographie des cinq dernières années : *Providence* d'Alain Resnais et *Despair* de R. W. Fassbinder. Ce dernier film, par son ambition tant au plan du contenu qu'à celui de la forme, a pu faire croire à l'acteur que son rôle atteindrait en ambiguïté et en complexité les niveaux de *The Servant...* Sa performance reste en réalité bridée par l'esthétisme et l'hermétisme de l'entreprise, alors que *Providence* tient toutes ces promesses et utilise aussi sa voix admirable comme un instrument de musique de chambre. Ce rôle renouvelle même la palette de son interprétation, dans la mesure où il le dégage des surenchères en morbidité que certains films, dans la filiation de *The Servant,* lui faisaient endosser, tel *Portier de nuit* de Liliana Cavani. Parmi ses projets avortés, notons le rôle du détective Harry Dickson et celui du marquis de Sade, deux autres projets non aboutis avec Alain Resnais. M.S.

Films : *Quartet* (sketch de H. French, 1948) ; *Police sans armes* (B. Dearden, 1950) ; *la Femme en question* (A. Asquith, *id.*) ; *Rapt* (Ch. Crichton, 1952) ; *They Who Dare* (L. Milestone, 1953) ; *La bête s'éveille* (J. Losey, 1954) ; *Toubib or not toubib* (*Doctor in the House,* R. Thomas, *id.*) ; *Intelligence Service* (M. Powell, 1957) ; *le Bal des adieux* (Ch. Vidor et G. Cukor, 1960) ; *l'Ange pourpre* (N. Johnson, *id.*) ; *le Cavalier noir* (R. Baker, 1961) ; *la Victime* (Dearden, *id.*) ; *l'Ombre du passé* (*The Lonely Stage / I Could Go on Singing,* R. Neame, 1963) ; *The Servant* (Losey, 1963) ; *Pour l'exemple* (*id.*, 1964) ; *Darling* (J. Schlesinger, 1965) ; *Modesty Blaise* (Losey, 1966) ; *Accident* (*id.*, 1967) ; *Chaque soir à neuf heures* (J. Clayton, *id.*) ; *l'Homme de Kiev* (J. Frankenheimer, 1968) ; *Ah Dieu ! que la guerre est jolie !* (R. Attenborough, 1969) ; *les Damnés* (L. Visconti, *id.*) ; *Mort à Venise* (*id.*, 1971) ; *le Serpent* (H. Verneuil, 1973) ; *Portier de nuit* (L. Cavani, 1974) ; *Providence* (A. Resnais, 1977) ; *Despair* (R. W. Fassbinder, 1978) ; *The Vision* (Norman Stone, 1987) ; *Daddy Nostalgie* (B. Tavernier, 1990).

BOGART *(Humphrey DeForest Bogart,* dit *Humphrey), acteur américain (New York, N. Y., 1899 - Beverly Hills, Ca., 1957).* Originaire de la bourgeoisie new-yorkaise (son père était chirurgien, sa mère illustratrice), Humphrey

Bogart débute comme régisseur de théâtre en 1918. Le producteur William A. Brady l'oriente vers une carrière d'acteur, qui se limitera longtemps à l'emploi de jeune premier chic et blasé. En 1929, la Fox l'engage pour un an et le met à l'essai dans les genres les plus divers : film d'aventures *(A Devil With Women)*, de prison *(Up the River)* ou d'aviation, comédie militaire *(Women of All Nations)*, western. Bilan hétéroclite, que n'améliorent guère de brefs passages à la Universal, à la Columbia et à la Warner. Bogart retourne donc à la scène. En 1935, il remporte son premier succès avec *The Petrified Forest* de Robert E. Sherwood, où il tient le rôle du gangster Duke Mantee. La vedette de cette pièce policière à prétention allégorique, Leslie Howard, sollicitée par la Warner pour en tourner l'adaptation, exige que Bogart soit également engagé.

À 37 ans, l'acteur renonce au théâtre pour entamer une prolifique carrière de second plan. À raison de six films par an, il aligne une impressionnante série de rôles de gangsters, à l'ombre de comédiens confirmés comme Edward G. Robinson, James Cagney et George Raft. Taillés sur un modèle uniforme, ses personnages sont de simples repoussoirs, dépourvus de la dimension tragique à laquelle peuvent encore prétendre les héros gangstériens d'un cinéma guetté par le code de censure : le second couteau est nécessairement un perdant, un lâche (*les Anges aux figures sales* et *The Roaring Twenties*, 1938), un psychopathe. Borné, irrécupérable, sa minceur lui confère un statut symbolique : il est le déchet d'une société malade *(Rue sans issue)*. Bogart s'acquitte sans éclat de sa tâche.

Quelques films lui permettent d'échapper à une lassante stéréotypie. On le voit à l'occasion en procureur *(Femme marquée)*, en directeur de prison compréhensif *(l'École du crime)*, en as de l'aviation *(Courrier de Chine)*. Après des incursions sans conséquence dans le mélo *(Victoire sur la nuit)*, la comédie *(M. Dodd part pour Hollywood)* et le film d'horreur *(le Retour du Dr X)*, il commence à sortir du moule imposé avec *Une femme dangereuse :* là encore, un rôle de faire-valoir (il y est le frère camionneur de George Raft) mais inscrit dans un contexte documenté, et porteur d'une problématique plus réaliste et plus riche (R. Walsh, 1940).

Un an plus tard, Bogart est amené à remplacer George Raft dans *la Grande Évasion*, qui marque une étape plus décisive encore. Roy Earle, gangster vieilli et désillusionné, est en effet le premier de ses personnages à posséder une épaisseur humaine. Ni héros ni méchant, mais doublement naïf pour adhérer au code désuet de la pègre et croire à l'amour d'une jeune fille *pure*, il est avant tout victime de son passé, un passé qui lui colle si lourdement à la peau qu'il ne peut s'en délivrer que dans la mort.

Après avoir clos symboliquement sur cette note fataliste la saga gangstérienne des années 30, Bogart rejoint son temps. Mais, si le criminel a épuisé une grande partie de son charme, le cinéma américain n'en est pas encore à prôner l'engagement collectif. Une figure intermédiaire surgit donc : le détective privé, qui n'est ni gangster ni policier, mais un peu des deux. Ce chantre du scepticisme viril va prendre, avec *le Faucon maltais*, les traits de Sam Spade, personnage créé en 1929 par Dashiell Hammett, et dont les deux précédentes aventures cinématographiques n'avaient eu aucun succès. Sous la direction de Huston, Bogart, métamorphosé, devient en 1941 le premier *privé* moderne de l'écran : caustique, intransigeant, farouchement indépendant, il est capable de sacrifier la femme qu'il aime par respect d'une morale qui n'appartient qu'à lui. Indifférent aux pressions de la loi comme à celles de la pègre, c'est un homme désintéressé, solitaire, vigilant, qui se défie des grands principes, et plus encore de ses semblables.

La guerre projette Bogart dans des univers cosmopolites et divisés. Dans *Griffes jaunes*, *Casablanca* et *le Port de l'angoisse*, une bizarre constellation de personnages l'entoure, quêtant ses faveurs. Mais il continue à n'agir qu'à sa guise. Héros volontiers *immobile*, il s'accorde, en cette ère de patriotisme forcené, un droit à la réflexion et au cynisme, ses seuls garants de liberté.

Walsh avait donné à Bogart son humanité, Huston une morale ; Curtiz, dans *Casablanca* (1943), lui ajoutera son aura romantique en le lançant à la recherche de son passé et à la redécouverte d'un amour perdu. Au-delà du doute et de l'amertume, au-delà de la neutralité à quoi le porte son tempérament, le personnage bogartien doit trouver une raison d'agir. C'est sur ce schéma moral que se fondent également les intrigues de *Passage to Marseille, Key Largo* et, dans une moindre mesure, *le Port de l'angoisse,* où l'action cède le pas à un délectable marivaudage inspiré au jour le jour par l'*alchimie* du couple Bogart-Bacall. (Les deux comédiens se marieront en 1945, quelques mois après le tournage, et joueront encore côte à côte dans *le Grand Sommeil, les Passagers de la nuit* et *Key Largo.*)

La paix ramène Bogart au film noir. En 1946, il incarne dans *le Grand Sommeil* un autre *privé* légendaire : Philip Marlowe. Personnage plus élégant et romantique que Sam Spade, qui éprouve un plaisir aristocratique à frôler quotidiennement la mort dans des « allées ténébreuses ». Même s'il n'exprime qu'en partie la vision de Raymond Chandler, le héros organise ici sa vie comme un jeu dont il fixe lui-même les règles à mesure qu'il avance, sans se laisser troubler par les violences qui l'assaillent. L'âge l'incline à prendre ses distances : il agit essentiellement par la parole et la réflexion et semble, par-delà l'action et la direction complice de Huston, se regarder lui-même. Devenu mythique, Bogart croise de plus en plus souvent des ombres de son passé, vivantes répliques de ce qu'il fut : *le Grand Sommeil* le lance à la poursuite d'un homme qui pourrait être le Rick de *Casablanca ; Key Largo* (1948) le confronte à un gangster qui ressemble comme un frère au Duke Mantee de *la Forêt pétrifiée ; le Trésor de la Sierra Madre,* vision nihiliste et grinçante du *Faucon maltais,* en fait un desperado dévoré par la passion du lucre.

Devenu son propre producteur en 1949 (à la tête de la Santana Pictures), Bogart s'essaie à des rôles de plus en plus divers. Tandis que *Tokyo Joe* et *Sirocco* exploitent, médiocrement, les composantes traditionnelles de l'aventurier, *Key Largo, les Ruelles du malheur, la Femme à abattre* et *Bas les masques* inscrivent Bogart dans le contexte moral de l'après-guerre et en font le porte-parole des valeurs démocratiques : Bogart y lutte contre la corruption, la peine de mort, le *syndicat du crime,* défend la liberté de la presse, illustre, infatigable, une éthique de l'endurance quotidienne.

L'acteur s'éloigne à l'occasion de sa mythologie et de ses domaines de prédilection. *Le Violent* en fait un scénariste désenchanté et ténébreux ; *African Queen* (qui lui vaut l'Oscar), un alcoolique grincheux, transformé en héros par l'amour d'une bigote (1952) ; *Ouragan sur le Caine,* un officier névrosé et suicidaire ; *Sabrina,* l'héritier d'une grande famille.

La Comtesse aux pieds nus nous le montre définitivement en retrait : survivant de l'âge d'or hollywoodien, narrateur confident et témoin de l'ascension d'une star piégée par un amour impossible. L'échec commercial du film de Mankiewicz, jugé à l'époque « trop littéraire », le ramène à des rôles plus conventionnels, dont le dernier, *Plus dure sera la chute,* conclura sa carrière, en 1956, sur une note appropriée.

Celui qui avait été si longtemps confiné à un unique et peu glorieux emploi avait atteint dans son jeu un rare degré de plénitude et d'élégance. Ses personnages connaissaient le prix qu'il faut payer pour être libre. Pragmatiques, ils savaient, le moment venu, se dépouiller de leur cynisme, s'engager sans ostentation dans une aventure sentimentale, politique ou idéologique, qui prenait toujours l'allure d'un *combat :* vertu classique qui figure sans doute parmi les plus belles que le cinéma américain ait exprimées.

Au regard du stoïcisme goguenard dont il jouait avec une saisissante économie de moyens devant les caméras d'un Hawks, d'un Curtiz, d'un Mankiewicz ou d'un Huston, on peut juger avec une relative sévérité ses autres prestations des années 30 et 40.

De tous les acteurs de sa génération et de tous les *durs* de la Warner, Bogart fut, en effet, l'un des plus lents à percer. Mais la lenteur du démarrage fut rapidement compensée par la densité et la variété croissante de ses rôles à partir de 1941. Si les années de guerre occupent une place privilégiée, grâce à la trilogie *Faucon maltais - Casablanca - le Port de l'angoisse,* l'après-guerre permit à l'acteur de conférer à ses rôles sa maturité propre et d'y investir une capacité souveraine à l'*understatement,* à laquelle la génération des années 60 sera particulièrement réceptive. O.E.

Films ▲ (filmographie complète à partir de 1941) : *Life* (T. Vale, 1920, CO) ; *Broadway's Like That* (CM, M. Roth, 1930) ; *Up the River* (J. Ford, *id.*) ; *A Devil With Women* (I. Cummings, *id.*) ; *Women of All Nations* (R. Walsh, 1931) ; *Big City Blues* (M. LeRoy, 1932) ; *la Forêt pétrifiée* (A. Mayo, 1936) ; *Guerre au crime*

(Bullets or Ballots, W. Keighley, *id.) ; la Légion noire* (Mayo, 1937) ; *la Révolte (San Quentin,* L. Bacon, *id.) ; le Dernier Round* (M. Curtiz, *id.*) ; *Rue sans issue* (W. Wyler, *id.*) ; *Monsieur Dodd part pour Hollywood* (T. Garnett, *id.*) ; *le Mystérieux Docteur Clitterhouse* (A. Litvak, 1938) ; *les Anges aux figures sales* (Curtiz, *id.*) ; *Victoire sur la nuit* (E. Goulding, 1939) ; *Terreur à l'Ouest* (Bacon, *id.*) ; *The Roaring Twenties* (Walsh, *id.*) ; *la Caravane héroïque* (Curtiz, 1940) ; *Une femme dangereuse* (Walsh, *id.*) ; *la Grande Évasion* (*id.,* 1941) ; *The Wagons Roll at Night* (R. Enright, *id.*) ; *le Faucon maltais* (J. Huston, *id.*) ; *Échec à la Gestapo* (*All through the Night,* V. Sherman, 1942) ; *le Caïd* (L. Seiler, *id.*) ; *Griffes jaunes* (Huston, *id.*) ; *Casablanca* (Curtiz, 1943) ; *Convoi vers la Russie (Action in the North Atlantic,* Bacon, *id.) ; Remerciez votre bonne étoile (Thank Your Lucky Stars,* D. Butler, *id.) ; Sahara* (id., Z. Korda, *id.*) ; *le Port de l'angoisse* (H. Hawks, *id.*) ; *La mort n'était pas au rendez-vous* (C. Bernhardt, 1945) ; *le Grand Sommeil* (Hawks, 1946) ; *Two Guys From Milwaukee* (D. Butler, *id.*) ; *En marge de l'enquête* (J. Cromwell, 1947) ; *la Seconde Madame Carroll (The Two Mrs. Carrolls,* Peter Godfrey, *id.) ; les Passagers de la nuit* (D. Daves, *id.*) ; *Always Together* (F. de Cordova, *id.*) ; *Key Largo* (Huston, 1948) ; *le Trésor de la Sierra Madre* (id., *id.*) ; *les Ruelles du malheur* (N. Ray, 1949) ; *Tokyo Joe* (S. Heisler, *id.*) ; *Pilote du diable* (*Chain Lightning,* id., 1950) ; *le Violent* (N. Ray, *id.*) ; *la Femme à abattre* (B. Windust – repris par R. Walsh, 1951) ; *Sirocco* (C. Bernhardt, *id.*) ; *The African Queen* (Huston, 1952) ; *Bas les masques* (R. Brooks, *id.*) ; *le Cirque infernal* (*id.,* 1953) ; *Plus fort que le diable* (Huston, 1954) ; *Ouragan sur le Caine* (E. Dmytryk, *id.*) ; *Sabrina* (B. Wilder, *id.*) ; *la Comtesse aux pieds nus* (J. L. Mankiewicz, *id.*) ; *la Cuisine des anges* (Curtiz, 1955) ; *la Maison des otages* (W. Wyler, *id.*) ; *la Main gauche du Seigneur* (Dmytryk, *id.*) ; *Plus dure sera la chute* (M. Robson, 1956).

BOGDANOVICH *(Peter), cinéaste américain (Kingston, N. Y., 1939).* Enfant prodige du théâtre « off Broadway », journaliste de cinéma à *Esquire,* auteur de monographies sur d'illustres cinéastes (Lang, Dwan et Ford, à qui il consacrera en 1971 un documentaire, *Directed by John Ford*), il débute à l'écran comme assistant (non crédité) de Roger Corman (*les Anges sauvages,* 1966). En 1968, il donne son premier et meilleur film, *la Cible (Targets),* avec Boris Karloff. Il rencontre en 1971 le succès avec *la Dernière Séance (The Last Picture Show),* regard nostalgique (en noir et blanc) sur une petite ville américaine des années 50. Ses films ultérieurs, *On s'fait la valise, Docteur* (*What's Up Doc ?,* 1972), *la Barbe à papa* (*Paper Moon,* 1973), *Daisy Miller* (1974), *Enfin l'amour* (*At Long Last Love,* 1975) et *Nickelodeon* (1976), ne sont que de maladroits pastiches des différents auteurs qu'il admire, où la prétention le dispute à un humour douteux. Leur succès de snobisme s'étant dissipé, Bogdanovich a dirigé en 1979 *Jack le Magnifique (Saint Jack),* fable cynique et mélancolique sur le vieillissement des aventuriers, puis en 1981 *Et tout le monde riait (They All Laughed),* une assez morne comédie avec Audrey Hepburn, ainsi que *Mask* (1985) avec la chanteuse Cher dans le rôle principal. En 1988, il signe *Illegally Yours,* en 1990 *Texasville* et en 1992 *Noises off.* ▲ G.L.

BÖHM *(Karl Heinz), acteur allemand (Darmstadt 1927).* Acteur de théâtre, fils du chef d'orchestre Karl Böhm, il fait ses débuts au cinéma en 1952 (*la Mandragore,* d'A. M. Rabenalt) et devient célèbre aux côtés de Romy Schneider dans la série des *Sissi* (E. Marischka) en 1955-1957. On le voit dans de nombreux films représentatifs de la production allemande de l'époque, puis il tourne en Grande-Bretagne, en particulier dans *le Voyeur,* sa création la plus marquante au cinéma (M. Powell, 1960), et aux États-Unis : *les Quatre Cavaliers de l'Apocalypse* (V. Minnelli, 1962). Par la suite, il fait de la mise en scène d'opéra et, se consacrant au théâtre, n'apparaît plus qu'exceptionnellement à l'écran, dans des films conventionnels. À noter, cependant, ses interprétations (entre 1972 et 1975) dans *Effi Briest, Martha, le Droit du plus fort, Maman Küsters s'en va au ciel,* de Fassbinder. D.S.

BOHRINGER *(Richard), acteur français (Paris 1941).* Il débute comme auteur dramatique, scénariste et chanteur. Sa carrière au cinéma commence à la fin des années 70. Son physique puissant le destine à interpréter des personnages violents et imprévisibles. Le public le découvre dans *le Dernier Métro* (F. Truffaut, 1980), *la Boum* (C. Pinoteau, *id.*) et surtout *Diva* (J.-J. Beineix, 1981). Depuis il tourne cinq ou six films par an, parmi lesquels on peut citer *Cap Canaille* (J. Berto, 1983), *J'ai épousé une ombre* (R. Davis, *id.*), *le Destin de Juliette* (Aline Issermann, *id.*), *l'Addition* (Denis Amar, 1984), qui lui vaut le César du meilleur second rôle. Suivent *Subway* (L. Besson, 1985), *le Pactole* (J.-P. Mocky, *id.*), *Péril en la demeure* (M. Deville, *id.*), *Kamikaze* (Didier Grousset, 1986), *le Paltoquet* (M. Deville, *id.*), *Agent trouble* (J.-P. Mocky, 1987), *le Grand chemin* (Jean-Loup Hubert, *id.*), *le Cuisinier, le voleur, sa femme et son amant* (P. Greenaway, 1989), *Après la guerre* (J.-L. Hubert, *id.*), *Dames galantes* (J.C. Tacchella, 1990), *la Reine blanche* (Jean-Loup Hubert, 1991), *Une époque formidable* (G. Jugnot, *id.*), *Ville à vendre* (Mocky, 1992), *Confessions d'un barjo* (Jérôme Boivin, *id.*), l'*Accompagnatrice* (C. Miller, *id.*), *la Lumière des étoiles mortes* (Charles Matton, 1994), *le Sourire* (Miller, *id.*). E.K.

BOIS *(Curt), acteur et cinéaste allemand (Berlin 1901* - id. *1991).* On lui confie de nombreux rôles d'enfants dès 1908. Après quoi le cabaret et l'opérette (en Allemagne, Hongrie et Suisse) le requièrent. À partir de 1925, Reinhardt et Piscator le font jouer dans des rôles principaux. Son exil aux États-Unis (1933-1950) lui permet d'entamer une carrière théâtrale à Broadway. En 1952, on le retrouve au Berliner Ensemble ; en 1959, au Schiller-Theater (Berlin-Ouest) ; en 1961, au Burgtheater de Vienne. Il joue concurremment dans une vingtaine de films, dont *la Princesse aux huîtres* (E. Lubitsch, 1919), *la Papillon d'or* (M. Curtiz, 1926), *Casablanca* (*id.*, 1943), *Caught* (Max Ophuls, 1949), *Maître Puntila et son valet Matti* (A. Cavalcanti, 1956), *Das Spukschloss im Spessart* (K. Hoffmann, 1960), *Ganovenehre* (W. Staudte, 1966), *La barque est pleine* (*Das Boot ist voll,* Markus Imhoof, 1981), *les Ailes du désir* (W. Wenders, 1987). Le cinéma lui a trop rarement offert des rôles dignes de son immense prestige de comédien de théâtre. Il s'est essayé à la mise en scène en 1932 *(Scherben bringen Glück)* et en 1955 (*Ein Polterabend,* en RDA). M.M.

BOISROND *(Michel), cinéaste français (Châteauneuf-en-Thymerais 1921).* Longtemps assistant, de René Clair notamment, il fait illusion lors de ses débuts, dirigeant Brigitte Bardot dans des comédies plaisamment frivoles (*Cette sacrée gamine,* 1956 ; *Une Parisienne,* 1957). Avant la Nouvelle Vague, les débutants étaient si rares que la critique saluait chaque premier film comme un petit événement. Mais la suite de sa carrière s'aligne sur le cinéma le plus commercial des années 60, comédies de boulevard tournées à la commande, sans personnalité. J.-P.J.

BOISROUVRAY *(Albina du), productrice française (Neuilly-sur-Seine 1942).* Elle fonde Albina Production en 1971 et produit Robert Bresson (*Quatre Nuits d'un rêveur,* 1972), Jean-Louis Bertucelli (*Paulina 1880,* id.), Marguerite Duras (*Jaune le soleil,* id.), Pascal Thomas (*les Zozos,* 1973 ; *Confidences pour confidences,* 1979), André Delvaux (*Belle,* 1973), François Leterrier (*Projection privée,* id.), Pierre Tchernia (*les Gaspards,* 1974), Alain Corneau (*France société anonyme,* id. ; *Police Python 357,* 1976), Andrzej Żulawski (*L'important c'est d'aimer,* 1975), Pierre Granier-Deferre (*Une femme à sa fenêtre,* 1976), Christopher Frank (*Josepha,* 1982). En 1984, c'est la grande aventure de *Fort Saganne* (A. Corneau). J.-C.S.

BOISSET *(Yves), cinéaste français (Paris 1939).* Élève de l'IDHEC, un temps critique spécialisé dans le film de tradition hollywoodienne, coauteur en 1961 (avec Jean-Pierre Coursodon) de *Vingt Ans de cinéma américain,* il est simultanément assistant de Claude Sautet ou de Riccardo Fredda.

Il débute dans la réalisation en 1968 avec *Coplan sauve sa peau,* film d'aventures tourné en Turquie. Depuis, il signe régulièrement des œuvres de facture classique, généralement fondées sur des scénarios mi-politiques, mi-policiers. En 1972, *l'Attentat* (avec Michel Piccoli) évoque l'affaire Ben Barka. L'année suivante, *R. A. S.* est un des premiers films français de fiction qui se réfère explicitement à la guerre d'Algérie. En 1975, *Dupont Lajoie* (avec Jean Carmet) bouscule la bonne conscience et les fantasmes racistes d'une société française dont la représentation à l'écran reste pourtant trop convenue. C'est dans l'action pure (*Folle à tuer,* en 1975, avec Marlène Jobert) que Boisset manifeste le plus évidemment son talent de conteur, son style tendu, rapide, efficace, débarrassé des personnages porte-thèses et des discours adventices qui alourdissent ses films plus délibérément idéologiques. J.-P.J.

Films ▲ : *Coplan sauve sa peau* (1968) ; *Cran d'arrêt* (1970) ; *Un condé* (id.) ; *le Saut de l'ange* (1971) ; *l'Attentat* (1972) ; *R. A. S.* (1973) ; *Dupont Lajoie* (1975) ; *Folle à tuer* (id.) ; *le Juge Fayard, dit « le Shérif »* (1977) ; *Un taxi mauve* (id.) ; *la Clé sur la porte* (1978) ; *la Femme flic* (1980) ; *Allons z'enfants* (1981) ; *Espion lève-toi* (1982) ; *le Prix du danger* (1983) ; *Canicule* (1984) ; *Bleu comme l'enfer* (1986) ; *la Travestie* (1988) ; *Radio-Corbeau* (1989) ; *la Tribu* (1991) ; *Enquête réservée* (1995).

BOISSON *(Christine), actrice française (1956).* On la voit subrepticement dans des films de Michel Deville (*le Mouton enragé,* 1973), Just Jaeckin (*Emmanuelle,* id.), Dominique Delouche (*Divine,* 1975) mais son premier grand rôle, elle le doit à Jacques Bral dans *Extérieur nuit* (1979). Eclectique, refusant de se laisser enfermer dans un certain cinéma marginal ou intellectuel mais évitant tout autant d'aligner des prestations stéréotypées dans des films à vocation strictement commerciale, elle poursuit une carrière originale avec Francis Reusser (*Seuls,* 1980) et Michelangelo Antonioni (*Identification d'une femme,* 1981) puis successivement avec Gilles Béhat (*Rue Barbare,* 1983), Philippe Garrel (*Liberté la nuit,* id. ; *Paris vu par... Vingt ans après,* 1984), Tony Gatlif (*Rue du Départ,* 1985), Suzanne Schiffman (*le Moine et la sorcière,* 1986), Daniel Schmid (*Jenatsch,* id.), Uri Barbash (*Dreamers,* 1987), Magali Clément (*la Maison de Jeanne,* id.), Yves Boisset (*Radio Corbeau,* 1988), Frank Landron (*Un amour de trop,* 1990), Giovanna Gagliardo (*Chaleur étouffante* [*Caldo suffocante*], 1991), D. Van Cauwelaert (*les Amies de ma femme,* 1992), Élie Chouraqui (*les Marmottes,* 1993), Olivier Assayas *(Une nouvelle vie, id.),* Tonie Marshall *(Pas très catholique,* 1994). J.-L.P.

BOÎTE. Voir DANS LA BOÎTE.

BOITEL *(Jeanne), actrice française de théâtre et de cinéma (Paris 1904 - id. 1987).* Pensionnaire de la Comédie-Française pendant vingt ans, puis sociétaire, elle a joué tous les grands rôles du répertoire. Au cinéma, on l'a vue dans une trentaine de films, dont *l'Aiglon* (V. Tourjanski, 1931), *Chotard et Cie* (J. Renoir, 1933), *Remous* (E. T. Gréville, 1935) et quatre films de Sacha Guitry : *Remontons les Champs-Élysées* (rôle de la Pompadour), *Si Versailles m'était conté* (Mme de Sévigné), *Napoléon* (Mme de Dino), *Si Paris nous était conté* (Mme Geoffrin et Sarah Bernhardt). Dernière apparition dans *Maigret tend un piège,* de Jean Delannoy, en 1958. C.B.

BOKANOWSKI *(Patrick), cinéaste expérimental français (Alger 1943).* De 1963 à 1970, il étudie la photographie, l'optique et la chimie avec le peintre Henri Dimier, auquel il consacrera en 1984 un film passionnant *(la Part du hasard).* Avec deux courts métrages (*la Femme qui se poudre,* 1970-1972 ; *Déjeuner du matin,* 1973-1975) et un long métrage, *l'Ange* (1977-1982), où il mêle, au banc-titre, le filmage d'acteurs réels et des éléments peints, et sur des musiques électroacoustiques de sa femme Michèle, il impose un des univers les plus étranges qui soient, entre *la Divine Comédie* et l'expressionnisme allemand, entre la peinture du XVIIIe siècle et le cauchemar. D.N.

BOLES *(John), acteur américain (Greenville, Tex., 1895 - San Angelo, id., 1969).* Fils d'un banquier, il abandonna ses études médicales pour la carrière d'acteur. Après avoir été affecté à divers services de renseignements en Allemagne, en Bulgarie et en Turquie au cours de la Première Guerre mondiale, il devient acteur, joue (et chante) à Broadway et interprète quelques films muets avant de s'imposer – notamment par sa voix chaude et bien calée – comme « leading man » romantique dans de nombreuses productions des années 30. Parmi ses meilleurs films, il faut citer *le Dernier Avertissement* (P. Leni, 1929), *The Desert Song* (R. Del Ruth, *id.*), *The King of Jazz* (John Murray Anderson, 1930), *Frankenstein* (J. Whale, 1931), *Back Street* (J.M. Stahl, 1932), *Stella Dallas* (K. Vidor, 1937), *Fight for Your Lady* (Ben Stoloff, *id.*), *Romance in the Dark* (H.C. Potter, *id.*), *Sinners in Paradise* (J. Whale, 1938), *Thousands Cheers* (G. Sidney, 1943). J.-L.P.

BOLESŁAWSKY *(Richard), cinéaste américain d'origine polonaise* [*Ryszard Bolesławski ; pseud. de Boleslaw Ryszard Srzednicki*] (*Varsovie, Russie, 1889 - Los Angeles, Ca., 1937).* Formé à l'école de Stanislavski (auquel il a consacré un essai), il quitte la Russie après la révolution d'Octobre pour couvrir comme opérateur d'actualités la campagne de l'armée polonaise sur la Vistule. Émigré, le succès de ses mises en scène à Broadway le mène à Hollywood, où la MGM lui confie des films historiques de prestige, tels *Raspoutine et sa cour* (*Rasputin and the Empress,* 1933). Il dirige Greta Garbo dans *le Voile des illusions* (*The Painted Veil,* 1934) d'après Somerset Maugham ; Charles Laughton et Fredric March dans *les Misérables* (id., 1935) ; Marlene Dietrich et Charles Boyer dans *le Jardin d'Allah* (*The Garden of Allah,* 1936), Joan Crawford dans *la Fin de Mme Cheyney* (*The Last of Mrs. Cheyney,* 1937). Plus modeste, moins solennel, *Théodora devient folle* (*Theodora Goes Wild,* 1936) reste un classique de la comédie *loufoque.* M.H.

BOLEX → CAMÉRA.

BOLIVIE. La première projection publique aurait eu lieu à La Paz, le 21 juin 1897. Les premières prises de vues locales connues se situent vers 1904. L'exploitation cinématographique se stabilise vers 1913. Dès cette époque, le pionnier Luis Castillo se consacre aux documentaires de commande. Les débuts d'un cinéma de fiction, resté très sporadique jusqu'à nos jours, portent les traces de la forte présence indienne dans le pays, tout comme la littérature indigéniste de l'époque. Le premier long métrage, *La profecía del lago* (José Maria Velasco Maidana, 1923), fut interdit, car il mettait en scène une dame de la haute société amoureuse d'un Indien. *Corazón aymara* (Pedro Sambarino, 1925) a comme protagoniste une jeune Indienne persécutée par ses proches. *La gloria de la raza* (1926), né de la rencontre entre Castillo et l'archéologue Arturo Posnansky, évoque l'ancienne civilisation aymara. *Wara-Wara* (J. M. Velasco Maidana, 1929), à la réalisation duquel participent plusieurs intellectuels, raconte une légende sur la fin de l'Empire inca. Seul le documentaire présente une certaine continuité en Bolivie, surtout après l'avènement du parlant, qui complique les données techniques. Le tournage relativement intense d'actualités est plus ou moins patronné par le pouvoir. Le principal événement de la première moitié du siècle, ainsi enregistré, est à l'origine du premier film sonore bolivien, *La guerra del Chaco* (Luis Bazoberry, 1936), long métrage redistribué encore 22 ans plus tard sous le titre *El Infierno verde.* C'est aussi le documentaire qui permet à Jorge Ruiz et à Augusto Roca de devenir des professionnels et de fonder Bolivia Films (1947) ; en trente ans, ils produisent une centaine de titres (longs, moyens et courts métrages confondus), dont *Vuelve Sebastiana* (Ruiz et Roca, 1953), tourné dans une communauté indienne menacée de disparition, et *La Vertiente* (Ruiz, 1958), le scénario de Oscar Soria* mêlant document et fiction. Le gouvernement nationaliste de Paz Estenssoro crée l'Institut bolivien du cinéma (1953), responsable d'un essor régulier de courts métrages contribuant à la découverte par l'image d'une réalité nationale méconnue. Parmi les 150 titres réalisés en trois ans, *Bolivia se libera* reprend le matériel enregistré pendant la révolution populaire triomphante de 1952. L'IBC forme quelques techniciens et s'associe aux producteurs indépendants, mais comprend mal les besoins d'une cinématographie pauvre lorsqu'il acquiert un matériel lourd.

C'est dans son cadre que débute Jorge Sanjinés. Les militaires, de retour au pouvoir en 1965, lui confient la responsabilité de l'IBC, puis décident de le fermer définitivement après la répercussion de son premier long métrage : *Ukamau* (1966). Le cinéaste poursuit sa pratique d'un cinéma politique (l'un des plus réussis d'Amérique latine) ; il doit néanmoins s'exiler après le tournage du *Courage du peuple* (1971). Son chef opérateur Antonio Eguino et son scénariste Soria défendent un cinéma engagé socialement, mais dans les limites imposées désormais à la liberté d'expression. *Chuquiago* (A. Eguino, 1977) reçoit un accueil populaire qui semble justifier leur choix, *Mi socio* (Paolo Agazzi, 1982) est un assez attachant roadmovie sentimental à travers le haut plateau. Cependant, le nouveau seuil atteint par la répression après le coup d'État de 1980 remet en question ces expériences prometteuses. Au cours des années 80-90, ce sont néanmoins deux réalisateurs qui maintiennent le flambeau de la production bolivienne (*Amargo mar,* A. Eguino, 1984, *La nacion clandestina,* 1989 et *Para recebir el canto de los pájaros,* 1994, tous deux de Sanjinés). Le Fondo de Formento Cinematográfico, créé par une loi du cinéma (1991), favorise l'apparition de jeunes metteurs en scène : *Jonás y la ballena rosada* (Juan Carlos Valdivia, 1994), *Cuestión de fe* (Marcos Loayza, 1995), *Sayari* (Mela Márquez, *id.*). La Cinémathèque bolivienne fait à La Paz un travail remarquable dans un contexte particulièrement ingrat puisqu'une majorité de la population n'a jamais eu accès au grand écran. P.A.P.

BOLOGNINI *(Mauro), cinéaste italien (Pistoia 1922).* Après des études d'architecture et un passage au Centro sperimentale (Rome), il devient assistant de Luigi Zampa, puis travaille en France avec Jean Delannoy (*la Minute de vérité,* 1952) et Yves Allégret (*Nez de cuir,* id.). Après un dernier assistanat sur un film de Zampa (*Processo alla città,* 1952), il réalise *Ci troviamo in galleria* en 1953, où il découvre la jeune Sophia Loren. Son deuxième film (il dément avoir réalisé *D'Artagnan, chevalier de la Reine* [*I Cavalieri della regina*], 1955) annonce les thèmes et la tonalité d'une grande part de son œuvre : *les Amoureux* sont une préface aux films des années 60 des *Garçons* à *la Corruption* – avant que Bolognini s'égare dans des films à sketches sans grand intérêt. Il y a pourtant dans cet ensemble, à quoi collaborèrent Moravia, Pasolini, Pratolini, des chefs opérateurs excellents (Leonida Barboni, Armando Nannuzzi, par ex.), une vision très personnelle, particulière à Bolognini, à partir d'œuvres littéraires très différentes signées de Pasolini, Moravia, Svevo, Brancati. Dissolution, folie, corruption et solitude – Mastroianni dans le rôle du bel et impuissant Antonio – sont le lot de personnages plus ambigus, moins frustes (même dans *Ça s'est passé à Rome*) que leurs frères aînés du néoréalisme. Antonioni, Fellini, Bolognini sont revenus au travail en studio, avec des films qui imposent un univers nocturne, une autre réalité. La fin de *Senilità* sur le port, le soir, est une aussi belle *traduction* des pages d'Italo Svevo que les jeux, les regards, les silhouettes sous le soleil le sont des ténèbres qui montent dans le cœur d'Agostino, le jeune héros de Moravia, lorsqu'il découvre avec la sexualité l'aventure de sa mère. Si les thèmes sont d'autant plus proches de ceux de Pasolini que ce dernier fut scénariste de *Marisa la civetta* (1957), dans *les Garçons* (adaptation de son roman *Ragazzi di vita*), *le Bel Antonio* et *Ça c'est passé à Rome,* la tonalité, la manière de Bolognini sont indéniablement originales ; un charme, aussi, éclatant dans le film délicieux qu'est *Mademoiselle de Maupin,* d'après Théophile Gautier. À partir de 1969, il confie presque toujours la photo à Ennio Guarnieri. Aux blancs et noirs raffinés succède le colorisme, et Bolognini lui accorde une valeur quasi picturale, au point (qu'on lui reproche naturellement) de composer ses plans jusqu'à faire songer aux *vedutti,* à Renoir, aux peintres *macchiaioli (Metello),* à Degas et Manet *(Bubu).* Il demeure fidèle aux adaptations littéraires, mais leur confère toujours un ton bien à lui, mariant un esthétisme (moins viscontien qu'on ne l'a dit) à une vision pessimiste et âpre. *L'héritage,* où il dirige Burt Lancaster et Dominique Sanda, plus encore que *Bubu* (d'après Charles-Louis Philippe) ou *Metello,* et avec plus de force, insère les personnages dans une trame historique sociale et morale. C'est le cinéma, bien sûr inégal, d'un peintre des choses, splendides ou misérables, et de la solitude, égotiste ou malheureuse. Bolognini a parallèlement signé des mises en scène de théâtre et surtout d'opéra. C.M.C.

Films ▲ : *Ci troviamo in galleria* (1953) ; *les Amoureux* (*Gli innamorati,* 1955) ; *La vena d'oro* (id.) ; *Guardia, guardia scelta, brigadiere e maresciallo* (1956) ; *Marisa la civetta* (1957) ; *les Jeunes Maris* (*Giovani mariti,* 1958) ; *Arrangiatevi* (1959) ; *les Garçons* (*La notte brava,* id.) ; *le Bel Antonio* (*Il bell'Antonio,* 1960) ; *Ça s'est passé à Rome* (*La giornata balorda,* id.) ; *La viaccia* (id., 1961) ; *Quand la chair succombe* (*Senilità,* 1962) ; *Agostino* (id., *id.*) ; *la Corruption* (*La corruzione,* 1963) ; *La mia signora* (épisodes *I miei cari* et *Luciana,* 1964) ; *les Poupées* (*Le bambole* [épisode *Monsignor Cupido*], 1965) ; *I tre volti* (épisode *Gli amanti celebri,* id.) ; *Mademoiselle de Maupin* (*Madamigella di Maupin,* 1966) ; *La donna è una cosa meravigliosa* (épisodes *La balena bianca* et *Una donna dolce, dolce* [RÉ 1964], *id.*) ; *les Ogresses (Le fate* [épisode *Fata Elena*], *id.)* ; *les Sorcières* (*Le streghe* [épisode *Senso civico*], 1967) ; *Arabella* (id.) ; *L'amore attraverso i secoli* (épisode *Notti romane,* id.) ; *Capriccio all'italiana* (épisodes *Perchè ?* et *La gelosa,* 1968) ; *Ce merveilleux automne* (*Un bellissimo novembre,* id.) ; *L'assoluto naturale* (1969) ; *Metello* (*id.,* 1970) ; *Bubu de Montparnasse* (*Bubù,* 1971) ; *Imputazione di omicidio per uno studente* (1972) ; *la Grande Bourgeoise* (*Fatti di gente perbene,* 1974) ; *Liberté, mon amour* (*Libera, amore mio,* 1975 [RÉ 1973]) ; *Vertiges (Per le antiche scale, id.)* ; *l'Héritage* (*L'eredità Ferramonti,* 1976) ; *Gran bollito* (1977) ; *Dove vai in vacanza ?* (un sketch [*Sarò tutta perte*], 1978) ; *la Dame aux camélias* (FR, 1980) ; *la Vénitienne* (*La venexiana,* 1986) ; *Mosca addio* (1987) ; *Gli Indifferenti* (1988) ; *La villa del venerdi* (1991) ; il adapte pour la TV *la Chartreuse de Parme* (FR, 1982).

BOLT *(Robert), scénariste anglais (Sale 1924 - Petersfield 1995).* Auteur de théâtre, il écrit pour David Lean le scénario de *Lawrence d'Arabie* (1962), *Docteur Jivago* (1965), *la Fille de Ryan* (1970). Il signe le scénario de *Un homme pour l'éternité* (F. Zinnemann, 1966). Il a écrit et réalisé *Lady Caroline Lamb* (*id.*, 1972). B.G.

BOLVARY *(Geza-Maria von), réalisateur hongrois d'origine allemande (Budapest 1897 - Altenbeuern, RFA, 1961).* Figurant, puis acteur à la Starfilm de Budapest, il s'impose très vite et signe son premier film en 1920. Dès 1924, il travaille pour des firmes de Munich. En 1930, artisan réputé, il s'impose d'emblée comme l'un des maîtres de la comédie musicale allemande en dirigeant Willi Forst : *Deux Cœurs, une valse (Zwei Herzen im 3/4 Takt).* Une centaine de titres suivront, souvent des opérettes qui triomphent devant le grand public : *les Joyeuses Commères de Vienne (Die lustigen Weiber von Wien,* 1931, avec Willi Forst), *Abschiedswalzer* (id., et vers. fr. *la Chanson de l'adieu, CO* A. Valentin), *Premiere* (1937, avec Zarah Leander), *Charme de Bohême* (*Zauber der Boheme,* id., avec Martha Eggerth et Jan Kiepura), *la Chauve-Souris* (*Die Fledermaus,* 1945, avec Willy Fritsch), *Fritz und Friederike* (1952), *Mein Leopold* (1955). F.B.

BON. *« Bon pour le son ! », « Bon pour l'image ! »,* expressions consacrées par lesquelles, en fin de prise, l'ingénieur du son et le chef opérateur annoncent que, pour ce qui les concerne, ils sont satisfaits de la prise.

BOND *(Ward), acteur américain (Denver, Colo., 1903 - Dallas, Tex., 1960).* Découvert par John Ford, il débute dans *Salute* (1929) et devient l'un des membres attitrés et typés de la *compagnie de répertoire* fordienne : *Vers sa destinée* (1939), *les Raisins de la colère* (1940), *la Route au tabac* (1941), *la Poursuite infernale* (1946), *l'Homme tranquille* (1952), *la Prisonnière du désert* (1956). En 1957, le cinéaste, dont il est un des proches, lui confie son propre rôle dans *L'aigle vole au soleil.* Acteur de complément dans de nombreux westerns et films policiers à petit budget des années 30, il tourne notamment sous la direction de Michael Curtiz (*les Conquérants,* 1939), Jean Renoir (*l'Étang tragique,* 1941), Howard Hawks (*Sergent York,* id., et *Rio Bravo,* 1959), Raoul Walsh (*Gentleman Jim,* 1942), Nicholas Ray (*la Maison dans l'ombre,* 1952, et *Johnny Guitare,* 1954), terminant sa carrière à la télévision comme vedette de la série *Wagon Train (la Grande Caravane).* O.E.

BONDARTCHOUK *(Sergueï) [Sergej Fëdorovič Bondarčuk], acteur et cinéaste soviétique (Beloz'orka, Ukraine, 1920 - Moscou 1994).* Il fréquente l'école de théâtre de Rostov-sur-le-Don à partir de 1937, se trouve sous les drapeaux de 1942 à 1946 puis entre cette même année à l'Institut du cinéma de Moscou (faculté des acteurs, classe de Guérassimov), et c'est comme acteur qu'il débute dans *la Jeune Garde* (S. Guérassimov, 1948). Il obtient très tôt de nombreux rôles en vedette grâce à sa silhouette puissante et à son jeu très dense : *le Chevalier à l'étoile d'or* (Raïzman, 1951), *Tarass Chevtchenko* (I. Savčenko, *id.*), *le Roman inachevé* (Ermler, 1955), *la Cigale* (Samsonov, *id.*), *Othello* (Youtkevitch, 1956), *Serioja* (Danelia et Talankine, 1960). En 1952, il reçoit le titre d'« Artiste du peuple » pour ses prestations impressionnantes dans des incarnations historiques (le poète ukrainien Chevtchenko, le dramaturge Ivan Franko) ou des personnages hors du commun (Othello) : on peut estimer que son jeu est hyperdramatisé et qu'il exploite trop les schémas du *héros positif,* mais il a toujours une forte présence sur l'écran.

En 1959, il passe simultanément à la mise en scène avec un film qui a un grand retentissement en URSS et à l'étranger, *le Destin d'un homme (Sud'ba čeloveka),* d'après le roman de Cholokhov, où il occupe le centre d'une fresque historique retraçant les malheurs et l'héroïsme du peuple russe pendant la Seconde Guerre mondiale. Cette œuvre dramatique, réalisée dans un style quelque peu expressionniste, reçoit le grand prix du festival de Moscou et un prix Lénine l'année suivante : Bondartchouk fait figure d'artiste *officiel.* C'est ainsi qu'il obtient d'importants moyens pour tourner les quatre époques de *Guerre et Paix* d'après Tolstoï (*Vojna i mir :* I. *Andrei Bolkonski,* 1966 ; II. *Natacha Rostova,* id. ; III. *1812,* 1967 : IV. *Pierre Bezoukov,* id.), entreprise considérable par son ampleur matérielle et son lyrisme plastique où il joue le rôle de Pierre, témoin des bouleversements causés par l'invasion napoléonienne.

Ces succès lui valent des offres étrangères : il tourne ainsi en Italie un *Waterloo* (1970) spectaculaire ; (il était déjà apparu hors d'URSS comme acteur dans *les Évadés de la nuit* (R. Rossellini, 1960) et *la Bataille de la Neretva* (V. Bulajic, 1969). Au cours des années 70, son jeu devient plus nuancé, plus intériorisé : son interprétation d'*Oncle Vania* (A. Mikhalkov-Kontchalovski, 1971) est tout à fait remarquable par sa finesse et sa retenue. Il a joué encore, sous la direction d'Igor Talankine, dans *le Choix du but* (*Vybor celi,* 1975) et *le Père Serge* (*Otec Sergij,* 1978), ainsi que dans deux films qu'il a lui-même réalisés : *Ils ont combattu pour la patrie* (*Oni sražalis'za rodinu,* 1975), épopée guerrière, d'après Cholokhov, conçue dans une perspective antihéroïque, et *la Steppe* (*Step',* 1977), adaptation assez terne de Tchekhov. En 1982-83, il tourne *les Cloches rouges (Krasnye kolokola),* film en deux parties *(le Mexique en flammes [Meksika v ogne]* et *J'ai vu la naissance d'un monde nouveau [Ja videl roždenie novogo mira])* d'après les livres de John Reed. Bondartchouk est professeur au VGIK ; il est marié à la comédienne Irina Skobtseva et père de Natalia Bondartchouk, actrice et réalisatrice, fille de sa première femme, l'actrice Inna Makarova. En 1985, il met en scène *Boris Godounov,* en interprétant lui-même le rôle-titre. ▲ M.M.

BONDI *(Beulah Bondy,* dite *Beulah), actrice américaine (Chicago, Ill., 1888 - Woodland Hills, Ca., 1981).* Elle a trente ans d'expérience de la scène lorsqu'elle débute au cinéma dans *Scènes de la rue* (K. Vidor, 1931). À côté de nombreuses commères pittoresques, elle incarne les vertus familiales dans deux films de Capra : *Monsieur Smith au Sénat* (1939) et *La vie est belle* (1947) ainsi que la bouleversante vieille dame de *Place aux jeunes* (L. McCarey, 1937). Elle ne se consacre plus après 1963 qu'à la scène et à la télévision. J.-P.B.

BONI *(Carmela Bonicatti,* dite *Carmen), actrice italienne (Rome 1903 - Paris 1963).* Entrée dans le cinéma à l'âge de seize ans, elle fait d'abord carrière sous le nom de Katty Boni avant de devenir célèbre sous le nom de Carmen Boni. Confinée dans des rôles secondaires à l'ombre des actrices célèbres du début des années 20, elle impose peu à peu - gracieux sourire et yeux profonds - une personnalité attachante de femme épanouie. Active aussi bien en Italie qu'en Allemagne ou en France (elle épousera plus tard l'acteur français Jean Rigaux), elle est l'hégérie d'Augusto Genina, qui la dirige dans de nombreux films jusqu'au début du parlant (*La moglie bella,* 1924 ; *Il focolare spento,* 1925 ; *L'ultimo Lord,* 1926 ; *Addio giovinezza,* id. ; *Scampolo,* 1928 ; *Quartier latin,* 1929 ; *la Femme en homme,* 1931 ; *Ne sois pas jalouse,* 1932). Dans certains de ces films, cheveux courts et beauté androgyne, elle n'est pas sans rappeler Louise Brooks. Au cours des années 20, elle est dirigée en Allemagne par des cinéastes comme Geza von Bolvary, Robert Land, Franz Seitz, Wladimir Strijewsky, Karl Grüne. Lors d'un séjour en Italie, elle tourne aussi dans *La grazia* d'Aldo De Benedetti (1929). En 1930, Mario Camerini la dirige dans *La riva dei bruti,* tourné dans les studios de la Paramount à Joinville. Son activité se ralentit considérablement au cours des années 30 et elle fait ses dernières apparitions dans *le Comte de Monte-Cristo* de Robert Vernay en 1942 et dans *D'homme à homme* de Christian-Jaque en 1948. Elle meurt à Paris en 1963, renversée par une automobile. J.-A.G.

BONNAIRE *(Sandrine), actrice française (Clermont-Ferrand 1967).* Adolescente sans histoire, elle n'a que seize ans lorsque Maurice Pialat la découvre et lui offre le premier rôle de *À nos amours* (1983, César du meilleur espoir féminin). Son naturel, son physique de sauvageonne et sa force lumineuse surprennent et séduisent la critique et le public. Elle tourne aussitôt quatre films, dont *Blanche et Marie* (Jacques Renard, 1985) et *Police* (M. Pialat, 1985). Sa performance exceptionnelle dans *Sans toit ni loi* (A. Varda, 1985) la place définitivement au premier rang des révélations de la décennie, et lui permet de recevoir son second César. En 1986, elle est *la Puritaine* (J. Doillon), puis retrouve Maurice Pialat pour *Sous le soleil de Satan,* d'après Bernanos (1987). Elle tourne ensuite notamment *les Innocents* (A. Téchiné, 1987), *Quelques jours avec moi* (C. Sautet, 1988), *Monsieur Hire* (P. Leconte, 1989), *Peaux de vache* (Patricia Mazuy, *id.*), *Dans la soirée* (*Verso sera,* Francesca Archibugi, 1991), *Prague* (Ian Sellar, *id.*), *le Ciel de Paris* (Michel Bena, *id.*), *la Peste* (L. Puenzo, 1992),

Jeanne la Pucelle (J. Rivette, 1994), *les Cent et Une Nuits* (A. Varda, 1995), *la Cérémonie* (C. Chabrol, *id.*). E.K.

BONNARD *(Mario), cinéaste et acteur italien (Rome 1889* - id. *1965).* C'est comme comédien que Mario Bonnard commence sa carrière cinématographique en 1907 dans l'*Otello* de Mario Caserini. Pendant les années 10 et les années 20, Bonnard est un des acteurs les plus appréciés de l'écran italien, figure de dandy ou d'amoureux alangui dans le plus pur style décadent de l'époque : *Ma l'amor mio non muore* (M. Caserini, 1913), *Colei che tutto soffre* (A. Palermi, 1914), *L'amor tuo li redime* (Caserini, 1915), *La falena* (C. Gallone, 1916), *Passano gli Unni* (Caserini, *id.*), *La via del peccato* (Palermi, 1924). En 1917, Bonnard aborde la mise en scène et conduit de front les deux activités jusqu'en 1924, date à laquelle il cesse de paraître à l'écran. À l'aise dans tous les genres, Bonnard fait preuve d'un solide métier plus que d'une personnalité artistique très affirmée. Il signe toutefois en 1942-43 deux comédies, où la finesse d'observation dans l'analyse d'un milieu populaire annonce le néoréalisme *(Avanti c'è posto, Campo de' fiori).* Parmi les soixante films réalisés jusqu'en 1962, on peut retenir les titres suivants : *Il fauno di marmo* (1919) ; *I promessi sposi* (1923) ; *Trois Hommes en habit* (*Tre uomini in frak,* 1932) ; *Il feroce Saladino* (1937) ; *Il conte di Bréchard* (1938) ; *La gerla di papà Martin* (1940) ; *Phryné courtisane d'Orient* (*Frine cortigiana d'Oriente,* 1953) ; *Hanno rubato un tram* (1955) ; *les Derniers Jours de Pompéi* (*Gli ultimi giorni di Pompei,* co S. Leone, 1959) ; *Gastone* (1960). J.-A.G.

BONNETTE (1). Lentille convergente, placée devant un objectif pour filmer de près. (→ OBJECTIFS.)

BONNETTE (2). Boule dans laquelle on enferme un microphone pour le protéger de l'effet du vent. (→ PRISE DE SON.)

BOONE *(Richard), acteur américain (Los Angeles, Ca., 1917 - St Augustine, Fla., 1981).* Membre de l'Actors Studio, il a tourné sous la direction d'Elia Kazan *Man on a Tightrope* (1953) et *l'Arrangement* (1969), mais reste essentiellement l'un des *durs* les plus colorés et les plus convaincants des années 50. Il débute dans *Okinawa* (L. Milestone, 1951) et tourne *le Renard du désert* (H. Hathaway, *id.*), *le Gaucho* (J. Tourneur, 1952), *Vicki* (Harry Horner, 1953), *Tempête sous la mer* (Robert D. Webb, *id.*) et *la Tunique* (H. Koster, *id.*) avant d'affronter Kirk Douglas dans *l'Homme qui n'a pas d'étoile* (K. Vidor, 1955). Devenu vedette grâce aux séries TV *Medic* (1954-1956) et *Have Gun, Will Travel* (1957-1963), il change de registre pour incarner le général Sam Houston dans *Alamo* (J. Wayne, 1960) et le compagnon d'armes de Charlton Heston dans *le Seigneur de la guerre* (F. Schaffner, 1965), campe des personnages hauts en couleur dans *Rio Conchos* (G. Douglas, 1964) et *Hombre* (M. Ritt, 1967), puis retrouve des emplois familiers avec *la Lettre du Kremlin* (J. Huston, 1970), *le Dernier des géants* (D. Siegel, 1976) et *le Grand Sommeil* (M. Winner, 1978). O.E.

BOORMAN *(John), cinéaste britannique (Shepperton 1933).* Le réalisateur anglais le plus brillant et le plus original de sa génération. Comme ses compatriotes John Schlesinger, Ken Russell et l'Américain Richard Lester, Boorman fit ses premières armes à la télévision (BBC). D'ascendance protestante (écossaise et hollandaise), et fils du propriétaire d'un *pub* près des studios de Shepperton, il est élevé chez les jésuites. Il travaille dans une teinturerie, puis s'essaie à la critique de cinéma pour un journal féminin et pour la radio. Après son service militaire, il devient assistant monteur à la télévision en 1955, dans diverses stations de province. C'est en 1963 à Bristol qu'il s'impose, en produisant une série de portraits documentaires d'une demi-heure *(Citizen 63)* dont il dirige quelques épisodes (un homme d'affaires, une lycéenne, un savant). L'année suivante, il retrace la vie d'un couple de Bristol *(The Newcomers).* Sa réputation grandissante lui permet de réaliser son premier film, *Sauve qui peut* (1965), dans le sillage de *Quatre Garçons dans le vent* de Richard Lester avec les Beatles. Boorman travaille, lui, avec un groupe moins connu, le Dave Clark Five, mais il parvient à donner un ton personnel à cette œuvre de commande. Comme ses films suivants, *Sauve qui peut* est l'histoire d'une quête. Un couple traverse l'Angleterre pour trouver refuge dans une île. Il découvre à la fin de son voyage que sa fuite a servi de sujet à une campagne publicitaire.

La rencontre de Lee Marvin lui ouvre les portes de Hollywood. Il y dirige son second film, *le Point de non-retour* (1967), variation brillante sur un thème connu : l'histoire d'un gangster décidé à se venger de son meilleur ami qui lui a pris sa femme et sa part de butin. Avec un sens visuel étonnant (qui reste une des marques distinctives de Boorman tout au long de sa carrière), le film devient une fable sur l'Amérique contemporaine, l'individu luttant en vain contre une société anonyme qui feint de le laisser agir pour mieux le manipuler. Avec *Duel dans le Pacifique* (1968), Boorman, qui aime les défis, s'attache à retracer les rapports de deux officiers, un Japonais et un Américain, abandonnés sur une île déserte à la fin de la Seconde Guerre mondiale. Variation sur les rapports du maître et de l'esclave, le film, presque dépourvu de dialogue, témoigne d'un sens de la nature quasi tellurique, le cinéaste jouant des sons et des couleurs pour évoquer une situation proche du théâtre de l'absurde. Ce sens du théâtre et de la stylisation se retrouve dans *Léo le dernier* (1970), allégorie brechtienne sur un prince exilé (Marcello Mastroianni) à Londres, frappé d'atrophie émotionnelle et qui reprend goût à la vie au contact de la communauté jamaïcaine qui habite dans sa rue à Notting Hill. Cette œuvre, la plus ambitieuse, la plus révélatrice et sans doute la plus accomplie de Boorman, est un échec commercial. Elle précède son plus grand succès public, *Délivrance* (1972), équipée de quatre citadins partis sur une rivière des Appalaches et qui apprennent à leurs dépens que la nature ne correspond pas à leurs aspirations romantiques. Tourné en Irlande, où réside le cinéaste, *Zardoz* (1974) est un récit de science-fiction écrit par Boorman : œuvre complexe, où l'utopie est soumise à une critique rigoureuse qui dévoile les structures d'oppression gouvernant notre société. L'incompréhension du public et d'une grande partie de la critique conduit Boorman à accepter de tourner la suite de *l'Exorciste : l'Hérétique* (1977). Mais il transforme cette commande en une œuvre personnelle, en un thriller métaphysique qui abandonne les effets de grand-guignol du film de Friedkin en faveur de la recherche poétique d'une réconciliation entre la magie et la science au cœur de l'Afrique. *Excalibur* (1981) se présente comme une synthèse de la poétique boormanienne. Influencé dès le plus jeune âge par les récits arthuriens, qui ne cesseront d'irriguer ses films, le réalisateur s'attaque directement à l'histoire de Merlin, d'Arthur, de Lancelot et de Perceval. Il recrée un Moyen Âge imaginaire où se conjuguent les influences barbares, orientales et gothiques, mêle les tons comique, épique et lyrique en un brassage shakespearien et approfondit sa recherche d'un itinéraire spirituel qui conduit ses héros, d'épreuve en épreuve, à une meilleure connaissance d'eux-mêmes. *La Forêt d'émeraude* (1985) transpose dans le Brésil contemporain un thème cher au western. Un ingénieur américain voit son fils de sept ans disparaître dans la jungle amazonienne. Dix ans plus tard, il le retrouve dans une tribu indienne. Réflexion sur le rapport entre les cultures, recherche d'une réconciliation de l'homme avec la pensée mythique, nouvelle odyssée d'un homme trouvant son identité, *la Forêt d'émeraude* s'inscrit dans la continuation logique de la carrière du metteur en scène. Il en est de même, malgré les apparences, d'œuvres plus intimistes comme *la Guerre à sept ans* et *Tout pour réussir,* qui nous ramènent au ton de la fable que Boorman avait déjà brillamment abordé dans *Léo, le dernier.* Par contre, *Beyond Rangoon* applique une mise en scène ample et virtuose à une formule plus conventionnelle.

Le cinéma de Boorman se nourrit de paradoxes. Issu de la télévision, il en est presque la négation esthétique et accorde à l'image une place prépondérante. Bien qu'elle soit tributaire du film de genre (gangster, science-fiction, horreur), son œuvre est marquée au sceau d'une forte personnalité, qui impose à chaque fois sa vision propre. Britannique, il tourne le dos à la tradition réaliste et psychologique de ce pays et – comme Michael Powell – privilégie la fantaisie et l'imaginaire. Il sait aussi se faire américain avec, dans *le Point de non-retour* et *Délivrance,* un sens de la violence, du rythme et de la texture que peuvent lui envier bien des réalisateurs d'outre-Atlantique. Comme Stanley Kubrick – mais, à la différence de ce dernier, plus proche de Jung que de Freud –, Boorman est un cinéaste de l'imaginaire, fasciné par les mythes et les rêves, se livrant à une réflexion sur le devenir des civilisations.

Il y a en lui un romantique et en même temps un humoriste qui prend ses distances envers la folie des hommes et leurs aspirations. Ses films, comme ses héros, sont porteurs d'une grande énergie et, entre la première et la dernière image, de profondes transformations s'accomplissent, le monde et les êtres changent considérablement. Boorman aime jouer sur le rôle du regard et des instruments d'optique (Léo observe le monde avec des jumelles, le héros du *Point de non-retour* et ceux de *Délivrance* sont sans cesse épiés à leur insu, la jeune fille de *l'Hérétique* circule, par ses visions, à travers le temps et l'espace). Cette œuvre devient ainsi une réflexion sur le cinéma et, au centre de la plupart des films, on retrouve un manipulateur, un magicien, un Merlin l'Enchanteur, qui contrôle les destinées et qui n'est autre que le réalisateur lui-même. M.C.

Films ▲ : *Sauve qui peut* (*Catch Us if you Can,* 1965) ; *le Point de non-retour* (*Point Blank,* US, 1967) ; *Duel dans le Pacifique* (*Hell in the Pacific,* US, 1968) ; *Léo le Dernier* (*Leo the Last,* 1970) ; *Délivrance* (*Deliverance,* US, 1972) ; *Zardoz* (*id.,* 1974) ; *l'Exorciste II : l'Hérétique* (*Exorcist II, The Heretic,* US, 1977) ; *Excalibur* (*id.,* 1981) ; *la Forêt d'émeraude* (*The Emerald Forest,* 1985) ; *la Guerre à sept ans* (*Hope and Glory,* 1987) ; *Tout pour réussir* (*Where the Heart is ?* 1990) ; *I Dreamt I Woke up* (1991) ; *Rangoon* (*Beyond Rangoon,* 1995) ; *Two Nudes Bathing* (MM, *id.*).

BOOTH *(Margaret), monteuse américaine (Los Angeles, Ca., 1898).* C'est à la MGM que se déroule l'essentiel de sa carrière. Elle monte plusieurs films muets de Stahl (1924-1927), puis des bandes de Robert Z. Leonard (*la Courtisane,* 1931 ; *Strange Interlude,* 1932), Sidney Franklin, Victor Fleming (*Bombshell,* 1933). *Les Révoltés du « Bounty »* (Frank Lloyd, 1935) lui valent de concourir pour l'Oscar. Elle y déploie toute une rhétorique, complexe mais discrète : séquences d'action au montage court, gros plans qui intègrent les personnages à l'environnement dramatique, ellipses temporelles, séquences romantiques dépourvues de dialogue, effets de contraste saisissants mais isolés. C'est le triomphe du montage « invisible » du spectateur moyen. Elle monte encore *le Roman de Marguerite Gautier* (Cukor, 1937), puis devient chef du département montage de la MGM, de 1939 à 1968. Jusqu'en 1976, affichant l'éclectisme cher aux monteurs hollywoodiens, elle travaille sur des films aussi différents que *Nos plus belles années* (Pollack, 1973), exemple de cinéma académique bien dans la tradition MGM, et l'âprement réaliste *Fat City* (Huston, 1972). J.-L.B.

BOOTH *(Thelma Booth Ford,* dite *Shirley), actrice américaine (New York, N. Y., 1907 - North Chatham, Mass., 1992).* Elle s'est surtout illustrée à la scène, dans le drame, la comédie et le *musical,* et à la télévision, grâce à la populaire série *Hazel.* Tardive, sa carrière cinématographique se limite à cinq films : *Reviens, petite Sheba* (1952), mélodrame réaliste de Daniel Mann où elle recrée un de ses rôles théâtraux les plus célèbres ; *Main Street to Broadway* (T. Garnett, 1953) ; *Romance sans lendemain* (Daniel Mann, 1954) ; *la Meneuse de jeu* (J. Anthony, 1958), d'après la comédie de Thornton Wilder qui inspirera *Hello, Dolly ; Vague de chaleur* (Daniel Mann, 1958). O.E.

BORATTO *(Caterina), actrice italienne (Turin 1916).* Célèbre dès son premier film (*Vivere* de Guido Brignone, 1937), Caterina Boratto a eu une carrière à éclipses : de 1938 à 1942, un contrat la conduit à Hollywood, où elle demeure inactive ; de même, elle ne tourne rien de 1943 jusqu'au début des années 60. Elle retrouve alors, grâce à Fellini, des rôles significatifs dans *Huit et demi* (1963) et dans *Juliette des esprits* (1965). Sa beauté nostalgique et son charme ont également inspiré Dino Risi (*Il tigre,* 1967 ; *Dernier Amour,* 1978), Pollack (*Un château en enfer,* 1969) et Pasolini (*Salò,* 1976). J.-A.G.

BORAU *(José Luis), cinéaste et producteur espagnol (Saragosse 1929).* Il débute dans le long métrage par des films de commande : *Brandy* (1963), un western, et *Crimen de doble filo* (1964), un policier, puis devient un producteur indépendant actif. Après *Hay que matar a. B.* (1973), il réalise le meilleur de ses films : *Furtivos* (1975), drame complexe d'un personnage en butte à l'oppression familiale et sociale. Borau cherche à conjurer la crise du cinéma par des coproductions internationales, cadre dans lequel il tourne *La Sabina* (1979), dérapant vers le pittoresque facile. Il réalise ensuite *Rio abajo* (1984) et *Tata mía* (1986). P.A.P.

BORDERIE *(Raymond Borderie,* dit *Bernard), cinéaste français (Paris 1924 - id. 1978).* Fils du producteur Raymond Borderie, il s'illustre dans tous les genres populaires du cinéma français des années 50 et 60. Il aborde, sans complexe aucun, le film policier humoristique dans la série des « Lemmy Caution » avec Eddie Constantine : *la Môme Vert-de-Gris* (1952), *Les femmes s'en balancent* (1953), *Lemmy pour les dames* (1961), *À toi de faire mignonne* (1963) et dans celle des « Gorille » avec Lino Ventura (*Le Gorille vous salue bien,* 1957), puis Roger Hanin (*la Valse du Gorille,* 1959), avant de s'attaquer à un autre genre en vogue : le film de cape et d'épée (*les Trois Mousquetaires,* 1961 ; *le Chevalier de Pardaillan,* 1962). Après *Rocambole* (id.), il réalise la série des « Angélique », une sorte de feuilleton à la fois érotique et pseudo-historique qui connut un large succès public : *Angélique, marquise des Anges* (1964), *Angélique et le Roy* (1965), *l'Indomptable Angélique* (1967), *Angélique et le sultan* (id.).

D.S.

BORELLI *(Lyda), actrice italienne (Rivarolo Ligure, Gênes, 1884 - Rome 1959).* Après ses débuts sur les planches en 1901, Lyda Borelli connaît une rapide renommée : elle joue aux côtés de Eleonora Duse puis de Ruggero Ruggeri. D'allure sophistiquée, maigre, alanguie, Lyda Borelli impose une silhouette de femme avant même de commencer à faire du cinéma. En 1913, elle est engagée par la Gloria Film pour interpréter le rôle de protagoniste dans *Ma l'amor mio non muore* de Mario Caserini. Le succès est immédiat et, au cours d'une carrière cinématographique assez brève (elle cessera de tourner en 1918 à la suite de son mariage avec l'industriel Vittorio Cini), Lyda Borelli va de triomphe en triomphe et impose définitivement un personnage féminin particulièrement représentatif du goût de l'époque : son jeu emphatique, tarabiscoté, ses attitudes toujours proches de l'état de pâmoison en font une actrice géniale ou ridicule, selon le point de vue que l'on adopte. Parmi ses contributions les plus représentatives, on peut citer : *La donna nuda* (1914) de Carmine Gallone, *Rapsodia satanica* (1915) de Nino Oxilia ; trois films de Gallone, *La falena* (1916), *Malombra* (id.) et *La storia dei tredici* (1917) ; *Madame Tallien* (1916) de Mario Caserini et Enrico Guazzoni, *Carnevalesca* (1917) de Amleto Palermi, *Il dramma di una notte* (id.) de Caserini.

J.-A.G.

BORGES *(Jorge Luis), écrivain argentin (Buenos Aires 1899 - Genève 1986).* L'auteur de *Fictions* pratique la critique de films, notamment dans la revue *Sur* (1931-1944). Il « écrit en vain des scénarios pour le cinéma », dont deux, cosignés par Adolfo Bioy Casares, sont publiés : *Los orilleros* et *El paraíso de los creyentes* (1955). Touché par l'épique du western et du film noir, le cinéma constitue pour lui une véritable école du récit. Son goût de la stylisation, le choix de moments significatifs, l'ellipse, l'énumération, la discontinuité narrative peuvent être rapprochés du montage cinématographique. L'œuvre de Borges a inspiré directement des cinéastes aussi divers que Torre Nilsson, René Mugica, Hugo Santiago (scénario original), Bertolucci. À la mode en Argentine après sa consécration européenne, son magnifique répertoire d'histoires commence à être platement porté à l'écran par ses compatriotes Ricardo Luna (*Los orilleros,* 1975), Héctor Olivera (*El muerto,* 1975) et Carlos Hugo Christensen (*A Intrusa,* 1979, au Brésil). La télévision s'en est également servi, notamment avec *El sur* (C. Saura, 1991) et *Emma Zunz* (B. Jacquot, *id.*).

P.A.P.

BORGMANN *(Hans Otto), musicien allemand (Hanovre 1901 - Berlin 1977).* Après des études classiques à Berlin, il est de 1928 à 1945 compositeur et directeur musical à la UFA. Ayant commencé par des comédies musicales, il a travaillé sur plus de cent films. Il est l'auteur, en particulier, de la musique des films les plus célèbres de l'époque nazie : *le Jeune Hitlérien Quex* (H. Steinhoff, 1933), *Ein Mann will nach Deutschland* (P. Wegener, 1934), *l'Or* (K. Hartl, *id.*), *le Grand Roi* (V. Harlan, 1942), et *la Ville dorée* (id., *id.*)... Avec Herbert Windt, Norbert Schultze et Wolfgang Zeller, il est un des grands responsables du style musical de l'époque. Il a continué à composer après la guerre, en particulier pour des films de Veit Harlan.

D.S.

BORGNINE *(Ernest), acteur américain (Hamden, Conn., 1917).* Il débute sur scène dans *Harvey* (1948) et à l'écran dans *China Corsair* (R. Nazarro, 1951), *The Whistle at Eaton Falls*

(R. Siodmak, *id.*). Longtemps cantonné dans des rôles de brute sadique, *Tant qu'il y aura des hommes* (F. Zinnemann, 1953), *Vera Cruz* (R. Aldrich, 1954), *Un homme est passé* (J. Sturges, 1955), il incarne dans *Marty* (Delbert Mann, 1955) un boucher new-yorkais amoureux d'une timide institutrice. Cette composition inattendue lui vaut un Oscar à Hollywood et un prix d'interprétation au festival de Cannes. Il retrouve un emploi voisin dans *The Catered Affair* (R. Brooks, 1956), inspiré, comme *Marty,* d'une pièce de Paddy Chayefsky. Las des rôles plus stéréotypés auxquels le voue son physique marqué, il se tourne vers la télévision et remporte un Emmy pour le feuilleton *McHale's Navy.* Il doit à Robert Aldrich son retour au cinéma et ses meilleures créations récentes : *le Vol du phénix* (1966), *les Douze Salopards* (1967), *le Démon des femmes* (1968), *l'Empereur du Nord* (1973) et *la Cité des dangers* (1975). Parmi ses autres interprétations, citons celles de *Johnny Guitare* (N. Ray, 1954), *l'Homme de nulle part* (D. Daves, 1956), *les Vikings* (R. Fleischer, 1958), *la Horde sauvage* (S. Peckinpah, 1969), *Willard* (Daniel Mann, 1971), *la Loi et la Pagaille* (I. Passer, 1974), le *Convoi* (Peckinpah, 1978). M.H.

BORGSTRÖM *(Hilda), actrice suédoise (Stockholm 1871* - id. *1953).* Au théâtre, elle fut une des grandes interprètes d'Ibsen et de Strindberg, mais son répertoire englobe aussi bien Molière et Lessing que Feydeau, Schnitzler, Maugham et O'Neill. Au cinéma, elle est choisie par Victor Sjöström pour incarner ses toutes premières héroïnes (*Un mariage secret,* 1912 ; *Un conte estival,* id. ; *le Flirt d'été de lady Marion,* 1913 ; *Ingeborg Holm,* id. ; *Ne jugez pas,* 1914). En 1921, elle retrouve Sjöström à la fois comme metteur en scène et comme partenaire dans *la Charrette fantôme :* elle est en effet l'épouse infortunée de David Holm personnifié par Sjöström lui-même. Dès lors, elle poursuit avec talent une carrière bien remplie, accompagnant ainsi pendant près de quarante ans l'évolution du cinéma suédois. On la voit notamment dans *'Simon de Backabo'* (*Simon i Backabo,* E. G. Edgren, 1934), *Un crime* (*Ett brott,* Anders Henrickson, 1940), *Chevauchée nocturne* (G. Molander, 1942), *l'Empereur du Portugal* (*Kejsaren af Portugalien,* Molander, 1944), *'la Sorcière' (Flickan och djävulen,* H. Faustman, *id.), 'le Festin'* (*Banketten,* H. Ekman, 1948), *Eva* ou *Sensualité* (Molander, *id.*) et *'la Fille du troisième rang'* (*Flickan från tredje raden,* Ekman, 1949). J.-L.P.

BOROWCZYK *(Walerian), cinéaste polonais (Kwilcz 1923).* Il étudie la peinture à l'académie des beaux-arts de Cracovie, puis il se consacre à la lithographie. Il crée alors des affiches de cinéma pour Film Polski, puis se consacre à la réalisation de courts métrages, où il entremêle avec beaucoup de bonheur l'animation et les collages. En collaboration d'abord avec Jan Lenica (*Il était une fois* [*By ' l sobie raz...*], 1957 ; *les Sentiments récompensés* [*Nagrodzone uczucia*], id. ; *la Maison* [*Dom*], 1958), puis seul, il s'impose comme un animateur imaginatif, plein de surprises et d'incongruités (*les Astronautes,* 1959 ; *les Jeux des anges,* 1964). Désormais établi en France, à Paris, il signe en 1966 son premier court métrage entièrement joué *Rosalie,* suivi par *Gavotte* (1967) et *Diptyque* (id.). Puis il confectionne, avec plusieurs dessins animés réalisés antérieurement, un long métrage d'animation cruel et presque sadique s'il n'était parfois drolatique, *le Théâtre de Monsieur et Madame Kabal* (1967). Il aborde le film de fiction en mariant l'insolite, l'absurde et l'ingénuité (*Goto, l'île d'amour,* 1969), détourne un drame romantique en l'adaptant à son univers à la fois féroce et ambigu (*Blanche,* 1972). La recherche d'un certain esthétisme pictural très flatteur pour les yeux l'entraîne dans des entreprises d'abord séduisantes, puis de plus en plus discutables. Il croit donner à l'érotisme ses lettres de noblesse (*Contes immoraux,* 1974), aborde par le biais du fantastique la zoophilie (*la Bête,* 1975), se refait une santé surréaliste en Pologne en adaptant un roman de Stefan Żeromski, *l'Histoire d'un péché* (*Dzieje grzechu,* id.), tente d'illustrer par des images trop luxueuses *la Marge* (1976), le roman de Pieyre de Mandiargues, puis s'enferme dans une *formule* où la somptuosité des images et l'évidente volonté de contester tous les tabous sexuels avec un sens habile de la provocation ne parviennent plus à masquer la complaisance dans le scabreux ou le pervers (*Intérieur d'un couvent* [*Interno di un convento*], 1978 ; *les Héroïnes du mal,* 1979 ; *l'Armoire* [un épisode du film *Collections privées,* id.] ; *Lulu,* 1980 ; *Docteur Jekyll et les femmes,* 1981 ; *l'Art d'aimer,*

1983 ; *Emmanuelle 5,* 1986 ; *Cérémonie d'amour,* 1988). J.-L.P.

BORREMANS *(Guy), technicien et cinéaste canadien (Dinant, Belgique, 1934).* Il s'installe au Canada en 1951. D'abord photographe de presse, puis employé à l'ONF, il est directeur de la photographie d'un grand nombre de films (fiction ou cinéma direct) réalisés au Québec depuis 1960, notamment des films d'Arthur Lamothe (*les Bûcherons de la Manouane,* 1962, et la série TV *Carcajou ou le Péril blanc* en 1972-1974).

En 1960, Guy Borremans réalise *la Femme-image,* court métrage poétique sur le désir et l'amour, influencé par le surréalisme et l'avant-garde française. J.-P.J.

BORSODY *(Eduard von), cinéaste autrichien (Vienne 1898 -* id. *1970).* Ancien officier, il est introduit dans les milieux du cinéma par son frère Julius, décorateur, et travaille de 1919 à 1932 comme opérateur. Monteur et assistant réalisateur, il réalise son premier film en 1937-38 : *Brillanten.* Il touche le public le plus large avec deux films d'aventures écrits en collaboration avec Ernst von Salomon : *Marajo, la lutte sans merci* (*Kautschuck,* 1938) et *Congo-Express* (*Kongo Express,* 1939). Son film *l'Épreuve du temps* (*Wunschkonzert,* 1940) est un des grands succès commerciaux de l'époque. Après la guerre, il est metteur en scène de théâtre en Autriche, puis de télévision (1965-1968) et dirige des dizaines d'œuvres mineures dont sept « Heimatfilm », *Liane la sauvageonne* (*Liane, das Mädchen aus dem Urwald,* 1956) et *Traumrevue,* son dernier film (1959). Il a écrit dix-huit scénarios, dont ceux de ses principaux titres, et le *Mozart* de Karl Hartl (1942). D.S.

BORY *(Jean-Louis), écrivain français (Méréville 1919 -* id. *1979).* Passionné par le cinéma, ses articles dans *Arts* (1961-1966), *le Nouvel Observateur* (1966-1979), ses interventions à la radio tendent à défendre avec brio et générosité les *maudits,* à aider à la compréhension des jeunes auteurs, des cinémas inconnus et des *différences.* Plaidant pour un « cinéma debout » contre « un cinéma couché », il récuse les tabous académiques ou moraux, mais son progressisme n'exclut pas la défense de la forme ni même de l'esthétisme. Son audience auprès d'un public très divers est indéniable. Il a publié *Questions au cinéma* (1973) et réuni ses chroniques en sept volumes. C.M.C.

BORZAGE *(Frank), cinéaste américain (Salt Lake City, Utah, 1890 - Los Angeles, Ca., 1962).* Très tôt attiré par le théâtre, Frank Borzage se rend à vingt ans à Hollywood, où il tient bientôt des rôles importants dans des films de Thomas Ince. Dès 1916, il réalise des westerns dont il est également l'interprète. Son premier grand succès date de 1920, avec *Humoresque,* d'après un roman de Fanny Hurst. « On trouve dans *Humoresque* des analyses psychologiques qui sont parmi les plus aiguës du cinéma. La première partie du film, traitant la vie d'une famille juive dans le ghetto de New York, contient d'admirables passages de véritable caractérisation. » (Peter Milne, in *Motion Picture Directing,* New York, 1922.)

Ce texte contemporain signale lucidement l'importance historique de Borzage, qui a su avec quelques autres (De Mille, Lubitsch, le Chaplin de *l'Opinion publique,* etc.) acclimater au cinéma l'art (venu du théâtre et de la littérature) de la caractérisation, de la nuance psychologique. En même temps, Milne souligne ce qui, allant d'ailleurs dans le même sens, restera une constante de Borzage, plusieurs fois notée au cours de sa longue carrière : l'attention méticuleuse aux détails. Enfin, la description d'un milieu *marginal,* alliée à la sentimentalité de Fanny Hurst, préfigure une grande partie de l'œuvre à venir, l'évocation tendre et romantique des humbles, des déshérités.

On citera d'abord ce charmant chef-d'œuvre qu'est *l'Heure suprême* (1927), qui met en scène le Paris de 1914-1918, un Paris de fantaisie, petit monde d'égoutiers et de « filles » vivant dans des mansardes à la fois misérables et complètement idéalisées. Les protagonistes (Charles Farrell et Janet Gaynor) y défient tranquillement, sans provocation, les convenances sociales et religieuses et jusqu'à la mort elle-même. Les mêmes interprètes reparaissent dans *l'Ange de la rue* (1928), dont le cadre est une Italie non moins fantaisiste, avec pour acteurs du drame des gens du cirque (donc des marginaux), des « filles » encore. Comme dans *l'Heure suprême,* il s'y manifeste une religiosité à la fois superstitieuse et méfiante à l'égard de l'Église qu'on retrouvera fréquemment chez Borzage (par ex. dans : *l'Adieu au drapeau,* 1932 ; *Ceux de la zone,* 1933 ; *Chirurgiens* 1939 ; *le Cargo maudit,* 1940 ; *The Mortal Storm,* id.). Il faut mentionner encore *la Femme au corbeau* (1928 aussi), avec Charles Farrell et Mary Duncan, dont il ne resterait plus qu'une version incomplète. Mais, sans rien renier de son romantisme, Borzage allait trouver dans le contexte historique des années 30, crise économique, chômage, montée du nazisme et autres totalitarismes, un matériau fertile. Il n'est à cet égard que de comparer à *l'Heure suprême* le film *l'Adieu au drapeau* (d'après *l'Adieu aux armes* d'Hemingway). On croit plus à l'Italie de la Première Guerre mondiale qu'au Paris du « septième ciel », différence due partiellement au parlant, partiellement sans doute à la source de l'adaptation, mais aussi, semble-t-il, à la conscience que les risques d'un nouveau conflit allaient augmentant. Et cette supériorité de *l'Adieu au drapeau* dans la crédibilité est d'autant plus frappante que l'interprétation d'Helen Hayes est fort inférieure à celle de Janet Gaynor.

Les brillantes réussites de Borzage sont au même titre que les *comédies loufoques* de La Cava ou de Leisen une réaction directe à la Dépression. *Ceux de la zone* met en scène une fois encore des marginaux et participe d'une sorte d'anarchisme poétique qu'on retrouve à la même époque dans *Zoo in Budapest* de Rowland V. Lee (1933), également avec Loretta Young, en France dans *l'Atalante* de Jean Vigo. Il faut surtout mettre en relief ce qu'on peut appeler la *trilogie allemande* de Borzage : *Et demain ?* (1934), d'après Hans Fallada, trace un sombre tableau (physique et moral) de la république de Weimar ; le « petit homme » auquel fait allusion le titre original est l'exact équivalent européen de l'« homme oublié » dont Roosevelt promet au même moment de s'occuper. Dans *Trois Camarades* (1938), on devine déjà une manière d'idéalisation, voire de culte de la mort comme échappatoire à d'insolubles problèmes sociaux. *The Mortal Storm,* enfin, met explicitement en cause l'idéologie et la pratique nazies, leur opposant à la fois l'arbre de vie, éternel symbole d'espérance, et le refuge de l'espace blanc de la neige et de la mort, expression d'une révolte passionnée mais désespérée.

D'autres titres des années 30 sont plus traditionnels dans leur propos. Citons avant tout *Le destin se joue la nuit* (1937), qui mêle avec virtuosité les registres de la tendresse, de l'humour et de l'émotion, la séduction des apparences et la mise à nu de leur caractère trompeur.

Ailleurs, cependant, Borzage se montre sensible aux prestiges hollywoodiens de la haute société, des décors et des toilettes de luxe. Il en est ainsi dans des mélodrames comme *Sur le velours* (1935) ou *l'Ensorceleuse* (1938), dans une comédie sophistiquée comme *Désir* (1936), qui est un cas limite, puisque Lubitsch en assura la production et la supervision. On considère en général que, à partir des années 40, Borzage n'a fait que se survivre ou se répéter, que ses films soient devenus *commerciaux,* ou qu'il n'ait pas su adapter son style à l'évolution du cinéma, ce qui est un peu contradictoire. On excepte habituellement *le Fils du pendu* (1949), dont le pessimisme et le fatalisme sont caractéristiques à la fois du Borzage et du *film noir* des années 40.

Le déclin relatif de Borzage à la fin de sa carrière (les motifs de son inactivité entre *le Fils du pendu* et *China Doll* ne sont pas entièrement éclaircis ; il est possible que l'alcool y eût une part) ne doit pas faire oublier qu'il fut l'un des plus importants réalisateurs de la fin du muet et des années 30, avec un style qui lui était propre mais adapté au système de production hollywoodien : intrigues insérant un intérêt romantique dans un cadre réaliste et marqué socialement, production soignée dans les moindres détails des décors et des costumes, direction d'acteurs simultanément méticuleuse et inspirée. Il a su en particulier faire exprimer par des interprètes féminines à l'apparence fragile une force et une détermination pathétiques et inébranlables qui font d'elles des héroïnes. Capables d'aller jusqu'au sacrifice d'elles-mêmes et à la mort, telles sont en effet Janet Gaynor dans *l'Heure suprême* et *l'Ange de la rue,* Loretta Young dans *Ceux de la zone,* Gail Russell dans *le Fils du pendu,* Margaret Sullavan surtout dans *Trois Camarades* et *The Mortal Storm.* Il a été le poète du couple. Ses meilleures œuvres frémissent d'une spiritualité qui est difficile à définir, car elle puise à des sources littéraires assez troubles (Lloyd

C. Douglas pour *Chirurgiens*), mais dont le caractère syncrétique et nébuleux n'en diminue ni l'évidente sincérité, ni l'indéniable originalité, ni l'attrait qu'elle continue à exercer sur le spectateur. J.-L.B.

Films ▲ : *That Gal of Burke's* (1916) ; *Mammy's Rose* (coréal. James Douglas, *id.*) ; *Life's Harmony* (coréal. Lorimer Johnston, *id.*) ; *The Silken Spider* (id.) ; *The Code of Honor* (id.) ; *Nell Dale's Men Folks* (id.) ; *The Forgotten Prayer* (id.) ; *The Courtin' of Calliope Clew* (id.) ; *Nugget Jim's Pardner* (id.) ; *The Demon of Fear* (id.) ; *Land o'Lizards / Silent Shelby* (id.) ; *Immediate Lee / Hair Trigger Casey* (id.) ; *Enchantment* (id.) ; *The Pride and the Man* (id.) ; *Dollars of Dross* (id.) ; *la Petite Châtelaine* (*Wee Lady Betty*, 1917, coréal. Charles Miller) ; *Au pays de l'or* (*Flying Colors*, id.) ; *le Piège* (*Until They Get Me*, id.) ; *The Atom* (1918) ; *la Fille du ranch* (*The Gun Woman*, id.) ; *le Premier Pas* (*Shoes that Danced*, id.) ; *Innocent's Progress* (id.) ; *A Honest Man* (id.) ; *Society for Sale* (id.) ; *Who Is to Blame ?* (id.) ; *The Ghost Flower* (id.) ; *The Curse of Iku* (id.) ; *Toton* (1919) ; *Prudence of Broadway* (id.) ; *Ceux que les dieux détruiront* (*Whom the Gods Destroy*, id.) ; *la Roturière* (*Ashes of Desire*, id.) ; *Humoresque* (*id.*, 1920) ; *The Duke of Chimney Butte* (1921) ; *Pour faire fortune* (*Get-Rich-Quick Wallingford*, id.) ; *le Repentir* (*Back Pay*, 1922) ; *Billy Jim* (id.) ; *Un père* (*The Good Provider*, id.) ; *Valley of Silent Men* (id.) ; *The Pride of Palomar* (id.) ; *The Nth Commandment* (1923) ; *Children of Dust* (id.) ; *Age of Desire* (id.) ; *Secrets* (*id.*, 1924) ; *Sa vie* (*The Lady*, 1925) ; *Daddy's Gone a-Hunting* (id.) ; *Si les hommes pouvaient* (*Wages for Wives*, id.) ; *Notre héros* (*Lazybones*, id.) ; *The Circle* (id.) ; *Giboulées conjugales* (*The First Year*, 1926) ; *The Dixie Merchant* (id.) ; *Early to Wed* (id.) ; *la Roturière* (*Marriage License ?*, id.) ; *l'Heure suprême* (*7th Heaven*, 1927) ; *l'Ange de la rue* (*Street Angel*, 1928) ; *la Femme au corbeau* (*The River*, 1929) ; *l'Idole* (*Lucky Star*, id.) ; *They Had to See Paris* (id.) ; *Song o'My Heart* (1930) ; *Liliom* (id.) ; *Young as You Feel* (1931) ; *Doctor's Wives* (id.) ; *Bad Girl* (id.) ; *After Tomorrow* (1932) ; *Jeune Amérique* (*Young America*, id.) ; *l'Adieu au drapeau* (*A Farewell to Arms*, id.) ; *Secrets* (*id.*, 1933) ; *Ceux de la zone* (*Man's Castle*, id.) ; *Et demain ?* (*Little Man, What Now ?*, 1934) ; *Comme les grands* (*No Greater Glory*, id.) ; *Mademoiselle Général* (*Flirtation Walk*, id.) ; *Sur le velours* (*Living on Velvet*, 1935) ; *Bureau des épaves* (*Stranded*, id.) ; *Shipmates Forever* (id.) ; *Désir* (*Desire*, 1936) ; *Betsy* (*Hearts Divided*, id.) ; *la Lumière verte* (*Green Light*, 1937) ; *Le destin se joue la nuit* (*History Is Made at Night*, id.) ; *la Grande Ville* (*The Big City / The Skyscraper Wilderness* id.) ; *Trois Camarades* (*Three Comrades*, 1938) ; *l'Ensorceleuse* (*The Shining Hour*, id.) ; *Mannequin* (id., *id.*) ; *Disputed Passage* (1939) ; *le Cargo maudit* (*Strange Cargo*, 1940) ; *The Mortal Storm* (id.) ; *Flight Command* (1941) ; *Chagrins d'amour* (*Smilin' Through*, id.) ; *The Vanishing Virginian* (1942) ; *Sept Amoureuses* (*Seven Sweethearts*, id.) ; *le Cabaret des étoiles* (*Stage Door Canteen*, 1943) ; *la Sœur de son valet* (*His Butler's Sister*, id.) ; *Till We Meet Again* (1944) ; *Pavillon noir* (*The Spanish Main*, 1945) ; *Magnificent Doll* (1946) ; *Je vous ai toujours aimé* (*I've Always Loved You*, id.) ; *le Bébé de mon mari* (*That's My Man*, 1947) ; *le Fils du pendu* (*Moonrise*, 1948) ; *China Doll* (1958) ; *Simon le pêcheur* (*The Big Fisherman*, 1959).

BOSE *(Debaki Kumar), cinéaste et scénariste indien (Akalpoush, Bengale, 1898 - Calcutta 1971).* Écrivain, journaliste, dévot et nationaliste, il écrit son premier scénario pour Dhiren Ganguly et interprète le rôle principal de ce film muet : *'Flammes de chair'* (*Kamaner Aagun*, 1928). Entre 1929 et 1960, il réalise une quarantaine de films. Leur spiritualité, l'emploi raffiné de la musique et des chants ont largement contribué à l'émergence d'un cinéma bengali de qualité. Ses meilleurs films datent de l'époque où il a travaillé pour la compagnie New Theatres, de 1930 à 1935, puis de 1937 à 1940. Citons : *Chandidas* (1932), inspiré par la vie d'un saint poète du XVIe siècle ; *'le Dévot'* (*Puran Baghat*, 1933), en hindī, qui fut un succès dans toute l'Inde ; *Seeta* (1934), premier film indien envoyé au festival de Venise ; *Sonar Sansar / Sunchra Sansar* (1936) ; *Vidyapathi* (1937), sur la vie d'un autre saint poète ; *'la Danseuse'* (*Nartaki*, 1940), sur le thème de la chair et de l'esprit ; *Kavi* (1949) ; *Pathik* (1953). H.M.

BOSÈ *(Lucia), actrice italienne (Milan 1931).* Élue « Miss Italie » dans un concours de beauté, elle est pressentie pour tenir le rôle vedette de *Riz amer*, mais on lui préfère Silvana Mangano. Par compensation, le réalisateur Giuseppe De Santis l'engage dans *Pâques sanglantes* (1950), et la même année Michelangelo Antonioni dans son premier long métrage *Chronique d'un amour*. « L'irruption de cette actrice au cœur de notre cinémathèque imaginaire, écrit Freddy Buache, fut un foudroiement parce qu'elle retrouvait par la caméra d'Antonioni la magie des divas en même temps que les sortilèges de Louise Brooks. » Avec cette dernière, elle entretient en effet une certaine ressemblance, accentuée par la coiffure, le sourire triste, la clarté du regard. Dans les années 50, Lucia Bosè tournera une quinzaine de films de valeur inégale, les meilleurs étant signés à nouveau De Santis (*Onze heures sonnaient,* 1952) et Antonioni (*la Dame sans camélias,* 1953), Francesco Maselli (*Gli sbandati,* 1955), Juan Antonio Bardem (*Mort d'un cycliste,* en Espagne, 1955) et Luis Buñuel (*Cela s'appelle l'aurore,* en France, 1956), les pires : Mario Bonnard ou Glauco Pellegrini. Alain Resnais utilise son beau visage en effigie dans *Toute la mémoire du monde* (1956). Après son mariage avec le torero Luis Miguel Dominguin, elle abandonne le cinéma, ne consentant qu'une brève apparition dans *le Testament d'Orphée* de Jean Cocteau (1960). Elle n'y reviendra qu'à partir de 1969, avec le *Satyricon* de Fellini (un rôle de matrone). Sa deuxième carrière nous révèle une femme mûrie, aux traits sévères, dotée d'une singulière *aura* tragique : *Sous le signe du scorpion* (P. et V. Taviani, 1969), *Metello* (M. Bolognini, 1970), *Vertiges* (*id.,* 1975), *Chronique d'une mort annoncée* (F. Rosi, 1986), *l'Enfant de la lune* (*El niño de la luna,* Agustin Villaronga, 1989). C.B.

BOSETTI *(Roméo), cinéaste et acteur français (Paris 1879 -* id. *1946).* Enfant de la balle, il fait ses premières armes dans le cirque et le music-hall dès l'âge de dix ans. Il débute comme acteur chez Pathé vers 1906 avec d'autres camarades du monde du spectacle, tel André Deed. Il tourne ensuite chez Gaumont, sous la direction d'Alice Guy, et réalise également de nombreux sketches imaginés par Feuillade dans ses films ; sa connaissance du cirque lui permet d'accomplir des prouesses. En 1908, il entreprend, comme metteur en scène, la série des *Calino,* dont il est également l'interprète. Bientôt il abandonne ses prestations d'acteur pour se consacrer uniquement à la réalisation. En 1911, il passe à la Lux Film, où il met en scène la succession des *Rosalie* et des *Patouillard.* Il élabore ensuite, pour la firme Éclair, la série des *Casimir* (1912-1914). Blessé pendant la Grande Guerre, cet auteur comique ne parvient pas à se recycler dans le cinéma d'après-guerre. On ne le retrouve plus, par la suite, que comme acteur de complément dans de nombreux films. R.BA.

BOSSAK *(Jerzy), cinéaste polonais (Rostov-sur-le-Don, Russie, 1910 - Varsovie 1989).* Critique de cinéma, il est au cours des années 30 l'un des animateurs du groupe Start qui réunit les cinéphiles de Varsovie. Pendant la guerre, il est l'un des organisateurs de l'avant-garde cinématographique de l'armée polonaise ; il est opérateur au front. Coauteur (avec Aleksander Ford) du documentaire *Maïdanek* (1944) et du montage d'actualités *la Bataille de Kolobrzeg* (1945), il est, après la Libération, codirecteur de l'entreprise Film Polski, responsable de *Polska Kronika Filmowa* (actualités), professeur à l'École supérieure de cinéma de Łódź, directeur artistique du groupe de production Kamera (1957-1968) et auteur de très nombreux documentaires, parmi lesquels : *La paix vaincra* (*Pokoj Zwyciezy swiat,* 1951 ; co J. Ivens) ; *Nous le jurons !* (*Slubujemy !,* id.) ; *Retour à la vieille ville* (*Powrót na Stare Miasto,* 1952) ; *Requiem pour 500 000 morts* (*Requiem dla 500 000,* 1963). J.-L.P.

BOST *(Pierre), écrivain et scénariste français (Lasalle 1901 - Paris 1975).* Auteur de romans et de pièces, il débute au cinéma avec les dialogues de *l'Héritier des Montdésir* (A. Valentin, 1940), sur un scénario de Jean Aurenche. Dialoguiste sur des films comme *Croisières sidérales* (A. Zwoboda, 1942), *Dernier Atout* (J. Becker, *id.*), *Madame et le Mort* (L. Daquin, 1942), ou *Patrie* (id., 1946), il se consacre ensuite presque exclusivement à une collaboration de trente ans avec Aurenche. Il a également travaillé sans son compère favori à une douzaine de films comme coscénariste ou dialoguiste. Parmi eux : *Les jeux sont faits* (J. Delannoy, 1947) ; *le Château de verre* (R. Clément, 1950) ; *la P... respectueuse* (M. Pagliero et Ch. Brabant, 1952) ; *Une fille nommée Madeleine* (A. Genina, 1954) ; *Œil pour œil* (A. Cayatte, 1957), *Pantalaskas* (P. Paviot, 1959) ou *Quelle joie de vivre !* (R. Clément, 1961 ; co L. Benvenuti et P. de Bernardi). Son roman *Monsieur Ladmiral va bientôt mourir* a été porté à l'écran par Bertrand Tavernier sous le titre *Un dimanche à la campagne.* [→ AURENCHE.] J.-P.B.

BOSUSTOW *(Stephen), producteur américain d'animation (Victoria, Colombie britannique, Canada, 1911 - Los Angeles, Ca., 1981).* Son importance historique, parfois contestée, vient de ce qu'il a fondé en 1945 l'United Productions of America (UPA), qui révolutionna le domaine de l'image animée en même temps qu'en Europe naissaient l'école tchèque et au Québec celle de McLaren.

D'origine canadienne, Bosustow débute en 1932 avec Ub Iwerks dans la série *Flip la Grenouille (Flip the Frog)* puis avec Walter Lantz en 1934. C'est alors qu'entrant chez Walt Disney il devient animateur (sur *Blanche-Neige, Bambi* et *Fantasia*) et porte la moustache de son employeur, dont il adopte les méthodes, sinon le style. Profitant de la grève qui, en 1941, paralysa la plus fameuse usine de cartoons de l'histoire du cinéma, il coordonne les différentes tendances qui y couvaient et qui, rejetant à la fois le style en O cher à «l'oncle Walter» et son industrialisation à outrance, réclamaient un renouvellement total de l'esthétique : réduction volontaire de la palette et adoption de couleurs franches, aplatissement du décor, schématisation des personnages et de leur gestuelle. Des artistes comme John Hubley, Pete Burness, Art Babbitt, Jules Engel, Paul Julian mettent au point la nouvelle stylisation qui allait connaître un immense succès. Auprès d'eux, figurent Ted Parmelee, Gene Deitch, Tee Hee, Bill Hurtz, Zachary Schwartz, Dave Hilberman, Ernest Pintoff, Bill Melendez. Liée d'emblée à la Columbia, l'UPA, que lancent un film sur la soudure dans les chantiers maritimes, *Sparks and Chips Get the Blitz,* un tract rooseveltien, *Hell-Bent for Election,* et un film syndical *Brotherhood of Man,* travaille pour l'armée et la télévision, produit des films industriels ou didactiques qu'encadrent ses deux plus populaires créations, *Mr. Magoo* de Pete Burness et *Gerald McBoing Boing* de Robert Cannon.

Il semble qu'on ait un peu surestimé la part créatrice de Bosustow qui fut surtout un organisateur hors pair, un actionnaire astucieux et le gérant avisé de cette entreprise collective extrêmement prolixe en idées neuves. Après une brève floraison de longs métrages centrés sur le personnage fétiche de Mr. Magoo *(les Aventures d'Aladin, le Noël de Mr. Magoo),* l'UPA s'éparpilla en productions individuelles : Storyboard Productions, Playhouse Pictures, Fine Arts Productions, Brandon Films, Pintoff Productions, etc. La plus grande victoire de Bosustow, ce fut quand Walt Disney, voulant à son tour plagier la révolution de l'UPA, produisit *Toot, Whistle, Plunk and Boom.* Ce fut l'une de ses dernières satisfactions. Elle date de 1953. R.BN.

BOSWORTH *(Hobart Van Zandt Bosworth,* dit *Hobart), acteur, producteur, scénariste et cinéaste américain (Marietta, Ohio, 1867 - Glendale, Ca., 1943).* Il apparaît dans les premières années du XXe siècle comme acteur de théâtre à Broadway mais doit abandonner les planches après avoir temporairement perdu... sa voix. Il commence en 1909 une carrière au cinéma en tournant pour la Selig *In the Sultan's Power.* Attaché à cette compagnie, il est à la fois scénariste, réalisateur et acteur. Il fonde en 1913 sa propre compagnie et signe la même année un long métrage ambitieux, *The Sea Wolf,* où il se retrouve des deux côtés de la caméra. Sa carrière se poursuit tout au long des années 10 et des années 20 : *Joan the Woman* (C.B. De Mille, 1916), *Behind the Door* (Irvin Willat, 1919), *The Sea Lion* (R.V. Lee, 1921), *My Best Girl* (S. Taylor, 1927), mais il est encore actif dans la première décennie du cinéma parlant (*Grande Dame d'un jour,* F. Capra, 1933 ; *Steamboat Round the Bend,* J. Ford, 1935) et ce jusqu'en 1942 (*Sin Down,* 1942, son dernier film). J.-L.P.

BOTELHO *(Alberto et Paulino), cinéastes et chefs opérateurs brésiliens.* Ces deux frères, pionniers du cinéma, photographes de presse, deviennent opérateurs d'actualités, puis de films de fiction, pendant la *belle époque* (1907-1911) où le cinéma brésilien connut un essor remarquable. Paulino, l'aîné, tourna des reconstitutions de faits divers dont le public était friand, comme *A Mala Misteriosa* (1910) ou *O Crime de Paula Matos* (1913). Alberto filma de nombreuses *chansons illustrées,* très populaires, produites par Francisco Serrador entre 1907 et 1911. Il battit les records de fréquentation d'alors avec une satire politique, *Paz e Amor* (1910). P.A.P.

BOTELHO *(João), cinéaste portugais (Lamego 1949).* Graphiste, illustrateur de livres, animateur de ciné-club, critique de cinéma, il réalise en 1978 un premier court métrage *Alexandre e Rosa* (co Jorge Alves da Silva) puis en 1980

Conversa Acabada (id.), qui évoque la rencontre de deux grands poètes nationaux Fernando Pessoa et Mário de Sá Carneiro. *Un adieu portugais* (*Um Adeus Português,* 1985), *Este Tempo/Hard Times* (*Tempos Difíceis,* 1988, d'après Dickens), *O Ar/o Dia de Meus Anos* (1992), *Ici sur la terre* (*Aqui na Terra,* 1993) et *Tres Palmeras* (1994) lui apportent un renom international. C.O.

BOUAMARI *(Mohamed), cinéaste algérien (environs de Sétif* [auj. *Stif*] *1941).* Autodidacte, l'UNEF lui accorde une bourse pour un séjour de formation en France aux métiers de plateau (TV). En 1965, il regagne Alger et devient assistant à l'ONCIC et pour l'OAA, où il travaille avec Lakhdar Hamīna, d'abord (non crédité sur *le Vent des Aurès,* 1966), puis avec Costa-Gavras (*Z,* 1969) et Bertucelli (*Remparts d'argile,* 1970). Il réalise des courts métrages intéressants, puis *le Charbonnier* (*al-Faḥḥm,* 1972), remarqué par la critique. Avec *l'Héritage* (1974) et *Premier Pas* (1980), qui posent pourtant la question de l'émancipation féminine, le cinéaste a perdu beaucoup de l'originalité de ses débuts. C.M.C.

BOUCHER *(Victor), acteur français (Rouen 1877 - Paris 1942).* Sa vie durant, il triomphe à la scène grâce à l'efficacité comique d'un jeu qui combine l'hésitation du débit à l'autorité du geste. Maurice Tourneur, dès 1913, lui fait reprendre à l'écran un de ses rôles favoris *(la Petite Chocolatière).* Le parlant lui permet d'honorer mieux encore Bourdet, Croisset, Flers et Caillavet : *les Vignes du seigneur* (R. Hervil, 1932), *le Sexe faible* (R. Siodmak, 1933), *l'Habit vert* (R. Richebé, 1937), *le Bois sacré* (L. Mathot, 1940). Guitry lui réserve une apparition dans *Faisons un rêve* (1937) et un bon sketch de *Ils étaient neuf célibataires* (1939). R.C.

BOUCLE (1). Courbe ménagée, dans le circuit du film, entre les débiteurs (qui font avancer le film à vitesse constante) et le dispositif d'avance intermittente. (→ CAMÉRA, PROJECTION, INVENTION DU CINÉMA.)

BOUCLE (2). Courte séquence, refermée sur elle-même par un collage, projetée en « boucle » lors d'une opération de bruitage, de doublage ou de postsynchronisation. (→ DOUBLAGE.)

BOUDRIOZ *(Robert), cinéaste français (Versailles 1887 - Paris 1949).* De 1907 à 1922, il écrit, pour Pathé, quelque 350 scénarios. Réalisateur chez Éclair à partir de 1917, il aborde tous les genres avec la même aisance dans le récit et le même brio dans la mise en scène. Révélé par *l'Âtre* (avec Charles Vanel, 1922), il s'affirme encore dans *Tempêtes* (avec Mosjoukine, *id.*), *l'Épervier* (1925) et *Vivre* (1928). À la venue du parlant, il doit se consacrer à des adaptations commerciales comme *l'Anglais tel qu'on le parle* (d'après T. Bernard, 1931), *le Grillon du foyer* (d'après Dickens, 1933), *l'Homme à l'oreille cassée* (d'après E. About, 1935). M.M.

BOUGHEDIR *(Ferid), critique et cinéaste tunisien (Hammam-lif 1944).* Après des études de lettres françaises, il poursuit des études de cinéma à l'université de Paris-III. Formé au cinéma comme assistant-réalisateur avec Alain Robbe-Grillet et Arrabal. Rentré à Tunis, il est critique de cinéma dans divers journaux et enseignant à l'université. Refusant les clichés dans lesquels la critique occidentale et sa cinéphilie enferment les cinématographies du sud, il tente de s'ériger en porte-parole d'un cinéma peu connu. Il commence à filmer en amateur les festivals de Ouagadougou et de Carthage avant de consacrer un film au cinéma africain, *Caméra d'Afrique* (1983). Suit dans la même veine *Caméra arabe* (1987). Son premier long métrage, *Halfaouine, l'enfant des terrasses* (*Asfour stah,* 1990), est un succès à la fois critique et commercial sans précédent dans le cinéma tunisien. Halfaouine est un quartier populaire de Tunis que le cinéaste dépeint avec verve et sensualité. C'est aussi l'éveil trouble d'un adolescent qui découvre sa sexualité. Sa puberté naissante attise son inquiétude d'être partagé entre le monde des hommes, qui l'attire, et celui des femmes, qui le protège encore. *Un été à la goulette* (1995) est une fresque sur les hommes et la nourriture, le métissage de trois communautés, arabe, juive et chrétienne, tournée dans le quartier de la goulette avec les mêmes acteurs que ceux d'*Halfaouine.* H.Z.

BOUGIE (1). Ancienne unité d'intensité lumineuse (→ PHOTOMÉTRIE.)

BOUGIE (2). *Effet de bougie* → ÉCLAIRAGE.

BOUISE *(Jean), acteur français (Le Havre 1921 - Lyon 1989).* Il est l'un des grands seconds rôles du cinéma français, omniprésent depuis le milieu des années 60. Passé d'abord par le théâtre, il rencontre son premier succès public à l'écran avec *Z* (Costa-Gavras, 1969). Son jeu retenu et nuancé le destine à des rôles en demi-teinte, où il se révèle souvent inquiétant. Citons, parmi tant d'autres, ses apparitions dans *les Choses de la vie* (C. Sautet, 1970), *Dupont Lajoie* (Y. Boisset, 1975), *M. Klein* (J. Losey, 1976), *Anthracite* (Édouard Niermans, 1980), *le Dernier Combat* (L. Besson, 1983), *Subway* (id., 1985), *Jenatsch* (D. Schmid, 1987), *l'Œuvre au noir* (A. Delvaux, 1988) et *Nikita* (L. Besson, 1990). E.K.

BOULANGER *(Daniel), écrivain, scénariste et acteur français (Compiègne 1922).* C'est l'un des meilleurs scénaristes révélés par la Nouvelle Vague, et un dialoguiste incisif qui peut cerner en quelques mots un personnage. Parmi ses films : *les Jeux de l'amour* (P. de Broca, 1960), *le Farceur* (*id.,* 1961), *Cartouche* (*id.,* id.), *l'Homme de Rio* (*id.,* 1963), *la Vie de château* (J. P. Rappeneau, 1966), *le Roi de cœur* (de Broca, 1967), *le Voleur* (L. Malle, *id.*), *le Diable par la queue* (de Broca, 1969), *l'Affaire Dominici* (C. Bernard-Aubert, 1973), *la Menace* (A. Corneau, 1977), *le Cheval d'orgueil* (C. Chabrol, 1980). J.-P.B.

BOULTING *(John et Roy), cinéastes et producteurs anglais (Bray 1913).* Frères jumeaux, ils ont fondé en 1937 leur commune maison de production, Charter Film, et ne se sont séparés que pendant la guerre, l'un dirigeant un film pour la RAF, l'autre des films pour l'armée de terre. En 1958, ils sont engagés ensemble par la British Lion Films. De leur œuvre abondante, assez anonyme (et où généralement le film produit par l'un est réalisé par l'autre) ne se détachent que, de John : *Journey Together* (1945), *le Gang des tueurs* (*Brighton Rock,* 1947, pour sa fidélité à l'esprit de G. Greene), *Ultimatum* (*Seven Days to Noon,* 1950) et *la Boîte magique* (*The Magic Box,* 1951), biographie assez fantaisiste d'un pionnier du cinéma ; de Roy : *Thunder Rock* (1942), *Desert Victory* (DOC, 1943), *Fame is the Spur* (1947) et *la Course au soleil* (*Run for the Sun,* 1956), transposition des *Chasses du comte Zaroff* dans le repaire africain de nazis en fuite, qui ne manque ni de conviction ni de force. Dans les années 70, ils ont encore signé quelques comédies légères ou burlesques. John est décédé en 1985 à Warfield Dale. G.L.

BOULY *(Léon Guillaume), ingénieur français (1872-1932).* Il est l'auteur, en 1892 et 1893, de brevets et d'appareils dénommés « cinématographe », destinés à l'analyse et à la synthèse du mouvement. Le terme *cinématographe* est donc apparu deux bonnes années avant la présentation du Cinématographe Lumière. Mais c'est l'appareil Lumière qui le rendit célèbre. J.-P.F.

BOUQUET *(Carole), actrice française (Paris 1957).* Ancienne élève du Conservatoire, dans la classe d'Antoine Vitez, elle est remarquée par Luis Buñuel qui l'engage pour *Cet obscur objet du désir* en 1977. Sa beauté (qu'on dira froide), son regard grave et son allure élégante séduisent Bertrand Blier (*Buffet froid,* 1979), avant qu'elle devienne James Bond's girl dans *Rien que pour vos yeux* (John Glen, 1981). Dès lors, elle enchaîne des rôles de beauté fatale et glacée, notamment dans *Mystère* (Carlo Vanzina, 1983), *Nemo* (Arnaud Sélignac, 1984) et *Rive droite, rive gauche* (Ph. Labro, *id.*). Jean-François Stévenin lui donne, dans *Doubles Messieurs* (1986), l'occasion d'un personnage de femme plus imprévisible et passionnée que le stéréotype qu'elle incarne habituellement. Elle partage avec Depardieu et Josiane Balasko la tête d'affiche dans *Trop belle pour toi* (B. Blier, 1989), rôle qui lui vaut le César de la meilleure actrice. On la retrouve ensuite dans *Donne con le gonne* (Francesco Nuti, 1992), *Grosse fatigue* (M. Blanc, 1994), *D'une femme à l'autre* (*A Business Affair,* Charlotte Brandström, id.). E.K.

BOUQUET *(Michel), acteur français (Paris 1926).* Grand acteur de théâtre, il avoue le préférer au cinéma en dépit d'une filmographie importante en quantité, sinon toujours en qualité. Mais ses interventions personnelles sont constamment remarquables, sa seule apparition pouvant conférer un instant de grâce aux films les plus médiocres. Il interrompt ses études à quinze ans, travaille comme apprenti boulanger, employé de banque, avant de suivre les cours de Maurice Escande, qui le menèrent au Conservatoire d'art dramatique. Il figure dans de nombreux films à partir de 1947, mais ce n'est que dans les années 60 qu'il s'impose dans des personnages complexes, énigmatiques et ambigus dont il s'est fait une spécialité, notamment dans les films de Claude Chabrol. M.S.

Films : *les Amitiés particulières* (J. Delannoy, 1964) ; *Le tigre se parfume à la dynamite* (C. Chabrol, 1965) ; *Lamiel* (J. Aurel, 1967) ; *la Route de Corinthe* (Chabrol, *id.*) ; *La mariée était en noir* (F. Truffaut, 1968) ; *la Femme infidèle* (Chabrol, 1969) ; *la Sirène du Mississippi* (Truffaut, *id.*) ; *Un condé* (Y. Boisset, 1970) ; *le Dernier Saut* (E. Luntz, *id.*) ; *la Rupture* (Chabrol, *id.*) ; *Juste avant la nuit* (Chabrol, 1971) ; *l'Humeur vagabonde* (Luntz, 1972) ; *l'Attentat* (Boisset, *id.*) ; *le Serpent* (H. Verneuil, 1973) ; *Deux Hommes dans la ville* (J. Giovanni, *id.*) ; *France société anonyme* (A. Corneau, 1974) ; *le Jouet* (Francis Veber, 1976) ; *l'Ordre et la Sécurité du monde* (Claude d'Anna, 1978) ; *Poulet au vinaigre* (Chabrol, 1985) ; *Toto le héros* (Jaco van Dormaël, 1991).

BOURDELLE *(Thomy Charles Bourdel,* dit *Thomy), acteur français (Paris 1892 - Toulon 1972).* Il débute à l'écran en 1922 dans *Jocelyn* de Léon Poirier, cinéaste avec lequel il tournera de nombreux films, entre autres *la Brière* (1925), *Verdun, visions d'histoire* (1928), *Caïn* (1930), *l'Appel du silence* (1936), *Sœurs d'armes* (1937), *Brazza* (1940, où il est en outre assistant metteur en scène), *la Route inconnue* (1949). Son physique massif, austère, bien fait pour les rôles de *dur* ou d'officier supérieur, sera utilisé dans des films tels que *Fantômas* (P. Fejos, 1932, rôle de Juve), *Quatorze Juillet* (R. Clair, 1933), *les Trois Mousquetaires* (H. Diamant-Berger, *id.,* rôle de Porthos), *l'Homme à l'oreille cassée* (R. Boudrioz, 1935). Il tient son dernier rôle dans *la Tête contre les murs* de Georges Franju (1959). Il fut quelque temps exploitant de cinéma à Dijon. C.B.

BOURGEOIS *(Gérard), cinéaste français (Genève, Suisse, 1874 - Paris 1944).* Acteur, puis directeur de théâtre, il devient directeur artistique de la Société Lux en 1908, puis cinéaste et scénariste à partir de 1911. Malgré une très importante production (mélodrames sociaux, films historiques et sérials), on lui reconnaît un seul chef-d'œuvre : *les Victimes de l'alcool* (1911), film réaliste de 1 000 mètres à la technique élaborée, tourné pour Pathé et signé B. Gérard. Il tourne en 1923-1925 une série de films avec l'acteur et réalisateur allemand Harry Piel *(l'Homme sans nerfs, Face à la mort, Zigano).* P.C.

Films : *Un drame sous Richelieu* (1908) ; *Cadoudal* (1911) ; *Nick Winter* (serial, *id.*) ; *les Victimes de l'alcool* (id.) ; *la Conquête du bonheur* (1912) ; *Chéri-Bibi* (id.) ; *Protea II-III-IV* (1914-1917, serial) ; *Christophe Colomb* (1917) ; *Un drame sous Napoléon* (1921) ; *Faust* (1922, essai en relief).

BOURGOIN *(Jean-Serge* [signe parfois *Serge, Yves* ou *Georges*]*), chef opérateur français (Paris 1913).* Après l'école de cinéma de la rue de Vaugirard, il devient assistant opérateur de Kruger, Bachelet, Matras. Devenu chef opérateur sous le pseudonyme de Yves Bourgoin, qu'il conservera jusqu'en 1950, il se distingue plus particulièrement dans les films en noir et blanc. Parmi ses meilleures réussites : *la Marseillaise* (J. Renoir, 1938) ; *Goupi Mains rouges* (J. Becker, 1943) ; *la Boîte aux rêves* (Y. Allégret, 1945 [RÉ 1943]) ; *Dédée d'Anvers* (Y. Allégret, 1948) ; *Manèges* (*id.,* 1950) ; *Justice est faite* (A. Cayatte, 1950) ; *Mr. Arkadin* (O. Welles, 1955) ; *Mon oncle* (J. Tati, 1958) ; *Orfeu Negro* (M. Camus, 1959) ; *Germinal* (Y. Allégret, 1963). P.C.

BOURGUIGNON *(Serge), cinéaste français (Maignelay 1928).* Diplômé de l'IDHEC, il réalise à partir de 1952 des documentaires, courts métrages et films diffusés dans les circuits de conférences. Le court métrage *le Sourire,* tourné en Birmanie, est récompensé à Cannes en 1959. Il fait des débuts remarqués dans le long métrage de fiction en 1962 avec *les Dimanches de Ville-d'Avray,* qui ne recueille pas l'unanimité critique, mais rencontre cependant le succès, notamment aux États-Unis. Il tourne à Hollywood un western, *la Récompense* (*The Reward,* 1965), qui est considéré comme un échec. De retour en France, il dirige Brigitte Bardot dans *À cœur joie* (1967) puis disparaît des circuits cinématographiques courants. D.S.

BOURNE *(Saint Clair), cinéaste américain (New York, N. Y., 1943).* Un des pionniers de la génération actuelle des cinéastes noirs américains indépendants. Il fait ses premières expériences de réalisation au sein du *Black Journal* sur la chaîne de télévision NET. Entre 1968 et 1972, il y réalise de nombreux

documentaires, sur l'Islām *(The Nation of Common Sense),* les activistes noirs sur les campus *(Black Student Movement),* par exemple. En 1972, il crée sa propre maison de production et de distribution et produit son premier long métrage, film documentaire plus personnel que les précédents : *Let the Church Say Amen* (1973), sur le rôle de l'Église noire contemporaine face aux autres religions et à l'oppression qui pèse sur la communauté noire américaine. Le film ayant été sélectionné dans de nombreux festivals, Saint Clair Bourne devient en quelque sorte le porte-parole du mouvement indépendant noir à l'extérieur des États-Unis. Après avoir produit un long métrage de fiction réalisé par Woodie King *(The Long Night),* il a produit et réalisé plusieurs documentaires, *Big Cities Blues* (sur les blues, à Chicago), *In Motion the Baraka Tape* (sur le poète noir Leroy Jones ou Imanu Baraka) ; puis, en 1981, un reportage sur les activistes noirs américains en Irlande du Nord : *Belfast : Black and Green* et en 1989 un nouveau reportage sur le tournage du film de Spike Lee (*Making «Do the Right Thing»*). Il a fondé la revue *Chamba Notes* consacrée au cinéma noir et aux cinémas du tiers monde.
C.D.R.

BOURRAGE. Engorgement intempestif du circuit du film dans la caméra. (→ CAMÉRA.)

BOURVIL (*André Raimbourg,* dit), *acteur français (Petrot-Vicquemare 1917 - Paris 1970).* Son pseudonyme est emprunté au petit village de Bourville, entre Dieppe et Fécamp, où il passe son enfance. Fils de cultivateurs, on le destine à une carrière d'instituteur ou de garçon boulanger. Mais il est passionné de musique, se produit très jeune dans les bals de campagne, fait son service militaire dans la fanfare du 2e régiment d'infanterie et participe, à la veille de la guerre, aux «crochets» de Radio-Paris, où il obtient un prix. Marqué par ses origines paysannes dans sa démarche, son accent, son rire «bête», il joue volontiers les benêts, les idiots de village. Son imitation de Fernandel dans *Ignace* lui vaut quelque succès et il opte, après la démobilisation, pour le cabaret. Il débute Chez Carrère, en 1942, sous le pseudonyme qui lui restera. Il fait rire la France entière avec la chanson *«Elle vendait des cartes postales et puis aussi des crayons...»,* qui sera reprise dans son premier film, *la Ferme du pendu,* un mélodrame «paysan» de Jean Dréville (1945). On l'entend alors à la radio dans des émissions de Jean-Jacques Vital et de Francis Blanche, il s'affirmera un peu plus tard dans l'opérette *(la Bonne Hôtesse, la Route fleurie)* et au théâtre (*le Bouillant Achille,* de Paul Nivoix). Pendant dix ans, on ne le verra guère à l'écran que dans le même rôle d'«imbécile heureux» de sous-Adémaï, sous des défroques de laveur de carreaux *(Par la fenêtre),* de brave gendarme *(le Roi Pandore)* ou de valet de comédie (Planchet dans *les Trois Mousquetaires*). Pourtant, Bourvil n'est «pas si bête» qu'on le voudrait, et gagne ses galons de vrai comédien avec Clouzot (l'amoureux transi de *Miquette et sa mère*) et Guitry (le gardien de musée de *Si Versailles m'était conté*). Il s'essaie même au drame avec *Seul dans Paris.* En 1956, c'est la rencontre au sommet avec Jean Gabin et Louis de Funès, dans le rôle du trafiquant de marché noir, un peu pleutre, un peu hâbleur, où se reconnaît le Français moyen, de *la Traversée de Paris,* qui lui vaut un grand prix d'Interprétation au festival de Venise. «Le rire dans la qualité, c'est ce que je voudrais pouvoir faire», déclare-t-il. Il y parviendra durant la décennie suivante, avec des personnages plus étoffés dans *la Jument verte* de Claude Autant-Lara, *Fortunat* et *les Culottes rouges* d'Alex Joffé, un double rôle dans *Tout l'or du monde* de René Clair, et surtout ses prestations insolites, presque surréalistes (pilleur d'église, professeur contestataire, sexologue en rupture de ban) chez Jean-Pierre Mocky : *Un drôle de paroissien, la Grande Frousse, la Grande Lessive, l'Étalon.* Il prouve qu'il peut jouer aussi les affreux (Thénardier dans *les Misérables,* version 1957), les pauvres types *(le Miroir à deux faces),* les forestiers au grand cœur *(les Grandes Gueules).* Ce qui ne l'empêche pas de persister dans son emploi habituel, sous la houlette de Gérard Oury *(le Corniaud, la Grande Vadrouille, le Cerveau).* Son meilleur rôle sera sans doute l'avant-dernier, inattendu, celui du commissaire Mattei, impassible et obstiné, dans *le Cercle rouge* de Jean-Pierre Melville. Pour la première fois, au générique, il porte son prénom : André Bourvil. Terrassé par un cancer, il meurt quelques jours avant la sortie de ce pénultième film.
C.B.

Films ▲ : *la Ferme du pendu* (J. Dréville, 1945) ; *Pas si bête* (A. Berthomieu, 1947) ;

Blanc comme neige (Berthomieu, 1948) ; *Par la fenêtre* (G. Grangier, *id.*) ; *le Cœur sur la main* (Berthomieu, 1949) ; *Miquette et sa mère* (H.-G. Clouzot, 1950) ; *le Roi Pandore* (Berthomieu, *id.*) ; *le Rosier de madame Husson* (J. Boyer, *id.*) ; *Garou Garou le passe-muraille* (Boyer, 1951) ; *Seul dans Paris* (H. Bromberger, 1952) ; *le Trou normand* (Boyer, *id.*) ; *Cent Francs par seconde* (Boyer, *id.*) ; *les Trois Mousquetaires* (A. Hunebelle, 1953) ; *Si Versailles m'était conté* (S. Guitry, 1954) ; *Cadet Rousselle* (Hunebelle, *id.*) ; *Poisson d'avril* (G. Grangier, *id.*) ; *le Fil à la patte* (G. Lefranc, 1955) ; *les Hussards* (A. Joffé, *id.*) ; *la Traversée de Paris* (C. Autant-Lara, 1956) ; *le Chanteur de Mexico* (R. Pottier, *id.*) ; *Sérénade au Texas* (*id.* 1958) ; *les Misérables* (J.-P. Le Chanois, *id.*) ; *Un drôle de dimanche* (Marc Allégret, *id.*) ; *le Miroir à deux faces* (A. Cayatte, *id.*) ; *le Chemin des écoliers* (M. Boisrond, 1959) ; *Fortunat* (Joffé, 1960) ; *le Capitan* (Hunebelle, *id.*) ; *Tout l'or du monde* (R. Clair, 1961) ; *le Tracassin* (Joffé, *id.*) ; *les Culottes rouges* (*id.*, 1962) ; *le Jour le plus long* (id.) ; *les Bonnes Causes* (Christian-Jaque, 1963) ; *Un drôle de paroissien* (J.-P. Mocky, *id.*) ; *le Magot de Joséfa* (Autant-Lara, *id.*) ; *la Cuisine au beurre* (G. Grangier, *id.*) ; *la Grande Frousse / la Cité de l'indicible peur* (Mocky, 1964) ; *le Corniaud* (G. Oury, *id.*) ; *Guerre secrète* (Christian-Jaque, 1965) ; *la Grosse Caisse* (Joffé, *id.*) ; *les Grandes Gueules* (R. Enrico, *id.*) ; *la Grande Vadrouille* (Oury, 1966) ; *Trois Enfants dans le désordre* (L. Joannon, *id.*) ; *les Arnaud* (*id.*, 1967) ; *les Cracks* (Joffé, 1968) ; *la Grande Lessive* (Mocky, *id.*) ; *Gonflés à bloc* (*Those Daring Young Men in their Jaunty Jalopies,* Ken Annakin, GB, 1969) ; *le Cerveau* (Oury, *id.*) ; *l'Étalon* (Mocky, *id.*) ; *l'Arbre de Noël (The Christmas Tree,* Terence Young, GB, *id.) ; le Cercle rouge* (J.-P. Melville, 1970) ; *le Mur de l'Atlantique* (M. Camus, *id.*).

BOUT-À-BOUT. Bande obtenue en collant bout-à-bout, dans l'ordre du découpage, les prises retenues pour le montage. (→ MONTAGE.)

BOUT D'ESSAI. 1. Film, généralement bref, destiné à apprécier sur l'écran l'aptitude d'un comédien à interpréter un rôle. 2. Fragment de film, enregistré juste avant ou juste après une prise de vues et développé immédiatement, destiné à apprécier le rendu photographique de la scène.

BOUT D'ESSAI — 1. Pour juger sur l'écran l'aptitude d'un comédien ou d'une comédienne à interpréter tel rôle d'un film en préparation, on filme parfois un *bout d'essai* de quelques minutes, généralement en leur faisant jouer une scène caractéristique ou non du film. (Certains de ces documents ont aujourd'hui une valeur anecdotique certaine, tels les bouts d'essais interprétés par Paulette Goddard, Lucille Ball, etc., pour l'attribution du rôle de Scarlett d'*Autant en emporte le vent.*)

2. On tourne également des bouts d'essai à des fins plus techniques : pour juger des qualités d'une nouvelle pellicule, pour apprécier tel développement particulier envisagé pour le film, pour choisir les objectifs, etc.

3. À l'époque du noir et blanc, il n'était pas facile d'apprécier exactement, à la prise de vues, la façon dont la scène filmée serait traduite sur la pellicule. Après avoir tourné, on procédait alors souvent à l'enregistrement d'un *bout d'essai* d'environ un mètre de longueur, qu'un assistant développait immédiatement dans un bac à développement sommaire. L'examen du fragment de négatif ainsi obtenu permettait d'apprécier si l'image noir et blanc serait bien *lisible.* Le développement des films en couleurs étant beaucoup trop complexe pour être effectué de façon artisanale sur le lieu de tournage, cette pratique a disparu. J.-P.F.

BOUZID *(Nouri), cinéaste et scénariste tunisien (Sfax 1945).* Après avoir fait de l'assistanat à la télévision tunisienne, il suit une formation cinématographique à l'INSAS, en Belgique. De retour en Tunisie, il devient l'assistant de plusieurs cinéastes nationaux et étrangers tels qu'Abdeltif Ben Ammar, Rida Behi, Festa Campanile, Hemmings avant de réaliser son premier long métrage, *l'Homme de cendres* (*Rih essed,* 1986). À la veille du mariage organisé par ses parents, Hachemi se remémore le passé où ressurgit un pénible accident dont a été victime aussi son ami Farfat : Ameur, leur maître d'apprentissage, les a violés. Ce souvenir va les habiter et pose le problème de la tradition, de la morale familiale et de la liberté. *Les Sabots en or* (*Safaih min dhahab,* 1988) décrivent avec force le déracinement d'un intellectuel qui, après avoir purgé sa peine — Nouri Bouzid a passé 5 ans en prison pour appartenance à un groupe politique —, ne retrouve plus sa femme, ne comprend plus ses enfants, son pays, sa religion. *Bezness* (*id.*, 1991), surnom des jeunes gigolos qui vendent leurs charmes aux étrangers, brosse le portrait d'une jeunesse aux prises avec les effets pervers du tourisme. Les films de Bouzid bravent les tabous que vit mal le maghreb, la torture et l'homosexualité. H.Z.

BOVY *(Berthe), actrice française d'origine belge (Liège 1887 - Montgeron 1977).* Sociétaire notoire du Théâtre-Français, sa carrière cinématographique s'étale sur de longues années sans aligner beaucoup de titres. Elle participe au plus célèbre des films réalisés par la société des frères Lafitte, le Film d'Art : *l'Assassinat du duc de Guise* (Ch. Calmettes et A. Le Bargy, 1908), où elle incarne Catherine de Médicis. D'autres suivent et, en 1921, André Antoine lui fait jouer *la Terre.* Le parlant l'ignore jusqu'en 1938. Elle s'impose alors dans *le Joueur* (G. Lamprecht et L. Daquin, 1938). Son jeu intelligent est parfois gâté par sa trop parfaite connaissance de la scène : *le Déserteur* (L. Moguy, 1939), *Boule-de-Suif* (Christian-Jaque, 1945), *les Dernières Vacances* (R. Leenhardt, 1948), *l'Armoire volante* (Carlo-Rim, 1949). R.C.

BOW *(Clara Gordon Bow,* dite *Clara), actrice américaine (New York, N. Y., 1905 - Los Angeles, Ca., 1965).* Née à Brooklyn dans la pauvreté, inculte, instinctive, son avènement à Hollywood fut un changement dont on mesure mal l'importance. Dans une mythologie féminine dominée par les stéréotypes européens (Garbo, Theda Bara, ou même Gloria Swanson), elle apporta un érotisme bon enfant, sans complexes, fleurant le maïs et la tarte aux pommes. Louise Brooks, Joan Crawford, Jean Harlow ou Marilyn Monroe n'auraient sans doute pas pu naître si Clara Bow ne les avait précédées. Ses cheveux frisés, que l'on devine roux, ses yeux pétillants, ses formes rebondies ont introduit dans le cinéma américain ce quelque chose qu'on appela « It », du nom de son film le plus populaire. Sous la férule et le doigté d'un réalisateur de comédie tel Clarence Badger, elle fut, en effet, pleine de sel et de poivre dans *It* (1927), *Red Hair* (1928), ou *Three Week-ends* (id.), petite employée au cœur d'artichaut qui veut arriver par tous les moyens. Victor Fleming dans *Mantrap* (1926), puis William A. Wellman dans *les Ailes* (1927) et dans *Ladies of the Mob* (1928) lui confièrent des rôles plus subtils, quoique toujours pimentés d'érotisme, dont elle s'acquitta honorablement. Parmi ses autres interprétations des années 20, on peut également mentionner *The Plastic Age* (W. Ruggles, 1925), *My Lady of Whims* (D.M. Fitzgerald, *id.*), *Dancing Mothers* (H. Brenon, 1926), *Rough House Rosie* (F.R. Strayer, 1927), *The Wild Party* (H. Blaché, 1929). Une crise personnelle coïncida avec le parlant, ce qui fit croire qu'elle n'était pas prête pour le nouveau procédé. Mais *Fille de feu* (*Call Her Savage,* John Francis Dillon, 1932) et *Hoopla* (F. Lloyd, 1933) prouvèrent qu'elle était toujours elle-même. Ses angoisses secrètes et ses problèmes de poids eurent raison de sa carrière, malgré les rumeurs persistantes d'un éventuel retour. Véritable actrice de cinémathèque, puisque c'est là qu'il faut aller pour la découvrir, l'oubli injuste dans lequel les difficultés de la conservation des films la plongent ne doit pas nous cacher qu'elle occupe une des premières places dans une galerie de la femme hollywoodienne. Elle avait épousé l'acteur de westerns Rex Bell, qui fut gouverneur du Nevada. C.V.

BOX *(Muriel Baker,* dite *Muriel), cinéaste, scénariste et productrice britannique (Tolworth 1905 - Londres 1991).* Elle collabore aux travaux de celui qui fut jusqu'en 1969 son mari, le scénariste et producteur Sydney Box (Beckenham, 1907), notamment pour *le Septième Voile* (C. Bennett, 1945), puis elle réalise treize films qui, à défaut d'originalité, ont le mérite d'être particulièrement soignés, dont *The Happy Family* (1952), *Au Coin de la rue* (*Street Corner,* 1953), *le Vagabond des îles* (*The Beachcomber,* 1954), *Simon and Laura* (1955), *l'Étranger amoureux* (*A Passionate Stranger,* 1957), *Cri d'angoisse* (*Subway in the Sky,* 1959), *Too Young to Love* (1960), *Rattle of a Simple Man* (1964). R.L.

BOX-OFFICE. Cette expression (qui désigne d'abord, en anglais, le guichet où l'on vend les billets d'entrée puis, par extension, la recette d'un film ou d'un spectacle en général) est devenue synonyme de *palmarès des valeurs commerciales.* Ainsi, on parle couramment des films (ou des comédiens) « champions au box-office ». L'inflation défavorisant les films anciens dans ce genre de comparaison, le box-office n'a qu'une valeur limitée dans le temps ; les comparaisons fondées sur les nombres d'entrées sont plus fiables. J.-P.F.

BOYD *(William), acteur américain (Hendrysburg, Ohio, 1895 - South Laguna Beach, Ca., 1972).* Après quelques rôles dans des productions des années 20 : *les Bateliers de la Volga* (C.B. De Mille, 1926), *le Roi des rois* (*id.,* 1927 ; il y incarne Simon de Cyrène), *Two Arabian Knights* (L. Milestone, *id.*), *le Lys du faubourg* (D.W. Griffith, 1920), il acquiert une célébrité confinant à la légende grâce à la série interminable dévolue au personnage nommé Hopalong Cassidy. Il crée le héros justicier, grand, blond, habillé de noir et monté sur un cheval blanc nommé Topper. Le succès du premier film en 1935 sera le point de départ d'une série de 66 films et d'un nombre incalculable d'épisodes pour la télévision. William Boyd s'identifiera à Hopalong Cassidy aux yeux de la jeunesse américaine jusqu'en 1948. Surnommé « Bill » Boyd de 1930 à 1935, il deviendra ensuite « Hoppy ». B.G.

BOYD *(William Millar,* dit *Stephen), acteur anglo-américain d'origine irlandaise (Glen Gormley, Irlande, 1928 - Los Angeles, Ca., 1977).* Il débute sur scène à dix-huit ans à l'Ulster Theatre Group. Il entreprend une carrière cinématographique à Londres avec *Un alligator appelé Daisy (An Alligator Named Daisy),* de John Lee Thompson, 1955, et *l'Homme qui n'a jamais existé* de Ronald Neame (1956). Puis, après un bref crochet par la France, où il tourne sous la direction de Vadim *les Bijoutiers du clair de lune* (1958), avec Brigitte Bardot, il atteint provisoirement une certaine notoriété grâce au rôle de Messala qu'il tient dans le *Ben Hur* de William Wyler (1959). Il participe encore à quelques œuvres à grand spectacle, *la Chute de l'Empire romain* (A. Mann, 1964), *la Bible* (J. Huston, 1966), avant de sombrer dans les emplois de composition des films de série internationaux : *les Colts au soleil* (P. Collinson, 1973), *Lady Dracula* (F. J. Gottlieb, 1976). Signalons une exception de qualité, son interprétation du rôle principal d'*Esclaves,* de Herbert Biberman (1969). R.BA.

BOYER *(Charles), acteur français naturalisé américain (Figeac 1897 - Phoenix, Ariz., 1978).* Encouragé par le comédien Raphaël Duflos, il se rend à Paris après ses études secondaires à Toulouse et suit simultanément les cours de philosophie en Sorbonne (il obtiendra une licence) et ceux de Duflos et Maurice Escande au Conservatoire d'art dramatique. Firmin Gémier, qui met en scène *les Jardins de Murcie,* le remarque et lui demande de remplacer au pied levé son jeune premier, malade. Boyer ne s'interrompra plus de jouer, au théâtre (S. Guitry, P. Benoit, C. Farrère, H. Bernstein, etc.) comme au cinéma, où il débute en 1920 dans *l'Homme du large* de L'Herbier. L'avènement du parlant l'exile à Hollywood, puis en Allemagne, où (le doublage n'étant pas encore au point) il interprète les versions françaises de films tournés en plusieurs langues. Cette activité perd vite sa raison d'être, mais Boyer, adopté par les studios américains et immensément populaire aux États-Unis, s'y fixe définitivement, après son mariage en 1934 avec une comédienne anglaise, Pat Paterson, et son grand succès aux côtés de Claudette Colbert (elle aussi française d'origine), dans *Mondes privés* de Gregory La Cava (1935). Il prendra en 1942 la nationalité américaine, après avoir créé l'année précédente la French Research Foundation de Los Angeles. Sa carrière se partagera dorénavant entre les deux côtés de l'Atlantique. Ses activités sont alors multiformes. Le théâtre le requiert, avec, entre autres, *les Mains sales* (à Broadway, en 1948), *Kind Sir* (en 1953), et une tournée internationale de trois ans pour le *Don Juan aux enfers* de G. B. Shaw. Son intérêt pour la télévision naissante lui fait fonder en 1951, avec Dick Powell et David Niven, la Four Star Television, pour qui il interprétera nombre d'émissions, en particulier dans la série *The Rogues,* où il devient à l'occasion réalisateur. Charles Boyer se donne la mort dans sa maison de Phoenix, deux jours après celle de la femme dont il avait partagé l'existence durant 44 ans. Leur unique enfant s'était suicidé treize ans plus tôt.

Curieusement, l'image que nous gardons de lui nous parvient réfractée par la connaissance que nous avons de son *image* américaine, et le « French lover » idolâtré des foules pourrait nous faire oublier le comédien souvent subtil et discret, dont la carrière témoigne, globalement, d'une assez belle perspicacité dans le choix des rôles. Le mot qui s'impose pour le décrire, c'est bien sûr celui de distinction. Rien de forcé dans son aisance, de voyant dans son élégance ; même lorsqu'il lui arrive de jouer les minables ou – plus souvent – les mauvais garçons, ce n'est jamais sans éveiller un sentiment de *déplacement*, dont il joue avec habileté. Il n'y a donc pas à s'étonner que ses rôles les moins intéressants soient aussi ceux où il glisse avec élégance dans les eaux de la meilleure société : duc de Vallombreuse dans *le Capitaine Fracasse* (1928), prince hongrois dans *l'Épervier* (1933), marquis Yorisaba dans *la Bataille* (1934), archiduc Rodolphe dans *Mayerling* (1935) ou Napoléon dans *Maria Walewska* (1937). À ces rôles sans surprise, on peut préférer l'anarchiste saisi par l'amour, dans le trop méconnu *Bonheur* (1934), le général russe valet de chambre de *Tovaritch* (1937), film dans lequel il se parodie avec infiniment d'ironie, ou les voyous qu'il joue avec autorité et finesse, de *Liliom* (1933). Dans *Casbah* (1938), il parvient même à faire oublier Pépé le Moko interprété par Jean Gabin, à force de charme et d'insolence.

Par la porte d'or (1941) marque un tournant dans sa carrière : Boyer y expose l'envers de son image et incarne un gigolo européen qui voit s'effriter ses belles apparences et joue cyniquement les séducteurs pour gagner son entrée aux États-Unis. Audace d'autant plus fascinante que le film prétend mêler intimement fiction et réalité et qu'au moment du tournage Boyer attend lui-même sa naturalisation américaine. Il cultive cette ambiguïté dans *Hantise* (1944), où il est un mari inquiétant et charmeur, ou dans *The Thirteenth Letter* (1951), remake du *Corbeau* de Clouzot : il y incarne l'insoupçonnable auteur des lettres meurtrières. Il trouve en 1953 son plus beau rôle de l'après-guerre avec le général de *Madame de...*, tout d'affectueuse ironie et de dignité, et il est excellent dans deux films de Minnelli. Il ralentit considérablement son activité avec les années 60 mais nous livre encore deux créations admirables : celle du baron Raoul dans le *Stavisky* de Resnais (1974), victime consentante et obstinément aveugle d'un de ces séducteurs qu'incarnait Boyer quarante ans plus tôt, et celle du comte Sanziani dans *Nina* (1976), où, réuni une dernière fois à Minnelli et Ingrid Bergman, il fait avec eux de poignants adieux à un certain cinéma.

J.-P.B.

Films ▲ : *l'Homme du large* (M. L'Herbier, 1920) ; *Chantelouve* (G. Monca et R. Panzini, 1921) ; *l'Esclave* (Monca, 1922) ; *le Grillon du foyer* (R. Boudrioz, 1927) ; *la Ronde infernale* (Luitz-Morat, *id.*) ; *le Procès de Mary Dugan* (M. de Sano, 1929 ; VF de *The Trial of Mary Dugan*, US) ; *le Capitaine Fracasse* (A. Cavalcanti, *id.*) ; *Révolte dans la prison* (P. Féjos, 1930 ; VF de *The Big House* de G. Hill, US) ; *Barcarolle d'amour* (H. Roussell et Carl Froelich, *id. ; VF* de *Brand in der Oper,* ALL) ; *The Magnificent Lie* (Berthold Viertel, *id.*) ; *Tumultes* (R. Siodmak, 1932 ; VF de *Stürme der Leidenschaft,* ALL) ; *I. F. 1 ne répond plus* (K. Hartl, *id. ; VF* de : *F. P. 1 antwortet nicht,* ALL) ; *le Revenant (The Man From Yesterday,* Viertel, *id.) ; la Belle aux cheveux roux* (J. Conway, *id.*, US) ; *l'Épervier* (L'Herbier, 1933) ; *Moi et l'Impératrice* et *The Only Girl* (F. Holländer et Paul Martin, *id. ; VF* et v. angl. de : *Ich und die Kaiserin,* ALL) ; *Liliom* (F. Lang, 1934) ; *la Bataille* (N. Farkas, *id.*, VF et V. angl.) ; *Caravane* (E. Charell, *id.,* US) ; *le Bonheur* (L'Herbier, 1935) ; *Mondes privés* (G. La Cava, *id.,* US) ; *Cœurs brisés (Break of Hearts,* Philip Moeller, *id.) ; Shanghai* (James Flood, *id.*) ; *le Jardin d'Allah* (R. Boleslawsky, 1936, US) ; *Mayerling* (A. Litvak, *id.*) ; *Tovaritch* (Litvak, 1937, US) ; *Marie Walewska* (C. Brown, *id.,* US) ; *L'histoire s'écrit la nuit* (F. Borzage, *id.*) ; *Orage* (M. Allégret, 1938) ; *Casbah* (J. Cromwell, *id.,* US) ; *Elle et lui* (L. McCarey, 1939, US) ; *Veillée d'amour* (John M. Stahl, *id.,* US) ; *l'Étrangère* (Litvak, 1940, US) ; *Back Street* (R. Stevenson, 1941) ; *Appointment for Love* (W. A. Seiter, *id.) ; Par la porte d'or* (M. Leisen, *id.,* US) ; *Six Destins* (J. Duvivier, 1942, US) ; *Tessa, la nymphe au cœur fidèle* (E. Goulding, 1943, US) ; *Obsessions* (J. Duvivier, *id., US*) ; *Hantise* (G. Cukor, 1944, US) ; *Coup de foudre* (*Together Again* [Ch. Vidor], *id.*) ; *Agent secret* (H. Shumlin, 1945, US) ; *la Folle Ingénue* (E. Lubitsch, 1946, US) ; *Vengeance de femme* (Z. Korda, 1948, US) ; *Arc de Triomphe* (L. Milestone, *id.,* US) ; *The Thirteenth Letter* (O. Preminger, 1951) ; *la Première Légion* (D. Sirk, *id.,* US) ; *Thunder in the East* (Ch. Vidor, id.) ; *Sacré Printemps* (*The Happy Time,* R. Fleischer, 1952, US) ; *Madame de...* (M. Ophuls, 1953) ; *Nana* (Christian-Jaque, 1955) ; *la Toile d'araignée* (V. Minnelli, *id.,* US) ; *la Chance d'être femme* (A. Blasetti, *id.,* IT) ; *Paris-Palace Hôtel* (H. Verneuil, 1956) ; *le Tour du monde en 80 jours* (M. Anderson, *id.,*

US) ; *Une Parisienne* (M. Boisrond, 1957) ; *les Boucaniers* (A. Quinn, 1958, US) ; *Maxime* (H. Verneuil, *id.*) ; *Fanny* (J. Logan, 1961, US) ; *les Démons de minuit* (M. Allégret et C. Gérard, *id.*) ; *Adorable Julia* (A. Wiedermann, 1962, ALL) ; *les Quatre Cavaliers de l'Apocalypse* (V. Minnelli, *id.*, US) ; *le Grand-Duc et l'Héritière* (*Love is a Ball,* D. Swift, 1963, US) ; *le Coup de l'oreiller* (*A Very Special Favor,* M. Gordon, 1965, US) ; *Comment voler un million de dollars* (W. Wyler, 1966, US) ; *Paris brûle-t-il ?* (R. Clément, *id.*) ; *Casino Royale* (J. Huston, K. Hugues, R. Parrish, V. Guest et J. McGrath, 1967, GB) ; *Pieds nus dans le parc* (G. Saks, *id.*, US) ; *Folies d'avril* (*The April Fools,* S. Rosenberg, 1969, US) ; *la Folle de Chaillot* (B. Forbes, *id.*, GB) ; *le Rouble à 2 faces* (E. Périer et A. Lisa, *id.*, ESP) ; *les Horizons perdus* (Ch. Jarrott, 1973, US) ; *Stavisky* (A. Resnais, 1974) ; *Nina (Minnelli, 1976, US).*

BOYER *(Jean), cinéaste français (Paris 1901 -* id. *1965).* Ses premiers films, dans les années 30, sont pour la plupart des versions françaises de films produits parallèlement à des versions allemandes – souvent des adaptations de pièces de boulevard. En 1939, il réalise le célèbre *Circonstances atténuantes,* avec Arletty et Michel Simon, et signe sous l'Occupation quelques honorables comédies comme *Romance de Paris* (1944) ou *Frederica* (1942). Dans une filmographie abondante et globalement fidèle à la comédie, on relève des films qui ont aidé à la carrière de Bourvil, dont *Garou-Garou, le Passe-muraille* (1951), *le Trou normand* (1952) et de Fernandel (*Coiffeur pour dames,* 1952 ; *le Couturier de ces dames,* 1956 ; *le Chômeur de Clochemerle,* 1957 ; *les Vignes du Seigneur,* 1958 ; *le Confident de ces dames,* 1959 ; *Relaxe-toi chérie,* 1964) et des films musicaux avec les chanteurs et les orchestres en vogue dans les années 50 (*Nous irons à Monte-Carlo,* 1952, avec Ray Ventura et son orchestre).

D.S.

BOYLE *(Peter), acteur américain (Philadelphie, Pa., 1933).* Il fait ses commencements à la scène au début des années 60 et connaît le succès à l'écran avec son interprétation du héros fascinant et borné de *Joe, c'est aussi l'Amérique* (J. G. Avildsen, 1970). On le voit ensuite dans *Votez McKay* (M. Ritchie, 1972), *The Friends of Eddie Coyle* (P. Yates, 1973), *Frankenstein Junior* (M. Brooks, 1974), *le Pirate des Caraïbes* (J. Goldstone, 1976), *F. I. S. T.* (N. Jewison, 1978), *Superman* (R. Donner, *id.*), *Têtes vides cherchent coffres pleins* (W. Friedkin, *id.*), *Hardcore* (P. Schrader, 1979), où il est un *privé* désabusé, *Outland* (P. Hyams, 1981), *Hammet* (W. Wenders, 1982), *Walker* (Alex Cox, 1987), *Double détente* (W. Hill, 1988), *Solar Crisis* (R. Sarafian, 1990), *Born to Be Wild* (John Gray, 1995). J.-P.B.

BOYTLER *(Arcady), cinéaste mexicain d'origine russe (Moscou 1895 - Mexico 1965).* Après une expérience théâtrale auprès de Stanislavski et de Meyerhold, il contribue à l'émergence d'au moins trois genres prolifiques du cinéma mexicain : *Mano a mano* (1932) met en scène des paysans ; *La mujer del puerto* (1933, coréal. R. Sevilla), d'après Maupassant, a pour protagoniste une femme de faible vertu, sur le point de commettre un inceste sans le savoir ; enfin, *Así es mi tierra* et *Aguila o sol* (1937) imposent, avec talent, la popularité du comique Cantinflas. Il tourne aussi d'autres drames et aventures : *El tesoro de Pancho Villa* et *Celos* (1935) ; *El capitán aventurero* (1938) ; *Amor prohibido* (1944). P.A.P.

BOZZETTO *(Bruno), cinéaste et producteur italien (Milan 1938).* Il dessine et anime en 1958 son premier essai en 8 mm, *Tapum, la storia delle armi,* qui obtient des prix dans des festivals internationaux (comme beaucoup de ses CM suivants). Avec l'animateur britannique John Halas, il crée son premier court métrage en 35 mm, *La storia delle invenzioni* (1959). Son humour estudiantin et son style graphique linéaire s'affirment dans de nombreux dessins animés (dont la populaire série de *Il signor Rossi,* un petit homme malheureux) et plusieurs petits films publicitaires produits dans son studio milanais – d'où sortiront des animateurs et cinéastes comme Maurizio Nichetti et Guido Manuli. *West and Soda* (1965) est une désopilante parodie des westerns-spaghetti et marque une date dans l'histoire de l'animation italienne. *Vip, mio fratello superuomo* (1968), film de science-fiction parodiant les bandes dessinées, est moins achevé que le précédent. Après d'autres courts métrages étonnants : *Ego* (1968), *Sottaceti* (1971), il crée une spectaculaire suite musicale animée, *Allegro non troppo* (1977), qui est un hommage ironique à *Fantasia* (W. Disney, 1940) et contient des morceaux de bravoure visuels qui le rangent parmi les maîtres du dessin animé contemporain. Il réalise en 1987 son premier long métrage *Sotto il ristorante cinese.* Il signe ensuite notamment *Mini Quark* (1988), *Quark (id.), Mister Tao (id.), Grasshoppers* (1990), *Big Bang (id.), Dancing* (1991), *Ski Love (id.), Tulilem* (1992), *Maleducazione in Montagna* (1993), *Educazione al cinema (id.), Drop (id).* L.C.

BOZZUFFI *(Marcel), acteur français (Rennes 1929 - Paris 1988).* Il débute au cinéma en 1955, où son physique typé le cantonne dans les rôles d'homme d'action, mauvais garçon ou policier. Il tourne abondamment en France : *le Deuxième Souffle* (J.-P. Melville, 1966), *Z* (Costa-Gavras, 1969), plusieurs films de Claude Lelouch, *l'Amour fugitif* (Pascal Ortega, 1983) ; en Italie : *Cadavres exquis* (F. Rosi, 1976) ; aux États-Unis : *French Connection* (W. Friedkin, 1971), *Images* (R. Altman, 1972). En 1969, il dirige lui-même *l'Américain,* dont il est aussi scénariste et interprète. J.-P.J.

BRABIN *(Charles J.), cinéaste britannique (Liverpool 1882 - Santa Monica, Ca., 1957).* Acteur chez Edison dès 1908, il fait carrière aux États-Unis. Époux de Theda Bara, il la dirige dans *la Belle Russe* et *Kathleen Mavourneen,* en 1919 ; son *Driven* (1923), un drame rural, rencontre l'estime. Mais ces films sont aujourd'hui oubliés, peut-être disparus. À la MGM, Brabin commence *Ben Hur,* qu'achèvera Fred Niblo (1926), puis, le parlant venu, réalise *le Chanteur de Séville* (*Call of the Flesh,* 1930), ensuite un policier : *la Bête de la cité* (*The Beast of the City,* 1932), un mélodrame : *le Secret de Mme Blanche* (*The Secret of Madame Blanche,* 1933), mais surtout *le Masque d'or* (*The Mask of Fu Manchu,* 1932) avec Boris Karloff. Il se retire en 1934. A.M.

BRACH *(Gérard), scénariste et cinéaste français (Montrouge 1927).* Collaborateur habituel de Roman Polanski – *Répulsion* (1965), *Cul de sac* (1966), *le Bal des vampires* (1967), *Quoi ?* (1973), *le Locataire* (1976), *Tess* (1979), *Pirates* (1986), *Frantic* (1988), *Lunes de fiel* (1992) portent tous sa griffe personnelle (sens de l'étrangeté, de la peur, du sarcasme, de l'humour juif, de la provocation, allié à une parfaite maîtrise de la dramaturgie cinématographique –, il a également travaillé avec Claude Berri (*le Vieil Homme et l'enfant,* 1967, *Jean de Florette,* 1986, *Manon des sources, id.*), Jean-Jacques Annaud (*la Guerre du feu,* 1981, *le Nom de la rose,* 1986, *l'Ours,* 1988, *l'Amant,* 1992), Marco Ferreri (*Rêve de singe,* 1978, *Pipicacadodo,* 1980), Michelangelo Antonioni (*Identification d'une femme,* 1981), Moshe Mizrahi (*Chère inconnue,* 1980), Bertrand Blier (*la Femme de mon pote,* 1983), Dino Risi (*le Bon Roi Dagobert,* 1984), Andrei Konchalovsky (*Maria's Lovers, id.*), Otar Iosseliani (*les Favoris de la lune, id.*). On lui doit également deux réalisations assez personnelles, *la Maison* (1970) et *le Bateau sur l'herbe* (1971). C.M.C.

BRACHO *(Julio), cinéaste mexicain (Durango 1909 - Mexico 1978).* Venant du théâtre et d'un groupe d'intellectuels, il signe l'une des plus longues filmographies du cinéma commercial, qui a son départ en plein âge d'or de l'industrie mexicaine. *¡ Ay, que tiempos, señor Don Simon !* (1941) montre déjà son savoir-faire. Mais il va rarement au-delà et se contente de mettre en scène des intrigues conventionnelles. Un sujet plus ambitieux, *La sombra del Caudillo* (tourné en 1960, d'après un des romanciers de la révolution mexicaine, Martín Luis Guzmán), reste toutefois interdit par la censure pendant trente ans. *Distinto amanecer* (1943), mélange de mélodrame et de thriller politique, constitue néanmoins une œuvre singulière dans laquelle il était possible de percevoir déjà le désenchantement de sa génération. Parmi ses autres films, on peut citer *Historia de un gran amor* (1942), *La Virgen que forjo una patria (id.), El monje blanco* (1945), *Cantaclaro (id.), Rosenda* (1948), *San Felipe de Jesús* (1949). P.A.P.

BRACKETT *(Charles), scénariste et producteur américain (Saratoga Springs, N. Y., 1892 - Los Angeles, Ca., 1969).* D'abord avocat, puis journaliste et romancier, il gagne Hollywood en 1932 et y devient un scénariste coté, qui se double d'un producteur à partir de 1942. Le meilleur de sa carrière est sa collaboration avec Billy Wilder de 1938 à 1950, d'abord pour des films de Lubitsch (*Ninotchka,* 1939) ou de Leisen (*la Baronne de minuit,* 1939 ; *Par la porte d'or,* 1941), puis pour ceux de Wilder lui-même (*le Poison,* 1945 ; *Boulevard du Crépuscule,* 1950) ; mais on lui doit aussi les scripts de *The Model and the Marriage Broker*

(G. Cukor, 1952), *Niagara* (H. Hathaway, 1953), *la Fille sur la balançoire* (R. Fleischer, 1955) ou *Voyage au centre de la Terre* (H. Levin, 1959), après lequel il se consacrera à la seule production. J.-P.B.

BRACKETT *(Leigh Douglas), écrivain et scénariste américaine (Los Angeles, Ca., 1915 -* id. *1978).* Elle est plus connue pour ses romans policiers ou de science-fiction que pour les deux films sans grande importance qu'elle a écrits en 1945 avant que Hawks ne lui demandât le scénario du *Grand Sommeil* (1946). Elle collabora aussi avec lui pour *Rio Bravo* (1959), *Hatari* (1962), *El Dorado* (1967) et *Rio Lobo* (1970). Tout en continuant à écrire d'excellents romans de science-fiction, elle travaille encore aux scénarios du *Privé* (R. Altman, 1973) et de *L'empire contre-attaque* (I. Kershner, 1980). J.-P.B.

BRADBURY *(Ray), écrivain et scénariste américain (Waukegan, Ill., 1920).* Le cinéma n'a pas assez utilisé les talents de cet écrivain de science-fiction qui sait allier le réalisme et le fantastique. Il a écrit le scénario de *Moby Dick* (J. Huston, 1956), le commentaire (non crédité) du *Roi des rois* (N. Ray, 1961), une adaptation de son propre livre, *Chroniques martiennes,* pour Alan Pakula et Robert Mulligan, et une autre (*Something Wicked This Way Comes* pour Sam Peckinpah), qui ne virent jamais le jour. Les quelques films tirés de ses ouvrages, *Fahrenheit 451* (F. Truffaut, 1966), *l'Homme tatoué* (J. Smight, 1969), ne restituent pas la magie inquiétante et poétique de Bradbury. M.C.

BRADY *(Alice), actrice américaine (New-York, N. Y., 1892 -* id. *1939).* Elle débute au cinéma en 1914 ; vedette de la compagnie World, elle interprète les rôles les plus variés : comtesse russe, danseuse ou pauvre immigrante. Elle interrompt sa carrière en 1923 et la reprend dix ans plus tard, jouant soit les grandes dames dans des comédies musicales ou loufoques comme *Chercheuses d'or de 1935* (B. Berkeley, 1935) ou *My Man Godfrey* (G. La Cava, 1936), soit au contraire les mères de famille populaire dans *l'Incendie de Chicago* (H. King, 1938), qui lui vaut un Oscar (« Best supporting actress »), ou dans *Vers sa destinée* (J. Ford, 1939). J.-L.B.

BRAGA *(Sonia), actrice brésilienne (Maringá 1951).* Elle débute à la télévision à quatorze ans dans une émission pour enfants (*Jardim Encantados*). À dix-sept ans elle s'illustre au théâtre dans le *Georges Dandin* de Molière et un an après fait partie des acteurs qui interprètent *Hair* dans son adaptation brésilienne. Au cinéma depuis sa première création dans *Moreninha* elle a connu de très grands succès populaires comme *Dona Flor et ses deux maris* (Bruno Barreto, 1976) et *Gabriela* (id., 1983), deux œuvres adaptées de Jorge Amado, *A Dama do Lotação* (Neville d'Almeida, 1978), *Eu te amo* (A. Jabor, 1980) ou *le Baiser de la femme-araignée* (H. Babenco, 1985). La réputation de ce dernier film lui a ouvert une carrière américaine : *Milagro* (R. Redford, 1987), *Moon Over Parador* (P. Mazursky, 1988), *la Relève* (C. Eastwood, 1991), *Roosters* (R.M. Young, 1993). C.O.

BRAGAGLIA *(Anton Giulio), homme de théâtre et cinéaste italien (Frosinone 1889 - Rome 1960).* Rénovateur de la scène italienne et membre du mouvement futuriste, Bragaglia fonde et dirige à Rome le théâtre des Indépendants (1922-1931) puis le théâtre des Arts (1937-1943). Sensible au phénomène cinématographique, il introduit dans ses mises en scène des procédés empruntés au 7e art. En 1916, il réalise deux films d'avant-garde en utilisant la technique de la *photodynamique* (composition et décomposition des images par des jeux de miroirs concaves et d'objectifs prismatiques), *Perfido incanto* et *Thais.* Au début du parlant, il tourne encore *Vele ammainate* (1931), un mélodrame assez impersonnel. J.-A.G.

BRAGAGLIA *(Carlo Ludovico), cinéaste italien (Frosinone 1894).* Frère d'Anton Giulio, avec qui il fonde en 1922 il Teatro degli Independenti, Carlo Ludovico Bragaglia s'oriente vers le cinéma et réalise son premier film en 1932 (*O la borsa o la vita,* avec Sergio Tofano). À partir de cette date, il s'impose comme un des cinéastes les plus prolifiques de la péninsule (soixante films environ de 1932 à 1963). Spécialiste des genres populaires, il est un des metteurs en scène attitrés de Totò : *Animali pazzi* (1939), *Totò le Mokò* (*id.* 1949), *Totò cerca moglie* (1950), etc. On lui doit aussi quelques péplums de bonne tenue : *Annibale* (*Annibal,* 1959), *Gli amori di Ercole* (*les Amours d'Hercule,* 1960) et *Ursus nella valle dei leoni* (*Maciste dans la vallée des lions,* 1962). Le troisième frère BRAGAGLIA, Arturo (1892-1962), était acteur (*Quatre Pas* *dans les nuages,* A. Blasetti, 1942 ; *Miracle à Milan,* V. De Sica, 1950). J.-A.G.

BRAHM *(Hans Brahm, dit John), cinéaste américain d'origine allemande (Hambourg 1893 - Malibu, Ca., 1982).* Né dans les milieux du théâtre, il dirige lui-même de nombreuses mises en scène avant d'émigrer aux États-Unis en 1937, via Paris et Londres, où il réalise un premier film (un remake du film de D. W. Griffith : *le Lys brisé*). Au vu de ses premières œuvres, sages (*Let Us Live,* 1939) ou anonymes (*Fleur d'hiver* [*Wintertime*], 1943), et de ses dernières, souvent peu énergiques (*le Miracle de Fatima* [*The Miracle of Our Lady of Fatima*], 1952), on pourrait le juger cinéaste inconsistant. De fait, il a été une sorte de météore dans le firmament du film noir. De 1944 à 1946, il signe quatre magistraux classiques, avant de sombrer dans la léthargie. Il a porté le récit de terreur victorien à son point de perfection avec *Jack l'Éventreur* (*The Lodger,* 1944) et surtout l'éblouissant *Hangover Square* (id., 1945), tous deux servis par un excellent Laird Cregar. La complexité de l'analyse psychologique se doublait d'un esthétisme inspiré : brouillards poisseux, pavés mouillés. *Guest in the House* (1944) et *le Médaillon* (*The Locket,* 1946) exploitaient, en revanche, la veine psychanalytique : une névrosée, mi-innocente, mi-démoniaque, y détruisait l'harmonie paisible du confort américain. La mesure du premier film était contrebalancée par la vertigineuse structure en *retours en arrière* du second. Brahm y obtenait, de plus, des créations vénéneuses et troubles d'Ann Baxter (*Guest...*) et même de la généralement fade Larraine Day *(The Locket).* Mais, après une molle adaptation de Raymond Chandler (*The Brasher Doubloon,* 1947), et quelques sursauts baroques (*Singapour* [*Singapore*], 1948), il se replongea dans le sommeil, comme le confirment ses mornes téléfilms. C.V.

BRAKHAGE *(Stanley), cinéaste expérimental américain (Kansas City, Mo., 1933).* Ciné-poète lyrique et fécond (il a réalisé plus de cent films en 25 ans), il est un de ceux qui ont le plus renouvelé le cinéma expérimental de l'après-guerre. Ses films, essentiellement visuels, sont un peu au cinéma ce que le free jazz est à la musique ou l'abstraction lyrique à la peinture. Les premiers ont encore quelque chose de narratif (*Interim,* 1951 ; *Desistfilm,* 1954) et, jusqu'en 1957, sont surtout des espèces de sketches onirico-psychologiques assez sombres (*The Way to Shadow Garden,* 1955). *Reflections on Black* (1955), tout en manifestant la frustration sexuelle qui hante encore *Flesh of Morning* (1957), annonce sa future manière : la recherche des « métaphores de la vision ». Employant systématiquement la couleur et le montage fluide (raccordant les plans dans les mouvements et les filés), il élabore ainsi *The Wonder Ring* (1955), filmé pour Joseph Cornell, *Nightcats* (1956) et *Loving* (1958), qui précèdent le remarquable *Anticipation of the Night* (id.). Historique parce qu'il est à l'origine de la création par Mekas de la Film-Makers' Cooperative de New York, ce film l'est aussi parce qu'il marque une étape décisive dans l'histoire des formes du cinéma expérimental. Le propos, dans ce film subjectif (dont le *je* invisible et suicidaire tente vainement de recouvrer la vision *sauvage* de l'enfance), compte désormais moins que le flux de la matière visuelle, où les ciels bleu sombre, les arbres dans le crépuscule, les jeux de lumières ou de lune dans la nuit se suivent et se fondent sans hiatus, avec l'apparition finale des grands flamants roses et des ours blancs du « rêve des enfants ». C'est à ce moment que Brakhage se marie, et cet événement, joint à cette façon neuve de *donner à voir,* va colorer une œuvre plus que jamais personnelle et, désormais, familiale : sa femme, les enfants qu'elle lui donne — dont il filme la naissance (*Window Water Baby Moving,* 1959 ; *Thigh Line Lyre Triangular,* 1961) — et, à partir de 1964, leur maison de Rolinsville dans le Colorado, avec les paysages qui l'entourent vont servir de matériau de nombreux films d'un lyrisme presque abstrait. Il y a désormais un style Brakhage, perceptible aussi bien dans les grandes fresques de *Dog Star Man* (1960-1964) — qui deviennent, par un jeu de répétitions et de surimpressions, les 4 heures 30 de *The Art of Vision* (1965) — que dans la diversité des trente *Songs* (1964-1969) tournés en 8 mm, où des haïkaï de 4 minutes (le premier ou le huitième) côtoient telle longue méditation sur la guerre incorporant des chutes d'actualités (le vingt-troisième). Parallèlement, il entreprend une autobiographie intérieure, *Scenes From Under Childhood* (1967-1970), dont le début à dominante rouge, exceptionnellement accompagné de sons rauques et douloureux (presque tous ses films sont muets), tente de reconstituer la *vision* d'un enfant qui va naître. Cette autobiographie se poursuit en 1970 avec la trilogie *The Weir Falcon Saga, The Machine of Eden* et *The Animals of Eden and After,* suivie de cinq « méditations sexuelles » (la quatrième, *Hotel,* 1972, consacrée au voyeurisme), qui transcendent la crudité de *Lovemaking* (1968). Une série de semi-documentaires sur une patrouille de police (*Eyes,* 1970), un hôpital (*Deux Ex,* 1971) et une salle d'autopsie (*The Art of Seeing With One's Own Eyes,* 1971) marquent ensuite sa volonté de reprendre contact avec les réalités sociales. Ces films ont été rendus possibles par une invitation de l'Institut Carnegie à Pittsburgh : ce cinéaste de la nature, qui fit un film fameux en collant des ailes de mite ou des pétales de fleurs sur la pellicule (*Mothlight,* 1963), est en effet obligé, pour vivre, de quitter souvent sa retraite de Rolinsville, soit pour des travaux *commerciaux* (il lui arrive aussi d'être l'opérateur de ses amis), soit pour de longues tournées de cours ou conférences. En résultent des textes sur son œuvre, plusieurs *Film Biographies* sur Méliès, Chaplin, Dreyer ou Vigo, ou des interventions polémiques contre le cinéma dit *structurel.* À la fin des années 80, il se remarie et reprend sur des formats plus amples (70 mm et Imax), en la rephotographiant en 16 ou 35 mm, la peinture semi-abstraite sur la pellicule (*The Dante Quartet,* 1987). D.N.

BRAL *(Jacques), cinéaste français (Téhéran 1948).* De 1968 à 1970, il suit les cours de l'Institut de formation cinématographique où il réalise plusieurs courts-métrages et trois films confidentiels : *M88* (1971), *Frisou* (1972), et *Une baleine qui avait mal aux dents* (1973). Il lui faudra attendre 1980 pour se faire connaître du grand public avec *Extérieur nuit,* qui conte les retrouvailles et la rencontre de deux amis avec une femme « taxi de nuit ». En 1984, il adapte *Morgue pleine,* un roman noir de J.-P. Manchette, sous le titre *Polar,* la brumeuse enquête d'un détective désabusé à travers lequel il s'attache surtout à capter l'atmosphère d'un univers nocturne et la fatigue existentielle de personnages perdus dans l'envers du quotidien. A.T.

BRANAGH *(Kenneth), acteur et cinéaste britannique (Belfast, Irlande du Nord, 1960).* Acteur et metteur en scène de théâtre remarquablement doué, Kenneth Branagh n'a aucun mal à faire passer sa fougue et son dynamisme à l'écran. Ce sont ces qualités très communicatives qui ont pu faire croire à certains qu'il était aussi un grand cinéaste. Si Kenneth Branagh est un cinéaste stimulant et presque toujours intéressant, il reste toutefois comme embarrassé d'une caméra qu'il aime à faire tournoyer, faute d'imaginer quelque chose d'autre. On peut apprécier *Henry V* (*id.,* 1989) sans pour autant faire du réalisateur un génie. Au vu de ce film et de son adaptation scrupuleuse et soignée de *Frankenstein* (*id.,* 1994), on peut rapprocher Branagh de Laurence Olivier, lui aussi cinéaste un peu compassé mais très apte à servir l'enthousiasme de bons acteurs. Si l'on cherchait presque en vain une idée de mise en scène dans *Beaucoup de bruit pour rien* (*Much Ado About Nothing,* 1993), *Dead Again* (*id.,* 1991) regorgeait de trucs et de ficelles, sans pour autant irriter ou déplaire. Jusqu'à présent, le seul de ses films qui révèle une sensibilité cinématographique est l'attachant *Peter's Friends* (*id.,* 1992), bonne comédie douce-amère où la caméra, toujours au service d'excellents comédiens, entreprenait de raconter par elle-même ce qui se trouvait derrière l'apparente vacuité du propos. C.V.

BRANCATI *(Vitaliano), écrivain et scénariste italien (Pachino, Syracuse, 1907 - Turin 1954).* Ses débuts d'écrivain datent de 1928, et ceux de scénariste de 1942, avec *Don Cesare di Bazan* (R. Freda), suivi de quelques films mineurs. Son esprit anticonformiste et corrosif se déploie grâce à la collaboration de Luigi Zampa : *les Années difficiles* (1948), tiré de son récit, chronique féroce de la petite bourgeoisie sicilienne pendant le fascisme ; *Anni facili* (1953), satire du pouvoir démocrate-chrétien ; *L'arte di arrangiarsi* (1954), parabole féroce sur l'art de s'adapter à tous les compromis de l'histoire nationale. Il collabore aussi avec d'autres réalisateurs, comme Alessandro Blasetti (*Fabiola,* 1949 ; *Heureuse Époque,* 1952 ; *La fiammata,* id.), Augusto Genina (*L'edera,* 1950 ; *Tre storie proibite,* 1952), et à trois des meilleures comédies écrites pour Totò : *Gendarmes et Voleurs* (S. V. Steno et M. Monicelli, 1951), *L'uomo, la bestia e la virtù* (Steno, 1953),

Où est la liberté ? (R. Rossellini, 1954). Ses romans, révélateurs des frustrations sexuelles et des aspirations réprimées des mâles siciliens, sont adaptés avec fidélité par Mauro Bolognini (*le Bel Antonio,* 1960) et par Alberto Lattuada (*Don Giovanni in Sicilia,* 1967), ou mal exploités par Marco Vicario (*Paolo il caldo,* 1973). Sa veine humoristique amère et désenchantée n'est pas sans influence sur les cinéastes qui abordent les problèmes du Sud (P. Germi, E. Petri, F. Rosi). L.C.

BRANDAUER *(Klaus Maria), acteur autrichien (Alt Aussee 1944).* Acteur et metteur en scène de renom, il travaille à Düsseldorf, Vienne, Munich, Hambourg, Berlin, Zurich. Le cinéma s'offre à lui avec un grand rôle : celui du personnage central de *Mephisto* d'István Szabó (1981). Très sollicité – il est notamment le « méchant » dans *Jamais plus jamais* (I. Kershner, 1983), un des avatars de James Bond –, il apparaît dans plusieurs productions dont les plus brillantes sont *Colonel Redl* (Szabó, 1985), *le Bateau phare* (J. Skolimowski, *id.*), *Out of Africa* (S. Pollack, *id.*), *Burning Secret* (Andrew Birkin, 1988), *Hanussen* (Szabó, *id.*), *la Toile d'araignée* (B. Wicki, 1989), *la Révolution française* (R. Enrico et Richard Heffron, 1989), film où il incarne Danton, *la Maison Russie* (F. Schepisi, 1990), *Croc blanc* (*White Fang,* Randal Kleiser, 1991). Comme metteur en scène, il a réalisé deux films où il est également acteur : *Georg Elser* (1989), portrait d'un ouvrier qui tenta d'assassiner Hitler en 1939, et *Mario et le magicien* (*Mario und der Zauberer,* 1994), d'après Thomas Mann. J.-L.P.

BRANDO *(Marlon), acteur américain (Omaha, Nebr., 1924).* Issu d'un milieu modeste, il a une adolescence difficile et débute au théâtre en amateur, pour se retrouver deux ans après acteur à Broadway (1944). En 1947, Elia Kazan en fait du jour au lendemain une vedette de la scène, en lui offrant le rôle de Stanley Kowalski dans *Un tramway nommé Désir* de Tennessee Williams. Tenu pour l'acteur type de la Méthode (une nouvelle façon de *jouer* apprise à l'Actors Studio, dont Brando va devenir à la fin des années 40 l'un des porte-drapeaux), il transpose son style de jeu à l'écran avec succès dans un film de Zinnemann, *C'étaient des hommes :* pour interpréter un paraplégique, il passe un mois dans un hôpital de rééducation spécialisé, avant le tournage. Quatre fois nommé aux Oscars (en 1951 pour *Un tramway nommé Désir,* en 1952 pour *Viva Zapata !* du même Kazan, en 1953 pour *Jules César* de Mankiewicz), il l'emporte en 1954, dirigé par Kazan, pour *Sur les quais* (le rôle de Terry Malloy lui permet également de remporter le prix du Meilleur Acteur au festival de Cannes). Dans *Jules César,* il a accepté et tenu le pari d'égaler les performances des acteurs *shakespeariens* qui l'entourent. Dans *l'Équipée sauvage* (1954), il tend en miroir à l'Amérique le portrait d'une jeunesse désaxée, redevenue primitive, et qui d'ailleurs se reconnaîtra dans le film. Cette révolte diffuse d'une génération va influencer d'autres générations rebelles, tant au cinéma que dans la vie (et d'abord dans les modes vestimentaires), et cette influence aura des ramifications qui se prolongeront au cours des années 60. Heurtant la critique et le public traditionnels, acclamé par la critique moins conformiste et le public plus jeune, Brando est en tout cas considéré comme un élément de renouveau pour le cinéma américain. Or, pendant plusieurs années, il va paraître s'efforcer de ruiner sa propre carrière, multipliant des rôles comiques ou quasi parodiques pour lesquels, à l'évidence, il n'est pas fait. Cette distance à l'égard de son personnage cinématographique va de pair, semble-t-il, avec une introspection croissante chez l'homme, nature complexe où le masochisme (refoulé et non sublimé en *héroïsme*) tient sans doute une grande place. Le fruit cinématographique de ses cogitations est un film qu'il met en scène lui-même, *la Vengeance aux deux visages* (1961), fort intéressant dans sa première partie, beaucoup trop explicatif dans la deuxième. Brando, qui en 1959 a fondé sa propre compagnie, Pennebaker Productions, a beaucoup de mal à vivre les années 60. Il tourne peu et n'obtient de bons rôles que grâce à Arthur Penn (*la Poursuite impitoyable,* 1966), John Huston (*Reflets dans un œil d'or,* 1967) et Gillo Pontecorvo (*Queimada,* 1969). Il accepte également de jouer dans *la Comtesse de Hong-Kong* un *contre-emploi* pour lequel il sait que Chaplin l'a choisi « à cause de son manque total d'humour ». À l'heure où on le déclare commercialement *fini,* c'est-à-dire à l'aube des années 70, *le Parrain* (1972) de Francis Ford Coppola (qui lui donne l'occasion de refuser avec éclat son second Oscar en protestation contre le non-respect des droits des Indiens des États-Unis) et surtout *le Dernier Tango à Paris* (id.) le présentent sous les traits d'un acteur de composition à la structure (physique et intellectuelle) monumentale. Maturité quasi symbolique, à laquelle ne manque même pas la délivrance psychanalytique du film de Bertolucci.

Le comédien peut alors rappeler (ou révéler) son mépris pour l'industrie qui le fait vivre, souligner ses positions en faveur de l'écologie (à l'échelle mondiale) et accentuer sa solitude. Sa contestation individualiste, mais universellement répercutée, n'est pas celle d'un aigri : après une période difficile, l'acteur semble avoir transmuté une schizophrénie évidente au profit d'un jeu dont les caractéristiques imposantes ne doivent pas faire oublier la finesse, ni, le cas échéant, une capacité de séduction intacte (*Missouri Breaks* d'Arthur Penn en 1976, voire *Apocalypse Now* de Coppola en 1979). G.L.

Films ▲ : *C'étaient des hommes* (F. Zinnemann, 1950) ; *Un tramway nommé Désir* (E. Kazan, 1951) ; *Viva Zapata !* (*id.*, 1952) ; *Jules César* (J. L. Mankiewicz, 1953) ; *l'Équipée sauvage* (L. Benedek, 1954) ; *Sur les quais* (Kazan, *id.*) ; *Désirée* (H. Koster, *id.*) ; *Blanches Colombes et Vilains Messieurs* (Mankiewicz, 1955) ; *la Petite Maison de thé* (Daniel Mann, 1956) ; *Sayonara* (J. Logan, 1957) ; *le Bal des maudits* (E. Dmytryk, 1958) ; *l'Homme à la peau de serpent* (S. Lumet, 1960) ; *la Vengeance aux deux visages* (*One Eyed Jacks,* M. Brando, 1961) ; *les Révoltés du Bounty* (L. Milestone, 1962) ; *le Vilain Américain* (*The Ugly American,* George Englund, 1963) ; *les Séducteurs (Bedtime Story,* Ralph Levy, 1964) ; *Morituri* (*id.*, B. Wicki, 1965) ; *l'Homme de la Sierra* (S. Furie, 1966) ; *la Poursuite impitoyable* (A. Penn, *id.*) ; *la Comtesse de Hong-Kong* (Ch. Chaplin, 1967) ; *Reflets dans un œil d'or* (J. Huston, *id.*) ; *Candy* (C. Marquand, 1968) ; *la Nuit du lendemain* (H. Cornfield, 1969) ; *Queimada !* (G. Pontecorvo, *id.*) ; *le Corrupteur* (M. Winner, 1972, GB) ; *le Parrain* (F. F. Coppola, *id.*) ; *le Dernier Tango à Paris* (B. Bertolucci, *id.*, IT) ; *The Missouri Breaks* (Penn, 1976) ; *Superman* (R. Donner, 1978) ; *Apocalypse Now* (Coppola, 1979) ; *la Formule* (J. G. Avildsen, 1980) ; *Une saison blanche et sèche* (*A dry White Season*) (Euzhan Palcy, 1989) ; *Premiers pas dans la mafia* (*The Freshman,* Andrew Bergman, 1990) ; *Christopher Columbus : The Discovery* (John Glen, 1992) ; *Don Juan De Marco* (Jeremy Leven, 1995).

BRASILLACH *(Robert)* → BARDÈCHE *(Maurice).*

BRASS *(Giovanni Brass,* dit *Tinto), cinéaste italien (Milan 1933).* De famille vénitienne, licencié en droit à Padoue, il travaille à la Cinémathèque française et devient l'assistant de Cavalcanti, Ivens et Rossellini. Son premier film, *In capo al mondo / Chi lavora è perduto,* 1964), tourné à Venise, plein de références autobiographiques, annonce un esprit anarchique et un style brouillon. *Il disco volante* (1964) est une lourde farce de science-fiction avec Sordi ; *Ça ira, il fiume della rivolta* (co Franco Arcalli, 1965) est un film de montage sur l'histoire des révolutions. Après un western violent remanié par les producteurs, *Yankee* (1966), il s'engoue pour la mode *pop,* puis tourne quelques films célébrant des marginaux rebelles : *le Cœur dans la gorge* (*Col cuore in gola,* 1967), *Nero su bianco* (1969), *Dropout* (1971), *La vacanza (id.), L'urlo* 1974 [RÉ 1968]). Il obtient un succès commercial avec des films pseudo-historiques et (ou) quasi pornographiques : *Salon Kitty* (1976), *Caligula* (1980 [RÉ 1977]), *la Clef* (*La chiave,* 1983), *Vices et caprices* (*Capriccio,* 1988), *le Voyeur* (*L'uomo che guarda,* 1994). L.C.

BRASSEUR *(Claude Espinasse,* dit *Claude), acteur français (Paris 1936).* Fils de Pierre Brasseur et d'Odette Joyeux. Il suit les cours de Raymond Girard, de René Simon et du Conservatoire et fait du théâtre depuis 1954. Il débute au cinéma en 1956 dans *le Pays d'où je viens* (M. Carné) et s'impose peu à peu par son dynamisme et son humour avec un métier qui rappelle souvent celui de son père. On le remarque aux côtés de Michel Simon dans *Pierrot la tendresse* (François Villiers, 1960), puis en soldat cabochard dans *le Caporal épinglé* (J. Renoir, 1962) ; il tourne beaucoup avec les jeunes réalisateurs : Jacques Baratier (*Dragées au poivre,* 1963), Marcel Ophuls (*Peau de banane,* id.), Jean-Luc Godard (*Bande à part,* 1964), Costa-Gavras (*Un homme de trop,* 1967), François Truffaut (*Une belle fille comme moi,* 1972), et le plus souvent dans des rôles de tête brûlée. La maturité lui ouvre la voie à des personnages plus consistants :

Barocco (A. Téchiné, 1976), *l'État sauvage* (F. Girod, 1978), *l'Argent des autres* (C. de Chalonge, *id.*), *Une histoire simple* (C. Sautet, *id.*), *la Guerre des polices* (Robin Davis, 1979), *la Banquière* (Girod, 1980), *Une affaire d'homme* (N. Rybowski, 1981). On le voit encore dans *la Crime* (Philippe Labro, 1983), *Souvenirs, souvenirs* (Ariel Zeitoun, 1984), *Détective* (J.-L. Godard, 1985), *les Loups entre eux* (J. Giovanni, *id.*), *le Crocodile* (Ph. de Broca, 1986), *la Gitane* (Ph. de Broca, *id.*), *Dandin* (R. Planchon, 1988 ; rôle-titre), *l'Orchestre rouge* (J. Rouffio, 1989), *Dancing Machine* (Gilles Béhat, 1990), *Sale comme un ange* (Catherine Breillat, 1991), *Un, deux, trois, soleil* (B. Blier, 1993), *le Fil de l'horizon* (F. Lopes, *id.*), *Délit mineur* (F. Girod, 1994). Il poursuit parallèlement sa carrière au théâtre. M.M.

BRASSEUR *(Pierre-Albert Espinasse,* dit *Pierre), acteur français (Paris 1903 - Brunico, Italie, 1972).* Élève au conservatoire, puis d'Harry Baur, il débute sur scène dès l'âge de dix-huit ans dans un répertoire boulevardier (É. Bourdet, J. Natanson, etc.) et restera fidèle au théâtre toute sa vie, écrivant lui-même (et jouant) des pièces qui n'ont guère laissé de souvenirs ; après la guerre, il passera à un registre plus sérieux avec la Compagnie Renaud-Barrault. Il vient au cinéma en 1924 et paraîtra dans quelque 80 films, dont la plupart sont dénués d'intérêt mais où ses prestations correspondent à ce qu'il jouait au théâtre et répondent donc à l'image de marque qui était la sienne : il a été trop souvent cantonné par les habitudes routinières de la production cinématographique.

S'il fallait choisir un seul de ses personnages pour le définir, ce serait à coup sûr celui de Frédéric Lemaître dans *les Enfants du paradis* : incarnant le célèbre comédien, il peut laisser libre cours à son exubérance et exploiter au mieux la double dimension ludique que lui offre le personnage, se servant de Frédéric Lemaître pour déployer son talent.

Mais avant de parvenir à ce sommet, il devra parcourir un long calvaire commercial car, entre son apparition dans *la Fille de l'eau* (J. Renoir, 1924) et son premier grand rôle, celui de *Quai des brumes* (M. Carné, 1938), s'accumulent quarante films, dont quelques titres suffisent à suggérer le niveau et le propos : *Papa sans le savoir* (Y. Mirande, 1932), *le Sexe faible* (R. Siodmak, 1933), *la Garnison amoureuse* (Max de Vaucorbeil, 1934), *Prête-moi ta femme* (Maurice Cammage, 1937), *Claudine à l'école* (S. de Poligny, 1938), *Gosse de riches* (M. de Canonge, *id.*), mais aussi un tout petit nombre d'œuvres qui ont une certaine réputation : *Feu !* (J. de Baroncelli, 1927), *Un oiseau rare* (R. Pottier, 1935) et l'excellent petit film de Pagnol, *le Schpountz* (1938).

La plupart de ces films étant quelque peu tombés dans l'oubli, on en est réduit aux suppositions quant à la valeur des prestations du comédien : rien ne permet de penser qu'elles sont indignes de lui, mais la surprise n'en est évidemment que plus forte lorsqu'on le découvre soudain, pâle voyou, dans *Quai des brumes.* Cinq ans plus tard, avec *Lumière d'été* (Grémillon, 1943), c'est un autre Brasseur qu'on découvre dans le rôle d'un peintre un peu fou qui décore l'intérieur des placards, anime l'action de ses excentricités et se trouve le témoin fasciné de l'écroulement d'un microcosme symbolique. Cette veine farfelue, on la retrouve, mais moins sous-tendue par le tragique, dans deux petits chefs-d'œuvre burlesques, *Adieu, Léonard* (P. Prévert, 1943) et *l'Arche de Noé* (Henry Jacques, 1947) : elle fait partie de la plupart des personnages de Brasseur, dont on peut dire à coup sûr qu'il ne s'est jamais pris au sérieux.

Mais le meilleur de lui-même, c'est dans *les Enfants du paradis* (Carné, 1945) qu'il le donnera, se haussant au rang des monstres sacrés par la puissance de son jeu tout autant que par la verve de son esprit, littéralement porté, comme ses camarades, par le talent conjugué des auteurs de cet admirable film, Prévert et Carné. Parmi les films intéressants qui jalonnent encore les quelque trente ans de carrière qui suivent : *le Pays sans étoiles* (G. Lacombe, 1945), *les Portes de la nuit* (Carné, 1946), *Petrus* (M. Allégret, *id.*), *les Amants de Vérone* (A. Cayatte, 1949), *Maître après Dieu* (L. Daquin, 1951), *le Plaisir* (Max Ophuls, 1952), *Porte des Lilas* (R. Clair, 1957), *la Loi* (J. Dassin, 1958), *la Tête contre les murs* (G. Franju, 1959), *Dialogue des carmélites* (P. Agostini, 1960), *la Métamorphose des cloportes* (P. Granier-Deferre, 1965), *la Vie de château* (J.-P. Rappeneau, 1966), *le Roi de cœur* (Ph. de Broca, 1967), *Benjamin* (M. Deville, 1968) et *la Plus Belle Soirée de ma vie* (E. Scola, 1972), son dernier film.

Avec la maturité est peu à peu apparue en pleine lumière une des composantes, jusqu'alors plus ou moins voilée, du comédien à travers ses personnages : le *satanisme.* Ce n'est pas un hasard s'il est Barbe-Bleue dans le film de Christian-Jaque (1951), l'inquiétant chirurgien des *Yeux sans visage* (Franju, 1960) et le redoutable seigneur de *Goto, l'île d'amour* (W. Borowczyk, 1969) : avec l'âge, il a pris de la rondeur et de la puissance, et la petite gouape de *Quai des Brumes* a engendré l'amant jaloux des *Portes de la nuit* avant de déboucher sur les rôles de *méchant,* dans lesquels il semble être plus ou moins étiqueté à la fin de sa carrière. Étrange destinée (mais qui a été celle aussi de Jules Berry), comme si le degré extrême de l'extraversion était le signe d'un pouvoir de domination sur le commun des mortels, comme si la malédiction qui a pesé sur les comédiens pendant des siècles était la rançon d'une quelconque possession diabolique. M.M.

BRAULT *(Michel), chef opérateur et cinéaste canadien (Montréal, Québec, 1928).* Il découvre tôt le cinéma d'amateur, fait un bref stage à l'ONF en 1950, collabore à des revues de cinéma et anime un ciné-club. Il retrouve l'ONF en 1956 et deux ans plus tard y coréalise (avec Gilles Groulx) un court métrage de dix-sept minutes, qui est le manifeste et l'acte de naissance du cinéma direct, tout en symbolisant la lutte conduite au sein de l'ONF par la minorité de techniciens francophones. Passionné par la mise au point des caméras légères et du son synchrone, Brault devient le chef de file de la nouvelle école. En 1959, il rencontre Jean Rouch au séminaire Flaherty en Californie. «Tout ce que nous avons fait en France dans le domaine du cinéma-vérité vient de l'ONF. C'est Brault qui a apporté une technique nouvelle de tournage que nous ne connaissions pas et que nous copions tous depuis», a écrit Jean Rouch.

Depuis, la carrière intense de Michel Brault est à la fois celle d'un chef opérateur (au Québec pour Pierre Perrault notamment, et en France pour Jean Rouch, Mario Ruspoli, William Klein), et d'un réalisateur de films. Simultanément, il produit, photographie et parfois dirige un nombre considérable de courts et de moyens métrages. J.-P.J.

Films : *les Raquetteurs* (CO G. Groulx, CM, 1958) ; *Québec USA ou l'Invasion pacifique* (CO C. Jutra, CM, 1962) ; *les Enfants du silence* (CO C. Jutra, 1963) ; *Pour la suite du monde* (CO Pierre Perrault, *id.*) ; *Entre la mer et l'eau douce* (1967) ; *les Enfants de Néant* (CO Annie Tresgot, FR, 1968) ; *l'Acadie, l'Acadie* (CO Pierre Perrault, 1971) ; *les Ordres* (1974) ; *l'Emprise* (CO S. Guy, CM 1988) ; *les Noces de papier* (1990) ; *Mon amie Max* (1994).

BRAUN *(Vladimir)* [*Vladimir Aleksandrovič Braun*], *cinéaste soviétique (Elisabethgrad* [auj. *Kirovograd*], *Ukraine, 1896 - Kiev 1957).* Après avoir servi dans l'Armée rouge jusqu'en 1923, il est assistant à partir de 1925 et tourne son premier film en 1930 : *Nos jeunes filles (Naši devuški).* Peu connue hors de son pays, l'œuvre de Braun, pour mineure qu'elle soit, n'en reflète pas moins une obsession majeure du peuple russe : l'aspiration à la mer. Les films de Braun ont très souvent pour cadre les étendues maritimes et océaniques, ainsi *Jours de paix* (*V mirnye dni,* 1951), odyssée d'un sous-marin en difficulté qui rappelle, dans un contexte de guerre froide, *La nuit commence à l'aube* (*Morning Departure,* 1950) de R. Baker ; *Maximka* (1952), jolie histoire d'aventures au temps de la marine à voiles. *Malva,* d'après Gorki (1957), son dernier et meilleur film, trace un beau portrait de femme libre. P.H.

BRAUNBERGER *(Pierre), producteur et distributeur français (Paris 1905 - id., 1990).* Dans les années 20 et 30, il se passionne pour toutes les recherches et produit Clair (*Entr'acte,* 1924), Renoir (*Nana,* 1926 ; *la Chienne,* 1931 ; *Une partie de campagne,* 1946 [RÉ 1936]), Cavalcanti (*Yvette,* 1927), Buñuel (*Un chien andalou,* 1928 ; *l'Âge d'or,* 1930) aussi bien que les films de Marc Allégret, Florey, Féjos, L'Herbier ou Gréville. Son activité débordante couvre encore la gestion de studios de prise de vues et un secteur distribution-exploitation. À l'issue de la guerre, il repart à zéro et entreprend de donner leur première chance à des cinéastes aussi divers que Godard, Truffaut, Rouch, Resnais, Reichenbach, Rivette, Lelouch, Doniol-Valcroze, Korber, Pialat, Gilles, Pirès ou Gilson. En dresser la liste serait vain puisqu'il semble que chaque impécunieux intéressant, à un moment ou à un autre de sa carrière, a pu compter sur sa confiance industrieuse. Si son infatigable curiosité fait certainement de Braunberger le plus grand découvreur de talents du cinéma français, on ne peut pas non plus oublier le rôle essentiel qu'a joué le distributeur dans la meilleure connaissance en France des cinématographies étrangères. J.-P.B.

BRAY *(John Randolph), producteur américain de films d'animation (Detroit, Mich., 1879 - Bridgeport, Conn., 1978).* Cartooniste dans le journal de Brooklyn, *Eagle,* il devient en 1911 un des pionniers du dessin animé en produisant *The Dachsund and the Sausage.* Responsable pour la Paramount d'un magazine filmé (le *Bray Pictograph*), il imposa, dès 1912, le dessin animé dans l'exploitation commerciale. Il est à l'origine de la carrière des frères Max et Dave Fleischer, les futurs créateurs de Betty Boop et de Popeye, qui travaillèrent à la fameuse série *Hors de l'encrier* (*Out of the Inkwell* de Paul Terry [les *Terry Toons*] et Walter Lantz [les *Bugs Bunny*]). J. R. Bray réalisa dans ses studios la série *Colonel Heeza Liar,* puis lança la formule du film d'enseignement *(Comment nous respirons ; Action du cœur humain)* avant d'utiliser le cinéma pour l'éducation militaire, au cours de la Première Guerre mondiale. Il est également l'inventeur avec Earl Hurd de la technique des feuilles transparentes de Celluloïd (les *cells*). R.L.

BRAY *(Yvonne de), actrice française (Paris 1889 - id. 1954).* Venue de la Comédie-Française, elle aborde le cinéma avec un des *classiques* de l'Occupation, *l'Éternel Retour,* tourné par Delannoy (1943) sur un scénario de Cocteau. Ce dernier lui donne un rôle dans *l'Aigle à deux têtes* (1948), mais surtout elle reprend celui d'Yvonne, la mère, tenu au théâtre dans *les Parents terribles,* que Cocteau encore porte à l'écran (1949). Son visage de lionne défaite, sa voix rauque et grasseyante, son souffle difficile sont devenus les atouts d'un métier consommé. Elle est parfaite dans le rôle de Mme Alvarez («Mamita»), dans *Gigi* (1949), que tourne Jacqueline Audry ; laquelle, peu après, lui confie un autre rôle dans *Olivia* (1951), tandis que Richard Pottier fait d'elle la duchesse de *Caroline chérie* (1951). On la voit ensuite dans un mélo pesant de Pierre Billon (*Agnès de rien,* 1950), dans *Nez de cuir* (Y. Allégret, 1952), dans *Nous sommes tous des assassins* (A. Cayatte, *id.*), ainsi que dans un autre mélo, renié par son auteur, *Quand tu liras cette lettre* (J. -P. Melville, 1953). Les deux heureuses rencontres de sa brève carrière à l'écran sont Jean Cocteau et Jacqueline Audry ; ils ont sauvé cette trouble figure de *monstre sacré* de l'invisible et du silence. C.M.C.

BRAZZI *(Rossano), acteur et cinéaste italien (Bologne 1917 - Rome 1994).* En 1939, il débute en même temps au théâtre et au cinéma, et interprète des rôles classiques : *Processo e morte di Socrate* (Corrado d'Errico, 1940), *Kean* (G. Brignone, *id.*), *La Tosca* (J. Renoir et C. Koch, 1941) ou de jeune séducteur : *Noi vivi* et *Addio Kira !* (G. Alessandrini, 1942). Grâce à son personnage romantique très «MGM» dans *les Quatre Filles du Dr March* (M. LeRoy, 1949), il devient à Hollywood le prototype du *latin lover* et joue dans plusieurs productions américaines, dont *la Fontaine des amours* (J. Negulesco, 1954), *la Comtesse aux pieds nus* (J. Mankiewicz, 1954), *les Amants de Salzbourg* (D. Sirk, 1957), *South Pacific* (J. Logan, 1958). Revenant en Italie dans les années 60, il n'y trouve plus le même succès. Il dirige deux films d'aventures sous le pseudonyme de Edward Ross : *Salvare la faccia* (1969), *Sette uomini e un cervello / Criminal Symphony* (1970). Il apparaît ensuite dans de petits films érotiques ou comiques, parodiant son ancien rôle de beau séducteur. L.C.

BRDEČKA *(Jiři Brnečka,* dit *Jiři) cinéaste, scénariste et illustrateur tchèque (Hranice, Autriche-Hongrie, 1917 - Prague 1982).* D'abord critique de cinéma, dessinateur humoristique et auteur de nouvelles, il vient au cinéma par l'animation et collabore à partir de 1946 aux scénarios des films de J. Trnka (*les Vieilles Légendes tchèques,* 1952 ; *le Songe d'une nuit d'été,* 1959), E. Hofman, M. Makovec ou B. Pojar. Il réalise aussi plus de vingt courts métrages d'animation, notamment *la Verve et la Raison* (*Rozum a cit,* 1962), *Gallina Vogelbirdae* (*Špatně namalovaná slepice,* 1963) ou *Pourquoi souris-tu, Mona Lisa ?* (*Proč se usmíváš, Mono Liso ?,* 1966). Sa verve de conteur s'y donne libre cours et il fait appel avec bonheur aux graphistes les plus variés. Il est aussi le scénariste de longs métrages de fiction comme *le Piège à loups* (J. Weiss, 1957), *les Enfants perdus* (*Veliké dobrodružství,* Miloš Makovec, 1952), *Un jour un chat* (V. Jasny, 1963), *Joe Limonade* (Oldřich Lipsky, 1964), qui reprend un personnage créé par Brdečka en 1939 et déjà adapté par lui en pièce puis en roman, et *Nick Carter à Prague* (Lipsky, 1977). Sa versatilité est très grande, mais Brdečka n'a guère convaincu avec ses films non animés : *les Nuits de Prague* (*Pražské noci,* 1968) et *l'Histoire d'une rose* (*Román o růži,* 1972). J.-P.B.

BRECHT *(Bertolt), dramaturge allemand (Augsbourg 1898 - Berlin 1956).* Après avoir interrompu des études de médecine à l'université de Munich, Brecht exprime, dans sa première pièce, *Baal,* sa révolte contre les événements de la guerre de 1914-1918 dont il a été le témoin. Suivront *Tambours dans la nuit* (1922) et *Dans la jungle des villes* (1923). Ce n'est qu'après ces œuvres, encore fortement marquées par l'expressionnisme, que mûrira sa propre conception d'un théâtre épique qui, après la Seconde Guerre mondiale, influencera décisivement nombre de dramaturges et de scénographes du monde entier. Mais l'arrivée de Hitler au pouvoir en 1933 signifie pour lui la persécution (interdiction des partis politiques et des syndicats) et l'exil, d'abord à Vienne, à Paris, au Danemark, puis aux États-Unis. Charles Laughton crée, en 1947, *Galileo Galilei.* Travaillant comme scénariste à Hollywood et sommé de comparaître devant la Commission des activités antiaméricaines, il regagne Berlin-Est, en passant par la Suisse. Il y crée la troupe du Berliner Ensemble et monte des pièces qui vont transformer la vision de l'art dramatique. Son travail cinématographique ne fut qu'indirect, marginal et décevant. Il renia toutes les adaptations qui furent faites de ses œuvres, en particulier *l'Opéra de quat'sous* de Pabst et *Maître Puntila et son valet Matti,* filmé par Cavalcanti. À Hollywood, il travailla à divers scénarios, notamment *Arc de triomphe* (L. Milestone, 1948), d'après Erich Maria Remarque, et *Les bourreaux meurent aussi* de Fritz Lang. C'est pour ce film que son apport fut le plus important ; mais, mécontent de la réalisation de Lang, il fit retirer son nom du générique, en tant que scénariste. Si l'on excepte *Kühle Wampe,* réalisé par Slatan Düdow et interprété par le plus grand acteur brechtien avec Helene Weigel, Ernst Busch, les seules réalisations fidèles à l'œuvre de Brecht sont le simple filmage, sur la scène du Theater am Schiffbauerdamm, de deux représentations du Berliner Ensemble jouant *la Mère* et *Mère Courage et ses enfants.* La méfiance de Brecht à l'égard d'une adaptation véritablement cinématographique de cette dernière pièce laisse inachevé un film élaboré avec Wolfgang Staudte et interprété par Simone Signoret et Bernard Blier.

Si Brecht se méfiait du cinéma, dont les procédés pouvaient lui paraître en contradiction immédiate avec ses propres théories, visant à instaurer une *distance* entre les composantes du spectacle (et surtout entre le spectacle et le spectateur), il fut un grand consommateur de films. Il apprécia beaucoup, semble-t-il, la version originale de trois heures de la *Madame Bovary* de Jean Renoir, et tels épisodes ou procédés dramatiques de *Maître Puntila* ou d'*Arturo Ui* paraissent avoir été empruntés aux *Lumières de la ville* et au *Dictateur* de Chaplin, en qui il reconnaissait un génie. M.S.

Films : *l'Opéra de quat'sous* (G. W. Pabst, 1931) ; *Kuhle Wampe [Ventres glacés]* (S. Düdow, 1932) ; *Les bourreaux meurent aussi* (F. Lang, 1943) ; *le Chant des fleuves* (J. Ivens, 1954) ; *Maître Puntila et son valet Matti* (A. Cavalcanti, 1955) ; *Mère Courage et ses enfants* (*Mutter Courage und ihre Kinder* [Peter Palitzch et Manfred Werkwerth], 1960) ; *le Capitaine de Cologne* (Düdow, 1961) ; *la Vieille Dame indigne* (R. Allio, 1964) ; *Leçons d'histoire* (J. M. Straub, 1972 ; adaptation des *Affaires de M. Jules César).*

BREER *(Robert), artiste et cinéaste expérimental américain (Detroit, Mich., 1926).* Après des études à l'université Stanford (Ca.), il peint à Paris de 1949 à 1959 dans la voie de l'abstraction ouverte par le Bauhaus. Intéressé par « ce qu'il y a entre mouvement et image fixe », il anime ses dessins et peintures (*Form Phases,* 1952-1954). En 1954, il fait le premier film de l'histoire du cinéma entièrement composé de plans d'un seul photogramme *(Images by Images I).* Comme dans *Images by Images II, III* et *IV* (1955-56), *Motion Pictures* (1956) ou *Recreations* (1956-57), toutes sortes de formes et parfois de découpages ou d'objets s'y suivent au galop et ce goût des joyeux mélanges va marquer toute l'œuvre d'un artiste peu soucieux des séparations (entre figuratif et non figuratif, dessin et photo, animation et prise de vues continue). Le résultat n'est pas toujours dépourvu d'intentions polémiques : *Un miracle* (1954), fait avec Pontus Hulten, est un collage anticlérical, tandis que *Jamestown Baloos* (1957), synthèse des précédentes techniques, est une pochade antimilitariste, *PLB nº 2* une sorte de tract antiraciste. Mais, le plus souvent, avec les accompagnements sonores les plus désinvoltes, le travail de Breer est purement plastique. *A Man and his Dog out for Air* (1957) évoque parfois des formes reconnaissables ; *Eyewash* (1959) annonce, dans son flux coloré, certains *Songs* de Brakhage. *Blazes* (1961) – cent fiches peintes battues et filmées –, *Breathing* (1963), sorte de film d'Eggeling jazzé, sont suivis par *Horse over a Tea Kettle* (1962) ou *Fist Fight* (1964), pots-pourris variés et complexes.

Tournés en extérieurs, *Hommage to Jean Tinguely's «Hommage to New York»* (1959) et *Pat's Birthday* (1962) échappent au documentaire par les trucages et la fantaisie. De 1966 à 1970, il revient à l'esthétique abstraite de ses débuts et ce sont *66, 69* et *70,* dont les formes richement colorées miment parfois le film d'ordinateur. Après deux voyages au Japon, il met au point un nouveau type d'animation, dessinant le plus souvent d'après les photogrammes d'un film préalable (*Gulls and Buoys,* 1972 ; *Fuji,* 1974). Puis vient *Etc.* (1975). Parallèlement, Breer fait, comme Crockwell, des séries pour mutoscopes et crée des sculptures mobiles *(floats).* D.N.

BREIEN *(Anja), cinéaste norvégienne (Oslo 1940).* Elle a fait ses études à l'IDHEC (Paris). Son premier long métrage, *le Viol* (*Voldtekt,* 1971), critique acerbe du système pénal norvégien, affirme son implication dans les problèmes contemporains. Quatre ans plus tard, elle réalise *Wives* (*Hustruer,* 1975), la riposte féministe, pleine d'esprit et d'intelligence, à *Husbands* de Cassavetes, tourne *'le Jeu sérieux'* (*Den alvarsamma leken,* 1977) puis fait montre de maturité avec *l'Héritage* (*Arven,* 1979), en disséquant les motivations égocentriques d'une famille bourgeoise après la mort d'un riche industriel. Le regard désenchanté qu'elle porte sur les structures sociales de la Norvège se révèle dans *la Persécution* (*Forfølgelsen,* 1981), qui rappelle par son sujet le *Dies irae* de Dreyer. Après *le Cerf-volant* (*Papirfuglen,* 1984), elle reprend en 1985 les personnages de *Wives* dans *Wives II (Hustruer II),* espérant ainsi tous les dix ans étudier leur évolution dans le temps. En 1990, elle signe *'le Voleur de bijoux'* (*Smykketyven*) et, en 1995, *Wives III.* P.CO.

BREJCHOVÁ *(Jana), actrice tchèque (Prague 1940).* Elle débute à treize ans dans *Pentecôte rouge / le Pain de plomb* (*Olověny chléb,* Jiři Sequens) et s'impose avec *le Piège à loups* (J. Weiss, 1957), *Désir* (V. Jasnÿ, 1958), *Monsieur Principe supérieur* (J. Krejčík, 1960), *le Baron de Crac* (K. Zeman, 1962) et *la Nuit de la nonne* (K. Kachyňa, 1967). Evald Schorm lui fait assumer une image nouvelle, plus mûre et fragile dans *Du courage pour chaque jour* (1964), *le Retour du fils prodigue* (1966) et *la Fin du bedeau* (1969). Elle le retrouvera, acteur, dans *Fugues à la maison* (J. Jireš, 1979) après beaucoup de rôles moins intéressants et tournera sous sa direction en 1988 *l'Amour démesuré* (qui sera l'ultime film du cinéaste). Elle interprète ensuite notamment *'les Points sensibles'* (*Citlivá místa,* V. Drha, 1988), *'Un château de sable'* (*Hraó z písku,* Z. Zemanová, 1994), *Lacrimosa* (*Má je pomsta,* L. Zafranović, 1995). C'est sa sœur, Hana Brejchová (Prague 1946), qui joue dans *les Amours d'une blonde* (M. Forman, 1965). J.-P.B.

BREL *(Jacques), chanteur, compositeur, acteur et cinéaste belge (Bruxelles 1929 - Bobigny, France, 1978).* Jusqu'en 1967, année où il joue dans *les Risques du métier* (A. Cayatte), le monde entier le connaît comme le remarquable auteur et chanteur de poèmes tendres et grinçants, parfois révoltés. En 1966, il abandonne la chanson pour le cinéma, où il se révèle être un excellent comédien. Il joue dans onze films, dont *Mon oncle Benjamin* (É. Molinaro, 1969), *les Assassins de l'ordre* (M. Carné, 1971) et *l'Emmerdeur* (Molinaro, 1973). Il a lui-même réalisé *Franz* (1972) et *Far West* (1973). P.C.

BREMER *(Lucille), actrice et danseuse américaine (Amsterdam, N. Y., 1922).* Arthur Freed remarque à New York cette élégante danseuse, qui doit à sa double formation, classique et moderne, un style rapide et précis. *Le Chant du Missouri* (V. Minnelli, 1944) souligne sa distinction, mais ses duos avec Astaire dans *Yolanda et le voleur* (id., 1945) et *Ziegfeld Follies* (id., 1946) révèlent une figure irréelle et inquiétante à force de virtuosité. Après une danse dans *la Pluie qui chante (Till the Clouds*

Rool By [Richard Whorf], *id.),* elle se tournera, faute de succès, vers des drames modestes et fiévreux comme *Behind Locked Doors* (B. Boetticher, 1948), puis se retirera. A.M.

BRENNAN *(Walter), acteur américain (Swampscott, Mass.* [?]*1894 - Oxnard, Ca., 1974).* Depuis ses débuts en 1923, il est l'un des plus actifs, des plus populaires et peut-être le plus célèbre des acteurs de second plan américain. À son palmarès (plus de cent films), il faut ajouter un autre record, trois Oscars (« Best Supporting Actor ») : *le Vandale,* de Howard Hawks et William Wyler en 1936, *Kentucky,* de David Butler en 1938 et *le Cavalier du désert,* de Wyler en 1940. Il a tourné avec tous les plus grands cinéastes américains, de Hawks à Capra, en passant par Lang, King, Ford (la *Poursuite infernale,* 1946), Walsh (le *Désert de la peur,* 1951), Dwan, Hathaway, Vidor, Daves, Mann. Il a créé un inoubliable personnage de vieux cow-boy râleur à la trogne sympathique dont l'archétype est le Stumpy de *Rio Bravo* (H. Hawks, 1959). Il a terminé sa carrière comme grande vedette à la télévision. D.R.

BRENON *(Herbert), cinéaste britannique (Dublin 1880 - Los Angeles, Ca., 1958).* Ancien acteur, il devient réalisateur en 1912 après avoir été scénariste pour Carl Laemmle dès 1909. Il travaille aussi bien aux États-Unis, en Grande-Bretagne qu'en Italie. Plasticien délicat, bon directeur d'acteurs, parfaitement à l'aise dans le film pour enfants et le mélodrame, on lui doit des œuvres intéressantes : *Neptune's Daughter* (1914 ; co Otis Turner), *les Deux Orphelins* (*The Two Orphans,* 1915), *Peter Pan* (1924), *Beau Geste* (1926), *The Great Gatsby* (id.), *A Kiss for Cinderella* (id.) et *Ris donc, paillasse !* (*Laugh, Clown, Laugh,* 1928). Le parlant voit pâlir son étoile et le pousse à tourner ses derniers films en Angleterre. Il est l'un des cinéastes du muet américain à découvrir. C.V.

BRENT *(Mary Elizabeth Riggs,* dite *Evelyn), actrice américaine (Tampa, Fla., 1899 - Los Angeles, Ca., 1975).* Après une expérience théâtrale à Londres, elle fait carrière à Hollywood (surtout à l'époque du muet). Parmi les nombreux films auxquels elle a participé se détachent ses interprétations énigmatiques dans trois œuvres de Sternberg : *les Nuits de Chicago* (1927), où elle est Feathers, l'amie du gangster (George Bancroft) secrètement éprise de l'intellectuel déchu (Clive Brook) ; *Crépuscule de gloire* (1928), où, révolutionnaire, elle a une liaison avec le grand-duc incarné par Jannings ; *la Rafle* (id.), où elle livre le gangster William Powell à l'ex-policier George Bancroft. J.-L.B.

BRENT *(George Brendan Nolan,* dit *George), acteur américain d'origine irlandaise (Shannonsbridge, Irlande, GB, 1904 - Solana Beach, Ca., 1979).* Il débute à l'Abbey Theater. Ses opinions politiques le forcent à quitter l'Irlande pour le Canada, puis pour les États-Unis. Après avoir fait du théâtre à Broadway, il trouve à Hollywood un emploi de jeune premier. Opposé onze fois à Bette Davis, il tourne notamment pour la Warner Bros. Parmi ses films : *42ᵉ Rue* (L. Bacon, 1933) ; *le Voile des illusions* (R. Boleslawski, 1934) avec Greta Garbo ; *Stamboul Quest* (S. Wood, *id.*) ; *l'Insoumise* (W. Wyler, 1938) ; *Victoire sur la nuit* (E. Goulding, 1939) ; *la Mousson* (C. Brown, *id.*) ; *Angoisse* (J. Tourneur, 1944) ; *Deux Mains la nuit* (R. Siodmak, 1945). P.B.

BRENTA *(Mario), cinéaste italien (Venise 1942).* Salué dès ses débuts (*Vermisat,* 1974) comme un brillant continuateur de l'école réaliste, il a vu sa carrière entravée par la crise du cinéma italien. Auteur d'une œuvre malheureusement peu abondante, il a également signé *Effetto Olmi* (1981) sur le tournage d'*À la poursuite de l'étoile* d'Ermanno Olmi, *Robinson in laguna* (1985), documentaire réalisé dans le cadre de l'école de cinéma créée par Olmi à Bassano del Grappa. Brenta a confirmé ses dispositions pour un cinéma de l'observation minutieuse du comportement humain avec *Maicol* (1988) et *Barnabo des montagnes* (*Barnabo delle montagne,* 1994). J.-A.G.

BRÉSIL. La première projection publique connue date du 8 juillet 1896, à Rio de Janeiro. L'appareil utilisé fut curieusement baptisé « Omniografo ». Des Cinématographes Lumière ayant été présentés dans le courant des années 1896 et 1897 à São Paulo, Curitiba et Salvador, on peut estimer que l'invention des frères bisontins est arrivée au Brésil avant celle d'Edison. Le succès des premières séances pousse l'entrepreneur forain italien Paschoal Segreto* à ouvrir la première salle fixe le 31 juillet 1897, à Rio. Son frère Alfonso, retour d'Europe, enregistre des images de la baie de Guanabara avec une caméra Lumière, le 19 juin 1898. Cette prise de vues, rapportée par la presse, est considérée comme l'acte de naissance du cinéma brésilien. Des *vues locales* constitueront désormais une composante indispensable du spectacle cinématographique. Les frères Segreto restent jusqu'en 1903 les principaux exploitants et importateurs de films et les uniques producteurs des bandes d'actualités nationales. Il faudra attendre la généralisation de l'énergie électrique dans la capitale pour que le commerce cinématographique surmonte sa précarité initiale. En 1907, on inaugure une vingtaine de salles à Rio ; une première salle fixe voit le jour à São Paulo. Cet essor de l'exploitation s'accompagne d'une remarquable expansion de la production, dépassant les 200 titres pendant les années 1909-10. Les historiens attribuent la vitalité de cette période, qu'on n'a pas hésité à qualifier d'« âge d'or du cinéma brésilien », à une harmonie parfaite entre l'exploitation et la production, qu'on ne retrouvera plus ultérieurement. L'Espagnol Francisco Serrador, créateur d'un circuit encore existant, commence à tourner des *chansons illustrées,* dont les interprètes se plaçaient derrière l'écran à chaque séance. Les premières incursions dans la fiction ont lieu pendant cette *belle époque.* Les faits divers reconstitués et les satires politiques disputent aux opérettes et chansons les faveurs d'un public qui se reconnaissait résolument dans cette production plutôt que dans les films étrangers. L'élan sera brisé net lors de la Première Guerre mondiale : cette cinématographie artisanale ne résiste pas à la concurrence des bandes provenant des pays où le 7e art est devenu une industrie florissante et conquérante. En 1924, 83 p. 100 des films projetés sont d'origine américaine, alors que la production nationale n'en représente plus que 1, 5 p. 100. Les exploitants, premiers producteurs brésiliens, sont dorénavant les alliés privilégiés des distributeurs multinationaux.

Si la cinématographie brésilienne ne disparaît pas complètement, c'est grâce à l'enthousiasme de quelques individus et à la manne des actualités, qui permettent aux premiers opérateurs professionnels (Antonio Leal*, les frères Botelho*, Júlio Ferrez*, Paolo Benedetti*, Antônio Campos*) de tenir le coup et à d'autres de se lancer à l'aventure. Même s'il s'agit toujours de plaire aux commanditaires officiels ou privés, les chasseurs d'images enregistrent quelques-uns des événements d'une époque turbulente, telle la révolte dans la marine de guerre en 1910, des manifestations mystiques ou les mouvements militaires de 1924 à 1930, ce qui a rarement été le cas dans d'autres pays d'Amérique latine. Leur idéal reste néanmoins le film de fiction et ils y reviennent dès que possible. L'Italien Gilberto Rossi* permettra ainsi à José Medina* de tourner à São Paulo quelques mélodrames urbains qui se trouvent parmi les plus réussis du muet. Le cinéma de fiction des années 20 trouve ses origines dans le théâtre, notamment celui des associations ouvrières formées par le prolétariat fraîchement immigré. Le cinéma de São Paulo, nettement plus dynamique alors que celui de la capitale, est à ses débuts un cinéma des quartiers pauvres, des faubourgs. On y crée des écoles de cinéma pour rassembler les enthousiastes... et des fonds. La recherche d'une intégration dans leur société d'adoption incite souvent les cinéastes à l'adaptation des classiques de la littérature romantique brésilienne du XIXe siècle et aux films historiques : c'est le cas surtout de Vittorio Capellaro*. Les années 20 voient encore l'éclosion de plusieurs *cycles* régionaux, de courte durée, témoignant de la passion suscitée par le 7e art, du nord au sud du pays. Pendant cette période de transition, où le marché cinématographique est encore en train de se structurer, on tourne à Paraíba, à Recife, à Campinas, à Curitiba, à Porto Alegre, à Pouso Alegre et même à Cataguases (Minas Gerais). Le plus long de ces cycles, à Recife, dure huit ans (1923-1931), et donne naissance à plusieurs maisons de productions rivales, qui réussissent à achever treize films de fiction : des drames urbains et des aventures rurales où les paysages et les caractéristiques du Nordeste se glissent à l'occasion. Cataguases révèle le talent de Humberto Mauro*, que le producteur Adhémar Gonzaga* et l'équipe de la revue *Cinearte* feront venir à Rio. Le muet brésilien (dont 1 685 titres se trouvent répertoriés : 1 198 documentaires, 348 films de fiction et 139 chansons illustrées) s'achève avec *Limite* (1929), le seul film de Mário Peixoto*, expression d'une cinéphilie raffinée ; *Ganga Bruta* (1933) de Mauro, maturation d'une personnalité qui sut résister aux sirènes du mimétisme hollywoodien.

Luiz de Barros* tourne en 1929 le premier film entièrement sonorisé : *Acabaram-se os Otários.* L'avènement du parlant semble permettre tous les espoirs, car on escompte que le public se tournera vers les films dont il peut comprendre les dialogues. Gonzaga fonde à Rio la Cinédia (1930), suivi deux ans plus tard par l'actrice Carmen Santos* qui fonde la Brasil Vita Films, tentatives industrielles inspirées du modèle américain. La Cinédia exploite le filon du film carnavalesque, variante de comédie musicale préfigurant la *chanchada** et utilisant les vedettes du grand média de l'époque, la radio, notamment Carmen Miranda* et Oscarito*. Même lorsque la Cinédia s'aventure dans d'autres genres, comme le mélodrame (*O Ébrio,* Gilda de Abreu, 1946), le succès reste attaché à la chanson et à l'interprète : le populaire Vicente Celestino, dans ce cas précis. Cependant, les *talkies* américains, même sous-titrés, se sont imposés. Après un moment d'euphorie, la Cinédia végète, et cela malgré le début d'une timide législation protectionniste (1932). La production passe de dix-huit longs métrages en 1930 à quatre en 1941. Cette année, Moacyr Fenelon* crée une nouvelle compagnie à Rio, la Atlântida, dont le premier film, *Moleque Tião* (José Carlos Burle, 1943), contient des préoccupations sociales jusqu'alors absentes, à commencer par le fait que son protagoniste était un Noir, interprété par Grande Otelo*. La dépendance vis-à-vis de l'exploitation se fait néanmoins de plus en plus contraignante. Lorsque Luiz Severiano Ribeiro, propriétaire du plus important circuit de salles de la capitale, devient son principal actionnaire (1947), la Atlântida se tourne vers la production, aux moindres frais, de chanchadas destinées à remplir le quota de films brésiliens obligatoires à l'affiche (selon la législation, un long métrage par an en 1939, puis trois en 1946 ; après 1951, un film national pour huit étrangers). Ce règne de la chanchada carioca sera méprisé par la critique et la bourgeoisie, mais fort apprécié du grand public.

Une nouvelle tentative industrielle, destinée à produire un « cinéma de qualité internationale » selon les paramètres hollywoodiens, surgit à São Paulo, dont la bourgeoisie est en quête de prestige culturel et d'hégémonie idéologique : la Vera Cruz (1949) fait appel à de nombreux techniciens étrangers, sous la responsabilité d'Alberto Cavalcanti*, dont la carrière s'était jusqu'alors déroulée en France et en Grande-Bretagne. La banqueroute financière, l'échec artistique sont proportionnels aux ambitions (seul *O Cangaceiro* [Lima Barreto*, 1953] rapporte quelques liquidités). Ce désastre accélère la prise de conscience des causes de la stagnation et de la médiocrité de la cinématographie brésilienne : l'étouffement provoqué par un marché dominé par la production étrangère, surtout américaine, crée une véritable « situation coloniale », selon les mots du critique Paulo Emílio Salles Gomes*. Parallèlement à des revendications nationalistes, Nelson Pereira dos Santos*, Alex Viany* et Roberto Santos* proposent avec leurs thèses et leurs films une voie d'approche réaliste et de production indépendante des studios et des contraintes industrielles. À la faveur de l'effervescence politique et culturelle du début des années 60, une génération issue des ciné-clubs et du mouvement étudiant réussit à prendre les caméras et aboutit à un des principaux mouvements de décolonisation de la culture brésilienne : le Cinema Novo. Ruy Guerra*, Glauber Rocha*, Joaquim Pedro de Andrade*, Carlos Diegues*, Leon Hirszman*, Paulo César Saraceni*, Arnaldo Jabor*, Walter Lima Jr.*, Luiz Sergio Person*, Gustavo Dahl*, David E. Neves, de même que les documentaristes Maurice Capovilla*, Geraldo Sarno*, Vladimir de Carvalho*, Jorge Bodanzky*, Eduardo Coutinho*, ouvrent des horizons nouveaux, placent leurs œuvres au centre du débat national et influencent d'autres cinémas émergeant dans le tiers monde. Arrivé à maturation avant le coup d'État militaire de 1964, le Cinema Novo participe à la résistance intellectuelle à la dictature et s'épanouit les années suivantes. Il éclate et se disperse après 1969, lorsque la répression atteint son paroxysme. L'exil, l'inaction, voire l'autocensure s'imposeront pendant un moment. La génération suivante (Rogério Sganzerla*, Júlio Bressane*, Andrea Tonacci*, Carlos Reichenbach) pratique plutôt la marginalisation, l'expérimentation sans concession, créant un underground (dérisoirement appelé *udigrudi*) volontiers iconoclaste à l'encontre du Cinema

Novo, accusé d'académisme et de capitulation. Entre-temps, les exploitants trouvent un nouveau filon dans la *pornochanchada,* comédie érotique étroitement surveillée par la censure. Elle profite de l'élargissement du marché des films brésiliens (on a instauré en 1959 une *réserve de marché* obligatoire avec 42 jours par an destinés au cinéma national ; puis 56 jours en 1963 ; 112 jours ramenés à 98 en 1970 à la suite de la réaction des exploitants, 84 jours en 1972, 112 en 1975, 133 en 1978 et 140 en 1979) et partage souvent les sommets du box-office avec les comédies de Mazzaropi* ou des comiques en provenance de la toute-puissante télévision. L'entreprise mixte Embrafilme (créée en 1969) devient assez active pendant la gestion du cinéaste Roberto Farias (1974-1979) : elle distribue les films brésiliens et participe au financement d'un grand nombre d'entre eux, tout en contribuant à une certaine concentration de la production. Pendant les années 70, la production annuelle atteint une centaine de longs métrages, chiffre record pour l'Amérique latine. À côté des vieux routiers et des anciens du Cinema Novo, qui poursuivent leur carrière, le climat de liberté retrouvée à la fin de la décennie a permis à quelques jeunes cinéastes d'exprimer leurs inquiétudes avec talent. *Dona Flor et ses deux maris (Dona Flor e seus dois maridos,* Bruno Barreto, 1976), produit par Luiz Carlos Barreto*, est un immense succès. *Pixote* (Héctor Babenco*, 1981) est exporté vers un nombre important de pays et ouvre les portes des États-Unis à son metteur en scène. Le classicisme désormais en vogue est partagé par d'autres réalisateurs débutants pendant cette période, comme Eduardo Escorel (*Lição de amor,* 1975), Tizuka Yamasaki (*Gaijin,* 1980), Murilo Salles (*Nunca fomos tão felizes,* 1983), Suzana Amaral (*A hora da estrela,* 1985), André Klotzel (*A marvada carne,* 1985), Sergio Toledo (*Vera,* 1986), Sergio Rezende (*Lamarca,* 1993). Parmi les nouveaux venus, les plus personnels restent Carlos Alberto Prates Correia (*Cabaret mineiro,* 1980), Ana Carolina Teixeira Soares (*Das tripas coração,* 1982), Hermano Penna (*Sargento Getúlio,* 1983), Wilson Barros (*Anjos da noite,* 1987), Arthur Omar (*O inspetor,* 1987, CM), Jorge Furtado (*Ilha das flores,* 1989, CM).

Lorsque le président Fernando Collor liquide d'un trait de plume Embrafilme et la législation en vigueur (1990), il ne cède pas uniquement à la revanche vis-à-vis de l'intelligentzia et à l'idéologie néolibérale. Il donne le coup de grâce à une cinématographie déjà minée par le rétrécissement du parc des salles et du marché, résultat d'un modèle économique incapable d'intégrer la majorité de la population. Sans crédits de l'État, sans protection, la production chute et atteint le niveau zéro. Les telenovelas produites par Globo semblent appelées à régner sans partage sur l'imaginaire collectif. Cependant, une lente restructuration est perceptible dès 1993, grâce à un organisme municipal, Riofilme, initialement destiné à la distribution locale, et à une Loi de l'audiovisuel. Le Brésil célèbre les trente ans du Cinema Novo puis le centenaire du cinéma avec le sentiment que tout est à refaire. P.A.P.

BRESSANE *(Júlio), cinéaste brésilien (Rio de Janeiro 1946).* Il est un des initiateurs, avec Rogério Sganzerla, du mouvement *udigrudi* (underground) ou marginal, expression de la contestation et du désespoir de la génération postérieure au Cinema Novo. Expérimentalisme et dérision à outrance restent ses constantes. Il enrichit son œuvre par un dialogue avec la culture brésilienne aussi bien dans son versant populaire (la musique) que dans ses références littéraires ou érudites (Machado de Assis, le père Vicira). P.A.P.

Films : *Cara a Cara* (1967) ; *O Anjo Nasceu* (1969) ; *Il a tué sa famille et est allé au cinéma* (*Matou a Família e Foi ao Cinema,* id.) ; *Família do Barulho* (1970) ; *Barão Olavo o Horrível* (id.) ; *Cuidado Madame !* (id.) ; *A Fada do Oriente* (id.) ; *Memórias de um Estrangulador de Loiras* (1971) ; *Crazy Love* (id.) ; *Lágrima Pantera* (1972) ; *O Rei do Baralho* (1973), *O Monstro Caraiba* (1975) ; *A Agonia* (1978) ; *O Gigante da América* (1979) ; *Cinema Inocente* (*id.*) ; *Tabú* (1982) ; *Brás Cubas* (1985) ; *Os Sermões* (1989), *O Mandarim* (1995).

BRESSON *(Robert), cinéaste français (Bromont-Lamothe 1901).* D'abord peintre, il vient au cinéma et réalise en 1934 un moyen métrage « d'un comique fou », *Affaires publiques,* « trois journées d'un dictateur imaginaire », selon ses propres définitions. Puis il figure au générique des *Jumeaux de Brighton* (C. Heymann, 1936) et de *Courrier Sud* (P. Billon, 1937) en tant que coscénariste et coadaptateur, mais Michel Estève, son meilleur biographe, écrit que sa participation à ces deux films n'aurait été que symbolique. Il collabore en 1939, pendant quelques jours seulement, à l'adaptation d'un projet de René Clair, *Air pur,* que la guerre empêchera de réaliser. Ce n'est qu'en 1943, après plus d'un an de captivité en Allemagne, qu'il réalise son vrai premier film, *les Anges du péché.*

Robert Bresson occupe une place tout à fait à part dans le cinéma français : il est inclassable et ne peut être rattaché à aucune école, à aucun mouvement. C'est un artiste solitaire, silencieux, secret. Il a publié, sous le titre *Notes sur le cinématographe,* un recueil d'aphorismes où il expose ses principes artistiques avec sincérité et certitude. C'est un perfectionniste, aussi bien dans son expression verbale que dans ses méthodes de travail ; il s'applique à ne jamais désigner le 7e art autrement que par le terme *cinématographe,* le *cinéma* n'étant pour lui que du « théâtre photographié ». Il y a, écrit-il, « deux sortes de films : ceux qui emploient les moyens du théâtre (acteurs, mise en scène, etc.) et se servent de la caméra afin de *reproduire ;* ceux qui emploient les moyens du cinématographe et se servent de la caméra afin de *créer* ». On lui doit aussi cette définition, où l'on trouve un écho de la formule d'Abel Gance, cet autre artiste exclusif : « Le cinématographe est une écriture avec des images en mouvement et des sons. »

La plupart des admirateurs de Bresson s'accordent à voir dans *Pickpocket* (1959) son film le plus pur et le plus parfait. Mais ce film est l'aboutissement d'une évolution caractéristique vers le dépouillement et l'abstraction. Ses deux premiers films, *les Anges du péché* (1943) et *les Dames du bois de Boulogne* (1945), relèvent encore de l'esthétique et de la dramaturgie dominantes dans la production française de l'époque (et de toujours) : emploi d'acteurs professionnels (dont la plupart sont aussi des acteurs de théâtre) ; recours à des dialogues *littéraires* (dus à Jean Giraudoux dans le premier, à Jean Cocteau dans le second) ; pratique d'images très élaborées et très dramatisées par la mise en œuvre d'éclairages savants (elles sont dues, dans les deux cas, à Philippe Agostini, grand spécialiste de la photographie esthétisante).

Le tournant est pris avec *le Journal d'un curé de campagne* (1951) : on y constate une rupture complète avec la *littérature,* le roman de Bernanos y étant repensé en fonction du « cinématographe ». Les dialogues, dus au réalisateur même, y obéissent déjà au principe de neutralité dramatique et tonale qui sera désormais sa règle d'or ; quant aux images, bien qu'encore marquées par une certaine dramatisation (elles sont signées par Léonce-Henri Burel, qui fut l'opérateur de Gance), elles évoluent vers les deux caractéristiques par lesquelles Bresson a défini son idéal en la matière : « aplaties » et « insignifiantes (non signifiantes) ». Le tournant est définitivement pris avec *Un condamné à mort s'est échappé* (1956), où la parole (le son) et l'image s'équilibrent dans la même neutralité esthétique et dramatique. Autre signe de cette rupture : écrite pour les trois premiers films par un compositeur contemporain (Jean-Jacques Grünenwald) et marquée par un certain lyrisme, la musique est cette fois empruntée à Mozart et utilisée avec parcimonie, dans une perspective de contribution à la *dédramatisation* plastique et tonale de l'œuvre.

Pickpocket apparaît ainsi comme l'aboutissement du processus d'*ascèse* qui caractérise l'esthétique bressonienne. La photo de Burel, la musique de Lully concourent à ce dépouillement. C'est en outre le premier scénario original de Bresson et il a toute liberté d'y mettre en œuvre les traits spécifiques de son style (« Style : tout ce qui n'est pas la technique », écrit-il) : il gomme rigoureusement toutes les impuretés de la représentation pour parvenir à une totale stylisation du figuratif, il suggère (en général par des plans de détail ou des inserts) plus qu'il ne le décrit le monde extérieur qui sert de cadre à l'action, il écarte toute psychologie descriptive (« celle qui ne découvre que ce qu'elle peut expliquer ») au profit d'une approche inhabituelle des corps « à l'affût des mouvements les plus insensibles, les plus intérieurs ».

Son refus de « toute psychologie théâtrale ou romanesque » se caractérise désormais par un recours systématique aux acteurs non professionnels, choisis parmi ses amis ou dans la rue pour leur seule apparence physique ou pour ce que leur visage reflète de vie intérieure, acteurs qu'il triture, qu'il torture jusqu'à obtenir d'eux, au prix parfois de plusieurs dizaines de prises, cette voix blanche, ce ton monocorde qui sont, pour le spectateur réticent, la plus discutable caractéristique de son esthétique. Il choisit désormais ceux qu'il appelle ses *modèles,* non pas pour leur faire jouer un personnage mais pour leur faire extraire d'eux-mêmes la personnalité en fonction de laquelle il les a élus ; il les laisse ensuite si vidés de leur propre substance que la plupart d'entre eux ne pourront jouer aucun autre rôle important à l'écran : ainsi en a-t-il été de Claude Laydu (le curé de campagne), de François Leterrier (le condamné à mort), de Martin Lassalle (le pickpocket), de Florence Delay (Jeanne d'Arc), cependant que d'autres sont parvenus à surmonter ce traitement de choc et à faire carrière : Anne Wiazemsky *(Au hasard Balthazar),* Dominique Sanda *(Une femme douce),* par exemple.

Après *Pickpocket,* les œuvres maîtresses se suivent : *le Procès de Jeanne d'Arc* (1962), *Au hasard Balthazar* (1966), *Mouchette* (1967). Ce sont sans nul doute *Pickpocket* et *le Procès* qui répondent le mieux à l'extraordinaire principe que le cinéaste formule dans ses *Notes :* « Bâtis ton film sur du blanc, sur le silence et l'immobilité. » Principe qu'il faut compléter par celui-ci : « Vois ton film comme une combinaison de lignes et de volumes en mouvement en dehors de ce qu'il figure et signifie. » Cette recherche de l'absolu pourrait sembler prétentieuse et insensée si elle ne se traduisait en des œuvres où s'épanouissent une beauté singulière, une humanité vibrante, et qui s'offrent dans toute leur splendeur et leur hauteur au spectateur désireux et capable de franchir le mur de *silence* et d'*immobilité* qui les protège des vulgarités du « cinéma ». Car la jouissance très désincarnée que procurent ces films est de l'ordre de l'esthétique (c'est-à-dire de la *sensation*) et non du sentiment ; elle naît, non pas du pathétique des situations, mais du bonheur d'un discours filmique rigoureusement élaboré (« Ne cours pas après la poésie. Elle pénètre toute seule par les jointures » [c'est-à-dire par les ellipses]).

Quant à la thématique bressonienne fondamentale, celle de la *rédemption,* elle court comme un fil rouge tout au long de son œuvre. Chrétien janséniste, Bresson croit à la *grâce* qui permet à certains êtres d'exception de trouver le rachat de leurs fautes à l'instant de la mort, acceptée ou désirée comme une délivrance : Thérèse (Jany Holt, dans *les Anges du péché*), Agnès (Élina Labourdette, dans *les Dames du bois de Boulogne*), le curé d'Ambricourt (qui termine son *Journal* en écrivant : « Tout est grâce »), Jeanne d'Arc, Mouchette (Nadine Nortier) sont de ces êtres qui se consument au long d'un calvaire physique et moral qui prend nettement, dans le cas du curé de campagne, les allures d'un itinéraire christique avec ses plaies et ses stigmates. Et ce cheminement de la grâce, Bresson le retrouve chez Dostoïevski, dont il « adapte » deux nouvelles avec *Une femme douce* (1969) et *Quatre Nuits d'un rêveur* (1971) et dont on pouvait déjà entrevoir l'inspiration dans *Pickpocket* (« Quel chemin il m'a fallu parcourir pour arriver jusqu'à toi »). Ses derniers films, *Lancelot du lac* (1974), *le Diable probablement* (1977) et *l'Argent* (1983 – qui, bien qu'adapté d'une nouvelle de Tolstoï, appelle à nouveau la référence à Dostoïevski quant au cheminement de la grâce chez un criminel racheté par l'horreur même de son geste), restent fidèles à la ligne thématique qui a conduit le cinéaste, dans treize films en marge de toutes les modes (fût-ce au risque de préciosités qui irritent ses détracteurs), à mettre en scène des personnages animés par la passion de la liberté spirituelle et à « s'efforcer d'atteindre le réel au-delà du réel » (Michel Estève). ▲ M.M.

BREVETS (guerre des). Alors que le cinéma vient tout juste de naître, il connaît sa première crise commerciale grave, en 1897, aux États-Unis, lorsque l'inventeur Thomas Edison, qui entrevoit déjà l'intérêt de monopoliser une industrie toute neuve, déclare la *guerre des brevets.* Sa stratégie est simple : ayant acquis les droits du projecteur Vitascope, version améliorée de son propre Kinetoscope, il porte systématiquement plainte, pour contrefaçon, contre tous ceux qui fabriquent ou utilisent des appareils équivalents au sien. Sa première victime est le Cinématographe Lumière, qui triomphe depuis plus d'un an dans les grandes villes américaines. En outre, le matériel français est frappé par une mesure douanière protectionniste à effet rétroactif : ne se sentant pas de taille à mener une lutte aussi sévère, la firme lyonnaise abandonne le marché américain. Après l'élimination de Lumière, il reste encore aux États-Unis une dizaine de petites firmes qui vendent et fabriquent du matériel cinématographique : à partir de la fin de 1897, elles tomberont les unes après les autres sous la pression des huissiers envoyés par Dyer, l'avocat d'Edison. En mai 1898, la seconde et la plus longue phase de cette guerre commence lorsque, face à l'Edison Company, s'impose l'American Biograph. Les deux firmes, soutenues par d'importants groupes financiers, ne craignent pas de se lancer dans des procès interminables, ou même des bagarres à main armée : leur affrontement durera dix ans. La première tentative de monopolisation de l'industrie du cinéma en Amérique n'aboutit pas, et Edison, malgré un dernier procès en octobre 1907, qui le conforte dans tous ses droits acquis au cours des dix années passées, est contraint de s'entendre avec ses rivaux. Sous l'égide de l'Edison Company se forme alors un véritable trust, qui soumet chaque producteur, distributeur et exploitant à des redevances souvent élevées. F.LAB.

BRIALY *(Jean-Claude), acteur et cinéaste français (Aumale* [auj. *Sour El-Ghozlan, Algérie*] *1933).* À ses débuts, il est un des acteurs préférés de la Nouvelle Vague, et tourne dans les premiers films de Claude Chabrol (*le Beau Serge,* 1959 ; *les Cousins,* id. ; *les Godelureaux,* 1960), de Jacques Rivette (films dans lesquels il incarne l'adolescence, la jeunesse désabusée et cyniquement nonchalante de l'après-guerre, par ex. *Paris nous appartient,* id.), dans ceux de Jean-Luc Godard (*Une femme est une femme,* id.) et d'Alexandre Astruc (*L'Éducation sentimentale,* 1962). Il apparaît ensuite dans de nombreux films dont *Un monsieur de compagnie* (Ph. de Broca, 1964), *le Bal du comte d'Orgel* (M. Allégret, 1970), *le Genou de Claire* (E. Rohmer, 1970), *le Fantôme de la liberté* (L. Buñuel, 1974), *le Juge et l'Assassin* (B. Tavernier, 1976), *la Nuit de Varennes* (E. Scola, 1982), *Sarah* (M. Dugowson, 1983), *le Quatrième Pouvoir* (Serge Leroy, 1985), *l'Effrontée* (C. Miller, *id.*), *Inspecteur Lavardin* (C. Chabrol, 1986), *Levy et Goliath* (G. Oury, 1987), *les Innocents* (A. Téchiné, *id.*), *S'en fout la mort* (Claire Denis, 1990), *Août* (Henri Herré, 1992), *le Monstre* (R. Benigni, 1994), *les Cent et Une Nuits* (A. Varda, 1995), *Une femme française* (R. Wargnier, *id.*). Mais son personnage de jeune premier insolent va, hélas, servir à des fins beaucoup plus commerciales. Il est aussi passé à la mise en scène : *Églantine* (1972), *les Volets clos* (1973), *l'Oiseau rare* (id.), *Un amour de pluie* (1974), *les Malheurs de Sophie* (1981) et *Un bon petit diable* (1983). D.R.

BRIAN *(Louise Byrdie Dantzler,* dite *Mary), actrice américaine (Corsicana, Tex., 1908).* Elle obtient à seize ans le rôle de Wendy dans *Peter Pan* (H. Brenon, 1924), après avoir remporté un concours de beauté à Los Angeles. Elle amorce alors une carrière qui parvient sans trop de difficultés à franchir l'écueil du parlant au cours des années 30. Brunette ingénue et douce, elle devient l'une des stars de la Paramount, joue les « nice girls » face à Buddy Rogers, à Richard Arlen, à Gary Cooper, à Lee Tracy et apparaît à son avantage dans de nombreux films, parmi lesquels *Beau Geste* (H. Brenon, 1926), *Brown of Harvard* (J. Conway, *id.*), *Running Wild* (G. La Cava, 1927), *Harold Teen* (M. Le Roy, 1928), *Varsity* (F. Tuttle, *id.*), *The Virginian* (V. Fleming, 1929), *River of Romance* (R. Wallace, *id.*), *The Front Page* (L. Milestone, 1931), *It's Tough to Be Famous* (A.E. Green, 1932), *The Man on the Flying Trapeze* (C. Bruckman, 1935). J.-L.P.

BRILLANCE. Ancienne dénomination de la luminance. (→ PHOTOMÉTRIE.)

BRIDGES *(Alan), cinéaste britannique (Liverpool 1927).* Après avoir été acteur, il devient metteur en scène et auteur de théâtre et de télévision. Il tourne *Act of Murder* (1965) et *Invasion* (1966), puis remporte une surprenante Palme d'or à Cannes avec *la Méprise* (*The Hireling,* 1973)... puis réalise *Out of Season* (1975), *la Petite Fille en velours bleu* (*The Girl in Blue Velvet,* 1978), *le Retour du soldat* (*The Return of the Soldier,* 1982), *la Partie de chasse* (*The Shooting Party,* 1984). P.P.

BRIDGES *(James), réalisateur et scénariste américain (Paris, Ark., 1938 - Los Angeles, Ca., 1993).* Bon technicien, aussi bien à la machine à écrire (*l'Homme de la Sierra,* S. Furie, 1966) qu'à la caméra, James Bridges a débuté dans la mise en scène avec l'attachant *The Baby Maker* (1970). Mais c'est *la Chasse aux diplômes* (*The Paper Chase,* 1973), satire alerte des rites universitaires américains, qui fait sa réputation. Il remporte un grand succès public avec *le Syndrome chinois* (*The China Syndrome,* 1979), un bon suspense sur le péril atomique, interprété par Jane Fonda, et signe en 1980 *Urban Cowboy,* en 1984 *Mike's Murder,* en 1985 *Perfect* et en 1988 *les Feux de la nuit* (*Bright Light, Big City*). C.V.

BRIDGES *(Jeff), acteur américain (Los Angeles, Ca., 1949).* Fils de Lloyd Bridges et frère de Beau Bridges, tous deux acteurs. Comme eux formé au théâtre, il est, de surcroît, compositeur et auteur de nombreuses chansons. Il paraît naturel, imprévisible et plein d'humour. La finesse psychologique de ses interprétations contraste avec son physique de jeune Américain en bonne santé et sans histoire, le « tenderfoot », aux prises avec un monde déphasé ou marginal (*Une fille nommée Lolly Madonna,* R. Sarafian, 1973). Il obtient ses premiers grands rôles, dans *la Dernière Séance* (P. Bogdanovich, 1971) et *Fat City* (J. Huston, 1972), puis tourne notamment *le Canardeur* (M. Cimino, 1974), *Hollywood Cowboy* (*Hearts of the West,* Howard Zieff, 1977), *la Porte du paradis* (Cimino, 1980), *Cutter's Way* (I. Passer, 1981), *Starman* (J. Carpenter, 1985), *Huit millions de façons de mourir* (H. Ashby, 1986), *le Lendemain du crime* (S. Lumet, *id.*), *Nadine* (R. Benton, 1987), *Tucker* (F. F. Coppola, 1989) où dans le rôle-titre il incarne l'inventeur génial d'une voiture d'avant-garde, contré par les lobbies de l'industrie automobile de Detroit et acculé à la faillite, *Susie et les Baker Boys* (Steve Kloves, 1989) où il interprète un pianiste de bar, taciturne et abandonné par le succès, *Texasville* (P. Bogdanovich, 1990), *The Fisher King* (T. Gilliam, id.), *American Heart* (Martin Bell, 1992), *la Disparue* (*The Vanishing,* George Sluizer, *id.*), *État second* (P. Weir, 1993), *Blown Away* (Stephen Hopkins, 1994), *Wild Bill* (W. Hill, 1995). Son frère Beau Bridges joue notamment à ses côtés dans le film de S. Kloves. C.V.

BRIDGES *(Lloyd), acteur américain (San Leandro, Ca., 1913).* Acteur de seconds rôles, il s'est spécialisé dans le western et le film d'action. Il y incarne des personnages solides et positifs : *la Demeure des braves / Je suis un nègre* (M. Robson, 1949), *Little Big Horn* (Ch. Marquis Warren, 1951), *Le train sifflera trois fois* (F. Zinnemann, 1952), *le Tour du monde sous la mer* (*Around the World Under the Sea* [A. Marton], 1966), *The Happy Ending* (R. Brooks, 1969), *Tucker* (F. F. Coppola, 1988), *Winter People* (T. Kotcheff, 1989), *Hot Shots II* (Jim Abrahams, 1993), *Blown Away* (Stephen Hopkins, 1994). B.G.

BRIGHTON (école de). Terme employé par l'historien Georges Sadoul pour désigner certains pionniers du cinéma britannique qui travaillèrent à la même époque dans la ville balnéaire de Brighton. Il ne s'agit donc pas d'un quelconque mouvement artistique mais d'une commodité de regroupement géographique. L'*école de Brighton* est essentiellement composée des inventeurs William Friese-Greene et Esme Collings et des réalisateurs George Albert Smith et James Williamson (qui fondèrent l'un et l'autre des studios de cinéma dans cette ville). J.-L.P.

BRIGNONE *(Guido), cinéaste italien (Milan 1887 - Rome 1959).* Au cours d'une carrière longue de plus de quarante ans (son premier film date de 1916), Brignone s'est illustré dans de nombreux genres, auxquels il a apporté un solide métier. Parmi ses films marquants, on peut citer *I due sergenti* (1919), plusieurs *Maciste,* dont *Maciste aux enfers* (*Maciste all'inferno,* 1925), *Vite... embrassez-moi !* (O. T. Rolli, 1928), réalisé en France, *Vous que j'adore* (*Rubacuori,* 1931), *Teresa Confalonieri* (1934), *Passaporto rosso* (1935) avec Isa Miranda – sans doute son meilleur film –, *Maria Malibran* (1943). Après la guerre, il réalise encore une vingtaine de films et termine sa carrière par des péplums (*Sous le signe de la Croix* [*Le schiave di Cartagine*] 1956 ; *La regina del deserto,* 1959). J.-A.G.

BRION *(Françoise), actrice française (Paris 1934).* Les cours qu'elle suit auprès de Pierre Dux, de Raymond Girard et à l'Actors Studio la conduisent au théâtre puis au cinéma, où elle est lancée par les réalisateurs de la Nouvelle Vague : par Pierre Kast (*le Bel Âge,* 1960 ; *Vacances portugaises,* 1963 ; *les Soleils de l'île de Pâques,* 1972), par Jacques Doniol-Valcroze, dont elle fut l'épouse (*l'Eau à la bouche,* 1960 ; *le Cœur battant,* 1961), par Alain Robbe-Grillet (*l'Immortelle,* 1963). Sa filmographie est par ailleurs assez décevante mais elle apporte à tous ses rôles, au cinéma comme au théâtre, une élégance racée et un humour discret. M.M.

BRISSEAU *(Jean-Claude), cinéaste français (Paris 1944).* D'abord enseignant, il vient au cinéma avec des longs métrages non diffusés, *la Croisée des chemins* (1975) et *la Vie comme ça* (1978) puis, pour la TV, *les Ombres* (1980). *Un jeu brutal* (1982) révèle un auteur complet dont l'inspiration originale et le ton personnel sont confirmés par *De bruit et de fureur* (1987), *Noce blanche* (1989), *Céline* (1992) voire par *l'Ange noir* (1994). M.M.

BRITISH FILM INSTITUTE (BFI). Organisme cinématographique britannique fondé en 1933 et situé à Londres. Le BFI regroupe différentes branches d'activité : une cinémathèque qui possède de très nombreuses copies de films (National Film Archive), deux salles de projection (National Film Theatre), un service de distribution, un service de production, un service d'informations, une importante bibliothèque, une photothèque et une branche éditoriale (outre diverses publications, le BFI publie régulièrement le *Monthly Film Bulletin* et la revue *Sight and Sound*). Le financement est assuré à la fois par une subvention gouvernementale et par les cotisations des membres. J.-L.P.

BRIZZI *(Anchise), chef opérateur italien (Poppi, Arezzo, 1887 - Rome 1964).* Opérateur à partir de 1914, Brizzi n'arrête sa longue carrière qu'en 1962. Son sens très sûr des éclairages et ses grandes connaissances en matière d'optique lui permettent de figurer parmi les meilleurs chefs opérateurs des années 30. Il collabore ainsi avec Blasetti *(Palio ; 1860 ; Il caso Haller),* Genina *(l'Escadron blanc),* Camerini *(Monsieur Max ; Battement de cœur ; Grandi magazzini ; les Fiancés),* Gallone *(Scipion l'Africain ; Manon Lescaut ; Melodie eterne ; Tristi amori).* Après la guerre, il signe encore la photographie de films importants comme *Sciuscià* (V. De Sica, 1946) ou *Othello* (O. Welles, 1952 ; co G. R. Aldo). J.-A.G.

BROCA *(Philippe de), cinéaste français (Paris 1933).* Opérateur de documentaires, puis assistant (Decoin, Lacombe, Truffaut, Chabrol). C'est grâce à ce dernier qu'il débute dans la mise en scène avec *les Jeux de l'amour* (1960), aimable comédie de mœurs dont il a écrit le scénario avec Daniel Boulanger. C'est d'ailleurs avec ce dernier qu'il fera équipe pour la plupart de ses films. Tout en poursuivant dans la veine de la comédie légère et farfelue *(l'Amant de cinq jours, le Farceur),* il se lance avec autant de succès dans le film d'aventures picaresque comme *Cartouche, l'Homme de Rio* et *les Tribulations d'un Chinois en Chine,* tous trois avec un Jean-Paul Belmondo au meilleur de sa forme bondissante et rigolarde. (Il fera encore appel à Belmondo pour *le Magnifique* et *l'Incorrigible.*) Il représente, dans les films cités, avec une réelle aisance, un sens très sûr du suspense et de l'effet comique, une veine trop rare dans le cinéma français de divertissement, si souvent dépourvu de légèreté et d'élégance. *Louisiane* et *Chouans !* sont des fresques historiques ambitieuses mais plus appliquées qu'inspirées. M.M

Films ▲ : *les Jeux de l'amour* (1960) ; *le Farceur* (1961) ; *l'Amant de cinq jours* (id.) ; *Cartouche* (id.) ; *les Sept Péchés capitaux* (1962 ; épisode : *la Gourmandise*) ; *les Veinards* (id. ; épisode : *la Vedette*) ; *l'Homme de Rio* (1963) ; *Un monsieur de compagnie* (1964) ; *les Tribulations d'un Chinois en Chine* (1965) ; *le Roi de cœur* (1967) ; *le Plus Vieux métier du monde* (id. ; épisode : *Mademoiselle Mimi*) ; *le Diable par la queue* (1969) ; *les Caprices de Marie* (1970) ; *la Poudre d'escampette* (1971) ; *Chère Louise* (1972) ; *le Magnifique* (1973) ; *l'Incorrigible* (1975) ; *Julie Pot-de-colle* (1977) ; *Tendre Poulet* (1978) ; *le Cavaleur* (1979) ; *On a volé la cuisse de Jupiter* (1980) ; *Psy* (1981) ; *l'Africain* (1983) ; *Louisiane* (1984) ; *le Crocodile* (1986) ; *la Gitane* (id.) ; *Chouans !* (1988) ; *les Mille et une nuits* (1990) ; *les Clés du Paradis* (1991).

BROCCOLI *(Alberto Romolo,* dit familièrement *Cubby), producteur américain (New York, N. Y., 1909).* D'abord assitant réalisateur pour la 20th Century Fox puis la RKO de 1941 à 1949, il s'installe à Londres en 1951 et devient producteur. Après quelques films dont *le Serment du chevalier noir* (T. Garnett, 1954), il lance dès 1962 avec *James Bond 007 contre Dr No* (T. Young) la célèbre et populaire série vouée aux exploits de l'intrépide et séduisant agent 007. B.G.

BROCKA *(Lino Ortiz), cinéaste philippin (San José, Nueva Ecija, 1940 - Manille 1991).* À force d'obstination et de talent, il a donné au cinéma philippin ses lettres de noblesse. Après des études à l'université des Philippines, il se convertit à la religion mormon, passe deux ans à Hawaii dans une colonie de lépreux comme missionnaire, séjourne à San Francisco puis, de retour aux Philippines, participe aux spectacles de la compagnie dramatique, Educational Theater Association. Il ne cessera d'avoir des activités théâtrales, montant des pièces de Sartre et de Tennessee Williams, mais aussi des spectacles liés à la situation de son pays. Dans les années 70 (sa première œuvre date de 1970), il réalise une trentaine de films. Beaucoup d'entre eux sont alimentaires, mais, certains échappant au commercialisme et à la médiocrité de l'industrie locale, imposent très vite Lino Brocka comme un cinéaste complet, attaché à dévoiler la réalité sociale et économique des Philippines, doué d'un sens aigu des gestes et des lieux, donnant à ses films une énergie et une vitalité étonnantes. Influencés par le cinéma italien d'après-guerre et la production hollywoodienne, ils appartiennent à des genres codifiés (mélodrame, policier) auxquels le réalisme du traitement donne une nouvelle fraîcheur. Parmi une production abondante, citons en particulier : *'On t'a pesé et trouvé trop léger'* (*Tinimbang ka Ngun it Kukang,* 1974) ; *'Manille dans les griffes du néon'* (*Maynila : sa mga kuko ng Liwanag,* 1975) ; *Insiang* (id., 1976) ; *Jaguar* (id., 1979) ; *Bona* (id., 1980) ; *Angelo Markado* (id.) ; *Bayan ko* (id., 1984) ; *Macho Dancer* (1988) ; *les Insoumis* (*Ora pro nobis / Fight for us,* 1989). M.C.

BRODIN(E) *(Norbert), chef opérateur américain (St Joseph, Mo., 1896 - 1970).* De 1919 à 1945, sa carrière, fort bien remplie, n'émerge pas de l'anonymat. Mais lorsqu'il est engagé à la 20th Century Fox et qu'il travaille avec Henry Hathaway (*la Maison de la 92e rue,* 1945 ; *le Carrefour de la mort,* 1947), Joseph L. Mankiewicz (*Quelque part dans la nuit,* 1946), Elia Kazan (*Boomerang,* 1947) et Jules Dassin (*les Bas-Fonds de Frisco,* 1949), il contribue à l'esthétique du film noir et à l'évolution de cette esthétique. Le tournage hors des studios, sur les lieux mêmes de l'action, qui n'exclut pas la souplesse des déplacements ni la composition de l'image, les jeux d'ombre et les reflets de lumière, l'éclairage cru ou très contrasté des visages : autant de données qui, tout en créant l'impression du document, imposent le sentiment de la fatalité dans l'univers urbain. À partir de 1953, il travaille uniquement pour la télévision. A.G.

BRODSKY *(Vlastimil), acteur tchèque (Hrušov nad Odrou 1920).* Acteur de théâtre, il débute à l'écran en 1947 dans *la Frontière volée* de Jiři Weiss, obtient quelques rôles dans des films de Martin Frič et de Jiři Krejčik à la fin de la décennie suivante mais ne rencontre la notoriété qu'au cours des années 60, durant lesquelles il a la chance de travailler avec les meilleurs cinéastes de l'époque : Zbyňek Brynych (*Transport au paradis,* 1962), Vojtech Jasny (*Un jour, un chat,* 1963 ; *Chronique morave,* 1968), Evald Schorm (*Du courage pour chaque jour,* 1964 ; *la Fin du bedeau,* 1969), Jiři Menzel (*Trains étroitement surveillés,* 1966 ; *Un été capricieux,* 1967 ; *Crime au café-concert,* 1968). On le retrouve ensuite dans des films moins significatifs comme *'le Fantôme de Freon'* (*Freonovy duch,* Zbynek Zelenka, 1990) ou *'Une trop bruyante solitude'* (*Příliš hlučná samota,* Vera Cais, 1995, d'après B. Hrabal). Il a été l'époux de Jana Brejchova. J.-L.P.

BROMURE. *Bromure d'argent,* composé chimique sensible à la lumière et qui est le principal constituant actif de la couche sensible. (→ COUCHE SENSIBLE.)

BRONCHO BILLY → ANDERSON *(Gilbert).*

BRONNER *(Robert), chef opérateur américain (New York, N. Y., 1907 - Los Angeles, Ca., 1969).* Venu au cinéma durant les années 50, l'essentiel de sa carrière se déroule à la MGM, où il éclaire à quatre reprises Cyd Charisse dans *Beau fixe sur New York* (G. Kelly et S. Donen, 1955), *Viva Las Vegas* (R. Rowland, 1956), *la Belle de Moscou* (R. Mamoulian, 1957) et *Traquenard* (N. Ray, 1958). En dehors du musical déclinant, il trouve son terrain d'élection dans la comédie : *The Opposite Sex* (D. Miller, 1956), *Prenez garde à la flotte* (Ch. Walters, 1957), *Ne mangez pas les marguerites* (id., 1960). Il continuera d'explorer ce domaine après avoir repris son indépendance : *Milliardaire pour un jour* (F. Capra, 1961) ; série *Gidget* (P. Wendkos, 1959-1963) ; *Trois sur un sofa* (J. Lewis, 1966). O.E.

BRONSON *(Elizabeth Ada Bronson,* dite *Betty), actrice américaine (Trenton, N.J., 1906 - Pasadena, Ca., 1971).* Elle accède brusquement à la célébrité, en 1924, en obtenant le rôle principal de la première version de *Peter Pan,* réalisée par Herbert Brenon. La Paramount espère tenir en elle une nouvelle Mary Pickford et cherche à l'enfermer dans des rôles charmants, nostalgiques ou féeriques : *Are Parents People ?* (M. St Clair, 1925) ; *Not So Long Ago* (S. Olcott, id.), *A Kiss for Cinderella* (Brenon, 1926). Elle cherche à élargir sa palette. Elle est la Vierge Marie dans *Ben Hur* (F. Niblo, 1924), apparaît dans des westerns (*The Golden Princess,* C. Badger, 1925 ; *Open Range,* C. Smith, 1927), des comédies romantiques (*Ritzy,* R. Rosson, 1927), dans l'un des premiers « talkies » (*le Fou chantant,* 1928, L. Bacon). J.-L.P.

BRONSON *(Charles Buchinski,* dit *Charles), acteur américain (Ehrenfeld, Pa., 1920).* Fils d'émigrés lituaniens, il tient de très petits rôles au théâtre avant de débuter au cinéma sous son véritable nom dans *La marine est dans le lac* (H. Hathaway, 1951). Son visage buriné, sa musculature de boxeur le vouent, au cours de la première partie de sa carrière (1951-1960), soit aux emplois de personnages types, d'origine étrangère, dans des films d'action, fantastiques, westerns ou policiers (*l'Homme au masque de cire,* A. De Toth, 1953 ; *Bronco Apache,* R. Aldrich, 1954 ; *l'Aigle solitaire,* D. Daves, *id.,* pour lequel il adopte son pseudonyme ; *le Jugement des flèches,* S. Fuller, 1957), soit aux premiers rôles dans des productions de série B : *Mitraillette Kelly* (R. Corman, 1958), sur le petit comme sur le grand écran. *Les Sept Mercenaires* (J. Sturges, 1960) ouvrent la deuxième partie de sa carrière (1960-1967), tête d'affiche de grosses productions, avec des cinéastes renommés, dans des rôles variés : *la Grande Évasion* (Sturges, 1963), *le Chevalier des sables* (V. Minnelli, 1965), *Propriété interdite* (S. Pollack, 1966). Il abandonne la télévision. *Les Douze Salopards* (Aldrich, 1967) lui valent la célébrité. Commence alors la troisième partie de sa carrière, celle de star internationale, qui le reconduit malheureusement aux rôles types de ses débuts : *Adieu l'ami* (Jean Herman, 1968), *Il était une fois dans l'Ouest* (S. Leone, *id.*), *le Passager de la pluie* (R. Clément, 1969). Dans des films conçus pour sa femme Jill Ireland (*1936 - 1990*) et pour lui, Michael Winner fait de lui un héros omnipotent, omniscient, sans mystère ni sensibilité, qui, des *Collines de la terreur* (1972) au *Flingueur* (1973), devient archétypal avec *Un justicier dans la ville* (1974). Bronson essaye d'échapper à ce personnage (*Cosa Nostra,* T. Young, 1972) ou de le ridiculiser : *From Noon Till Three* (*C'est arrivé entre midi et trois heures,* Franck D. Gilroy, 1976). Devant les réserves du public, il s'y laisse ramener : *Un justicier dans la ville n° 2* (Winner, 1981), *Death Wish 3* (id., 1985). Il interprète ensuite *la Loi de Murphy* (*Murphy's Law,* J. Lee Thompson, 1986) et *Protection rapprochée* (*Assassination,* Peter Hunt, 1987). Dans des entreprises aussi mornement commerciales, Bronson semblait s'épuiser et épuiser ses plus fidèles admirateurs. Heureusement, on le redécouvre, acteur de composition sobre et mesuré, dans *Indian Runner* (Sean Penn, 1991) : muré dans son silence et dans sa solitude, il crée une mémorable figure paternelle vouée au suicide. A.G.

BRONSTON *(Samuel), producteur américain (Bessarabie, Russie, 1909 - Sacramento, Ca., 1994).* Courtier en films MGM en France avant la guerre, puis producteur exécutif à la Columbia (1940), il fonde en 1943 sa compagnie, qui n'a qu'une activité restreinte jusqu'en 1959 ; il entreprend alors de créer ses propres studios en Espagne (grâce à des fonds *gelés* par les accords hispano-américains d'après-guerre, qu'il débloque par ce biais). Mégalomane d'un autre âge, il engloutit des sommes énormes dans ces constructions et dans quelques coproductions internationales, mais dès 1964, il est en état de faillite. En 1971, il annonce son retour, mais est déclaré de nouveau en banqueroute (1974). En 1979, il se fait plus modeste avec *The Mysterious House of Dr. C.* (Ted Kneeland). Il a produit (et quelque peu supervisé) *le Roi des rois* (1961) et *les 55 Jours de Pékin* (1963) de Nicholas Ray, *le Cid* (1961) et *la Chute de l'Empire romain* (1964) d'Anthony Mann, ainsi que *le Plus Grand Cirque du monde* d'Henry Hathaway (1964). G.L.

BROOK *(Clifford Hardman Brook,* dit *Clive), acteur et cinéaste britannique (Londres 1887 -* id. *1974).* Il débute en 1920 dans des films britanniques et s'exile aux États-Unis en 1924. Il y reste dix ans et devient une vedette de premier plan dans des rôles pleins de morgue, de courage et de distinction. Il est pour Sternberg l'admirable « Rolls-Royce » des *Nuits de Chicago* (1927) et l'officier de *Shanghai Express* (1932). Il trouve ses rôles les plus populaires dans *les Quatre Plumes blanches*

(E. B. Schoedsack, M. Cooper 1929) ou *Sherlock Holmes* (W. K. Howard, 1932). De retour en Angleterre, il interprète encore une dizaine de films et réalise en 1942 *On Approval.* Il s'éloigne alors des écrans pour n'y revenir qu'à l'occasion d'un petit rôle, dans *le Dernier de la liste* (J. Huston, 1963). J.-P.B.

BROOK *(Peter), cinéaste et metteur en scène de théâtre britannique (Londres 1925).* Grand homme de théâtre, universellement connu pour son intelligent « dépoussiérage » de Shakespeare (*le Songe d'une nuit d'été, Titus Andronicus),* il s'est essayé au cinéma dès 1943 avec un film amateur *A Sentimental Journey,* adapté de Sterne. En 1953, il dirige *l'Opéra des gueux (The Beggar's Opera),* scrupuleuse transposition de la pièce de John Gay adaptée par Christopher Fry. C'est d'une manière aussi peu personnelle qu'il dirigera *Moderato cantabile* (1960) d'après Marguerite Duras. Moins littéraire, *le Seigneur des mouches* (*Lord of the Flies,* 1963) pèche par l'emphase et le désordre sur un sujet provocant. Si l'on met à part *Tell Me Lies* (1968, essai sur la guerre du Viêt-nam, et *le Roi Lear* (*King Lear,* 1971), où Brook a filmé (en noir et blanc) sa vision théâtrale de la pièce, son meilleur film du point de vue cinématographique reste son adaptation de l'étonnant *Marat-Sade* de Peter Weiss (1967) : une mise en scène rénovée, un dialogue qui conserve pour l'essentiel sa force, une superbe photo en couleurs montrent des possibilités (jusque dans le travail de la caméra sur les corps des interprètes) que Brook, accaparé par sa juste renommée à la scène, n'a pas exploitées ailleurs. En 1979, il réalise *Rencontres avec des hommes remarquables (Meetings With Remarkable Men)* et, en 1983, trois versions — avec une distribution différente — de la *Tragédie de Carmen* d'après sa propre mise en scène théâtrale. En 1989 il donne une version cinématographique de sa propre adaptation théâtrale du *Mahabharata.* G.L.

BROOKS *(Geraldine Stroock,* dite *Geraldine), actrice américaine (New York, N. Y., 1925 - Riverhead, N. Y., 1977).* Ses parents étaient créateurs de costumes et décorateurs. Elle débute sur scène à l'âge de dix-sept ans, joue Shakespeare en tournée avec le Theatre Guild. Sous contrat à la Warner Bros, elle tourne *la Possédée* (C. Bernhardt, 1947) aux côtés de Joan Crawford. Elle devient l'interprète de Max Ophuls (*les Désemparés,* 1949) et de Richard Thorpe *(le Défi de Lassie* [*Challenge to Lassie*], *id.).* On la voit également dans *Vulcano* (W. Dieterle, 1950), *le Gantelet vert* (*The Green Glove,* R. Maté, 1952) et *Mr. Ricco* (Paul Bogart, 1975). Elle a écrit un livre sur les oiseaux et s'est mariée à l'écrivain et scénariste Budd Schulberg. P.B.

BROOKS *(Louise), actrice américaine (Cherryvale, Kans., 1906 - Rochester, N. Y., 1985).* Louise Brooks a toujours été considérée comme l'une des plus belles femmes qui aient jamais paru sur un écran et elle propage encore aujourd'hui l'aura d'une folle passion. Âgée de quinze ans, cette fille de famille aisée devient danseuse dans le cours puis la troupe de la célèbre Ruth Saint Denis et de son partenaire Ted Shawn. Engagée dans les *Scandales* de Georges White puis dans les *Ziegfeld follies,* elle signe en 1925 avec la Paramount un contrat de cinq ans, qu'elle résilie au bout de trois, après avoir tourné nombre de films où sa réserve se remarque : *The American Venus* (1926), *It's the Old Army Game* (id.), *Rolled Stockings* (1927), *Une fille dans chaque port* de Howard Hawks, et surtout *les Mendiants de la vie* de William Wellman (1928). Les cheveux coupés, vêtue en homme, elle apparaît dans ce film, vêtue d'un travesti absolument inoubliable. Passionnée, donc déçue, elle croit s'être fourvoyée dans le cinéma. « Également inapte au mariage », comme elle le dit elle-même, elle divorce d'avec le réalisateur Eddie Sutherland en 1928 (comme elle se séparera de Deering Davis en 1934).

C'est alors que le réalisateur allemand G. W. Pabst la choisit pour incarner la Lulu de Wedekind dans *Loulou* (ou *la Boîte de Pandore,* 1929) et contre l'avis de la Paramount la fait venir en Allemagne. C'est le rôle qui désormais fixe définitivement l'image de Louise Brooks, franche incarnation de la sensualité, irradiante clarté de la féminité *flapper,* avec sa coiffure à la garçonne, ses dents étincelantes, ses lèvres fraîches, et l'extraordinaire luminosité de sa peau : « Je suis une blonde aux cheveux noirs », affirme-t-elle. La mode 1925 immortalise ses décolletés à la fois audacieux et purs, l'ambiguïté de son buste plat lui prête un trouble serein. L'amoralité innocente du personnage trouve en elle la Lulu définitive, miraculeuse, archétypique, projection d'une déconcertante bisexualité.

Immédiatement après *Loulou,* Pabst lui fait tourner *le Journal d'une fille perdue,* puis elle retourne aux États-Unis, où la Paramount par esprit de revanche double sa voix dans *The Canary Murder Case* (1929) et en France pour *Prix de beauté* (A. Genina, 1930). On la verra encore dans des films de Frank Tuttle, Michael Curtiz, Robert Florey, George Sherman, ce jusqu'en 1938, où, retirée à Rochester (N. Y.) dans l'ombre de la cinémathèque Eastman Kodak, elle s'est mise à régner sur son propre souvenir, lisant Proust et Schopenhauer, peignant des toiles très chinoises, écrivant (sous prétexte de renoncer à ses Mémoires) des articles enjoués, perfides, pleins d'humour et d'une incroyable qualité littéraire. Devenue un témoin irremplaçable et caustique de son époque, elle écrit sur Wellman, W. C. Fields, Marlene Dietrich, Bogart, Chaplin, Garbo et Lillian Gish, et disperse avec générosité une correspondance somptueuse. Mais elle fait mieux que nous livrer la chronique unique d'une star qui sait s'interroger (lire *Louise Brooks par Louise Brooks,* Paris, 1983), voire mettre en question son statut même d'image projetée et contester la puissance des grands studios qui la manipulèrent : elle parle pour toutes les femmes libres et indépendantes qui refusent l'état d'objet avec le charme et la beauté qui en sont la perverse rançon. R.BN.

Films ▲ : *The Street of Forgotten Men* (H. Brenon, 1925) ; *The American Venus* (F. Tuttle, 1926) ; *A Social Celebrity* (M. St. Clair, *id.*) ; *It's the Old Army Game* (E. Sutherland, *id.*) ; *The Show-off* (St. Clair, *id.*) ; *Love 'Em and Leave'Em* (Tuttle, *id.*) ; *Just Another Blonde* (A. Santell, *id.*) ; *Evening Clothes* (Luther Reed, 1927) ; *Rolled Stockings* (Richard Rosson, *id.*) ; *The City Gone Wild* (J. Cruze, *id.*) ; *Now We're in the Air* (Frank R. Strayer, *id.*) ; *Une fille dans chaque port* (H. Hawks, 1928) ; *les Mendiants de la vie* (W. Wellman, *id.*) ; *The Canary Murder Case* (St. Clair, 1929) ; *Loulou* (G. W. Pabst, *id.*) ; *Journal d'une fille perdue* (id., *id.*) ; *Prix de beauté* (A. Genina, 1930) ; *Windy Riley Goes to Hollywood* (CM, « Fatty » Arbuckle, *id.*) ; *It Pays to Advertise* (Tuttle, 1931) ; *God's Gift to Women* (M. Curtiz, id.) ; *l'Ennemi public* (Wellman, *id.*) ; *The Steel Highway / Other Men's Women* (id., *id.*) ; *Empty Saddles* (L. Selander, 1936) ; *le Cœur en fête* (R. Riskin, 1937) ; *King of Gamblers* (R. Florey, *id.*) ; *Overland Stage Raiders* (G. Sherman, 1938).

BROOKS *(Melvin Kaminsky,* dit *Mel), cinéaste américain (New York, N. Y., 1926).* Suractif, irrévérent, paroxystique, se livrant à la démesure, il a donné ses lettres de noblesse au mauvais goût. C'est un satiriste déchaîné qui pousse le pastiche jusqu'à des extrêmes de perfection formelle, et qui se veut l'héritier direct des maîtres du slapstick. Né pauvre dans le quartier juif de Brooklyn, à Williamsburg, il est le roi gavroche des rues et, à quatorze ans, il s'élève dans le circuit du Borscht, cette chaîne d'hôtels des monts Catskills où débutèrent tous les comédiens juifs, comme *tummler,* ou spécialiste grimacier. Il étudie la batterie avec Buddy Rich, commence à écrire des gags pour le comique saxophoniste Sid Caesar et fait partie d'un groupe d'écrivains qui formulent le futur rire de Broadway : Neil Simon, Carl Reiner, et un nommé Woody Allen. Son premier film *les Producteurs* (*The Producers,* 1968) met en place une idée satirique majeure : faire lancer par deux escrocs, en quête d'un bide théâtral qui les aiderait à flouer les assurances, une comédie musicale inspirée par la vie d'Adolf Hitler. Le tandem « hénaurme » de Zero Mostel et Gene Wilder exalte ce blasphème historique obligatoirement né d'un imaginaire juif. Si le film suivant *le Mystère des douze chaises* (*The Twelve Chairs,* 1970), d'après le classique russe d'Ilf et Petrov est un exercice de style, une fable gogolienne remise au goût contemporain, où Brooks lui-même incarne un balayeur swiftien, *Le shérif est en prison* (*Blazing Saddles,* 1974) le remet sur son orbite familière, la parodie fortement teintée d'humour yiddish, cette fois mêlée de radicalisme noir.

Si les deux premiers Brooks rentrent dans leurs frais, *Blazing Saddles* et son successeur immédiat *Frankenstein Junior* (*Young Frankenstein,* id.), écrit avec son compère Gene Wilder, gagnent respectivement 35 à 30 millions de dollars. Brooks consacre son film suivant, *la Dernière Folie de Mel Brooks* (*Silent Movie,* 1976), au muet, avec sous-titres et accompagnement musical (le seul mot prononcé, qui plus est par le mime Marceau..., étant « Chut ! »), puis *le Grand Frisson* (*High Anxiety,* 1977) à une approximation perfectionniste d'Alfred Hitchcock. En 1981, il réalise *la Folle Histoire du monde (History of the World, Part I)*, en 1987 *la Folle Histoire de l'espace (Spaceballs)*, en 1990 *Chienne de vie (Life Stinks)* et, en 1993, *Sacré Robin des Bois (Robin Hood : Men in Tights)*. Comme son ami Woody Allen, Brooks est parti du gag verbal (et même de l'onomatopée) pour atteindre à l'effet visuel sophistiqué. Ajoutons que Mel Brooks est le parrain d'une mafia comique (Gene Wilder, Marty Feldman, Dom de Luise et même Anne Bancroft, son épouse), composée à la fois d'acteurs et de réalisateurs. ▲ R.BN.

BROOKS *(Richard), cinéaste américain (Philadelphie, Pa., 1912 - Beverly Hills, Ca., 1992).* Après ses études, rêvant de devenir journaliste, il traverse les États-Unis, en écrivant quelques articles pour divers quotidiens. *Philadephia Record* l'engage enfin dans son service sportif en 1934 ; à partir de 1936, il travaille comme éditorialiste d'une radio new-yorkaise. Mais il s'oriente vers des ouvrages de création, pièces radiophoniques ou nouvelles lues au micro. En même temps, il met en scène des pièces de théâtre. Venu à Hollywood pour y poursuivre son activité à la radio, il ne tarde pas à rencontrer le cinéma (1941).

L'imagination de Brooks est d'abord celle d'un écrivain. Il est l'auteur de plusieurs scénarios importants : *les Tueurs* (R. Siodmak, 1946), *les Démons de la liberté* (J. Dassin, 1947), *Feux croisés* (E. Dmytryk, *id.*), *la Cité sans voiles* (J. Dassin, 1948). À l'exception de *Sergent la Terreur,* de *Flame and the Flesh* et de *The Catered Affair,* ouvrages personnels, tous ses films doivent quelque chose à son métier de conteur, parfois très élégant *(Dollars)* ou à son talent d'adaptateur, souvent rigoureux *(Elmer Gantry, Lord Jim, De sang froid).* En revanche, ses œuvres les moins réussies souffrent de la longueur des dialogues, de surcroît beaucoup trop explicites, ce qui leur ôte toute valeur dramatique et toute vie. Brooks n'a d'ailleurs pas abandonné son activité littéraire et deux de ses romans ont été traduits en français, *l'Aventure du caporal Mitchell,* source du *Feux croisés* de Dmytryk, et *le Producteur,* tableau de Hollwyood dans lequel on peut reconnaître notamment le producteur Mark Hellinger.

Son goût pour les idées conduit Brooks à s'intéresser à de grands sujets. Sollicité par l'affrontement de la politique et de la morale *(Cas de conscience, le Carnaval des dieux, les Professionnels),* sa méditation a pour objet la défense de l'idée démocratique, illustrée par la liberté de la presse *(Bas les masques),* l'éducation *(Graine de violence),* la générosité et la raison. Voilà qui le conduit à décrire la violence dominatrice, origine de la conquête de l'Ouest *(la Dernière Chasse)* et les horreurs de la guerre *(le Cirque infernal),* exagérées par les vices des militaires *(Sergent la Terreur).* Mais son penchant artistique ne fait pas de lui un polémiste. Bien plus que la grandeur d'un idéal, il s'applique à mesurer les obstacles que rencontrent, autour d'eux et en eux-mêmes, ceux qui le soutiennent. Plutôt que de caricaturer ses personnages les plus noirs, il souligne leur épaisseur et, avec une secrète inquiétude, leur vraisemblance. Les séquences les plus réussies d'un bon nombre d'œuvres détaillent un inévitable échec, ou le peignent avec une sorte d'exagération épique. La richesse des caractères (Bogart dans *Bas les masques* et *le Cirque infernal,* Widmark dans *Sergent la Terreur* et même Van Johnson dans *la Dernière Fois que j'ai vu Paris*) contraste alors avec la force simple de certaines situations : la puissance des rotatives de *Bas les masques,* l'attrait sexuel d'une éducatrice *(Graine de violence),* voire le vertige d'une fête *(les Frères Karamazov).* La mise en scène insistante de ces épreuves brutales et vives marque l'écart qui sépare le héros du monde où il doit vivre.

À la MGM, de ses débuts à la fin des années 50, Brooks conserve un style appliqué, sans doute gêné par les contraintes du studio, mais une inquiétude généreuse donne à ses films un tour original. Cette expression personnelle ne va pas tarder à se développer. Un romanesque s'esquisse déjà dans *la Dernière Chasse :* troupeaux de bisons, bivouacs et gel, évoquant la contemplation d'une idée fixe, approfondissent la figure du héros, dupe de son rêve. *Le Carnaval des dieux,* au risque de choquer l'Amérique, fait des rencontres du Noir et du Blanc autant d'emblèmes des relations raciales. Dans *la Chatte sur un toit brûlant,* la réalisation, avec un inégal succès, tente de soutenir l'exubérance du dialogue de Tennessee Williams et confère aux personnages une vraie présence sensuelle.

Elmer Gantry marque une éclatante rupture dans la carrière de Brooks. Libérée du studio, son invention visuelle produit des images d'une étrange plénitude, avec un beau sens du rythme et des couleurs. Empruntée à Sinclair Lewis, l'histoire du prêcheur inséparablement illuminé et escroc exprime à nouveau la fable de l'individu victime de l'apparence qu'il présente au monde. Si *Doux Oiseau de jeunesse,* nouvelle adaptation de Tennessee Williams, malgré sa densité, reste un film de tradition, *Lord Jim* (d'après Conrad) utilise parfaitement l'ambiguïté du visible, puisque l'aventure se comprend aussi comme initiation et comme salut. La faute devient ici la source de la vocation, mais cette moralité n'entrave pas une mise en œuvre riche de concret, attentive et claire.

La volonté de définir visuellement les éléments du récit justifie les deux derniers westerns de Brooks, *les Professionnels* et *la Chevauchée sauvage.* Le premier gaiement, le second non sans nostalgie, ils critiquent les poncifs de l'Ouest. Mais c'est *De sang froid* qui pousse le plus loin le souci de reconstitution appuyé sur un livre de Truman Capote. Ce film donne à voir un crime qui s'est réellement produit et ses conséquences, jusqu'à l'exécution des assassins. Ce n'est pas là du réalisme : revenant au noir et blanc, le réalisateur entend souligner l'intensité des choses et les enchaînements implacables de l'existence, plus que dévoiler une nécessité naturelle ou sociale. Sur un mode plus léger, *Dollars* conserve cette minutie et cette froideur, à l'image de son héros.

À l'opposé d'*Elmer Gantry* et de *Lord Jim,* ces figures de légende, cette exactitude insistante domine aussi *The Happy Ending,* dont le titre raille le cinéma. Le film n'a eu aucun succès, mais semble révélateur des scrupules de Brooks. En dépit de ses aspects naturalistes, *À la recherche de Mister Goodbar* reprend cette réflexion anxieuse sur les images fascinantes et vacillantes et sur les corps qui en sont l'objet. Une construction abrupte juxtapose deux caractères, celui d'une éducatrice dévouée et celui d'une traînée, en un seul personnage. L'auteur parvient ainsi à incarner sous une forme précise sa conscience des menaces qui habitent l'individu et sa méfiance envers les images mythiques que chacun donne de soi ; le cinéma se trouve lui-même révoqué en doute. L'idéalisme de Brooks se voit ainsi contrarié par une lucidité anxieuse : loin d'un humanisme crédule, son œuvre trouve là sa gravité et sa valeur. A.M.

Films ▲ : *Cas de conscience* (*Crisis,* 1950) ; *Miracle à Tunis* (*The Light Touch,* 1951) ; *Bas les masques* (*Deadline,* US, 1952) ; *le Cirque infernal* (*Battle Circus,* 1953) ; *Sergent la Terreur* (*Take the High Ground,* id.) ; *the Flame and the Flesh* (1954) ; *la Dernière Fois que j'ai vu Paris* (*The Last Time I Saw Paris,* id.) ; *Graine de violence* (*The Blackboard Jungle,* 1955) ; *la Dernière Chasse* (*The Last Hunt,* 1956) ; *The Catered Affair* (id.) ; *le Carnaval des dieux* (*Something of Value,* 1957) ; *les Frères Karamazov* (*The Brothers Karamazov,* 1958) ; *la Chatte sur un toit brûlant* (*Cat on a Hot Tin Roof,* id.) ; *Elmer Gantry, le charlatan* (*Elmer Gantry,* 1960) ; *Doux Oiseau de jeunesse* (*Sweet Bird of Youth,* 1962) ; *Lord Jim* (id., 1965) ; *les Professionnels* (*The Professionals,* 1966) ; *De sang-froid* (*In Cold Blood,* 1967) ; *The Happy Ending* (1969) ; *Dollars* (id., 1971) ; *la Chevauchée sauvage* (*Bite the Bullet,* 1975) ; *À la recherche de Mister Goodbar* (*Looking for Mr. Goodbar,* 1977) ; *Meurtres en direct* (*Wrong is Right / The Man With the Deadly Lens,* 1982) ; *Fever Pitch* (1985).

BROUGHTON *(James), poète, dramaturge et cinéaste expérimental américain (Modesto, Ca., 1913).* Coauteur en 1946, avec Sidney Peterson, de *The Potted Psalm* (souvenir parfois laborieux du cinéma dada et surréaliste français), il est un des pionniers du *réveil* expérimental de la côte Ouest. À partir de *Mother's Day* (1948), il réalise seul de courts films allégoriques, fantaisies psychanalysantes qui peuvent se débrider en burlesque (*Loony Tom, the Happy Lover,* 1951). Après *The Pleasure Garden* (1953), aimable fable hédoniste tournée en Grande-Bretagne en 35 mm, il revient au cinéma indépendant pour exalter la libération sexuelle, dont il a été un des pionniers californiens, dans *The Bed* (1968), histoire mouvementée d'un lit, et *The Golden Positions* (1970), hymne tantôt facétieux, tantôt esthétisant au corps humain. Souvent issus de ses poèmes, ses films suivants sont marqués par le même gentil moralisme du bonheur (*Testament,* 1974). D.N.

BROWN *(Clarence), cinéaste américain (Clinton, Mass., 1890 - Santa Monica, Ca., 1987).* Les compétences techniques et les études de Clarence Brown (ingénieur automobile, aviateur, fondateur de la Brown Motor Co.) ne semblaient guère le destiner à devenir l'assistant du cinéaste français Maurice Tourneur en 1915 à Hollywood. Cette rencontre le marque et Brown réalise la plus grande partie du *Dernier des Mohicans* (1920) que Tourneur, malade, ne peut mener à bon terme. Dès lors, c'est un cinéaste à part entière. Un film comme *The Light in the Dark* atteste, dès 1922, sa grande maîtrise : une intrigue très romanesque et mélodramatique que son sens du décor et de l'éclairage transforme en une subtile divagation poétique. Le muet réussit pleinement à ce grand plasticien qu'aucun sujet ne limite. On lui doit des classiques du drame psychologique : *la Femme de quarante ans* et *Or et Poison.* Mais la fantaisie débridée de *l'Aigle noir* (avec Valentino) lui sied tout autant. Il confère au mélodrame un incomparable éclat ; notamment en 1926, en dirigeant Greta Garbo dans *la Chair et le Diable,* à l'érotisme à la fois brûlant et glacé, et en 1928 dans le méconnu *Intrigues.* Ce film est d'ailleurs exemplaire du travail de Brown : le scénario, adapté d'un roman à scandale, est édulcoré et mutilé au point de paraître incohérent ; mais la mise en scène vigoureuse et inspirée rattrape ce que le scénario avait gommé. Des images obsédantes s'installent dans nos mémoires : le phare de l'Hispano trouant la nuit, Garbo pressant amoureusement un bouquet de fleurs sur sa joue ou descendant une colline au crépuscule. En 1926, Brown entre à la MGM, où il va s'affirmer comme l'un des princes des artisans hollywoodiens. Il se spécialise d'abord dans le mélodrame, qu'il traite avec une vigueur rare *(Âmes libres).* Sa collaboration avec Greta Garbo se poursuit par des réussites comme *Anna Christie,* et surtout *Inspiration* et *Anna Karenine.* Sa collaboration avec Joan Crawford produit le charmeur *Fascination* et, surtout, *Vivre et aimer,* qui conjugue un très grand sens du romanesque et une analyse précise du mécanisme social. Mais Brown manifeste aussi un goût particulier pour le film familial : s'il use joliment de la nostalgie, il évite perpétuellement la mièvrerie et préserve même une certaine violence. *Impétueuse Jeunesse* et surtout *Of Human Hearts* sont riches de notations justes sur les rapports pères/fils, et le dernier film est une grande réussite du genre. Plus souple que nombre de ses confrères, il est aussi à l'aise dans l'intimisme de *Mes petits* que dans le gigantisme de *la Mousson.* Sa fine perception des acteurs lui permet l'audacieux contre-emploi de Jean Harlow dans *Sa femme et sa dactylo.* Dans les années 40, il poursuivra sa veine familiale, avec des œuvres comme *le Grand National* ou *Jody et le Faon.* Il réalise en 1948, contre toute attente, un des meilleurs films sociaux du moment : *l'Intrus.* Il se retire après une belle évocation historique *(Capitaine sans loi).* C.V.

Films ▲ : *The Greet Redeemer* (1920 ; supervisé par M. Tourneur) ; *le Dernier des Mohicans* (*The Last of The Mohicans,* id. ; co Tourneur) ; *The Foolish Matrons* (1921 ; co Tourneur) ; *The Light in the Dark* (1922) ; *Or et Poison* (*Don't Marry for Money,* 1923) ; *The Acquittal* (id.) ; *le Veilleur du rail* (*The Signal Tower,* 1924) ; *la Papillonne* (*Butterfly,* id.) ; *la Femme de quarante ans* (*Smouldering Fires,* 1925) ; *l'Aigle noir* (*The Eagle,* id.) ; *Déchéance* (*The Goose Woman,* id.) ; *Kiki* (*id.,* 1926) ; *la Chair et le Diable* (*Flesh and the Devil,* 1927) ; *la Piste de 98* (*The Trail of «98»,* 1928) ; *Intrigues* (*A Woman of Affairs,* id.) ; *The Wonder of Women* (1929) ; *Navy Blues* (id.) ; *Anna Christie* (*id.,* 1930) ; *Romance* (id., *id.*) ; *l'Inspiratrice* (*Inspiration,* 1931) ; *Âmes libres* (*A Free Soul,* id.) ; *Fascination* (*Possessed,* id.) ; *Mes petits* (*Emma,* 1932) ; *Captive* (*Letty Lynton,* id.) ; *Dans la nuit des pagodes* (*The Son-Daughter,* id.) ; *Looking Forward* (1933) ; *Vol de nuit* (*Night Flight,* id.) ; *Vivre et aimer* (*Sadie McKee,* 1934) ; *la Passagère* (*Chained,* id.) ; *Anna Karenine* (*Anna Karenina,* 1935) ; *Impétueuse Jeunesse* (*Ah ! Wilderness,* id.) ; *Sa femme et sa dactylo* (*Wife Vs Secretary,* 1936) ; *l'Enchanteresse* (*The Gorgeous Hussy,* id.) ; *Maria Walewska* (*Conquest,* 1937) ; *Of Human Hearts* (1938) ; *la Ronde des pantins* (*Idiot's Delight,* 1939) ; *la Mousson* (*The Rains Came,* id.) ; *la Vie de Thomas Edison* (*Edison, the Man,* 1940) ; *Viens avec moi* (*Come Live With Me,* 1941) ; *l'Aventure commence à Bombay* (*They Met in Bombay,* id.) ; *Et la vie continue* (*The Human Comedy,* 1943) ; *les Blanches Falaises de Douvres* (*The White Cliffs of Dover,* 1944) ; *le Grand National* (*National Velvet,* id.) ; *Jody et le Faon* (*The Yearling,* 1947) ; *Passion immortelle* (*Song of Love,* id.) ; *l'Intrus* (*Intruder in the Dust,* 1949) ; *Pour plaire à sa belle* (*To Please a Lady,* 1950) ; *Angels in the Outfield* (1951) ; *It's a Big Country* (1952 ; co R. Thorpe, J. Sturges, Ch. Vidor, D. Weis, W. Wellman et D. Hartman) ; *When in Rome* (id.) ; *Capitaine sans loi* (*Plymouth Adventure,* id.).

BROWN *(Joseph Even Brown,* dit *Joe E.), acteur américain (Holgate, Ohio, 1892 - Los Angeles, Ca., 1973).* Il connaît la gloire au début du parlant : *On With the Show* (A. Crosland, 1929), *Top Speed* (M. Le Roy, 1930) dans des rôles burlesques conformes à son étonnant visage, sourire immense et yeux plissés. On le voit incarner des quidams dont les circonstances exigent des performances, souvent sportives, hors du commun. Il revient à l'écran dans *Show Boat* (G. Sidney, 1951) et surtout *Certains l'aiment chaud* (B. Wilder, 1959), avec assez de fantaisie pour effacer ses films médiocres des années 35-40. A.M.

BROWN *(Karl), chef opérateur américain (Mackeesport, Pa., 1896 - Woodland Hills, Ca., 1990).* Il participe aux films de David W. Griffith *Naissance d'une nation* (1915) et *Intolérance* (1916) et devient un chef opérateur réputé de la période muette : *la Caravane vers l'Ouest* (1923) et *The Pony Express* (1925) de James Cruze. Il réalise lui-même quelques films dont *The White Legion* (1936) et *The Port of Missing Girl* (1938). B.G.

BROWN *(Nacio Herb), musicien américain (Deming, N. Mex., 1896 - San Francisco, Ca., 1964).* Il reste célèbre pour son association avec Arthur Freed et pour les chansons qu'ils composèrent. On lui doit notamment *Singin'in the rain,* plusieurs fois utilisée à l'écran depuis sa première apparition dans *The Hollywood Revue of 1929* (Charles F. Reisner, 1929). Il a collaboré à *Chanson païenne* (W.S. Van Dyke, 1929), *Une nuit à l'opéra* (S. Wood, 1935, pour lequel il composa la chanson *Alone*), *San Francisco* (W. S. Van Dyke, 1936), *Place au rythme* (B. Berkeley, 1939), *Chanson païenne* (R. Alton, 1950 ; remake du film de Van Dyke) et évidemment *Chantons sous la pluie* (S. Donen et G. Kelly, 1952). P.B.

BROWNING *(Tod), cinéaste américain (Louisville, Ky., 1882 - Santa Monica, Ca., 1962).* Le jeune Tod Browning s'enfuit de chez ses parents pour gagner sa vie dans les baraques foraines et les cirques. Acteur de théâtre, puis de cinéma, il devient enfin assistant de D. W. Griffith et aborde le court métrage comme réalisateur. Il passe au long métrage en 1917, en coréalisant avec Wilfred Lucas *Jim Bludso.* Dès 1919, dans *Fleur sans tache,* il rencontre un acteur dont l'univers prolonge et recoupe le sien : Lon Chaney ; ils tourneront dix films ensemble. Les mélodrames qu'il a réalisés jusqu'en 1924, dans l'état actuel de nos connaissances, ne semblent être qu'un apprentissage, avant que la bizarrerie de son monde ne s'affirme avec éclat dans *le Club des Trois* (1925). Ce film criminel, qui se déroule dans les milieux, chers à Browning, des baraques foraines, frappe par son étrangeté et par l'extravagance des caractères et des situations. Pendant longtemps, on a réduit Browning à la saisissante *Monstrueuse Parade* (*Freaks,* 1932), célèbre pour ses démêlés avec la censure des studios. Certes, il y a de quoi être surpris de ce que ce cinéaste, touché par la grâce de l'étrange, nous donne à voir. Mais *Freaks* n'est peut-être que l'aboutissement d'une œuvre cohérente et parfaitement développée, dont le corpus essentiel est constitué par les dix films interprétés par Lon Chaney. Il n'a cessé d'ironiser sur la relativité de la morale, de la normalité ou du bon sens. Dans cet univers de faux-semblants et de chausse-trapes, même la difformité physique peut n'être qu'une apparence. Dans *l'Oiseau noir,* le méchant est sain de corps, alors que le gentil est difforme : mais la fin nous révèle qu'ils ne font qu'un, et une balle perdue créera une réelle infirmité là où il n'y avait qu'une supercherie... On retrouve ce chaos moral dans *l'Inconnu* ou dans *la Route de Mandalay.* Ce contenu perpétuellement mystificateur, et volontairement mis en abyme, contraste avec une direction discrète et sobre. Ses beautés sont sourdes et mystérieuses, surgissant au détour d'un plan, soit en un contraste fulgurant (le squelette pivotant qui révèle le visage angélique de Mary Nolan, dans *le Talion*), soit en un détail épinglé avec force (Lon Chaney se trahissant à la fin du *Club des Trois*), soit encore dans une atmosphère justement cernée (le music-hall de *l'Oiseau noir*). Chez Browning, c'est l'économie des moyens face à l'ampleur des résultats obtenus qui intrigue. Quelques trognes en gros plan suffisent à placer *l'Oiseau noir* sous le signe de Dickens. Une baraque dans une jungle de studio paraît tout à coup moite et irrespirable *(À l'Ouest de Zanzibar, Loin vers l'Est).* Une perspective factice de toits nocturnes crée tout à coup un décalage poétique inattendu *(la Morsure)*. Quelques murs nus suffisent à prendre un personnage au piège du destin *(l'Inconnu)*. Lon Chaney était pour Browning un instrument de rêve, préservant à la fois le pathétique, la bouffonnerie et le secret de son univers. Même si on ne s'en est pas aperçu immédiatement, à cause du succès du trop sage *Dracula* (1931), le parlant a sonné le glas de ce cinéaste unique. *The Iron Man* est un film de boxe assez conventionnel. La splendeur de la photo de James Wong Howe pour *la Marque du vampire* ne peut masquer que le climat des films de Browning est désormais réduit à une pure rhétorique. Il lui faudra une distribution assez anonyme mais *fantastique* pour qu'il retrouve, intact, le dynamisme de son inspiration *(Freaks)*. Reste surtout *les Poupées du diable,* en 1936, réussite difficile du mélodrame fantastico-féerique, dont on a minimisé l'importance par rapport à *Freaks :* Browning y affrontait des acteurs à sa (dé)mesure. Lionel Barrymore, presque aussi troublant que Lon Chaney, sous son déguisement de vieille dame meurtrière, et Rafaella Ottiano, étourdissante fée Carabosse, à la chevelure zébrée d'un éclair blanc, y trouvaient le ton exact recherché par Browning. Quant à lui, jouant avec les décors, il avait reconquis un pouvoir d'émerveillement dont le parlant l'avait le plus souvent frustré. Son dernier film, *Miracles for Sale,* bien que truffé de détails personnels, se trouvera singulièrement privé de cette dimension dépaysante. L'œuvre de Browning reste l'une des plus insolites de l'histoire du cinéma. C.V.

Films ▲ : *Jim Bludso* (1917) ; *A Love Sublime* (id.) ; *Hands up !* (id.) ; *Peggy the Will-o'-the-Wisp* (id.) ; *The Jury of Fate* (id.) ; *The Eyes of Mystery* (1918) ; *Which Woman* (id.) ; *The Deciding Kiss* (id.) ; *Revenge* (id.) ; *The Legion of Death* (id.) ; *Violence* (*The Brazen Beauty,* id.) ; *Set Free* (id.) ; *The Unpainted Woman* (1919) ; *Fleur sans tache* (*The Wicked Darling,* id.) ; *The Exquisite Thief* (id.) ; *l'Autre Parfum* (*A Petal on the Current,* id.) ; *Bonnie Bonnie Lassie* (id.) ; *la Vierge d'Istanbul* (*The Virgin of Stamboul,* 1920) ; *Révoltée* (*Outside the Law,* 1921) ; *No Woman Knows* (id.) ; *The Wise Kid* (1922) ; *Man Under Cover* (id.) ; *Sous deux drapeaux* (*Under Two Flags,* id.) ; *la Marchande de rêves* (*Drifting,* 1923) ; *White Tiger* (id.) ; *The Day of Faith* (id.) ; *The Dangerous Flirt* (1924) ; *Silk Stocking Sal* (id.) ; *le Club des Trois* (*The Unholy Three,* 1925) ; *la Sorcière* (*The Mystic,* id.) ; *Dollar Down* (id.) ; *l'Oiseau noir* (*The Black Bird,* 1926) ; *la Route de Mandalay* (*The Road to Mandalay,* id.) ; *la Morsure* (*The Show,* 1927) ; *l'Inconnu* (*The Unknown,* id.) ; *Londres après minuit* (*London After Midnight,* id.) ; *le Loup de soie noire* (*The Big City,* 1928) ; *le Talion* (*West of Zanzibar,* id.) ; *Loin vers l'Est* (*Where East is East,* 1929) ; *The Thirteenth Chair* (id.) ; *Gentleman Gangster* (*Outside the Law,* remake, 1930) ; *Dracula* (id., 1931) ; *The Iron Man* (id.) ; *la Monstrueuse Parade* (*Freaks,* 1932) ; *Fast Workers* (1933) ; *la Marque du vampire* (*Mark of the Vampire,* 1935) ; *les Poupées du diable* (*The Devil Doll,* 1936) ; *Miracles for Sale* (1939).

BROWNLOW *(Kevin), cinéaste, monteur et historien britannique (Crowborough 1938).* Passionné dès l'enfance par le cinéma, il y débute comme monteur après plusieurs réalisations en amateur. Son activité dès lors est triple. Monteur, il supervise entre autres le montage de *la Charge de la brigade légère* (T. Richardson, 1968) ou reconstitue la version intégrale du *Napoléon* d'Abel Gance. Réalisateur, il s'associe à Andrew Mollo pour diriger *En Angleterre occupée* (*It Happened Here,* 1964) et *Winstanley* (id., 1975), qui cherchent dans un passé fictif, détourné ou occulté les échos de notre histoire. Historien de cinéma enfin, il recueille dans ses livres (*The Parade's Gone by,* 1968 ; *The War, the West and the Wilderness,* 1980) comme dans ses émissions télévisées (*Abel Gance – the Charm of Dynamite,* 1968, ou la série *Hollywood,* 1980) le témoignage de tous ceux – techniciens et artistes – qui ont vécu cette histoire (cf. *Hollywood, les Pionniers,* Paris, 1981). On lui doit également, toujours à la télévision, des émissions documentaires sur Chaplin *(Unknown Chaplin),* Keaton *(A Hard Act to Follow)* et Harold Lloyd. J.-P.B.

BRUCKMAN *(Clyde), cinéaste et scénariste américain (San Bernardino, Ca., 1894 - Santa Monica, Ca., 1955).* Journaliste, il est engagé par Jack Warner comme scénariste, puis entre dans l'équipe de Joseph Schenck, où il devient scénariste et gagman attitré de Buster Keaton. C'est pour lui qu'il écrit *les Trois Âges* et *les Lois de l'hospitalité* (1923), *Sherlock Jr.* et *la Croisière du Navigator* (1924), *les Fiancées en folie* (1925) et *l'Opérateur* (1928). Il signe avec le célèbre acteur la réalisation du film *le Mécano de la «General»* en 1926. Il poursuit sa carrière de cinéaste habile, rompu aux lois de l'équipe et à celles du burlesque, jusqu'en 1935, dirigeant Lloyd, Andy Clyde, Laurel et Hardy dans quelques-uns de leurs courts métrages les plus destructifs (*la Bataille du siècle* [*The Battle of the Century*], 1927) ou W. C. Fields dans deux de ses apparitions les plus accomplies, *le Fatal Verre de bière* (*The Fatal Glass of Beer,* 1933) et *les Joies de la famille* (*The Man on the Flying Trapeze,* 1935). Il se suicide, ruiné et oublié de tous. J.-P.B.

BRUITAGE. Action de recueillir, de reconstituer en studio, d'assembler les bruits d'un film. Dans un sens plus restreint, la production ou l'imitation de certains bruits par un technicien spécialisé. D'une façon générale, le *bruitage* consiste à recueillir, à reconstituer en studio si nécessaire, et enfin à assembler les différents bruits destinés à être incorporés dans la bande sonore en regard des images qu'ils doivent accompagner.

On appelle aussi *bruitage* la production ou l'imitation de certains bruits, en studio, par un *bruiteur* professionnel.

Dans le langage du cinéma, on appelle *effets* tous les éléments sonores qui ne sont ni de la parole ni de la musique, encore que la rumeur des conversations dans un café soit elle aussi un élément de bruitage. Ces *effets* peuvent être :

— des *bruits* proprement dits (bruits de pas, d'objets qui tombent ou que l'on déplace, bruits d'armes [très importants dans les films d'action !], bruits de véhicules, de machines, de fermetures de portes ou de fenêtres) ;

— des bruits d'*ambiance* (bruits durables dans lesquels baigne une scène : vent, pluie, ressac des vagues).

Pour les ambiances, on utilise généralement des enregistrements réels de pluie, de vent, etc. Par contre, les bruits courts et localisés qui accompagnent des gestes précis sont couramment recréés en studio. Il est permis de se demander pourquoi on agit ainsi, plutôt que d'utiliser tels quels les bruits émis lors du tournage.

La raison essentielle réside dans le désir d'assurer l'*intelligibilité* du dialogue. Dans la vie courante, les bruits créés par exemple par des déplacements d'objets — tels les bruits de couverts pendant un repas — ne gênent pas la compréhension des paroles en raison du pouvoir sélectif de l'oreille. (Cette sélection est notamment assurée par la localisation, grâce à l'écoute *binaurale,* des sources sonores auxquelles on prête attention.) L'écart *subjectif* entre le niveau sonore des bruits et le niveau des paroles est ainsi supérieur à l'écart *réel* des niveaux. Au cinéma, tous les sons sont ramenés sur une seule piste sonore, et l'écart des niveaux a plutôt tendance à être comprimé. (→ DYNAMIQUE.) Les bruits risqueraient donc de perturber l'écoute du texte du fait de leur présence excessive par rapport à la parole. Un cinéaste comme J.-L. Godard a joué délibérément, dans plusieurs de ses films, de cet effet *perturbant.* Mais on préfère presque toujours, au tournage, privilégier l'enregistrement des voix, et capter un minimum de bruits réels, soit en évitant que ceux-ci ne se produisent, soit en les *étouffant* (rondelles de feutre sous les verres et les assiettes, par exemple).

Une autre raison est que les bruits enregistrés au moment du tournage peuvent poser, au montage, des problèmes de *raccord* lors des changements de plan.

De son côté, la confection d'une *version internationale* (→ BANDE SONORE, paragr. 9) impose de séparer les bruits de la parole, y compris dans les passages qui ont donné lieu à un enregistrement simultané satisfaisant des bruits et des paroles.

Les bruits sont donc généralement enregistrés *à part,* soit sur le lieu de tournage *(son seul)* en réeffectuant, caméra arrêtée, les gestes générateurs de bruit, soit plus tard en auditorium.

Cette technique présente plusieurs avantages. On peut *travailler* les sons, les recomposer, les imaginer à volonté, un peu de la même façon qu'on recompose la lumière au tournage. On peut les enregistrer dans des conditions idéales (notamment dans des conditions d'insonorisation parfaite lorsqu'on travaille en auditorium), avec la liberté de recommencer autant de fois qu'on le désire. Enfin, le fait de disposer de ces sons sur des pistes indépendantes de la parole permet de les placer plus librement au montage et facilite leur dosage au moment du mixage.

En revanche, on attend de ces bruits enregistrés à part qu'ils donnent l'impression du *vrai.* Pour le *son seul,* cette véracité est en principe assurée par le fait même que les bruits enregistrés sont identiques aux bruits réels du tournage. (Le seul problème est de bien les *caler,* au montage, en regard des images qu'ils doivent accompagner.) Pour les bruits recréés en studio, tout repose sur l'art du bruiteur. Le travail des bruiteurs professionnels, peu nombreux et très demandés, relève d'un artisanat pittoresque, d'un savoir-faire à base de tours de main et de système D, mettant en œuvre les accessoires les plus inattendus (par exemple des noix de coco pour imiter le galop des chevaux). Les bruits de pas sont imités en marchant sur de petites surfaces de sol couvertes de divers matériaux : bois, ciment, gravier, pavés, etc. Les bruits de portes et de fenêtres sont recréés grâce à des portes et à des fenêtres factices destinées à cet usage. Quand il s'agit de bruits à synchroniser étroitement sur des actions visibles (pas, coups de marteau, etc.), le bruiteur travaille en suivant l'image qu'on lui projette, de la même façon qu'on procède pour le doublage ou la postsynchronisation. (→ DOUBLAGE.)

Il arrive aussi que l'on utilise des bruits *tout faits,* puisés dans des *sonothèques,* c'est-à-dire des collections de sons, sur bande magnétique ou sur disque, constituées à cet usage. Ces bruits présentent généralement l'inconvénient d'être assez stéréotypés.

Quant aux ambiances continues destinées à soutenir une scène longue (bruit de la mer, par exemple), elles sont souvent générées grâce à une courte longueur de bande magnétique montée en *boucle.* En contrepartie des économies de temps et de bande ainsi réalisées, cette formule souffre de procurer une certaine monotonie.

Paradoxalement, le *silence* figure parmi les ambiances. En effet, même en l'absence de dialogue ou de bruit caractérisé, chaque lieu possède un bruit de fond propre, ne serait-ce que la respiration et les petits mouvements des personnes présentes sur le plateau multipliés par l'acoustique du local. Il ne suffit donc pas d'intercaler un fragment de bande vierge pour obtenir le silence *vivant* d'un lieu : l'oreille reconnaîtrait aussitôt un silence *technique.* Il faut enregistrer, sur le lieu de tournage, des *silences* (en studio, on parle de « silence plateau ») dans lesquels on puisera au montage pour combler les intervalles entre les répliques ou les bruits.

Finalement, les bruits qui accompagnent les images sont rarement les bruits captés au moment du tournage en même temps que les images et les voix. La notion de *son direct,* ici, n'a pas tellement de sens. Robert Bresson raconte, à propos de son film *Pickpocket,* que les bruits de Paris, « imprimés directement sur la bande magnétique, n'avaient donné qu'un affreux embrouillamini ». Il lui fallut donc les recomposer afin de les rendre *audibles.* (Bresson méritait d'être cité ainsi que J. Tati – dont les films demeurent des modèles du genre – pour leur conception particulièrement créative du bruitage.)

Curieusement (ou plutôt : logiquement), c'est dans les films *de genre* (action, policier, fantastique, science-fiction) que le bruitage a pris une importance nouvelle et a fait l'objet d'une véritable invention, pour renforcer les effets visuels (films de poursuites, de combats) ou bien pour imposer la *réalité* d'un univers fantastique (dans la science-fiction ou le fantastique : bruitages de *machines imaginaires,* d'animaux ou de créatures extraterrestres). En liaison avec l'utilisation, dans un nombre croissant de films, du son stéréophonique de haute qualité, se sont développés aux États-Unis des laboratoires spécialisés dans ce genre d'effets spéciaux.

D'une façon générale, n'oublions pas que la réussite d'une cascade repose en grande partie sur la qualité du bruitage. (→ CASCADE.)

Le bruitage existait de manière sporadique au temps du cinéma... muet : bruitages effectués pendant la projection ou bien effets sonores enregistrés sur disques. Aux débuts du parlant, le bruitage s'effectuait souvent au moment même du tournage, jusqu'à ce que les progrès techniques permettent le mixage et donc l'enregistrement séparé des divers éléments sonores. Récemment, de nouvelles techniques sont apparues, qui font appel à l'informatique et qui pourraient réduire (voire, selon certains, supprimer) le rôle du bruiteur : sur la table de mixage, le mixeur disposerait d'une *banque d'effets* préenregistrés (bruits de porte, par exemple), susceptibles d'être *appelés* et synchronisés automatiquement sur l'image. En tout état de cause, il est vraisemblable que l'on assistera à une automatisation croissante du bruitage. M.CH.

BRUIT DE FOND. Bruit parasite, généré par le système d'enregistrement et de reproduction du son, qui se superpose de façon continue au son proprement dit. (→ aussi BANDE PASSANTE, DYNAMIQUE.)

Dans une salle de cinéma, comme dans tout local destiné à l'écoute d'un programme sonore enregistré, l'auditeur reçoit deux types de sons :

— les sons *utiles,* qui reproduisent, plus ou moins fidèlement, les sons enregistrés ;

— des sons *perturbateurs,* soit provenant de l'environnement de l'auditeur, soit créés au sein même du système d'enregistrement et de reproduction.

Ces sons perturbateurs constituent le *bruit de fond.*

Le bruit de fond de la chaîne sonore. Chaque élément de la chaîne d'enregistrement et de reproduction introduit du bruit de fond. En fait, les éléments purement électroniques (amplificateurs, etc.) introduisent un bruit de fond négligeable dans les conditions normales d'écoute. Quant aux haut-parleurs, ils ne font que donner à entendre le bruit de fond généré en amont.

Le bruit de fond de la chaîne provient essentiellement du *support* de l'enregistrement. Dans le cas du disque, la paroi des sillons présente inévitablement une certaine *rugosité,* à laquelle s'ajoute tout ce qui apparaît au cours de la vie du disque : usure, poussière, rayures, traces de doigts, etc. Les rayures et les grosses poussières provoquent des *claquements ;* la rugosité et les poussières fines provoquent un *grésillement* continu, mélange incohérent de toutes les fréquences audibles. Dans le cas des enregistrements magnétiques, comme dans celui du son optique (traité plus loin), on retrouve le même phénomène : à un bruit de fond initial lié à la nature même du support, vient se superposer un bruit de fond croissant lié à l'usage de ce support.

L'importance du bruit de fond de la chaîne sonore (soit de la chaîne complète, soit de chacun de ses éléments considéré isolément) se mesure au rapport entre l'intensité du bruit de fond et l'intensité des sons utiles les plus forts transmis sans déformation. (Au-delà d'une certaine puissance, chaque élément de la chaîne *déforme* en effet les sons. → HAUTE FIDÉLITÉ.) Ce rapport est appelé *rapport signal / bruit.* Pour un disque en bon état, il dépasse couramment 40 dB. Cela signifie (→ DÉCIBEL) que l'intensité du bruit de fond est au moins 10 000 fois inférieure à celle des sons utiles les plus forts ; mais, comme le bruit de fond est indépendant du son utile, son intensité peut évidemment devenir comparable à celle du son utile dans les passages *piano.* Pour un bon enregistrement magnétique sur cassettes, on parvient aujourd'hui, même en l'absence de tout dispositif de *réduction du bruit,* à des performances supérieures à celles des disques microsillon. Pour un enregistrement magnétique professionnel, par contre, le rapport signal/bruit s'élève jusque vers 60 dB : le bruit de fond de la bande est alors négligeable devant celui qu'introduiront les supports de diffusion : disque, cassette, piste sonore des films.

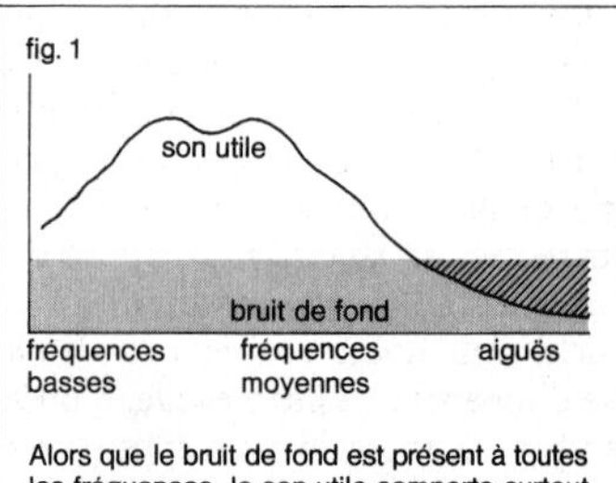

Alors que le bruit de fond est présent à toutes les fréquences, le son utile comporte surtout des fréquences basses ou moyennes. C'est donc surtout dans les aiguës (zone hachurée) que le bruit de fond n'est pas masqué par le son utile.

En cinéma, pour les copies à *piste optique,* le bruit de fond initial provient essentiellement de la granularité de l'image photographique (→ GRANULATION) : la frontière de la piste sonore, au lieu d'être parfaitement nette, présente des irrégularités. Le bruit de fond s'accroît ensuite, en cours d'exploitation, en raison d'une part de la présence de poussières, d'autre part de l'abrasion du film, et notamment des rayures.

Aux débuts du *parlant,* compte tenu des procédés d'enregistrement et des caractéristiques des cellules de lecture de l'époque, le rapport signal/bruit ne dépassait guère 30 dB. L'introduction des procédés *noiseless* et l'apparition de nouvelles cellules (sur ces deux points → PROCÉDÉS DE CINÉMA SONORE) ont nettement amélioré la situation : le rapport signal/bruit d'une copie monophonique 35 mm monophonique neuve dépasse aujourd'hui 40 dB. Avec un réglage normal des amplificateurs, cela conduit en pratique à ce que le niveau sonore du bruit de fond de la copie se situe, dans la salle, aux environs de 40 dB (A) pour une copie neuve. (→ DÉCIBEL.) L'usure de la copie élève ensuite ce niveau sonore, qui peut monter jusque vers 50 dB (A) pour une copie très *fatiguée.*

(En 16 mm, la piste sonore est plus étroite et défile plus lentement ; les différents facteurs qui génèrent le bruit de fond deviennent relativement plus importants, et le bruit de fond est donc plus élevé.)

Les films à *piste magnétique* génèrent un bruit de fond de copie théoriquement inférieur à celui du son optique, du moins si l'installation de projection est convenablement entretenue.

Le bruit de fond de la salle. Le bruit de fond de la salle se compose, en fait, de deux éléments.

Le bruit de fond propre au local est indépendant de la présence du public. Il prend naissance soit dans la salle elle-même (climatisation, cabine de projection, etc.), soit à l'extérieur de la salle (hall d'entrée, rue, métro, salles contiguës dans le cas d'un complexe, etc.). Ce bruit de fond propre, de l'ordre de 30 dB (A) dans les meilleurs cas, se situe plus couramment aux alentours de 35 dB (A), voire entre 35 et 40 dB (A).

Il y a par ailleurs le bruit de fond généré par le public : respiration, froissement des vêtements, toux, bruit des fauteuils, confiserie, etc. Négligeable quand l'assistance est clairsemée, ce bruit de fond atteint typiquement une quarantaine de décibels, dans une salle pleine mais attentive, c'est-à-dire sans tenir compte des éventuels éclats de rire, exclamations ou commentaires.

La gêne apportée par le bruit de fond. Dans les passages *forte,* le bruit de fond est évidemment masqué par le son utile. Il n'est donc susceptible de gêner l'écoute que dans les passages *piano* ou dans les *silences.*

Les mesures montrent par ailleurs que, si le niveau du bruit de fond (film, disque ou cassette) est à peu près constant tout au long de l'échelle des fréquences, il n'en va pas de même du son utile, dans lequel les fréquences basses et moyennes prédominent. Le bruit de fond est donc plus facilement masqué dans ces fréquences que dans les aigus. Il en résulte la *sensation* d'un bruit de fond surtout composé d'aigus : c'est le *grésillement* déjà évoqué et auquel se superposent bien entendu les *claquements* dus aux rayures et aux grosses poussières.

Ces remarques faites, les valeurs de niveaux sonores indiquées au cours des paragraphes précédents montrent que, dans le cas d'une copie 35 mm neuve ou en bon état, les divers bruits de fond (copie, salle, public) se situent généralement tous trois dans la zone des 35 à 40 dB (A). Aucun d'entre eux n'est vraiment prépondérant, et l'expérience vérifie bien que, s'agissant toujours d'une copie neuve, le bruit de fond de la copie passe en général inaperçu.

Si la copie est usagée, le bruit de fond de copie devient a priori prépondérant. Mais l'usure de la copie provoque des défauts de l'image (rayures, poussières) ou du son (*trous* et *sauts* résultant de la réparation des passages détériorés) encore moins acceptés par le public que le bruit de fond proprement dit.

D'ailleurs, lorsqu'un spectateur se plaint du *bruit,* sa plainte vise presque toujours soit le bruit de la salle (métro, climatisation), soit le bruit du public (confiserie, commentaires), soit les *sauts* mentionnés ci-dessus.

De tout cela, cependant, il ne faut pas déduire que la question du bruit de fond est un faux problème, même si l'on excepte les films *musicaux,* pour lesquels non seulement on porte une attention accrue au son, mais où cette attention accrue abaisse le bruit du public, ce qui met encore plus en relief le bruit de fond de la copie. La généralisation de la haute fidélité domestique a rendu le public plus exigeant. Face au disque, le son optique traditionnel se retrouve un peu dans la situation du 78 tours face au microsillon. Cela n'est pas gênant pour les films où la bande sonore n'est pas un élément déterminant du spectacle : l'attention portée à l'image masque alors les imperfections du son, contrairement à ce qu'il en est pour l'écoute domestique du disque, où l'attention ne peut se porter que sur le son. Mais cela devient gênant quand la bande sonore suscite une attention particulière : films musicaux (où le spectateur peut comparer avec le disque) ou bien films à bande sonore très *travaillée.*

Certes, le son magnétique offre des performances supérieures à celles du son optique.

Mais il soulève des problèmes économiques considérables. (→ PROCÉDÉS DU CINÉMA SONORE.) Il fallait donc accroître les performances du son optique, et notamment améliorer la restitution des aigus, traditionnellement limitée sur les copies monophoniques à la fréquence de 8 000 hertz. Or, le bruit de fond se manifeste surtout dans les aigus. Mieux restituer les aigus conduirait donc, si l'on n'y prenait garde, à renforcer le bruit de fond. Là est la raison fondamentale pour laquelle on se préoccupe aujourd'hui, dans le cinéma, de réduire le bruit de fond.

(Puisque le bruit de fond se manifeste surtout dans les aigus, il peut être tentant de le réduire en tournant tout simplement le bouton de réglage « aigu » de l'amplificateur. En procédant ainsi, on réduit effectivement le bruit de fond, mais on réduit en même temps... les aigus du son utile, qui n'est déjà pas si riche en ce domaine !)

La réduction du bruit de fond. Les divers procédés de réduction de bruit de fond apparus dans les années 70 (notamment afin d'améliorer les performances des cassettes pour magnétophones) peuvent se classer en deux grandes catégories.

Les premiers interviennent uniquement *après lecture de l'enregistrement.* Schématiquement, leur principe consiste à analyser le *message* fourni par l'élément de lecture, et à couper les aigus au-delà des fréquences du son utile. Si ces procédés, qui permettent une réduction substantielle du bruit de fond, ne se sont pas implantés dans le cinéma, c'est surtout parce que celui-ci s'était vu proposer un procédé d'enregistrement optique spécifiquement développé à son intention et qui offrait en supplément la spatialisation des sons. (→ STÉRÉOPHONIE.)

Les procédés de la seconde catégorie interviennent *dès l'enregistrement,* du moins : avant le report du son sur le support de diffusion. Schématiquement, leur principe consiste à rehausser délibérément le niveau des sons les plus faibles, de façon à bien *détacher* ces sons du bruit de fond. (En pratique, cette *préaccentuation* touche surtout les aigus.) Après lecture, on opère la manipulation inverse, ce qui abaisse *à la fois* le niveau des sons préaccentués (lesquels retrouvent ainsi leur niveau correct) et le niveau du bruit de fond. Le « Dolby A » et le « Dolby SR », employés pour

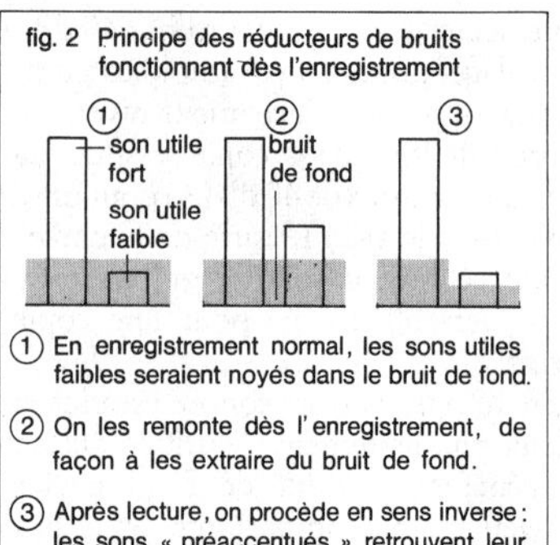

fig. 2 Principe des réducteurs de bruits fonctionnant dès l'enregistrement

① En enregistrement normal, les sons utiles faibles seraient noyés dans le bruit de fond.

② On les remonte dès l'enregistrement, de façon à les extraire du bruit de fond.

③ Après lecture, on procède en sens inverse : les sons « préaccentués » retrouvent leur niveau correct, tout en restant extraits du bruit de fond.

les copies de films et pour les enregistrements magnétiques professionnels (le « Dolby B » employé sur les magnétophones à cassettes, en est une version simplifiée) améliorent le rapport signal/bruit. Un autre procédé de réduction de bruit de fond agissant en fonction du contenu du signal à traiter (niveau dans chaque bande du spectre) a été développé par Dolby sous le nom de « Dolby SR ». Il s'agit d'un système dynamique qui prend en compte les caractéristiques de sensibilité spectrale de l'oreille humaine et en exploite les défauts, notamment l'effet de masque (les signaux de forte amplitude masquent ceux de faible amplitude). Ce procédé de compression, plus performant que le « Dolby A », permet d'atteindre, en son photographique, un rapport signal/bruit supérieur à 70 dB. Les programmes enregistrés selon ce procédé peuvent être reproduits sans subir d'altération importante par un système « Dolby A ». Ils restent intelligibles sans décodage mais, comme dans le cas du « Dolby A », leur caractéristique spectrale se trouve altérée et aucune réduction de bruit de fond n'est perçue.

Ces seconds procédés présentent un inconvénient de principe : le son étant *manipulé* avant d'être reporté sur le support de diffusion, il faut incorporer dans la chaîne de reproduction le dispositif de *décodage* correspondant à celui mis en œuvre lors de l'enregistrement qui effectue la manipulation inverse. Sinon, les niveaux relatifs des sons restitués ne seront pas ce qu'ils devraient être. Il y a là un problème de compatibilité que ne soulèvent évidemment pas les procédés intervenant uniquement après lecture. En pratique, la lecture d'une copie Dolby par une installation de projection monophonique donne des résultats assez satisfaisants dans la plupart des cas : l'absence de décodage n'est pas trop perceptible, sauf par des auditeurs avertis. (Elle se traduit par une certaine *coloration* du son, due au fait que ce sont surtout les aigus du son utile qui ont été préaccentués.) Faut-il préciser qu'il n'y a évidemment, dans ce cas, aucune réduction du bruit de fond ?

En son optique, le procédé Dolby de réduction de bruit est inclus dans le procédé Dolby Stéréo. On peut également l'employer pour les copies 70 mm à son magnétique, mais cette fois uniquement en tant que réducteur de bruit puisque ces copies offrent déjà la stéréophonie. Le son magnétique étant au départ meilleur que le son optique, le rapport signal/bruit se situe ici, sur copies neuves, entre 60 et 70 dB.

Enregistrements numériques. Selon les procédés, le son numérique peut être inscrit sur la copie sous forme photographique ou enregistré sur un support séparé (CD audio) synchronisé avec le défilement du film. Dans les deux cas, la qualité est la même ; le rapport signal/bruit est voisin de 90 dB, il résulte directement des conditions de conversion du signal analogique en numérique. La dégradation des copies (rayures, poussières) n'affecte pratiquement pas la qualité de la reproduction sonore de ces copies numériques. Pour des raisons de compatibilité, toutes les copies numériques 35 mm comportent la piste sonore analogique standard. J.F./M.BA.

BRUITEUR. Technicien spécialiste du bruitage.

BRUITS. Éléments sonores d'un film autres que les paroles ou la musique. (→ BANDE SONORE, BRUITAGE.)

BRULÉ *(André), acteur français (Sceaux 1879 - Paris 1953).* Avant 1914, il interprète avec romantisme les jeunes premiers (il est un brillant Arsène Lupin) mais dédaigne le cinéma. En 1938, pour un rôle de séducteur vieilli, Feyder lui fait donner la réplique à Françoise Rosay. Il joue dans son registre : panache et désinvolture et gagne la partie (*les Gens du voyage,* 1938). Ni *Vidocq* (J. Daroy, 1939) ni *Métropolitain* (Cam, *id.*) ne lui font retrouver cet éphémère succès, pas plus que les films policiers d'Yvan Noé, ni la dernière œuvre de Fescourt (*Retour de flamme,* 1943). R.C.

BRUNIUS *(Jacques Henri Cottance,* dit *Jacques-Bernard), écrivain, acteur et cinéaste français (Paris 1906 - Exeter, Grande-Bretagne, 1967).* Une « prodigieuse soif de tout connaître » (Claude Fabrizzio) caractérise ce garçon aux dons multiples, tour à tour ingénieur, poète, peintre, essayiste, membre du groupe surréaliste puis du groupe Octobre... On le verra assistant réalisateur (de René Clair, Luis Buñuel, Jean Renoir), critique (*à la Revue du cinéma, à Cinéma/Tograph, à l'Écran français),* auteur de courts métrages (*Records 37,* 1937 ; *Violons d'Ingres,* 1939), de films publicitaires et pour enfants (*To the Rescue,* 1952). On le retrouvera acteur (dans *L'affaire est dans le sac,* de J. et P. Prévert, *Une partie de campagne* de J. Renoir et dans *la Belle Espionne* de R. Walsh, entre autres), historien *(En marge du cinéma français),* traducteur de Lewis Carroll, etc. Émigré en Angleterre en 1940, il s'y établit et y mourut en 1967. C.B.

BRUNIUS *(John W.), cinéaste suédois (Stockholm 1884 - id. 1937).* Acteur de théâtre, il aborde la mise en scène de cinéma par un conte de fées, *le Chat botté* (*Mästerkatten i stövlar,* 1918), suivi d'une adaptation d'un roman folklorique de Bjornstjerne Björnson : *la Petite Fée de Solbakken* (*Synnove Solbakken,* 1919). Auteur notamment du *Moulin en feu* (*Kvarnen,* 1921), de *'l'Oiseau sauvage'/'le Sans Logis'* (*En vildfågel,* id.), et de *'Volontés de fer'* (*Härda vilgor,* 1922, d'après Knut Hamsun), il est surtout connu pour ses fresques historiques ou épiques : *'le Chevalier errant'* (*En lyckoriddare,* 1921) ; *'Vox Populi'* (*Johan Ulfstjerna,* 1923) ; *'Charles XII'* (*Karl XII,* 1924-25) ; *'les Récits de l'enseigne Stal'* (*Fänrik Stål sägner,* 1925) ; *'Gustav Wasa'* (1928). En retrait de Sjöström et de Stiller, il apparaît néanmoins comme un des auteurs notables de l'âge d'or du cinéma muet suédois. Le parlant, qu'il confond avec le verbiage, ne lui réussit guère (on lui doit une version suédoise du *Marius* de Pagnol : *'la Nostalgie des ports'* [*Längtan till havet*], 1931). J.-L.P.

BRUNOY *(Blanchette Bilhaud,* dite *Blanchette), actrice française (Paris 1918).* Filleule de l'écrivain Georges Duhamel, c'est l'ingénue type du cinéma français. Elle a débuté en incarnant un fruit vert : *Claudine à l'école* (S. de Poligny, 1938) et a dessiné le personnage de Flore dans *la Bête humaine* (J. Renoir, 1938). Ses personnages préférés restent pourtant des filles simples et courageuses : *l'Empreinte du dieu* (L. Moguy, 1941), *Goupi Mains rouges* (J. Becker, 1943), *Au bonheur des dames* (A. Cayatte, *id.*). Autres rôles plus nuancés : *le Café du Cadran* (Jean Gehret, 1947), *la Marie du port* (M. Carné, 1950). R.C.

BRUSATI *(Franco), cinéaste, scénariste et écrivain italien (Milan 1922 -* id. *1993).* Après des études en droit et sciences politiques, il travaille comme journaliste et pour le théâtre. Il écrit ses premiers scénarios (1950) en collaboration : *Mara, fille sauvage* (M. Camerini), *Dimanche d'août* (L. Emmer), *Atto di accusa* (Giacomo Gentilomo). Suivent vingt scénarios en tout genre dont il est également le coauteur : comédies (*Due mogli sono troppe,* M. Camerini, 1951 ; *les Infidèles,* Steno et M. Monicelli, 1953) ; mélodrames (*Anna,* 1951, et *les Adolescentes,* A. Lattuada, 1960) ; grands spectacles (*Ulysse,* Camerini, 1954 ; *Roméo et Juliette,* F. Zeffirelli, 1968) ; drames sociaux (*Smog,* F. Rossi, 1962 ; *Una vita violenta,* P. Heusch et B. Rondi, *id.*). Sa première mise en scène, d'après un roman de Alfredo Panzini, *Il padrone sono me* (1956), analyse les rapports entre père et fils dans une famille bourgeoise. Son film suivant, *le Désordre* (*Il disordine,* 1962), est une fresque sociale inspirée par la dolce vita sur la corruption à Milan au moment du boom économique. Après *Tenderly* (1968) et *les Tulipes de Haarlem* (*I tulipani di Haarlem,* 1970), de légères histoires d'amour, il tourne *Pain et Chocolat* (*Pane e cioccolata,* 1974), comédie un peu surréelle sur les mésaventures d'un ouvrier italien émigré en Suisse, qui est son premier succès critique et commercial — dû aussi à l'extraordinaire performance du protagoniste Nino Manfredi. Dans *Oublier Venise* (*Dimenticare Venezia,* 1979), il adapte des souvenirs personnels mêlant, entre passé et présent, deux couples homosexuels, dans une atmosphère presque bergmanienne. En 1982 il signe *le Bon Soldat (Il buon soldato),* et en 1988 *Lo zio indegno.* ▲ L.C.

BRUTE (mot anglais, prononc. «broute»). Très puissant projecteur à arc. (→ ÉCLAIRAGE.)

BRUSTELLIN *(Alf), cinéaste allemand (Vienne 1940 - Munich 1981).* D'abord acteur de cabaret puis journaliste, il est chef opérateur depuis 1968, entre autres de Bernhard Sinkel pour *Lina Braake* (1975). Il coréalise par la suite avec ce dernier *Berlinger* (id.), *la Guerre des jeunes filles* (*Der Mädchenkrieg,* 1977), une ample évocation historique. On leur doit aussi un épisode du retentissant pamphlet politique collectif, *l'Allemagne en automne* (*Deutschland im Herbst,* 1978), et l'interview de l'avocat Horst Mahler emprisonné pour son aide aux terroristes de la fraction Armée rouge. Brustellin a réalisé seul *'la Chute'* (*Der Sturz,* 1978). M.M.

BRYNNER *(Jules Bryner,* dit *Yul), acteur suisse (Vladivostok, URSS, 1920 - New York, N. Y., 1985).* Issu, selon toute probabilité, d'un père helvète d'origine mongole et d'une mère roumaine tsigane, le futur mercenaire au crâne rasé se complaît à brouiller les pistes et déclare même, à un journaliste trop curieux, que les secrets de l'enfance sont tout ce qu'un acteur peut encore garder pour soi. Ses ascendants déclarés (il confesse à qui veut l'entendre que son nom véritable est Taidje Khan) et ses lieux de naissance avoués (quelque part dans l'île Sakhaline) sont aussi variés que fantaisistes. Ses débuts ne le furent pas moins. Mais il se lie aux Pitoëff, travaille, acteur et machiniste, au théâtre des Mathurins à Paris, part pour les États-Unis (théâtres, TV) et devient vedette de shows à Broadway : *Lute Song* (1946), *Dark Eyes* et, surtout, *The King and I* (1951), qui lui apporte la consécration. Il a joué plus de 3 000 fois cette opérette de Richard Rogers et Oscar Hammerstein, et repris naturellement son rôle dans la version filmée en 1956 par Walter Lang (où il remporte l'Oscar du meilleur acteur). Depuis, sa personnalité est devenue inséparable de ce personnage au crâne rasé, à la voix grave et au charme exotique. Ses débuts cinématographiques, avec *la Brigade des stupéfiants* (L. Benedek, 1949), sont beaucoup moins marquants. Mais le succès du *Roi et moi* (W. Lang, 1956) lui vaut d'incarner des personnages exceptionnels : le Ramsès des *Dix Commandements* (C. B. De Mille, 1956), Salomon dans *Salomon et la Reine de Saba*

(K. Vidor, 1959), le rôle-titre de *Tarass Boulba* (J. Lee Thompson, 1962). Dans d'autres films, comme *Anastasia* (A. Litvak, 1956) et *le Voyage* (id., 1959), *les Boucaniers* (A. Quinn, *id.*), *les Frères Karamazov* (R. Brooks, *id.*) et *le Bruit et la Fureur* (M. Ritt, 1959), il prouve que l'on peut compter aussi, à l'occasion, sur ses talents d'acteur. Il fait une apparition dans *le Testament d'Orphée* (J. Cocteau, 1960), remporte un succès mondial avec *les Sept Mercenaires* (J. Sturges, *id.*), puis s'éloigne progressivement d'un cinéma qui ne lui donne plus que rarement des rôles intéressants (sinon dans *le Mercenaire de minuit,* R. Wilson, 1964, et *Mondwest,* M. Crichton, 1973), parce qu'il utilise jusqu'à satiété son image de marque stéréotypée de séducteur chauve au regard magnétique et à la sensualité « barbare ». C.M.C.

BRYNYCH *(Zbyněk), cinéaste tchèque (Prague 1927).* Influencé par le néoréalisme italien, il tourne son premier film en 1958 : *'Romance du faubourg' (Žižkovska romance).* Il cherche son style dans quelques autres tentatives (*'le Dérapage'* [*Smyk*], 1960) et s'impose à l'attention en 1962 avec *Transport au paradis* (*Transport z ráje*), d'après des récits d'Arnošt Lustig, qui évoque dans un style semi-documentaire la visite d'une commission internationale de la Croix-Rouge au ghetto de Terezin. Il fait alterner l'expressionnisme (*le Cinquième Cavalier c'est la peur* [*... a pátý jezdec je strach*], 1964) et l'intimisme (*'la Constellation de la Vierge'* [*Souhvezdi panny*], 1965) avant de retrouver l'ambiance qui lui sied le mieux : la parabole politique oppressive traitée dans un style qui côtoie le fantastique (*Moi la justice* [*Já spravedlnost*], 1967, d'après le roman de Miroslav Hanus). Une carrière en dents de scie que la « normalisation » du pays conduira sur les voies de l'académisme et du conformisme (*'Quelle est la couleur de l'amour ?'* [*Jakou barvu má láska,* 1973 ; *'la Nuit des feux oranges'* [*Noc oranžových ohňů*], 1975) ; *'la Mi-Temps du bonheur'* [*Poločas Štěstí,* 1984]). Il tourne ensuite pour la TV allemande. J.-L.P.

BU Wancang, *cinéaste chinois (Tianchang, prov. d'Anhui, 1903 - Hongkong 1974).* À dix-huit ans, il participe pour la première fois à un film comme assistant du cameraman américain d'une petite compagnie de Shanghai. En 1924, il est cameraman de deux films du studio Dazhonghua et, en 1925, d'un film du studio Minxin. En 1926, il réalise *'Pure comme le jade, claire comme la glace' (Yujie bingqing)* pour la Mingxing, sur un scénario d'Ouyang Yuqian. Réalisateur, parfois scénariste, pour les compagnies Mingxing, Lianhua, Xinren, Yihua, etc., jusqu'en 1937, il tourne 24 films. Parmi les plus importants : *'Rêve printanier au bord du lac'* (*Hubian chunmeng,* 1927) ; *'Amour et Devoir'* (*Lian'ai yu yiwu,* 1931), d'après un roman polonais ; *'Les fleurs de pêchers pleurent des larmes de sang'* (*Taohua qixue ji,* 1931) ; *'Une branche de prunier'* (*Yijian mei,* 1931), inspiré de *Two Gentlemen of Verona* de Shakespeare. Ces quatre films furent critiqués par la gauche parce que trop occidentalisés à ses yeux. Ensuite, il réalise, sur quatre scénarios de Tian Han, *'Trois Femmes modernes'* (*Sange modeng nüxing,* 1933), *'Lumière maternelle'* (*Muxing zhi guang,* 1933), *'l'Âge d'or'* (*Huangjin shidai,* 1934) et *'Chant de victoire'* (*Kaige,* 1935). Dans la quinzaine de films qu'il tourne pendant l'époque de l'« île orpheline », il traite souvent de sujets historiques non dépourvus d'allusions antijaponaises : *Diao Chan* (1938) ; *'Mulan rejoint l'armée'* (*Mulan congjun,* 1939) ; en 1940, *'Souwou garde les moutons'* (*Su Wu muyang)* et *Xi Shi.* En 1941, il est l'un des réalisateurs de *'Famille'* (*Jia*) d'après le roman de Ba Jin. En 1943, il signe *'Fraternité' (Bo'ai)* ; en 1945, *'le Rêve dans le pavillon rouge' (Honglou meng).* À Chongqing et Chengdu, il met en scène plusieurs pièces de théâtre. En 1947, il s'installe à Hongkong et réalise pour la Yonghua *'l'Âme de la Chine'* (*Guohun,* 1948). En 1951, il fonde la compagnie Taishan, pour laquelle il dirige six films, dont *'Portraits de belles'* (*Shunü tu,* 1952). En 1956, il coréalise *'Fleur d'or et sang de jade' (Bixie huanghua),* histoire des « 72 martyrs de Canton », à la veille de la révolution de 1911. On peut encore citer *'Une longue rue'* (*Chang xiang,* 1956), *'le Petit Vagabond'* (*Kuer liulang ji,* 1960) et son dernier film en 1963, *'la Dame au luth' (Zhao Wuniang).* C.D.R.

BUCH *(Fritz Peter), cinéaste et scénariste allemand (Francfort-sur-l'Oder 1894 - Vienne, Autriche, 1964).* Docteur en philosophie, il devient metteur en scène et directeur de théâtre à Berlin. C'est en 1935 qu'il réalise son premier film, en collaboration avec H. B. Fredersdorf : *Chanson d'amour (Liebeslied),* un musical. Il met en scène une quinzaine de films en dix ans, œuvrant dans le mélodrame : *Jakko* (1941), la comédie : *les Blagueurs (Spassvögel,* 1938), le film policier : *Der Fall Deruga* (id.), le musical, le Heimatfilm, et le drame historique à contenu nationaliste : *Der Katzensteg* (1937, troisième version cinématographique du roman de Sudermann). Auteur de pièces de théâtre populaires, dont plusieurs ont été adaptées à l'écran, il a écrit des scénarios pour Karl Anton, Veit Harlan, Heinz Rühmann et lui-même. Après la guerre, il ne travaille plus qu'occasionnellement pour le cinéma (réalisation de *Cuba Cabana,* 1952). D.S.

BUCHANAN *(Edgar), acteur américain (Humansville, Mo., 1903 - Palm Desert, Ca., 1979).* Acteur de composition et spécialiste du western, ses personnages se caractérisent par leur malice ou leur bonhomie campagnarde. Son jeu coloré fait de lui le partenaire privilégié d'acteurs à la Glenn Ford (cf. leur série *Sam Cade*), Alan Ladd, Tyrone Power. Il débute en 1940 dans *My Son is Guilty* de Charles T. Barton et, parmi cent titres, tourne notamment : *l'Aigle des mers* (M. Curtiz, *id.*), *Arizona* (W. Ruggles, *id.*), *la Chanson du passé* (G. Stevens, 1941), *Texas* (G. Marshall, *id.*), *la Justice des hommes* (Stevens, 1942), *Buffalo Bill* (W. Wellman, 1944), *la Flèche noire* (*The Black Arrow,* G. Douglas, 1948), *la Porte du diable* (A. Mann, 1950), *l'Attaque de la malle-poste* (H. Hathaway, 1951), *l'Homme des vallées perdues* (Stevens, 1953), *le Nettoyeur* (Marshall, 1955), *Désirs humains* (F. Lang, *id.*), *la Vallée de la poudre* (Marshall, 1958), *les Comancheros* (Curtiz, 1961), *Coups de feu dans la sierra* (S. Peckinpah, 1962), *le Mors aux dents* (B. Kennedy, 1965) et *Benji* (Joe Camp, 1974). O.E.

BUCHANAN *(Jack), acteur, cinéaste et producteur britannique (Helensburgh 1891 - Londres 1957).* Il a joué de nombreuses comédies musicales lorsqu'il débute au cinéma en 1917. Star du cinéma anglais, on le réclame aux États-Unis, où il a la vedette dans *Monte-Carlo* (E. Lubitsch, 1930). Il revient en Angleterre pour se partager entre la scène et l'écran (*Fausses Nouvelles,* R. Clair, 1938). Il réalise en 1935 *That's a Good Girl,* mais c'est pourtant aux États-Unis qu'il trouve son rôle le plus fameux, celui du producteur mégalomane de *Tous en scène* (V. Minnelli, 1953). Il interprète aussi le rôle-titre dans *les Carnets du Major Thompson* (P. Sturges, 1955). J.-P.B.

BUCHHOLZ *(Horst), acteur allemand (Berlin 1933).* Acteur de théâtre, il débute au cinéma grâce à Julien Duvivier (*Marianne de ma jeunesse,* 1955) et devient vite célèbre dans son pays avec *Ciel sans étoiles* (H. Käutner, 1955) et *les Demi-Sel* (*Die Halbstarken,* Georg Tressler, 1956). On le voit alors, adolescent devenu jeune homme ambigu, dans de nombreux films réalisés par Tressler (dont *Das Totenschiff,* 1959), Kurt Hoffmann (*Die Bekenntnisse des Hochstaplers Felix Krull,* 1957), Rolf Hansen (*Résurrection,* 1958), Josef von Baky (*Un petit coin de paradis,* 1957), Käutner (*Monpti,* id.), etc. Il tourne en Grande-Bretagne (*les Yeux du témoin,* J. Lee Thompson, 1959) puis à Hollywood, où il durcit son personnage : *les Sept Mercenaires* (J. Sturges, 1960), *Un, deux, trois* (B. Wilder, 1961), *Fanny* (J. Logan, *id.*), *À neuf heures de Rama* (M. Robson, 1963). Il tourne aux côtés de Bette Davis dans *l'Ennui* (D. Damiani, 1963). En Europe, il est la vedette de coproductions à grand budget comme *la Fabuleuse Aventure de Marco Polo / l'Échiquier de Dieu* (D. de La Patellière, 1965) et *les Aventures extraordinaires de Cervantès* (*Cervantes,* V. Sherman, 1968). Il se consacre de plus en plus au théâtre et, depuis *l'Astragale* (G. Casaril, 1968), n'apparaît plus à l'écran qu'épisodiquement, notamment sous la direction d'Andrew L. Stone (remake de *Toute la ville danse,* 1973), de K. Zanussi (*The Catamount Killing,* 1974) d'Irving Kerschner (*Raid sur Entebbe,* 1976), d'A. McLaglen (*Sahara,* 1984) et de W. Wenders (*Si loin, si proche,* 1993). D.S.

BUCHMAN *(Sidney), scénariste et producteur américain (Duluth, Minn., 1902 - Cannes, France, 1975).* Il débute comme régisseur à l'Old Vic de Londres et écrit deux pièces de théâtre avant d'être engagé par la Paramount en 1930. À la Columbia, où il est bientôt le scénariste favori de Harry Cohn, ce fervent admirateur de George Bernard Shaw contribue à l'avènement de la comédie loufoque en prêtant son talent à Gregory La Cava (*J'ai épousé le patron,* 1935), Richard Boleslawsky (*Théodora devient folle,* 1936), Leo McCarey (*Cette sacrée vérité,* 1937) ou George Cukor (*Vacances,* 1938). Ses œuvres les plus ambitieuses sont *M. Smith au Sénat* (F. Capra, 1939), une fable populiste qui brocarde la corruption des politiciens, et *la Justice des hommes* (G. Stevens, 1942), réflexion amère sur les institutions américaines, mais c'est une comédie fantastique (*le Défunt récalcitrant* d'A. Hall) qui lui vaut un Oscar en 1941. Porté en 1951 sur les « listes noires » pour avoir adhéré au parti communiste pendant la guerre, il s'exile en France. Il collabore à *Cléopâtre* (J. L. Mankiewicz, 1963) avant d'adapter et produire *le Groupe* (S. Lumet, 1966), qui traduit avec sensibilité l'univers féministe de Mary McCarthy. M.H.

BUCHOWETZKI *(Dimitri), cinéaste allemand d'origine polonaise (Russie 1895 - Hollywood, Ca., 1932).* Acteur et réalisateur travaillant d'abord en Russie, il arrive en 1919 à Berlin, où il écrit des scénarios et met en scène neuf films en quatre ans – le plus souvent, films à costumes où il dirige les vedettes de l'époque : *Danton* (1921), une lointaine adaptation du drame de Büchner, *Othello* (1922), *Peter der Grosse* (id.). C'est lui qui achève *les Frères Karamazov* (*Die Brüder Karamazov,* 1921) commencé par Carl Froelich. Appelé à Hollywood, il y dirige Pola Negri, Norma Talmadje, Mae Murray (1924-1928) et revient en Europe à la suite d'un conflit avec la production. Il fait deux films en France et, au début du parlant, devient un spécialiste de la version allemande des films américains et de la version anglaise des films allemands. D.S.

BUCHS *(José), cinéaste espagnol (Santander 1893 - Madrid 1973).* L'un des principaux réalisateurs du muet, il est un précurseur dans bien des genres du cinéma espagnol : le film historique, les adaptations littéraires, la *zarzuela* et les saynètes, le pittoresque folklorique, le film religieux, le mélodrame, la comédie. Débutant avec *La mesonera del Tormes* (1919), sa carrière s'étend sur quarante ans, pendant lesquels il tourne notamment *La inaccesible* (1920), *La verbena de la Paloma* (1921), *La reina mora* (1922), *Doloretes* (1923), *Mancha que limpia* (1924), *Una extraña aventura de Luis Candelas* (1926), *El Conde de Maravillas* (1927), *El dos de mayo* (id.), *El guerrillero* (1930), *Prim* (id.), *Carceleras* (1932), un des premiers films sonores. P.A.P.

BUCQUET *(Harold S.), cinéaste américain d'origine britannique (Londres 1891 - Los Angeles, Ca., 1946).* D'abord décorateur, il débute dans le court métrage en 1937, puis dans le long métrage l'année suivante. La MGM, qui l'emploie, lui confie surtout une série B très fructueuse : *Docteur Kildare,* et sa suite *Docteur Gillespie.* Il signe une œuvre parfois insolite, où se manifestent ses origines britanniques (*l'Étrange Sursis* [*On Borrowed Time*], 1939) ou, exceptionnellement, des films de prestige qui le dépassent quelque peu (*le Fils du Dragon* [*Dragon Seed*], 1944, coréalisé avec Jack Conway ; *Sans amour* [*Without Love*], 1945). C.V.

BUGS BUNNY. Personnage célèbre de dessin animé américain. Il a droit au statut de superstar, n'ayant jamais cessé, depuis sa création jusqu'à nos jours, d'être plébiscité quotidiennement dans les programmes télévisés destinés aux enfants. En ce sens, il est plus durablement célèbre que Mickey Mouse ou que Popeye. C'est en 1936, au département d'animation de la Warner Bros, sous Leon Schlesinger, producteur des *Looney Tunes* et des *Merrie Melodies,* qu'il fut créé par un groupe d'animateurs : Chuck Jones, Tex Avery, Friz Freleng, Bob Clampett et Ben Hardaway, qui le baptisa « Bugs ». (Il apparaît pour la première fois dans le cartoon *Porky's Hare Hunt,* 1936.)

Ce lièvre désinvolte et insolent, qui croque perpétuellement une carotte crue et lance avec un défaut de langue très marqué sa fameuse phrase : « What's up, doc ? », a été volontairement doté d'une voix à la Groucho Marx (interprétée par le spécialiste vocal Mel Blanc) et d'une démarche inspirée du même, qui fut peu à peu transformée en une posture arrogante, torse bombé, le jarret tendu, dressé sur ses talons. Malgré son prénom, il n'a pas d'araignée dans le plafond et sait très bien ce qu'il veut : son anarchie très souvent destructive n'est qu'une façon de se protéger lui-même. Selon Chuck Jones, c'est un contre-révolutionnaire typique, ancré dans son terrier et ses habitudes casanières, jusqu'au moment où on le dérange dans son intimité. Alors (« You know this means war ! »), il déclare la guerre à l'intrus, Daffy Duck, Elmer Fudd ou Yosemite Sam, et le réduit très vite, par son activité intense de sabotage, harcèlement et démoralisation, à la crise de larmes. Aussi incarne-t-il un peu le patriotisme sous couleur de burlesque : « La sainteté du foyer américain doit être sauvegardée », affirme-t-il avec l'accent de Brooklyn.

Non seulement il figure dans des centaines de courts métrages, mais on l'a vu dans des features comme *The Great Bugs Bunny-Road Runner Show,* et dans des programmes télévisés entiers comme le *Bugs Bunny Hour.* Il symbolise un peu l'écologie et la préservation de la nature, aussi sa popularité, plus que jamais actuelle, va-t-elle croissant. R.BN.

BÜHRMANN *(Rolf)* → BOCKMAYER *(Walter).*

BUJOLD *(Geneviève), actrice canadienne (Montréal, Québec, 1942).* Formée au Conservatoire d'art dramatique de Montréal, elle tourne dans quelques films québécois avant qu'Alain Resnais ne la consacre dans *La guerre est finie* (1966). Depuis cette date, elle conduit une carrière internationale et bilingue, vedette dans son pays natal (*Entre la mer et l'eau douce,* M. Brault, 1967 ; *Kamouraska,* C. Jutra, 1973 ; *les Noces de papier,* Brault, 1990 ; *Mon amie Max, id.,* 1994), dans le Canada anglophone (*Isabel, Act of the Heart* et *Journey,* trois films dirigés entre 1968 et 1972 par Paul Almond, avec qui elle était mariée), aux États-Unis (*Anne des mille jours,* C. Jarrott, 1969 ; *Obsession,* B. De Palma, 1976 ; *la Corde raide* (*Tightrope,* Richard Tuggle, 1984) ; *Choose Me* (Alan Rudolph, *id.*) ; *Wanda's Café* (*id.,* 1985) ; *les Modernes* (id., 1988) ; *Faux-semblants* (D. Cronenberg, *id.*), ou en France (*le Roi de cœur,* Ph. de Broca, 1967 ; *le Voleur,* L. Malle, *id. ; Un autre homme, une autre chance,* C. Lelouch, 1977). J.-P.J.

BULAJIĆ *(Veljko), cinéaste yougoslave (Montenegro 1928).* Journaliste, il débute par quelques courts métrages avant de poursuivre sa formation au Centro sperimentale de Rome. Il assiste Luigi Zampa, Federico Fellini (pour *Il bidone*), Vittorio De Sica (pour *le Toit*) et Giuseppe De Santis, retourne dans son pays en 1958 et réalise un premier long métrage qui lui assure un certain renom international : *Train sans horaire* (*Vlak bez voznog reda,* 1959). Hanté par la guerre, la résistance à l'envahisseur allemand, les incidences de la politique sur la liberté individuelle, il signe successivement *'la Guerre'* (*Rat,* 1960 ; scénario de Zavattini), *'Une ville en effervescence'* (*Uzavreli grad,* 1961), *les Diables rouges face aux S. S.* (*Kozara,* 1963), le documentaire *Skoplje 63* (*id.,* 1964), *'Regard vers la prunelle du soleil'* (*Pogled u znejicu sunca,* 1966). Il s'oriente ensuite vers les superproductions internationales avec *la Bataille de la Neretva* (*Bitka na Neretvi,* 1969 ; YOUG-IT-FR) et *'Attentat à Sarajevo'* (*Atentat u Sarajevu,* 1975) puis met en scène *' Un homme à détruire'* (*Čovjek Koga treba ubiti,* 1979), *'Haute Tension'* (*Visoki napon,* 1981), *'le Grand Transport'* (*Veliki transport,* 1983), *'la Terre promise'* (*Obećana zemlja,* 1986) et *Donator* (1989). J.-L.P.

BULGARIE. À la fin du mois de février 1897, les premières représentations du Cinématographe Lumière ont lieu à Roustchouk (auj. Ruse) puis quelques jours plus tard à Sofia. Vladimir Petkov et Hristodar Arnaoudov sont les premiers opérateurs de prises de vues bulgares mais l'industrie cinématographique ne s'établira que très lentement. Si l'on inaugure en 1908 la première grande salle de projections publiques (le Théâtre moderne à Sofia), la production nationale ne prend que timidement son essor vers 1910. En 1915, un amateur entreprenant et passionné, Vasil Žendov, tourne avec des moyens de fortune une pochade à la Max Linder : *Le Bulgare est un galant homme.* Contrairement à certains pays limitrophes, la Bulgarie ne créera pas d'industrie cinématographique structurée avant la nationalisation de 1948. Aussi les 55 longs métrages réalisés avant cette date seront-ils plus l'œuvre d'admirateurs fervents du 7e art que celle d'authentiques professionnels. On imagine les innombrables difficultés de ces petites sociétés fondées souvent pour les besoins d'un film ou deux et dont la survie était des plus aléatoires. Avant la Seconde Guerre mondiale, la production offre un aspect chaotique sans ligne directrice très précise, sans écoles ou mouvements artistiques définis. Longtemps la comédie bourgeoise a régné, adaptation de romans ou scénarios aux thèmes assez simplistes. Dès 1923, la Bulgarie était submergée par l'importation de films allemands (45 p. 100), américains (29 p. 100) et français (18 p. 100). Cette longue période difficile a néanmoins suscité quelques œuvres non dépourvues d'intérêt malgré la pauvreté de la technique et les méthodes archaïques de tournage. Vasil Žendov dirige en 1923 *le Diable à Sofia* et *Baj Ganju.* En 1933, il est l'auteur du premier film sonore *la Révolte des esclaves (Bunt rabov)* et achève en 1937 *la Terre brûlée (Zemjata gori).* Parmi les metteurs en scène d'intérêt, il faut également citer Nikola Larin (*Sous le ciel d'antan* [*Pod staroto nebe*], 1923), Boris Grežov (*Tombes sans croix,* 1931), Vasil Pošev (*la Parole la plus fidèle* [*Najvěrnata duma*], 1929), Aleksandar Vazov (*le Tumulus,* 1936), Iosip Novak (*le Voïvode strahil* [*Strahil vojvoda*], 1938).

Le 5 avril 1948, la loi de nationalisation de la cinématographie est votée. Progressivement s'ébauche une organisation : la priorité est d'abord donnée aux films documentaires mais, dès mars 1950, les spectateurs peuvent assister à la projection du premier long métrage de fiction de l'après-guerre, *Kalin l'Aigle* (*Kalin orelăt*) de Boris Borozanov. Les thèmes abordés par les réalisateurs sont d'ordre essentiellement historique. La Bulgarie est soumise à un rigoureux dogmatisme politique dont les répercussions sur le plan culturel nuisent à la qualité intrinsèque de la plupart des films tournés entre 1951 et 1957. Malgré ce manichéisme idéologique, certaines œuvres conservent une importance historique, comme *Sous le joug* (*Pod jgoto,* 1952) de Dako Dakovski, qui évoque l'insurrection de 1876 contre les Osmanlis, *le Chant de l'homme* (*Pesen za čoveka,* 1953) de Boris Šaraliev, biographie du poète antifasciste Nikola Vapcarov, *les Héros de septembre* (*Septemvriitsi,* 1954) de Zahari Žandov, qui décrit la première insurrection bulgare de 1923. Tous ces films exaltent l'héroïsme national au détriment, parfois, de l'analyse psychologique. À la suite du XXe congrès du parti communiste d'URSS et du plénum d'avril 1956 du parti communiste bulgare, une évolution sensible libère le cinéma de l'emprise du dogmatisme didactique. Deux films importants, *Sur la petite île* de Rangel Vălčanov* (1958) et *Étoiles* de Konrad Wolf* (1959) — auquel il faut associer le scénariste Angel Wagenstein* —, prouvent l'habileté de certains réalisateurs, qui n'hésitent pas à rompre avec leurs prédécesseurs en peignant le monde contemporain sous des couleurs plus justes tout en soignant davantage l'écriture cinématographique. À la suite de Vălčanov (*Première Leçon,* 1960 ; *le Soleil et l'Ombre,* 1962), Binka Željazkova (*Nous étions jeunes,* 1961) et Nikola Korabov (*Tabac* [*Tjutjun*], 1962) permettent à la Bulgarie de jouer un rôle non négligeable dans les festivals internationaux. À partir de 1964, d'autres cinéastes viennent épauler cette première vague : Ljubomir «Šarlandžiev (*la Chaîne* [*Verigata*], 1964 ; *Odeur d'amandes* [*S dah na bademi*], 1967), Georgi Stojanov, Zako Heskia, Todor Stojanov et surtout Vălo Radev* (*le Voleur de pêches,* 1964 ; *le Roi et le Général,* 1966 ; *la Plus Longue Nuit,* 1967).

Dès le début des années 70, un changement profond affecte le cinéma bulgare. La diversification des thèmes s'amplifie, l'accent est mis sur les problèmes contemporains, la critique sociale même apparaît et cette « intégration à la vie courante » porte ses fruits. La fréquentation est élevée et le niveau artistique des films s'améliore. Plusieurs cinéastes s'imposent, tels : Hristo Hristov* (*le Dernier Été,* 1973 ; *Arbre sans racines,* 1974 ; *la Barrière,* 1979) ; Metodi Andonov, qui mourra prématurément en 1975 (*la Corne de chèvre* [*Koziat rog,* 1971]) ; Ljudmil Stajkov (*Affection* [*Obič,* 1972]) ; *le Temps de la violence* [Vreme razdelno, 1988] ; Eduard Zahariev (*le Recensement des lapins de garenne* [*Prebrojavaneto na divite zajci,* 1973]) ; Georgi Djulgerov* (*l'Avantage,* 1977 ; *l'Échange,* 1979) ; Ljudmil Kirkov ; Assen Šopov ; Ivan Andonov.

Si le film historique fait un retour en force au début des années 80, c'est parce que l'État bulgare célèbre le 1300e anniversaire de sa fondation. Ljudmil Stajkov tourne *Khan Asparouch,* Šaraliev *Boris I,* Stojanov *Constantin le Philosophe* et Djulgerov *Aune pour aune,* mais la majeure partie des films évoquent toujours les problèmes de l'actualité quotidienne et leurs incidences sur la vie des citoyens. Avec un certain retard, le cinéma bulgare a rejoint les « nouvelles vagues » des pays d'Europe centrale. Les années 80 n'ont pas marqué une évolution notable malgré les réussites de cinéastes confirmés comme Vălcănov (*Partir pour aller où ?,* 1986 ; *Et maintenant,* 1988), Željazkova (*La Nuit sur les toits,* id.), Hristov (*Test 88,* id.), Andonov (*Hier,* 1987), Staïkov (*Temps de violence,* 1988), Djulgerov (*Acadamus,* id.).

La crise de la fréquentation publique et du financement de la production a accompagné la stagnation de la qualité jusqu'à ce que, à la fin de la décennie, le processus de démocratisation politique, entraînant une plus grande autonomie pour les collectifs de création des studios, permette un élargissement thematique et un épanouissement artistique prometteurs avec des films de critique sociale vigoureuse comme *les Chiens courants* (Ludmil Todorov, 1988), *Exitus* (Krassimir Kroumov, *id.*), *Moi la Comtesse* ([*As grafimiata*] Peter Popzlatev, *id.*) et de mise en accusation impitoyable de la période stalinienne : *Ivan et Alexandra* ([*Ivan i Aleksandra*] Ivan Ničev, 1988), *Margarit et Margarita* (Nikolaï Volev, *id.*) et *le Camp* (*Djulgerov,* 1990). Le cinéma d'animation conserve une très grande importance, acquise dès 1960, et compte plusieurs éléments remarquables comme Todor Dinov, Donjo Donev, Stojan Dukov, Ivan Vesselinov, Ivan Andonov, Penčo Bogdanov, Projko Projkov, Radka Băčvarova, Hristo Topouzanov, Zdenka Dojčeva, Nikolaï Todorov, Rumen Petkov, Henri Koulev, Velislav Kazakov, Vlado Šomov. J.-L.P.

BULL *(Lucien), pionnier français du cinéma (Dublin, Irlande, G.-B., 1876 - Boulogne-Billancourt 1972).* Élève de Marey, il explora les techniques d'observation des phénomènes et notamment le cinéma ultrarapide. Il fut le premier à pratiquer 4 000 images/seconde (1904), puis atteignit 50 000 images/seconde en 1928, une de ses dernières réalisations en permettant un million (1951). Lucien Bull mit également au point, en 1902, le premier appareillage de microcinématographie (grossissement de 8 à 10 fois) et d'enregistrement accéléré (images prises à intervalles de 1/4 d'heure). J.-P.F.

BUNNY *(John), acteur américain (New York, N. Y., 1863 -* id. *1915).* Cet homme obèse à la figure joviale était un acteur de théâtre qui, ayant accepté de travailler pour la Vitagraph en 1910, devint sans doute la première vedette comique de l'histoire du cinéma, le précurseur de Mack Swain et d'Oliver Hardy. Son succès dura cinq ans, durant lesquels il tourna près de 200 bandes. Son personnage était celui d'un bourgeois coureur de jupons souvent malmené par sa femme, la mince Flora Finch, avec laquelle sa silhouette large et ronde faisait un amusant contraste (*Polishing Up,* 1914). Son nom devint celui du héros qu'il interprétait et figura dans nombre de ses titres : *Bunny's Suicide* (1912), *Bunny's Dilemma* (1913) ou *Bunny in Bunnyland* (1915). C.V.

BUÑUEL *(Luis), cinéaste mexicain d'origine espagnole (Calanda, Aragon, Espagne, 1900-Mexico 1983).* Il étudie chez les jésuites, à Saragosse. À Madrid, il se lie à Gómez de la Serna, Federico García Lorca et la *génération de 1927.* Comme eux, il écrit des poèmes ; il anime en outre la rubrique cinématographique de *la Gaceta Literaria* (1927) et le premier ciné-club espagnol. À Paris, entre-temps, il est l'assistant d'Epstein. *Un chien andalou,* écrit en collaboration avec Dalí, facilite son ralliement au mouvement surréaliste. « Le surréalisme m'a révélé que, dans la vie, il y a un sens moral que l'homme ne peut pas se dispenser de prendre, dira-t-il. Par lui, j'ai découvert que l'homme n'était pas libre. » *L'Âge d'or* (1930) suscite des attaques de la droite et est finalement interdit. Les surréalistes publient un manifeste pour sa défense : « Buñuel a formulé une hypothèse sur la révolution et l'amour qui touche au plus profond de la nature humaine... » Revenu en Espagne, il tourne *Terre sans pain,* documentaire sur las Hurdes, région déshéritée où la détresse atteint les limites de la bestialité ; le gouvernement républicain l'interdit. Il devient l'homme clé de Filmofono, entreprise madrilène qui veut produire des films populaires et d'une certaine tenue ; à ce titre, il travaille comme producteur exécutif sur quatre longs métrages à la veille de la guerre civile, puis se met à la disposition des autorités républicaines et monte le film de propagande *Espagne 1937.* La fin du conflit le surprend aux États-Unis, où il travaille au musée d'Art moderne de New York. Il finit par s'installer au Mexique, où il tourne régulièrement de 1946 à 1955, apportant quelques touches personnelles dans la production commerciale de ce pays. *Los olvidados* (1950), primé à Cannes, rappelle son talent à la critique, mais ne lui assure pas tout de suite une marge d'autonomie plus grande. Il contrôle davantage ses sujets et se permet progressivement plus de liberté dans la mise en scène. *La Vie criminelle d'Archibald de la Cruz* ouvre la voie aux premières coproductions françaises *(Cela s'appelle l'aurore, la Mort en ce jardin, La fièvre monte à El Pao) ;* il y aborde des thèmes politiques avec plus de moyens, mais aussi avec plus de lourdeurs et de schématisme. Les coproductions avec les États-Unis *(Robinson Crusoé, la Jeune Fille)* s'avèrent plus proches de son univers. *Nazarin,* la meilleure réussite avec *El* de cette première phase mexicaine, annonce *Viridiana,* 1961, tourné en Espagne, qui lui vaudra la Palme d'or à Cannes et un nouveau scandale, car le Vatican crie au sacrilège. À plus de soixante ans, Buñuel atteint enfin à l'indépendance nécessaire à l'épanouissement d'une maturité jusqu'alors soumise aux contraintes économiques et artistiques du cinéma.

Un chien andalou et *l'Âge d'or* préfigurent la matière et le style des grands films ultérieurs. Le premier associe des images oniriques et exalte le désir érotique. Le second dénonce les obstacles rencontrés dans la société bourgeoise et issus de la morale chrétienne. Le réquisitoire s'accompagne d'une subversion des valeurs établies et d'un hommage alors blasphématoire à Sade. *Un chien andalou* s'écarte du formalisme à la mode au sein de l'avant-garde française. Buñuel ne cultive point l'expérimentation tournant à vide, les effets optiques ou les trucages. Il prétend recréer une réalité poétique, déchirer les voiles de la perception, secouer le spectateur, l'inviter à « voir d'un autre œil que de coutume » (Vigo). *L'Âge d'or* ne se complaît pas dans l'ambiguïté. Il porte toute la charge libertaire du surréalisme « au service de la révolution ». À l'aube du parlant, il innove par la dissociation du son et de l'image, le dialogue en voix off, l'utilisation de la musique (classique et paso doble). Avec Brahms en contrepoint, le constat détaché de *Terre sans pain* est d'une férocité à peine retenue. Les bons sentiments ne sont pas de mise et cela fait toute la différence entre *Los olvidados* et le néoréalisme contemporain. À la pitié et à l'humanisme, Buñuel préfère la lucidité et la révolte. Le père Lizzardi *(la Mort en ce jardin), Nazarin* et *Viridiana* montrent que la charité (vertu cardinale du christianisme) est non seulement un palliatif inefficace, mais aussi un instrument de soumission. En politique également, l'humaniste *(Cela s'appelle l'aurore),* le réformiste *(La fièvre monte à El Pao),* pourtant sympathiques, aboutissent à l'échec. De l'anticléricalisme (*le Grand Noceur, Don Quintin l'amer* par ex.), Buñuel passe à une critique des fondements de la civilisation chrétienne ; son rejet du dogme devient attitude philosophique, refus des simplifications, des vérités figées, des oppositions tranchées *(la Voie lactée).* Le réalisme ne suffit pas, et l'imaginaire aussi fait partie de la réalité. « Le cinéma est la meilleure arme pour exprimer le monde des songes, des émotions, de l'instinct », dit-il. Pendant des années, cette part nocturne de l'humanité ne passe qu'à petites doses dans ses films mexicains, au détour de scènes oniriques ou de rêveries éveillées *(Los olvidados, la Montée au ciel).* Le désir, refoulé ou assumé, imprègne cependant un nombre croissant de ses personnages *(Susana, El bruto, El, les Hauts de Hurlevent, la Vie criminelle d'Archibald de la Cruz, la Jeune Fille).*

Après *l'Ange exterminateur* et *Belle de jour,* rêve et réalité redeviennent les vases communicants chers à André Breton. Buñuel brouille les cartes, dilue les règles du récit logique, cartésien ; il abandonne la psychologie, la sociologie et autres béquilles de la vraisemblance romanesque, télescope les coordonnées de temps et d'espace, trace des fausses pistes, s'amuse sur des chemins de traverse, oblige enfin le public à entreprendre une réarticulation et interprétation des images, un peu à la manière des romans-maquette-à-monter de Cortázar. Il recourt à des œuvres littéraires, notamment de Pérez Galdós *(Nazarin* et *Tristana),* Mirbeau *(le Journal d'une femme de chambre),* Kessel *(Belle de jour),* Louÿs *(Cet obscur objet du désir).* Ses adaptations impliquent des remaniements profonds, touchant la structure du récit et les personnages, des transpositions d'époque et de pays. La caméra est souvent en mouvement, mais lentement, sans fioritures, de manière imperceptible, fonctionnelle, limitant par ses recadrages les coupes à l'intérieur des séquences. Ce dépouillement, parfois confondu avec un certain classicisme, s'appuie sur des scénarios fortement charpentés. Buñuel délaisse la progression dramatique et accumule les épisodes, soit en suivant un déplacement temporel et spatial (le voyage, typique du roman picaresque), soit en empruntant une structure plus complexe, dans ses derniers films. De *l'Âge d'or* au *Fantôme de la liberté,* il prise les enchaînements au travers d'associations d'images ou d'idées. Ce dernier film pousse à l'extrême l'éclatement des règles narratives ; il frustre volontairement l'attente du spectateur et l'encourage à rompre avec ses habitudes de regard et de compréhension. Le cinéaste aime la symétrie et les structures dualistes dans ses scénarios, pour mieux nier les schémas dualistes de pensée (le bien et le mal se confondent trop dans la vie). Pour ce travail soigné d'écriture, il trouve trois collaborateurs réguliers : Luis Alcoriza (dix films, du *Grand Noceur* à *l'Ange exterminateur,* en passant par *Los olvidados*), Julio Alejandro *(les Hauts de Hurlevent, Nazarin, Viridiana, Simon du désert, Tristana)* et Jean-Claude Carrière (pour les six films tournés en France, du *Journal d'une femme de chambre* à *Cet obscur objet du désir*). L'étrange humanité des films de Buñuel rappelle le Goya des *peintures noires* et des *Caprices.* Ces monstres « engendrés par le sommeil de la raison » possèdent une vitalité animale qui fait défaut aux beaux protagonistes dont le réalisateur critique les normes *(Nazarin, Viridiana).* Marginalisés et rejetés par la société, leur conduite échappe à la dichotomie innocence-perversion, comme chez les enfants pour qui le péché n'existe pas encore. L'abondant bestiaire rassemblé par ce passionné d'entomologie témoigne de la part d'instincts étouffée par les conventions sociales. Admirateur du burlesque américain, Buñuel ne se départit jamais de l'humour. Cela lui permet d'éviter l'esprit de démonstration du film à thèse, tout en abordant les sujets les plus sérieux : le racisme et le colonialisme *(Robinson Crusoé, la Jeune Fille) ;* les filigranes de la religion *(Simon du désert, la Voie lactée) ;* la conception patriarcale et possessive de l'amour bourgeois *(Tristana, Cet obscur objet du désir)* et son corollaire, la dépendance féminine *(le Journal d'une femme de chambre, Belle de jour, Tristana) ;* le comportement d'une classe sociale, dont le rituel (les repas, l'adultère) sont traqués de *l'Âge d'or* au *Charme discret de la bourgeoisie,* en passant par *l'Ange exterminateur.* On peut déceler dans ses films toute une série de jeux et procédés surréalistes : les objets détournés de leur fonction originelle, les « objets symboliques à fonctionnement multiple », le collage (visuel et/ou sonore), les récits à tiroirs, la parodie, les répétitions, l'accumulation selon le *hasard objectif.* Au côté rhétorique de la métaphore, Buñuel préfère le pouvoir poétique de l'image surréaliste (passible d'interprétation psychanalytique en tant que symbole inconscient, mais assez éloignée du symbolisme académique). Les éléments personnels, sublimés et transformés, sont nombreux, que ce soit à propos de l'érotisme, de la vieillesse, des inquiétudes politiques et artistiques de l'auteur. Le mystère étant pour lui « l'élément essentiel de toute œuvre d'art », il voudrait apporter au spectateur le doute sur la pérennité de l'ordre existant, selon le mot d'Engels qu'il a repris à son compte. Tout comme jadis il a dynamité le mélodrame de l'intérieur, par l'ironie et la surenchère *(Don Quintin l'amer),* il cultive les finales en pirouette, démolissant ce qui a précédé *(Belle de jour, la Voie lactée)* ou faisant rebondir l'action *(l'Ange exterminateur).* La franchise avec laquelle est abordé l'érotisme, depuis ses manifestations enfantines jusqu'au voyeurisme, à l'onanisme, au fétichisme, au travestissement, n'exclut pas la pudeur et le recours à la suggestion, voire à la gravité, car il est conscient du lien conflictuel entre Éros et Thanatos *(la Vie criminelle d'Archibald de la Cruz, l'Ange exterminateur, Belle de jour).* Sollicité, célébré (un Oscar en 1972), il n'en reste pas moins insaisissable, déroutant, irréductible : un esprit libre, unique.

P.A.P.

Films ▲ : *Un chien andalou* (1928) ; *l'Âge d'or* (1930) ; *Terre sans pain* (*Las Hurdes / Tierra sin pan, DOC,* 1932) ; *Gran Casino* (1946) ; *le Grand Noceur* (*El gran calavera,* 1949) ; *Los olvidados* (id., 1950) ; *Susana la perverse* (*Susana, demonio y carne,* id.) ; *Don Quintin l'amer* (*La hija del engaño / Don Quintin el amargao,* 1951) ; *Pierre et Jean* (*Cuando los hijos nos juzgan / Una mujer sin amor,* id.) ; *la Montée au ciel* (*Subida al cielo,* id.) ; *l'Enjôleuse* (*El bruto,* 1952) ; *Robinson Crusoé* (id., *id.*) ; *Tourments* (*El,* id.) ; *les Hauts de Hurlevent* (*Abismos de pasión/ Cumbres borrascosas,* 1953) ; *On a volé un tram* (*La ilusión viaja en tranvía,* id.) ; *le Rio de la Mort* (*El río y la muerte,* 1954) ; *la Vie criminelle d'Archibald de la Cruz* (*Ensayo de un crimen,* 1955) ; *Cela s'appelle l'aurore* (1956 ; FR/ ITAL) ; *la Mort en ce jardin* (id. ; FR/MEX) ; *Nazarin* (id., 1958 ; MEX) ; *La fièvre monte à El Pao* (1960 ; FR/MEX) ; *la Jeune Fille* (*The Young One,* id. ; MEX) ; *Viridiana* (id., 1961 ; ESP/ MEX) ; *l'Ange exterminateur* (*El ángel exterminador,* 1962 ; MEX) ; *le Journal d'une femme de chambre* (1964 ; FR/ITAL) ; *Simon du désert* (*Simón del desierto,* 1965 ; MEX) ; *Belle de jour* (1967 ; FR/ITAL) ; *la Voie lactée* (1969 ; FR/ ITAL) ; *Tristana* (id., 1970 ; FR/ITAL/ESP) ; *le Charme discret de la bourgeoisie* (1972 ; FR) ; *le Fantôme de la liberté* (1974 ; FR) ; *Cet obscur objet du désir* (1977 ; FR).

BUONO *(Victor), acteur américain (San Diego, Ca., 1938 - Apple Valley, Ca., 1982).* Robert Aldrich le fait débuter à l'écran dans *Qu'est-il arrivé à Baby Jane ?* (1962), fixant du même coup les grands traits de son personnage de méchant corpulent, à l'œdipe tourmenté, de pervers jovial et grotesque, masquant son sadisme derrière d'étranges minauderies. Caricature des Sydney Greenstreet et Laird Cregar d'antan, on en retrouve des variantes plus ou moins noires ou comiques dans *le Tueur de Boston* (B. Topper, 1964), *Chut, chut chère Charlotte* (R. Aldrich, 1965), *Matt Helm, agent très spécial* (Ph. Karlson, 1966), *Lo Strangolatore di Vienna* (Guido Zurli, 1971), *la Colère de Dieu* (R. Nelson, 1972) et *Détective comme Bogart* (*Sam Marlowe, Private Eye,* Robert Day, 1980). O.E.

BUREL *(Léonce-Henri), chef opérateur et cinéaste français (Indret 1892 - Mougins 1977).* Sa carrière couvre quelque 130 films de 1913 à 1966, incluant seize des premières œuvres de Gance, dont *J'accuse* (1919), *la Roue* (1921-1923) et *Napoléon* (1927), ainsi que de nombreux titres d'Antoine, Feyder ou Ingram. Avec le parlant, il éclaire les films de Gréville, Decoin ou Bresson (dont il signe *le Journal d'un curé de campagne,* 1951, *Un condamné à mort s'est échappé,* 1956, *Pickpocket,* 1959, et *le Procès de Jeanne d'Arc,* 1962). Le dernier film de ce maître du noir et blanc est aussi son premier en couleurs : *les Compagnons de la Marguerite* (J.-P. Mocky, 1967). Il a réalisé trois films mineurs : *la Conquête des Gaules* (1922), *l'Évadée* (1929) et *le Fada* (1932). J.-P.B.

BURKE *(Mary William Ethelberg Appleton Burke,* dite *Billie), actrice américaine (Washington, D. C., 1885 - Los Angeles, Ca., 1970).* Fille d'un clown célèbre, veuve du grand producteur de music-hall Florenz Ziegfeld, actrice de théâtre adulée, Billie Burke devient, en 1932, un des seconds rôles les plus employés et les plus populaires du cinéma américain. Après des débuts dramatiques dans *Héritage* (G. Cukor, 1932) ou *la Phalène d'argent* (D. Arzner, 1933), elle se fait une spécialité du rôle de petite-bourgeoise évaporée et fantaisiste, à partir du *Couple invisible* (N. Z. McLeod, 1937). Elle restera, jusqu'en 1959, une des figures les plus typiques de la comédie américaine. C.V.

BURKINA FASO *(Haute-Volta avant 1984).* Ce pays particulièrement pauvre du Sahel a pris une place dans l'histoire des cinémas africains en fondant en 1969 le très populaire festival panafricain d'Ouagadougou (FESPACO) qui a lieu, en principe, les années impaires à la fois dans la capitale et, si possible, à Bobo Dioulasso. Mais la session de 1971 fut annulée et celle de 1975 reportée d'un an. Dès l'année suivante, l'exploitation et la distribution, nationalisées, sont confiées à la Société nationale du cinéma voltaïque (SONAVOCI). Il est intéressant de relever que les sociétés françaises disposant d'un monopole de fait de la distribution en Afrique francophone ont mis en place un boycottage immédiat de la Haute-Volta. Un contrat de compromis passé en 1973 avec une filiale de l'UGC, aujourd'hui l'UAC, relais de la MPEA, a rouvert l'alimentation en films de ce pays de six millions d'habitants (1983). Le parc fixe ne comprenait (en 1981) qu'une douzaine de salles, et une large part de l'exploitation est encore itinérante. Mais le contrôle des recettes, la gestion des salles étant satisfaisante, permet de constituer et d'alimenter un Fonds de développement du cinéma. Le précédent créé par la Haute-Volta inspire à d'autres pays (Mali, Bénin, Guinée) une remise en cause des monopoles.

À minuit, l'indépendance, est un moyen métrage qui, tourné pour les besoins du ministère de l'Information en 1960, représente la naissance d'une cinématographie voltaïque, limitée d'abord à de courtes productions documentaires à vocation éducative, avec le concours d'ethnographes comme Serge Ricci ou Guy Le Moal. Le Fonds de développement permet par la suite à Djim Mamadou Kola de tourner le premier long métrage voltaïque, *le Sang des parias* (1972), qui dénonce l'inanité des ségrégations de caste. En 1975, Augustin Roch T. Taoko tourne une fable rurale qui mêle couleur et noir et blanc, *M'Na-Raogo,* mais qui ne sera pas exploitée. En 1976, René-Bernard Yonly signe une longue fresque un peu trop moralisante, *Sur le chemin de la réconciliation.* Ces trois films ont été tournés en 16 mm. La production est limitée, voire stagnante (CM, DOC) en dépit de la création en 1981 des studios Cinafric à Ouagadougou, où se trouve également le siège d'une société d'import de films (fondée en 1974), dont la vocation difficile est de ressaisir le marché africain : le Consortium interafricain de distribution cinématographique (CIDC). En 1982, Gaston Kaboré* tourne *Wênd Kûuni le Don de Dieu,* histoire simple, d'une grande fraîcheur, et dont le récit demeure constamment lié à l'expression naturelle du quotidien en un temps où l'empire Mossi était heureux et n'avait pas connu les Blancs... Ce même réalisateur signe en 1988 *Zan Boko* tandis que Idrissa Ouedraogo*, déjà auteur du *Choix,* se fait remarquer internationalement en 1989 avec *Yaaba* et en 1990 avec *Tilaï.* Depuis 1991, le Festival panafricain d'Ouagadougou (FESPACO) perdure et est itinérant. Une nouvelle génération de cinéastes émerge, dont Pierre Yameogo (*Dounia,* 1991 ; *M'Abiiga,* 1994), Drissa Touré (*Laada,* 1990 ; *Haramuya,* 1994), cinéastes plus urbains, plus sociologiquement contemporains (la ville, la nuit, les jeunes) et Dani Kouyaté, qui, dans *Keita* (1995), évoque une page de l'histoire africaine, une Afrique qui ne sait plus écouter ses griots. C.M.C.

BURKS *(Robert), chef opérateur américain (Los Angeles, Ca., 1909 - 1968).* D'abord spécialiste des effets spéciaux, il devient directeur de la photographie en 1944, à la Warner. Très vite, il s'affirme comme un artiste du noir et blanc, violemment contrasté, surtout dans sa collaboration avec King Vidor : *le Rebelle* (1949), *la Garce* (id.). Depuis *l'Inconnu du Nord-Express* (1951), il est devenu le collaborateur attitré d'Alfred Hitchcock, qui, jusqu'à *Pas de printemps pour Marnie* (1964), aura recours à sa maîtrise technique. Burks s'est ainsi affirmé comme un coloriste précis et sensible dans *Fenêtre sur cour* (1954), *la Main au collet* (1955), *Sueurs froides* (1958) ou *les Oiseaux* (1963). C.V.

BURLESQUE. Genre cinématographique caractérisé par un comique plus ou moins absurde, violent et apparemment extérieur, dans le sens où les effets – souvent essentiellement physiques – semblent primer la *profondeur* psychologique ou morale de l'œuvre.

Comme aucun phénomène vivant, le burlesque, certes, ne saurait être enfermé dans une formule d'une précision juridique. On s'accorde toutefois en général pour le définir par l'importance qu'il donne au *gag.* Ce terme, qui désignait d'abord de brèves improvisations des comiques de cabaret, signifie aujourd'hui une idée comique développée en une sorte de numéro, relativement indépendant de l'histoire où il s'inscrit et jouant de l'attente et de la surprise du spectateur. Pour la spécificité du burlesque, l'autonomie du gag est aussi importante que sa formule (sa structure). Les burlesques au sens le plus plein du terme, plus que des *histoires,* sont de simples chapelets de gags par rapport auxquels le canevas *dramatique* n'a que l'importance d'un prétexte. Leur cohérence n'est pas celle d'un récit linéaire – ou de l'évolution d'un caractère – mais celle d'un poème, dont les gags seraient autant d'images ou de vers.

Du point de vue historique, le burlesque est la synthèse de nombreuses traditions de la culture populaire, de la *commedia dell'arte* italienne à la bande dessinée et au *music-hall* anglais. Ce n'est pourtant qu'au cinéma qu'il trouva toute sa spécificité, où l'*effet de réel* propre à cet art, de même que son rayonnement mythique, occupent une place importante. Les premiers qui contribuent à lui donner cette spécificité sont des cinéastes européens, anglais, italiens (Romeo Bosetti) ou français (André Heuze, Jean Durand, Max Linder). Tournés entre la fin de siècle et le début de la Première Guerre mondiale, en général pour les grandes maisons françaises Gaumont et Pathé, qui dominent alors tout le marché du cinéma, les bandes de ces pionniers gardent souvent aujourd'hui encore une magnifique fraîcheur. Mais, malgré leur invention *délirante,* elles assignent aussi au burlesque des limites précises. Alors que les uns le tirent du côté d'une comédie de mœurs qui soumet constamment le gag à l'anecdote d'une histoire (Max Linder), d'autres conçoivent leurs films comme le développement d'un gag unique (les films à poursuite), dominé jusque dans son absurdité par la logique cartésienne (il suffit qu'un horloger accélère la marche des montres pour que le temps lui-même se mette à passer plus vite). En ce sens, le burlesque *total* ne naît qu'au cours des années 10 en Amérique, grâce notamment aux activités de Mack Sennett et de sa compagnie Keystone, célèbre *usine à rire* dont les films, peu après le tournage du premier (en septembre 1912), deviennent de véritables modèles du genre.

Celui-ci, avec Sennett, se fait à la fois plus autonome et plus concret. Les gags non seulement prennent le pas sur l'histoire ; ils deviennent aussi plus irrationnels et plus physiques. Ce ne sont plus de simples idées comiques ; ce sont de véritables catastrophes, en même temps drôles et cauchemardesques, qui menacent d'éclater sans raison en plein quotidien : voitures qui explosent, cubes de glace et pianos qui dévalent des rues, hommes gonflés de gaz qui s'envolent au-dessus des toits. Les gags se suivent librement et à un rythme effréné pendant toute la durée des courts métrages auxquels le burlesque est d'abord limité, pour aboutir, en général, à une de ces deux *apothéoses* rituelles : bataille où la tarte à la crème est l'arme principale (et au cours de laquelle on démolit complètement un décor) et une poursuite frénétique à travers champs ou à travers les rues d'une ville. Cette poursuite oppose fréquemment un malfaiteur – réel ou supposé – et un groupe entier de policemen (les Keystone Cops), un des deux héros collectifs dont Sennett a systématisé l'usage et dont l'apparition rituelle, répétée de film en film, montre à elle seule le caractère ludique et lyrique (non narratif) du genre ; l'autre *hydre* de ce type, bien évidemment, étant celle des aguichantes Bathing Beauties, jeunes filles en fleur et en maillots de bain.

À l'image de ces héros multiples, le burlesque tout entier est d'abord une création collective. Sous la direction générale de Sennett, il s'élabore dans des équipes de travail où le scénario et la mise en scène sont discutés en commun et, surtout, largement improvisés sur le plateau, au fur et à mesure du tournage. Grâce à cette méthode d'improvisation collective, le burlesque des années 10, période *mythique* du genre, est comme le règne d'une anarchie originelle où une agitation générale, à la fois impersonnelle et permanente, fait naître du merveilleux à tout bout de champ. Son humour même va d'ailleurs dans le sens de cette anarchie : irrévérencieux, énormes, impudiques, les gags qu'il accumule apparaissent comme autant de gifles aux autorités et aux valeurs consacrées – du mariage au culte du travail et de la réussite –, comme s'ils incarnaient l'expérience profonde de tous ces laissés-pour-compte qui forment l'essentiel, à l'origine, du public cinématographique. Le langage même du genre, ses rituels et ses trouvailles, appartient au début à tous et à personne : des gags, des thèmes, et jusqu'à certains gestes concrets voyagent d'un film à l'autre, servant indifféremment la cause de comiques très divers. Ce qui n'empêche pas, toutefois, plusieurs individualités d'émerger à côté d'acteurs plus anonymes, tels Billy Bevan, Ben Turpin ou Chester Concklin qu'on identifie facilement grâce à leur seule *silhouette.*

Keystone n'est certes pas la seule compagnie qui produit des burlesques. Dans les années 20, tous les studios américains tournent simultanément des courts métrages comiques et des films longs, afin de satisfaire à la demande des spectateurs. Le plus grand concurrent de Sennett est Hal Roach, producteur indépendant avec qui il partage pendant longtemps, depuis les années 10, la meilleure part du marché. À la différence d'autres productions, se contentant souvent d'imiter le style de Sennett, la firme Hal Roach a créé une école à part, située en quelque sorte aux antipodes de celle de Sennett. À la démesure dépensière et frénétique de ce dernier, elle oppose une sorte de démesure mesurée, reposant sur un savant dosage d'effets comiques où la violence, au lieu de s'exprimer sans entraves, n'explose que par degrés et après une plus ou moins longue préparation. Hal Roach assure notamment la promotion de trois noms de première grandeur : Harold Lloyd, Stan Laurel et Oliver Hardy.

Avec la mise au point du style Roach, le burlesque entre en fait dans un âge de raison : dans une période *classique* où le genre atteint à la pleine possession de ses moyens, et qu'incarne précisément l'œuvre de vedettes individuelles comme Harold Lloyd. Commencée à la charnière des années 10 et 20, cette période, correspondant à la fois aux *années folles* et à l'*âge d'or* de tout le muet, ne s'arrêtera qu'en 1929, avec l'éclatement de la crise économique et avec la naissance du cinéma sonore. Tandis que le burlesque collectif, après avoir produit ses derniers chefs-d'œuvre, entre alors peu à peu en décadence, les grands burlesques, eux, commencent à tourner des longs métrages à la place des *deux-bobines* habituels, ce qui n'est pas sans quelques conséquences pour leur style. Ce passage est en effet, pour le burlesque, une sorte de rencontre avec le réel, là où les comiques se bornaient, jusque-là, à nier joyeusement ce dernier : par rapport à la frénésie *délirante* des courts métrages, le long métrage impose non seulement un rythme plus mesuré mais également un supplément de vraisemblance dans la mise en place des gags et dans leur rattachement à un contexte. Tous ne passent d'ailleurs pas le cap du long métrage avec le même bonheur : Larry Semon, auteur de magnifiques courts métrages « sennettiens » du plus pur style surréaliste, ne fera ainsi rien de bien intéressant au-delà de la longueur de trois bobines. D'autres grands, tout en donnant à leurs gags le sens d'une expression personnelle, les soumettent de nouveau à des formes de récit traditionnelles, ainsi Charlie Chaplin et, surtout, Harold Lloyd, dont certains longs métrages seulement (*Safety Last,* 1923 ; *Why Worry ?,* 1923) conservent l'insolence de ses débuts. Seuls deux auteurs traversent finalement les années 20 d'un bout à l'autre comme des poètes authentiques du burlesque : Harry Langdon, apologiste pervers du détour et de la fuite devant l'action, et son contraire Buster Keaton, comique même de l'affrontement entre l'homme et le réel.

Les années 30 sont pour le burlesque des années de crise, mais aussi de renouveau. L'avènement du son, la crise économique, l'industrialisation croissante du 7e art ne sont certes pas très favorables à la création autonome, telle que les meilleurs comiques la pratiquaient. Les efforts pour concilier ces conditions avec le burlesque classique, à la seule exception des films de Laurel et Hardy, se soldent par des échecs plus ou moins cuisants (qu'ils se traduisent ou non commercialement). À côté de ces efforts, cependant, de nouvelles formes de comique irrationnel se font jour, où l'héritage du burlesque renaît de ses cendres : ainsi notamment chez W. C. Fields et chez les frères Marx, comiques de variété qui, sans atteindre la pureté stylistique d'un Keaton, relient en revanche le *gag* visuel et verbal *(joke)* en un acte de violence d'un non-conformisme sans précédent. Traversant à son tour les années 30 comme ses plus belles années, l'insolent trio des frères Marx, dont les dialogues procèdent d'un *démontage* systématique des tabous (à commencer par les tabous sexuels), sont tout particulièrement de véritables homologues comiques du surréalisme. Aux facteurs troubles de l'époque, à la crise comme au passage du cinéma au parlant, les Marx et W. C. Fields répondent, eux, par une combativité accrue ; les rapports du burlesque et du réel, avec eux, se transforment en une véritable étreinte passionnée où l'humour n'est que plus explosif de se glisser, littéralement, dans la nature fausse, ingrate et vindicative des choses. C'est, dans un registre plus rêveur, également le cas des films du tandem tchèque Voskovec et Werich (*Poudre et Essence* [*Poudr a benzin*], 1931 ; *la Bourse ou la vie* [*Peníze nebo život*], 1932 ; *Ho-hisse !* [*Hej rup*], 1934), grands poètes du rire qui relient directement le burlesque aux découvertes de l'*art d'avant-garde.*

Parallèlement, il est vrai, le burlesque subit une commercialisation qui lui sera à la longue fatale. Sous les effets conjugués de son industrialisation et de l'évolution du public, attendant de plus en plus du spectacle le simple réconfort face au monde en dérive, le cinéma se détourne progressivement du burlesque vers des formes d'humour plus rassurantes : *crazy-comedy* (peu affolante malgré son appellation), *comédie musicale.* Dès la seconde moitié des années 30, le burlesque commence ainsi à péricliter ; de plus en plus standardisé et répétitif, marié de force à d'autres formes de spectacle, il devient l'affaire de simples amuseurs (Eddie Cantor, Danny Kaye) et de pitres vulgaires (Bob Hope, Abbott et Costello, Three Stooges, Red Skelton) qui lui enlèvent peu à peu toute poésie. Les gags, significativement, se trouvent du même coup réduits à des schémas rudimentaires, peu (ou mal) développés, qui ne sont que des souvenirs des grandes fêtes d'hier.

Cette décadence n'est évidemment pas sans rapport avec une crise plus large, et dont la Seconde Guerre mondiale est le catalyseur : la *crise des idéologies,* où s'effondrent soudain, après la mort de Dieu, jusqu'aux certitudes humanistes qui l'ont remplacé, et qui faisaient également avancer la civilisation moderne. Le XXe siècle a soudain vieilli. Dans l'art, ce vieillissement se traduit, entre autres, par une dissolution progressive de toutes les formes d'expression fixes et bien définies, où les *genres* dramatiques classiques — du burlesque au mélodrame — tiennent naturellement une place de choix. Qui plus est, la relativisation progressive de toutes choses rend problématique l'existence même de l'humour, en tant que catégorie spécifique. En lui-même, certes, le rire du burlesque est déjà complexe et ambigu. Mais peut-il aller au-delà d'une certaine limite où, précisément, il perdrait toute spécificité en tant que genre ?

Jerry Lewis est le seul, à Hollywood, à rompre la grisaille de ce tableau d'ensemble dans les années 50. D'abord avec le chanteur et acteur Dean Martin, puis seul et finalement, à partir du *Dingue du palace* (*The Bellboy,* 1960), sous sa propre direction, Lewis développe un comique dont la part proprement burlesque repose sur son jeu d'acteur, d'une flexibilité littéralement délirante. Il ajoute également de nouvelles variantes aux gags classiques (en particulier dans le style de *gags décevants*) et lie le burlesque, en tant que réalisateur, à de subtiles trouvailles de mise en scène. Mais il en délaie aussi la férocité en mariant le genre à la comédie sentimentale, dans un mélange où le conformisme des années 50 rejoint l'infantilisme que commence à produire la *société de consommation* naissante. Le conflit entre celle-ci et l'individu est au centre de l'œuvre qu'un autre comique, en Europe, élabore parallèlement à celle de Lewis : Jacques Tati. Après avoir créé Monsieur Hulot, une *silhouette* nostalgique qui prolonge directement la tradition du muet, Tati arrive dans les années 60 à révolutionner le comique (voire le cinéma en général) en insérant le gag et le héros individuel dans une sorte de reportage où, à l'image de tout notre quotidien, la destinée personnelle fait place à la statistique (*Play time,* 1967 ; *Trafic,* 1971).

Les années 60 voient également apparaître Pierre Étaix, un autre comique français qui partage avec Tati, en plus de son origine, à la fois la nostalgie du muet et une attitude critique devant la société moderne (*Tant qu'on a la santé,* 1966 ; cf. aussi le documentaire *Pays de Cocagne,* 1971). Même si son art n'est pas aussi novateur que celui de Tati, Étaix parvient à créer une œuvre personnelle et une silhouette qui, par sa stupéfaction face au monde, n'est pas sans évoquer, mais en plus agressif, un Langdon moderne. Celui-ci, significativement, serait moins un rêveur gracieux qu'un simple robot cassé...

Les années 60 et 70, enfin, sont marquées par l'arrivée de nouveaux comiques burlesques à Hollywood même. Ainsi Blake Edwards confère au protéiforme Peter Sellers, dans la suite des *Panthère rose* et l'étincelante *Partie,* une place enviable au panthéon du rire. Prenant la relève de Jerry Lewis, qui se retire peu à peu de l'écran, Mel Brooks et sa *bande* (Gene Wilder, Marty Feldman), d'une part, Woody Allen, d'autre part, font d'abord croire à une renaissance. En réalité, le burlesque prend plutôt avec eux définitivement fin. En toute conscience, ces comiques ne jouent plus qu'avec des formes creuses, leur propos principal étant, précisément, la crise du spectacle et en particulier des genres. Une réflexion critique sur le comique se substitue à la création spontanée, voire à la création tout court : des films sont faits de citations plus que d'idées — ou d'images — originales (chaque film de Brooks donne une version comique d'un genre précis, du *film d'épouvante* au *western*), les thèmes de l'omniprésence du spectacle et des médias (Allen introduit un reporter jusque sur un champ de bataille) et de l'échange entre réalité et illusion reviennent avec une constance obsessionnelle ; et, quand, d'aventure, on abandonne ces références, les gags se font délibérément si énormes qu'on ne peut les prendre qu'au second degré (surtout chez Mel Brooks). Allen, du reste, s'oriente de plus en plus clairement (depuis *Annie Hall,* 1977) vers un cinéma d'auteur dont l'humour, fortement littéraire, n'est plus qu'un aspect parmi d'autres. Il est vrai que le comique allénien y gagne plutôt en qualité : quand il occupait toute la place, il tournait souvent à une simple plaisanterie, aussi laborieuse que cérébrale. Ajoutons que le groupe anglais des Monty Python, de son côté, pratique la parodie énorme dans un esprit plus ou moins proche de celui de Mel Brooks. Quant au style, il évoque un peu celui des frères Ritz, ces frénétiques clowns musicaux des années 30 et 40. Les Python ne sont certes pas les seuls des comiques actuels à évoquer des vedettes du passé. Gene Wilder, de son côté, fait même penser à *trois* autres comiques à la fois, savoir à Harpo Marx, à Harry Langdon et à Larry Semon. À lui seul, ce fait est un symbole éloquent du vieillissement du genre.

Le burlesque a certes enrichi le cinéma d'une manière considérable. Plusieurs de ses protagonistes ont innové non seulement comme acteurs mais aussi comme cinéastes : Chaplin, Jerry Lewis, Woody Allen (dans ses derniers films), et surtout Buster Keaton et Jacques Tati. Ils sont d'ailleurs tous à la fois interprètes et auteurs, dans la mesure où leur personnalité d'acteur, véritable centre de gravité de leurs films, marque de son empreinte l'ensemble des éléments dont ceux-ci sont faits. Même s'ils ne sont pas toujours à proprement parler *créateurs de formes,* ils sont souvent créateurs, ainsi, d'univers poétiques autonomes, où les gags, le rythme de l'action, sa nature, les accessoires et les décors utilisés constituent une *vision* comparable à celle des plus grands auteurs modernes (Salvador Dalí, Giorgio De Chirico, Franz Kafka). L'admiration que le burlesque a inspirée à un grand nombre d'artistes *d'avant-garde* est d'ailleurs significative : à leur insu, ses comiques, de Durand à Fields (pour le moins), ont en fait été parmi les rares cinéastes à pratiquer le 7e art comme une forme de poésie, de discours intérieur, échappant aux limites de la narration classique.

Selon toutes apparences, certes, cette originalité se confondait avec les lois d'un genre parmi d'autres. D'où une constante ambiguïté, à laquelle le burlesque a fini par succomber. À partir d'un certain stade de son évolution, il devait soit se faire ouvertement poésie, soit se replier sur le comique seul. Comme il a adopté, pour l'essentiel, cette dernière solution, son évolution s'est ralentie, peut-être même arrêtée. Quant à ce mélange de rire, d'émerveillement et de trouble qu'il a longtemps représenté, il faut de plus en plus le chercher ailleurs : ainsi chez ces « humoristes » actuels qui ont nom Fellini, Ferreri ou Herzog... P.K.

BURNETT *(Charles), cinéaste américain (1944).* Originaire du Sud, il grandit dans le ghetto de Watts à Los Angeles. Après des études d'électronique, il fait partie des rares étudiants noirs qui eurent accès à l'université à la fin des années 60. Il entre au département cinéma de l'UCLA, où il acquiert une formation d'opérateur. En 1969, il réalise son premier court métrage, *Several Friends.* Après avoir été opérateur sur plusieurs films d'indépendants noirs, il réalise en 1977 un court métrage, *The Horse,* et un long métrage considéré comme une des meilleures œuvres du cinéma indépendant noir américain : *Killer of Sheep.* Tourné entièrement avec des acteurs non professionnels dans le ghetto de Watts, le film nous fait pénétrer dans l'univers de Stan, employé dans un abattoir, que son travail aliénant éloigne progressivement de sa famille et de sa communauté. Participant de la veine du réalisme social, ce film primé au festival de Berlin (1981) est en même temps une peinture, tendre et ironique, de la communauté de Watts. Après *My Brother's Wedding* (1984), Charles Burnett s'oriente, avec *To Sleep With Anger* (1990), dans une direction radicalement différente mais avec une réussite indéniable : il y recrée une inquiétante histoire gothique, proche de *la Nuit du chasseur,* sans pour autant abandonner son militantisme antiraciste. Danny Glover dessine là une magnifique figure de croquemitaine. En 1993, il tourne *The Glass Shield,* drame policier rapide et tendu sur la corruption et le racisme qui ronge la police de Los Angeles. C.D.R.

BURNETT *(William Riley), scénariste et romancier américain (Springfield, Ohio, 1899 - Santa Monica, Ca., 1982).* À la fin des années 20, il est, avec Dashiell Hammett et James M. Cain, l'un des chefs de file d'une nouvelle tendance du roman policier, fondée sur l'étude réaliste des comportements criminels et servie par une écriture descriptive qui fait abstraction de tout jugement moral. Inspiré par la chronique de Chicago, *Little Caesar,* que Mervyn LeRoy tourne à la Warner en 1930, introduit l'archétype du gangster mégalomane et définit la structure et les situations clés qui alimenteront le genre durant une décennie. En 1940, *la Grande Évasion* (tournée par Raoul Walsh sur un scénario de John Huston) crée un modèle d'inspiration plus romantique : le gangster vieillissant, solitaire, traqué par la société. En 1949, *Quand la ville dort,* qu'adapte et réalise John Huston, fait l'autopsie d'un *coup parfait* et illustre la diversité des motivations criminelles. Portrait en coupe d'une grande ville moderne, et premier titre d'une trilogie littéraire consacrée à la corruption, l'œuvre fixe les canons d'un genre destiné à connaître une faveur considérable jusque dans les années 70.

Outre ces trois classiques du roman policier, où se devine son goût pour la littérature française réaliste du XIXe siècle, W. R. Burnett a écrit de nombreux récits historiques, ainsi que des westerns. Une trentaine d'entre eux ont été portés à l'écran, dont : *Law and Order* (Edward L. Cahn, 1932), *Toute la ville en parle* (J. Ford, 1935), *Dr. Socrates* (W. Dieterle, *id.*), *l'Escadron noir* (R. Walsh, 1940), *la Ville abandonnée* (W. Wellman, 1948) et *Capitaine Mystère* (D. Sirk, 1955).

Burnett a également collaboré aux scénarios de dix-sept films, sur lesquels son influence personnelle est parfois difficilement appréciable. Parmi ceux-ci : *Scarface* (H. Hawks, 1932), *Tueur à gages* (F. Tuttle, 1942), *Convoi vers la Russie* (L. Bacon, 1943), *San Antonio* (D. Butler, 1945), *Vendetta* (M. Ferrer, 1950), *Racket* (*The Racket,* J. Cromwell, 1951), *le Témoin à abattre* (*Illegal,* L. Allen, 1955), *les Trois Sergents* (J. Sturges, 1962). O.E.

BURR *(Raymond), acteur américain (New Westminster, Colombie britannique, Canada, 1917 - Sohoma County, Ca., 1993).* Célèbre pour avoir créé deux des séries les plus longues et les plus populaires de la TV américaine : *Perry Mason* et *l'Homme de fer (Ironside),* Raymond Burr est un excellent acteur de composition. Sa carrure massive le confina d'abord dans les seconds couteaux, mais il déploya avec éclat ses possibilités en assassin solitaire et pataud dans *Fenêtre sur cour* (A. Hitchcock, 1954). Il faut aussi se souvenir du procureur cauteleux et lunetté de *Une place au soleil* (G. Stevens, 1951), ou du tragique tenancier de tripot dans *l'Or et l'Amour* (J. Tourneur, 1956). Quand il n'est pas accaparé par la TV, on retrouve avec plaisir sa forte silhouette cinématographique : ainsi, dans le rôle de nabab odieux et sadique du *Syndicat du meurtre* (J. Guillermin, 1968). C.V.

BURSTYN *(Edna Rae Gillooly,* dite *Ellen), actrice américaine (Detroit, Mich., 1932).* Elle suit les cours de Lee Strasberg à l'Actors Studio et se consacre d'abord au théâtre. Au cinéma, elle s'impose en 1971 dans *la Dernière Séance* (P. Bogdanovich) mais on la cantonne trop souvent dans des rôles de femme simple ou désaxée, *The King of Marvin Gardens* (B. Rafelson, 1972), *l'Exorciste* (W. Friedkin, 1973), *Harry et Tonto* (P. Mazursky, 1974), *Même heure, l'année prochaine* (R. Mulligan, 1978), *Cri de femmes* (J. Dassin, 1978), *Résurrection* (D. Petrie, 1979) ; en 1975, elle interprète *Alice n'est plus ici* (M. Scorsese), rôle qui lui vaut l'Oscar de la meilleure actrice et, en 1976, Alain Resnais lui donne, dans *Providence,* le rôle d'une femme sensible et blessée, où son talent et sa grande intelligence des personnages font merveille. Elle est devenue un des plus éminents professeurs de l'Actors Studio. En 1988 elle apparaît dans *Hannah's War* (M. Golan, 1988). B.G.

BURTON *(Richard Walter Jenkins Jr.,* dit *Richard), acteur britannique (Pontrhydfendigaid, pays de Galles, 1925 - Genève, Suisse, 1984).* Né dans un milieu modeste, il commence des études universitaires, puis il s'engage dans la RAF (1944-1947). Acteur-né, il est sur les planches à douze ans ; en toutes occasions, il fait ses preuves, et prend le nom de Burton en hommage à son professeur. Il débute à l'écran dans *The Last Days of Dolwyn,* de Emlyn Williams (1949). En 1950, il joue à Broadway, où il est très remarqué et, deux ans plus tard, sollicité par la Fox. Toute sa carrière va se partager entre cinéma et théâtre. Il passe pour un acteur shakespearien (il a fréquenté l'Old Vic). Portant beau, il est à l'aise dans les films en costume : Marcellus, jeune officier romain chargé, sans états d'âme, de la crucifixion dans *la Tunique* (H. Koster, 1953), le premier film en CinémaScope ; ou Alexandre le Grand, dans le film homonyme de Robert Rossen (1956) ; puis Marc Antoine dans *Cléopâtre* (J. L. Mankiewicz, 1963), à qui il prête l'ambition molle, l'indécision un peu romantique des losers. Il est intéressant de noter qu'en dépit d'*Amère Victoire* (N. Ray, 1957), et du rôle de Jimmy Porter dans *les Corps sauvages* (T. Richardson, 1959), Burton non seulement ne s'est pas imposé, mais est choisi pour remplacer à peu de frais l'oublié Stephen Boyd, car il est en fait considéré à cette date à Hollywood comme un *has been.* Cléopâtre sauve sa carrière comme elle a perdu Marc Antoine : le mariage avec Liz Taylor, leur séparation, leurs retrouvailles composent un contrepoint tapageur, exagéré, voire vulgaire, à leurs affrontements à l'écran, et Burton retrouve la notoriété. Mal à l'aise dans *le Chevalier des sables* (V. Minnelli, 1965), il s'est livré à d'heureux éclats, inspirés, dit-on, de ses souvenirs du poète Dylan Thomas, dans la personnification du Révérend Shannon, ivrogne et blasphémateur, sous la direction de John Huston (*la Nuit de l'iguane,* 1964). Il prouve sa nature de monstre sacré face à sa redoutable épouse, et avec un métier d'autant plus assuré qu'il s'agit souvent d'adaptations théâtrales, tel *Becket* (P. Glenville, 1964). Mais *Qui a peur de Virginia Woolf?* (M. Nichols, 1966) prend de front un public américain stupéfait, peu accoutumé à voir étaler avec une telle brutalité les hargnes conjugales. La cote de Burton monte en flèche. Suivent *la Mégère apprivoisée* (F. Zeffirelli, 1967), *Boom* (J. Losey, 1968), *l'Escalier* (S. Donen, 1969), où Rex Harrison prend la place, en quelque sorte, de Liz Taylor... ou encore *Equus* (S. Lumet, 1977). Le masque alourdi, fatigué, voire usé de l'acteur ne nuit pas à cette vocation aux rôles excessifs et théâtraux, tant que la mise en scène est maîtrisée. Or, sa filmographie est on ne peut plus inégale. La chance lui valut d'interpréter O'Brien dans le *1984* de Michael Radford (1985) : une belle fin de carrière. Il a coréalisé *Dr. Faustus* avec Nevill Coghill en 1967. C.M.C.

Autres films : *les Rats du désert* (R. Wise, 1953) ; *la Mousson* (*The Rains of Ranchipur,* J. Negulesco, 1955) ; *les Aventuriers* (*Ice Palace,* V. Sherman, 1960) ; *le Jour le plus long* (K. Annakin, 1962) ; *Quoi de neuf, Pussycat ?* (C. Donner, 1965) ; *l'Espion qui venait du froid* (M. Ritt, *id.*) ; *Quand les aigles attaquent* (B. G. Hutton, 1969) ; *l'Assassinat de Trotsky* (J. Losey, 1972) ; *le Voyage* (V. De Sica, 1974) ; *l'Exorciste II : l'Hérétique* (J. Boorman, 1977) ; *Wagner* (Tony Palmer, 1983).

BURTON *(Tim), cinéaste américain (Burbank, Ca., 1960).* Il a attiré l'attention sur lui grâce à un remarquable court métrage d'animation dédié à Vincent Price et justement intitulé *Vincent* (*id.,* 1982). On pouvait y déceler le sens du bizarre et un humour très particulier qui ne dédaignait pas s'étrangler dans un râle d'inquiétude. Ce ne sont pas là les qualités habituellement liées aux studios Walt Disney. C'est pourtant là qu'il travaillait à l'époque, notamment sur *Taram et le chaudron magique.* Depuis, Tim Burton est resté remarquablement fidèle aux promesses de ce premier film. Après le succès inattendu de *Pee Wee's Big Adventure* (1985), qui lançait un étrange et anachronique nouveau burlesque, on a cru hâtivement que l'exubérance visuelle de *Beetlejuice* (*id.,* 1988) n'était qu'un phénomène de mode. Forte de quoi une certaine critique française a joué l'indifférence face au dispendieux *Batman* (id., 1989), lancé par une publicité tapageuse à grands coups de chiffres à plusieurs zéros. Mais *Edward aux mains d'argent* (*Edward Scissorhands,* 1990), insuccès commercial et film d'une poésie et d'une délicatesse rares, « calme bloc ici-bas chu d'un désastre obscur » ne ressemblant à rien de connu, affirmait la personnalité la plus neuve du cinéma américain moderne : l'invention visuelle débridée y allait de pair avec l'acuité de la satire et la gravité du propos. Désormais plus libre de ses mouvements, Tim Burton a su admirablement se tirer de l'embûche d'une suite prestigieuse à *Batman. Batman 2, le défi* (*Batman Returns,* 1992), ne se contente pas de déployer la magie visuelle et le sens du grotesque du premier film, il s'aventure dans d'autres directions en créant un ton (une ouverture à la Dickens), un climat (l'architecture totalitaire de la ville mythique de Metropolis) et des personnages (Danny De Vito, Pingouin d'une méchanceté tragique et pathétique, Michelle Pfeiffer, femme-chat solitaire et cruelle) inédits. Ce faisant, Burton filait une métaphore d'une macabre amertume sur le monde contemporain. Ces deux réussites jetaient un éclairage qui valorisait rétrospectivement *Beetlejuice* et *Batman,* les quatre films démontrant la remarquable cohésion thématique et plastique de ce cinéaste inclassable. Il a produit un film d'animation, *l'Étrange Noël de Monsieur Jack* (*The Nightmare before Christmas,* 1993, réalisé par Henry Selick), dont il est la véritable force créatrice et où l'on retrouve tout son univers : il s'agit d'un conte pour enfants où s'entrechoquent les mythes américains de Halloween et de Noël. Le goût du paradoxe le possède jusqu'en 1994 ; il réalise une biographie du réalisateur *Ed Wood,* célèbre aux États-Unis comme « un des plus mauvais réalisateurs de tous les temps ». C.V.

BUSCH *(Mae), actrice américaine d'origine australienne (Melbourne 1895 - Woodland Hills, Ca., 1946).* Élevée aux États-Unis dans un couvent du New Jersey, elle s'intègre au début des années 10 à la Keystone sous la férule de Mack Sennett et joue également sur les planches à Broadway, notamment avec Eddie

Foy comme partenaire. Elle devient peu à peu une star du cinéma muet et rencontre son plus beau rôle dans *Folies de femmes,* d'Erich von Stroheim, en 1922. Très active jusqu'à la fin des années 30, elle apparaît dans plusieurs films de Laurel et Hardy (*Unaccustomed as We Are,* 1929 ; *Quelle bringue !,* 1931 ; *Laurel et Hardy bonnes d'enfants,* 1932 ; *les Compagnons de la nouba,* 1933 ; *Gai, gai marions-nous,* 1934 ; *les Jambes au cou, id. ; Laurel et Hardy campeurs, id. ; The Live Ghost, id. ; Tit for Tat,* 1935 ; *la Bohémienne,* 1936). Parmi ses autres films, il faut citer *The Christian* (M. Tourneur, 1923), *Bread* (V. Schertzinger, 1924), *le Club des trois* (T. Browning, 1925), *Fazil* (H. Hawks, 1928), *Doctor X* (M. Curtiz, 1932). J.-L.P.

BUSCH *(Niven), scénariste américain (New York, N. Y., 1903 - San Francisco, Ca., 1991).* Journaliste et romancier, doté d'une forte culture classique, ses goûts le portent vers une vision épique de la société américaine du passé, mais recentrée sur les conflits familiaux chers à la tragédie grecque. La psychanalyse se trouvera donc intégrée sans peine, quand elle sera à la mode, dans ses histoires de vendetta : *la Vallée de la peur* (R. Walsh, 1947) ou *les Furies* (A. Mann, 1950) en sont de bons exemples.

Ayant débuté par des scénarios de prestige tels que *La foule hurle* (H. Hawks, 1932), *Babbitt* (W. Keighley, 1934), *l'Incendie de Chicago* (H. King, 1938), Busch collabore ensuite au scénario du film de William Wyler *le Cavalier du désert* (1940) et signe l'adaptation du roman de James Cain, *Le facteur sonne toujours deux fois* (T. Garnett, 1946). Il est difficile de mesurer la part qu'il a prise à l'adaptation de son roman, *Duel au soleil,* pour le film de King Vidor (1947), vu l'envahissante emprise de David O. Selznick ; mais on y retrouve ses thèmes et son goût de la saga. Si les scénarios du *Déserteur de Fort Alamo* (B. Boetticher, 1953) et du *Trésor de Pancho Villa* (G. Sherman, 1955) sont ingénieux, le dernier grand scénario de Niven Busch reste cependant *les Aventures du Capitaine Wyatt* (Walsh, 1951). G.L.

BUSHMAN (*Francis Xavier,* dit *Francis X.*), *acteur américain (Baltimore, Md., 1883 - Pacific Palisades, Ca., 1966).* Après avoir joué au théâtre, il débute au cinéma en 1911 avec Essanay et devient très vite, tout comme Maurice Costello, l'une des grandes « matinee idols » des années 10. Sa carrière muette est prolifique, d'abord dans des rôles romantiques ou de séducteur (*Roméo et Juliette,* J. Gordon Edwards, 1916, puis *Modern Marriage,* Lawrence C. Windom, 1923, tous deux avec Beverly Bayne), ensuite dans des films d'aventure et d'action : *The Charge of the Gauchos* (Albert Kelly, 1928) ; *la Folie de l'or (The Grip of the Yukon,* Ernst Laemmle, *id.).* Il est resté célèbre pour son interprétation de Messala dans *Ben-Hur* (F. Niblo, 1926), où il a comme partenaire (et adversaire) Ramón Novarro. J.-L.B.

BUSSIÈRES *(Raymond), acteur français (Ivry-la-Bataille 1907 - Paris 1982).* C'est peut-être à ses débuts avec le groupe Octobre, sous l'égide de Jacques Prévert, qu'il doit ce qui a fait sa personnalité et sa popularité. Qu'il soit mauvais garçon ou brave type, il a toujours été le titi parisien un peu *anar,* pittoresque et sympathique, à l'accent gouailleur bien reconnaissable. Sa filmographie comporte plus de cent titres. Citons : *L'assassin habite au 21* (H.-G. Clouzot, 1942), *les Portes de la nuit* (M. Carné, 1946), *Justice est faite* (A. Cayatte, 1950), *Casque d'or* (J. Becker, 1952), où il est inoubliable. Il a été le scénariste de certains de ses films : *le Costaud des Batignolles* (G. Lacourt, 1952), *Quai du Point-du-Jour* (J. Faurez, 1960). Avec l'âge, son visage a pris une gravité que Serge Moatti a su utiliser dans un feuilleton télévisé populaire et ambitieux : *le Pain noir* (1977). D.R.

BUSTILLO ORO *(Juan), cinéaste mexicain (Mexico 1904 -* id. *1989).* Il vient du théâtre et débute au cinéma avec *Yo soy tu padre* (1927). Son film *Dos monjes* (1934) est une des œuvres les plus étranges de l'étape préindustrielle du cinéma mexicain : la rivalité amoureuse de deux moines est mise en scène selon deux versions opposées, dont l'expressionnisme et le symbolisme révèlent des inquiétudes d'avant-garde, mais débouche sur un maniérisme qui s'accommode des genres divers développés sur les écrans mexicains, lors de son expansion. Bustillo Oro lui-même ouvre la voie à l'évocation nostalgique de la période prérévolutionnaire, avec *En tiempos de Don Porfirio* (1939), film rococo, plein de vieilles mélodies, dont il exploite la veine encore dans *Mexico de mis recuerdos* (1940), *Las tandas del Principal* (1949), *Los valses venían de Viena y los niños de París* (1965). Il réalise un des premiers succès du comique Cantinflas (*Ahí está el detalle,* 1940). La sophistication de sa comédie « ranchera » (paysanne) *Las mañanitas* (1949) va jusqu'à remplir les dialogues de proverbes. Les mélodrames familiaux trouvent en lui un réalisateur convaincu de la nécessité de défendre la cellule de base de la société contre vents et marées (*Cuando los hijos se van,* 1941 ; *Cuando los padres se quedan solos,* 1948), y compris contre la sacro-sainte révolution mexicaine (*Vino el remolino y nos alevantó,* 1949). Cet épisode encensé depuis par les sphères officielles reste en fait apolitique, à l'opposé de *El compadre Mendoza* (F. de Fuentes, 1933), excellente allégorie, au scénario duquel il avait pourtant collaboré. Son abondante filmographie, s'étendant sur quarante ans, résume assez bien les qualités et les limites de toute une phase du cinéma mexicain. Autres titres : *Cuando quiere un mexicano* (1944), un des films qui font de Jorge Negrete une vedette, et *Canaima* (1945), d'après Rómulo Gallegos. P.A.P.

BUTE *(Mary Ellen), cinéaste expérimentale américaine (Houston, Tex., 1908 - New York, N. Y., 1983).* Ses dessins pour *Synchronization,* de Lewis Jacobs et Joseph Schillinger, en font dès 1934 un des pionniers du cinéma abstrait américain. De 1936 à 1941, elle travaille, comme Fischinger, à des « symphonies visuelles » en associant des formes non figuratives à des partitions musicales. Ainsi naissent *Rhythm in Light, Synchrony n° 2, Anitra's Dance* (1936), *Toccata and Fugue* (1940) et *Spook Sport* (1940), réalisé avec McLaren. Elle fait ensuite plusieurs films avec des images d'ordinateurs ou d'oscilloscopes pour les levers de rideau du Radio City Music Hall de New York (*Polka-Graph,* 1953 ; *Abstronics, Colour Rhapsody,* 1954 ; *Mood Contrast,* 1957). Après 1956, avec son mari Ted Nemeth, elle passe au cinéma de long métrage narratif (*The Boy Who Saw Through,* 1958 ; *Passages from « Finnegan's Wake »,* 1965). D.N.

BUTLER *(David Wayne), cinéaste américain (San Francisco, Ca., 1895 - Arcadia, Ca., 1979).* Il débute comme acteur chez D. W. Griffith (1918) et devient réalisateur à la Fox en 1927. Il dirigera quantité de films pour cette firme, puis à la Paramount et chez Warner, laissant le souvenir d'un artisan efficient, assez souvent coscénariste de ses films. Sa préférence pour les comédies et les westerns *pittoresques* lui a valu une réputation de « joyeux drille » qui met une note un peu personnelle dans certains de ses travaux de série. Rappelons parmi ses films une comédie musicale, *Fox Movietone Follies of 1929* (1929), des succès commerciaux de Shirley Temple, comme *le Petit Colonel (The Little Colonel),* avec Lionel Barrymore (1935), un film à vedettes (B. Davis, H. Bogart, E. Flynn), *Remerciez votre bonne étoile* (*Thank your Lucky Stars,* 1943), l'un des meilleurs Bob Hope (*la Princesse et le Pirate* [*The Princess and the Pirate*], 1944), le pastiche de Raoul Walsh qu'était *San Antonio* (id., 1945) et le nostalgique *No, No, Nanette* (*Tea for Two,* 1950). Le dernier de ses quelque cinquante films remonte à 1967. G.L.

BUTLER *(Hugo), scénariste américain (Calgary, Alberta, Canada, 1914 - Los Angeles, Ca., 1968).* Journaliste et dramaturge, il débute à la MGM sur *la Grande Ville* (F. Borzage, 1937) et signe notamment les scénarios de *The Adventures of Huckleberry Finn* (R. Thorpe, 1939), *la Jeunesse de Tom Edison* (N. Taurog, 1940), *Wyoming* (Thorpe, *id.*), *Barnacle Bill* (id. 1941) et *la Fidèle Lassie* (F. M. Wilcox, 1943). Après la guerre, il se consacre à la peinture réaliste de milieux modestes dans *l'Homme du Sud* (J. Renoir, 1945) et *From This Day Forward* (J. Berry, 1946). Face à la menace maccarthyste, il trouve un terrain d'expression privilégié dans le film noir et s'attache à suivre au terme de leur vain combat les héros amers de *Menaces dans la nuit* (Berry, 1951) et *le Rôdeur* (J. Losey, *id.*). Dénoncé devant le Comité des activités antiaméricaines en 1953, il cesse officiellement de travailler durant près de dix ans. Il fait sa rentrée avec *Eva* (J. Losey, 1962), que suivent deux films de Robert Aldrich : *Sodome et Gomorrhe* (1962) et *le Démon des femmes* (1968). O.E.

BUYENS *(Frans), cinéaste belge (Temse, Flandre-Orientale, 1924).* Autodidacte, issu d'un milieu ouvrier, il est l'auteur d'une œuvre abondante (une soixantaine de titres) essentiellement sous forme de documentaires dans la tradition militante de Joris Ivens et Henri Storck : témoignages politiques (*Combattre pour nos droits,* 1962, sur une grève générale), reportages sociaux (*Un jour les témoins disparaîtront,* 1979, sur des survivants d'Auschwitz), portraits de personnalités (Jaurès, Vercors, Frans

Masereel), nombreux travaux d'ordre culturel et pédagogique. Il a également pratiqué la fiction, mais sous forme de mise en scène minimale d'un réel documenté, comme par exemple *Moins morte que les autres (Minder dood dan de anderen,* 1992), sur l'agonie de sa mère, *Tango Tango* (1993), sur un spectacle donné par des handicapés mentaux. M.M.

BUZZELL *(Edward), cinéaste américain (New York, N. Y., 1895 - Los Angeles, Ca., 1985).* À ses débuts, il est acteur au théâtre, spécialiste de la comédie musicale. Il arrive au cinéma avec le parlant, en 1929, toujours comme comédien : *Little Johnny Jones* (M. LeRoy, 1929). C'est sans doute ce qui lui vaut l'honneur de diriger, à la MGM, deux films des Marx Brothers, *Un jour au cirque* (*At the Circus,* 1939) et *Chercheurs d'or (Go West)* l'année suivante. Ses autres films n'éclairent pas davantage sa personnalité. Ce sont des comédies, pour la plupart musicales, comme *Best Foot Forward* (1943) avec June Allyson et Lucille Ball, et *la Fille de Neptune* (*Neptune's Daughter,* 1949) avec Esther Williams et Red Skelton. En 1955, il réalise *Ain't Misbehavin',* avec Piper Laurie et Rory Calhoun, encore une comédie musicale. D.R.

BYKOV *(Rolan) [Rolan Anatol'evič Bykov], acteur et cinéaste soviétique (Kiev 1929).* Acteur et metteur en scène de théâtre à partir de 1951. Au cinéma, ses premières prestations marquantes sont celles d'Akaki Akakievitch dans *le Manteau* (A. Batalov, 1960) et du saltimbanque d'*Andrei Roublev* (A. Tarkovski, 1966). Il réalise des films « pour enfants », dont *Attention, tortue* (*Vnimanie, čerepaha,* 1970) et *le Nez* (*Nos,* T.V., 1975, d'après Gogol) mais aussi un constat très dur du dévoiement juvénile, *l'Épouvantail* (*Čučelo,* 1984). On l'a vu également dans *la Vérification* (A. Guerman 1973) et *Lettres d'un homme mort* (*Pis'ma mertogo čeloveka,* K. Lopouchanski, 1986) mais sa plus brillante composition est celle du ferblantier juif de *la Commissaire* (A. Askoldov, 1967). On le retrouve en 1995 dans *Chirli-Mirli* (Vladimir Menchov). M.M.

BYRUM *(John), cinéaste américain (Winnetka, Ill., 1947).* Il étudie le cinéma à l'université de New York, où ses professeurs sont des collaborateurs d'Andy Warhol. Il y rencontre Martin Scorsese, devenu enseignant à la fin des années 60 après y avoir été lui-même étudiant. Monteur et assistant sur la série TV *Sesame Street* (programme éducatif très populaire), chauffeur de taxi la nuit, il écrit le jour des scénarios. Grâce à un malentendu (son premier producteur lui commandite un film *porno*), John Byrum réalise, en 1975, son premier long métrage, *Gros Plan (Inserts).*Mais l'échec commercial condamne le cinéaste au silence jusqu'en 1979, où il peut tourner *les Premiers Beatniks* (*Heart Beat,* 1980), non plus d'après un scénario original mais à partir d'une biographie de Jack Kerouac par Carol Cassidy. En 1984, il signe *le Fil du rasoir,* une nouvelle version de l'œuvre de Somerset Maugham, en 1986, *The Whoopee Boys* et en 1988 *The War at Home.* M.S.

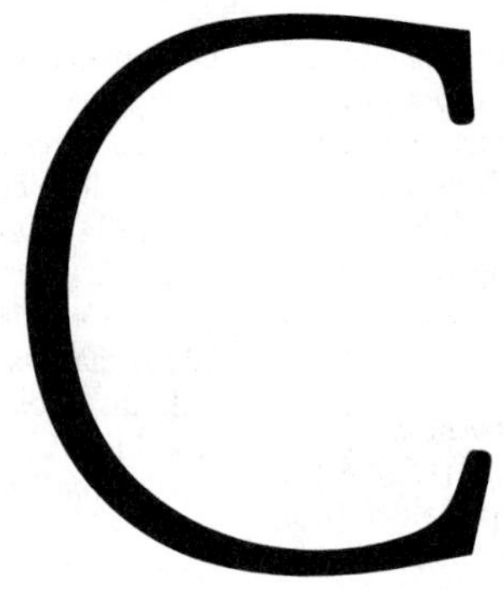

Caan *(James), acteur américain (Bronx, New York, 1939).* Il débute au théâtre dans une troupe itinérante, puis à Broadway dès 1961. Son premier emploi à l'écran dans *Irma la Douce* (B. Wilder, 1963) est non crédité. Remarqué dans *El Dorado* (H. Hawks, 1967), où il joue le benjamin du « trio viril » hawksien, cet acteur, d'une calme intelligence sous son aspect athlétique, doit de devenir vedette à Francis Ford Coppola, qui lui confie un rôle dangereusement pathétique dans *les Gens de la pluie* (1969). Depuis lors, sa maturité est remarquée dans *le Parrain* (Coppola, 1972), *le Flambeur* (K. Reisz, 1974), *Rollerball* (N. Jewison, 1975), *Tueur d'élite* (S. Peckinpah, *id.*), *Un autre homme, une autre chance* (C. Lelouch, 1977), *le Souffle de la tempête* (A. Pakula, 1978). Il passe à la réalisation en 1979 avec *Hide in Plain Sight* (où il tient également un rôle). Il joue ensuite dans *Thief* (Michael Mann, 1981), *Kiss Me Goodbye* (R. Mulligan, 1982), *Jardins de pierre* (F. F. Coppola, 1987) et *Misery* (Rob Reiner, 1990). Ces deux derniers films l'ont révélé comme un remarquable acteur de composition, très sobre, mûr pour des personnages de plus en plus contrastés. Dans *For the Boys* (M. Rydell, 1991), il incarne avec verve un « entertainer » dont la longue carrière, qui épouse les fluctuations de quarante ans d'histoire, évoque Bob Hope. Contre toute attente, dans *Flesh and Bone* (Steve Kloves, 1993), il est un terrifiant père criminel. Le comédien parfois léger des débuts possède un registre d'une belle étendue. G.L.

Cabanne *(William Christy), cinéaste américain (Saint Louis, Mo., 1888 - Philadelphie, Pa., 1950).* Acteur, assistant et scénariste pour D. W. Griffith, Christy Cabanne acquiert une certaine réputation dès 1914 en dirigeant les sœurs Gish *(The Sisters),* puis Douglas Fairbanks (*The Lamb,* 1915). À la fin du muet, sa carrière commence à décliner et bientôt il n'œuvre plus que dans la série B la plus terne (*Drums of the Congo,* 1942). C.V.

Cabot *(Jacques Étienne Pélissier de Bujac,* dit *Bruce), acteur américain (Carlsbad, N. Mex., 1904 - Los Angeles, Ca., 1972).* Acteur peu connu, il est engagé pour le rôle de Driscoll dans *King Kong* (E. Schoedsack et M. Cooper, 1933), qui lui vaut une certaine célébrité. Par la suite, il ne retrouve pas un rôle de cette importance et évolue entre des personnages de criminels hautains (*Furie,* F. Lang, 1936), de héros ou de militaires : *les Conquérants* (M. Curtiz, 1939), *Crime passionnel* (O. Preminger, 1945), *Un Américain bien tranquille* (J. L. Mankiewicz, 1958), *Hatari !* (H. Hawks, 1962). B.G.

Cabrera Infante *(Guillermo), écrivain et critique cubain (Gibara 1929).* L'auteur du roman *Trois Tristes Tigres* (sans rapport avec le film homonyme de Ruiz) est le fondateur de la cinémathèque de Cuba, qu'il préside de 1951 à 1956. Critique de cinéma signant G. Cain, il a publié *Un Oficio del Siglo XX,* recueil de ses articles commentés avec ironie, puis *Arcadia todas las noches,* une série d'essais sur Welles, Hitchcock, Hawks, Huston et

Minnelli. Il a été un des dirigeants de l'Institut cubain de l'art et de l'industrie cinématographiques, au moment de sa fondation (1959). Il a écrit sous un autre pseudonyme le scénario de *Point-limite zéro* de Sarafian (1971), et pour Losey l'adaptation de *Au-dessous du volcan,* de Malcolm Lowry, projet non abouti.

P.A.P.

CACHE. Élément opaque qui permet – dans le truquage par cache-contre-cache – de « réserver » une partie de l'image. (→ EFFETS SPÉCIAUX.)

CACHE-CONTRE-CACHE. Truquage (généralement de laboratoire, exceptionnellement de prise de vues) permettant de « marier » deux images filmées en des endroits ou en des moments différents. (→ EFFETS SPÉCIAUX.)

CACOYANNIS *(Michel), cinéaste grec (Limassol, Chypre, 1922).* Ses études de droit et d'art dramatique à Londres lui permettent de faire ses débuts d'acteur et de metteur en scène de théâtre (1945-1950). De retour à Athènes en 1953, il écrit le scénario de *'Réveil du dimanche' (Kyriakatiko xypnima),* son premier film tourné en 1954 avec l'assistance du chef opérateur Alvise Orfanelli, qui a quitté l'Égypte. *Stella* (*Stella, éleftéri yénéka,* 1955) marque les débuts à l'écran de Mélina Mercouri dans un rôle de femme libre. Dans la même ligne réaliste, dont le succès apporte un espoir de renouveau du film grec, vite déçu, *la Fille en noir* (*To Koritsi me ta mavra,* 1956) et *Fin de crédit* (*To telefteo yséma,* 1958) concluent la première phase d'une carrière qui s'égare en Grande-Bretagne (*Our Last Spring* [*Eroïca*], 1959 ; *l'Épave* [*The Wastrel*], 1960), avant de réussir une adaptation d'Euripide, dont les protagonistes quittent la scène pour le village : Électre (*Electra,* 1961). Dans ce film (en un superbe noir et blanc dû au chef opérateur Walter Lassaly), qui révèle Irène Papas, le parti pris du cinéaste renouvelle une tradition hésitante d'appropriation des classiques grecs par le film. En 1964, *Zorba le Grec (Zorba the Greek),* d'après le roman du Crétois Nikos Kazantzakis, remporte un suffrage populaire dû à Irène Papas, Anthony Quinn, Alan Bates, et à l'imagerie soutenue par la musique de Théodorakis. En 1967, *le Jour où les poissons... (The Days the Fish Came out)* est un échec. Le patchwork de vedettes des *Troyennes* (*The Trojan Women,* 1971) renvoie à une conception pour le moins usée du film d'art. Il faut encore citer *Attila 74* (1975) et *Iphigénie* (*Iphigéneia,* 1977), dont l'habillage moderniste reste superficiel. En 1987 il réalise *Sweet Country* et, en 1993, *Sens dessus dessous (Pano kato kai plaghios).* ▲

C.M.C.

CADENCE. Vitesse de défilement du film, exprimée en images par seconde.

CADENCE. Depuis l'apparition du son par piste optique latérale (→ PROCÉDÉS DE CINÉMA SONORE), la *cadence* de projection est standardisée à 24 images/seconde, les seules exceptions notables ayant été le *Cinérama* (26 im. /s) et les tout premiers films en *Todd-A. O* (30 im. /s). Il arrive toutefois que certaines salles projettent à 25 images/seconde, ce qui est aussi la cadence de la télévision : les mouvements sont un peu plus rapides et les sons un peu plus aigus qu'à la cadence normale, mais ces effets sont quasi imperceptibles. (La seule conséquence appréciable est qu'un film de durée normale de 1 h 30 ne dure plus que 1 h 27 min.)

La cadence de prise de vues est évidemment de 24 images/seconde elle aussi, sauf effet de ralenti ou d'accéléré.

Les films muets étaient en principe tournés et projetés, à la manivelle, à 16 images/seconde, et ils le furent effectivement dès que se généralisa l'entraînement par moteur électrique. Leur projection à la cadence actuelle entraîne donc une accélération très nette des mouvements. (Rares sont les projecteurs susceptibles de fonctionner à 24 et à 16 im. /s) Le seul remède est une *remise à cadence :* au tirage, on double une image sur deux, 16 images de l'original donnant ainsi 24 images ; en règle générale, l'œil ne discerne pratiquement pas la supercherie. Normalement, l'opération s'accompagne d'une *remise au format,* c'est-à-dire que l'intégralité de l'image muette est reproduite, par tirage optique, dans le cadre de l'image sonore actuelle. (→ FORMAT.)

En fait, tant que l'on « tourna à la manivelle » (jusque dans les années 20), les films muets furent rarement tournés à 16 images/seconde exactement, mais entre 12 et 20 images/seconde selon l'opérateur et la caméra. Avant une remise à cadence, il faut donc s'efforcer de déterminer la cadence de prise de vues : vers 12 images/seconde, on doublera chaque image ; à 20 images/seconde, on n'en doublera aucune.

Les premiers films parlants à son sur disques synchronisés furent eux aussi tournés à 16 images/seconde. Mais ce fut le procédé à piste latérale qui s'imposa. (→ PROCÉDÉS DE CINÉMA SONORE.) À 16 images/seconde, le défilement du film était trop lent pour que cette piste restitue les aigus de façon satisfaisante. De toute façon, il s'était avéré que 16 images/seconde étaient insuffisantes pour une bonne restitution visuelle des mouvements. (→ PRINCIPE DU CINÉMA.) Le passage à 24 images-seconde résulte de la conjugaison de ces deux motifs. J.-P.F./J.-M.G.

CADRAGE. Action consistant à positionner correctement l'image par rapport à la fenêtre de la caméra ou du projecteur. Par extension, façon de positionner le sujet filmé à l'intérieur du cadre de prise de vues : *cadrage large, cadrage serré.* (→ SYNTAXE, PROJECTION.)

CADRE. Limite de l'espace visuel enregistré sur le film. *Faire le cadre* (fam.), cadrer.

CADRER. Effectuer le cadrage.

CADREUR. Technicien responsable du maniement de la caméra pendant la prise de vues. (→ GÉNÉRIQUE.)

CAGNEY *(James), acteur américain (New York, N. Y., 1899 - Stanfordville, N. Y., 1986).* Issu d'un milieu modeste, imprégné de traditions irlandaises, James Cagney entre dans la vie active à l'âge de quatorze ans. Après avoir exercé de nombreux petits métiers, il débute dans le spectacle comme décorateur de théâtre et fait sa première apparition à la scène en 1919. Pendant six ans, il s'illustre au cabaret avec sa femme, Frances, et décroche ses premiers rôles marquants dans *Outside Looking In* et *Penny Arcade,* dont l'adaptation cinématographique, *Sinners ' Holiday* (1930), inaugure sa longue et tumultueuse association avec la Warner Bros.

L'image de Cagney se fixe en l'espace de trois films : cabochards, agressivement virils, durs et tendres à la fois, ses personnages incarnent les valeurs et les rêves de conquête des classes laborieuses. Bagarreurs et vantards, appelés à un prompt succès, leur courage, leurs réflexes et leur humour leur permettent de survivre dans la jungle urbaine. Les circonstances en font parfois des criminels, mais ils restent, dans leurs actions les plus répréhensibles, fidèles aux valeurs dominantes de la société américaine. Les plus endurcis de ces héros des bas-fonds conservent avec leur milieu d'origine des liens affectifs étroits. Ils s'entourent d'amis fidèles, qui garantissent en eux la présence d'une innocence inaltérable.

Né de la Dépression, le personnage de Cagney, tel que le définit magistralement *l'Ennemi public* (1931), gardera pendant dix ans un caractère juvénile : turbulent, excessif, mais fondamentalement *bon.* Sa petite taille, son apparente fragilité soulignent cet aspect enfantin, que compensent un incessant et prodigieux déploiement d'énergie, une attitude permanente de défi, une tension musculaire jamais relâchée. Postures familières : l'acteur se dresse sur ses ergots, remonte sa ceinture d'un geste nerveux ; bras collés au corps, ou pointant vers son interlocuteur un index menaçant, avec l'esquisse d'un rictus...

Cagney débute avec le sonore, et se conçoit mal dans un autre médium. Son débit haché, son staccato haletant sont une autre manifestation, essentielle, de sa vitalité, un autre moyen de triompher dans la lutte perpétuelle qui l'oppose à ses semblables, hommes et femmes confondus.

Un quart de la filmographie de James Cagney se rattache directement au film de gangsters, genre auquel l'acteur vouera très tôt une franche hostilité. La comédie *(L'affaire se complique, le Tombeur, Tête chaude)* et le musical *(Prologues)* lui offrent des échappatoires transitoires, mais il continuera de chercher le salut hors du studio, entraînant d'autres comédiens à sa suite. En 1935, il rompt avec la Warner et signe un contrat avec la Grand National, où il interprète un film d'inspiration progressiste, *Great Guy,* et une satire du star-system, *Something to Sing About.* L'expérience tourne court, mais l'acteur, de retour au studio, parvient à imprimer à ses personnages une plus grande maturité. C'est ainsi que le gangster des *Anges aux figures sales* se rachète in extremis (en une troublante variation sur le thème du sacrifice, précédemment développé dans *The Mayor of Hell* et *Brumes*), tandis que le journaliste héros de *À chaque aube je meurs* défend les vertus de la presse selon la grande tradition réformatrice des années 30. Le gangster, lorsqu'il revient sur le devant de la scène *(Roaring Twenties),* n'est déjà plus qu'une figure nostalgique, témoin d'une ère révolue.

En 1942, James Cagney aborde avec *la Glorieuse Parade* une nouvelle phase de sa carrière. Cette évocation spectaculaire, sentimentale et patriotique d'une des grandes figures du music-hall américain, George M. Cohan, revêt pour lui un sens symbolique : elle est la revanche longtemps attendue de l'homme de spectacle et fixe, dans l'étonnante diversité de ses talents, la *bête de scène* qu'il n'a jamais cessé d'être.

Fort de ce triomphe critique et commercial (sanctionné par un Oscar), Cagney tente une nouvelle échappée. Il quitte la Warner et organise les Cagney Productions, dont son frère, William, devient président. Il met en œuvre un radical changement d'image, s'efforçant de privilégier aux dépens du *dur* l'artiste porteur d'un message humaniste. Sa première production, *Johnny le Vagabond,* d'inspiration capraesque, en fait un clochard, poète et samaritain, échoué dans un univers allégorique, où s'affrontent les forces de la corruption et les vertus de l'Amérique éternelle. Ce changement de cap se solde par un échec prévisible, qui ne découragera cependant pas Cagney de tenter une aventure similaire dans *le Bar aux illusions,* sans plus de succès d'ailleurs.

En 1949, Cagney retourne à la Warner pour *L'enfer est à lui,* qui marque l'apothéose de son cycle gangstérien. À la différence de ce qui se faisait dans les années 30, l'œuvre s'interdit tout discours sociologique et dépouille son protagoniste jusqu'à l'abstraction. Glacial, muré dans sa solitude, Cody Jarrett n'est plus qu'une *force* lancée à l'assaut du monde. La dimension œdipienne, présente dans plusieurs films antérieurs de Cagney, prend ici une importance centrale, une tonalité nouvelle : l'immaturité, qui excusait tous les excès des héros juvéniles de la Dépression, devient, dans l'environnement culturel des années 40, porté au déterminisme et à l'objectivité, un ressort purement tragique.

La dernière période de la carrière de Cagney, bien que caractérisée par des emplois très divers, garde des traces manifestes de ce film charnière. Le personnage de Cagney tend désormais à s'enfermer dans sa solitude et cède à la tentation de l'autocratie (l'acteur, jadis démocrate convaincu, s'oriente au même moment vers des positions conservatrices) : *le Fauve en liberté,* adaptation timide et décevante du roman de Horace McCoy, fait de lui un chef de gang mégalomane ; *A Lion is in the Streets* (sa dernière production), un leader populiste et démagogue à la Huey Long ; *les Pièges de la passion, Permission jusqu'à l'aube* et *la Loi de la prairie,* un tyran fruste exerçant sur son entourage une implacable domination. L'énergie du personnage, qu'il soit gangster, capitaine de vaisseau ou rancher, est ici tout entière vouée à la préservation d'un pouvoir chèrement acquis, d'un territoire ou d'une femme convoités par des rivaux plus jeunes. Le rêve de conquête dégénère en philosophie de l'autodéfense. L'allégresse des années 30 prend une coloration sarcastique et misanthrope. Le dur des faubourgs, l'arriviste qui faisait flèche de tout bois, le rebelle qui se battait pour sa dignité, l'artiste de music-hall connaissent alors leur dernier avatar. Cagney s'installe en patriarche. Il a perdu l'appui de sa famille et de ses amis, et ne peut plus compter sur l'antagonisme fraternel d'un Pat O'Brien, garant, dans huit de ses films, de l'ordre moral, pour se définir et légitimer son action. Il reste un lutteur, solitaire, attaché seulement à survivre. Il a perdu son statut d'Américain moyen, sans gagner l'aisance naturelle de l'artistocrate. Il lui reste la pugnacité et le franc-parler d'un homme de la rue : les vieux réflexes sont intacts.

C'est sur ces composantes que Billy Wilder bâtit, en 1960, *Un, deux, trois,* satire explosive, tous azimuts, où le système communiste, le « miracle économique » allemand et l'arrivisme yankee sont pris tour à tour pour cibles, avec une égale férocité. Mué en capitaliste, plus acide et forcené que jamais, Cagney y saisira l'occasion de livrer son dernier numéro de virtuose, d'une surprenante fébrilité. C'est sur ce feu d'artifice que sa carrière s'interrompt brutalement. Vingt ans s'écouleront avant qu'il ne revienne à l'écran, dans *Ragtime,* pour incarner le préfet de police Rheinlander Waldo : un personnage quasi immobile, cachant derrière une apparence bénigne une volonté de fer, une vivacité intacte, et l'habileté hors pair d'un manipulateur-né... O.E.

Films ▲ : *Sinner's Holiday* (John G. Adolfi, 1930) ; *Au seuil de l'enfer (Doorway to Hell*

[A. Mayo], *id.)* ; *Other Men's Women* (W. A. Wellman, 1931) ; *The Millionaire* (Adolfi, *id.*) ; *l'Ennemi public* (Wellman, *id.*) ; *Smart Money* (Alfred E. Green, *id.*) ; *Blonde Crazy* (R. Del Ruth, *id.*) ; *Taxi* (Del Ruth, 1932) ; *La foule hurle* (H. Hawks, *id.*) ; *Tout au vainqueur (Winner Take All* [Del Ruth], *id.)* ; *L'affaire se complique* (*Hard to Handle* [M. Le Roy], 1933) ; *Picture Snatcher* (L. Bacon, *id.*) ; *The Mayor of Hell* (Mayo, *id.*) ; *Prologues* (Bacon, *id.*) ; *le Tombeur* (Del Ruth, *id.*) ; *Jimmy the Gent* (M. Curtiz, 1934) ; *He Was Her Man* (Bacon, *id.)* ; *Voici la marine ! (Here Comes the Navy* [Bacon], *id.)* ; *The St. Louis Kid* (R. Enright, *id.*) ; *le Bousilleur* (*Devil Dogs of the Air* [Bacon], 1935) ; *les Hors-la-loi (G-Men* [W. Keighley], *id.)* ; *Tête chaude* (*The Irish in Us* [Bacon], *id.*) ; *le Songe d'une nuit d'été* (M. Reinhardt, W. Dieterle, *id.*) ; *Émeute (Frisco Kid* [Bacon], *id.)* ; *Brumes* (*Ceiling Zero* [Hawks], 1936) ; *le Brave Johnny* (*Great Guy* [J. G. Blystone] 1937) ; *Hollywood ! Hollywood !* (*Something to Sing About,* V. Schertzinger, *id.*) ; *le Vantard* (*Boy Meets Girl* [Bacon], 1938) ; *les Anges aux figures sales* (Curtiz, *id.*) ; *Terreur à l'Ouest* (Bacon, 1939) ; *À chaque aube je meurs* (Keighley, *id.*) ; *The Roaring Twenties* (id. [R. Walsh], *id.*) ; *le Régiment des bagarreurs* (*The Fighting 69th* [Keighley], 1940) ; *Torrid Zone* (Keighley, *id.*) ; *Ville conquise* (*City for Conquest* [A. Litvak], 1940) ; *The Strawberry Blonde* (id. [Walsh], 1941) ; *The Bride Came C. O. D.* (Keighley, *id.*) ; *les Chevaliers du ciel* (Curtiz, 1942) ; *Parade de la gloire* (Curtiz, *id.*) ; *Johnny le Vagabond* (*Johnny Come Lately* [W. K. Howard], 1943) ; *Du sang dans le soleil* (*Blood on the Sun* [F. Lloyd], 1945) ; *13, rue Madeleine* (id. [H. Hathaway], 1947) ; *le Bar aux illusions* (*The Time of your Life* [H. C. Potter], 1948) ; *L'Enfer est à lui* (Walsh, 1949) ; *les Cadets de West Point (The West Point Story* [Del Ruth], 1950) ; *le Fauve en liberté* (G. Douglas, *id.*) ; *Feu sur le gang* (*Come Fill the Cup* [Douglas], 1951) ; *Starlift* (Del Ruth, *id.*) ; *What Price Glory* (J. Ford, 1952) ; *A Lion Is in the Streets* (Walsh, 1953) ; *À l'ombre des potences* (N. Ray, 1955) ; *les Pièges de la passion* (Ch. Vidor, *id.*) ; *Permission jusqu'à l'aube* (J. Ford, M. LeRoy ; *id.*) ; *Mes sept petits chenapans (The Seven Little Boys* [M. Shavelson], *id.)* ; *la Loi de la prairie* (R. Wise, 1956) ; *These Wilder Years* (R. Rowland, *id.*) ; *l'Homme aux mille visages* (*Man of a Thousand Faces* [J. Pevney], 1957) ; *À deux pas de l'enfer (Short Cut to Hell* [J. Cagney], *id.)* ; *Never Steal Anything Small* (Charles Lederer, 1959) ; *l'Épopée dans l'ombre* (*Shake Hands With the Devil* [M. Anderson], *id.*) ; *le Héros du Pacifique* (*The Gallant Hours* [R. Montgomery], 1960) ; *Un, deux, trois* (B. Wilder, 1961) ; *Ragtime* (*id.* [M. Forman], 1981).

CAHIERS DU CINÉMA. Revue cinématographique fondée en 1951 par Lo Duca, Jacques Doniol-Valcroze et Leonide Keigel (André Bazin les rejoignant dès le deuxième numéro), qui prend la relève de *la Revue du cinéma* (1946-1949) dans l'amitié et le souvenir de Jean George Auriol (1907-1950). Les *Cahiers du cinéma* s'imposent immédiatement par le haut niveau de leurs sommaires et la personnalité d'André Bazin. Dès 1952, Éric Rohmer et Bazin (réticent) entreprennent de réhabiliter le Renoir « américain ». En 1954, ils attaquent (à travers François Truffaut notamment) la *tradition de la qualité* dominante dans le cinéma français d'alors. En 1954-55, ils sacralisent Alfred Hitchcock et Howard Hawks. Bazin, moins convaincu que ses « jeunes turcs » (Truffaut, Chabrol, Rohmer, Rivette — Godard arrive en 1956), les justifie pourtant : « Comment peut-on être hitchcocko-hawksien ? — En refusant de *réduire* le cinéma à ce qu'il exprime » ; le vrai *contenu* des films est leur mise en scène. En 1956, *la politique des auteurs,* triomphante, essaie de se donner une argumentation théorique, rencontrant encore les réserves de Bazin. L'année suivante, Rohmer remplace Lo Duca à la rédaction en chef. Bazin disparu (1958), les *Cahiers* accuseront une nette tendance à l'idéalisme esthétique et au délire d'interprétation. À partir de 1958, les « jeunes turcs » se font cinéastes : ce sera la Nouvelle Vague. 1963-1971 : sous l'impulsion notamment, de Jacques Rivette, Jean-Louis Comolli et Jean Narboni, les *Cahiers* deviennent, sous l'aspect d'un magazine élégant, divers et dense, le vivant lieu de convergence de tous les *jeunes cinémas* éclos dans le monde et s'entre-influençant. Mai 68 marque la revue. Progressivement convertie au maoïsme militant, elle s'enferme dans le politique (1971-1977). Structuralisme, linguistique, marxisme et lacanisme sont les outils d'une réflexion aride et volontiers hermétique qui restreint désastreusement l'audience des *Cahiers.* Celle-ci semble aujourd'hui retrouvée. Les *Cahiers,* depuis 1977, ont renoué avec la cinéphilie et œuvrent à l'intelligence de toutes les pratiques de l'image et du son : film, photo, vidéo, télévision. La revue s'est également engagé dans une politique de coédition de vidéocassettes et d'ouvrages consacrés au cinéma. B.A.

CAI Chusheng, *cinéaste et scénariste chinois (Chaoyang, Guangdong, 1906 - Guangdong 1968).* D'origine très pauvre, il étudie par lui-même la littérature et la peinture. À 19 ans, il a la révélation du théâtre et se met à écrire des pièces. En 1927 il est engagé par une compagnie cinématographique de Shanghaï. En 1929 il entre à la Mingxing comme assistant de Zheng Zhengqiu avec qui il réalise six films. En 1930 il entre à la Lianhua et en 1932 commence à écrire et réaliser ses propres films : une vingtaine dans sa carrière, parmi lesquels *'l'Aube dans la cité'* (*Duhui de zaochen,* 1933) ; *'le Chant des pêcheurs'* (*Yuguang qu,* 1934) avec la belle Wang Renmei comme interprète principale, film qui obtint un succès sans précédent auprès du public. Suivent *'Femmes nouvelles'* (*Xin nüxing,* 1934) ; *'les Chevreaux égarés'* (*Mitu de gaoyang,* 1936) ; *'le Vieux Wang'* (*Wang Laowu,* id.) ; *'la Symphonie de Lianhua'* (*Lianhua Jiaoxiangqu,* 1937) dont il réalise deux sketchs. À Hong Kong, pendant la guerre, il écrit en collaboration avec Situ Huimin *'le Sang éclabousse la ville de Baoshan'* (*Xue jian Baoshan cheng,* 1938) et *'la Marche des partisans'* (*Youji jinxingqu,* id.), deux films patriotiques en cantonais, puis il écrit et réalise *'le Paradis de l'île orpheline'* (*Gudao tiantang,* 1939) et *'Un avenir radieux'* (*Qiancheng wanli,* 1940). Après la guerre, Yang Hansheng, Shi Dongshan, Zheng Junli et Cai rouvrent le studio de la Lianhua et refusent de le livrer au gouvernement du Guomindang ; ce sera la base d'un nouveau studio le Kunlun, ouvertement de « gauche », où Cai réalise en 1947, avec Zheng Junli, *'les Larmes du Yangzi' (Yijiang chunshui xiang dong liu),* en deux épisodes, film qui eut un retentissement considérable et battit tous les records de recette. En 1948, à Hong Kong, est réalisé le film cantonnais *'les Larmes de la rivière des perles' (Zhujiang lei)* dont il supervise la réalisation par Wang Weiyi. Après 1949, il anime, organise, oriente le cinéma chinois en particulier en tant que président de l'Association des cinéastes, et ne participe directement qu'à un seul film, *'les Marées des Mers du Sud'* (*Nanhai chao,* 1962) dont il assure la direction avec Wang Weiyi. Il meurt en 1968, victime des persécutions de la révolution culturelle. Il reste l'exemple d'un auteur accessible à tous les milieux et soucieux d'adapter au cinéma la littérature populaire traditionnelle. R.B./C.D.R.

CAINE *(Maurice Micklewhite,* dit *Michael), acteur britannique (Londres 1933).* Cet ancien garçon de course et accessoiriste est un des meilleurs acteurs de sa génération, sans avoir eu toujours l'occasion d'en faire la preuve. Comédien depuis 1955, ce n'est qu'en 1965 qu'*Ipcress, danger immédiat* (S. Furie) lui a assuré la consécration, grâce à sa fine création d'agent secret étriqué, solitaire et suffisant. Caine est resté fidèle à ce rôle, dans *Mes funérailles à Berlin* (G. Hamilton, 1966) et dans *Un cerveau d'un milliard de dollars* (K. Russell, 1967). Il obtint un triomphe personnel dans le médiocre *Alfie* (1966) de Lewis Gilbert. Mais ce comédien subtil et complexe dut attendre *le Limier* (J. L. Mankiewicz, 1972) pour affronter un Laurence Olivier et créer ainsi une des grandes performances d'acteur des années 70. Il est admirable dans *l'Homme qui voulut être roi* (J. Huston, 1975) : son escroc pathétique, pris au vertige du pouvoir, a une dimension shakespearienne. Parmi ses autres films, citons : *Zoulou* (C. Endfield, 1964) ; *Trop tard pour les héros* (R. Aldrich, 1970) ; *Une Anglaise romantique* (J. Losey, 1975) ; *Silver Bears* (I. Passer 1977) ; *l'Éducation de Rita* (*Educating Rita,* L. Gilbert, 1983) ; *le Consul honoraire* (*The Honorary Consul,* John MacKenzie, 1984) ; *C'est la faute à Rio* (S. Donen, *id.*) ; *The Holcroft Covenant* (J. Frankenheimer, 1985) ; *Hannah et ses sœurs* (W. Allen, 1986) ; *Sweet Liberty* (A. Alda, *id.*) ; *Mona Lisa* (Neil Jordan, *id.*) ; *Escort Girl* (Bob Swaim, *id.*) ; *le Quatrième Protocole* (*The Fourth Protocol,* J. Mackenzie, 1987) ; *Élémentaire mon cher... Lock Holmes* (*Without the Clue,* Tom Eberhardt, 1988) ; *Business oblige* (A Shock to the System, Jan Egleson, 1990 ; *Mr Destiny* (James Orr, *id.*) ; *Bullseye* (M. Winner, *id.*) ; *Noises off* (P. Bogdanovich, 1992). C.V.

CALAMAI *(Clara), actrice italienne (Prato 1915).* De ses débuts en 1938 jusqu'aux années 50,

Clara Calamai a tourné une quarantaine de films. Belle et provocante, elle a fait merveille dans des drames sentimentaux, des comédies ou des films en costumes, mis en scène par Poggioli (*Adieu, jeunesse,* 1940 ; *Le sorelle Materassi,* 1944), par Blasetti (*la Farce tragique,* 1941), par Alessandrini (*Caravaggio, il pittore maledetto,* id.), par Matarazzo (*L'avventuriera del piano di sopra,* id.) ou encore Franciolini (*Addio amore !,* 1944 ; *Amanti senza amore,* 1947). C'est toutefois Visconti, avec *Ossessione* (1943), qui lui a donné son rôle le plus mémorable, celui d'une femme malheureuse qui cherche à rompre sa solitude par une relation adultère. Ses yeux immenses confèrent une étrange présence au bref personnage de prostituée dans *Nuits blanches* (1957), également de Visconti. J.A.G.

CALDWELL *(Ben), cinéaste américain (New Mexico 1946).* Né dans une petite ville du sud du Nouveau Mexique, il grandit dans une communauté composée de diverses minorités (Indiens, Chicanos, Noirs). Peintre et photographe, il se tourne vers le cinéma en 1970 et entre au département cinéma de l'UCLA (université de Los Angeles). Caldwell, qui est un des rares cinéastes noirs à s'être engagé dans la voie expérimentale, cherche à créer « un langage spécifiquement noir, une musique visuelle, avec sa propre cadence, son propre rythme ». Son premier moyen métrage : *I and I : an African Allegory* (1977) s'inspire de l'histoire du peuple noir américain, profondément marqué par l'Afrique. *The Nubians* (1978) est un essai sur la musique de jazz et ses racines africaines. Il a également réalisé en 1975 un long métrage documentaire en vidéo, *For Whose Entertainement :* depuis *Birth of a Nation* de Griffith, jusqu'aux films de la *Blaxploitation* et des indépendants noirs, c'est l'analyse critique de l'image des Noirs véhiculée par le cinéma américain. C.D.R.

CALEF *(Henri), cinéaste français (Philipoli [*auj. *Plovdiv], Bulgarie, 1910-1994).* Ancien journaliste, il devient l'assistant d'André Berthomieu et de Pierre Chenal et passe à la réalisation en 1945 avec *l'Extravagante mission.* Il rencontre un soupçon de notoriété avec un film sur la délivrance d'un groupe de résistants par la RAF (*Jéricho,* 1946) et une adaptation balzacienne (*les Chouans,* 1947), dont les scénarios sont dus à Charles Spaak. Ses films suivants sont restés plus anonymes : *la Maison sous la mer* (1946), *les Eaux troubles* (1949), *la Souricière* (1950), *Ombre et lumière (id.), Les amours finissent à l'aube* (1952), *les Violents* 1957), *l'Heure de la vérité* (1964). Après *Féminin, féminin* (1971), il s'est consacré à la télévision et à la réalisation d'ouvrages historiques. C.O.

CALHERN *(Carl Henry Vogt,* dit *Louis), acteur américain (Brooklyn, N. Y., 1895 - Tōkyō, Japon, 1956).* Sans abandonner sa carrière théâtrale, très importante par ses interprétations de Shakespeare surtout, il débute au cinéma en 1921. Son physique, très tôt celui d'un homme mûr, une élégance et une distinction jamais démenties lui ont fait jouer les ridicules dans la comédie (*Soupe au canard,* L. McCarey, 1933 ; *Le ciel peut attendre,* E. Lubitsch, 1943) et, dans les drames, les caractères doubles (*Quand la ville dort,* J. Huston, 1950 ; *la Tour des ambitieux,* R. Wise, 1954), que son intelligence et sa finesse empêchent toujours de tomber dans la caricature. Il a conjugué théâtre et cinéma en tenant à la perfection le rôle de Jules César dans le film homonyme de Joseph L. Mankiewicz (1953). A.G.

CALHOUN *(Francis Timothy Durgin,* dit *Rory), acteur américain (Los Angeles, Ca., 1923).* Il débute à l'écran dans *Something for the Boys* (L. Seiler, 1944) et tient ses premiers rôles sous le nom de Frank McCown. Très vite typé, il incarne le plus souvent les têtes brûlées, les aventuriers virils et les mauvais garçons repentis. Dès 1949, il se spécialise dans le western, tournant notamment : *la Rivière des massacres* (*Massacre River,* John Rawlins, 1949), *le Gaucho* (J. Tourneur, 1952), *Rivière sans retour* (O. Preminger, 1954), *Quatre Tueurs et une fille* (R. Carlson, *id.*), *les Forbans* (*The Spoilers,* J. Hibbs, 1955), *Crépuscule sanglant* (*Red Sundown,* J. Arnold, 1956) et *l'Implacable Poursuite* (Carlson, 1958). Il produit *The Domino Kid* et *la Veuve et le Tueur (The Hired Gun),* tous deux réalisés par Ray Nazzaro en 1957, et collabore au scénario d'*Amour, fleur sauvage* (*Shotgun,* L. Selander, 1955). De 1958 à 1960, il anime la série TV *The Texan* avant d'entamer une carrière parallèle en Europe, où il tourne en particulier *le Colosse de Rhodes* (S. Leone, 1961), *Marco Polo* (H. Fregonese, 1962). Depuis l'extinction totale du western, il se consacre au film d'horreur. O.E.

CALIGARISME. Esthétique cinématographique fondée sur la prééminence du décor comme élément déterminant, née des recherches allemandes d'avant-garde dans les milieux du théâtre. *Le Cabinet du Dr Caligari* (R. Wiene, 1919) est à l'origine de cette tendance, qui est une des composantes de l'expressionnisme. Parmi les réussites les plus remarquables, on doit notamment citer, outre ce film, *Genuine* (1920) et *Raskolnikov* (1923) du même Robert Wiene, *le Cabinet des figures de cire* (P. Leni, 1924), *Faust* (F. W. Murnau, 1926). Une place particulière doit être faite au *Golem* (1920) de Paul Wegener et Carl Boese, le décorateur Hans Poelzig ayant conféré aux décors une ampleur architecturale qui abandonne l'aplat des conceptions précédentes et annonce dès 1920 une voie différente, plus riche, et spatialement cinématographique. C.M.C.

CALLEIA *(Joseph Spurin-Calleja,* dit *Joseph), acteur américain (Rabat, Malte, 1897 - id. 1975).* Il débute à l'écran en 1931 et joue d'abord les personnages un peu rastaquouères, mystérieux, à l'aspect menaçant. À la fois bandit masqué et propriétaire de saloon, entre Mae West qu'il aime et W. C. Fields qu'il roule, mais sauve de la corde, il parodie cet emploi dans *Mon petit poussin chéri* (E. Cline, 1940). Puis son allure fatiguée, son masque ravagé lui permettent des rôles empreints de plus d'humanité : le barman de *Gilda* (Ch. Vidor, 1946), le chef gitan de *l'Ardente Gitane* (N. Ray, 1956), le policier minable, à demi corrompu, de *la Soif du mal* (O. Welles, 1958), le maire de la bourgade de *Alamo* (J. Wayne, 1960) sont ainsi pétris d'un attachant mélange de faiblesse et de dignité. Il se retire de l'écran après *la Revanche du Sicilien* (W. Asher, 1963). G.L.

CALLES *(Guillermo,* dit *« El Indio »), acteur et cinéaste mexicain (Chihuahua 1893 - Mexico 1958).* Il fait carrière à Hollywood, dans des rôles d'Indien de western. Passé à la mise en scène, il exalte la dignité indienne, à une époque où le cinéma mexicain n'avait pas encore de véritable structure industrielle : *De raza azteca* (CO Miguel Contreras Torres, 1921), *El indio yaqui* (1926). C'est l'un des pionniers du parlant, avec *Dios y ley* (1929). P.A.P.

CALMETTES *(André), cinéaste et acteur français (Paris 1861 - id. 1942).* Acteur de théâtre pendant une vingtaine d'années, il devient, en 1908, directeur artistique et réalisateur du *Film d'Art* fondé par les frères Laffitte. À ce titre, il dirige en collaboration avec Le Bargy *l'Assassinat du duc de Guise* (1908). En trois ans (1909-1912), il fait évoluer à l'écran (dans un style outrageusement théâtral) des acteurs célèbres sur les planches : Sarah Bernhardt, Réjane, Mounet-Sully, dans des adaptations *(Oliver Twist, Carmen, Athalie, Hamlet, Macbeth, la Tosca, Madame Sans-Gêne, Résurrection, la Dame aux camélias).* À partir de 1913, il se consacre à nouveau au théâtre et n'apparaît plus au cinéma que comme acteur, notamment dans *le Petit Chose* (André Hugon, 1923). R.C.

CALVO *(Pablo,* dit *Pablito), acteur espagnol (Madrid 1946).* Il devient, à huit ans, la vedette d'un des *sommets* du film religieux, typique de l'époque « national-catholique » du franquisme : *Marcelino, pain et vin* (*Marcelino, pan y vino,* Ladislao Vajda, 1954), histoire morbide d'un enfant qui demande au Christ de mourir pour rejoindre sa mère au paradis. Avec le même metteur en scène, il tourne encore *Mi tío Jacinto* (1956) et *Un ángel pasó por Brooklyn* (1957). Il est bientôt rejoint par d'autres enfants prodiges et bénisseurs typiques du cinéma espagnol, prêchant comme lui les bons sentiments, tels que Joselito et Marisol. P.A.P.

CAME. Sur les caméras et sur certains projecteurs, pièce mobile, généralement de forme triangulaire à angles arrondis, tournant à vitesse constante à l'intérieur d'un évidement pratique dans le porte-griffes, dont elle provoque la descente, puis le retrait, puis le retour en position initiale. (→ CAMÉRA.)

CAMÉFLEX → CAMÉRA.

CAMÉO. Rôle très bref, parfois non crédité, généralement tenu par un acteur connu. On dit aussi *guest appearance.* Souvent les *acteurs* ainsi « invités » le sont pour renforcer le box-office potentiel du film.

CAMÉ SIX → CAMÉRA.

CAMÉ 300 REFLEX → CAMÉRA.

CAMÉRA. En cinéma et en vidéo, appareil de prise de vues. (En anglais, ce terme désigne également les appareils de prise de vues photographiques.) ‖ Appareil servant à enregistrer le négatif son.

Les appareils de prise de vues sont les descendants de l'ancienne *chambre noire,* en italien *camera oscura.* En français, *caméra* est aujourd'hui réservé à l'enregistrement du mouvement (cinéma ou télévision) ; en anglais, *camera* désigne également les appareils photographiques.

Les éléments essentiels d'une caméra sont : l'objectif, l'obturateur, le couloir et le mécanisme d'entraînement intermittent du film.

Ce mécanisme est l'organe le plus délicat, il diffère d'une caméra à l'autre. Son mouvement n'intéresse que la petite portion du film comprise dans le couloir.

Le couloir exige une grande précision d'usinage et d'entretien, c'est la pièce qui sert de guide et de positionnement du film par rapport à l'objectif. Durant son parcours dans la caméra, c'est le seul moment où l'émulsion du film est en contact avec une surface métallique. Il comporte une fenêtre, dite de prise de vues, au format image normalisé, parfaitement centrée sur l'axe de l'objectif.

Dès que le film est immobilisé, l'obturateur s'ouvre, les rayons lumineux issus de l'objectif impressionnent le film. Après cette phase d'*exposition,* l'obturateur s'interpose entre objectif et film. Ce dernier, désormais à l'abri de la lumière, avance de la longueur requise pour que les images enregistrées ne se chevauchent pas (c'est la phase d'*escamotage*), puis il s'immobilise à nouveau, etc.

Mécanisme de mouvement intermittent. Cette avance intermittente est assurée grâce au mécanisme de la *griffe,* qui constitua un des apports majeurs des frères Lumière à l'invention du cinéma. Une *came,* triangulaire courbe, dite de Trezel, tourne à vitesse constante à l'intérieur d'un évidement pratiqué dans le *porte-griffe,* susceptible de se mouvoir dans son propre plan et qui porte à son extrémité une ou plusieurs *griffes* en acier, usinées avec précision afin de pouvoir pénétrer dans les perforations sans les détériorer.

La figure montre le déroulement d'un cycle, en partant du moment où la griffe vient de s'engager dans une perforation. La came provoque d'abord la descente de la griffe, ce qui entraîne l'avance du film. La griffe se retire

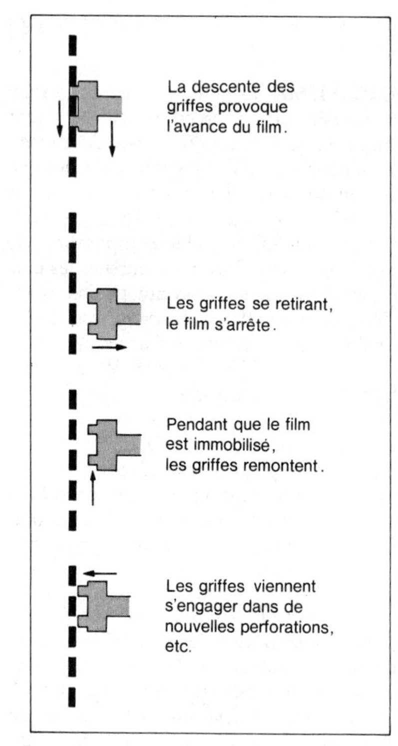
La descente des griffes provoque l'avance du film.
Les griffes se retirant, le film s'arrête.
Pendant que le film est immobilisé, les griffes remontent.
Les griffes viennent s'engager dans de nouvelles perforations, etc.

Caméra. *Avance intermittente du film par le mécanisme de la griffe.*

ensuite de la perforation, le film restant immobilisé grâce au *presseur* dorsal qui le plaque contre la fenêtre et lui assure une bonne planéité. La griffe remonte ensuite, dégagée du film, au niveau où elle se trouvait initialement. Elle s'engage alors à nouveau dans une perforation, etc.

La fraction de la durée d'un cycle consacrée à la descente de la griffe dépend de la conception et du dessin de la came. Sur la plupart des caméras, le temps d'exposition représente à peu près la moitié de la durée d'un cycle.

Sur les caméras d'amateur et sur certaines caméras professionnelles légères, l'immobilisation du film pendant la phase d'exposition est assurée uniquement grâce à la pression exercée par le presseur. (Cette pression doit être réglée avec soin : assez forte pour immobiliser le film pendant cette phase, assez faible pour le laisser avancer quand la griffe l'entraîne.)

Si l'on veut obtenir une très grande fixité de l'image, ce qui est nécessaire en particulier pour la réalisation de certains trucages, on a recours à une *contre-griffe,* au mouvement comparable à celui de la griffe, à ceci près qu'il se limite à un va-et-vient. La contre-griffe pénètre dans une perforation dès que le film s'immobilise et la maintient donc parfaitement en place, puis se retire dès que la griffe va entamer sa descente.

Le film vierge provient de la bobine *débitrice ;* après avoir été impressionné, il va s'enrouler sur la bobine *réceptrice.* En Super 8, la bobine débitrice n'excède pas quelques dizaines de grammes : la griffe suffit alors à *tirer* le film. En 16 mm ou en 35 mm, les bobines sont trop lourdes pour que l'on puisse agir ainsi. Le film est entraîné, avant et après le couloir, par des *débiteurs* dentés tournant à vitesse constante. La traction exercée sur le film est ainsi à la fois continue et répartie sur plusieurs perforations, et la griffe n'a plus à entraîner que la faible longueur de film comprise entre les débiteurs. (Les caméras modernes emploient un seul débiteur de grand diamètre, utilisé dans sa partie supérieure pour *tirer* le film et dans sa partie inférieure pour l'entraîner vers la bobine réceptrice.) Cela implique de ménager deux *boucles* entre les débiteurs et le couloir : à chaque cycle, la boucle supérieure s'allonge un peu quand le film est immobilisé dans le couloir puis se résorbe quand la griffe entraîne le film, et vice versa pour la boucle inférieure.

Un système de friction réglable retient en permanence la bobine débitrice, afin d'éviter le déroulement intempestif du film. La bobine réceptrice, elle, doit être entraînée afin d'assurer le rembobinage du film, et ce à vitesse variable puisque le diamètre des spires croît à mesure que la bobine se remplit : on fait pour cela patiner sur son axe la courroie d'entraînement qui vient du moteur. (L'engorgement accidentel du circuit du film dans la caméra provoque l'arrêt de la caméra par *bourrage.*)

Les caméras professionnelles sont équipées d'un obturateur *à disque,* souvent composé de deux demi-disques susceptibles de pivoter l'un par rapport à l'autre de façon à présenter une ouverture angulaire réglable, l'ensemble effectuant un tour par image. Le temps d'exposition est directement proportionnel à l'ouverture angulaire : pour la cadence normale de 24 images/seconde, il vaut 1/48 de seconde pour une ouverture de 180°, 1/50 de seconde pour une ouverture de 170°, etc. L'ouverture maximale est généralement de 180°, mais elle atteint 230° sur certaines caméras, ce qui augmente sensiblement le temps d'exposition (près d'un tiers en plus par rapport à une ouverture de 180°). Le réglage de l'ouverture ne peut généralement s'effectuer qu'à l'arrêt, sauf sur certaines caméras où il permet alors d'obtenir directement à la prise de vues des effets tels que : ouverture au noir, fermeture au noir, voire fondu enchaîné par combinaison des deux effets précédents. (L'obturateur est parfois à pales symétriques : il comporte deux ouvertures symétriques et il effectue un tour pour deux images. La symétrie du dispositif facilite l'amortissement des vibrations.)

Pour remplir correctement leur office, les obturateurs rotatifs doivent avoir leur axe de rotation aussi éloigné que possible de l'axe de la fenêtre, ce qui implique des disques de grand diamètre. L'obturateur *à guillotine,* qui n'est autre — dans son principe — qu'un rectangle animé d'un mouvement de va-et-vient devant la fenêtre, est bien moins encombrant, mais l'image est exposée un peu inégalement, puisque la partie de la fenêtre démasquée en premier est aussi masquée en dernier. On le trouve sur les caméras d'amateur et sur certaines caméras semi-professionnelles.

Les caméras étaient initialement entraînées à la main, l'opérateur s'efforçant de tourner la manivelle le plus régulièrement possible. (Un truc classique, pour parvenir à cette régularité, consistait à siffloter une marche, par exemple *Sambre et Meuse.*)

Quand vint le parlant, qui exigeait une vitesse parfaitement constante, le moteur électrique s'imposa. Aujourd'hui, les caméras professionnelles sont toutes susceptibles de recevoir, selon les besoins, divers types de moteurs, alimentés soit à partir du secteur, soit (plus généralement) par batteries ou accumulateurs. (Pour le reportage, on se sert usuellement de batteries-ceintures, portées autour de la taille. Il existe aussi des batteries légères, enfichables sur la caméra elle-même.) Pour filmer en son synchrone, on emploie presque toujours soit des moteurs à vitesse parfaitement régulée délivrant une *fréquence pilote,* soit des moteurs à quartz, qui évitent toute liaison entre caméra et magnétophone. (→ REPIQUAGE.)

Pour le reportage, on a beaucoup utilisé l'entraînement par ressort remonté à la main. Le temps de fonctionnement est limité (en général, une trentaine de secondes) et la vitesse n'est qu'approximativement constante (ce qui interdit le son synchrone). En revanche, cet entraînement est peu encombrant, peu coûteux, léger, totalement autonome, ce qui est un avantage sur le moteur électrique qui exige une source d'énergie, soit piles, soit accumulateurs qu'il faudra recharger. Impossible en expédition, en brousse ou en montagne.

Bobines, chargeurs, magasins. *Charger* la caméra consiste à mettre en place le film depuis la bobine débitrice jusqu'à la bobine réceptrice en passant par les débiteurs et le couloir. Le *déchargement* consiste à mettre en boîte le film impressionné.

Les caméras 16 mm légères – et certaines caméras 35 mm de reportage, telle l'Eyemo – emploient des bobines à flasques pleines contenant 30 mètres de film (parfois 60 m) et permettant le chargement dit *plein jour :* si la partie du film déroulée pour le chargement est évidemment voilée, le reste de la bobine est en effet protégé de la lumière par les flasques et par les premières spires du film.

À la cadence normale de 24 images/seconde, 30 mètres de film n'assurent qu'une autonomie d'environ deux minutes et demie en 16 mm et une minute en 35 mm, ce qui est insuffisant, sauf éventuellement pour le reportage. La capacité normale des caméras est de 120 mètres en 16 mm et 300 mètres en 35 mm, ce qui assure dans les deux cas une autonomie d'environ dix minutes. Le film est alors conditionné en galettes (on continue néanmoins de parler de *bobine débitrice* et de *bobine réceptrice*) contenues soit dans des chargeurs, soit dans des magasins. (À vrai dire, le vocabulaire est hésitant : les chargeurs sont souvent appelés magasins.)

Les *chargeurs* contiennent non seulement les bobines débitrice et réceptrice, soit juxtaposées, soit coaxiales, mais aussi les débiteurs : il ne reste sur la caméra que le couloir et le mécanisme d'avance intermittente, ainsi que le moteur proprement dit. Ils permettent de ce fait un chargement très rapide, particulièrement lorsqu'ils sont à enclenchement automatique. Ce n'est pas un hasard si les caméras à chargeurs (Arriflex, Éclair 16, Caméflex, etc.) sont des caméras conçues à l'origine pour le reportage ou l'actualité, et c'est souvent par le chargeur que les caméras portables prennent appui sur l'épaule. (Le Super 8 utilise des chargeurs simplifiés dépourvus de débiteurs.)

Les *magasins,* bien antérieurs aux chargeurs, ne contiennent aucun mécanisme : il faut donc effectuer manuellement le chargement. Il existe des magasins *indépendants* (par ex. pour la Debrie ou la Camé 300), qui contiennent indifféremment la bobine débitrice ou la bobine réceptrice, et des magasins *monobloc* qui contiennent les deux bobines : une boucle de film sort alors du magasin pour permettre le chargement.

Chargeurs et magasins doivent être chargés dans le noir, pour ne pas voiler la pellicule. Faute de chambre noire, on se sert du *charging bag,* grand sac étanche à la lumière et où l'on peut glisser les bras.

L'optique. Les caméras professionnelles sont toutes à objectif interchangeable. La *monture,* c'est-à-dire le dispositif de fixation de l'objectif sur la pièce qui le supporte, est généralement du type *baïonnette* (comme sur les appareils photographiques 24 × 36), chaque marque ayant sa propre monture. (Dans certains cas, on peut monter l'objectif sur une caméra d'une autre marque grâce à une pièce d'adaptation.) Un certain nombre de caméras 16 mm utilisent une monture à vis normalisée, dite *monture C.*

Autrefois, les caméras de reportage étaient couramment dotées d'une *tourelle,* pièce rotative supportant généralement trois objectifs et qui permettait un changement d'objectif quasi instantané. Cette conception tend à disparaître depuis l'apparition des *zooms.*

La mise au point s'effectue généralement par rotation de la bague de réglage de l'objectif. Sur les grosses caméras de studio, où l'accès à l'objectif est entravé par le dispositif d'insonorisation (voir plus loin), elle s'effectue par avance ou recul de tout l'objectif, ce mouvement étant commandé par un bouton reporté à l'extérieur du caisson d'insonorisation.

La visée. Le *viseur* permet à l'opérateur de voir le champ filmé.

Les premières caméras avaient un viseur *à cadre,* composé d'un cadre métallique fixé à l'avant de l'appareil et d'un œilleton (ici : un simple trou dans une plaquette) fixé à l'arrière de l'appareil. Vint ensuite le viseur *type Newton,* moins rudimentaire, qui comporte à l'avant une lentille divergente rectangulaire et, à l'arrière, une lentille convergente servant d'œilleton. Des caches de différentes tailles, ou des repères gravés sur la lentille antérieure, délimitent les champs des divers objectifs possibles. Le gros défaut de ce viseur est son manque de précision lors de l'emploi de longues focales, car l'image observée est alors minuscule. Le viseur *optique* améliore le précédent : un système optique antérieur, interchangeable en fonction de l'objectif en service, fournit une image de taille constante, quel que soit le champ embrassé. (Sur certaines caméras, ce type de viseur fournissait une image aérienne [→ OPTIQUE GÉOMÉTRIQUE] observable à une certaine distance, ce qui évitait d'avoir à coller l'œil à l'œilleton.)

Tous ces viseurs extérieurs présentent l'inconvénient d'introduire un décalage (appelé *parallaxe*) entre l'image vue dans le viseur et l'image filmée. En modifiant l'orientation du viseur, on peut corriger cette parallaxe pour une distance donnée, mais on perd alors le cadrage relatif entre premier plan et arrière-plan.

Pour remédier à ce défaut, on imagina dans les années 20 d'observer directement l'image fournie par l'objectif grâce à un verre dépoli placé dans le couloir à la place du film. Cela permettait bien de contrôler le cadrage et la mise au point *avant* et *après* la prise de vues mais non pendant celle-ci, sauf sur certaines caméras où le système de visée traversait la caméra jusqu'au couloir, permettant ainsi à l'opérateur de suivre l'image par transparence à travers le film, qui jouait alors le rôle de dépoli. Cette pratique, peu commode car l'image observée était très peu lumineuse, fut condamnée par l'introduction des couches antihalo (→ FILM) opaques.

La solution définitive était la *visée reflex.* Dans la visée reflex *continue,* une mince lame de verre inclinée à 45° ou un prisme diviseur, placé entre objectif et film, dévie en permanence vers le viseur une petite fraction des rayons lumineux. Simple, ce dispositif réduit malheureusement l'éclairement reçu par le film, et l'image de visée est peu lumineuse. Dans la visée reflex *intermittente,* inaugurée par Arriflex et adoptée aujourd'hui sur toutes les caméras professionnelles, un miroir orienté à 45° dévie totalement le faisceau lumineux mais uniquement pendant l'escamotage du film. Il en résulte un certain *scintillement* mais les inconvénients de la visée reflex continue sont éliminés. Usuellement, le miroir incliné à 45° est solidaire de la pale de l'obturateur. On peut aussi employer un miroir oscillant indépendant de l'obturateur, voire un miroir à 45° monté sur l'obturateur à guillotine. Sur certaines caméras, la lunette de visée (c'est-à-dire l'ensemble optique qui véhicule jusqu'à l'œil de l'opérateur l'image captée par le miroir) peut être remplacée par un petit tube vidéo de prise de vues : cela permet d'observer l'image *à distance,* sur un écran de type télévision.

Caméras muettes et sonores. À l'époque du muet, le bruit de la caméra n'avait aucune importance, de sorte qu'on aborda le cinéma parlant sans disposer de caméras silencieuses. Aux tout débuts, on enferma caméra et opérateur dans un caisson insonorisé, ce qui interdisait tout mouvement d'appareil. Pour rendre sa liberté à la caméra, on imagina d'abord le *blimp,* caisson insonorisant adaptable qui épouse les formes de la caméra, les commandes essentielles (mise au point, diaphragme) étant prolongées à l'extérieur du blimp, de même que le viseur. Le blimp est toujours d'emploi courant car il permet un double usage des caméras portables mais bruyantes : sans blimp (la caméra étant alors très maniable), pour les scènes – les extérieurs par exemple – où le son sera de toute façon reconstitué en studio ; avec blimp, quand on tourne en son direct.

L'autre solution, imaginée presque en même temps, revient à incorporer le blimp, par construction, à la caméra. Cette dernière comporte deux coques, les organes bruyants (et notamment le mécanisme d'avance intermittente) se trouvant à l'intérieur de la coque centrale. Pour accéder au film, il faut ici ouvrir successivement deux portes.

Ces deux solutions conduisent à des appareils lourds et encombrants. Or, vers les années 60 apparut le besoin (en particulier pour les reportages de télévision) d'une caméra à la fois portable et suffisamment silencieuse pour permettre l'enregistrement direct du son. En redessinant les organes générateurs de bruit, les constructeurs aboutirent, d'abord en 16 mm puis en 35 mm, à des caméras *autosilencieuses.* (Certaines ne sont que partiellement silencieuses et nécessitent, pour le tournage en son direct, de *blimper* tel ou tel organe : magasin, moteur, objectif.) Conjuguant maniabilité et silence, ces caméras ne sont toutefois pas vraiment aussi silencieuses que les caméras blimpées ou à double coque, qui demeurent donc les caméras normales du studio.

Par un retournement amusant (mais logique) du vocabulaire, on qualifie de *muettes* les caméras bruyantes et de *sonores* les caméras... silencieuses.

Accessoires. En plus des accessoires déjà décrits (moteur, viseur, etc.) et des accessoires évidents tels que poignée ou bien commande de mise en marche, les caméras comportent un nombre variable d'accessoires divers, par exemple :

– *compteur* qui indique le métrage de film consommé ;
– *porte-filtre* et *parasoleil* ;
– *repère,* symbolisé ∅, indiquant la position du plan du film, puisque les distances de mise au point se comptent à partir de ce plan ;
– *tachymètre,* indiquant la cadence de prises de vues ;
– *claquette automatique* (petite lampe voilant une image pendant qu'est émis un signal enregistré sur le magnétophone → REPIQUAGE) ;
– *report des distances* de mise au point et des graduations du diaphragme.

Brève histoire des caméras. Un certain nombre de caméras ont marqué l'histoire du cinéma.

L'ère des caméras à caisse de bois, inspirées des modèles qui avaient permis l'invention du cinéma, dura jusqu'après la Première Guerre mondiale ; une des plus répandues (elle filma notamment *Naissance d'une nation*) fut la française *Pathé,* dérivée du Cinématographe Lumière. Les premières caméras *modernes* apparurent d'abord un peu avant la guerre avec l'américaine *Bell et Howell* de studio (détrônée plus tard par la Mitchell) et, surtout, au début des années 20, avec la *Parvo,* due au Français A. Debrie*, et avec la *Mitchell* (« Standard » puis « NC »), due à l'Américain G. Mitchell*. Ces deux dernières caméras, et leurs descendantes, furent diffusées (et souvent copiées) dans le monde entier. (De cette époque date également la *Camé Six,* de la firme française Éclair, encore recherchée de nos jours pour certaines utilisations particulières.)

L'ère du parlant arrivée, les grandes caméras silencieuses de studio furent d'abord la *Superparvo* (1933) et la *Mitchell BNC* (1934). Après guerre, apparut la *Camé 300 Reflex,* de la famille des caméras dues au Français André Coutant*. Aujourd'hui, parallèlement à Mitchell (qui propose depuis une dizaine d'années la visée reflex), les deux grandes caméras de studio sont la Panavision*, relativement récente, et l'*Arriflex* (voir ci-dessous) blimpée.

Dans le domaine du reportage, et donc des caméras portables, on citera : la très légère *Eyemo* à ressort de Bell et Howell (1926) ; l'*Arriflex,* due aux Allemands August Arnold* et Robert Richter*, qui introduisait dès 1937 la visée reflex ; la *Caméflex,* due à Coutant, qui comportait comme l'Arriflex la visée reflex et l'entraînement électrique. (Tous ces modèles furent proposés en version 35 mm et en version 16 mm, la Bell et Howell 16 mm – toujours fabriquée – s'appelant *Filmo.*)

Si l'Eyemo, en raison de sa très faible autonomie, ne fut jamais qu'une caméra de reportage, Arriflex et Caméflex ont été et restent couramment employées, avec ou sans blimp, pour le tournage des films de fiction. La *Mitchell Mk2* appartient à cette famille des caméras portables.

La première caméra portable « autosilencieuse », et qui connut de ce fait une très large diffusion, fut l'*Éclair* 16 mm de Coutant (souvent appelée « Coutant 16 »). De nombreux autres modèles apparurent ensuite, dont l'*A. C. L.* 16 mm dérivée de l'Éclair. En 35 mm, les deux grands noms dans ce domaine sont la *Panaflex* de Panavision et l'*Arri BL* d'Arriflex. Aaton, constructeur français, propose également un modèle portable, de grande légèreté.

En 16 mm, trois caméras semi-professionnelles ont été abondamment utilisées par les expéditions, scientifiques ou autres, les ethnographes, etc. : la suisse *Paillard Bolex* et les françaises *Pathé Webo* et *Beaulieu.*

Gardons-nous d'oublier, même si elle appartient depuis trente ans à l'histoire, l'extraordinaire caméra tripack Technicolor. (→ CINÉMA EN COULEURS.)

Plus récemment, au début des années 80, en raison de l'amélioration des émulsions négatives, il est devenu possible d'agrandir en 35 mm, dans de bonnes conditions de qualité, des films tournés en 16 mm (« gonflage 16 en 35 »). Le format exploité en 35 mm à cette époque était plutôt le 1,66 alors que celui du 16 mm était le 1,33 (→ FORMAT). En élargissant la fenêtre de caméra côté piste sonore (inutilisée sur un négatif image), il est possible d'élargir le format de prises de vues 16 mm au rapport 1,66. Aaton, qui a adapté ses caméras 16 mm et développé des modèles mixtes 16 / Super 16, est devenu le principal constructeur mondial de ce type de caméras, également construites par Arriflex et, plus récemment, par Panavision.

Les programmes produits au nouveau format vidéo 16/9 (images enregistrées au rapport 1,78) emploient largement le format Super 16, dont les images enregistrées au rapport 1,66 sont suffisamment voisines pour être compatibles.

Les caméras spéciales. Pour obtenir un ralenti, à des fins soit narratives, soit scientifiques (analyse de mouvements très rapides), il faut élever la cadence de prises de vues. L'avance intermittente ne permet pas de dépasser environ 300 images/seconde en 35 mm, environ 600 images/seconde en 16 mm, puisque la longueur de film à entraîner à chaque cycle est sensiblement moitié moindre qu'en 35 mm. (Les caméras usuelles disposent souvent d'une vitesse variable, mais celle-ci ne dépasse généralement pas de 60 à 100 images/seconde. Au-delà, il faut des caméras spéciales.)

Pour les cadences supérieures, on utilise le *défilement continu* du film. Dans les appareils *à compensation optique,* un dispositif rotatif (lame à faces parallèles ou miroirs) dévie l'image fournie par l'objectif de façon que celle-ci suive le film pendant la phase d'exposition. On atteint ainsi plusieurs milliers d'images par seconde. Pour aller plus loin, on ne cherche plus à stabiliser l'image par rapport au film : grâce à une série d'éclairs lumineux extrêmement brefs, le film enregistre *au vol* des instantanés successifs. On atteint ainsi plusieurs millions d'images par seconde.

Visée vidéo. L'implication de plus en plus étroite de la vidéo et de l'informatique au stade de la production et de la post-production ont amené les constructeurs de caméras films à adapter sur certains de leurs modèles, notamment 35 mm, une reprise ou « visée vidéo ». Ce dispositif ne transforme certes pas la caméra film en caméra de télévision. Il s'agit d'une adaptation permettant, sur les lieux du tournage, de faire apparaître sur un moniteur le champ enregistré par la caméra film. La qualité des signaux vidéo ainsi obtenus est bien inférieure à ceux fournis par une caméra vidéo, et ils ne peuvent être exploités qu'à titre de signaux témoins.

Les caméras d'*animation,* conçues pour filmer vue par vue, ne diffèrent pas fondamentalement des caméras usuelles, sinon par le soin apporté à ce que le temps d'exposition soit rigoureusement identique d'une image à l'autre. Le contrôle des mouvements des caméras de trucages («Motion Control») est assuré par un ordinateur qui gère grâce à des moteurs (pas à pas ou continu) toute la séquence d'une prise de vues : du fonctionnement de la caméra à son déplacement dans l'espace d'un plateau, quels qu'en soient la cadence d'obturation, le mode de fonctionnement (image/image, continu) ou le sens de défilement (AV ou AR). Cette technique est la seule qui permette le mélange des prises de vues réelles avec des images de synthèse, la juxtaposition de deux prises de vues faites à des échelles et dans des lieux différents. Ces systèmes sont en général d'imposantes structures installées à poste fixe sur un plateau. ACME Films à Paris a développé le seul système transportable pouvant être utilisé en extérieur.

Toutes les caméras évoquées dans ce chapitre enregistrent des images. On appelle également *caméra* l'appareil servant à enregistrer le négatif sonore à partir de la bande magnétique issue du *mixage**. J.P.F./J.M.G.

CAMERAMAN. Mot anglais fam. pour désigner un technicien de l'équipe de prise de vues. En français, syn. littéraire de *cadreur.*

CAMERINI *(Mario), cinéaste italien (Rome 1895 - Gardone Riviera 1981).* D'abord assistant de son cousin Augusto Genina, il dirige un documentaire sur le cirque (*Jolly, clown da circo,* 1923) et l'un des derniers *Maciste* muets (*Maciste contro la sceicco,* 1924), puis un film quasi expérimental, *Rotaie* (1929), sonorisé après coup. Il trouve sa voie dans une série de comédies mi-sentimentales, mi-ironiques, peintures pleines de justesse d'une petite-bourgeoisie qui, faute de pouvoir lutter contre le fascisme, cherche un dérivatif dans une fantaisie inspirée du modèle hollywoodien mais dont le mode de tournage, en décors réels, annonce le néoréalisme. Brillamment inaugurée par *Les hommes, quels mufles !,* qui révèle en outre l'acteur Vittorio De Sica, la série se poursuit avec succès jusqu'à la guerre ; Camerini doit alors se rabattre sur des adaptations littéraires qui restent d'une grande élégance. La Libération le trouve en porte-à-faux : cet homme affable, qui s'est néanmoins opposé au fascisme, voit aussi s'écrouler le monde en demi-teinte où il puisait la substance de ses films. Il appliquera encore son métier sans faille à des films policiers, à des récits d'aventures, à une adaptation très intelligente d'Homère par Irvin Shaw et quelques autres scénaristes, voire à un pâle pastiche des deux films *hindous* de Fritz Lang. Mais son talent s'y dépersonnalise de plus en plus. Au début des années 70, Camerini prend sa retraite et se consacre essentiellement à la cinémathèque de Milan, qu'il a contribué à fonder. G.L.

Films : *Rails* (*Rotaie,* 1929) ; *Les hommes, quels mufles !* (*Gli uomini, che mascalzoni !,* 1932) ; *le Tricorne/ le Chapeau à trois pointes* (*Il cappello a tre punte,* 1934) ; *Je donnerai un million* (*Darò un milione,* 1935) ; *Mais ça n'est pas une chose sérieuse* (*Ma non è una cosa seria,* 1936) ; *Monsieur Max* (*Il signor Max,* 1937) ; *Battement de cœur* (*Batticuore,* 1938) ; *Grands Magasins* (*Grandi magazzini,* 1939) ; *les Fiancés* (*I promessi sposi,* 1941) ; *Une histoire d'amour* (*Una storia d'amore,* 1942) ; *Je t'aimerai toujours* (*T'amerò sempre,* 1944 ; remake d'un film tourné en 1933 sous le même titre) ; *Deux Lettres anonymes* (*Due lettere anonime,* 1945) ; *la Fille du capitaine* (*La figlia del capitano,* 1947) ; *l'Ombre du passé* (*Molti sogni per le strade,* 1948) ; *Mara, fille sauvage* (*Il brigante Musolino,* 1950) ; *Ulysse* (*Ulisse,* 1954) ; *Par-dessus les moulins* (*La bella mugnaia,* 1955) ; *la Rue des amours faciles* (*Via Margutta,* 1960) ; *Chacun son alibi* (*Crimen,* id.) ; *les Guérilleros* (*I briganti italiani,* 1962) ; *Kali Yug, déesse de la vengeance* (*Kali Yug, la dea della vendetta,* 1963) ; *le Mystère du temple hindou* (*Il mistero del tempio indio,* 1964) ; *Delitto quasi perfetto* (1966).

CAMERON *(James), cinéaste américain d'origine canadienne (Kapuskasing, Ont., 1954).* Cet ancien étudiant en physique était taraudé par l'envie d'écrire des scénarios. C'est ainsi qu'il a débuté dans le cinéma, vers 1980, acquérant vite la réputation d'un excellent *script doctor,* venant au dernier moment, sans être mentionné au générique, sauver des scénarios défaillants. Après l'assez obscur *Piranhas II* (*The Spawning,* 1982), sa carrière de réalisateur prit tout de suite de l'ampleur avec *Terminator* (*The Terminator,* 1984). À partir d'un bon postulat de science-fiction, Cameron y affirmait sa poigne très forte dans les scènes d'action, son goût pour les effets spéciaux et une inspiration très sombre. Ces qualités faisaient également la valeur de *Aliens* (1986), deuxième volet de la trilogie, très violent, très féminisé, où le style de Cameron, taillé à la serpe, privilégiant les fragments ou les scènes par rapport au plan, prenait corps. *Abyss* (*The Abyss,* 1989) déçut les financiers : les effets spéciaux, la vigueur de la mise en scène, un tournage difficile presque entièrement sous-marin étaient au service d'une histoire d'amour au bord du merveilleux. On prit cela pour de la mièvrerie alors qu'il s'agissait peut-être du meilleur film de Cameron, le seul où l'on puisse sentir une sensibilité réelle sous le métier impressionnant. Par contre, *Terminator 2 : le jour du jugement* (*Terminator 2 : Judgement Day,* 1991) affadissait sérieusement le postulat apocalyptique du premier volet en faisant d'Arnold Schwarzenegger le héros d'une histoire dont il fut d'abord le mémorable méchant. Porté par ses effets spéciaux saisissants, le film fut cependant un grand succès. Malgré *True Lies* (*id.,* 1994), remake survitaminé de *la Totale* de Claude Zidi, James Cameron s'est affirmé comme un cinéaste original dans le domaine réservé de la science-fiction. Marié à la cinéaste Kathy Bigelow, il est le producteur du film de celle-ci *Extrême Limite* (*Point Break,* 1991). C.V.

CAMEROUN. Ancien territoire sous double mandat franco-britannique, territoire ensuite associé à l'Union française (1946), ce pays, qui est demeuré bilingue, accède à l'indépendance en 1960. Une série de courts métrages traite de manière récurrente des liens avec la France, comme la vie des étudiants à Paris, mais on ne peut rien en retenir d'important. Ce n'est qu'en 1973 qu'un moyen métrage de Daniel Kamwa, *Boubou Cravate* (en français), amorce une tentative de fiction critique. *Muna Moto,* c'est-à-dire en douala «l'enfant de l'autre», est le premier long métrage camerounais dû à un jeune dramaturge, Jean-Pierre Dikongué-Pipa (1976). Les films suivants sont parlés en français, avec quelques répliques en langues diverses : *Pousse-pousse,* de Kamwa (LM, 1976), qui reprend avec succès, après *Muna Moto,* le thème de *l'achat* d'une épouse, mais sur le mode de la comédie, ou *le Prix de la liberté* (la «liberté» de la femme dans la société camerounaise), deuxième long métrage de Dikongué-Pipa (1978). C.M.C.

CAMINO *(Jaime), cinéaste espagnol (Barcelone, Catalogne, 1936). España otra vez* (1968), au scénario duquel collabore Alvah Bessie, suit les traces d'un ancien combattant des Brigades internationales qui revoit Barcelone trente ans après la fin de la guerre civile. Sujet audacieux pour l'époque, gâché par les contraintes commerciales et de censure. *Les Longues Vacances de 36* (*Las largas vacaciones del 36,* 1976) montre cette même guerre vécue dans le camp républicain et vue par un groupe d'adolescents. Plus intéressant encore est le documentaire *La vieja memoria* (1978), confrontation dialectique des souvenirs d'anciens franquistes et républicains de diverses tendances. En 1984, il réalise *El balcón abierto*, en 1986 *Dragon Rapide* et, en 1988, *Luces y sombras.* Il entreprend en 1991 un grand film en deux parties sur la guerre d'Espagne, *El largo invierno.* P.A.P.

CAMION-SON. Autrefois, camion aménagé pour l'enregistrement du son direct dans les tournages en extérieur. (→ PRISE DE SON.)

CAMPANINI *(Carlo), acteur italien (Turin 1906 - Rome 1984).* Dans une carrière partagée entre le théâtre dialectal, la revue, l'opérette et le cinéma, Campanini a imposé un personnage tour à tour exubérant et mélancolique. Partenaire à la scène ou à l'écran de Macario, Walter Chiari, Totò, Ugo Tognazzi, Tino Scotti, Campanini est le grand acteur de second plan qui réussit par sa présence et sa chaleur humaine à caractériser un personnage, même en très peu de scènes. Parmi ses rôles à l'écran, où il débute en 1939 dans *Lo vedi come sei ?* de Mattoli, on peut retenir *Adieu jeunesse* (F. M. Poggioli, 1940), *Giorno di nozze* (R. Matarazzo, 1942), *Il birichino di papa* (*id.*, 1943), *le Bandit* (A. Lattuada, 1946), *O. K. Neron* (M. Soldati, 1951) et, surtout, *Le miserie del Signor Travet* (*id.*, 1946), où il fait de son personnage d'employé de bureau un archétype humanisé. J.-A.G.

CAMPION *(Jane), réalisatrice néo-zélandaise (Wellington 1954).* Anthropologue de formation, elle suit, après quelques expériences théâtrales, les cours de la Film and TV School de Sidney en Australie. Elle y réalise ses premiers courts métrages *Peel* (1981), *Passionless Moments* (1984), *A Girl's Own Story* (1985). Elle s'impose à l'attention de la critique internationale avec *Two Friends* (1986) et surtout avec *Sweetie* (1989), film très controversé mais à l'indéniable qualité de réalisme, *Un ange à ma table* (*An Angel at My Table* (1990) très remarqué au Festival de Venise et *la Leçon de piano* (*The Piano,* 1993) qui remporte la Palme d'or au Festival de Cannes. B.G.

CAMPOS *(Antônio), cinéaste et chef opérateur brésilien (Silvestre de Ferraz, Minas Gerais).* Dentiste, enseignant, photographe, musicien, comédien, il est le premier à faire du cinéma à São Paulo. Il adapte en 1905 un projecteur Pathé pour la prise de vues. Sa première œuvre de fiction, *O Diabo* (1908) est probablement inspirée de Méliès. Il crée un laboratoire pour la «confection de films d'après nature, industriels, théâtraux et de réclame». Avec Vittorio Capellaro, il porte à l'écran des romans, un peu à la manière du Film d'Art : *Inocência* (1915) d'après Taunay et *O Guarany* (1916) d'après José de Alencar. Campos est aussi bien scénariste que photographe. *O Curandeiro* (1917), qu'il tourne seul, inaugure une originale série d'études des «us et coutumes du sertão» (intérieur du nord-est du pays). Vers 1922, il abandonne son activité multiple et devient l'organisateur de la censure. P.A.P

CAMPOS *(António) cinéaste portugais (Leiria 1922).* Après plusieurs courts métrages (*Um Tesouro,* 1958 ; *A Almadraba Atuneira,* 1961 ; *Leiria 1961, id.* ; A Invenção de Amor, 1965 ;

Chagall, 1966 ; *Colagem,* 1967), il aborde le documentaire de long métrage et s'impose comme l'un des meilleurs observateurs de l'évolution sociale de son pays et notamment de la transformation économique et psychologique des campagnes : *Vilarinho das Furnas* (1971), *Parlons de Rio de Onor* (*Falamos de Rio de Onor,* 1974), *Gente da Praia da Vieira* (1975), *Histoires sauvages* (*Histórias Selvagens,* 1978). En 1990 il tourne *Terra Fria* d'après l'œuvre de Ferreira de Castro et, en 1993, un moyen métrage, *la Trémie de cristal (A Tremonha de Cristal).* J.-L.P.

CAMUS *(Marcel), cinéaste français (Chappes 1912 - Paris 1982).* Excellent assistant, il débute dans la réalisation avec *Mort en fraude* (1957). Ce film, contemporain des débuts de la Nouvelle Vague, aborde un thème tabou : le colonialisme. Avec conviction, Camus y montre le cheminement tragique de la conscience chez un homme sans grande envergure, au contact de la population d'un village vietnamien en proie à la guerre. *Orfeu negro* (1959), adapté d'une pièce de Vinicius de Moraes, transpose dans le Brésil d'aujourd'hui l'histoire d'Orphée et d'Eurydice. Palme d'or au festival de Cannes, le film vaut par ses couleurs et son rythme. Tenté par l'exotisme, Camus tourne ensuite *Os Bandeirantes* (1960), *l'Oiseau de paradis* (1962), *Otalia de Bahia* (1976), sans retrouver la veine de ses premiers films. Réalisateur du *Chant du monde* (1965) et du *Mur de l'Atlantique* (1970) – avec Bourvil –, il se consacre dans les dernières années de sa vie à la télévision. P.H.

CAMUS *(Mario Camus García,* dit *Mario), cinéaste espagnol (Santander 1935).* Il collabore avec Carlos Saura aux scénarios de *Los Golfos* (1959) et *Ballade pour un bandit* (1963) et s'impose comme un brillant représentant du « nouveau cinéma espagnol des années 60 », tournant notamment *Young Sánchez* (1963), *Muere una mujer* (1964), *Con el viento solano* (1965), *Volver a vivir* (1967). Après une période moins réussie et plus indécise (*Digan lo que digan,* 1968 ; *Esa mujer,* 1969 ; *La cólera del viento,* 1970), il retrouve un talent plus sûr avec *Los pájaros de Baden-Baden* (1975), *Los días del pasado* (1977) et surtout avec *La colmena* (1982) et *les Saints innocents* (*Los santos inocentes,* 1984). Après *La vieja música* (1985), il adapte à l'écran *la Maison de Bernarda Alba* (*La casa de Bernarda Alba,* 1987) d'après Lorca et tourne *la Rusa* (id.), *Después del sueño* (1992), *Sombras en una batalla* (1993), *Amor proprio* (1994). J.-L.P.

CANADA. La notion même du cinéma canadien recèle des ambiguïtés qui sont celles de l'entité canadienne : une fédération de dix provinces et de deux territoires couvrant au total 9 959 000 km², soit dix-huit fois la France, une population de quelque 23 millions d'habitants, dont une minorité de francophones concentrés principalement au Québec. La frange *utile,* donc peuplée, est une longue bande de terre étirée de l'Atlantique au Pacifique, de la Nouvelle-Écosse à l'île Vancouver. Échanges et communications se font au moins autant suivant les petits axes nord-sud que suivant le grand axe est-ouest. L'histoire du cinéma canadien a été celle d'une lutte toujours recommencée pour affirmer et préserver son identité à l'égard du puissant voisin américain, en s'appuyant éventuellement, et prudemment, sur les États fondateurs européens : le Royaume-Uni, qui pouvait fournir un soutien administratif, ou un débouché ; la France, qui pouvait proposer une caution, financière peut-être, culturelle sans doute, au cinéma québécois. Lutte si inégale que très tôt une autorité politique de tutelle a dû soutenir diverses initiatives : de tous les États d'économie libérale, le Canada est celui dont le cinéma, dans ses phases d'expansion, a été le plus vigoureusement patronné par le pouvoir politique.

Les premiers films canadiens sont réalisés en 1898 par James Freer, un fermier du Manitoba. Ils sont présentés à Londres l'année suivante sous les auspices du Canadian Pacific Railway, qui les utilise pour promouvoir l'émigration au Canada. Les résultats sont si encourageants que la compagnie de chemin de fer commandite la Bioscope Company of Canada, fondée par l'Anglais Charles Urban, qui produit dans le même but la série *Living Canada :* paysages et scènes pittoresques filmés d'un océan à l'autre, diffusés entre 1900 et 1910.

La même année 1898, à l'Exposition nationale de Toronto, la compagnie Massey-Harris du Canada présente ce qui est probablement le premier film publicitaire, tourné sur une ferme de l'Ontario par Edison Studios.

Très tôt également, des *nickelodéons* imités de ceux qui fonctionnaient dans les grandes villes des États-Unis avaient été installés à Toronto ou à Montréal. C'était de petites salles où une trentaine de clients qui avaient payé 5 cents (un *nickel*) regardaient, debout, un programme de 20 à 25 minutes. Le 1er janvier 1906, un ancien projectionniste, Léo-Ernest Ouimet (1877-1972), ouvre à Montréal, dans la rue Sainte-Catherine, son premier Ouimetoscope : une salle confortable de 400 places. Le succès est tel que, l'année suivante, Ouimet ouvre une seconde salle (31 août 1907) : 1 200 places dans une architecture flatteuse, un programme abondant coupé d'un entracte. Le prix des places variait de 10 à 50 cents. Le programme était constitué de films que Ouimet achetait à New York, et de bandes d'actualités qu'il tournait lui-même.

Après 1910, des compagnies éphémères sont créées à Montréal, Toronto, Halifax, pour produire des films de fiction dramatique. La Canadian Bioscope Company tourne en 1913 le premier long métrage canadien, *Evangeline,* d'après le poème de Longfellow. Le film, réalisé par le capitaine Holland à Halifax, connaît un succès qui assure deux ans de prospérité à la firme, laquelle produit deux autres longs métrages avant de disparaître en 1915. Simultanément, la All-Red Feature Company de Windsor tourne *The War Pidgeon* en 1914, la British American Film Company tourne à Montréal *Dollard des Ormeaux,* la Connes-Till Company de Toronto produit des films d'aventures et des comédies de deux bobines.

La guerre prolonge cette première période de prospérité. *Self-defence* (1916) de Charles et Len Roos décrit l'invasion imaginaire du Canada par les Allemands, en intégrant des documents d'actualité à la fiction. A. D. Kean dirige des longs métrages à Vancouver (*The Adventures of Count E. Z. Kisser,* 1917). La même année, les premiers studios canadiens sont inaugurés à Trenton (Ontario). En 1918, à Calgary (Alberta), Ernest Shipman fonde une compagnie de production qui tourne une dizaine de films en trois ans, dont *Back to God's Country* de David M. Hartford (1919), lequel exploite un exotisme canadien à destination du public des États-Unis.

Au début des années 20, le cinéma canadien, atomisé en petites compagnies décentralisées d'une rive à l'autre de la fédération, donne l'illusion de la prospérité. C'est à cette époque que le gouvernement canadien transforme le Exhibits and Publicity Bureau, créé en 1914 sous la direction de Bernard Norrish, en Canadian Government Motion Picture Bureau (CGMPB), qui produira dans les années 20 et 30 des courts métrages et des documentaires. La crise de la CGMPB sera d'ailleurs à l'origine de l'intervention de John Grierson* et de la création de l'ONF en 1939.

En 1923, les fragiles structures économiques du cinéma canadien s'effondrent. Les petits réseaux de salles qui s'étaient constitués pendant la guerre (la chaîne Regent fondée en 1916 à partir de Toronto, la United Amusements fondée en 1919 à Montréal) sont absorbés par les circuits mis en place par les Majors de Hollywood. Le marché canadien est purement et simplement intégré au marché américain : les recettes canadiennes (box-office) sont comptabilisées dans les recettes intérieures des États-Unis. L'industrie canadienne est satellisée : elle tourne des longs métrages américains, qui exploitent les mythologies du Grand Nord ou de la police montée, mais non de longs métrages canadiens. L'échec en 1927 d'un groupe d'investisseurs qui avaient réuni une somme colossale (500 000 dollars) pour produire dans les studios de Trenton un long métrage national (*Carry on Sergeant,* de Bruce Bairnsfather) cantonne le cinéma canadien dans le domaine du documentaire, produit soit par le gouvernement dans le cadre du CGMPB, soit par une firme privée dynamique, la Associated Screen News de Montréal, dont la série *Canadian Cameos,* dirigée jusqu'en 1953 par Gordon Sparling, connaîtra une très large diffusion.

Les années 30 sont une période sombre pour le cinéma canadien. Certes, un premier film canadien parlant (anglais) est bien réalisé en 1930 (*The Viking,* de Varick Frissel et George Melford, produit par la Newfoundland Labrador Film Company), mais il est sans lendemain. Au Québec, l'abbé Maurice Proulx enregistre, certes, de nombreux documents sur la colonisation de l'Abitibi, qui seront diffusés après 1941 comme matériel de propagande par le service de Ciné-Photographie de la province. Certes, Ken Bishop produit en Colombie-Britannique quelques longs métrages peu coûteux (les *quotaquickies*) destinés au marché anglais. L'activité n'en est pas moins très réduite.

C'est dans ce contexte que le pouvoir politique se soucie de relancer le secteur qu'il contrôle (le CGMPB), doté d'installations sonores depuis 1934. Un rapport de novembre 1937, rédigé par Ross McLean et signé par le haut-commissaire du Canada à Londres, Vincent Massey, dresse un bilan négatif et suggère de faire appel au père fondateur de l'École documentaire anglaise, John Grierson. Celui-ci arrive à Ottawa en 1938 et rédige un rapport qui préconise la mise en place d'un Office national du film (ONF) sous l'autorité d'un commissaire. En 1939, l'ONF est effectivement créé, et Grierson est nommé commissaire. La déclaration de guerre, puis des conflits de personnes, retardent le démarrage effectif de la nouvelle structure jusqu'à l'été 1941. Mais à partir de cette date, l'ONF assure une part considérable de l'activité cinématographique au Canada, et donne une vive impulsion à ce qui se fait même en dehors de lui.

Le Grand Atelier fondé par Grierson s'attache d'abord à la production de films d'information et de propagande. Il se dote immédiatement d'une section films d'animation, promise, sous l'impulsion de Norman McLaren*, à un avenir brillant. Enfin, très tôt, à l'image de l'école britannique du GPO, l'ONF braque ses caméras sur l'environnement immédiat, sur la société canadienne, jetant les bases de ce qui deviendra le *Candid Eye,* puis le cinéma direct des années 60. Même si d'aucuns ont souhaité, pour des raisons d'opportunité politique, la minimiser, l'importance de l'ONF est considérable, car cet organisme a favorisé le développement des cinémas canadiens, la formation des hommes et l'élaboration d'un regard spécifique qui rapproche (quoi qu'ils en aient) un opérateur de Toronto de son homologue de Montréal. Dans les années 60 et 70, sous forme de production directe, de coproduction, de soutien technique, par ses commandes, même si parfois elles ont été détournées, par son influence sur les méthodes de tournage de ceux-là mêmes qui se sont retournés contre lui, l'Office est père et grand-père de tous les cinémas canadiens, et du cinéma québécois en particulier.

Depuis l'avènement du parlant, le marché « canadien français » s'était largement ouvert aux films venus de France : le premier film français parlant, *les Trois Masques* d'André Hugon, était sorti à Montréal le 31 mai 1930. À partir de 1934, la société France-Film de Robert Hurel et Jos-Alexandre DeSève contrôle la quasi-totalité du marché : elle importe environ 80 p. 100 de la production annuelle du cinéma français. La guerre coupe ses sources d'approvisionnement. Il se crée alors des sociétés de production québécoises : Renaissance Films, dans laquelle DeSève a des intérêts, et qui sort en 1943 *le Père Chopin,* dirigé par Fédor Ozep*. Fort du succès que le film rencontre à Montréal, DeSève se lie à l'abbé Aloysius Vachet, fondateur en France des studios Fiat-Film : une campagne est lancée au Québec pour recruter des actionnaires en mettant l'accent sur la nécessité d'un cinéma catholique. On bâtit des studios à Montréal, on publie des projets qui n'aboutissent pas, jusqu'à la réalisation en 1949 du *Gros Bill* dirigé par le Français René Delacroix.

Mais Renaissance dépose son bilan peu après. Parallèlement, la firme Québec Productions de Paul L'Anglais propose un long métrage du même Fédor Ozep, tourné en deux versions, française et anglaise, *la Forteresse / Whispering City* (1947), puis plusieurs films adaptés de radioromans populaires tournés dans ses studios de Saint-Hyacinthe. Folklorisants, moralisateurs, ces films méritaient sans doute la critique que René Lévesque, futur Premier ministre d'un Québec fort transformé, adressait à l'un d'eux : « un nouveau malheur préhistorique du cinéma canadien ».

La production québécoise de longs métrages se maintient jusque vers 1953-54, exprimant ce que Pierre Véronneau a appelé « la morbidité collective qui était celle de notre grande noirceur, étouffée par les valeurs catholiques... ». Mais, au début des années 50, une nouvelle réalité est apparue : la télévision. Les compagnies de production disparaissent alors l'une après l'autre.

Au milieu des années 50, quelques événements préparent l'explosion des cinémas canadiens : le transfert à l'ONF d'Ottawa à

Montréal (1956), qui l'éloigne d'un pouvoir politique parfois tatillon et favorise l'épanouissement de sa « section française » ; les premières commandes passées par les réseaux de télévision à des cinéastes de l'ONF (en 1953 et 1954) ; l'apparition autour des revues *Séquences* et *Images* d'un courant cinéphile proprement québécois.

Les années qui suivent voient l'épanouissement de la série *Candid Eye* chez les « Anglais » de l'ONF, autour de Wolf Koenig* et Roman Kroitor*, qui triomphent avec *Lonely Boy* en 1962, les débuts de la recherche expérimentale du plasticien Michael Snow*, qui culminera avec *la Région centrale* en 1970-71, et le développement de la production de longs métrages en Ontario, dirigés par Allan King*, Don Shebib ou Don Owen*. Les réalisateurs ou les comédiens sont souvent aspirés par Hollywood, à l'image de Sidney Furie, dès qu'ils ont acquis quelque notoriété. En 1973, Ted Kotcheff* y réalise *l'Apprentissage de Duddy Kravitz,* qui connaît un grand succès et révèle Richard Dreyfuss*.

Sur la côte Ouest, une autre école originale est illustrée par les premiers films d'Allan King, ceux de Ron Kelly, ou par les courts métrages d'animation de Al Razutis, influencés par les recherches parallèles et proches de l'underground californien.

C'est pourtant surtout au Québec, dans un climat de renaissance culturelle, de reconnaissance d'une identité qui débouche sur une revendication politique, que la mutation est la plus spectaculaire. Les premiers longs métrages dramatiques produits pour le réseau « français » de Radio Canada (la télévision nationale) sont réalisés en 1957 et 1958 par Fernand Dansereau* et Claude Jutra*. Pierre Perrault* filme, également pour la télévision, ses premiers reportages à l'Île-aux-Coudres. En 1958, Michel Brault* et Gilles Groulx* tournent un court métrage de 17 minutes produit par l'ONF, *les Raquetteurs,* dont le critique Gilles Marsolais a écrit : « Le documentaire traditionnel est mort le jour où ce film, réalisé contre les individus et les structures rigides de la bureaucratie gouvernementale, a vu le jour. Tout en étant le symbole de la lutte menée à l'ONF par ses éléments francophones les plus dynamiques, il définit une nouvelle conception du cinéma. »

En 1961, un groupe d'étudiants de l'université de Montréal (dont Denys Arcand*), avec le soutien actif des principaux « Français » de l'ONF, tourne *Seul ou avec d'autres,* un long métrage qui connaît un succès public considérable, et qui ouvre la voie à une nouvelle phase de production privée. Nombre de firmes naissent dans les années suivantes, après Coopératio, qui produit en 1963 *Trouble Fête* de Pierre Patry, et en 1967 *Entre la mer et l'eau douce* de Michel Brault. Les premiers films québécois vont se faire reconnaître au festival de Cannes : *Pour la suite du monde* (1963) de Pierre Perrault et Michel Brault, qui inaugure la saga des Tremblay de l'Île-aux-Coudres, *le Chat dans le sac* (1964) de Gilles Groulx.

De 1965 à 1975, le cinéma québécois connaît une décennie d'abondance et de diversité. Une prospérité certaine lui est apportée par la création en 1964 et le démarrage effectif en 1968 de la SDICC (Société de développement de l'industrie cinématographique canadienne), un organisme fédéral réclamé depuis des années par des professionnels de tout le Canada, doté d'un crédit de dix millions de dollars plusieurs fois renouvelé et qu'il peut prêter à des sociétés de production de films de long métrage. Entre 1968 et 1977, la SDICC est intervenue dans le financement de 179 films, dont 76 films francophones. Le succès de films érotiques (*Valérie* de Denys Héroux en 1969, *Deux Femmes en or* de Claude Fournier* en 1970, le plus gros succès commercial du cinéma québécois) conforte les producteurs privés. Claude Jutra*, Gilles Carle*, Jean-Pierre Lefebvre*, Denys Arcand dirigent des films de fiction qui explorent l'environnement mental de l'homme québécois délivré, peut-être, de son corset religieux, mais encore coincé entre son passé de soumission et son présent de dépendance.

Pourtant, la voie royale du cinéma canadien reste encore le cinéma de constat, qui se mue d'ailleurs de plus en plus souvent en cinéma d'intervention. L'ONF produit la série *Challenge for change / Société nouvelle.* Pierre Perrault, toujours dans le cadre de l'ONF, poursuit son cycle de l'Île-aux-Coudres ; depuis 1972, il enregistre et monte un énorme matériel dans l'Abitibi, au nord-ouest de la province : du *Goût de la farine* (1976) au *Pays* *de la terre sans arbres* (1980), il y poursuit sa quête des *racines* sentimentales d'une québécitude idéale. Parallèlement, mais dans le cadre d'un financement privé, Arthur Lamothe* donne la parole aux minorités indiennes dans deux séries faites chacune de plusieurs longs métrages : *Carcajou et le péril blanc* (8 films entre 1974 et 1978), et *Innu asi* (4 films en 1979 et 1980).

Au carrefour des deux modes, des films oscillent entre la fiction traditionnelle et l'enregistrement avec des techniques proches de celles du cinéma direct. C'est le cas des meilleurs films de la série *En tant que femmes* de l'ONF ou du film polémique que Michel Brault a consacré aux arrestations qui avaient accompagné les événements d'octobre 1970 à Montréal : *les Ordres* (1974).

En 1976, malgré l'entrée en fonction d'un Institut québécois du cinéma, un essoufflement est perceptible : comme l'ensemble du cinéma canadien, le cinéma québécois manque d'un public. En outre, une loi fédérale de 1975 a prévu d'exonérer d'impôts la totalité du capital investi dans la production d'un film. Ce système, dit « tax shelter », ouvre la voie à des coproductions avec les États-Unis, la Grande-Bretagne, la France ou l'Italie. Des réalisateurs hollywoodiens tournent à Toronto des films-catastrophe ou des films fantastiques avec des acteurs internationaux. Claude Chabrol* ou Dino Risi* dirigent à Montréal des films qui n'ont de canadien qu'une estampille officielle. Si l'industrie continue à travailler, l'originalité des cinémas canadiens s'est incontestablement diluée dans l'universel capitaliste.

Endeuillé par la disparition de quelques-uns de ses pionniers (Claude Jutra en 1986, Norman Mac Laren en 1987), le cinéma canadien des années 80 est un cinéma d'ouverture : multiplication des coproductions et tentative, au Québec notamment, de limiter le contrôle du marché par les majors américaines (accord du 22 octobre 1986).

Des auteurs s'imposent au cours des années 80-90 aussi bien à l'ouest qu'à l'est du Canada. En Ontario, David Cronenberg* et Atom Egoyan*, mais aussi Patricia Rozema, remportent des succès internationaux ; au Québec, Francis Mankiewicz, Jean-Claude Lauzon, André Forcier, Denis Arcand*, Lea Pool*, Pierre Falardeau, Micheline Lanctôt, Paul Tana, Jean Beaudin poursuivent le chemin tracé par leurs jeunes aînés des années 60 tandis que Jean-Claude Labrecque* peaufine son exploration de l'identité québécoise. Guy Maddin est le réalisateur le plus talentueux des Prairies ; William MacGillivray, John N. Smith signent des films originaux dans les Provinces atlantiques. Des festivals d'importance se créent (le Festival des films du monde à Montréal en 1977, le Festival de Toronto, le Festival de Vancouver). En 1986 est fondée l'*Ontario Film Development Corporation ;* en 1989, l'ONF fête son cinquantième anniversaire. Malgré la concurrence de plus en plus pressante du cinéma américain, le cinéma canadien, avec ses particularismes (et son enthousiasme), continue à susciter des œuvres originales. J.-P.J.

CANALE *(Gianna Maria), actrice italienne (Reggio di Calabria 1927).* Venue au cinéma par les concours de beauté, elle attire l'attention de Riccardo Freda, qui lui fait tourner neuf films, dont *le Cavalier mystérieux* (1949), *La leggenda del Piave* (1952), *Théodora, impératrice de Byzance* (1954), *les Vampires* (1957). Sa présence, à la fois énigmatique et « sexy », quelque peu exotique, lui vaut une notoriété plus considérable grâce à *Madame du Barry* (Christian-Jaque, 1954), *Napoléon* (S. Guitry, 1955), *la Révolte des gladiateurs* (V. Cottafavi, 1958), *la Reine des pirates* (*La venere dei pirati,* Mario Costa, 1960), *les Nuits de Raspoutine* (P. Chenal, *id.*) et *le Pont des soupirs* (*Il ponte dei sospiri,* Piero Pirotti, 1964). Elle abandonne néanmoins le cinéma dès avant 1970. G.L.

CANDELA. Unité d'intensité lumineuse. (→ PHOTOMÉTRIE.)

CANNES (FESTIVAL DE) → FESTIVALS DE CINÉMA ; pour les palmarès, se reporter au tome II, page 2365.

CANNON *(Samille Diane Friesen,* dite *Dyan), actrice américaine (Tacoma, Wash., 1935).* D'abord mannequin puis actrice à Broadway et à la télévision, on compte parmi ses films : *la Chute d'un caïd* (B. Boetticher, 1960), *Bob et Carol et Ted et Alice* (P. Mazursky, 1969), *le Casse* (H. Verneuil, 1971), *Des amis comme les miens* (O. Preminger, *id.*), *le Gang Anderson* (S. Lumet, *id.*), *la Malédiction de la panthère rose* (B. Edwards, 1978), *Show Bus* (J. Schatzberg,

1980), *The Pickie* (P. Mazursky, 1993). *Le ciel peut attendre* (W. Beatty, B. Henry, 1978) lui valut une nomination pour l'Oscar (Best supporting actress). Elle a par ailleurs produit et réalisé pour l'American Film Institute un moyen métrage, *Number One* (1976). Dyan Cannon et Cary Grant ont divorcé en 1968. P.B.

CANNON *(Robert), cinéaste américain (1901-Northridge, Ca., 1964).* C'est le spécialiste de la libido des nurseries, car il s'intéressa surtout aux enfants imaginatifs, rêveurs ou excentriques, qui font figure à part dès l'âge de la maternelle et dont Gerald McBoing Boing est le plus parfait exemple. Débutant à la Warner auprès de Chuck Jones, après avoir été animateur sous Ben Hardaway (sur le personnage d'Elmer Fudd), il se fait surtout connaître par un irrésistible cheval mimétique (The Draft Horse) qui se prenait à lui tout seul pour une armée. À la naissance de l'UPA sous Stephen Bosustow, il commence par diriger le très influent film syndical *Hellbent for Election,* puis crée un inoubliable enfant handicapé, Gerald, dont la voix faite d'onomatopées, de tonnerres grondants et de sirènes stridentes le voue à la carrière radiophonique, comme créateur d'effets sonores, puis au cinéma, lui valant une renommée extraterrestre jusque sur l'imaginaire planète Moo. Gerald McBoing Boing, qui fut le plus célèbre produit de l'UPA avec Magoo, fit l'objet de plusieurs films (*Gerald's Symphony* en 1953, *Gerald on Planet Moo,* par ex.). Amoureux de l'enfance, Robert Cannon, que ses collaborateurs appelaient affectueusement « Bobe », créa toute une marmaille d'enfants mythiques comme Christopher Crumpet, Willie le Kid, les Oompah, le Jaywalker et Madeline. Sorti de l'UPA, Cannon revint, ô ironie !, travailler chez Disney, puis chez Hanna et Barbera à la télévision, dirigea deux films pour John Hubley consacrés aux enfants *(Moonbird* en 1960 et *Children of the Sun).* Sa tendresse, sa sensibilité sont restées légendaires dans l'animation, où il s'est fait l'interprète des génies mal-aimés, des incompris et des enfants définitifs. Son nom reste attaché à l'Institut Robert Cannon, branche de la chaire Animation de l'université de Californie. R.BN.

CANON → OBJECTIFS.

CANTAGREL *(Marc), professeur et cinéaste français (Paris 1879 - Neuilly-sur-Seine 1960).* Licencié ès sciences et ingénieur chimiste, il utilise dès 1924 le cinéma dans son enseignement, faisant ainsi figure de précurseur dans l'emploi pédagogique du film. Il a réalisé lui-même de nombreux films techniques et scientifiques d'excellente qualité didactique sur les sujets les plus divers, dont *la Bière, le Gyroscope, la Force centrifuge, le Béton précontraint,* ainsi que *Familles de droites, familles de paraboles* et *Lieux géométriques,* tous deux couronnés à la biennale de Venise. Ayant fondé en 1931 le service de production des films scientifiques au Conservatoire national des arts et métiers, il en fut le directeur jusqu'en 1937. M.M.

CANTINFLAS (*Mario Moreno Reyes,* dit), *acteur mexicain (Mexico 1911 - id. 1993).* Comique de music-hall, il débute au cinéma dans *No te engañes corazón* (M. Contreras Torres, 1936). Il passe tout de suite du rôle de comparse, traditionnellement dévolu aux pitres dans le cinéma mexicain, à la tête d'affiche : *Así es mi tierra* et *Águila o sol* (A. Boytler, 1937), *Ahí está el detalle* (J. Bustillo Oro, 1940), *Ni sangre ni arena* (A. Galindo, 1941) sont des films réalisés par certains des metteurs en scène les plus actifs de cette période. L'immense popularité de Cantinflas dans le monde de langue espagnole est, à ses débuts, assez compréhensible : il incarne des personnages déclassés, rusés, irrévérencieux, dans la tradition picaresque. Le succès le pousse à s'attacher par contrat un tâcheron docile, Miguel M. Delgado (*El gendarme desconocido,* 1941), responsable de ses nombreux films ultérieurs. Le bavardage de Cantinflas se mue en discours moralisateur, la farce se perd en conformisme, l'invention s'estompe au profit d'une formule répétée à l'infini. Ce nouvel emploi de benêt domestiqué le reconduit à son point de départ, celui de faire-valoir, cette fois au service de Hollywood (*le Tour du monde en 80 jours* de M. Anderson, en 1956 ; *Pepe* de G. Sidney, en 1960). P.A.P.

CANTOR *(Edward Israel Iskowitz,* dit *Eddie), acteur américain (New York, N. Y., 1892 - Los Angeles, Ca., 1964).* Venu du théâtre, il s'adaptera mieux à la radio qu'au cinéma. Ses roulements d'yeux lui valent des rôles muets (tel *Special Delivery,* de W. Goodrich, en 1927, dont il écrit aussi le scénario), mais il faut attendre le parlant pour découvrir sa voix abusivement plaintive, son phrasé inventif et sa fantaisie malicieuse : *Glorifying the American Girl* (Milliard Webb, 1929) ; son goût du grivois le rapproche de Berkeley : *Whoopee !* (Thornton Freeland, 1930), *Palmy Days* (E. Sutherland, 1931) ; *le Roi de l'arène* (L. McCarey, 1932) et *Roman Scandals* (F. Tuttle, 1933) les réunissent. *Remerciez votre bonne étoile* (D. Butler, 1943) et *Quatre du music-hall* (*Show Business,* Edwin L. Marin, 1944) mettent encore en évidence son humour saugrenu. A.M.

CANUDO *(Riccioto), écrivain, journaliste, dramaturge et critique italien (Gioia del Colle, Bari, 1879 - Paris 1923).* Il s'établit à Paris en 1902 (d'où son surnom en Italie de « Parisien »). Adepte de l'art moderne, il crée la revue littéraire *Montjoie !* (1913-14) et se fait l'apôtre du cinéma, qu'il baptise « 7e art », et des cinéastes, qu'il nomme, avec moins de bonheur, « écranistes ». Il fonde en 1920 le Club des amis du 7e art, prototype des prochains ciné-clubs, soutient la « première avant-garde » dans sa *Gazette des sept arts,* lancée en 1923. Les historiens s'accordent pour voir en lui l'initiateur de l'esthétique du cinéma, ses premiers écrits sur le sujet remontant à 1908, mais cette priorité (son principal titre de gloire) semble devoir être partagée avec le Tchèque Václav Tille, auteur, en 1908 aussi, de réflexions moins poétiques mais plus sérieusement analytiques que celles de Canudo. Ses textes ont été rassemblés après sa mort par Fernand Divoire sous le titre : *l'Usine aux images* (Paris-Genève, 1927). B.A.

CANUTT *(Enos Edward,* dit *Yakima), cascadeur et cinéaste américain (Colfax, Wash., 1895- Hollywood, Ca., 1986).* Champion du monde de rodéo de 1917 à 1923, il devient acteur dès 1922 ; à partir de 1931, il double John Wayne, dont il aide à modeler la personnalité à l'écran, Clark Gable (dans *Autant en emporte le vent*), Errol Flynn. Depuis que John Ford l'a chargé de la seconde équipe de *la Chevauchée fantastique,* il imagine, règle, exécute et filme des morceaux de bravoure restés célèbres, dans différents genres : antique avec *Ben Hur* (W. Wyler, 1959), *Spartacus* (S. Kubrick, 1960) et *la Chute de l'Empire romain* (A. Mann, 1964) ; historique avec *Ivanhoé* (R. Thorpe, 1952) et *le Cid* (A. Mann, 1961) ; aventure et western, sérieux ou comique, de *Cat Ballou* (E. Silverstein, 1965) à *Equus* (S. Lumet, 1977, date à laquelle il prend sa retraite). Il a également signé quelques films et *serials.* Il remporte un Oscar spécial en 1966 pour avoir été à la fois le pionnier des *stuntmen* et l'un de ses représentants les plus brillants. A.G.

CAPELLANI *(Albert), cinéaste français (Paris 1870 - 1931).* D'abord acteur au Théâtre-Libre d'Antoine, puis à l'Odéon, il commence sa carrière cinématographique chez Pathé en 1905, dirigeant quelques films comiques avec André Deed, Prince Rigadin et Max Linder. Collaborateur de Zecca, il réalise ensuite des mélodrames. Capellani est un des innombrables pionniers qui font la transition entre le théâtre filmé et les débuts du 7e art comme langage, grâce, surtout, au soin apporté aux cadrages. Il est nommé directeur artistique de la SCAGL (Société cinématographique des auteurs et gens de lettres). Il commence à employer le découpage avec *l'Homme aux gants blancs* (1908). La même année, il réalise *l'Assommoir,* premier long métrage français. *Les Misérables* (1912), film d'une durée de cinq heures, attire l'attention sur lui : sa mise en scène s'adapte déjà aux possibilités narratives de l'image animée. Il est également l'auteur d'autres adaptations littéraires comme *l'Arlésienne* (1909), *les Mystères de Paris* (1942), *Germinal* (1913), *Quatrevingt-Treize* (RÉ 1914 ; 1920). En 1915, il part pour les États-Unis, où il travaille jusqu'en 1922, dirigeant notamment de nombreux films avec Alla Nazimova et Clara Kimball Young. Mais les temps changent et Capellani, épuisé, revient en France en 1923. Atteint de paralysie, il ne tourne plus jusqu'à sa mort. R.BA.

CAPELLANI *(Paul), acteur français (Paris 1877 - Cagnes-sur-Mer 1960).* De 1908 à 1914, sous la direction de son frère Albert, il est la vedette masculine des adaptations entreprises par la SCAGL. Ses traits énergiques, sa stature lui assurent le succès dans des concentrés de Sardou ou de Hugo : *Patrie* (A. Capellani, 1913) ou *Quatrevingt-Treize* (id. ; RÉ 1914 ; 1920). Il suit son frère aux États-Unis, y interprète *la Dame aux camélias* (*Camille,* 1915) et *Mimi* (1916). À son retour, L'Herbier l'utilise encore dans *le Carnaval des vérités* (1920) ; mais, à partir de 1931, le cinéma l'oublie définitivement. R.C.

CAPELLARO *(Vittorio), cinéaste et acteur brésilien d'origine italienne (Mongrande, Piémont, 1877 - Rio de Janeiro 1943).* Ses œuvres, à l'instar du Film d'Art français, trahissent une expérience théâtrale (avec Eleonora Duse) et reflètent un nationalisme cultivé et romantique pour sa patrie d'adoption : *Inocência* (1915) d'après Taunay, *O Guarany* (1916) d'après José de Alencar, coréalisés avec Antônio Campos. *O Cruzeiro do Sul* (1917) d'après Aluízio de Azevedo, *Iracema* (1918) d'après Alencar et *O Garimpeiro* (1920) d'après Bernardo Guimarães marquent sa collaboration avec Paolo Benedetti. Outre ces films, dont il est aussi l'interprète, citons la deuxième version de *O Guarany* (1926), *O Caçador de Diamantes* (1932) sur les explorateurs coloniaux, et *Fazendo Fita* (1935), où des cinéastes finissent en asile psychiatrique. Vittorio Capellaro est mort des suites de violences policières sous la dictature de Vargas. P.A.P.

CAPOTE *(Truman Strekfus Persons,* dit *Truman), écrivain et scénariste américain (La Nouvelle-Orléans, La., 1924 - Los Angeles, Ca., 1984).* Il n'a pas collaboré aux adaptations cinématographiques de *Diamants sur canapé* (B. Edwards, 1961) et *De sang-froid* (R. Brooks, 1967), mais on lui doit les dialogues de *Stazione Termini* (V. De Sica, 1953) et les scénarios (en collaboration) de *Plus fort que le diable* (J. Huston, 1954), *les Innocents* (J. Clayton, 1961), *Trilogy* (F. Perry, 1969) et *la Corruption, l'ordre et la violence* (T. Gries, 1972). Il parodie son propre personnage dans le rôle qu'il joue dans *Un cadavre au dessert* (*Murder by Death,* Robert Moore, 1976). J.-P.B.

CAPOVILLA *(Maurice), cinéaste brésilien (Valinhos, São Paulo, 1936).* Il doit sa formation de critique à l'Institut de cinématographie de l'université du Litoral (Santa Fe), dirigé par Fernando Birri, d'où est issu le documentaire social argentin. De retour à São Paulo, il réalise des courts métrages : *Meninos do Tietê* (1963), sur les enfants des bidonvilles ; *Esportes no Brasil* (1965) ; *Subterrâneos do Futebol* (1966). Mais il tourne aussi de longs métrages de fiction, *Bebel Garota Propaganda* (1967), un assez original et « tropicaliste » *O Profeta da Fome* (1970), et *Noites de Yemanja* (1971). Capovilla s'est imposé avec *O Jogo da Vida* (1977), description réaliste des marginaux d'après un récit de João Antônio *(Malagueta, Perus e Bacanaço).* Il mène une activité parallèle à la télévision. P.A.P

CAPRA *(Frank), réalisateur américain (Bisaquino, Italie, 1897-Los Angeles, Ca., 1991).* Fils de paysans, il a six ans quand sa famille émigre aux États-Unis. Il paie ses études au California Institute of Technology en exerçant divers petits métiers. Après la guerre, il vit d'expédients dans l'Ouest, jusqu'au jour où, rencontrant l'acteur shakespearien Walter Montague, il se fait passer pour un technicien de Hollywood et tourne son premier court métrage, *The Ballad of Fultah Fisher's Boarding House,* d'après un poème de Kipling. Après un stage en laboratoire, il trouve un emploi de scénariste pour la série *Our Gang* aux studios Hal Roach, puis de gagman aux studios Mack Sennett, où il collabore aux premiers courts métrages d'Harry Langdon, contribuant à façonner le personnage de « l'homme enfant dont le seul allié était Dieu ». Il signe le scénario de *Plein les bottes* (qu'il réalise en partie), mais c'est dans *l'Athlète incomplet* et *Sa dernière culotte* qu'il fait donner à Langdon toute la mesure de son génie comique. L'adolescent attardé qui balance entre le rêve et la réalité, le naïf venu de la campagne pour triompher des roués citadins, l'innocent confronté à un monde hostile qu'il ne soupçonnait même pas : sur les thèmes chers à Langdon, Capra rode quelques-uns des ressorts dramatiques qui lui assureront la notoriété dix ans plus tard.

L'échec de *Pour l'amour de Mike,* le premier film de Claudette Colbert, le conduit en 1927 à la Columbia, où il sera sous contrat pendant douze ans, hissant le modeste studio de Gower Street au rang de Major Company, luttant pied à pied avec Harry Cohn pour imposer ses vues (en 1936, il sera le premier cinéaste maison à obtenir au générique son nom au-dessus du titre), gravissant avec une rare obstination les marches du succès (jusqu'à la consécration tant convoitée de trois Oscars du meilleur réalisateur : en 1934, 1936 et 1938), abordant tous les genres, du film policier *(The Way of the Strong ; l'Affaire Donovan)* ou d'aventures viriles *(Flight ; l'Épave vivante)* aux mélodrames spécifiquement féminins conçus pour Barbara Stanwyck (de *The Miracle Woman* à *The Bitter Tea of General*

Yen), avec une prédilection toutefois pour l'*americana*, qui comble son souci constant de réalisme : « Je méprisais l'artifice du théâtre. J'avais été élevé à ma propre école du naturel. Mon plateau était le monde réel. »

Le triomphe de *New York-Miami*, marivaudage de classe archétypal de la comédie américaine, est le premier aboutissement d'une carrière qui a jusque-là puisé son inspiration dans les affres de la *struggle for life*. Capra n'a cessé, en effet, de mettre en scène les antagonismes sociaux dont il avait souffert dans sa jeunesse. Dans *Loin du ghetto*, un parvenu de la 5 e Avenue renie, en même temps que ses origines, ses parents et ses amis du ghetto juif de l'East Side, tandis que le reporter désinvolte de *la Blonde platine* aliène son indépendance en frayant avec les nouveaux riches. La bibliothécaire d'*Amour défendu* s'éprend d'un avocat et politicien ambitieux dont elle ne pourra jamais être que la maîtresse *back-street*, et la party girl de *Ladies of Leisure* se suicide pour éviter au peintre aimé d'être déshérité par une famille collet monté. Si les bootleggers de *Grande Dame d'un jour* conspirent pour travestir en dame du monde une clocharde dont la fille revient d'Europe mariée à un aristocrate, l'aventurier de *la Course de Broadway Bill* renonce à l'héritière d'un empire industriel pour se consacrer aux courses de chevaux et vivre d'expédients au milieu des déclassés et des non-conformistes qui ont toujours eu la sympathie du cinéaste.

Capra cherche alors sa voie. (*Ladies of Leisure* lorgne du côté de Borzage, *The Bitter Tea...* du côté de Sternberg, *Flight* et *Dirigible* du côté de Hawks.) Ses types sociaux sont encore issus de la ville, à commencer par les journalistes *(The Power of the Press, la Blonde platine, New York-Miami)*, dont la mobilité et l'arrivisme manifestent toutes les contradictions du système. Mais ce sont de faux cyniques qui ont appris à dissimuler leur innocence ou leur générosité pour mieux survivre. Déjà *Rain or Shine* et *American Madness* en appellent aux ressources du pays profond. Dans le premier, les aléas d'un cirque itinérant illustrent les déboires de la Dépression, Capra se peignant lui-même sous les traits de Joe Cook, arnaqueur au bagou intarissable, entrepreneur avisé sous ses dehors irresponsables, artiste tyrannique et sentimental qui n'aime rien tant que plier la réalité à son désir. Dans le second est exaltée la figure d'un Lincoln de la finance, d'un philanthrope qui gère son établissement bancaire avec la haute conscience civique dont sont dépourvus les trusts géants acharnés à sa perte. Ces films annoncent les chefs-d'œuvre populistes à venir, de même que *la Blonde platine* et *Broadway Bill* esquissent, respectivement, les thèmes développés en majeur dans *l'Extravagant M. Deeds* (la transposition du conte de Cendrillon) et *Vous ne l'emporterez pas avec vous* (la conversion d'un *tycoon* à un art de vivre excentrique). Il faut classer un peu à part l'admirable parabole de *The Bitter Tea...*, qui voit une missionnaire découvrir la relativité de la morale chrétienne dans les bras d'un seigneur de la guerre chinois aussi cruel que raffiné, mais les recherches plastiques de Capra y anticipent la vision utopique de Shangri-La dans *les Horizons perdus*.

« C'est alors que je jetai sur la vie un regard plus dur, en prenant le point de vue de tous les Smith et les Jones opprimés. » Investi de cette mission, dans laquelle il s'engage totalement, Capra nous livre, entre 1936 et 1941, ses titres les plus célèbres. Au dirigisme de l'administration rooseveltienne et au totalitarisme qui se répand en Europe, il oppose une philosophie optimiste et volontariste dont ses scénaristes (Robert Riskin ou Sidney Buchman) trouvent l'inspiration dans la littérature et la mythologie populistes. Esprit d'enfance, amour de la nature, sentimentalité romantique, moralisme un peu désuet, marottes innocentes et typiquement américaines (du base-ball au boy-scoutisme), attachement à la petite entreprise privée, enracinement dans la communauté, telles sont quelques-unes des vertus chantées par Capra chez Mr. Deeds, Mr. Smith ou John Doe, individualistes confrontés aux forces de l'Appareil (politique ou financier), candides en butte aux machinations des réalistes, des snobs, des intellectuels, voire aux trahisons de l'âme-sœur. « Le rêve américain, nous dit alors Capra, ce n'est pas l'argent, mais le bonheur et la liberté. » Et le seul *isme* qui trouve grâce à ses yeux, dans *Vous ne l'emporterez pas avec vous*, est l'américanisme, ce culte de l'ambition personnelle que tempèrent les relations de bon voisinage, cette foi en un destin providentiel de la nation qui conduit ses héros en pèlerinage devant les *memorials* des pères fondateurs à Washington, quand ce n'est jusqu'au paradis de Shangri-La, lieu où les hommes ignorent la lutte pour le pouvoir, la richesse ou le succès.

« Ils ne nous laisseront plus que Shangri-La ! » s'écrie Capra dans *Prélude à la guerre* (1942), le premier volet de la série *Pourquoi nous combattons,* prodigieuse synthèse historique qui remonte à l'aube de l'humanité pour retracer le cheminement de l'idée de liberté et célébrer l'idéal démocratique des Alliés face aux ténèbres du monde asservi par les dictatures. Assurant la direction des services cinématographiques de l'armée, il contribue à l'effort de guerre en réalisant ou supervisant toute la série, puis en participant à *Tunisian Victory,* une coproduction anglo-américaine sur la campagne d'Afrique du Nord, et en produisant, outre de nombreux documentaires et films d'entraînement, *The Negro Soldier* (1944), le « Pourquoi nous combattons » de la minorité noire.

De retour à Hollywood en 1946, il fonde, avec Georges Stevens et William Wyler, une compagnie indépendante, la Liberty Films (du nom de la cloche de la guerre d'Indépendance, qui battait à toute volée sur les génériques de *Pourquoi nous combattons*). Deux belles réussites suivent aussitôt : *La vie est belle,* fable sociale à la limite du fantastique, et *l'Enjeu,* exposé quasi didactique sur les mœurs politiques du temps. Capra y reprend la plupart de ses motifs d'avant-guerre, mais, comme dans *l'Homme de la rue* déjà, l'alacrité cède la place à l'amertume de qui se sait en porte à faux avec son époque et ne reconnaît plus le pays qu'il a tant voulu aimer. Le bon samaritain de *La vie est belle* passe pour un dangereux rêveur parce qu'il a sacrifié son existence à une mutuelle qui contribue au financement de logements sociaux ; le postulant à la présidence de *l'Enjeu* devient un imposteur en se prêtant aux compromis exigés par les « vautours de la politique ». Le bel idéalisme d'antan n'a plus cours ; le héros, désormais solitaire, est voué à un baroud d'honneur désespéré pour retrouver sa dignité ; l'Amérique de la guerre froide est la proie des diviseurs, de tous ceux qui mettent les profits au-dessus des principes...

Liberty Films ne survit pas à l'échec commercial de ses productions. Capra, qui a perdu la faveur du public, accepte, désillusionné, un contrat à la Paramount, mais la plupart de ses projets restent sans suite. Après deux comédies interprétées par Bing Crosby (dont un remake de *Broadway Bill*), il doit, à son tour, s'avouer battu par le Système. Il se tourne vers la télévision, pour laquelle il conçoit quatre documentaires scientifiques entre 1952 et 1957. Il réalise ses deux derniers films sous la férule, respectivement, de Frank Sinatra et Glenn Ford. Profondément insatisfait parce qu'il s'est senti dépossédé par ses stars du contrôle artistique, il décide de mettre lui-même un terme à sa carrière. Il nous a donné, en 1971, avec *Frank Capra : the Name Above the Title* (en trad. franç. *Hollywood Story*), une autobiographie passionnée, que John Ford a pu saluer comme « le seul bilan définitif qu'il ait jamais lu sur Hollywood ». M.H.

Films ▲ : *Fultah Fisher's Boarding House* (CM, 1922) ; *Plein les bottes* (*Tramp, Tramp, Tramp,* 1926 ; co Harry Edwards) ; *l'Athlète incomplet* (*The Strong Man,* id.) ; *Sa dernière culotte* (*Long Pants,* 1927) ; *Pour l'amour de Mike* (*For the Love of Mike,* id.) ; *That Certain Thing* (1928) ; *Un punch à l'estomac* (*So This is Love ?,* id.) ; *Bessie à Broadway* (*The Matinee Idol,* id.) ; *The Way of the Strong* (id.) ; *Say it With Sables* (id.) ; *l'Épave vivante* (*Submarine,* id.) ; *The Power of the Press* (id.) ; *Loin du ghetto* (*The Younger Generation,* 1929) ; *l'Affaire Donovan* (*The Donovan Affair,* id.) ; *Flight* (id.) ; *Ladies of Leisure* (1930) ; *Rain or Shine* (id.) ; *Dirigible* (1931) ; *The Miracle Woman* (id.) ; *la Blonde platine* (*Platinum Blonde,* id.) ; *Amour défendu* (*Forbidden,* 1932) ; *American Madness* (id.) ; *le Thé amer du général Yen* (*The Bitter Tea of General Yen,* 1933) ; *Grande Dame d'un jour* (*Lady for a Day,* id.) ; *New York-Miami* (*It Happened One Night,* 1934) ; *la Course de Broadway Bill* (*Broadway Bill,* id.) ; *l'Extravagant Monsieur Deeds* (*Mr. Deeds Goes to Town,* 1936) ; *les Horizons perdus* (*Lost Horizon,* 1937) ; *Vous ne l'emporterez pas avec vous* (*You Can't Take it With You,* 1938) ; *Monsieur Smith au Sénat* (*Mr. Smith goes to Washington,* 1939) ; *l'Homme de la rue* (*Meet John Doe,* 1941) ; séries *Pourquoi nous combattons* (*Why We Fight, DOC,* 1942-1945) [*Prelude to War ; The Nazis Strike,* co A. Litvak ; *Divide and Conquer,* co A. Litvak ; *Battle of Britain, Battle of Russia, PR* seulement ; *Battle of China,* co A. Litvak ; *Negro Soldier ; War comes to America, PR* seulement], *Tunisian Victory* (DOC, 1944, co Roy Boulting) ; *Arsenic et vieilles dentelles* (*Arsenic and Old Lace,* id.) ; *Know Your Ally / Know Your*

Enemy (1945) ; *To Down and One to Go* (id.) ; *La vie est belle* (*It's a Wonderful Life,* 1947) ; *l'Enjeu* (*State of the Union,* 1948) ; *Jour de chance* (*Riding High,* 1950) ; *Si l'on mariait papa* (*Here Comes the Groom,* 1951) ; *Un trou dans la tête* (*A Hole in the Head,* 1959) ; *Milliardaire pour un jour* (*Pocketful of Miracles,* 1961).

CAPRIOLI *(Vittorio), acteur et cinéaste italien (Naples 1921-*id. *1989).* Après quelques rôles comiques : *O sole mio* (Giacomo Gentilomo, 1946), *les Feux du music-hall* (A. Lattuada et F. Fellini, 1951), il fonde avec sa femme Franca Valeri et Alberto Bonucci une célèbre équipe de théâtre de l'absurde : I Gobbi. Il interprète plus de 70 films en Italie et en France, dont *le Général Della Rovere* (R. Rossellini, 1959), *Zazie dans le métro* (L. Malle, 1960), *Adieu Philippine* (J. Rozier, 1962), et plus récemment de nombreuses farces érotiques. Comme metteur en scène, il dirige six films, dont les plus originaux sont ses deux premiers : *Lions au soleil* (*Leoni al sole,* 1962), satire aiguë des jeunes oisifs, et *Parigi o cara* (id.), grotesque histoire d'une prostituée. Il tient son dernier rôle dans *Il male oscuro* (1990), de Mario Monicelli. L.C.

CARACTÉRISTIQUE DE TRANSFERT. Voir COURBE DE RÉPONSE.

CARAX *(Alex Dupont,* dit *Léos), cinéaste français (Paris 1960).* Il réalise deux courts métrages (dont *Strangulation Blues*) et un premier long, produit par Alain Nahan, *Boy Meets Girl* (1984), poème en noir et blanc qui le fait d'emblée considérer par la critique comme le jeune héritier d'une « nouvelle » vague. Secret, cultivant le mystère, fidèle à son acteur/double Denis Lavant, il trouve de gros moyens pour réaliser un *Mauvais Sang* (1986) au romantisme à la fois noir et lumineux, tout tourné vers ses références avouées, Cocteau et Godard. Il commence le tournage des *Amants du Pont-Neuf* avec Juliette Binoche en 1988. Le film est interrompu pour dépassement de budget et, après une longue période d'incertitude sur sa survie, le tournage reprend et le film sort en 1991. Film événement qui déclencha des réactions très diverses et conforta Léos Carax dans sa singularité et une perception un peu superficielle d'artiste maudit. A.T.

CARBONNAUX *(Norbert), cinéaste et scénariste français (Neuilly-sur-Seine 1918).* Il apporte, avec plus ou moins de bonheur, une bouffée de fantaisie, de liberté, le goût de l'absurde dans le cinéma français, renouant avec le premier René Clair et s'apparentant parfois à Carlo Rim et Pierre Chenal, ou, mieux, à Pierre Étaix. Les nombreux dialogues qu'on lui doit également reflètent ce même ton que le conformisme de la production des films dits *comiques* s'efforce de tempérer, avant de le faire disparaître. Citons, parmi ses films : *les Corsaires du bois de Boulogne* (1954), *Courte Tête* (1956), *le Temps des œufs durs* (1958), *Candide, ou l'Optimisme au XX*e *siècle* (1961), *la Gamberge* (1962). C.D.R.

CARDIFF *(Jack), directeur de la photographie et cinéaste britannique (Yarmouth 1914).* Fils d'acteurs, acteur enfant, Cardiff s'intéresse en grandissant à la technique et à la photo. En 1937, il est responsable des somptueuses couleurs de *la Baie du destin* (H. Schuster) et en 1939 des *Quatre Plumes blanches* (Z. Korda), ce qui lui assure une solide réputation de coloriste chatoyant et raffiné, qui ne s'est jamais démentie. La couleur lui inspire des compositions splendides, parfois audacieuses, complément idéal aux talents de Michael Powell et Emeric Pressburger : *Question de vie ou de mort* (1946), *les Chaussons rouges* (1948) mais surtout *le Narcisse noir* (1947) comptent parmi les plus séduisantes réussites du Technicolor. Sa collaboration avec Hitchcock (*les Amants du Capricorne,* 1949) sera moins flamboyante, mais tout aussi intelligente : la couleur, comme assourdie, devient le symbole d'un drame qui couve. Il a su illuminer Ava Gardner de nuances inoubliables, bleu nuit, vieux rose et mordoré : *Pandora* (Albert Lewin, 1951), *la Comtesse aux pieds nus* (J. L. Mankiewicz, 1954). Mentionnons encore sa contribution au documentaire de Pat Jackson : *Western Approaches* (1944), sa complicité avec John Huston pour *African Queen* (1952), les coloris sanguins des *Vikings* (R. Fleisher, 1958) et ceux, ocre, de *la Cité disparue* (H. Hathaway, 1957). Plus près de nous, la couleur élégante et nette de *Mort sur le Nil* (J. Guillermin, 1978) prouve que Cardiff reste l'un des premiers de sa profession. Mais il a préféré œuvrer comme cinéaste, avec des fortunes artistiques diverses. Ses films d'aventure (*les Drakkars* [*The Long Ships*], 1964) sont impersonnels, et il n'est pas à la hauteur de ses films ambitieux (*la Motocyclette* [*Girl on a Motorcycle*], 1968). Il termina cependant consciencieusement *le Jeune Cassidy* (*Young Cassidy,* 1965) commencé par John Ford, et il sut se tirer honorablement d'une délicate adaptation de D. H. Lawrence, *Amants et Fils* (*Sons and Lovers,* 1960), qui, malgré un affadissement de la matière littéraire, rendait avec une certaine force la réalité du milieu minier. C.V.

CARDINALE *(Claudia), actrice italienne (Tunis, Tunisie, 1938).* Élue à moins de dix-huit ans « la plus belle Italienne de Tunis », elle apparaît dans un film français tourné en Tunisie et vient à Rome suivre les cours du Centro sperimentale. Elle va gravir rapidement les échelons du vedettariat, passant des rôles de jeune beauté farouche (la Sicilienne du *Pigeon*) aux figures sophistiquées des films internationaux. Son corps parfait, ses yeux immenses, sa voix délicatement rauque font l'objet d'un lancement publicitaire intense de la part du producteur Franco Cristaldi. Elle a surtout la chance de mériter l'intérêt de grands cinéastes, tel Visconti, dont *le Guépard* la consacre. Elle a l'intelligence d'intégrer des traits nouveaux (notamment l'aspiration à la liberté : *la Fille à la valise* et, plus tard, *Liberté mon amour,* film méconnu de Bolognini) dans son personnage, au reste traditionnel, de jeune femme à la fois sensuelle et sentimentale. Séduisante dans la candeur comme dans la perversité, dans la dignité des films en costumes comme dans la fantaisie (depuis *la Panthère rose*), elle a paru longtemps dépourvue de dons dramatiques : faute peut-être d'une intuition juste de la part du metteur en scène. Mais elle n'a cessé de diversifier ses emplois, grâce surtout à ses expériences hollywoodiennes. Son rayonnement typiquement méditerranéen (avec le magnétisme particulier qu'il implique) et l'indépendance tranquille de son caractère font d'elle une des personnalités les plus attachantes du cinéma italien. G.L.

Films : *Goha le simple* (J. Baratier, 1958) ; *le Pigeon* (M. Monicelli, 1958) ; *Meurtre à l'italienne* (P. Germi, 1959) ; *Hold-up à la milanaise* (N. Loy, *id.*) ; *Austerlitz* (A. Gance, 1960) ; *Rocco et ses frères* (L. Visconti, *id.*) ; *le Bel Antonio* (M. Bolognini, *id.*) ; *I delfini* (F. Maselli, *id.*) ; *la Viaccia* (M. Bolognini, 1961) ; *la Fille à la valise* (V. Zurlini, *id.*) ; *Les lions sont lâchés* (H. Verneuil, *id.*) ; *Cartouche* (Ph. de Broca, 1962) ; *Quand la chair succombe* (Bolognini, *id.*) ; *le Guépard* (L. Visconti, 1963) ; *Huit et demi* (F. Fellini, *id.*) ; *la Ragazza* (L. Comencini, *id.*) ; *la Panthère rose* (B. Edwards, 1964) ; *le Cocu magnifique* (A. Pietrangeli, *id.*) ; *Sandra* (Visconti, 1965) ; *les Professionnels* (R. Brooks, 1966) ; *Il était une fois dans l'Ouest* (S. Leone, 1968) ; *La Maffia fait la loi* (D. Damiani, *id.*) ; *la Tente rouge* (M. Kalatozov, 1971) ; *les Pétroleuses* (Christian-Jaque, *id.*) ; *l'Audience* (M. Ferreri, *id.*) ; *Liberté mon amour* (Bolognini, 1975) ; *Violence et Passion* (Visconti, *id.*) ; *Il commune senso del pudore* (A. Sordi, 1976) ; *le Préfet de fer* (*Il prefetto di ferro* [P. Squitieri], 1977) ; *Bons Baisers d'Athènes* (*Escape to Athena* [Georges Pan Cosmatos], 1979) ; *Fitzcarraldo* (W. Herzog, 1982) ; *le Ruffian* (J. Giovanni, 1983) ; *Claretta* (P. Squitieri, 1984) ; *l'Été prochain* (N. Trintignant, 1985) ; *La storia* (*id.,* L. Comencini, 1986) ; *Blu elettrico* (Elfriede Gaeng, 1988) ; *les Tambours de feu* (S. Ben Barka, 1990) ; *Atto di dolore* (Squitieri, 1991) ; *Mayrig* (H. Verneuil, *id.*) ; *588 rue du Paradis* (*id.,* 1992) ; *le Fils de la Panthère Rose* (B. Edwards, 1993) ; *Elles ne pensent qu'à ça* (Charlotte Dubreuil, 1994).

CARDIOÏDE. *Micro cardioïde,* microphone dont le diagramme de directivité affecte une forme de cœur. (→ PRISE DE SON.)

CARETTE *(Julien), acteur français (Paris 1897 - Le Vésinet 1966).* Il y a des leçons à tirer de la virtuosité de cet artiste qui, en trois répliques, fixe une silhouette, la grave dans les mémoires et s'égale aux plus grands le temps d'une apparition. Ni Prévert ni Renoir ne s'y sont trompés. Alors que Carette hésite sur son emploi, Pierre Prévert le fait surgir de *L'affaire est dans le sac* (1932) et Renoir lui choisit des rôles avec gourmandise : *la Grande Illusion* (1937) et *la Marseillaise* (1938), *la Bête humaine* (id.), et, admirable point d'orgue, *la Règle du jeu* (1939). Comédien de prédilection pour Autant-Lara, on le voit dans *Lettres d'amour* (1942), *Occupe-toi d'Amélie* (1949), *l'Auberge Rouge* (1951), *le Bon Dieu sans confession* (1953), *le Joueur* (1958), *la Jument verte* (1959), *Vive Henri IV, vive l'amour* (1961). Le plaisir vif de jouer la comédie qui émane de ce petit homme à l'œil malicieux et à l'accent gouailleur l'a mené de l'Odéon au Vieux-Colombier et le fait rechercher par Decoin (*Battement de cœur,* 1940), Carné (*les Portes de la nuit,* 1946 ; *la Marie du port,* 1950), Duvivier (*la Fête à Henriette,* 1952), Grémillon (*l'Amour d'une femme,* 1954). Pierre Prévert lui confie le rôle principal d'*Adieu Léonard* (1943). Carette sauve par sa cocasserie maintes comédies banales qui, sans lui, ne seraient que ce qu'elles sont. R.C.

CAREY *(Henri Dewitt Carey II,* dit *Harry), acteur américain (New York, N. Y., 1878 - Los Angeles, Ca., 1947).* Auteur de mélodrames, il entre à la Biograph en 1909 comme acteur et tient des rôles importants à partir de 1912 *(The Musketeers of Pig Alley)* pour devenir en 1917 l'un des interprètes fétiches de John Ford (26 films, en majorité des westerns). Son succès personnel dans *Trader Horn* (W. S. Van Dyke, 1931) lui vaut de jouer ensuite dans des films moins stéréotypés : *Ville sans loi* (H. Hawks, 1935), *Je n'ai pas tué Lincoln* (J. Ford, 1936), *Âmes à la mer* (H. Hathaway, 1937), *Air Force* (H. Hawks, 1943), *Duel au soleil* (K. Vidor, 1947), *la Rivière Rouge* (H. Hawks, 1948), auxquels il apportait la dignité d'une figure quasi légendaire. Ford lui a dédié *le Fils du désert* (1949). G.L.

CAREY *(Harry, Jr.), acteur américain (Saugus, Ca., 1921).* Fils du «grand» Harry Carey, il passe six ans dans la marine avant de débuter à l'écran en 1947 (*la Vallée de la peur,* de R. Walsh). Il joue aux côtés de son père dans *la Rivière rouge* (H. Hawks, 1948), où il montre d'évidentes qualités, mais, malgré la protection constante de John Ford, il met longtemps à s'évader d'un personnage de *vilain* (ou de victime du sort) quelque peu immature : *le Fils du désert* (J. Ford, 1949), *le Convoi des braves* (id., 1950), *Rio Grande* (id., *id.*), *Les hommes préfèrent les blondes* (H. Hawks, 1953), *Ce n'est qu'un au-revoir* (J. Ford, 1955), *la Prisonnière du désert* (id., 1956), *Rio Bravo* (H. Hawks, 1959), *les Cheyennes* (J. Ford, 1964). Après des films de moins en moins prestigieux, on le revoit dans *Nickelodeon* (P. Bogdanovich, 1976). G.L.

CARL *(Renée), actrice française (? - Paris 1954).* Elle s'est fait un nom au théâtre lorsque, en 1907, elle se présente au studio Gaumont pour y être aussitôt engagée par Feuillade. Elle paraît dans les bandes de Romeo Bosetti et devient une vedette très demandée. Elle aborde tous les genres : mythologique, biblique, historique, drames mondains, comédies sentimentales ; elle participe à des séries (notamment *Fantômas* de Feuillade en 1913-14) ; elle assiste aux essais du chronophone, figure la mère de Bébé et de Bout de Zan, devient productrice, joue la Thénardier (*les Misérables,* H. Fescourt, 1925) et revient à l'écran après une longue interruption dans *Pépé le Moko* (J. Duvivier, 1937). Elle avait réalisé elle-même en 1923 *Un cri dans l'abîme.* R.C.

CARLE *(Gilles), cinéaste canadien (Maniwaki, Québec, 1929).* Étudiant à l'École des beaux-arts de Montréal, graphiste, poète et éditeur, il découvre le cinéma vers 1960 et réalise une série de courts métrages dans le cadre de l'ONF. C'est également l'ONF qui lui permet de mettre en scène son premier long métrage, *la Vie heureuse de Léopold Z,* en 1965.

Il devient ensuite son propre producteur (dans plusieurs sociétés successives, Onyx Films, puis Carle-Lamy Ltée, dont il assure le financement en réalisant un grand nombre de courts métrages et de films publicitaires) et dirige une série de longs métrages au réalisme truculent qui contribuent à populariser l'identité québécoise au pays et en Europe. *Les Mâles,* puis *la Vraie Nature de Bernadette* sont des fables libertaires enracinées dans une société alors en mutation, au temps de la montée du courant indépendantiste.

À partir de *la Mort d'un bûcheron* (1973) et de la rencontre de la comédienne Carole Laure, puis du musicien Lewis Furey, Gilles Carle évolue vers un cinéma inquiet, soucieux de recréer une structure familiale élémentaire (dans un contexte encore réaliste, puis au sein d'utopies où la musique prend une place croissante). Avec *les Plouffe* (1981), réalisé pour la télévision, il signe une chronique réaliste qui retrace l'histoire d'une famille québécoise et remporte dans son pays un grand succès populaire. J.-P.J.

Films ▲ : *la Vie heureuse de Léopold Z* (1965) ; *le Viol d'une jeune fille douce* (1968) ; *Red* (1969) ; *les Mâles* (1970) ; *la Vraie Nature de Bernadette* (1972) ; *la Mort d'un bûcheron* (1973) ; *les Corps célestes* (id.) ; *la Tête de*

Normande St-Onge (1975) ; *A Thousand Moons* (MM, 1976) ; *l'Ange et la Femme* (1977) ; *Fantastica* (1980) ; *les Plouffe* (1981) ; *Jouer sa vie* (DOC, CORÉ C. Condari, 1982) ; *Maria Chapdelaine* (1983) ; *Cinéma, cinéma* (DOC, CORÉ W. Nold, 1985) ; *Ô Picasso* (DOC, *id.*) ; *la Guêpe* (1986) ; *Vive Québec* (DOC, 1988) ; *la Postière* (1992).

CARLETTI *(Luisa Paola Armida Carboni,* dite *Louise), actrice française (Marseille 1922).* Issue du music-hall, du cirque et du cabaret, elle est, si l'on veut, l'adolescente piquante, puis la vamp sage du cinéma français, par opposition à la femme fatale qu'incarne Viviane Romance, grâce à son charme, à sa fraîcheur de brune acidulée. De sa carrière, on peut notamment retenir *les Gens du voyage* (J. Feyder, 1938), *Terre de feu* (M. L'Herbier, *id.*), *l'Enfer des anges* (Christian-Jaque, 1939), *Jeunes Filles en détresse* (G. W. Pabst, *id.*), *Macao, l'enfer du jeu* (J. Delannoy, RÉ 1939 ; 1942), *Nous les gosses* (L. Daquin, 1941), *L'assassin a peur la nuit* (Delannoy, 1942). On la retrouve avec quelque surprise dans *le Club des soupirants,* fantaisie nonsensique de Maurice Gleize (1941). Sur le tard, elle n'apparaît plus que dans les films médiocres de son mari Raoul André. Il lui aura manqué l'abattage d'une Rosalind Russell, le glamour d'une Odette Joyeux pour dépasser un agréable mais assez mince registre. C.M.C.

CARLO RIM *(Jean-Marius Richard,* dit), *cinéaste français (Nîmes 1902 - Peypin 1989).* Journaliste et dessinateur humoristique, auteur de plusieurs romans, il devient scénariste pour le cinéma en 1934, écrivant des comédies (*Justin de Marseille, Hercule,* qu'il coréalise avec Alexandre Esway), suivies de titres divers : *Tarass Boulba, Nostalgie, Simplet* (coréalisé avec Fernandel), *la Ferme aux loups...* En 1948, il écrit et réalise son film le plus personnel, *l'Armoire volante.* Il tourne ensuite *la Maison Bonnadieu* (1951), *Virgile* (1953), *Escalier de service* (1955), *les Truands* (1956), *le Petit Prof* (1958), films dont il est le plus souvent le scénariste-dialoguiste. Dans les années 60, il travaille essentiellement pour la télévision. Il a publié de nombreux livres, dont, en 1981, des Mémoires. D.S.

CARLSEN *(Henning), cinéaste danois (Aalborg 1927).* Ayant renoncé à ses premières ambitions qui étaient de devenir médecin, Carlsen devient l'assistant de Theodor Christensen, le fondateur du mouvement documentariste danois de l'après-guerre. Pendant toutes les années 50, il participe à la production de films publicitaires et documentaires. En 1962, il réalise *Dilemme (Dilemma),* d'après un roman de Nadine Gordimer, qu'il tourne dans la clandestinité en Afrique du Sud.

C'est un producteur suédois indépendant, Lorens Marmstedt, qui donne à Carlsen sa première vraie chance en lui confiant, à Stockholm, la direction des *Chattes* (*Kattorna,* 1965), où la psychologie féminine se trouve analysée d'une manière fine et sans pitié. *La Faim* (*Sult,* 1966) est le film le plus connu de Carlsen. Il a valu à son interprète, Per Oscarsson, le premier prix d'Interprétation au festival de Cannes, dans le rôle d'un écrivain hanté par l'écriture. Ne parvenant pas à publier ses textes, le personnage se trouve dans une situation misérable, en proie à des hallucinations (l'action se passe à la fin du XIXe siècle, à Christiania [aujourd'hui Oslo], la capitale norvégienne). Tiré du célèbre roman autobiographique homonyme de Knut Hamsun, *la Faim* était une coproduction norvégienne, danoise et suédoise. Rien de ce que Carlsen a réalisé depuis n'a tout à fait atteint le brio de *la Faim,* bien qu'il ait manifesté un certain talent pour la comédie dans *Sophie de 6 à 9* ou *Quand des gens se rencontrent, une douce musique leur emplit le cœur* (*Mennesker m'odes og s'od musi'k opstår i hjertet,* 1967), et dans *Comment faire partie de l'orchestre* (*Man sku' vaere noget ved musikken,* 1972), chronique douce-amère — et parfois d'une ironie assez désespérée — sur les habitués d'un petit café populaire de Copenhague. La même touche humoristique caractérise *Un divorce heureux* (1975), coproduction franco-danoise dont le sujet est la rencontre désastreuse entre un homme jeune, son ancienne femme et le nouvel amant de celle-ci dans une maison de campagne en France.

Nous sommes tous des démons (*Klabautermanden,* 1969), récit à la fois subversif et fantastique, est l'adaptation d'un roman d'Axel Sandemose sur un vieux capitaine de la marine hanté par les appels d'une jeune sirène.

En 1978, Carlsen revient au Danemark de son enfance avec *Un rire sous la neige (H'or, var der ikke en, som lo ?),* où le personnage principal est un jeune chômeur des années 30. Quatre ans plus tard, le cinéaste signe *' la Bourse ou la Vie' (Pengene eller livet),* une œuvre largement autobiographique. Après un documentaire (*Journal d'Espagne,* 1986), le cinéaste s'intéresse dans *Gauguin, le loup dans le soleil/le Loup à la porte (Oviri)* à l'une des périodes les plus sombres de la vie du peintre, qui, en 1893, quitte Tahiti pour Paris et la Bretagne, où l'attendent insuccès, trahisons et déconvenues amoureuses et amicales. En 1995, il retrouve le romancier Knut Hamsun dans *Deux plumes vertes (Two Green Feathers),* adaptation du célèbre roman *Pan.*

Il y a, dans le meilleur de l'œuvre de Carlsen, une singulière beauté plastique que vient rehausser une sympathie profonde et chaleureuse pour tel ou tel être humain, dont le visage se dégage de la masse anonyme comme celui de ces hallucinés qu'on voit sur les gravures et les toiles d'un autre artiste scandinave, Edvard Munch. ▲ P.CO.

CARLSON *(Richard), acteur et cinéaste américain (Albert Lea, Minn., 1912 - Los Angeles, Ca., 1977).* Interprète sans grand relief de comédies et de films d'aventures à partir de 1938, il voit ses rôles s'étoffer peu à peu (*l'Étrange Créature du lac noir,* J. Arnold, 1954). Producteur prolifique de séries TV, où il joue généralement, il a signé pour le grand écran trois films fort élégants et divertissants (où il n'apparaît pas) : *Quatre Tueurs et une fille* (*Four Guns to the Border,* 1954), *l'Implacable Poursuite* (*The Saga of Hemp Brown,* 1958), *Rafales dans la nuit* (*Appointment With a Shadow,* id.). Puis, en marge de ses activités d'homme d'affaires, un western tourné en Espagne : *Kid Rodelo* (1966). G.L.

CARLSTEN *(Rune), cinéaste suédois (Stockholm 1890 -* id. *1970).* Animateur du Théâtre royal dramatique, il débute au cinéma comme acteur dans *'les Gens de Hemsö'* (*Hemsöborna,* 1918) de Carl Bareklind d'après Strindberg. Il passe ensuite à la mise en scène et se range au côté d'Hedquist et de Brunius parmi les *petits maîtres* de l'âge d'or du cinéma suédois au temps du muet. Il signe *'Quand l'amour commande'* (*Ett farligt frieri,* 1919) avec Lars Hanson, *'les Motifs supérieurs'* (*Högre ändamål,* 1921), *'Un moderne Robinson'* (*Robinson i skärgården,* id.) et compte parmi les réalisateurs favoris de l'acteur Gösta Ekman : *'la Bombe'* (*Bomben,* 1919) ; *'les Traditions de la famille'* (*Familjens traditionner,* 1920) ; *'Un jeune comte'* (*Unge grevan,* 1924). Dérouté par le parlant, il paraît, au cours des années 30, avoir perdu son originalité, mais il étonne pourtant, en 1942, avec *'le Docteur Glas' (Doktor Glas),* curieuse adaptation de l'œuvre de Hjalmar Södeberg. Ses cinq films ultérieurs sont des mélodrames (le dernier *'le Lien éternel'* [*Eviga länkar*] sort sur les écrans en 1947). J.-L.P.

CARMET *(Jean), acteur français (Bourgueil 1921 - Sèvres 1994).* Comédien cantonné longtemps dans les seconds rôles, en raison de son physique de Français moyen, il doit attendre les années 70 pour se voir confier l'emploi vedette dans des productions à prétention sociologique, voire « politique » : *Dupont Lajoie* (Y. Boisset, 1975). Il devient alors un des acteurs les plus sollicités dans les productions — toute considération de qualité mise à part — visant à peindre une prétendue « France profonde ». Sa carrière croise alors celle d'autres comédiens affligés du même label (Louis de Funès, Jean-Pierre Marielle, Jean Lefebvre...) et de réalisateurs spécialisés dans les produits du terroir (Jean Girault). Certaines performances isolées, tel *le Caporal épinglé* (J. Renoir, 1962), mais aussi *Violette Nozière* (C. Chabrol, 1978), *Buffet froid* (Bertrand Blier, 1979), son apparition dans *la Banquière* (F. Girod, 1980), son étonnante composition de vieux travesti dans *Miss Mona* (Medhi Charef, 1987) montrent néanmoins ce que son art pourrait apporter au cinéma français. Encore faudrait-il que des scénaristes et des réalisateurs de premier plan se penchent sur son cas : il est aussi mal desservi que Michel Galabru, ce qui relève d'une certaine forme de gaspillage. Jean Carmet est apparu dans près de 200 films. Outre ceux déjà cités, on peut signaler : *les Enfants du paradis* (M. Carné, 1945) ; *Copie conforme* (J. Dréville, 1947) ; *Monsieur Vincent* (M. Cloche, *id.*) ; *Till l'Espiègle* (G. Philipe, 1956) ; *la Belle Américaine* (R. Dhéry, 1961) ; *Mélodie en sous-sol* (H. Verneuil, 1963) ; *Noirs et blancs en couleurs/la Victoire en chantant* (J.-J. Annaud, 1976) ; *le Sucre* (J. Rouffio, 1978) ; *Il y a longtemps que je t'aime* (J. -C. Tacchella, 1979) ; *les Misérables* (R. Hossein, 1982) ; *Canicule* (Y. Boisset, 1984) ; *l'Été 36* (Y. Robert, TV, 1985) ; *les Fugitifs* (F. Veber,

1986) ; *la Vouivre* (G. Wilson, 1988) ; *Un jeu d'enfant* (Pascal Kané, 1989) ; *le Château de ma mère* (Y. Robert, 1990) ; *Merci la vie* (Bertrand Blier, 1991) ; *le Bal des casse-pieds* (Y. Robert, 1992), *la Chambre 108* (Daniel Moosman, 1993), *Germinal* (C. Berri, *id.*). M.S.

CARMI *(Maria), actrice italienne (Florence 1880-Myrtle Beach, Ca., 1957).* Actrice de théâtre en Italie (avec Bragaglia) et en Allemagne (avec Max Reinhardt), elle apparut à l'écran entre 1912 et 1920 dans quelques films, dont les plus notables sont *Das Mirakel* (M. Reinhardt, 1912), *Eine venezianische Nacht* (*id.*, 1913), *Perdus dans les ténèbres* (N. Martoglio, 1914), *Teresa Raquin* (*id.*, 1915). C.O.

CARNÉ *(Marcel), cinéaste français (Paris 1909),* chef de file du *réalisme poétique.* Orphelin de mère à cinq ans, son père souvent absent, Carné est élevé librement par une grand-mère et une tante. Après la communale, son père l'envoie dans une école d'apprentissage afin d'en faire un ébéniste comme lui ; puis, devant ses résistances et son peu d'intérêt pour la menuiserie, il lui trouve un emploi dans une compagnie d'assurances. Carné a dix-sept ans. À sa passion pour le cinéma, il en ajoute une nouvelle : le music-hall. Après son travail, il suit aux Arts et Métiers des cours de photographie ; il obtient un diplôme de technicien. L'amitié de Françoise Rosay, rencontrée chez des amis communs, lui permet l'accès des studios : il est assistant de l'opérateur Georges Périnal et bientôt du réalisateur Jacques Feyder, pour le film *les Nouveaux Messieurs* (1929). Feyder appelé à Hollywood, Carné devient journaliste et critique, à *Cinémagazine* d'abord, au corporatif *Hebdo-Film* plus tard. Symptomatiquement, il s'enthousiasme, dès ses premiers textes, pour le cinéma expressionniste allemand (chez Murnau, dit-il, « la caméra est un personnage du drame ») et pour le film policier américain. Avec ses économies et celles d'un camarade, Michel Sanvoisin, il tourne le documentaire poétique *Nogent, Eldorado du dimanche* (1929). C'est le moment de la « troisième avant-garde ». Le film séduit René Clair ; Carné sera son assistant pour *Sous les toits de Paris* (1930). Entre 1930 et 1932, sans renoncer au journalisme, Carné tourne de petits films publicitaires en collaboration avec Paul Grimault et Jean Aurenche. Il assiste ensuite Feyder, rentré d'Amérique, pour *le Grand Jeu* (1934), *Pension Mimosas* (1935), *la Kermesse héroïque* (1935) ; il débute enfin dans la mise en scène, en 1936, toujours à l'ombre de Feyder et Françoise Rosay, et signe *Jenny.* Enthousiasmé par *le Crime de M. Lange,* réalisé par Jean Renoir avec la collaboration de Jacques Prévert, il exige de son producteur que ce dernier, dont il a aussi apprécié les créations pour le groupe Octobre, soit le scénariste et le dialoguiste de *Jenny.* C'est le départ d'une collaboration qui marquera dix ans de cinéma français. Carné adhère à l'Association des artistes et écrivains révolutionnaires (AAER) ; il filme pour *Ciné-Liberté* les manifestations du Front populaire. Il est vite célèbre. 1941 : le gouvernement de Vichy – mais c'était déjà le cas pour les censeurs sous la IIIe République en 1939 – juge ses films pernicieux et démoralisateurs. Carné et Prévert se réfugient dans la fable, dans l'histoire passée. Au sortir de la guerre, le tandem triomphe dans le monde avec la flamboyante fresque des *Enfants du paradis,* demeurée un *classique* du cinéma. En octobre 1979, un musée Marcel Carné a été inauguré à Boston.

La formation artistique de Carné éclaire l'essentiel de son style. Parce qu'il a tourné un documentaire de plein air empreint de poésie populiste, il réclame, en 1933, un cinéma qui descende dans la rue, loin du décor et de l'artifice des studios, à la poursuite de la vie immédiate. De son maître Feyder, il rejette significativement toutes les recherches et innovations de langage fondées sur la technique et garde le réalisme méticuleux du personnage, du cadre et du détail. Profondément marqué par Lang et Murnau, Sternberg et Hawks, il veut pour ses films une *atmosphère,* qu'il demande d'abord à la plastique, à la composition très élaborée de l'image, aux clairs-obscurs suggestifs, aux perspectives bouchées derrière lesquelles vibre comme une secrète obsession du soleil. Mais la rue, le Paris dans lequel il exige que la caméra descende sont quasiment ceux de René Clair qui donnent, selon ses propres termes, « une interprétation de la vie plus vraie que la vie elle-même ». Le réel, sa vérité seront donc retrouvés au terme de deux artifices : l'artifice expressionniste de la mise en scène, l'artifice poétique du scénario. C'est là définir le *réalisme poétique,* que Carné n'invente pas mais conduit à son point d'aboutissement. Ce réalisme est une quasi-constante du cinéma français depuis Delluc, Kirsanoff, Vigo, en passant par Chenal, Feyder, Renoir, Duvivier, Grémillon. Carné le fait virer au noir, l'imprègne d'un fatum omniprésent, lui confère une *aura* plus tragique qu'envoûtante, même si elle n'échappe pas à une étrange fascination de la misère et du malheur : le fantastique social.

Avec Jacques Prévert, les opérateurs Eugène Schüfftan, Curt Courant, Roger Hubert, le décorateur Alexandre Trauner, les musiciens Maurice Jaubert, Joseph Kosma et, pour deux de ses *classiques,* Jean Gabin, Carné constitue une équipe stable qui l'aide à définir un style et une vision du monde. Le style est raisonnable, rigoureux, limpide, plutôt froid. Carné procède par champs et contrechamps commandés par le dialogue et l'intelligence du rythme. Il refuse l'*effet* de cinéma : le réveille-matin qui sonne au dénouement du *Jour se lève* pour appeler un ouvrier mort au travail est unique dans son œuvre. Son découpage est analytique. Héritier du *kammerspiel* et de son fatalisme, il a le goût des trois unités et celui de la claustration, de la clôture-prison. Peintre bien plus qu'architecte, s'il veut que la ville figure aussi le destin, que le décor constitue la psychologie de ses héros, que la caméra soit un acteur du drame, il privilégie néanmoins l'atmosphère, donne le pas aux personnages sur l'action. Son picturalisme *déréalise* subtilement le monde qu'il a construit, le hante de rêve, d'espoir ou d'angoisse, le dissout plus qu'à demi dans la légende *(les Visiteurs du soir)* ou dans le mythe *(Quai des brumes, les Portes de la nuit).* On a pu très justement dire : un pavé de Carné n'est pas un cube de pierre ; c'est un bloc d'ouate aux formes molles gorgées d'huile.

Son univers est manichéen. Prévert lui a légué ses personnages-emblèmes, tout d'une pièce, définitifs, plus poétiques que psychologiques, personnages-poèmes qui sont chacun un film à soi tout seul. Les bons, les purs s'opposent aux malfaisants, aux *nuisibles.* Les méchants portent leur méchanceté jusqu'à se faire tuer par les innocents, afin de mieux les perdre. Bon ou mauvais diable, le destin est avec les salauds. Les bons, les pauvres perdent toujours, même si l'amour, qui est le plus haut degré de leur innocence et leur générosité, éblouit un moment le quotidien de leurs vies. Le couple est impossible ; l'homme perdu, la femme («Femme-Fatalité»), sans l'avoir voulu, le perd. Malgré Prévert, Carné illustre une conception autopunitive de l'amour. Dix années durant, de 1936 à 1946, le réalisme poétique de Carné/Prévert soutient cette vision fraternelle, insurgée, protestataire, nihiliste, désespérée, qui est un parfait baromètre de l'époque. Elle trouve en Gabin son incarnation majeure. Le *mythe* de Jean Gabin était déjà en place, avec sa couleur morale, ses traits obligés, la rituelle scène de colère où le juste commet l'irréparable, la mort inadmissible au dénouement. Carné l'enrichit d'échos lyriques et de prolongements sociaux. Il en accuse la dignité, la crédibilité et, plus encore, la bouleversante simplicité. À travers lui s'achève le tableau de la décomposition morale de la France démocratique confrontée à une guerre inévitable.

Jenny est d'emblée une réussite que l'on peut préférer à *Drôle de drame.* L'univers du tamdem est en place avec déjà un destin qui se manifeste sous l'apparence d'un clochard, l'amour fou, la liberté des marginaux et, pour cette seule fois, le monde réel, le canal Saint-Martin, le Pont-Tournant, le vrai soleil des quais. *Drôle de drame* apporte un *burlesque intellectuel* situé dans un Londres de mémoire qui s'en réfère ironiquement au Griffith du *Lys brisé* et au Pabst de *l'Opéra de quat'sous.* Mal accueilli, le film prend une revanche définitive en 1951. Bien qu'édifié sur un scénario et des dialogues d'Henri Jeanson, *Hôtel du Nord* ne détonne nullement dans l'univers de Carné-Prévert, même si son *réalisme noir* doit plus à la littérature (Eugène Dabit) qu'à cette atmosphère picturale dont *Quai des brumes* enveloppe sa magie désespérée ; là, tous les horizons sont barrés, ceux de l'amour, ceux de l'art, ceux de la liberté. La règle des trois unités commande aussi au *Jour se lève,* sommet de l'œuvre du cinéaste. Carné part d'un fait divers — un homme a tué —, «le fouille et l'amplifie jusqu'à lui conférer une grandeur tragique» (ainsi Carné définissait-il en 1930 la démarche de Sternberg dans *les Nuits de Chicago*). Il porte à la perfection, deux ans avant *Citizen Kane,* un cinéma de la mémoire (chez Welles les personnages racontent, ici le héros se souvient), dans une structure dramatique éclatée qui *réalise* l'irrévocabilité du destin même, puisque les faits sont déjà accomplis, les dés sont déjà jetés. Après *les Visiteurs du soir,* qui fait exceptionnellement virer au blanc le noir habituel, et avant *les Portes de la nuit,* qui est comme un *Quai des brumes* mais présent politiquement dans son époque (d'où son insuccès), Carné tourne *les Enfants du paradis.* Le réalisme poétique opte pour le Paris de Louis-Philippe et de Balzac, s'y dévoile comme un néoromantisme dévoré d'énergies encore plus que de passions. Apothéose du spectacle, cinéma impur – à la fois théâtre et cinéma – qui, avec *Henri V* et *Ivan le Terrible* parus la même année, fait parler les théoriciens de « troisième voie », et qui en conduit d'autres à renoncer à la notion d'une *spécificité* du 7e art.

1947. La paix est revenue, une nouvelle époque commence. Le néoréalisme italien impose ses modèles. Le réalisme poétique n'est plus viable ; le personnage mythologique de Gabin est anachronique. Avec *la Marie du port,* Carné va s'en délivrer. Il se sépare de Prévert. Il prend le contre-pied de ses anciens thèmes. Il tourne dans une Normandie bien réelle. Finis le manichéisme, l'amour fou, le destin. Gabin propriétaire se range et épouse une jeune intéressée. À deux ou trois exceptions près – déjà *la Marie du port* marque un sérieux fléchissement –, Carné ne retrouvera plus les hauteurs passées. D'où l'inévitable question : que doit-il à Prévert ? Prévert existe sans Carné pourvu qu'un grand cinéaste (Renoir, Grémillon) lui prête de son réalisme. Il est plus fragile et parfois inconsistant avec des cinéastes *fantaisistes :* Pierre Prévert son frère, Richard Pottier, René Sti. S'il est si grand avec Carné, c'est donc que celui-ci lui a prêté main-forte : il a donné un corps à sa poésie. Leur séparation consacre la décadence (d'un point de vue strictement cinématographique) de l'un et de l'autre. « Carné encadrait bien le délire de Jacques. Leur œuvre est faite de leur perpétuel conflit. Carné est aussi froid que Jacques est délirant. Chacun apportait à l'autre ce qu'il n'avait pas. » (Raymond Bussières.) Sans Prévert, Carné va balancer entre réalisme et féerie sur une pente toujours descendante. *Juliette ou la Clé des songes* n'est pas sans prestige ; la première partie de *l'Air de Paris* reste convaincante. Avec *les Tricheurs,* qui obtinrent un énorme succès, Carné prétend pénétrer la jeunesse de 1958 et ses problèmes. Sa peinture, fabriquée et tout extérieure, manque de force autant que de vérité. Seule réussite dans cette carrière post-prévertienne : *Thérèse Raquin.* Gageure risquée et gagnée, le réalisme poétique de la grande époque est intégré, investi, sans nul dommage pour l'authenticité, dans un contexte socio-historique réactualisé, Lyon remplaçant Paris.

B.A.

Films ▲ : *Nogent, Eldorado du dimanche* (1929) ; *Jenny* (1936) ; *Drôle de drame* (1937) ; *Quai des brumes* (1938) ; *Hôtel du Nord* (id.) ; *Le jour se lève* (1939) ; *les Visiteurs du soir* (1942) ; *les Enfants du paradis* (1945) ; *les Portes de la nuit* (1946) ; *la Fleur de l'âge* (1947, inachevé) ; *la Marie du port* (1950) ; *Juliette ou la Clé des songes* (1951) ; *Thérèse Raquin* (1953) ; *l'Air de Paris* (1954) ; *le Pays d'où je viens* (1956) ; *les Tricheurs* (1958) ; *Terrain vague* (1960) ; *Du mouron pour les petits oiseaux* (1963) ; *Trois Chambres à Manhattan* (1965) ; *les Jeunes Loups* (1967) ; *les Assassins de l'ordre* (1971) ; *la Merveilleuse Visite* (1974) ; *la Bible* (DOC TV, 1976).

CARNEY *(Arthur William,* dit *Art), acteur américain (Mount Vernon, N. Y., 1918).* Déjà fort de son expérience du théâtre et de la TV *(The Carol Burnett Show),* Art Carney s'est imposé à l'écran en vieillard tantôt rusé, tantôt touchant. Dans ce registre, ses deux compositions les plus intéressantes sont celle d'Harry, le vieux monsieur fugueur de *Harry et Tonto* (P. Mazursky, 1974), qui lui vaut un Oscar, et celle du détective fatigué et maladif de *Le chat connaît l'assassin* (R. Benton, 1977).

C.V.

CAROL *(Marie-Louise Mourer,* dite *Martine), actrice française (Saint-Mandé 1920 - Monaco 1967).* Elle débute au théâtre sous le pseudonyme de Maryse Arley. En 1946, elle joue au théâtre de la Renaissance dans *la Route au tabac.* À l'écran, elle tient de petits rôles dans *la Ferme aux loups* (Richard Pottier, 1943) et *Voyage surprise* (P. Prévert, 1947). Mais c'est grâce à un coup d'éclat publicitaire (elle se jette dans la Seine du pont de l'Alma, feignant un désespoir d'amour), une opération de chirurgie esthétique (redressement de son nez) et surtout un rôle quasiment écrit pour elle, celui de *Caroline chérie* (1951, roman de Cécil Saint-Laurent porté à l'écran par Richard

Pottier), qu'elle accède au rang de vedette. Le film, où elle dévoile généreusement son anatomie, sera suivi en 1953 d'*Un caprice de Caroline,* de Jean Devaivre. C'est le début d'une série de films pseudo-historiques, pimentés d'érotisme aimable : *Lucrèce Borgia* (1953), *Lysistrata* (épisode de *Destinées,* 1954), *Madame du Barry* (id.), *Nana* (1955), tous réalisés par son second mari, Christian-Jaque. Elle tourne aussi avec René Clair (*les Belles de nuit,* 1952), et, en Italie, Alberto Lattuada (*la Pensionnaire,* 1954). En 1955, c'est le couronnement de sa brève carrière, né peut-être d'un malentendu (les producteurs voulant exploiter son personnage de femme fatale, que le metteur en scène entendait au contraire exorciser) : *Lola Montès,* de Max Ophuls. L'insuccès commercial retentissant du film stoppe net la carrière de Martine Carol, qui ira ensuite d'échecs flagrants (*Scandale à Milan,* V. Sherman, 1956 ; *les Noces vénitiennes,* A. Cavalcanti, 1959) en come-back sans lendemain (*Nathalie, agent secret,* H. Decoin, 1959, *Austerlitz,* A. Gance, 1960 [elle est Joséphine], *Vanina Vanini,* R. Rossellini, 1961) et de dépressions nerveuses en divorces successifs. Son quatrième mari, le milliardaire anglais Mike Eland, la découvrira morte, en 1967, dans sa chambre d'hôtel : abus de médicaments ou crise cardiaque, on ne le sut jamais. C.B.

CARON *(Leslie), actrice et danseuse française (Paris 1931).* C'est comme danseuse classique qu'elle fait partie, en 1949, de la troupe de Roland Petit. Gene Kelly la découvre, et Vincente Minnelli fait d'elle l'héroïne de son *Américain à Paris* (1951). Elle y danse à ravir, ce qui lui vaut une célébrité immédiate. Son contrat à la MGM ne lui permet de tourner que des musicals, à quelques rares exceptions près : *la Ruelle du péché,* de Raoul Walsh, où elle réussit tout de même à danser (1952), et *Mademoiselle,* l'épisode d'*Histoire de trois amours* (1953) dirigé par Minnelli. Charles Walters utilise très subtilement une personnalité plus complexe qu'il n'y paraît dans *Lili* (id.), qui lui fait incarner une adolescente un peu naïve et pleine de charme, et dans *la Pantoufle de verre* (1955), où elle est Cendrillon. Mais ses deux moments de gloire (avec *Un Américain à Paris,* bien sûr) sont *Papa longues jambes* de Jean Negulesco (1955), dans lequel elle danse avec Fred Astaire, et *Gigi* (1958) : elle y retrouve Vincente Minnelli, et les costumes de Cecil Beaton la font plus belle que jamais. Après un dernier musical, *Fanny,* de Joshua Logan (1961), sa carrière devient à la fois plus intermittente et plus désordonnée. À signaler toutefois : ses rôles dans *la Chambre indiscrète* (B. Forbes, 1962), *Jeux d'adultes* (N. Loy, 1967), *l'Homme qui aimait les femmes* (F. Truffaut, 1977), *le Contrat* (K. Zanussi, 1980), *l'Impératif* (id., 1982), *la Diagonale du fou* (Richard Dembo, 1984), *Guerriers et captives* (E. Cozarinsky, 1989), *Fatale* (L. Malle, 1992), *Funny Bones* (Peter Chelsom, 1995). Au théâtre, elle fut choisie par Jean Renoir pour être *Orvet* (1955). D.R.

CAROW *(Heiner), cinéaste allemand (Rostock, 1929).* Il suit les cours de mise en scène à la DEFA en Allemagne de l'Est, devient l'assistant de Gerhard Klein pour la réalisation de films de vulgarisation scientifique et réalise un premier essai en 1952, le documentaire *Bauern Erfüllen den Plan.* La première partie de sa carrière est celle d'un documentariste, puis il aborde la fiction en 1956 avec deux films pour les enfants : *Sheriff Teddy* (1957) et *Sie Nannten ihn Amigo* (1958). Au cours des années 60, tout en signant des mises en scène de théâtre au Volkstheater de Rostock, il tourne notamment *Die Hochzeit von Länneken* (1963), *Die Reise nach Sundevit* (1966) et *Die Russen kommen* (1968, distribué en 1988). Après *Karriere* (1970) il obtient un large succès avec *Die Legende von Paul und Paula* (1972) et s'impose comme l'un des leaders de la génération « moyenne » en RDA : *Ikarus* (1975), *Bis dass der Tod euch scheidet* (1978), *So viele Träume* (1986) et *Coming out* (1989, sur le thème de l'homosexualité). Depuis l'unification allemande, il a réalisé *la Faute* (*Verfehlung,* 1991) et travaille pour la télévision. C.O.

CARPENTER *(John), cinéaste américain (Bowling Green, Ky., 1948).* Avec Brian De Palma mais sans l'exubérance baroque de ce dernier, John Carpenter est le cinéaste américain qui, depuis le milieu des années 70, a le mieux illustré les genres cinématographiques de l'horreur et du fantastique. Si De Palma s'inspire ouvertement de Hitchcock, Carpenter se tourne plus volontiers vers Hawks, dont il transpose *Rio Bravo* dans l'univers policier de *Assaut* (*Assault on Precinct 13,* 1976) avant de tourner une nouvelle version de *The Thing* (id., 1982) produit par Hawks au début des années 50. La fluidité de Carpenter, son sens de l'atmosphère, sa maîtrise des mouvements d'appareil font merveille dans *la Nuit des masques* (*Halloween,* 1978). *Le Roman d'Elvis* (*Elvis, the Movie,* 1978), *Fog* (id., 1980) déçoivent. Mais *New York 1997* (*Escape From New York,* 1981) suggère une ville fantasmatique au bord de l'écroulement tandis que *Christine* (id., 1983) fait d'une voiture l'héroïne meurtrière. Variation sur des thèmes connus, l'œuvre de Carpenter est celle d'un petit maître non dénué de charme ni d'éclat. M.C.

Autres films : *Dark Star* (1974) ; *Starman* (id., 1985) ; *les Aventures de Jack Burton dans les griffes du Mandarin* (*Big Trouble in Little China,* 1986) ; *Prince des ténèbres* (*Prince of Darkness,* 1987) ; *Invasion Los Angeles* (*They Live,* 1989) ; *les Aventures d'un homme invisible (Memoirs of an Invisible Man,* 1991) ; *l'Antre de la folie* (*In the Mouth of Madness,* 1995) ; *le Village des damnés* (*Village of the Damned, id.*).

CARPI *(Fabio), scénariste et cinéaste italien (Milan 1925).* Poète, romancier, essayiste cinématographique, Carpi a commencé d'écrire des scénarios au Brésil, à l'appel de Cavalcanti, qui venait de fonder, en 1949, la société de production Vera Cruz. Carpi en dirige le bureau des sujets de 1951 à 1954 et signe notamment le scénario de *Uma Pulga na Balança* de Luciano Salce (1953). Rentré en Italie, il se consacre de plus en plus au cinéma et collabore à divers sujets : *Il vedovo* (Dino Risi, 1959), *Un homme à moitié* (V. De Seta, 1966), *le Dernier Train* (Nello Risi, *id.*), *Journal d'une schizophrène* (id., 1969), *Une poule, un train... et quelques monstres* (Dino Risi, *id.*), *Bronte cronaca di un massacro...* (F. Vancini, 1972). En 1967, Carpi tourne pour la télévision *Parliamo tanto di me,* un portrait consacré à Zavattini. En 1971, après diverses tentatives avortées (il devait passer à la mise en scène dès 1954), Carpi réalise son premier long métrage, *Corpo d'amore,* film qui révèle d'emblée, dans l'analyse des difficiles rapports père-fils, un cinéaste d'une grande sensibilité et d'une veine très personnelle. *L'età della pace* (1974), méditation sur la vieillesse, la solitude et la mort, et *Quartetto Basileus* (1982) confirment le haut niveau d'exigence qui caractérise un homme non disposé à s'accommoder des contraintes du système. En 1987, il réalise *Barbablu, Barbablu,* en 1991 *l'Amour nécessaire (L'amore necessario),* en 1993 *la Prochaine fois, le feu (La prossima volta, il fuoco).* J.-A.G.

CARPITA *(Paul), cinéaste français (Marseille 1922).* Fils d'un docker, instituteur, il crée à la Libération une petite société de production et réalise avec des camarades, communistes comme lui, des actualités de « contre-information ». En 1953, il entreprend, sur le thème de la prise de conscience prolétarienne, un long métrage militant, *le Rendez-vous des quais,* évocation des manifestations et des grèves de 1950 contre la guerre d'Indochine qui se déroulent dans le port de Marseille ; le film est interdit en tant que « menace pour l'ordre public » et la copie, saisie et séquestrée, ne sera retrouvée qu'en 1988 et distribuée en 1990, tardive mais marquante révélation de ce chaleureux témoignage social et politique traité dans un style néoréaliste. Dans la même veine d'inspiration populaire, Carpita a également réalisé deux autres longs métrages, qu'il considère comme perdus (*Je suis née à Berlin,* 1951, et *Rencontre à Varsovie,* 1955), puis de nombreux courts sujets de commande ou de fiction (*la Récréation,* 1959 ; *Marseille sans soleil,* 1960 ; *Des lapins dans la tête,* 1964). En 1995, il a enfin pu réaliser un projet mûri de longue date, *Sables mouvants,* sur un conflit social en Camargue dans les années 50. M.M.

CARRADINE *(David), acteur et chanteur américain (Los Angeles, Ca., 1936).* Fils de John Carradine. Il a eu un immense succès à la TV dans la série *Kung Fu,* ce qui a considérablement obscurci son talent, réel, d'acteur. Il alterne des silhouettes schématiques dans des films inspirés de la bande dessinée (*la Course à la mort de l'an 2000,* de Paul Bartel, en 1975) et les compositions plus complexes où il excelle : *Bertha Boxcar* (M. Scorsese, 1972), *En route pour la gloire* (H. Ashby, 1976), *l'Œuf du serpent* (I. Bergman, 1977), *le Gang des frères James* (W. Hill, 1980), *Rio Abajo* (Jose Luis Borau, 1984), *Comme un oiseau sur la branche* (*Bird on a Wire,* John Badham, 1990). Il est aussi l'auteur complet d'une œuvre attachante, *You and Me* (RÉ 1972 ; 1975), qui prouve d'indéniables qualités de cinéaste. C.V.

CARRADINE *(Richmond Reed Carradine,* dit *John), acteur américain (New York, N. Y., 1906-Milan, Italie, 1988).* Issu d'une famille bourgeoise et lettrée, ancien acteur de théâtre, il joue d'abord sous le nom de John Peter Richmond, par exemple dans *Cléopâtre* (C. B. De Mille, 1934). La suite de sa carrière est surtout associée à John Ford : *Je n'ai pas tué Lincoln* (1936), *Marie Stuart* (id.), *la Chevauchée fantastique* (1939), *Sur la piste des Mohawks* (id.), *les Raisins de la colère* (1940), *la Dernière Fanfare* (1958), *l'Homme qui tua Liberty Valance* (1962) et *les Cheyennes* (1964), mais on le retrouve, talentueux et divers, dans plus de 170 films. Il incarne volontiers des personnages terrifiants : le dialogue de *Chasse à l'homme* (F. Lang, 1941) ne le qualifie-t-il pas de « cadavre ambulant » ? On le retrouvera vieilli mais toujours aussi inquiétant dans un film néo-zélandais : *The Scarecrow,* de Sam Pillsbury, en 1982. A.M.

CARRADINE *(Keith), acteur et chanteur américain (San Mateo, Ca., 1949).* Né dans une famille d'artistes (fils de John Carradine, demi-frère de David Carradine), Keith Carradine réussit à la fois comme auteur-compositeur-interprète, aux chansons tendres et élégantes, et comme acteur aux allures juvéniles et névrosées. Il fut excellent en gangster aux petits pieds dans *Nous sommes tous des voleurs* (R. Altman, 1974) ou en superstar insaisissable dans *Nashville* (id., 1975). En France, on l'a vu dans *Antoine et Sébastien* (Jean-Marie Périer, 1973) et dans *Lumière* (J. Moreau, 1976), puis dans *la Petite* (L. Malle, 1978), dans une composition rigide et froide. On peut préférer à bon droit sa présence énigmatique et intense dans *Welcome to Los Angeles* (Alan Rudolph, 1977) et sa composition de soldat en manœuvre prisonnier des bayous cauchemardesques de Louisiane dans *Sans retour* (W. Hill, 1983). En 1984, il est le personnage sans attaches de *Choose Me* (Alan Rudolph) et le chanteur itinérant de *Maria's Lovers* (A. Mikhalkov-Kontchalovski). En 1985, il partage avec Kris Kristofferson le vedettariat dans *Wanda's café* (A. Rudolph). Toujours avec Rudolph, il tourne en 1987 *les Modernes,* en 1989 *Sans espoir de retour,* de Samuel Fuller, en 1991 *The Ballad of the Sad Cafe,* de Simon Callow, en 1992 *Criss Cross,* de Chris Menges, et en 1994 *André, mon meilleur copain,* de G. Miller. C.V.

CARRÉ *(Ben), décorateur américain d'origine française (Paris 1883 - Santa Monica, Ca., 1978).* Il débute aux studios Gaumont en 1906 et gagne en 1912 les États-Unis, où l'appellent les studios français Éclair. Il y décore des dizaines de films pour Albert Capellani, Émile Chautard et surtout Maurice Tourneur, dont il est le collaborateur fidèle de 1914 à 1919 pour plus de trente films. Il travaille ensuite à des longs métrages comme *le Fantôme de l'Opéra* (R. Julian, 1925), *Mare Nostrum* (R. Ingram, 1926), *Don Juan* (A. Crosland, *id.*), *le Chanteur de Jazz* (id., 1927) ou *le Masque de fer* (A. Dwan, 1928). De 1937 à 1965, il renonce à la conception des décors, mais demeure actif comme peintre de découvertes. J.-P.B.

CARRÉ *(Michel), scénariste et cinéaste français (Paris 1865 - id. 1945).* Fils du célèbre librettiste Michel Carré. Pionnier de la société le Film d'Art, il adapte à l'écran, après avoir écrit des scénarios, une pantomime qu'il avait composée pour la scène, *l'Enfant prodigue,* dont le succès en 1907 est tel qu'il autorise une autre version en 1916, l'une et l'autre avec le mime réputé Georges Wague. Il adapte et tourne *Athalie* (1910), puis, en Autriche, *le Miracle* (1913), qui s'inspire de la mise en scène de Max Reinhardt établie pour le drame de Gehrart Hauptmann. L'année précédente, il avait remporté un succès populaire avec *Fleur de pavé,* interprété par Mistinguett et le comique Prince, plus connu sous le surnom de Rigadin. Il cesse toute activité cinématographique au moment de la guerre. R.C.

CARREL *(Suzanne Chazelles du Chaxel,* dite *Dany), actrice française (Tourane, Annam, 1935).* Elle débute, après des études d'art dramatique, sur les écrans dans *Maternité clandestine* de Jean Gourguet (1953). Dany Carrel représente l'actrice type des années 50 et du début des années 60 : à la fois ingénue et garce, mais toujours « le cœur sur la main ». Son personnage de fille un peu perdue sert d'alibi à l'introduction d'un timide érotisme : *la Cage aux souris* (Jean Gourguet, 1954), *la Môme Pigalle* (Alfred Rode, 1955), *Ce corps tant désiré* (L. Saslawski, 1959), dans une production assez austère. Dany Carrel n'est jamais devenue une star malgré quelques apparitions dans des œuvres de prestige : *les Grandes Manœuvres* (R. Clair, 1955), *Porte des Lilas* (id., 1957), *Pot-Bouille* (J. Duvivier, *id.*), *la Prisonnière* (H. -G. Clouzot, 1968). Elle se consacre, depuis le milieu des années 70, au théâtre plus qu'au cinéma. R.BA.

CARRIÈRE *(Jean-Claude), scénariste, cinéaste et acteur français (Colombières-sur-Orbes 1931).* Il rencontre en 1957 Pierre Étaix et s'associe à lui pour réaliser deux courts métrages comiques : *Rupture* (1961) et *Heureux Anniversaire* (1962). Il collabore ensuite à de nombreux films dont le dénominateur commun semble être un humour particulièrement corrosif, associé à un goût pour les situations étranges et à une grande fermeté dans la construction d'intrigues complexes. Son apport est essentiel aux derniers films de Luis Buñuel, du *Journal d'une femme de chambre* (1964) à *Cet obscur objet du désir* (1977) ; mais il travaille aussi avec Pierre Étaix (*Yoyo,* 1965 ; *le Grand Amour,* 1969), Louis Malle (*Viva Maria,* 1965 ; *le Voleur,* 1967 ; *Milou en mai,* 1990), Jacques Deray (*la Piscine,* 1969 ; *Un papillon sur l'épaule,* 1978), Miloš Forman (*Taking Off,* 1971), Alain Corneau (*France S. A.,* 1974), Peter Fleischmann (*Dorothea,* 1973 ; *la Faille,* 1975), Marco Ferreri (*Liza,* 1972), Juan Buñuel (*la Femme aux bottes rouges,* 1974 ; *Leonor,* 1975), Jean-Luc Godard (*Sauve qui peut* [*la vie*], 1980), Andrzej Wajda (*Danton,* 1982), Volker Schlöndorff (*Un amour de Swann,* 1983), L. Tovoli (*le Général de l'armée morte,* id.), N. Oshima (*Max mon amour,* 1986), Miloš Forman (*Valmont,* 1989), Peter Brook (*le Mahabharata,* id.), Jean-Paul Rappeneau (*Cyrano de Bergerac,* 1990), Hector Babenco (*At Play in the Fields of the Lord,* 1990). Il travaille également beaucoup pour la télévision. Outre de petits rôles épisodiques, il interprète le rôle principal dans *l'Alliance* (C. de Chalonge, 1971, qui adapte un de ses romans). Il a aussi réalisé un court métrage, *la Pince à ongles* (1968), et connu de remarquables succès à la scène avec *l'Aide-Mémoire* (1968) ou l'adaptation française de *Harold et Maude.* Il a été choisi comme président de la FEMIS à sa création. J.-P.B.

CARRIÈRE *(Mathieu), acteur allemand (Hanovre 1950).* Ayant débuté très jeune dans *Tonio Kröger* (Rolf Thiele, 1964), il est révélé par *les Désarrois de l'élève Törless* (V. Schlöndorff, 1966). Polyglotte, il tourne dans divers pays d'Europe et impose un personnage distingué, à l'élégance presque glacée, qui s'est adapté à l'univers de réalisateurs tels que Andrzej Wajda (*la Croisade maudite,* 1967), André Delvaux (*Rendez-Vous à Bray,* 1971 ; *Femme entre chien et loup,* 1979 ; *Benvenuta,* 1983 ; *l'Œuvre au noir,* 1988), Marguerite Duras (*India Song,* 1975), Volker Schlöndorff (*le Coup de grâce,* 1976), Krzysztof Zanussi (*les Chemins dans la nuit,* 1979), Herbert Vesely *(Egon Schiele, enfer et passion, id.).* Il a aussi tourné sous la direction de Jacques Doniol-Valcroze (*la Maison des Bories,* 1970), Harry Kümel (*Malpertuis,* 1972), Giuliano Montaldo (*Giordano Bruno,* 1973), Peter Patzak (*Parapsycho,* 1975), Alain Corneau (*Police Python 357,* 1976), Éric Rohmer (*la Femme de l'aviateur,* 1981), Titus Leber (*Anima,* 1981), Robert van Ackeren (*la Femme flambée,* 1983), Daniel Petrie (*Un printemps sous la neige* [*The Bay Boy*], 1984), Imre Gyöngyössy et Barna Kabay (*Yerma,* 1985), Werner Schroeter (*Malina,* 1990), Franz Seitz (*Succès* [*Erfolg*], 1991), Jürgen Kaizik (*Die Zeit danach,* 1992), John Glen *(Christophe Colomb, id.).* Il s'essaie à la mise en scène en 1989 avec *l'Éveil du démon (Fool's Mate).* D.S.

CARRIL *(Hugo del), cinéaste et acteur argentin (Buenos Aires 1912 -* id. *1989).* Remarquable interprète du tango, compositeur occasionnel, il est consacré par l'écran (*Los muchachos de antes no usaban gomina,* Manuel Romero, 1937), alors que l'industrie argentine connaît son heure de gloire. Péroniste, il passe à la mise en scène avec *Historia del 900* (1949) ; ses inquiétudes sociales s'expriment dans *Surcos de sangre* (1950) et surtout dans son meilleur film, *Las aguas bajan turbias* (1952), d'après un roman d'Alfredo Varela. Cinéaste intuitif, dans le sillon d'un Ferreyra, sans la maîtrise d'un Soffici ou d'un Torres Rios, il n'en affirme pas moins une personnalité à contre-courant d'un cinéma qui s'enlisait dans la médiocrité. Il réalise encore *El negro que tenía el alma blanca* (1951) ; *La Quintrala* (1955) ; *Más allá del olvido* (1957) ; *Una cita con la vida* (1958) ; *Las tierras blancas* (1959) ; *Culpable* (1960) ; *Esta tierra es mía* (1961) ; *Buenas noches Buenos Aires* (1964). Il fut l'éphémère directeur de l'Institut national du cinéma, lorsque les péronistes revinrent au pouvoir (1973-74). P.A.P.

CARROLL *(Leo G.), acteur britannique* (*Weedon 1886 - Los Angeles, Ca., 1972*). Après une longue activité théâtrale, il s'installe à Hollywood en 1934 et s'y rend célèbre par sa pittoresque laideur et son accent distingué. Il jouera les juges (à perruque), les policiers, les inquiétants majordomes, les médecins suspects : *Rebecca* (A. Hitchcock, 1940), *la Maison du D Edwardes* (id., 1945), *le Procès Paradine* (id., 1948), *Ambre* (O. Preminger, *id.*) ; plus tard les sénateurs : *l'Inconnu du Nord-Express* (A. Hitchcock, 1951). En 1959, ce dernier réalisateur fait de lui le chef du contre-espionnage dans *la Mort aux trousses :* emploi qu'il reprendra avec délectation et humour dans la série télévisée *U.N.C.L.E.* et dans les films qui en sont issus (*The Spy With My Face,* J. Newland, 1966) jusqu'à la veille de sa mort. G.L.

CARROLL *(Marie-Madeleine Bernadette O'Carroll,* dite *Madeleine), actrice américaine d'origine britannique (West Bromwich 1906 - Marbella, Espagne, 1987).* D'abord comédienne de théâtre, Madeleine Carroll s'oriente rapidement vers le cinéma, en Grande-Bretagne et aux États-Unis. On se souvient d'elle dans *I Was a Spy* (V. Saville, 1933) et dans *les Trente-Neuf Marches* (A. Hitchcock, 1935), où elle se trouvait liée à Robert Donat par une paire de menottes. *Quatre de l'espionnage* (id., 1936), *Le général est mort à l'aube* (L. Milestone, *id.*), *le Pacte (Lloyds de Londres,* H. King, *id.)* et *le Prisonnier de Zenda* (J. Cromwell, 1937) lui donnent des rôles qui lui conviennent. Elle fut l'épouse de Sterling Hayden. P.P.

CARROLL *(Ann Veronica La Hiff,* dite *Nancy), actrice américaine (New York, N. Y., 1904* - id. *1965).* L'une des premières vedettes nées à Hollywood en même temps que le parlant, la fraîche et rousse Nancy Carroll a connu, entre 1928 et 1932, une période de grande popularité. Sa grâce de danseuse a, dans ses meilleures créations, des nuances presque tragiques, comme dans *The Dance of Life* (J. Cromwell, co Ed. Sutherland, 1929). À l'aise dans la comédie, dont elle sait suivre le rythme trépidant sans devenir mécanique (*Laughter,* d'Abbadie d'Arrast, 1930), elle peut aussi être juste et touchante dans le mélodrame (*l'Homme que j'ai tué,* E. Lubitsch, 1932). Sa belle composition d'épouse volage, dans *le Baiser devant le miroir* (J. Whale, 1933), sonna le glas de sa carrière. Après quelques films et rôles de moindre importance, elle s'est retirée en 1938. C.V.

CARSON *(John Elmer Carson,* dit *Jack), acteur américain d'origine canadienne (Carmen, Manitoba, 1910 - Los Angeles, Ca., 1963).* Il fait ses débuts au cinéma en 1937. Son registre est varié malgré un physique lourd et une apparence généralement vulgaire. D'une carrière bien remplie, y compris en rôles romantiques et comiques, on retiendra surtout les interprétations dramatiques : *le Roman de Mildred Pierce* (M. Curtis, 1945), où il sert de faire-valoir à Joan Crawford ; *Une étoile est née* (G. Cukor, 1954), où il assure les relations publiques de James Mason ; *la Ronde de l'aube* (D. Sirk, 1958), où il est le mécanicien Jiggs. J.-L.B.

CARTIER-BRESSON *(Henri), photographe français (Chanteloup 1908).* Également peintre, dessinateur, grand voyageur, il est l'auteur de reportages photographiques célèbres. Initié au cinéma par Paul Strand aux États-Unis, assistant de Jean Renoir (1936-1939), il réalise plusieurs documentaires : *Victoire sur la vie* (1937), dans les hôpitaux de l'Espagne républicaine, *le Retour* (1945), évocation poignante de la délivrance des prisonniers et déportés, et, pour CBS News, *Impressions of California* (1969) et *Southern Exposures* (1971). P.C.

CARTON. Syn. de *intertitre.*

CARTON *(Pauline Biarez,* dite *Pauline), actrice française (Biarritz 1884 - Paris 1974).* Sa prodigieuse filmographie couvre pratiquement tout le cinéma français des années 20 aux années 70. Son expérience théâtrale lui permettait d'en imposer même aux comédiens les plus impressionnants, de Raimu à Michel Simon. L'Herbier lui donne un rôle « où elle n'arrête pas de chialer », lui reproche-t-elle en riant, dans *Feu Mathias Pascal* (1925). Elle sauve de l'oubli quelques-uns des plus obscurs *nanars* des années 30 et 40 par ses apparitions souvent fulgurantes. Cocteau lui fait fouetter la petite fille qui marche au plafond dans *le Sang d'un poète.* Elle a été la soubrette, la bonne, la vieille fille ou la chipie d'un certain cinéma français proche du boulevard. Sacha Guitry, qui l'adorait, lui assurait un rôle dans presque tous ses films. Ses deux livres de souvenirs ne sont pas à dédaigner : *les Théâtres de Carton* et *Histoires de cinéma.* D.R.

CARTOON (mot anglais). Chacun des dessins destinés à composer un film de dessins animés. Par extension, ce film lui-même.

CARVALHO *(Vladimir de), cinéaste brésilien (Itabaiana, Paraíba, 1935).* Avant de s'épanouir à Rio de Janeiro, le Cinema Novo a été annoncé par une activité intense à Paraíba et à Bahia : Carvalho y entreprend alors un remarquable et ambitieux travail de documentariste du Nordeste. Son long métrage *O País de São Saruê,* achevé en 1971, reste bloqué huit ans par la censure. *O Homem de Areia* (1982) reconstruit l'itinéraire de l'écrivain et politicien José Américo de Almeida et les luttes intestines à Paraíba. Il a tourné de nombreux courts métrages, notamment *A Pedra da Riqueza* (1975) et *Brasilia Segundo Feldman* (1980). Après avoir vécu plusieurs années dans la nouvelle capitale, il évoque la geste oubliée des ouvriers qui construisirent Brasilia dans *Conterrâneos Velhos de Guerra* (1992), puissante contribution à la mémoire populaire. P.A.P.

CASARÈS *(Maria Casares Quiroga,* dite *Maria), actrice française d'origine espagnole (La Corogne, Espagne, 1922).* Fille d'un politicien et diplomate républicain espagnol réfugié en France à la fin de la guerre civile, elle suit les cours de René Simon ; après le Conservatoire, elle débute sur scène en 1942, entre à la Comédie-Française en 1952 puis au TNP en 1954. Elle s'est immédiatement imposée comme tragédienne par sa beauté ténébreuse et son tempérament passionné, ainsi que par le style volontiers pathétique de son jeu. Sa carrière au cinéma, peu fournie, ne compte que des rôles importants, qu'elle a profondément marqués de son exceptionnelle personnalité dramatique. Révélée par sa création d'amoureuse timide et d'épouse malheureuse dans *les Enfants du paradis* (M. Carné, 1945), elle s'épanouit souverainement dans *les Dames du bois de Boulogne* (R. Bresson, *id.*), comme symbole de la femme humiliée qui exerce une vengeance éclatante en faisant épouser à son amant infidèle ce qu'elle appelle une « grue ». Dans *la Chartreuse de Parme* (Christian-Jaque, 1948), elle incarne avec beaucoup de race et de grâce la duchesse Sanseverina secrètement entichée de son beau neveu Fabrice. Mais c'est peut-être dans les deux films de Cocteau, *Orphée* (1950), surtout, et *le Testament d'Orphée* (1960), qu'elle a le mieux donné l'image vivante de son propre mythe de tragédienne en y personnifiant la Mort, troublante princesse des Ténèbres amoureuse d'Orphée. Une carrière prestigieuse au théâtre l'éloigne du cinéma. Curieusement on la retrouve de temps à autre dans un film : ainsi *la Lectrice* de Michel Deville en 1987, *Montebajo* de Julian Esteban Rivera en 1989, *les Chevaliers de la Table Ronde* de Denis Llorca en 1990, *Someone's Else America* de G. Paskaljevic en 1995. M.M.

CASCADES. On appelle *cascades* les actions dangereuses ou nécessitant une performance physique. Les cinéastes ont d'abord repris à leur compte ce qui était courant dans le théâtre : chutes, bagarres, duels, etc. Ils y ont ensuite ajouté leur propre répertoire : chutes de cheval ; accidents de voiture, de moto, d'avion ; défenestrations ; escalades ; torches vivantes, etc.

La réussite d'une cascade (en tant que spectacle) dépend dans une très large mesure de l'art avec lequel l'action est filmée. La maîtrise du langage cinématographique – et tout particulièrement de cet élément capital qu'est le bruitage (par ex. pour les bagarres) – permet de renforcer la capacité évocatrice d'une cascade tout en diminuant la difficulté du tournage : utilisation subtile du montage (la multiplication des plans et l'introduction de *plans de coupe* permettent de faire passer pour une seule cascade une succession de plans où l'on a filmé séparément les différentes phases de l'action) ; panoramiques rapides *(filés),* où l'on dissimule le raccord entre deux plans qui paraîtront n'en faire qu'un ; longues focales, qui modifient la perspective ; accéléré ou ralenti, etc.

S'il est ainsi possible de réduire les risques, on ne peut les éliminer complètement, et certaines cascades présentent un réel danger. Cela réclame, de la part de l'exécutant, une compétence technique, une forme physique, une témérité telles que, dans la majorité des cas, on fait *doubler* le comédien par un cascadeur habillé et coiffé de façon à ressembler à peu près à l'acteur, l'art du cinéaste consistant à rendre la substitution imperceptible. (S'il s'agit d'un petit rôle ou d'une figuration, le rôle peut être interprété intégralement par un cascadeur.) Les cascadeurs — et cascadeuses — de cinéma sont des acteurs spécialisés, rompus à l'exercice des sports les plus divers : s'ils doivent accepter de prendre des risques, ils doivent aussi connaître la gestuelle qui rend leur jeu spectaculaire et crédible. (Le terme anglais est *stuntman.*)

Le tournage d'une cascade nécessite avant tout une minutieuse *analyse,* destinée à déterminer très exactement ce qui doit être vu, et donc ce qui doit être demandé au cascadeur :

— découpage de la séquence, nombre et contenu des plans ;

— définition technique des plans : angle de prise de vues, focale, durée, cadence (ralenti ou accéléré), etc. ;

— moments où le cascadeur va se substituer à l'acteur, ou un mannequin au cascadeur.

Il faut ensuite apporter un soin particulier à la *préparation,* et multiplier les répétitions, pour éviter autant que possible toute mauvaise surprise au moment du tournage. (Par exemple, pour la cascade consistant à courir sur les toits des wagons d'un train en marche, il faut délimiter une portion de voie dépourvue de tunnels, de ponts trop bas, de courbes brutales.)

Quelques cascades classiques sont plus facilement exécutées grâce à un certain nombre de trucs.

Escalades (mur, façade, rocher) : on dissimule dans le décor des points d'appui qui aident l'évolution du cascadeur. On dispose, hors champ, des filets de protection.

Escrime : les pointes des armes sont discrètement mouchetées, les tranchants meulés. On utilise aussi des armes en plastique, pratiquement inoffensives.

Bagarres : les coups sont en fait ajustés à la limite du contact, et c'est le bruitage, réalisé ultérieurement en auditorium, qui crée l'illusion de leur violence. (Les gros plans sont tournés à l'envers.) Les différents accessoires qui frappent ou qui sont heurtés sont des copies réalisées en bois de balsa, plastique ou caoutchouc. (→ ARTIFICES.)

Chutes : un sportif entraîné peut effectuer sans dommage des sauts de quelques mètres. Pour des sauts plus longs, un découpage en plusieurs plans est nécessaire : bond, trajectoire, réception. Lorsque l'on filme le bond et la trajectoire, la réception se fait, hors champ, sur un amoncellement de tapis de mousse, ou bien (ce qui est plus efficace) sur un assemblage de cartons d'emballage, formant un immense cube qui s'effondre sous le poids du corps, offrant la molle résistance de l'air contenu dans les cartons.

Chutes de cheval : c'est une cascade toujours dangereuse car elle se déroule à vitesse réelle : on ne peut en effet modifier sensiblement l'allure d'un cheval sans sombrer dans le ridicule. Le cascadeur est protégé par des rembourrages et le terrain doit être débarrassé de tout ce qui pourrait le blesser : pierres, racines, etc. Si le cavalier est désarçonné, ou bien il se laisse tomber, ou bien il est retenu (le cheval poursuivant sa course) par une corde aussi peu visible que possible fixée à son corps et arrimée dans le décor. Si le cheval doit tomber avec lui, le cascadeur tire, le moment venu, sur un lien fixé à la patte du cheval et lui fait rater le pas. Dans les deux cas, le cascadeur sait à quel instant précis il va tomber ; ainsi prend-il moins de risque que lors d'une chute inopinée.

Si le cavalier, après sa chute, doit rester accroché par un étrier et être tiré par sa monture, on lui fixe au corps un bouclier muni de petits patins qui facilitent la glissade.

Cascades de véhicules : là encore, le terrain doit être préparé. Sur route, en campagne, il faut enlever les obstacles (en les remplaçant éventuellement par des obstacles factices), combler les fossés, etc. En ville, on ajoute à ces précautions une surveillance rigoureuse des lieux afin d'empêcher toute irruption imprévue de véhicule ou de piéton. La scène est longuement répétée et chronométrée, et des points de repère sont pris pour que le cascadeur puisse contrôler la précision de son allure.

Le véhicule de cascade doit subir quelques modifications : renforcement du pavillon par des tubes métalliques, soudage du siège au plancher, ceinture de sécurité de compétition, suppression des accessoires dangereux et si possible des vitres, vidange presque complète du carburant.

Plusieurs véhicules identiques peuvent être utilisés successivement pour une même scène. L'un sert au plan général, les autres à des plans plus rapprochés, au cours desquels la voiture est tractée dans les positions propres à l'accident, ou projetée artificiellement à l'aide d'un tremplin ou d'une grue. Les progrès de l'électronique permettent aussi maintenant de téléguider les véhicules ; toutefois, il s'agit encore de systèmes artisanaux et onéreux, aux possibilités de guidage limitées.

On modifie souvent la cadence de la prise de vues, soit pour accélérer l'action, soit pour faire durer un effet trop rapide pour être perceptible.

Cascades aériennes : il ne s'agit en fait que d'acrobatie et de voltige. Les collisions ou les écrasements ne peuvent, bien entendu, qu'être suggérés. Après une chute vertigineuse, le pilote fait disparaître son appareil derrière un obstacle (maison, bosquet, colline...) où l'on déclenche une explosion. Éventuellement, un deuxième plan montre l'appareil, projeté par une catapulte, qui s'écrase au sol ; il s'agit alors d'une carcasse préparée et enflammée. On peut aussi se servir de maquettes téléguidées.

Quelques rares cascadeurs-pilotes sont capables d'effectuer des atterrissages forcés, train rentré ou à moitié sorti. On s'entoure alors des précautions en usage sur les aérodromes en pareille circonstance. Le coût et le risque de cette cascade la rendent peu fréquente.

Torches vivantes : le cascadeur est habillé d'une combinaison d'amiante, dissimulée sous ses vêtements imbibés de gazole. L'utilisation d'une longue focale, écrasant les perspectives, donne l'impression qu'il traverse les flammes, alors qu'il circule en fait entre deux rideaux de flammes. Malgré toutes ces précautions, le temps de tournage de ces séquences doit être réduit au minimum. On utilise donc souvent une caméra à grande vitesse, de façon à allonger la durée apparente de la scène.

L'exécution de certaines cascades demeure toutefois trop périlleuse pour pouvoir être réalisée en direct. On utilise alors les différents procédés d'effets spéciaux, qui permettent de tourner en toute sécurité, en studio, les scènes qui mettraient en jeu la vie des acteurs. J.F.

CASCADEUR. Personne spécialisée dans l'exécution des cascades.

CASERINI *(Mario), cinéaste italien (Rome 1874 - id. 1920).* Peintre et décorateur, Caserini entre à l'Alberini et Santoni (la future Cines) en 1904 ou 1905 ; il y exerce différentes activités, notamment celle d'acteur. En 1907, après le départ des techniciens français qui travaillaient dans les studios, il est promu au rang de directeur artistique. Ses premiers films appartiennent au genre historique ; il tourne successivement *Otello, Garibaldi* (1907), *Marco Visconti, Pia dé Tolomei, Romeo e Giulietta* (1908), *Beatrice Cenci, La dama di Monserau* (sic), *Giovanna d'Arco, Macbeth, Guelfi e Ghibellini* (1909). Caserini devient avec Guazzoni le spécialiste des grands films en costumes ; la Cines lui confie la direction des œuvres de prestige que sont *Catilina* et *Messalina* (1910). La même année, il réalise *La battaglia di Legnano, Giovanna la Pazza, Lucrezia Borgia, Cola di Rienzo.* En 1911, Caserini quitte la Cines pour l'Ambrosio de Turin, où il continue à mettre en scène des films historiques ; il tourne aussi une comédie qui obtient un grand succès, *Mam'zelle Nitouche* (*Santarellina,* 1911), avec Mario Bonnard et Gigetta Morano. En 1913, toujours pour l'Ambrosio, il réalise la troisième version des *Derniers Jours de Pompéi (Gli ultimi giorni di Pompei),* après celle, en 1908, de Maggi et celle, contemporaine, de Vidali pour La Pasquali Films avec Fernanda Negri, Pouget et Mario Bonnard. Pour la Gloria Film de Turin, il tourne en 1913 le film qui marque un tournant dans sa carrière, *Ma l'amor mio non muore,* avec Lyda Borelli et Mario Bonnard. Après le mauvais accueil réservé à *Nerone e Agrippina* (1913), Caserini se tourne résolument vers le drame contemporain. Il est un peu le créateur du genre et en définit les lois avec *Ma l'amor mio non muore,* drame passionnel qui révèle l'aptitude du cinéaste à conduire une histoire aux nombreux rebondissements mélodramatiques et à se servir des ressources nouvelles de la syntaxe cinématographique (un des plans dure plus de 4 minutes). Après être revenu chez Ambrosio puis avoir tenté le chemin de l'indépendance avec la Caserini Film (nombreux titres avec Leda Gys en 1915 et 1916, notamment *L'amor tuo li redime* et *Fiore d'autunno*), le cinéaste revient à la Cines à partir de 1916 et y demeure jusqu'à sa mort. Dans les dernières années, il se consacre essentiellement à des films d'ambiance contemporains comme *La vita e la morte* (1916), *Sfinge* (1918),

Anima tormentata (1919), *La voce del cuore* (1920), *La buona figliola* (id.), *La modella* (id.), *Fior d'amore* (id.). Également à l'aise dans des genres divers, Caserini est un des meilleurs cinéastes du muet italien. J.-A.G.

CASILIO *(Maria Pia), actrice italienne (L'Aquila 1935).* De Sica la découvre pour le personnage de la jeune servante de *Umberto D.* (1952), où elle s'identifie à son rôle candide et chaleureux. Son physique de joli petit moineau populaire enjolive ensuite une trentaine de comédies et de mélodrames, dont *Stazione Termini* (V. De Sica, 1953), *Pain, amour et jalousie* (L. Comencini, 1954), *l'Air de Paris* (M. Carné, *id.*), *Amarti è il mio destino* (Ferdinando Baldi, 1957) ou *le Jugement dernier* de Vittorio De Sica (1961), grâce à qui elle réapparaît à l'écran dans un de ses derniers films : *Lo chiameremo Andrea* (1972). L.C.

CASSAVETES *(John), cinéaste et acteur américain (New York, N. Y., 1929 - Los Angeles, Ca., 1989).* Fils d'un homme d'affaires grec, il débute comme comédien en 1953. On le remarque dans *Face au crime* (D. Siegel, 1956), *l'Homme qui tua la peur* (M. Ritt, 1957) et *Libre comme le vent* (R. Parrish, 1958), mais c'est en rupture complète avec Hollywood qu'il réalise *Shadows.* Financée par une souscription, photographiée en extérieurs réels, interprétée par des inconnus selon les méthodes encore balbutiantes du *cinéma-vérité,* cette « improvisation dialoguée » est saluée en 1960 comme le manifeste de la jeune école new-yorkaise (Shirley Clarke, Lionel Rogosin, Robert Drew, Richard Leacock, etc.). Sur une trame très mince (la solitude à New York, le racisme « ordinaire »), les acteurs apportent à leur personnage leur vérité propre. Cassavetes ébauche en 16 mm une nouvelle écriture cinématographique, libérée de la lourde machinerie de studio et du souci de la perfection technique : il privilégie le plan long, voire le plan-séquence, se refuse aux ellipses narratives, égalise temps forts et temps faibles, et se plie au rythme du langage parlé.

Dans *la Ballade des sans-espoir,* sombre chronique de la déchéance qui brise un musicien de jazz idéaliste, Cassavetes tente d'appliquer les préceptes de *Shadows,* mais se heurte à l'incompréhension de la Paramount. Après les déconvenues d'une seconde expérience hollywoodienne (*Un enfant attend,* qui est remonté contre son gré par le producteur Stanley Kramer), il revient au 16 mm et à la production artisanale avec *Faces.* Des dix-sept heures de film impressionné pendant cinq mois, il ne retient qu'une demi-douzaine de scènes paroxystiques. Ce n'est plus l'intrigue qui conduit le récit, mais la caméra : hypermobile, elle explore, débusque, met à nu la détresse des protagonistes en plans très rapprochés, superbement indécents. Disséquant la faillite des rapports conjugaux, Cassavetes traque l'individu (le *visage*) sous le masque social (les *grimaces*). Parallèlement à sa carrière de comédien (*À bout portant* de Don Siegel, *Rosemary's Baby* de Roman Polanski en 1968), il poursuit cette recherche dans *Husbands,* qui décrit la triste dérive de trois hommes mariés, et dans *Ainsi va l'amour,* qui réacclimate la comédie *loufoque* des années 30 dans le Los Angeles des névroses contemporaines.

Son œuvre maîtresse reste, à ce jour, *Une femme sous influence* (1974), portrait d'une mère déchirée entre plusieurs pouvoirs, entre plusieurs rôles, qu'incarne Gena Rowlands, épouse et inspiratrice du cinéaste. En totale indépendance (il produit et distribue lui-même le film), Cassavetes et ses proches se livrent à un happening concerté qui tourne par instants au psychodrame. Il ne s'agit pas de reproduire une réalité préexistante, mais de confondre durée filmée et durée vécue en créant une situation où les comédiens (professionnels et amateurs mêlés) puissent s'exprimer physiquement en toute impunité, en toute impudeur. Au mépris des canons arbitraires de la psychologie, le film épouse la mouvance de comportements imprévisibles, parcourant toute la gamme des émotions, de la comédie la plus débridée au mélodrame le plus strident. Comme *Faces,* il nous convie à une aventure existentielle unique, exténuante, et parfois terrifiante lorsque le regard s'attache aux seuls épiphénomènes (grimaces, larmes, bouffées d'angoisse, crises d'hystérie), là où on attendait une perspective, sociologique ou psychanalytique par exemple.

Dans *le Bal des vauriens,* dont l'hyperréalisme renouvelle la tradition du film *noir,* et dans *Opening Night,* où il retrouve Gena Rowlands pour un jeu pirandellien sur le théâtre, Cassavetes approfondit encore cet art de l'aléatoire. Il y fait une part plus belle que jamais à ses interprètes, voyant en eux la force créatrice fondamentale : « C'est l'intensité des émotions qui compte. Je veux que personne ne se sente coupable d'avoir quelque chose à communiquer. C'est la liberté d'exprimer ses propres profondeurs qui est révolutionnaire. » Tel est le propos de *Gloria :* la rencontre d'un orphelin portoricain et d'une comédienne ratée, tous deux traqués par la Maffia, marque les limites d'un désir qui ne peut s'accomplir que dans l'imaginaire. On ne triomphe pas du Système, mais les rêveurs et les artistes qui se mêlent de le défier ne sont-ils pas seuls à connaître l'ivresse de l'illusion ? Nul doute que cette fable touche de près le cinéaste, qui, à l'instar de ses créatures, toutes peu ou prou schizoïdes, est voué pour survivre à une double carrière *in* et *off* Hollywood. En 1984, il a obtenu le grand prix du festival de Berlin avec *Love Streams.* M.H.

Films (réalisation) ▲ : *Shadows* (1961 [RÉ 1957]) ; *la Ballade des sans-espoir* (*Too Late Blues,* 1962) ; *Un enfant attend* (*A Child is Waiting,* 1963) ; *Faces* (1968) ; *Husbands* (1970) ; *Ainsi va l'amour* (*Minnie and Moskowitz,* 1971) ; *Une femme sous influence* (*A Woman Under the Influence,* 1974) ; *le Bal des vauriens / Meurtre d'un bookmaker chinois* (*The Killing of a Chinese Bookie,* 1976) ; *Opening Night* (1978) ; *Gloria* (1980) ; *Torrents d'amour / Love Streams* (*Love Streams,* 1983) ; *Big Trouble* (1985).

Interprétation : *À bout portant* (D. Siegel, 1964) ; *les Douze Salopards* (R. Aldrich, 1967) ; *Rosemary's Baby* (R. Polanski, 1968) ; *Mickey and Nicky* (Elaine May, 1977).

CASSEL *(Jean-Pierre Crochon,* dit *Jean-Pierre), acteur français (Paris 1932).* Son nom est inséparable des premiers films de Philippe de Broca : *les Jeux de l'amour* (1960), *le Farceur* (1961), *l'Amant de cinq jours* (id.), *Un monsieur de compagnie* (1964). Il réussit à imposer l'image d'un jeune premier sympathique, décontracté et bon danseur, mais n'a pas trouvé la comédie musicale française qui lui permettrait de donner toute sa mesure. Il ne s'est pas cantonné dans la comédie légère et a su se montrer grave avec Jean Renoir (*le Caporal épinglé,* 1962), Luis Buñuel (*le Charme discret de la bourgeoisie,* 1972), Michel Deville (*le Mouton enragé,* 1974) et Pierre Kast (*le Soleil en face,* 1980). Il fait également carrière à l'étranger : *les Trois Mousquetaires* (R. Lester, 1974), *le Crime de l'Orient-Express* (S. Lumet, *id.*). En 1990, il joue le rôle du Docteur Gachet dans le *Vincent et Theo* de Robert Altman ; on le rencontre ensuite dans *Sur la terre comme au ciel* (M. Hänsel, 1992), *Pétain* (J. Marbœuf, 1993), *Casque bleu* (G. Jugnot, 1994), *Prêt-à-porter* (R. Altman, *id.*), *la Cérémonie* (C. Chabrol, 1995). D.R.

CASTEL *(Ulv Quarzéll,* dit *Lou), acteur italien d'origine suédoise (Bogotá, Colombie, 1943).* Après de brèves études au Centro sperimentale (Rome) et une apparition dans *le Guépard* (L. Visconti, 1963), il devient le protagoniste du premier film de Marco Bellocchio, *les Poings dans les poches* (1966), dans le rôle du jeune épileptique qui détruit sa famille et se détruit lui-même. Il reprend ce personnage anarchisant dans *Francesco d'Assisi* (Liliana Cavani, 1966) et *Merci, ma tante* (S. Samperi, 1968). Parmi une longue série de films érotiques, policiers, westerns, il apparaît de nouveau dans deux autres films importants de Marco Bellocchio, *Au nom du Père* (1971) et *les Yeux et la Bouche* (1982) dans *Der Beginn Aller Schrecken ist Liebe* (Helke Sander, 1984), *l'Île au trésor* (R. Ruiz, 1986), *Viaggia in Galatina* (Gabriella Rosaleva, 1990), *I Quatri Cantoni* (Fulvio Wetzel, *id.*), *la Naissance de l'amour* (Ph. Garrel, 1994). L.C.

CASTELLANI *(Renato), cinéaste italien (Finale Ligure 1913 Rome 1985).* Après des études d'architecture à Milan, il écrit et dirige, pour la radio, le programme « In Lines » (1934). Dans la revue *Cinema,* à laquelle il collabore, il laisse poindre son penchant pour le formalisme. Il devient coscénariste dès 1938 avec sa participation à *L'orologio a cucù,* réalisé par Camillo Mastrocinque. Coscénariste et assistant de Blasetti en 1940 dans *la Couronne de fer (La corona di ferro),* Castellani passe à la réalisation l'année suivante avec l'adaptation d'une nouvelle de Pouchkine, *Un coup de pistolet* (*Un colpo di pistola,* 1942), suivi de *Zazà* (id.). Avec ces deux films, il s'intègre à cette lignée de cinéastes, apparus à la fin du fascisme (Mario Soldati, Alberto Lattuada, Luigi Chiarini), qui se rebellent contre l'esthétique des « téléphones blancs », alors en vogue, grâce au soin extrême qu'ils apportent au cadre, aux décors, aux costumes dans leurs œuvres, volontiers irréalistes et situées dans le passé. On les nomme les « calligraphes ».

Après un film mineur (*La donna della montagna,* 1944), il aborde le néoréalisme avec *Mon fils professeur* (*Mio figlio professore,* 1946), histoire d'un surveillant d'école qui sacrifie tout à la carrière de son rejeton. C'est avec ses trois créations suivantes que Castellani contribue, d'une manière personnelle, au cinéma italien d'après-guerre. Les deux premiers films : *Sous le soleil de Rome* (*Sotto il sole di Roma,* 1948) et *Printemps* (*È primavera,* 1950) font peu appel aux acteurs professionnels et leur scénario s'élabore à partir de la description minutieuse des actes des protagonistes. *Sous le soleil de Rome* – une escapade juvénile qui conduit au crime – prend pour modèle des éléments documentaires fournis par Fausto Tozzi sur la vie des jeunes issus des couches populaires. *Printemps* se rapproche, par son souci d'objectivité, de *Dimanche d'août* (*Domenica d'agosto,* 1950) de Luciano Emmer. Ces films, qui sont plus descriptifs qu'engagés, préfigurent notamment le *cinéma-vérité.* Dans *Deux Sous d'espoir* (*Due soldi di speranza,* 1952), Castellani décrispe la difficile insertion sociale et affective d'un jeune démobilisé par le recours au comique : on emploie volontiers le terme de « néoréalisme rose » à propos de ce film. Sur cette lancée, la fameuse série des *Pain, amour...,* ébauchée par Comencini en 1953, contribue à réduire l'authenticité de *Deux Sous d'espoir :* il faut attendre la fin de la décennie pour qu'apparaisse une véritable *comédie à l'italienne.* Avec *Roméo et Juliette* (*Giulietta e Romeo,* 1954), Castellani revient au formalisme, à la « calligraphie » de ses premières compositions : les costumes, conçus par Leonor Fini, concourent à la réussite plastique du film : la dernière œuvre originale de son auteur. Le cinéma italien change, Castellani, venu peut-être trop tôt, ne parvient pas à imposer un style vraiment personnel. Par la suite, il s'attarde encore aux thèmes des années passées : le « néoréalisme rose » (*I sogni nel casseto,* 1957), le film social noir (*l'Enfer dans la ville* [*Nella città l'inferno*], 1958 ; *Il brigante,* 1961), sans réussir à être convaincant. Il tourne également *la Mer à boire* (*Mare matto,* 1963), *Tre notti d'amore* (sketch : *La vedova,* 1964), *Controsesso* (sketch : *Una donna d'affari,* id.), *Sotto il cielo stellato* (1966), *Fantômes à l'italienne* (*Questi fantasmi,* 1967), *Brève Saison* (*Una breve stagione,* 1969), *Leonardo Da Vinci* (RAI-TV, 1972). R.BA.

CASTELLITO *(Sergio), acteur italien (Rome 1953).* Interrompant ses études pour se lancer dans le théâtre, Castellito apparaît aussi au cinéma à partir de 1982. C'est toutefois en 1986 qu'il se fait connaître réellement en participant aux débuts de trois jeunes réalisateurs, Marco Colli *(Giovanni senzapensieri),* Claudio Sestieri *(Dolce assenza)* et Felica Farina *(Il semble mort... seulement évanoui).* Il offre à ces trois auteurs une personnalité toute en nuances tragi-comiques. Actif également à la télévision avec un personnage de juge très apprécié du public dans une série télévisée, *Un cane sciolto* (1989-1991), Castellito devient un peu l'acteur préféré d'une génération de cinéastes italiens (Giancaldo Soldi, Amanzio Todini, Ricky Tognazzi, Vittorio Sindoni, Carlo Verdone, Francesco Calogero). On l'a vu aussi sous la direction d'Ettore Scola (*la Famille,* 1987), de Mario Monicelli (*Rossini ! Rossini !,* 1991), de Marco Ferreri (*la Chair,* 1991). En 1993, il est le psychiatre attentif de *la Grande Citrouille* de Francesca Archibugi. En France, où il est également apprécié, il a joué notamment dans *le Grand Bleu* (L. Besson, 1988) et dans *Alberto Express* (Arthur Joffé, 1990). J.-A.G.

CASTELOT *(Jacques Storms,* dit *Jacques), acteur français (Anvers, Belgique, 1914 - Saint-Cloud 1989).* On l'aperçoit fugitivement dans *la Marseillaise* (Renoir, 1938). Sa prestance, son ton légèrement précieux, sa retenue parfois guindée l'aiguillent dès *le Voyageur de la Toussaint* (L. Daquin, 1943) vers les rôles de bourgeois ou d'aristocrates, irritants par leur morgue et leur veulerie : *les Enfants du paradis* (M. Carné, 1945), *Pour une nuit d'amour* (E. T. Gréville, 1947), *Justice est faite* (A. Cayatte, 1950), *la Vérité sur Bébé Donge* (H. Decoin, 1952), *Avant le déluge* (A. Cayatte, 1954), *Nana* (Christian-Jaque, 1955), *Décembre* (M. Lakhdar Hamīna, 1972). Il trouve le même genre de rôles dans les studios italiens. R.C.

CASTING (mot anglais pour *distribution des rôles*). Activité consistant à rechercher des acteurs (en pratique, seconds rôles ou figurants) adaptés aux rôles. (→ TOURNAGE, GÉNÉRIQUE.)

CASTLE *(Irene Blythe Foote,* dite *Irene), actrice américaine (New Rochelle, N. Y., 1892 - Eureka*

Spring, Ark., 1969). Sa vie et celle de son époux Vernon (1886-1918) sont contées dans *la Grande Farandole* (H. C. Potter, 1939), dont elle sera la conseillère technique. Mais on a oublié l'éphémère vedette qu'elle fut, dans des mélodrames Pathé où elle joua, notamment sous la direction de Georges Fitzmaurice : *la Marque de Caïn* (*The Mark of Caïn,* 1917), *le Mystère d'Hillcrest* (*The Hillcrest Mystery,* 1918). A.M.

CASTLE *(William Schloss,* dit *William), cinéaste américain (New York, N. Y., 1914 - Beverly Hills, Ca., 1977).* Acteur à dix-sept ans, metteur en scène de théâtre à dix-huit, il réalise son premier film en 1943. L'emploi de la caméra à la main fait remarquer *Étrange Mariage* (*When Strangers Marry,* 1944). Après des œuvres à petit budget dans tous les genres pour la Columbia, il devient son propre producteur à partir de 1957 et se consacre à des films d'horreur, policiers ou fantastiques, caractérisés par leur simplicité, leur humour. Les accompagnent des *gimmicks* (mécanismes ou procédés installés dans ou hors les salles pour créer ou renforcer la peur), intégrés dans la structure même de son meilleur film, *le Désosseur de cadavres* (*The Tingler,* 1959). Le fait qu'il a coproduit *la Dame de Shanghai* d'Orson Welles, produit *Rosemary's Baby* (film dans lequel il tient un rôle) de Roman Polanski et réalisé *Shanks* en 1974 (avec Marcel Marceau) révèle chez lui une ambition autre. On l'a vu pour la dernière fois à l'écran dans *le Jour du fléau* de John Schlesinger en 1975. Il laisse une excellente autobiographie, *Step Right Up, I'm Gonna Scare the Pants off America* (1976), dans laquelle il revendique pour lui le rôle de bateleur. A.G.

CATADIOPTRIQUE. *Objectif catadioptrique,* objectif où l'élément principal de formation des images est un miroir. (→ OBJECTIFS.)

CATALOGNE. La première projection publique du Cinématographe Lumière a lieu à Barcelone, le 15 décembre 1896 ; on y présente, entre autres, les bandes enregistrées par le Français Promio, à Madrid, sept mois plus tôt. Mais le plus important pionnier du cinéma péninsulaire est le Catalan Fructuós Gelabert* ; il s'inspire à l'occasion du répertoire dramatique national, telles les œuvres d'Àngel Guimerà (*Terra Baixa,* 1907 ; *Maria Rosa,* 1908). Barcelone devient le centre de l'activité cinématographique (jusqu'à 1920), grâce à des compagnies comme Hispano Films (1906) et Barcinografo (1913), dirigée par Adriá Gual (*Misteri de Dolor,* 1914), en collaboration avec des personnalités nationalistes. C'est là que travaille Segundo de Chomón*. Les thèmes catalans (*Don Joan de Serralonga,* R. de Baños*, 1911) sont néanmoins l'exception et on cultive, ici comme ailleurs, l'espagnolade, la zarzuela et autres genres en vogue dans le royaume. Avec le parlant et la République, Barcelone récupère l'initiative : on y inaugure le premier studio sonore (Orphea, 1932) dans un imposant bâtiment cédé par la Generalitat de Catalunya. La Conselleria de Cultura de celle-ci crée dès 1932 un comité de cinéma, destiné à promouvoir des films culturels catalans, devançant ainsi l'intérêt madrilène ; objectif ajourné lorsque la Generalitat voit ses pouvoirs supprimés. Malgré tout, on tourne en 1933, coup sur coup, *El Fava d'en Ramonet* (Lluis Marti) et *El Café de la Marina* (Domènec Pruna) ; ce dernier film, en double version, catalane-castillane, révèle l'attraction qu'exerce le cinéma sur les intellectuels. Faute d'investissements, elle ne peut pourtant pas s'exprimer. La maison Cifesa, d'origine valentienne (1934), préfère filmer à Madrid. La production de Barcelone tourne donc le dos à l'affirmation nationale. Pour que cela change, il a fallu l'insurrection révolutionnaire provoquée par le *pronunciamiento* militaire. La Confédération nationale du travail (anarcho-syndicaliste), majoritaire en 1936, prend le contrôle de la production, distribution et exploitation : on exproprie les salles, on crée des organismes collectivistes. Après la normalisation, prônée par les communistes notamment, la Generalitat récupère la commercialisation, mais le syndicat du spectacle CNT garde jalousement l'appareil productif jusqu'en 1938. Anarchistes, communistes et Generalitat rivalisent par le nombre de reportages de guerre, de films militants ou de propagande. Face à la rétraction de l'initiative privée et à la fréquentation croissante des salles, la CNT prétend réaliser des films de fiction techniquement comparables aux américains et supérieurs par leur contenu aux russes (sic). La principale production en catalan est due à Laya Films, fondée par la Generalitat (commissariat de propagande). Après le triomphe franquiste, le castillan (la « langue de l'empire où le soleil ne se couche jamais ») est proclamé unique idiome national, le doublage étant obligatoire. Au début des années 60, l'école dite « de Barcelone » (Vicente Aranda*, Pere Portabella*) n'est pas très catalaniste, malgré des liens avec le mouvement artistique *Dau al Set* (1948). Quelques représentants du Nuevo Cine espagnol posent un regard neuf sur la réalité de la région. D'autres font des tentatives prudentes pour revenir à une production en langue catalane (*Verd madur,* R. Gil*, 1960 ; *Maria Rosa,* Armando Moreno, 1964). L'espoir d'une renaissance culturelle catalane est sensible sur les écrans, surtout par des évocations du passé, même si elles n'échappent pas toujours à la convention (*La Ciutat Cremada,* Antoni Ribas*, 1976 ; *Companys, Procès a Catalunya,* José Maria Forn, 1979), dont le succès rivalise avec des comédies légères (*L'orgia,* Francesc Bellmunt, 1978). P.A.P.

CATASTROPHE (Film dit). L'appellation « film-catastrophe » surgit au milieu des années 70. Elle désigne un sous-genre de la production hollywoodienne, né avec *Airport* (G. Seaton, 1970), et dont les titres les plus représentatifs sont : *l'Aventure du Poséidon* (R. Neame, 1972), *la Tour infernale* (J. Guillermin, 1974), *Tremblement de terre* (M. Robson, *id.*), *747 en péril* (J. Smight, *id.*) et *l'Odyssée du Hindenburg* (R. Wise, 1975).

Cette production, qui connaîtra jusqu'en 1977 un succès considérable, réactualise une dramaturgie familière : l'usage de la catastrophe comme deus ex machina remonte, en effet, aux premières années du cinéma, et l'on serait en peine de dénombrer tous les films où figurent des accidents spectaculaires (incendies, naufrages, déraillements), des dérèglements majeurs de l'ordre biologique (mutations animales), social (guerre, péril nucléaire) ou naturel (éruptions, séismes, ouragans).

Mais l'originalité du film-catastrophe – genre composite, qui puise dans les archétypes du mélodrame, du film exotique, biblique et fantastique – tient essentiellement à deux motifs : la présence systématique d'un microcosme humain fortement typé, piégé à l'intérieur d'un monde clos et familier, et d'une symbolique morale et politique assimilant la catastrophe à une *crise,* une mutation qui justifie le recours urgent à de nouveaux leaders.

Le film-catastrophe a donc pour première particularité de se dérouler dans une collectivité. On y repère, dès le départ, des types sociaux et humains soigneusement échantillonnés, fortement dessinés, et qui joueront pleinement leur rôle au cours du drame.

L'action se déroule le plus souvent en huis clos, dans un moyen de transport (avion, bateau), un lieu d'habitation (gratte-ciel), plus rarement dans un quartier ou une ville – aussi le séisme, historique, du *San Francisco* de Herbert Stothart (1936) peut-il faire figure d'exception, et de précurseur relayant *les Derniers Jours de Pompéi* de Ernest B. Schoedsack (1935). Ces environnements, qui font partie intégrante de notre univers quotidien, sont bouleversés par un événement inattendu : un navire, heurté par une lame de fond, se retourne ; un avion est percuté en plein vol ; une tour est la proie des flammes. Ils deviennent des lieux pièges. Des gens « comme les autres » y sont alors confrontés à un péril incontournable, dont la gravité va s'accentuer de façon irréversible. Les problèmes et les conflits personnels, posés très tôt pour faciliter l'identification aux personnages et nourrir le suspense, vont se fondre progressivement dans le mouvement global de l'action. La catastrophe impose sa priorité et ouvre une faille dans le quotidien : les dispositifs techniques classiques sont soudain inopérants, les instances de contrôle sont débordées. Très vite se pose le problème du pouvoir et de l'autorité : l'espace des *profanes* et celui des *décideurs* se scinde et, à l'intérieur même de ce dernier espace, les leaders traditionnels – hommes d'argent, politiciens – sont mis sur la touche, avouent leur incompétence et cèdent la place à de nouveaux meneurs. Un pasteur, une hôtesse de l'air, un sergent de police, un capitaine des sapeurs-pompiers, un architecte se voient érigés en sauveurs... Sous leur conduite, la communauté se restructure et se discipline, éliminant de son sein les égoïstes et les profiteurs. Elle se reconquiert, et ce mouvement se traduit en termes physiques : remontée vers la surface *(l'Aventure du Poséidon),* lutte contre la pesanteur, contre les éléments, évasion par les airs *(la Tour infernale),* etc., qui revêtent une signification morale explicite.

Élitiste, le film-catastrophe sépare sans pitié les survivants des perdants. Il trace pour ses protagonistes un véritable parcours du combattant. Il est l'équivalent *civil* d'un genre pratiquement en sommeil : le film de guerre. Il s'aligne sur une morale de la survie, qui n'est cependant pas dénuée d'ambiguïtés. Tandis que les premiers spécimens de ce cinéma (*Titanic,* J. Negulesco, 1953 ; *Écrit dans le ciel,* W. A. Wellman, 1954 ; *À l'heure zéro,* Hall Bartlett, 1957) étaient à peu près contemporains de la guerre de Corée, le nouveau genre, surgi de la crise vietnamienne, trahit, en effet bien des ambivalences. Critique et parfois polémique, il souligne la précarité de certaines réalisations technologiques. Il met en cause les dangers de l'urbanisme et de l'architecture modernes. Il condamne l'imprudence ou le cynisme du capitalisme sauvage. Mais, s'il montre des dysfonctions à l'intérieur d'un système, c'est pour mieux nous rassurer sur sa validité fondamentale et ses capacités à se régénérer. La catastrophe ne se confond pas, dans cette série, avec l'holocauste nucléaire, sujet familier des années 60. Elle garde un caractère limité dans le temps et l'espace, et affiche par là d'autant mieux sa fonction prophétique. Elle s'inscrit à l'intérieur d'une parenthèse, elle se présente comme un jeu sur des possibles, où se mêlent inextricablement le désir d'ordre et les pulsions anarchistes du spectateur.

Ce spectacle *total,* qui convoque d'impressionnants effets spéciaux et revendique une qualité inusitée de réalisme, nous entraîne aux frontières de la science-fiction. Il nous livre l'image du monde « déboussolé » des années 70, partagé entre le désir de stabilité, le refoulement d'une guerre lointaine et la tentation sournoise d'un grand autodafé. Il en célèbre la destruction — ou plutôt la mue — et annonce, en un vibrant éloge de la technocratie, l'arrivée des leaders éclairés qui le sauveront.

Ce schéma domine, à quelques nuances près, l'ensemble du genre et en règle la stratégie de peur et de séduction. La ligne de partage entre débâcle et reconstruction est relativement rigide dans ces productions éminemment volontaristes, où la gamme des situations est des plus limitées. L'intérêt fiévreux des grands studios pour le film-catastrophe (où ils virent, dix ans après le film historique à grand spectacle, et vingt ans après le lancement du *relief,* une réplique imparable à la télévision) explique l'engorgement rapide du marché. Florissant, le film-catastrophe a connu très tôt ses « chefs-d'œuvre » (*la Tour infernale* et, dans une approche différente, *Terreur sur le Britannic* de Richard Lester, en 1974). Il a fixé très vite ses canons, ses lieux d'action, ses protagonistes. L'effet de saturation était inévitable, et profita peut-être indirectement à des films qui n'appartenaient pas vraiment à ce genre et en tirèrent un enseignement (*les Dents de la mer,* S. Spielberg, 1975 ; *le Syndrome chinois,* J. Bridges, 1979). Dès 1978, le film-catastrophe accusera une série d'échecs commerciaux, avec *le Pont de Cassandra* (George Pan Cosmatos, 1977), *Meteor* (R. Neame, 1978), *l'Ouragan* (J. Troell, *id.*), *le Jour de la fin du monde* (James Goldstone, *id.*). Il disparaîtra brutalement. En 1980, trois jeunes réalisateurs, Jim Abrahams, David et Jerry Zucker, lui dresseront un mémorial nonsensique : *Y a-t-il un pilote dans l'avion ?,* qui connaîtra un triomphe... O.E.

CATELAIN *(Jacques)* → JAQUE-CATELAIN.

« ÇA TOURNE ! ». Expression consacrée pour confirmer, en début de prise, le bon fonctionnement de la caméra et de l'appareil d'enregistrement du son. (→ TOURNAGE.)

CAVALCANTI *(Alberto de Almeida-Cavalcanti,* dit *Alberto), cinéaste brésilien (Rio de Janeiro 1897 - Paris 1982).* Après avoir fait des études d'architecture aux Beaux-Arts de Genève, Cavalcanti se retrouve à Paris au début des années 20 et commence à travailler comme décorateur aux côtés de L'Herbier *(Résurrection, l'Inhumaine, Feu Mathias Pascal)* et de Delluc *(l'Inondation).* Dès 1926, il passe à la réalisation avec *Rien que les heures,* où il évoque la vie d'une grande cité, d'une aurore à l'autre, avec ses infinis contrastes, ses richesses et ses misères, les rencontres qu'y ménage le hasard. Cavalcanti crée ici le prototype de la symphonie urbaine, sans histoire mais non sans charpente interne, dramatise le documentaire, pour la première fois peut-être. Novateur, il manifeste dans ce film un sens quasi musical de l'image et du rythme, mais aussi, allié à une ironie caustique, un goût du jeu qui évoque les surréalistes, dont il est proche. Attentif à la réalité, Cavalcanti sait faire la part de la bizarrerie, de l'obscurité et du mystère qu'elle peut receler, attitude fondamentale dont il ne se départira pas au cours de sa longue carrière. Suivent des films qui, à l'instar de *Rien que les heures,* le font considérer comme un des jeunes maîtres de l'« avant-garde française » : *En rade,* tout imprégné de la poésie d'une ville portuaire et de la nostalgie d'un « ailleurs », *la P'tite Lili* et *le Petit Chaperon rouge,* fantaisies cinématographiques auxquelles sont associés les musiciens Milhaud et Jaubert. Parallèlement, Cavalcanti réalise des adaptations raffinées d'œuvres littéraires : *Yvette* (d'après Maupassant), *le Capitaine Fracasse* (d'après Gautier). Au début du parlant, il assume par nécessité de nombreux travaux alimentaires (notamment des versions françaises de films américains), mais en profite pour maîtriser l'utilisation du son. À Londres, en 1933, Cavalcanti accepte la proposition de Grierson de travailler pour le groupe cinématographique du GPO (administration des postes), qu'il fait bénéficier de sa grande expérience. Selon Henry Watt, son arrivée marque le « tournant décisif » de l'évolution du documentaire britannique. Tour à tour créateur de bandes sonores *(Night Mail),* réalisateur *(Coal Face),* producteur *(The First Days),* il épaule, outre Watt *(North Sea),* de jeunes cinéastes comme Len Lye *(N. or N. W.),* Humphrey Jennings *(Spare Time),* Pat Jackson *(Men in Danger)* et plus tard David McDonald *(Men of the Lightships).* Après le départ de Grierson en 1937, Cavalcanti assure la continuité du GPO jusqu'à l'été 40, époque à laquelle il rejoint les studios d'Ealing que dirige Michael Balcon. Producteur associé, Cavalcanti continue d'y épauler des cinéastes débutants, en particulier Charles Frend *(The Foreman Went to France),* sans cependant abandonner la réalisation. À *The Yellow Caesar,* brûlant pamphlet antimussolinien, succèdent *Quarante-Huit Heures,* histoire de guerre d'une insolite violence ; *Champagne Charlie,* divertissement inspiré par la vie d'un chanteur de music-hall ; *Au cœur de la nuit* (coréalisé par Ch. Crichton, B. Dearden et R. Hamer), film fantastique à sketches, devenu un classique du genre ; *Nicolas Nickleby,* enluminure du roman de Dickens. Cavalcanti quitte ensuite les studios d'Ealing et réalise notamment deux policiers aux fortes résonances sociales : *Je suis un fugitif* et *À tout péché miséricorde.* Contraint de renoncer à une adaptation de *Sparkenbroke* de Morgan, dont la préparation est pourtant très avancée, Cavalcanti accueille favorablement la proposition qui lui est faite d'enseigner le cinéma au musée d'Art moderne de São Paulo et regagne le Brésil en 1949. Bientôt chargé de réorganiser une industrie cinématographique locale au sein de la Vera Cruz, il déchante vite et, reprenant son indépendance, revient à la réalisation avec *Simão o Caolho,* comédie burlesque d'une constante invention, et *O Canto do Mar,* une de ses œuvres les plus fortes, qui relate l'exode tragique, vers la côte, d'une famille du sertão, chassée par la sécheresse et la misère. Par la suite, Cavalcanti retourne en Europe, travaillant d'abord en Autriche, où il adapte non sans bonheur, et avec la complicité même de Brecht, *Maître Puntila et son valet Matti,* puis en RDA, en Roumanie, en Italie, en Angleterre et en France. Au Brésil, en 1976, Cavalcanti rassemble dans *Um Homem e o Cinema* des extraits, groupés par chapitres, des films auxquels il a participé et qui constituent l'anthologie d'une œuvre étrangement cohérente, sous ses multiples chatoiements ; œuvre d'un poète secret qui a su tirer parti de la dure école de l'exil et de l'incertitude. Il avait publié également en 1953 au Brésil : *Filme e Realidade.* P.H.

Films ▲ En France : *Rien que les heures* (DOC, 1926) ; *Yvette* (1927) ; *En rade* (id.) ; *le Train sans yeux* (1928) ; *la P'tite Lili* (id.) ; *le Capitaine Fracasse* (1929) ; *la Jalousie du Barbouillé* (id.) ; *le Petit Chaperon rouge* (id.) ; *Vous verrez la semaine prochaine* (id.) ; *Toute sa vie* (1930 / version portugaise : *A Canção do Berço*) ; *Dans une île perdue* (1931) ; *À mi-chemin du ciel* (id.) ; *les Vacances du diable* (id.) ; *Tour de chant* (DOC, 1932) ; *En lisant le journal* (id.) ; *le Jour du frotteur* (id.) ; *Revue montmartroise* (id.) ; *Nous ne ferons jamais de cinéma* (id.) ; *le Mari garçon* (1933) ; *Plaisirs défendus* (id.) ; *S. O. S. Radio Service* (DOC, 1934) ; *Coralie et Cie* (id.) ; — en Grande-Bretagne : *Pett and Pott* (CM, 1934) ; *New Rates* (id.) ; *Coal Face* (DOC, 1935) ; *Message from Geneva* (DOC, 1936) ; *We Live in Two Worlds* (DOC, 1937) ; *The Line to Tcherva Hut* (DOC, id.) ; *Who Writes to Switzerland ?* (DOC, id.) ; *Four Barriers* (DOC, 1938) ; *Men of the Alps* (DOC, 1939) ; *Midsummer Day's Work* (DOC, id.) ; *The Yellow Caesar* (1941) ; *Film and Reality* (1942) ; *Went the Day Well ? / 48 Hours* (id.) ; *Alice in Switzerland* (CM, id.) ; *Greek*

Testament (DOC, id.) ; *Watertight* (1943) ; *Champagne Charlie* (1944) ; *Au cœur de la nuit* (*Dead of Night ;* épisode *The Ventriloquist's Dummy,* 1945) ; *Nicolas Nickleby* (*Nicholas Nickleby,* 1947) ; *Je suis un fugitif* (*They Made Me a Fugitive,* id.) ; *The First Gentleman* (1948) ; *À tout péché miséricorde* (*For Them That Trespass,* 1949) ; – au Brésil : *Simão o Caolho* (1952) ; *O Canto do Mar* (1953) ; *Mulher de Verdade* (1954) ; – en Autriche : *Maître Puntila et son valet Matti* (*Herr Puntila und sein Knecht Matti,* 1956) ; – en Roumanie : *Castle in the Carpathians* (1957) ; – en Italie : *les Noces vénitiennes* (*la Prima Notte,* 1959) ; – en Grande-Bretagne : *The Monster of Highgate Pond* (CM, 1960) ; – en Israël : *Thus Spoke Theodor Herzl* (DOC, 1967).

CAVALIER *(Alain Fraissé,* dit *Alain), cinéaste français (Vendôme 1931).* Diplômé de l'IDHEC, puis assistant de Louis Malle et d'Édouard Molinaro, il réalise un court métrage, *Un Américain* (1958), et doit attendre 1962 pour voir aboutir un premier projet personnel de long métrage : *le Combat dans l'île,* suivi de *l'Insoumis* (1964). L'échec commercial de ces deux réalisations originales le conduit à rechercher, bon gré mal gré, le succès par le truchement de productions plus délibérément *commerciales,* même s'il continue de collaborer à la rédaction des scénarios. Ainsi de *Mise à sac* (1967) ou de *la Chamade* (1968). En dépit d'une affiche éclatante (Catherine Deneuve, Michel Piccoli), ce dernier film, tiré d'un roman de Françoise Sagan, ne hausse pas Cavalier au rang des réalisateurs sollicités par les producteurs, en raison peut-être de l'extrême retenue avec laquelle il aborde un sujet qui en appelle à des stéréotypes éprouvés. Après un long silence, Alain Cavalier réapparaît dans des productions modestes, mais où s'exprime l'originalité de sa personnalité : *le Plein de super* (1976), *Martin et Léa* (1979) et, enfin, *Un étrange voyage* (1981) qui lui vaut le prix Louis Delluc. En 1986 *Thérèse,* évocation dépouillée, elliptique et intense de la vie de Thérèse de Lisieux remporte six Césars et un succès public et critique mérité. Le cinéma d'Alain Cavalier se caractérise par un extrême classicisme de la forme, au service d'une grande modernité de sentiments. L'élégance de sa mise en scène n'emprunte rien au spectaculaire, ne remet pas non plus automatiquement en cause le langage cinématographique, à l'exception de l'expérimental *Ce répondeur ne prend pas de message* (1979) et du subtil et dérangeant *Libera me* (1993), son film le plus austère, une muette allégorie sur la répression et la résistance. L'originalité vraie y est proportionnelle à la discrétion, ce qui caractérise une écriture racée. ▲ M.S.

CAVANI *(Liliana), cinéaste italienne (Carpi 1933).* Lettres classiques et linguistique : telle est sa formation (à l'université de Bologne). Diplômée en 1961 du Centro sperimentale de Rome, elle réalise, pour la RAI, de 1962 à 1965, des enquêtes politiques et documentaires, puis son premier long métrage, *Francesco d'Assisi* (1966). *Galileo,* film italo-bulgare, provoque des réactions plutôt mal fondées de l'Église (1969). Les fables douteuses (*les Cannibales* [*I cannibali*], 1969) et maladroitement ambitieuses (*Milarepa* [id.], 1974) qu'elle propose au public annoncent des films dont l'ambiguïté et le prétexte parahistorique sont l'occasion de controverses et de tapages assez vains : *Portier de nuit* (*Night Porter,* 1974) exploite le nazisme et le sadomasochisme ; *la Peau* (*la Pelle,* 1981) exacerbe certains aspects du roman homonyme de Curzio Malaparte. Si, depuis ses premiers travaux documentaires pour la RAI, Liliana Cavani s'est intéressée à divers aspects de la Seconde Guerre mondiale, elle s'est toujours défendu de vouloir construire une œuvre entachée d'*idéologie* ou charriant des *messages.* Ce qui a fait son succès, c'est moins une mise en scène assez conventionnelle, aux images du reste souvent froides, que la trouble complaisance qu'elle met dans le traitement de ses sujets. On lui doit aussi *l'Invitée* (*L'ospite,* 1971) avec Lucia Bosè, *Au-delà du bien et du mal* (*Beyond Good and Evil,* 1977) sur les rapports de Nietzsche et de Lou Andreas-Salomé, *Derrière la porte* (*Oltre la porta,* 1982), *The Berlin Affair / Interno Berlinese* (IT-RFA, 1985), *Francesco* (1989), *Sans pouvoir le dire* (*Dove siete ? Lo sono qui,* 1993). ▲ C.M.C.

CAVEN *(Ingrid), actrice allemande (Sarrebruck 1946).* Elle fait partie du groupe théâtral animé par Fassbinder à Munich dès 1967 et figure au générique de nombreux films de ce dernier, dont elle a été l'épouse quelque temps. Mais ses seuls rôles importants auprès de lui sont dans *Maman Kusters s'en va au ciel* (1975) et *l'Année des treize lunes* (1978). À la même époque, elle occupe une place éminente dans les films de Daniel Schmid : *la Paloma* (1974), *l'Ombre des anges* (1976), *Violanta* (1977). On peut la voir dans d'autres films allemands, dont *Malou,* de Jeannine Meerapfel (1981), ainsi que dans *Mes petites amoureuses,* de Jean Eustache (1974). Depuis la fin des années 70, elle se consacre de plus en plus à la chanson et apparaît plus rarement au cinéma (*Hors-saison,* D. Schmid, 1992). D.S.

CAYATTE *(André), cinéaste français (Carcassonne 1909 - Paris 1989).* Ancien avocat devenu journaliste, Cayatte n'oubliera jamais son premier métier. Après avoir écrit des romans, dialogué des films (*Caprices,* L. Joannon, 1942), imaginé des sujets (*Entrée des artistes,* M. Allégret, 1938), réussi des adaptations (*Remorques,* J. Grémillon, 1941), il fait ses débuts de réalisateur sous l'invocation de Balzac (*la Fausse Maîtresse,* 1942) et de Zola (*Au bonheur des dames,* 1943). Jusqu'en 1950, il aligne des titres qui surprennent parfois (*Sérénade aux nuages,* 1946, avec Tino Rossi), mais qui attestent toujours sa conscience professionnelle (*Roger la Honte,* id.) et arrivent à séduire critiques et public (*les Amants de Vérone,* 1949, avec le concours de Jacques Prévert). Il trouve son chemin de Damas avec le premier plaidoyer de sa vaste trilogie judiciaire : *Justice est faite* (1950), où il s'efforce de mettre en lumière les incertitudes d'un jury de cour d'assises ; *Nous sommes tous des assassins* (1952) s'élève avec puissance contre la peine de mort ; enfin, en 1955, *le Dossier noir* décrit la grandeur et les servitudes du juge d'instruction. Ces films, compacts, démonstratifs et manichéens, réunissent de bons acteurs et ont le mérite de provoquer, de soulever des questions, d'intéresser. La réelle générosité de Cayatte va continuer à s'épancher dans un style appuyé : désarroi de la jeunesse (*Avant le déluge,* 1954), réconciliation franco-allemande (*le Passage du Rhin,* 1960), problèmes d'un instituteur confronté avec des adolescentes perverses (*les Risques du métier,* 1967), amour scandaleux d'un professeur femme pour l'un de ses élèves (*Mourir d'aimer,* 1971), justiciers éclaboussés par la calomnie (*Il n'y a pas de fumée sans feu,* 1973). Il n'oublie pas pour autant de stigmatiser cette justice qui n'est pas pure tout en étant dure (*le Glaive et la Balance,* 1963 ; *l'Amour en question,* 1978). Son intransigeante bonne foi s'attaque résolument à *la Raison d'État* (1978) ou condamne les rapts d'enfants par le truchement d'un sordide mélo (*À chacun son enfer,* 1977). Quelques-unes de ses œuvres purement romanesques se ressentent d'évidences vigoureusement assenées et souffrent de ses défauts habituels : naïveté et emphase. Il en va ainsi d'*Œil pour œil* (1957) et du *Miroir à deux faces* (1958). On se prend alors à regretter le charme d'un film aussi mineur que *le Chanteur inconnu* (1947), avec, encore, Tino Rossi. R.C.

Autres films : *Pierre et Jean* (1943) ; *le Dernier Sou* (1946, RÉ 1943) ; *la Revanche de Roger la Honte* (1946) ; *le Dessous des cartes* (1948) ; *Retour à la vie* (l'épisode *Tante Emma,* 1949) ; *la Vie conjugale* (2 films, 1964) ; *Piège pour Cendrillon* (1965) ; *les Chemins de Katmandou* (1969) ; *le Verdict* (1974). ▲

CAZALS *(Felipe), cinéaste mexicain (Guéthary, France, 1937).* Il étudie à l'IDHEC (1960), puis s'essaie au court métrage : *Alfonso Reyes, Cartas de Mariana Alcoforado, Que se callen, Leonora Carrington o El sortilegio irónico* (1965-1966). Il passe ensuite au long métrage avec *La manzana de la discordia* (1968) et *Familiaridades* (1969). Il y révèle avec talent des inquiétudes nouvelles dans le cadre du cinéma mexicain. Les superproductions *Emiliano Zapata* (1970), *El jardín de Tía Isabel* (1971) et *Aquellos años* (1972) confirment sa maîtrise mais semblent un peu en retrait. Après un grand documentaire sur les Indiens de l'île Tiburon (*Los que viven donde sopla el viento suave,* 1973), il revient à une problématique plus personnelle : *Canoa* (1973) exprime l'hostilité nouvelle suscitée, dans le monde rural, contre les étudiants ; *El apando* (1975) est la version vigoureuse d'une nouvelle de José Revueltas sur la condition des détenus ; *Las poquianchis* (1976) s'en prend à l'exploitation des prostituées. Une image différente de la femme se détache dans ces derniers films. Cazals se heurte ensuite à la censure ; mais *El año de la peste* (1979) s'avère au bout du compte un film de politique-fiction peu significatif. Il signe ensuite *Los motivos de Luz* (1985), *El tres de copas* (1986), *Las inocentes (id.), La furia de un dios* 1987) et *Kino* (1992). P.A.P.

CdS. Notation chimique du sulfure de cadmium, matériau sensible de certains posemètres. (→ POSEMÈTRES.)

CECCHI *(Emilio), écrivain, critique cinématographique et scénariste italien (Florence 1884 - Rome 1966).* Appelé à diriger les studios de la Cines en 1932, Cecchi favorise la production de films de qualité comme *Les hommes, quels mufles !* (1932) et *Je t'aimerai toujours* (1933) de Camerini, *La tavola dei poveri* (1932) de Blasetti, *Acciaio* (1933) de Ruttmann, *O la borsa o la vita* (1933) de Carlo Ludovico Bragaglia. Partisan d'un cinéma culturellement majeur, Cecchi participe à la rédaction de scénarios importants au début des années 40 (*Piccolo mondo antico* de Soldati, 1941 ; *Sissignora* de Poggioli, 1942 ; *Giacomo l'idealista* de Lattuada, 1943). Après la guerre, il collabore encore à *Sous le soleil de Rome* (R. Castellani, 1948) et à *Fabiola* (A. Blasetti, 1949). Figure d'intellectuel aux prises avec le cinéma, Cecchi a largement participé au débat d'idées qui animait le cinéma italien pendant les années 30 et 40. J.-A.G.

CECCHI D'AMICO *(Giovanna,* dite *Suso), scénariste italienne (Rome 1914).* Fille de l'écrivain et producteur Emilio Cecchi, journaliste et traductrice de pièces théâtrales, elle signe en 1946 son premier scénario, *Mio figlio professore* (R. Castellani). Elle participe ensuite à 80 films, écrits en collaboration avec les meilleurs écrivains, au nombre desquels : Ennio Flaiano, Cesare Zavattini, Vitaliano Brancati, Age et Scarpelli. Elle se considère comme « un artisan au service du metteur en scène » et travaille avec beaucoup de cinéastes, dont Visconti (*Bellissima,* 1951 ; *Senso,* 1954 ; *Nuits blanches,* 1957 ; *Rocco et ses frères,* 1960 ; *le Guépard,* 1963 ; *l'Étranger,* 1967 ; *Ludwig / le Crépuscule des dieux,* 1972 ; *Violence et passion,* 1974 ; *l'Innocent,* 1976), Zampa (*Vivre en paix,* 1946 ; *l'Honorable Angelina,* 1947 ; *les Coupables,* 1952), Lattuada (*le Crime de Giovanni Episcopo,* 1947), Blasetti (*Fabiola,* 1949 ; *Quelques pas dans la vie,* 1954), Antonioni (*I vinti,* 1952 ; *la Dame sans camélias,* 1953 ; *Femmes entre elles,* 1955), De Sica (*le Voleur de bicyclette,* 1948 ; *Miracle à Milan,* 1951), Rosi (*le Défi,* 1958 ; *I magliari,* 1959 ; *Salvatore Giuliano,* 1962), Monicelli (*le Pigeon,* 1958 ; *Casanova 70,* 1965), Comencini (*Tu es mon fils,* 1957 ; *Casanova, un adolescent à Venise,* 1969 ; *les Aventures de Pinocchio,* 1972 ; *la Storia,* 1986), Bolognini (*Metello,* 1970), Zefirelli (*Jésus de Nazareth,* co Anthony Burgess, 1977), N. Mikhalkov (*les Yeux noirs,* 1988). Une veine féministe se manifeste souvent dans son œuvre multiforme. Ajoutons qu'elle a contribué à sauver la version intégrale du *Ludwig* de Visconti. L.C.

CECCHI GORI *(Mario), producteur italien (Brescia 1920 - Rome 1993).* Directeur de production pour la Federalcine, la Lux Film, la Maxima Film, il fonde en 1960 la Fair Film, pour laquelle il produit une quarantaine de films, surtout des comédies conçues pour des vedettes populaires : *A porte chiuse* (D. Risi, 1961), *les Monstres* (id., 1963), *l'Armée Brancaleone* (M. Monicelli, 1966), *Dove vai tutta nuda* (P. Festa Campanile, 1969). En 1973, il fonde la Capital Film, et il y produit d'autres films à grand succès, dont *le Canard à l'orange* (L. Salce, 1975) ou *Il bisbetico domato* (Castellano et Pipolo, 1980). Il travaille (en collaboration avec son frère Vittorio) en 1989 avec Scola *(Splendor ; Quelle heure est-il ?)*, Benigni *(le Petit Diable)* et en 1990 avec Fellini *(La voce della luna)* et Maselli (*Il segreto*). Grâce à ses accords avec la RAI et Berlusconi, sa société de production et distribution devient la plus puissante du marché italien. L.C.

CELENTANO *(Adriano), acteur et cinéaste italien (Milan 1938).* À la fin des années 50, il s'affirme comme un populaire chanteur rock ; il apparaît dans *la Dolce vita* (F. Fellini, 1960). Après quelques comédies musicales (*I ragazzi del juke-box,* Lucio Fulci, 1960 ; *Uno strano tipo,* id., 1963), il interprète *Serafino* (P. Germi, 1968), farce rustique proche de son idéal réactionnaire. Ses comédies des années 70 et 80 lui valent la première place au box-office. Il dirige trois films : *Super-rapina a Milano* (1965), comédie policière produite avec son « clan » d'amis ; *Yuppi Du* (1975), satires à la fois autobiographiques et loufoques et *Joan Lui* (1986), très ambitieux musical religieux refusé par ses fans. L.C.

CELI *(Adolfo), acteur et cinéaste italien (Messine 1922 - Sienne 1986).* Metteur en scène de théâtre, il joue aussi dans quelques films, dont *Un americano in vacanza* (L. Zampa, 1945) et *De nouveaux hommes sont nés* (L. Comencini, 1949). Puis il émigre au Brésil, où il met en scène plusieurs pièces et deux films : *Caiçara* (1950) et *Tico-tico no fubá* (1952). Il redevient célèbre en Europe avec des rôles créés pour

son physique imposant : *l'Homme de Rio* (Ph. de Broca, 1963), *Opération Tonnerre* (T. Young, 1965), *E venne un uomo* (E. Olmi, *id.*). Il tourne dans quelque 70 films. Il dirige et interprète *l'Alibi* (1969), avec Vittorio Gassman et Luciano Lucignani, comédie amère qui reconstruit les étapes de sa vie.
L.C.

CELL. Abrév. de *cellulo.*

CELLULE. Abrév. courante de *cellule photoélectrique,* élément qui délivre un courant électrique ou une tension électrique variant en fonction de l'éclairement qu'il reçoit. Par extension, syn. fam. de *posemètre. Cellule de lecture,* ou *cellule,* élément d'un projecteur sonore qui transforme en variations de valeurs électriques les variations de l'éclairement reçu au travers de la piste sonore optique.

CELLULO. Feuille de Celluloïd transparent employée pour le tracé des dessins d'un dessin animé.

CELLULOÏD. Matériau (nitrate de cellulose) utilisé autrefois pour le support des films. (→ FILM, CONSERVATION DES FILMS.)

CENSURE, n. f., du latin *censura* (en grec, *anastasia,* d'où l'usage familier du nom « Anastasie » pour la désigner).

Dans son sens communément entendu dans les pays démocratiques, en matière cinématographique, ce mot recouvre le plus souvent le contrôle d'une œuvre cinématographique créée mais non encore exploitée, exercé par un groupe d'individus réunis en commission au nom de l'État ou de la profession afin d'en autoriser ou interdire la projection publique, totale ou partielle. Le législateur justifie cette mesure restrictive de la liberté d'expression par la protection de catégories sociales dont les qualités jugées intrinsèques pourraient être mises en péril par des atteintes à l'ordre politique, moral ou culturel.

La censure cinématographique serait donc une forme d'autodéfense de la société qui naîtrait de la prise en considération, éventuellement amplifiée, des effets dommageables pour l'individu ou l'ordre public de la projection de certains films.

Deux graves déviations de la censure peuvent apparaître : l'inadéquation, provenant de la volonté de protéger par une mesure unique les intérêts multiples d'un groupe social non homogène ; et surtout l'abus qui peut en être fait, rendu possible par l'extrême difficulté d'établir des critères précis, conduisant à protéger des intérêts particuliers contre l'intérêt général, et ce, éventuellement, pour des motivations d'ordre politique.

La censure officiellement organisée compte d'inconditionnels partisans qui la considèrent comme un mal nécessaire alors que, pour ses opposants irréductibles, le principe de la liberté d'expression ne souffre pas d'exception.

Mais la censure officielle et s'exerçant a posteriori n'est pas la seule forme de censure : celle-ci peut en effet intervenir à toutes les étapes, de l'écriture du scénario à la projection publique. Ainsi, une précensure peut exister sous la forme d'un refus de financement (censure économique) ; en outre, dans les pays où les sociétés de télévision sont également coproductrices de film, l'autocensure est plus forte afin de permettre à ces films d'être diffusés sur le petit écran. Par ailleurs, une « post-censure » peut également intervenir dans un cadre géographique limité pour des raisons d'ordre public (interventions de police locale). De plus, mais ceci n'est pas propre au secteur cinématographique, des condamnations allant jusqu'à la destruction du film peuvent être décidées par la justice sur plainte de particuliers ou de groupements. Enfin, on ne saurait ignorer certains actes de terrorisme en salle visant à empêcher la projection d'un film autorisé.

La censure en France. Au tout premier temps du cinéma, alors que les sujets filmés ne sont que prétexte à utilisation d'une technique nouvelle, aucun contrôle n'est effectué. C'est en 1909 que naît la censure cinématographique à l'occasion d'une bande d'actualités Pathé représentant une quadruple exécution capitale. Le 11 janvier 1909, une circulaire du ministère de l'Intérieur invite les préfets à contraindre les maires à exercer leur pouvoir de police municipale afin de faire respecter ordre et tranquillité publique. De plus, assimilé aux *spectacles de curiosité,* le cinématographe est soumis à autorisation municipale.

Dès lors, les interdictions de projections vont se multiplier (*la Bande de l'auto grise,*

Jasset, 1912), dont les producteurs tenteront de se défendre en engageant de nombreux procès en abus de pouvoir. Mais, le 3 avril 1914, le Conseil d'État décidera le rejet de tout pourvoi de producteurs de films. En 1916, un arrêté du 16 juin institue au ministère de l'Intérieur une commission chargée de l'examen des films et de la délivrance des visas autorisant les représentations. Composée de cinq fonctionnaires de la police, la commission interdira 145 films la première année. Les professionnels protesteront, mais plus soucieux, semble-t-il, de leurs pertes financières que des atteintes portées à la liberté d'expression. En 1919, un décret du 25 juillet confiera la tutelle de la commission au ministère de l'Instruction publique et des Beaux-Arts. Jusqu'en 1930, la composition de la commission, dans laquelle siègent des personnalités du cinéma, variera selon la volonté politique d'assouplir ou de renforcer la censure.

En 1931, on supprime la censure, mais l'on crée un Comité national du cinéma chargé du contrôle et du classement des films. Durant la guerre, la censure s'amplifiera, malgré une production cinématographique en perte de vitesse. Par décret du 3 juillet 1945, la censure est confiée, sous la responsabilité du ministre de l'Information, à une nouvelle commission composée en nombre égal de représentants du gouvernement et de la profession. Pendant les cinq années qui suivent, le contrôle sera moins pesant.

En revanche, la sévérité accrue des censeurs durant la décennie 1950-1960 sera extrêmement préjudiciable au cinéma français. On interdit (*Les statues meurent aussi* de Chris Marker et Alain Resnais, *Bel-Ami* de Louis Daquin...), on supprime des séquences, on modifie les titres. Censure nationale par une commission encore remaniée, censure municipale, avis préalable à la réalisation obligatoire : ce climat d'intolérance nourrit l'autocensure.

Il faudra attendre 1967 pour que le courant se renverse et que la censure commence à faire bien involontairement le succès de certains films. Puis la révolte de mai 1968, jetant l'anathème sur les censeurs, ouvrira la voie de la libéralisation. Le 10 juillet 1969, le contrôle des films sera confié au ministère des Affaires culturelles. Bien que maintenue, et malgré certains combats d'arrière-garde – municipaux, notamment –, la censure officielle, suivant par là-même l'évolution des esprits, présente un nouveau visage et développe une autre philosophie qui a été traduite par voie réglementaire en 1990.

Ainsi, à l'instar des autres pays démocratiques, le pouvoir exécutif ne s'autorise plus aucune atteinte à la liberté de création par des coupures ou modifications opérées sur le film, mais continue de se permettre, tout en s'en défendant, des restrictions à la liberté d'expression par l'interdiction d'accès à la salle de cinéma de tout ou partie du public au nom de la protection des spectateurs.

La Commission de contrôle, rebaptisée Commission de classification des œuvres cinématographiques, s'attache essentiellement à l'examen critique des idées, images et propos portés par le film en vue de protéger le cas échéant les jeunes spectateurs – dont la personnalité est par définition en cours de structuration – des atteintes aux valeurs qui lui semblent communément admises par le corps social.

La réglementation actuelle : Qu'il ait, ou non, obtenu les aides financières de l'État (« avance sur recettes » principalement), le producteur doit satisfaire à plusieurs obligations dont l'objectif est d'examiner la « faisabilité » économique d'un projet (agrément d'investissement), puis de vérifier si toutes les garanties financières assurant l'achèvement du film et la rémunération de ses participants ont bien été prises (agrément complémentaire ou définitif). L'obtention de ces agréments permet la mobilisation de capitaux et le déblocage des soutiens financiers automatiques.

Le film de court ou de long métrage réalisé, un visa d'exploitation doit être délivré pour sa représentation et son exportation (article 19 du Code de l'Industrie cinématographique). Le visa, auquel sont également assujettis les films d'origine étrangère, est délivré par le Ministre chargé de la Culture après avis de la Commission de classification des œuvres cinématographiques.

La composition et le fonctionnement de cette commission sont organisés par le décret 90-174 du 23 février 1990. Le Président, choisi au sein du Conseil d'État, et son suppléant sont nommés pour deux ans par décret. Les vingt-cinq membres, et leurs cinquante suppléants, également nommés pour deux ans mais par arrêté, sont répartis en quatre collèges :

— le premier collège (cinq membres) représente les ministères de la Justice, de l'Éducation Nationale, de l'Intérieur, des Affaires sociales et de la Jeunesse,

— le collège des professionnels est composé de huit personnalités de la profession cinématographique,

— le collège des experts comprend cinq membres qualifiés dans le domaine de la protection de l'enfance et de la jeunesse, un membre représentant le Conseil supérieur de l'Audiovisuel et deux membres désignés après consultation de l'Union nationale des Associations Familiales et de l'Association des Maires de France,

— le collège des jeunes âgés de 18 à 25 ans compte trois membres choisis après consultation du Conseil national de l'Éducation populaire et de la jeunesse, et un membre choisi sur une liste de candidatures.

Diverses personnalités qualifiées et les représentants d'autres ministères peuvent en outre assister aux scéances de la commission à titre consultatif.

La commission siège en assemblée plénière ou en sous-commission. Néanmoins, tout avis tendant à une restriction de l'exploitation d'un film ne peut être pris qu'en assemblée plénière. L'avis rendu doit ainsi permettre au ministre d'autoriser ou non l'exportation d'un film (bande-annonce, court ou long métrage), l'utilisation du matériel publicitaire pour sa promotion, mais surtout, en ce qui concerne son exploitation en France, de prendre l'une des mesures suivantes : autorisation de représentation à tous publics, interdiction aux mineurs de douze ans, interdiction aux mineurs de seize ans, interdiction totale de représentation.

La décision motivée du ministre peut en outre être assortie d'une obligation de publication d'un avertissement destiné à l'information des spectateurs. Enfin, toute décision restreignant l'exploitation doit être impérativement mentionnée sur le matériel publicitaire.

En cas d'interdiction aux mineurs, le ministre peut décider le classement du film dans la catégorie des « films pornographiques ou d'incitation à la violence », également dénommée « classement X » (loi de finances du 30 déc. 1975). Ce classement, qui a pour but de limiter la réalisation et la diffusion de ce type de films, est lourd de conséquences : exclusion de toute forme de soutien ou d'aide financière à la production et à l'exploitation : majoration du taux de la TVA sur les cessions de droits de ces films ; prélèvement spécial de 20 p. 100 sur la fraction des bénéfices imposables ; majoration de 50 p. 100 des barèmes de la taxe additionnelle au guichet des salles ; application d'une taxe forfaitaire à l'importation des films entrant dans cette catégorie. Enfin, ces films ne peuvent être projetés que dans des salles spécialisées.

Malgré les craintes de principe les plus fondées, malgré une inévitable autocensure et l'existence de censeurs municipaux, malgré la pression parfois violente de certains groupes et les rares procès, la censure officielle exercée sur le cinéma français s'est incontestablement libéralisée en se limitant volontairement au contrôle de l'accès aux salles.

Néanmoins, on ne peut que regretter le maintien dans le dispositif actuel de l'interdiction totale et constater l'ambiguïté de ces mesures fiscales qui, pour limiter la production de films pornographiques ou d'incitation à la violence, rapportent quelques bénéfices à l'État.

Enfin, il convient de noter que la difficulté, voir l'impossibilité, d'élaboration de critères précis rend fragile la libéralisation du contrôle qui existe principalement par ceux qui la conduisent. En effet, un retour en arrière est toujours possible dans le respect de la règlementation actuelle.

À l'étranger : le contrôle cinématographique revêt différentes formes en lien étroit avec l'idéologie politique officielle et donc évolue avec elle.

Dans les pays de régime communiste, le cinéma nationalisé doit respecter la doctrine du réalisme socialiste. La planification de la production cinématographique entraîne une autocensure et une précensure généralement efficaces ; les restrictions de programmation sont rares.

Dans les pays de régime autoritaire, l'existence d'un secteur privé cinématographique est contrebalancée par une censure très sévère sur le plan politique, moral ou religieux, exercée le plus souvent par le ministère de l'Intérieur.

Dans les pays islamiques, même ou surtout s'ils sont à tendance socialiste, un contrôle a priori de la production est exercé par des commissions relevant de l'État : acceptation ou refus des scénarios, code sévère de la représentation des mœurs, des femmes, de la sexualité et, naturellement, des situations politiques.

En Europe, au Japon et aux États-Unis, constitutions ou doctrines officielles interdisent la censure. Cependant, la jeunesse est protégée par une classification des films effectuée soit par les professionnels (Grande-Bretagne, Allemagne fédérale, Japon, Suède et États-Unis, où a sévi jusqu'en 1966 le très puritain Code Hays), soit par le ministre compétent après avis d'une commission spécialisée (Italie, Norvège, Espagne, etc.). En Belgique, où la censure est interdite par la Constitution, aucun contrôle n'est exercé sur le cinéma. Mais, sur plainte de citoyens, la justice peut poursuivre l'exploitant, responsable pénalement des films projetés.

En conclusion, dans les pays occidentaux, la tendance est à la libéralisation (et non à la suppression) de la censure morale puis politique et le contrôle semble vouloir se limiter à l'exploitation cinématographique. P.C.

CENTRE NATIONAL DE LA CINÉMATOGRAPHIE. Les premières difficultés du cinéma français dans les années 30 ont amené les professionnels et les pouvoirs publics à se poser la question de la réglementation de l'industrie cinématographique et de la nécessité de disposer d'une administration chargée de suivre ce secteur spécifique. Cette réflexion a débouché, au lendemain du second conflit mondial, sur la création, le 25 octobre 1946, du CNC. Cet établissement public administratif est placé depuis 1959 sous l'autorité du ministre chargé de la culture. Il est doté de la personnalité juridique et de l'autonomie financière. Les compétences du CNC, ses moyens et ses structures se sont modifiés et renforcés parallèlement à l'évolution du secteur. L'établissement met en place et suit la politique du cinéma et de l'audiovisuel en France en développant trois types de missions :

— la régulation et le soutien à l'économie du cinéma et de l'audiovisuel : le CNC gère le compte de soutien financier de l'État à l'industrie cinématographique et à l'industrie des programmes audiovisuels. Ce compte est alimenté par des ressources prélevées sur le marché (taxe sur le prix des billets de cinéma, taxe sur les abonnements et sur la publicité télévisée, taxe sur l'exploitation des films pornographiques, contribution du secteur de la vidéo). Ce compte est utilisé pour soutenir la production et la distribution de films, la création et la modernisation des salles, les industries techniques ainsi que la production de programmes télévisuels. Des actions de soutien plus sélectives sont menées grâce à la dotation accordée annuellement par le ministère de la Culture. Enfin, le CNC intervient dans l'économie du secteur par des mécanismes d'incitations fiscales (Sociétés pour le financement du cinéma et de l'audiovisuel — SOFICAS) ou par le biais d'organismes de garantie comme l'Institut de financement du cinéma et des industries culturelles (IFCIC) ;

— la réglementation du secteur : c'est le CNC qui élabore la réglementation relative au cinéma et à l'audiovisuel, contrôle la répartition de la recette entre chaque branche de la profession, délivre les autorisations professionnelles à chacune de ces branches, les cartes professionnelles, les agréments de production ;

— l'action culturelle et patrimoniale et la promotion du cinéma : le CNC soutient un grand nombre d'initiatives de promotion du cinéma (secteur de l'art et essai, festivals, promotion du cinéma français à l'étranger). Il développe une politique active de sensibilisation en milieu scolaire et met en œuvre des initiatives décentralisées en liaison avec les collectivités locales.

Depuis 1969 et la création des Archives du film, il assure la conservation du patrimoine filmique et sa diffusion, responsabilité qu'il partage avec de nombreux partenaires associatifs (Cinémathèque française, Bibliothèque de l'image, filmothèque, cinémathèques régionales) dont il soutient l'action.

Le CNC, dirigé par un directeur général nommé en conseil des ministres, est composé de six directions : administration et affaires financières, production cinématographique, exploitation et diffusion culturelle, programmes audiovisuels et industries de l'image, affaires européennes et internationales, actions patrimoniales. G.A.

CENTURY → PROJECTION.

CERAMI *(Vincenzo), scénariste italien (Rome 1940).* Dans la génération des scénaristes qui se sont imposés au cours de ces vingt dernières années, Cerami représente la personnalité la plus marquante. Également écrivain (romans, poèmes, pièces de théâtre), Cerami a participé en 1976 à l'adaptation de son livre *Un bourgeois tout petit petit,* porté à l'écran par Mario Monicelli. À partir de ce moment, il est devenu l'un des scénaristes les plus recherchés et les plus compétents, travaillant avec des auteurs confirmés comme Marco Bellocchio (*le Saut dans le vide,* 1980 ; *les Yeux la bouche,* 1982) et Valentino Orsini (*Figlio mio infinitamente caro,* 1985) ou avec de jeunes cinéastes qu'il a aidés dans la définition de leur univers personnel, tels Giuseppe Bertolucci (*Segreti segreti,* 1985 ; *I cammelli,* 1988), Sergio Citti (*Casotto,* 1977 ; *Il minestrone,* 1981 ; *Mortacci,* 1988) ou Gianni Amelio (*Colpire al cuore,* 1982 ; *I ragazzi di Via Panisperna,* 1989 ; *Portes ouvertes,* 1990). Il a participé à des entreprises plus légères avec des films de Francesco Nuti ou de Roberto Benigni (*le Petit Diable,* 1988 ; *Johnny Stecchino,* 1991). Scénariste imaginatif et précis, capable de s'adapter à des univers très différents — il a aussi collaboré avec Anna Maria Tato, Fiorella Infascelli, Francesca Comencini —, il a su témoigner de son temps en évoquant le problème du terrorisme dans des films d'Amelio, d'Orsini ou de Bertolucci. À l'aise dans tous les genres, il se sert habilement des ressorts de la psychologie comme de la psychanalyse pour cerner ses personnages. J.-A.G.

CERCLÉE. *Prise cerclée,* équivalent de *prise entourée.* (Voir ENTOURÉE.)

CERVI *(Gino), acteur italien (Bologne 1901 - Castiglione della Pescaia 1974).* Il acquiert, dans les compagnies théâtrales de Alda Borelli et Luigi Pirandello, un métier solide et une grande souplesse d'interprétation, qui lui permettent de débuter à l'écran sans pour autant abandonner la scène. Il joue d'abord dans *L'armata azzurra* (1932), de Gennaro Righelli, qui célèbre l'armée de l'air. Blasetti l'emploie ensuite à la gloire de la marine (*Aldebaran,* 1935), puis lui confie les rôles de Ettore Fieramosca (1938) et Salvator Rosa (1940) dans les titres homonymes. Après le film de cape et d'épée *la Couronne de fer* (1941), avec Massimo Girotti en vedette, fait passer Cervi dans l'arène d'un péplum surréalisant. Blasetti, qui, décidément, surprend, lui donne ensuite à incarner l'Italien moyen de *Quatre Pas dans les nuages* (1942). Ce film intimiste un peu surestimé était, l'année même d'*Ossessione* de Visconti, précurseur du néoréalisme, un portrait au naturel de l'homme ordinaire que Cervi n'aura plus l'occasion d'approfondir. *Fabiola* (1949), autre péplum, mais médiocre, de Blasetti ; *le Christ interdit* (1950), échec de Malaparte ; *Stazione Termini* (1953) avec Montgomery Clift, échec signé De Sica : autant de films et de rôles malheureux que compense, en 1953 également, le film d'un jeune cinéaste, *la Dame sans camélias,* signé Antonioni. En 1955, il est le fruste Cesare des *Amoureux* de Bolognini et le prélat du film de Giorgio Pastina, *Il cardinale Lambertini.* Avec *le Petit Monde de don Camillo* (J. Duvivier, 1952) débute une série populaire : face à Fernandel en curé, le public se réjouit de Cervi en Peppone, maire communiste et bon enfant du roman à succès de Giovanni Guareschi. Suivront : *le Retour de don Camillo* (J. Duvivier, 1953) ; *la Grande Bagarre de don Camillo* (C. Gallone, 1955) ; *Don Camillo monseigneur* (*id.* 1961) ; *Don Camillo en Russie* (Comencini, 1965) ; et, de Eriprando Visconti, *la Religieuse de Monza* (1969). C.M.C.

CÉSARS (les). Distinction honorifique française décernée annuellement dans chaque discipline cinématographique. À l'instar de la manifestation américaine de remise des Oscars, l'ensemble de la profession cinématographique française réunie en une Académie des arts et techniques du cinéma décerne chaque année depuis 1976 des prix aux meilleurs film, réalisateur, acteur, actrice, second rôle masculin, second rôle féminin, scénario, décor, photo, montage, son, musique, film étranger, court métrage d'animation, court métrage documentaire et court métrage de fiction. Nés de l'initiative de Georges Cravenne, les Césars sont décernés après deux votes de l'académie : le premier choisit, parmi les films français de l'année écoulée, les quatre *nominés* de chaque catégorie ; le second désigne parmi ceux-ci le César (du nom du sculpteur qui a modelé la statuette remise au vainqueur). La proclamation se fait au cours d'une cérémonie télévisée. L'ont présidée J. Gabin, L. Ventura,

J. Marais, J. Moreau, Ch. Vanel, Y. Montand, O. Welles, C. Deneuve, G. Kelly, S. Signoret, J.-L. Barrault et M. Renaud. Palmarès en tome II, page 2365. P.C.

CHABROL *(Claude), cinéaste français (Paris 1930).* Critique aux *Cahiers du cinéma* et attaché de presse, il réalise en 1958, avec l'argent d'un héritage, un premier film dont les circonstances font qu'il devient le manifeste inaugural de la Nouvelle Vague : *le Beau Serge.* Film maladroit, incertain, mal dégagé d'un moralisme chrétien, mais neuf par son tournage peu coûteux, en province (à Sardent, bourg de la Creuse où Chabrol avait vécu une partie de son enfance), et hors des normes (commerciales et syndicales) alors imposées au cinéma français.

Les premiers films de Chabrol (qui écrit fréquemment ses scénarios avec Paul Gégauff, son collaborateur intermittent jusqu'en 1975) trahissent une hésitation, la difficulté à trouver une prise sur le monde, que le cinéaste contourne par la dérision, la méchanceté, la fascination pour la bêtise et la médiocrité bourgeoises (dans *À double tour*) ou populaires (dans *les Bonnes Femmes*). Après quelques films impersonnels, contemporains du reflux de la Nouvelle Vague, Chabrol trouve sa voie dans une chronique impitoyable de la France prospère des années 70. Entre *les Biches* (1968) et *Nada* (1974), il compose une petite Comédie humaine cohérente, sarcastique, brillante. Fondés sur des scénarios dont il est l'auteur ou qu'il tire de romans policiers, appuyés sur des comédiens solides (Stéphane Audran, Jean Yanne, Michel Bouquet), la plupart des films qu'il réalise alors (il tourne vite et donne deux films par an en 1969, 1970 et 1971) sont des réussites : ainsi *la Femme infidèle, Juste avant la nuit* et *le Boucher.* Dans ce film, il a suffi à Chabrol d'un simple fait divers (se passant dans un village du Périgord) pour que soit évoquée la mémoire des guerres coloniales qui pèse encore lourd sur la conscience collective française.

Splendeurs et misères de la vie bourgeoise : il gratte le vernis d'urbanité, dérange l'ordonnance d'existences aussi policées que les appartements du XVIe arrondissement où vivent ses personnages, en inoculant dans ces vies la passion — l'instant de désordre, le crime —, bâton dans la fourmilière. Chabrol provoque la rupture, puis, avec une délectation de moraliste puritain, il regarde et prend acte des dégâts. Ses meilleurs films sont de faux films d'action : la structure romanesque y est un trompe-l'œil, qui masque d'abord leur nature de constat. Mis bout à bout, ils sont le «précis de décomposition» d'une société victime de son opulence autant que de son hypocrisie.

Après 1974, la cohérence de l'œuvre se défait. Les films perdent à la fois le brillant et l'âpreté corrosive qui sont l'apanage du meilleur Chabrol. Il rentre plus ou moins dans le rang du cinéma commercial français, et aucune de ses œuvres n'est digne des réussites qu'il a signées dix ans plus tôt : ni *les Liens de sang* (coproduction réalisée au Canada), ni *Violette Nozière* (un des rares films réalisés au passé par Chabrol, qui se montre plutôt démuni hors de ce contemporain précis qui nourrit son inspiration), ni *le Cheval d'orgueil* (adaptation malencontreuse et folklorisante du best-seller de Pierre Jakez Hélias). Renouant alors avec un genre dans lequel il excelle, le «polar provincial» corrosif et dévastateur, il trouve en Jean Poiret l'interprète idéal pour son inspecteur maniaque et anarchiste (*Poulet au vinaigre* et *Inspecteur Lavardin). Une affaire de femmes* (1988) dénonce, sur fond d'occupation allemande à Paris dans les années 40, l'intolérance masculine vis-à-vis des femmes tandis que *Docteur M.* (1990) est une version moderne et cynique du *Mabuse* de Fritz Lang. Après une adaptation de *Madame Bovary* (1991) et un film de montage sur le gouvernement du maréchal Pétain (*l'Œil de Vichy,* 1993), il revient à la chronique de mœurs, insistant volontiers sur la dimension psychologique de ses intrigues (*Betty, id.; l'Enfer,* 1994). J.-P.J.

Films ▲ : *le Beau Serge* (1959) ; *les Cousins* (id.) ; *À double tour* (id.) ; *les Bonnes Femmes* (1960) ; *les Godelureaux* (id.) ; *les Sept Péchés capitaux,* un sketch (1962) ; *Landru* (id.) ; *l'Œil du malin* (id.) ; *Ophélia* (1963) ; *les Plus Belles Escroqueries du monde,* un sketch (1964) ; *Le tigre aime la chair fraîche* (id.) ; *Paris vu par...,* un sketch (1965) ; *Marie-Chantal contre docteur Kha* (id.) ; *Le tigre se parfume à la dynamite* (id.) ; *la Ligne de démarcation* (1966) ; *le Scandale* (1967) ; *la Route de Corinthe* (id.) ; *les Biches* (1968) ; *la Femme infidèle* (1969) ; *Que la bête meure* (id.) ; *le Boucher* (1970) ; *la Rupture* (id.) ;

Juste avant la nuit (1971) ; *la Décade prodigieuse* (id.) ; *Docteur Popaul* (1972) ; *les Noces rouges* (1973) ; *Nada* (1974) ; *Une partie de plaisir* (1975) ; *les Innocents aux mains sales* (id.) ; *les Magiciens* (1976) ; *Folies bourgeoises* (id.) ; *Alice ou la Dernière Fugue* (1977) ; *les Liens de sang* (1978) ; *Violette Nozière* (id.) ; *le Cheval d'orgueil* (1980) ; *les Fantômes du chapelier* (1982) ; *le Sang des autres* (1984) ; *Poulet au vinaigre* (1985) ; *Inspecteur Lavardin* (1986) ; *Masques* (1987) ; *le Cri du hibou* (id.) ; *Une affaire de femmes* (1988) ; *Jours tranquilles à Clichy* (1990) ; *Docteur M.* (id.) ; *Madame Bovary* (1991) ; *Betty* (1992) ; *l'Œil de Vichy* (DOC, 1993) ; *l'Enfer* (1994) ; *la Cérémonie* (1995).

CHADWICK *(Helene), actrice américaine (Chadwick, N.Y., 1897 - Los Angeles, Ca., 1940).* « Leading lady » blonde et romantique des années 20, elle apparaît notamment dans *Dangerous Curve Ahead* (E.M. Hopper, 1921), *The Sin Flood* (F. Lloyd, 1922), *Quicksands* (J. Conway, 1923), *Reno* (Rupert Hugues, *id.*), *Why Men Leave Home* (J.M. Stahl, 1924), *Dancing Days* (Albert Kelley, 1926), *Stolen Pleasures* (Philip Rosen, 1927). Elle fut la première épouse de William Wellmann. J.-L.P.

CHAFFEY *(Donald* dit *Don), cinéaste britannique (Hastings, 1917 - Île Kawau, Nouvelle-Zélande, 1990).* Décorateur de plateau depuis 1944, il aborde la mise en scène en 1957 par de courts métrages d'aventures et des feuilletons télévisés. Il s'illustre avec *Jason et les Argonautes* (*Jason and the Argonauts,* 1963), où des séquences habitées par le sens de l'aventure et du merveilleux mythologiques se marient aux trucages parfaits réalisés par Ray Harryhausen. Et ensuite par *Un million d'années avant J.-C.* (*One Million Years B. C.,* 1966) et *Creature the World Forgot* (1971), deux films préhistoriques tournés avec sérieux et humour pour la Hammer, ou l'acide *Charley le Borgne* (*Charley-One-Eyed,* 1972). *Peter et Eliot le Dragon* (*Pete's Dragon,* 1977), pour la firme Walt Disney, marie moins heureusement l'animation aux prises de vues réelles. A.G.

CHĀHĪN *(Yūsuf), cinéaste égyptien (Alexandrie 1926).* Il passe par l'université, puis étudie le cinéma et l'interprétation à la Pasadena Play House, près de Los Angeles. Peu après son retour (1948), l'opérateur Alvise Orfanelli, un pionnier du cinéma en Égypte, lui ouvre les portes de la production (*'Papa Amine',* 1950), mais les difficultés rencontrées au Caire conduisent Chāhīn à travailler au Liban, voire en Espagne, périodes noires de sa carrière, si on fait exception d'un charmant musical avec Fayrūz, *le Vendeur de bagues* (Beyrouth 1965). Dans le mélodrame obligé d'alors, il entend introduire des données psycho-érotiques, réalistes et sociales : *les Eaux noires* est le premier film arabe à évoquer la vie ouvrière. Ces intentions éparses dans plusieurs de ses premiers drames sont maîtrisées dans *Gare centrale* (1958) ; Chāhīn y interprète lui-même un simple d'esprit devenu criminel. La saisie savoureuse du vécu, la brutalité des luttes syndicales, la vérité des caractères participent du réalisme issu de Kamāl Sālim et, surtout, de Abū Sayf, qui vient de signer *le Costaud.* Mais *Gare centrale* révèle une conception et un style nouveaux, rompant avec le récit linéaire et le tempo lent et appuyé d'une tradition. Le montage rapide, les récits parallèles, l'impact de l'image aux cadrages étudiés créent un style dont on reproche à Chāhīn le caractère « occidental », pour mieux refuser ce qu'il entend exprimer, mais que l'apparente libéralisation nassérienne n'autorise pas. S'il peut tourner, d'après 'Abd al-Raḥmān ash-Shargāwī, un hommage (mélodramatique) à une résistante algérienne en 1959, il attend dix ans avant de réaliser, d'après le même auteur, *la Terre,* à quoi il doit le début de sa notoriété. Il a pourtant, en 1963, donné un grand film *historique* mais à petit budget, un *Saladin* remarquable par son imagerie inventive et par la leçon politique qu'il comporte, concernant la tolérance et le rassemblement arabe. Le charme de la stylisation des costumes, des décors (dans *le Vendeur de bagues,* ils seront, pour créer un effet féerique, plus petits que nature), l'aisance de la mise en scène débarrassée des conventions renouent avec bonheur dans ces deux œuvres avec la tradition orientale du conte, dont le cinéma égyptien demeurait éloigné. À partir de *l'Aube d'un jour nouveau* (qu'il interprète), le cinéaste reprend l'analyse de la société de son pays, de ses fautes, de ses clivages, avec une rigueur et une efficacité sans doute inégales, mais avec la volonté constante de faire du film un spectacle capable de « s'opposer à l'ignorance et à la mystification » : critique de l'intellectuel à l'heure du *choix* entre le dire et le faire, le rêve et le réel, ou dénonciation, à mesure que se recompose le puzzle politico-policier du *Moineau,* du pourrissement de l'État par les affairistes. Si *la Terre* retrace la collusion des grands propriétaires avec les Anglais à la manière d'une fresque lyrique aux images éclatantes proche de Ford ou de Dovjenko, *le Moineau* affirme la conception d'un récit éclaté, esquissée déjà avec le scénario de *Gare centrale,* kaléidoscope d'une réalité voilée, camouflée, ambiguë et fragmentaire. *Adieu Bonaparte* illustre cette volonté de mêler les différences, et de ruiner tout credo en une vérité de l'histoire.

Ces thèmes, la parabole du *Retour du fils prodigue* les illustre déjà, avant que Chāhīn, une fois de plus en marge des conventions des cinémas arabes, entreprenne avec *Alexandrie, pourquoi ?* un retour sur lui-même, sur sa jeunesse dans l'Égypte à l'écoute des canons de Rommel ; le film de la mémoire mêle la naissance d'une vocation et les multiples facettes d'une société cosmopolite, tolérante, généreuse, qui ne devait survivre ni à 1948 ni à 1952. Ce film sera le premier volet d'une trilogie semi-autobiographique qui comprendra également *la Mémoire* et *Alexandrie encore et toujours.* Écartant les schématismes, optant pour des scénarios complexes *(la Mémoire),* faisant appel à des acteurs chevronnés (Fātin Ḥamāma, Farīd Shawqī, Maḥmūd al-Milīgī), il parie aussi sur des inconnus (Omar Sharif pour *Ciel d'enfer,* Aḥmad Mahriz, d'autres encore, tel Mohsen Mohiyī ad-Dīn). S'il tourne parfois trop vite («Je n'ai pas les moyens d'être perfectionniste»), il a ouvert, dans l'immobilisme cinématographique égyptien, une brèche heureuse, et la leçon vaut d'être entendue : n'avoir de modèle que soi. Chāhīn a fondé sa propre société de production (Miṣr International). C.M.C.

Films : *'Papa Amine'* (*Bābā Amīn,* 1950) ; *le Fils du Nil* (*Ibn an-Nīl,* 1951) ; *'Femmes sans homme'* (*Nisā'bilā rijāl,* 1953) ; *Ciel d'enfer* (*Sirā' fī alwādī,* 1954) ; *'le Démon du désert'* (*Shaït' an as-sahrā',* id.) ; *les Eaux noires* (*Ṣirā'fī al-minā',* 1956) ; *'C'est toi mon amour'* (*Inta habiby,* 1957) ; *Gare centrale* (*Bāb al-ḥdīd,* 1958) ; *'Gamila l'Algérienne'* (*Gamīla al-gazā' iriyya,* id.) ; *Saladin* (*an-Nāṣir Ṣalāh ad-Dīn,* 1963) ; *'l'Aube d'un jour nouveau'* (*Fagr yawm gadīd,* 1964) ; *le Vendeur de bagues* (*Bayyā' al-khawātim,* 1965) ; *'Ces gens et le Nil'* (*an-Nāss wa an-Nīl,* 1968 ; version définitive : 1972) ; *la Terre* (*al-Arḍ* 1969) ; *le Choix* (*al-Ikhtiyār,* 1970) ; *le Moineau* (*al-' Usfūr,* EG/ALG, 1973) ; *le Retour du fils prodigue* (*'Awda al-ibn aḍ-ḍa,* EG/ALG, 1976) ; *Alexandrie, pourquoi ?* (*Iskandariyya līh ? ;* EG/ALG, 1978) ; *la Mémoire* (*Hadduta Miṣriyya,* 1982) ; *Adieu Bonaparte* (FR/EG, 1985) ; *le Sixième Jour* (FR/EG, 1986) ; *Alexandrie, encore et toujours* (*Iskandariyya kaman wa kaman,* 1990) ; *Le Caire vu par Chahine* (DOC, 1991) ; *l'Émigré* (*Al Mohager,* 1994).

CHAKIRIS *(George), acteur, chanteur et danseur américain (Norwood, Ohio, 1933).* C'est avant tout un danseur, formé à l'American School of Dance d'Hollywood. La célébrité mondiale lui vient avec *West Side Story* (1961), le film de Robert Wise et Jerome Robbins. Il dansait pourtant depuis plus de dix ans avant cette fulgurante révélation. Avec de bons yeux, on pouvait le reconnaître dans le corps de ballet de la Fox, entourant Marilyn Monroe dans la séquence « Diamonds are a girl's best friends » des *Hommes préfèrent les blondes,* de Howard Hawks (1953). Il est l'un des chefs de clan du *Brigadoon* (1954) de Vincente Minnelli et figure dans des musicals comme *Noël blanc* (M. Curtiz, *id.*) et *Viva Las Vegas* (R. Rowland, 1956). Sur scène, il a joué dans *West Side Story,* à Londres, avant le film. Son succès lui valut quelques rôles, notamment dans *La ragazza* (1963) de Luigi Comencini et dans des films d'aventures *(le Seigneur d'Hawaii,* Guy Green, *id. ; les Rois du soleil* [*Kings of the Sun*], J. Lee Thompson, *id.*). En une seule occasion, il retrouva la possibilité de chanter et de danser dans un *vrai* film musical : *les Demoiselles de Rochefort,* de Jacques Demy (1967). Depuis, victime du déclin du genre, il se consacre à la télévision et à la chanson. D.R.

CHALBAUD *(Román), cinéaste vénézuélien (Mérida, Venezuela, 1931).* Autodidacte formé à l'école du cinéma mexicain classique, il s'impose d'abord comme un des créateurs du théâtre moderne de son pays : il porte souvent à l'écran ses propres pièces. Ainsi, *Caín adolescente* (1959), le premier film, contient déjà quelques traits de son univers : une option franchement urbaine et populaire, un goût pour les personnages d'origine modeste, l'imbrication dans le récit de formes et références chrétiennes, le poids du syncrétisme religieux et du folklore, l'opposition entre le paradis perdu de la province et l'enfer de la ville, le refus du pharisaïsme social, une dette indéniable vis-à-vis du mélodrame. Sa carrière prend son envol uniquement à partir de *La quema de Judas* (1974) et de *Sagrado y obsceno* (1975), lorsque le langage se dépouille et perd sa théâtralité, les dialogues et les personnages gagnant ainsi en authenticité. Chalbaud y aborde des questions d'actualité, comme la guérilla, la marginalité, la répression, les manipulations officielles. Il exhibe désormais un humour qui l'amène parfois à la parodie (*Carmen, la que contaba 16 años,* 1978 ; *Manon,* 1986). *La oveja negra* (1987) décrit une communauté utopique de délinquants, installée dans une salle de cinéma désaffectée. Mais l'œuvre la plus remarquable reste *El Pez que fuma* (1976), puisque le microcosme du cabaret-bordel y épouse les travers de toute une société. Bien avant Almodóvar, Chalbaud y utilise le répertoire musical comme un ressort dramatique. Le boléro devient, avec le mélo, la matrice d'une vision du monde, tempérée par l'ironie et la sympathie. P.A.P.

CHALLIS *(Christopher), chef opérateur britannique (Kensington, Londres, 1919).* Il s'impose en collaborant avec les « Archers » (M. Powell et E. Pressburger), notamment pour *la Renarde* (1950), *les Contes d'Hoffmann* (1951), *Oh Rosalinda* (1955), *la Bataille du Rio de la Plata* (1956). D'une riche filmographie, quelques productions se détachent : *Geneviève* (H. Cornelius, 1953), *Quentin Durward* (R. Thorpe, 1955), *l'Enquête de l'inspecteur Morgan* (J. Losey, 1959), *les Vainqueurs* (C. Foreman, 1963), *Quand l'inspecteur s'emmêle* (B. Edwards, 1964), *Ces merveilleux fous volants...* (K. Annakin, 1965), *Arabesque* (S. Donen, 1966), *Kaléidoscope* (J. Smight, *id.*), *la Vie privée de Sherlock Holmes* (B. Wilder, 1970), *Steaming* (J. Losey, 1985). R.L.

CHALONGE *(Christian de), cinéaste français (Douai 1937).* Après l'IDHEC, il est assistant durant cinq années (Jessua, Franju, Clouzot, Richardson, etc.). Son premier film, *O Salto* (1967), évoque avec courage l'exploitation de l'immigration clandestine des travailleurs portugais et constitue une des trop rares tentatives d'inscription d'un cinéma d'intervention sociale dans les normes de la production commerciale. Après un purgatoire de quatre ans, pendant lequel il dirige la deuxième équipe de *la Charge de la brigade légère* (T. Richardson, 1969), il réalise *l'Alliance* (1971), où il fait naître le fantastique de l'observation minutieuse des comportements. Huit ans plus tard, il connaît enfin le succès public avec *l'Argent des autres* (1978), film dans lequel la froide description des mécanismes bancaires se colore à nouveau d'un inquiétant fantastique, et *Malevil* (1981), d'après la fiction nucléaire de Robert Merle. En 1982, il signe *les Quarantièmes Rugissants,* avec la complicité de Jacques Perrin (qui tient le rôle principal) et en 1990 dirige Michel Serrault qui tient le rôle-titre de *Docteur Petiot.* Il adapte en 1991 le roman de Jules Supervielle *le Voleur d'enfants* avec Marcello Mastroianni en tête d'affiche. J.-P.B.

CHAMBARA (d'une onomatopée signifiant « couper la chair »). Terme japonais populaire désignant les films comportant des duels au sabre. Le chambara s'applique aussi bien à une séquence de duel, à un film tout entier, ou à ce genre de films (syn. *ken-geki*). M.T.

CHAMBERLAIN *(George Richard Chamberlain,* dit *Richard), acteur américain (Beverly Hills, Ca., 1935).* Il commence à jouer de petits rôles au cinéma dans les années 60, mais il doit sa notoriété à la télévision, notamment dans la série *Dr. Kildare* où il incarne le personnage principal. Pour ne pas rester cantonné dans ce type de rôles, il part en Grande-Bretagne où il mène parallèlement une carrière au théâtre et au cinéma, notamment sous la direction de Richard Lester (*Petulia,* 1968 ; *les Trois Mousquetaires,* 1974, où il joue Aramis) et Ken Russell (il est Tchaïkovski dans *la Symphonie pathétique,* 1971). Aux États-Unis, tout en tournant des films alimentaires (*l'Inévitable Catastrophe,* I. Allen, 1978 ; *Allan Quatermain et la cité de l'or perdue,* Gary Nelson, 1987...), il apparaît dans des œuvres plus honorables, comme *la Tour infernale* (J. Guillermin, 1974). Sous la direction de Peter Weir, il interprète un avocat pris dans un labyrinthe de cauchemars (*la Dernière Vague,* 1977). Son allure sportive et son charme lui permettent de jouer aussi bien des séducteurs, des personnages historiques (il est Aramis dans *le Retour des Mousquetaires* de R. Lester en 1989) que des aventuriers ou des intellectuels déchirés. Mais c'est la télévision qui lui a assuré son statut de star (*Shogun, Les oiseaux se cachent pour mourir, Casanova, le Rêve californien,* etc.). A.-M.B.

CHAMBRE NOIRE → OBJECTIFS.

CHAMCHIEV (*Bolot* [*Bolotbek*]) [*Bolotbek Tolenovič Šamšjev*], *cinéaste soviétique kirghiz (Frounze, Kirghizistan, 1941).* Encore étudiant au VGIK de Moscou, il est choisi par Larissa Chepitko pour interpréter le rôle de Kemal dans *Chaleur torride* (1963). Il passe ensuite à la réalisation, dirigeant deux documentaires, *'Manastchi'* (*Manasči,* 1965) et *'le Berger'* (*Čaban,* 1966), puis *'Coup de feu au col Karach'* (*Vystrel na perevale Karaš,* 1969), d'après le récit de l'écrivain kazakh Moukhtar Aouezov, et *'les Coquelicots vermeils de l'Issyk-Koul'* (*Alye maki Issyk-Kulja,* 1971), qui sont des films d'action et d'aventures ; *'le Bateau blanc'* (*Belyj parohod,* 1975) d'après le récit humaniste de Tchinghiz Aïtmatov ; *'Parmi les hommes'* (*Sredi ljudej,* 1978, co : Artik Souïoundoukov) ; *'les Cigognes précoces'* (*Rannie žuravli,* 1979) ; *l'Ascension du Fuji-Yama* (*Voskhojdénié na Foudziamou,* 1989), brillante satire de la « stagnation » sous Brejnev. J.-L.P.

CHAMP. Partie de l'espace embrassée par l'objectif de la caméra.

CHAMP-CONTRE-CHAMP. Procédé du langage cinématographique où l'on fait alterner des plans d'orientations opposées. (Voir CHAMP, CONTRE-CHAMP.) [→ SYNTAXE, PROFONDEUR DE CHAMP.]

CHAMPION *(Gower), danseur, chorégraphe et cinéaste américain (Geneva, Ill., 1919 - New York, N. Y., 1980)* et **Champion** *(Marjorie Celeste Belcher,* dite *Marge), danseuse et comédienne américaine (Los Angeles, Ca., 1919).* À la scène, ils s'illustrent séparément, puis en couple, avant de débuter à l'écran dans *Monsieur Musique* (*Mr. Music,* Richard Haydn, 1950). Danseurs élégants, déliés, d'une grande précision stylistique, ils partagent la tête d'affiche de *Show Boat* (G. Sidney, 1951), *les Rois de la couture* (M. Le Roy, 1952), *Mon amour t'appelle* (R. Z. Leonard, *id.*), *Donnez-lui une chance* (S. Donen, 1953), *Tout le plaisir est pour moi* (H. C. Potter, 1955) et *la Chérie de Jupiter* (G. Sidney, 1955). Au terme de l'âge d'or du musical, Marge Champion divorce et se retire durant une dizaine d'années, puis tient des petits rôles dans *The Party* (B. Edwards, 1968) et *The Swimmer* (F. Perry, *id.*), tandis que Gower Champion réalise *My Six Loves* (1963) et *Bank Shot* (1974) et remporte un considérable succès à Broadway pour ses mises en scène de *Bye Bye Birdie, Hello Dolly, The Happy Time, Sugar,* etc. O.E.

CHAN *(Cheng Long,* de son vrai nom *CHEN Gangsheng,* dit *Jackie), acteur et cinéaste chinois (Hong Kong 1954).* Sa famille, qui a émigré en Australie, l'envoie à l'âge de 7 ans à Hong Kong où, pendant dix ans, il étudie l'opéra de Pékin et les arts martiaux. Acteur enfant, il joue dans de nombreux films cantonais. Devenu adulte, il prend le nom de Chen Yuanlong. En 1976, il est remarqué par Luo Wei, qui le fait entrer dans sa compagnie et lui donne la vedette dans plusieurs films dans lesquels il apparaît sous son nom actuel de Cheng Long. En 1978, Luo Wei le prête à *Seasonal Films* pour *le Serpent à l'ombre de l'aigle* (*Shi xing diao shou,* réal. Yuen Woo-ping), qui le révèle au grand public, succès qu'il confirme avec *le Maître ivre* (*Zui quan,* 1978). L'année suivante, lui-même écrit, dirige et interprète son premier film, *la Hyène sans peur* (*Xiao quan guai zhao,* 1979). Il signe ensuite avec la *Golden Harvest* pour *le Jeune Maître* (*Shi di chu ma,* 1980), qu'il dirige et interprète. Avec Raymond Chow, il fonde ensuite sa propre compagnie, *Golden Way*. En 1982, il réalise *le Seigneur Dragon (Long shaoye),* suivi de *Projet A* (*A jihua,* 1983), *Police Story* (*Jinsha gushi,* 1985), *Armour of God* (*Long xiong hu di,* 1986), *Projet A II* (*A jihua xu ji,* 1987), *Police Story II* (*Jinsha gushi II,* 1988), *Mr Canton and Lady Rose – Miracles* (*Qi ji,* 1989), hommage à la comédie américaine, optimiste et chaleureuse, comme Jackie Chan lui-même, avec, en plus, les cascades époustouflantes qui sont sa spécialité et qu'il s'obstine à exécuter lui-même pour montrer à son public qu'il ne triche pas. M.-C.Q.

CHANCHADA. Mot portugais, désignant au Brésil un genre de comédie cinématographique. Le dictionnaire précise : « pièce ou film sans valeur, dans lequel prédominent les procédés corrompus, les plaisanteries vulgaires ou la pornographie ». Ce jugement péremptoire a longtemps été partagé par la critique et la meilleure société. Le genre a ses origines dans le film carnavalesque et les comédies musicales du début du parlant, grands succès de la compagnie Cinédia d'Adhémar Gonzaga. Le cinéma des années 30 puise ses vedettes à la radio, le grand média de masse de l'époque. Luiz de Barros devient spécialiste des tournages bâclés en quelques jours. Le véritable règne de la chanchada commence avec la production en série de la Atlantida, à Rio de Janeiro, lorsque l'exploitant Luiz Severiano Ribeiro en assume le contrôle (1947). Le public y adhère massivement, parce que la chanchada s'appuie sur une solide tradition de comédies théâtrales, de revues musicales (adoptant même les rythmes caraïbes) et de variétés, sur des ancêtres comme le cirque, le mime ou la caricature. Pour la première fois, les spectateurs entendent leur langue parlée, avec la gouaille d'un argot en constant renouvellement, non plus l'idiome académique des films *sérieux* et du théâtre classique (en fait, la chanchada est un produit typiquement carioca, les accents provinciaux étant toujours caricaturés). Si le rire y est la plupart du temps autodérision, exutoire des frustrations, on peut y trouver à l'occasion un autre contenu. Ainsi, *Carnaval Atlantida* (José Carlos Burle, 1952) propose un portrait assez juste de l'aliénation de l'intellectuel « colonisé ». *Matar ou Correr* (1954) et *Nem Sansão nem Dalila* (1955), tous deux mis en scène par Carlos Manga (le maître du genre, avec Watson Macedo), constituent des parodies de films américains à succès *(High Noon, Samson and Delilah)* et tendent à dégrader le modèle *oppresseur.*

Les comiques plus doués et plus populaires de la chanchada, Oscarito et Grande Otelo (souvent en duo), présentent des qualités incontestables. Ce filon prolifique (environ 150 films) disparaît vers 1960, lorsque la télévision reprend le flambeau de cette « communication du grotesque ». Une réévaluation s'ébauche dix ans plus tard. Selon le critique Paulo Emilio Salles Gomes, si le public s'identifie au vagabond, au coquin, au chômeur de la chanchada, c'est qu'il y voit suggéré le conflit opprimés/oppresseurs. Par analogie avec l'ancienne acception dépréciatrice du terme, la comédie pseudo-érotique des années 70 a été appelée « pornochanchada ». P.A.P.

CHANDLER *(Ira Grossel,* dit *Jeff), acteur américain (New York, N. Y., 1918 - Culver City, Ca., 1961).* Il débute à l'écran en 1947 et est révélé par son interprétation dans *la Flèche brisée* (D. Daves, 1950) du noble Indien Cochise, qu'il assumera dans deux autres films. S'il incarne un prince arabe dans *les Frères Barberousse* (*Flame of Araby,* Ch. Lamont, 1951) et un chef polynésien dans *l'Oiseau de paradis* (Daves, *id.*), c'est l'Occident civilisateur qu'il représente dans ses films suivants : *le Signe du païen* (D. Sirk, 1954), *les Piliers du ciel* (G. Marshall, 1956) et nombre d'autres westerns. Son dernier rôle est celui du général Merrill dans *Les maraudeurs attaquent* (S. Fuller, 1962). J.-P.B.

CHANDLER *(Raymond), romancier et scénariste américain (Chicago, Ill., 1888 - La Jolla, Ca., 1959).* Ce maître du thriller a vu plusieurs de ses romans portés à l'écran sans jamais prendre part à leur élaboration cinématographique, en dehors du *Dahlia bleu. Farewell My Lovely* a donné lieu à trois films (*The Falcon Takes Over,* de Irving Reis, 1942 ; *Adieu ma belle,* d'Edward Dmytryk, 1944 ; *Adieu ma jolie,* de Dick Richards, 1975) ; *The Big Sleep (le Grand Sommeil)* est devenu un classique du genre (H. Hawks, 1946) ; *la Grande Fenêtre* a été transposée par Robert Stevenson (*Time to Kill,* 1943) et par John Brahm (*The Brasher Doubloon,* 1947) ; *Sur un air de navaja* l'a été par Robert Altman seulement en 1972 *(le Privé).* En 1947, *la Dame du lac* avait servi à Robert Montgomery de prétexte à une démonstration de « caméra subjective ». En 1969, Paul Bogart a dirigé, sous le titre *Marlowe (la Valse des truands),* une adaptation très lointaine de *Fais pas ta rosière (The Little Sister).* Le héros favori de Chandler, le détective privé Philip Marlowe, a été joué par George Montgomery, Dick Powell, Robert Montgomery, Elliott Gould, Robert Mitchum ; mais c'est Humphrey Bogart qui s'y est véritablement identifié à l'écran.

Par ailleurs, Chandler (installé en Californie dès 1919) a été l'excellent scénariste ou coscénariste d'*Assurance sur la mort* (B. Wilder, 1944), de *l'Invisible Meurtrier* (L. Allen, 1945), du *Dahlia bleu* d'après son propre roman (G. Marshall, 1946) et de *l'Inconnu du Nord-Express* (A. Hitchcock, 1951). A.G.

CHANEY *(Alonso,* dit *Lon), acteur américain (Colorado Springs, Colo., 1883 - Los Angeles, Ca., 1930).* Fils de parents sourds-muets, Lon Chaney dut vite apprendre à s'exprimer avec son visage et son corps. Son frère étant propriétaire d'un théâtre, il devint acteur et finit par tenter sa chance à Hollywood. Il débuta en 1913 et se trouva dans de nombreux westerns, où sa mine patibulaire le limitait aux emplois de traîtres. Il continua dans les rôles subalternes jusqu'en 1919. Cette même année, il fut pour la première fois dirigé par Tod Browning dans *The Wicked Darling,* et il impressionna dans sa création de faux mendiant difforme dans *The Miracle Man* (G. Loane Tucker). L'aspect physique du jeu de Chaney, ses contorsions et ses acrobaties frappèrent autant que son masque tragique. Désormais grande vedette, sa carrière se divise en deux parties. À l'Universal, jusqu'en 1925, il fut un acteur de composition, aux limites du fantastique, sans vraiment pouvoir imposer pleinement son univers. On retiendra *The Light in the Dark* (C. Brown, 1922), *Oliver Twist* (F. Lloyd, *id.*), où il est un sautillant Fagin, *Notre-Dame de Paris* (*The Hunchback of Notre Dame,* Wallace Worsley, 1923) et *le Fantôme de l'Opéra* (R. Julian, 1925), deux honorables superproductions dans lesquelles triomphe son sens absolu du maquillage, et surtout *The Penalty* (Worsley, 1920), histoire de gangster cul-de-jatte, qui est sans doute son film le plus personnel de cette période. À la MGM, il imposera l'originalité de son univers avec plus de force (*Tell it to the Marines,* G. Hill, 1927). Outre les films dirigés par Browning (*le Club des trois,* 1925 ; *l'Oiseau noir,* 1926 ; *la Route de Mandalay, id. ; Londres après minuit,* 1927 ; *l'inconnu, id.* ; *le Loup de soie noire,* 1928 ; *le Talion, id.*), il atteint son sommet dans deux magnifiques mélodrames du cirque : le symboliste *Celui qui reçoit des gifles / Larmes de clown* (V. Sjöström, 1924) et le pathétique *Ris donc, paillasse* (H. Brenon, 1928). Si l'on veut bien admettre qu'un comédien n'a pas besoin d'être forcément réaliste, on doit considérer Chaney comme un très grand acteur, au jeu totalement cinématographique, conçu pour le détail et le gros plan. Artiste et poète, véritable créateur, ses interprétations nous entraînent dans une dimension seconde. Sa mort l'a fait entrer dans la légende. En 1930, après son seul film parlant, le remake du *Club des Trois (The Unholy Three)* de Jack Conway, il est atteint d'un cancer des cordes vocales qui l'empêche de parler. Comme si le destin avait décidé de vouer Lon Chaney au silence. Il est l'auteur de l'article « Maquillage » de l'*Encyclopedia britannica.* C.V.

CHANTAL *(Marcelle Chantal-Pannier,* dite *Marcelle), actrice française (Paris 1898 -* id. *1960).* Elle appartient par son mariage à la haute société parisienne. Après un passage à l'Opéra, son mari facilite ses débuts à l'écran. *Le Collier de la reine* (Gaston Ravel, 1929) révèle sa beauté et son tempérament dramatique ; elle joue d'abord sous le nom de Mme Jefferson-Cohn. Les rôles qu'on lui offre misent sur sa distinction un peu froide : *Au nom de la loi* (M. Tourneur, 1932), *l'Ordonnance* (V. Tourjansky, 1933), *Amok* (F. Ozep, 1934), *Baccara* (Y. Mirande, 1936), *la Tragédie impériale* (M. L'Herbier, 1938), *l'Affaire Lafarge* (P. Chenal, *id.*). Après la guerre, elle joue dans deux adaptations de Colette, *Chéri* (P. Billon, 1950) et *Julie de Carneilhan* (Jacques Manuel, *id.*). R.C.

CHAPLIN *(Charles Spencer,* dit *Charlie), auteur, cinéaste, scénariste et musicien américain d'origine britannique (Londres 1889 - Corsier-sur-Vevey, Suisse, 1977).* Auteur complet, le premier peut-être dans la chronologie cinématographique, et ce dans toute la force du terme (il écrivit lui-même la musique de ses films sonores), Charles Spencer Chaplin a incarné le cinéma pour des millions d'hommes pendant plusieurs générations, en se projetant dans la personnalité de Charlot. Resté secret à bien des égards, l'homme est cependant inséparable de l'auteur.

Issu d'une famille de music-hall d'abord prospère, puis tombée dans la misère à la fin du siècle, Chaplin débute sur les planches à cinq ans, et prend part tout jeune à des tournées à travers l'Angleterre et l'Europe avant de s'embarquer sans retour pour les États-Unis en 1912 (après un premier séjour en 1910). Remarqué par Mack Sennett, il est engagé par la Keystone (déc. 1913) et y débute comme interprète de Henry « Pathé » Lehrman en janvier 1914. Bientôt, il réalise lui-même ses films, d'une, puis de deux bobines, à un rythme frénétique, quittant la Keystone pour Essanay (1915), celle-ci pour la Mutual (1916) et cette dernière pour la First National (1918).

En quelques années, ses salaires décuplent à proportion d'un succès fulgurant qui fait de lui le comique le plus populaire des États-Unis, puis du monde entier. Cofondateur de l'United Artists avec Griffith, Fairbanks et Mary Pickford (1919), il passe à la réalisation de longs métrages qui lui demandent des mois de préparation et sont l'objet de campagnes publicitaires d'autant mieux calculées que Chaplin contrôle entièrement leur production et leur distribution. Il s'essaiera même à la production des films d'autrui, avec *The Seagull* de Sternberg (ce sera un échec à ses yeux et il ne le distribuera jamais).

Le personnage de Charlot n'a plus guère besoin des faire-valoir de la Keystone ; quitte à reprendre ici et là certains épisodes de ses vieux films, le travail de Chaplin consiste en partie à le *préciser,* à l'affiner, à le dégager d'une certaine gangue de vulgarité (et aussi des nervosités mécaniques héritées du *slapstick*) pour le faire accéder au comique noble. En même temps que l'approfondissement du gag, s'il vise à la mise en valeur de Charlot, entraîne un certain ralentissement du rythme (sensible surtout dans *la Ruée vers l'or*), les éléments sentimentaux, toujours présents dès l'origine, se précisent et tournent au romantisme mélodramatique *(les Lumières de la ville).*

Pendant cette période, l'homme Chaplin doit essuyer les premiers orages d'une vie privée que ses deux tournées triomphales en 1921 et 1932, en Europe, puis dans le reste du monde, ne contribuent pas peu à rendre publique. Son premier mariage et son premier divorce (Mildred Harris, 1918-1920) se sont passés sans histoires. Il n'en sera pas de même (1927) avec Lita Grey (épousée en 1924), qui lui intente un procès « scandaleux », faisant de lui la cible des ligues puritaines. Or, Chaplin va affronter aussi les conséquences de la fin du muet, survenue alors que son style *visuel* avait atteint son plein développement. Indifférent, voire hostile, à la technique, il ne produira de films parlants qu'à de longs intervalles : *les Lumières de la ville* n'est encore qu'un film sonore. Si le mariage de Chaplin avec Paulette Goddard (1933-1941) est empreint d'une grande discrétion, les films de la période correspondante inquiètent le public : *les Temps modernes* s'en prennent au travail à la chaîne, et *le Dictateur,* ouvertement annoncé comme un pamphlet antihitlérien, vaut à Chaplin en 1940 les attaques des milieux isolationnistes. Pendant la guerre, il interviendra en faveur de l'ouverture du « deuxième front » et, en 1947, se verra accusé de sympathies communistes par la Commission des activités antiaméricaines.

Parallèlement, l'audace formelle, après son hésitation devant le muet, croît dans ses films. Nous pensons moins ici à la métaphore du troupeau des *Temps modernes* (où Charlot fait ses adieux), qui rappelle Eisenstein, qu'à l'éclairage souvent inédit, expressif, des *Lumières de la ville,* et surtout à la franchise avec laquelle, dans *le Dictateur,* Chaplin résout son problème central : faire tenir à son héros un discours qui transcende le temps et l'espace.

En 1942, la jeune actrice Joan Barry fomente contre Chaplin un scandale qui trouvera sa conclusion en 1948, quand le cinéaste sera condamné à assurer l'entretien d'un enfant dont il n'est pas le père. Entre-temps, Chaplin a rencontré une compagne peut-être longtemps cherchée en la personne d'Oona O'Neill, qu'il épouse en 1943, malgré l'opposition de son père, le dramaturge Eugène O'Neill. Dans *Monsieur Verdoux,* Chaplin jette bas le masque de Charlot, pourrait-on dire, et agresse d'autant plus le public qu'il y compose un personnage inspiré de Landru, *obligé* de tuer des femmes pour nourrir sa famille d'incapables, et cependant toujours secrètement disposé à l'amour (celui-ci, dans les Chaplin de la maturité, repose sur une sorte de sensualité affectueuse dont on trouve peu d'exemples au cinéma). L'échec de *Monsieur Verdoux,* superbe fable satirique débouchant sur l'humour noir, était prévisible. Plus obscure est la fuite de Chaplin, avec toute sa famille, à destination de l'Europe, après la première privée de *Limelight* (septembre 1952) : le film, qui reprend le thème assez conventionnel du clown devenu incapable de faire rire, est-il un plaidoyer ? La tournée de présentation est un succès, mais outre-Atlantique les hostilités accumulées contre Chaplin ne désarment pas. Aussi bien, *Un roi à New York,* tourné à Londres en 1956-57, comporte-t-il, au nom du pacifisme, une condamnation des États-Unis qui vise surtout l'ignorance et la sottise du maccarthysme alors déclinant.

Ayant trouvé en Europe le repos, Chaplin rédige des *Mémoires* (*My Autobiography,* 1964) de peu d'intérêt et ajoutera à sa filmographie *la Comtesse de Hong-Kong*, œuvre encore aujourd'hui méconnue, son unique film en couleurs, où il se contente d'une apparition (1967). En 1972, il accepte de retourner dans cette Amérique où il avait juré de ne jamais remettre les pieds, pour recevoir un Oscar spécial, au milieu de l'enthousiasme général. Anobli par la reine de Grande-Bretagne (1975), il a passé ses dernières années dans l'un des plus beaux paysages de la Suisse.

Le génie de Chaplin réside d'abord dans son métier d'origine : la pantomime, qu'il a enrichie et distillée presque à l'excès, puis maîtrisée (cf. son double rôle dans *le Dictateur*). À distance, elle entre dans ses films muets en composition parfois conflictuelle avec son sens de l'espace encore étriqué, mais bientôt plus subtil que celui de Mack Sennett (raccords entre gestes de personnages différents, choix d'angles, changements d'échelle). Ensuite, la *philosophie* de Charlot, vagabond famélique, souvent victime, souvent « fleur bleue » mais nullement lunaire et passablement sadique à ses heures, a été indûment élevée au rang d'un humanisme universel (ce qui ne signifie pas, loin de là, que la réflexion sur la condition humaine en soit absente). Ses limites sont indiquées par le gag fameux des *Temps modernes* où le « petit homme » se retrouve en tête d'un cortège révolutionnaire... parce qu'il agite le drapeau rouge d'une interruption de trafic. Aujourd'hui, après une éclipse due à la politique malthusienne de Chaplin lui-même quant à une nouvelle sortie de ses films, à la redécouverte de Buster Keaton, à la faiblesse des commentaires bavards qu'il a ajoutés à certaines de ses œuvres (notamment *la Ruée vers l'or*) et à la mièvrerie intrinsèque de *Limelight*, la réédition intégrale des longs métrages est venue rappeler la vraie grandeur, non exempte d'amertume mais souvent d'une belle générosité, et remarquablement féconde sur le plan formel, qui reste celle de Chaplin. G.L.

Films ▲ : — Seulement comme interprète (en 1914) : *Pour gagner sa vie* (*Making a Living*, Henry Lehrman) ; *Charlot est content de lui* (*Kid Auto Races at Venice*, id.) ; *l'Étrange Aventure de Mabel* (*Mabel's Strange Predicament*, M. Sennett et Lehrman) ; *Charlot et le parapluie* (*Between Showers*, Lehrman) ; *Charlot fait du cinéma* (*A Film Johnnie*, M. Sennett) ; *Charlot danseur* (*Tango Tangles*, id.) ; *Charlot entre le bar et l'amour* (*His Favourite Pastime*, George Nichols) ; *Charlot fou d'amour* (*Cruel, Cruel Love*, M. Sennett) ; *Charlot aime la patronne* (*The Star Boarder*, id.) ; *Mabel au volant* (*Mabel at the Wheel*, id.) ; *Charlot et le chronomètre* (*Twenty Minutes of Love*, id.) ; — comme cinéaste et interprète (en 1914) : *Charlot garçon de café* (*Caught in a Cabaret*, co Mabel Normand) ; *Un béguin de Charlot* (*Caught in the Rain*) ; *Madame Charlot* (*A Busy Day*) ; *le Maillet de Charlot* (*The Fatal Mallet*, co Mabel Normand et M. Sennett) ; *le Flirt de Mabel* (*Her Friend the Bandit*, co M. Normand) ; *Charlot et Fatty sur le ring* (*The Knock-out*) ; *Charlot et les saucisses* (*Mabel's Busy Day*, co M. Normand) ; *Charlot et le mannequin* (*Mabel's Married Life*, co M. Normand) ; *Charlot dentiste* (*Laughing Gas*) ; *Charlot garçon de théâtre* (*The Property Man*) ; *Charlot fou* (*The Face on the Barroom Floor*) ; *Fièvre printanière* (*Recreation*) ; *Charlot grande coquette* (*The Masquerader*) ; *Charlot garde-malade* (*His New Profession*) ; *Charlot et Fatty font la bombe* (*The Rounders*) ; *Charlot concierge* (*The New Janitor*) ; *Charlot rival d'amour* (*Those Love Pangs*) ; *Charlot mitron* (*Dough and Dynamite*) ; *Charlot et Mabel aux courses* (*Gentlemen of Nerve*) ; *Charlot déménageur* (*His Music-hall Carrier*) ; *Charlot pape* (*His Trysting Place*) ; *le Roman comique de Charlot et de Lolotte* (*Tillie Punctured Romance*, RÉ M. Sennett) ; *Charlot et Mabel en promenade* (*Getting Acquainted*) ; *Charlot nudiste* (*His Prehistoric Past*) ; — comme cinéaste et interprète (à partir de 1915) : *Charlot débute* (*His New Job*) ; *Charlot fait la noce* (*A Night Out*) ; *Charlot boxeur* (*The Champion*) ; *Charlot dans le parc* (*In the Park*) ; *Charlot veut se marier* (*A Jitney Elopement*) ; *Charlot vagabond* (*Tramp*) ; *Charlot à la plage* (*By the Sea*) ; *Charlot apprenti* (*Work*) ; *Mam'selle Charlot* (*A Woman*) ; *Charlot à la banque* (*The Bank*) ; *Charlot marin* (*Shanghaied*) ; *Charlot au music-hall* (*A Night in the Show*) ; *Charlot joue Carmen* (*Carmen*, 1916) ; *Charlot cambrioleur* (*Police*, id.) ; *Charlot chef de rayon* (*The Floor-Walker*, id.) ; *Charlot pompier* (*The Fireman*, id.) ; *Charlot musicien* (*The Vagabond*, id.) ; *Charlot rentre tard* (*One A. M.*, id.) ; *Charlot et le Comte* (*The Count*, id.) ; *l'Usurier* (*The Pawnshop*, id.) ; *Charlot fait du ciné* (*Behind the Screen*, id.) ; *Charlot patine* (*The Rink*, id.) ; *Charlot policeman* (*Easy Street*, 1917) ; *Charlot fait une cure* (*The Cure*, id.) ; *l'Émigrant* (*The Immigrant*, id.) ; *Charlot s'évade*

(*The Adventurer,* id.) ; *Une vie de chien* (*A Dog's Life,* 1918) ; *Charlot soldat* (*Shoulder Arms,* id.) ; *The Bond* (inédit en France, *id.*) ; *How to Make Movies* (id.) ; *Idylle aux champs* (*Sunnyside,* 1919) ; *Une journée de plaisir* (*A Day's Pleasure,* id.) ; *le Gosse* (*The Kid,* 1921) ; *Charlot et le Masque de fer* (*The Idle Class,* id.) ; *Jour de paye* (*Pay Day,* 1922) ; *le Pèlerin* (*The Pilgrim,* 1923) ; – comme cinéaste seulement : *l'Opinion publique* (*A Woman of Paris,* id.) ; – comme cinéaste et interprète : *la Ruée vers l'or* (*The Gold Rush,* 1925) ; *le Cirque* (*The Circus,* 1928) ; *les Lumières de la ville* (*City Lights,* 1931) ; *les Temps modernes* (*Modern Times,* 1936) ; *le Dictateur* (*The Great Dictator,* 1940) ; *Monsieur Verdoux* (id., 1947) ; *les Feux de la rampe* (*Limelight,* 1952) ; *Un roi à New York* (*A King in New York,* 1957) ; *la Comtesse de Hong-Kong* (*A Countess from Hong-Kong,* 1967).

CHAPLIN *(Geraldine), actrice américaine (Santa Monica, Ca., 1944).* Fille aînée de Charlie Chaplin et d'Oona O'Neill, elle fait de la figuration dans *Limelight* (1952) et *Un roi à New York* (1957) et joue dans *la Comtesse de Hong-Kong* (1967). Après des études de ballet en Angleterre, elle débute à Paris dans *Cendrillon* (1963). Jacques Deray lui confie son premier rôle au cinéma (*Par un beau matin d'été,* 1964), puis *le Docteur Jivago* (D. Lean, 1965) la fait accéder à une certaine popularité. Son talent s'épanouit après la rencontre avec le cinéaste espagnol Carlos Saura, dont elle sera l'épouse pendant plusieurs années. Cette osmose privilégiée entre un metteur en scène et une comédienne est de plus en plus sensible dans les films successifs qu'elle tourne sous sa direction : *Peppermint frappé* (1967) ; *Stress es tres, tres* (1968) ; *La madriguera* (1969), au scénario duquel elle a collaboré ; *le Jardin des délices* (1970) ; *Anna et les loups* (1972) ; *Cria Cuervos* (1975) ; *Elisa, vida mía* (1977) ; *les Yeux bandés* (1978) ; *Maman a cent ans* (1979). Elle poursuit parallèlement une carrière internationale, alternant des prestations dans des productions commerciales et des interprétations, souvent étonnantes, dans des films d'auteur, élargissant considérablement son registre, aussi bien comique que dramatique. Il faut signaler particulièrement son entrée dans la « famille » de Robert Altman : *Nashville* (1975), *Buffalo Bill et les Indiens* (1976), *Un mariage* (1978), ainsi que les productions de ce dernier : *Welcome to Los Angeles* (1977), *Tu ne m'oublieras pas* (1978) et *les Modernes* (1988), mises en scène par Alan Rudolph. D'excellents rôles lui ont été offerts en outre par Richard Lester (*les Trois Mousquetaires,* 1974 ; *On l'appelait Milady,* 1975 ; *le Retour des Mousquetaires,* 1989), Jacob Bijl (*Scrim,* 1976), Enrique Brasó (*In memoriam,* 1977), James Ivory (*Roseland,* 1977), Jacques Rivette (*Noroit,* 1977 ; *l'Amour par terre,* 1984), Miguel Littin (*la Veuve Montiel,* 1979), Michel Deville (*le Voyage en douce,* 1980), Guy Hamilton (*Le miroir se brisa,* id.), Claude Lelouch (*les Uns et les Autres,* 1981), Alain Resnais (*La vie est un roman,* 1983 ; *I Want to Go Home,* 1989), Michael Radford (*Sur la route de Nairobi,* 1987), Rebecca Horn (*Buster's Bedroom,* 1990), Tony Palmer (*The Children, id.*), Richard Attenborough (*Chaplin,* 1992), Martin Scorsese (*le Temps de l'innocence,* 1993), Mary McGuckian (*Words Upon the Window Pane,* 1994). P.A.P.

CHAPMAN → MOUVEMENTS D'APPAREIL.

CHARBONS. Dénomination usuelle des électrodes à base de graphite employées dans l'arc « charbons ». (→ SOURCES DE LUMIÈRE, PROJECTION.)

CHAREF *(Mehdi), cinéaste français d'origine algérienne (Maghnia 1952).* À partir de 1970, il est tourneur dans une usine parisienne et publie un roman qu'il met en scène lui-même grâce à Costa-Gavras : *le Thé au harem d'Archimède* (1985), chronique vivace et tendre de la vie des adolescents de banlieue (Prix Jean Vigo 1985). Dans *Miss Mona* (1986), il donne à Jean Carmet l'occasion d'une étonnante performance dans le rôle d'un vieux travesti et poursuit dans la voie d'un réalisme teinté de poésie avec *Camomille* (1988). *Au pays des Juliets* (1992) est une incursion quelque peu démonstrative dans l'univers des femmes délinquantes emprisonnées. M.M.

CHARELL *(Erik Löwenberg,* dit *Erik), cinéaste allemand (Breslau* [auj. *Wroc'law*] *1894 - Zug, Suisse, 1974).* Danseur au Max Reinhardt Theater à Berlin, puis directeur artistique du Grosses Schauspielhaus (Berlin), il y monte *l'Auberge du Cheval blanc.* Son film *Der Kon-*

gresstanzt, avec Lilian Harvey et Willy Fritsch (1931), fut un grand succès public dont il tourna parallèlement une version française *(Le congrès s'amuse)* et une version anglaise *(The Congress Dances).* En 1933, il est un des premiers collaborateurs de la UFA, dont le contrat est annulé, et, fuyant l'Allemagne nazie, émigre à Hollywood, où il réalise son second et dernier film, *Caravan* (1934), dont il existe également une version française *(Caravane) :* cette œuvre témoigne d'un goût musical et d'une virtuosité dignes du Mamoulian d'*Aimez-moi ce soir* (1932). Il travaille également comme scénariste (*Road to Morocco,* D. Butler, 1942 ; *Casbah,* J. Berry, 1948). En 1951, il est de retour en Allemagne, écrit un remake de *Im weissen Rössl* (1952), dont il compose aussi la musique, comme il le fera pour *Sissi* (1955). P.B.

CHARENSOL *(Georges), critique cinématographique, critique d'art et essayiste français (Privas 1899 – Paris 1995).* Il est l'un des pionniers de la critique de cinéma – son premier article (dans le *Bulletin* du Touring Club de France) date de 1917 –, exerçant ses talents impressionnistes dans *Paris-Journal* (1923), *la Femme de France* (1930) et surtout *les Nouvelles littéraires* (depuis 1945). Il a fondé, en 1928, l'*Association de la critique cinématographique,* puis, en 1946, l'*Association française de la critique de cinéma.* À la radio, il a animé, plusieurs années durant (à partir de 1946), une émission avec Louis Cheronnet : *Art vivant,* et participé dès l'origine à l'émission populaire *le Masque et la Plume,* où ses reparties et ses joutes amicales avec Jean-Louis Bory ont captivé et divisé les auditeurs par un subtil mélange d'idées conformistes et malicieusement anticonformistes. Il a publié notamment *Panorama du cinéma* (1930), *40 Ans de cinéma* (1935), *Renaissance du cinéma français* (1946), *le Cinéma* (1966) et deux livres sur René Clair (*Un maître du cinéma : René Clair,* 1952, co Roger Régent, et *René Clair ou les Belles de nuit,* 1953). J.-L.P.

CHARGEMENT. Sur une caméra, un projecteur, une tireuse, opération consistant à mettre en place le film depuis la bobine débitrice (ou le plateau débiteur) jusqu'à la bobine réceptrice (ou le plateau récepteur).

CHARGER. Effectuer le chargement d'un appareil.

CHARGEUR. Boîte étanche à la lumière, adaptable à la caméra et contenant la bobine débitrice, la bobine réceptrice et les débiteurs. (→ CAMÉRA.)

CHARGING BAG (franglais). Sac étanche à la lumière dans lequel, en glissant les bras, on peut garnir un chargeur ou un magasin de film vierge sans voiler celui-ci. (→ CAMÉRA.)

CHARIOT. Plate-forme, évoluant sur rails, sur laquelle est montée la caméra pour l'exécution des travellings. (→ MOUVEMENTS D'APPAREIL.)

CHARISSE *(Tula Ellice Finklea,* dite *Cyd), actrice et danseuse américaine (Amarillo, Tex., 1922).* Avant de devenir la plus grande danseuse de l'histoire du film musical américain, elle étudie et pratique la danse classique. Elle fait ensuite partie des Ballets russes de Monte-Carlo et travaille avec David Lichine, Leonid Massine, Bronislava Nijinska, Michel Fokine, sous le pseudonyme de Maria Istomina. Elle épouse, en 1939, son ex-professeur, le danseur Nico Charisse. En 1943, à la demande de David Lichine, elle fait ses débuts à l'écran dans un ballet de *Something to Shout About,* sous le pseudonyme de Lily Norwood. La même année, elle incarne une danseuse du Bolchoï dans *Mission to Moscow,* de Michael Curtiz. Le chorégraphe Robert Alton et le producteur Arthur Freed l'engagent pour danser avec Fred Astaire dans *Ziegfeld Follies,* de Vincente Minnelli, et elle signe un contrat de sept ans avec la MGM. En 1945, *The Harvey Girls,* de George Sidney, avec Judy Garland, lui permet de montrer ses dons de comédienne et de chanteuse.

Pendant quelques années, elle va apparaître régulièrement dans les numéros dansés de musicals dont les vedettes sont Judy Garland, Margaret O'Brien, Esther Williams et Kathryn Grayson. 1949 est la date de son premier rôle dans un film non musical : *Tension,* un policier de John Berry, que suit *Ville haute, ville basse,* de Mervyn LeRoy, avec Barbara Stanwyck et James Mason. Elle est espagnole dans *le Signe des renégats* (H. Fregonese, 1951), où elle danse la séguedille avec Ricardo Montalban, et indienne en 1952 dans un western d'Andrew Marton, *Au pays de la peur.* Elle avait épousé le chanteur Tony Martin en 1948.

Mais sa gloire commence en 1952 avec son admirable apparition dans le Broadway Melody Ballet, avec Gene Kelly, dans le plus célèbre des films musicaux : *Chantons sous la pluie,* de Gene Kelly et Stanley Donen. Sa robe blanche dans la séquence onirique, sa coiffure et sa silhouette à la Louise Brooks dans la première partie de ce ballet sont une révélation pour beaucoup. Cette manière d'être double sera également utilisée par Vincente Minnelli dans *Tous en scène* (1953), dont, consécration suprême, elle partage la vedette avec Fred Astaire. *Chantons sous la pluie* et *Tous en scène* sont les deux sommets de sa carrière, et des numéros comme le « Broadway Melody Ballet » et, dans le second film, « Dancing in the Dark » et « The Girl Hunt Ballet » font partie de toutes les anthologies de la comédie musicale.

Devenue vedette à part entière, Cyd Charisse retrouve Gene Kelly pour un musical féerique de Vincente Minnelli, *Brigadoon* (1954), exécute un de ses plus beaux numéros dans *Au fond de mon cœur* de Stanley Donen et apparaît au sommet de sa beauté et de son talent dans *Beau fixe sur New York,* de Gene Kelly et Stanley Donen. En 1957, elle reprend le rôle, créé en 1939 par Greta Garbo, dans la version musicale de *Ninotchka* que dirige Rouben Mamoulian : *la Belle de Moscou.* Avec Fred Astaire, elle y exécute quelques-unes des danses les plus élégantes de sa carrière. En 1958, elle est la « Party girl » du film homonyme de Nicholas Ray. Ses deux ballets sont admirables, mais elle est aussi surprenante dans ce rôle très dramatique du dernier de ses grands musicals. De sa fin de carrière, on retiendra surtout son rôle de vamp dans *Quinze Jours ailleurs,* de Minnelli. On la voit dans des shows pour la télévision et, régulièrement, sur scène avec Tony Martin. D.R.

Films ▲ : *Mission to Moscow* (M. Curtiz, 1943) ; *Something to Shout About* (G. Ratoff, *id.*) ; *The Harvey Girls* (G. Sidney, 1946) ; *Ziegfield Follies* (V. Minnelli, *id.*) ; *Three Wise Fools* (E. Buzzell, *id.*) ; *la Pluie qui chante (Till the Clouds Roll By,* Richard Whorf, *id.) ; Señorita Toreador* (*Fiesta,* R. Thorpe, 1947) ; *la Danse inachevée (The Unfinished Dance,* H. Koster, *id.) ; Dans une île avec vous* (*On an Island With you,* Thorpe, 1948) ; *Ma vie est une chanson* (N. Taurog, *id.*) ; *le Brigand amoureux* (L. Benedek, 1948) ; *Ville haute, ville basse* (M. LeRoy, *id.*) ; *Tension* (J. Berry, *id.*) ; *le Signe des renégats* (H. Fregonese, 1951) ; *Chantons sous la pluie* (S. Donen, 1952) ; *Au pays de la peur* (A. Marton, *id.*) ; *Sombrero* (N. Foster, 1953) ; *Tous en scène* (Minnelli, *id.*) ; *Désir d'amour* (Ch. Walters, *id.*) ; *Brigadoon* (Minnelli, 1954) ; *Au fond de mon cœur* (S. Donen, *id.*) ; *Beau fixe sur New York* (G. Kelly et Donen, 1955) ; *Viva Las Vegas* (R. Rowland, 1956) ; *Invitation à la danse* (G. Kelly, 1957) ; *la Belle de Moscou* (R. Mamoulian, *id.*) ; *Crépuscule sur l'océan* (J. Pevney, 1958) ; *Traquenard* (N. Ray, *id.*) ; *les Collants noirs* (T. Young, 1960) ; *Cinque Ore in Contanti / Five Golden Hours* (Mario Zampi, 1961) ; *Quinze Jours ailleurs* (Minnelli, 1962) ; *Assassinio made in Italy* (S. Amadio, 1965) ; *Matt Helm, agent très spécial* (*The Silencers* [Ph. Karlson], 1966) ; *Maroc 7* (Gerry O'Hara, *id.*) ; *Won Ton Ton the Dog Who Saved Hollywood* (M. Winner, 1976) ; *les Sept Cités d'Atlantis* (*Warlords of Atlantis,* Kevin Connor, 1978).

CHARLIE CHAN, personnage de roman (1925), de films (1926) et de bandes dessinées (1938). À l'opposé de Fu Manchu, symbole du « péril jaune », c'est la patience et la sagesse de l'Asie qui s'expriment à travers cet inspecteur de la police de Hawaii au langage fleuri, aux méthodes feutrées et à l'humour particulier. Il est né dans cinq romans de Earl Derr Biggers (1884 - 1933), dont le premier, *la Maison sans clef (The House Without a Key),* est porté à l'écran en 1934. Le personnage apparaît au total dans 48 films. Les interprètes en sont George Kuwa, Kamiyama So-jin, E. L. Park, Warner Oland (16 films, 1931-1938), Sidney Toler (22 films, 1938-1947), Roland Winters (5 films, 1948-49). F.L.

CHARLIN. → PROJECTION.

CHARLOT, personnage créé par le cinéaste et acteur américain Charlie Chaplin de 1914 à 1936. Charlot apparaît une dernière fois dans *les Temps modernes.* (→ CHAPLIN [*Charlie*].)

CHARPIN *(Fernand), acteur français (Marseille 1887 - Paris 1944).* Sa formation théâtrale poussée lui permet d'interpréter des rôles importants à l'Odéon. Renoir fait de lui l'épicier de *Chotard et C*ie (1933) et il tient sa partie avec autorité dans les grands films provençaux : la trilogie de *Marius* (1931-

1936), dans laquelle son personnage de Panisse ne doit pas faire oublier *le Schpountz* (1938), *la Femme du boulanger* (id.) et *la Fille du puisatier* (1940), tous écrits par Pagnol, ou encore *Tartarin de Tarascon* (R. Bernard, 1934), l'indicateur de *Pépé le Moko* (J. Duvivier, 1937), le mauvais conseilleur dans *le Camion blanc* (L. Joannon, 1943). R.C.

CHARRIER *(Jacques), acteur et producteur français (Metz 1936).* D'abord étudiant en céramique aux Beaux-Arts, il interprète Audiberti et le *Journal d'Anne Frank* au théâtre, puis est révélé par Carné dans *les Tricheurs* (1958). Acteur limité, doté d'un physique avantageux, il connaît une soudaine renommée à l'occasion de *Babette s'en va-t-en guerre* (Christian-Jaque, 1959). La vedette en est Brigitte Bardot, que Charrier épouse et dont il divorcera peu après. Sa carrière d'interprète ne se développe pourtant pas malgré Michel Deville (*À cause, à cause d'une femme,* 1962), Agnès Varda (*les Créatures,* 1966) et quelques autres. Il devient alors producteur, notamment pour *Sirocco d'hiver* (M. Jancso, 1969), où le metteur en scène hongrois lui confie l'un des principaux rôles, *les Volets clos* (J.-C. Brialy, 1973), qu'il interprète également, et *Il pleut sur Santiago* (H. Soto, 1975). O.B.

CHARTE. Tableau, filmé en fin de prise, comportant deux séries standardisées de plages colorées et de plages grises, et qui permet au laboratoire de contrôler le rendu des couleurs. (→ ÉTALONNAGE.)

CHASE *(Frank Fowler, dit Borden), romancier et scénariste américain (New York, N. Y., 1900 - Los Angeles, Ca., 1971).* Il commence par écrire des romans. Le plus connu en est *The Chisholm Trail,* dont Howard Hawks fera *la Rivière Rouge,* en 1948. Son premier scénario répertorié est celui d'un film d'action de Raoul Walsh (*Rivaux,* 1935) avec Victor McLaglen et Edmund Lowe. En 1942, Anthony Mann réalise son premier film, *Dr Broadway,* d'après une de ses histoires et, en 1946, Frank Borzage réalise un mélodrame musical, *Je vous ai toujours aimé,* d'après une de ses nouvelles. Mais c'est dans le western qu'il va se spécialiser à partir de 1948. En dehors de *la Rivière Rouge,* son nom est inséparable de quelques-uns des plus beaux films d'Anthony Mann : *Winchester 73* (1950), *les Affameurs* (1952), *Je suis un aventurier* (1955), tous les trois interprétés par James Stewart et produits par Universal. Sa profonde connaissance de l'Ouest et son sens de la construction dramatique trouvent également à s'exprimer avec Robert Aldrich (*Vera Cruz,* 1954), King Vidor (*l'Homme qui n'a pas d'étoile,* 1955) et John Sturges (*Coup de fouet en retour,* 1956). Il a écrit deux des films d'aventures maritimes de Raoul Walsh, *Le monde lui appartient* (1952) et *la Belle Espionne* (1953), ce qui tend à prouver qu'il n'est pas uniquement un spécialiste du western. Après son dernier film du genre en 1958 (*l'Étoile brisée [Ride a Crooked Trail]*, de Jesse Hibbs, avec Audie Murphy), il renonce au cinéma. Son roman *Viva Gringo* sera porté à l'écran en 1964 sous le titre de *Gunfighters of Casa Grande,* par Roy Rowland. Ses grandes années (une dizaine, à peine !) auront coïncidé avec l'âge d'or du *Western Universal,* qui lui doit beaucoup. D.R.

CHASE *(Charles Parrott, dit Charlie ou Charley), acteur et cinéaste américain (Baltimore, Md., 1893 - Los Angeles, Ca., 1940).* Frère du réalisateur James Parrott, il débute comme interprète (*second-banana* comedian) puis réalisateur de bandes comiques pour Mack Sennett en 1914. Hal Roach l'engage comme réalisateur en 1921 et lui confie la vedette d'une série comique en 1924 après le départ d'Harold Lloyd. Il joue encore de petits rôles dans des longs métrages parlants et dirige après 1937 des courts métrages burlesques pour la Columbia. Ses réalisations sont signées Charles Parrott. J.-P.B.

CHASSÉ. *Images chassées,* truquage de laboratoire donnant l'impression que l'image d'un nouveau plan « chasse » du cadre l'image du plan précédent.

CHATTERJEE *(Soumitra), acteur indien bengali (né en 1934).* Satyajit Ray lui donne son premier rôle en 1959 dans *le Monde d'Apu.* Il deviendra un de ses acteurs fétiches et on le retrouvera notamment dans *la Déesse* (1960), *Charulata* (1964), *Tonnerre lointain* (1973), *la Maison et le Monde* (1984), *Ghanashatru* (1988) et *'les Branches de l'arbre'* (1990). À côté de cette prestigieuse carrière, plus de cent films commerciaux (parmi lesquels *Saat Pake Bandha* [*Ajoy Kar,* 1963] et *Sansar Simantey* [*Tarun Majumdar,* 1976] en font une des stars adulées du cinéma indien. On le remarque également dans l'adaptation à l'écran du roman de Mircea Eliade *la Nuit Bengali* (Nicolas Klotz, 1988), sous la direction de Mrinal Sen *(les Nuages dans le ciel,* 1965 ; *Mahaprithivi,* 1991) et du fils de Satyajit Ray, Sandip Ray *(Voyage interrompu,* 1994). B.G.

CHATTERTON *(Ruth), actrice américaine (New York, N. Y., 1893 - Norwalk, Conn., 1961).* Adulée au théâtre dès son plus jeune âge, Ruth Chatterton est imposée au cinéma par son partenaire, Emil Jannings, dans *Sins of the Fathers* (L. Berger, 1928). De populaires mélodrames, comme *Madame X* (L. Barrymore, 1929) ou *Sarah and Son* (D. Arzner, 1930) lui assurent le titre de «première dame de l'écran» au début du parlant. Mais elle réalise très vite la médiocrité dans laquelle Hollywood veut l'enfermer. Malgré quelques réussites comme *Lilly Turner, Jenny Frisco,* tous deux de William A. Wellman en 1933 ou *Female* de Michael Curtiz et William Dieterle (la même année), sa carrière cinématographique va sur son déclin. Paradoxalement, c'est à ce moment qu'elle a son meilleur rôle : l'épouse futile et infidèle de Walter Huston dans *Dodsworth* (W. Wyler, 1936). Après quelques films en Angleterre, elle se tourne à nouveau vers le théâtre. C.V.

CHAUTARD *(Émile), cinéaste et acteur américain d'origine française (Paris 1881 - Los Angeles, Ca., 1934).* Metteur en scène de théâtre, Chautard vient au cinéma vers 1909. Il participe à l'aventure du Film d'Art (*l'Aiglon,* 1912), tourne *le Mystère de la chambre jaune* (1913) et quelques autres titres avant d'émigrer, en 1914, aux États-Unis. Il signe des œuvres de prestige (avec Clara Kimball Young, Pauline Frederick ou Norma Talmadge comme *leading ladies*), telles que *Daytime Wives,* en 1923. Au milieu des années 20, il abandonne la réalisation et se voit confier quelques rôles importants, comme celui du Père Goriot dans *Paris at Midnight* (E. Mason Hopper, 1926). Plus que mûr, distingué et moustachu, l'air d'un militaire en retraite portant beau, Chautard se prêtait admirablement à un certain cliché du Français, qu'il incarna du reste avec saveur dans *Morocco* (1930) et *Shanghai-Express* (J. von Sternberg, 1932). C.V.

CHAUVEL *(Charles Edward), cinéaste et producteur australien (Warwick, Queensland, 1897 - Sydney, New South Wales,* 1959). Il lutte toute sa vie pour l'établissement d'un cinéma national indépendant fondé sur la technique et l'efficacité d'Hollywood, où d'ailleurs il a travaillé à plusieurs reprises. Il sera le seul cinéaste australien à continuer à l'époque du parlant une carrière commencée avec *Mothog Mambi* (1925). C'est un sentimental aux traits de génie, un découvreur d'acteurs (Errol Flynn, Chipps Rofferty). Dans ses films, où le pire voisine avec le meilleur, Chauvel met souvent en scène l'Australie et son histoire. De lui on peut retenir : *For the Terms of His Natural Life* (1927) ; *In the Wake of the Bounty* (1933) ; *Fourty Thousand Horsemen* (1941), qui retrace l'une des dernières grandes charges de l'histoire ; *Sons of Matthews* (1949), saga de la vie pionnière ; *Jedda* (1955), où il aborde le problème aborigène, premier film australien en couleurs. A.-M.C.

CHÁVARRI *(Jaime), cinéaste espagnol (Madrid 1943).* Le documentaire *El desencanto* (1976) pose un regard clinique sur la famille. *À un dieu inconnu* (*A un dios desconocido,* 1977) raconte l'histoire d'un homosexuel en quête d'identité. *L'Homme aux chiens* (*Dedicatoria,* 1980) a pour thèmes l'inconstance affective et l'inceste. Ces films personnels, débusquant traditions et évolution dans les comportements individuels, révèlent un talent et une maturité rares chez les jeunes cinéastes péninsulaires. Il connaît un grand succès public en 1984 dans son pays natal avec *Las bicicletas son para el verano* et tourne ensuite *Bearn* (1985), *El rio de oro* (1986), *Je suis celui que tu cherches* (*Yo soy el que tu buscas,* TV, 1988, d'après García Màrquez), *les Choses de l'amour* (*Las cosas del querer,* 1989), *Tierno verano de lujurias y azoteas* (1993). P.A.P.

CHAYEFSKY *(Sidney,* dit *Paddy), scénariste et producteur américain (New York, N. Y., 1923* - id. *1981).* Après avoir contribué anonymement au scénario de *The True Glory* (G. Kanin et C. Reed, 1945), il consacre plusieurs pièces à l'étude de la petite bourgeoisie urbaine. L'évolution, les problèmes culturels relatifs à ce milieu forment aussi le thème commun des onze dramatiques qu'il signe, de 1953 à 1955, pour le programme «Philco Television Playhouse». Dans un style réaliste et didactique, il traite du difficile ajustement des immigrés aux valeurs modernes, évoque les conflits de générations *(The Catered Affair)* et les inhibitions sexuelles de l'Américain moyen *(Marty)*. Portée à l'écran en 1955 par Delbert Mann, cette dernière œuvre trace la voie à un cinéma indépendant où l'inspiration *quotidienne* frôle souvent le misérabilisme. Jouissant d'un prestige considérable, Chayefsky impose ses scénarios comme de véritables *drames cinématographiques,* dont il escompte une mise en scène purement *illustrative.* Il s'assure un contrôle étroit sur la production de *The Catered Affair* (R. Brooks, 1956), *la Nuit des maris* (Delbert Mann, 1957), *la Déesse* (J. Cromwell, 1958) et d'*Au milieu de la nuit* (Delbert Mann, 1959), qui conclut la première phase de sa carrière cinématographique.

Avec *les Jeux de l'amour et de la guerre* (A. Hiller, 1964), il révèle un goût nouveau pour la harangue, la satire à l'emporte-pièce, malgré des bonheurs d'expression variables et une tendance à la prolixité qui se confirme dans l'*Hôpital* (Hiller, 1971). Cette grinçante allégorie sur le bureaucratisme, doublée d'un vibrant plaidoyer pour la sauvegarde des valeurs humanistes, préfigure *Network* (S. Lumet, 1976), où Chayefsky dénonce avec brio les impostures de la culture télévisuelle, exprimant avec une virulence rare la colère et l'angoisse de l'intelligentsia libérale face aux pouvoirs croissants de la télévision. La parabole est volontiers excessive, elle illustre la dictature des sondages, la mise en spectacle de l'information, l'exploitation des frustrations collectives. *Network* constitue le couronnement de la carrière du scénariste. En 1980, ce dernier adapte son premier et unique roman : *Altered States (Au-delà du réel),* qu'il signe à l'écran sous le pseudonyme de Sidney Aaron, afin de marquer son désaveu à l'égard du réalisateur, Ken Russell. O.E.

CHECCHI *(Andrea), acteur italien (Florence 1916 - Rome 1974).* Il débute avec un petit rôle dans *1860* (A. Blasetti, 1933) et joue dans douze films d'avant-guerre, dont *le Siège de l'Alcazar* (A. Genina, 1940) et *Giacomo l'idealista* (A. Lattuada, 1943). Il obtient le prix Nastro d'argento pour son interprétation dans le drame antifasciste *Deux Lettres anonymes* (M. Camerini, 1945). Après *La nuit porte conseil* (M. Pagliero, 1948), *Chasse tragique* (G. De Santis, 1948) et *Au-delà des grilles* (R. Clément, 1949), il se spécialise dans des personnages de « vilain » *(bruto)* ou d'homme rude, jouant dans presque cent films de tout genre, parmi lesquels : *la Dame sans camélias* (M. Antonioni, 1953), *Parola di ladro* (N. Loy et G. Puccini, 1957), *le Masque du démon* (M. Bava, 1960), *le Procès de Vérone* (C. Lizzani, 1963), *Waterloo* (S. Bondartchouk, 1970). L.C.

CHEF OP. Abrév. fam. de *chef opérateur.*

CHEF OPÉRATEUR. Syn. de *directeur de la photographie.*

CHEF OPÉRATEUR DU SON. Technicien responsable de la prise de son. (→ GÉNÉRIQUE.)

CHEIREL *(Jeanne Augustine Baltazar-Leriche,* dite *Jeanne), actrice française (Paris 1868 -* id. *1934).*Actrice de théâtre au talent abondant, généreux et plein de verve, elle triomphe dans *les Vignes du Seigneur, le Sexe faible* (qu'elle reprend à l'écran avec Robert Siodmak, 1933) et l'opérette *Ta bouche.* Elle fait preuve à l'écran de la même autorité, et c'est pourquoi on l'a souvent comparée à l'actrice américaine Marie Dressler. Partenaire de Prince dans certains films de Rigadin, elle joue avec humour dans *Crainquebille* (J. Feyder, 1923) et *le Secret de Polichinelle* (René Hervil, 1923). Elle retrouve à l'écran ses succès théâtraux avec *Miquette et sa mère* (H. Diamant-Berger et D. B. Maurice [Maurice Diamant-Berger], 1933), *le Voyage de M. Perrichon* (Jean Tarride, 1934) et *le Monde où l'on s'ennuie* (Jean de Marguenat, 1935). R.C.

CHEIREL *(Micheline Leriche,* dite *Micheline), actrice française (Paris 1917).* Nièce de Jeanne Cheirel, sa carrière française est courte puisque interrompue par la guerre et le départ de l'actrice pour les États-Unis. De 1944 à 1947, elle y tient quelques rôles dans des films sans grand relief. Elle avait été auparavant la fille avenante de Françoise Rosay dans *la Kermesse héroïque* (J. Feyder, 1935), la Parisienne délurée de *Ces dames aux chapeaux verts* (M. Cloche, 1937) et surtout la petite amoureuse de *la Belle Équipe* (J. Duvivier, 1936), prouvant ainsi que son talent s'accommodait de simplicité et sensibilité. R.C.

CHENAL *(Pierre Cohen,* dit *Pierre), cinéaste français (Bruxelles, Belgique, 1904 - La Garenne-Colombes, 1991).* Il aborde l'écran par le biais du documentaire sensible (*les Petits Métiers de Paris,* 1930). Les dix années suivantes font de lui un réalisateur qui sait bâtir un film et diriger des acteurs. Adaptant *la Rue sans nom* (1933), roman de Marcel Aymé, il sait en faire ressortir le fantastique social. De même, c'est une émotion exempte de vulgarité qui se dégage du *Martyre de l'obèse* (id.). *Crime et Châtiment* (1935), avec son interprétation exemplaire, *l'Homme de nulle part* (1937), d'après Pirandello, ne pâlissent pas devant leurs modèles. Il n'a pas le souffle qu'il faudrait pour traduire la révolte des *Mutinés de l'Elseneur* (1936), mais sait ordonner les eaux-fortes de *l'Affaire Lafarge* (1938). *L'Alibi* (1937) reste un policier agréable, où s'amusent Jany Holt, Stroheim et Jouvet, *la Maison du Maltais* (1938) un mélo distingué, *le Dernier Tournant* (1939), un bel exercice de style à partir du roman de James Cain *Le facteur sonne toujours deux fois,* avec Corinne Luchaire, Michel Simon et Fernand Gravey. Replié en Argentine et au Chili pendant la guerre, il tourne à son retour en France une adaptation du roman de Gabriel Chevalier *Clochemerle* (1948) puis après une nouvelle parenthèse argentine (*Sangre negra,* 1949, d'après et avec le romancier noir américain Richard Wright) se voit contraint de signer plusieurs films à vocation commerciale, dont *Rafles sur la ville* (1958) et *la Bête à l'affût* (1959). R.C.

CHEN Baichen (*Chen Zhenghong,* dit), *écrivain et scénariste chinois (Huayin, Jiangsu, 1908).* Il se forme aux côtés de Tian Han et commence à écrire des romans en 1928. Emprisonné pour ses activités antijaponaises de 1932 à 1935, il se consacre entièrement à la littérature. Au Sichuan, pendant la guerre, il continue à écrire, surtout pour le théâtre. À partir de 1947, il écrit seul ou en collaboration des scénarios de films : *'le Chant du bonheur impossible'* (*Xinfu kuangxiangqu,* Chen Liting, 1947) et surtout *Corbeaux et Moineaux* (*Wuya yu maque,* Zheng Junli, 1949), qui anticipe sur la prise de Shanghai par les communistes. En 1954, il signe *'Song Jingshi'* (id., Zheng Junli et Sun Yu). En dehors de ses activités officielles, il s'est spécialisé dans le théâtre historique. En 1961, il prépare le scénario de *'la Vie de Lu Xun'* (*Luxun zhuan*), mais ce film sur l'écrivain, que devait interpréter Zhao Dan, ne sera jamais réalisé. C'est également lui qui rédige le scénario de *la Véritable histoire d'A-Q* (*A-Q zheng zhuan,* Cen Fan, 1982) d'après le célèbre roman de Lu Xun. À ce jour, il a écrit une quarantaine de romans, quarante pièces de théâtre et sept scénarios. C.D.R.

CHEN Bo'er, *actrice et scénariste chinoise (province du Guangdong 1910 - Pékin 1968).* Sortie de l'École des beaux-arts de Shanghai, elle joue au théâtre, mais doit se réfugier à Hongkong de 1931 à 1933 en raison de ses activités politiques. Revenue à Shanghai, elle débute au cinéma en 1934 dans *'les Malheurs de la jeunesse'* (*Tao li jie,* Ying Yunwei). Elle apparaît ensuite dans *'À la vie et à la mort'* (*Shengsi Tongxin, id.,* 1936) et *'Huit cents soldats héroïques'* (*Babai zhuangshi, id.,* 1938). En 1938, elle gagne Yan'an, capitale de la région administrée par les communistes, où elle travaille avec son mari, le cinéaste Yuan Muzhi. De 1947 à 1951, elle participe à la direction du nouveau cinéma socialiste, d'abord dans les studios du nord-est, à Changchun, puis au ministère de la Culture à Pékin. Elle a écrit deux scénarios : *'les Héros de la frontière'* (*Bian qu lao dong ying xiong,* 1946), film collectif de fiction du groupe de Yan'an et *'le Rêve de l'empereur'* (*Huang di meng,* 1947), moyen métrage réalisé par le petit groupe du Nord-Est près de Kharbin, et qui est le premier film de marionnettes chinois. C.D.R.

CHEN *(Kaige), cinéaste chinois (Pékin 1952).* Fils du cinéaste Chen Huai'ai. La révolution culturelle interrompt ses études et en 1968, il est envoyé dans une plantation de caoutchouc au Yunnan. Trois ans plus tard, il s'engage dans l'armée où il reste cinq ans. Après quoi il rentre à Pékin et travaille pendant trois ans comme ouvrier dans les laboratoires de cinéma. En 1978, il est admis à l'Institut de cinéma de Pékin qui vient de rouvrir ses portes après dix ans d'interruption. Diplômé en 1982, Chen réalise deux téléfilms avant de partir pour les studios de Guangxi avec son camarade d'études, le cameraman Zhang Yimou. Son premier film *la Terre jaune* (*Huang tudi,* 1984) est brillamment accueilli dans divers festivals internationaux. Il réalise ensuite *le Grand défilé* (*Da yue bing,* 1986) dont la photographie, comme pour *la Terre jaune,* est de Zhang Yimou. Ces films proposent une nouvelle esthétique, très visuelle, qui rompt avec le cinéma narratif des générations précédentes. En 1987, Chen Kaige signe *le Roi des enfants (Haizi wang).* En 1988, il obtient une bourse à l'Université de Columbia à New York et revient en Chine en 1990 pour tourner *la Vie sur un fil* (*Bian zou bian chang,* 1991), un film métaphorique sur la magie de la foi. Ensuite, il réalise pour la compagnie Tomson (HK) Films, d'après le roman historique de Lilian Lee, une belle mise en scène pour *Adieu ma concubine (Ba wang bie ji)* — avec Leslie Cheung, Zhang Fengyi et Gong Li — Palme d'or ex-aequo (avec *la Leçon de piano* de Jane Campion) au Festival de Cannes 1993. A.-M.Q.

CHENG Bugao, *cinéaste chinois (Jiaxing, Zhejiang, 1894 - Hongkong 1966).* D'abord étudiant en France et critique de cinéma, il écrit son premier scénario et réalise son premier film en 1924. Il entre à la Mingxing en 1928. Après avoir été assistant de Zhang Shichuan pour *'la Cantatrice Pivoine rouge'* (*Genü Hongmudan,* 1931), il réalise à la Mingxing près d'une quarantaine de films, parmi lesquels : *'le Torrent sauvage'* (*Kuangliu,* 1933, scénario de Xia Yan) ; *'les Vers à soie du printemps'* (*Chuncan,* id., scénario de Xia Yan d'après la nouvelle de Mao Dun) ; *'Défricher le Nord-Ouest'* (*Dao Xibei qu,* 1934) ; *'l'Ennemi commun'* (*Tongchou,* id., scénario de Xia Yan) ; *'Une bible pour les femmes'* (*Nüer Jing,* id.) ; *'la Petite Lingzi'* (*Xiao Lingzi,* 1936, scénario de Ouyang Yuqian) ; *'Shanghai d'hier et d'aujourd'hui'* (*Xin jiu Shanghai,* id., scénario de Hongshen). En 1947, on le retrouve à Hongkong, où il travaille pour la compagnie Yonghua, puis pour sa concurrente Great Wall (Changcheng). Il y réalise une vingtaine de films, le dernier en 1961. Le plus célèbre est *'Merry-Go-Round' / 'Une joyeuse réunion'* (*Huanxi yuanjia,* 1954). C.D.R.

CHENGUELAIA *(Eldar)* [*El'dar Nikolaevič Sengelaja*], *cinéaste soviétique géorgien (Tbilissi, Géorgie, 1933).* Fils de Nikolaï Chenguelaia et de l'actrice Nata Vatchnadze, il termine ses études en 1958 au VGIK de Moscou où il a été l'élève de Youtkevitch. Il signe ses deux premières œuvres en collaboration avec Alekseï Sakharov : *'la Légende du cœur de glace'* (*Legenda o ledjanom serdce,* 1958) et *'Conte de neige'* (*Snežnaja Skazka,* 1960) et la troisième avec Tamaz Meliava (*'la Caravane blanche'* [*Belyj Karavan*], 1964). En 1965, il participe avec son frère Gueorgui et Merab Kokotchachvili à l'un des épisodes *(Nikela)* du film *'les Légendes du passé' (Stranicy prošlogo),* puis il traduit à l'écran son univers personnel, à mi-chemin de la farce et de la fantasmagorie, dans *'Une exposition extraordinaire'* (*Neobyknovennaja vystavka,* 1969) et *'les Hurluberlus' 'les Rigolos'* (*Čudaki,* 1974). Il reprend en 1977 un sujet traditionnel géorgien, *'la Marâtre Samanichvili' (Mačeha Samanišvili),* déjà traité en 1927 par Kote Mardjanichvili et Zahari Berichvili. En 1984, il signe une réjouissante satire de la bureaucratie, *les Montagnes bleues (Golubye gory),* suivie en 1993 d'un autre pamphlet social, *Information-Express* (*Ekspress-Informacia,* 1993). J.-L.P.

CHENGUELAIA *(Gueorgui)* [*Georgij Sengelaja*], *cinéaste soviétique géorgien (Moscou 1937).* Fils de Nikolaï Chenguelaia et de l'actrice Nata Vatchnadze, frère d'Eldar Chenguelaia, il est d'abord acteur dans des films de Revaz Tchkheidze et Mikhail Tchiaoureli (dont il épousera la fille, la comédienne Sofiko Tchiaoureli). Il étudie au VGIK de Moscou jusqu'en 1962 et attire l'attention par un moyen métrage : *'Alaverdoba'* (1966 [RÉ 1962]). Après l'épiso)de *'la Récompense' (Nagrada)* du film *'les Légendes du passé'* (*Stranicy prošlogo ; CO* E. Chenguelaia et M. Kokotchachvili, 1965), il signe *'Il ne voulait pas tuer'* (*On ubivat' ne hotel,* 1966) et remporte un succès d'estime international avec *Pirosmani* (1971 [RÉ 1969]), transposition volontairement *naïve* de la vie du célèbre peintre naïf Niko Pirosmani [chvili]. Il s'essaye ensuite dans la comédie musicale : *'Mélodies du quartier de Verij'* (*Melodii Verijskogo Kuartala,* 1973), puis tourne successivement *'Notre eau quotidienne' / 'Viens dans la vallée du raisin'* (*Pridi v dolinu vinograda,* 1977), *'Jeune fille à la machine à coudre'* (*Devuška so švejnoj mašinkoj,* en coréalisation avec M. Tchiaoureli, 1980), *'le Voyage d'un jeune compositeur'* (*Putešestvie molodogo kompozitora,* 1985), *Khareba et Gogui* (*Hareba i Gogi,* 1987) *'le Grand échange'* (*Menialy,* 1992). J.-L.P.

CHENGUELAIA *(Nikolaï)* [*Nikolaj Mihailovič Sengelaja*], *cinéaste soviétique géorgien (Selo Obudni 1903 - Tbilissi 1943).* Poète et écrivain de talent, admirateur de Maïakovski, disciple doué du metteur en scène de théâtre (et cinéaste) Kote [Konstantin] Mardjanichvili, il débute à l'écran, avec l'aide de Lev Pouch, en tournant *Gioulli* (*Gjulli,* 1927), puis il signe un film qui fait date, *Elisso* (*Eliso,* 1928) d'après A. Kazbegi et sur un scénario de Tretiakov. Ses *26 Commissaires de Bakou* (*Dvadcat'šest' Komissarov,* 1933) lui apportent une célébrité plus large encore. Il devient la figure de proue du cinéma géorgien, réalise successivement *la Vallée d'or* (*Zolotistaja dolina,* 1937), *la Patrie* (*Rodina,* 1940), *Dans les montagnes noires* (*V černyh gorah,* 1941). Son dernier film, *Il reviendra encore* (*On ešče vernetsja,* 1943), sera terminé après sa mort par Diomid Antadze. J.-L.P.

CHENILLE. 1. Raccourci du négatif, utilisé pour l'étalonnage. (→ **2.** Dans un auditorium de mixage, dispositif électronique lumineux, placé sous l'écran, matérialisant la présence de sons sur la bande sonore.

CHEPITKO *(Larissa)* [*Larisa Efimovna Šepit'ko*], *cinéaste soviétique (Kiev, Ukraine, 1938 - Moscou 1979).* Prématurément disparue dans un accident de la route, elle avait débuté comme actrice à Kiev avant de suivre les cours de l'Institut du cinéma de Moscou dans la classe de Dovjenko. Son premier film *Chaleur torride* ou *Canicule* (*Znoj,* 1963), inspiré d'un récit de Tchinguiz Aïtmatov, situe en Kirghizie les difficiles débuts d'un adolescent dans la vie adulte. L'héroïne des *Ailes* (*Kryl'ja,* 1966) est une ancienne aviatrice qui ne parvient pas à s'habituer à ses responsabilités de directrice de collège et ne comprend pas la jeune génération, y compris sa propre fille. Le sujet de son moyen métrage *la Patrie de l'électricité* (*Rodina električestva,* 1967) est emprunté à Andreï Platonov et devait prendre place avec deux autres épisodes, dus à Andreï Smirnov et Guenrikh Gabaï, dans un long métrage qui, censuré, ne sera distribué que vingt ans plus tard sous le titre : *le Début d'un siècle inconnu (Načalo nevedomogo veka). Toi et moi* (*Ty i ja,* 1971) revient au thème de l'affrontement d'une vie nouvelle : un homme décide de partir pour la Sibérie recommencer « à zéro » après avoir dressé un bilan négatif de la première partie de sa vie. Chepitko a reçu la consécration internationale grâce à l'Ours d'or remporté à Berlin par son dernier film, *l'Ascension* (*Voshoždenie,* 1976), œuvre sévère et puissante qui évoque la résistance du peuple russe pendant la guerre, dans une perspective quasi dostoïevskienne. Au moment de sa mort, elle commençait un film adapté d'un récit de Valentin Raspoutine, *Matiora,* qui a été terminé par son mari, le réalisateur Elem Klimov. M.M.

CHER *(Cherylin Sarkisian, dite), actrice américaine (El Centro, Ca., 1946).* Dans les années 60, elle forme avec Salvatore « Sonny » Bono un des duos favoris de la jeunesse américaine. Figures clés du mouvement hippie, Sonny &Cher imposent un « son », des mélodies à succès (« I Got You Babe », « The Beat Goes on », « Bang Bang ») et une mode vestimentaire imitée par des millions d'adolescents. Après trois discrètes incursions à Hollywood (*Wild on the Beach,* Maury Dexter, 1965 ; *Good Times,* W. Friedkin, 1967 ; *Chastity,* Alessio de Paola, 1969), ils lancent le « Sonny & Cher Show », une des émissions de variétés les plus suivies d'outre-Atlantique. Le couple se sépare en 1975. Cher poursuit une carrière solo jalonnée de disques d'Or et de platine. Elle débute à la scène en 1981, dans *Come Back to the Five and Dime, Jimmy Dean, Jimmy Dean,* et révèle son étonnant abattage dans la version filmée de cette pièce (*Reviens, Jimmy Dean, reviens,* R. Altman, 1982). Comédienne instinctive, chaleureuse et sensuelle, elle confirme avec *le Mystère Silkwood* (M. Nichols, 1983), *Mask* (P. Bogdanovich, 1985), *les Sorcières d'Eastwick* (George Miller, 1987), *Suspect* (P. Yates, *id.*), *Éclair de lune* (N. Jewison, *id.,* Oscar de la meilleure interprétation féminine), *les Deux Sirènes* (R. Benjamin, 1990), un tempérament exceptionnel. O.E.

CHÉREAU *(Patrice), cinéaste français (Lézigné 1944).* Metteur en scène de théâtre, il acquiert très vite une réputation internationale (Molière, Shakespeare, Marivaux, Marlowe). Dans son premier film, *la Chair de l'orchidée* (1975), il adapte le roman de James Hadley Chase, course à la mort peuplée de personnages de tragédie. Le reproche lui ayant été fait de théâtralité, et venant de mettre en scène la *Tétralogie* de Richard Wagner, à Bayreuth, il tente avec *Judith Therpauve* (1978) un film réaliste sur les difficultés d'un quotidien de province. En 1983, après avoir interprété le rôle de Camille Desmoulins dans le *Danton* d'Andrzej Wajda (1982), il signe *l'Homme blessé,* variation sur le thème de la passion homosexuelle, puis incarne dans *Adieu Bonaparte* (Y. Chāhīn, 1985) le génie mégalomaniaque, cynique et théâtral parti à la conquête de l'Orient. En 1987, il réalise *Hôtel de France* et, en 1994, *la Reine Margot,* vaste fresque tempétueuse, luxueuse, théâtrale et parfois désordonnée qui atteindra un succès public à la mesure des investissements mis en œuvre pour filmer « moderne » cette nouvelle adaptation du roman de Dumas. B.G.

CHEUNG *(ZHANG Zhiliang, dit Jacob), cinéaste et producteur chinois (Hong Kong, 1959).* À la fin de ses études secondaires, il fait un stage à la télévision (TVB), où il devient assistant-réalisateur. Deux ans plus tard, il entre à Cinema City comme directeur de production, puis rejoint la Golden Harvest comme producteur exécutif. En 1986, il entreprend la réalisation de son premier film, *Lai Shi, dernier eunuque de Chine* (*Zhongguo zuihou yige taijian,* sorti en 1988). Après avoir étudié le cinéma au Japon pendant six mois, il fonde en 1988, avec des amis, *The Dream Factory Film Co,* où il produit, écrit et réalise *Beyong the Sunset* (*Feiyue huanghun,* 1989), prix du meilleur film et du meilleur scénario à Hong Kong en 1990. Il établit ensuite la compagnie Filmagica, où il réalise *Goodbye Hero* (*Wanming shuangxiong,* 1990). Ensuite, il écrit et réalise *The Lover's Tears* (1991) puis écrit, réalise et produit *Cagemen* (*Long min,* 1992), prix du meilleur film, meilleure réalisation, meilleur scénario à Hong Kong en 1993. La même année, il établit la compagnie Simpson Communication dans le but d'encourager le cinéma d'auteur, totalement en crise à Hong Kong, à Taïwan et également en Chine continentale. Le succès des quatre premiers films, réalisés en 1994 avec des budgets très modestes, s'avère encourageant. M.-C.Q.

CHEVALIER *(Maurice), acteur et chanteur français (Paris 1888 -* id. *1972).* Celui que Broadway, qui l'avait adopté, appelait « the King » commence une carrière d'acrobate qu'un accident arrête très vite. Il fait alors des numéros de cabaret dans des boîtes assez minables de Ménilmontant, à Bruxelles (sa mère est d'origine belge). Il a de l'abattage : les Folies-Bergère, puis le théâtre du Boulevard le font connaître, type du *titi* parisien qui trouve quelques petits rôles au muet. Du Boulevard et du cabaret à l'opérette, il affine, à défaut de sa voix, sa silhouette, son maintien, son métier. Il est un professionnel des planches, et c'est ce que l'Amérique lui reconnaît, d'emblée, lorsqu'il y débarque, engagé par la Paramount, en 1929, pour tourner, le plus souvent, les deux versions, américaine et française, de ses meilleurs films parlants : *Parade d'amour* (E. Lubitsch), *le Petit Café* (L. Berger, 1930), *le Lieutenant souriant,* avec Claudette Colbert (Lubitsch, 1931), puis aux côtés de Jeannette McDonald dans *Une heure près de toi* (id., 1932). Mamoulian le dirige dans *Aimez-moi ce soir* la même année, et, en 1934, il retrouve, dans *la Veuve joyeuse* et pour la MGM cette fois, la « Lubitsch touch ». Chevalier a du charme, un peu parvenu, un peu canaille – assez bien gommé par Lubitsch dans le rôle du prince Danilo. Il revient en France, à l'écran et au music-hall. Son personnage, même en frac, est fixé. Le canotier a supplanté la casquette de Ménilmuche, mais il joue, au bras de Josette Day, l'ouvrier au goût du temps dans *l'Homme du jour* (J. Duvivier, 1937). L'optimisme facile, la lippe sûre, gourmande, gouailleuse, il plaît ou il exaspère par on ne sait quoi de superficiel, une note aussi de vulgarité satisfaite dont *Ma pomme* (M. -G. Sauvageon) est toute l'illustration. À Hollywood, il s'était parfaitement intégré au courant d'appropriation du music-hall et à la vogue de l'opérette filmée. Son exemple demeure d'abord de prouver la vertu du professionnalisme ; son image, celle d'une France de pacotille, mais populaire. C.M.C.

Films ▲ : *Trop crédule* (J. Durand, CM, 1908) ; *Un marié qui se fait attendre* (L. Gasnier, CM, 1911) ; *la Mariée récalcitrante* (id., CM, *id.*) ; *Par habitude* (M. Linder, CM, *id.*) ; *la Valse renversante* (G. Monca, CM, 1917) ; *Une soirée mondaine* (H. Diamant-Berger, CM, *id.*) ; *le Match Criqui-Ledoux* (id., CM, 1922) ; *le Mauvais Garçon* (id., CM, *id.*) ; *Gonzague* (id., MM, 1923) ; *Jim Bougne boxeur* (id., MM, *id.*) ; *l'Affaire de la rue de Lourcine* (id., MM, *id.*) ; *Par habitude* (id., CM, remake, 1924) ; *Bonjour New York !* (R. Florey, CM, 1928) ; *la Chanson de Paris / Innocents of Paris* (Richard Wallace, 1929, vers. amér. et franç.) ; *Parade d'amour/ The Love Parade* (Lubitsch, *id.,* vers. amér. et franç.) ; *Paramount on Parade* (CO 1930, vers.

amér. et plus. versions étrangères) ; *la Grande Mare / The Big Pond* (Hobart Henley, *id.*, vers. amér. et franç.) ; *le Petit Café / Playboy of Paris* (L. Berger, *id.*, vers. amér. et franç.) ; *El Cliente Seductor* (Florian Rey, CM, 1931) ; *The Stolen Jewels* (William McCann, CM, *id.*) ; *le Lieutenant souriant / The Smiling Lieutenant* (Lubitsch, *id.*, vers. amér. et franç.) ; *Toboggan* (H. Decoin, CM, 1933) ; *Une heure près de toi / One Hour With You* (Lubitsch, *id.*, vers. amér. et franç.) ; *Make Me a Star* (W. Beaudine, *id.*, caméo) ; *Aimez-moi ce soir* (R. Mamoulian, *id.*) ; *Monsieur Bébé* (N. Taurog, 1933) ; *l'Amour guide / The Way to Love* (id., *id.*, vers. amér. et franç.) ; *la Veuve joyeuse / The Merry Widow* (Lubitsch, 1934, vers. amér. et franç.) ; *l'Homme des Folies-Bergère / Folies-Bergère* (R. del Ruth, 1935, vers. amér. et franç. [dirigée par M. Achard]) ; *le Vagabond bien-aimé* (C. Bernhardt, 1936) ; *l'Homme du jour* (J. Duvivier, 1937) ; *Avec le sourire* (M. Tourneur, *id.*) ; *Fausses Nouvelles* (R. Clair, 1938) ; *Pièges* (R. Siodmak, 1939) ; *Le silence est d'or* (R. Clair, 1947) ; *Paris 1900* (DOC, N. Védres, 1948) ; *le Roi* (Marc-Gilbert Sauvageon, 1950) ; *Ma pomme* (Sauvageon, *id.*) ; *Schlager-parade* (E. Ode, caméo, 1953) ; *Un siècle d'amour* (*Cento anni d'amore* [Lionello De Felice], *id.*) ; *J'avais sept filles* (Jean Boyer, 1954) ; *Rendez-vous avec Maurice Chevalier* (DOC, 1956) ; *Ariane* (B. Wilder, 1957), *Gigi* (V. Minnelli, 1958) ; *J'ai épousé un Français* (*Count Your Blessings* [J. Negulesco], 1959) ; *Can-Can* (W. Lang, 1960) ; *les Collants noirs* (T. Young, *id.*, narrateur) ; *Un scandale à la cour* (M. Curtiz, *id.*) ; *Pepe* (G. Sidney, *id.*, caméo) ; *Fanny* (J. Logan, 1961) ; *la Sage-Femme, le Curé et le Bon Dieu* (*Jessica* [Negulesco], 1962) ; *les Enfants du Capitaine Grant (In Search of the Castaways* [R. Stevenson], *id.) ; la Fille à la casquette* (*A New Kind of Love* [M. Shavelson], 1963, caméo) ; *Panic Button* (G. Sherman, 1964) ; *Deux Fiancés sur les bras (I'd Rather Be Rich,* J. Smight, *id.) ; Monkeys Go Home !* (A. McLaglen, 1967) ; *les Aristochats* (Wolfgang Reitherman, 1970, chanson-titre seulement).

CHEVRIER *(Jean Dufayard,* dit *Jean), acteur français (Paris 1915 -* id. *1975).* Après avoir obtenu le Premier prix du Conservatoire, il entre à la Comédie-Française, mais joue aussi pour d'autres théâtres. À l'écran, sa carrière commence en 1938 et s'achève à la fin des années 50. Il débute sous de médiocres auspices avec des films de Jean Choux, Émile Couzinet, Yvan Noé, Léo Joannon... Retenons d'abord *le Dernier des six,* policier de Georges Lacombe (1941), dont l'amusante intrigue et la distribution (Fresnay, Larquey, Delair, Tissier) distraient de la défaite. Sa diction châtiée, son « masque romain » valent à Chevrier de jouer le probe fiancé de *Falbalas* (J. Becker, 1945), les belles âmes (Diego, dans *Le diable souffle,* de Gréville, aux côtés de Charles Vanel, en 1947), les chevaliers servants et l'abnégation (Philippe, dans *le Maître de forges,* 1948, signé par Fernand Rivers et inspiré du roman fameux de Georges Ohnet). De Delannoy à Le Chanois, il apparaît dans bien des films dotés d'une *affiche* de prestige mais dépourvus de réelle valeur. C.M.C.

CHIARI *(Mario), décorateur, scénariste et cinéaste italien (Florence 1909 - Rome 1989).* Décorateur au théâtre, surtout pour Visconti, assistant de Romolo Marcellini et Amleto Palermi, il collabore au scénario de *la Couronne de fer* (A. Blasetti, 1941). Son goût théâtral s'affirme dans les décors grandioses de *Guerre et Paix* (K. Vidor, 1956). Il travaille ensuite sur *Nuits blanches* (L. Visconti, 1957), *la Bible* (J. Huston, 1966), *Fraülein Doktor* (A. Lattuada, 1969), *Ludwig/le Crépuscule des dieux* (L. Visconti, 1972), *King Kong* (J. Guillermin, 1976). En 1954, il dirige un épisode de *Amori di mezzo secolo.* Dans son autre mise en scène, *Prete fai un miracolo* (1975), il aborde la crise morale d'un jeune prêtre. L.C.

CHIARI *(Walter Annichiarico), acteur et cinéaste italien (Vérone 1924 - Milan 1991).* Il interprète des revues musicales au théâtre et joue dans de nombreux films comiques, dont *Totò al giro d'Italia* (M. Mattoli, 1948), *O. K. Neron* (M. Soldati, 1951), *Lo sai che i papaveri...* (Marcello Marchesi et Vittorio Metz, 1952). Grâce à son image de blagueur maladroit, il devient populaire à la TV, mais au cinéma n'obtient que rarement des rôles importants. Quelques notables exceptions : *Bellissima* (L. Visconti, 1951), *Il giovedì* (D. Risi, 1964), *Io, io, io... e gli altri* (A. Blasetti, 1966), *Falstaff* (O. Welles, *id.*). L.C.

CHIARINI *(Luigi), théoricien et cinéaste italien (Rome 1900 -* id. *1975).* Fondateur du Centro sperimentale di cinematografia en 1935, il en est le directeur jusqu'en 1943, puis directeur associé jusqu'en 1951. Responsable de la revue *Bianco e Nero,* qu'il a créée en 1937, il fut par ailleurs directeur du festival de Venise de 1962 à 1968. On lui doit notamment des textes importants : *Cinematografo* (1935), *Cinque capitoli sul film* (1941), *Il film nei problemi dell'arte* (1949), *Il film nella battaglia delle idee* (1954), *Arte et tecnica del film* (1962). Occasionnellement scénariste (*La peccatrice,* d'A. Palermi, 1940 ; *Stazione Termini* de V. De Sica, 1953), Chiarini a également tourné quelques films (*Via delle cinque lune,* 1942 ; *La bella addormentata,* id. ; *La locandiera,* 1944 ; *Ultimo amore,* 1947 ; *Patto col diavolo,* 1950). J.-A.G.

CHICANO. Ce mot désigne aux États-Unis les fils d'immigrés mexicains. Un mouvement se dessine à partir de la fin des années 60 en faveur d'un cinéma chicano. Parallèle à la revendication identitaire de cette minorité, il oscille entre la démarche militante alternative et l'intégration dans le système, hésite entre la télévision et le cinéma, entre le documentaire et la fiction, relève parfois du simple lobby ethnique. Il est naturel qu'il en soit ainsi puisqu'il part d'une critique radicale de la place congrue faite à cette communauté par Hollywood (et les autres médias) et des stéréotypes véhiculés. Peu d'exceptions échapperaient à la règle, à part *le Sel de la terre* (H. Biberman*, 1954). La trajectoire de Luis Valdez, fondateur du théâtre Campesino, est significative de ce point de vue, depuis le court métrage *I am Joaquín* (1969) jusqu'au succès de *La Bamba* (1987) en passant par *Zoot Suit* (1981), produit par un grand studio. Entretemps, *Raíces de sangre* (Jesús Salvador Treviño, 1976) compte sur les largesses de la cinématographie mexicaine pour dénoncer les conditions de travail dans les usines frontalières. D'autres misent sur la production indépendante : *Alambrista !* (Robert Young, 1977), *The Ballad of Gregorio Cortez* (*id.,* 1982), *El Norte* (Gregory Nava, 1984), *Break of Dawn* (Isaac Artenstein, 1988). La comédie *Born in East L.A.* (Cheech Marin, 1987) élargit l'audience de « la Raza ». Au moins pendant un temps, les Latinos semblent à la mode, aidés par l'engouement pour les rythmes caraïbes (*Salsa,* Boaz Davidson, 1988 ; *The Mambo Kings,* Arnold Glimcher, 1991). Peut-être est-ce tout simplement qu'un certain nombre de vedettes d'origine hispanique, fidèles à leurs racines, ont désormais les moyens de mieux choisir leurs rôles : c'est le cas du Portoricain Raul Julia, du Cubainaméricain Andy García, du chicano Edward James Olmos. Ce dernier, interprète de Gregorio Cortez (*Zoot Suit ; Miami Vice,* TV), de Ramón Menéndez (*Stand and Deliver,* 1988), met en scène *American Me* (1992), plaidoyer contre la violence montante. À l'époque du « politiquement correct », la quête d'une authenticité ethnique n'est pas incompatible avec une dilution dans le *mainstream* de la production courante, fût-ce au prix de céder l'essentiel, à savoir l'idiome, réduit souvent à quelques bribes de bilinguisme. D'autant que Hollywood reste prêt à absorber des cinéastes comme le Mexicain Luis Mandoki, le Brésilien Héctor Babenco*, l'Argentin Luis Puenzo* ou le chicano Robert Rodríguez (*El Mariachi,* 1992). La communauté hispanique américaine est elle-même multiple de par ses origines nationales, ce qui ne facilite ni la solidarité ni l'homogénéité culturelle ou même linguistique. Ainsi, la comédie de mœurs *El Super* (Orlando Giménez Leal et León Ichaso, 1979), malgré ses qualités, n'amorce guère un courant d'origine cubaine au sein du cinéma « hispano ». Le cinéma chicano existe-t-il ? S'il est permis d'en douter, il est néanmoins probable que la présence hispanique croissante aux États-Unis se reflétera partout, y compris sur les écrans. P.A.P.

CHILI. Le 25 août 1896, le public de Santiago apprécie le programme montré aux Parisiens, huit mois auparavant, par les frères Lumière. C'est en 1902 que la première bande locale aurait été enregistrée et projetée à Valparaíso : *Un ejercicio general de bomberos.* À la fin de la même année, un programme de documentaires, signe du démarrage d'une production nationale, est annoncé dans la capitale. Le premier film de fiction est consacré à un héros de l'Indépendance, *Manuel Rodríguez* (Adolfo Urzua Rosas, 1910). La presse écrite finance des actualités et les entreprises privées passent commande de documentaires. C'est ainsi que l'opérateur Salvador Giambastiani, d'origine italienne, tourne pour la Braden Copper un saisissant témoignage des conditions de travail et de vie dans les mines (*Recuerdos del Mineral el Teniente,* 1919), après avoir réalisé la deuxième incursion dans la fiction (*La baraja* *de la muerte,* 1916), interdite. On tourne alors à Iquique, Antofagasta, La Serena, Valparaíso, Santiago, Concepción, Valdivia, Osorno, Puerto Montt, Punta Arenas. On dénombre 78 longs métrages de fiction pendant le muet, l'année record étant 1925 (15 films). Il n'en faut guère plus pour considérer cette période comme une sorte d'âge d'or, d'autant plus mythique qu'elle reste inaccessible à notre connaissance, car presque toute la production a disparu. Les genres les plus prisés en étaient le film historique, le feuilleton et la comédie. Pedro Sienna, provenant du théâtre, incarna et mit en scène le guérillero Manuel Rodríguez, dans *El húsar de la muerte* (1925), d'une inventivité naïve, la seule de ces œuvres de fiction sauvée de la destruction. Les principaux cinéastes débutant alors étaient Carlos Borcosque, Juan Pérez Berrocal et Jorge « Coke » Délano, dont *La calle del ensueño* (1929) obtient du succès. Ce dernier, envoyé par le gouvernement aux États-Unis, pour assimiler les nouveautés du parlant, tourne le premier long métrage sonore, *Norte y sur* (1934). Pourtant, la production chute et devient stéréotypée. Pendant cette période, Eugenio de Liguoro est le spécialiste des faux paysans (*El hechizo del trigal* et *Entre gallos y medianoche,* 1939) et des faux pauvres urbains (*Verdejo gasta un millón,* 1941 ; *El hombre en la calle,* 1942). Son *Verdejo* accède à une grande popularité. Ces succès publics isolés et, surtout, l'émulation de la proche industrie cinématographique argentine, à son apogée, incitent le gouvernement à intervenir dans la production commerciale (l'université d'État avait inauguré un Institut du cinéma éducatif en 1929). Chile Films, une entreprise mixte, voit donc le jour (1942). Exemple même de la transposition de modèles étrangers, elle acquiert un équipement lourd, passe un accord avec Argentina Sono Films et confie la mise en scène de son premier film à un Argentin, Luis Moglia Barth (*Romance de medio siglo,* 1944) ; sur ses dix productions, huit sont réalisées par des Argentins. Ces films, fabriqués pour le marché hispano-américain, brouillent artificiellement tous les traits nationaux. L'échec est retentissant. Après 1949, Chile Films est abandonné à des entreprises privées. Le cinéma chilien végète : après une cinquantaine de longs métrages pendant les années 40, on tombe à une moyenne d'un film par an. Parmi les réalisateurs de cette « décennie des ombres », on trouve Miguel Frank (*Rio Abajo,* 1950), le Français Pierre Chenal* (*El ídolo,* 1952 ; *Confesión al amanecer,* 1964) et les indépendants Naum Kramarenco (*Tres miradas en la calle,* 1957) et Bruno Gebel* (*La caleta olvidada,* 1959), sans compter les vétérans Délano et Borcosque.

Le renouveau vient de l'université et de la radicalisation politique. L'université catholique crée un Institut du film (1955) dirigé par Rafael Sánchez (*El cuerpo y la sangre,* 1962), où l'on passe vite de la théorie à la pratique. L'université d'État du Chili crée successivement une section de cinéma expérimental (1960) et la Cinémathèque universitaire (1962), la première dirigée par Sergio Bravo et la seconde par Pedro Chaskel. Le ciné-club de Viña del Mar (fondé par Aldo Francia en 1962) stimule la production en 8 et 16 mm, organise un festival international et une rencontre des cinéastes latino-américains (1967). Ce sera l'occasion pour les Chiliens de se mettre au diapason des nouveaux cinémas brésilien, cubain et argentin. Bravo commence la réalisation de documentaires avec *La marcha del carbón* (1963), contestation de la version officielle d'une grève de la houille, et *Las banderas del pueblo* (1964), en soutien au candidat Salvador Allende, est interdit ; il invite des personnalités comme Joris Ivens et Edgar Morin. Un fort courant documentaire et militant se développe, dans lequel on retrouve Chaskel, Alvaro Ramírez, Douglas Hübner, Carlos Flores, Guillermo Cahn, Claudio Sapiain, Jorge di Lauro, Nieves Yankovic, entre autres. Ils dépassent par leur engagement le simple constat des différences sociales opéré par les longs métrages de Patricio Kaulen (*Largo Viaje,* 1966) et Alvaro Covacević (*Morir un poco,* 1966), plus ou moins néoréalistes. La Centrale unique des travailleurs crée un département cinéma, tandis que le gouvernement démocrate-chrétien d'Eduardo Frei remet en marche Chile Films, confie sa présidence à Kaulen (1965), dégrève l'importation de pellicule et la programmation de films nationaux, forme un Conseil de développement de l'industrie cinématographique. Un million de spectateurs (un Chilien sur huit) font un triomphe à *Ayúdeme usted compadre* (German Becker, 1967), lourd de poncifs conformistes et populistes. C'est une tout autre direction qu'empruntent les premiers longs métrages de Raul Ruiz*, Helvio Soto*, Miguel Littin* et Aldo Francia. Ils révèlent une recherche du langage cinématographique et se situent dans la perspective d'une transformation de la société, position confirmée par le Manifeste des cinéastes de l'Unité populaire (1970). Sous le gouvernement Allende, l'absence de politique culturelle de la gauche unie se fait sentir au sein de Chile Films, où les partis se partagent les différents départements. Mais le Parlement, contrôlé par l'opposition, bloque les crédits. Il n'en sort que des actualités hebdomadaires et des documentaires, ceux notamment de Patricio Guzmán*. Un Institut du cinéma reste à l'état de projet. Cependant, l'activité cinématographique amorcée dans les années précédentes s'intensifie et devient un des enjeux des luttes politiques. Les distributeurs américains dominant le marché décident de boycotter le pays, après la nationalisation du cuivre. Les 300 salles de cinéma du pays sont souvent le lieu d'affrontements. La formation d'un réseau de distribution national est encore embryonnaire lors du coup d'État de 1973. La junte militaire abroge toutes les mesures de protection de la cinématographie nationale. La plupart des professionnels s'exilent, certains sont tués. Les organismes existants sont démantelés.

Le premier long métrage lancé sous le nouveau régime, *Julio comienza en Julio* (Silvio Caiozzi, 1979), et quelques documentaires (*Pepe Donoso,* C. Flores, 1977) témoignent de la lente réapparition d'un cinéma indépendant. Chez les exilés, l'élan du nouveau cinéma chilien réussit néanmoins à se maintenir, grâce à la solidarité internationale. Selon un recensement établi en 1980 par la Cinémathèque chilienne en exil, des réalisateurs chiliens ont tourné hors de leur patrie 29 longs métrages (dont 21 de fiction réalisés notamment par Raul Ruiz), 15 moyens métrages et 46 courts métrages, production équivalente à celle des sept années antérieures au coup d'État. Sur le plan thématique, le bilan de la gauche et la dénonciation de la répression cèdent peu à peu la place au déracinement, consécutif à l'exil, et à des adaptations littéraires, auxquelles on peut rattacher l'évocation du poète Pablo Neruda, filmée par l'écrivain Antonio Skarmeta (*Ardente paciencia,* 1983). Plusieurs cinéastes d'autres nationalités s'intéressent également au Chili, avec des œuvres comme *la Spirale* (Armand Mattelart, Valérie Mayoux et Jacqueline Meppiel, 1976) et la série de documents de Heynowski* et Scheumann*.

Une quarantaine de cinéastes chiliens signent leur premier long métrage au cours des années 80, plusieurs d'entre eux étant en exil. Cette prolifération de la diaspora chilienne n'a pas d'équivalent puisqu'elle est éparpillée dans une vingtaine de pays, de l'Amérique latine à l'Europe occidentale et orientale en passant par le Canada, les États-Unis et l'Australie. Une singularité mérite d'être soulignée : l'apparition d'un noyau de réalisatrices, avec Angelina Vásquez (*Gracias a la vida,* 1980), Marilu Mallet (*Journal inachevé,* 1982), Tatiana Gaviola (*Ángeles,* 1988) et surtout Valeria Sarmiento* (*Amelia Lopes O'Neill,* 1991). Les personnalités dominantes restent Raúl Ruiz, d'une invention formelle constante, Miguel Littin, à la recherche d'une veine épique latino-américaine, Patricio Guzmán, qui manie le documentaire avec l'ambition d'un essayiste, et Valeria Sarmiento justement, plongée dans l'inconscient collectif des femmes latino-américaines. La démocratisation très graduelle favorise le retour ou le va-et-vient des expatriés et la rencontre entre les cinéastes de l'exil et ceux de l'intérieur au festival de Viña del Mar (1990). Avant même que les conditions minimales, sur un plan institutionnel, légal et économique, ne permettent l'épanouissement d'une cinématographie au Chili, plusieurs talents s'affirment : Cristián Sánchez, proche par certains côtés de Ruiz (*El zapato chino,* 1979 ; *Los deseos concebidos,* 1982), Pablo Perelman (*Imagen latente,* 1987, remarquable évocation autobiographique d'un « disparu » politique, suivi par l'étrange *Archipiélago,* 1992), Gonzalo Justiniano* (dont *Sussi,* 1987, touche un large public), Leonardo Kocking (*La estacion del regreso, id.*), Juan Carlos Bustamente (*Historias de lagartos,* 1988), Caiozzi, déjà cité (*La luna en el espejo,* 1990, maîtrisé et troublant), Ricardo Larraín (*La frontera,* 1991, dont le succès est justifié), sans oublier Ignacio Agüero, avec le documentaire *Cien niños esperando un tren* (1988), sur le formidable travail de pédagogie cinématographique animé par Alicia Vega dans un bidonville de Santiago. P.A.P.

CHINE. Le cinéma pénètre très tôt en Chine : un programme de films Lumière - d'après la tradition - est projeté dès le 11 août 1896 dans un parc d'attractions de Shanghai, ville où des concessions ont été attribuées à diverses puissances étrangères.

Les projections se poursuivent avec des films Edison dès 1897.

C'est à Pékin (Beijing) qu'est tourné en 1905 le premier film national par des professionnels du studio de photographie Fengtai ouvert en 1892 par un certain Ren Jingfeng, pionnier chinois formé au Japon, et qui devait plus tard investir une partie de ses capitaux dans une salle de cinéma, du nom de Daguanlou. Ce film de trois bobines, d'une durée totale de quinze minutes, fut tourné en trois jours à ciel ouvert avec le célèbre acteur de l'Opéra de Pékin Tan Xinpei, dans l'interprétation d'extraits d'une pièce de répertoire, *le Mont Dingjun (Dingjunshan).* Un magasin spécialisé de Pékin tenu par un Allemand fournit le matériel. Si la caméra était française, le cameraman, lui, était chinois : Liu Zhonglun. Encouragé par ce premier essai, Ren Jingfeng tourna la même année plusieurs petits films d'opéra dans le studio Fengtai pour les exploiter dans sa salle de Daguanlou, à laquelle s'ajoute bientôt la salle Jixiang.

Il faut cependant attendre 1913 pour que soit tourné le premier long métrage chinois (quatre bobines, un record !) : *'Un couple infortuné' (Nanfu nanqi),* satire des mariages imposés de Zhang Weitong, dit Zhang Shichuan, et Zheng Zhengqiu, produit par l'Asia Motion Pictures, fondée par des Américains la même année.

En 1926, les divers studios de Shanghai produisent déjà 70 films et les frères Wan* réalisent le premier dessin animé (300 m), *'Pagaille à l'atelier' (Danao huashi).* Le retard sur le reste du monde se comble rapidement. Le premier film sonore (enregistrement sur disque) sort le 15 mars 1930 : *'la Cantatrice Pivoine Rouge' (Genü Hongmüdan),* encore signé Zhang Shichuan. Celui-ci avait créé en 1916 la première société de production réellement chinoise avant de lancer la Mingxing (l'Étoile) en 1922, creuset d'où sortiront bientôt les meilleurs films des années 20 et 30. Distributeurs et propriétaires de salles restent pourtant souvent des étrangers, comme l'était le premier exploitant, au tout début du siècle, l'Espagnol A. Ramos, et la plupart des films programmés sont importés des pays qui possèdent des concessions ; longtemps, pour cette raison, les Chinois appelleront le cinéma des « jeux d'ombres occidentaux ». Les capitaux chinois – parfois en provenance de Hongkong – ne s'investissent que lentement dans l'industrie cinématographique. L'évolution de cette dernière apparaît très liée au sous-développement économique de la Chine, à son état semi-colonial. Phénomène essentiellement urbain, malgré une population à 80 p. 100 rurale, le cinéma puise ses sujets presque uniquement dans la vie citadine, au moins jusqu'au milieu des années 30. Généralement, les personnages appartiennent soit à l'intelligentsia, soit à la bourgeoisie d'affaires, soit encore aux couches supérieures de la société. Ils sont les protagonistes de drames sentimentaux où l'amour est traité à la manière de la presse du cœur, de mélodrames larmoyants peuplés d'orphelins, de femmes abandonnées, de veuves éplorées et d'enfants dévoués (*'L'orphelin sauve son grand-père'* [*Gu'er jiu zu ji,* 1923], *'Une pauvre fille'* [*Kelian de guinü,* 1925], réalisés par Zhang Shichuan*, etc.). La dramaturgie et la littérature classiques, l'inépuisable fonds des opéras de types divers, sous-exploités malgré leur richesse, renouvellent pourtant un peu une thématique d'une extrême pauvreté, réduite parfois à des imitations de comiques américains, surtout Laurel et Hardy ou Charlot. Par exemple *'Le roi des clowns visite la Chine'* (*Huaji dawang you hua ji,* 1922) et *'Pagaille au théâtre'* (*Danao guai juchang,* 1923), deux films de Zhang Shichuan qui marquèrent les débuts de la société Mingxing. Les autres influences étrangères se révèlent plus fécondes, telle celle de Lubitsch qu'avoue le prolifique réalisateur Li Pingqian* (la dernière partie de sa carrière s'accomplit à Hongkong). Une volonté de rupture et de rénovation s'affirme dès 1930 parmi les cinéastes de gauche, dont beaucoup sont en étroit contact avec cette colonie britannique, tandis que certains reviennent des États-Unis (Sun Yu*, Hong Shen*, Situ Huimin*). En riposte à la censure instituée par le gouvernement de Tchang Kaï-chek le 1er janvier 1930, ils créent une organisation corporative, à l'initiative de membres du parti communiste, et se répartissent dans les divers studios des compagnies cinématographiques de Shanghai. Des critiques lancent en juillet la revue *l'Art du film,* y dénoncent la mainmise des capitaux américains sur l'industrie cinématographique nationale comme génératrice de la crise qui affecte la production, mais doivent la saborder après le quatrième numéro. Les Japonais envahissent en 1931 les provinces chinoises du nord-est et bombardent Shanghai le 28 janvier 1932, détruisant 16 des 39 salles de cinéma de la ville et plusieurs studios ; une trentaine de sociétés cinématographiques doivent cesser leurs activités. La censure gouvernementale décide en juin de porter, sur la liste noire des films interdits, les films provocateurs (films de guerre ou ayant un caractère révolutionnaire). Les commandos des Chemises bleues, organisation terroriste à la solde du régime, multiplient les raids sur les studios où travaillent des cinéastes de gauche. Artisan de leur regroupement, Xia Yan* écrit deux scénarios, sur lesquels Cheng Bugao* réalise en 1933 les premiers films qui mettent en scène des paysans : *'le Torrent sauvage'* (*Kuang liu,* 1933) et *'les Vers à soie du printemps'* (*Chuncan,* 1933). Un nouveau cinéma est né, d'inspiration populaire, porteur d'un message social, sinon déjà politique, mais relevant du réalisme critique.

Désormais, après les paysans, d'autres catégories sociales exploitées auront droit de cité à l'écran malgré la terreur blanche, les attentats contre les studios, ou leur fermeture par décret gouvernemental, les arrestations de cinéastes (dont beaucoup gagnent Hongkong, où ils poursuivront parfois leur activité professionnelle). Ainsi les ouvriers et autres travailleurs manuels : *'le Chant des pêcheurs'* (*Yuguang qu,* 1934), de Cai Chusheng*, *'la Route'* (*Dalu,* id.), de Sun Yu ; les femmes : *'Cris de femmes'* (*Nüxing de nahan,* 1933) ou *'la Batelière'* (*Chuanjia nü,* 1935) de Shen Xiling*, *'Femmes nouvelles'* (*Xin nüxing,* 1934), de Cai Chusheng, etc.

En 1937, l'exode des cinéastes s'accélère avec l'état de guerre ouverte, et l'occupation de Shanghai par les Japonais porte un coup tragique à ce courant d'inspiration populiste fortement influencé par la littérature russe du XIXe siècle. Il faudra attendre dix ans avant qu'il se manifeste à nouveau. En effet, les Japonais avaient bâti en 1933 à Changchun, dans le nord-est chinois qu'ils occupaient depuis deux ans, des studios ; ils y produiront 200 films jusqu'en 1945. Ils mettent la main sur les studios de Pékin à partir de 1937. Les studios de Shanghai, en sursis dans les concessions étrangères jusqu'à l'attaque sur Pearl Harbor, sont en zone occupée de 1941 à 1945, ce qui limite leur indépendance. Les cinéastes qui n'ont pas gagné Hongkong essaiment alors à l'intérieur du pays, souvent regroupés dans des compagnies théâtrales itinérantes, où beaucoup retrouvent leur métier initial. Ils sont assez nombreux à reprendre de l'activité dans des villes comme Wuhan puis Chongqing, dans lesquelles s'ouvrent successivement des studios au gré des déplacements du gouvernement chassé par l'invasion. Les militants de gauche animent alors un courant dit « de défense nationale », qui donne naissance à des films exaltant le patriotisme, l'union de la nation et du peuple chinois, la résistance à l'agression japonaise : *'Dix Mille Lis de ciel'* (*Changkong wan li,* 1940), de Sun Yu, *'Fils et Filles de Chine'* (*Zhonghua ernü,* 1939), de Shen Xiling, *'le Baptême du feu'* (*Huo de xili,* 1940), également de Sun Yu, *'Huit Cents Soldats héroïques'* (*Babai zhuangshi,* 1938) de Yuan Muzhi, *'l'Amour de la patrie'* (*Rexue zhonghun,* id.), de Yuan Congmei, plusieurs films de Shi Dongshan, etc., sans oublier les réalisations de Cai Chusheng dans son exil de Hongkong : *'le Paradis de l'île orpheline'* (*Gudao tiantang,* 1939) et *'Un avenir radieux'* (*Qiancheng wanli,* 1940).

Pendant ce temps, les communistes avaient occupé depuis la fin de la Longue Marche en 1935 une vaste région du nord-ouest qu'ils administrèrent à partir dela petite ville de Yan'an. Dès 1938, un homme qui avait porté l'année précédente, avant de quitter Shanghai, l'art cinématographique chinois à l'un de ses sommets avec *les Anges du boulevard* (*Malu tianshi,* 1937), l'écrivain, acteur et réalisateur Yuan Muzhi*, y organise un groupe cinématographique dont tout l'équipement tient au début sur le dos d'un cheval ; la première caméra lui a été fournie par Joris Ivens à Xi'an, là où transitent les cinéastes, souvent originaires de Shanghai, venus constituer ce groupe. Une vingtaine de films, bandes d'actualités et documentaires d'un grand intérêt historique seront tournés à Yan'an de 1938 à 1947. Pékin n'est occupé par les communistes qu'en janvier 1949, mais avant que l'activité cinématographique reprenne dans la capitale, le cinéma proprement dit de la Chine nouvelle est né dans les studios du Nord-Est, où est réalisée en 1947-48 la série documentaire *'le Nord-Est démocratique'* (*Minzhu Dongbei,* en 17 parties), ainsi que le premier film de fiction de l'ère socialiste *'le Pont'* (*Qiao,* Wang Bin, 1949).

Dès cette époque, plusieurs cinéastes renouent avec le grand courant régénérateur qui avait doté dix ans plus tôt la cinématographie shanghaienne de ses lettres de noblesse avec *les Anges du boulevard* de Yuan Muzhi, *'la Pièce de monnaie du nouvel an'* (*Yasuiqian,* 1936) de Zhang Shichuan, *Carrefour* (*Shizi jietou,* 1937), de Shen Xiling, etc. (C'était en fait la préfiguration du futur néoréalisme dont on crédita dans les années 40 le cinéma italien, dans l'ignorance où l'on se trouvait alors en Europe du cinéma chinois des années 30.) À cette veine appartiennent en particulier deux œuvres de Zuo Lin, *'les Bas-fonds'* (*Yedian,* 1947), d'après Gorki, et *'la Montre'* (*Biao,* 1949), d'après Pantaleiev : deux films commencés en 1947, interrompus en raison des rigueurs de la censure du Guomindang, et seulement achevés après le changement de régime : *' Corbeaux et Moineaux'* (*Wuya yu maque,* 1949) de Zheng Junli*, *'San Mao, le petit vagabond'* (*San Mao liulang ji,* 1949) de Zhao Ming et Yan Gong, *'Ma vie'* (*Wo zhe yi beizi,* 1950), de Shi Hui. Ces années de l'après-guerre sont fortement marquées par les séquelles de la guerre étrangère, et par la guerre civile qui s'étend de plus en plus. À noter, en liaison plus ou moins lâche avec ces circonstances : *'Sur la Soungari'* (*Songhuajiang shang,* 1947) de Jin Shan, *'les Larmes du Yangtsé'* (*Yijiang chunshui xiang dong liu,* id.) de Cai Chusheng et Zheng Junli, *'Filles de Chine'* (*Zonghua nüer,* 1949) de Ling Zifeng* et Zhai Qiang, *'les Larmes de la rivière des Perles'* (*Zhujiang lei,* id.) de Wang Weiyi*, *la Fille aux cheveux blancs* (*Baimao nü,* 1951) de Shui Hua* et Wang Bin*, *'le Camp de concentration de Shangrao'* (*Shangrao jizhongying,* id.) de Sha Meng et Zhang Ke.

Quand naît en octobre 1949 la République populaire de Chine, le cinéma est placé sous une double tutelle : celle du Bureau du cinéma, dépendant du ministère de la Culture, et celle de la section de propagande du comité central du parti communiste. Très rapidement, un ou plusieurs vice-ministres de la Culture seront spécialement chargés du cinéma. Dès juillet 1949, les cinéastes ont créé leur association professionnelle. Ils ont pour tâche de faire des films qui servent les ouvriers, les paysans et les soldats, suivant l'orientation donnée en 1942 par Mao Zedong à Yan'an au cours d'une causerie sur la littérature et l'art, et dans des interventions qui ont encore aujourd'hui valeur de charte. La Chine dispose alors de huit studios (trois d'État, cinq privés – à Shanghai – qui seront nationalisés en 1952-53), de 596 salles de projection et d'une cinquantaine d'équipes itinérantes. 3 000 personnes travaillent dans les trois studios étatisés. En 1949, la production n'est que de six longs métrages ; on enregistre 47 310 000 spectateurs. En 1950, on réalise déjà 35 films de fiction (29 produits par les studios de l'État, 6 par les studios privés). Le premier objectif – disputer le marché national aux films américains (1 900 projetés en Chine de 1945 à 1949) – sera complètement atteint à la faveur de la guerre de Corée (1950-1953). Le meilleur moyen, en dehors des décisions administratives, est d'augmenter la production : elle ne dépassera pas avant 1981, pour les films de fiction, le chiffre de pointe de 1958 : 103 (pour 82 en 1959, 67 en 1960). Selon l'expression de Mao Zedong, comme la littérature et les autres arts, le cinéma doit être utilitaire. Art de masse par excellence, conçu comme un moyen de propagande et d'éducation socialiste, il doit reposer sur un appareil de diffusion très développé ; on multiplie donc les salles, mais surtout, et d'abord pour les vastes régions rurales et montagneuses, les équipes mobiles de projection : l'ensemble de ces unités de projection passe de 2 282 en 1952 à 110 000 en 1978 (dont 90 000 équipes itinérantes de projection) pour atteindre le chiffre de 129 000 à la fin de 1981 (180 000 en 1987). Ce progrès permet une extension spectaculaire du nombre de spectateurs : 600 millions en 1952, 1 749 000 000 déjà en 1957, 22 500 000 000 en 1978 (contre 18 300 000 000 en 1977) et près de 26 milliards en 1981 (70 millions par jour, dont 50 millions de paysans). Toute l'infrastructure doit correspondre à cette demande accrue : on décide donc en 1958 de multiplier les studios : 33 existent fin 1959 ; certains n'auront toutefois qu'une vie éphémère ; ils ne sont plus qu'une dizaine fin 1979 ; cette même année l'industrie cinématographique emploie 400 000 personnes, 500 000 en 1987 (contre 60 000 en 1959). Longtemps tributaire de l'étranger pour son équipement (28 fabriques, pourtant, dès 1960), puisque la première production expérimentale de pellicule noir et blanc ne date que de 1958-59 et que la première pellicule couleurs n'est sortie de ses usines qu'à partir de 1965, elle réalise cependant en 1954 son premier film en couleurs, *'Liang Shanbo et Zhu Yingtai' (Liang Shanbo yu Zhu Yingtai)*de Sang Hu* et Huang Sha, en 1959 son premier film en CinémaScope, *'Nouvelle Histoire d'un vieux soldat' (Laobing xinzhuan),* de Shen Fu*, en 1960 son premier film stéréoscopique (DOC). Cet essor est brutalement brisé en 1966. Si 2 000 films avaient été réalisés de 1905 à 1949 selon l'historien Cheng Jihua, on avait tourné, de 1949 à 1966, 673 films de fiction. La révolution culturelle bannit des écrans les uns comme les autres. 75 p. 100 des films réalisés de 1949 à 1966 avaient essentiellement pour thèmes la révolution chinoise, la construction de la nouvelle société socialiste, et 14 p. 100 des épisodes historiques, de la guerre contre l'invasion japonaise en particulier. Tous sont pourtant qualifiés d'herbes vénéneuses. La répression s'abat sur les cinéastes, surtout sur les vétérans des années 30. Ils sont même frappés deux ans avant les autres catégories d'intellectuels, à l'issue d'une violente campagne contre deux films coupables d'oublier la lutte des classes et de véhiculer une idéologie humaniste petite-bourgeoise : *Printemps précoce* (*Zaochun eryue,* 1963), de Xie Tieli*, qui représentera la Chine à Cannes en 1979, et *'Au nord aussi des terres fertiles'* (*Beiguo jiangnan,* 1963), de Shen Fu*. Rendus responsables de ces productions, le vice-ministre de la Culture Xia Yan* et le directeur du Bureau du cinéma Chen Huangmei sont destitués et persécutés au cours des années suivantes.

Le cinéma est alors pris en main par l'épouse de Mao Zedong, Jiang Qing, ancienne actrice des années 30, devenue membre du bureau politique du parti communiste. Ce n'est pas la première fois que le cinéma est l'enjeu des luttes politiques. En 1951 déjà, une violente tempête s'est abattue sur les milieux cinématographiques à propos du film *'la Vie de Wu Xun'* (*Wu Xun zhuan,* 1950) de Sun Yu, attaqué par un violent éditorial du *Quotidien du peuple,* dont on a su plus tard qu'il avait été écrit par Mao lui-même. Au début de la révolution culturelle, la presse se déchaîne contre un autre film dont Jiang Qing conteste le message historique, *'Histoire secrète de la cour des Qing'* (*Qinggong mishi,* Zhu Shilin) tourné à Hongkong en 1948. Sous le règne de Jiang Qing, le cinéma doit obéir à des règles contraignantes qui ne laissent aucune initiative au metteur en scène ; celui-ci s'efface devant le collectif que constitue l'équipe ; plus de générique ; l'anonymat est de règle. Aucun film de fiction n'est tourné de 1967 à 1972 ; seulement quelques pièces de théâtre filmées, des documentaires et des films scientifiques et éducatifs — qui ont toujours représenté une partie importante (et souvent la meilleure) du cinéma chinois (2 000 films de la dernière catégorie de 1949 à 1979, 150 en 1979 — auxquels se sont consacrés 2 000 cinéastes). La production se relève lentement à partir de 1972 et voit plusieurs cinéastes chevronnés retrouver une certaine activité après les critiques dont ils ont été l'objet : Xie Jin*, Xie Tieli*, Sang Hu*, etc., et quatre films de fiction sortent sur les écrans en 1973, dont *'la Montagne aux pins verts' (Qingsong ling),* de Lu Guoquan et Jiang Shusen. Cependant, plusieurs films provoquent en 1975 et 1976 des conflits entre les dirigeants du parti communiste : *'Rupture' (Juelie), 'les Pionniers'* (*Chuangye,* 1974) de Yu Yanfu, *'Haixia'* (*Haixia,* 1975) de Qian Jiang, Chen Huai'ai et Wang Haowei, *Chunmiao* (id.) de Xie Jin, 1975. Mais un nouvel essor, après la chute de Jiang Qing et de ses amis politiques en octobre 1976 se révèle difficile : le cinéma est privé de nombreux artistes et techniciens épuisés par les persécutions, morts en prison (Zheng Junli* ; Gu Eryi) ou trop longtemps tenus éloignés de la production. Les anciennes structures, brisées par la révolution culturelle, enfin restaurées, l'Association des cinéastes rouvre son siège en mars 1978, tient son deuxième congrès (387 délégués) à l'automne 1979 ; les revues, toutes interrompues durant dix ans, reparaissent peu à peu (*l'Écran chinois* tire aujourd'hui à huit millions d'exemplaires par numéro) ; les instituts cinématographiques reprennent leur activité (179 admis sur 13 000 candidats en novembre 1978 dans celui de Pékin). On réalise 24 films de fiction en 1977, 46 en 1978, 65 (avec les pièces de théâtre filmées) en 1979, 80 (+ 15 coproductions) en 1980, 106 en 1981, 130 en 1987. Fin 1979, les studios de la Jeunesse voient le jour ; en 1980 naît la Société d'études du cinéma mondial. Durant des années, les cinéastes chinois ont perdu le contact avec le monde. À partir de 1977, ils le redécouvrent, et avec lui des techniques et des procédés qu'ils empruntent souvent avec un appétit de néophytes. Le cinéma des dernières années subit de toute évidence une influence composite, celle des films américains, de Hongkong, et de Taiwan en premier lieu. Il existe pourtant une authentique tradition cinématographique chinoise qui s'est affirmée d'époque en époque en dépit des empreintes laissées par les vogues allemande, soviétique, américaine, etc. Plus que jamais, le cinéma chinois s'ouvre vers l'extérieur : plus d'un millier de films étrangers ont été doublés en langue chinoise depuis 1949, et la Chine a participé de 1978 à 1982 à une centaine de festivals internationaux (60 à 80 en 1987). Des échanges ont eu lieu avec de nombreux pays : délégations de cinéastes, organisation de semaines de films étrangers. Sorti d'une période de convalescence inévitable après le nihilisme et l'isolationnisme de la révolution culturelle, le cinéma chinois hésite encore entre les tentations de l'Occident et la fidélité à sa tradition, les deux n'étant pas forcément inconciliables et leur combinaison pouvant au contraire s'avérer féconde. Aujourd'hui, le metteur en scène a retrouvé son rôle dirigeant ; l'initiative du choix des films à réaliser échappe à la bureaucratie centrale pour revenir aux studios (dont tous les cinéastes sont salariés). Signes des temps : l'émergence de nombreux jeunes metteurs en scène ou acteurs et l'afflux de scénarios (10 000 reçus en 1979 par les studios de Pékin, Shanghai et Changchun, les trois principaux des dix-huit en activité en 1981, y compris celui qui est propre à l'armée). La télévision (seulement 2 millions de récepteurs en 1978, mais près de 10 millions déjà en 1982 et 120 millions en 1987) dispute déjà au cinéma un public de 1 milliard 200 millions d'habitants. À partir de 1988, le cinéma, qui jusque là dépendait du Ministère de la Culture, a été rattaché à la Radio-Télévision (Ministère de la Propagande).

Cette centralisation des médias inaugure une période nouvelle pour le cinéma chinois qu'aucune réglementation ne protège de la concurrence du petit écran : en effet, rien n'empêche la télévision de présenter les œuvres cinématographiques dès leur sortie dans les salles, contre le versement d'une indemnité dérisoire. Comme, par ailleurs, la télévision produit elle-même de plus en plus de téléfilms, le cinéma se sait très menacé.

Néanmoins, si le processus est engagé, pour l'instant il n'en est encore qu'à ses débuts et le public, sevré de spectacles pendant la décennie de la Révolution culturelle, se presse toujours nombreux dans les salles de cinéma. Grâce à la politique d'ouverture des années 80, le 7e art s'est non seulement redressé de façon spectaculaire, mais il a même atteint de nouveaux sommets sous l'impulsion d'une nouvelle vague de jeunes cinéastes (ceux que l'on appelle la 5e génération) qui, par leur originalité et leur talent, ont réussi à se faire reconnaître non seulement en Chine, mais également à l'échelle internationale.

Cette génération, née au début des années 50, et envoyée à la campagne pendant la Révolution culturelle, a reçu l'excellente formation de l'Institut de cinéma de Pékin, après sa réouverture en 1978. En totale rupture avec leurs aînés, ces jeunes font preuve d'une lucidité à la hauteur des épreuves qu'ils ont traversées et ils sont sans complaisance vis à vis de la société.

Le film *Un et huit* (*Yige he bage,* 1983) de Zhang Junzhao, inaugure ce nouveau cinéma qui rompt avec le récit traditionnel pour faire place, en premier lieu, au langage de l'image.

L'année suivante, la sortie de *Terre jaune* (Chen Kaige*, 1984) agit comme un révélateur tant en Chine, où il suscite un débat passionné, qu'à l'étranger où il accumule les récompenses.

À l'écart des grands studios traditionnels de Pékin, Shanghai et Changchun, les films de la nouvelle vague sont souvent produits par des studios périphériques nouvellement développés et moins bien équipés sur le plan matériel, mais sur lesquels souffle l'esprit nouveau.

Les plus connus parmi les réalisateurs sont Tian Zhuangzhuang* (*le Voleur de chevaux* [*Dou* *ma zai*], 1986 ; *le Cerf-volant bleu* [*Lan fengzheng*], 1993), considéré comme un des chefs de file du mouvement, Huang Jianxin*, Wu Ziniu*, Chen Kaige, Hu Mei, Zhang Zeming, Zhang Yimou*, Li Shaohong.

Face à l'esthétique nouvelle proposée par la 5e génération, les cinéastes de la 4e génération (ils ont été diplômés à la veille de la Révolution culturelle, mais n'ont commencé à faire des films qu'au début des années 80), tout en étant critiques vis à vis de la société, ont gardé quelque chose du romantisme et de l'idéalisme de leur jeunesse. Ce sont Huang Jianzhong*, Zhang Nuanxin, Yan Xueshu, Wu Tianming*, Xie Fei.

Quant aux réalisateurs de la 3e génération, ils sont de moins en moins actifs vers la fin des années 80 sauf Ling Zifeng et Xie Jin.

En dehors de ces films d'auteurs, la production se partage entre les films à contenu politique et les films de divertissement : surtout des policiers et des films d'arts martiaux, au succès commercial assuré. Tandis que les studios sont à l'affût de coproductions avec l'étranger, toujours bienvenues pour rentabiliser les tournages, les préoccupations d'ordre artistique ont tendance à passer au second plan. À la fin des années 80, comme si la 5e génération appartenait déjà au passé, on parle de l'émergence d'une nouvelle génération, la 6e, qui, au moment où le monopole du cinéma éclate, revendique son indépendance, quitte à produire avec de petits moyens et beaucoup de difficultés, notamment avec la censure. Parmi les réalisateurs de cette 6e génération, il faut citer Zhang Yuan, Ning Ying, He Yi, Wang Xiaoshuai et des documentaristes comme Wu Wenjuanj, Duan Jinchuan et Wen Pulin. R.B.

PRINCIPAUX FILMS CHINOIS

'Le Mont Dingjun' (*Dingjunshan*, Liu Zhonglun, 1908) ; *'Un couple infortuné'* (*Nanfu nanqi*, Zhang Shichuan et Zhen Zhengqiu, 1913) ; Zhuangzi met sa femme à l'épreuve (Zhuangzi shigi, Li Mingwei, 1913), *'Yan Ruisheng'* (*id.*, Ren Pengnian, 1921) ; *'la Romance d'un marchand ambulant'* (*Zhi guo yuan*, Zhan Shichuan, 1922) ; *'L'orphelin sauve son grand-père'* (*Gu'er jiu zu ji*, Zhang Shichuang, 1923) ; *'Feu au temple du lotus rouge'* (*Huoshao honglian si*, Zhang Shichuan, 1928) ; *'Rêve de printemps dans l'antique capitale'* (*Gudu chunmeng*, Sun Yu, 1930) ; *'la Cantatrice Pivoine-Rouge'* (*Genü Hongmüdan*, Zhang Shichuan et Cheng Bugao, 1931) ; *'Les fleurs de pêcher pleurent des larmes de sang'* (*Taohua qixue ji*, Bu Wancang, *id.*) ; *'le Petit Jouet'* (*Xiao wanyi*, Sun Yu, 1933) ; *'Trois Femmes modernes'* (*Sange maodeng nüxing*, Bu Wancang, *id.*) ; *'le Chant des pêcheurs'* (*Yuguang qu*, Cai Chusheng, 1934) ; *'la Route'* (*Dalu*, Sun Yu, *id.*) ; *'Femmes nouvelles'* (*Xin nüxing*, Cai Chusheng, *id.*) ; *'la Divine'* (*Shennü*, Wu Yonggang, *id.*) ; *'les Malheurs de la jeunesse'* (*Tao li jie*, Ying Yunwei, *id.*) ; *'les Enfants d'une époque troublée'* (*Fengyun ernü*, Ying Yunwei, 1935) ; *'Un idéal grandiose'* (*Zhuangzhi lingyun*, Wu Yonggang, 1936) ; *'les Anges du boulevard'* (*Malu tianshi*, Yuan Muzhi, 1937) ; *'Shanghai d'hier et d'aujourd'hui'* (*Xin jiu Shanghai*, Shi Dongshan, *id.*) ; *'Mulan rejoint l'armée'* (*Mu lan cong jun*, Bu Wancang, 1939) ; *'la Princesse à l'éventail de fer'* (*Tieshan gongzhu*, Wan Laiming, 1941) ; *'Bégonia d'automne'* (*Qiu Haitang*, Ma-Xu Weibang, 1943) ; *'les Larmes du Yangtsé'* (*Yijiang chunshui xiang dong liu*, Cai Chusheng, 1947) ; *'Sur la Soungari'* (*Songhuajiang shang*, Jin Shan, *id.*) ; *'le Printemps d'une petite ville'* (*Xiaocheng zhi chun*, Fei Mu, 1948) ; *'Dix Mille Foyers de lumière'* (*Wanjia denghuo*, Shen Fu, *id.*) ; *Histoire secrète à la cour des Qing'* (*Qinggong mishi*, Zhu Shilin, *id.*) ; *'Soleil radieux'* (*Yanyang tian*, Cao Yu, *id.*) ; *'Corbeaux et Moineaux'* (*Wuya yu maque*, Zheng Junli, 1949) ; *'Ma vie'* (*Wo zhe yi beizi*, Shi Hui, 1950) ; *'la Vie de Wu Xun'* (*Wu Xun zhuan*, Sun Yu, *id.*) ; *la Fille aux cheveux blancs* (*Baimao nü*, Shui Hua, 1951) ; *'Debout, les filles'* (*Zizi meimei zhanqilai*, Chen Xihe, *id.*) ; *'Nouveau Roman des jeunes héros'* (*Xin'ernü yingxiong zhuan*, Shi Dongshan, *id.*) ; *'la Porte nº 6'* (*Liuhao men*, Lü Ban, 1952) ; *'le Bourbier'* (*Longxugou*, Xian Qun, *id.*) ; *'l'Amour éternel'* (*Liang Shanbo yu Zhu Yingtai*, Sang Hu, 1953) ; *'la Terre'* (*Tudi*, Shui Hua, 1954) ; *'Une crise'* (*Yichang fengbo*, Lin Nong et Xie Jin, *id.*) ; *'Printemps au pays des eaux'* (*Shuixiang de chuntian*, Xie Jin, 1955) ; *'la Basketteuse nº 5'* (*Nülan wuhao*, Xie Jin, 1956) ; *'Quinze Colliers de sapèques'* (*Shiwu guan*, Tao Jin, *id.*) ; *'la Famille'* (*Jia*, Chen Xihe et Ye Ming, *id.*) ; *'le Sacrifice du Nouvel An'* (*Zhufu*, Sang Hu, *id.*) ; *'Li Shizhen'* (id., Shen Fu, *id.*) ; *'En attendant l'arrivée du nouveau directeur'* (*Xinjuzhang daolai zhi qian*, Lü Ban, *id.*) ; *'la Ville sans nuit'* (*Buye cheng*, Tang Xiaodan, 1957) ; *'les Ondes impérissables'* (*Yongbu xiaoshi de dianbo*, Wang Ping, 1958) ; *'la Cloche du*

vieux temple' (*Gusha zhongsheng,* Zhu Wunshun, *id.*) ; *'la Légende de Lu Ban'* (*Lu Ban de chuanshuo,* Sun Yu, *id.*) ; *'Aujourd'hui je me repose'* (*Jintian wo xiuxi,* Lu Ren, 1959) ; *'la Boutique de la famille Lin'* (*Linjia puzi,* Shui Hua, *id.*) ; *'la Tempête'* (*Fengbao,* Jin Shan, *id.*) ; *'Lin Zexu'* (id., Zheng Junli et Cen Fan, *id.*) ; *'Où est Maman'* (*Xiaokedou zhao mama,* Te Wei, Xu Yingda, 1960) ; *'le Détachement féminin rouge* (*Hongse niangzijun,* Xie Jin, *id.*) ; *'Un ouragan'* (*Baofeng zhouyu,* Xie Tieli, 1961) ; *'le Grand Li, le petit Li et le vieux Li'* (*DaLi xiaoLi he laoLi,* Xie Jin, 1962) ; *'la Plaine en feu'* (*Liaoyuan,* Zhang Junxiang, *id.*) ; *'Li Shuangshuang'* (id., Lu Ren, *id.*) ; *'la Maison des 72 locataires'* (*Qishi'erjia fangke,* Wang Weiyi, 1963) ; *Printemps précoce* (*Zaochun eryue,* Xie Tieli, *id.*) ; *'Au nord aussi des terres fertiles'* (*Beiguo jiangnan,* Shen Fu, *id.*) ; *'le Gamin de la huitième armée'* (*Xiaobing Zhang Ga,* Cui Wei, *id.*) ; *'Sœurs de scène'* (*Wutai jiemei,* Xie Jin, 1964) ; *'les Sentinelles sous les néons'* (*Nihongdeng xia de shaobing,* Wang Ping, *id.*) ; *le Roi des singes* (*Danao tiangong,* Wan Laiming, 1961 et 1964) ; *'Immortels dans les flammes'* (*Liehuo zhong yongsheng,* Shui Hua, 1965) ; *'la Prise de la montagne du Tigre'* (*Zhiqu Weihushan,* Xie Tieli, 1970) ; *'Shajia bang'* (id., Wu Zhaoti, 1971) ; *la Fille aux cheveux blancs* (*Baimao nü,* Sang Hu, 1972 ; ballet) ; *'le Port'* (*Haigang,* Xie Tieli, *id.*) ; *'la Montagne aux azalées'* (*Dujuanshan,* Xie Tieli, 1974) ; *'les Pionniers'* (*Chuangye,* Yu Yanfu, *id.*) ; *'la Milicienne de la mer'* (*Haixia,* Qian Jiang, Chen Huai'ai et Wang Haowei, 1975) ; *'la Jeunesse'* (*Qingchun,* Xie Jin, 1977) ; *'Soif du retour'* (*Guixin si jian,* Li Jun, 1979) ; *'l'Aurore'* (*Shuguang,* Shen Fu, *id.*) ; *'Ce soir les étoiles brillent'* (*Jinye xingguang canlan,* Xie Tieli, 1980 ; en 2 parties) ; *'la Légende du mont Tianyun'* (*Tianyunshan Chuanqi,* Xie Jin, *id.*) ; *'Un coin oublié par l'amour'* (*Bei aiqing yiwang de jiaoluo,* Zhang Qi et Li Yalin, 1981) ; *'le Gardien de chevaux'* (*Mumaren,* Xie Jin, *id.*) ; *'les Voisins'* (*Linju,* Zheng Dongtian et Xu Guming, *id.*) ; *la Véritable histoire d'A-Q* (*AQ zhengzhuan,* Cen Fan, *id.*) ; *'le Talisman'* (*Ruyi,* Huang Jianzhong, 1982) ; *la Voie* (*Lu,* Chen Lizhou, 1983) ; *'le Fleuve sans balise'* (*Meiyou hangbiao de heliu,* Wu Tianming, 1983) ; *' Bao père et fils'* (*Baoshi fuzi,* Xie Tieli, *id.*) ; *la Vie* (*Rensheng,* Wu Tianming, 1984) ; *Terre jaune* (*Huang tudi,* Chen Kaige, 1984) ; *le Chant du cygne* (*Juexiang,* Zhang Zeming, 1985) ; *Une femme honnête* (*Liangjia fünu,* Huang Jianzhong, *id.*) ; *Jeunesse sacrifiée* (*Qingchun ji,* Zhang Nuanxin, *id.*) ; *Dans les montagnes sauvages* (*Ye shan,* Yan Xueshu, 1986) ; *l'Affaire du canon noir* (*Hei pao shijian,* Huang Jianxin, *id.*) ; *le Voleur de chevaux* (*Dou ma zei,* Tian Zhuangzhuang, *id.*) ; *le Bourg-frontière* (*Biancheng,* Ling Zifeng, *id.*) ; *le Dernier jour de l'hiver* (*Zuihou yige dongri,* Wu Ziniu, *id.*) ; *Loin de la guerre* (*Yuanli zhanzhen,* Hu Mei, *id.*) ; *Hibiscus* (*Furong zhen,* Xie Jin, 1987) ; *le Roi des enfants* (*Haizi wang,* Chen Kaige, *id.*) ; *Pluie printanière* (*Taiyang Yu,* Zhang Zeming, id.) ; *le Vieux puits* (*Lao jing,* Wu Tianming, *id.*) ; *Une fille du Hunan* (*Xiangnü Xiaoxiao,* Xie Fei, *id.*) ; *Chasteté* (*Zhen nü,* Huang Jianzhong, 1988) ; *le Sorgho rouge* (*Hong gaoliang,* Zhang Yimou, *id.*) ; *Chuntao* (id., Ling Zifeng, *id.*) ; *le Double* (*Cuo Wei,* Huang Jianxin, *id.*) ; *les Derniers aristocrates* (*Zuitiou de guizu,* Xie Jin, 1989) ; *l'Aube sanglante (Xuese qingchen,* Li Shaohong, 1990*)* ; *Li Lianying, l'eunuque impérial* (*Da Taijian Li Lianying,* Tian Zhuang-zhuang, 1991) ; *Mama* (*id.,* Zhang Yuan, *id.*) ; *la Vie sur un fil (Bian zou, bian chang,* Chen Kaige, *id.* ; *Épouses et concubines (Dahong denglong gaogaogua,* Zhang Yimou, *id.)* ; *Qiu Ju, femme chinoise (Qiu Ju da guansi,* Zhang Yimou, 1992*)* ; *Rides sur les eaux dormantes (Kuang,* Ling Zifeng, *id.)* ; *Cœurs fidèles (Xin xiang,* Sun Zhou, *id.)* ; *Debout ! ne te laisser pas abattre (Zhanzhi luo, bie paxia !,* Huang Jianxin, *id.)* ; *les Bâtards de Pékin (Beijing zazhong,* Zhang Yuan, 1993) ; Adieu ma concubine (Bawang bie ji, Chen Kaige, *id.)* ; *le Cerf-volant bleu (Lan fengzheng,* Tian Zhuangzhuang, *id.)* ; *Pour le plaisir (Zhao le,* Ning Ying, *id.)* ; *les Jours (Dongchun de rizi,* Wang Xiaoshuai, *id.)* ; *Red Beads (Xuan lian,* He Jianjun – *alias* He Yi – *id.)* ; *Rivaux mais solidaires – (Back to back, face to face) – (Bei kao bei, lian dui lian,* Huang Jianxin, 1994) ; *Ermo (id.,* Zhou Xiaowen, *id.)* ; *le Postier (Youchai,* He Jianjun – *alias* He Yi –, *id.)* ; *Shanghai Triad (Yao a yao yao, dao wai pei qiao,* Zhang Yimou, 1995*)*.

CHKLOVSKI *(Viktor)* [*Viktor Šklovskij*], *théoricien et scénariste soviétique (Saint-Pétersbourg 1893 - Moscou 1984).* Après avoir suivi des études de philologie, il devient l'animateur (1916-1919) de l'OPOÏAZ (Société pour l'étude de la langue littéraire) avec Youri Tynianov, Ossip Brik et Boris Eikhenbaum. Il rejoint en 1923 le LEF (Front gauche de l'art) de Maïakovski. Il se consacre à la théorie de la littérature et du cinéma. Dès 1923, il publie (à Berlin) son premier essai de théorie cinématographique, *Littérature et Cinéma,* qui sera suivi (en général sous forme d'articles de revues) de nombreux autres, parmi lesquels : *Sémantique du cinéma* (1925), *les Lois du cinéma* (1927), *le Cinéma de Maïakovski* (1937), *les Scénarios professionnels* (1945), *Cinéma, drame, prose* (1946), *Notes d'un scénariste* (1952), *Scénario et film* (1953), *le Scénario fondement du film* (1960). Il est également l'auteur d'études sur Chaplin (1923), Eisenstein, Koulechov, Vertov, Choub, Kozintsev et Trauberg, ainsi que de deux livres, *Poétique du cinéma* (1927, avec Tynianov et Eikhenbaum) et *40 Ans après* (1965). En tant que scénariste-adaptateur, on lui doit près de quarante films, dont *les Ailes du serf* (Y. Taritch, 1926), *Dura lex* (Koulechov, *id.*, d'après Jack London), *Trois dans un sous-sol* (A. Room, 1927), *la Maison de la place Troubnaïa* (Barnet, 1928), *la Maison des morts* (*Mertvij dom,* V. Fedorov, 1932, d'après Dostoïevski), *Horizons* (Koulechov, 1933), *Minine et Pojarsky* (V. Poudovkine et M. Doller, 1939), *les Cosaques* (*Kazaki,* V. Pronine, 1961, d'après Tolstoï).

Chklovski a été l'une des figures majeures du formalisme russe. Il a exercé une influence profonde sur la FEKS (Fabrique de l'acteur excentrique), sur le Proletkult et sur le cinéma soviétique muet en général ; après l'apparition du parlant, et sous l'influence de l'idéologie stalinienne, il a évolué vers le réalisme, soulignant le rôle essentiel du scénario dans l'œuvre cinématographique. M.M.

CHLORURE. *Chlorure d'argent,* composé chimique sensible à la lumière, et qui est un des principaux constituants actifs de la couche sensible. (→ COUCHE SENSIBLE.)

CHMARA *(Gregory), acteur français d'origine russe (Poltava, Ukraine, 1878 - Paris 1970).* Élève de Stanislavski, il débute en 1913 au théâtre d'Art (MKhAT) et au cinéma en 1915. Il apparaît dans des films de Tourjansky, Boleslawsky, Uralski, Gardine et surtout Gardine et Bauer (*la Fiancée et l'Étudiant Pevtsov,* 1916 ; *la Reine de l'écran,* id.). Comme il avait été l'un des disciples de Max Reinhardt, avec lequel il avait travaillé dès son arrivée en Allemagne en 1919, sa carrière se poursuit à Berlin, où il fait des créations saisissantes dans deux films de Robert Wiene, *I. N. R. I.* (1923), dans le rôle du Christ, et *Raskolnikov* (id.), ainsi qu'une apparition dans *la Rue sans joie* de Pabst (1925) et très typé, dans *l'Homme qui assassina* (K. Bernhardt, 1930). Installé en France à partir de 1936, il se consacre surtout au théâtre, au cabaret comme guitariste et chanteur, et, après la guerre, joue dans une vingtaine de films qui ne lui laissent que rarement l'occasion de montrer l'ampleur de son talent. Exemples parmi d'autres : *Quatre dans une jeep* (L. Lindtberg, 1951), *les Mains sales* (F. Rivers, *id.*), *Elena et les hommes* (J. Renoir, 1956), *Kriss Romani* (J. Schmidt, 1962), *la Belle Vie* (R. Enrico, 1963), *Paris n'existe pas* (R. Benayoun, 1969). M.M.

CHOMETTE *(Henri), cinéaste français (Paris 1896 - Rabat, Maroc, 1941).* L'essentiel de l'œuvre du frère de René Clair date du muet. Il participe alors aux recherches de l'avant-garde en tournant *Jeux des reflets et de la vitesse* (1923) et *Cinq Minutes de cinéma pur* (1925). Il présente une gentille comédie, *le Chauffeur de mademoiselle* (1928). De son voyage en Indochine avec Feyder, il rapporte des impressions : *Au pays du roi lépreux* (1927). Le parlant ne lui réserve que les versions françaises de films berlinois ou des histoires anodines (*Prenez garde à la peinture,* 1933). R.C.

CHOMÓN *(Segundo de), cinéaste espagnol (Teruel 1871 - Paris 1929).* Pionnier du cinéma en Catalogne, le plus important avec Fructuós Gelabert, il est l'inventeur de nombreux trucages, attirant l'attention de Pathé, qui l'engage sous contrat pour concurrencer Méliès sur son terrain favori, la fantaisie. Il colorie les premières bandes au pochoir, photogramme après photogramme (1902). Dans *El hotel eléctrico* (1905), il utilise la prise de vues image par image. Dans son genre préféré, il tourne notamment *Gulliver en el país de los gigantes, Pulgarcito* (1911), *El hombre invisible.* S'il est considéré comme l'initiateur de la zarzuela (vaudeville populaire) cinématographique, toujours pour Pathé, qui lui commande des films « typiquement espagnols » : *Los guapos, Las tentaciones de San Antonio, El puñado de rosas, Carceleras* (tous en 1910), de même que la saynète *El pobre Valbuena,* il fréquente tous les genres de l'époque : le documentaire (*Los sitios de Chile,* 1905) ; la comédie (*Los guapos del parque,* id.,

Un portero modelo, 1911, *Flema inglesa,* id., *La manta del caballo,* id.) ; le « film d'art » historique (*Justicia del Rey Don Pedro,* 1911) ou le feuilleton *(La expiación, El adiós de un artista, La fatalidad, La hija del guardacostas, El puente de la muerte).* Il travaille de 1906 à 1909 essentiellement en France : *la Légende du fantôme* (1907), *Voyage vers la planète Jupiter* (id.), *Cuisine magnétique* (1908), *la Table magique* (id.), *Fabrique d'argent* (id.), *Voyage dans la Lune* (1909), où l'on apprécie sa maîtrise technique et sa capacité à trouver des solutions aux problèmes les plus ardus ; puis en Italie à partir de 1912 : *Tigris* (1912), *Padre* (id.). On lui attribue le premier usage du travelling en studio (*Cabiria,* G. Pastrone, 1914) et certains effets spéciaux du *Napoléon* d'Abel Gance (1927). P.A.P.

CHOPRA *(Baldev Raj), cinéaste indien (Ludhiana, Pendjab, 1914).* D'abord journaliste à Lahore, il fonde à Bombay, après la partition de l'Inde, sa maison de production, BR Films. Il s'est imposé comme un des grands producteurs-réalisateurs du cinéma hindi avec une vingtaine de films, la plupart de très grands succès publics. Évitant toute politique, utilisant les stars en vogue, il traite de problèmes humains : le remariage des veuves (*'le Seul moyen'* [*Ek Hi Raasta*], 1956) ou la réhabilitation des prostituées (*'la Prostituée'* [*Sadhana*], 1958). Il aborde le drame intimiste (*'Hors du chemin'* [*Gumrah*], 1963 ; *'le Confident'* [*Hamraaz*], 1967), le film à suspense (*'Histoire'* [*Dastaan*], 1972) ; il évoque le problème du viol dans *Insaf Ka Tarazu* (1980) et a parfois l'audace de réaliser des films sans chansons (*'la Loi'* [*Kanoon*], 1960). Son frère Yash Chopra (né en 1932) est notamment le réalisateur de *'Fleur de poussière'* (*Dhool Ka Phool,* 1959), *Waqt* (1965), *Ittefaq* (1969), *Deewar* (1975), *Trishul* (1978), *Chandni* (1989). H.M.

CHOSTAKOVITCH *(Dimitri)* [*D'mitri Šostakovič*], *musicien soviétique (Saint-Pétersbourg 1906 - Moscou 1975).* Il fait ses études au Conservatoire de Saint-Pétersbourg (1923-1925). Dans son œuvre abondante figurent les partitions de quelque 35 films, dont plusieurs de Kozintsev et Trauberg (*la Nouvelle Babylone,* 1929 ; *Seule,* 1931 ; la trilogie des *Maxime,* 1935-1939) et de Youtkevitch (*Montagnes d'or,* 1931 ; *Contre-Plan,* 1932), ainsi que *le Grand Citoyen* (F. Ermler, 1938-39), *la Jeune Garde* (S. Guérassimov, 1948), *Mitchourine* (A. Dovjenko, *id.*), *Rencontre sur l'Elbe* (G. Alexandrov, 1949), *la Chute de Berlin* (M. Tchiaoureli, 1950), *Hamlet* (G. Kozintsev, 1964) ainsi que *le Roi Lear* (id., 1971). On lui doit en outre la réédition d'*Octobre* d'Eisenstein (1967). Ses partitions de films témoignent, comme le reste de son œuvre, de son lyrisme puissant, fondé sur des rythmes amples et des sonorités éclatantes n'évitant pas toujours l'emphase ; à partir de 1936, il a été en butte à de sévères critiques de la part de Jdanov, au nom du « réalisme socialiste ». Il a écrit un ouvrage : *Sur la musique de film* (1954). M.M.

CHOUB (*Esfir Ilinitchina,* appelée *Esther* en Occident) [*Esfir' Šub*], *cinéaste et monteuse soviétique (?, Ukraine, 1894 - Moscou 1959).* Pionnière du montage d'archives. Après des études à Moscou au Cours supérieur pour femmes, elle se lie, après la révolution, au mouvement d'avant-garde LEF (Organisation des écrivains de gauche) fondé par Maïakovski. Elle est employée comme monteuse à partir de 1922, à l'usine du Goskino (devenu par la suite Mosfilm) : elle travaille ainsi pour une dizaine de films soviétiques et « remonte » environ 200 bandes étrangères, dont le fameux *Mabuse* de Fritz Lang (1922). Après avoir collaboré quelque temps avec Vertov, elle se détourne des voies trop radicales du « Ciné-œil » pour suivre son propre chemin. La vision du *Cuirassé Potemkine* d'Eisenstein, en 1925, lui donne l'idée d'aborder d'une manière différente le passé de son pays : en travaillant sur des matériaux d'archives. Elle met en place, entre 1926 et 1928, sa fameuse *Trilogie sur l'histoire de la Russie.* Les trois films qui en résultent — *la Chute des Romanov* (*Padenie Dinastiï Romanovykh,* 1927), *la Grande Voie* ou *le Grand Chemin* (*Velikij Put ',* id.), *la Russie de Nicolas II et de Tolstoï* (*Rossija Nikolaja II i Lev Tolstoj,* 1928) — ne comportent aucun plan tourné par Choub. Le premier, *la Chute des Romanov,* part du désir de témoigner sur la révolution de Février et des faits sociaux qui l'ont suscitée. Elle accède, avec de grandes difficultés, à certaines vues, provenant des archives intimes du tsar, prises par ses proches. Les documents réunis concernent la période allant de 1912 à 1917. Choub visionne des milliers de mètres de pellicule et visite des lieux qu'elle ne connaît pas afin de reconstituer, le plus fidèlement possible au montage, les événements. Cette volonté d'exactitude concerne le repérage du matériel et non la lecture idéologique qu'en fait, *a posteriori,* la cinéaste. *La Grande Voie* couvre la période 1917-1927 ; là aussi, les documents sont difficiles d'accès car dispersés ou détruits. Choub fait venir des États-Unis des images inédites prises jadis par des opérateurs occidentaux. Lors de ses recherches, elle découvre des archives filmées sur Tolstoï. L'année 1928 étant celle du centenaire de la naissance du grand homme, Choub décide de faire un film sur lui. Les plans représentant l'écrivain sont, hélas, trop rares, alors elle réalise une œuvre sur son époque (1896-1912), dominée par la figure du romancier ; cette partie ferme la boucle de ces trente ans d'histoire soviétique.

Le but de son travail n'est pas de lier les significations apparentes de ces chutes mais d'en faire surgir un sens nouveau qui correspond à une « lecture marxiste de l'Histoire ». Dans les films de Choub, contrairement aux œuvres de Vertov, il n'y a pas de métaphore au niveau de la construction : le montage – bien qu'orienté vers un but déterminé – est simple et clair. En juxtaposant divers fragments venus de sources hétéroclites, la réalisatrice en occulte le sens manifeste pour en faire un tout esthétique et politique cohérent. Ce traitement appliqué aux archives est neuf à l'époque.

En 1930, Choub bâtit une chronique sur la vie quotidienne, *Aujourd'hui* ou *Canons et Tracteurs (Segodnja),* où elle met en parallèle la vie en Union soviétique et dans les pays capitalistes. Deux œuvres sont encore à signaler pour les années 30. La première, *Komsomol, à la tête de l'électrification* (*Komsomol – šef elektrifikacij,* 1932), opère une étonnante synthèse entre la mise en évidence des instruments de tournage (caméras, micros) et la lutte pour l'électrification de la région : c'est le premier film soviétique tourné en son direct. La seconde, *Espagne* (*Ispanija,* 1939), offre un très intéressant travail sur le matériel ramené de la guerre civile par Roman Karmen. Avec la guerre, le cinéma se métamorphose et le temps des pionniers s'achève. Choub a encore réalisé quelques films – de montage ou de reportage –, mais dont l'impact reste mineur. Citons : *le Métro pendant la nuit* (*Moskva stroit metro,* 1934) ; *le Pays des Soviets* (*Strana Sovetov,* 1937) ; *Le fascisme sera détruit* (*Lico vraga,* 1941) ; *Vingt Ans de cinéma soviétique* (*Kino za 20 let,* avec la collab. de Poudovkine, 1946) ; *Du côté du fleuve Arax* (*Po tu storonu Araksa,* 1947) ; *le Cœur pur* (*Ot čistogo serdca,* 1949).

En 1959, Choub publie *En gros plan (Krupnym planom),* livre de souvenirs où elle évoque le cinéma soviétique et l'avant-garde des années 20. ▲ R.BA.

CHOUIKH *(Mohamed), acteur algérien (Mostaganem* [auj. *Mestghanem*], *1943).* Formé par le Théâtre national à Alger, il fonde plus tard sa propre troupe dans sa ville natale. En 1966, Mohamed Lakhdar Hamīna lui confie le rôle du jeune moudjahid dans *le Vent des Aurès.* Il est le héros des *Hors-la-loi* de Tewfiq Farès (1969), et le partenaire tragique de Marie-José Nat dans *Élise ou la Vraie Vie* (M. Drach, 1970). Comédien sobre et sensible (*les Nomades,* S. A. Māzīf, 1975), il fait preuve de réelles qualités de cinéaste dans *l'Embouchure* (1972), *les Paumés* (1974), *Rupture* (1983), longs métrages produits par la télévision (RTA), *la Citadelle* (*El Kalaa,* 1988), *Youcef* (1993). C.M.C.

CHOUKCHINE *(Vassili)* [*Vasilij Makarovič Šukšin*], *acteur et cinéaste soviétique (Strotski, Sibérie, 1929 - Klietskaïa, Ukraine, 1974).* Fils de paysan, d'abord ouvrier puis élève de Mikhail Romm à l'Institut du cinéma de Moscou de 1954 à 1960 et acteur dans une vingtaine de films, il débute dans *les Deux Fédor* (M. Khoutziev, 1958) et se fait remarquer peu à peu par son allure populaire, sa carrure puissante et son visage ouvert. Il joue, entre autres, dans *Alenka* (B. Barnet, 1962), *Quand les arbres étaient grands* (L. Koulidjanov, 1962), *le Journaliste* (S. Guérassimov, 1967), *Près du lac* (id., 1970), *Si tu veux être heureux* (N. Goubenko, 1974) et surtout *Je demande la parole* (G. Panfilov, 1975), où il tient le rôle de l'écrivain dont la pièce choque Madame le Maire. Sa mort, au cours du tournage de *Ils ont combattu pour la patrie,* est une perte sensible pour le cinéma et la littérature soviétiques.

Poète et écrivain très populaire, qui commençait à être connu à l'étranger, il a également écrit quelques scénarios, en particulier pour *Un soldat revient du front* (N. Goubenko, 1971). Plusieurs de ses nouvelles ont inspiré des films, dont *Appelle-moi vers les clairs lointains* (G. Lavrov et S. Lioubchine, 1977). Comme acteur, il symbolisait le Russe populaire, costaud, tranquille et taciturne, surtout dans les films de guerre, *Libération* (Y. Ozerov, 1971) et *Ils ont combattu pour la patrie* (S. Bondartchouk, 1975). Mais son rôle le plus fameux, c'est celui qu'il tient dans son propre film, *l'Obier rouge* (*Kalina Krasnaja,* 1973), où il incarne un délinquant de droit commun qui s'embauche, pour refaire sa vie, comme tractoriste dans le kolkhoz de son amie ; mais ses anciens complices viennent le relancer et, comme il refuse de les suivre, ils le tuent. Il fait là une composition saisissante.

Auparavant, il avait écrit et réalisé quatre autres films qui frappent par leur justesse de ton et leur ferveur. *Un gars comme ça* ou *Il était une fois un gars* (*Živet takoj paren',* 1964) raconte les frasques d'un joyeux garçon à qui la vie met un peu de plomb dans la cervelle. Ce début est encore assez léger, mais ses autres films font preuve d'une maturité et d'une profondeur qui lui ont valu sa juste réputation. *Votre fils et frère* (*Vaš syn i brat,* 1966) dépeint les relations d'un vieux couple de paysans avec ses trois fils et brosse un tableau de famille plein de verve et de vérité. *Des gens étranges* (*Strannye ljudi,* 1969) se compose de trois nouvelles qui sont l'occasion, surtout la dernière, d'une méditation attentive et souvent émouvante sur le sens de la vie. Enfin, dans *À bâtons rompus / De fil en aiguille* (*Pečki-lavočki,* 1972), Choukchine joue lui-même, en compagnie de son épouse, l'actrice Lydia Fedosseieva, le rôle d'un kolkhozien qui se rend en vacances sur la mer Noire : le cinéaste y exprime avec naturel sa philosophie de la vie, son amour de la terre natale et son respect de l'individu, préoccupations constantes dans toute son œuvre littéraire et que l'on retrouve encore dans son dernier film, *l'Obier rouge* (1973). ▲ M.M.

CHOUX *(Jean), cinéaste français (Genève, Suisse, 1887 - Paris 1946).* Critique de cinéma, défenseur de la « cinégraphie » française, il réalise, sur les bords du Léman, un long métrage, *la Vocation d'André Carrel* (ou *la Puissance du travail*), en 1925. Il s'y inspire du style de Louis Delluc et de Germaine Dulac, et donne en outre son premier rôle à un figurant de la troupe de Pitoëff : Michel Simon. Cet acteur, à Paris, lui vaut la notoriété grâce à l'adaptation de *Jean de la Lune,* pièce de Marcel Achard, qu'ils portent à l'écran en 1931. Il signe ensuite quelques médiocres mélodrames : *Maternité* (1935) ; *Paix sur le Rhin* (1938) ; *Port d'attache* (1943) ; *l'Ange qu'on m'a donné* (1946). F.B.

CHPALIKOV *(Guennadi) [Guennadi Fedorovič Špalikov], scénariste et cinéaste soviétique (Seguej, Carélie, 1937 - Moscou 1974).* Diplômé du VGIK, il a collaboré à deux films importants du dégel : *le Faubourg d'Illitch / J'ai vingt ans* (M. Khoutziev, 1962-1964), *Je m'balade dans Moscou* (G. Danelia, 1964), *Toi et moi* (L. Chepitko, 1971), *Chante ta chanson, poète* (S. Ouroussevski, *id.*). Il a lui-même réalisé un film très typique de l'esprit de l'époque, *Une vie longue et heureuse* (*Dolgaja sčastlivaja žizn,* 1967). Il se suicide en 1974. M.M.

CHPINEL *(Iossif)* [*Iosif Aronovič Špinel'*], *décorateur soviétique (Belaya Tserkov' 1892 - [?] 1980).* Il est avec Eneï l'un des plus grands décorateurs du cinéma soviétique, s'imposant dès 1929 dans *Arsenal* (A. Dovjenko), travaillant notamment avec Mikhaïl Romm (*Boule de suif,* 1934), Grigori Rochal (*la Nuit de Saint-Pétersbourg,* id. ; *l'Année 1918,* 1958 ; *l'Aube grise* [*Hmuroe utro*], 1959), Vera Stroeva (*Une génération de conquérants* [*Pokoleniye pobeditelei*], 1936), Iouli Raïzman (*Machenka,* 1942), Aleksandr Stolper (*Histoire d'un homme véritable,* 1948), Mikhaïl Kalatozov (*le Complot des condamnés / la Conspiration des vaincus,* 1950), Sergueï Youtkevitch (*Skanderbeg,* 1953), Boris Kimiagarov (*le Destin d'un poète* [*Sud'ba poeta*], 1959), Jurij Vychinski (*Appassionata,* 1963). Mais il reste surtout célèbre pour sa contribution inspirée aux deux œuvres majeures d'Eisenstein : *Alexandre Nevski* (1938) et *Ivan le Terrible* (1942-1946). J.-L.P.

CHRÉTIEN *(Henri), physicien français (Paris 1879 - Washington, D. C., États-Unis, 1956).* Inventeur de nombreux dispositifs optiques, il met au point en 1926-27 un système anamorphoseur baptisé Hypergonar. Bien que ce procédé ait servi au tournage d'un film dès 1928, il demeure à peu près inemployé jusqu'en 1952, année où la Fox, exploitant l'invention d'Henri Chrétien, popularise l'écran large par anamorphose sous le nom de *CinémaScope.* (→ ANAMORPHOSE ET SCOPE.) J.-P.F.

CHRISTENSEN *(Benjamin), cinéaste danois (Viborg 1879 - Copenhague 1959).* Figure énigmatique, il reste une des plus grandes personnalités de l'ère du muet. Christensen a une trentaine d'années quand il abandonne sa carrière de chanteur d'opéra pour se consacrer au cinéma naissant. *L'X mystérieux* (*Det hemmelighedstude X,* 1913) et *Nuit vengeresse* (*Haevnens nat,* 1915) proclament sans ambages son goût du mélodrame, tandis que sa maîtrise des ombres et de la lumière le place au même niveau que Louis Feuillade.

Christensen n'arrivera pourtant à asseoir sa réputation qu'en 1921, avec *la Sorcellerie à travers les âges (Häxan),* tourné en Suède. Ce quasi-documentaire, qui s'inspire des peintres de la Renaissance – Bosch, Cranach, Bruegel, Dürer –, est d'esprit encore plus germanique que la moyenne des films allemands des années 20. La thèse de Christensen est que l'homme rejette toutes les manifestations incompréhensibles de la vie en les mettant sur le compte de la sorcellerie, et que tout culte diabolique émane d'un profond besoin sexuel. Par sa dialectique, *la Sorcellerie à travers les âges* reste un remarquable ciné-pamphlet, condamnant le puritanisme et l'intolérance. Christensen interprète encore le rôle du peintre épris de son modèle dans *Mikael* (1924) de Dreyer et dirige quelques longs métrages en Allemagne (*Unter Juden* et *Seine Frau, die Unbekannte,* tous deux en 1923 ; *die Frau mit dem schlechten Ruf,* 1925) avant d'émigrer en 1925 à Hollywood, où il se spécialise dans les thrillers « gothiques », parmi lesquels on peut citer *The Devil's Circus* (1926), *The Haunted House* (1928), *Seven Footprints to Satan* (1929) et *The House of Horor* (id.). De tous ces films, *Seven Footprints to Satan* est celui qui illustre le mieux la truculence de l'humour de Christensen. Satan y règne sur une étrange demeure, habitée par de curieux mignons, par un nain, un gorille et quelques dames à la mine austère. Le réalisateur danois n'a jamais eu qu'un seul rival capable de représenter aussi bien le difforme, le grotesque et le malfaisant : c'est Tod Browning.

Pendant les années 30, Christensen retourne dans son Danemark natal, mais l'inspiration semble l'avoir abandonné, car les films qu'il y tourne pendant la Seconde Guerre mondiale paraissent sans intérêt. Pourtant, sa vision très personnelle et sa maîtrise des premiers films d'horreur ont marqué l'histoire du cinéma. P.CO.

CHRISTENSEN *(Bent), cinéaste danois (Aalborg 1929-1992).* Christensen, qui commence sa carrière comme acteur – et non des moindres –, se met, à la fin des années 50, à écrire et à réaliser des films. Il s'agit alors d'œuvres faciles et inoffensives, sans mérite particulier, et il faudra attendre la fin des années 60 pour qu'il trouve véritablement sa voie, qui aura été de produire quelques-uns des films danois les plus admirables de cette période (parmi lesquels *Dilemme* de Henning Carlsen [1962] et *Week-end* de Palle Kjaerulff-Schmidt, la même année). À titre personnel, la comédie satirique *Harry et son valet* (*Harry og kammertjeneren,* 1961) lui a valu un triomphe national. P.CO.

CHRISTIAN-JAQUE (*Christian Maudet,* dit), *cinéaste français (Paris 1904 -* id. *1994).* Ses études le font pénétrer comme affichiste dans des maisons de production ; puis, épaulé par le metteur en scène Henry Roussell, il travaille sur les décors de *Une java* (1927). Hugon et Duvivier l'emploient ensuite, alors qu'il s'essaie au journalisme. *Le Bidon d'or* (1932), pochade sportive, est son premier long métrage. Il va tourner alors des drames et surtout des vaudevilles qui obtiennent la faveur populaire. Sa cadence de travail est étourdissante : cinq à six films par an, dont Fernandel et Armand Bernard se partagent les titres. Le premier anime *Un de la Légion* (1936), *François Ier* (1937), *Ernest le rebelle* (1938) ; le second s'ébat dans *la Famille Pont-Biquet* (1935) et *Sacré Léonce* (id.) ; tous deux se retrouvent dans *Raphaël le tatoué / C'était moi* (1939), conclusion des farces d'avant-guerre. Devenu un parfait technicien, Christian-Jaque adapte de façon remarquable *les Disparus de Saint-Agil* (1938) et s'attendrit sur l'enfance malheureuse dans *l'Enfer des anges* (1939). Pendant l'Occupation, il fait preuve de son éclectisme et de son brio : aventures poétiques (*l'Assassinat du Père Noël,* 1941) ; comédie sentimentale (*Premier Bal,* id.) ; biographie romantique (*la Symphonie fantastique,* 1942) ; échappée littéraire (*Carmen,* 1945 [RÉ 1943]) ; nostalgie des ports et des départs manqués (*Voyage sans espoir,* 1943) ; résurrection d'une Auvergne âpre et maléfique (*Sortilèges,* 1945). À la Libération, il proclame avec verve le patriotisme de *Boule de suif* (1945) et donne un tableau haut en couleur de la bourgeoisie lyonnaise vue par Henri Jeanson (*Un revenant,* 1946). L'accueil mitigé que l'on réserve à *la Chartreuse de Parme* (1948) et à *Singoalla* (1950) n'atténue pas la truculence de *Barbe-Bleue* (1951), premier essai en couleurs, ni l'allégresse de *Fanfan la Tulipe* (1952), qui remporte un succès triomphal. Précédemment marié à Simone Renant, puis à Renée Faure, il épouse ensuite Martine Carol. *Adorables Créatures* (1952), *Lucrèce Borgia* (1953), *Madame du Barry* (1954), *Nana* (1955) et *Nathalie* (1957) sont surtout une célébration de l'actrice... Tous ces films, ainsi que ceux qui vont suivre, n'attestent plus qu'un incontestable savoir-faire, qui lui permet de raconter brillamment *Si tous les gars du monde* (1956). Sa bonne humeur et sa désinvolture éclatent jusque dans ses réalisations les plus discutables : *les Pétroleuses* (1971), *la Vie parisienne* (1977). R.C.

Autres films : *Adhémar Lampiot* (1933) ; *le Tendron d'Achille* (id.) ; *Ça colle* (id.) ; *le Bœuf sur la langue* (id.) ; *Compartiment de dames seules* (1935) ; *le Père Lampion* (id.) ; *Sous la griffe* (id.) ; *la Sonnette d'alarme* (id.) ; *Voyage d'agrément* (id.) ; *Monsieur Personne* (1936) ; *l'École des journalistes* (id.) ; *Rigolboche* (id.) ; *Josette* (id.) ; *On ne roule pas Antoinette* (id.) ; *la Maison d'en face* (1937) ; *À Venise une nuit* (id.) ; *les Perles de la Couronne* (co S. Guitry, *id.*) ; *les Dégourdis de la Onzième* (id.) ; *les Pirates du rail* (1938) ; *le Grand Élan* (1940) ; *D'homme à hommes* (1948) ; *Souvenirs perdus* (1950) ; *Destinées* (épisode : *Lysistrata,* 1954) ; *la Loi, c'est la loi* (1958) ; *Babette s'en va-t-en guerre* (1959) ; *la Française et l'amour* (épisode : *le Divorce,* 1960) ; *Madame Sans-Gêne* (1961) ; *Marco Polo* (1962, inachevé) ; *les Bonnes Causes* (1963) ; *la Tulipe noire* (1964) ; *le Repas des fauves* (id.) ; *le Gentleman de Cocody* (1965) ; *Guerre secrète* (co T. Young, C. Lizzani et W. Klinger, *id.*) ; *la Seconde Vérité* (1966) ; *Le Saint prend l'affût* (id.) ; *Deux Billets pour Mexico* (1967) ; *les Amours de lady Hamilton* (1969) ; *Docteur Justice* (1975) ; *Carné, l'homme à la caméra* (DOC, 1985). ▲

CHRISTIE *(Julie), actrice britannique (Chukua, Assam, Inde, 1940).* Son amour du théâtre la conduit à incarner le personnage de Luciana, dans *la Comédie des erreurs,* à la Royal Shakespeare Theatre Company. Elle fait des débuts très remarqués dans une série télévisée où elle tient le rôle-titre (*A for Andromeda,* 1962). Elle commence à s'imposer grâce à John Schlesinger, qui lui confie le premier rôle féminin de *Billy le Menteur* (1963), un film dont la direction d'acteurs est fortement marquée par l'apogée du Free Cinema. Deux ans plus tard, elle connaît la consécration internationale en obtenant l'Oscar de la meilleure interprétation féminine pour *Darling* du même Schlesinger. Dès lors, elle sait varier constamment ses interprétations sous la direction de grands cinéastes internationaux (*le Messager,* J. Losey, 1971), ne tournant qu'avec une judicieuse parcimonie et ne se contentant jamais de miser sur sa seule animale et originale beauté. R.L.

Films ▲ : *Crooks, Anonymous* (K. Annakin, 1962) ; *la Merveilleuse Anglaise* (id., *id.*) ; *Billy le Menteur* (J. Schlesinger, 1963) ; *le Jeune Cassidy* (J. Cardiff, 1965) ; *Darling* (Schlesinger, *id.*) ; *le Docteur Jivago* (D. Lean, *id.*) ; *Farenheit 451* (F. Truffaut, 1966) ; *Loin de la foule déchaînée* (Schlesinger, 1967) ; *Petulia* (R. Lester, 1968) ; *À la recherche de Gregory* (P. Wood, 1970) ; *John McCabe* (R. Altman, 1971) ; *Ne vous retournez pas* (N. Roeg, 1973) ; *Shampoo* (H. Ashby, 1975) ; *Nashville* (R. Altman, *id.,* caméo) ; *Génération Proteus* (*Demon Seed,* D. Cammell, 1977) ; *Le ciel peut attendre* (W. Beatty, 1978) ; *les 40es Rugissants* (Ch. de Chalonge, 1982) ; *le Retour du soldat* (A. Bridges, *id.*) ; *Chaleur et Poussière* (J. Ivory, 1983) ; *les Coulisses du pouvoir* (S. Lumet, 1986) ; *la Mémoire tatouée* (Ridhā Bēhī, *id.*) ; *Miss Mary* (Maria Luisa Bemberg, 1987) ; *Fools of Fortune* (Pat O'Connor, 1991), *The Railway Station Man* (Michael Whyte, 1992).

CHROMATISME. 1. Dispersion des rayons lumineux, à la traversée d'une surface air-verre, selon leur longueur d'onde. 2. Caractéristique de l'œil, et de la vision, liée au fait que notre œil n'est pas achromatique. (→ ŒIL.)

CHROMOGÈNE. Générant des images en couleurs : *révélateur chromogène, développement chromogène.* (→ COUCHE SENSIBLE.)

CHRONO (d'après *Chronophotographe,* nom de marque). Appellation consacrée de la partie proprement mécanique d'un projecteur. (→ PROJECTION.)

CHRONOCHROME. *Chronochrome Gaumont,* ou *Gaumontcolor* → PROCÉDÉS DE CINÉMA EN COULEURS.

CHRONO DE POCHE → FORMAT.

CHRONOPHONE → PROCÉDÉS DE CINÉMA SONORE.

CHRONOPHOTOGRAPHE → PROJECTION, FORMAT.

CHTRAUKH *(Maksim)* [*Maksim Maksimovič Štrauh*], *acteur soviétique (Moscou 1900 -* id. *1974).* Sur scène, où il se rend célèbre, il travaille de 1921 à 1924 au Premier Théâtre ouvrier du proletkoult, interprète plusieurs spectacles « excentriques », travaille avec Meyerhold, s'impose dans des pièces d'Ehrenbourg, Olecha, Vichnievski et Maiakovski. Il apparaît dans le pamphlet satirique d'Eisenstein, *le Journal de Gloumov,* intermède filmé du spectacle théâtral de ce metteur en scène (*Un sage,* 1923) et joue un rôle d'indicateur de police dans *la Grève* (1925). Puis Eisenstein le prend comme assistant du *Cuirassé Potemkine,* d'*Octobre* et de *la Ligne générale.* Sa première période d'acteur, jusqu'à la fin du muet, se caractérise par son jeu « excentré », et sa prestation la plus remarquable est celle du policier dans *le Fantôme qui ne revient pas,* d'Abram Room (1930). Avec le parlant, son jeu devient plus sobre, plus intériorisé ; mais la plupart des films auxquels cet excellent comédien a participé dans les années 30 n'ont laissé aucun souvenir dans l'histoire du cinéma. Après la guerre, on le retrouve dans *le Serment* (M. Tchiaoureli, 1946) et *Meurtre dans la rue Dante* (M. Romm, 1956). Il doit surtout sa renommée à ses interprétations du personnage de Lénine sous la direction de Youtkevitch : *l'Homme au fusil* (1938), *Récits sur Lénine* (1958) et *Lénine en Pologne* (1966). M.M.

CHUTE. Fragment de prise non utilisé lors du montage.

CHUTIER. Accessoire de salle de montage permettant le rangement des chutes.

CHVARTZ *(Lev)* [*Lev Aleksandrovič Švarc*], *musicien soviétique (Tachkent 1898 - Moscou 1962).* Diplômé du Conservatoire de Moscou en 1927, il compose dès 1932. Se consacrant à la musique de film à partir de 1935, il connaît bientôt le succès avec la fameuse trilogie de Donskoï (*l'Enfance de Gorki, En gagnant mon pain, Mes universités,* 1938-1940) ; dès lors, il signe la partition de tous les films de ce réalisateur jusqu'à sa mort, s'imposant par son style très lyrique et son intelligence du contrepoint audiovisuel. On lui doit aussi, entre autres, les partitions de *la Fleur de pierre* (A. Ptouchko, 1946), *Anna au collier* ou l'*Ordre d'Anna* (*Anna na šee,* I. Annensky, 1954), *Mon ami Kolka* (A. Mitta et A. Saltykov, 1961). M.M.

CHVEITZER *(Mikhaïl)* [*Moisej/Mihail Abramovič Švejcer*], *cinéaste soviétique (Perm' 1920).* À l'Institut du cinéma de Moscou, qui lui octroie son diplôme en 1943, il suit l'enseignement d'Eisenstein. Si son premier film, *'le Chemin de la gloire' (Put' slavy)* [co B. Bouneev et A. Rybakov, 1949], passe presque inaperçu, il n'en est pas de même, en 1956, pour *la Parenté étrangère (Čužaja rodnja),* solide témoignage, d'après un roman de Tendriakov, sur la vie à la campagne. Il reste fidèle à cet écrivain pour *'Sacha entre dans la vie'* (*Saša vstupaet v žizn'*, 1957). Il adapte ensuite Tolstoï dans *Résurrection* (*Voskresenie,* deux parties, 1960 et 1962), Kataïev dans *'En avant, le temps'* (*Vremja, vpered,* 1966), puis les auteurs satiriques Ilf et Petrov dans *le Veau d'or* (*Zolotoj telenok,* 1969). On lui doit encore, notamment, *'la Fuite de M. MacKinley'* (*Begstvo Mistera Mak Kinli,* 1975) et des adaptations littéraires : *Des gens ridicules* (*Smešnye Pjoudi,* 1978, d'après Tchékhov), *Petites tragédies* (*Malen'kie tragedii,* 1980, d'après Pouchkine), *les Âmes mortes* (*Mertvye duši,* 1984, d'après Gogol) et *la Sonate à Kreutzer* (*Krejcerova sonata,* 1987, co Sofia Milkina). Il signe en 1993 *'Écoute, Fellini'* (*Poslušaj, Fellini,* co : Sofia Milkina). M.M.

CHYTILOVA *(Věra), cinéaste tchèque (Ostrava 1929).* Elle suit des cours d'architecture, puis travaille comme dessinatrice, mannequin, script-girl. En 1957, elle s'inscrit à la FAMU et pendant cinq ans étudie dans la classe d'Otakar Vávra. Son film de fin d'études, *le Plafond* (*Strop,* 1962), lui vaut un prix au festival d'Oberhausen. Son attirance vers le cinéma-vérité se manifeste encore dans un autre moyen métrage : *Un sac de puces* (*Pytel blech,* id.), qui évoque les problèmes d'un collectif de jeunes ouvrières, et dans son premier long métrage, *Quelque chose d'autre* (*O něčem jiném,* 1963), où elle évoque en parallèle la vie de deux femmes : une ménagère sans ambitions professionnelles et une championne de gymnastique (jouée par une vraie championne, Eva Bosákova). Après un sketch *(Self-Service Univers)* du film-manifeste de la Nouvelle Vague tchécoslovaque : *les Petites Perles au fond de l'eau* (*Perličky na dně,* 1965), elle s'éloigne du cinéma-vérité pour aborder des paraboles stylisées à mi-chemin entre la farce corrosive et la transposition philosophique et politique. Épaulée par la scénariste et costumière Ester Krumbachova, elle signe *les Petites Marguerites* (*Sedmikrásky,* 1966), portrait de deux gamines irresponsables et irrévérencieuses pour lesquelles la vie n'est qu'un jeu iconoclaste, puis *les Fruits du paradis* (*Ovoce stromů rajských Jíme,* 1969), comédie faussement naïve où l'on apprend qu'il n'est guère possible de vivre en accord avec soi-même. Le nihilisme enjoué de Chytilova se heurte après les événements de 1968 à une désapprobation ouverte du régime, qui la réduit pendant près de sept années à un chômage artistique. Ce n'est qu'en 1976 qu'elle parvient à réaliser *le Jeu de la pomme (Hra o jablko),* avec Jiři Menzel dans l'un des rôles principaux. Le film, malgré d'évidentes concessions au réalisme, n'enchante visiblement pas les autorités et ne fait dans son pays qu'une carrière éclair. Après un documentaire, *Le temps est impitoyable* (*Cas je neúprosny,* 1978), où elle tente de prouver que le seul moyen d'affronter la vieillesse est de garder une activité créatrice, elle réalise, aux Studios de Barrandov cette fois, *Panelstory* (1979), une mordante satire sur les conditions de vie des habitants d'un quartier en construction et la déformation des rapports humains qui en résulte. Le film ne sort que vers la fin 1981 et n'atteint pas plusieurs régions du pays. En 1980, *la Calamité (Kalamita)* s'intéresse à certaines déformations d'ordre éthique et rencontre d'égales difficultés de distribution. Elle réalise ensuite *l'Après-midi d'un vieux faune* (*Faunovo velmi pozdni odpoledne,* 1985), *le Chalet des loups* (*Vlčí bouda,* 1986), *le Bouffon et la Reine* (*Šašek a kralovna,* 1987), *Un coup par-ci, un coup par-là* (*Kopytem sem, kopytem tam,* 1989), *'Mes Pragois me comprennent'* (*Moji Pražané mi rozumějí,* MM, 1991), *'l'Héritage'* (*Dědictví aneb kurvahošigutntag,* 1992), une comédie populaire, et *'Où allez-vous, jeunes filles ?'* (*Kam panenky...,* CM, DOC, 1993). On lui doit également d'autres documentaires : *'Prague, cœur inquiet de l'Europe'* (*Praha, neklidné srdce Evropy,* 1984) et *'T.G.M. le libérateur'* (*T.G.M. osvoboditel,* 1990). Věra Chytilova a été l'épouse du chef opérateur Jaroslav Kučera. ▲ J.-L.P.

CIAMPI *(Yves), cinéaste français (Paris 1921 -* id. *1982).* Il a pour père le pianiste Marcel Ciampi et pour mère la violoniste Yvonne Astruc ; mais il préfère d'abord la médecine à toute carrière artistique. Le cinéma d'amateur, toutefois, le conduit à l'autre, et il devient l'assistant de Dréville et d'Hunebelle. Il passe à la réalisation en 1945 et se fait connaître avec *Un grand patron* (1951) et, surtout, *Les héros sont fatigués* (1955). Il est dès lors considéré comme un bon « technicien » et comme un spécialiste du suspense psychologique : *Typhon sur Nagasaki* (1957), *Qui êtes-vous M. Sorge ?* (1960), *le Ciel sur la tête* (1964) sont ses meilleures réussites dans ce genre. Il est moins à l'aise dans l'étude intimiste (*À quelques jours près,* 1969). Il s'est ensuite surtout consacré à la télévision. M.M.

CICOGNINI *(Alessandro), musicien italien (Pescara 1906).* Auteur prolifique dont l'activité cinématographique s'étend de 1937 à 1965, Cicognini a surtout écrit des partitions aux mélodies agréables et faciles à mémoriser, par exemple *Deux Sous d'espoir* (R. Castellani, 1952), *le Petit Monde de don Camillo* (J. Duvivier, 1952), *Pain, Amour et Fantaisie* (L. Comencini, 1953). Collaborateur régulier de Blasetti (une dizaine de titres à partir de 1939), Cicognini a été associé aux meilleurs films de De Sica *(Sciuscià, le Voleur de bicyclette, Miracle à Milan, Umberto D., l'Or de Naples, le Toit, le Jugement dernier).* J.A.G.

CIMINO *(Michael), cinéaste américain (New York, N. Y., 1941).* Après des études d'art et d'architecture, puis d'art dramatique, il réalise des films publicitaires, puis collabore aux scénarios de *Silent Running* (D. Trumbull, 1972) et de *Magnum Force* (Ted Post, 1973). Il travaille aussi sur *The Rose* (M. Rydell, 1980), sans être mentionné au générique. Mais c'est son association avec Clint Eastwood, depuis *Magnum Force,* qui l'amène à écrire et réaliser pour lui *le*

Canardeur (*Thunderbolt and Lightfood,* 1974). La thématique de Cimino transparaît dans ces premiers ouvrages : son goût des affirmations énergiques et des personnages mystérieux, son culte de la force, son intérêt pour les situations paradoxales. *Voyage au bout de l'enfer* (*The Deer Hunter,* 1978) constitue pourtant une sorte de révélation, à la fois par la nouveauté de sa construction et par l'efficacité romanesque de sa mise en scène. Le film connaît un remarquable succès commercial, non sans malentendu, car son sujet est moins la guerre du Viêt-nam que la signification de celle-ci pour quelques individus. Cette réussite permet à Cimino d'entreprendre *la Porte du paradis (Heaven's Gate),* western où l'on retrouve le même dessin des caractères et la même architecture narrative. Sorti à New York en 1980, ce film coûteux est si mal accueilli par les critiques que la United Artists le retire de l'affiche pour confier au réalisateur le soin d'en préparer une version écourtée. Cette dernière conserve toutefois une belle complexité et une grande invention visuelle. En 1985, Cimino « rentre en grâce » et réalise *l'Année du Dragon (Year of the Dragon)* où se déploie son romantisme de l'échec mais qui présente des Sino-Américains une vision si caricaturale qu'elle provoquera la polémique. Dans *le Sicilien* (*The Sicilian,* 1987), qui contient de réelles beautés, il s'avère incapable d'assurer la moindre crédibilité à l'histoire de Salvatore Giuliano. En 1990, il tourne *The Desperate Hours (id.),* remake d'un film de William Wyler : explosif, Cimino pulvérise le huis clos par son sens du décor et gomme les poncifs grâce à sa peinture au couteau de personnages ambigus. Hélas, malgré ses qualités, le film reste un demi-échec commercial et critique qui ne remet pas Cimino en selle comme il l'aurait voulu. ▲ A.M.

CINÉ. Abrév fam. de *cinéma.* La racine *ciné-* provient de la racine grecque *kinê,* que l'on retrouve dans *kinêma* (mouvement → CINÉMA), *kinêsis* (mouvement, cf. kinésithérapeute), *kinêtos* (mobile, cf. les dénominations – *Kinetoscop* et *Kinetograph* – des appareils d'Edison → INVENTION DU CINÉMA). De même que la racine *cinéma* dans *cinématique, ciné* fut employé dans *cinétique* (relatif au mouvement : *énergie cinétique, théorie cinétique,* etc.) avant l'apparition du cinéma. Mais, de même que *cinéma* est aujourd'hui perçu comme dérivé de *cinématographe, ciné* est aujourd'hui reçu comme diminutif de *cinéma.*

Plus court que *cinéma, ciné* a engendré un plus grand nombre de mots, comme :

– *cinéaste** ;

– ciné-club* ;

– cinémaniaque (personne poussant jusqu'à la manie la passion du cinéma) ;

– *cinémitrailleuse* (caméra 16 mm installée sur les avions de chasse et déclenchée automatiquement en même temps que les mitrailleuses ou les canons, de façon à enregistrer les résultats du tir) ;

– *ciné-parc* (mot québécois pour *drive* in*) ;

– *cinéphile* (amateur de cinéma ; autrefois, on distinguait volontiers le cinéphile, supposé connaisseur, du simple spectateur, mais cette nuance tend à disparaître) et *cinéphilie ;*

– *cinéroman* (roman-photo tiré d'un film) ;

– *cinéthéodolithe* (caméra spéciale, 16 ou 35 mm, généralement équipée d'un puissant téléobjectif, employée pour filmer les trajectoires des engins spatiaux, particulièrement les tirs de fusées).

Ciné engendra également une quantité importante de noms de marque, comme : *Cinecolor* (procédé de cinéma en couleurs), *Cinépanoramic* (procédé d'écran large par anamorphose), *Cinérama**, *Cinemeccanica* (fabricant italien de projecteurs), etc., sans oublier *Cinecittà,* ensemble de studios et de laboratoires de la banlieue romaine.

Dans le langage populaire, *ciné* est devenu un substantif, synonyme de cinéma : *je vais au ciné ; tout ça, c'est du ciné.*

Parallèlement à *ciné, kinê* a donné lieu aux racines *kine* (*Kinescope,* caméra spéciale pour filmer les images d'un récepteur de télévision → VIDÉO) et *kino* (cf. par exemple *Kinopanorama* → CINÉRAMA).

Le radical *ciné* de *cinéraire* a une tout autre origine : il vient du latin *cinis,* cendre. J.-P.F.

CINEARTE. Hebdomadaire brésilien (1926-1942). La place envahissante prise par la rubrique « Cinéma » du magazine à grande diffusion *Para Todos* décide ses éditeurs à publier une revue spécialisée, dirigée par Mario Behring et Adhémar Gonzaga, à l'image de *Photoplay,* publication américaine populaire entretenant le star-system. *Cinearte* joue un rôle similaire, contribuant à la pénétration et à l'enracinement des films étrangers au Brésil. Mais, en même temps, il devient la tribune d'un timide nationalisme cinématographique. Cette dualité traduit celle de ses fondateurs. Behring (grand maître des maçons brésiliens) est un défenseur obstiné du libre-échange et un ennemi du cinéma de fiction national ; seul le documentaire trouve grâce à ses yeux, en vertu de son rôle pédagogique et de propagande. Gonzaga est voué corps et âme à la consolidation d'une cinématographie nationale basée sur la fiction ; il condamne sans appel les « actualités » et autres « combines » ayant permis aux opérateurs et cinéastes de survivre pendant des années. L'entente se fait autour du cinéma américain, adopté comme modèle esthétique et industriel. *Cinearte,* éditée à Rio de Janeiro, fait connaître l'expérience des divers « cycles régionaux » de production du muet, tout en leur prêchant la morale et les conventions hollywoodiennes : un cinéma de studio, éloigné des réalités du sous-développement, ne gardant du pays que la « photogénie » des beautés naturelles. L'équipe de la revue passe à la pratique avec le film *Barro Humano* (Gonzaga, 1928) ; la sophistication prônée étendra son influence à certaines œuvres de Humberto Mauro. Les velléités industrielles de Gonzaga débouchent sur la création de la compagnie Cinédia (1930). Creuset d'un curieux mélange de mimétisme, d'idéalisme esthétique, et de nationalisme (qui est sous-jacent aux diverses tentatives d'implantation de studios de type hollywoodien et à leur idéal de qualité), *Cinearte,* ne sera remis en question qu'après l'échec de la Vera Cruz (vers la moitié des années 50) et l'avènement du Cinema Novo. P.A.P.

CINÉASTE. Syn. littéraire de *réalisateur*. Ce terme a désigné autrefois toute personne consacrant son activité au cinéma en tant qu' *art :* scénariste, réalisateur, techniciens du tournage, etc., et même les auteurs d'ouvrages traitant de l'esthétique du cinéma. Ce terme « semble avoir été créé par le président Paul Deschanel dans un discours en 1914 à la Société des auteurs », écrit Marcel L'Herbier dans ses souvenirs, *la Tête qui tourne.* Canudo lui opposa sans succès le mot « écraniste », Delluc défendant, quant à lui, « cinéaste ». De nos jours, le terme tend à remplacer celui de metteur en scène ou de réalisateur, trop restrictif sans doute pour désigner celui qui prend en charge le tournage d'un film et dont la compétence ne saurait se limiter à la seule mise en scène. C.D.R.

CINÉ-CLUB n. m. (pl. des ciné-clubs). Association juridique, d'institutions et de personnes, visant à initier ses adhérents à la culture cinématographique. Le cinéaste et critique français Louis Delluc crée le mot « ciné-club » en lançant, le 14 janvier 1920, l'hebdomadaire *le Journal du ciné-club* ou *Ciné-Club,* dont il devient le rédacteur en chef. En fait, cet organe de presse cristallise les préoccupations de Delluc qui milite, parallèlement, pour un cinéma de qualité non inféodé aux puissances d'argent et en faveur d'une authentique activité de critique. *Ciné-Club* se propose de faciliter le dialogue entre les cinéastes et le public en organisant, également, des manifestations pour favoriser le développement de la cinématographie française. En juin 1920, une première rencontre réunit, au cinéma parisien la Pépinière, de nombreux participants : André Antoine et Émile Cohl y tiennent chacun une conférence. Tout cela est encore informel. *Ciné-Club* s'arrête de paraître le 11 février 1921. Trois mois plus tard, Delluc fonde *Cinéa,* la première revue française de réflexion sur le cinéma. La naissance et l'organisation d'une presse spécialisée, consciente de son rôle tant au niveau social qu'esthétique, et le développement de l'idée de ciné-club sont étroitement liés.

Passant de l'intention à la pratique, un groupe de spectateurs se réunit le 14 novembre 1921 dans une salle de la capitale, le Colisée. Le programme proposé se compose d'un montage d'actualités ainsi que du célèbre film allemand de Robert Wiene, *le Cabinet du docteur Caligari* (1919). À cette époque, le théoricien Ricciotto Canudo crée le Club des amis du septième art (CASA). Le but de cet organisme vise, comme l'écrit son initiateur dans *Cinéa,* à légitimer le cinéma comme pratique culturelle noble, en affirmant « par tous les moyens le caractère artistique du cinéma » car c'est « indéniablement un art, le septième », en relevant « le niveau intellectuel de la production cinématographique » et en mettant « tout en œuvre pour attirer vers le cinéma les talents créateurs, les écrivains et les poètes, ainsi que les peintres et les musiciens des générations futures». Le CASA se charge, en 1921 et 1923, de la section cinéma au sein du Salon d'automne. En 1924, le CASA fusionne avec le Club français du cinéma, animé par Léon Moussinac. De ce mariage naît, sous le patronage de Germaine Dulac, Jacques Feyder et Moussinac lui-même, le Ciné-club de France.

La genèse des ciné-clubs est étroitement liée à l'apparition d'une pensée cohérente sur le film et aux mouvements d'avant-garde : Delluc, Dulac, deux noms prestigieux de l'École impressionniste française, y sont étroitement mêlés. Le Ciné-club de France ajoute une troisième dimension aux deux premières : la lutte contre la censure. C'est sous sa bannière qu'on présente en 1926, pour la première fois dans l'hexagone, *le Cuirassé Potemkine* d'Eisenstein, alors interdit. À la fin des années 20, les choses se structurent : avec *Rien que les heures,* d'Alberto Cavalcanti (1926), l'avant-garde se socialise ; la naissance, en décembre 1928, de *la Revue du cinéma* offre, par ailleurs, un support réflexif solide au 7e art. C'est dans ce contexte que, de retour d'URSS, Léon Moussinac fonde, en 1928, avec Jean Lods, Georges Maranne et Paul Vaillant-Couturier, les Amis de Spartacus, le premier ciné-club de masse réellement engagé dans le combat social. Des œuvres comme *la Mère* ou *la Fin de Saint-Pétersbourg* de Poudovkine trouvent, par ce canal, une audience inespérée. Après moins d'un an d'existence, les Amis de Spartacus doivent, sous la pression du préfet de police Chiappe, arrêter leurs activités.

L'expérience des ciné-clubs se multiplie, à tel point qu'en 1929 se forme la première fédération du genre. La critique indépendante acquiert alors ses droits : le 12 décembre 1930, Moussinac gagne, en cours d'appel, le procès qui l'oppose à la Société des ciné-romans, pour un article paru en 1926 dans *l'Humanité.* En septembre 1929, se tient à La Sarraz (Suisse) le 1er Congrès international du cinéma indépendant (CICI), au cours duquel théoriciens et cinéastes d'avant-garde tentent de trouver des modes de diffusion viables pour les films difficiles ou de recherche. Les buts du congrès visent : «D'une part [à] organiser une Ligue des ciné-clubs, dont le siège est à Genève, destinée à coordonner et à faciliter l'action des organismes qui luttent pour l'exploitation du film indépendant ; d'autre part [à] créer une Coopérative internationale du film indépendant, dont le siège est à Paris, destinée à produire des films et qui, ayant des débouchés pour ses films, et le placement de ses actions assurées par la Fédération des ciné-clubs, pourra produire sans concession d'aucune sorte» (*la Revue du cinéma* n° 4, 15 octobre 1929). La crise économique, l'arrivée du cinéma parlant, le mauvais contexte politique ne permettent pas, dans l'immédiat, la réalisation de ce projet. Toutefois, de nombreuses initiatives éclatées voient le jour : la Tribune libre du cinéma, de Charles Léger (1925) ; le Ciné-club Cendrillon, de Sonika Bo (1933) ; le Cercle du cinéma, d'Henri Langlois et Georges Franju (1935), premier état de la future Cinémathèque française... En 1933 se crée, sous la forme d'une section spécialisée adhérente à la Ligue de l'enseignement, l'Union française des offices du cinéma éducateur laïque (UFOCEL), qui diffuse le film en milieu scolaire. Au cours des années 20 et 30 se développent, dans de nombreux pays, des groupes à double vocation : celle de produire des œuvres engagées et celle de montrer des films interdits par la censure ou rejetés par l'industrie. Citons : la Volksfilmbühne et la Volksfilmverband pour l'Allemagne ; la Federation of worker's film societies, en Grande-Bretagne ; la Worker's film and Photo League, aux États-Unis ; le Japanese Worker's camera club... En 1946, Français, Britanniques, Belges, Italiens, Néerlandais et Polonais donneront naissance à la Fédération internationale des ciné-clubs.

C'est à la Libération que le mouvement ciné-club prend son essor et se fédéralise. En mai 1946 naît la Fédération française des ciné-clubs (FFCC) ; le 3 juillet 1946, c'est le tour de la Fédération loisir et culture (FLEC) ; en 1950, celui de la Fédération française de ciné-clubs de jeunes qui devient, en 1964, la Fédération Jean Vigo. La même année se crée Film et Vie, tandis que l'Union nationale inter-ciné-clubs voit le jour en 1958. La plupart de ces fédérations existent encore aujourd'hui. La vie associative se structure au lendemain de la guerre. Les bases jetées, dans les années 20, par les Delluc, Moussinac, Dulac et autres, se concrétisent enfin. En 1947, les efforts conjugués de Georges Sadoul, secrétaire général de la FFCC, et de Thorold

Dickinson, représentant le mouvement en Grande-Bretagne, donnent naissance à la Fédération internationale des ciné-clubs (FICC), qui regroupe, alors, quelque vingt pays membres.

Pour prolonger leur travail d'information sur le film, commencé lors des débats qui suivent les projections, quatre fédérations de ciné-clubs se dotent de revues : l'UFOCEL (qui devient l'UFOLEIS en 1953 : Union française des œuvres laïques d'éducation par l'image et le son) conçoit, en mai 1946, *UFOCEL-Informations,* qui prend, en novembre 1951, le titre *Image et Son* (puis : *la Revue du cinéma*) ; la FLEC crée, en 1946, *Téléciné* (disparu en 1978) ; la FFCC fonde, en octobre 1947, la revue *Ciné-club,* qui se mue, après trois ans d'interruption (1951-1954), en *Cinéma 55* (novembre 1954), et la fédération Jean Vigo élabore, en septembre 1964, *Jeune Cinéma.* Ces revues, d'abord bulletins d'information internes au mouvement, acquièrent par la suite une large audience. *La Revue du cinéma,* avec un tirage de 55 000 exemplaires en 1986-1988, est arrivée en tête des publications spécialisées en France avant de disparaître, en 1993. Leur souci est d'abord pédagogique : informer les lecteurs et les adhérents sur les films, l'histoire du cinéma, les cinématographies nationales. Didactisme et approche sociologique des films dominent longtemps le contenu de ces revues, qui allaient cesser de paraître au cours des années 80 ou 90 (sauf *Jeune cinéma*).

Un certain nombre de lois et de décrets régissent actuellement la diffusion non commerciale du film par l'intermédiaire des ciné-clubs : « Parmi ces associations et organismes assimilés, seuls peuvent se prévaloir du titre de *ciné-clubs* ceux qui organisent régulièrement des séances comportant des représentations et débats sur les films projetés. La qualité de ciné-clubs est reconnue par décision conjointe du secrétaire d'État à la Jeunesse et aux Sports et du directeur général du Centre national de la cinématographie, sur proposition de la fédération à laquelle ils sont rattachés » (arrêté du 6 janvier 1964). Le travail accompli par les ciné-clubs – présentation de films boudés par l'exploitation traditionnelle, implantation dans les milieux défavorisés, scolaires, urbains..., organisation de festivals et de rencontres, publications diverses, etc. – se heurte à une bureaucratie qui favorise le cinéma commercial. Tout membre d'un ciné-club doit être détenteur d'une carte qui couvre trois séances (pas de liberté de choix), les films présentés doivent avoir plus de trois ans d'âge, la publicité est prohibée... Les cinémas d'art et essai, les salles de recherche, la télévision et ses « ciné-clubs » concurrencent durement le mouvement associatif qui ne retrouve plus l'éclat des années 50. À la fin des années 70, on comptait en France près de 12 000 ciné-clubs dans les huit fédérations habilitées (dont 8 000 pour la seule UFOLEIS). Le nombre des fédérations et, conséquence directe, le nombre des ciné-clubs ont chuté dans les années 80, les associations n'ayant pu ni su faire évoluer la formule (certaines ont d'ailleurs adopté la réglementation du cinéma commercial dans des salles ou en tournées équipées en 35 mm, introduisant dans la mesure du possible les films d'art et d'essai dans des programmations « grand public ».

On peut dire que, s'il existe maintenant un public exigeant en matière cinématographique, on le doit à l'action menée depuis soixante ans par les ciné-clubs. (→ NON COMMERCIAL.) R.BA.

CINÉCOLOR → PROCÉDÉS DE CINÉMA EN COULEURS.

CINÉGÉNIE (précieux). Équivalent pour le cinéma de *photogénie.*

CINÉMA (d'après cinématographe). Procédé procurant l'illusion du mouvement par la projection de vues fixes à cadence élevée. Par extension, art de composer et de réaliser des films, ou bien la branche de l'industrie relative à la fabrication et à la diffusion des films. C'est aussi l'ébréviation courante de *salle de cinéma.*

La racine *cinéma* – du grec *kinêma,* mouvement – avait servi à construire *cinématique* (partie de la mécanique qui étudie les mouvements des corps, abstraction faite des forces qui les produisent) bien avant que les Français Bouly* et surtout Lumière* n'imaginent de baptiser leurs appareils « cinématographe ». À l'exception près de son emploi dans « cinématique », ce radical est aujourd'hui perçu comme dérivant de cinématographe. En fait, le vocabulaire s'est surtout construit autour de la racine plus courte *ciné**. *Cinéma* ne se retrouve en entier que dans *cinémathèque** et *CinémaScope**, ainsi bien sûr que dans les dérivés de cinématographe. (→ CINÉMATOGRAPHE.) Avec la graphie « kinema », on le trouve également dans *kinemacolor.*

Cinéma devint très vite un substantif, désignant le procédé qui permet de procurer l'illusion du mouvement par la projection, à cadence suffisamment élevée, de vues fixes enregistrées sur un film. Par extension, cinéma désigna l'art de composer et de réaliser des films cinématographiques (le cinéma est souvent qualifié de « 7e art ») ainsi que la branche de l'industrie relative à la fabrication et à la diffusion des films. Par raccourcissement de « salle de cinéma », on appelle également *cinémas* les salles destinées à l'exploitation commerciale de films cinématographiques.

La langue populaire emploie abondamment *cinéma* dans un sens figuré : *c'est du cinéma, faire du cinéma, faire tout un cinéma (de...).* Ces expressions signifient que l'action considérée est factice, destinée à faire croire ce qui n'est pas. *Cinoche* est le synonyme argotique de *cinéma.* J.-P.F.

CINÉMA. Revue mensuelle de cinéma issue de *Ciné-club,* publiée depuis 1947 par la Fédération française des ciné-clubs. Avec un tirage stabilisé autour de 25 000 exemplaires, elle est, avec *les Cahiers du Cinéma, la Revue du cinéma-Image et Son* et *Positif,* une des grandes revues françaises d'information et de documentation paraissant régulièrement depuis plus de trente ans. Depuis le numéro un de novembre 1954, le contenu et la structure du sommaire de *Cinéma* sont restés pratiquement inchangés. Chaque mois sont proposés, dans des proportions variables, des dossiers, des entretiens, des études sur une personnalité ou un pays, une bibliographie, ainsi que le reflet de l'actualité cinématographique. Ouverte à tous les genres et à tous les aspects du cinéma, la revue dès ses débuts a tendance à prendre souvent violemment parti. Ainsi, d'abord largement soutenue à ses débuts, la Nouvelle Vague à partir de 1963 commence à susciter des opinions plus réservées. Au moment des événements de mai 68, l'équipe rédactionnelle se renouvelle en partie. Peu à peu, les tensions et les divergences d'opinion s'accusent au sein de *Cinéma.* Cette année de crise marque l'irruption de la politique dans le cinéma et dans la revue. Fin 1971, une partie des rédacteurs en conflit avec leurs collègues sur la conception de la critique, quitte la revue et fonde *Écran 72.* Affaiblie, *Cinéma 72* fait appel à de nouveaux collaborateurs ; rapidement, une équipe plus soudée se forme, où le pluralisme des opinions exprimées reste cependant conforme à un axe commun de travail. Le ton de la revue devient plus grave et parfois austère. Durant les années 70, plusieurs collaborateurs de *Cinéma* passeront à la réalisation de longs métrages (Yves Boisset, Bertrand Tavernier, René Gilson, Gérard Frot-Coutaz pour ne citer que les plus connus). F.LAB.

CINÉMA EN COULEURS → COULEURS *(procédés de cinéma en).*

CINÉMANIAQUE → CINÉ.

CINEMA NOVO → BRÉSIL.

CINEMA NUOVO, revue italienne de cinéma, d'inspiration marxiste, fondée et dirigée par le critique et théoricien Guido Aristarco. Elle se désigne comme « revue de culture », signifiant ainsi son refus de dissocier la culture cinématographique de la culture tout court et sa volonté d'œuvrer à l'édification d'une culture nouvelle, nationale-populaire selon les vues d'un Antonio Gramsci. Elle a repris (en 1952) le flambeau du bimensuel *Cinema,* créé sous le fascisme (en 1936) et qui, par son non-conformisme et sa lucidité, a été à l'origine du débat qui a ouvert la voie au courant néoréaliste et favorisé l'émergence du film de Visconti *Ossessione.* D'abord magazine à grand tirage, mais de haut niveau – à la façon du premier *Écran français* –, revue bimestrielle depuis 1958, *Cinema nuovo* n'a pas cessé de promouvoir une critique et un art engagés. B.A.

CINÉMASCOPE. Procédé, lancé par la Twentieth Century Fox, de cinéma sur écran large par anamorphose. (→ aussi FORMAT, PERFORATIONS, STÉRÉOPHONIE.)

CINÉMASCOPE. Le lancement du CinémaScope par la Twentieth Century Fox, en 1953, s'inscrivait dans le cadre de la politique menée par le cinéma américain pour proposer un spectacle capable de concurrencer la télévision, alors en plein essor aux États-Unis. Le *Cinérama**, apparu quelques mois plus tôt, avait démontré l'attrait du grand écran large et du son stéréophonique. Mais il nécessitait une installation spéciale, complexe et onéreuse, qui en limitait le développement. Le CinémaScope offrait les mêmes atouts de façon beaucoup plus simple.

Géométriquement, les films CinémaScope ne différaient des films 35 mm traditionnels que par la forme, légèrement différente (voir plus loin), des perforations. L'écran large était obtenu par *anamorphose**, grâce au dispositif inventé 25 ans auparavant par H. Chrétien. Quant au son, il était doublement amélioré par rapport au son optique traditionnel : l'emploi de quatre pistes magnétiques, de part et d'autre de chaque rangée de perforations, assurait à la fois une meilleure restitution sonore et la possibilité d'effets stéréophoniques. (→ STÉRÉOPHONIE.)

Pour obtenir sur grand écran une netteté et un éclairement satisfaisants, il fallait que l'image sur le film soit aussi grande que possible. Par rapport au 35 mm conventionnel, la Fox gagna en hauteur en utilisant la totalité des 19 mm correspondant à l'avance traditionnelle de 4 perforations par image, et elle gagna en largeur à la fois par l'emploi de perforations carrées (et non plus rectangulaires) et l'emploi de pistes magnétiques (moins encombrantes que la piste optique). L'image sur le film mesurait ainsi 19 × 24 mm, ce qui donnait sur l'écran – compte tenu du doublement en largeur dû à la désanamorphose – une image au format 1 × 2, 55.

Inauguré avec *la Tunique* (H. Koster, 1953), dont le tournage avait d'ailleurs commencé en format standard, le CinémaScope connut très vite un grand succès, qui suscita :

– l'apparition de nombreux procédés similaires d'écran large par anamorphose (*Superscope, Dyaliscope, Totalvision,* etc.) ;

– l'apparition de procédés d'écran large sans anamorphose : *Vistavision* et *70 mm ;*

– la mode des images « panoramiques », qui déboucha sur la définition de formats standards plus allongés que le format standard antérieur (→ FORMAT).

Si l'écran large par anamorphose s'imposa (dès la fin des années 50, il était inconcevable qu'une salle ne puisse pas projeter les films anamorphosés), l'expansion du CinémaScope dans sa version d'origine fut freinée par les investissements nécessaires à l'aménagement des salles (haut-parleurs supplémentaires) et surtout des cabines (modification des projecteurs pour accepter les perforations carrées, adjonction d'un bloc de lecture des pistes magnétiques, amplificateurs supplémentaires). Très vite, les films CinémaScope furent également proposés en copies tirées sur film à perforations traditionnelles et à piste sonore optique traditionnelle : cela réduisait en largeur l'espace disponible pour l'image, qui ne donnait plus sur l'écran que le format 1 × 2, 35. On aboutit ainsi à l'actuel *Scope**, qui périma rapidement le CinémaScope initial : dès les années 60, plus aucun film ne fut tourné avec une fenêtre de prises de vues au format 1 × 2, 55.

Les salles équipées pour le CinémaScope conservèrent toutefois leur matériel, ce qui ne leur posait pas de problème puisque les débiteurs adaptés aux perforations carrées acceptent les perforations traditionnelles. Cela leur permettait soit de ressortir les films en CinémaScope d'origine (encore que ces films aient été souvent amputés en largeur, puisque projetés avec la fenêtre 1 × 2, 35 du Scope) soit de projeter en son stéréophonique les films tournés en 70 mm ou en Dolby Stéréo, sous réserve évidemment que ces films aient fait l'objet d'un tirage sur pellicule type CinémaScope. (Ce fut récemment le cas en France pour *Play time,* J. Tati, 1967 – originellement en 70 mm –, ou pour *Rencontres du troisième type,* S. Spielberg, 1977.)

Le grand succès du CinémaScope, à l'époque où celui-ci était le seul procédé disponible d'écran large par anamorphose, conduisit très vite à ce que le nom de marque *CinémaScope* devienne un terme générique : on parla couramment de « film en CinémaScope », même si le film était tourné avec un autre procédé d'anamorphose. Cet usage persiste, bien qu'il ait tendance à s'effacer devant l'expression plus correcte « film en Scope ».

J.-P.F.

CINÉMA SONORE → SONORE *(procédés de cinéma).*

CINÉMATHÈQUE. Organisme, public ou privé, à but non lucratif, ayant pour vocation d'assurer la conservation, le stockage et l'entretien du patrimoine cinématographique : films (en tous genres et tous formats), scénarios, maquettes, photos, affiches, livres, dossiers de presse, magazines et tout document intéressant l'histoire du cinéma, de ses origines à nos jours. Une cinémathèque se doit en outre d'organiser, dans un cadre non commercial, des projections publiques de films classiques ou contemporains, des rétrospectives, des expositions, et de faciliter la tâche des historiens et des chercheurs en leur donnant accès à ses collections et en organisant des séances de visionnement ponctuelles. De par leur rôle, les cinémathèques se trouvent confrontées à des problèmes techniques, dont l'urgence ne fait que croître avec le temps. Par exemple, il s'avère nécessaire de procéder à des restaurations de copies anciennes, à de nouveaux tirages d'intertitres, à des réétalonnages de séquences teintées ou virées, etc. Si le négatif a disparu (ce qui est souvent le cas pour les films muets), il convient de se livrer à une confrontation attentive des copies positives disponibles et d'établir un internégatif, afin de restituer, autant que possible, l'œuvre dans son intégrité. On a pu ainsi reconstituer, après de patientes recherches, des films ayant subi de graves mutilations, tels que *l'Assassinat du duc de Guise, Intolérance, Métropolis, Napoléon, Casanova* (Volkoff), *l'Atalante*, et même procéder à un montage de rushes abandonnés, comme dans le cas de *l'Hirondelle et la Mésange* (Antoine).

Historique. En mars 1898, la première formulation de l'idée de cinémathèque est due à un opérateur polonais travaillant pour Lumière, Bolesław Matuszewski, lorsqu'il suggère de créer un Dépôt de cinématographie historique. L'idée reste sans suite. À la fin des années 20, l'apparition du parlant achève de démoder l'œuvre des pionniers, et, dans la plus grande anarchie, on se débarrasse des énormes stocks de films muets commercialement inutilisables, et qui encombrent les entrepôts. Émus par ces destructions massives de pellicules, plusieurs critiques français (dont Léon Moussinac) demandent en vain, dès 1933, la constitution d'Archives du film. La même année, l'Académie suédoise du cinéma fonde à Stockholm la première cinémathèque des temps modernes : la Svenska Filmsamfundets Arkiv. Par la suite, des organismes similaires apparaissent, essentiellement en Europe. En 1934, Josef Goebbels, ministre du Reich à l'Information et à la Propagande, crée à Berlin une cinémathèque d'État, la Reichsfilmarchiv. L'année suivante naissent successivement la National Film Library (Londres), la Film Library du Museum of Modern Art (New York) et la Cineteca Nazionale (Rome). En 1936 est fondée à Paris la *Cinémathèque* française,* alors qu'en 1938 est créée la Cinémathèque royale de Belgique (Bruxelles). Enfin, le 17 juin de la même année, la Fédération internationale des archives du film (FIAF) voit le jour. Organisme mondial, créé sur l'initiative des cinémathèques française, anglaise, américaine et allemande, la FIAF a pour but de coordonner le travail de chaque équipe nationale, de le centraliser et de permettre ainsi un contact efficace entre les différentes cinémathèques. Son rôle est de grouper les organisations qui se consacrent à la conservation des richesses cinématographiques, de faciliter les échanges internationaux de films et documents, et de promouvoir l'art et la culture cinématographiques. Au lendemain de la guerre et dans les années 50, des cinémathèques nouvelles éclosent un peu partout dans le monde. Créée à la fin des années 30 par un groupe de jeunes antifascistes, la Cineteca italiana (Milan) est officiellement fondée en 1947. La même année est instituée par décret la Cinémathèque d'État de l'Union soviétique, à Moscou (Gosfilmofond), qui passe pour avoir les collections les plus riches du monde avec la Cinémathèque française. En 1950 est inaugurée à Lausanne la Cinémathèque suisse. Enfin, la Staatliches Filmarchiv des DDR (Berlin-Est), fondée en 1955, héritant d'une grande partie du fond de l'ex-Reichsfilmarchiv, est la dernière en date des grandes et riches collections.

Les membres de la fédération ont des statuts très dissemblables : les uns sont intégrés totalement à l'État (c'est le cas de la Belgique, de la Suisse, de la Grande-Bretagne ou de la plupart des cinémathèques des pays de l'Est), d'autres ont conservé, par vocation ou nécessité, une relative autonomie (cinémathèques issues de collections particulières ou de ciné-clubs, comme on en trouve en France, en Italie ou en Allemagne). Qu'elles aient un monopole national, un statut d'association privée ou de fondation, les cinémathèques sont devenues, à une plus ou moins grande échelle, un service d'utilité publique, dont l'importance est reconnue dans le monde entier.

Il existe en France un grand nombre de cinémathèques aux statuts très divers à Paris et en région : des archives d'intérêt national (Archives du film du CNC, Cinémathèque française, Bibliothèque de l'image - filmothèque, Cinémathèque de Toulouse, Institut Lumière), des cinémathèques régionales (Bretagne, Corse, Perpignan, Nice, Marseille, Grenoble, Nancy, Saint-Étienne...), des cinémathèques dépendant d'institutions publiques (Établissement cinématographique et photographique des armées, Agriculture, PTT), des cinémathèques privées (Gaumont, Maison du cinéma de Lyon). C.D.R.

CINÉMATHÈQUE FRANÇAISE. Association créée en 1936 à Paris par Georges Franju, Henri Langlois, Jean Mitry et Paul-Auguste Harlé, afin de défendre et sauvegarder le répertoire cinématographique.

De 1936 à 1977, la Cinémathèque française se confond avec la vie d'Henri Langlois. Ce collectionneur, fou de cinéma, conçoit, dès 1934, l'idée de conserver les films, particulièrement ceux de la période muette, qui vient de s'achever (1929-30), et qui sont vendus aux cinémas forains ou détruits. Il commence à récupérer des copies, qu'il entrepose chez lui, dans sa salle de bains, cela par mesure de sécurité ; les films étant inflammables, il faut un poste d'eau à proximité. De là naîtra la légende de la baignoire de Langlois. En 1936, quelques crédits ayant été mis à sa disposition, la Cinémathèque française est fondée, le 9 septembre. Le stock initial de 150 titres environ est déposé à la maison de retraite des comédiens, à Orly où, dans l'oubli, vit Georges Méliès. Pendant la guerre, la Cinémathèque est installée avenue de Messine et les films sont éparpillés par Langlois en zone libre afin de prévenir la confiscation ou la destruction, par l'occupant, des œuvres interdites. Ce sauvetage sera le fait de Lotte H. Eisner, qui, à la fin de la guerre, posera les jalons du musée du Cinéma, ouvert en 1980 (musée Henri-Langlois). En 1950, le film flamme est interdit sur tout le territoire français et la Cinémathèque est habilitée à recevoir en dépôt toutes les copies nitrate. En 1955, la Cinémathèque se voit attribuer la salle de projection de l'Institut pédagogique national, rue d'Ulm. C'est là, puis à partir de 1963, au palais de Chaillot, qu'auront lieu les projections, les cycles, les hommages qui feront entrer Langlois et la Cinémathèque dans la légende. En 1959, un incendie au siège de la Cinémathèque, rue de Courcelles, cause des dégâts importants. En 1960, la Cinémathèque française quitte la Fédération internationale des archives du film, dont Langlois avait été le co-fondateur en 1938 (elle y adhèrera de nouveau en 1982). La Cinémathèque française est, à cette époque, une association privée subventionnée par l'État ; les films sont donnés, prêtés ou mis en dépôt par les ayants droit.

En février 1968 éclate l'affaire Langlois. L'État a tenté, à plusieurs reprises, de couper en deux la direction de la Cinémathèque, laissant à Henri Langlois la direction artistique et mettant en place une direction administrative afin de régler les problèmes financiers et techniques, et de mettre de l'ordre dans la gestion. Langlois, refusant cette décision, est écarté de la Cinémathèque. Alors que le mouvement étudiant est en train de naître, une énorme campagne de protestation se met en place, exigeant un peu hâtivement le retour sans conditions de Langlois. Ce mouvement est appuyé par tout ce que le cinéma mondial compte de cinéastes prestigieux : Charles Chaplin, Orson Welles, Fritz Lang, etc. Le gouvernement recule et Langlois est réintégré, mais la subvention est réduite.

De 1968 à la mort de Langlois en 1977, la Cinémathèque française survivra, entourée d'un culte fervent, mais criblée de dettes. En 1974, Henri Langlois reçoit, à Hollywood, un Oscar, preuve nouvelle de son prestige. Après 1977, l'État renforce sa subvention, des assemblées générales de déposants se tiennent. Un nouvel incendie, dans un dépôt de la Cinémathèque, cause des pertes sans doute irréparables en août 1980.

Présidée par Costa-Gavras de 1982 à 1987, par Jean Rouch de 1987 à 1991, puis par Jean Saint-Geours depuis 1991, la Cinémathèque française a renforcé et diversifié ses activités par des expositions temporaires, des conférences sur l'histoire de l'art cinématographique. Un effort particulier est entrepris en matière d'inventaire et de restauration des films et des appareils faisant partie de ses collections. Les collections « papier » (ouvrages, mémoires, scénarios, maquettes, photos, affiches...) sont traitées désormais par la Bibliothèque de l'image - filmothèque, créée en 1992 et rassemblant l'ensemble des collections « papier » du CNC, de la Cinémathèque française et de la FEMIS. C.D.R.

CINÉMATOGRAPHE. Nom de marque, devenu non commun, de l'appareil inventé par les frères Lumière. (→ aussi INVENTION DU CINÉMA.)

CINÉMATOGRAPHE. Ce terme apparut d'abord comme dénomination d'appareils brevetés par l'inventeur français Bouly en 1892-93. Mais c'est comme nom de marque de l'appareil Lumière (→ INVENTION DU CINÉMA) qu'il passa à la postérité, devenant très vite un nom commun, synonyme de l'actuel cinéma.

Ce nom commun engendra :

– d'une part, les dérivés *cinématographie* (ensemble des méthodes et procédés mis en œuvre pour reproduire le mouvement par le film, en opposition à la vidéo ; cf. *Centre national de la cinématographie*), *cinématographier* (synonyme vieilli de *filmer*), *cinématographique* (dans la réglementation française, les salles de cinéma sont toujours appelées « théâtres cinématographiques »), *cinématographiquement ;*

– d'autre part, les diminutifs successifs *cinéma* et *ciné.* J.-P.F.

CINÉMATOGRAPHER. En anglais, autre façon de désigner le *director of photography.*

CINÉMATOGRAPHIE. Ensemble des méthodes et procédés mis en œuvre pour reproduire le mouvement par le film. (→ CINÉMATOGRAPHE.)

CINÉMATOGRAPHIER (vieilli). Filmer. (→ CINÉMATOGRAPHE.)

CINÉMATOGRAPHIQUE → CINÉMATOGRAPHE.

CINÉMA-VÉRITÉ → DOCUMENTAIRE.

CINEMECCANICA → PROJECTION.

CINÉMIRACLE → CINÉRAMA.

CINÉ-MITRAILLEUSE → CINÉ.

CINÉ-ŒIL *(Kino-Glaz).* Théorie et méthode de travail mise au point, sous sa forme définitive, par le cinéaste soviétique Dziga Vertov en 1923 et qui milite en faveur d'un cinéma non joué, sans acteurs, dans lequel la fonction du montage et la spontanéité des prises de vues contribuent à une réorganisation idéologique du « monde tel qu'il est », du moins dans une optique marxiste.

Le Ciné-Œil a plusieurs origines.

– Il prend sa source dans les bouleversements qui touchent l'art moderne au début du siècle. En effet, futuristes, dadaïstes, écrivains et peintres emploient énormément, dans leurs travaux, des éléments qu'ils n'ont pas créés : le collage, l'assemblage d'objets, le photomontage sont alors des méthodes esthétiques novatrices. On peut citer les cas de Duchamp ou de Rodtchenko.

– Le Ciné-Œil s'enracine aussi dans le propre passé de Vertov qui met sur pied en 1916 un Laboratoire de l'ouïe, lui permettant de promouvoir des recherches sur le montage des bruits. Il revient, à l'avènement du parlant, à ces pratiques qui l'autorisent à adjoindre au Ciné-Œil ce qu'il appelle la « Radio-Oreille ».

– La révolution d'Octobre et son entrée, dès 1918, comme rédacteur au *Kino Nedelja (Ciné-semaine),* le premier hebdomadaire soviétique d'actualités filmées, offrent enfin au cinéaste les bases idéologiques de son Ciné-Œil.

Théorie – un texte est déjà publié en 1919 – et pratique aboutissent à la formalisation des idées du Ciné-Œil dans les années 1922-23. Alors se crée le Conseil des Trois, qui, outre Vertov, comprend son épouse Elizaveta Svilova et son frère Mikhaïl Kaufman. Les participants de ce groupe qui s'élargit rapidement se dénomment les « Kinoks » ou « Kinoki » (littér. : *kino,* cinéma, et *oko,* œil ; d'où ce mot, désignant ceux qui pratiquent le Ciné-Œil). Vertov actualise ses théories dans les divers numéros de son magazine *Kino Pravda (Cinéma-vérité) :* il s'agit alors d'une référence explicite à l'organe du PC, la *Pravda ;* en ce sens, on peut le traduire par « ciné-journal ». (L'auteur n'envisagera ce terme dans son acception moderne que bien plus tard, entre 1922 et 1924.)

C'est en juin 1923 que paraît, dans le numéro 3 de la revue *Lef,* le manifeste du

Ciné-Œil («Kinoks-Révolution»). Dans ce texte, Vertov s'oppose au film narratif, aux acteurs, mais aussi au traitement paresseux appliqué aux «ciné-actualités»; il préconise une réorganisation du monde visible grâce au montage. Le Ciné-Œil, pour l'auteur, c'est l'œil plus un cinéaste – un *je vois* plus un *je pense;* un œil armé (la caméra qui voit mieux que l'œil humain).

Le montage se situe à toutes les étapes de la confection du film (pendant la période d'observation, après cette période; pendant les prises de vues, après ces dernières; enfin, montage final). La pratique du montage appliquée par Vertov ne concerne pas uniquement le domaine du plan mais touche aussi au mouvement entre les images, aux transitions entre les impulsions visuelles : c'est ce que le cinéaste appelle le «montage des intervalles». Les événements ainsi organisés par le Ciné-Œil ne sont pas d'abord préparés, mis en scène, mais piégés *à l'improviste,* afin d'éviter toute tricherie avec le réel. «La vie saisie à l'improviste» (Žizn vrasploh) permet d'appréhender les gens et les choses sans fard. Il faut dissimuler «l'œil armé» afin qu'il passe aussi inaperçu que l'œil humain : sa grande acuité lui fait saisir des données imperceptibles à l'organe.

En 1924, le très officiel Goskino crée une nouvelle branche, le Kultkino, dont il offre la direction à Vertov. Cet organisme donne la possibilité au cinéaste de diriger, selon les méthodes du Ciné-Œil, un long métrage, *Ciné-Œil (Kino-Glaz)* conçu comme la première partie du cycle «la Vie à l'improviste».

La plupart des films de Vertov, du moins jusqu'aux *Trois Chants sur Lénine* (1934), obéissent à quelques préceptes – ou à la totalité – du Ciné-Œil. *La Onzième Année* (1928) est le dernier film muet associant l'approche du Ciné-Œil et le panorama des victoires sociales et économiques du nouveau régime. S'il se présente presque comme une application des théories du Ciné-Œil, *l'Homme à la caméra* (1929) en déborde nettement les limites, en ce sens que, grâce à une grammaire filmique très complexe (et très adéquate), cette œuvre constitue à elle seule une critique interne de la méthode de «la Vie à l'improviste», quant au thème qui y est développé : l'organisation d'un homme et d'une ville synthétiques. *Enthousiasme* ou *la Symphonie du Donbass* (1931) allie au Ciné-Œil la Radio-Oreille, afin de susciter le contrepoint sonore, déjà présent graphiquement dans les intertitres dynamiques des films muets de Vertov. À cette époque les Kinoki, en butte à de nombreuses critiques, se dissolvent. Dans ses deux derniers films personnels, *Trois Chants sur Lénine* et *Berceuse* (1937), Vertov s'oriente vers le documentaire poétique, genre alors florissant en Europe.

Les théories du Ciné-Œil, au-delà de l'influence immédiate qu'elles ont eue sur des cinéastes comme Ruttmann, Vigo, Stork, Ivens, Grierson, etc., sont reprises et systématisées par les pratiquants du cinéma direct des années 60 (les Canadiens du Candid Eye; les Américains Leacock, Maysles, Pennebaker; les Français Rouch, Marker, etc.). R.BA.

CINÉORAMA → CINÉRAMA, FORMAT.

CINÉ-PARC. Mot composé québécois équivalent à *drive in.*

CINÉPHILE. Amateur de cinéma. (→ CINÉ.)

CINÉRAMA. Procédé de cinéma à grand spectacle sur écran large par images jointives.

CINÉRAMA. Inauguré fin 1952 à New York, le *Cinérama* se caractérisait par un immense écran courbe présentant une image apparemment unique mais constituée en fait de trois images juxtaposées issues de trois projecteurs fonctionnant en synchronisme. (Les films étaient enregistrés par trois caméras, elles aussi synchronisées.) Pour assurer la continuité apparente des images, on les faisait se chevaucher légèrement, les bords latéraux des fenêtres des projecteurs étant munis d'un dispositif qui assurait, dans la zone de chevauchement, une espèce de «fondu enchaîné» permanent des images.

Grâce à cet immense écran, qui occupait tout le champ visuel du spectateur, grâce aux effets de perspective sonore fournis par de nombreux haut-parleurs alimentés par une bande magnétique multipiste, le Cinérama offrait une dimension spectaculaire sans commune mesure avec celle des films habituels au *format** 1, 37. Il connut de ce fait un grand succès, avec d'abord un film de démonstration, *This is the Cinerama* (film supervisé par M. Todd, F. Rickey et W. Thompson en 1952), puis avec des films de fiction comme *la Conquête de l'Ouest* (H. Hathaway, G. Marshall et J. Ford en 1962).

Le procédé était toutefois très complexe, et les lignes de raccordement des images demeuraient perceptibles. Au début des années 60, on le simplifia par l'emploi d'un unique projecteur 70 mm, les images étant légèrement comprimées dans le sens horizontal, par *anamorphose**, de façon à « tenir » en largeur sur le film 70 mm. Malgré cela, le Cinérama disparut vers 1970, victime des retombées de son propre succès. En montrant l'attrait du grand écran, il avait en effet suscité l'apparition du CinémaScope puis du 70 mm, conçus pour l'écran plat et donc beaucoup plus faciles à mettre en œuvre.

Le premier précurseur du Cinérama fut le *Cinéorama,* présenté par Grimoin-Sanson* à l'Exposition universelle de Paris en 1900, où dix projecteurs synchronisés couvraient un écran cylindrique entourant le public. Le Cinéorama n'assura que trois représentations avant d'être interdit, en raison du risque d'incendie que constituait l'énorme chaleur dégagée par les dix lanternes à arc. En 1927, pour son *Napoléon,* Abel Gance eut recours dans certaines scènes à la juxtaposition de trois images, ce procédé de « triple écran » étant baptisé *Polyvision.* Le Cinérama, issu des travaux de *Fred Waller**, eut une réplique soviétique, le *Kinopanorama,* et de nombreux descendants : *Cinémiracle, Circarama,* etc. J.-P.F.

CINÉTHÉODOLITE → CINÉ.

CINTRA *(Luis Miguel), acteur portugais (Madrid, Espagne, 1949).* Il fait ses débuts de comédien et de metteur en scène de théâtre en 1968 au Théâtre universitaire de Lisbonne, fréquente en Angleterre la Bristol Old Vic Theater School et crée à Lisbonne en 1973 (avec Jorge Silva Melo) le Teatro da Cornucopia qu'il dirige et où il met en scène (et interprète) Cervantes, Molière, Brecht, Goethe, Shakespeare, De Filippo. Il est également attiré par l'opéra (*L'Enfant et les sortilèges* de Ravel ; *Didon et Enée* de Purcell). Au cinéma, il apparaît comme un comédien précis, vibrant, nourri de culture classique : *Silvestre* (J. C. Monteiro, 1982), *Sinais de Vida* (L. F. Rocha, 1984), *Vertiges* (Ch. Laurent, 1985), *Terre étrangère* (Luc Bondy, 1986), *Ici sur la terre* (J. Botelho, 1993). Mais il s'est surtout fait remarquer dans les films de Paulo Rocha (*l'Ile des amours,* 1982 ; *les Montagnes de la Lune,* 1986) et de Manoel de Oliveira (*le Soulier de satin,* 1985 ; *Mon cas,* 1986 ; *les Cannibales,* 1988 ; *Non ou la vaine gloire de commander,* 1990 ; *la Divine Comédie,* 1991 ; *le Val Abraham,* 1993 ; *la Cassette,* 1994 ; *le Couvent,* 1995). J.-L.P.

CIRCARAMA → CINÉRAMA.

CISSÉ *(Soulaymani, ou Souleymane), cinéaste malien (Bamako 1940).* C'est à Dakar qu'il accomplit ses études secondaires ; mais, bientôt, l'URSS lui accorde des bourses d'études, dont la seconde lui assure cinq ans d'enseignement au VGIK de Moscou. De retour à Bamako, il réalise des documentaires pour le ministère de l'Information. Après *l'Homme et les idoles* (1965), *Sources d'inspiration* (1966) et *l'Aspirant* (1968), son court métrage *Cinq jours d'une vie* (1972) est primé au festival de Carthage. Tournée en 1974, *la Jeune Fille (Den Muso),* premier long métrage de fiction malien en langue bambara, est interdit ; le thème : rejet d'une fille-mère (muette de naissance) par sa famille... Le même regard critique sur la société et les formes de pouvoir, la même sensibilité se retrouvent (soutenus par un lyrisme mesuré, qui confirme les dons de conteur de Cissé, la liberté naturelle de sa mise en scène) dans *Baara* (id., 1978), et dans *le Vent* (*Finyé,* 1982), qui est le premier film d'Afrique noire à mettre entre parenthèses l'époque coloniale. *Yeelen* (1987) est un film d'une grande beauté plastique qui traite de l'étrange parcours initiatique d'un jeune homme qui cherche à retrouver les pouvoirs magiques jalousement gardés par son père. L'œuvre connaît un juste succès international. Huit ans après *Yeelen,* Cissé réalise *Waati* (1995), première approche d'un cinéaste noir sur l'apartheid, qui conte l'odyssée d'une jeune Sud-Africaine de couleur qui doit fuir son pays, où règne la répression, et trouve peu à peu, à travers les contrées parcourues, son identité de femme africaine. ▲ C.M.C.

CITTI *(Franco), acteur italien (Rome 1938).* Pasolini lui confie le premier rôle de son premier film, *Accatone* (1961), puis l'affronte à Anna Magnani dans *Mamma Roma* (1962). Citti incarne bien les garçons frustes : *Una vita violenta* (adaptation du roman de Pasolini, réalisée par Paolo Heusch et Brunello Rondi, 1962).

Son autre grand rôle reste celui de *l'Œdipe roi* de Pasolini (1967). Son frère *Sergio* (né à Rome en 1934) le dirige dans *Ostia* (*Ostie,* 1970), écrit et produit par Pasolini, dont il est l'assistant sur la plupart des longs métrages à partir de 1966 *(Des oiseaux, petits et gros).* Sergio Citti a aussi réalisé *Histoires scélérates* (*Storie scellerate,* 1973), *Casotto* (1977) où joue Franco, *Deux Bonnes Pâtes* (*Due pezzi di pane,* 1978) et, en 1981, *Il minestrone,* farce allégorique sur le thème de la faim avec Franco et Ninetto Davoli. Franco paraît également dans *La luna* (Bertucelli, 1979) et *Il Segreto* (F. Maselli, 1990). C.M.C.

CIULEI *(Liviu), cinéaste roumain (Bucarest 1923).* Après des études d'architecte-décorateur au Conservatoire d'art dramatique, il travaille au théâtre comme décorateur, acteur et metteur en scène. Il joue dans quelques films, parmi lesquels *Mitrea Cocor* de Victor Iliu (1952), dont il est également le coscénariste et le décorateur. Ses débuts comme réalisateur se font avec *Éruption* (*Erupţia,* 1957), dont l'action se situe sur les champs pétrolifères. *Les Flots du Danube* (*Valurile Dunării,* 1960) l'imposent à l'attention du public, à la fois comme acteur et comme réalisateur. Dans un style sobre et vigoureux, ce film relate un épisode de la lutte contre les Allemands en 1944. La consécration lui vient avec le prix de la Mise en scène à Cannes pour *la Forêt des pendus* (*Pădurea spînzuraţilor,* 1964), puissante et lyrique évocation des « servitude et grandeur militaires » durant la Première Guerre mondiale. Par la suite, il ne s'est plus consacré qu'au théâtre, après son installation aux États-Unis. M.M.

CLAIR *(René Chomette,* dit *René), cinéaste français (Paris 1898* - id. *1981).* Il naît et grandit dans le quartier des Halles, dont l'animation, la vie nocturne, le pittoresque quotidien, transfigurés par son regard d'enfant, laisseront en lui une empreinte inoubliée. Il fait ses études aux lycées Montaigne et Louis-le-Grand et se découvre une précoce vocation pour la littérature. Réformé en 1916, il s'engage dans une ambulance du front. On l'évacue sur Berck au bout de quelques mois. Intimement meurtri par les horreurs de la guerre, il dit son désarroi en deux recueils de poèmes demeurés inédits. Devenu journaliste à *l'Intransigeant,* il est l'un des tout premiers « proustiens ». Damia, pour laquelle il écrit quelques chansons, l'introduit au cinéma, qui d'abord ne l'intéresse que par ses danseuses et ses cachets généreux. Sous le pseudonyme de René Clair, il est acteur – sans conviction – pour Loïe Fuller (*le Lys de la vie,* 1920), pour Feuillade (*l'Orpheline, Parisette,* 1921), pour Jacob Protazanov (*le Sens de la mort, Pour une nuit d'amour,* 1921). À partir de 1922, il assure la critique des films dans *Paris-Journal* et *Théâtre et Comœdia illustrés,* publication luxueuse du Théâtre des Champs-Élysées, alors haut lieu de l'art moderne. (Ses textes, aigus et lyriques, sont réunis en 1951 dans *Réflexion faite.*) Son frère Henri Chomette, de deux ans son aîné, le présente à Jacques de Baroncelli dont il devient à son tour l'assistant pour quatre films. Baroncelli doit superviser son premier essai, *Geneviève de Brabant,* mais cette production belge ne se fait pas. Il recommande alors René Clair au producteur Henri Diamant-Berger, qui lui confie *Paris qui dort* (1924). Au Théâtre des Champs-Élysées, Francis Picabia et Erik Satie montent le ballet dadaïste *Relâche.* Il faut un film pour « sortir le public de la salle » ; ils le demandent à Clair : c'est *Entr'acte* (1924). *Paris qui dort* n'est distribué qu'après *Entr'acte,* ce qui situe le cinéma de Clair sous le signe de l'avant-garde. L'étiquette est au demeurant parfaitement justifiée. Clair procède de la première avant-garde par ses recherches d'écriture et son intelligence artistique ; de la deuxième avant-garde par sa sensibilité proche de dada et du surréalisme (il y a plus de surréalisme véritable dans la scène des perles sur la tour Eiffel – *Paris qui dort* – que dans maints films portant le label de l'« école', et un Robert Desnos ne s'y est pas trompé) ; de la troisième avant-garde par son attention poétique au réel *(la Tour).* De plus, caractéristique remarquable, il met cet avant-gardisme à la portée de tous : la poésie cesse d'appartenir à l'élite, elle est populaire sans déchoir.

Clair, qui a écrit tous ses films et, jusqu'au début du parlant, s'est chargé de leur montage, apporte au cinéma, l'un des tout premiers, une vision d'*auteur.* Son monde, que la fantaisie aimable, l'optimisme conquis sur la lucidité, la tendresse, l'unanimisme hédoniste apparentent à celui de Giraudoux, se propose de rendre leur noblesse et leur richesse humaine aux bonheurs des simples, aux plus minces aventures sentimentales, d'enchanter et moquer nostalgiquement la midinette, l'âme « fleur bleue » qui sommeille toujours au fond de chacun. Il transpose les primitifs de l'École française – Méliès, Zecca, Feuillade, Max Linder – dans la modernité, cet *art nouveau* qui se met en place en tous domaines dans les années 20 ; il unit le plus naïf, le plus ingénu, au plus raffiné et au plus subtil. Il emprunte aux Américains – Griffith, Chaplin, Keaton – leurs leçons d'humour sentimental. Il conçoit tous ses films comme un hommage permanent au cinéma des pionniers, dominé par le mouvement, le sens du rythme, le goût de l'inexploré, « la merveilleuse barbarie d'un art » qui ne balbutiait que parce qu'il était superbement, follement jeune. Puisque « le vrai cinéma ne se raconte pas », il bâtit le sien sur des paradoxes : avec *Un chapeau de paille d'Italie,* avec *les Deux Timides,* il transforme le verbe, le théâtre de Labiche, en rythmes et en images silencieuses ; avec *Sous les toits de Paris, le Million, À nous la liberté,* le cinéma devenu parlant, il transpose rythmes et images en film-opérette, en ballets cinématographiques, en antithéâtre.

Par son frère encore, Clair fait la rencontre en 1925 de Jacques Feyder, qui le fait engager par la firme Albatros, la seule à maintenir jusqu'à l'arrivée du parlant un haut niveau de qualité. Il s'y lie avec le décorateur Lazare Meerson et l'opérateur Georges Périnal, qui seront ses collaborateurs éminents et précieux pendant dix ans. Dès la fin du muet, Clair est universellement célèbre, constamment associé aux grands noms du cinéma : Griffith, Chaplin, Pabst, Eisenstein, Anatoli Lounatcharski, Maïakovski s'offrent à travailler avec lui. Sa « tétralogie » parisienne fait aimer du monde entier une image *mythologique,* contagieuse et tenace, d'un Paris bon enfant, peuple et heureux (ce qu'à moindre échelle Marcel Pagnol obtiendra bientôt pour sa Provence natale). Même *À nous la liberté,* joyeusement satirique et anarchisant, qui rencontre les préoccupations sociales de *l'Opéra de quat'sous* et anticipe celles des *Temps modernes,* demeure un plaidoyer narquois pour le simple bonheur de vivre sans contraintes.

Après l'échec du *Dernier Milliardaire,* où le *back ground* unanimiste et sentimental fait défaut, où la caricature des dictateurs se veut – non sans invention – actuelle, Clair s'expatrie, d'abord en Angleterre puis aux États-Unis, après une parenthèse française interrompue par la guerre. (Il semble que le film *Air pur,* commencé en 1939 et bientôt abandonné, aurait pu orienter Clair vers un cinéma néoréaliste qui, à deux ou trois reprises déjà, l'avait sollicité.)

Loin de Paris, l'inspiration de Clair ne s'appauvrit pas mais s'intellectualise. Le poète devient géomètre et cartésien. Lui qui, en 1923, dénonçait le « cinéma cérébral » où « l'intelligence se plaît à se savoir maîtresse », il s'enferme dans le calcul, la formule, la mécanique. Ses films gagnent en brio, en esprit, ils perdent en chaleur, en vérité humaine. On pouvait rêver et s'émouvoir sur son petit monde parisien, nostalgique et gai. Désormais, devant ses horlogeries savantes, on peut seulement se divertir. Lorsqu'il reviendra s'établir en France, en 1946, on croit un moment qu'avec *Le silence est d'or* l'ancien filon est retrouvé : n'est-ce pas, comme on l'a écrit, *l'École des femmes* ressuscitée *« sous les toits de Paris ? »* Mais c'est en fait le chant du cygne. Un classicisme littéraire et théâtral pénètre toujours davantage l'œuvre du cinéaste, que l'Académie française coopte en 1960. Les derniers films n'ont plus de clairien qu'un air d'élégance *(les Belles de nuit, les Grandes Manœuvres, Porte des Lilas).*

Ce cinéaste qui, dix années durant, a compté parmi les grands, s'est constamment voulu un initiateur. Avec *Un chapeau de paille d'Italie,* il inaugure au cinéma la mode 1900 qui dure encore ; avec *Sous les toits de Paris,* il va au devant du contrepoint audiovisuel tel que le définissent Eisenstein, Alexandrov et Poudovkine, et produit un modèle de non-coïncidence du son et de l'image et un modèle de cinéma intimiste-populiste qui prospèrent aussitôt en Allemagne, au Japon, en Italie et reparaissent jusque dans le néoréalisme. Avec *Fantôme à vendre,* il pratique l'humour anglais avant même le cinéma anglais. Avec *les Grandes Manœuvres,* il utilise la couleur travaillée en continuité au lieu d'être abandonnée aux aléas du montage.

En dépit des ambitions affichées de *À nous la liberté,* du *Dernier Milliardaire* et de *la Beauté du diable,* l'œuvre de Clair s'est en fait toujours tenue éloignée des problèmes concrets de son époque. Si Clair n'a pas été un véritable témoin de son temps, du moins a-t-il su enseigner le bonheur. B.A.

Films ▲ : *Paris qui dort* (1924) ; *Entr'acte* (id.) ; *le Fantôme du Moulin-Rouge* (1925) ; *le Voyage imaginaire* (1926) ; *la Proie du vent* (1927) ; *Un chapeau de paille d'Italie* (1928) ; *la Tour* (DOC, CM, *id.*) ; *les Deux Timides* (1929) ; *Sous les toits de Paris* (1930) ; *le Million* (1931) ; *À nous la liberté* (id.) ; *Quatorze Juillet* (1933) ; *le Dernier Milliardaire* (1934) ; *Fantôme à vendre* (*The Ghost Goes West,* 1935) ; *Fausses Nouvelles* (*Break the News,* 1938) ; *Air pur* (inachevé, 1939) ; *la Belle Ensorceleuse* (*The Flame of New Orleans,* 1941) ; *Ma femme est une sorcière* (*I Married a Witch,* 1942) ; *Forever and a Day* (un épisode, 1943) ; *C'est arrivé demain* (*It Happened to Morrow,* 1944) ; *Dix Petits Indiens* (*And Then There Were None,* 1945) ; *Le silence est d'or* (1947) ; *la Beauté du diable* (1950) ; *les Belles de nuit* (1952), *les Grandes Manœuvres* (1955) ; *Porte des Lilas* (1957) ; *le Mariage* (sketch de *la Française et l'amour,* 1960) ; *Tout l'or du monde* (1961) ; *Deux Pigeons* (sketch des *Quatre Vérités,* 1962) ; *les Fêtes galantes* (1966).

CLAP (d'après l'angl. *clappers* ou *clapsticks*). Franglais pour *claquette.*

CLAPMAN (d'après *clap*). Franglais pour désigner le machiniste chargé du maniement de la claquette.

CLAQUETTE. Instrument formé de deux plaquettes de bois réunies par une charnière et surmontées d'un tableau où sont notées les références de la prise : en faisant claquer les plaquettes devant la caméra, on obtient un repère visuel et sonore pour la synchronisation ultérieure du son et de l'image. (→ PRISE DE SON, REPIQUAGE, TOURNAGE.) *Claquette automatique* → CAMÉRA, REPIQUAGE.

CLARIOND *(Aimé), acteur français (Périgueux 1894 - Paris 1960).* Cet important sociétaire de la Comédie-Française, original et incisif, est un enfant de la balle. Tout jeune, il suit sa famille dans les tournées. Fixé à Paris, le cinéma lui propose des rôles antipathiques, qu'il assume avec abattage et une cynique rondeur : *le Prince Jean* (Jean de Marguenat, 1934), *les Disparus de Saint-Agil* (Christian-Jaque, 1938). Mais le 7e art lui offre aussi de s'exprimer dans *Crime et Châtiment* (P. Chenal, 1935), *Lucrèce Borgia* (A. Gance, *id.*), *la Marseillaise* (J. Renoir, 1938). Très demandé, il tourne en 27 ans 80 films, dont *Madame Sans-Gêne* (Roger Richebé, 1941), *la Duchesse de Langeais* (J. de Baroncelli, 1942), *l'Homme au chapeau rond* (P. Billon, 1946). R.C.

CLARK *(Marguerite), actrice américaine (Cincinnati, Ohio, 1881 - New York, N. Y. 1940).* Adolph Zukor, qui voit en elle une rivale de Mary Pickford, la lance dans *Wildflower* (A. Dwan, 1914). Sa popularité est immédiate et elle est l'une des artistes les plus cotées des années 1910 (*Uncle Tom's Cabin,* J.S. Dawley, 1918 ; *Girls,* W. Edwards, 1919). Suivent une quarantaine de films, dont le meilleur est probablement *Prunella* (M. Tourneur, 1918). Son physique gracile et menu lui permet d'interpréter les éternelles ingénues, souvent associée à Richard Barthelmess sous la direction de J. Searle Dawley. Définitivement éclipsée par Mary Pickford, elle abandonne Zukor pour produire elle-même son dernier film : *Scrambled Wives* (Edward H. Griffith, 1921). J.-P.B.

CLARKE *(Shirley), cinéaste américaine (New York, N. Y., 1925).* Danseuse de formation, elle commence par filmer des danseurs (*Dance in the Sun,* 1953, avec Daniel Nagrin ; *Bullfight,* 1955, et *A Moment in Love,* 1957, avec Anna Sokolow), un enfant dans les jardins de Paris (*In Paris Parks,* 1954), la construction d'un immeuble (*Skyscraper,* 1958) ou les ponts de New York, en surimpressions (*Bridges-Go-Round,* 1959). L'esthétisme de ces films laisse peu prévoir le « réalisme » qui frappera dans les suivants. Même si *The Connection* (1962) est du faux cinéma direct, puisque les participants de cet « *En attendant Godot* de la drogue » (Jonas Mekas), où les membres de l'équipe de tournage censée les filmer sont tous des acteurs, et que ce qu'ils semblent improviser est le texte d'une pièce de Jack Gelbert, la technique (longs plans, son synchrone) et l'audace du sujet abordé rangent Clarke du côté de ce qu'on appellera en France l'École de New York. Elle sera d'ailleurs, aux côtés de Mekas, une des fondatrices du *New American Cinema Group* (28 sept. 1960), qui ne veut plus « de films roses, mais des films couleur de sang ».

Si son film suivant, *Harlem Story* (*The Cool World,* 1963), qui met en scène de jeunes

Noirs new-yorkais glissant dans la délinquance, n'en a encore que l'apparence, car c'est une fiction, *Portrait of Jason* (1967), longue confession d'un prostitué noir plus ou moins sous l'effet de la marijuana est bel et bien du cinéma direct. Shirley Clarke, qui apparut dans le film américain d'Agnès Varda, *Lion's Love,* en 1969, travaille depuis surtout pour des chaînes de télévision par câble. En 1985, elle réalise *Ornette : Made in America.* D.N.

CLARKE *(T. E. B.), scénariste britannique (Watford 1907 - Surrey 1989).* D'abord journaliste au *Evening News,* engagé dans la police durant la guerre, T. E. B. Clarke vient travailler avec Michael Balcon en 1944 ; il deviendra le plus célèbre scénariste de comédies des studios Ealing. P.P.

Principaux films : *Au cœur de la nuit* (A. Cavalcanti, B. Darden, Ch. Crichton, Hamer [dial. seulement], 1945) ; *À cor et à cri* (Ch. Crichton, 1947) ; *Passport to Pimlico* (H. Cornelius, 1949) ; *Police sans arme* (B. Dearden, 1950) ; *l'Aimant* (Ch. Frend, 1949) ; *Tortillard pour Titfield* (Ch. Crichton, 1953) ; *Amants et fils* (J. Cardiff, 1960, d'après D. H. Lawrence).

CLAUDON *(Paul), producteur français (Pont-à-Mousson 1919).* Administrateur puis directeur de production, il devient producteur en fondant la CAPAC (Comptoir artistique de production et d'administration cinématographique), où il se consacre surtout au genre comique et révèle notamment le talent de Pierre Étaix (*le Soupirant,* 1963 ; *Yoyo,* 1965 ; *le Grand Amour,* 1969) et celui de Jean L'Hôte (*l'Éducation amoureuse de Valentin,* 1975). Animateur très écouté de groupements professionnels, il a connu le succès avec *les Valseuses* (B. Blier, 1974) et *Préparez vos mouchoirs* (id., 1978). O.B.

CLAVELL *(James), scénariste et cinéaste britannique (Sydney, N. S. W., Australie, 1924 - Vevey, Suisse, 1994).* Scénariste de films tels que *la Mouche noire* (*The Fly,* 1958) de Kurt Neuman, ou *la Grande Évasion* (1963) de John Sturges. Après avoir travaillé en Australie puis au Canada, James Clavell est surtout connu pour avoir réalisé en 1967 *les Anges aux poings serrés (To Sir With Love)* avec Sidney Poitier et en 1970, avec Michael Caine et Omar Sharif, *la Vallée perdue (The Last Valley),* âpre évocation des guerres de Religion. P.P.

CLAVIER *(Christian), acteur et scénariste français (Paris 1952).* Très lié depuis sa jeunesse à Michel Blanc, à Gérard Jugnot et à Thierry Lhermitte, il participe activement aux activités de café-théâtre du Splendid tout en obtenant de petits rôles dans quelques films. Ce sont *les Bronzés* (1978) et *Les bronzés font du ski* (1979), de Patrice Leconte, qui ouvrent au groupe l'accès au grand public. Dans le même esprit, Clavier participe au succès des films de Jean-Marie Poiré *Le Père Noël est une ordure* (1982) et *Papy fait de la résistance* (1983). Sa popularité s'accroît, il tente de développer son propre personnage à partir des films de François Leterrier *Je vais craquer* (1980) et *Quand tu seras débloqué, fais-moi signe* (1981) et s'intéresse de plus en plus à l'écriture de scénarios. Ce sera en 1993 l'extraordinaire succès des *Visiteurs* (réalisé par Poiré), qu'il écrit et dans lesquels il interprète un double personnage. Ce film avait été précédé d'*Opération corned-beef* (Poiré, 1990), écrit et interprété par Clavier. On le voit ensuite dans *la Vengeance d'une blonde* (Jeannot Swarc, 1994) aux côtés de son épouse, Marie-Anne Chazel, également responsable du scénario. D.S.

CLAYBURGH *(Jill), actrice américaine (New York, N. Y., 1944).* Actrice de théâtre « off Broadway » très cotée, ayant une intense activité TV, elle débute au cinéma dans le film confidentiel de Brian De Palma, *The Wedding Party* (1969), puis ne joue que dans des productions sans relief (*Portnoy et son complexe* de E. Lehman, 1972) jusqu'à *Une femme libre* (*An Unmarried Woman,* P. Mazursky, 1978), où elle déploie l'abattage d'une vraie comédienne. Plutôt amusante dans ses rôles antérieurs, elle se révèle bouleversante dans *La luna* (B. Bertolucci, 1979), sans rien perdre de son évident humour ni de son « allure ». Elle tourne ensuite *Hanna K.* (Costa-Gavras, 1983), rôle-titre, *le Bayou* (A. Mikhalkov-Kontchalovski, 1987), *Beyond the Ocean* (Ben Gazzara, 1990), *Rich in Love* (B. Beresford, 1992), *le Grand Pardon II* (A. Arcady, *id.*), *Naked in New York* (Daniel Algrant, 1993). G.L.

CLAYTON *(Jack), cinéaste britannique (Brighton 1921 - Slough, Berkshire, 1995).* Tour à tour assistant réalisateur, réalisateur de films de court métrage et de documentaires, producteur associé (*Queen of Spades* de T. Dickinson, 1949 ; *Moulin-Rouge* de J. Huston, 1953, etc.), Jack Clayton est un professionnel du cinéma, au plein sens du terme. Après une adaptation du *Manteau,* d'après Gogol (*The Bespoke Overcoat, MM,* 1955), *les Chemins de la haute ville* (*Room at the Top,* 1958, avec Simone Signoret et Laurence Harvey), le fit classer, sans raison bien sérieuse, parmi la Nouvelle Vague britannique. Plus qu'un « homme en colère », Clayton devait se révéler un calligraphe de la caméra : *les Innocents* (*The Innocents,* 1961), d'après *le Tour d'écrou* de Henry James, avec Deborah Kerr et Michael Redgrave, sur un scénario cosigné de Truman Capote est peut-être son meilleur film. Excellent directeur d'acteurs, très habile pour filmer des enfants, Clayton réalise ensuite *le Mangeur de citrouille* (*The Pumpkin Eater,* 1964), avec Ann Bancroft et Peter Finch sur un scénario de Pinter, et, avec Dirk Bogarde et Pamela Franklin, *Chaque soir à neuf heures* (*Our Mother's House,* 1967), où se confirme sa maîtrise psychologique et son sens du fantastique. En 1974, avec *Gatsby le Magnifique (The Great Gatsby)* sur un scénario de Coppola d'après le roman de Fitzgerald, avec Robert Redford et Mia Farrow, et dix ans après *la Foire des ténèbres (Something Wicked This Way Comes),* il ne parvient pas à retrouver la voie du succès. Il signe en 1987 *The Lonely Passion of Judith Hearne* et, en 1992, *Memento Mori.* P.P.

CLÉMENT *(Andrée Boyer,* dite *Andrée), actrice française (Marseille 1918 - Paris 1954).* Carrière théâtrale, notamment chez Dullin, Ledoux, Barrault. Son visage, qui sait refléter une époque noire et trouble, traverse le cinéma français et y laisse des impressions durables (il n'est pas rare de la voir saluée par de jeunes romanciers). On a pu l'admirer tout particulièrement dans *les Anges du péché* (R. Bresson, 1943), *la Symphonie pastorale* (J. Delannoy, 1946), *Macadam* (Marcel Blistène, *id.*), *Une grande fille toute simple* (Jacques Manuel, 1948), *Dieu a besoin des hommes* (J. Delannoy, 1950). Elle incarne parfaitement ce que le poète Jacques Prével appelait « le luxe de la souffrance ». C.D.R.

CLÉMENT *(Aurore), actrice française (Soissons 1945).* Jeune débutante dans *Lacombe Lucien* (L. Malle, 1974), elle va imposer sa fragilité aérienne, sa gravité et une voix troublante en constant décalage aussi bien dans des films d'auteur (*les Rendez-vous d'Anna,* Ch. Akerman, 1978 ; *Aimée,* Joël Farges, 1981 ; *l'Invitation au voyage,* P. Del Monte, 1982 ; *l'Amour des femmes,* M. Soutter, 1982), que dans des films à vocation plus commerciale (*le Shérif,* Y. Boisset, 1977 ; *le Crabe-Tambour,* P. Schoendoerffer, 1977 ; *les Fantômes du chapelier,* C. Chabrol, 1982). Elle tourne beaucoup en Italie et sa fausse froideur hitchcockienne intéresse les « Américains » Francis Ford Coppola (*Apocalypse Now,* 1979) et Wim Wenders (*Paris Texas,* 1984). A.T.

CLÉMENT *(René), cinéaste français (Bordeaux 1913).* Le plus insaisissable et le plus controversé des metteurs en scène français de l'après-guerre : technicien froid et sans conscience pour certains critiques, le plus grand cinéaste français pour d'autres. L'œuvre de René Clément est un défi à toute tentative de classification hâtive, sa cohérence n'existant que dans la rigueur de l'écriture.

René Clément commence des études d'architecture qu'il doit abandonner. Il pratique le cinéma d'abord en amateur – encore étudiant, il aurait réalisé un dessin animé intitulé *César chez les Gaulois,* dont la copie est perdue –, puis il réalise une série de courts métrages avant et pendant la guerre. Ce sont, entre autres, des reportages sur l'Arabie, qu'il parcourt en 1938 avec l'ethnologue Jules Barthou, et un burlesque conçu et interprété par Jacques Tati, *Soigne ton gauche* (1937).

En 1944-45, à l'initiative du chef opérateur Henri Alekan, il est chargé par la Coopérative générale du film français, et diverses associations de Résistance, de diriger *la Bataille du rail,* long métrage qui mélange habilement documentaire et fiction, comédiens et non-professionnels, à la gloire des cheminots qui s'étaient dressés contre l'Occupant. Le succès du film – qui aurait pu inaugurer un néoréalisme à la française, mais eut peu de descendants, hors quelques œuvres de Daquin et de Pagliero – est tel que Clément est engagé par Jean Cocteau comme conseiller technique sur le tournage de *la Belle et la Bête* (1946), et qu'il dirige pour Noël-Noël *le Père tranquille* (id.), une autre chronique de résistance.

On cherche vainement une unité dans les films qui suivent et qui, presque tous, sont des productions ambitieuses, bien accueillies à la fois par les professionnels, la critique et le public, récompensées dans les festivals français et étrangers. René Clément, un des premiers parmi les cinéastes français, s'installe dans le système des coproductions mis en place par divers accords commerciaux européens, tourne en Italie et en Grande-Bretagne, emploie avec une grande intelligence des acteurs étrangers et donne à ses films ce caractère cosmopolite qui marque son œuvre. Il dirige à Gênes *Au-delà des grilles,* dont le scénario est écrit par Cesare Zavattini et Suso Cecchi d'Amico, avec Isa Miranda aux côtés de Jean Gabin, et y tente, sans y réussir vraiment, le mariage du réalisme français d'avant-guerre avec le néoréalisme italien de tradition zavattinienne. Puis il réalise à Londres *Monsieur Ripois* (sujet proposé par Raymond Queneau, qui en écrit les dialogues français, d'après un roman de Louis Hémon) avec Gérard Philipe et des comédiennes britanniques.

Jeux interdits (primé à Cannes et à Venise en 1952, Oscar à Hollywood en 1953) est son film le plus populaire. La guerre vue par le regard, inconscient peut-être, mais pas innocent, de deux enfants, fait jauger sans tendresse une France rurale délibérément noircie. Ce film séduit autant par la finesse psychologique que par l'interprétation de Brigitte Fossey et de Georges Poujouly, ou la musique jouée à la guitare par son auteur (alors anonyme), Narciso Yepes. *Gervaise* en 1956, *Barrage contre le Pacifique* en 1958 (le premier d'après *l'Assommoir* de Zola, le second d'après le roman homonyme de Marguerite Duras) sont deux films à la fois parfaits et froids. Le premier cherche dans le temps, dans la reconstitution soignée d'une fin de siècle misérabiliste, le second dans l'exotisme (le tournage en extérieurs en Thaïlande avec une distribution italienne et américaine), une matière romanesque que le cinéaste ordonne avec une maîtrise incontestable. C'est pourtant à leur propos qu'on commence à se demander qui est René Clément. L'homme Clément, à la différence de Clouzot et de Becker qui sont ses contemporains, se dérobe de film en film. Il n'a pas de regard qui lui soit propre, pas d'attitude de moraliste ou de mémorialiste qui conférerait à son œuvre une unité de ton ou de thème. Chaque film, au moins dans la première partie de son œuvre, fonctionne comme une entité isolée, souvent admirable, mais déracinée.

Après *Plein Soleil* (adaptation rigoureuse d'un roman de Patricia Highsmith, avec Alain Delon, réalisée avec brio à contre-courant au moment où la Nouvelle Vague préconisait l'écriture relâchée et le dédain du scénario serré), René Clément tourne encore une série de films mineurs, nostalgiques, où il fait une part de plus en plus belle aux comédiens américains (Stuart Whitman dans *le Jour et l'Heure,* Jane Fonda et Lola Albright dans *les Félins,* Charles Bronson dans *le Passager de la pluie,* Faye Dunaway dans *la Maison sous les arbres,* Robert Ryan dans *la Course du lièvre*), comme pour signifier sa rupture avec un cinéma français à la fois provincialisé et investi par une nouvelle génération qu'il comprend mal.

Paris brûle-t-il ?, enfin, qu'il dirige en 1966 avec d'énormes moyens mis à sa disposition par l'armée, est une tentative malheureuse pour créer en France un cinéma d'inspiration officielle et commémorative. La pléthore de comédiens français et étrangers qui y endossent les rôles des héros de la libération de Paris fait du film (dont le scénario est de Gore Vidal et Francis Ford Coppola) une revue et un dîner de têtes autant qu'un monument de propagande raté. J.-P.J.

Films ▲ : — CM (entre 1937 et 1944) : *Soigne ton gauche ; l'Arabie interdite ; Flèche d'argent ; la Grande Chartreuse ; la Bièvre ; Énergie électrique ; le Triage ; Toulouse ; Ceux du rail ; la Grande Pastorale ; Chefs de demain ; Moutain ; Paris sous la botte.* — LM : *la Bataille du rail* (1946) ; *les Maudits* (1947) ; *Au-delà des grilles* (*Le mura di Malapaga,* 1949) ; *le Château de verre* (1950) ; *Jeux interdits* (1952) ; *Monsieur Ripois* (1954) ; *Gervaise* (1956) ; *Barrage contre le Pacifique* (*La diga sul Pacifico,* 1958) ; *Plein Soleil* (1960) ; *Quelle joie de vivre !* (*Che gioia vivere,* 1961) ; *le Jour et l'Heure* (1962) ; *les Félins* (1964) ; *Paris brûle-t-il ?* (1966) ; *le Passager de la pluie* (1969) ; *la Maison sous les arbres* (1971) ; *la Course du lièvre à travers les champs* (1972) ; *la Baby-Sitter* (1975).

CLEMENTELLI *(Silvio), producteur italien (Rome 1926).* Directeur de production à la Lux Film entre 1949 et 1952 pour vingt films, dont *L'imperatore di Capri* (L. Comencini, 1949) et *Dans les coulisses* (Steno et M. Monicelli, 1950), il dirige, entre 1954 et 1963, les productions à la Titanus et obtient un grand succès commercial avec *Pauvres mais beaux* (D. Risi, 1956). En 1966, il fonde sa propre maison de production, la Clesi, et exploite surtout le filon des comédies érotiques : *Malicia* (S. Samperi, 1973) ; *La bambina* (A. Lattuada, 1974) ; sans négliger les coproductions ambitieuses avec l'étranger : *le Grand Embouteillage* (L. Comencini, 1979), *le Saut dans le vide* (M. Bellocchio, *id.*). Dans les années 80, il produit surtout des feuilletons pour la télévision (*Cristoforo Colombo,* A. Lattuada, 1985). L.C.

CLÉMENTI *(Pierre), acteur français (Paris 1942).* Il suit les cours d'art dramatique du Vieux Colombier et joue sur des scènes d'avant-garde. Ses débuts au cinéma sont modestes, et, si Visconti lui donne un petit rôle dans *le Guépard* (1963), ce n'est que grâce à Buñuel (*Belle de jour,* 1967 ; il est l'amant sadique de Catherine Deneuve) et à Deville (*Benjamin,* 1968 ; il est le héros candide que l'on initiera aux jeux de l'amour) qu'il conquiert la renommée. Il est dès lors plus ou moins catalogué dans les personnages insolites ou marginaux, auxquels sa maigreur et son regard confèrent une sorte de présence illuminée. Il retrouve Buñuel (*la Voie lactée,* 1969) et tourne à nouveau avec des Italiens : Bertolucci (*Partner,* 1968 ; *le Conformiste,* 1971), Pasolini (*Porcherie,* id.), Cavani (*les Cannibales,* 1969), mais aussi avec Glauber Rocha *(Têtes coupées)* et Miklos Jancso (*La pacifista,* 1971) et des « avant-gardistes » français : Philippe Garrel (*le Lit de la vierge,* 1968 ; *la Cicatrice intérieure,* 1971), Yvan Lagrange (*la Naissance, la Famille,* id.). On le retrouve, avec la même présence dans *Sweet Movie* (D. Makavejev, 1974), *l'Affiche rouge* (F. Cassenti, 1976), *la Chanson de Roland* (id., 1978), *le Pont du Nord* (J. Rivette, 1982), *Exposed* (James Toback, 1983), *Il est difficile d'être un Dieu* (P. Fleischman, 1990). Il est lui-même l'auteur de quelques films de style underground et psychédélique : *Visa de censure* (1976), *New Old* (1979), *Soleil* (1989) et d'un curieux film de politique-fiction *À l'ombre de la canaille bleue* (1978-1985). On le retrouve en 1994 dans le rôle principal d'un thriller grec, *Présumé suspect (Ipoptos politis),* de Stelios Pavlidis. M.M.

CLIFT *(Montgomery) [Edward Montgomery Clift], acteur américain (Omaha, Nebr., 1920-New York, N. Y., 1966).* S'il avait tourné plus et s'il avait consenti à vulgariser son image et son talent, Montgomery Clift aurait pu être ce qu'a été James Dean. Et cela, *Une place au soleil* (G. Stevens, 1951) le prouve amplement : l'extraordinaire magnétisme qu'il y dégageait s'était, pour la seule et unique fois, traduit par l'hystérie des bobby-soxers. Timide et secret, tourmenté jusqu'à la névrose, il a préféré peu tourner. On souhaiterait pouvoir ajouter « bien tourner ». Mais on se demande pourquoi, étant si avare de sa présence, il a consenti à jouer dans des œuvres aussi ternes que *la Ville écartelée* (G. Seaton, 1950), *l'Arbre de vie* (E. Dmytryck, 1957), poussant le masochisme jusqu'à terminer sa carrière sur le médiocre *Espion* (Raoul Lévy, 1966). Son atout principal fut sa présence : avec son animalité naturelle et son regard prenant, il aurait pu se contenter d'apparaître à l'écran, sans se donner la peine de jouer, ce qu'il fit occasionnellement, mais Montgomery Clift était plus qu'un beau visage. Et cela, il a voulu, tragiquement, le démontrer. Quand, pendant le tournage de *l'Arbre de vie,* un accident de voiture qui ressemblait à s'y méprendre à un suicide manqué, le défigura, la chirurgie plastique s'acharna à reconstruire sur lui un masque qui aurait été à l'image de Montgomery Clift. Dans ce visage désormais crispé comme dans l'attente de la mort, ne vivaient plus que deux yeux clairs, aux larges pupilles et à l'expression implorante. Et cela suffisait à « Monty ». Sa présence était aussi fascinante dans *les Anges marqués* (F. Zinnemann, 1948), où il rayonnait d'espoir, que dans *Freud, passions secrètes* (J. Huston, 1962), où il dissimulait son visage et ses angoisses derrière une dévorante barbe noire. Enfant cinématographique naturel de John Garfield, il était aussi le frère aîné de Marlon Brando et de James Dean. Il était de cette génération d'acteurs qu'Hollywood avait suscitée pour donner vie aux incertitudes du nouvel après-guerre. Mais, à la révolte provocante de Brando, et à celle, boudeuse, de Dean, il oppose le silence. Clift parle peu. Ou, s'il parle, il donne l'impression de parler peu. En revanche, il regarde avec une intensité et une avidité uniques : de ses yeux clairs, il dévore, il brûle, il caresse ou il détruit. Il est donc naturel que, dans ses meilleurs films, son personnage se taise et regarde : prêtre tenu par le secret de la confession (*la Loi du silence,* A. Hitchcock, 1953), ou psychiatre attentif *(Soudain l'été dernier,* J. L. Mankiewicz, 1959 ; *Freud, passions secrètes).* Ce que Hitchcock et Mankiewicz ont fait de lui, peut-être à son corps défendant, est cependant prodigieux. *La Loi du silence* ne repose que sur ce qu'il tait et que ses yeux trahissent. Plus acrobatique encore, *Soudain l'été dernier* lui confie un rôle qui, dans la pièce de Tennessee Williams, était une simple utilité : jouant de la force peu commune du regard de Clift, Mankiewicz fait du docteur Kukrovitz le personnage central du drame, sans pratiquement ajouter une ligne au dialogue. Nous ne savons rien de lui, mais à travers son regard nous connaissons tout, nous comprenons à quel point le drame dont il est le témoin trouve un écho dans son propre inconscient, et combien il est effrayé de le voir se faire jour. Cela, seul Montgomery Clift en était capable. Et pour le prouver, il recommença dans *le Fleuve sauvage* (1960), d'Elia Kazan, avec un brio égal : la ronde inquiète de Lee Remick contrastant avec sa réserve et sa retenue. Il serait malhonnête de ne pas rendre ici justice à des cinéastes moindres que les précédents mais qui ont su cerner admirablement sa complexité et que lui-même a conduits à se surpasser. Si *Tant qu'il y aura des hommes* (F. Zinnemann, 1953) laisse le comédien beaucoup trop libre de ses mouvements et de ses tics (il en avait !), tout comme *le Bal des maudits* (E. Dmytryck, 1958), *les Anges marqués* imposaient, en revanche, avec éclat ce nouveau visage, ce corps que l'on imaginait sec et osseux sous l'uniforme. La sérénité rayonnante de la création de Clift (et d'ailleurs unique dans sa carrière) semblait littéralement guider Zinnemann subjugué, et le mener, malgré lui, à des sommets qu'il a rarement fréquentés. *L'Héritière* (1949) était très différente : avec la méthode et la componction qui le caractérisent, Wyler y mettait en lumière l'aspect féminin du personnage de Clift, ce qui n'avait été fait à Hollywood que fugitivement, avec Valentino, et, superficiellement, avec Tyrone Power. Sur cette même voie, Stevens traça le portrait d'un autre homme-femme faible et séduisant, dans *Une place au soleil.* Mais, exactement comme ses victimes, Elizabeth Taylor et Shelley Winters, la caméra succombait au charme de Clift, ce que Wyler ne faisait jamais. Bien sûr, l'état de grâce ne s'est pas toujours produit. Ni De Sica (*Stazione Termini,* 1953) ni Huston (*les Misfits,* 1961) ne purent, ou ne surent, aller au-delà de la présence que Clift s'était contenté de leur offrir. Quant à Hawks (*la Rivière Rouge,* 1948), il nous a proposé un Clift finalement beaucoup plus juste qu'on ne l'a cru : en l'opposant à John Wayne, il mettait vraiment en lumière tout ce qui fera Clift, le silence, le regard, l'animalité, la vulnérabilité et, profondément et inconsciemment, le refus radical des aînés. Le premier, il s'est approché d'un mythe trouble et ambigu, celui d'une Amérique à la fois belle et vulnérable. Par ailleurs, l'influence sourde qu'il a exercée sur ceux qui l'ont suivi lui assure un rôle primordial dans l'évolution du héros hollywoodien : Paul Newman, Marlon Brando, Robert De Niro ou Al Pacino, pour ne citer qu'eux, lui doivent beaucoup. Le secret de l'étrange fascination qu'il dégageait était sans doute dans sa faiblesse, et l'on sait depuis que celle-ci n'était pas feinte. C.V.

Autres films : *Lonelyhearts* (Vincent J. Donohue, 1959) ; *Jugement à Nuremberg* (S. Kramer, 1961). ▲

CLIFTON *(Elmer), acteur et cinéaste américain (Chicago, Ill., 1890 - Los Angeles, Ca., 1949).* Venu du théâtre, il tient des rôles importants, Phil Stoneman dans *Naissance d'une nation* et le Rhapsode dans *Intolérance,* et c'est Griffith qui l'initie à la mise en scène. Il dirige Clara Bow et Dorothy Gish dans plusieurs films, mais le parlant le relègue dans d'obscures séries B (notamment avec Buck Jones) et des sérials. En 1949, il commence le tournage de *Avant de t'aimer* (*Not Wanted,* avec Ida Lupino) : il est frappé d'une crise cardiaque dès le premier jour. Ida Lupino dirige le film, mais maintient son nom comme réalisateur au générique. G.L.

CLINE *(Edward Francis Cline,* dit *Eddie), cinéaste américain (Kenosha, Wis., 1892 - Los Angeles, Ca., 1961).* Formé à l'école de Mack Sennett, efficace, précis, et sachant servir les intentions de ses acteurs, il coréalise de 1920 à 1923 une vingtaine de courts métrages avec Buster Keaton, dont *Malec chez les Indiens* (*The Paleface,* 1921) et *les Flics* (*Cops,* id.), ainsi que *les Trois Âges* (*The Three Ages,* 1923). Après l'arrivée du parlant, il dirige les meilleurs films de W. C. Fields : *Folies olympiques* (*Million Dollar Legs,* 1932), *Mon petit poussin chéri* (*My Little Chickadee,* 1940), *Mines de rien* (*The Bank Dick,* id.) et *Passez muscade* (*Never Give a Sucker an Even Break,* 1941). Il réalise son dernier film en 1948. J.-P.B.

CLIVE *(Colin Glennie Clive Greig,* dit *Colin), acteur anglais (Paramé* [auj. *Saint-Malo*], *France, 1898 - Los Angeles, Ca., 1937).* Déjà connu à la scène, il gagne Hollywood pour porter à l'écran une pièce à succès : *Journey's End* (J. Whale, 1930). Le même James Whale lui offre son rôle le plus marquant, celui du baron prométhéen dans *Frankenstein* (1931) puis dans *la Fiancée de Frankenstein* (1935). Son élégance ascétique et son regard fiévreux font encore merveille dans le rôle du pianiste aux mains greffées des *Mains d'Orlac* (*Mad Love,* K. Freund, 1935). Un autre de ses grands rôles est, dix ans avant Orson Welles, celui de Rochester dans la version Monogram de *Jane Eyre* (W. -C. Cabanne, 1934). J.-P.B.

CLOCHE *(Maurice), cinéaste français (Commercy 1907 - Bordeaux 1990).* Il fait ses débuts à l'écran en 1933 comme comédien : *le Grillon du foyer* (R. Boudrioz, 1933), *Cessez le feu* (J. de Baroncelli, 1934), puis devient directeur artistique : *l'Homme à l'oreille cassée* (Boudrioz, 1935) et réalisateur de courts métrages artistiques et documentaires (*Versailles, le Mont Saint-Michel,* etc.). Ses débuts dans la mise en scène datent de 1937 : il réalise *Ces dames aux chapeaux verts,* avec Marguerite Moreno, puis *le Petit Chose* (1938), avec Robert Lynen et Arletty. Après la guerre, sa carrière est une alternance de films édifiants : *Monsieur Vincent* (1947) avec Pierre Fresnay, qui reste son film le plus connu, *Docteur Laennec* (1949) avec Pierre Blanchar, *Moineaux de Paris* (1953), avec les Petits Chanteurs à la croix de bois ; polissons : *la Cage aux filles* (1949), *Nuits andalouses* (1954), *Prisons de femmes* (1958), *Touchez pas aux blondes* (1960) ; mélodramatiques : il réalise ainsi en 1950 puis en 1964 deux versions de *la Porteuse de pain.* Après une tentative du côté du policier de série B (*Coplan agent secret F X 18* en 1964 et *Baraka sur X 13* en 1966), sa fin de carrière se place encore sous le signe de la religion : *Mais toi, tu es Pierre* (1973). D.R.

CLOEREC *(René), musicien français (Paris 1911).* Premier prix de piano à l'École normale de musique de Paris en 1928. Il dirige des orchestres de music-hall et écrit des chansons, en collaboration avec Raymond Asso, dont certaines sont créées par Édith Piaf. Il écrit sa première partition de film à la demande de Claude Autant-Lara, dont il deviendra le collaborateur attitré. Sa musique est caractéristique de la conception la plus aristocratique que l'on se faisait de la musique de film dans les années 40 et 50 : lyrique, mais discrète, pratiquant le leitmotiv pour symboliser un personnage ou un climat, utilisant par ailleurs l'orchestre symphonique de la manière la plus traditionnelle. Principales partitions cinématographiques : *la Cage aux rossignols* (J. Dréville, 1945), *le Père tranquille* (R. Clément, 1946), *Copie conforme* (Dréville, 1947), *les Casse-Pieds* (id., 1948), *Dieu a besoin des hommes* (J. Delannoy, 1950), *les Aristocrates* (D. de La Patellière, 1955). Et aussi les films de Claude Autant-Lara : *Douce* (1943), *Sylvie et le fantôme* (1946), *Occupe-toi d'Amélie* (1949), *l'Auberge Rouge* (1951), *le Blé en herbe* (1954), *le Rouge et le Noir* (1954), *Marguerite de la nuit* (1956), *la Traversée de Paris* (id.), *la Jument verte* (1959), *les Régates de San Francisco* (1960), *le Meurtrier* (1963). M.S.

CLOQUET *(Ghislain), chef opérateur belge (Anvers 1924 - Montainville, France, 1981).* Après des études à l'ENPC de Vaugirard puis à l'IDHEC, il est, de 1947 à 1958, assistant opérateur, tout en photographiant de nombreux courts métrages de Paul Paviot, Robert Hessens ou Alain Resnais. Il débute dans le long métrage avec *Un amour de poche* (P. Kast, 1957) et il est remarqué pour sa photographie du *Trou* (J. Becker, 1960). Après *le Feu follet* (L. Malle, 1963) et *Mickey One* (A. Penn, 1965), la productrice Mag Bodard lui propose de signer les images de Jacques Demy (*les Demoiselles de Rochefort,* 1967 ; *Peau d'Âne,* 1970), Robert Bresson (*Au hasard Balthazar,* 1966 ; *Mouchette,* 1967 ; *Une femme douce,* 1969), Michel Deville (*Benjamin,* 1968), Jacques Doniol-Valcroze (*la Maison des Bories,* 1970) et André Delvaux (*Un soir un train,* 1968 ; *Rendez-vous à Bray,* 1971). Il a éclairé, depuis, *Belle* (Delvaux, 1973), *Nathalie Granger* (Marguerite Duras, *id.*), *Guerre et Amour* (W. Allen, 1975), *Tess* (R. Polanski, 1979), *Chère Inconnue* (M. Misrahi, 1980) et *Georgia* (A. Penn, 1981). Il demeure un des directeurs de la photographie les plus importants du cinéma français contemporain, signant des images raffinées, en accord avec les personnalités très marquées qui ont fait appel à sa collaboration. Son rayonnement s'étendit à l'enseignement et il influença plusieurs des meilleurs chefs opérateurs actuels, tel Bruno Nuytten. J.-P.B.

CLOSE *(Glenn), actrice américaine (Greenwich, Conn., 1947).* La scène lui offre ses premiers succès dès 1975, dans des rôles de femmes « à poigne » annonciateurs d'une riche et forte personnalité : *Un tramway nommé Désir, le Roi Lear,* les comédies musicales *Rex* de Richard Rodgers et *Barnum* de Cy Coleman, *la Vie singulière d'Albert Nobbs,* etc. Elle débute à l'écran sous les traits de Jenny Fields, l'infirmière puritaine et fantasque du *Monde selon Garp* (George Roy Hill, 1982), puis interprète Sarah, une femme médecin d'une rayonnante sérénité, dans *les Copains d'abord* (Lawrence Kasdan, 1983), et Iris, la mystérieuse inspiratrice de Robert Redford dans *le Meilleur* (Barry Levinson, 1984). Son talent singulier s'impose par une évidente plénitude physique et morale, un mélange attachant de gravité et d'intelligence. Actrice subtile et élégante, Glenn Close excelle à suggérer les failles et les ambiguïtés de ses personnages, les limites de leur apparente perfection. Mais son extrême discipline semble mal s'accommoder de fantaisie, et encore moins de violence, ainsi qu'en témoignent ses compositions dans *Maxie* (Paul Aaron, 1985) et *Liaison fatale* (Adrian Lyne, 1987). Elle retrouve avec l'adaptation « anglaise » du roman de Choderlos de Laclos un rôle à sa mesure : la vénéneuse et perverse marquise de Merteuil (*les Liaisons dangereuses,* S. Frears, 1988). Elle semble très gênée de jouer Gertrude face à Mel Gibson dans *Hamlet* (F. Zeffirelli, 1990) ou la cantatrice névrotique de *la Tentation de Vénus* (I. Szabo, 1991). Par contre, glacée, distante, puis comateuse, elle est parfaite dans *le Mystère von Bulow* (B. Schroeder, 1990), où sa voix posée et sa diction claire créent un remarquable commentaire off. Elle n'a pas peur d'affronter les clichés et incarne avec une sécheresse touchante la vieille fille de *la Maison des esprits* (B. August, 1993) ou encore, avec humour, l'impitoyable rédactrice du *Journal* (R. Howard, *id.*), qui finit par « faire le coup de poing » contre son journaliste vedette. O.E.

CLOSE *(Ivy), actrice britannique (Stockton-on-Tees 1890 - Goring 1968).* Mère du réalisateur Ronald Neame et épouse du chef opérateur Elwin Neame, elle fonde avec ce dernier la société Ivy Close Films en 1912. Après une série de courts métrages *(The Lady of Shallot, The Sleeping Beauty, The Terrible Twins),* elle tourne son premier long métrage dans les studios Cecil Hepworth (*The Lure of London,* 1914) et, de 1916 à 1917, elle anime aux États-Unis une série qui porte son nom *(Ivy Close Comedies).* Son interprétation dans *la Roue* d'Abel Gance (1923, RÉ 1921) lui vaudra une grande mais brève renommée, car elle ne retrouvera jamais de rôle aussi marquant. R.L.

CLOSE SHOT. Locution anglaise pour *plan rapproché.*

CLOSE UP. Locution anglaise pour *gros plan.*

CLOSE-UP. Revue mensuelle de cinéma publiée à Londres de juillet 1927 à décembre 1933. Ce fut la première du genre à paraître en Grande-Bretagne, témoignant d'une approche sérieuse du cinéma et d'une dimension internationale. Dirigée par Kenneth MacPherson, on trouve dans ses colonnes les signatures de S. M. Eisenstein, Dorothy Richardson, Upton Sinclair, le psychanalyste Hanns Sachs, Gertrude Stein. M.C.

CLOTHIER *(William H.), chef opérateur américain (Decatur, Ill., 1903).* Il débute en 1923 comme opérateur d'actualités et est longtemps assistant de Bert Glennon, H. Fishbeck ou Archie Stout. Son sens du paysage et des espaces ouverts fait de lui l'imagier idéal des westerns et le complice indispensable de Ford, Wellman, Wayne ou McLaglen. On lui doit entre autres *Sept Hommes à abattre* (B. Boetticher, 1956), *les Cavaliers* (1959), *l'Homme qui tua Liberty Valance* (1962), *la Taverne de l'Irlandais* (1963) et *les Cheyennes* (1964) de John Ford, ainsi que *Alamo* (J. Wayne, 1960), *les Comancheros* (M. Curtiz, 1961), *Rio Lobo* (H. Hawks, 1970), sept films de William Wellman et dix d'Andrew V. McLaglen. J.-P.B.

CLOUZOT *(Henri-Georges), cinéaste français (Niort 1907 - Paris 1977).* D'abord journaliste, puis assistant réalisateur (A. Litvak, E. -A. Dupont), il supervise en Allemagne (1931-1933) la version française de quelques films, tout en travaillant (à partir de 1930) comme scénariste adaptateur, sur une dizaine d'œuvres, dont *le Dernier des six* (G. Lacombe, 1941) d'après S. -A. Steeman, et *les Inconnus dans la maison* (H. Decoin, 1942) d'après Georges Simenon. Également auteur dramatique, on lui doit quatre pièces entre 1940 et 1943. Il passe à la réalisation (mais il ne cessera de participer au scénario et au dialogue de tous ses films) avec *L'assassin habite au 21* (1942) ; *le Corbeau* (1943), qui est peut-être son meilleur film, lui vaut une réputation « scandaleuse » et une mesure d'exclusion temporaire de la profession à la Libération. Par la suite, pourtant, la plupart de ses films obtiennent des prix importants : prix de la Mise en scène à Venise (1947) pour *Quai des Orfèvres ;* Lion d'or à Venise (1949) pour *Manon ;* Palme d'or à Cannes (1953) pour *le Salaire de la peur ;* prix Louis-Delluc (1955) pour *les Diaboliques ;* prix spécial du Jury à Cannes (1956) pour *le Mystère Picasso ;* grand prix du Cinéma français (1960) pour *la Vérité.*

Sa réputation controversée est indiscutablement à la mesure de l'importance et de l'impact de son œuvre, qui témoigne d'une personnalité extrêmement originale et forte. C'était un esprit libre n'acceptant aucune forme de censure ou d'autocensure. Il l'a prouvé à ses risques et périls en réalisant pendant l'Occupation, pour la société de production la Continental, ce film que certains qualifièrent d'instrument de dénigrement de la population française, *le Corbeau,* tableau acide d'une petite communauté de province démasquée dans ses tares par un maniaque des lettres anonymes. Il reste que *le Corbeau* est l'un des meilleurs films de cette époque, même s'il a valu à son auteur une exclusion, discutable et d'ailleurs temporaire, de la profession, en 1944. Clouzot a raconté d'autre part qu'il s'était ultérieurement et par deux fois heurté à une censure effective mais officieuse, surtout lorsqu'il avait voulu aborder le thème de la guerre d'Algérie.

Cet esprit non conformiste aurait à coup sûr suscité moins d'hostilité s'il avait été doué de moins de talent, lié à un perfectionnisme qui lui valut, entre autres, d'être accusé de dilapider des budgets considérables et de tyranniser ses acteurs. Quels que soient les moyens qu'il ait employés avec eux, il faut constater qu'il est parvenu à plier certains comédiens à leur personnage (Fresnay dans *le Corbeau,* Jouvet dans *Quai des Orfèvres*) et à en révéler d'autres à eux-mêmes et au public (Cécile Aubry et Michel Auclair dans *Manon,* Yves Montand dans *le Salaire de la peur,* Larquey et Héléna Manson dans *le Corbeau* et Brigitte Bardot dans *la Vérité*).

Il était au nombre de ces cinéastes qui ont un *style* propre, une marque de fabrique spécifique tant au plan de la thématique que de l'expression filmique. En ce qui concerne sa thématique, on peut dire qu'elle a été constamment sous-tendue par une volonté de critique sociale plus ou moins anarchisante, mais n'allant pas au-delà d'une satire virulente de la bourgeoisie, de son hypocrisie et de sa mesquinerie. Dans la bouche de plusieurs de ses personnages, en particulier Denise (Ginette Leclerc) à l'adresse du Dr Germain (Pierre Fresnay) dans *le Corbeau,* « bourgeois » est proféré comme une insulte. Le pamphlétaire social se manifeste aussi dans *Quai des Orfèvres* par le dévoilement de certaines méthodes discutables de l'appareil policier, dans *Manon* par la peinture de la dégradation d'un fils de famille, dans *la Vérité* par une mise en cause de la justice bourgeoise, pour laquelle une fille qui veut simplement « vivre sa vie » ne saurait être qu'une grue.

Ce qui caractérise la vision de Clouzot, c'est le regard froid qu'il porte sur les êtres et sur le monde : il est l'héritier de la tradition réaliste française, mais il l'infléchit vers le naturalisme, comme Feyder qu'il cite, comme René Clément, avec lequel il a bien des points communs, par exemple le goût de la dramaturgie la plus épurée, la plus rigoureuse, sans rien qui cède à la facilité, sans rien qui incline au sentimentalisme. Son pessimisme le plus sombre est cependant toujours tempéré par l'amour, qui est l'ultime refuge de ses personnages, et la seule valeur qui puisse les sauver du désespoir ou de l'infamie : Denise et le Dr Germain sont finalement réunis par le bonheur d'avoir un enfant *(le Corbeau)* ; la chanteuse Jenny et son pitoyable époux se retrouvent après la tentative de suicide de celui-ci *(Quai des Orfèvres)* ; Manon et Des Grieux tombent eux aussi dans les bras l'un de l'autre au terme de leur descente aux enfers. On trouve d'ailleurs dans le dialogue de *Manon* cette phrase révélatrice de la pensée de l'auteur : « Rien n'est sale quand on s'aime ! » Dans *la Vérité,* Dominique est meurtrière par amour ; et, même dans *la Prisonnière,* un amour vrai naît d'une relation d'abord vicieuse et viciée : ainsi l'amour, amour fou ou perverti, est une valeur absolue qui permet à tout être de se racheter (dans une perspective purement humaniste et non chrétienne, assurément) des pires turpitudes morales, voire physiques.

Or les personnages de Clouzot sont en général corrompus, veules, misérables. Rien de manichéen, pourtant, dans cet univers, car le bien et le mal, la vérité et le mensonge coexistent en chaque individu. Cette lucidité sans illusions est sans aucun doute la clé essentielle de la vision morale de Clouzot. Mais, loin qu'il soit un moralisateur, c'est en moraliste qu'il s'affirme ; il évite en général les considérations morales, de même qu'il refuse tout psychologisme. Il est moins un analyste du cœur humain qu'un peintre des comportements : sa dramaturgie d'entomologiste consiste à mettre des personnages en situation et à étudier leurs réactions.

D'où la prédominance de la construction dramatique, le fait qu'il a été souvent catalogué comme auteur de suspenses policiers (ce qui est abusivement restrictif) et qu'on demeure frappé avant tout par la description objective du milieu, du décor et des objets, par la mise en place et cet enfermement, de ce huis clos qui conditionnent si fortement les personnages. Il est évidemment excessif de réduire le *style* de Clouzot à une simple *technique,* même brillamment mise en œuvre : sa maîtrise dans la création de l'atmosphère, son recours assez fréquent à un certain expressionnisme, son habileté à mettre ses personnages (et donc les spectateurs) en situation de voyeurs, tout cela relève d'une volonté de style, qui exprime aussi une vision du monde fondée, selon ses propres termes, sur une *grande règle :* « porter les contrastes à leur maximum » en poursuivant « un effort continu de simplification (dans la trame et les caractères), précisément pour accentuer les contrastes ».

La *mécanique* dramatique semble plus importante pour Clouzot que les motivations psychologiques. Serait-ce parce qu'il ne croit pas à une finalité rationnelle des comportements humains ? Ici s'impose une autre clé de sa personnalité, son goût de l'absurde, à propos duquel il a écrit : « Kafka m'a beaucoup influencé, et depuis longtemps. C'est à lui que je dois la découverte de l'absurde et de son attrait. » C'est à propos des *Espions* qu'il se référait à Kafka, film dans lequel transparaît « l'angoisse de l'homme qui constate qu'il n'est plus qu'un objet ». Angoisse existentielle et non métaphysique, le cinéaste ne s'interrogeant pas sur les fins dernières de l'homme mais se faisant le comptable de ses efforts (« J'aime l'action pour l'action », dit-il), que ce soient ceux du chauffeur d'un camion de nitroglycérine *(le Salaire de la peur),* ceux d'un couple d'amants pour se débarrasser de l'épouse gênante *(les Diaboliques)* ou ceux d'un artiste filmé dans son action créatrice *(le Mystère Picasso).* L'agitation humaine est parfois si dérisoire et si vaine qu'elle conduit à un pessimisme que seul l'humour (noir) peut nuancer. M.M.

Films ▲ : *la Terreur des Batignolles* (CM, 1931) ; *L'assassin habite au 21* (1942) ; *le Corbeau* (1943) ; *Quai des Orfèvres* (1947) ; *Manon* (1949) ; *Retour à la vie* (id., épisode *le Retour de Jean*) ; *Miquette et sa mère* (1950) ; *le Salaire de la peur* (1953) ; *les Diaboliques* (1955) ; *le Mystère Picasso* (1956) ; *les Espions* (1957) ; *la Vérité* (1960) ; *l'Enfer* (1964, inachevé) ; *la Prisonnière* (1967-68).

CLURMAN *(Harold Edgar,* dit *Harold), cinéaste américain (New York, N. Y., 1901* - id. *1980).* Fondateur du Group Theatre avec Lee Strasberg, metteur en scène de théâtre, Harold Clurman a réalisé un seul film, *Deadline at Dawn* (1946), sur un scénario de Clifford Odets, tentative de réalisme social qui, non exempte de pittoresque, vaut en particulier par l'interprétation de Susan Hayward. Il fut par ailleurs un des grands critiques dramatiques de son temps et a publié de très intéressants souvenirs sur le Group Theatre : *The Fervent Years* (New York, 1945). J.-L.B.

CLUZET *(François), acteur français (Paris 1955).* Il a acquis une première expérience au théâtre lorsque Diane Kurys lui confie un des trois premiers rôles de *Cocktail Molotov* (1980), et il est immédiatement sollicité par Claude Chabrol pour *le Cheval d'orgueil (id.).* Sa carrière piétine car ses principaux rôles intéressent des films de moindre audience : *Vive la sociale* (G. Mordillat, 1984), *Elsa, Elsa* (Didier Haudepin, 1986), jusqu'à *Autour de minuit,* de Bertrand Tavernier *(id.)* et *Association de malfaiteurs* (C. Zidi, 1987). Il tente ensuite de maintenir une image de comédien aussi exigeant que possible dans *Chocolat* (C. Denis, 1988), *Une affaire de femmes* (C. Chabrol, *id.*), *Force majeure* (Pierre Jolivet, 1989), *l'Instinct de l'ange* (Richard Dembo, 1993) ou *l'Enfer* (Chabrol, 1994). D.S.

C.M. Abrév. de *court métrage.*

C.N.C. (initiales de Centre National de la Cinématographie) → CENTRE NATIONAL DE LA CINÉMATÈQUE.

COBB *(Leo Jacoby,* dit *Lee J.), acteur américain (New York, N. Y., 1911 - Los Angeles, Ca., 1976).* Monté sur les planches à vingt ans, il débute aussi très tôt dans la mise en scène théâtrale et, ayant participé (1935) à l'expérience du Group Theatre, il se trouve incarner la Méthode à son paroxysme, grâce à un physique puissamment expressif. Après avoir figuré dans quelques films en 1937-38, il débute à l'écran en 1941 (*Men of Boys Town,* de N. Taurog). Il ne s'impose qu'avec *Nuit sans lune* (*The Moon Is Down,* I. Pichel, 1943) et surtout *Boomerang* (1947) sous la direction d'Elia Kazan venu comme lui du Group Theatre. Son tempérament, son masque précocement marqué le portent à des rôles antipathiques d'escroc (*les Bas-Fonds de Frisco,* J. Dassin, 1949 ; *Sur les quais,* E. Kazan, 1954) ou de gangster (*Traquenard,* N. Ray, 1958), l'une de ses plus outrancières créations, non dénuée de finesse cependant. Il a encore interprété le « patriarche » dont la mort au début des *Quatre Cavaliers de l'Apocalypse* (V. Minnelli, 1962) déclenche le drame, et il a conféré une force et un don de sympathie (à la mesure de son extraversion) au « terroriste » israélien d'*Exodus* (O. Preminger, 1960). Dans deux films pastichés des James Bond : *Notre homme Flint* (Daniel Mann, 1966) et *F comme Flint* (*In Like Flint,* G. Douglas, 1967), il s'est amusé pour sa part à parodier ses anciens rôles. Souvent raillé pour son jeu excessif, ce fut en fait un excellent comédien dans son registre. Il faut rappeler aussi *l'Heure du crime* (R. Rossen, 1947), *la Main gauche du Seigneur* (E. Dmytryk, 1955), *Douze Hommes en colère* (S. Lumet, 1957) et surtout *l'Homme de l'Ouest* (A. Mann, 1958), où, bandit vieillissant et fou, il disserte sur la mort avant un *gunfight* dans une ville-fantôme. G.L.

COBURN *(Charles, Douville), acteur américain (Savannah, Ga., 1877 - New York, N. Y., 1961).* Célèbre au théâtre, tard venu au cinéma, il s'y spécialise dans les rôles de vieillard atteint par le démon de midi, de notable, ou de grand-père fantasque, auxquels il donne une truculence réjouissante. Parmi ses films principaux : *Le ciel peut attendre* (E. Lubitsch, 1943) ; *Plus on est de fous* (G. Stevens, *id.*), qui lui vaut l'Oscar du second rôle ; *Scandale à la Cour* (O. Preminger, 1945) ; *les Vertes Années* (V. Saville, 1946) ; *le Procès Paradine* (A. Hitchcock, 1948). Il trouve ses meilleurs emplois avec Douglas Sirk (*Has Anybody Seen my Gal ?,* 1952) et surtout Howard Hawks : *Chérie, je me sens rajeunir* (id.) et *Les hommes préfèrent les blondes* (1953), où personne n'oublie son interprétation du vieux diamantaire séduit par Marilyn Monroe. B.G.

COBURN *(James), acteur américain (Laurel, Nebr., 1928).* Ayant débuté dans des théâtres universitaires, il fait d'abord de la TV et n'apparaît à l'écran qu'en 1959 pour devenir l'année suivante l'une des sept vedettes du film de John Struges, *les Sept Mercenaires.* Sa haute taille, son allure cynique, son flegme le vouent aux rôles d'aventuriers sans scrupules, rôles à l'intérieur desquels il développe peu à peu un charme nonchalant et un humour tout en souplesse. Parmi ses meilleures prestations, on retiendra *la Grande Évasion* (Sturges, 1963), *Cyclone sur la Jamaïque* (A. Mackendrick, 1965), *Mais, qu'as-tu donc fait à la guerre, Papa ?* (B. Edwards, 1966), *Waterhole N. 3* (William Graham, 1967), et surtout *Duffy le renard de Tanger* (R. Parrish, 1968), où son emploi habituel se nuançait d'une intelligence et d'une sensibilité moins inattendues qu'enfin clairement révélées. Son succès comme imitateur pince-sans-rire de James Bond (*Notre homme Flint,* Daniel Mann, 1966 et *F. comme Flint* [*In like Flint*], G. Douglas, 1967) lui vaut dix ans plus tard d'interpréter à la TV Sam Spade, le héros de Dashiell Hammett. Mais il aura été aussi l'un des deux personnages de *Il était une fois la Révolution* (S. Leone, 1971) et de *la Chevauchée sauvage* (R. Brooks, 1975). Après le médiocre *Croix de Fer* (S. Peckinpah, 1977), il reparaît plein d'une autorité rusée dans *Revanche à Baltimore* (R. E. Miller, 1979) sous une séduisante couronne de cheveux blancs et dans *Young Guns II* (Geoff Murphy, 1990). G.L.

COCEA *(Alice), actrice française d'origine roumaine (Sinaia 1897 - Paris 1970).* Comédienne de théâtre et d'opérette, elle tourne entre les deux guerres, avec une grâce acide, des films de série fondés sur les recettes qui font son succès au boulevard, aux titres évocateurs : *Mon gosse de père* (J. de Limur 1930), *Atout cœur* (H. Roussel, 1931), *Marions-nous* (L. Mercanton, *id.*), *Nicole et sa vertu* (R. Hervil, 1932), *le Greluchon délicat* (J. Choux, 1934). B.G.

COCHRAN *(Robert Alexander Cochran,* dit *Steve), acteur américain (Eureka, Ca., 1917 - en mer, au large du Guatemala, 1965).* D'abord sous contrat chez Samuel Goldwyn, il débute dans *le Joyeux Phénomène* (*Wonder Man,* Bruce Humberstone, 1945), aux côtés du couple Danny Kaye-Virginia Mayo, qu'il retrouve dans *le Laitier de Brooklyn* (N. Z. McLeod, 1946) et *Si bémol et fa dièse* (H. Hawks, 1948). Il poursuit sa carrière à la Warner, incarnant le plus souvent des personnages de gangsters veules et retors. Il est le rival trop ambitieux de James Cagney dans *L'enfer est à lui* (R. Walsh, 1949), le chef de bande de *Dallas, ville frontière* (S. Heisler, 1950), le prolétaire exalté de *Storm Warning* (Heisler, 1951), qui apaise ses frustrations dans les rangs du Ku-Klux Klan. Devenu vedette, il achève son séjour à la Warner dans deux comédies musicales : *Catherine et son amant* (*She's Back on Broadway,* G. Douglas, 1953) et *The Desert Song* (B. Humberstone, *id.*), avant d'incarner, en Italie, l'ouvrier suicidaire du *Cri* (M. Antonioni, 1957). Il tourne avec Roger Corman (*I Mobster,* 1959) et Sam Peckinpah (*New Mexico,* 1961), puis réalise, en 1964, *Tell Me in the Sunlight,* qui sera distribué deux ans après sa mort dans le Pacifique, des suites d'une infection. O.E.

COCTEAU *(Jean), poète, écrivain, dramaturge et cinéaste français (Maisons-Laffitte 1889 - Milly-la-Forêt 1963).* Issu d'une famille de notaires et d'agents de change, ses études (de « cancre », dit-il) achevées à Paris, Cocteau s'impose en littérature dès ses vingt ans. Il a résolu d'être, définitivement, agressivement, moderne. Mobilisé en 1916, bientôt réformé, il rentre à Paris, se rend célèbre avec le ballet *Parade* (1917), collabore avec Picasso, Erik Satie, Serge de Diaghilev (les Ballets russes), Stravinski. Il inspire le groupe des Six (1918), découvre et lance Raymond Radiguet (1920), auteur à dix-sept ans du *Diable au corps.* Hormis *le Sang d'un poète* (1931), film d'avant-garde que le mécénat du vicomte de Noailles (qui, en même temps, commandite *l'Âge d'or* de Buñuel) lui permet de réaliser. Cocteau ne s'intéresse activement au cinéma qu'à partir des années 40. Il élabore alors des adaptations, écrit des dialogues, rédige et souvent commente lui-même des films « poétiques » jugés difficiles ou insolites par leurs distributeurs. En 1942, il travaille pour Marcel Carné aux dialogues de *Juliette ou la Clé des songes,* qui sera tourné neuf ans plus tard, mais selon le scénario de Jacques Viot et Georges Neveux. En tant que dialoguiste, c'est au film de Robert Bresson, *les Dames du bois de Boulogne* (1945), qu'il apporte son concours le plus étonnant d'intelligence, d'élégance, de dépouillement et d'efficacité dramatique. Il met en scène son deuxième film en 1943, son dernier, le huitième en 1960. L'Académie française l'élit en 1955.

On a dit de Cocteau qu'il avait un talent polymorphe ou qu'il était un touche-à-tout de génie. Lui-même se définit comme « un franc-tireur du cinéma ». Le film est une corde de plus qu'il ajoute à son arc. À sa « poésie de roman », sa « poésie de théâtre », sa « poésie critique », sa « poésie graphique », il ajoute une « poésie cinématographique ». Pratiqué à l'égal du poème (le poète s'y expose et s'y découvre au double sens du mot : il se connaît, il se dévoile aux autres), le cinéma devient écriture, « encre de lumière ». Non plus *7e art* mais *dixième muse,* Cocteau l'appelle « cinématographe ». Dans ses films, comme ailleurs dans son œuvre, Cocteau bâtit sa poésie en cartésien. Elle est concrète et raisonneuse. Elle a besoin des artifices du merveilleux comme les machineries féeriques du cirque, du théâtre, de la fête foraine ; comme les ressorts des contes : miroirs magiques qu'on traverse, statues qui bougent, animaux qui parlent, passages enchantés, métamorphoses. Elle repose sur les données précises d'une expérience vécue : « Je capte mes mythes et mes souvenirs de jeunesse. » Elle doit surprendre, « saisir la chance au piège » car « il n'y a de beauté qu'accidentelle ». Pour *la Belle et la Bête,* et plus tard avec Melville pour *les Enfants terribles,* Cocteau, sur la table de montage, recherche, entre partition musicale et images, « un synchronisme accidentel ». Le côté artisanal du cinéma le ravit : l'univers filmique se crée aussi avec les mains. Le bric-à-brac des décors renvoie au foisonnement des greniers de l'enfance, puis vient l'art qui épure, ordonne, simplifie. Au dernier plan de *l'Éternel Retour,* l'entrepôt des pêcheurs est un capharnaüm. Patrice/Tristan y meurt ; Nathalie/Iseut s'étend près de lui pour elle aussi mourir. Alors le décor se vide absolument et s'archaïse ; l'endroit devient crypte romane, tombeau antique, grandiose, austère, nu.

Ce goût du concret fait le *réalisme magique* que Cocteau revendique pour sa poésie. « Tout poème est un blason. Il choisit des objets réels et en fait un documentaire. » La féerie, la légende sont d'autant plus prenantes qu'elles sont réelles. Sur l'écran, « ce qu'on voit, on le voit ». La fable, sans aucun doute, est fiction, fantaisie ; les mythes qu'elle sert sont vrais, sont universels. Bien moins désinvoltes, bien moins étincelants de pirouettes et de préciosités que ne le sont souvent ses vers, les films de Cocteau affichent et parfois cachent une fantaisie grave, une souriante « difficulté d'être » et cette hantise de la mort que doit fournir, à l'œuvre, selon l'auteur même, son éclairage définitif. (Tous les films de Cocteau cultivent le thème du renfermement.) Avec *le Sang d'un poète,* Cocteau ne s'est nullement proposé de faire (ce que beaucoup croient) un film surréaliste : André Breton le combattit d'ailleurs farouchement comme un *faux,* un ersatz. On n'y trouve ni dictée de l'inconscient, ni écriture automatique, ni ouverture métaphysique. C'est un rêve dirigé, très machiné et déjà, comme plus tard *Orphée* et *le Testament d'Orphée,* une parabole et une méditation sur la destinée du poète parmi les hommes. Visualisation dynamique d'un poème, tous les thèmes tenaces de l'auteur s'y rassemblent : la boule de neige frappant au cœur, la marche sur les plafonds, la traversée des miroirs, les portraits qui mordent. Dans *l'Éternel Retour,* comme il aime à le faire au théâtre, Cocteau rajeunit la légende, ici celle de Tristan et Iseut. Il la « désanachronise » en quelque sorte ; merveilleux et tragique, du coup, versent dans le quotidien. La même opération apporte à *la Belle et la Bête,* sans rien retrancher de sa magie, une interprétation psychanalytique du conte, plus vigoureuse de demeurer discrète. Filmant sa pièce *les Parents terribles,* respectant scrupuleusement ses trois actes et ses deux décors, Cocteau accomplit un double tour de force. D'une part, il dépasse, il retourne – comme on retourne un gant – le théâtre du Boulevard (Buñuel au Mexique réussira le même dépassement, mais dans le mélodrame). De l'autre, il abolit la traditionnelle synthèse cinéma-théâtre filmé. Le théâtre, assumé dans sa théâtralité, devient cinéma par la grâce d'un magistral découpage en continuité. La peinture cruelle et grinçante de l'intimité bourgeoise se retrouve dans *Orphée.* L'échec de cette nouvelle actualisation d'un mythe condamne Cocteau à un silence de dix ans. Il ne fera plus que *le Testament d'Orphée,* qui est aussi le sien propre. Il y lègue à la postérité la somme de ses thèmes, de ses *manières* stylistiques comme aussi de ses tics d'écriture, la synthèse de tous ses films. Mais, prisonnier de son image (celle que, sa vie durant, il a voulu donner de lui-même, celle qu'on a forgée de lui), Cocteau, mégalomane et pontifiant, plus que jamais enfant terrible de l'art, peine à dresser sa statue au milieu de cent métaphores ésotériques. Décevant congé qui contredit l'un des plus singuliers mérites de Cocteau cinéaste et que l'on n'a guère relevé : tous ses films – et *Orphée* tout particulièrement – hormis ce *Testament,* ménagent à tous les publics un accès immédiat à sa poésie pourtant subtile, raffinée, intellectuelle plus encore que sensible. Cocteau poète populaire grâce au cinéma, cela vaut d'être souligné. B.A.

Films : – réalisation ▲ : *le Sang d'un poète* (1931) ; *la Belle et la Bête* (cons. technique R. Clément, 1946) ; *l'Aigle à deux têtes* (1948) ; *les Parents terribles* (1949) ; *Orphée* (1950) ; *la Villa Santo-Sospir* (CM 1952) ; *le Testament d'Orphée* (1960) ; – scénarios et dial. : *la Comédie du* *bonheur* (M. L'Herbier, 1942) ; *le Baron fantôme* (S. de Poligny, 1943) ; *l'Éternel Retour* (J. Delannoy, *id.*) ; *les Dames du bois de Boulogne* (R. Bresson, 1945) ; *Ruy Blas* (P. Billon, 1948) ; *les Enfants terribles* (J.-P.Melville, 1950).

CODE. *Code temporel,* code numérique, indiquant avec précision l'instant de prise de vues, susceptible de remplacer à terme la fréquence pilote pour la synchronisation de l'enregistrement des sons avec celui des images. (→ REPIQUAGE, NUMÉRIQUE.)

Il est possible de synchroniser deux (ou plusieurs) bandes par des signaux de synchronisation particuliers repérant, avec une grande précision (1/24 ou 1/25 de seconde), l'heure d'enregistrement de chaque image. Ces informations sont enregistrées sous forme numérique sur la bande son et sur la bande image. Plusieurs codes se sont imposés et sont maintenant normalisés dans le monde entier. Il s'agit du code SMPTE pour le son et la vidéo, enregistré sur une piste spécifique des enregistrements audio ou vidéo (piste code).

Pour l'image, deux systèmes compatibles entre eux cohabitent :

– dans un cas, on enregistre l'information (codée) photographiquement sur le film (entre les perforations) à partir de diodes placées dans le couloir de la caméra, les informations étant enregistrées en manchette (entre les perforations et le bord du film). La firme française Aaton (constructeur de caméras) est à l'origine de ce procédé, connu dans ce cas sous le nom de « code Aaton ». Arriflex a également mis au point un code similaire sous le nom de « code Arri ». Toutes les images ne sont pas identifiées, le code est enregistré toutes les 16 images (2/3 de seconde), ce qui est largement suffisant pour les synchronisations son/image ;

– dans l'autre cas, des informations d'identification sont préenregistrées photographiquement en manchette, sous forme d'un code barres sur les pellicules négatives, directement par les fabricants. Comme précédemment, ces informations sont enregistrées toutes les 16 images. Elles correspondent aux « numéros de bord », ou « piétage », enregistrés sous forme d'un numéro à six ou sept chiffres augmentant d'une unité toutes les 16 images (en 35 mm, il y a exactement 16 images au pied). Ce système de codage, proposé par Kodak, est connu sous le nom de « K Kode ».

Ces codes enregistrés photographiquement peuvent être lus en défilement normal ou rapide et permettent d'assurer des informations semi-automatiques très appréciables dans le cas de montages virtuels. M.BA.

COEDEL *(Lucien), acteur français (Paris 1899 - Blaisy-Haut 1947).* Sa mort accidentelle sur la voie ferrée ne lui a pas permis les grands premiers rôles à l'instar de Gabin, auquel on le compara parfois. Il doit beaucoup à Christian-Jaque, qui l'impose peu à peu : *l'Assassinat du père Noël* (1941), *la Symphonie fantastique* (1942), *Voyage sans espoir* (1943), *Carmen* et *Sortilèges* (1945). Sachant doser l'émotion, il marque fortement ses compositions de *Nord Atlantique* (M. Cloche, 1939), *les Mystères de Paris* (J. de Baroncelli, 1943), *l'Idiot* (G. Lampin, 1946), *Roger la Honte* (A. Cayatte, *id.*), *la Chartreuse de Parme* (Christian-Jaque, 1948). R.C.

COEN *(Joel), cinéaste américain (Minneapolis, Minn., 1955)* et **COEN** *(Ethan), cinéaste américain (né en 1957).* Avec une feinte désinvolture, les frères Coen assurent qu'ils ne pensaient jamais au départ faire carrière dans le cinéma. Néanmoins après des études à la New York University Film School, Joel travaille comme monteur avec Frank La Loggia sur *Fear No Evil* (1980) et Sam Raimi sur *The Evil Dead* (1983). Les deux frères écrivent le scénario de *Crimewave* (S. Raimi, 1985) puis décident de mettre en scène leur propre scénario *Blood Simple.* Le petit succès du film les entraîne à tourner *Arizona Junior* (*Raising Arizona,* 1987) puis *Miller's Crossing* (id., 1990). En 1991 ils remportent la Palme d'or au Festival de Cannes avec *Barton Fink.* Joel Coen signe seul en 1994 *le Grand Saut* (*The Hudsucker Proxy*), sur un scénario écrit avec son frère. J.-L.P.

COGGIO *(Roger), acteur, scénariste et cinéaste français (Lyon 1934).* Sa carrière d'acteur débute en 1953 sous la direction d'André Cayatte (*Avant le déluge,* 1954), Orson Welles (*Une histoire immortelle,* 1968) et André Delvaux (*Belle,* 1973). Au théâtre, il fait partie du T. N. P. de 1956 à 1961. En 1963, il passe à la réalisation avec sa pièce fétiche *le Journal d'un fou,* de Gogol. Avec l'aide de l'actrice et scénariste Élisabeth Huppert, il s'essaie, sans convaincre, à la comédie satirique avec *Silence... on tourne* (1976), puis à la comédie tout court avec *On peut le dire sans se fâcher* (1978) et *C'est encore loin l'Amérique ?* (1979). Il tente d'adapter Molière à l'écran pour le large public, et crée l'A. C. P. (Amis du cinéma populaire), faisant appel à la F. E. N. pour coproduire *les Fourberies de Scapin* (1981), puis *le Bourgeois gentilhomme* (1982). Il réalise ensuite une nouvelle version du *Journal d'un fou* (1987) et *la Folle Journée ou le Mariage de Figaro* (1989). A.T.

COHEN *(Larry), cinéaste et scénariste américain (New York, N. Y., 1938).* Acteur, metteur en scène de théâtre, il débute à la télévision en créant des séries *(les Envahisseurs)* et en écrivant les scénarios de feuilletons policiers. Il passe ensuite au cinéma en tant que scénariste (*le Retour des Sept,* B. Kennedy, 1966), œuvrant dans le genre policier (*la Boîte à chat,* M. Robson, 1969 ; *Pacte avec un tueur,* John Flynn, 1987), le western (*El Condor,* J. Guillermin, 1970) ou la satire sociale. Si *Bone* (inédit, 1972), son premier film, relève de la satire sociale, Cohen se rend célèbre par le film policier *Black Caesar, le parrain de Harlem* (*Black Caesar,* 1973) et plus encore par la science-fiction en créant, avec *le Monstre est vivant* (*It's Alive,* 1974), un nouveau monstre dans le bestiaire du cinéma, qu'il fait revivre dans *Les monstres sont toujours vivants* (*It Lives Again,* 1978) et dans *Island of the Alive* (inédit, 1987) ; par le fantastique également grâce à *Meurtres sous contrôle* (*God Told Me To/Demons,* 1976), où la religion tient un rôle surprenant. Parfois brouillons, toujours économiques, les films de Cohen, même lorsqu'il travaille pour le câble *les Enfants de Salem* (*Return To Salem's Lot,* 1987), sont toujours pleins d'humour et de vitalité. A.G.

COHL *(Émile Courtet,* dit *Émile), cinéaste et caricaturiste français (Paris 1857 - Villejuif 1938).* Émile Cohl n'est certes pas le premier à s'être intéressé aux possibilités artistiques de l'animation de dessins ou d'objets : Émile Reynaud l'a précédé dans la voie graphique (1892) et Stuart Blackton dans la seconde (1906). Il n'en demeure pas moins incontestablement pour l'Histoire le véritable créateur du «7e art *bis*», le pionnier du cinéma d'animation.

Caricaturiste dans divers journaux satiriques, avec André Gill (mort en 1885), Émile Cohl n'y atteint jamais une très grande notoriété. C'est donc un homme dont le style est déjà désuet qui se présente, en 1907, au siège des Établissements Gaumont pour se plaindre d'avoir été plagié par une affiche de la firme. Louis Feuillade, alors directeur, le calme et propose de lui acheter des petits scénarios de son cru. Mais l'idée d'animer ses dessins le tourmente depuis longtemps. L'année suivante, engagé par Gaumont, il peut enfin réaliser ce rêve. Le 17 août 1908, au Théâtre du Gymnase, transformé en cinéma pendant la clôture annuelle, a lieu la première projection publique de *Fantasmagorie,* dessin animé de 35 mètres. Cohl y abandonne les contours réalistes à la Reynaud pour une démarche très stylisée s'inspirant des croquis d'enfants. Dans tous ses premiers films, les traits apparaissent en blanc sur fond noir, chaque copie étant un contre-type du négatif. Toutefois, le dessin animé n'étant pas encore un genre en soi, Cohl continue à écrire des scénarios pour Gaumont ; il doit aussi mélanger séquences animées et scènes jouées par des acteurs : *les Joyeux Microbes* (1909), *les Locataires d'à côté* (id.), *le Songe d'un garçon de café* (1910). Ces obligations de production lui permettent, en un temps record, d'explorer toutes les possibilités de ce nouvel art. Il anime des volumes, des poupées : *les Allumettes animées* (1908), *les Frères Boutdebois* (id.), *le Tout Petit Faust* (1910), *le Petit Chantecler* (id.). Dans *les Lunettes féeriques* (1909), il est amené à se servir de silhouettes découpées dans du papier bristol qu'on fait se mouvoir ensuite.

En 1910, Cohl quitte Gaumont pour Pathé. Il se sépare de ce dernier l'année suivante et entre chez Éclair qui l'envoie, en 1912, dans sa succursale du New Jersey (É. -U.). Là-bas, il réalise treize films de la série *Snookums* (d'après une BD populaire de George McNamus : l'histoire d'un bébé terrible, qui empoisonne la vie de ses parents, baptisé *Zozor* en France). Il revient à Paris en 1914, mais la concurrence, avec l'évolution du cinéma, y est très dure. Il travaille en 1916 avec le dessinateur Benjamin Rabier avant d'animer quatre épisodes des *Aventures des Pieds Nickelés* d'après Forton (1918).

Pendant ces dix années d'activité intense, l'apport d'Émile Cohl s'avère décisif pour plusieurs raisons. D'abord, c'est un bon conteur, chose plutôt rare dans le cinéma primitif. Il nous conditionne, par un postulat de base, généralement interprété par des acteurs (ce système sera repris, plus tard, par les frères Fleischer avec le succès que l'on sait), à pénétrer dans son univers magique de lignes et de formes. Un canevas « médical » nous prépare, dans *les Joyeux Microbes,* à nous immiscer dans le monde visuel des bactéries animées. Le penchant voyeuriste d'un vieux couple, décidé à assister aux ébats amoureux de deux jeunes gens, crée une agréable féerie *(les Locataires d'à côté).* La mise au point d'un instrument sophistiqué, le Binetoscope, sert, dans le film homonyme (1910), de prétexte à toute une série de variations polymorphes sur le visage humain, dont la fluidité graphique annonce, avec plus d'un demi-siècle d'avance, les travaux de Peter Foldès.

Cohl fait une place de choix, dans son œuvre, à l'introspection et aux fantasmes : rêves débridés d'un barman traduits, dans *le Songe d'un garçon de café,* d'une manière originale par l'animation de cartes postales ; désir chez un baron de trouver une âme-sœur le poussant à se faire lire les lignes du... pied *(l'Avenir dévoilé par les lignes du pied,* 1914) ; « psychanalyse » d'un malade par les restitutions plastique et symbolique de ses visions (*le Retapeur de cervelles,* 1911). Notons que dans *le Peintre néo-impressionniste* (1910) l'auteur développe une étrange iconographie présurréaliste.

Par les recherches graphiques et architecturales qu'il met au service de l'illustration de légendes ou de récits, Cohl fait considérablement avancer le langage cinématographique alors balbutiant. *Les Douze Travaux d'Hercule, le Petit Chantecler, le Tout Petit Faust, les Aventures du baron de Crac* (1909) mettent en place des fictions filmiques très modernes pour l'époque. Notons, pour terminer, qu'Émile Cohl recourt, pour créer son univers, à toutes les techniques de l'animation : marionnettes en bois, papiers découpés, double écran *(les Locataires d'à côté) ;* cartes animées (*Affaires de cœur,* 1909) ; gravures *(les Douze Travaux d'Hercule),* etc.

Les années 20 voient la fin des activités d'Émile Cohl, qui réalise quelques œuvres publicitaires pour Lortac *(les Biscuits Myam Myam).* Il meurt, dans l'indigence, le 20 janvier 1938 à l'hospice de Villejuif, après avoir signé quelque trois cents titres. R.BA.

COHN *(Harry), producteur américain (New York, N. Y., 1891 - Los Angeles, Ca., 1958).* Fils d'un immigrant, il s'introduit dans le monde du spectacle comme chorus-boy, employé d'une maison d'éditions musicales et auteur de chansons. En 1918, il devient secrétaire du fondateur de l'Universal, Carl Laemmle. En 1920, il fonde avec son frère Jack et Joe Brandt sa propre maison de production, dont naîtra en 1924 la Columbia. Patron tout-puissant de cette dernière (1932), il se fait remarquer par sa vulgarité agressive et s'attire des haines nombreuses. Mais, doué d'un flair commercial très sûr et dénué de toute prétention intellectuelle, ce bourreau de travail laisse souvent une plus grande liberté à ses réalisateurs que certains de ses confrères. C'est ainsi que, dans les années 30, il fait entière confiance à Frank Capra, qui, en retour, permet à la Columbia de devenir une grande compagnie. On doit aussi à Harry Cohn l'ascension de Rita Hayworth. Il meurt après avoir pris l'une de ses rares décisions néfastes, le remplacement de Robert Aldrich par Vincent Sherman sur *Racket dans la couture* (1957). À quelqu'un qui s'étonnait de l'affluence à ses obsèques, Ben Hecht répliqua : « Ils ont tous voulu s'assurer qu'il était bien mort. »

G.L.

COLBERT (*Claudette Chauchoin,* dite), *actrice américaine d'origine française (Paris 1903).* Venue aux États-Unis à l'âge de six ans, Claudette Colbert étudie les beaux-arts à New York, devient décoratrice de théâtre et, sans grande expérience en tant qu'actrice, fait ses débuts au cinéma sous la direction de Capra, dans *Pour l'amour de Mike* (1927). C'est le lancement d'une carrière bien remplie (plus de 60 films) et bénéficiant, au moins jusqu'au milieu des années 40, de la direction des metteurs en scène les plus remarquables. Sous contrat avec la Paramount, Claudette Colbert tourne en particulier avec Monta Bell (*Young Man of Manhattan,* 1930), Edward Sloman (*His Woman,* 1931), Dorothy Arzner (*Honor Among Lovers,* id.). Elle excelle dans la comédie sophistiquée : jusque dans les situations les plus loufoques, elle ne se départ guère, en effet, d'une sorte d'élégance, de raffinement artistocratique et de retenue : *le Lieutenant souriant* (E. Lubitsch, 1931) ; *Cette nuit est notre nuit* (*Tonight Is Ours,* M. Leisen, 1933) ; *New*

York - Miami de Franck Capra (1934), qui lui vaut un Oscar ; *Mon mari le patron* (G. La Cava, 1935) ; *la Huitième Femme de Barbe-Bleue* (Lubitsch, 1938) ; *la Baronne de minuit* (Leisen, 1939). Symétriquement, la malice amusée de son regard colore ses rôles dramatiques : elle est successivement, sous la direction de De Mille, Poppée dans *le Signe de la croix* (1932) et Cléopâtre dans le film du même nom (1934) ; elle joue dans le mélodrame de John Stahl *Images de la vie* (1934). Avec la maturité, son personnage s'approfondit, se fait plus grave. Elle incarne une épouse de pionnier dans *Sur la piste des Mohawks* (J. Ford, 1939). Sa vertu primitive se transmet à l'épouse du combattant pendant la Seconde Guerre mondiale : *Depuis ton départ* de John Cromwell (1944). Mais c'est une vertu aimable, souriante, qui flirte sans y succomber avec la tentation de l'infidélité représentée par Joseph Cotten. Elle continue à tourner jusqu'en 1961 (*la Soif de la jeunesse* de Delmer Daves), non seulement aux États-Unis mais aussi en Angleterre (*la Femme du planteur* de Ken Annakin, 1952) et en France (*Destinées,* sketch de Marcello Pagliero, 1954 ; *Si Versailles m'était conté* de Sacha Guitry, *id.,* où elle est la Montespan). J.-L.B.

Autres films : *Un trou dans le mur* (*The Hole in the Wall* [R. Florey], 1929) ; *The Lady Lies* (Hobart Henley, *id.*) ; *l'Énigmatique M. Parkes, VF* de *Slightly Scarlet* (L. J. Gasnier et E. H. Knopf, 1930) ; *Manslaughter* (G. Abbott, *id.*) ; *The Big Pond / la Grande Mare* (H. Henley, *id.,* 2 versions : US et FR) ; *Secrets of a Secretary* (*id.,* 1931) ; *The Wiser Sex* (B. Viertel, 1932) ; *Misleading Lady* (Stuart Walker, *id.*) ; *The Man from Yesterday* (Viertel, *id.*) ; *le Président fantôme (The Phantom President* [N. Taurog], *id.) ; I Cover the Waterfront* (J. Cruze, 1933) ; *Three-Cornered Moon* (E. Nugent, *id.*) ; *Chanteuse de cabaret (Torch Singer* [A. Hall et George Somnes], *id.) ; Four Frightened People* (C. B. De Mille, 1934) ; *Aller et retour* (W. Ruggles, 1935) ; *Mondes privés* (G. La Cava, *id.*) ; *The Bride Comes Home* (Ruggles, *id.*) ; *Sous deux drapeaux* (*Under Two Flags* [F. Lloyds], 1936) ; *le Démon sur la ville* (*Maid of Salem,* id., 1937) ; *À Paris tous les trois* (Ruggles, *id.*) ; *Tovarich* (A. Litvak, *id.*) ; *Zaza* (G. Cukor, 1938) ; *Le monde est merveilleux (It's a Wonderful World* [W. S. Van Dyke], *id.) ; la Fièvre du pétrole* (*Boom Town* [J. Conway], 1940) ; *Arise my Love* (M. Leisen, *id.*) ; *la Folle Alouette* (M. Sandrich, 1941) ; *Adieu jeunesse* (*Remember the Day* [H. King], 1942) ; *Madame et ses flirts* (P. Sturges, *id.*) ; *les Anges de miséricorde* (Sandrich, 1943) ; *la Dangereuse Aventure (No Time for Love,* Leisen, *id.) ; Practically Yours* (id., 1945) ; *Désir de femme* (S. Wood, *id.*) ; *Demain viendra toujours* (*Tomorrow is forever* [I. Pichel], 1946) ; *Without Reservations* (M. LeRoy, *id.*) ; *Cœur secret (The Secret Heart,* R. Z. Leonard, *id.) ; l'Œuf et moi* (*The Egg and I* [Chester Erskine], 1947) ; *l'Homme aux lunettes d'écaille* (D. Sirk, 1948) ; *Ma femme et ses enfants* (*Family Honeymoon* [Claude Binyon], 1949) ; *Fiancée à vendre (Bride for sale* [W. D. Russel], *id.) ; Captive à Bornéo* (J. Negulesco, 1950) ; *Fureur secrète* (M. Ferrer, *id.*) ; *Tempête sur la colline* (Sirk, 1951) ; *Let's Make it Legal* (R. Sale, *id.*) ; *le Rendez-vous de 4 heures* (*Texas Lady* [Tim Whelan], 1955) ; *la Soif de la jeunesse* (D. Daves, 1961). ▲

COLLAGE. Le *collage* est l'opération qui consiste à réunir, par une *collure,* deux fragments de film.

Le collage à la colle. Alors que les colles usuelles sont des produits adhérant à l'un et à l'autre des deux objets à réunir, la colle à film est essentiellement un solvant du support. On coupe d'abord les deux fragments de film à réunir, de façon à ménager un chevauchement de 1 à 2 mm. On décape ensuite, au niveau du chevauchement, la couche sensible qui s'intercalerait entre les supports. On applique enfin une légère couche de colle et on met immédiatement en contact, en les pressant l'un contre l'autre, les deux films : dissous superficiellement par la colle, les supports se soudent l'un à l'autre.

Ces collures sont très résistantes mais, outre qu'elles conduisent à une surépaisseur locale, elles sont légèrement visibles sauf si la barre de séparation entre les images est assez large pour les y loger. (C'est le cas en *format** 1, 37 mais non en *Scope** ou en 16 mm.) Les collages « en biseau » réduisent ces inconvénients mais ne les éliminent pas.

Le collage au ruban adhésif. Les deux films sont ici coupés de façon à se présenter bord à bord et réunis par du ruban adhésif transparent. (On parle souvent de « collage Scotch », nom de marque du ruban adhésif.)

transparent. (On parle souvent de « collage Scotch », nom de marque du ruban adhésif.)

Moins résistant que le précédent, ce type de collure est d'exécution plus simple et plus rapide, et il permet, en décollant l'adhésif et en effectuant un nouveau collage, de reconstituer intégralement le film coupé puisque la coupe bord à bord n'entraîne aucune perte de film. Il a supplanté le collage à la colle en salle de montage ou en cabine de projection, mais non pour le montage du négatif, où il est impératif que les collures ne « lâchent » pas dans la tireuse.

Collage à ultrason. Le support polyester ne peut être assemblé par collage à la colle, aucun solvant ne convenant à cet usage. Une colleuse spéciale, sans apport de produit complémentaire (colle), permet, en chauffant le support, à la limite de la fusion, par ultrason, d'assembler les éléments de film. Ces collages sont mécaniquement résistants et ne laissent aucune trace d'adhésif ou de colle. Ils sont surtout pratiqués par les laboratoires, d'où le nom qui leur est parfois donné de *collure laboratoire*.

Colleuses. Les opérations de collage, qui doivent être d'une grande précision de façon à garantir l'équidistance exacte des perforations, se pratiquent sur des appareils plus ou moins automatisés appelés *colleuses* en cinéma d'amateur et *presses à coller* en cinéma professionnel. J.-P.F.

COLLER. *Presse à coller,* appareil permettant la réalisation des collages. (Cinéma professionnel.)

COLLEUSE. Appareil permettant la réalisation des collages. (Cinéma d'amateur.)

COLLINS *(Joan), actrice britannique (Londres 1933).* Elle débute à l'écran en vedette dans une production américaine tournée en Europe, *les Pages galantes de Boccace* (H. Frégonèse, 1953), qui met en valeur sa beauté un peu « exotique » d'aventurière, emploi qu'elle fait alterner avec des rôles à costumes dans sa carrière hollywoodienne : *la Terre des Pharaons* (H. Hawks, 1955), *la Fille sur la balançoire* (R. Fleisher, *id.*) ; *les Naufragés de l'autocar* (V. Vicas, 1957) ; *Une île au soleil* (R. Rossen, *id.*) ; *Bravados* (H. King, 1958) ; *les Sept Voleurs* (H. Hathaway, 1960). Elle montre des dons comiques inattendus dans *la Brune brûlante* (L. McCarey, 1958) et fait une prestation émouvante dans *Esther et le Roi* (R. Walsh, 1960). Depuis les années 60, elle se voit réduite à des films d'horreur de série B et à des prestations pseudo-érotiques assez pénibles. Elle réapparaît au début des années 80 dans des séries TV populaires *(Dynasty).* G.L.

COLLINSON *(Peter), cinéaste britannique (Cleethorpes 1936 - Santa Monica, Ca., 1980).* Il appartient à la génération formée par la BBC. Toutefois, après des débuts prometteurs avec *la Nuit des alligators* (*The Penthouse,* 1967), *Up the Junction* (1968) et *Un jour parmi tant d'autres* (*The Song Day's Dying,* id.), il s'est perdu dans des productions américaines ou internationales sans grand intérêt, comme *les Baroudeurs* (*You Can't Win'Em All,* 1970), *Colts au soleil* (*The Man Called Noon,* 1973) et *Dix Petits Nègres* (*And Then There Were None,* 1974). P.P.

COLLURE. Endroit où deux fragments de film ont été réunis par collage. Par extension, syn. usuel de *collage.*

COLMAN *(Ronald), acteur américain, d'origine britannique (Richmond, Surrey, 1891 - Santa Barbara, Ca., 1958).* Acteur dès 1914, sa carrière est interrompue par la guerre. En 1919, il débute à l'écran. Il devient le jeune premier britannique par excellence, et c'est avec cette étiquette qu'il part pour les États-Unis, en 1920. Il est lancé par Lillian Gish, qui fait de lui son partenaire dans *la Sœur blanche* (H. King, 1923). Curieusement, Hollywood en fait d'abord un sombre séducteur méditerranéen, calamistré et suave, souvent associé à Vilma Banky : *l'Ange des ténèbres* (1925), *Une nuit d'amour (1927)* tous deux de George Fitzmaurice ; *Barbara fille du désert* (1926) et *Flamme d'amour* (1927) d'Henry King. Il obtient ses meilleurs rôles dans *Stella Dallas* (H. King, 1925), *l'Éventail de lady Windermere* (E. Lubitsch, *id.*), *Kiki* (C. Brown, 1926), *Beau Geste* (H. Brenon, *id.*). Sa diction claire et sa voix bien posée lui assurent un passage sans problème au parlant. Il s'oriente vers les rôles de composition, qui semblent tous perpétuer la tradition de l'Empire britannique dans l'univers cosmopolite d'Hollywood. Il est l'agent secret *Bulldog Drummond* (F. Richard-Jones, 1929), le gentleman-cambrioleur de *Raffles* (H. d'Abbadie d'Arrast, 1930), le médecin dévoué d'*Ar-*

rowsmith (J. Ford, 1931), le Baron *Clive of India* (R. Boles'lawsky, 1935) ou le légionnaire de *Sous deux drapeaux* (F. Lloyd, 1936). Ses grandes prestations mettent en lumière son romantisme mélancolique : *le Marquis de Saint-Évremond* (J. Conway, 1935), *les Horizons perdus* (F. Capra, 1937), *la Lumière qui s'éteint* (W. Wellman, 1940) et, surtout, le délicieux *Prisonnier de Zenda* (J. Cromwell, 1937), où il a un double rôle. Après sa création pathétique d'amnésique dans *Prisonnier du passé* (*Random Harvest,* M. LeRoy, 1942), sa popularité décroît ; la rigueur morale, la noblesse un peu désuète ne sont plus à la mode. Les grands rôles ne manquent pourtant pas : le professeur philosophe de *la Justice des hommes* (G. Stevens, 1942), le personnage rigide que fut *The Late George Apley* (J. L. Mankiewicz, 1947), ou l'acteur déchiré d'*Othello* (G. Cukor, 1948), qui lui vaut un Oscar. Dans les années 50, il ne fut plus qu'une vedette invitée. Il était déjà déplacé. Il appartenait au Vieux Monde. C.V.

COLOMBIE. La première projection publique aurait eu lieu à Bogotá le 1er septembre 1897. La même année, l'appareil d'Edison est signalé à Colón, avant la sécession du Panamá. L'intérêt suscité par le cinématographe est démontré par la décision du président de la République d'engager un opérateur français chargé d'enregistrer les cérémonies officielles (1905). Les frères Di Domenico, d'origine italienne, sont à la fois importateurs de films et pionniers d'une production nationale épisodique. En 1912, ils inaugurent à Bogotá le fameux Salon Olympia, première vraie salle de cinéma. La douzaine de longs métrages du muet semble aujourd'hui extraordinaire. On filme alors à Bogotá, Medellín, Barranquilla, Cali et Pereira. Le succès de l'époque reste *María* (Alfredo del Diestro et Máximo Calvo, 1921), d'après l'œuvre de Jorge Isaacs, un mélodrame romantique. Les Di Domenico tournent des documentaires (pour *El drama del 15 de Octubre* en 1915, ils sont allés interviewer en prison les assassins d'un leader politique) et font des incursions dans la fiction, comme *Aura o las violetas* (Pedro Moreno Garzón et Vicente Di Domenico, 1924), d'après José María Vargas Vila. Arturo Acevedo produit les premières actualités régulières (1924-1948), et des films de fiction : *La tragedia del silencio* (1924), *Bajo el cielo antioqueño* (1925). Tous les espoirs s'effondrent avec la révolution technique qu'implique l'avènement du parlant. Les Di Domenico soldent leur matériel. Les actualités d'Acevedo restent l'unique production nationale pendant dix ans. Elles ne retiennent de l'histoire mouvementée de la Colombie que la chronique gouvernementale ou mondaine. Un document d'intérêt plus large, comme celui des manifestations et funérailles du dirigeant populiste assassiné Jorge E. Gaitán (1948), est une exception. Les difficultés d'assimilation du sonore marquent les productions sporadiques des années 40 : *Flores del Valle* (Calvo, 1941) ; on y trouve des comédies musicales de nette inspiration mexicaine : *Allá en el trapiche* (Roberto Saa Silva et Gabriel Martínez, 1942). La création d'un département de cinéma au ministère de l'Éducation (1938, Gaitán étant ministre) n'aboutit qu'à une éphémère série de courts métrages pédagogiques. Une loi de protection du court métrage (1942), assez restrictive, reste lettre morte. Les maisons de production ne dépassent guère les deux ou trois longs métrages et doivent compter avec les « Actualités » rituelles. Échappent à la médiocrité *El milagro de la sal* (Luis Moya, 1958), mélodrame sur des mineurs ensevelis, et surtout *El rio de las tumbas* (Julio Luzardo, 1964), qui évoque l'insidieuse violence politique et décrit la province avec humour. La télévision (1954) et la publicité relancent une production de documentaires folkloriques et touristiques (comme ceux de Francisco Norden, dont *Camilo el cura guerrillero,* 1974, reste un cas à part) et de longs métrages de nouveaux réalisateurs, parmi lesquels José María Arzuaga : *Raíces de piedra* (1962), *Pasado el meridiano* (1967) possèdent une fraîcheur néoréaliste. Une nouvelle législation en 1971 suscite un essor de courts métrages ; ainsi, *Gamin* (Ciro Durán, 1978), sur les enfants pauvres de Bogotá, a été tourné par fragments, puis transformé en long métrage. La radicalisation politique apporte de nouvelles images. Carlos Álvarez réalise des films de démystification idéologique : *Asalto* (1968), *Colombia 70* (1970), *Que es la democracia* (1971), *Hijos del subdesarrollo* (1975), *Introducción a Camilo* (1978), *Desencuentros* (1978). Marta Rodríguez et Jorge Silva se situent à mi-chemin entre le film ethnographique et le film militant : *Testimonio sobre Planas* (1970), *Chircales* (1972), *Campesinos* (1976), *Nuestra voz de tierra, memoria y futuro* (1982). Le prêtre-guérillero a inspiré un troisième titre : *Camilo Torres* (Diego León Giraldo, 1968). Un protectionnisme timide et une censure persistante freinent le passage de la nouvelle génération au long métrage. Avec la création de FOCINE (Compagnie de promotion du cinéma, 1978), les cinéastes colombiens subissent une administration erratique, jusqu'à ce que l'organisme disparaisse dans l'indifférence générale (1993). Le bilan de cette période est modeste : *Carne de tu carne* (Carlos Mayolo, 1983), *Les condors ne meurent pas tous les jours* (*Cóndores no entierran todos los días,* Norden, 1984), *Tiempo de morir* (Jorge Ali Triana, 1985, d'après Gabriel García Márquez*), *Visa U.S.A.* (Lisandro Duque, 1986), *El día que me quieras* (Sergio Dow, *id.*), *La mansión de Araucaima* (Mayolo, *id.*, d'après Alvaro Mutis), *Técnicas de duelo* (Sergio Cabrera, 1987), *Rodrigo D.* (Víctor Gaviria, 1988). Le compréhensible succès de *La estrategia del caracol* (Cabrera, 1993), un film assez unanimiste, relance l'intérêt pour le cinéma national, même si *La gente de la Universal* (Felipe Aljure, *id.*), avec son regard féroce sur les travers du pays, dérange un peu les spectateurs locaux. Cependant, le réalisateur colombien le plus personnel est sans doute Luis Ospina, complice de Mayolo dans des documentaires caustiques (*Oiga-Vea,* 1971 ; *Cali de película,* 1973 ; *Agarrando pueblo,* 1977). Il aborde le long métrage avec *Pura sangre* (1982), une fabulation autour du vampirisme social, dont la densité thématique, l'originalité d'approche, la capacité d'assimiler et de transformer les codes filmiques, tranchent résolument avec la banalité esthétique alors prédominante. Pourtant, il doit recourir à la vidéo et se replier sur le refuge natal de Cali, pour continuer à s'exprimer avec intelligence, humour et sensibilité, à nouveau dans un registre documentaire : *Andrés Caicedo : unos pocos amigos* (1986), *Ojo y vista : peligra la vida del artista* (1988), la trilogie *Al pie, Al pelo* et *A la carrera* (1991), *Nuestra película* (1993).

COLOMBIER *(Jacques), décorateur français (Compiègne 1901 - Paris 1988).* Il débute au cinéma en 1923 et devient de 1930 à 1935 l'un des piliers des studios Pathé-Natan, collaborant en particulier avec Maurice Tourneur et son frère Pierre Colombier. Il travaille ensuite pour Abel Gance (*Un grand amour de Beethoven,* 1936), Sacha Guitry (*Ils étaient neuf célibataires,* 1939 ; *le Destin fabuleux de Désirée Clary,* 1942), Jacques Becker (*Édouard et Caroline,* 1951), le tandem Gabin-Grangier (4 films de 1959 à 1963) et surtout André Cayatte (6 films, de *Justice est faite,* 1950, à *Miroir à deux faces,* 1958). J.-P.B.

COLOR CONSULTANT. Aux débuts du cinéma en couleurs, technicien de la firme mettant en œuvre le procédé de cinéma en couleurs, qui conseillait l'équipe de réalisation pour ce qui concernait la couleur.

COLORIMÉTRIE. Mesure de la couleur.

COLPI *(Henri), monteur et cinéaste français (Brig, Suisse, 1921).* Étudiant à l'IDHEC en 1944-1946, il devient critique, publie un livre, *le Cinéma et ses hommes* (1947), et fait du montage en 1950. Il coréalise des courts métrages : *Des rails et des palmiers* (1951), *Architecture de lumière* (1953). Très sollicité, il est le monteur d'Agnès Varda *(la Pointe courte, Du côté de la Côte)* et de nombreux auteurs de courts métrages, dont Pierre Prévert *(Paris la belle),* Henri Gruel, Ado Kyrou, Georges Franju, Jan Lenica, etc. Il est le monteur du *Mystère Picasso* (H. -G. Clouzot) et de *Hiroshima mon amour* (A. Resnais), puis passe à la mise en scène avec *Une aussi longue absence* en 1960. Il tourne en Roumanie *Codine* (1962) et *Pour une étoile sans nom* (1966) et, en France, *Heureux qui comme Ulysse* (1970) avec Fernandel. Il a publié en 1963 un livre important : *Défense et Illustration de la musique de film.* D.S.

COLUCHE (*Michel Colucci,* dit), *acteur français (Paris 1944 - Opio, Alpes-Maritimes, 1986).* Issu du café-théâtre, il fait ses débuts au cinéma en 1969 dans *le Pistonné,* de Claude Berri, et reprend souvent à l'écran son personnage de Français moyen, râleur, vulgaire et irrespectueux qui lui a permis au music-hall d'obtenir une forte renommée populaire. C'est avec *les Vécés étaient fermés de l'intérieur* (Patrice Leconte, 1976) et surtout *l'Aile ou la Cuisse* (C. Zidi, *id.*) qu'il consolide son succès et qu'il est sollicité pour de grosses productions françaises : *Inspecteur La Bavure* (Zidi, 1980), *le Maître d'école* (Berri, 1981), *Deux Heures moins le quart avant Jésus-Christ* (J. Yanne, 1982), *Banzaï* (Zidi, 1983), *la Femme de mon pote* (B. Blier, *id.*) et *Tchao Pantin* (Berri, *id.*, interprétation pour laquelle il obtient un César). *La Vengeance du serpent à plumes* (1984) cependant est un échec, tout comme *Dagobert* (Dino Risi, 1984) et *le Fou de guerre* (id., 1985). Il a réalisé, en 1977, *Vous n'aurez pas l'Alsace et la Lorraine.* Il trouve la mort dans un accident de moto le 19 juin 1986. F.LAB.

COLUMBIA. Née dans le Poverty Row de Los Angeles, la Columbia s'est progressivement hissée au niveau des grandes compagnies hollywoodiennes. Cette histoire à succès est liée, pour une bonne part, aux mérites d'un réalisateur : Franck Capra, qui apporta à la firme un prestige croissant, et, à partir des années 50, aux interventions de quelques grands producteurs et/ou réalisateurs indépendants, tels Sam Spiegel, Otto Preminger et Stanley Kramer. Mais ce fut d'abord l'histoire de deux frères : Jack Cohn (New York, N. Y., 1885 - *id.* 1956) et Harry Cohn (New York, N. Y., 1891 - Phoenix, Ariz., 1958).

En 1919, Jack Cohn, producteur et superviseur des actualités Universal Weekly, conçoit le projet d'un *fan magazine* cinématographique illustrant la vie privée des grandes vedettes : les « Screen Snapshots ». Il fait appel à un ancien associé, Joe Brandt, et à Harry Cohn, avec lesquels il fonde la CBC Film Sales Corporation. Outre les Screen Snapshots (qui se poursuivront pendant une trentaine d'années), la firme produit de nombreux courts métrages, qu'elle finance au coup par coup ; en 1921, elle distribue son premier long métrage : *The Heart of the North* (Harry Revier). Un an plus tard, Harry Cohn investit la quasi-totalité du capital de la CBC dans *More to Be Pitied Than Scorned,* qui remporte un beau succès financier. La compagnie continue sur sa lancée et, après avoir inscrit à son actif une vingtaine de longs métrages, se réorganise et prend, début 1924, le nom de Columbia Pictures Corporation.

Tandis que Jack Cohn assure, à New York, la gestion financière de la compagnie, Harry dirige le studio, avec une poigne de fer et un sens aigu de l'économie. Les plans de tournage n'autorisent aucune fantaisie et pas le moindre dépassement, les décors sont réduits à leur plus simple expression, le nombre de prises rigoureusement surveillé. Les films Columbia n'offrent guère d'attraits visuels ; dénués de prétention stylistique, ils n'aspirent qu'à la sobriété, qui restera longtemps leur marque distinctive.

En 1927, Franck Capra commence à travailler pour le studio *(Submarine, Flight, Blonde platine),* auquel il assure une entrée réussie dans le parlant. Premier réalisateur vedette de la Columbia, il y développe un cinéma d'inspiration populaire, mêlant, avec une incomparable habileté, critique sociale et messianisme, humour, émotion, rêve et réalisme. Le succès inattendu de *New York-Miami* (1934) marque l'entrée à la Columbia de la « comédie loufoque » (screwball comedy), genre où s'illustreront notamment Leo McCarey *(Cette sacrée vérité),* Howard Hawks *(Train de luxe),* John Ford *(Toute la ville en parle),* Gregory La Cava *(Mon mari le patron),* Tay Garnett *(Gosse de riche),* George Cukor *(Vacances)* et Richard Bolesławski *(Théodora devient folle).*

Hormis les — rares — films de série A qui assurent son prestige, la Columbia reste fidèle à une politique d'austérité qui se poursuivra jusqu'à la fin du « règne » de Harry Cohn. De 1938 à 1955, elle produit ainsi plus d'une cinquantaine de serials ou séries à petit budget, dont : *Blondie* (1938-1950), *Mandrake* (1939), *Crime Doctor* (1943-1949), *Jim la Jungle* (1948-1955) et *The Whistler* (1944-1948). Le western est réservé, jusque dans les années 50, à des stars comme Rory Calhoun, Gene Autry ou Bill Elliott et ne fait que de rares incursions dans la série A : *Femme ou Démon* (G. Marshall, 1939), *Arizona* (W. Ruggles, 1940). Le film de cape et d'épée, abondamment représenté, ignore l'opulence qui est de mise à la Warner ou à la MGM. Le court métrage accueille, à peu de frais, d'anciennes gloires du muet (Langdon, Keaton) ou célèbre l'humour, grossier et « physique » à souhait, des Trois Stooges. Dans le domaine du dessin animé, la Columbia est témoin des débuts de Mickey, en 1930, et de ceux de Frank Tashlin (qui la quitteront tous deux rapidement) et produit des séries au graphisme médiocre comme *Krazy Kat* (1929-1939), *Scrappy* (1929-1940), *Mr. Magoo* (1949-1959) et *Gerald McBoing-Boing* (1951-1956).

Le musical s'accommode mal de l'austérité ; la firme lui réserve une place restreinte, mais enregistre grâce à lui une série de succès : *One Night of Love* (Victor Schertzinger, 1934 ; interprété par une gloire du muet ; Grace Moore), *Ô toi, ma charmante* (W. A. Seiter, 1942, avec Fred Astaire et Rita Hayworth), *la Reine de Broadway* (Ch. Vidor, 1944, avec Gene Kelly et Rita Hayworth) ; la popularité de deux biographies romancées à gros budget, *la Chanson du souvenir* (Ch. Vidor, 1945) – consacrée à Chopin – et *le Roman d'Al Jolson* (Alfred E. Green, 1946), encourage l'entrée progressive, timide, de la couleur dans la firme.

En 1949, *les Fous du roi* de Robert Rossen marquent une date importante dans l'évolution de la Columbia. On y retrouve la veine polémique qui est, depuis *M. Smith au Sénat* (F. Capra, 1939), une des constantes de la maison, cette fois sans aucune sentimentalité. L'influence du film noir est évidente ; les traces d'une écriture documentaire, parajournalistique, cultivée depuis plusieurs années par la Warner et la Fox, le sont plus encore. Dans le sillage des *Fous du roi,* s'inscrivent alors des films-dossiers comme : *le Maître du gang* (J. H. Lewis, 1949), *les Ruelles du malheur* (N. Ray, 1950), *Plus dure sera la chute* (M. Robson, 1956), *Au cœur de la tempête* (D. Taradash, 1956) et *Racket dans la couture* (V. Sherman, 1957). La sécheresse, la sobriété obligée de ces œuvres s'accordent avec le style dépouillé, factuel, de la Columbia, et c'est tout naturellement dans ce domaine, et plus largement dans celui du *pur* film noir, qu'on rencontre certaines des plus authentiques réussites de la firme : *la Dame de Shanghai* (O. Welles, 1948), *les Désemparés* (Max Ophuls, 1949), *l'Homme à l'affût* (E. Dmytryk, 1952), *Règlement de comptes* (F. Lang, 1953), *Du plomb pour l'inspecteur* (R. Quine, 1954), *Meurtre sous contrat* (I. Lerner, 1958), *The Crimson Kimono* (S. Fuller, 1959).

Pauvre en stars, la Columbia fonctionne pendant plusieurs années avec une « écurie » réduite. Elle emprunte le plus souvent ses vedettes aux grands studios (c'est ainsi que Clark Gable, temporairement suspendu par la MGM, tournera *New York-Miami*). Elle attendra les années de guerre pour lancer *sa* vedette féminine : Rita Hayworth, qui brillera d'un éclat aussi vif qu'éphémère, mais ne trouvera plus guère de véhicule à sa mesure après *Gilda* (Ch. Vidor, 1946) et cédera la place à Kim Novak. Côté masculin, la tendance sera longtemps à la sobriété, pour ne pas dire à la morosité (William Holden, Cornel Wilde, Glenn Ford, Randolph Scott), et il faudra attendre le milieu des années 50 pour qu'apparaissent régulièrement au studio des comédiens expansifs à la Jack Lemmon ou à la James Stewart.

C'est à cette époque que la Columbia, à l'évidence plus soucieuse d'attirer de grands metteurs en scène et de traiter des sujets *forts* que d'entretenir à demeure une équipe d'acteurs, prend sa vitesse de croisière. Les succès de *Tant qu'il y aura des hommes* (F. Zinnemann, 1953), *Sur les quais* (E. Kazan, 1954) et, plus encore, du *Pont de la rivière Kwai* (D. Lean, 1957) ouvrent la voie à une série de productions indépendantes à grande audience : *Autopsie d'un meurtre* (O. Preminger, 1959), *Soudain l'été dernier* (J. L. Mankiewicz, *id.*), *Lawrence d'Arabie* (D. Lean, 1962), *Tempête à Washington* (Preminger, *id.*), *le Cardinal* (id., 1963), *Docteur Folamour* (S. Kubrick, *id.*), *les Professionnels* (R. Brooks, 1966), *Un homme pour l'éternité* (Zinnemann, *id.*), *Devine qui vient dîner* (S. Kramer, 1967), qui assoient solidement la réputation artistique et commerciale de la firme.

Depuis la brève flambée de la Nouvelle Vague américaine (*Easy Rider,* D. Hopper, 1969 ; *Cinq Pièces faciles* et *The King of Marvin Gardens,* B. Rafelson, 1970 et 1972 ; *Images,* R. Altman, 1972 ; *Taxi Driver,* M. Scorsese, 1976), la Columbia est revenue à deux genres qui sont, chez elle, de tradition : la comédie, boulevardière (*Touche pas à mon gazon,* T. Kotcheff, 1977 ; *California Hôtel,* H. Ross, 1978) ou parodique (*Un cadavre au dessert,* Robert Moore, 1976), et le film polémique (*le Prête-Nom,* M. Ritt, *id. ; le Syndrome chinois,* J. Bridges, 1979 ; *Justice pour tous,* N. Jewison, 1979 ; *Absence de malice,* S. Pollack, 1981). La science-fiction, longtemps représentée par des productions de série B, a été honorée avec le remarquable *Rencontres du troisième type* (S. Spielberg, 1977) ; *le mélodrame,* qui avait à la Columbia quelques lettres de noblesse (*Tu seras un homme, mon fils,* G. Sidney, 1956 ; *Liaisons secrètes,* R. Quine, 1960), y a fait un retour triomphal avec *Kramer contre Kramer* (R. Benton, 1979). La Columbia entre dans l'empire Coca-Cola au début des années 80. Sous la houlette de Frank Price, elle enregistre trois des plus grands succès de son histoire : *Tootsie* (S. Pollack, 1982), *Karate Kid* (J. G. Avildsen, 1983) et *S. O. S. Fantômes* (I. Reitman, *id.*). Mais les successeurs de Price : Guy McElwaine, le producteur britannique David Puttnam et Dawn Steel accumulent les contre-performances. En décembre 1989, les producteurs de *Batman,* Peter Guber et Jon Peters, prennent la tête du studio, passé sous contrôle de Sony. O.E.

COMA. Une des aberrations susceptibles d'affecter l'image d'un objectif. (→ OBJECTIFS.)

COMANDON *(Jean), savant et cinéaste français (Jarnac 1877 - Sèvres 1970).* Docteur en médecine et en sciences naturelles, il devient dès 1908, chez Pathé, un pionnier du cinéma scientifique en filmant des travaux de laboratoire au moyen de la microscopie et des rayons X. À partir de 1925, il travaille pour la Fondation Kahn à Boulogne puis, dès 1930, à l'Institut Pasteur. On lui doit de nombreux films à usage professionnel dans tous les domaines scientifiques, dont *la Tuberculose* (1918), *la Vie des microbes dans un étang* (1930), *la Formation des aiguilles cristallines* (1937). Il a commenté ses travaux dans deux ouvrages : *la Cinématographie des microbes* (1910) et *la Cinématographie microscopique* (1943). M.M.

COMDEN *(Elizabeth Cohen,* dite *Betty), scénariste et librettiste américaine (New York, N. Y., 1916).* Avec Adolph Green, elle écrit les livrets et les *lyrics* de nombreux spectacles pour Broadway. À la MGM, sous l'égide du producteur Arthur Freed, le couple transporte la comédie musicale hors des studios avec *Un jour à New York* (G. Kelly et S. Donen, 1949), où chansons et ballets expriment la vie trépidante de la métropole elle-même. On peut voir dans la structure pirandellienne de leurs scénarios (*Chantons sous la pluie,* 1952, et *Beau fixe sur New York,* 1955, de Kelly et Donen, *Tous en scène,* 1953, et *Un numéro du tonnerre,* 1960, de Minnelli) la meilleure défense et illustration d'un genre à son apogée. M.H.

COMÉDIE AMÉRICAINE. Le terme de *comédie américaine* désigne essentiellement un genre qui s'est épanoui à Hollywood pendant les années 30, et qu'il ne faut confondre ni avec le *burlesque* ni avec la *comédie musicale,* même s'il entretient avec ces deux modes d'expression certains rapports de parenté.

Si on laisse de côté le burlesque et les « comiques » qui interprètent un personnage (Chaplin, Keaton, Langdon, Laurel et Hardy, les Marx Brothers, etc.), on peut distinguer parmi les œuvres comiques réalisées aux États-Unis deux groupements principaux : la *comédie sophistiquée* illustrée surtout par Lubitsch, et la *comédie loufoque (screwball comedy),* qui est d'ailleurs la véritable comédie américaine, stricto sensu. En schématisant, on peut considérer que la comédie sophistiquée, comme son nom l'indique, se déroule dans des cadres aristocratiques et raffinés, souvent européens, tandis que la comédie loufoque met en scène des milieux plus populaires, plus authentiquement américains, ou du moins joue du contraste entre ceux-ci et les milieux plus riches. De plus, la comédie loufoque a normalement un rythme plus rapide que la comédie sophistiquée et fait davantage appel à l'improvisation. Loufoque, elle demeure plus proche du burlesque, tandis que la comédie sophistiquée, plus noble, tend vers la *comedy-drama,* la comédie dramatique, voire le drame.

Dans la pratique, bien sûr, on a affaire à deux tendances qui se mêlent, et non à deux sous-genres parfaitement définis – d'autant que les deux tendances en question font appel, dans une large mesure, aux mêmes ressorts, à la fois sexuels et sentimentaux.

Les origines de la comédie américaine paraissent assez claires. On peut les faire remonter aux comédies de mœurs de De Mille, comme *Old Wives for New* (1918) ou *l'Échange* (1920), mais surtout, plus directement, à *l'Opinion publique* de Chaplin (1923), remarquable film à l'argument mélodramatique mais au traitement délicat, tout en nuances psychologiques, en fines notations, y compris comiques et déjà *loufoques* (par exemple, la femme entretenue qui, dans un élan de fierté, jette par la fenêtre son collier de perles, puis se ravise, court dans la rue l'arracher au vagabond qui l'a ramassé).

Il ne fait pas de doute que *l'Opinion publique* frappa vivement, par la subtilité de son style, ses contemporains, notamment Lubitsch, qui y trouva la confirmation de ses propres préoccupations et recherches (la célèbre « touche » de Lubitsch apparaissant dès ses œuvres allemandes, par exemple *la Princesse aux huîtres,* de 1919). L'ellipse, la litote, le sous-entendu, qui étaient monnaie courante dans la littérature, étaient redécouverts et acclimatés au cinéma ; la censure et l'autocensure s'exerçant normalement sur un moyen de communication de masse stimulaient l'imagination des réalisateurs ; un geste, un mot, une porte ouverte ou claquée signifieraient suffisamment, pour le spectateur attentif, une proposition, une tentation acceptée ou refusée. Lubitsch tirerait de nombreux effets comiques de ce « langage des portes ».

Chaplin devait faire école et son exemple inspirer d'autres réalisateurs comme Monta Bell, Clarence Badger (*It,* 1927) ou Harry d'Abbadie d'Arrast (*Laughter,* 1930), en qui on peut voir les premiers maîtres de la comédie américaine. (Monta Bell et Harry d'Arrast avaient d'ailleurs travaillé sur *l'Opinion publique.*)

Le genre fleurit pendant toutes les années 30. On peut citer, parmi ses principales réussites, d'une part, côté « sophistiqué » : de Lubitsch, *Haute Pègre* (1932), *Sérénade à trois* (1933), *Ange* (1937), *Ninotchka* (1939) ; *la Huitième Femme de Barbe-Bleue* (1938) doit davantage à la comédie loufoque. De même que Cukor, avec *Sylvia Scarlett* (1935), *Femmes* (1939), *Indiscrétions* (1940), et Mitchell Leisen, *Remember the Night* (1940). Côté « screwball », on distingue d'abord les œuvres populistes, au premier chef celles de Capra : *la Blonde platine* (1931), *New York-Miami* (1934), *l'Extravagant M. Deeds* (1936), *Vous ne l'emporterez pas avec vous* (1938), *M. Smith au Sénat* (1939) ; et de McCarey : *l'Extravagant Monsieur Ruggles* (1935), *Cette sacrée vérité* (1937). Ensuite, un groupe d'œuvres indéniablement loufoques, mais se rapprochant davantage de la comédie sophistiquée, tant par le choix du milieu social que par le point de vue adopté, plus stylisé, voire distant ; elles sont signées surtout par La Cava : *Mon mari le patron* (1935), *My Man Godfrey* (1936), *la Fille de la Cinquième Avenue* (1939), *Unfinished Business* (1941) ; et par Mitchell Leisen : *Hands Across the Table* (1935), *Easy Living* (1937), *la Baronne de minuit* (1939).

On pourrait prolonger indéfiniment cette liste. Il suffira de mentionner encore *Quelle joie de vivre !* de Tay Garnett (1938) et *l'Impossible Monsieur Bébé* de Hawks *(id.).* Quant à la parenté avec la comédie musicale de la même époque, notons que les films interprétés par Fred Astaire et Ginger Rogers se rapprochent, logiquement — encore que les éléments « screwball » n'y fassent nullement défaut —, de la comédie sophistiquée (par exemple *le Danseur du dessus* de Mark Sandrich, 1935, ou *Sur les ailes de la danse* de George Stevens, 1936) et les films chorégraphiés par Busby Berkeley, de la comédie loufoque populiste.

D'ailleurs, les distinctions de genres que nous avons esquissées reflètent aussi, au moins partiellement, des choix idéologiques. La comédie sophistiquée tourne en apparence le dos à l'actualité, à la réalité contemporaine de l'Amérique, à laquelle elle préfère l'« évasion ». La comédie populiste, au contraire, exalte l'« homme oublié » et, parmi les valeurs américaines traditionnelles, l'individualisme certes (voir la référence aux *extravagants* Deeds ou Ruggles), mais aussi la solidarité collective, la méfiance à l'égard des idéologies, bref le rooseveltisme : Capra et McCarey — ainsi que Busby Berkeley, ou encore Garson Kanin — défendent et illustrent l'esprit du New Deal. L'attitude qui veut que le progrès social dépende d'une prise de conscience individuelle (et non d'une réforme des structures) a été désignée comme la « fantaisie, ou le fantasme, de la bonne volonté » et vivement reprochée en particulier à Capra, jugé coupable d'optimisme naïf et sentimental. Il est vrai qu'en comparaison La Cava apparaît plus complexe, mais c'est qu'il est plus cynique ; son rire est plus grinçant. Le point de vue de Capra, comme celui de Roosevelt lui-même, est le résultat d'un choix délibéré, qui vise à redonner confiance (« Nous n'avons à craindre que la crainte »).

Le plus ouvertement *politique* des films de Capra est évidemment *M. Smith au Sénat,* satire, mais surtout, en dernière analyse, éloge de la démocratie américaine ; la séquence politique la plus mémorable du genre, la récitation par Charles Laughton (et dans le rôle d'un Anglais !) du discours de Lincoln à Gettysburg *(Ruggles).* Dans les deux cas, derrière la référence au républicain Lincoln, il n'est pas interdit d'apercevoir la silhouette du démocrate Roosevelt : le président élu incarne l'ensemble de la tradition américaine et le rejet des idéologies étrangères, fascisme ou communisme. Si La Cava lui aussi, tout en satirisant explicitement le capitalisme, tourne en dérision le communisme (voir *la Fille de la Cinquième Avenue* ou *Living in a Big Way,* 1947), c'est plutôt par cynisme que par idéalisme et foi en la démocratie : l'homme est trop veule pour renoncer à l'esprit de lucre. C'est, à nu, le message que Lubitsch habille d'un certain romantisme dans l'antisoviétique *Ninotchka.* King Vidor signe une autre comédie anticommuniste, *Comrade X* (1940). Avec les années 40, la comédie américaine se fait plus volontiers antinazie : *To Be or Not to Be* (Lubitsch, 1942), *Lune de miel mouvementée* (McCarey, *id.*).

Malgré ces incursions dans la politique planétaire, cependant, le décor de la comédie loufoque ne varie guère. Comme toile de fond, la dépression, la crise économique, les millions de chômeurs, les fortunes faites et défaites. Des oppositions criantes entre pauvres et riches, oppositions susceptibles de se renverser en un clin d'œil. Le thème le plus souvent traité est celui de Cendrillon, mais inversé : la jeune fille riche, l'« héritière fugitive », doit échapper à son milieu pour retrouver naturel, simplicité, joie de vivre (et satisfaction sexuelle) grâce à un jeune homme d'humble extraction. On fait l'apologie de l'amour, moteur du brassage social ; on substitue la réconciliation à la lutte des classes et on fait l'économie de la révolution violente. Dans le détail, nuances, « touches » et commentaires colorent ce schéma général, que les auteurs présentent avec plus ou moins de conviction ou d'ironie. Chez le Capra de *New York-Miami,* avec Claudette Colbert et Clark Gable, on a la version du conte, au premier degré ; chez le La Cava de *My Man Godfrey,* en revanche, le faux clochard, véritable aristocrate (William Powell), finit par retrouver sa place « naturelle » dans la (bonne) société et par épouser quelqu'un qui est, malgré tout, « de son monde » (Carole Lombard).

La réussite et le sens même de la comédie américaine dépendent en effet non seulement des réalisateurs, mais aussi des interprètes : c'est vrai de la comédie en général, qui est sans doute à cet égard le plus difficile des genres, et plus particulièrement de celle-ci, puisque les acteurs et les actrices y confirment ou y démentent, par leur apparence physique et leur manière d'être, le caractère *sophistiqué* ou *loufoque* de l'œuvre. Parmi les actrices également à l'aise dans les deux registres, on peut citer Carole Lombard, Katharine Hepburn, Claudette Colbert, Irène Dunne, Miriam Hopkins ; Jean Arthur s'identifie surtout aux thèmes populistes, à l'instar d'acteurs comme Gary Cooper ou James Stewart ; inversement, Cary Grant a travaillé sur toute la gamme de la comédie américaine, du loufoque le plus surréaliste *(l'Impossible Monsieur Bébé)* au comique le plus teinté de gravité (*Lune de miel mouvementée,* 1942 ; *Elle et lui,* également de McCarey, 1957), tandis que Melvyn Douglas interprétait surtout des comédies sophistiquées. Ajoutons qu'il convient de rendre hommage aux acteurs de second plan, particulièrement brillants chez Lubitsch, comme Edward Everett Horton ou Charlie Ruggles, ou encore Charles Coburn et Eugene Pallette, tous symbolisant, à des titres divers, et jusque sur le plan physique, l'ordre établi de la société.

La contribution des scénaristes n'est guère niable non plus. Ce n'est évidemment pas un hasard si, à l'instar de la comédie musicale et à l'inverse du burlesque, la comédie américaine s'est épanouie avec le parlant. Le théâtre, et notamment le boulevard, a constitué, dès la fin du muet, une abondante source d'adaptations (par exemple *l'Éventail de lady Windermere* de Lubitsch, 1925, d'après Oscar Wilde ; *les Surprises de la T. S. F.* du même metteur en scène, 1926, d'après Meilhac et Halévy) ; les années 30 devaient confirmer la symbiose entre Hollywood et Broadway. La comédie américaine est moins originale par son intrigue, souvent reprise de pièces de boulevard, que par le ton et le style ; mais, même sur ce dernier point, l'improvisation pratiquée par Capra, McCarey ou La Cava ne doit pas faire oublier le travail de l'écriture et des scénaristes. Il est significatif que Robert Riskin ait collaboré à *la Blonde platine, New York-Miami, Monsieur Deeds, Vous ne l'emporterez pas avec vous ;* citons encore Sidney Buchman (*Monsieur Smith, Mon mari le patron,* et aussi *Théodora devient folle* de Richard Boleslavsky, 1936).

Vers la fin des années 30, la comédie américaine tend à se figer en quelques formules toutes faites. Garson Kanin (*Mademoiselle et son bébé,* 1939) ou Norman Krasna (*Princess O'Rourke,* 1943) reproduisent les situations déjà brillamment traitées par Capra ou La Cava. Preminger pastiche Lubitsch (*Scandale à la cour,* 1945, remake de *Paradis défendu* de Lubitsch lui-même, 1924). Le ton « screwball » a envahi les genres les plus divers : musicals de Deanna Durbin (*Premier Amour* de Koster, 1939), films policiers (la série du *Thin Man,* réalisée par Woody S. Van Dyke et interprétée par William Powell et Myrna Loy, 1934-1941), mélodrame (*le Lien sacré* de Cromwell, 1939). C'est alors que Preston Sturges, qui avait notamment écrit les scénarios d'*Easy Living* et de *l'Aventure d'une nuit,* donne au genre une nouvelle et violente impulsion. De la comédie loufoque, il retient l'abondance nerveuse du dialogue. Simultanément, il revient aux sources burlesques du comique américain, en greffant dans ses œuvres, comme une matière clairement étrangère, des éléments du slapstick le plus physique. Cette juxtaposition même a quelque chose de déroutant ; mais, toutes proportions gardées, Sturges a, à la fin de la comédie américaine « classique », une importance comparable à celle de Chaplin à sa naissance.

Le film de Sturges qui s'inscrit sans doute le plus clairement dans la tradition de la comédie américaine, tant sophistiquée que loufoque, est *Un cœur pris au piège* (1941) ; ceux qui rompent le plus nettement avec cette tradition, *Miracle au village* (1944) et *Héros d'occasion* (id.). Par l'hésitation délibérée du ton (*les Voyages de Sullivan,* 1942, mêlent comédie, farce et mélodrame social), Sturges prélude aux recherches d'un Tashlin ou d'un Blake Edwards. Ce dernier, faisant alterner sentiment et slapstick avec un goût profond de l'hétéroclite, apparaît aujourd'hui, au point de vue de la forme, comme l'hérétique mais authentique disciple des maîtres des années 30 (de *la Panthère rose,* 1964, à *Elle,* 1979). La référence systématique à l'histoire du cinéma, parodiée ou pastichée dans *la Grande Course autour du monde* (1965), *la Party* (1968) ou la série des « Panthères roses » (1964-1978), n'était pas inconnue de la comédie loufoque : avant même *Sullivan,* Carole Lombard parodiait Greta Garbo dans *Train de luxe* (Hawks, 1934). Quant au retour au slapstick, il exprime non seulement le désir de rajeunir des formes usées, mais aussi la nostalgie d'un mythique *comique pur* ressenti, à tort ou à raison, comme source de la comédie américaine quelle qu'elle soit. S'il est vrai que McCarey avait dirigé Laurel et Hardy (auxquels Edwards dédie *la Grande Course* comme Sturges avait dédié *Sullivan* « aux saltimbanques »), que Capra avait travaillé avec Langdon, et La Cava avec W. C. Fields, il n'en reste pas moins que la comédie américaine doit davantage au Chaplin de *l'Opinion publique* qu'à « Charlot ».

La comédie sophistiquée, pour sa part, est toujours illustrée par de nombreux auteurs, parmi lesquels Mankiewicz (*Ève,* 1950), Minnelli (*la Femme modèle,* 1957) ou Donen (*Charade,* 1963), ainsi qu'Edwards lui-même (*Diamants sur canapé,* 1961). Dans le registre de la satire, on sent l'influence de Sturges, dont le style vociférant n'était d'ailleurs pas tout à fait sans précédent (par exemple, *la Joyeuse Suicidée* de Wellman, 1937, sur un scénario de Ben Hecht) ; on peut tenir Billy Wilder pour l'héritier de Lubitsch, mais avec un trait plus appuyé : *la Garçonnière* (1960), *la Grande Combine* (1966) ; et il faut se garder d'oublier Cukor, assisté de Garson Kanin et de Judy Holliday : *Comment l'esprit vient aux femmes* (1950), *Une femme qui s'affiche* (1954). *The Model and the Marriage Broker* (Cukor, 1952) est un film tout en nuances, très « lubitschien ».

En ce qui concerne, précisément, des survivances ou des tentatives de faire revivre l'esprit et le ton de la comédie américaine, on peut noter, en premier lieu, les remakes : *Elle et lui* déjà cité de McCarey (1957), mélodrame sentimental émaillé d'humour loufoque, reprise nostalgique d'un duo de 1939 ; *le Sport favori de l'homme,* de Hawks (1964), qui reprend délibérément certains gags de *l'Impossible Monsieur Bébé,* et aussi d'*Une fine mouche* (J. Conway, 1936) ; *Spéciale première* de Wilder (1974), qui met en scène personnages stéréotypiques de la comédie américaine, des reporters (d'après la pièce de Ben Hecht et Charles MacArthur, déjà portée à l'écran par Milestone [*The Front Pages,* 1931] et par Hawks [*la Dame du vendredi,* 1940]). Dans ce courant « rétro » s'inscrivent aussi des films comme *Éclair de lune* (N. Jewison, 1987) ou *Quand Harry rencontre Sally* (R. Reiner, 1989), qui exploitent le thème traditionnel de la joute amoureuse entre deux protagonistes fortement typés et de tempéraments opposés.

On peut mentionner aussi des œuvres qui traitent, dans un cadre contemporain, mais sur un ton d'apologue, des thèmes chers à Capra : l'amour, instrument du brassage social et ethnique (*Un couple parfait,* R. Altman, 1979) ; le «petit homme» et son amie (reporter) triomphant des trusts capitalistes (*le Cavalier électrique,* S. Pollack, *id.*).

Les années 80-90 voient une prolifération de comédies à succès, même si, quelquefois, ni les auteurs ni le public ne semblent très regardants sur la qualité. Il s'agit surtout de produits destinés aux enfants et aux adolescents et dont John Hughes est l'un des principaux artisans. On lui doit quelques films plaisamment acides comme *Breakfast Club* (1985) ou *la Folle Journée de Ferris Bueller* (1986) avant qu'il ne s'oriente définitivement vers la production et le scénario de bluettes insignifiantes dont il confie la réalisation à des débutants : ce sont, par exemple, les grands succès de *Maman, j'ai raté l'avion* (*Home Alone,* 1990) et de sa suite, *Maman, j'ai encore raté l'avion* (*Home Alone II,* 1992), où régnait le teigneux Macaulay Culkin. Ces deux derniers films furent le travail de Chris Columbus, qui a bientôt décidé de voler de ses propres ailes en clonant, avec *Perdu à New York* (*Lost in New York,* 1992), les succès réalisés sous l'égide de Hughes. Tout en continuant à viser un public très jeune, il a cependant fait montre d'une certaine ambition avec *Madame Doubtfire* (*id.,* 1993).

Dans un registre plus adulte, le phénomène important est celui du comique noir. Celui-ci n'a pas encore rencontré de véritable cinéaste, Spike Lee, révélé par *Nola Darling* (1986), se contentant d'utiliser la comédie comme un ingrédient parmi d'autres. Il reste donc surtout le fait de personnalités de comédiens. À la fin des années 70, Richard Pryor avait ouvert la voie mais son comique abrasif n'était peut-être pas encore mûr pour rencontrer le succès public. Eddie Murphy lui emboîta le pas et devint très populaire par son anticonformisme et ses plaisanteries agressives, souvent basées sur un dialogue très cru (*Un fauteuil pour deux,* J. Landis, 1983 ; *le Flic de Beverly Hills,* Martin Brest, 1984). Mais, assez vite, la mégalomanie de l'acteur engendre une dégringolade qualitative consternante (*les Nuits de Harlem,* qu'il réalise lui-même en 1990). Le succès le plus constant semble être celui de Whoopi Goldberg, qui réussit à être drôle et décapante tout en préservant de plus en plus la dimension humaine de ses personnages (*Jumping Jack Flash,* P. Marshall, 1986 ; *Sister Act,* Emile Ardolino, 1992).

La comédie intellectuelle est le domaine d'élection de Woody Allen : ponctuel, il en fournit une nouvelle tous les deux ans en moyenne. Toujours grouillante de dialogues vifs, elle flirte de plus en plus souvent avec une certaine gravité (*Crimes et délits,* 1989) et privilégie de plus en plus les trouvailles visuelles (*Meurtre mystérieux à Manhattan,* 1992). Allen a plus de succès en Europe qu'aux États-Unis, mais il est l'un des cinéastes les plus imités par ses contemporains, qui finissent par constituer un véritable sous-genre où le pire (*Scènes de ménage dans un centre commercial,* P. Mazursky, 1991) côtoie le meilleur (*Portrait d'une famille modèle,* R. Howard, 1989 ; *Quand Harry rencontre Sally,* R. Reiner, *id.*). Enfin, on peut penser que la vitalité du genre est sans doute activée par la culture des « sitcom » (comédies de situation), si populaires à la télévision. Les vedettes de ces séries à succès tentent souvent de s'imposer à l'écran : Roseanne Barr (*la Diable,* S. Seidelman, 1989) ou Estelle Getty (*Attention, Maman va tirer !* R. Spottiswoode, 1992). Dans ces deux derniers films, des acteurs peu habitués à l'exercice s'essaient à des compositions comiques plus grandes que nature : Meryl Streep dans l'un et Sylvester Stallone dans l'autre. Le rire est populaire et il semble qu'il faille nécessairement passer l'examen de la comédie pour confirmer ses galons de star. Arnold Schwarzenegger s'y prêtera (*Jumeaux,* I. Reitman, 1988, notamment) également et Meryl Streep obtiendra enfin un vif succès en star déclinante à la recherche de l'éternelle jeunesse dans *La mort te va si bien* (R. Zemeckis, 1992). Le comique grignote de plus en plus souvent d'autres genres : le policier (*Étroite surveillance,* J. Badham, 1987), la science-fiction (*Retour vers le futur,* R. Zemeckis, 1985) ou le film d'aventures (les différents *Indiana Jones* de S. Spielberg). J.-L.B./C.V.

COMÉDIE MUSICALE. On appelle *comédie musicale* un genre de films dont la fiction, souvent simple et frivole, laisse interrompre son déroulement narratif par des intermèdes musicaux. Quoique le ton en soit souvent léger et souriant, la notion de comédie n'implique ici rien d'autre que le refus de prendre entièrement au sérieux des arguments dramatiques parfois riches de pathos. Ce sont en effet les numéros dansés ou chantés qui doivent attirer la plus grande attention. Objets d'une élaboration stylistique particulière, ils gouverneront l'intelligence de l'œuvre comme ils ont dominé sa fabrication commerciale. Peu importe que l'intrigue les inclue ou les prépare, que les péripéties du récit s'y transforment ou s'y prolongent, qu'ils s'intègrent aux motifs de la fable ou en donnent une version métaphorique : de toute façon, ils imposent des figures dont dépend le sens du film, ils entretiennent entre eux des relations qui définissent le registre où s'inscrira la signification de l'ouvrage.

Cette définition est formelle, car ce genre ne se caractérise ni par le choix de ses sujets, qui peuvent être très variés, ni par un répertoire iconographique, ni même par un mode particulier de narration, mais bien par le fait que la part du récit y est mesurée. De là viennent le goût du spectacle et la moralité futile qui caractérisent les comédies musicales ; de là aussi, leur vraisemblance sans rigueur et leurs personnages superficiels. La narration reste toutefois indispensable pour situer et qualifier les numéros musicaux. On exclura donc du genre les bout-à-bout de performances de music-hall ou les concerts enregistrés, qui se sont multipliés depuis 1960. Quant aux formes particulières et au développement du genre en Argentine, au Brésil, en Égypte, en Inde, c'est surtout dans les articles consacrés à ces pays qu'on les analysera.

Si formelle que soit d'ailleurs la définition de la comédie musicale, elle ne peut pourtant ignorer ni l'importance des intrigues amoureuses ni l'influence de la continuité historique dans la vie du genre. La plupart des comédies musicales content en effet la rencontre et les mésaventures d'un homme et d'une femme ; leur ingénieux amour finit par triompher des différences qui les séparent ; de leur union semblent dépendre bien des entreprises : l'art, la politique ou toute une façon de vivre. Quant à la tradition historique, elle est nécessaire pour justifier les conventions. Elle précède d'ailleurs l'existence cinématographique du genre.

Sous le nom de *musical comedy,* les Américains désignent en effet une forme théâtrale et, par extension, ses dérivés au cinéma. Au début du siècle, la comédie musicale n'est qu'une farce entrecoupée de chansons, bien éloignée des prestiges de l'opérette. Mais cette dernière, aux États-Unis, va connaître une évolution et, pour finir, un bouleversement. Elle admet d'abord le goût américain de la magnificence et multiplie les féeries, puis elle subit, progressivement, l'influence des musiques locales et modernes. Dès 1920, la comédie musicale esquisse des valeurs qui lui sont propres : utilisant une langue plus vernaculaire et des types mélodiques plus simples, elle se distinguera encore de l'opérette par son indifférence envers la virtuosité vocale, son refus des intrigues solennelles et sa tendance à intégrer au sujet les éléments comiques, renonçant à la classique distinction du noble et du trivial. Vers 1930, au moment où elle débute au cinéma, la comédie musicale est devenue au théâtre une forme originale et autonome : Jerome Kern, George Gershwin, Cole Porter, mettant en œuvre une écriture musicale soucieuse des orchestrations et des rythmes, bien influencée par le jazz, lui ont donné une organisation spécifique. Les livrets d'un P. G. Wodehouse ou d'un Donald Ogden Stewart contribuent à l'allure gentiment fantaisiste qui continuera de caractériser le genre. Dès lors, *comédie musicale* désigne globalement en Amérique une tradition théâtrale où se rejoignent l'opérette et la revue, le ballet et le vaudeville, la chanson et la farce.

Au cinéma, l'existence du genre repose assurément sur l'invention du parlant, et l'on peut considérer *le Chanteur de jazz* (A. Crosland, 1927) comme sa première manifestation et son manifeste inaugural. Le lien historique entre le succès du cinéma sonore et du film chantant est d'ailleurs évident et universel. Le souci de justifier esthétiquement une transformation technique l'explique moins que la nécessité de compléter l'expression personnelle de ces acteurs qui prenaient enfin la parole, en les laissant manifester par le chant toute l'individualité de leur voix. La danse sera l'accomplissement corporel et visible de ce dessein.

Avec plus de finesse que *La route est belle* (R. Florey, 1930), *Sous les toits de Paris* (1930), *le Million* (1931) et *À nous la liberté* (id.) de René

Clair témoignent en France de la volonté de conférer au son une légitimité artistique. En Allemagne, des techniques plus avancées permettent d'enregistrer les premières chansons de Marlene Dietrich, avant qu'un Geza von Bolvary n'entreprenne de traduire à l'écran la tradition viennoise. En Italie, le premier film parlant est *La canzone dell'amore* (G. Righelli, 1930). En Argentine, on filmera des tangos. Il n'est pas jusqu'à Shanghai où l'on ne retrouve l'opposition du muet et du sonore significativement traduite, dans *les Anges du boulevard* (Yuan Muzhi, 1937), par celle de la gaieté spectaculaire musicale, et de sombres figures symboliques et silencieuses. Jusqu'à la fin des années 50, Hong Kong multipliera les bluettes et les opéras.

Mais c'est en Égypte et en Inde que l'avènement chantant du cinéma parlant a le plus profondément marqué la production. Le médiocre intérêt des Indiens pour la dramaturgie tendue et l'absence de tradition théâtrale arabe contribuent pour une part à expliquer pourquoi danses et chansons, ces éléments de pur spectacle, ont paru indispensables à la conquête d'un vaste public. On peut à peine parler d'un genre, puisque l'ensemble des films fait une large place à ces ornements. En Inde, depuis le succès *d'Alam Ara* (A. M. Irani, 1931), qui ne contenait pas moins de douze chansons, et quoique l'influence américaine eût modifié la musique et le jeu narratif, les studios de Bombay ne se lassent pas de produire des œuvres volontiers dramatiques, agrémentées de nombreux numéros musicaux (*Mangala, fille des Indes,* K. Mehboob, 1952). L'invention gestuelle et spatiale ne fait pas toujours défaut, dans ces ouvrages auxquels on reproche souvent, ici comme dans le subcontinent, leur académisme et leur culte servile des vedettes. On mesure pourtant mal quels rapports ce cinéma entretient avec des films audacieux, qui consentent à la musique une aussi large part : *Calcutta, ville cruelle* (B. Roy, 1953) ou *le Salon de musique* (S. Ray, 1958). Grand importateur de productions indiennes, le monde arabe partage sa dévotion pour les chanteurs et les danseuses : on songe à Farid El Atrache, à Leila Murad, à Muhammad Abdel Wahad et à 'Um Kulthūm. Dès 1960, la musique occidentale joue pourtant un rôle grandissant. Là aussi, les œuvres routinières, maladroitement réalisées, sont les plus nombreuses. Yussīf Chāhīn n'a pourtant pas dédaigné d'enrichir le genre avec son *Vendeur de bagues* (1965), et l'on doit à Husayn Kamāl *Le monde est une fête* (1975).

En Angleterre, le film musical s'appuie sur une tradition théâtrale, mais se heurte à la concurrence hollywoodienne. La personnalité de vedettes de la scène comme Jack Hulbert (*Jack's the Boy,* W. Forde, 1932) ou Jack Buchanan *(Goodnight Vienna,* H. Wilcox, *id.)* ne suffira pas à leur assurer une grande carrière, pas plus qu'à George Formby, Beatrice Lillie ou Gertrude Lawrence. Si les expériences de Dupont (*Moulin-Rouge,* 1928) et de Wilcox (*The Blue Danube,* 1932) ne manquent pas d'invention, si la vitalité de Gracie Fields reste mémorable, les comédies musicales les plus pures du Royaume-Uni sont pourtant celles que tourna l'allègre Jessie Matthews sous la direction de Victor Saville : *Sunshine Susie* (1931), puis le luxueux et romanesque *Evergreen* (1934), etc. Dans les années 40, les romances d'Anna Neagle tenteront de prolonger cette inspiration.

Faute de zèle, le répertoire français est aussi pauvre. Avant 1945, les tentatives, pourtant, ne se comptent pas. Elles bénéficient d'abord de la technique allemande (*Chacun sa chance,* H. Steinhoff et R. Pujol, 1930), et l'entraînant *Chemin du Paradis* n'est que la version française de *Die Drei von der Tankstelle* (W. Thiele, *id.*), comme l'*Opéra de quat'sous* celle de *Die Dreigroschenoper* (G. W. Pabst, 1931). La preste fantaisie de *La crise est finie* (R. Siodmak, 1934) contraste avec l'ironie du brillant *Avec le sourire* (M. Tourneur, 1937), et la mise en scène de Gréville joue avec le dynamisme des danses de *Princesse Tam-Tam* (1935). Derniers reflets de la liesse du Front populaire, les films de Trenet (*Je chante,* Chistian Stengel, 1939) témoignent de son invention charmante, et ceux de Ray Ventura (*Feux de joie,* Jacques Houssin, 1938) possèdent une verve facile. On s'amusera encore de la diligence d'Irène de Trébert dans *Mademoiselle Swing* (R. Pottier, 1942) avant de s'abandonner à l'attrait de Suzy Delair (*Défense d'aimer,* Pottier, *id. ; Lady Paname,* Jeanson, 1950). Mais, après l'adaptation négligée de cent opérettes fades, les mises en scène gourmées d'un Tino Rossi (*Naples au baiser de feu,* A. Genina, 1937 ; *Fièvres* J. Delannoy, 1942) ou d'un Luis

Mariano (*Violettes impériales,* Pottier, 1952) immobilisent tout élan de vivacité, raidissant dans une dévotion confite un genre qui doit tout son mérite à l'alacrité imaginative. Aussi ne se prolongera-t-il guère après la Libération, malgré les nouveaux efforts de Ray Ventura (*Mademoiselle s'amuse,* J. Boyer, 1948) ou ceux de Decoin (*Folies-Bergère,* 1957). *French Cancan* (J. Renoir, 1955) et *les Demoiselles de Rochefort* (J. Demy, 1967) restent donc des réussites isolées.

Tant que le cinéma commercial y a duré, l'Allemagne a gardé en revanche une solide tradition. Ses premiers films musicaux, souvent reproduits en deux ou trois langues, ont lancé l'élégante Lilian Harvey : *Le congrès s'amuse* (E. Charell, 1931), Willy Fritsch et Gitta Alpar. Les romances passionnées de Zarah Leander rivalisent ensuite avec les danses brillantes de Marika Rökk ; et, si le nazisme a fait fuir Lilian Harvey, Martha Eggerth et l'inventif Wilhelm Thiele, les studios de Berlin et de Vienne conservent de soigneux artisans : Hans Zerlett (*Es leuchten die Sterne,* 1938) ou Rolf Hansen (*Un grand amour,* 1942) n'hésitent pas à diriger de grands numéros ; metteur en scène de Marika Rökk, Georg Jacoby manie adroitement la couleur (*la Femme de mes rêves* [*Die Frau meiner Traüme*], 1944) ; Carl Böse, Willi Forst et Geza von Bolvary continuent aussi, sous Hitler, à fabriquer d'élégantes rêveries viennoises. Après la guerre, les films musicaux tenteront de se pimenter de sensualité ou de retrouver le goût ancien de l'opérette, mais le manque de rythme et de soin indique qu'il s'agit de produits de second ordre, destinés à occuper le marché intérieur et bien incapables de résister à la concurrence américaine.

Car c'est à Hollywood que la comédie musicale connaît le développement le plus harmonieux et le plus riche. Dans les premières années du film sonore, les mélodrames familiaux émaillés de chansons vont envahir les écrans, au point de lasser la clientèle. C'est Busby Berkeley qui réconcilie la comédie musicale avec son public grâce aux numéros spectaculaires de *42e Rue* et des *Chercheuses d'or de 1933* (id.), qui couronnent d'assez vives comédies dirigées par Lloyd Bacon ou Mervyn Leroy. La puissante Warner Bros produira toute une série de films sur ce modèle. La continuité du genre doit aussi beaucoup à ce qu'il a su très tôt se donner ses propres légendes, opposant l'âpre univers de Broadway, prétexte de la plupart des comédies musicales qui utilisent les intrigues de coulisses, à de bienheureuses régions exotiques fournissant leur cadre aux opérettes filmées. Si le premier type inspire les ouvrages de la Warner, il justifie aussi les grandes revues dans lesquelles les plus riches des firmes hollywoodiennes aiment à étaler la multiplicité de leur talentueux personnel : au *Broadway Melody* (H. Beaumont, 1929) de la MGM répondront ainsi les *Fox Movietone Follies of 1929* (D. Butler, *id*), les *Paramount on Parade* ou les *Big Broadcast* (F. Tuttle, 1930 et 1932) de la Paramount : souvent, une kyrielle de films portent alors le même titre, dont le seul millésime varie. Mélangeant satire et épopée, les comédies musicales de la Warner content les péripéties, parfois dramatiques, qui entourent la réalisation d'un spectacle, avant de déployer ce dernier, déjà valorisé par l'attente, dans une mise en œuvre cinématographique d'une splendeur sans retenue, multipliant les mouvements d'appareil et les plans généraux ; les revues se contentent en revanche de distribuer une série de numéros pleins de virtuosité qu'une esquisse d'intrigue relie parfois. Quant à l'opérette filmée, les films où chante Jeannette MacDonald en fournissent le meilleur type. Si ceux de Lubitsch (*Monte Carlo,* 1930, *la Veuve joyeuse,* 1934) évitent toute monotonie en se colorant d'une discrète ironie, si celui de Mamoulian, grâce à une invention constante, donne le sentiment le plus délicat du romanesque (*Aimez-moi ce soir,* 1932), ceux de Van Dyke et de la MGM ne tardent pas à se figer dans une convention désuète, parfois charmante (*la Fugue de Mariette,* 1935) mais un peu étroite. Du moins, ces ouvrages ont-ils l'avantage d'instaurer un équilibre et une communication entre leur contenu narratif et leurs segments musicaux. C'est ce que réussit également un quatrième type de comédies musicales, celles que la RKO produit avec pour vedette Fred Astaire et Ginger Rogers ; même si elles conservent des intrigues de coulisses, elles donnent du vécu une vision si élégamment stylisée que les danses les plus parfaites ne rompent jamais le ton du récit ; de plus, Astaire définit dès lors une manière chorégraphique, à la fois régulière et expressive, qui permet d'établir des liens, parfois implicites et souvent subtils, entre la narration et les numéros musicaux ; aux foules de la Warner, ces ouvrages finement calculés opposent leurs solos et leurs amoureux pas de deux ; ils possèdent aussi un humour aristocratique et absurde qui leur est propre.

On le voit : le genre possède dans les années 30 une organisation claire et solide. Vers les années 40, pourtant, il connaîtra des perturbations considérables. C'est d'abord que la Fox produit une série de pochades et de bluettes dont Alice Faye, puis Betty Grable sont les vedettes. Peu en importe le conte, mais les numéros y sont souvent pleins de vivacité et la mise en scène n'hésite pas à entraîner le spectateur dans son vertige, pas plus que les protagonistes ne se retiennent d'exhiber à tout bout de champ leurs mérites. Même jeu dans les films que Doris Day ou Virginia Mayo tournent à la Warner. D'autre part, la MGM entreprend d'enrichir et de mieux organiser sa production. Sous l'influence de producteurs comme Jack Cummings, mais surtout Arthur Freed, la comédie musicale va alors définir le ton classique de ses récits, fait d'un léger émerveillement dans l'observation du quotidien. *L'amiral mène la danse* (R. Del Ruth, 1936), *Place au rythme* (B. Berkeley, 1939), ou *Broadway qui danse* (N. Taurog, 1940), découvrent un monde familier, allégé des contraintes et de la passion, mais sans prétention à la noblesse, qui sera celui de *Parade de printemps* (Ch. Walters, 1948) comme d'*Un jour à New York* (S. Donen et G. Kelly, 1949) ou d'*Un Américain à Paris* (V. Minnelli, 1951). En même temps, *le Magicien d'Oz* (V. Fleming, 1939) et *Yolanda et le voleur* (Minnelli, 1945) explorent un merveilleux inédit, plutôt fondé sur d'incessantes inventions que sur la splendeur époustouflante d'un dispositif spectaculaire : cette nouvelle manière de fantaisie nourrira les numéros de rêve du *Pirate* (Minnelli, 1948) et tous les moments d'imagination que le genre connaîtra dans la décennie suivante. Mais les années 40 offrent aussi des variantes plus incertaines : les films de Bing Crosby continuent de ménager des pauses chantées dans des intrigues exotiques ; les petites compagnies multiplient les ouvrages de série B. Partout se constituent des équipes spécialisées : la MGM, la Fox, la Warner, la Paramount possèdent ainsi des ateliers où s'instituent des collaborations durables et où les compétences se rencontrent sans difficulté. Adroite synthèse du film musical de guerre, *la Reine de Broadway* (Ch. Vidor, 1944) semble parfois annoncer les classiques de la MGM.

Ceux-ci, dont *Chantons sous la pluie* (Donen et Kelly, 1952) et *Tous en scène* (Minnelli, 1953) exaltent et résument les vertus, se caractérisent surtout par une invention chorégraphique renouvelée : pour des artistes comme Kelly, Michael Kidd, Bob Fosse ou Eugene Loring, la danse doit épouser les contours de l'émotion. Dès lors, il faudra que les personnages soient plus exactement dessinés, leurs aventures moins arbitraires, que l'ornementation musicale du film soit mieux justifiée stylistiquement (des metteurs en scène comme Minnelli, Donen, Walters et même George Sidney vont y parvenir), et que le geste ou l'effet vocal dans les numéros ne soient pas un simple moyen d'éblouissement. Aux vastes révélations de l'espace (Berkeley) ou aux vertiges d'autrefois succède donc une vision plus mesurée, qui s'applique à renouveler l'étendue cinématographique d'une manière plus discrète. Cette école a produit plusieurs chefs-d'œuvre. L'organisation du genre, vers 1950, n'a rien d'autre à lui opposer que son propre travestissement. Les productions de Joe Pasternak ou de la Fox, comme celles de la Warner, imitent les règles classiques : elles veulent la même simplicité de spectacle, la même vivacité de rythme et la même familiarité de ton. Mais elles n'ont pas leur unité, leur ardeur est souvent désordonnée et leur verve plébéienne. Le goût leur fait défaut, cette sensibilité à l'harmonie des valeurs contrastées nécessaires à toute comédie musicale. Mais il faut avouer que leur excès de ferveur, leur désordre coloré et leur véhémence exhibitionniste donnent du caractère à ces films. Face aux ouvrages mesurés d'un Donen (*Mariage royal,* 1951), au raffinement d'un Minnelli (*le Chant du Missouri,* 1944) ou à l'art délicat d'un Walters (*la Belle de New York,* 1952), l'expression violente d'un Sidney (*le Bal des sirènes,* 1944) ou d'un Walter Lang (*la joyeuse Parade,* 1954) déclare ainsi son allure carnavalesque, même si les mêmes réalisateurs sont à l'occasion capables de se plier aux règles du classicisme (*The Harvey*

Girls, G. Sidney, 1946 ; *Appelez-moi Madame*, W. Lang, 1953).

Par ailleurs, la comédie musicale de l'après-guerre repose aussi sur le talent et la présence de vedettes comme Gene Kelly, qui a renouvelé le registre chorégraphique, Cyd Charisse, étonnante danseuse de cinéma, et Judy Garland, qui savait charger d'émotion toutes ses chansons. Des scénaristes comme A. J. Lerner, Betty Comden et Adolph Green ont aussi marqué le genre de leur ingéniosité. Astaire est toujours là.

Mais un certain désenchantement apparaît, dont témoignent *Beau fixe sur New York* (Donen et Kelly, 1955), *Haute Société* (Walters, 1956) ou *le Roi et moi* (W. Lang, *id.*), films où la comédie musicale découvre ses propres limites : elle n'est pas le monde mais, à la manière du village de *Brigadoon* (Minnelli, 1954), une fabuleuse exception. La concurrence de la télévision pèse d'ailleurs sur elle plus lourdement que sur tous les autres genres et les motifs romanesques qu'adopte Hollywood, libéré de la censure, ne sont guère compatibles avec son esprit. Les équipes de production qui s'étaient constituées de manière particulièrement forte dans les années 40 vont donc se disperser et la comédie musicale va devenir une espèce de superproduction : ce sera le cas notamment de *Gigi* (Minnelli, 1958) et de *My Fair Lady* (Cukor, 1964). C'est ainsi que la tradition américaine disparaît à son tour, malgré les réussites d'un Sidney ou d'un Fosse.

Quelques films récents tentent pourtant de lui redonner vie. *New York New York* (M. Scorsese, 1977) confronte au sentiment contemporain du vécu les formes établies dont Donen s'amuse dans *Folie Folie* (1978) ; *The Wiz* (S. Lumet, 1984) donne une version noire et urbaine du fameux *Magicien d'Oz* ; *Coup de cœur* (F. F. Coppola, 1981) célèbre la féérie lumineuse propre au genre tout en compatissant à l'insuffisance de ses propres personnages ; ceux de *Chorus Line* (R. Attenborough, 1985) exhibent leurs pauvres secrets avant que l'impitoyable discipline chorégraphique maîtrise leurs désordres individuels. À ces œuvres nostalgiques et inquiètes, parfois critiques, s'opposent des comédies musicales volontiers naïves, amies des vertus enfantines : *Popeye* (R. Altman, 1980) ou *Annie* (J. Huston, 1982). Si l'emprunt aux airs du moment (*la Fièvre du Samedi soir*, J. Badham, 1977) ou aux danses à la mode (*Break Street*, Joel Silberg, 1983) ne soulève qu'un intérêt éphémère, illustré par le succès de *Fame* (A. Parker, 1980) et de *Flashdance* (Adrian Lyne, 1983) auprès des adolescents, d'autres cinéastes, s'avançant sur les traces de Fosse, entendent rendre au musical une véritable gravité : *Hair* (M. Forman, 1979) trace le portrait d'une génération, *The Rose* (M. Rydell, 1979) traduit le pathétique du spectacle rock et *Yentl* (B. Streisand, 1983) fait l'éloge de la connaissance. Ces dernières annés, il faut signaler surtout la vitalité d'une veine noire : *Cotton Club* (Coppola, 1984) y précède *Tap Dance* (Nick Castle, 1988) et *School Daze* de Spike Lee (1988). Cela suffit-il à rendre un sens contemporain à la comédie musicale ?

Elle conserve une importance particulière en raison de sa fécondité et de sa cohérence. Il est impossible de comprendre les habitudes narratives de Hollywood sans réfléchir sur le jeu du récit et du spectacle qui s'y dessine. Sur les fonctions significatives et esthétiques du corps et du geste, son témoignage est irremplaçable. Dans l'utilisation du costume et du décor au cinéma, son mérite consiste à avoir dépassé de manière révélatrice les exigences du fonctionnement narratif. Son histoire, enfin, est prodigieusement riche en variations sur les rapports du mouvement humain et de la caméra, de l'espace cinématographique et de la topographie référentielle, du corps et du décor. De plus, la comédie musicale hollywoodienne a su développer un unique esprit : l'éloge du libre exercice humain la conduit à une défense de l'individualité, mais surtout à exiger de la personne une pleine manifestation dans le spectacle, dût-il déborder les limites d'un caractère. Voilà une frivolité qui n'a rien à voir avec l'insignifiance.

A.M.

COMENCINI *(Luigi), cinéaste italien (Salò 1916).* Pendant qu'il poursuit des études d'architecture au Politecnico de Milan (il sera diplômé en 1939), Comencini s'intéresse déjà au cinéma : avec Lattuada et un autre ami, Mario Ferreri, il recueille de vieux films et crée une collection privée qui sera à l'origine de la Cinémathèque italienne. Il donne aussi des critiques de cinéma dans la revue *Corrente* (de

1938 à 1940) et dans l'hebdomadaire *Tempo illustrato* (de 1939 à 1940). En 1942, il est l'assistant de Perilli pour *La prima donna.* Après la guerre, tout en n'abandonnant pas le journalisme, Comencini commence à réaliser des courts métrages, notamment *Bambini in città* (1946), qui obtient le prix du meilleur film de l'année. En 1947, il entreprend le tournage de son premier long métrage, *De nouveaux hommes sont nés* (*Proibito rubare,* 1949), sur l'enfance délinquante à Naples. Auteur de plus d'une trentaine de films, Comencini a longtemps fait figure de cinéaste de seconde catégorie à l'éclectisme suspect ; ce n'est que dans les années 70 que l'on a commencé à reconnaître son importance et à souligner la grande cohérence qui caractérise son œuvre, mis à part un certain nombre de films qu'il a réalisés en acceptant clairement les contraintes du marché. Après une série de films mineurs d'où émergent les sombres *Volets clos* (*Persiane chiuse,* 1951) et *la Traite des Blanches* (*La tratta delle bianche,* 1952), les souriants *Pain, amour et fantaisie* (*Pane, amore e fantasia,* 1953) et *Pain, amour et jalousie* (*Pane, amore e gelosia,* 1954) et, surtout, le délicat et profond *Tu es mon fils* (*La finestra sul Luna Park,* 1957), Comencini réalise au début des années 60 plusieurs films majeurs : *la Grande Pagaille* (*Tutti a casa,* 1960), sans doute la plus lucide analyse des événements tragiques de l'été 1943 qu'ait donnée le cinéma italien ; *À cheval sur le tigre* (*A cavallo della tigre,* 1961) ; *Il commissario* (1962) ; *la Ragazza* (*La ragazza di Bube,* 1963). Ces quatre films, chacun à sa manière, proposent une analyse pénétrante et lucide de la société italienne à divers moments de son évolution historique. Après quelques œuvres commerciales, Comencini retrouve en 1967 sa veine la meilleure avec *l'Incompris (Incompreso),* un drame de l'enfance d'une grande sensibilité. Pleinement maître de ses moyens, il tourne alors une série de films qui sont autant de réussites : *Senza sapere niente di lei* (1969), *Casanova, un adolescent à Venise* (*Infanzia, vocazione e prime esperienze di Giacomo Casanova veneziano,* id.), les Aventures de Pinocchio (*Pinocchio,* 1972), *l'Argent de la vieille* (*Lo scopone scientifico,* id.), *Un vrai crime d'amour* (*Delitto d'amore,* 1974), *Mon Dieu, comment suis-je tombée si bas ?* (*Mio Dio come sono caduta in basso ?,* id.), *le Grand Embouteillage* (*L'ingorgo, una storia impossibile,* 1979), *Eugenio* (*Voltati Eugenio,* 1980). Comencini réalise également pour la télévision deux grandes enquêtes, *I bambini e noi* (1970) et *L'amore in Italia* (1978), deux enquêtes qui sont, pour ainsi dire, les matériaux de base que le cinéaste exploitera dans les films de fiction qu'il tournera par la suite. Avec les années, la démarche de Comencini s'est faite de plus en plus pessimiste et, si des films comme *la Femme du dimanche* (*La donna della domenica,* 1975) et *Qui a tué le chat ?* (*Il gatto,* 1977) peuvent égarer l'analyse, *le Grand Embouteillage* et *Eugenio* remettent les choses en perspective : Comencini est un moraliste amer qui pose sur la condition humaine un regard profondément désenchanté ; peu de cinéastes ont aussi fortement souligné le profond désarroi de la société contemporaine. Dans une œuvre d'une lucidité exemplaire, les films sur l'enfance reviennent comme un leitmotiv depuis *La finestra sul Luna park ;* ils marquent parfois la volonté de ne pas perdre tout espoir. Il faut porter aussi au crédit du cinéaste le constant souci de signer des films qui puissent intéresser le public et, quelle que puisse être la gravité de leur propos, une incitation à réfléchir à partir d'un spectacle attrayant.

J.A.G.

Autres films : *L'imperatore di Capri* (1949) ; *Heidi / Son tornata per te* (1953) ; *La valigia dei sogni* (1954) ; *la Belle de Rome* (*La bella di Roma,* 1955) ; *Mariti in città* (1957) ; *Mogli pericolose* (1958) ; *Und das am Montagmorgen* (1959) ; *Le sorprese dell'amore* (id.) ; *Tre notti d'amore* (épisode *Fatebenefratelli,* 1964) ; *La mia signora* (épisode *Eritrea,* id.) ; *les Poupées* (*Le bambole,* épisode *Il trattato di eugenetica,* 1965) ; *Don Camillo en Russie* (*Il compagno Don Camillo,* id.) ; *le Partage de Catherine / Une fille qui mène une vie de garçon* (*La bugiarda,* id.) ; *Les Russes ne boiront pas de Coca-Cola* (*Italian Secret Service,* 1968) ; *la Fiancée de l'évêque* (*Quelle strane occasioni,* un épisode, 1977) ; *l'Imposteur* (*Cercasi Gesù,* 1982) ; *le Mariage de Catherine* (*Il matrimonio di Caterina,* id.), *Cuore* (1984) ; *La storia* (1986) ; *Un garçon de Calabre* (*Un ragazzo di Calabria,* 1987) ; *la Bohême* (1988) ; *Joyeux Noël, bonne année* (*Buon natale, buon anno,* 1989) ; *Tenero è il tramonto* (1990) ; *Marcellino* (*Marcellino pane e vino,* 1991). ▲

COMIQUES (SÉRIES). Le comique, au cinéma, est souvent confondu avec la comédie, dont il est l'un des éléments, voire l'un des incidents. C'est que la comédie s'est progressivement substituée au comique, sans d'ailleurs récupérer tout le terrain qu'il occupait.

Cette mutation, qui enregistre le déclin du comique pur, est marquée par quatre périodes.

1. **Préhistoire (1895-1905).** À peine concurrencé par le documentaire, la féerie, le mélodrame, le comique accapare la quasi-totalité des programmes. Le cinéma capte alors la clientèle des champs de foire, cirques, café-concerts et journaux illustrés dont la manchette promet : « On ne rit pas, on se tord. » Procédant de ces distractions simplistes, le film comique visualise en une ou deux minutes : une grosse farce, une incongruité, une saillie parfois empruntée à l'imagerie populaire ou à la carte postale. *L'Arroseur arrosé* de Lumière (recopié par bien d'autres) s'inspire d'une « image d'Épinal » dessinée en 1887 par Lucien Vogel. *La Fée aux choux* d'Alice Guy anime une carte postale expliquant la naissance des enfants.

Ni les acteurs ni les réalisateurs ne sont spécialisés. Chez Gaumont, on passe des *Dangers de l'alcoolisme* à *la Vie du Christ.* Il en est de même pour Ferdinand Zecca chez Pathé. Loin d'avoir trouvé sa spécificité, le comique est parasité par des genres connexes : comme le merveilleux (*le Locataire diabolique,* de Méliès) ou, le plus souvent, la polissonnerie, la grivoiserie. Au catalogue de chaque maison, on trouve une variante de la classique *Histoire de puce.* Une dame indigne les passants en fourrageant sous ses jupes. Elle se réfugie dans le premier hôtel venu, se déshabille, la porte s'ouvre et...

2. **Formation (1906-1911).** Fin 1905, l'arrivée de Louis Feuillade chez Gaumont et de son ami André Heuzé chez Pathé va précipiter le comique dans la rue grâce à la poursuite. Dans *Dix Femmes pour un mari* (scénario : A. Heuzé), Georges Hatot lance dix femmes à la poursuite du Don Juan qui les a séduites. Dans *Attrapez mon chapeau,* la poursuite d'un couvre-chef permet à Feuillade de décrire et d'exploiter les ressources de l'environnement.

Étant moins bien pourvu que Pathé en studios, Gaumont privilégiera ce comique de plein air avec *la Course au potiron* dans les rues en pente du quartier de la Villette, et en transposant en extérieurs le « comique à trucs », que Méliès confinait au studio. Grâce à l'interprétation d'un cul-de-jatte, il sectionne et recolle les jambes d'un passant *(Un accident d'auto).* Portant une armure pour se protéger des voleurs, *l'Homme aimanté* (à la suite d'un orage) attire à lui tout le métal qu'il rencontre : jusqu'aux plaques d'égout !

Ce développement du gag jusqu'à l'absurde est le deuxième apport important de cette période. Le troisième étant la création d'un univers burlesque composé par une succession d'aventures attribuées à un même personnage, dont le nom figure dans le titre des films qui les retracent : *Roméo et le cheval de fiacre, Rigadin veut dormir tranquille, Calino veut se suicider.*

Ici, l'antériorité revient à Pathé avec la série *Boireau* (30 films) interprétée par André Deed, d'abord réalisée par Georges Hatot sur des scénarios d'André Heuzé. Le départ de Deed pour l'Italie (série *Cretinetti* distribuée en France sous le nom de *Gribouille*) laisse place à deux nouvelles séries : celle du médiocre *Rigadin* et celle des *Max.* Avec l'élégant Max Linder, le comique de mouvement fait place au comique d'observation qui développe avec finesse les conséquences d'une méprise ou d'un mensonge : *Max et le quinquina, Max pédicure.*

Chez Gaumont, c'est, à travers le comportement d'un enfant, l'observation de l'environnement social qui inspire à Feuillade les séries *Bébé* (76 films avec le futur René Dary) et *Bout de Zan.* Le comique de mouvement (poursuite et absurde) est assumé par la série de Roméo Bosetti, *Calino,* interprétée par l'ex-clown Clément Mégé : avec tant de succès que Pathé le débauche et lui confie son studio de Nice. Bosetti y produira jusqu'en 1914 une dizaine de séries : *Léontine, Rosalie, Purotit, Moustache* (interprété par le chien Barnum).

3. **L'apogée (1912-1914).** Aux 25 séries produites de 1906 à 1911 vont s'ajouter en trente mois 33 séries nouvelles. Beaucoup ne font que recopier les succès techniques et thématiques des précédentes : ainsi, *Willy,* réplique d'Éclair au *Bébé* de Feuillade ; Sarah Duhamel, alias *Rosalie,* qui devient *Pétronelle* en passant de Pathé à Éclair. Feuillade riposte par une innovation. Une série de bandes plus longues (2 bobines), un scénario élaboré,

intitulé *la Vie drôle* et composé de « ciné-vaudevilles ». Elle est d'ailleurs interprétée par des acteurs du théâtre de boulevard, tel l'ondoyant Marcel Levesque. Le comique cède à la comédie pure dans la série *Léonce* interprétée et réalisée par Léonce Perret (35 films).

Toujours chez Gaumont, Jean Durand va pousser l'absurde jusqu'au surréalisme dans la série *Onésime* (53 films) interprétée par l'ex-acrobate Ernest Bourbon, entouré d'une troupe spécialisée, les Pouites : à côté de noms oubliés (Pollos, Fouché, Dhartigny, Grisollet), elle compte quelques futures célébrités : Gaston Modot, Aimos, Joé Hamman, l'aviateur Charles Nungesser. C'est l'apogée du burlesque, au terme de 58 séries (20 produites par Pathé, 8 par Gaumont, 8 par Éclipse, 7 par Éclair et 12 divers). Apogée auquel la guerre de 1914 met brutalement fin.

4. **Déclin (1915-1930).** Acteurs, auteurs et réalisateurs européens étant indisponibles pendant plus de quatre ans, il sera très facile aux Charlot, Buster Keaton, Fatty, Ben Turpin, Harry Langdon et Harold Lloyd de les supplanter définitivement.

Non seulement la guerre a cassé l'essor du comique, mais elle a entraîné des changements de structure : concentration de la production, accroissement des coûts, diminution quantitative mal compensée par l'augmentation de la durée des films. Cette dernière sera brutale pour le comique. Il lui sera très difficile de trouver des sujets qui puissent tenir 60 ou même 30 minutes.

Pour survivre, le comique ne devra plus être qu'une détente dans l'action d'un film d'aventures (tel, chez Feuillade, le personnage de Marcel Levesque dans *Judex,* ou de Biscot dans *Tih-Minh*), ou bien il jouera un rôle de contrepoint dans des situations pathétiques. (Ainsi l'ont compris Chaplin et, plus tard, Pagnol.) Sinon, il ne reste plus au comique qu'à s'enliser dans les méandres de la comédie ou de la satire de mœurs.

Seul le talent de Laurel et Hardy et des Marx Brothers a pu faire oublier cette évidence : le comique est aussi spécifiquement lié au cinéma muet que la comédie musicale l'est au film parlant.

Le comique pur, comme finalité en soi, n'a cependant pas disparu. Il s'est métamorphosé. C'est dans le dessin animé américain, chez Tex Avery, Tom et Jerry, Droopy, Woody Woodpecker, etc., qu'il faut rechercher les héritiers d'Onésime, Calino, Gavroche ou Zigouillard. F.L.

COMMISSION SUPÉRIEURE TECHNIQUE DE L'IMAGE ET DU SON (CST). Créée en 1946 sous l'impulsion de Jean Painlevé, la CST regroupe la majorité des professionnels, salariés ou dirigeants d'entreprises des secteurs de l'image et du son : techniciens, créateurs, chercheurs, répartis en différents départements (son, image, laboratoires, effets spéciaux, exploitation salles...). Elle joue pour la profession un rôle d'observatoire technologique.

Les services permanents qui assurent le suivi des réunions des départements et des groupes de travail disposent de laboratoires d'essais et éditent les moyens de contrôle utilisés par les techniciens et les industriels. Ils procèdent également au contrôle technique des salles de cinéma ainsi qu'à celui des différentes activités des industries techniques : studios de prises de vues, auditoriums, laboratoires...

En plus de son rôle d'assistance technique, la CST est chargée de faire respecter — sous l'autorité du CNC — les normes et spécifications techniques en vue de la délivrance des autorisations d'exercice, conformément à la réglementation en vigueur. (→ SALLES DE CINÉMA.) G.A.

COMOLLI *(Jean-Louis), cinéaste français (Skikda, Algérie, 1941).* Rédacteur en chef des *Cahiers du cinéma* de 1966 à 1971, il participe au théoricisme (analyse, structuralisme, marxisme) qui marque cette revue à la fin des années soixante, tentant même de l'illustrer dans un film réalisé avec A. S. Labarthe, *les Deux Marseillaises* (1968) en hommage à Renoir et aux événements de Mai. Après *la Cecilia* (1976), chronique d'une commune d'émigrés italiens utopistes du Brésil dans les années 1900, il réalise *l'Ombre rouge* (1981), dénonçant, à travers un récit d'espionnage au temps de la guerre d'Espagne, les dangers de l'investissement politique, notamment stalinien, suivant ainsi les revirements des *Cahiers. Balles perdues* (1983), film policier à la fois noir et loufoque, témoigne du désarroi de son apparent désengagement. A.T.

COMPANEEZ *(Jacques), scénariste français (Saint-Pétersbourg 1906 - Paris 1956).* Sa carrière le promène d'abord en Allemagne, en Autriche et en Tchécoslovaquie. Un coup d'éclat : *les Bas-Fonds* (J. Renoir, 1937). Il est certain que le monde trouble, sarcastique, violent du film de Renoir lui convient, ce que confirment ses collaborations successives avec le sulfureux Pierre Chenal : *l'Alibi* (1937), *la Maison du Maltais* (1938), *la Foire aux Chimères* (1946), mais aussi *Contre-Enquête* (Jean Faurez, 1947) et le remarquable *les Maudits* (R. Clément, *id.*), puzzle psychologique sans faille dans une parfaite unité de lieu : un sous-marin. *Casque d'or* (J. Becker, 1952) marque l'apogée de son talent. De sa dernière période, on retiendra tout particulièrement, de Ralph Habib, *les Compagnes de la nuit* (1953), et *la Sorcière* (A. Michel, 1956). C'est un auteur prolifique, au service des sujets et des cinéastes les plus divers avec, de temps à autre, le flair d'un bon sujet. Moins homogène qu'Aurenche et Bost, il suit très bien les courbes d'un cinéma français qui sait alors être parfois pittoresque.
C.D.R.

COMPANEEZ *(Nina), scénariste et cinéaste française (Boulogne-sur-Seine 1937).* Fille de Jacques Companeez. Sa carrière est d'abord liée à celle de Michel Deville, avec lequel elle collabore pour le scénario et les dialogues aux films suivants : *Ce soir ou jamais* (1961), *Adorable menteuse* (1962), *À cause, à cause d'une femme* (1963), *l'Appartement des filles* (*id.*), *Lucky Jo* (1964), *On a volé la Joconde* (1966), *Martin soldat* (*id.*), *Benjamin ou les Mémoires d'un puceau* (1968), *l'Ours et la Poupée* (1970), *Bye, bye Barbara* (1968), *Raphaël ou le Débauché* (1971). Puis elle réalise *Faustine et le bel été* (1972), d'une joliesse décorative dans la ligne de *Benjamin,* avant de s'égarer dans une comédie vulgaire, *l'Histoire très bonne et très joyeuse de Colinot trousse-chemise* (1973), que la présence de Brigitte Bardot ne préserve pas de l'échec. Elle poursuit ensuite sa carrière avec un certain succès à la télévision.
C.M.C.

COMPENSATION (1). *Compensation optique,* procédé à base de miroir tournant, permettant, sur les caméras à très grande vitesse, l'immobilisation relative de l'image par rapport au film. (→ CAMÉRA.)

COMPENSATION (2). *Piste de compensation,* piste magnétique secondaire couchée sur le bord d'un film pour compenser, lors de l'enroulement du film en bobines, la surépaisseur due à la piste magnétique principale. (→ BANDE MAGNÉTIQUE.)

COMPLÉMENT (1). *Complément optique,* système optique placé devant un objectif — alors qualifié d'objectif primaire — pour modifier les caractéristiques de l'image (agrandissement, anamorphose, etc.).

COMPLÉMENT (2). *Complément de programme,* film de court métrage projeté en complément d'un film de long métrage de façon à fournir une séance de durée satisfaisante.

COMPLÉMENTAIRES. *Couleurs complémentaires,* couleurs (par ex. rouge et bleu-vert, ou jaune et bleu-violet) dont le mélange additif donne du blanc. (→ COULEUR.)

COMPLEXE. La formule du *complexe* (ou *complexe multisalle,* ou encore *multisalle*) consiste à implanter plusieurs salles, en un lieu unique, voire à l'intérieur d'un même cinéma. Cette formule, rendue possible par la lampe au xénon (→ PROJECTION), apparut au milieu des années 60. Assez rapidement, elle devint la formule privilégiée de la rénovation du parc de salles : offrant plusieurs programmes en un même lieu, elle permettait de mieux capter le nouveau public (→ ÉCONOMIE DU CINÉMA) ; grâce à la capacité décroissante des salles, elle permettait par ailleurs de prolonger l'exploitation d'un film à succès tant que celui-ci attirait assez de public pour permettre la rentabilité de la plus petite salle.

À la fin de 1988, la France comptait 926 complexes totalisant 3273 salles, soit 67, 5% des salles françaises. Ces salles ont attiré 85% de la fréquentation totale. On dénombrait 322 complexes de 2 salles, 246 de 3 salles, 134 de 4 salles, 161 de 5 et 6 salles, 62 de 7 salles et plus.

En studio, ensemble de décors communiquant entre eux et permettant le passage continu de la caméra. (→ ARGOT.) J.-P.F.

COMPOSITE. *Image composite,* image obtenue par mariage d'éléments visuels d'origines différentes. (Exemple typique : les images obtenues par le truquage de cache-contre-cache.)

COMPRESSION. *Chambre de compression,* dispositif permettant d'améliorer le rendement des haut-parleurs d'aigus. (→ HAUT-PARLEUR.) *Compression des niveaux* → BRUIT DE FOND, DYNAMIQUE.

COMPSON *(Eleanor Luicime Compson,* dite *Betty), actrice américaine (Beaver, Utah, 1897 - Glendale, Ca., 1974).* Elle débute dans les films burlesques d'Al Christie, puis devient vedette : *The Miracle Man* (G. L. Tucker, 1919). James Cruze, avec qui elle fut mariée pendant un temps, la dirige dans *The Pony Express* (1925) et Sternberg dans *les Damnés de l'océan* (1928). Elle s'adapte adroitement au parlant : *le Torrent fatal* (*Weary River,* F. Lloyd), *On With the Show* (A. Crosland) et *Gabbo le ventriloque* (Cruze), en 1929, maintiennent sa renommée. Mais la transformation des rôles féminins la relègue vite à des emplois secondaires (*le Cargo maudit,* de Borzage, 1940 ; *Joies matrimoniales,* de Hitchcock, 1941). A.M.

COMPTON *(Virginia Lilian Emeline Compton,* dite *Fay), actrice britannique (Londres 1894* - id. *1978).* Elle débute à l'écran en 1914 dans *She Stoops to Conquer* (G. L. Tucker, pour la London Films) et devient une des grandes stars du cinéma muet anglais. Après l'avènement du parlant, elle trouve ses meilleurs rôles dans *Tell England* (A. Asquith, 1931), *The Prime Minister* (T. Dickinson, 1941), où elle incarne la reine Victoria, ainsi que dans *Huit Heures de sursis* (C. Reed, 1947), *Nicholas Nickleby* (A. Cavalcanti, *id.*), *Rires au paradis* (*Laughter in Paradise,* M. Zampi, 1951), *Othello* (O. Welles, 1952), *le Scandale Costello* (D. Miller, 1957), *la Maison du diable* (R. Wise, 1963), *la Vierge et le Gitan* (*The Virgin and the Gypsy,* Christopher Miles, 1970). R.L.

CONCHON *(Georges), romancier et scénariste français (Saint-Avit, Puy-de-Dôme, 1925 - Paris 1990).* Romancier, il entame à partir de 1967 une carrière de scénariste et de dialoguiste avec *l'Horizon,* de Jacques Rouffio, pour qui il adaptera, en 1978, son propre roman *le Sucre.* Fidèle aux sujets à thèse (racisme, antimilitarisme, magouilles politiques et financières...) traités de manière rapide, spectaculaire, parfois un peu didactique, qui le rapprochent d'un cinéma de dénonciation à l'américaine, sa meilleure contribution est, peut-être, son travail sur le scénario de *la Victoire en chantant* (J. -J. Annaud, 1976). Il a également écrit les scénarios de *Il pleut sur Santiago* (H. Soto, 1975), *Sept morts sur ordonnance* (Rouffio, 1975), *l'État sauvage* (F. Girod, 1978), *Judith Therpauve* (P. Chéreau, 1978), *la Banquière* (Girod, 1980). A.T.

CONDENSEUR. Dispositif optique employé sur certains appareils de projection pour concentrer la lumière sur la fenêtre de projection. (→ PROJECTION.)

CÔNE. Tronc de cône métallique placé devant un projecteur d'éclairage à lentille de Fresnel pour réduire l'ouverture du faisceau lumineux.

CONKLIN *(Chester), acteur américain (Oskaloosa, Iowa, 1886 - Los Angeles, Ca., 1971).* Après deux ans de music-hall et de théâtre, il est clown de cirque chez Barnum, puis joue pendant cinq ans dans les comédies Keystone de Mack Sennett auprès de Charlie Chaplin, de Ford Sterling et de Mack Swain. On le reconnaît à ses moustaches de morse, à son nez bulbeux de poivrot, et à son œil légèrement vitreux, ses vêtements trop grands. Il s'est fait une silhouette connue dans les films de slapstick avant de se reconvertir dans de plus sérieuses entreprises, puisqu'on l'a vu dans *les Rapaces* de Stroheim (1925 ; RÉ 1923), dans des films de Lewis Milestone, Gregory La Cava, Allan Dwan, Victor Fleming et Preston Sturges, où le public aimait à le reconnaître. Dans *le Dictateur* (1940), c'est lui que Charlot, barbier, rasait au son de la *Rhapsodie hongroise.* On l'a encore vu auprès de Jerry Lewis dans *Trois Bébés sur les bras* (1958), et pour la dernière fois dans un western de Fielder Cook (*A Big Hand for the Little Lady,* 1966). R.BN.

CONNER *(Bruce), artiste et cinéaste expérimental américain (McPherson, Kans., 1933).* Après des études d'art à l'université du Nebraska, il fabrique des boîtes-sculptures à San Francisco. Il réalise *A Movie* (1958), qui devient l'un des plus célèbres films du cinéma underground. Comme *Cosmic Ray* (1961), c'est un collage de chutes, de préférence spectaculaires ou érotiques, provoquant des effets comiques. Le procédé avait déjà tenté les Marx Brothers à la fin de *la Soupe aux canards* (1933), les lettristes ou Griffi Baruchello (*La verifica incerta,* 1965), et c'est l'équivalent filmique des photomontages dadaïstes. Mais Conner le survolte par un montage ultrarapide. Beaucoup de ses films – sauf *Vivian* (1965), *The White Rose* (1965-1967), *Looking for Mushrooms* (1966), *Raga* (id.), *Breakway* (1967), bouts d'essai d'une jeune chanteuse, et *Liberty Crown* (1970) sont ainsi des montages de matériau filmé par d'autres. *Report* (1963-1967) mêle les plans fameux des assassinats de John Kennedy et d'Oswald à Dallas, maintes fois répétés, à des extraits de publicités ou de films d'horreur. *Crossroads* (1974-75) est une variation sur des images ralenties de l'explosion de la première bombe H américaine en 1945. Dans la même veine, *Take the 5 h 10 to Dreamland* (1975) est un film onirique. D.N.

CONNERY *(Thomas,* dit *Sean), acteur britannique (Édimbourg, Écosse, 1930).* Fils d'un camionneur et d'une femme de ménage, il quitte l'école à quinze ans, s'engage dans la marine britannique et il exerce ensuite divers métiers : maçon, garde du corps, vernisseur de cercueils. Il figure pour la première fois au théâtre à Londres, en 1951, dans *South Pacific.* Après de brèves apparitions au cinéma et à la télévision, il participe au concours organisé par le *London Express* pour choisir l'acteur qui incarnera le héros d'Ian Fleming, l'agent secret James Bond 007, dont il tiendra le rôle dans six films. Entamant après *James Bond contre Dr No, Bons Baisers de Russie* et *Goldfinger* une carrière internationale, il a du mal, aux yeux du public, à se débarrasser de l'image à laquelle il semble s'être identifié. Il travaille pourtant avec des réalisateurs aussi divers et prestigieux qu'Hitchcock, Kershner, Lumet, Boorman, Huston, Lester, Brooks, qui contribuent à nuancer son personnage jusque-là stéréotypé, fondé sur un mélange de détermination, de flegme et de misogynie. Physiquement passif dans *Pas de printemps pour Marnie,* il va même jusqu'à incarner des personnages d'inadapté social (*l'Homme à la tête fêlée),* de loser *(le Gang Anderson)* ou de héros vieilli et faillible *(la Rose et la Flèche),* qui cassent à la fois sa propre légende et les mythes qu'elle véhicule. Depuis ses adieux à James Bond, son personnage semble avoir trouvé un équilibre dans des rôles d'individualistes, socialement intégrés ou aventuriers, où la force physique, le *format* sont tempérés par un humour, un jeu volontairement distancié, résolument démystificateurs. De ce point de vue, *le Lion et le Vent* et *l'Homme qui voulut être roi* sont des chefs-d'œuvre d'équilibre. Un titre ironique, *Jamais plus jamais,* marque son retour au personnage de James Bond, qu'il prétendait ne plus jamais vouloir incarner. Il est vrai qu'il semble désormais se soucier plus des qualités du rôle que de sa longueur. Il incarne avec délices les personnages moyenâgeux, brutaux *(Highlander)* ou raffinés *(le Nom de la rose)* ou encore les figures paternelles malicieuses *(Indiana Jones et la dernière croisade, Family Business)* ou intransigeantes *(Presidio).* Il obtient un Oscar du second rôle pour sa création savoureuse de policier irlandais dans *les Incorruptibles* mais, malgré ses rides – très photogéniques, donc, peut-être, à cause d'elles –, il demeure le héros dans *la Maison Russie, À la poursuite d'Octobre Rouge* ou *Juste Cause.* M.S.

Films : *James Bond 007 contre Dr No* (T. Young, 1962) ; *Bons Baisers de Russie* (*id.,* 1963) ; *Goldfinger* (G. Hamilton, 1964) ; *Pas de printemps pour Marnie* (A. Hitchcock, *id.*) ; *la Femme de paille* (B. Dearden, *id.*) ; *la Colline des hommes perdus* (S. Lumet, 1965) ; *Opération Tonnerre* (T. Young, *id.*) ; *l'Homme à la tête fêlée* (I. Kershner, 1966) ; *On ne vit que deux fois* (L. Gilbert, 1967) ; *Shalako* (E. Dmytryk, 1968) ; *Traître sur commande* (M. Ritt, 1970) ; *le Gang Anderson* (S. Lumet, 1971) ; *Les diamants sont éternels* (G. Hamilton, *id.*) ; *Zardoz* (J. Boorman, 1974) ; *le Lion et le Vent* (John Milius, 1975) ; *l'Homme qui voulut être roi* (J. Huston, *id.*) ; *la Rose et la Flèche* (R. Lester, 1976) ; *Un pont trop loin* (R. Attenborough, 1977) ; *Météor* (R. Neame, *id.*) ; *la Grande Attaque du train d'or* (*The Great Train Robbery,* Michael Crichton, 1979) ; *Meurtres en direct* (R. Brooks, 1982) ; *Jamais plus jamais* (I. Kerschner, 1983) ; *Sword of the Valiant* (Stephen Weeks, 1984) ; *Highlander* (Russell Mulcahy, 1985) ; *le Nom de la rose* (J.-J. Annaud, 1986) ; *les Incorruptibles* (B. de Palma, 1987) ; *Presidio*

(*The Presidio,* Peter Hyams, 1988) ; *Indiana Jones et la dernière croisade* (S. Spielberg, 1989) ; *Family Business* (S. Lumet, *id.*) ; *À la poursuite d'« Octobre Rouge » (The Hunt of Red October,* John McTiernan, 1990) ; *la Maison Russie* (Fred Schebisi, *id.*) ; *Highlander – le Retour* (*Highlander II – The Quickening,* Mulcahy, 1991) ; *Robin des Bois, prince des voleurs* (*Robin Hood, Prince of Thieves,* K. Reynolds, *id.*) ; *Medecine Man* (McTiernan, 1992) ; *Soleil levant* (Ph. Kaufman, 1993) ; *Un Anglais sous les tropiques* (B. Beresford, *id.*) ; *Juste Cause* (*Just Cause,* Arne Glimcher, 1995) ; *Lancelot* (*First Knight*, Jerry Zucker, *id.*).

CONNORS *(Kevin Joseph Connors,* dit *Chuck), acteur américain (Brooklyn, N.Y., 1921 - Los Angeles, Ca., 1992).* Grand, pommettes saillantes et yeux fendus, c'est l'une des « gueules » les plus célèbres de nombre de policiers et westerns des années 50 et 60. Chuck Connors a joué toutes les variations possibles du « dur ». On retiendra son interprétation très sérieuse dans le par ailleurs très drôle *Femme modèle* (V. Minnelli, 1957) ou encore le contremaître sadique des *Grands Espaces* (W. Wyler, 1958), avant qu'une tentative pour faire de lui une vedette ne se solde par un échec (*Geronimo,* A. Laven, 1962, où, contre toute attente, ce géant blond jouait les rebelles indiens). Ensuite, il reprit son emploi patibulaire dans des films plus ou moins sympathiques comme *Support your Local Gunfighter* (B. Kennedy, 1971), *Soleil vert* (R. Fleischer, 1973) ou *Refroidi à 99 %* (J. Frankenheimer, 1974). Logiquement, il a fini par se parodier dans *Y a-t-il enfin un pilote dans l'avion ?* (David et Jerry Zucker, Jim Abrahams, 1982). C.V.

CONRAD *(Tony), cinéaste expérimental américain (Concord, N. H., 1940).* Après des études de physiologie et de mathématiques à Harvard et un stage dans le groupe musical de La Monte Young, il réalise *The Flicker* (1965), composé seulement d'alternances plus ou moins brèves de photogrammes noirs et blancs. Suivent *The Eye of Count Flickerstein* (1966), autre film à clignotements, et plusieurs films réalisés avec Beverly Grant, sa femme, dont *Straight and Narrow* (1970), film à clignotements, et *Four Square* (1971), pour quatre projecteurs. Ensuite, pour la plupart, ses « films » sont réduits à leurs matérialité de pellicule... qu'on peut aller jusqu'à faire frire (*7360 Sukiyaki,* 1973). D.N.

CONSEILLER TECHNIQUE. Réalisateur chevronné chargé de superviser l'activité d'un réalisateur débutant. (→ GÉNÉRIQUE.)

CONSERVATION DES FILMS. Un film cesse d'exister dès qu'on ne possède plus au moins une copie susceptible d'assurer une projection correcte. La conservation du support matériel des œuvres est donc capitale pour la sauvegarde du patrimoine cinématographique.

En pratique, il faut distinguer :

– la conservation des copies, qui intéresse directement le spectateur mais qui n'est pas déterminante du point de vue du patrimoine ;

– la conservation du négatif, ou d'un contretype (internégatif, interpositif) équivalent à un négatif, qui est déterminante : tant qu'existe un tel élément, on peut toujours tirer de nouvelles copies.

La conservation des films. Écartant l'usure des copies (→ COPIES), écartant ce qui peut affecter tout patrimoine (catastrophes naturelles, vol, incendie, bombardement, attentat, etc.), on ne s'intéressera ici qu'à la résistance des films au vieillissement.

Cette résistance dépend principalement de la vitesse à laquelle s'opèrent les réactions chimiques dommageables. On sait que la vitesse des réactions chimiques croît de façon générale avec la température. Un abaissement de la température de stockage favorise donc la conservation : un grand fabricant estime qu'une élévation de cette température de 24 à 30 °C divise par deux la durée de vie des colorants alors qu'un abaissement à 7 °C la multiplie par dix.

Par ailleurs, les éléments constitutifs d'un film absorbent plus ou moins l'humidité ambiante, et leur tenue dépend de la quantité d'eau absorbée. Un degré hygrométrique excessif dans le local de stockage (ou dans les boîtes closes contenant les bobines) est donc défavorable à la conservation. À l'inverse, un degré hygrométrique trop faible entraîne un dessèchement néfaste du film.

À ces deux facteurs principaux (température, degré hygrométrique), il faut évidemment ajouter le soin avec lequel sont menées les opérations de développement : si le fixage et le lavage ne sont pas complets (du moins aussi complets que possible), il reste dans le film des produits chimiques susceptibles de provoquer, à la longue, des altérations (par exemple des traces d'hyposulfite, l'agent de base du fixage).

La conservation d'un film implique la conservation simultanée des trois éléments qui le composent : le support, la gélatine, les produits qui forment l'image.

Le support. Jusque dans les années 50, le support était en nitrate de cellulose, également appelé Celluloïd. (→ FILM.) Outre qu'il est extrêmement inflammable, ce produit est chimiquement instable : en toute rigueur, il commence à se décomposer dès qu'il est fabriqué. En fait, si le film est conservé dans de bonnes conditions (température basse ou modérée, atmosphère ni trop sèche ni trop humide), cette décomposition peut être très lente : nombre de films du début du siècle nous sont parvenus sans altération notable du support. Si le film est mal entreposé et que la décomposition s'amorce, elle s'accélère ensuite d'elle-même sous l'effet des produits chimiques dégagés, notamment l'acide nitrique. Le processus étant irréversible, il faut contretyper rapidement le film.

Les supports « de sécurité » actuels (triacétate de cellulose, éventuellement polyester) sont en revanche chimiquement très stables. Pour un stockage entre 10 et 15 ^{0}C avec une humidité relative de l'ordre de 50 p. 100, leur durée de vie est estimée à deux siècles au moins.

Il faut également considérer la stabilité physique du support, qui tend à s'allonger en atmosphère humide et à se rétrécir (c'est le phénomène de *retrait*) en atmosphère sèche. En pratique, c'est presque toujours un retrait que l'on observe. Le triacétate est là aussi beaucoup plus stable que le nitrate, dont le retrait peut atteindre jusqu'à 4 p. 100.

La gélatine. Raisonnablement stable dans les conditions de stockage appropriées à la conservation du support lui-même, la gélatine résiste mal à une humidité excessive, surtout si la température est élevée : d'une part, elle devient gluante, d'autre part elle constitue un « bouillon de culture » pour certains champignons. Dans les deux cas, il y a risque de destruction de l'image.

L'image. En *noir et blanc,* l'image est composée de granules d'argent métallique. (→ COUCHE SENSIBLE.) Si le film a été correctement fixé et lavé, l'image est très stable.

Dans les procédés *couleurs* usuels, c'est-à-dire à couches superposées (→ PROCÉDÉS DE CINÉMA EN COULEURS), il n'en va pas nécessairement de même. C'était déjà un tour de force que de parvenir à mettre au point et à maîtriser le processus chimique qui permet d'obtenir, dans un bain de développement unique, trois images colorées restituant correctement les couleurs du sujet. Obtenir de surcroît des colorants absolument stables compliquait le problème au-delà des possibilités des chimistes. Les colorants ont donc une certaine tendance à se décomposer avec le temps, ce qui entraîne un « évanouissement » progressif de l'image, accompagné de l'apparition de dominantes, puisque les colorants des trois couches ne se décomposent pas à la même vitesse.

Pour les copies d'exploitation, généralement stockées à température ambiante (l'éclairement reçu lors du passage dans le projecteur ne joue pratiquement pas du fait qu'il est extrêmement bref), la dégradation de l'image peut être relativement rapide : les premières copies Agfacolor ou Sovcolor sont à peu près invisibles aujourd'hui, car elles ne portent plus qu'une pâle image aux couleurs complètement faussées. Plus tard, les progrès accomplis dans le domaine de la stabilité des colorants ont nettement amélioré la situation : les copies Eastmancolor d'il y a trente ans sont généralement projetables, même si elles ont plus ou moins vieilli. Sur les copies actuelles, sauf conditions de stockage particulièrement médiocres, les couleurs ne subissent pas de modification appréciable pendant au moins cinq ans. Au-delà, on peut constater certaines dégradations, qui créent le plus souvent une dominante rouge. Dans la plupart des utilisations commerciales, cette perte de qualité n'a pas une importance déterminante, les copies étant physiquement détériorées, par usure mécanique, avant ce délai. (Pour des utilisations plus prolongées, Kodak a récemment introduit sur le marché un film de copie *low fade* (« affaiblissement lent ») un peu plus coûteux que les positifs habituels mais dont la conservation des colorants est donnée pour 25 ans.

Les négatifs ont une valeur économique supérieure, puisque c'est de leur conservation que dépend la possibilité d'exploiter ultérieurement le film. Dans la conception de ces films, les fabricants portent donc un intérêt particulier à la stabilité des colorants. Comme les négatifs sont par ailleurs stockés (au moins en principe) dans de meilleures conditions que les copies d'exploitation, leur durée de vie est sensiblement plus élevée : sur les négatifs actuels, la stabilité des colorants semble assurée pendant au moins 25 ans pour un stockage à 24 °C et pendant au moins 50 ans pour un stockage à environ 12 °C. Sur les négatifs plus anciens, particulièrement ceux des années 50, les couleurs ont été plus ou moins altérées. Mais les altérations constatées semblent être, en règle générale, assez minimes pour permettre le tirage de copies satisfaisantes, quitte à rectifier l'étalonnage de façon à compenser les défauts chromatiques apparus.

Le procédé Technicolor (aujourd'hui abandonné) constituait un cas particulier. Les copies y étaient en effet *imprimées* grâce à des « matrices » extraites de trois négatifs noir et blanc. (→ PROCÉDÉS DE CINÉMA EN COULEURS.) Cette technique ouvrait largement la palette des colorants utilisables et l'on pouvait de ce fait choisir des colorants stables : c'est seulement de nos jours que l'on commence à atteindre, avec les films à couches superposées, une stabilité des couleurs sur les copies d'exploitation comparable à celle des copies Technicolor.

Le Kodachrome mérite également d'être mentionné. Bien qu'il soit à couches superposées, les colorants y sont apportés par les bains de développement, distincts pour les trois couches. La méthode complique le développement, mais elle est aussi moins contraignante pour le choix des réactions chimiques utilisables : à température ambiante, la durée de conservation du Kodachrome est supérieure à 50 ans. Ce procédé ne pourrait toutefois être employé en cinéma professionnel qu'au prix d'adaptations importantes, notamment en ce qui concerne le contraste et la possibilité d'inscrire une piste sonore optique.

La conservation des œuvres. De ce qui précède, il ressort qu'il y a beaucoup de cas d'espèce : selon la nature du support, selon que le film est en noir et blanc ou en couleurs, selon sa date, selon les conditions de traitementet de stockage, etc. On peut néanmoins distinguer deux grands cas.

Pour les films tournés de nos jours, la grande stabilité du support et la stabilité accrue des colorants permettent (sous réserve d'un stockage dans de bonnes conditions) de garantir la conservation du négatif, et donc de l'œuvre, pendant plusieurs décennies. Un contretypage effectué dès qu'apparaîtrait la moindre altération prolongerait l'œuvre d'autant, et même sans doute plus, compte tenu des progrès accomplis entre-temps.

On peut même garantir dès aujourd'hui une conservation de plusieurs siècles par le tirage de *sélections* noir et blanc, où les trois images colorées portées par le film sont reproduites sous forme de trois images noir et blanc par copie derrière des filtres rouge, vert, bleu (la reconstitution de l'image en couleurs s'effectuant par le processus inverse). Intéressante en raison de la grande stabilité des films noir et blanc, la méthode présente toutefois deux inconvénients, outre son coût. D'abord, il y a triplement du volume de film à stocker. Surtout, le phénomène de retrait peut rendre difficile la superposition des trois images lors de la reconstitution de l'image colorée. On peut réduire ce risque en stockant les trois films de sélection exactement dans les mêmes conditions. Une meilleure méthode, mais elle complique les opérations, consiste à inscrire les trois images noir et blanc l'une à la suite de l'autre sur un film unique.

Il n'y a donc aucun obstacle technique à garantir, pour les générations futures, la possibilité de tirer des copies d'une qualité quasi identique à celle des copies contemporaines. Le problème n'est pas technique mais économique. Par exemple, les conditions de stockage préconisées par la Fédération internationale des archives du film (FIAF) pour les films en couleurs (– 7 °C, faible degré hygrométrique) assureraient sans doute une conservation des films en couleurs actuels pendant au moins un siècle. Mais, indépendamment du coût élevé de cette solution, il se pose un problème d'accès aux films stockés : plusieurs jours sont nécessaires pour une mise en équilibre à la température ambiante. En pratique, on stocke les films dans les conditions préconisées pour le noir et blanc (12 °C, 50 p. 100 d'humidité relative) : cela nécessite déjà un important investissement pour la construction des bâtiments, sans compter le budget de fonctionnement pour le conditionnement de l'air. Pour les œuvres de grande valeur commerciale, le coût se justifie (la firme Disney stocke en deux endroits différents deux sélections noir et blanc de tous ses films). Dans la plupart des cas, l'espoir de recettes futures n'est pas suffisant pour rentabiliser ces dépenses. La conservation des films relève alors de la conservation du patrimoine collectif.

Pour les films anciens à support nitrate, un contretypage sur support de sécurité permet de se ramener au cas précédent et donc de garantir la pérennité de l'œuvre, au moins telle qu'elle nous est parvenue. Le problème est ici une question de moyens matériels. Le support nitrate se dégradant irréversiblement, il faut procéder au contretypage avant qu'il ne soit trop tard. Or ce travail ne peut être effectué à cadence industrielle. Il faut d'abord examiner le film, éventuellement le débarrasser des moisissures, ou des taches d'huile, apposer des perforations neuves en remplacement des perforations déchirées ; il faut mesurer le retrait (on a trouvé des films qui ne faisaient plus que 32, 8 mm de large au lieu de 35) et monter sur la tireuse des tambours dentés de diamètre adapté au retrait, etc.

Un bilan. Si l'on essaie de dresser un bilan sommaire de la conservation des films depuis que le cinéma existe, on peut distinguer trois grandes périodes.

Au début, les copies étaient vendues au mètre et les films étaient couramment recyclés en fin d'exploitation. (Après décapage de la gélatine et récupération de l'argent qu'elle contenait, ou bien on refondait le support, ou bien on le réenduisait d'une nouvelle couche sensible.) Mais comme on tirait en général beaucoup de copies, il est finalement assez fréquent – si le négatif a disparu, et c'est souvent le cas – qu'au moins l'une d'entre elles nous soit parvenue, en plus ou moins bon état. Le problème est plus dramatique pour les documents originaux, par exemple les bobines d'actualités qui n'avaient pas été incorporées à l'époque dans un montage. Négligés pendant longtemps par les cinémathèques, nombre de ces films ont disparu ou nous sont parvenus irrécupérables. (Notamment, de très nombreux films de Méliès.) Toute une partie de notre «mémoire» cinématographique est ainsi irrémédiablement perdue.

Quand le cinéma devint une industrie, le négatif constitua un capital à préserver. Pour les productions d'Hollywood, où l'industrie était particulièrement structurée, il est rare que nous ne possédions pas le négatif original ou une bonne copie de celui-ci : on peut donc tirer aujourd'hui des copies comparables en qualité à celles de l'époque. (Exception : les films Technicolor, dont les pellicules actuelles de tirage ne parviennent pas encore à restituer complètement la «touche» particulière.) Là où la production était plus artisanale, notamment en France, tout dépend des cas : s'il est difficile d'affirmer qu'il y a beaucoup d'œuvres totalement perdues, nous ne possédons souvent qu'une copie des originaux.

À l'heure actuelle, l'enjeu conservation-restauration est essentiellement assumé par les pouvoirs publics. Le CNC a mis en place depuis 1990 un plan « nitrate » afin d'assurer la sauvegarde et la restauration des films produits avant 1954. Près de 800 titres sont désormais sauvés chaque année. Ce plan est mis en œuvre par les Archives du film du CNC et concerne l'ensemble des collections détenues par les archives françaises. J.-P.F./F.S./G.A.

CONSTANTIN *(Constantin Hokloff,* dit *Michel), acteur français (Boulogne-sur-Seine 1924).* Spécialiste des rôles de «dur», cet ancien international de volley- ball, d'origine russe, a fait les beaux jours du cinéma policier des années 60 et 70. C'est Jacques Becker qui le découvre et le fait jouer dans *le Trou,* en 1960. Suivront une quantité de séries noires à la française : *les Grandes Gueules* (R. Enrico, 1966), *le Deuxième Souffle* (J. -P. Melville, *id.*), *Dernier Domicile connu* (J. Giovanni, 1969), *Un condé* (Y. Boisset, 1970) ou *Il était une fois un flic* (G. Lautner, 1972). Après une période creuse, il est «redécouvert» par la nouvelle génération du polar et tourne *Tir groupé* (1982), *la Baston* (1985), et *la Loi sauvage* (1987), trois films de Jean-Claude Missiaen. A.T.

CONSTANTINE *(Edward Constantinewsky,* dit *Eddie), acteur français (Los Angeles, Ca., 1917 - Wiesbaden, Allemagne, 1993).* Issu d'une famille d'émigrés russes, il fait ses débuts dans l'opérette et la chanson, avant de devenir extrêmement populaire en incarnant Lemmy

Caution, le personnage de Peter Cheyney, dans une série de films : *la Môme Vert-de-Gris* (B. Borderie, 1953) avec Dominique Wilms, *Les femmes s'en balancent* (id., 1954), *Votre dévoué Blake* (Jean Laviron, *id.*), *Ça va barder* (J. Berry, 1955), et *l'Homme et l'Enfant* (Raoul André, en 1957, où il chante son tube *l'Oiseau bleu...*). Ses personnages comportent toujours une dimension parodique, qui sera bien perçue comme telle par Jean-Luc Godard (*les Sept Péchés capitaux,* 1962, puis *Alphaville,* 1965) et, ultérieurement, après une longue éclipse, par les cinéastes ouest-allemands. En effet, fixé en Allemagne, il inaugure une deuxième carrière à partir des années 70. On le voit dans certains films où il ne fait qu'une courte apparition (chez R. von Praunheim, U. Ottinger), dans d'autres où il apparaît sous les traits de son propre mythe : *Prenez garde à la Sainte Putain* (R.W. Fassbinder, 1970) ; *Tango à travers l'Allemagne* (*Tango durch Deutschland,* Lutz Mommartz, 1980), et enfin dans des films où il a un rôle plus essentiel tels que *Malatesta* (P. Lilienthal, 1970), *Das zweite Frühling* (Ulli Lommel, 1975), *la Troisième Génération* (Fassbinder, 1979). Dans les années 80-90, on l'a rencontré dans *Neige* (J. Berto, 1981), *Flight to Berlin* (Christopher Petit, 1984), *Helsinki-Napoli* (M. Kaurismäki, 1987), *Europa* (L. von Trier, 1991), *Allemagne neuf zéro* (Godard, *id.*). D.R.

CONTACT. *Tirage contact,* tirage où le film à copier et le film de copie défilent au contact l'un de l'autre. (→ TIRAGE, LABORATOIRE.)

CONTE *(Nicholas Peter Conte,* dit *Richard), acteur américain (Jersey City, N. J., 1910 - Los Angeles, Ca., 1975).* Remarqué au théâtre, il débute au cinéma en 1939 dans *Heaven With a Barbed Wire Fence,* de Ricardo Cortez. La guerre interrompt son activité et il ne reprendra son travail qu'en 1943. Il donna alors l'image d'un homme sympathique, mais faillible, qui se développa avec bonheur dans le film noir. Pathétique (*la Proie,* R. Siodmak, 1948), il peut être aussi d'une méchanceté fascinante (*Quelque part dans la nuit,* J. L. Mankiewicz, 1946). 1949 reste sa grande année, au cours de laquelle on le voit successivement dans *le Mystérieux Docteur Korvo* d'Otto Preminger, *la Maison des étrangers* de Mankiewicz et *les Bas-Fonds de Frisco* de Jules Dassin. Par la suite, fidèle aux rôles de gangsters, il restera une figure importante du genre, jusqu'au *Parrain* (F. F. Coppola, 1972). C.V.

CONTINENTAL FILMS, firme à capitaux allemands créée en France en 1941, dirigée par Alfred Greven et placée sous le contrôle de la Propaganda Abteilungreferat Film in Frankreich. Cette société produisit sous l'occupation allemande trente films (soit 15 p. 100 de la production totale) réalisés par des cinéastes français. Le premier tour de manivelle du premier film entrepris (*Premier Rendez-vous* d'Henri Decoin) eut lieu le 22 avril 1941, celui du dernier (*les Caves du Majestic* de Richard Pottier) le 18 février 1944. En 1945, la Continental et deux sociétés de distribution créées par les Allemands, l'Alliance cinématographique européenne et la Tobis, sont placées sous le contrôle de l'administration française. C'est le noyau de l'Union générale cinématographique, qui sera privatisée en 1971. J.-L.P.

CONTINENZA *(Alessandro,* dit *Sandro), scénariste italien (Rome 1920).* Journaliste satirique, il débute en collaborant au scénario de *Aquila nera* (R. Freda, 1946) et se spécialise ensuite dans le genre comique populaire : il suit Totò dans beaucoup de ses parodies, de *Totò le Moko* (C. L. Bragaglia, 1949) à *Totò e Peppino divisi a Berlino* (Giorgio Bianchi, 1962), mais aussi d'autres vedettes comme Renato Rascel (*Les temps sont durs pour les vampires,* Steno, 1959), Franchi et Ingrassia (*Un mostro e mezzo,* id., 1974). Il a écrit, avec la plus grande facilité, plus de 120 films, de tous les genres en vogue. L.C.

CONTINI *(Alfio), chef opérateur italien (Castiglioncello 1927).* Assistant et opérateur pour Carlo et Mario Montuori depuis 1951, il devient chef opérateur sur *la Reine des Barbares* (*La regina dei Tartari,* Sergio Grieco, 1960). Son style visuel rigoureux s'adapte soit à de nombreuses comédies de Dino Risi (dont *le Fanfaron,* 1962, et *la Femme du prêtre,* 1970), soit à de grandes productions tournées à l'étranger (parmi lesquelles : *Zabriskie Point,* M. Antonioni, 1970 ; *les Fleurs du soleil,* V. De Sica, *id. ; Portier de nuit,* Liliana Cavani, 1974). Une de ses recherches les plus intéressantes sur la couleur reste *Una rosa per tutti* (F. Rossi, 1967). Il tourne ensuite pour Adriano Celentano (*Joan Lui,* 1986), Cristina Comencini

(*Zoo,* 1988) et Andrea De Carlo (*Treno di panna,* id.). L.C.

CONTINSOUZA *Pierre-Victor (Tulle 1872 - id. 1944).* Inventeur et industriel français, à qui l'on attribue en France l'invention (attribuée par les Allemands à Messter) du dispositif d'avance intermittente du film par croix de Malte (1896). Collaborateur de Pathé, Continsouza fonda ensuite les Établissements Continsouza, qui construisirent pour Pathé un grand nombre d'appareils (caméras, projecteurs, matériels de fabrication des films, machines à perforer, etc.). J.-P.F.

CONTINUITÉ. Document écrit, comportant typiquement une cinquantaine de pages, développant le synopsis. *Continuité dialoguée,* continuité comportant le texte des dialogues. (→ TOURNAGE.)

CONTINUITY-GIRL. Mot composé anglais le plus usuel pour *scripte.*

CONTINUE. *Tireuse continue,* tireuse dans laquelle les films sont entraînés à vitesse constante. (→ TIRAGE, LABORATOIRE.)

CONTRASTE Ce qui permet de distinguer visuellement les différentes plages qui constituent une image. De façon plusrestrictive, rapport numérique entre les luminosités apparentes des plages les plus claires et les plus sombres de la scène filmée ou de l'image obtenue. *Contraste photographique,* souvent abrégé en *contraste* : voir FACTEUR DE CONTRASTE.

Nous « voyons » parce que notre œil comporte un objectif (la combinaison cornée-cristallin) capable de former sur la rétine l'image de la scène observée. Chaque élément de cette image correspond à un élément de la scène. Sauf cas très particuliers, par exemple les étoiles dans le ciel nocturne, les éléments de la scène ne sont pas *ponctuels* au sens strict, c'est-à-dire : de dimension infiniment petite. Nous appelons « point » le signe typographique qui termine cette phrase, mais c'est en réalité une petite tache noire de diamètre 0,1 mm environ.

L'image recueillie par la rétine n'est donc pas une juxtaposition de points. C'est la juxtaposition d'une multitude de *plages* plus ou moins étendues (éventuellement : quasi ponctuelles) ayant chacune sa couleur et sa luminosité propres.

On qualifie de *contraste,* au sens le plus large, ce qui permet de distinguer ces différentes plages les unes des autres. Le contraste peut porter sur la couleur des plages, sur leur

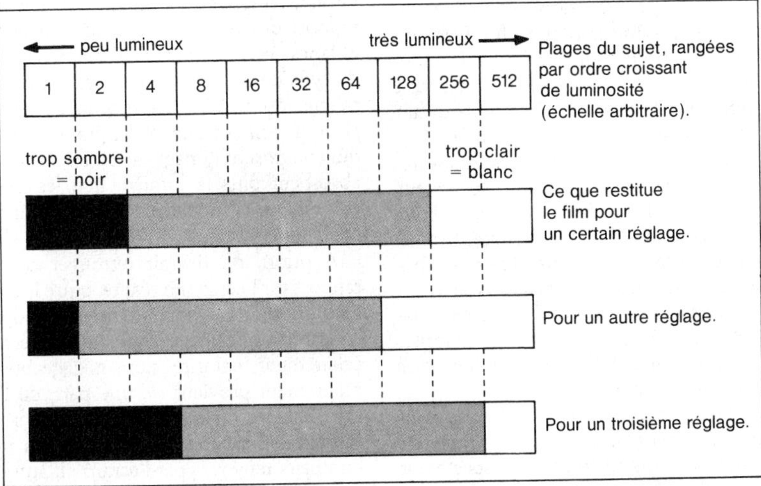

Contraste. *Intervalle de pose d'un film en couleurs. Les réglages du diaphragme et de l'obturateur changent la gamme des plages du sujet correctement restituées, mais ils ne changent pas l'étendue de cette gamme (ici : 5 « diaphragmes »).*

luminosité, ou bien sur les deux à la fois. L'expérience montre toutefois ceci : en règle générale, le contraste de luminosité est le facteur déterminant de l'intelligibilité de la scène, ce qui explique pourquoi on a pu se contenter pendant longtemps du *noir et blanc.* Aussi sera-t-il ici question, tout d'abord, des luminosités, et ensuite, seulement, dans le dernier paragraphe, du contraste causé par la couleur.

(« Luminosité » est un terme vague, employé ici par souci de simplification. En toute rigueur, il conviendrait d'écrire, selon le cas, *luminance* ou *éclairement.* → PHOTOMÉTRIE.)

Contraste du sujet. Le contraste du sujet se détermine en considérant la plage la plus lumineuse et la plage la moins lumineuse de la scène à filmer. Il est extrêmement variable selon les cas. Par temps de brouillard, par exemple, les luminosités extrêmes du sujet peuvent ne pas excéder le rapport de 1 à 5, voire de 1 à 2. À l'inverse, si le champ visuel contient à la fois l'intérieur d'un appartement et un paysage ensoleillé observé à travers une fenêtre, le contraste peut s'étaler entre 1 et 1 000. Entre ces cas limites, il se situe couramment, en extérieurs, dans la fourchette 1 à 100 / 1 à 500. En studio, où l'on maîtrise l'éclairage, il est typiquement de l'ordre de 1 à 50, mais peut se résumer de 1 à 30 pour les éclairages « plats » ou s'étendre de 1 à 100 pour les éclairages « contrastés ».

Contraste photographique. Il n'est pas possible de respecter sur l'écran les luminosités réelles du sujet. Au mieux, l'écran reçoit un éclairement de 100 à 150 lux, alors qu'un objet en plein soleil en reçoit... 100 000 !

Mais il n'y a rien en cela de rédhibitoire. L'important est de fournir au spectateur l'impression qu'il voit la scène filmée. Pour parvenir à cette fin, il est évidemment indispensable de respecter la hiérarchie des luminosités. Considérons deux plages A et B du sujet, auxquelles correspondent deux plages A' et B' de l'écran. Si A est (par exemple) trois fois plus lumineuse que B, A' doit *paraître* trois fois plus lumineuse que B'.

On a bien écrit : *paraître.* En effet, ce n'est pas nécessairement en respectant les rapports des luminosités qu'on fournit au spectateur l'image la plus plaisante. Le *contraste photographique,* ou encore *facteur de contraste,* ou encore *gamma,* mesure précisément la façon de traduire, sur le film ou sur l'écran, ces rapports de luminosité. *Si le facteur de contraste vaut 1,* ces rapports sont exactement *conservés.* (A' est alors trois fois plus lumineux que B'.) Un facteur de contraste *supérieur* à 1 les *exagère.* (A' est alors, par exemple, 4 ou 5 fois plus lumineux que B'.) Un facteur de contraste *inférieur* à 1 les *comprime.*

L'expérience a montré que, en noir et blanc, l'image la plus plaisante est obtenue avec un facteur de contraste de l'ordre de 1,1 à 1,2, c'est-à-dire avec une image un peu plus contrastée que le sujet. En couleurs, l'œil demande un facteur de contraste plus élevé encore : de l'ordre de 1,5. (Les films inversibles pour amateurs, tel le Kodachrome, vont même plus loin, avec des facteurs de contraste de l'ordre de 1,8.)

Contraste admissible. Le film qui défile dans le projecteur est constitué (→ FILM) d'un support transparent recouvert par une fine couche d'émulsion qui contient l'image. Même dans les parties les plus claires de cette dernière, l'ensemble n'est pas totalement transparent, tant s'en faut : typiquement, 40 à 50 p. 100 de la lumière y sont absorbés. À l'opposé, l'émulsion est trop fine (un peu plus de 1/100 de mm) pour être totalement opaque dans les « noirs » de l'image, qui laissent passer quelques millièmes de la lumière frappant le film. Globalement, le rapport des transparences du film entre les « blancs » et les « noirs » de l'image, s'il dépend du type de pellicule employée, dépasse généralement 1 à 100. (Il a tendance à être plus élevé en noir et blanc, où les granules d'argent qui composent l'image — voir *couche sensible* — absorbent plus la lumière que les produits colorés qui composent l'image des films en couleurs.)

A priori, on devrait retrouver ce même rapport sur l'écran. En réalité, outre le fait que l'émulsion n'est jamais totalement opaque, les « noirs » de l'image reçoivent sur l'écran un éclairement parasite non négligeable. Cet éclairement provient : d'une part, de l'éclairage ambiant de la salle (éclairage de sécurité et surtout réflexion sur les murs des rayons lumineux renvoyés par l'écran) ; d'autre part, de la diffusion des rayons issus du projecteur (diffusion au niveau de l'objectif ou du hublot de séparation entre la cabine et la salle).

Finalement, le rapport des luminosités, entre les « blancs » et les « noirs » de l'image sur l'écran ne dépasse guère 1 à 50. (Encore une fois, ce n'est là qu'un ordre de grandeur.)

Avec cette valeur typique de 1 à 50, et dans l'hypothèse où le facteur de contraste serait égal à 1, on ne pourrait restituer sur l'écran toute la gradation des luminosités de la scène que si cette gradation n'excédait pas 1 à 50, ce qui correspond par définition à un contraste du sujet de 1 à 50. En fait, l'œil demande – on l'a vu – un facteur de contraste supérieur à 1. Le contraste de l'image étant alors supérieur au contraste du sujet, ce dernier doit se situer au-dessous de 1 à 50 si l'on veut restituer correctement toutes les plages du sujet : il ne doit pas excéder environ 1 à 30 en couleurs, environ 1 à 50 en noir et blanc.

Quand on est maître de l'éclairage, comme en studio, on peut respecter cette contrainte. En extérieurs, où le contraste du sujet peut aller de 1 jusqu'à atteindre plusieurs centaines, on se trouve souvent placé devant un dilemme : ou bien traduire les plages les plus lumineuses, en acceptant que les ombres soient « bouchées » ; ou bien traduire au contraire les ombres, en acceptant que les zones claires soient « délavées » ; ou bien encore « couper aux deux bouts », ce qu'on s'efforce d'éviter car il est visuellement pénible qu'il y ait à la fois des ombres bouchées et des blancs délavés. Le premier cas se rencontre par exemple dans les extérieurs de westerns : comme il faut montrer le paysage, on sacrifie les ombres. Le second cas se rencontre fréquemment dans les scènes d'intérieur comportant une fenêtre dans le champ : là, c'est ce qui se trouve au-delà de la fenêtre qui est sacrifié.

Il est des cas, toutefois, où on ne peut pas s'abandonner à cette facilité. Les hors-la-loi, embusqués au premier plan à l'ombre d'un rocher, guettent la venue de la diligence : il faut bien montrer *et* les personnages *et* le paysage. Le seul recours est alors d'éclairer les personnages, soit par des panneaux réflecteurs renvoyant sur eux la lumière solaire, soit par des sources lumineuses puissantes. (Il y a là un paradoxe apparent qui surprend le profane : pourquoi transporter en plein désert des sources si puissantes alors qu'il y a déjà tellement de lumière ? Mais c'est précisément parce que leur rôle est de contrebalancer cette lumière que ces sources doivent être puissantes.) À l'inverse, si l'on veut montrer à la fois l'intérieur d'une pièce et le paysage vu par la fenêtre, on éclaire abondamment la pièce. (Il existe ici une autre solution, si la fenêtre est fermée : doubler les vitres par des feuilles de gélatine grise qui diminuent la luminosité apparente du paysage. Autre méthode encore : tourner en studio et simuler le paysage soit par une *découverte,* soit par une *transparence* → EFFETS SPÉCIAUX.)

Intervalle de pose. Si le contraste du sujet excède les limites, évoquées ci-dessus, d'environ 1 à 30 ou 1 à 50, certaines plages du sujet sont donc traduites soit par du « noir », soit par du « blanc ». On représente facilement ce phénomène en schématisant le sujet par un échantillon de plages de luminosités croissantes. (Il est commode de considérer que chacunede ces plages est deux fois plus lumineuse que la précédente.) En couleurs, où l'intervalle des luminosités correctement restituées est d'environ 1 à 30, on restituera – selon le réglage de la quantité de lumière qui impressionne le film –, ou bien la tranche 2 à 64, ou bien la tranche de 4 à 128, etc. (Voir figure.) Dans tous les cas, on passe de la première à la dernière des tranches correctement restituées par cinq doublements successifs de la luminosité : on dit alors que l'*intervalle de pose* est de *cinq diaphragmes.* (→ DIAPHRAGME.) En noir et blanc, où l'intervalle des luminosités correctement restituées est plus élevé, l'intervalle de pose atteint à peu près *six diaphragmes.*

Il y a une trentaine d'années, les premières pellicules en couleurs ne supportaient pas très bien les forts contrastes du sujet : elles avaient notamment tendance à donner des noirs non pas francs mais bleuâtres ou verdâtres. On préférait donc composer des sujets peu contrastés, et en conséquence éclairer de façon beaucoup plus « plate » qu'en noir et blanc. Les pellicules s'étant améliorées depuis lors, le contraste a reconquis ses droits : les directeurs de la photographie se sentent aujourd'hui à peu près aussi libres en couleurs qu'en noir et blanc.

Contraste du négatif. Compte tenu des impondérables, il est malaisé de prévoir exactement, dès la prise de vues, ce qu'on obtiendra une fois le film développé. Aussi emploie-t-on des négatifs à faible facteur de contraste (environ 0, 6), ce qui permet d'enregistrer des intervalles de luminosités plus larges que les cinq ou six diaphragmes précédemment évoqués. La copie s'effectue ensuite sur des positifs à facteur de contraste très supérieur à 1. L'un compensant l'autre, on obtient bien le facteur de contraste final désiré, tout en disposant d'une certaine marge à la prise de vues puisqu'on peut, en jouant sur la lumière de la tireuse, recaler la tranche des plages du sujet que l'on désire restituer correctement. Cela n'accroît évidemment en rien le contraste admissible du sujet : si l'on veut montrer à la fois les hors-la-loi et le paysage, il faut éclairer en conséquence dès la prise de vues.

Contraste d'éclairage. La luminosité apparente d'un élément du sujet dépend : d'une part, de l'éclairement reçu par cet élément ; d'autre part, de son pouvoir réfléchissant. Le contraste du sujet dépend ainsi : d'une part, du sujet proprement dit, qui présente par lui-même un certain contraste puisque ces divers éléments n'ont pas tous le même pouvoir réfléchissant (exemple typique : la scène de mariage, avec la mariée en robe blanche et le marié en costume noir) ; d'autre part, du *contraste d'éclairage,* qui se mesure au rapport des éclairements reçus par la partie la plus éclairée et la partie la moins éclairée du sujet.

Ce contraste d'éclairage n'a bien entendu de sens que là où l'on peut maîtriser l'éclairage, en studio par exemple. Il est alors généralement faible : typiquement de l'ordre de 1 à 3, sauf recherche d'*effets.* À cela, rien d'étonnant, puisque, même avec un éclairage totalement « plat » (ce qui équivaut à un contraste d'éclairage nul), le sujet présente déjà un certain contraste. Le contraste d'éclairage, qui vient renforcer ce contraste, doit donc rester modéré si l'on veut que le contraste du sujet demeure dans les limites admissibles.

Contraste et contraste. La notion de « contraste de l'image » recouvre finalement deux notions quelque peu distinctes.

Le facteur de contraste repère la façon de traduire sur le film les luminosités respectives des diverses plages du sujet. En ce sens, les négatifs sont des films *à faible contraste* alors que les positifs de tirage sont au contraire *à contraste élevé.* Compte tenu des quantités de film à traiter, et surtout de la complexité des réactions chimiques du développement chromogène (→ COUCHE SENSIBLE), le développement des films est aujourd'hui très standardisé : le facteur de contraste de l'image portée par la copie est toujours de l'ordre de 1, 5 en couleurs (1, 1 à 1, 2 en noir et blanc).

Cette uniformisation n'interdit nullement, en jouant sur le contraste du sujet (ce qui est particulièrement facile en studio où l'on peut jouer sur le contraste d'éclairage), de présenter des images *plus ou moins contrastée,* le contraste se mesurant alors au rapport des éclairements entre les « lumières » et les « ombres » de l'image. (Voir illustrations.)

Si le style de l'œuvre demande des images à faible facteur de contraste, faute de pouvoir intervenir sur le développement, on peut : soit avoir recours au *flashage* (→ LATENSIFICATION) ; soit placer devant l'objectif de la caméra un filtre diffusant de type *low contrast* (angl. pour « faible contraste »), grâce à quoi les zones sombres de l'image sont automatiquement éclaircies puisqu'elles reçoivent, par diffusion, une partie des rayons lumineux normalement destinés aux zones claires. (Cette méthode a été popularisée en photographie par David Hamilton.)

Contraste de couleur. Il est plutôt plus facile de filmer en couleurs qu'en noir et blanc : si le sujet comporte deux plages de même « luminosité » mais de couleurs différentes, ces plages seront différenciées par leur contraste de couleur alors qu'en noir et blanc elles seraient traduites par des gris identiques. Un éclairage plat fournira donc assez facilement une image intelligible, alors qu'en noir et blanc il faut penser l'éclairage en fonction de la façon dont les différentes plages du sujet vont être transposées en gris. Par exemple, si la couleur du décor tranche sur celle du costume du comédien, celui-ci se détache du fond. En noir et blanc, il faut souvent ajouter un projecteur qui, par effet de contre-jour, crée autour du comédien un liseré lumineux. (→ ÉCLAIRAGE.) Autrefois, décors et costumes pouvaient même être réalisés en noir et blanc pour faciliter l'appréciation de ce que serait le rendu photographique de la scène.

En revanche, l'emploi de la couleur présente certaines spécificités liées aux mécanismes de la vision humaine.

Si l'œil, adapté à une couleur, observe sans transition dans le temps une autre couleur, il voit pendant quelques instants cette seconde couleur entachée de la couleur complémentaire (→ COULEUR) de celle à laquelle il était adapté (ainsi, une grande plage jaune succédant à une grande plage rouge sera-t-elle entachée de vert). Il faut parfois tenir compte, notamment au montage, de ce phénomène de *contraste successif.*

Le *contraste simultané* conduit à ce que la couleur apparente et le contour apparent d'une plage soient influencés par les plages adjacentes. Le phénomène est particulièrement net sur fond noir ou blanc : sur fond noir, les traits rouges paraissent plus rouges (et plus minces) qu'ils ne sont en réalité, alors que sur fond blanc ils paraissent roses ; à l'inverse, les verts et les bleus paraissent plus vifs sur fond blanc, et plus pâles sur fond noir.
J.-P.F./J.-M.G.

CONTRE-CACHE. Cache, complémentaire d'un premier cache, utilisé pour le truquage par cache-contre-cache. (→ EFFETS SPÉCIAUX.)

CONTRE-CHAMP. Disposition de la caméra où l'orientation de celle-ci est opposée à son orientation dans le plan précédent. (→ SYNTAXE.)

CONTRE-GRIFFE. Griffe supplémentaire, dont le mouvement (limité à un va-et-vient) est décalé d'un demi-cycle par rapport à celui de la griffe, et qui permet l'immobilisation rigoureuse du film pendant le retrait de la griffe. (→ CAMÉRA.)

CONTRE-MIROIR. Miroir auxiliaire, employé dans les lanternes de certains appareils de projection à lampe au xénon pour renvoyer sur le miroir principal des rayons lumineux qui, sans cela, ne parviendraient pas à la fenêtre de projection.

CONTRE-PLONGÉE. Prise de vues effectuée avec l'axe de la caméra dirigé vers le haut. (→ SYNTAXE.)

CONTRERAS TORRES *(Miguel), cinéaste et producteur mexicain (Ciudad Hidalgo, Michoacán, 1899 - Mexico 1981).* Ancien officier révolutionnaire, il débute au cinéma en 1921 (*El caporal,* CO Rafael Bermudez Zataraín et Juan Canals de Homes), artisan d'une industrie qui puise ses thèmes et personnages dans un Mexique édulcoré. Dans le cas de *El hombre sin patria* (1922), ce sont des ouvriers agricoles aux États-Unis ; dans celui de *Oro, sangre y sol* (1925), un torero. Il est alors l'un des pionniers du parlant, avec *El águila y el nopal* (1929), tourné à Hollywood et interprété par des comiques de variétés. *Revolución* (*La sombra de Pancho Villa,* 1932) présente une vision lénifiante de la révolution mexicaine. *Juárez y Maximiliano* (1933), *Simón Bolívar* (1941), *Caballería del Imperio* (1942), *El rayo del sur* (1943), entre autres, montrent son goût pour les images d'Épinal et l'édification civique. Les comédies *No te engañes corazón* (1936), avec Cantinflas, et *La vida inútil de Pito Pérez* (1943) se trouvent parmi ses grands succès. Il a l'habitude de jouer dans ses films : double carrière qui s'est poursuivie jusqu'aux années 60.
P.-A.P.

CONTRETYPAGE. Opération de confection d'un contretype. (→ COPIES.)

CONTRETYPE. Syn. de duplicata. (→ COPIES.)

CONTROLUCETTO. Mot italien pour *décrochage.*

CONVERSION. *Filtre de conversion,* → FILTRES.

CONWAY *(Jack), cinéaste américain (Graceville, Minn., 1887 - Los Angeles, Ca., 1952).* Acteur de théâtre et de cinéma, Conway se laisse orienter par D. W. Griffith vers l'écriture. En 1913, il devient cinéaste avec *The Old Armchair.* Ses succès, en particulier avec Gloria Swanson, lui valent d'être engagé à la MGM en 1925, pour *The Only Thing ;* il y restera jusqu'en 1948. Son style, techniquement très soigné, vigoureux et énergique, lui permet d'exceller dans le film d'action. *Viva Villa* (id., 1934, CO : Howard Hawks), *Un envoyé très spécial* (*Too Hot To Handle,* 1938) ou *Franc-Jeu* (*Honky Tonk,* 1941) sont, dans ce genre, de véritables modèles. Mais, avec le même succès, il réalise des mélodrames romanesques (*Lady of the Tropics,* 1939) ou tourmentés (*Crossroads,* 1942). Le versatile Conway est aussi un directeur d'acteurs fin et spirituel, ce qui lui permet de réaliser quelques classiques (à tort oubliés) de la comédie : *la Belle aux cheveux roux* (*Red-Headed Woman,* 1932, avec Jean Harlow) ou *Une fine mouche (Libeled Lady,* 1936, avec J. Harlow et Spencer Tracy). Son meilleur film est peut-être *le Marquis de Saint-Évremond* (*A Tale of Two Cities,* 1935), splendide recréation d'un roman de Dickens, servie par une prestation sensible et grave de Ronald Colman. Jack Conway fut un brillant artisan hollywoodien. C.V.

COOGAN *(John Leslie Coogan,* dit *Jackie), acteur américain (Los Angeles, Ca., 1914 - Santa Monica,* id., *1984).* Enfant de la balle, il débute à l'écran à l'âge de... dix-huit mois, dans *Skinner's Baby* (1917) de Harry Beaumont. Charlie Chaplin le remarque dans la revue d'Annette Kellerman et lui fait jouer *Une journée de plaisir* (1919), puis *le Gosse* (1921), qui assure en quelques semaines la célébrité du jeune Jackie Coogan. Devenu la vedette enfantine la mieux payée de l'époque, il gagne plus de quatre millions de dollars. L'inoubliable enfant à la casquette trop grande du *Gosse* – qui a été également l'enfant-vedette d'*Oliver Twist* (F. Lloyd, 1922), d'*Old Clothes* (E. Cline, 1925) et de *Tom Sawyer* (J. Cromwell, 1930) – s'est par la suite reconverti dans de petits rôles et on l'a vu dans *le Shérif* (R. D. Webb, 1956), *le Pantin brisé* (Ch. Vidor, 1957), *l'Homme à la tête fêlée* (I. Kershner, 1966) et *la Valse des truands* (Paul Bogart, 1969). Il fut brièvement marié à Betty Grable. P.B.

COOK *(Elisha, junior), acteur américain (San Francisco, Ca., 1906 - Big Pine,* id., *1995).* Il fait partie de cette catégorie de comédiens au métier solide, qui n'ont jamais été des vedettes, mais dont la présence était indispensable à la réussite d'un film. Petit homme au visage tourmenté, il trouve ses meilleurs emplois dans des rôles de gangster. Il est inoubliable dans *le Faucon maltais* (J. Huston, 1941), son premier rôle important, puis *le Grand Sommeil* (H. Hawks, 1946) et *Ultime Razzia* (S. Kubrick, 1956). Il fait ses débuts à l'écran, après une estimable carrière théâtrale, en 1936, et ne cesse guère de tourner : policiers, westerns (*l'Aigle solitaire,* D. Daves, 1954 ; *la Rivière de nos amours,* A. De Toth, 1955). On le voit même paraître dans des comédies musicales comme *Un fou s'en va-t-en guerre* (E. Nugent, 1944), avec Danny Kaye. D.R.

COOKE → OBJECTIFS.

COOPER *(Frank James Cooper,* dit *Gary), acteur américain (Helena, Mont., 1901 - Los Angeles, Ca., 1961).* Fils d'un magistrat qui est aussi un propriétaire terrien, il reçoit, en Angleterre puis au Wesleyan College du Montana, une solide éducation. Mais ses études d'agriculture correspondent mal à sa vocation : désireux de devenir caricaturiste, il part pour la Californie. Il y sera représentant, jusqu'en 1925, date de ses débuts au cinéma : il figure alors comme cow-boy dans une dizaine de films. Le hasard veut qu'en 1926 on lui confie un petit rôle dans *Barbara la fille du désert,* où il se fait assez remarquer pour obtenir un contrat avec la Paramount, pour laquelle il tournera plus de trente films entre 1927 et 1940.

La figure de Cooper se définit aussitôt dans un double contexte. D'une part, une série de modestes westerns dont il est la vedette *(Arizona Bound* ou *Au service de la loi)* fait de lui, avec la même rudesse physique, l'héritier de William S. Hart. Cooper continuera fidèlement d'incarner un cow-boy, non seulement dans des épopées sur l'Ouest qui deviendront de plus en plus prestigieuses, mais aussi dans des comédies comme *Madame et son cow-boy,* des romances comme *l'Intrigante de Saratoga,* ou des revues où il joue son propre rôle *(It's a Great Feeling).* Ce pôle constitue l'assise emblématique de son personnage : un homme simple et franc, laconique et obstiné, dont la traditionnelle ingénuité exclut toute méchanceté, sinon toute faiblesse.

D'autre part, suivant une progression plus lente, il acquiert une belle réputation d'acteur : dans *Wings,* on louera son aisance ; dans *Beau Sabreur,* entreprise désargentée, il est pour la première fois le protagoniste d'une aventure éloignée de la Frontière ; *Mariage à l'essai* lui permet de s'essayer à la comédie ; *Betrayal* le transforme en artiste peu scrupuleux. Un stéréotype menace toutefois : celui du vertueux militaire qu'on ne se lasse pas de lui faire jouer. *Cœurs brûlés, l'Adieu au drapeau* et même *Sergent York* se souviendront d'ailleurs de cette représentation pour la distordre. Mais le parlant libère Cooper des clichés. Sa haute taille, la simplicité et la lenteur de ses gestes, la tranquillité de sa voix et de son débit lui suffisent alors pour composer une effigie familière, qui appartient au même registre que celles d'une pléiade d'acteurs de sa génération : Gable, Tracy, Cary Grant ou Cagney. Très maîtrisé, leur jeu ne recourt ni à des attitudes symboliques ni à une expression délicate et continue des nuances, il n'illustre pas les thèmes obligés de la passion et ne détaille pas les profondeurs imprévisibles de la personne, mais se contente de définir un caractère par rapport à une situation. Cela n'était guère possible avant que les personnages ne deviennent vraiment des sujets parlants.

Professionnel consciencieux, capable d'interprétations de plus en plus riches et délicates, Cooper ne s'efface jamais derrière son personnage. D'abord l'image emblématique de l'aventurier de l'Ouest garde une présence allusive dans plus d'un héros : le provincial fourvoyé des *Carrefours de la ville,* le romanesque *Peter Ibbetson,* le millionnaire candide de *l'Extravagant Mr. Deeds* peuvent passer pour des avatars de l'homme de la nature, tandis que l'architecte individualiste du *Rebelle* ou l'officier opiniâtre de *Condamné au silence* transposent le cavalier solitaire. Mais surtout la présence physique de Cooper ne se laisse jamais ignorer. Le premier mérite de son jeu est de nous convaincre de la réalité charnelle de son personnage. Cela tient sans doute à sa stature, mais aussi aux rapports vrais qu'il entretient avec les objets qui l'entourent : dans le décor, ce corps immense trouve toujours une assise, il s'établit. D'autre part, ses gestes harmonieux entraînent tout son être : ils n'ont jamais l'aspect désincarné d'un signal ; leur inhabileté ne laisse pas le seul rendement les définir. Enfin, un curieux contraste oppose sa silhouette élégante et élancée à un visage mince et fort découpé ; il en résulte que son individualité s'affirme aussi bien par ses traits singuliers que par son impressionnante taille.

Le jeu de l'emblème et de l'effigie produit une figure d'autant moins simple que l'image de l'homme d'action doit être incarnée par une personne évidemment lymphatique, ce qui donne à tous ses gestes une tournure méditative. L'attitude la plus fréquente de l'acteur, en raison de ses relations avec autrui, consiste à conserver la tête inclinée : ainsi se dessine le paradoxe d'un aventurier réfléchi, d'un conquérant timide. On ne saurait douter de sa portée politique, dans un monde où la modération n'était pas une vertu qu'on dût demander aux vainqueurs. Comme la retenue de ses mouvements et de son expression est l'indice d'une grande réserve, Cooper peut enfin colorer d'ironie, plus ou moins, toutes ses interprétations. Second paradoxe : le héros le plus respectable de Hollywood est aussi, et parfois en même temps, le personnage le moins respectueux. *Vera Cruz* fait l'usage le plus complet de ces paradoxes qui intéressent toute la carrière de l'acteur : son aptitude à la comédie ne lui vient par exemple ni d'une vivacité ni d'une invention bouffonne, mais d'une certaine malice qui s'exerce aussi bien contre lui-même que contre son entourage. La parfaite transparence de ses yeux bleus dénie toute expression immédiate de la passion : les mobiles du personnage deviennent ainsi plus lointains et plus graves. Ce regard innocent, presque rêveur, marque volontiers le secret, mais son incertitude nonchalante n'exclut pas l'humour.

Dans la première partie de sa carrière, les rôles les plus romanesques *(l'Adieu au drapeau, Peter Ibbetson)* utilisent la singularité physique de cette figure, tandis que les films d'aventure *(les Trois Lanciers du Bengale)* continuent à s'appuyer sur l'élégance du cavalier. Mais Cooper n'est pas seulement une présence captivante : sous la direction de Mamoulian, de Borzage ou de Vidor, mais d'abord de Sternberg, le prestige évasif se change parfois en trouble ; les comédies de Lubitsch montrent l'étendue du jeu de l'acteur. Si sa sobriété et son impassible dignité l'aident à incarner les héros exemplaires de De Mille, son personnage évolue à l'approche de la guerre : sa sincérité devient plus pathétique *(l'Homme de la rue, Pour qui sonne le glas ?)* ; sa candeur, plus embarrassée *(Sergent York, Boule de feu).* À l'époque où son visage cesse d'être émacié, ses rôles gagnent en gravité, même dans l'épopée *(l'Odyssée du docteur Wassel, Cape et Poignard, les Conquérants d'un Nouveau Monde)* ou la comédie *(Ce bon vieux Sam).* Alors se dessine un lutteur idéaliste, profondément étranger au monde qui l'entoure : *le Rebelle* ou *les Aventures du capitaine Wyatt* tirent parti en ce sens de la rupture physique que marque le corps de Cooper. Les westerns de Zinneman, De Toth ou Hathaway laissent apparaître un vieillissement à la faveur duquel le visage et les interprétations vont se nuancer. Incarnant souvent un homme sur qui pèsent d'injustes accusations, Cooper traduit la lourdeur du passé et de la culpabilité. Sensible dans *Ariane,* il sera particulièrement touchant dans *l'Homme de l'Ouest* et *la Colline des potences,* vieilli, ridé et entaché par la faute, mais d'une indomptable bonne volonté.

Il meurt en 1961, d'un cancer. A.M.

Films ▲ : *Barbara, fille du désert* (H. King, 1926) ; *It* (C. Badger, 1927) ; *Children of Divorce* (F. Lloyd, *id.*) ; *Arizona Bound* (John Waters, *id.*) ; *les Ailes* (W. Wellman, *id.*) ; *Au service de la loi (Nevada,* Waters, *id.) ; The Last Outlaw* (id., *id.*) ; *Beau Sabreur* (id., 1928) ; *les Pilotes de la mort* (Wellman, *id.*) ; *Doomsday* (R. V. Lee, *id.*) ; *Mariage à l'essai (Half a Bride,* G. La Cava, *id.) ; Ciel de gloire (Lilac Time,* G. Fitzmaurice, *id.) ; The First Kiss* (R. V. Lee, *id.*) ; *l'Ange impur (The Shopworn Angel,* Richard Wallace, *id.) ; le Chant du loup (Wolf Song,* V. Fleming, 1929) ; *Mensonges (Betrayal,* L. Milestone, *id.) ; The Virginian* (Fleming, *id.*) ; *Only the Brave* (F. Tuttle, 1930) ; *Paramount on Parade* (id.) ; *The Texan* (J. Cromwell, *id.*) ; *Seven Days Leave* (Wallace, *id.*) ; *A Man From Wyoming* (R. V. Lee, *id.*) ; *The Spoilers* (Edwin Carewe, *id.*) ; *Cœurs brûlés* (J. von Sternberg, *id.*) ; *Fighting Caravans* (Otto Brower et David Burton, 1931) ; *les Carrefours de la ville* (R. Mamoulian, *id.*) ; *I Take This Woman* (Marion Gering, *id.*) ; *His Woman* (Edward Sloman, *id.*) ; *Make Me a Star* (W. Beaudine, 1932 ; caméo) ; *Devil and the Deep (le Démon du sous-marin,* M. Gering, *id.*) ; *Si j'avais un million* (N. McLeod, *id.*) ; *l'Adieu au drapeau* (F. Borzage, *id.*) ; *Après nous le déluge* (H. Hawks, 1933) ; *One Sunday Afternoon* (Stephen R. Roberts, *id.*) ; *Sérénade à trois* (E. Lubitsch, *id.*) ; *Alice au pays des merveilles* (N. McLeod, *id.*) ; *Operator 13* (R. Boles'lawsky, 1934) ; *C'est pour toujours* (H. Hathaway, *id.*) ; *Soir de noces* (K. Vidor, 1935) ; *les Trois Lanciers du Bengale* (H. Hathaway, *id.*) ; *Peter Ibbetson* (id., Hathaway, *id.*) ; *Désir* (Borzage, 1936) ; *l'Extravagant Mr. Deeds* (F. Capra, *id.*) ; *Hollywood Boulevard* (R. Florey, *id.*) ; *Le général est mort à l'aube* (Milestone, *id.*) ; *Une aventure de Buffalo Bill* (C. B. De Mille, 1937) ; *Ames à la mer* (Hathaway, *id.*) ; *les Aventures de Marco Polo* (A. Mayo, 1938) ; *la Huitième Femme de Barbe-Bleue* (E. Lubitsch, *id.*) ; *Madame et son cow-boy (The Cowboy and the Lady,* H. C. Potter, *id.*) ; *Beau Geste* (W. Wellman, 1939) ; *la Glorieuse Aventure* (Hathaway, *id.*) ; *le Cavalier du désert* (W. Wyler, 1940) ; *les Tuniques écarlates* (C. B. De Mille, *id.*) ; *l'Homme de la rue* (Capra, 1941) ; *Sergent York* (Hawks, *id.*) ; *Boule de feu* (Hawks, 1942) ; *Vainqueur du destin* (*The Pride of the Yankees,* S. Wood, *id.*) ; *Pour qui sonne le glas* (id., 1943) ; *l'Odyssée du docteur Wassell* (C. B. De Mille, 1944) ; *Casanova le Petit* (Wood, *id.*) ; *le Grand Bill* (*Along Came Jones,* S. Heisler, 1945) ; *l'Intrigante de Saratoga* (Wood, *id.*) ; *Cape et poignard* (F. Lang, 1946) ; *les Conquérants d'un Nouveau Monde* (C. B. De Mille, 1947) ; *Hollywood en folie* (*Variety Girl,* G. Marshall, *id.* ; caméo) ; *Ce bon vieux Sam* (L. McCarey, 1948) ; *le Rebelle* (K. Vidor, 1949) ; *les Travailleurs du chapeau* (*It's a Great Feeling,* D. Butler, *id.* ; caméo) ; *Horizons en flammes (Task Force,* D. Daves, *id.) ; le Roi du tabac* (M. Curtiz, 1950) ; *Dallas, ville frontière (Dallas,* S. Heisler, *id.) ; La marine est dans le lac* (*You're in the Navy Now,* Hathaway, 1951) ; *Starlift* (R. del Ruth, *id.* ; caméo) ; *les Aventures du capitaine Wyatt* (R. Walsh, *id.*) ; *It's a big Country* (C. Brown, 1952) ; *Le train sifflera trois fois* (F. Zinneman, *id.*) ; *la Mission du commandant Lex* (A. de Toth, *id.*) ; *Retour au Paradis* (*Return to Paradise,* M. Robson, 1953) ; *le Souffle sauvage* (H. Fregonese, *id.*) ; *le Jardin du Diable* (Hathaway, 1954) ; *Vera Cruz* (R. Aldrich, *id.*) ; *Condamné au silence* (O. Preminger, 1955) ; *la Loi du Seigneur* (W. Wyler, 1956) ; *Ariane* (B. Wilder, 1957) ; *10, rue Frederick* (P. Dunne, 1958) ; *l'Homme de l'Ouest* (A. Mann, *id.*) ; *la Colline des potences* (Daves, 1959) ; *Ne tirez pas sur le bandit* (*Alias Jesse James,* N. McLeod, *id.* ; caméo) ; *Ceux de Cordura* (R. Rossen, *id.*) ; *Cargaison dangereuse (The Wreck of the Mary Deare,* M. Anderson, *id.) ; la Lame nue* (id., 1961).

COOPER *(Dame Gladys), actrice britannique (Lewisham 1888 - Londres 1971).* Une gracieuse distinction et un art raffiné du métier firent de cette vedette du West End londonien l'une des grandes dames du théâtre anglais. Après avoir tourné des films de peu d'intérêt, elle commence une véritable carrière cinématographique, à 52 ans, dans *Rebecca* (A. Hitchcock, 1940). Elle obtient une nomination aux Oscars pour sa performance dans *Une femme cherche son destin* (I. Rapper, 1942) et trouve ses meilleurs rôles dans *le Chant de Bernadette* (H. King, 1943), *Madame Parkington* (T. Garnett, 1944), et *My Fair Lady* (G. Cukor, 1964). R.L.

COOPER *(John Cooper Jr.,* dit *Jackie), acteur américain (Los Angeles, Ca., 1921).* Il est longtemps l'un des plus célèbres enfants acteurs du cinéma américain, débute à l'âge de trois ans dans une comédie de Bobby Clark, puis joue, grâce à son oncle, le réalisateur Norman Taurog, dans plusieurs films de Lloyd Hamilton, tourne dans la série comique *Our Gang* de Hal Roach, et dans des illustrations filmées de bandes dessinées célèbres comme *Skippy* ou *Sooky* : le premier décrocha un Oscar pour le metteur en scène, qui n'était autre que... le « tonton » Taurog. Héros de plusieurs productions de la MGM consacrées à l'adolescence, on le vit souvent par exemple auprès de Freddie Bartholomew et de Mickey Rooney. On se souvient surtout de lui en mousse courageux dans la meilleure version de *l'Île au trésor* (V. Fleming, 1934), avec Wallace Beery. Il avait déjà joué avec ce dernier dans le mélo de King Vidor, *le Champion* (1931), et dans *les Faubourgs de New York* (R. Walsh, 1933). Il retrouvera d'ailleurs W. Beery dans *l'Enfant du cirque* (*O Shaughnessy's Boy,* R. Bolesławsky, 1935). Sa réputation de tirer facilement des larmes au grand public et ses salaires fabuleux font de lui, selon ses propres termes, « un véritable enfant gâté ». Pour s'arracher à ce piège doré, il s'engage dans la marine, apparaît dans un western de Fritz Lang (*le Retour de Frank James,* 1940) et se retrouve fiancé à Deanna Durbin dans *That Certain Age* (E. Ludwig, 1938). Enfin, il devient vedette de théâtre, jouant l'enseigne Pulver dans *Mr. Roberts,* tourne deux séries de télévision, *The People's Choice* et *Hennessey.* On l'a vu espacer ses apparitions à l'écran après *French Leave* (Jackie Raymond, 1948), où il avait pour partenaire l'autre ex-enfant prodige du cinéma, Jackie Coogan. Il réapparaît en 1978 dans *Superman* (R. Donner), puis en 1981 dans *Superman II* (R. Lester). R.BN.

COOPER *(Merian C.), producteur et cinéaste américain (Jacksonville, Fla., 1893 - Coronado, Ca., 1973).* Au lendemain de la Grande Guerre, il se lie en Europe avec le reporter Ernest B. Schoedsack et participe à tous les niveaux à ses entreprises documentaires exotiques (→ E.B. SCHOEDSACK). De retour aux États-Unis, son ami David O. Selznick l'invite à prendre en charge la production de la RKO. Cooper fait donc appel à Schoedsack. Il dirige *les Quatre Plumes blanches,* en collaboration avec ce dernier et Lothar Mendes (*The Four Feathers,* 1929), puis il persuade Selznick d'engager le studio dans la réalisation de *King Kong* (1933) et charge Willis O'Brien des maquettes et de leur animation, écrivant le scénario avec Schoedsack et dirigeant avec lui ce film étonnant demeuré « le » classique du genre. Cooper succède à Selznick à la vice-présidence de la RKO, puis le rejoint, au même poste, à la Selznick International Pictures en 1936. Chef d'état-major, en Chine, du général d'aviation Claire Chenault, le « patron » des Tigres volants, pendant la Seconde Guerre mondiale, Cooper retrouve Hollywood et fonde, en 1947, sa propre compagnie, avec John Ford : Argosy Pictures. Il faut alors citer, de Ford, *Dieu est mort* (1947), *le Massacre de Fort Apache* (1948), *le Fils du désert* (1949), *la Charge héroïque* (id.), *le Convoi des braves* (1950), *Rio Grande* (id.), *l'Homme tranquille* (1952), *la Prisonnière du désert* (1956)... Le rôle de Cooper a été décisif dans l'incitation à innover, la recherche d'une qualité plastique et d'une originalité thématique dont *la Chasse du comte Zaroff* (Schoedsack et I. Pichel, 1932) est un des plus beaux produits, avant sa collaboration à la carrière de John Ford, moment de plénitude et période classique du western. Cooper qui avait souvent pris des risques financiers, ne se laissa jamais ligoter par la routine ; il coproduisit aussi le premier film en Cinérama, *This Is Cinerama,* en 1952. C.M.C.

COOPER *(Miriam), actrice américaine (Baltimore, Md., 1892 - Charlottesville, Va., 1976).* Elle fut l'interprète de D. W. Griffith, notamment dans *Naissance d'une nation* (1915) et *Intolérance* (1916). On l'a également vue dans plusieurs films de son mari Raoul Walsh : *The Silent Lie* (1917) ; *The Innocent Sinner* (1917) ; *The Woman and the Law* (1918) ; *The Prussian Cur* (1918) ; *Evangeline* (1919) ; *Should a Husband Forgive ?* (1919) ; *The Deep Purple* (1920) ; *The Oath* (1921) ; *Kindred of the Dust* (1922). Elle abandonne le cinéma en 1924. Ses Mémoires, *Dark Lady of the Silents,* ont été publiés en 1974. P.B.

COPEAU *(Jacques), acteur et metteur en scène français (Paris 1879 - Pernand-Vergelesses 1949).* La carrière cinématographique de ce maître du théâtre est brève et sans éclat particulier :

Sous les yeux d'Occident (M. Allégret, 1936), *l'Affaire du courrier de Lyon* (M. Lehmann et C. Autant-Lara, 1937), *Conflit* (L. Moguy, 1938), *la Vénus de l'or* (Ch. Méré et J. Delannoy, *id.*), ne lui offrent que des rôles de second plan dans des films de second ordre. On lui doit en revanche, ainsi qu'à ses disciples Louis Jouvet et Charles Dullin, la formation de générations d'acteurs. B.G.

COPIE. Action de copier un film. ‖ Film positif destiné à la projection. *Copie de travail,* film sur lequel travaille le monteur. *Copie zéro,* première copie portant à la fois l'image et le son. *Copie standard,* ou *d'exploitation,* copie destinée à la projection dans les salles. (→ COPIES, LABORATOIRE, MONTAGE, TIRAGE.)

COPIES. Le spectateur des salles de cinéma assiste à la projection d'une *copie,* établie en laboratoire par *tirage* à partir d'un élément négatif. Cet élément peut être le négatif original, mais on procède rarement ainsi car cet original constitue le seul «souvenir» matériel du tournage, et sa détérioration serait un dommage inestimable. Le plus souvent, l'élément de tirage est un négatif intermédiaire (appelé également « internégatif » ou « contretype ») obtenu en laboratoire par tirage à partir du négatif original.

Les copies projetées dans les salles sont appelées *copies d'exploitation* ou *copies standard.* Préalablement, le monteur a d'abord fourni la *copie de travail,* aboutissement du travail du montage. Cette copie, réalisée par collage des positifs fournis par les *rushes* (→ MONTAGE), ne comporte que l'image. Puisque, à ce stade, l'image et le son sont encore portés par des bandes distinctes, si l'on veut juger l'ensemble, on procède à une projection en *copie double bande,* grâce à un système de projection assurant le défilement synchronisé des deux bandes. Le laboratoire monte ensuite le négatif image en conformité avec la copie de travail puis, après *étalonnage,* tire, à partir de ce négatif et du négatif son établi par ailleurs, la *copie zéro,* première copie susceptible d'être projetée. Il ne reste plus qu'à rectifier éventuellement l'étalonnage pour tirer ensuite les copies standards. L'établissement de la copie zéro marque donc la fin de la fabrication proprement dite du film : les avances financières consenties au producteur s'accompagnent souvent d'une date limite pour la remise de cette copie.

L'usure des copies. À force d'être projetées et manipulées, les copies d'exploitation subissent une usure, qui se manifeste de deux façons.

Le public remarque surtout les *rayures.* Les *rayures* proprement dites proviennent du frottement du film sur une aspérité fine, généralement créée par une accumulation, dans le couloir du projecteur, de poussières ou de particules arrachées à la pellicule. (La copie se charge d'électricité statique, qui attire les poussières ambiantes, soit par frottement contre les pièces fixes du projecteur, soit par frottement des spires entre elles.) La *pluie* est créée, lors du rembobinage, quand les spires du film «jouent» entre elles : les poussières provoquent une abrasion superficielle qui donne une impression de «pluie» dans l'image et qui élève le bruit de fond.

La copie subit par ailleurs des efforts mécaniques, particulièrement au niveau des perforations dans lesquelles s'engagent les dents qui «tirent» le film. Quand ces efforts excèdent la résistance du support, une petite déchirure (une «piqûre») apparaît dans l'angle des perforations : pour peu que l'on n'y prenne garde, elle conduit rapidement à l'éclatement des perforations ou à la rupture du film. La copie devient alors improjetable. Si la partie endommagée est courte, on peut se contenter de l'éliminer : le spectateur perçoit alors un «saut» dans l'image et dans le son. Sinon, il faut la remplacer par une longueur équivalente de copie neuve.

La durée de vie d'une copie dépend énormément du soin qu'on en prend, de l'entretien du projecteur, etc. Dans des conditions d'exploitation correctes, une copie peut supporter plusieurs centaines de passages. Dans les meilleures conditions, on atteint environ deux mille passages.

Le traitement des copies. On peut pratiquer deux types de traitements susceptibles d'allonger la durée de vie des copies.

Les traitements *de prévention,* pratiqués sur copies neuves ou sur copies rénovées, consistent généralement soit en un *laquage,* application sur la gélatine d'un vernis transparent qui la protège contre l'abrasion superficielle, soit en un *tannage* de la gélatine, qui durcit celle-ci et augmente donc sa résistance à l'abrasion. Aucun de ces traitements n'évite les rayures profondes.

Les traitements *de rénovation* permettent de remettre dans un état parfois très proche du neuf les copies modérément rayées. Ils consistent soit à *polir* le support, de façon à combler les rayures et à les rendre ainsi invisibles, soit à *gonfler* la gélatine, ce qui aboutit au même résultat.

Ces traitements n'empêchent ni l'éclatement des perforations (encore que certains traitements de prévention, en facilitant le glissement du film, réduisent ce risque) ni le vieillissement des colorants. (→ CONSERVATION DES FILMS.)

Supports. Jusque dans les années 50, le support des copies d'exploitation était en nitrate de cellulose, également appelé « film flamme » en raison de sa grande inflammabilité (→ FILM). Progressivement, ce support a été remplacé par du triacétate de cellulose, très peu inflammable, appelé, par opposition, « support de sécurité ». Le support *polyester,* employé couramment depuis les années 80 comme support des films magnétiques perforés (→ MIXAGE), a été utilisé à partir des années 90 comme support des copies d'exploitation pour des raisons économiques et écologiques. Ses propriétés sont semblables à celles du triacétate quant à l'inflammabilité, mais il est beaucoup plus stable dimensionnellement et beaucoup plus résistant mécaniquement, notamment à la déchirure, ce qui présente un intérêt pour les copies (détérioration des perforations). Il sera probablement, à terme, le support de tous les films cinématographiques. Il n'existe pas de solvant pour ce produit et il n'est donc pas possible de le « rénover » par repolissage. De même, il ne peut être collé à la colle mais peut l'être par collage à chaud (ultrasons) ou à l'adhésif (→ COLLAGE).

Les films intermédiaires. Chaque copie est obtenue en faisant défiler simultanément dans la tireuse le négatif et le film de copie. Or, le négatif est évidemment très précieux. Les copies sont donc le plus souvent tirées en fait à partir d'un *internégatif,* contretype du négatif original, lequel peut ainsi être conservé en sécurité.

En noir et blanc comme en couleurs, il existe deux façons de parvenir à cet internégatif. On peut passer par un *positif intermédiaire* (également appelé « interpositif », ou encore « master » dans le cas de la couleur), tiré spécialement à fin de contretypage et à partir duquel on tire dans une seconde étape l'internégatif. (Autrefois, les intermédiaires noir et blanc étaient appelés « marron » ou « lavande », car leurs supports étaient alors teintés dans ces couleurs, pour des raisons visant à améliorer la qualité de l'image finale). On peut aussi obtenir directement l'internégatif par emploi d'un film intermédiaire inversible. La seconde méthode est plus rapide, plus économique, et elle limite quelque peu les pertes de qualité qui apparaissent inévitablement à chaque report de l'image. La première méthode a l'avantage de fournir, avec le positif intermédiaire, une « sécurité » supplémentaire. (On appelle « sécurité » tout contretype permettant de préserver l'original.)

Si l'original est un positif (film de prise de vues inversible, ou bien copie positive quand le négatif a disparu), la démarche normale, en cinéma professionnel, consiste à en tirer un négatif, de façon à retrouver la filière de tirage classique. J.-P.F./J.-M.G.

COPLAND *(Aaron), musicien américain (New York, N. Y., 1900 - North Tarrytown, N. Y., 1990).* Il est déjà célèbre pour ses œuvres de concert quand le cinéma l'appelle en 1939. Ses contributions sont rares, sans doute à cause d'un refus radical d'« hollywoodiser » son travail : sa musique, discrète, est souvent complexe et n'utilise pratiquement pas de leitmotiv. Une telle attitude était très neuve en 1940 pour *Des souris et des hommes* (L. Milestone) ; elle l'était encore en 1961, lors de sa remarquable partition pour *Au bout de la nuit* (J. Garfein). Ses meilleurs travaux restent *le Poney rouge* (Milestone, 1949), le plus populaire, et *l'Héritière* (W. Wyler, *id.*), où sa musique, toujours à l'arrière-plan, ne laisse pas d'être sinueuse et obsédante, et lui vaut un Academy Award. C.V.

COPPOLA *(Francis Ford), cinéaste américain (Detroit, Mich., 1939).* Sa précocité, sa formation universitaire, la variété de ses dons, sa réussite spectaculaire, tant commerciale que critique, sa personnalité controversée ont fait de lui l'incarnation de la Nouvelle Vague hollywoodienne qui, dans les années 70, a pris les commandes de l'industrie américaine du cinéma. À bien des égards, on peut le considérer comme le parrain de cette génération d'enfants prodiges qui regroupe son ami George Lucas, Steven Spielberg, John Millius, Martin Scorsese et Brian de Palma.

Il découvre le spectacle lorsque, cloué au lit par la polio (à dix ans), il passe son temps à animer des marionnettes et à monter et à synchroniser avec un magnétophone les films d'amateur que réalisent ses proches (son père, Carmine, écrira plus tard la musique de ses films ; sa sœur cadette jouera au cinéma sous le nom de Talia Shire). Coppola étudie ensuite le théâtre au Hofstra College et monte plusieurs pièces ; diplômé en 1960, il entre au département de cinéma de l'University of California Los Angeles (UCLA), remporte le prix du scénario Samuel Goldwyn et s'initie aux différentes étapes de la fabrication d'un film. Pendant ses années d'études, il tourne quelques courts métrages érotiques (dont *The Pepper,* qui, monté avec un western « déshabillé », sera exploité sous le titre *The Wide Open Spaces / Tonight for Sure,* en 1961), remonte et double des films d'aventures soviétiques pour l'American International de Roger Corman, avec qui il travaille en Irlande sur *The Young Racers* (1963). Le jeune réalisateur-producteur le laisse utiliser la même équipe pour tourner un scénario « d'épouvante » écrit à la hâte : *Dementia 13*.

De retour en Californie, il est engagé par la compagnie Seven Arts pour écrire des scénarios qui, en tout ou en partie, donneront plus tard naissance à des films : *Propriété interdite* (S. Pollack, 1966) ; *Paris brûle-t-il ?* (R. Clément, *id.*) ; *Reflets dans un œil d'or* (J. Huston, 1967) ; *Patton* (F. Schaffner, 1970). Pour le remercier de ses services, Seven Arts lui donne aussi la possibilité de mettre en scène son deuxième film, *Big Boy* (1967), comédie au montage rapide sur les rapports d'un jeune homme maladroit et inhibé avec sa famille et les femmes. Influencée par les musicaux de Richard Lester, l'œuvre ne révèle pas une forte personnalité. Elle a du moins plus de rythme et de conviction que le film suivant, *la Vallée du bonheur* (1968), conte de fées que Fred Astaire vieillissant ne parvient pas à animer.

Tirant la leçon de cette expérience décevante, Coppola rassemble une équipe réduite et tourne sur les routes *les Gens de la pluie* (1969). Il y révèle alors avec maîtrise un sens de l'aliénation et de la solitude modernes, ainsi qu'un réel talent pour peindre le paysage américain (motels, voitures, cabines téléphoniques, roulottes). Ce film, comme la fondation, la même année, avec George Lucas, de sa propre compagnie, American Zoetrope, marque un tournant dans la carrière de Coppola, décidé à voler de ses propres ailes. Mais *les Gens de la pluie,* ainsi que *THX 1138* (1971) de George Lucas, premier film produit par Zoetrope, sont des échecs commerciaux.

Paradoxalement, c'est une commande que lui propose Albert Ruddy pour Paramount, *le Parrain* (1972), d'après le roman de Mario Puzzo, qui va faire soudain de Coppola, grâce à son extraordinaire succès, un des cinéastes les plus en vue des années 70. Ce film, avec *Conversation secrète* puis *le Parrain 2e partie* et *Apocalypse Now,* forme une tétralogie sur la société américaine d'une rare cohérence. Coppola s'y révèle comme un maître du cinéma romanesque, un excellent directeur d'acteurs et, avec l'aide des chefs opérateurs Gordon Willis et Vittorio Storaro ainsi que du décorateur Dean Tavoularis, un artiste sensible à la texture des choses, avec un lyrisme « opératique » dans lequel on retrouve ses origines italiennes. Comblé d'honneurs (deux Oscars pour la meilleure mise en scène grâce aux *Parrain I* et *II,* deux Palmes d'or au festival de Cannes pour *Conversation secrète* et *Apocalypse Now*), le cinéaste affirme de plus en plus sa volonté de puissance, défraie la chronique (le tournage spectaculaire aux Philippines d'*Apocalypse Now,* les multiples problèmes financiers) et joue les nababs dans la grande tradition hollywoodienne. Il est le producteur exécutif d'*American Graffiti* (G. Lucas, 1973), qui lui rapporte une fortune, achète en 1974 un théâtre, une station de radio et *City,* un magazine de San Francisco, acquiert des parts dans une compagnie de distribution, s'installe à San Francisco, puis en 1979 à Los Angeles, où il rachète General Studios, ressuscite Zoetrope, engage Michael Powell et Gene Kelly, distribue le *Hitler* de Syberberg et le *Napoléon* de Gance, produit un film de Wenders *(Hammett),* et pleure devant ses employés pour qu'ils continuent, sans être payés, le tournage de *Coup de cœur* (1981), sa comédie musicale.

Les films de Coppola reflètent les contradictions de leur auteur. Que leur sujet évoque le crime organisé (la maffia des *Parrain*), l'espionnage (*Conversation secrète,* qui annonce Watergate) ou la guerre au Viêt-nam *(Apocalypse Now),* ils ne se réduisent jamais à des solutions simples. Leur richesse tient pour beaucoup à leur ambiguïté. Si *le Parrain* est une œuvre de facture assez traditionnelle, qui, centrée sur la famille, semble exalter la vertu, sa suite, *le Parrain II,* entretient avec lui un rapport dialectique. Plus complexe, d'une composition hardie (voyage dans le temps et l'espace), il s'ouvre sur le monde extérieur et la politique et montre comment le pouvoir conduit à la solitude tout en dévoilant les structures ethniques et économiques d'un milieu regardé sans complaisance. *Conversation secrète* trace le portrait d'un enquêteur qui épie un couple, le filme et l'écoute. Film sur le pouvoir qui détruit autant celui qui le détient que ceux qu'il contrôle, c'est aussi une réflexion sur le cinéma soutenue par un suspense dans la pure tradition américaine (Hitchcock) avec des préoccupations plus cérébrales (*Blow Up,* d'Antonioni). *Apocalypse Now* abolit enfin les frontières entre le réel et l'imaginaire. Inspiré du court roman de Conrad *Au cœur des ténèbres,* le film devient à la fois un cauchemar de l'Histoire (la guerre au Viêt-nam) et *le voyage* d'un militaire, Willard (Martin Sheen), vers sa propre folie. Véritable opéra de la mort et de la destruction, le film déploie une imagerie grandiose où l'on a pu voir une exaltation ou, au contraire, une condamnation de l'esprit guerrier. Si Coppola y aborde en visionnaire le territoire des mythes, il témoigne par la suite d'un curieux penchant pour les sentiments et les clichés en tentant de retrouver le public populaire au lendemain de graves tracas financiers. *Coup de cœur,* fortement marqué par les recherches sur le cinéma électronique, est une histoire d'amour, délibérément stylisée dans les décors minnelliens d'un Las Vegas reconstruit en studio. *Outsiders* (1983), évocation des rivalités entre gangs de jeunes dans l'Amérique des années 60, semble renoncer à toute ambition. Mais *Rusty James* (1983), inspiré lui aussi d'une littérature pour adolescents, atteste une plus grande audace avec son style expressionniste entre Welles et Cocteau. Avec *Cotton Club* (1984), film historique sur le monde des gangsters, Coppola tente de renouer avec le succès des *Parrain.*

Jardins de pierre évoque l'envers de la guerre du Viêt-nam tout en s'opposant à un manichéisme réducteur qui a entraîné certains critiques à imaginer que le film n'était pas loin d'être de la propagande militariste. *Tucker* brosse dans un rythme rapide et nerveux, le portrait d'un constructeur automobile en avance sur son temps qui se heurte aux lobbies industriels de son pays. Coppola, dont certains films ont été des insuccès publics importants (notamment *Coup de cœur*) se trouve confronté au cours des années 80, avec sa société Zoetrope, à de très graves difficultés financières, ainsi qu'à la justice américaine. Il n'a pas caché que le tournage du troisième *Parrain* était pour lui un ultime recours pour renflouer sa société. Malgré cela, il a réussi a y préserver intacte son intégrité artistique et le film n'a aucun mal à s'inscrire dans la continuité des deux précédents volets. Une grandiose séquence en montage parallèle vient clore le film et rappeler à ceux qui en douteraient l'aisance formelle du cinéaste. *Dracula,* le gros succès commercial qu'il recherchait depuis quelque temps pour se remettre définitivement en selle, souffre peut-être d'un formalisme excessif et parfois prétentieux : il n'en reste pas moins d'une grande audace visuelle. Par ailleurs, Coppola est familier de ces compromis ponctuels qui lui servent régulièrement à rebondir. M.C.

Films ▲ : *Dementia 13* (1963) ; *Big Boy* (*You're a Big Boy Now,* 1967) ; *la Vallée du bonheur* (*Finian's Rainbow,* 1968) ; *les Gens de la pluie* (*The Rain People,* 1969) ; *le Parrain* (*The Godfather,* 1972) ; *Conversation secrète* (*The Conversation,* 1974) ; *le Parrain, 2e partie* (*The Godfather, Part II,* id.) ; *Apocalypse Now* (id., 1979) ; *Coup de cœur* (*One From the Heart,* 1981) ; *Outsiders* (*The Outsiders,* 1983) ; *Rusty James* (*Rumblefish,* id.) ; *Cotton Club* (*The Cotton Club,* 1984) ; *Peggy Sue s'est mariée* (*Peggy Sue Got Married,* 1986) ; *Jardins de pierre* (*Gardens of Stone,* 1987) ; *New York Stories* (2e épis. *la Vie sans Zoé* [*Life Without Zoe,* 1988] ; *Tucker* (id., 1989) ; *le Parrain III* (*The Godfather Part III : The Continuing Story,* 1990) ; *Dracula* (id., 1993).

COPRODUCTION. *Film de coproduction,* ou *coproduction,* film produit par plusieurs producteurs. Dans un sens plus restreint, film produit dans le cadre d'un accord de coproduction. (→ PRODUCTION.)

COPULANTS. Syn. de *coupleurs.*

CORBIAU *(Gérard), cinéaste belge (Bruxelles 1941).* Venu de la télévision belge, où il a dirigé beaucoup d'émissions consacrées à la musique et à la danse, il devient célèbre dès son premier film, *le Maître de musique* (1988, avec José Van Dam), qui séduit surtout par un scénario brillant et la fusion entre l'intrigue et le contenu musical. Six années plus tard, *Farinelli* (1994), tourné avec un budget important, accentue les tendances romanesques et démonstratives du cinéaste, sur un thème emprunté à l'histoire de la musique (l'histoire d'un castrat napolitain du XVIIIe siècle). *L'Année de l'éveil* (1990) est un film plus mesuré, plus intimiste, en accord avec le ton du livre autobiographique de Charles Juliet dont il est l'adaptation. D.S.

CORBUCCI *(Bruno), scénariste et cinéaste italien (Rome 1931).* Depuis 1956, il écrit en tandem avec Giovanni Grimaldi de nombreux films comiques, des westerns et des films mythologiques, dont *A Sud niente di nuovo* (Giorgio C. Simonelli, 1956), *Totò Diabolicus* (Steno, 1962), *Django* (par son frère aîné Sergio Corbucci, 1966). En 1965, il débute comme cinéaste par une série de parodies d'espionnage réalisées avec Giovanni Grimaldi *(James Tont, operazione U. N. O.).* Suivront des farces musicales, comédies érotiques, policiers violents plutôt impersonnels et des séries pour la télévision. L.C.

CORBUCCI *(Sergio), cinéaste italien (Rome 1927 - id., 1990).* Il débute obscurément avec des mélodrames (*la Fille de Palerme* [*La peccatrice dell'isola*], 1953), puis exploite le western le plus brutal (*Django,* 1966) après avoir fabriqué quelques péplums (*le Fils de Spartacus* [*Il figlio di Spartacus*], 1962). Connu en France pour avoir dirigé Johnny Halliday dans un western très peu original (*le Spécialiste* [*Gli specialisti*], 1970), son meilleur film dans la catégorie reste *le Grand Silence* (*Il grande silenzio,* 1968). Ce fabricant aussi fécond que médiocre s'est tourné ensuite vers les genres les plus divers, avec un succès dû généralement à ses seuls scénaristes, ne montrant un peu de talent que dans une comédie d'aventures *(Mais qu'est-ce que je viens foutre dans cette révolution ?* [*Che c'entriamo noi con la Rivoluzione ?*], 1972, grâce à Vittorio Gassman) et dans des policiers plus ou moins parodiques (*Mélodie meurtrière* [*Giallo napoletano*], 1979). Champion du box-office italien au cours des années 80, Sergio Corbucci a notamment réalisé *I Giorni del commissario Ambrosio* (1988) avec Ugo Tognazzi. G.L.

CÓRDOVA *(Arturo de), acteur mexicain (Mérida, Yucatán, 1908 - Mexico 1973).* Vedette de cinéma très populaire pendant les années 40 et 50, il se spécialise dans les rôles dramatiques d'homme mûr, qu'il joue avec une certaine rigidité. Il est l'interprète de films de Buñuel (*El,* 1952), Roberto Gavaldón (*La diosa arrodillada,* 1947), Juan Bustillo Oro (*El hombre sin rostro,* 1950), Julio Bracho (*¡ Ay que tiempos señor Don Simón !,* 1941), Emilio Fernández (*Désir interdit* [*Cuando levanta la niebla*], 1952) et Luis Alcoriza (*El gangster,* 1964), entre autres. Il montre qu'il est capable de bien s'amuser dans un petit joyau d'humour noir : *El esqueleto de la señora Morales* (Rogelio A. González, 1959). Sa carrière internationale le fait interpréter notamment *Pour qui sonne le glas* (S. Wood, 1943, à Hollywood), *Dios se lo pague* (L.C. Amadori, 1948, en Argentine), *La balandra Isabel llegó estatarde* (C.H. Christensen, 1949, ou Venezuela), *Los peces rojos* (J.A. Nieves Conde, 1955, en Espagne). P.A.P.

CORDY *(Victor Raymond Cordioux,* dit *Raymond), acteur français (Vitry-sur-Seine 1898-Paris 1956).* Grâce à René Clair, qui le découvre et le fait abondamment tourner (*le Million,* 1931 ; *À nous la liberté,* id. ; *Quatorze Juillet,* 1933 ; *le Dernier Milliardaire,* 1934 ; *Le silence est d'or,* 1947 ; *la Beauté du diable,* 1950 ; *les Belles de nuit,* 1952 ; *les Grandes Manœuvres,* 1955), Raymond Cordy prodigue pendant 25 ans ses qualités de naturel et de sobriété dans d'innombrables films parmi lesquels : *Pension Mimosas* (J. Feyder, 1935), *la Belle Équipe* (J. Duvivier, 1936), *le Veau gras* (S. de Poligny, 1939), *les Inconnus dans la maison* (H. Decoin, 1942). R.C.

CORÉE. Si le cinéma apparaît en Corée dès 1903, ce n'est qu'après la guerre russo-japonaise et la mainmise du Japon sur le vieil empire que des salles s'ouvrent à Séoul (1910). Le premier film coréen est tourné en 1919 par *Kim Do-san ;* c'est un cinédrame de 3 280 m conçu pour être inclus dans une représentation théâtrale : *Dutiful Fight (Eurichok Koutou). Oath in the Moonlight (Wol ha eu main sae)* réalisé par Baeknam Yun (1923), qui se veut éducatif, et le premier film sonore, dirigé par Myŏng-U Lee, un divertissement inspiré par une légende sentimentale, *Ch'unhuangjŏn* (1924), sont des repères historiques. Le succès, en 1926, d'une œuvre exprimant le nationalisme coréen, *Arirang,* interprétée et dirigée par *Na Un-gyu,* entraîne alors une augmentation de la production annuelle, qui passe de trois ou quatre longs métrages à la dizaine, jusqu'au coup d'arrêt donné par les autorités nippones en 1930. C'est que les sentiments antijaponais ont envahi la production, composant, avec les scénarios de propagande officielle, les mélodrames et le vieux et beau fonds mythologique et littéraire coréen, l'essentiel de ce qui nourrit le cinéma d'une nation déchirée par ses trop puissants voisins. Après la Seconde Guerre mondiale et la partition du pays, les renseignements qui suivent ne concernent plus que la Corée du Sud. On y reconstitue et modernise les studios (le premier film en couleurs, *The Diary of a Woman* [*Yo Sung il ki*], de Hong Seong-gi, est présenté en 1949), et c'est une période surtout consacrée aux courts et moyens métrages (information, éducation, documentaires). On retrouve les mêmes thèmes évoquant les luttes contre les divers occupants, l'exaltation de la Righteous Army des révoltés des débuts du siècle, des partis nationalistes Tonghak et Ch'ŏndogyo, à quoi s'ajoutent les amers souvenirs de quarante années de colonisation nippone, de la partition et de la guerre entre le Nord et le Sud (1950-1953). Mais peu à peu, sans que le sentimentalisme perde ses droits, ni les drames littéraires, les arts martiaux (parfois sous forme de comédie) se taillent une place concurremment aux importations de Hongkong et Taiwan. Les films de la Corée du Sud atteignent souvent à une grande qualité technique. Leur caractéristique la plus marquante est peut-être le tempo lent – même dans les films de guerre – et une attention, parfois trop décorative, à la beauté des sites. *'Le Lieu sacré' (Pee-mak),* légende empreinte de chamanisme, en est un exemple réussi (Lee Doo-yong, 1980). L'exception, on la trouve avec un violent mélo aux effets d'écriture souvent excessifs, *'la Femme du feu 82' (Hwanyo'82)* de Kim Kee-yong, qui avait déjà signé (en 1971) une *Hwanyo* non millésimée. Sin Sang Okk * [Sin Sangok] est (avec Kim Suyong) le cinéaste le plus réputé des années 60 et 70, bientôt concurrencé par Im Kwon-Taek *.

Après une chute brève due à l'implantation de la TV à la fin des années 60, la production de la Corée du Sud atteint une moyenne de 120 longs métrages par an depuis 1971, assurée par une vingtaine de firmes, toutes privées, comme les studios, la distribution et l'exploitation (parc : 472 salles). La Corée exporte ses films vers Hong Kong, les États-Unis, Taiwan, l'Asie du Sud-Est. Elle importe en premier lieu des États-Unis puis de Grande-Bretagne et Hong Kong. Il convient de noter l'existence d'un quota à l'importation imposé aux producteurs distributeurs, et le rôle d'une Commission consultative des projets, constituée de personnalités et de délégués d'associations de spectateurs. L'État a promulgué en 1971, pour aider le film dans un moment de crise, la Motion Picture Law. Il existe depuis cette date deux sociétés d'État : Korea Film Production, et Korea Motion Picture Promotion Corp. Au cours des années 80, l'Europe a pu découvrir – avec retard – plusieurs metteurs en scène de talent comme Im Kwon-Taek *, Lee Doo yong *, Bae Chan ho*, Lee Chang ho, Ha Myong chung, Bae Yong kyun (auteur de *Pourquoi Bhodi-Dharma est-il parti vers l'Orient ?* [*Talmaga tongtchogŭro kan kkadalgŭn ?*], 1989) ou Park Kwang Su (auteur de la *République noire [Kuduldo Urichorom]*, 1990). En 1993, *la Chanteuse de pansori* d'Im Kwon Taek remporte un succès considérable en Corée et assoit la réputation internationale de son metteur en scène. C.M.C.

COREY *(Wendell), acteur américain (Dracut, Mass., 1914 - Santa Monica, Ca., 1968).* Acteur de théâtre expérimenté, le producteur Hal Wallis le fait débuter à l'écran en 1947. Son physique un peu ingrat l'a voué aux seconds rôles, sa distinction naturelle et sa fébrilité contenue l'ont dirigé vers des emplois antipathiques ou ambigus : tueurs obsédés ou machiavéliques, aventuriers cyniques, policiers peu sûrs de leur bon droit : *l'Homme aux abois* (*I Walk Alone,* B. Haskin, 1947), *Raccrochez, c'est une erreur* (A. Litvak, *id.*), *les Furies* (A. Mann, 1950), *le Courrier de la Jamaïque* (*Jamaica Run,* L. R. Foster, 1953), *les Bas-Fonds* *d'Hawaii* (*Hell's Half Acre,* John H. Auer, 1954), *Fenêtre sur cour* (A. Hitchcock, *id.*), *le Grand Couteau* (R. Aldrich, 1955), *Le tueur s'est évadé* (B. Boetticher, 1956). Sa carrière décline dans les années 60, époque où il s'essaie à la politique. G.L.

CORMAN *(Roger), cinéaste et producteur américain (Detroit, Mich., 1926).* Après des débuts modestes (coursier à la Fox, lecteur de scénarios), il se lance dès 1953-54 dans la production et l'écriture de scénarios. Il est un des fondateurs de la compagnie American International Pictures, dont le premier film distribué sera une de ses productions : *The Fast and the Furious* (E. Sampson et J. Ireland, 1955). La même année, il passe à la mise en scène. Il réalise très vite toute une série de films à très petit budget, westerns, films d'horreur, films de rock and roll, dont les titres sont évocateurs *(Apache Woman, Swamp Women, Teenage Doll, Naked Paradise, Attack of the Crab Monsters, Rock All Night)* et les ambitions artistiques fort limitées. Le premier film remarqué de sa très abondante filmographie est un thriller extrêmement violent interprété par Charles Bronson, *Mitraillette Kelly* (*Machine Gun Kelly,* 1958), et il acquiert une certaine notoriété avec ses adaptations d'Edgar Poe (généralement interprétées par Vincent Price) : *la Chute de la maison Usher* (*The House of Usher,* 1960), *la Chambre des tortures* (*The Pit and the Pendulum,* 1961), *l'Enterré vivant* (*Premature Burial,* 1962, avec Ray Milland), *Tales of Terror* (avec Vincent Price, Peter Lorre et Basil Rathbone, *id.*), *Tower of London* (id.), *le Corbeau* (*The Raven,* 1963), *The Terror* (id.), *le Masque de la mort rouge* (*The Mask of the Red Death,* 1964), *la Tombe de Ligeia* (*The Tomb of Ligeia,* id.). Le romancier Richard Matheson collabore régulièrement à ces adaptations, et Corman est un des premiers à porter Lovecraft à l'écran ; *la Malédiction d'Arkham* (*The Haunted Palace,* 1963). Ces titres « prestigieux » ne l'empêchent pas de continuer à produire et réaliser, le plus vite possible pour le plus court budget possible, les mêmes petits films, avec parfois une touche d'ambition : *The Intruder* (1962). À partir de 1963-64, il se consacre davantage à la production qu'à la mise en scène. Les films qu'il réalise ont des budgets plus importants et ressemblent de moins en moins aux « séries Z » de ses débuts. On peut citer *l'Invasion secrète* (*The Secret Invasion,* 1964, avec Stewart Granger), *les Anges sauvages* (*The Wild Angels,* 1966, avec Peter Fonda et Nancy Sinatra, dont le succès et la postérité sont très importants), *le Massacre de la Saint-Valentin* (*The Saint Valentine's Day Massacre,* 1967), *The Trip* (id.), *Bloody Mama* (1970), *le Baron Rouge* (*Von Richthofen and Brown,* 1971). Une probable nostalgie de la mise en scène l'entraîne à nouveau vers les rivages du fantastique et il tourne en 1990 *Frankenstein Unbound.*

Mais l'importance de Roger Corman metteur en scène est bien moindre que celle de Corman producteur et détecteur de talents : des hommes comme Peter Bogdanovich, Francis Ford Coppola, Monte Hellman, Martin Scorsese, Curtis Harrington, Paul Bartel, Dennis Hopper, Michael Miller, Jonathan Demme, Jonathan Kaplan et Jack Nicholson lui doivent une partie de leur carrière. Les deux westerns de Monte Hellman avec Jack Nicholson, *The Shooting* ou *la Mort tragique de Leland Drum* (1966) et *l'Ouragan de la vengeance* (id.), sont coproduits par Corman, que l'on retrouve en 1972 sur *Bertha Boxcar,* de Martin Scorsese. Corman a aussi produit au cours des années 70 une série de films d'action violents et rapides, à la limite de la parodie : *la Course à la mort de l'an 2000* (*Death Race 2000,* 1975) de Paul Bartel, *Colère froide* (*Fighting Mad,* id.), de Jonathan Demme, *On m'appelle Dollars* (*Mr. Billion,* 1977), de Jonathan Kaplan. D.R.

CORNEAU *(Alain), cinéaste français (Orléans, 1943).* Semi-professionnel de jazz, il est diplômé de montage et réalisation (IDHEC), puis assistant de Bernard Paul, Marcel Camus, Costa-Gavras, Michel Drach... En 1974, sortie de son premier film, *France Société anonyme,* politique-fiction plus ambitieuse que convaincante. Corneau joue ensuite la carte du box-office : Bouquet, Montand, Simone Signoret ; et celle du film policier avec : *Police Python 357* (1976, photo d'Étienne Becker) ; *la Menace* (1977, film moins réussi) ; *Série noire* (1979), avec Patrick Dewaere, et où le chef opérateur, Pierre William Glenn, retrouve l'image glacée et inquiétante des deux premiers titres ; *le Choix des armes* (1981) avec Depardieu. Avec le même Depardieu et Catherine Deneuve, il bénéficie de très gros moyens pour évoquer l'époque coloniale dans *Fort Saganne* (1984). En 1986, il revient au genre policier avec *la Môme* et en 1989 aborde dans *Nocturne indien* une nouvelle manière de filmer, insolite et prenante en abordant le registre charmeur et ambigu de l'imaginaire. *Tous les matins du monde* (1991) adapté de l'œuvre de Pascal Quignard lui vaut un grand succès public et le César de l'année. Dans ce film, il se montre presque aussi austère que dans *Nocturne indien,* la réflexion sur l'artiste et la création s'intégrant parfaitement au récit. Avec *le Nouveau Monde* (1995), il revient à des données plus romanesques, mais cette œuvre au contenu autobiographique déclaré ne rencontre pas son public. ▲ C.M.C.

CORNELIUS *(Henry), scénariste, producteur et cinéaste britannique (Union sud-africaine 1913 - Londres 1958).* Originaire d'une famille allemande émigrée en Afrique du Sud, Henry Cornelius est l'auteur de comédies d'humour britannique. Il s'initie d'abord au théâtre à Berlin auprès de Reinhardt, puis au cinéma en France et s'oriente vers le montage. Il travaille ensuite pour Alexandre Korda : il est assistant monteur de René Clair pour *Fantômes à vendre* (1935). Ses grands succès, peut-être surestimés, demeurent *Passeport pour Pimlico* (*Passport to Pimlico,* 1949, pour Ealing) et *Geneviève* (*id.,* 1953, pour Rank). Autres films : *le Major galopant* (*The Galloping Major,* 1951) ; *Une fille comme ça* (*I Am a Camera,* 1955) ; *l'Heure audacieuse* (*Next to No Time,* 1958) ; *L'habit fait le moine* (*Law and Disorder,* id., terminé par Ch. Crichton). P.P.

CORNELL *(Jonas), cinéaste suédois (Stockholm 1938).* Après des études à l'université de Stockholm (1959-1964) puis à l'École de cinéma, pendant lesquelles il publie deux romans, Cornell s'essaie à la critique de cinéma et de théâtre. Il ne cessera ensuite de travailler pour la scène (Théâtre public de Stockholm) et l'écran. Son premier film de long métrage, *les Sophistoqués* (*Puss och Kram,* 1967) est une comédie triangulaire qui évite les pièges du vaudeville et retrouve une élégance à la Howard Hawks. *Comme la nuit et le jour* (*Som natt och dag,* 1969), œuvre plus tendue et plus sombre, explore à nouveau les rapports entre un groupe restreint de personnages. *La Chasse au cochon* (*Grisjakten,* 1970), fable trop insistante, dépeint les pressions qu'exerce la société sur l'individu. Depuis, Cornell s'est surtout consacré au théâtre et à la télévision. M.C.

CORNFIELD *(Hubert), cinéaste américain (Istanbul, Turquie, 1929).* Fils d'un producteur exécutif travaillant outre-mer, il est d'abord dessinateur, puis entre dans l'industrie cinématographique. À partir de 1955, il dirige quelques films intéressants : *le Secret des eaux mortes* (*Lure of the Swamp,* 1957), *Hold-up* (*Plunder Road,* id.) et *Allô, l'assassin vous parle* (*The Third Voice,* 1959), essai de Kammerspiel à la fois subtil et maladroit. Après avoir coréalisé avec Paul Wendkos *Angel Baby* (1961), il se brouille avec Stanley Kramer, qui « massacre » et remonte *Pressure Point* (1962), étude clinique d'un nazi américain. *La Nuit du lendemain* (*The Night of the Following Day,* 1969) est un échec ; Cornfield, qui semble avoir abandonné Hollywood, a réalisé en France une comédie policière, *les Grands Moyens* (1976). G.L.

CORRADINI *(Arnaldo et Bruno), artistes et cinéastes italiens,* dits *Arnaldo Ginna (Ravenne 1890)* et *Bruno Corra (Ravenne 1892* - id. *1976).* De ces deux fils de Tullio Gianni Corradini, député-maire de Ravenne, le premier devient peintre et cinéaste, le second écrivain, auteur notamment du roman présurréaliste *Sam Dunn è morto* (1915), mais ils ont en commun, outre un intérêt pour la philosophie, la théosophie et l'occultisme qui les apparente à Kandinsky, le souci de l'« art de l'avenir », qui les amène à fréquenter les futuristes et à écrire l'essai *Arte dell'avvenire* en 1910. Cette année-là, les deux frères, à l'instigation de Ginna, qui a déjà peint en 1908 deux toiles abstraites *(Neurasthénie* et *Promenade romantique)* et qui a médité sur la *peinture musicale* des Byzantins, entreprennent des recherches de *musique chromatique* qui vont les conduire à la réalisation des premiers films abstraits de l'histoire (avec celui de l'Allemand Hans Stoltenberg en 1911).

La confection d'un *piano chromatique* muni de 28 ampoules peintes ne les a, en effet, pas satisfaits et ils acquièrent un cinématographe. Ils peignent alors directement sur de la pellicule vierge sans nitrate d'argent. Il en résulte quatre rouleaux (dont un de plus de 200 m) ; le 3e et le 4e sont une adaptation colorée du *Chant du printemps* de Mendelssohn, mêlé à un thème de valse de Chopin, et aux *Fleurs* de Mallarmé. Puis quelques thèmes chromatiques pour un film inachevé et deux films de 200 m, *l'Arc-en-ciel* et *la Danse.* Certaines de ces œuvres inspireront les propositions du manifeste *La cinematografia futurista,* qu'ils cosignent en septembre 1916 avec Marinetti, Settimelli, Balla et Chiti et qui accompagne la réalisation par Ginna, sur des idées et avec la présence de nombreux futuristes, des sketches de *Vita futurista* (1915), premier et unique grand film du groupe.

Aucun de ces films ne subsiste et, avec les tableaux ou les dessins de Ginna, les textes seuls témoignent encore de l'apport créateur des deux frères au futurisme, à l'esthétique et à la littérature : Ginna écrit ainsi *Pittura dell'avvenire* (1915), *L'uomo futuro* (1933), des critiques de cinéma publiées à partir de 1926 dans la presse futuriste et, avec Marinetti, le manifeste *La cinematografia* (1938) ; Corra, auteur de nombreux romans, « synthèses » théâtrales et scénarios, est le co-auteur de plusieurs manifestes, dont le *Manifeste futuriste synthétique* (1915). D.N.

CORT *(Bud), acteur américain (New Rochelle, N. Y., 1949).* Son physique poupin, malgré sa grande taille, l'a prédisposé à l'emploi d'enfants peu préparés au monde extérieur. Ce contact avec le monde cruel des adultes est le ressort de ses meilleurs films, *Brewster McCloud* (Altman, 1970) et *Harold et Maude* (H. Ashby, 1971), où il déploya son charme avec beaucoup d'ingéniosité. Après une éclipse, il est revenu, inchangé, dans *Pitié pour le prof !* (*Why Shoot the Teacher,* S. Narizzano, 1977). C.V.

CORTESE *(Leonardo), acteur italien (Rome 1916* - id. *1984).* De la fin des années 30 au début des années 40, il est le prototype du jeune premier sympathique et désinvolte. Également acteur de théâtre, il fait ses débuts au cinéma en 1939 sous la direction de Mario Bonnard *(Jeanne Doré).* Il tourne ensuite dans des films d'Alessandrini, Palermi (*Cavalleria rusticana,* 1939), Camerini (*Une aventure romantique* [*Una romantica avventura*], 1940), Gallone, Poggioli (*Sissignora,* 1942), De Sica (*Un garibaldino al convento,* id.), Mattoli, Franciolini, Lattuada (*La Freccia nel fianco,* 1944). Après la guerre, sa carrière cinématographique s'est enlisée dans des œuvres médiocres alors qu'il a interprété au théâtre de grands rôles du répertoire. Cortese a également réalisé quelques films comme metteur en scène sans révéler toutefois un talent notable. J.-A.G.

CORTESE *(Valentina), actrice italienne (Milan 1924).* Elle débute en 1941 dans *Il bravo di Venezia* (Carlo Campogalliani) et joue souvent des personnages naïfs ou romantiques (*Quattro ragazze sognano,* G. Giannini, 1943). Après quelques films plus consistants, dont *La nuit porte conseil* (M. Pagliero, 1948), elle s'affirme à Hollywood grâce à son rôle tourmenté dans *les Bas-Fonds de Frisco* (J. Dassin, 1949). Suivent d'autres films américains, dont *la Maison sur la colline* (R. Wise, 1951) et *la Comtesse aux pieds nus* (J. L. Mankiewicz, 1954). Sa carrière européenne comprend des interprétations remarquables, dont *Femmes entre elles* (M. Antonioni, 1955), *Calabuig* (L. G. Berlanga, 1956), *la Rancune* (B. Wicki, 1964), *Juliette des esprits* (F. Fellini, 1965), *l'Assassinat de Trotski* (J. Losey, 1972). Dans *la Nuit américaine* (F. Truffaut, 1973), elle parodie son personnage de diva extravagante. Elle tourne ensuite *Jésus de Nazareth* (F. Zeffirelli, 1978), *Via Montenapoleone* (Carlo Vanzina, 1986), *les Aventures du baron de Münchhausen* (T. Gilliam, 1988) et *Buster's Bedroom* (Rebecca Horn, 1990). Elle a été l'épouse de Richard Basehart, de Giorgio Strehler et de l'industriel Carlo de Angeli L.C.

CORTEZ *(Jacob Krantz,* dit *Ricardo), acteur américain d'origine autrichienne (Vienne 1899-New York, N. Y., 1977).* Élevé à New York et frère du chef opérateur Stanley Cortez, il débute au cinéma en 1923. Il est la vedette de nombreux films dans la lignée de Rudolph Valentino, notamment *le Tourbillon des âmes* (C. B. De Mille, 1924), *The Pony Express* (J. Cruze, 1925), *le Torrent* (Monta Bell, 1926, le premier film hollywoodien de Greta Garbo), *la Vie privée d'Hélène de Troie* (*The Private Life of Helen of Troy,* A. Korda, 1927), *Son homme* (T. Garnett, 1930). Il perd de son importance dans les années 30 mais demeure l'interprète racé et nuancé de la première version du *Faucon maltais* (R. Del Ruth, 1931) ou du mélodrame *Symphony of Six Millions* (G. La Cava, 1932). Il apparaît encore dans *la Dernière Fanfare* (J. Ford, 1958). J.-L.B.

CORTEZ *(Stanislaus Krantz,* dit *Stanley), chef opérateur américain (New York, N. Y., 1908).* Frère du comédien Ricardo Cortez, il commence très jeune à travailler pour le cinéma. Dès 1926, il est assistant cameraman sur des films de Gloria Swanson. En 1936, il devient un directeur de la photographie fort estimé, notamment sur les séries B. En 1942, il reçoit l'Oscar des critiques du cinéma américain pour son travail sur *la Splendeur des Amberson,* d'Orson Welles, qu'il considère comme « une des deux expériences les plus excitantes qu'il ait faites au cinéma », la deuxième étant *la Nuit du chasseur,* de Charles Laughton (1955). Ses films les plus célèbres sont en noir et blanc, comme *le Secret derrière la porte,* de Fritz Lang (1948), *Shock Corridor* (1963) et *Police spéciale* (1965) de Samuel Fuller. D.R.

CORTI *(Axel), cinéaste autrichien (Paris 1933 - Salzbourg 1993).* Journaliste et auteur de radio. Metteur en scène au Burgtheater de Vienne et à l'étranger. Au cinéma, depuis 1960, une quinzaine de films, dont des adaptations littéraires (Wedekind, Döblin, Werfel, Capote) et surtout la trilogie Vienne pour mémoire (scénarios de Georg Stefan Troller) sur l'identité de l'émigration juive face au nazisme : *Dieu ne croit plus en nous* (*An uns glaubt Gott nicht mehr-Wohin und Zurück 1,* 1981), *Santa Fé* (*Santa Fé-Wohin und Zurück 2,* 1985) et *Welcome in Vienna* (*id.,* 1986). En 1990, il signe une coproduction entre la France, l'Italie et la Grande-Bretagne, *la Putain du Roi.* M.M.

COSTA-GAVRAS (*Konstantinos Gavras,* dit), *cinéaste français d'origine grecque (Athènes 1933).* Fils d'un fonctionnaire du gouvernement grec qui lui donne une éducation orthodoxe stricte, il vient à Paris à l'âge de dix-huit ans et obtient un diplôme de littérature à la Sorbonne. Très cinéphile, il suit alors les cours de l'IDHEC et devient l'assistant d'Yves Allégret, René Clair, Jacques Demy. Il débute dans la réalisation en 1965, avec un film policier, *Compartiment tueurs,* suivi d'*Un homme de trop* (1967). Mais sa véritable notoriété est inséparable du thriller politique *Z* (1969), qui dénonce méthodes et compromissions de la junte militaire au pouvoir en Grèce à l'époque. Le film est un immense succès, que le cinéaste partage avec Yves Montand, dans l'un de ses rôles « engagés », où il incarne le député de gauche Lambrakis, assassiné sur ordre de la junte. Suivent, avec le même acteur, deux autres films politiques : *l'Aveu* (1970), tiré du témoignage d'Arthur London, victime des purges du régime communiste en Tchécoslovaquie ; *État de siège* (1973), où Montand incarne un agent de la CIA opérant en Uruguay. *Section spéciale* (1975) traite de la collaboration en France sous l'occupation allemande et plus particulièrement du procès de Riom. Après un silence de quatre années, Costa-Gavras adapte un roman intimiste de Romain Gary, avec Yves Montand et Romy Schneider, apparemment éloigné des préoccupations politiques qui avaient fait sa réputation (*Clair de femme,* 1979). Il revient en 1982 à sa conception du film « engagé » en tournant *Missing,* qui remporte la Palme d'or à Cannes (ex aequo avec *Yol* de Yilmaz Güney). La même année, il est nommé président de la Cinémathèque française, fonction qu'il occupera jusqu'en 1987.

À l'exception de son premier film et de *Clair de femme,* l'œuvre de Costa-Gavras est en effet placée tout entière sous le signe d'un engagement politique, que le réalisateur tente de faire partager avec des moyens parfois si simples qu'ils en deviennent parfois superficiels. La réalité dépeinte propose la plupart du temps un univers manichéen partagé entre les bons et les méchants. Les moyens cinématographiques utilisés correspondent à cette vision simplifiée, ne recourant qu'aux procédés les plus aptes à réveiller chez le spectateur un certain nombre de réactions et de sentiments nobles, tels que la justice et l'indignation. En 1969, à l'époque du succès inouï de *Z,* cette conception d'un cinéma politique aux charmes exotiques simples, et dont la mécanique était plus proche du jeu des gendarmes et des voleurs que d'une analyse sérieuse, rendant compte des réalités sociales et politiques dans leur complexité, avait la faveur d'un large public que rebutaient encore les travaux d'un Francesco Rosi. Les complications sentimentales dans *Hanna K.* (1983) ne se révèlent pas davantage en mesure de traduire les rapports israélo-palestiniens. Le succès public de *Missing* (à la structure filmique plus complexe) montra pourtant que l'humanisme sincère et généreux de Costa-Gavras peut toucher ceux qu'une démonstration politico-économique plus aride découragerait sans aucun doute.

Il tourne en 1985 *Conseil de famille*, comédie policière, et en 1988 un thriller politique, portrait sans complaisance d'une certaine Amérique, celle des organisations paramilitaires, néofascistes et racistes : *la Main droite du diable (Betrayed)*. En 1990 Costa-Gavras, avec un sens inné du rythme narratif, mais sans moralisation excessive, s'attache dans *Music Box* (Ours d'or à Berlin) au problème des anciens nazis et criminels de guerre : exilés en Amérique, ils se retrouvent à leur propre étonnement rattrapés par leur passé et confrontés à celui-ci. Mais *la Petite Apocalypse* (1993), adaptation de l'œuvre de T. Konwicki, ne parvient pas à rencontrer son public, auquel semble échapper le sens d'une fable sarcastique sur l'engagement politico-mondain d'une certaine classe bourgeoise. ▲ M.S.

COSTA RICA. Les premières projections publiques auraient eu lieu à San José, la capitale, en 1903. Dès 1909, on annonce des vues locales. Amando Céspedes Marín filme des actualités régulières en 1913. L'exploitation se développe en même temps que la pénétration des compagnies hollywoodiennes, notamment après l'arrivée du parlant. Aujourd'hui, 85 p. 100 des films projetés dans les 39 salles du pays (dont 18 à San José) sont d'origine américaine (la moyenne de fréquentation annuelle est de 4). La production reste quasi inexistante. Le premier film, *El Retorno* (Romulo Bertoni), date de 1926. Les habitants ou les paysages furent parfois utilisés soit par la 20th Century Fox (*Carnival in Costa Rica,* Gregory Ratoff*, 1947), soit par des entreprises multinationales (*Así es Costa Rica,* Leo Anibal Rubens, 1954). Un concours de vedettes organisé par la radio aboutit à la réalisation de *Elvira* (Alfonso Patiño Gómez, 1954). Un dilettante, Alberto de Goyen, tourne *Atardecer de un fauno* (1955), d'après Debussy. Le Costa Rica est le dernier pays d'Amérique centrale à s'être équipé en télévision (1960). Le département du cinéma du ministère de la Culture, de la Jeunesse et des Sports, créé en 1973, commence une production régulière de documentaires diffusés à l'antenne (une cinquantaine en cinq ans). Malgré le caractère pédagogique ou de propagande de la plupart d'entre eux, un constat des réalités nationales perce à l'occasion, au point de provoquer l'interdiction de *Costa Rica : Banana Republic* (Ingo Niehaus, 1976). Quelques superproductions internationales ont été tournées dans le pays : *El Dorado* (C. Saura, 1988), *1492* (R. Scott, 1992). P.A.P.

COSTELLO *(Dolores), actrice américaine (Pittsburgh, Pa., 1905 – Fallbrook, Ca., 1979).* Sous l'égide de son père, Maurice Costello, elle débute au cinéma, à la Vitagraph, avec sa sœur Hélène dans des rôles de petite fille. Elle tourne plusieurs films dès 1923, mais connaît une brusque célébrité quand elle est choisie comme partenaire par John Barrymore (qui l'épousera en 1928) dans *The Sea Beast* (M. Webb, 1925), première et romantique adaptation de *Moby Dick*. Elle apparaît ensuite dans plusieurs films, notamment dans des adaptations d'œuvres littéraires comme *le Roman de Manon (When a Man Loves,* 1926, d'après *Manon Lescaut*), des mélodrames comme *Old San Francisco* (A. Crosland, 1927) ou des spectacles bibliques comme *l'Arche de Noé* (M. Curtiz, 1929) ou encore des reconstitutions romantiques et historiques *(Lady Hamilton,* F. Lloyd, *id.).* Après une pause entre 1931 et 1935, elle revient dans les studios en 1936 après s'être séparée de John Barrymore : *le Petit Lord Fauntleroy* (J. Cromwell, 1936) ; *la Splendeur des Amberson* (O. Welles, 1942). J.-L.P

COSTELLO *(Lou)* → ABBOT *(Bud).*

COSTELLO *(Maurice), acteur et cinéaste américain (Pittsburgh, Pa., 1877 – Hollywood, Ca., 1950).* Acteur de théâtre célèbre, il est, au cours des années 10, une des idoles masculines de l'écran aux États-Unis. Après un passage chez Edison, il travaille à la Vitagraph, obtient un accueil triomphal dans *A Tale of Two Cities* (J.S. Blackton, 1911, où il a pour partenaire Norma Talmage) et poursuit une carrière heureuse pendant toute la période du cinéma muet. Au faîte de sa popularité, il fut surnommé « The Dimpled Darling » (en raison d'une fossette probablement très attractive). J.-L.P.

COSTNER *(Kevin), acteur et cinéaste américain (Lynwood, Ca., 1955).* Il débute à l'écran en 1981 dans *Shadows Run Back* d'Howard Heard puis se voit offrir une suite de petits rôles qui ne mettent pas réellement en valeur son talent : *Sizzle Beach USA* (Richard Brander, 1981), *Chasing Dreams* (Sean Roche et Therese Conte, *id.*), *Frances* (Graeme Clifford, 1982), *Night Shift* (Ron Howard, *id.*), *les Copains d'abord* (L. Kasdan, *id.*), *Table for Five* (Robert Lieberman, 1983), *Stacy's Knights* (Jim Wilson, *id.*), *Testament* (Lynne Littman, *id.*), *The Gunrunner* (Nardo Castillo, *id.*), *Une bringue d'enfer* (*Fandango,* Kevin Reynolds, 1984). C'est Lawrence Kasdan dans *Silverado* (1985) qui lui offre sa vraie première chance. Il la saisit et s'impose dès lors comme un des jeunes acteurs d'Hollywood les plus racés. Il tourne ensuite *American Flyers* (John Badham, *id.*), *Histoires fantastiques* (épis. *la Mission,* S. Spielberg, 1986), *les Incorruptibles* (B. De Palma, 1987), *Sens unique* (*No Way Out,* Roger Donaldson, *id.*), *Duo à trois* (*Bull Durham,* Ron Shelton, 1988), *Jusqu'au bout du rêve* (*Field of Dreams,* Phil Alden Robinson, 1989), *Revenge* (Tony Scott, 1990). Passé à la mise en scène, son premier essai *Danse avec les loups* (*Dances With Wolves, id.*) s'avère un coup de maître. Il ressuscite un genre qui agonisait et remporte un succès international aussi probant qu'inattendu. L'acteur (il s'était donné le rôle principal dans son propre film) s'impose à nouveau dans *Robin des Bois, Prince des Voleurs (Robin Hood, the Prince of Thieves)* de K. Reynolds. *JFK* (O. Stone, 1991) achève de faire de lui une icône cinématographique, un peu à la manière de Gary Cooper ou de Henry Fonda. Un faux-pas artistique (mais une réussite commerciale) comme *Bodyguard* (Mick Jackson, 1992) ne lui fait guère de mal car Clint Eastwood l'utilise immédiatement après, lui aussi, comme un emblème, mauvais garçon au cœur tendre, dans *Un monde parfait* (1993). Lawrence Kasdan a certainement le même but quand il lui confie le rôle mythique de *Wyatt Earp* (1994), déjà interprété par tant d'autres acteurs prestigieux avant lui : malgré la médiocrité du film, Costner sait y préserver intact son charisme. J.-L.P.

CÔTE-D'IVOIRE. Comme la presque totalité des pays d'Afrique, la Côte-d'Ivoire dispose d'un parc de salles insuffisant ; la distribution des films échappe à toute sélection ; il n'y a pas de politique d'aide à la production – d'où son caractère sporadique. C'est pour la télévision qu'est donné en 1964 le coup d'envoi ambitieux d'une fresque à base de légende populaire : *Korogo,* téléfilm de Georges Keïta. La TV est encore aujourd'hui le premier client de la Compagnie ivoirienne de cinéma (la CIC), pour la production de documentaires, ou de courts et moyens métrages signés ou non par les principaux cinéastes d'Abidjan : Timité Bassori, Gnoan M'Bala ou le Guinéen Henri Duparc (la CIC a coproduit *la Famille*). Après des études d'art dramatique à Paris et leur passage à l'IDHEC, Désiré Écaré et Bassori se font remarquer ; le premier par deux moyens métrages lucides et sarcastiques : *Concerto pour un exil* (1968) et *À nous deux, France ! / Femme noire, femme nue* (1970) ; le second par *la Femme au couteau* (1970), considéré comme le premier film de long métrage ivoirien, qui veut traduire « la dualité de la société africaine », mais parvient difficilement à marier le réel et le surnaturel. À ce jour, les carrières de Écaré et Bassori paraissent s'enliser dans les problèmes de production. Le premier nommé a néanmoins réussi à achever en 1985 *Visages de femmes* qu'il avait entrepris depuis de longues années. Après la réussite satirique de *Amanié,* moyen métrage produit par la CIC (1972), Gnoan M'Bala tourne *le Chapeau* (1975), dénonciation des affairistes. Ce film de 70 minutes, qui confirme les qualités de M'Bala, se révèle pourtant, et c'est le cas de nombreuses productions africaines, difficilement exportable à cause de sa durée inusitée : le débouché idéal devient dès lors la TV... En 1977, Henri Duparc reprend et déploie, dans *l'Herbe sauvage,* la thématique de *la Famille* sur les clivages et les fissures apparus dans la société. Il faut enfin noter que le français demeure, d'une manière générale, la langue utilisée dans la cinématographie ivoirienne. L'impact de la satire dans *Pétanqui* (Yo Kozolowa, 1984), dont l'étonnant Sidiki Bakaba tient le rôle-titre, satire fondée sur l'exploitation d'une famine, en fait même un succès inattendu pour un film africain. Signalons d'autres films : *Djeli,* de Fadiga Kramo Lancine (1982) ; *Comédie exotique,* de Kitia Touré (1984) ; *Visages de femmes,* d'Écaré (1985) ; *les Guérisseurs* (*Aduefue,* Sifir Bakaba, 1988) ; *Bouka* (Gnoan M'Bala, *id.*) ; *Bal poussière* (Henri Duparc, 1988) ; *le Sixième Doigt* (*id.,* 1990) ; *Au nom du Christ* (Gnon M'Bala, 1993). C.M.C.

COTTAFAVI *(Vittorio), cinéaste italien (Modène 1914).* Doté d'une vaste culture littéraire, passionné dès sa jeunesse par toutes les formes de spectacle, il entre au Centro sperimentale de Rome (1935) et se forme à la pratique du cinéma comme coscénariste et assistant. Il débute dans la mise en scène en 1943 en adaptant une comédie d'Ugo Betti *(I nostri sogni).* C'est seulement vers 1949, après l'échec de son premier film personnel, *La fiamma che non si spegne,* qu'il trouve (à son corps défendant) sa voie propre : le traitement de genres alors méprisés (films pseudo-historiques, mélodrames, plus tard péplums), dont il subvertit les conventions par son attachement à la peinture des personnages féminins (qu'il s'agisse de la Traviata ou de Cléopâtre), par son sens plastique constamment affirmé, par son humanisme nuancé çà et là d'une légère ironie. Organisation de l'espace, sens du rythme, fixation des réflexes d'acteur, rien ne manque, même à ces commandes que sont les *Hercule* (le second enveloppant en outre une fable antiatomique). Tous les problèmes reçoivent chez Cottafavi une solution visuelle : il atteint à l'essence du cinéma par les moyens les plus simples et à la fois les plus raffinés. Méconnu en Italie, il a été découvert par la critique française. Mais, après le naufrage d'un de ses meilleurs films, *le Fils du Cid,* il s'est consacré à la TV (qu'il pratiquait depuis 1957), où ses mises en scène, parfois expérimentales, ont rencontré le succès (voir sa production franco-italienne *la Folie Almayer,* 1972). G.L.

Films ▲ : *I nostri sogni* (1943) ; *Lo sconosciuto di San Marino* (co Michael Waszynski, 1947) ; *Fantômes sous la mer* (*Fantasmi del mare,* de Robertis [Cottafavi dirige la deuxième équipe], 1948) ; *La fiamma che non si spegne* (1949) ; *Una donna ha ucciso* (1952) ; *La grande strada* (co M. Waszynski, *id.* [RÉ 1948] ; *le Prince au masque rouge* (*Il cavaliere di Maison Rouge,* id.) ; *Fille d'amour* (*Traviata '53,* 1953) ; *Milady et les mousquetaires* (*Il boia di Lilla,* id.) ; *In amore si pecca in due* (1954) ; *Repris de justice* (*Avanzi di galera,* 1955) ; *l'Affranchi* (*Nel gorgo del peccato,* id.) ; *Fiesta brava* (inachevé, DOC, *id.*) ; *Femmes libres* (*Una donna libera,* 1956) ; *la Révolte des gladiateurs* (*La rivolta dei gladiatori,* 1958) ; *les Légions de Cléopâtre* (*Le legioni di Cleopatra,* 1960) ; *Messaline* (*Messalina, Venere imperatrice,* id.) ; *la Vengeance d'Hercule* (*La vendetta di Ercole,* id.) ; *les Vierges de Rome* (*Le vergini di Roma, CO* Pottier et C. L. Bragaglia, qui signe seul, 1961) ; *Hercule à la conquête de l'Atlantide* (*Ercole alla conquista di Atlantide,* 1961) ; *le Fils du Cid, les Cent Cavaliers* (*I cento cavalieri,* 1965) ; *Maria Zef* (1981) ; *le Diable sur les collines* (*Il diavolo sulle colline,* 1985).

COTTEN *(Joseph), acteur américain (Petersburg, Va., 1905 - Westwood, Ca., 1994).* Jeune auteur dramatique malchanceux, courtier en publicité, il veut à tout prix faire du théâtre et débute (comme assistant régisseur) à Broadway en 1930. En 1937, il rejoint la troupe du Mercury Theater d'Orson Welles, qui l'appellera en 1940 à Hollywood pour interpréter des rôles de premier plan dans *Citizen Kane* (1941), *la Splendeur des Amberson* (1942) et *Voyage au pays de la peur* (id.).

Sa profonde intelligence des rôles, son extraordinaire diction « sudiste », sa distinction un peu meurtrie semblent devoir lui assurer une grande carrière cinématographique. Mais, après ses prestations de *l'Ombre d'un doute* (1943), où Hitchcock joua de sa faiblesse secrète avec un instinct divinatoire, des *Amants du Capricorne* (*id.,* 1949) et de quelques autres films, *Hantise* (G. Cukor, 1944), *Duel au soleil* (K. Vidor, 1947), où déjà il paraissait en retrait, *le Portrait de Jennie* (W. Dieterle, 1949), *le Troisième Homme* (C. Reed, *id.*), *la Garce* (K. Vidor, *id.*), cette carrière a rapidement décliné. Non que l'acteur ait perdu ses moyens (il composa un fascinant intellectuel assassin dans *Niagara,* H. Hathaway, 1953), mais il semble incapable de les adapter à l'évolution du cinéma, tournant trop de westerns en Italie et en Espagne, à l'opposé de son introversion manifeste. Même ses rôles dans *El Perdido* (R. Aldrich, 1961) ou *Petulia* (R. Lester, 1968) ont quelque chose de parodique. Ceux de *Piège au grisbi* (B. Kennedy, 1966) et *Soleil vert* (R. Fleischer, 1973) sont plus près de ses possibilités réelles, quoique épisodiques. Il a, tout compte fait, mieux utilisé son charme ambigu, quitte à avouer son âge, en apparaissant (parfois en guest-star) dans *l'Argent de la vieille* (L. Comencini, 1972), *Vérités et Mensonges* (O. Welles, 1974), *l'Ultimatum des trois mercenaires* (R. Aldrich, 1977) ; *l'Ordre et la Sécurité du monde* (Claude D'Anna, 1978) ; *Caravans* (James Fargo, *id.*) ; *le Continent des hommes-poissons*

(*L'isola degli uomini-pesce,* Sergio Martino, 1978) ; *la Porte du paradis* (M. Cimino, 1980).
G.L.

COUCHE SENSIBLE. Couche d'un film où sont incorporés les éléments sensibles à la lumière. C'est au sein de la *couche sensible* (sous-entendu : à la lumière) que l'image se forme. La couche sensible constitue la partie « active » de la pellicule, par opposition au support, dont la seule fonction est d'assurer la tenue mécanique du film.

On qualifie très souvent la couche sensible d'« émulsion ». En toute rigueur, le terme est impropre. Il n'en est pas moins consacré par l'usage, et il ne viendrait à l'idée de personne de repérer les deux faces d'un film autrement que par « côté support » et « côté émulsion ».

Constituants de la couche sensible. Fondamentalement, la couche sensible est une couche de *gélatine* dans laquelle sont noyés d'innombrables minuscules cristaux *solides :* essentiellement du bromure d'argent, mais aussi de l'iodure d'argent, voire du chlorure d'argent. Brome, iode, chlore ont des propriétés chimiques voisines, ce qui conduit à les classer dans la famille des « halogènes ». On regroupe donc bromure, iodure et chlorure d'argent sous le terme général d'*halogénures d'argent.*

Depuis l'invention, vers 1880, du « gélatino-bromure », le principe de la photographie, en noir et blanc comme en couleurs, repose sur la sensibilité à la lumière des cristaux d'halogénures d'argent.

La gélatine, préparée à partir de carcasses de bovins, rappelle, en beaucoup plus concentré, certaines gelées employées en cuisine. Si elle sert essentiellement de liant entre les cristaux, elle intervient aussi quelque peu dans les processus chimiques qui conduisent à la formation de l'image. Cela pose d'ailleurs certains problèmes aux fabricants de surfaces sensibles : compte tenu de son origine, la gélatine n'est pas de composition parfaitement constante, alors que les autres produits contenus dans la couche sensible sont fabriqués par l'industrie chimique avec toute la pureté désirable.

La couche sensible contient également des *sensibilisateurs,* grâce auxquels les halogénures d'argent sont sensibles à toutes les radiations lumineuses, alors qu'à l'état naturel ils ne sont guère sensibles qu'au violet et au bleu. Les premiers sensibilisateurs permirent de capter le vert. C'était déjà un progrès considérable, et les pellicules ainsi traitées furent qualifiées d'*orthochromatiques* (« traduisant correctement les couleurs »). L'appellation était ambitieuse puisque ces pellicules demeuraient fort peu sensibles au rouge. La première pellicule *panchromatique,* c'est-à-dire sensible à toutes les radiations visibles, fut obtenue en 1913 chez Eastman. Mais c'est seulement vers la fin du muet, à la suite des progrès accomplis dans la sensibilisation au rouge, que se généralisa l'emploi des films panchromatiques, qui permettaient enfin de travailler à la lumière des lampes à incandescence, lesquelles émettent surtout du rouge (→ SOURCES DE LUMIÈRE).

Dans le cas des films en couleurs, il n'existe pas une seule couche comme en noir et blanc, mais trois couches superposées respectivement sensibles au rouge, au vert, au bleu (→ COULEUR), parfois séparées par une intercouche de gélatine colorée servant de filtre. (Sur le positif, l'ordre des couches est modifié de façon à améliorer la netteté apparente de l'image projetée.) L'épaisseur de cet ensemble (environ 0, 015 mm) n'excède pas celle de la couche unique des films noir et blanc. Ces couches superposées contiennent, sauf exception, des *coupleurs* dont le rôle, capital, sera décrit plus loin.

La couche sensible peut également contenir d'autres produits, notamment des produits *tannants,* comparables à ceux utilisés pour le tannage des peaux d'animaux et dont le rôle est de renforcer la tenue mécanique de la gélatine lorsque cette dernière, plongée dans les bains de traitement, se gorge d'eau.

Principe général du développement. Lorsque la couche sensible est soumise à l'action de la lumière, il ne se passe rien d'apparent : une pellicule impressionnée présente le même aspect qu'une pellicule vierge. En réalité, les cristaux d'halogénures d'argent qui ont été exposés à la lumière ont subi une modification physico-chimique quasi imperceptible mais bien réelle. Ils ont été, en quelque sorte, « marqués ». Par là, l'image a bien été enregistrée. Mais elle n'est pour l'instant qu'une image potentielle, appelée *image latente.* Cette image est *révélée* lors du *développement,* lequel consiste en un séjour plus ou moins long dans un *révélateur,* c'est-à-dire dans un produit chimique susceptible de réagir avec les cristaux « marqués » de façon à en extraire l'argent, qui se retrouve sous forme de petits granules d'argent *métallique.*

Considérons un négatif noir et blanc ayant reçu, côte à côte, trois insolations (forte, moyenne, très faible) que l'on s'attend à voir traduites par des plages respectivement noire, grise, blanche. Dans la première plage, très nombreux sont les cristaux « marqués » ; l'ensemble des granules d'argent métallique apparus lors du développement constitue une couche continue, fine mais néanmoins suffisamment épaisse pour être opaque : par transparence, on observe bien du *noir.* Dans la seconde plage, la quantité de lumière a été insuffisante pour « marquer » tous les cristaux ; l'argent libéré ne suffit plus à arrêter toute la lumière : on a bien du *gris.* Dans la troisième plage, le révélateur libère l'argent de quelques très rares cristaux : par transparence, on a bien du *blanc,* à un léger *voile* près, dû à l'absorption de la lumière par le peu d'argent libéré.

On pourrait penser que, là où l'émulsion n'a reçu *aucune* lumière, aucun voile n'apparaît. En fait, si les révélateurs sont actifs, c'est parce qu'ils ont une grande affinité pour les halogénures d'argent, cette affinité étant particulièrement élevée pour les cristaux « marqués ». Première conséquence : on ne doit pas prolonger le séjour dans le révélateur au-delà du temps nécessaire au développement des seuls cristaux « marqués ». Or, les réactions chimiques croissent avec la température. Voilà pourquoi il est nécessaire de contrôler avec précision à la fois la température du bain de développement et le temps de développement. C'est aussi la raison pour laquelle on a pu accélérer considérablement le traitement des films, en mettant au point des émulsions tannées susceptibles de résister à des températures élevées. Deuxième conséquence : le révélateur réagit de toute façon avec quelques cristaux non « marqués » : un léger voile est inévitable.

Fixage et lavage. Après développement, la couche sensible contient de nombreux cristaux non révélés, qu'il faut éliminer car ils absorbent passablement la lumière. Dans un premier temps, le *fixage* (l'agent essentiel du *fixateur* est l'hyposulfite de soude) transforme ces cristaux en produits solubles dans l'eau. Dans un deuxième temps, l'eau du *lavage* entraîne les produits solubles, ne laissant que la gélatine et les éléments constitutifs de l'image (argent dans le cas du noir et blanc, produits colorés dans le cas de la couleur).

En réalité, on ne peut pas éliminer *totalement* les produits solubles. La gélatine ne peut pas, en effet, être plus « pure » que l'eau dans laquelle elle baigne. Or cette eau, si pure soit-elle au départ, se charge précisément des produits qu'elle entraîne. On peut donc seulement, par lavages successifs, abaisser par étapes la teneur de la gélatine en produits indésirables jusqu'à une valeur suffisamment basse pour qu'il ne se produise pas d'altération chimique de l'image. Consommatrice d'argent, l'industrie cinématographique est donc aussi consommatrice... d'eau.

Développement chromogène. À l'issue de la réaction chimique qui s'opère entre les cristaux « marqués » et les molécules de révélateur en contact avec eux, les granules

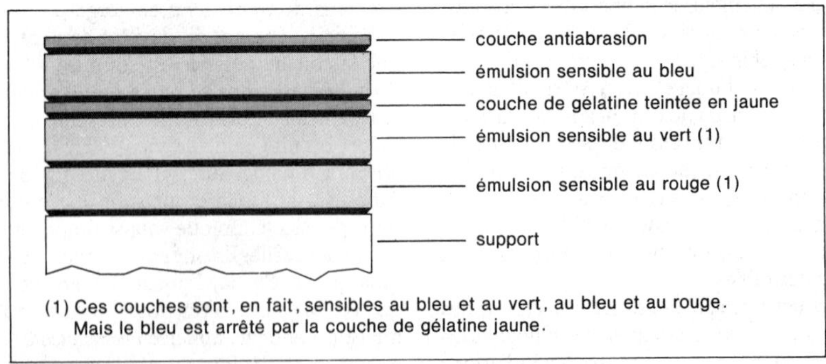
couche antiabrasion
émulsion sensible au bleu
couche de gélatine teintée en jaune
émulsion sensible au vert (1)
émulsion sensible au rouge (1)
support
(1) Ces couches sont, en fait, sensibles au bleu et au vert, au bleu et au rouge.
Mais le bleu est arrêté par la couche de gélatine jaune.

Couche sensible. *Couche sensible d'un film négatif en couleurs.*

d'argent libéré se retrouvent entourés par les autres produits de la réaction. En noir et blanc, ces produits sont éliminés lors des étapes ultérieures du traitement. En couleurs, on les met à profit, en les faisant réagir avec d'autres produits chimiques – les *coupleurs* – généralement présents dès le départ dans la couche sensible (sauf pour le Kodachrome, où ils sont apportés par les bains de développement). Cette seconde réaction conduit à l'apparition, là où se trouvaient les cristaux « marqués », de corps colorés qui constitueront finalement l'image une fois que l'argent aura été éliminé à l'aide d'un solvant approprié. Ce processus de *développement chromogène* n'est réalisable qu'avec certains révélateurs, dits *révélateurs chromogènes.*

Le principe de ce processus, sur lequel reposent aujourd'hui tous les procédés de cinéma en couleurs, avait été décrit dès 1911 par le chimiste allemand R. Fischer. Mais la panoplie chimique de l'époque ne permettait pas de le mettre en application de façon satisfaisante : il fallut attendre pour cela les années 35, où apparurent presque simultanément le Kodachrome et l'Agfacolor. (→ PROCÉDÉS DE CINÉMA EN COULEURS.)

Inversion. Avec le mode de développement considéré jusqu'ici, l'argent libéré (ou les colorants apparus à la place de l'argent libéré) forment une image *négative,* où les « blancs » du sujet sont traduits par du noir et réciproquement. Si l'on copie cette image sur un film vierge, un nouveau retournement des « valeurs » s'opère : après développement du second film, les blancs du sujet sont bien traduits par du blanc et les noirs par du noir. C'est la filière classique *négatif-positif :* le film projeté est distinct du film de prise de vues.

Il est possible d'obtenir directement une image positive. Considérons à nouveau les trois « plages » évoquées plus haut. À la prise de vues, tous les cristaux sont « marqués » dans la première plage, une partie seulement dans la seconde plage, aucun dans la troisième. (Nous négligeons ici le voile.) Après développement, au lieu de laver et fixer, éliminons l'argent libéré par un solvant approprié. Soumettons ensuite le film, lors d'une « seconde pose », à un éclairement suffisant pour « marquer » tous les cristaux restant. Après un second développement (suivi maintenant d'un fixage et d'un lavage), on obtient, sur la pellicule même de prise de vues, une image où les « blancs » du sujet sont traduits par du blanc et les « noirs » par du noir. Ce processus de développement *par inversion,* ou développement inversible, est aussi bien praticable en couleurs qu'en noir et blanc.

S'il est plus complexe que le développement de la filière négatif-positif, et s'il n'est généralement praticable qu'avec des films *inversibles* (c'est-à-dire conçus à cet effet), le développement présente l'avantage économique appréciable de fournir directement un film projetable. Pour cette raison, les amateurs travaillent presque exclusivement en inversible. En cinéma professionnel, les films distribués dans les salles sont de toute façon des copies : la filière négatif-positif est alors plus rationnelle, et on n'a recours à l'inversion que dans quelques cas bien précis : films intermédiaires (→ COPIES), ou prises de vues en 16 mm sur Ektachrome inversible (→ CONTRASTE). J.-P.F./J.-M.G.

COULÉE. Opération consistant à couler l'émulsion sur le support. *Films de même coulée,* films découpés dans le même ruban large de pellicule vierge. (→ FILM.)

COULEUR. La couleur est à la fois objective et subjective. *Objective :* à moins d'être daltonien, chacun attribue la même couleur à un objet coloré donné, même si la description de la couleur peut varier selon les individus. *Subjective :* si nous observons un immeuble à la nuit tombante, la lumière des appartements nous paraît jaune-orangé ; or, les occupants des appartements ont, eux, la sensation d'une lumière « blanche ».

Couleur. *Fig. 1.* Voir cahier en couleurs p. *95.*

Ce paradoxe peut s'expliquer. La lumière visible comprend les radiations électromagnétiques de longueurs d'onde comprises entre environ 0, 4 et environ 0,7 μm. (→ LUMIÈRE.) Un faisceau de lumière solaire, ou de lumière provenant d'une lampe à incandescence, contient toutes ces radiations. Si on le fait tomber sur un *prisme,* ce dernier « étale » les radiations en fonction de leur longueur d'onde, fournissant ainsi le *spectre* de la lumière qui le frappe. La décomposition de la lumière en son spectre correspond à l'analyse spectrale, élément indispensable si l'on veut définir une source de lumière. Un phénomène analogue se produit dans l'arc-en-ciel, où dans chaque goutte d'eau de la pluie, les rayons lumineux subissent une réfraction d'où dispersion de la lumière, puis une réflexion et une deuxième réfraction qui étale le spectre plus largement.

L'observation de ce spectre (figure 1) montre ceci : à chaque longueur d'onde correspond une sensation de couleur bien précise, qui varie de façon continue de 0,4 μm à 0,7 μm. Les limites qui séparent chaque couleur sont très subjectives pour l'œil. Nous pouvons grossièrement partager ce spectre en trois grandes régions : bleue, verte et rouge, sans négliger une étroite bande jaune à 0,55 μm ; c'est là que l'œil a son maximum de visibilité.

Considérant à l'envers l'expérience du prisme, on comprend que nous appelons « lumière blanche » le mélange de toutes les couleurs du spectre visible, c'est la synthèse additive. Les mesures montrent toutefois que la répartition, le long du spectre, de l'énergie portée par les différentes radiations est très variable selon que la lumière provient du Soleil ou d'une lampe à incandescence (figure 2) : la seconde est comparativement beaucoup moins riche en vert et surtout en bleu. Heureusement, notre sens de la vision est doté d'un mécanisme d'adaptation automatique, qui fait considérer comme « blanche » la lumière de la source lumineuse prépondérante, tout au moins (réserve capitale !) lorsqu'il s'agit de la lumière du jour ou de celle des lampes à incandescence. Le paradoxe commence alors à se dissiper. Quand nous observons l'immeuble à la nuit tombante, la lumière prépondérante est celle, riche en bleu, du ciel entre chien et loup : par comparaison, la lumière des lampes à incandescence paraît rougeâtre. Pour les occupants de l'appartement, cette lumière est prépondérante : elle paraît blanche.

Étudions maintenant une scène éclairée en lumière « blanche » : paysage, appartement le soir, etc. À l'exception de la source lumineuse elle-même, les corps visibles ne le sont que parce qu'ils renvoient vers l'œil (ou transmettent vers l'œil, s'il s'agit de corps observés par transparence) au moins une partie de la lumière qui les frappe.

Si le pourcentage de lumière renvoyée est identique pour toutes les longueurs d'onde, le corps paraît dépourvu de couleurs. Cette absence de couleurs est qualifiée de « blanc » si le pourcentage de lumière renvoyée est élevé (environ 60 p. 100 pour un papier blanc ordinaire), de « noir » si le pourcentage est nul ou très faible (2 à 6 p. 100 pour les noirs d'une photographie), de gris dans les cas intermédiaires.

Si certaines radiations sont mieux renvoyées (si l'on préfère : moins absorbées) que d'autres, le corps paraît alors coloré : de tonalité générale rouge s'il renvoie bien le rouge et peu le vert et le bleu, etc. La couleur d'un objet provient donc de la différence qu'il introduit entre la lumière qu'il reçoit et la lumière qu'il renvoie. C'est donc bien une

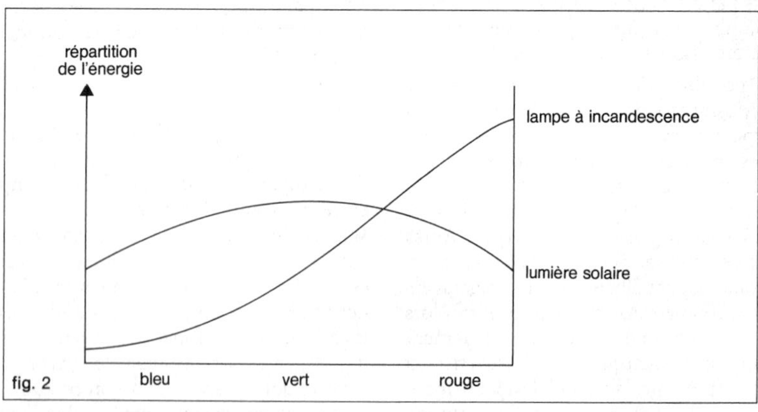

La lumière solaire contient à peu près autant de bleu, de vert, de rouge. La lampe à incandescence émet surtout du rouge.

caractéristique objective de ce corps : le paradoxe finit de se dissiper.

Mélanges additifs et soustractifs. Mélangeant deux peintures rouge et verte, nous obtenons une couleur très sombre, de tonalité marron-vert.

Éclairons un écran blanc avec deux projecteurs munis de filtres respectivement rouge et vert. Là encore, nous « mélangeons » rouge et vert, mais le résultat est maintenant un superbe jaune.

Ce nouveau paradoxe est lui aussi explicable. Peinture et filtre nous paraissent rouges lorsque (en schématisant) ils transmettent seulement le rouge, et verts lorsque (toujours en schématisant) ils transmettent seulement le vert.

Avec les deux projecteurs, nous *additionnons* sur l'écran les couleurs transmises. C'est un mélange *additif,* qui procure en l'occurrence une sensation de jaune. L'impressionniste qui place une touche de vert à côté d'une touche de rouge provoque pour l'œil de l'observateur un mélange additif donnant la sensation de jaune.

Les pourpres ne figurent pas dans le spectre parce qu'il ne s'agit pas de couleurs spectrales, ils n'ont pas de longueur d'onde. Cependant ils sont fréquents dans la nature. Les couleurs lilas ou mauves sont des pourpres.

Avec les peintures, il en va différemment. Avant d'être renvoyée vers l'œil, la lumière pénètre dans les couches superficielles de la peinture ; c'est là que, pour la peinture rouge par exemple, les radiations vertes et bleues sont soustraites. Mélangeant deux peintures, nous additionnons ces soustractions. C'est un mélange *soustractif,* identique à celui qu'on obtiendrait en superposant devant un projecteur un filtre rouge et un filtre vert : le filtre rouge, qui absorbe le vert et le bleu, laisse bien passer le rouge, mais ce dernier est ensuite absorbé par le filtre vert, et — compte tenu de la schématisation acceptée plus haut — aucune lumière ne parvient sur l'écran. (En réalité, les absorptions étant moins schématiques qu'on ne l'a supposé, il y parvient une faible lumière, teintée dans ce cas précis en marron-vert.)

Tout cela choque peut-être le peintre, habitué à obtenir du vert en mélangeant jaune et bleu. En réalité, s'il analysait les bleus usuels, il constaterait que ces bleus transmettent largement le vert. Le mélange soustractif jaune-bleu devient alors intelligible : le jaune absorbe les radiations bleues, le bleu absorbe les radiations rouges et un peu les radiations vertes ; il reste bien essentiellement du vert.

Le triangle des couleurs. Éloignons progressivement un objet coloré de la source qui l'éclaire. Sa couleur ne change pas, même s'il renvoie vers l'œil de moins en moins de lumière. La couleur des objets peut donc être étudiée indépendamment de la quantité de lumière globale qu'ils renvoient.

À partir de cette remarque, les nombreux travaux sur la colorimétrie ont abouti à la représentation de la figure 3, qui sert de référence internationale et qui possède les deux grandes propriétés suivantes :

a) Toute couleur peut être représentée par un point situé à l'intérieur d'une courbe enveloppe approximativement triangulaire dont le tracé supérieur (en gras sur la figure) correspond aux couleurs du spectre, d'où la graduation de ce tracé en longueurs d'onde.

b) La couleur résultant du mélange *additif* de deux couleurs C_1 et C_2 est représentée (voir figure 3) par un point situé entre C_1 et C_2, plus ou moins proche de C_1 ou de C_2 selon les proportions respectives de C_1 et de C_2. Le *blanc,* addition de toutes les couleurs du spectre, se trouve tout naturellement au

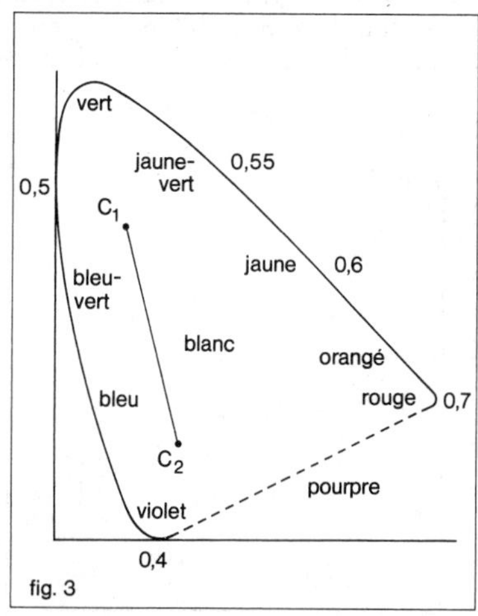

Toute couleur est représentée par un point de ce triangle des couleurs dont deux côtés correspondent aux couleurs du spectre. Par mélange additif de deux couleurs C1 et C2, on obtient une couleur située entre C1 et C2.

centre du « triangle ». (Nous savons que, selon la quantité globale de lumière renvoyée par l'objet, ce blanc pourra éventuellement être perçu comme *gris,* voire comme *noir.*) Quant au troisième côté du « triangle », il correspond évidemment au mélange en proportions variables des radiations de longueurs d'onde 0,4 μm (violet) et 0,7 μm (rouge), ce qui donne des teintes *pourpres.* (Le lilas rose est un bon exemple de pourpre.) On vérifie que le mélange additif, en proportions égales, du rouge et du vert donne bien du jaune.

Couleurs complémentaires. Deux couleurs sont dites *complémentaires* si leur mélange additif en proportions convenables procure la sensation de blanc. La seconde propriété du triangle des couleurs implique que la droite joignant ces deux couleurs passe par le point *blanc.* Considérant les couleurs du spectre, il vient immédiatement que le complémentaire du rouge est un bleu-vert, le complémentaire du jaune un bleu-violet, etc. Le complémentaire du vert n'est pas une couleur du spectre, mais un pourpre. (Voir figure 4.)

Teinte et pureté. Cette même seconde propriété permet de considérer toute couleur comme un mélange de blanc et d'une couleur de l'enveloppe dutriangle (figure 5). La couleur de l'enveloppe définit la *teinte* (ou *tonalité*) de la couleur considérée. La *pureté* (ou *saturation*) varie avec la proportion de blanc, entre 0 p. 100 pour le blanc et 100 p. 100 pour les couleurs de l'enveloppe. Une couleur peu

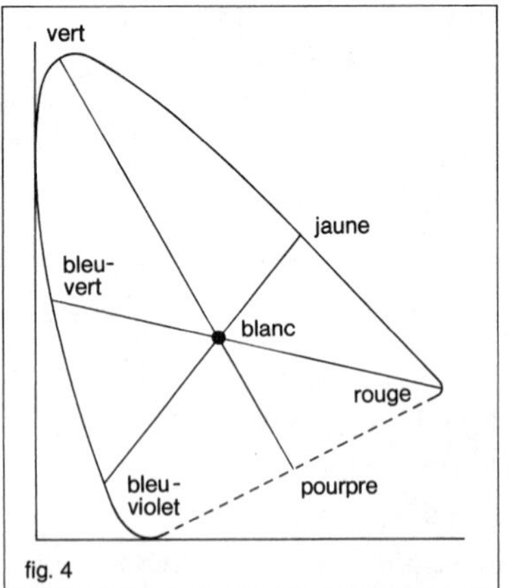

Couleurs complémentaires : deux couleurs sont complémentaires si leur mélange additif donne du blanc (ex. : rouge et bleu-vert).

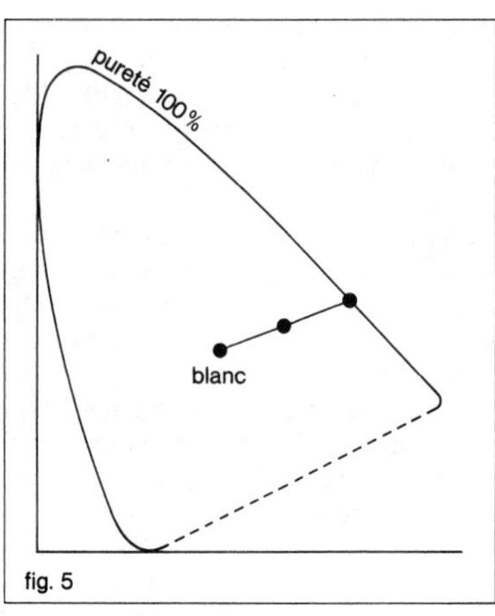

Toute couleur est un mélange de blanc et d'une couleur de l'enveloppe du triangle, la pureté croissant de 0 p. 100 pour le blanc à 100 p. 100 sur l'enveloppe.

saturée est dite *délavée.* (Le rose n'est pas autre chose qu'un rouge délavé, c'est-à-dire un rouge mélangé de blanc.)

Toute couleur peut donc être décrite par sa teinte et sa pureté. Sauf cas très rares, comme l'observation d'un spectre dans une pièce obscure, les couleurs que nous voyons ne sont jamais saturées. (Par exemple, les couleurs de l'arc-en-ciel qui sont des couleurs spectrales, sont délavées parce que vues dans un espace très lumineux et à travers un milieu trouble et diffusant qu'est notre atmosphère.) En pratique, ces couleurs s'inscrivent à l'intérieur du domaine schématisé figure 6. Ce résultat est fondamental, car il permet de réaliser la restitution des couleurs.

Principe de la restitution des couleurs. De la deuxième propriété du triangle des couleurs, on déduit qu'en mélangeant additivement trois couleurs D, E, F, (par exemple en éclairant un écran blanc avec trois projecteurs munis chacun d'un filtre coloré), nous pouvons obtenir toutes les couleurs comprises à l'intérieur du triangle DEF. Ce mélange permettra la restitution des couleurs visibles si le triangle DEF englobe le domaine évoqué au paragraphe précédent.

L'examen de la figure 6 montre que ces trois couleurs sont à peu près imposées par la nature des choses. Entre le rouge-orangé et le jaune-vert, la frontière du domaine suit de près l'enveloppe du triangle des couleurs. Dans cette région, le triangle DEF doit donc lui aussi suivre de près cette enveloppe, ce qui impose que deux de ses sommets (figure 7) se situent dans le *rouge* (noté R. par la suite) et dans le *vert* (noté V). La troisième couleur s'en déduit : c'est évidemment un *bleu,* noté B. (C'est en fait un bleu-violet.)

On retrouve finalement les couleurs des trois grandes régions spectrales évoquées tout au début, et on comprend dès lors le principe général de la reproduction des couleurs, qui consiste à mélanger : une image *bleue,* correspondant à tout ce que l'objet envoie vers l'œil comme radiations de longueurs d'onde comprises approximativement entre 0,4 et 0,5 μm ; une image *verte* (idem, mais entre – en gros – 0,5 et 0,6 μm) ; une image *rouge* (idem, mais entre – en gros – 0,6 et 0,7 μm).

En pratique, le triangle RVB n'englobe pas complètement le domaine schématisé figure 6. S'ils sont capables de restituer *toutes les teintes,* les mélanges trichromes ne paraissent donc pas, a priori, capables de restituer toutes les couleurs avec la pureté requise. Maxwell, en 1885, a montré que l'œil se satisfait de trois primaires judicieusement choisies pour la reproduction des couleurs, ce qui confirmait la théorie de Young (1801). La pratique de la trichromie le confirme.

En employant plus de trois couleurs, on pourrait élargir la palette restituée. Mais la méthode n'est guère envisageable que dans les procédés additifs, abandonnés depuis plus de trente ans. (Le Rouxcolor utilisait : rouge, jaune, vert, bleu.) Dans les procédés soustractifs, les seuls employés aujourd'hui en dehors de la télévision (→ PROCÉDÉS DE CINÉMA EN COULEURS), elle introduirait une complication sans doute rédhibitoire, et sans commune mesure avec le gain de fidélité qui en résulterait.

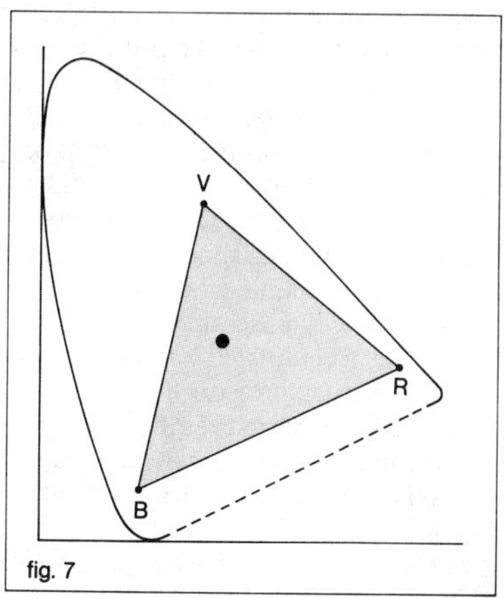

Les trois couleurs primaires du cinéma sont : le rouge, le vert, le bleu. Leur mélange permet de restituer les couleurs du triangle RVB, raisonnablement comparable au domaine en grisé.

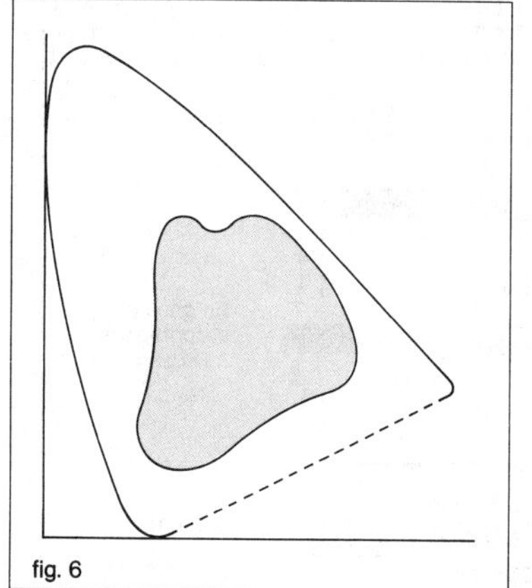

La plupart des couleurs observables se situent à l'intérieur du domaine en grisé.

À l'inverse, les procédés *bichromes* (où les couleurs employées doivent être nécessairement complémentaires, car l'œil ne tolérerait pas que les *blancs* du sujet ne soient pas traduits par du blanc) ne permettent de restituer qu'une gamme très limitée de teintes. Comme l'œil ne tolérerait pas non plus un rendu trop incorrect de la couleur de la peau (rose orange), ces deux couleurs s'imposent : rouge-orangé et son complémentaire bleu-vert. Les rouges francs, les bleus francs, les verts francs, les pourpres ne sont donc pas restitués.

Synthèses additives et soustractives. Pour reproduire toutes les couleurs du triangle RVB avec les trois projecteurs évoqués au paragraphe précédent, il faut bien entendu pouvoir régler l'intensité lumineuse fournie par chacun, entre 0 p. 100 (intensité nulle) et 100 p. 100 (intensité maximale).

Supposons que la couleur à reproduire corresponde par exemple à 60 p. 100 de R et 25 p. 100 de V, 25 p. 100 de B.

Dans les procédés *additifs,* on n'emploie pas trois projecteurs distincts. Le principe général consiste à partager en trois le faisceau lumineux, blanc à l'origine, fourni par la lanterne du projecteur. (Pour les réalisations pratiques, → PROCÉDÉS DE CINÉMA EN COULEURS.) Sur chaque faisceau ainsi obtenu, on interpose un filtre qui, idéalement, laisse entièrement passer *une* région spectrale et arrête entièrement *les deux autres.* Ces faisceaux, désormais colorés, éclairent trois images *noir et blanc* qu'un dispositif adéquat projette en superposition sur l'écran. Dans notre exemple, l'image noir et blanc correspondant à *rouge* laissera passer 60 p. 100 de la lumière, et les deux autres en laisseront passer 25 p. 100. Sur l'écran, on trouve les proportions désirées de R, de V, de B (figure 8 a).

Dans les procédés *soustractifs,* le film est éclairé en lumière blanche et il comporte, superposées, trois images *colorées* (et non plus noir et blanc) de couleurs *complémentaires* du R, du V, du B, c'est-à-dire respectivement : bleu-vert («cyan» en jargon de cinéma), pourpre («magenta»), jaune. Idéalement, le colorant de chaque image n'absorbe (entre 0 et 100 p. 100) qu'*une seule* région spectrale (rouge pour le colorant cyan puisque la couleur bleu-vert de celui-ci provient précisément de ce qu'il absorbe uniquement la rouge, etc.). Dans notre exemple, l'image cyan laissera passer 60 p. 100 du R, et les images magenta et jaune laisseront passer 24 p. 100 du V et du B. Sur l'écran, on trouve à nouveau les proportions désirées de R, de V, de B (figure 8 b).

Indépendamment des problèmes technologiques qui ont condamné les procédés additifs, un inconvénient majeur de ces derniers apparaît immédiatement. Pour obtenir du blanc sur l'écran, il suffit, en additif comme en soustractif, que chaque image soit totalement transparente. En soustractif, l'écran reçoit toute l'intensité lumineuse disponible. En additif, le faisceau issu de la lanterne continue de franchir des filtres qui absorbent chacun deux régions spectrales sur trois : l'écran reçoit de ce fait trois fois moins de lumière qu'en soustractif. (Sauf à tripler la puissance lumineuse de la lanterne !)

Prises de vues additive et soustractive. Qu'il s'agisse d'un procédé additif ou soustractif, le principe de la prise de vues est comparable à celui de la projection.

En additif, le faisceau lumineux issu de l'objectif de la caméra est divisé en trois faisceaux distincts filtrés en B, V et R qui impressionnent chacun un film négatif noir et blanc.

En soustractif, on emploie un film, identique dans son principe à celui qui servira au

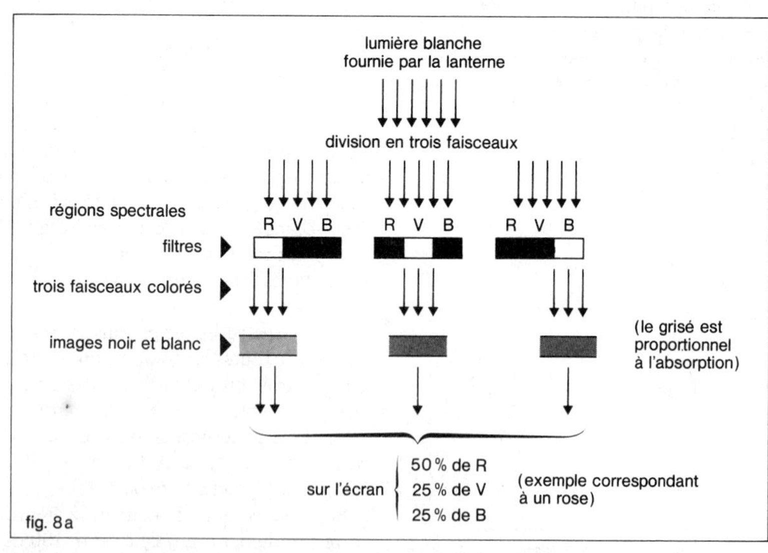

Couleur. *Principe des procédés additifs.*

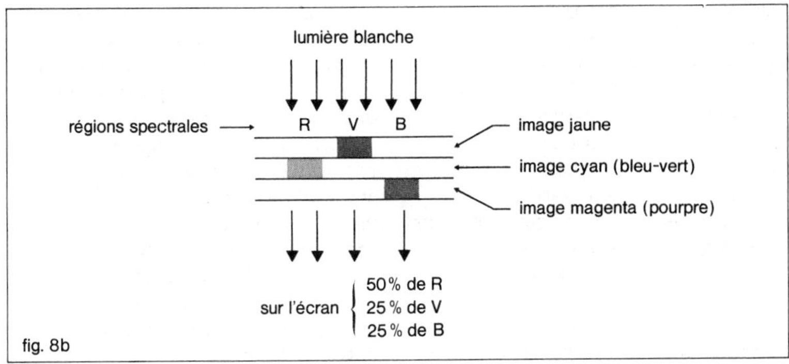

Couleur. *Principe des procédés soustractifs.*

tirage des copies, comportant trois couches superposées, respectivement sensibles au R, au V, au B. Après développement, ces couches donneront des images respectivement cyan, magenta, jaune. Comme dans tout système négatif-positif, chacune de ces images doit être claire là où le positif sera sombre et réciproquement : le mélange *additif* du négatif et du positif donne donc du *blanc* (entendu ici au sens d'absence de couleur). Les couleurs du négatif sont donc *complémentaires* de celles du positif, c'est-à-dire de celles de la scène filmée ; le ciel bleu clair y est traduit par un jaune sombre, le vert sombre des feuilles par un pourpre clair, etc.

Les procédés additifs et soustractifs conduisant tous à trois images distinctes qui sélectionnent ce qu'il y a de R, de V, de B, dans le sujet filmé, il n'y a aucune impossibilité de principe (même s'il y a parfois des problèmes technologiques) à tirer un positif soustractif à partir d'un film de prise de vues additif, et réciproquement. Les copies Technicolor (procédé soustractif) étaient ainsi tirées d'après trois films noir et blanc enregistrés derrière des filtres R, V, B. (→ PROCÉDÉS DE CINÉMA EN COULEURS.)

Sélections. Les trois images noir et blanc qui sélectionnent (comme dans le Technicolor) ce qu'il y a de R, de V, de B dans le sujet sont appelées *sélections.* Par extension, on appelle *sélection* l'ensemble des trois films noir et blanc obtenus en laboratoire par copie d'un film en couleurs derrière des filtres R, V, B. L'intérêt d'établir une telle sélection (à partir de laquelle on peut par un processus inverse reconstituer l'image en couleurs) réside dans le fait que les films noir et blanc sont plus stables dans le temps que les films en couleurs. (→ CONSERVATION DES FILMS.) Inconvénients (outre le coût de l'opération) : il y a triplement du volume de stockage et un risque existe – si les sélections sont conservées en atmosphère trop sèche – de rétrécissement (« retrait ») des films, ce qui peut rendre difficile la superposition des trois images lors du retirage.

Masque. Dans les films à trois couches sensibles superposées, les images colorées se forment à partir de *coupleurs* (→ COUCHE SENSIBLE) incorporés dans l'émulsion (sauf pour le Kodachrome, où ils sont apportés par les bains de développement). La conception de ces films confine à l'acrobatie chimique : il faut que, plongés pendant le même temps dans le même révélateur, ces coupleurs se transforment en colorants de la couleur requise ; il faut que les colorants ne « diffusent » pas (c'est-à-dire qu'ils restent là où ils sont apparus, sinon l'image serait floue) et soient chimiquement stables ; il faut qu'aucune des images colorées ne soit plus claire ou plus sombre que les autres, sinon les *blancs* du sujet ne seraient plus traduits par du blanc, etc.

Il n'est donc pas surprenant que les colorants obtenus en pratique ne soient pas les colorants « idéaux » considérés jusqu'ici, c'est-à-dire absorbant chacun uniquement une région spectrale. Le colorant magenta, qui ne devrait absorber que le V, absorbe aussi de façon appréciable le B ; le colorant cyan, qui ne devrait absorber que le R, absorbe aussi de façon appréciable le V et le B ; seul le colorant jaune est raisonnablement proche de l'idéal. À cause de ces absorptions parasites, le V et le B sont, sur le positif, moins transparents qu'ils ne devraient l'être. Ce défaut serait tolérable par l'œil si l'on partait d'un négatif parfait. Mais le négatif connaît les mêmes absorptions parasites. Il faut donc éliminer celles-ci, au moins sur le négatif.

Pour y parvenir, les coupleurs qui formeront les images magenta et cyan sont colorés en jaune-orangé sur le négatif, cette couleur étant prévue pour disparaître là où le coupleur se transforme en colorant. Les absorptions parasites dans les couches magenta et cyan sont ainsi automatiquement compensées par une diminution de l'absorption due au colorant jaune-orangé initial. La tonalité générale jaune-orangé du négatif est compensée par l'emploi, pour le tirage des copies, d'un film particulièrement sensible au bleu, ce qui permet bien de traduire les blancs du sujet par du blanc. Apparue avec l'Eastmancolor, cette méthode de correction par *masque automatique* est aujourd'hui universellement employée dans tous les procédés couleurs négatif-positif, professionnels ou amateurs. (Dans les films inversibles, où il est évidemment exclu de superposer à l'image cette teinte jaune orange, on corrige les absorptions parasites par une méthode un peu différente, qui fait appel à des coupleurs appelés « DIR ».)

Ce qui précède n'a de sens que si la *lumière blanche* considérée (celle qui éclaire la scène observée ou filmée, celle qui éclaire le film à la projection) comprend toutes les radiations du spectre visible. C'est le cas pour la lumière du jour, ou celle des lampes à incandescence. C'est raisonnablement le cas pour la lumière des arcs ou des lampes au xénon. (→ SOURCES DE LUMIÈRE.) Ce peut ne pas être du tout le cas : les lampes à vapeur de sodium basse pression (→ SOURCES DE LUMIÈRE) n'émettent qu'une seule radiation jaune : les objets ne peuvent alors être perçus que comme plus ou moins jaunes selon qu'ils renvoient plus ou moins cette radiation.

Un cas intermédiaire se rencontre couramment avec les lampes usuellement appelées « tubes fluorescents ». Ces lampes n'émettent qu'un petit nombre de radiations, dont le mélange est visuellement perçu comme blanc mais qui peuvent donner un tout autre rendu des couleurs que la lumière blanche considérée jusqu'ici. Un corps peut en effet bien réfléchir *globalement* le rouge (par exemple), auquel cas il paraîtra rouge vif en lumière du jour, mais ne réfléchir que faiblement la ou les quelques radiations rouges de ces lampes, auquel cas il paraîtra rouge sombre. Pour cette raison, les tubes fluorescents ne sont guère employés à la prise de vues, dans de nombreux cas de prise de vues en décors réels (magasins, grandes surfaces ou usines) l'opérateur doit subir l'effet néfaste de ces sources de lumière. Pour la même raison, les lampes HMI (→ SOURCES DE LUMIÈRE) ont eu quelque difficulté à s'imposer.

Teintes froides, teintes chaudes. Nous ne réagissons pas de la même façon devant les différentes couleurs : le rouge est associé aux idées de vie, de passion, de violence ; le vert est plutôt reposant, etc. D'une façon générale, les rouges et les jaunes sont perçus comme des couleurs « chaudes », et les verts et les bleus comme des couleurs « froides ». Il y a sans doute une composante culturelle dans ces réactions : les copies exploitées aux États-Unis sont généralement tirées plus « chaudes » que les copies destinées à l'exploitation en Europe.

J.P.F./J.M.G.

COULEURS *(procédés de cinéma en).* Le cinéma était à peine né que chercheurs et inventeurs s'efforçaient de lui donner ce qui lui manquait alors pour restituer la réalité filmée : le son et la couleur.

Coloriage et effets colorés. À l'époque, on ne disposait que de films *noir et blanc.* La première idée qui vint à l'esprit, dès 1896, fut donc de *colorier* les copies d'exploitation. Initialement, des ouvrières habiles peignaient à la main, image par image, les éléments déterminés par le chef coloriste : les arbres en vert, telle robe en bleu, le toit de tuile en rouge, etc. Assez rapidement, la forte demande de films coloriés conduisit à industrialiser la méthode. On se mit alors à découper sur une première copie, image par image, les zones à colorier ; cette copie servait ensuite de « pochoir » pour l'application (manuelle d'abord, puis mécanique, par brosses rotatives ou par rouleaux encreurs) des colorants sur les copies de série, qui recevaient successivement jusqu'à 6 ou 7 couleurs différentes. (Il fallait évidemment autant de pochoirs que de couleurs.)

Le coloriage fut énormément utilisé, notamment sous le nom de Pathécolor, jusqu'à la Première Guerre mondiale. Il tomba par la suite en désuétude, et disparut définitivement vers 1930. (Supplanté par le pochoir, le coloriage manuel demeura employé occasionnellement, par ex. pour les copies originales du *Cuirassé Potemkine* [S. M. Eisenstein, 1925], où le drapeau révolutionnaire était ainsi peint en rouge. Le coloriage de certaines scènes du *Jour de fête,* de Tati, lors de sa réédition, relevait lui aussi, indirectement, de cette méthode.)

Teintures et virages. Le coloriage était relativement onéreux. (En 1906, quand on vendait encore les copies au mètre, les films coloriés se vendaient 3 F le mètre contre 2 F en noir et blanc.) On imagina donc d'autres moyens de procurer des effets colorés.

Une technique consistait à *teinter* uniformément l'image, soit par application uniforme de couleur sur le film, soit par l'emploi de films à support coloré dans la masse. (Vers 1930, Kodak proposait ainsi toutes sortes de supports teintés aux noms exotiques comme [en français dans le texte] : « fleur de lis », « nocturne », « caprice », « rose dorée », etc.) Par exemple, on teintait en bleu les scènes de nuit, en rouge les scènes d'incendie, etc.

Une autre technique faisait appel au virage, où l'image noir et blanc est convertie en image « couleur et blanc » par transformation chimique de l'argent en un sel d'argent coloré (sépia, bleu, vert, etc., selon la réaction chimique provoquée).

Teinture et virage (éventuellement combinés pour plus de raffinement) furent utilisés à grande échelle dans les années 20. Il était même exceptionnel qu'un film ne comportât pas une ou plusieurs séquences en couleurs, soit teintées ou virées, soit en couleurs « naturelles » par les procédés du genre Technicolor ou Prizma (voir plus loin). Avec l'apparition du parlant, qui apportait une tout autre dimension spectaculaire, les séquences teintées ou virées tombèrent en désuétude, même si l'on en trouve des exemples jusque dans les années 40, au profit des séquences en couleurs « naturelles », qui s'effacèrent elles-mêmes devant le tournage soit entièrement en noir et blanc, soit entièrement en couleurs. Certains films continuèrent d'employer l'alternance noir et blanc/couleurs, mais à des fins dramatiques : dans *Bonjour tristesse* (O. Preminger, 1958), le présent est en noir et blanc, les souvenirs en couleurs ; *Nous nous sommes tant aimés* (E. Scola, 1974) commence en noir et blanc et finit en couleurs, à l'instar de l'évolution du cinéma pendant la période évoquée ; *le Magicien d'Oz* (V. Fleming, 1939) alterne sépia et Technicolor selon que l'action se situe dans le réel ou dans le territoire d'Oz.

Si la teinture est aujourd'hui abandonnée, le tirage sur positif couleur, dans des conditions procurant l'impression visuelle d'un virage, d'un film tourné en noir et blanc est encore employé occasionnellement pour donner un cachet particulier à ce film. (Cf. *Gervaise,* R. Clément, 1956, ou *la Traversée de Paris,* Cl. Autant-Lara, *id.*)

Les procédés additifs. Les procédés ci-dessus se limitaient à réaliser des effets colorés à partir d'un enregistrement noir et blanc. Parallèlement, des chercheurs s'employaient à enregistrer directement les couleurs « naturelles » de la scène filmée. Comme on ne disposait initialement que de films noir et blanc, les premières recherches s'orientèrent tout naturellement vers la synthèse *additive* des couleurs (→ COULEUR).

Les procédés à images séparées. Dès 1906, le Britannique Smith, associé par la suite à Urban, brevetait un procédé commercialisé en 1908 sous le nom de Kinemacolor. La caméra fonctionnait à 32 images/seconde, (le double de la cadence normale de l'époque) et, grâce à un filtre rotatif placé devant l'objectif, les images (noir et blanc) étaient enregistrées alternativement derrière un filtre rouge et un filtre vert. À la projection, on procédait de même : le spectateur observait donc, chaque seconde, 32 images alternativement rouges et vertes dont la synthèse s'opérait grâce à la persistance rétinienne. Malgré la fatigue visuelle due à cette synthèse alternée, malgré les franges colorées dues au déplacement du sujet entre l'enregistrement de deux images consécutives (parallaxe de temps), le Kinemacolor connut un assez vif succès, notamment en 1912 avec *The Durbar of Delhi,* reportage sur le couronnement du roi George V comme empereur des Indes. Deux ans plus tard, des querelles de brevets entraînèrent sa disparition.

D'autres procédés additifs bichromes apparurent ensuite, dont certains éliminaient la fatigue visuelle de Kinemacolor. Mais ils souffraient comme lui d'être seulement bichromes, et donc de ne restituer (→ COULEUR) qu'une gamme très limitée de teintes. *Nuit et Brouillard,* d'Alain Resnais (1956), reproduit quelques plans d'un film 9, 5 mm tourné avec un procédé rustique, proposé aux amateurs dans l'entre-deux-guerres, basé sur le principe de la synthèse bichrome alternative.

Le premier procédé trichrome apparut en 1913 avec le *Chronochrome Gaumont,* ou encore *Gaumontcolor.* Une caméra spéciale, à trois objectifs munis de filtres rouge, vert et bleu, enregistrait simultanément trois images juxtaposées ; à la projection, on procédait en sens inverse, avec un projecteur spécial, lui aussi doté de trois objectifs munis de filtres. Si le Gaumontcolor restituait toutes les teintes, il était très délicat de superposer exactement les trois images sur l'écran ; en pratique, un compère installé près de l'écran devait retoucher en permanence le réglage des objectifs. De toute façon, il était impossible de réaliser cette superposition à la fois pour les premiers plans et pour les arrière-plans, puisque la prise de vues était effectuée par trois objectifs distincts, observant la scène sous trois angles distincts, d'où parallaxe d'espace. Exploité avant la guerre dans une salle parisienne et dans une salle new-yorkaise, le Gaumontcolor fut à nouveau exploité en 1919-20 au Gaumont-Palace de Paris (avec notamment un reportage sur le défilé de la Victoire du 14 juillet 1919), puis il disparut.

Les procédés ultérieurs de synthèse additive à images séparées éliminaient les deux défauts cités, en disposant le système séparateur à l'arrière de l'objectif d'où un point de vue unique et des images prises simultanément. On parvenait ainsi à inscrire *côte à côte* sur le film les « sélections » désirées. (On appelle *sélection* l'image noir et blanc enregistrée derrière un filtre « sélectionnant » telle ou telle couleur. → COULEUR.) À la projection, on procédait en sens inverse, un système optique assurait la superposition des trois images sur l'écran.

Si les images du rouge, du vert et du bleu étaient de la sorte géométriquement identiques, leur superposition sur l'écran demeurait délicate. Le seul procédé de ce genre qui donna lieu à exploitation commerciale fut le *Rouxcolor,* mis au point par les frères (français) Lucien et Armand Roux et avec lequel Marcel Pagnol tourna *la Belle Meunière* (1948). (Contrairement au Technicolor et aux procédés actuels, qui reconstituent les couleurs à partir des images du rouge, du vert et du bleu, le Rouxcolor les reconstituait à partir de quatre images enregistrées derrière des filtres rouge, jaune, vert, bleu. La sélection du jaune permettait une meilleure restitution des couleurs.)

Les procédés à réseaux colorés. Au lieu de séparer les trois images correspondant au rouge, au vert et au bleu, on peut les imbriquer les unes dans les autres, ce qui élimine automatiquement le problème de leur superposition. Cette méthode avait été proposée dès 1868 par le Français Ducos du Hauron, et mise en application à partir de 1907 par les frères Lumière, avec leurs plaques photographiques Autochrome.

Parmi les nombreux procédés cinématographiques imaginés à partir de ce principe, le seul qui déboucha sur quelques applications pratiques fut le *Dufaycolor,* mis au point en Grande-Bretagne vers 1935 à partir des travaux du Français L. Dufay. Dans ce procédé, le support était recouvert, par impressions

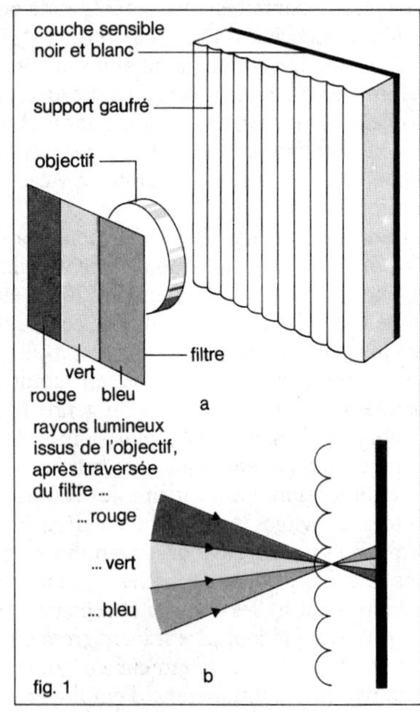

Couleurs (procédé de cinéma en). *Principe des procédés additifs par film gaufré.*

successives, d'un réseau transparent constitué de bandes rouges et de bandes où alternaient rectangles verts et bleus, sur lequel on passait ensuite une couche sensible noir et blanc. La prise de vues s'effectuait à travers le support, chaque élément du réseau servant de filtre. À la projection, on procédait en sens inverse : compte tenu de la finesse du réseau (50 bandes au mm), les trois images colorées se fondaient visuellement, ce qui assurait la synthèse recherchée.

En développement inversible, le procédé donnait des résultats satisfaisants. Pour le tirage des copies, il fallait que l'image noir et blanc de la copie trouve exactement sa place derrière son propre réseau coloré : la difficulté était à peu près insurmontable, et le procédé fut abandonné. (La seule tentative ultérieure fut celle de Polaroïd, avec les films Super 8 à développement instantané de son système *Polavision.*)

La synthèse additive par images imbriquées connut une éclatante revanche avec la télévision en couleurs, où l'image formée sur l'écran du récepteur résulte de la juxtaposition de plusieurs centaines de milliers de points rouges, verts et bleus qui se fondent visuellement, comme dans le Dufaycolor, en raison de leur extrême petitesse.

Les films gaufrés. Une troisième méthode, a priori fort élégante, de synthèse additive trichrome reposait sur les travaux des Français Berthon et Keller-Dorian. Le principe consiste à «gaufrer» le support, par pressage, pour y former une multitude de fines cannelures cylindriques ; la couche sensible noir et blanc est située sur l'autre face, demeurée plane, du support (figure 1a). La prise de vues s'effectue à travers le support, l'objectif de la caméra étant coiffé d'un filtre fixe en trois parties : en chaque point de l'image, les cannelures, agissant comme autant de minuscules lentilles, séparent les rayons lumineux issus des trois parties du filtre (figure 1b). À la projection, on procède en sens inverse.

Après des démonstrations effectuées dans les années 20 sous le nom de «procédé KDB», le film gaufré fut commercialisé vers 1930 en 16 mm inversible, à l'intention des amateurs, sous des noms de marque *(Kodacolor, Agfacolor)* qui allaient ensuite être repris pour des procédés soustractifs. La faible sensibilité (quelques ASA) n'autorisait guère que le tournage en plein soleil, et des franges colorées apparaissaient à la projection par suite de la difficulté à obtenir, et surtout à maintenir lors des manipulations du film, des cannelures d'une précision parfaite.

En cinéma professionnel, outre les problèmes ci-dessus, on se heurtait, pour les mêmes raisons qu'en Dufaycolor, au problème du tirage des copies. Dans l'immédiat après-guerre, il vint à l'idée de certains de tourner sur film gaufré, ce qui évitait d'avoir recours à l'énorme caméra Technicolor, et d'extraire en laboratoire trois sélections noir et blanc distinctes destinées à un tirage Technicolor. À l'instigation des promoteurs de cette méthode, *Jour de fête* (1947) de Jacques Tati fut ainsi entièrement tourné sur film gaufré. Il se révéla malheureusement impossible, à l'époque, d'extraire les sélections, et *Jour de fête* fut monté à partir du négatif noir et blanc enregistré à toutes fins utiles par une seconde caméra.

En 1995, à l'occasion du « premier siècle » du cinéma, les éléments couleurs originaux retrouvés ont été restaurés et il a été techniquement possible d'établir, à partir de ces éléments de la version couleurs, un nouveau négatif couleurs standard qui a permis de tirer des copies d'exploitation 35 mm couleurs exploitées en salle.

Les procédés soustractifs. La synthèse additive n'était pas la bonne solution : pour que le cinéma en couleurs s'impose, il fallait que les copies en couleurs soient aussi simples à projeter qu'une copie noir et blanc ou une copie «coloriée». Parmi tous les procédés additifs, seuls les procédés à réseau auraient pu offrir cette simplicité. Mais ils se heurtaient de toute façon à l'obstacle majeur de la synthèse additive : la nécessité de tripler la puissance lumineuse de la lanterne si l'on veut obtenir un éclairement satisfaisant de l'écran (→ COULEUR).

La solution correcte était donc la synthèse *soustractive* (→ COULEUR), grâce à laquelle la couleur entra dans les mœurs dès les années 20 pour finalement conquérir presque totalement le cinéma à partir des années 50.

Le premier procédé soustractif de l'histoire du cinéma fut le *Kodachrome* (nom de marque qui serait repris plus tard pour un procédé tout à fait différent), breveté en 1915 par J. G. Capstaff. Grâce à un prisme diviseur placé derrière l'objectif, la caméra enregistrait deux négatifs noir et blanc derrière des filtres respectivement rouges et verts. Au tirage, ces deux négatifs étaient d'abord tirés sur deux couches sensibles coulées de part et d'autre d'un même support. Par virage, les deux images noir et blanc ainsi obtenues étaient ensuite amenées en couleurs complémentaires de celles des filtres de prises de vues, soit : rouge-orangé et bleu-vert.

À peu près à la même époque, toujours aux États-Unis, apparaissait le procédé *Prizma.* Initialement procédé additif dérivé du Kinemacolor, Prizma se transformait en 1919 en procédé soustractif bichrome, les deux images étant, comme dans le Kodachrome, reportées de part et d'autre du support. Racheté en 1929 par *Consolidated Film Industries,* Prizma eut de nombreux descendants directs ou indirects *(Multicolor, Cinécolor, Trucolor),* dont certains furent en usage jusque vers 1950. Au cours du même entre-deux-guerres, des procédés bichromes similaires furent mis sur le marché en Europe, notamment en Allemagne avec l'*Ufacolor.*

Technicolor. C'est également en 1915 que trois ingénieurs américains, Herbert T. Kalmus, Daniel F. Comstock et W. B. Westcott, fondèrent une société dont le nom allait connaître la gloire : la *Technicolor Motion Picture Association.* Utilisant eux aussi une caméra à prisme diviseur, ils s'attaquèrent d'abord à la synthèse additive bichrome. Mais, lors de la tournée de présentation du premier film ainsi réalisé, Kalmus se rendit compte que la méthode additive demandait un projectionniste « qui tienne à la fois du professeur de grande école et de l'acrobate ». Se tournant alors vers la synthèse soustractive, Technicolor imagina, pour ne pas se heurter aux brevets Capstaff, de coller dos à dos deux positifs préalablement virés en couleurs comme dans le Kodachrome.

Ce Technicolor bichrome, inauguré avec un film de Chester M. Franklin, *Toll of the Sea* (1922), fut largement utilisé dans les années 20, parfois pour des films entiers (par ex. *le Pirate,* 1926), le plus souvent pour des courts métrages ou pour certaines scènes marquantes de films en noir et blanc, éventuellement teinté ou viré (par ex. *les Dix Commandements,* deux bobines de la Famous Players-Lasky Corp., 1923).

Le collage de films dos à dos était toutefois source de déboires. En 1929, Technicolor l'abandonna au profit du tirage par *imbibition,* où les négatifs issus de la prise de vues sont tirés sur des positifs distincts, qu'un traitement chimique approprié rend aptes à s'imbiber de colorant proportionnellement à la quantité d'argent contenue en chaque point de l'image. Ces positifs servent ensuite de « matrices » pour *imprimer* l'image colorée sur un film vierge, plus exactement sur un film où l'on a préalablement inscrit, par développement noir et blanc classique, la piste sonore et les cadres d'image. Il faut évidemment autant de matrices que de couleurs employées (deux en Technicolor bichrome, trois en Technicolor trichrome) et chacune peut servir à imprimer plusieurs centaines de copies,

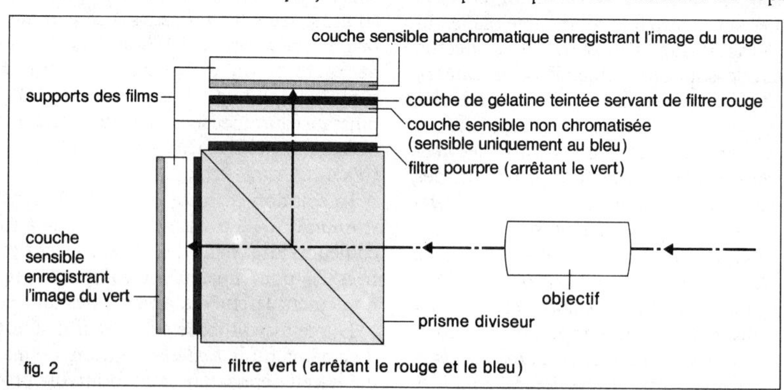

Couleurs (procédé de cinéma en). *Schéma de principe de la caméra Technicolor : sur trois films noir et blanc distincts, avançant en synchronisme parfait, étaient enregistrées séparément les images du rouge, du vert, du bleu.*

étant bien entendu qu'elle doit être réimbibée à chaque fois.

Malgré ce progrès, Technicolor vit son chiffre d'affaires se réduire : l'économie américaine était alors en récession, et surtout la nouveauté du parlant accaparait l'attention du public et des producteurs. Mais l'imbibition permettait désormais la synthèse trichrome, à partir des trois négatifs fournis par une nouvelle caméra, toujours basée sur le principe du prisme diviseur (figure 2). Après avoir sonné à de nombreuses portes, Kalmus finança un court métrage de démonstration (*la Cucaracha,* deux bobines RKO de Lloyd Corrigan, 1934) dont le succès ouvrit la voie au premier long métrage (*Becky Sharp,* 1935) entièrement en Technicolor trichrome, lequel gagna rapidement ses titres de gloire avec des films comme *Blanche-Neige et les sept nains* de Walt Disney (1937), *les Aventures de Robin des Bois* de Curtiz (1938), *Autant en emporte le vent* de Fleming (1939), *le Voleur de Bagdad* de Michael Powell (1940). (Disney avait employé le Technicolor trichrome dès 1932, avec des matrices établies à partir de trois enregistrements successifs des dessins, la nouvelle caméra n'étant pas encore disponible.)

Le Technicolor était un procédé assez lourd. La caméra, déjà encombrante en elle-même, méritait son sobriquet d'« armoire normande » quand on l'enfermait dans son caisson insonore. La sensibilité du procédé était modeste (moins de 10 ASA), ce qui imposait une débauche d'éclairage. Quant au tirage des copies, il requérait beaucoup de soin, et notamment une précision mécanique aux frontières du possible si l'on voulait que les trois images colorées, imprimées l'une après l'autre, soient en exacte superposition. Le Technicolor n'avait donc de sens que pour les productions importantes.

En regard, le procédé de tirage Technicolor présentait l'avantage d'être un procédé d'impression, alors que, dans les films actuels à « coupleurs », les colorants sont formés au sein même de la couche sensible à partir de réactions chimiques complexes. La palette des colorants utilisables étant de ce fait beaucoup plus large, on pouvait choisir des colorants ayant exactement les caractéristiques requises (ce qui explique que Technicolor ait atteint presque d'emblée une grande qualité dans la restitution des couleurs) et d'une grande stabilité chimique (ce qui explique pourquoi les copies Technicolor ont pendant longtemps mieux résisté au vieillissement que les copies sur films à coupleurs).

Pendant un temps, les copies Technicolor furent imprimées sur un film où l'on avait préalablement tiré une image noir et blanc légère obtenue d'après le négatif du bleu. Cela donnait du « corps » à l'image finale, mais cela dénaturait aussi certaines couleurs, et la méthode fut abandonnée en 1939.

Les films à coupleurs. Le Technicolor nécessitait l'emploi d'une caméra spéciale, où l'enregistrement des couleurs s'effectuait par le biais de trois négatifs noir et blanc. Il restait à mettre au point un film qui enregistrerait directement les couleurs, et qui permettrait de tourner indifféremment en noir et blanc ou en couleurs avec une caméra « normale », de la même façon que, grâce au Technicolor, les exploitants pouvaient projeter indifféremment du noir et blanc et de la couleur.

Dès le début du siècle, Homolka (en 1907) et Fischer (en 1911) avaient jeté les bases du développement chromogène, où l'image colorée se forme directement dans la couche sensible à partir de « coupleurs ». (→ COUCHE SENSIBLE.) Mais la chimie de l'époque ne leur permit pas d'aboutir à des réalisations pratiques. C'est seulement au milieu des années 30 qu'apparurent presque simultanément, avec le *Kodachrome* et l'*Agfacolor* (deux noms de marque qui avaient été auparavant – on l'a vu – employés pour une tout autre chose), les premiers procédés couleurs *monopack,* où trois couches sensibles superposées, respectivement sensibles au vert, au bleu et au rouge, sont couchées sur un même support. (Le terme « monopack » désigne le procédé grâce auquel on fait défiler dans la caméra un seul film, par opposition aux procédés *bipack* ou *tripack,* où l'on fait défiler deux ou trois films, superposés soit dans le même couloir, soit dans des couloirs distincts. Le Technicolor trichrome était un procédé *tripack.*) Les termes monopack et tripack sont souvent employés dans deux sens différents. Certains les utilisent pour des films à trois émulsions superposées, les désignent comme monopack parce que les émulsions y forment un bloc unique ou comme tripack, parce qu'ils comportent trois émulsions.

Le Kodachrome. Le Kodachrome était (et reste) un procédé original : les coupleurs, au lieu d'être incorporés dès le départ dans les couches sensibles, sont apportés par les trois bains qui développent successivement les trois couches. (Cela complique, sur le plan technique, le développement ; mais, comme la chimie de ce dernier s'en trouve simplifiée, le Kodachrome a pu bénéficier d'emblée de colorants résistant bien au vieillissement.)

Le Kodachrome fut lancé en 1935 comme film inversible – 16 mm ou 8 mm – destiné aux amateurs. Mais il était possible, partant d'un original 16 mm, d'extraire en laboratoire les trois sélections noir et blanc nécessaires à un tirage Technicolor. Exemple : les films animaliers de la série de Disney *C'est la vie.* De 1940 à 1950, une version 35 mm fut en outre fabriquée à l'intention du cinéma professionnel (le tirage s'effectuant comme ci-dessus en Technicolor), de façon à permettre les prises de vues là où il aurait été impossible de manipuler une caméra Technicolor : scènes aériennes de *Dive Bomber* (M. Curtiz, 1941), incendie de forêt de *la Fille de la forêt (The Forest Rangers* [G. Marshall], 1942), etc., jusqu'aux extérieurs africains des *Mines du roi Salomon* de C. Bennett et A. Marton (1950). En 1944-45, *Thunderhead* de Louis King et *le Fils de Flicka* furent entièrement tournés en Kodachrome 35 mm.

L'Agfacolor. Contrairement au Kodachrome, l'*Agfacolor* comportait trois couches sensibles à coupleurs incorporés et développables dans un bain unique : c'est donc le précurseur de tous les procédés actuels. Il apparut en 1936 comme film inversible puis, en 1939, Agfa mit au point une version négative-positive qui autorisait pour la première fois non seulement le tournage mais aussi le tirage des copies sur film à couches sensibles superposées. (À vrai dire, partant d'une idée émise au début du siècle par Schinzel, le chimiste hongrois Bela Gaspar avait breveté vers 1930 un film à trois couches superposées où les images étaient obtenues non pas par formation de colorants mais par destruction de colorants préexistants. Le *Gasparcolor,* destiné au tirage des copies, car il était trop peu sensible pour la prise de vues, ne fut pratiquement pas employé.)

L'Agfacolor négatif-positif, inauguré en 1940 avec *Les femmes sont de meilleurs diplomates,* souffrait encore d'imperfections au niveau du tirage des copies. Son véritable lancement date de *la Ville dorée* (V. Harlan, 1942) et *Les aventures du baron de Munchhausen* (J. von Baky, 1943).

L'Eastmancolor. Après la chute du IIIe Reich, les brevets Agfa étant tombés dans le domaine public, on vit apparaître un certain nombre de procédés « négatif-positif » reposant sur les bases de l'Agfacolor : les procédés belge *Gevacolor,* japonais *Fujicolor,* italien *Ferraniacolor.* Dans les pays de l'Est, qui avaient récupéré en 1945 un stock important d'Agfacolor (sur lequel fut notamment tournée la partie en couleurs d'*Ivan le Terrible* par Eisenstein), les dérivés de l'Agfacolor s'appelèrent *Sovcolor* en URSS, *Orwocolor* en RDA. La firme américaine Ansco, avant-guerre filiale d'Agfa, lançait pour sa part l'*Anscocolor.* (Seuls sont cités ici les procédés commercialisés.)

Ce fut toutefois l'*Eastmancolor* de Kodak, commercialisé en 1951, qui imposa vraiment le procédé négatif-positif. L'Eastmancolor était issu des travaux menés de son côté par Kodak, qui avait mis au point pendant la guerre deux procédés photographiques toujours employés (Ektachrome et Kodacolor), où les coupleurs étaient incorporés à la couche sensible selon une méthode différente de celle d'Agfa.

L'Eastmancolor introduisait une innovation appréciable : la correction automatique du rendu des couleurs par *masque* incorporé. (→ COULEUR.) La qualité des résultats obtenus condamna l'encombrante caméra Technicolor : très vite, tous les films en couleurs furent tournés sur négatif monopack. Pour les copies, on avait le choix entre le tirage Technicolor traditionnel et le tirage sur positif couleur monopack.

Les années 50 marquent donc un tournant dans l'histoire du cinéma en couleurs. On pouvait désormais tourner avec des caméras « normales » et ne tirer qu'un nombre limité de copies, ce qui était économiquement absurde en Technicolor ; bref, la couleur n'était plus réservée aux productions importantes. Cela coïncidait en outre avec l'apparition de la télévision en couleurs (dès 1954, du moins aux États-Unis), qui allait demander des films en couleurs. Du coup, le cinéma bascula : en 1950, la couleur était encore l'exception ;

aujourd'hui, tourner en noir et blanc constitue un événement.

Les procédés actuels. Anscocolor ayant assez rapidement disparu, le cinéma professionnel fait aujourd'hui appel à trois marques : Eastmancolor, Fujicolor, Gevacolor. (Ferraniacolor n'existe plus que comme positif de tirage sous le nom de *3 M Color Print.*) Tous ces films, développables selon les traitements préconisés par Kodak pour ses propres produits, ont connu de nombreuses améliorations depuis leurs débuts (notamment tous les négatifs sont aujourd'hui masqués) : amélioration de la sensibilité, passée d'une vingtaine d'ASA vers 1950 à 100 ASA, voire 250 ASA, en développement normal et plus encore en développement poussé (→ SENSIBILITÉ) ; accroissement de la finesse de l'image et diminution de la granulation ; accroissement de la stabilité des colorants ; suppression des distorsions chromatiques dans les ombres, etc. (Les pays de l'Est, qui continuent d'employer Sovcolor et Orwocolor, importent également des pellicules « occidentales ».)

« Couleur par Technicolor ». De Luxe Color, Warnercolor, Metrocolor, Pathécolor, etc., ne sont pas (ou n'étaient pas) des procédés originaux. Ces mentions signifient simplement que les travaux de laboratoire ont été effectués, sur de la pellicule Eastman ou autre, dans un laboratoire de la firme De Luxe, Warner, etc. (Ces travaux n'incluent pas nécessairement le tirage des copies. De même, les mentions Eastmancolor, Gevacolor, Fujicolor, Sovcolor, etc., nous renseignent sur le négatif de prise de vues mais n'impliquent pas nécessairement que les copies soient tirées sur une pellicule de la même marque.)

Jusqu'à l'apparition de l'Eastmancolor, « couleur par Technicolor » se référait à la technique du tournage sur caméra tripack Technicolor (sauf exceptions mentionnées plus haut), puis tirage par imbibition. Passé le début des années 50, l'expression est à prendre au sens de négatif développé dans un laboratoire Technicolor, puis tirage soit par imbibition, soit sur positif monopack (la seconde hypothèse étant la règle pour les films en 70 mm car il n'exista jamais de machines d'impression dans ce format). Depuis l'arrêt, à la fin des années 60, des machines d'impression Technicolor, « couleur par Technicolor » a exactement le même sens que les mentions du genre « couleur par De Luxe ». J.-P.F./J.-M.G.

COULOIR. Pièce usinée qui guide le film lors de son passage derrière l'objectif de la caméra ou du projecteur. (→ CAMÉRA, PROJECTION.)

COUPE. Changement de plan obtenu au montage en coupant à l'endroit approprié, puis en les réunissant par collage, les deux plans à assembler. *Coupe franche,* changement de plan où l'on passe sans transition d'un plan à un autre. *Plan de coupe,* plan introduit au montage pour éviter un hiatus visuel entre deux plans successifs. (→ SYNTAXE.)

« COUPEZ ! ». Expression consacrée par laquelle le réalisateur ordonne, en fin de prise, l'arrêt des appareils de prise de vues et d'enregistrement. (→ TOURNAGE.)

COUPLEURS. Substances chimiques permettant, lors du développement chromogène, l'obtention d'une image en couleurs. (→ COUCHE SENSIBLE.)

COURANT *(Curt, ou Curtis), chef opérateur allemand (Berlin 1899 - Los Angeles, Ca., 1968).* Son nom apparaît pour la première fois au générique d'un film en 1917 en Allemagne (*Hilde Warren und der Tod,* de Joe May), mais il semble qu'il ait travaillé auparavant en Italie. Il participe à une série de films tournés en 1919 par Erik Lund et Rudolf Biebrach et devient un technicien très recherché. Il collabore notamment à *Hamlet* (Sven Gade et Heinz Schall, 1920), à *Pierre le Grand* (D. Buchowetski, 1922), *Das brennende Herz* (L. Berger, 1929), *la Femme sur la Lune* (F. Lang, *id.*). En 1933, il émigre et travaille en Grande-Bretagne, et surtout en France : *Le jour se lève* (M. Carné, 1939), *la Bête humaine* (J. Renoir, 1938), *De Mayerling à Sarajevo* (Max Ophuls, 1940), etc. Fixé aux États-Unis en 1941, il se retire peu après *Monsieur Verdoux* (C. Chaplin, 1947) et ne revient plus qu'exceptionnellement au cinéma. Il est l'oncle du chef opérateur Willy Kurant (né à Liège en 1934). D.S.

COURANT *(Gérard), cinéaste expérimental français (Lyon 1951).* Monté à Paris en 1976, il participe activement, comme critique puis en cinéaste, à la vie alors florissante du milieu expérimental français. Dans son œuvre multiple, entre le journal et la fiction (*Cœur bleu,* 1980 ; *les Aventures d'Eddie Turley,* 1987), se détache, à partir de 1978, une impressionnante série d'autoportraits assistés, en plans fixes de 3,25 mn, d'amis et de personnalités diverses. Dépassant le millier dès 1988 et flanqués de séries conjointes *(Portraits de groupe, Couples, Lire),* ces *Cinématons* font de lui un témoin sympathique et facétieux de la vie cinématographique et culturelle de cette fin de siècle. D.N.

COURBE DE RÉPONSE. Courbe visualisant, en fonction de la fréquence, le rapport entre « ce qui entre » dans un système de transmission ou d'enregistrement et de reproduction des sons (ou un élément d'un tel système) et « ce qui en sort ». (BANDE PASSANTE, ÉGALISATION.)

COURBURE DE CHAMP. Une des aberrations susceptibles d'affecter l'image fournie par un objectif. (→ OBJECTIFS.)

COURCEL *(Nicole Andrieux,* dite *Nicole), actrice française (Saint-Cloud 1930).* Elle commence sa carrière cinématographique avec un rôle dans *Antoine et Antoinette* (1947) de Jacques Becker, qui lui confie ensuite l'un des rôles principaux de *Rendez-vous de juillet* (1949) ; elle y symbolise, aux côtés de Daniel Gélin, la jeunesse de Saint-Germain-des-Prés. Valeur sûre du cinéma, on la voit dans *la Marie du Port* (M. Carné, 1950), *Si Versailles m'était conté* (S. Guitry, 1954), *le Passage du Rhin* (A. Cayatte, 1960), *les Dimanches de Ville-d'Avray* (S. Bourguignon, 1962). Puis ses apparitions au cinéma se font plus rares : *l'Étrangleur* (P. Vecchiali, 1970), *L'aventure, c'est l'aventure* (C. Lelouch, 1972), *le Rempart des béguines* (Guy Casaril, *id.*), *la Gifle* (C. Pinoteau, 1974). Elle consacre une part de plus en plus importante de son temps à la télévision. B.G.

COURTENAY *(Tom), acteur britannique (Hill, Yorkshire, 1937).* Après des études à l'Académie royale d'art dramatique de Londres, il entre au célèbre théâtre de l'Old Vic (1960). Il débute à l'écran dans *la Solitude du coureur de fond* (T. Richardson, 1962) : en un film, il est devenu l'acteur le plus en vue du Free Cinema. John Schlesinger l'engage pour *Billy le menteur* dans un rôle qu'il joue également au théâtre. Il obtient le prix d'Interprétation au festival de Venise 1964 pour sa performance dans *Pour l'exemple* (J. Losey, 1964). La suite de sa filmographie est moins heureuse. Depuis 1971, Courtenay se consacre presque exclusivement au théâtre. R.L.

Films : *la Solitude du coureur de fond* (T. Richardson, 1962) ; *Billy le menteur* (J. Schlesinger, 1963) ; *Pour l'exemple* (J. Losey, 1964) ; *Operation Crossbow* (M. Anderson, 1965) ; *le Docteur Jivago* (D. Lean, *id.*) ; *la Nuit des généraux* (A. Litvak, 1967) ; *le Jour où les poissons* (M. Cacoyannis, *id.*) ; *Maldonne pour un espion* (A. Mann, 1968) ; *Une journée d'Ivan Denissovitch (One Day in the Life of Ivan Denissovitch* [Wrede], *id.) ; l'Habilleur* (P. Yates, 1983) ; *le Cri du papillon* (K. Kachyña, 1990) ; *l'Âge de vivre* (*Let Him Have It,* P. Medak, 1991).

COURT MÉTRAGE. La réglementation traditionnelle définit comme *films de court métrage* les films dont la longueur n'excède pas 1 600 m en format 35 mm, soit environ 59 min de projection, les films de longueur supérieure étant considérés comme *films de long métrage.* (Antérieurement, la frontière se situait à 1 300 m, soit environ 48 min de projection.) Pour les formats autres que le 35 mm, on a recours à une table d'équivalence, qui situe par ex. la limite à 640 m en format 16 mm. Un arrêté de 1982 définit toutefois les films de court métrage en référence directe à leur durée : « œuvres cinématographiques d'une durée de projection inférieure à une heure ».

En pratique, les films de court métrage sont le plus souvent des œuvres assez brèves (rarement plus d'une vingtaine de minutes) projetées en complément de programme. Un court métrage dont la durée approche une heure est trop long pour être projeté dans la même séance qu'un long métrage usuel. Il ne peut guère être diffusé que « couplé » à un autre film de durée comparable (cf. *Crin blanc,* A. Lamorisse, 1953 ; *la Bergère et le Ramoneur,* P. Grimault, 1953). De tels films sont communément appelés films de *moyen métrage.*

Dans le vocabulaire usuel, on abrège généralement « film de court métrage » en « court métrage ». (Idem pour « long métrage ».)

Aux débuts du cinéma, le programme d'une séance proposait une succession de films très courts. C'est seulement vers 1920 que se dégagea la notion de « grand film » et, par voie de conséquence, celle de « première partie du programme ». Pendant un temps, deux conceptions de première partie cohabitèrent : les courts métrages, et le « double programme » qui proposait – avant le « grand film » – un autre long métrage (ou un moyen métrage). La suppression du double programme, lors de la réorganisation du cinéma français sous le régime de Vichy, conduisit au schéma classique d'une première partie proposant uniquement (outre les actualités et les bandes-annonces) des courts métrages : reportage (appelé « documentaire »), dessin animé, fiction, ou simplement attraction, soit par le contenu (chanteur interprétant ses grands succès), soit par la forme (film en couleurs quand le noir et blanc était encore la règle).

La réglementation ne crée aucune obligation légale de présenter un court métrage en première partie du programme. En revanche, si la première partie comporte un ou plusieurs courts métrages, d'une part l'exploitant doit porter à la connaissance du public le titre et le nom du réalisateur de ces films, d'autre part un au moins des courts métrages doit être français (ou originaire de la CEE) si le long métrage est français (ou originaire de la CEE).

Les films de court métrage sont soumis à une réglementation similaire à celle des longs métrages (→ RÉGLEMENTATION PROFESSIONNELLE). En particulier, ils ne peuvent être projetés dans les salles commerciales sans visa d'exploitation, et ils ne sont susceptibles d'ouvrir l'accès au soutien financier de l'État que s'ils sont réalisés après obtention d'une autorisation de production.

Toutefois, contrairement aux longs métrages, un grand nombre de courts métrages sont réalisés à des fins de diffusion non commerciale : films d'entreprise, films pédagogiques, etc. Ces films ne requièrent ni visa ni autorisation de production. Mais, une fois le film réalisé, rien n'interdit de solliciter un visa d'exploitation commerciale. En fait, cette pratique est rare, car elle exclut (le film ayant été réalisé sans autorisation de production) l'accès au soutien financier.

Fondées sur le recensement des autorisations de production (443 en 1988), les statistiques du CNC relatives à la production de courts métrages prennent uniquement en compte les projets qui font l'objet d'une demande de soutien financier. Compte tenu des projets qui n'aboutissent pas, et compte tenu des films réalisés mais non diffusés, le nombre des courts métrages français débouchant sur une diffusion dans les salles commerciales est inférieur de moitié à celui des autorisations de production. (Les statistiques relatives aux films diffusés incluent les courts métrages ayant obtenu un visa mais réalisés en dehors du mécanisme de l'autorisation de production.)

L'économie du court métrage diffère fondamentalement de celle du long métrage en ce que le court métrage n'est pas partie prenante dans le partage des recettes d'exploitation : il est acheté au forfait par le distributeur du long métrage, afin de composer un programme complet. Comme l'intérêt du public porte surtout sur le long métrage (et non plus, comme avant la télévision, sur la séance dans son ensemble), comme le court métrage est souvent supprimé de la séance, la valeur marchande d'un court métrage est modeste : typiquement de l'ordre de 30 000 F s'il possède le « label » (voir plus loin), nettement moins s'il ne le possède pas.

En regard, le devis moyen des 443 courts métrages ayant reçu en 1988 l'autorisation de production était de 272 000 F par film.

La différence entre le coût global et les recettes provenant des distributeurs est couverte de diverses façons : soutien financier de l'État et autres aides « institutionnelles » (voir ci-dessous), exportation, interventions de la télévision (participation au financement, achat des droits de diffusion), interventions (participation au financement, achat des droits de diffusion non commerciale) d'organismes ou d'entreprises dans le cadre de leur politique de relations publiques, etc., jusqu'au bénévolat (cinéma « militant », par exemple).

Le soutien de l'État au court métrage se manifeste de trois façons :

a) Sur examen du projet, une *contribution financière* peut être apportée à la production du film. En 1988, 64 projets (sur près de 800 candidats) ont ainsi reçu une aide pour un montant global de 7,5 millions de francs, soit une contribution moyenne de 117 000 F par film.

b) Une fois le film achevé, une *mention* (communément appelée « label ») est décernée par le ministre, après avis d'une commission, aux films français de court métrage qui présentent une qualité technique suffisante, à l'exclusion de ceux réalisés dans le but de recommander la consommation d'un produit ou l'utilisation d'un service. L'attribution de cette mention n'apporte aucun bénéfice direct au profit du producteur ; elle a pour effet de créer une incitation à la diffusion du film puisqu'elle entraîne, au profit de l'entreprise qui a constitué le programme complet, un complément au soutien financier automatique de 8 p. 100 du montant de la taxe spéciale additionnelle accordé au long métrage du programme. (→ PRODUCTION.)

La mention est attribuée, à 70 p. 100 environ des films qui la sollicitent ; en 1988, 211 courts métrages sur 310 présentés ont obtenu le label.

c) Les films français (ou originaires de la CEE) bénéficiaires d'une mention et possédant un visa d'exploitation peuvent se voir octroyer par le ministre, après avis d'une commission, un *prix de qualité.* La dotation de cette aide sélective était en 1988 de 3,3 millions de francs et 45 films ont ainsi reçu des prix compris entre 20 000 et 150 000 F. Une fraction (20 p. 100) du montant de chaque prix est attribuée au réalisateur. Le financement des aides au court métrage (contributions financières et prix de qualité) provient du budget du ministère de la Culture.

Diverses institutions interviennent en faveur du court métrage, notamment :

— le GREC (Groupement de recherche et d'essais cinématographiques), subventionné par le CNC (1,1 million de francs), peut faciliter (contributions financières, obtention de réductions sur les industries techniques) des « premiers films ». Les films ainsi aidés (une vingtaine de projets par an sur 200 présentés) ne peuvent toutefois avoir de diffusion commerciale ; ils peuvent par contre être diffusés dans des festivals ou rencontres cinématographiques.

— le Fonds de création audiovisuelle peut intervenir pour mettre en relation des auteurs de projet et organismes ou entreprises (télévision, par exemple) susceptibles de participer au financement.

— l'Agence du court métrage, association régie par la loi de 1901, a été créée en 1983 pour informer (revue BREF) et conseiller ceux qui réalisent ou qui diffusent les films de court métrage.

En 1990, l'aide à la production et à la diffusion du court métrage est de 16 millions de francs dont 8 millions de francs pour les aides aux projets et 3 millions de francs pour les prix à la qualité. J.G.

COUSTEAU *(Jacques-Yves), océanographe et cinéaste français (Saint-André-de-Cubzac 1910).* Officier de marine, il s'intéresse à la photographie sous-marine en 1936 et perfectionne le scaphandre léger du commandant Prieur tout en mettant au point un matériel de prise de vues adapté. Avec son équipe, il tourne en 16 mm *Par dix-huit mètres de fond* (CM : 1943). Puis il réalise *Épaves* (1945) et de nombreux courts métrages (une dizaine de 1947 à 1955), dont *Autour d'un récif.* Disposant de moyens plus importants, il obtient un très grand succès public avec son long métrage : *le Monde du silence* (1955). Il devient producteur, tourne un autre long métrage, *le Monde sans soleil* (1964), puis de nombreux films diffusés par la télévision. D.S.

COUTANT *(André), inventeur et constructeur français (Paris 1906 - Septeuil 1983).* Il est connu surtout pour ses caméras : la *Cameflex,* caméra portable 35 mm ou 16 mm à visée reflex, conçue pendant la guerre en réplique à l'Arriflex et encore largement employée de nos jours ; la *Camé 300 Reflex* de studio ; l'*Aquaflex,* pour prises de vues sous-marines ; l'*Éclair 16,* première caméra 16 mm légère autosilencieuse, qui permit notamment le « cinéma-vérité ». André Coutant fut aussi un précurseur de l'enregistrement magnétique des images : ses brevets de 1949-50 semblent bien être les premiers où l'on trouve décrit le principe de l'enregistrement transversal, principe qui est celui de la première génération de magnétoscopes. J.-P.F.

COUTANT 16 → CAMÉRA.

COUTARD *(Raoul), chef opérateur et cinéaste français (Paris 1924).* Photographe et reporter en Indochine pour *Paris-Match* et *Life,* il devient chef opérateur à partir de 1957. Après quelques films, il est révélé par *À bout de souffle* (1960), où son apport est décisif dans l'instauration du style visuel de Godard : technique du reportage, à savoir caméra extrêmement souple (le plus souvent tenue à la main) et utilisation exclusive de la lumière naturelle. Il va dès lors travailler sur de nombreux films de Godard (*le Petit Soldat,* 1960 ; *Une femme est une femme,* 1961 ; *Vivre sa vie,* 1962 ; *les Carabiniers,* 1963 ; *Une femme mariée,* 1964 ; *Alphaville,* 1965 ; *Pierrot le fou,* id. ; *Made in USA,* 1967 ; *la Chinoise,* id. ; *Week-end,* id. ; *Prénom Carmen,* 1983). Mais il travaille également avec d'autres réalisateurs de la Nouvelle Vague : Truffaut (*Tirez sur le pianiste,* 1960 ; *Jules et Jim,* 1962 ; *la Peau douce,* 1964 ; *La mariée était en noir,* 1968) ; Demy (*Lola,* 1961) ; Baratier (*la Poupée,* 1962) ; Kast (*Vacances portugaises,* 1963) ; ainsi qu'avec les initiateurs du cinéma-vérité : Jean Rouch et Edgar Morin (*Chronique d'un été,* 1961). Avec la couleur, son style a évolué vers une image plus traditionnelle mais toujours d'excellente qualité (*Z,* 1969, et *l'Aveu,* 1970) de Costa-Gavras ; *le Crabe-Tambour* (Schoendorffer, 1977) ; *la Diagonale du fou* (Richard Dembo, 1984) ; *Max mon amour* (N. Oshima, 1986) ; *Peaux de vaches* (Patricia Mazuy, 1989) et il collabore désormais à des films plus commerciaux. Il a lui-même réalisé *Hoa-Binh* (1970), évocation sensible mais ambiguë de la guerre d'Indochine, et *La Légion saute sur Kolwezi* (1979), plate chronique d'une opération militaire en Afrique. M.M.

COUTINHO *(Eduardo), cinéaste brésilien (São Paulo 1933).* Formé à l'IDHEC, il appartient à la génération des fondateurs du Cinema Novo. Le coup d'État de 1964 interrompt le tournage du film où il prétendait glorifier un dirigeant assassiné des Ligues paysannes du Nordeste. Il reprend le matériel filmé, relevant de la fiction, et l'intègre dans une démarche documentaire, vingt ans plus tard, lorsqu'il part à la recherche de la famille et des participants, eux-mêmes victimes de la dictature militaire : *Un homme à abattre* (*Cabra marcado para morrer,* 1984) constitue l'une des plus émouvantes évocations de cette période déchirante, toujours à la lisière entre les genres, entre le passé et le présent, mêlant la réflexion sur le cinéma et sur la politique. Après des incursions dans la fiction peu convaincantes (*O homem que comprou o mundo,* 1968 ; *Faustão,* 1970), Coutinho profite de son expérience à *Globo Repórter.* Pourtant, son travail personnel est conçu par opposition aux normes en vigueur à la télévision. Il devient ainsi le praticien d'un « cinéma de dialogue », à l'écoute des exclus, au profit de leur dignité retrouvée, même si, pour cela, il doit recourir à la vidéo : *Santa Marta* (1990), *O fio da memória* (*Cem anos de Abolição,* 1991), *Boca de lixo* (1992). P.A.P.

COWARD *(sir Noel), écrivain, dramaturge, scénariste et cinéaste britannique (Teddington, Middlesex, 1899 - Kingston, Jamaïque, 1973).* Cet amuseur à tout faire, surnommé «le Maître», fut acteur, auteur dramatique, scénariste, cinéaste, producteur, metteur en scène de théâtre, danseur, chanteur, parolier et musicien. Il débute au théâtre à douze ans et apparaît dans *les Cœurs du monde* (D. W. Griffith, 1918). Il écrit et interprète sa première pièce en 1919 *(I'll Leave It to You).* Beaucoup de ses pièces (c'est un virtuose du dialogue) sont portées à l'écran, notamment par Hitchcock (*Easy Virtue,* 1927), Adrian Brunel *(The Vortex, id.),* Sidney Franklin (*Private Lives,* 1931), Frank Lloyd (*Cavalcade,* 1933), Lubitsch (*Sérénade à trois,* id.), Marc Allégret (*les Amants terribles,* 1936, d'après *Private Lives*). Sans renier son goût pour l'humour, il sait adapter sa forte personnalité au style de l'école documentariste anglaise avec l'un des films les plus importants des années de guerre : *Ceux qui servent en mer* (*In Which We Serve,* 1942), dont il est le coréalisateur, avec David Lean, mais également producteur, scénariste, acteur et musicien. Noel Coward est à l'origine de la carrière de Lean, lorsqu'il produit *Heureux Mortels* (1944, d'après sa pièce *Cavalcade*) et *L'esprit s'amuse* (1945), dont il est également coréalisateur et scénariste. *Brève Rencontre* (D. Lean, 1945), qui adapte sa pièce *To-Night at 8. 30,* est devenu un classique du cinéma britannique. On a vu Noel Coward comme acteur dans *le Goujat* (B. Hecht, 1935), *le Tour du monde en 80 jours* (M. Anderson, 1956), *Notre agent à La Havane* (C. Reed, 1959) ; *Bunny Lake a disparu* (O. Preminger, 1965) ; *Boom* (J. Losey, 1968) ; *L'or se barre* (*The Italian Job,* Peter Collinson, 1969). R.L.

COX *(Alex), cinéaste britannique (Birkenheadn, 1954).* C'est en Californie qu'il fait ses études de cinéma et réalise son premier film, *Repo Man* (*id.,* 1984), une intrigue insolite où l'apprentissage du métier de récupérateur d'automobiles non payées croise le mythe du savant fou, avec des références à Aldrich (*En quatrième vitesse*). En Grande-Bretagne, *Sid et Nancy* (*id.,* 1985) décrit la culture « punk » à travers les amours et la mort de Sid Vicious, bassiste des *Sex Pistols.* Dans l'histoire de *Walker* (*id.,* 1987), une production américaine évoquant un mercenaire devenu dictateur du Nicaragua vers 1960, il dénonce l'impérialisme des États-Unis. *Highway Patrolman* (*El Patrullero,* 1991) est un thriller baroque tourné au Mexique qui confirme l'originalité du cinéaste. Même à la télévision, Alex Cox parvient à préserver son invention visuelle et narrative : *la Mort et la boussole* (*The Death and the Compass,* 1992), d'après J.-L. Borges. Il est aussi acteur dans *la Reine de la nuit,* d'Arturo Ripstein (1994). D.S.

COX *(Paulus Cox,* dit *Paul), cinéaste australien d'origine néerlandaise (Venlo, Pays-Bas, 1940).* Élevé dans une famille catholique, il envisage à seize ans de devenir prêtre. Mais, après avoir étudié à l'université de Melbourne, il choisit de s'établir en Australie et opte pour le métier de photographe. Il débute au cinéma en 1965 et tourne de nombreux courts métrages (*Matula,* 1965 ; *Time Past,* 1966 ; *Skindeep,* 1968 ; *Marcel,* 1969 ; *Symphony, id. ; Mirka,* 1970 ; *Calcutta, id. ; Phyllis,* 1971 ; *The Journey,* 1972 ; *All Set Back Stage,* 1974 ; *Island,* 1975 ; *We Are All Alone, id. ; My Dear, id. ; Ways of Seeing,* 1977 ; *Ritual,* 1978 ; *For a Child Called Michael,* 1979 ; *The Kingdom of Neckchand,* 1980 ; *Underdog, id.* Son premier long métrage, *Illuminations* (1976), suivi par *Inside Looking Out* (1977) et *Kostas* (1978), attire l'attention sur lui mais c'est *Lonely Hearts* (1982) qui lui apporte une première notoriété internationale. *L'Homme aux fleurs* (*Man of Flowers,* 1983) est une œuvre à la fois originale et insolite et conduit Paul Cox à signer plusieurs films qui baignent souvent dans un climat de claustrophobie oppressante. Il réalise successivement *Death and Destiny* (1984), *My First Wife (id.), The Paper Boy* (TV, 1985), *Handle With Care* (DOC, *id.*), *Cactus* (1986), *The Secret Life of Trees* (TV, *id.*), *Vincent* (1988), *The Gift* (TV, *id.*), *Island* (1989), *Golden Braid* (1990), *A Woman's Tale* (1991), *The Nun and the Bandit* (1992), *Exile* (1993), *Touch Me* (CM, *id.*). C.O.

COZARINSKY *(Edgardo), cinéaste et critique argentin (Buenos Aires 1939).* Rattaché à un courant expérimental, il met en scène *Puntos suspensivos* (1971). En France, il tourne *les Apprentis sorciers* (1977) et collabore au scénario de *la Mémoire courte* (1979), de son compatriote Eduardo De Gregorio. Il réalise ensuite *la Guerre d'un seul homme* (1981), brillant montage d'actualités vichyssoises, avec des textes de l'écrivain allemand Ernst Jünger en contrepoint, *Haute mer* (1984), sorte de fable sur l'« aventure d'un homme parti à la découverte de soi », puis évoque « la guerre indienne » en Argentine dans *Guerriers et captives* (*Guerreros y cautivas,* 1988). Plusieurs « hasards orientés » l'ont conduit à signer des documentaires très personnels sur Mary McCarthy, Jean Cocteau, Serge et Beate Klarsfeld, Sarah Bernhardt, André Chastel, Domenico Scarlatti, Le Vigan, Falconetti, Borges, Lorca et Henri Langlois (*Citizen Langlois,* 1995). Auteur de l'essai *Jorge Luis Borges : sur le cinéma* (Paris, 1979) et de *Vaudou urbain* (*id.,* 1989). P.A.P.

CRABTREE *(Arthur), cinéaste britannique (Shipley, Yorkshire, 1900 - Worthing 1975).* Successivement assistant à la prise de vues, cadreur, puis directeur de la photographie, il devient réalisateur avec *la Madone aux deux visages* (*Madonna of the Seven Moons,* 1944). Quelques plans de *Crime au musée des horreurs* (*Horrors of the Black Museum,* 1959) lui ont apporté une célébrité que ne justifiait guère une production médiocre : quinze longs métrages dont *Quartet* (sketch du *Cerf-Volant,* 1948), *Lilli Marlene* (id., 1950), *les Monstres invisibles* (*Fiend Without a Face,* 1958), et une série de moyens métrages (*les Enquêtes de Scotland Yard,* 1954-55). R.L.

CRAIG *(Michael Gregson,* dit *Michael), acteur britannique (Poona, Indes, 1928).* Après avoir vécu aux Indes et au Canada et avoir été marin, Michael Craig s'est tourné vers le théâtre puis le cinéma au début des années 50. Il a interprété une multitude de rôles de second plan. On peut citer sa participation à : *Opération Scotland Yard* (B. Dearden, 1959) ; *le*

Silence de la colère (*The Angry Silence,* Guy Green, 1960), dont il a écrit le scénario ; *Sandra* (L. Visconti, 1965) ; *Modesty Blaise* (J. Losey, 1966). P.P.

CRAIN *(Jeanne), actrice américaine (Barstow, Ca., 1925).* Sous contrat Fox, elle débute dans *le Jockey de l'amour* (H. Hathaway, 1944) et tient des emplois de jeune première pimpante et « comme-il-faut » dans *State Fair* (W. Lang, 1945), *Margie* (H. King, 1946) et *l'Amour sous les toits* (G. Seaton, 1948). Joseph L. Mankiewicz enrichit ce personnage (*Chaînes conjugales,* 1949 ; *On murmure dans la ville,* 1951), en démasquant, derrière son dynamisme juvénile, des inquiétudes et des frustrations qui reflètent la situation changeante de la femme américaine durant l'après-guerre. Otto Preminger (*The Fan,* 1949) et Elia Kazan (*l'Héritage de la chair,* id.) poursuivent dans cette voie, mais le studio la préfère dans des rôles de comédie. Devenue indépendante, elle livre une composition vigoureuse dans *l'Homme qui n'a pas d'étoile* (K. Vidor, 1955) et alterne comédies musicales (*Les hommes épousent les brunes,* Richard Sale, 1955 ; *The Second Greatest Sex,* G. Marshall, 1955) et westerns (*La première balle tue,* R. Rouse, 1956 ; *Tonnerre sur Timberland,* Robert D. Webb, 1960). Elle se rend ensuite à Cinecitta, où elle participe à trois « péplums ». Entrée en semi-retraite, elle joue à la télévision et tient ses derniers rôles dans *Hot Rods to Hell* (J. Brahm, 1967) et *Alerte à la bombe* (J. Guillermin, 1972). O.E.

CRANE. Mot anglais pour *grue.*

CRAVEN *(Wes), cinéaste américain (Cleveland, Ohio, 1949).* Les amateurs de fantastique « gore » lui sont redevables de la création du surprenant personnage de Freddy, créature onirique terrifiante, aux doigts bardés de lames en tout genre et au visage odieusement défiguré. En fait, Craven n'est que l'initiateur de cette série à succès : *les Griffes de la nuit* (*A Nightmare on Elm Street,* 1984). Il a tenu à récupérer ce personnage qui lui avait échappé avec *Freddy sort de la nuit* (*Wes Craven's New Nightmare : The Real Story,* 1995), sorte de *private joke* destiné aux aficionados et estampillé du nom du créateur. On lui doit aussi d'autres titres célèbres comme *La colline a des yeux (The Hills Have Eyes,* 1981), *la Créature des marais* (*Swamp Thing,* 1982), *Shocker,* (1990) ou *le Sous-sol de la peur* (*The People Under the Stairs,* 1991). Également très actif à la télévision, il est presque toujours mêlé au scénario et à la production de ses films. C.V.

CRAWFORD *(Broderick), acteur américain (Philadelphie, Pa., 1911-Rancho Mirage, Ca., 1986).* Fils d'un couple célèbre de la scène américaine (Lester [Robert] Crawford et Helen Broderick), il débute au théâtre à Londres en 1932 et, bien plus obscurément, à Hollywood en 1937. Pendant dix ans, il mènera de front deux carrières, la première lui rapportant plus de notoriété que la seconde. Sa vraie chance à l'écran lui est donnée par Robert Rossen en 1949 avec *les Fous du roi,* où il tient le rôle principal (le politicien Willie Stark) qui lui vaut à la fois l'Oscar et le prix de la Critique new-yorkaise. Acteur puissant par sa sobriété, il lui fait malheureusement trop confiance, ce qui le conduit à fonder ses rôles sur sa seule présence. Mais il se révèle un comique inattendu dans *Comment l'esprit vient aux femmes* (G. Cukor, 1950). Ses autres films marquants de cette période sont *Dans la gueule du loup* (R. Parrish, 1951) et *Désirs humains* de Fritz Lang (1954), où son aspect un peu fruste fait merveille. Venu en Europe pour *Il bidone* de Federico Fellini (1955), il y fut remarquable dans un rôle d'escroc à l'onction toute sacerdotale (car, selon qu'il doit être veule ou redoutable, son ossature s'amollit ou se bétonne). Après quelques autres emplois notables (*La première balle tue,* R. Rouse, 1956 ; *le Temps de la colère,* R. Fleischer, *id.* ; *la Vengeance d'Hercule,* V. Cottafavi, 1960), il a dilapidé sa capacité de suggérer des sentiments assez rares à l'écran (sadisme intellectuel, fatalisme) dans des westerns italiens de deuxième zone et, surtout, dans des séries télévisées *(Highway Patrol, King of Diamonds, The Interns),* ne retrouvant un peu de talent que dans *Kid Rodelo* (R. Carlson, 1966) et surtout dans un rôle inattendu de *The Oscar* (Rouse, *id.*). G.L.

CRAWFORD *(Lucille Fay Le Sueur,* dite *Joan), actrice américaine (San Antonio, Tex., 1904 - New York, N. Y., 1977).* La vie, la carrière, le personnage cinématographique de Joan Crawford sont dominés par l'ambition. Née et élevée dans un milieu très modeste, elle n'a eu de cesse que d'en sortir, fût-ce au prix d'une certaine sécheresse de cœur dont témoigneront ses films, spécialement après 1945. Star par excellence, on a bâti autour d'elle des films qui racontent souvent, plus ou moins, sa propre ascension et, peut-être, en profondeur, ses frustrations de « femme arrivée » dont on avait même oublié le premier nom de théâtre : Billie Cassin.

Malgré un accident aux jambes, la jeune Lucille se força à devenir danseuse. Quand elle réalisa qu'il y en avait de meilleures qu'elle, elle s'orienta vers le théâtre et le cinéma. La caméra ne pouvait manquer de s'amouracher d'elle : son visage carré, sa bouche large et bien dessinée, ses yeux immenses qui dévoraient tout autour d'elle accrochaient la lumière... et l'attention. Après son succès dans *Poupées de théâtre* (E. Goulding, 1925), elle aurait pu se contenter de n'être que jeune et belle. Mais, comme toujours aux tournants de sa carrière, elle força la chance, pour prouver qu'elle pouvait être plus que jeune et belle. Elle se battit pour obtenir le rôle de Diane dans *les Nouvelles Vierges* (Harry Beaumont, 1928) et y fit preuve de ce quelque chose en plus qui fait les stars et qu'elle enviait sans doute chez Gloria Swanson ou Clara Bow. Coïncidence, mais aussi sens quasi divinatoire du temps qui court, dans *les Nouvelles Vierges* elle incarne, de manière définitive, l'insouciance, l'inconscience, l'appétit de vivre et le désarroi de la génération du charleston, que la Dépression allait faucher en pleine extase. Francis Scott Fitzgerald ne s'y trompa pas qui vit en elle l'archétype de ces *flappers* dont il se fit le chantre. Joan (Mme Douglas Fairbanks Jr.), au sommet de « l'aristocratie » hollywoodienne depuis peu, aurait pu alors s'endormir sur l'étoffe capiteuse dont on fait les mythes. Mais elle voulait prouver qu'elle était aussi une grande actrice, arracha un rôle destiné à Norma Shearer dans *Il faut payer* (S. Wood, 1930), et, une fois de plus, surmonta les absurdités et les médiocrités du film. Après cette nouvelle victoire, que lui reste-t-il à jeter aux yeux de ses spectateurs ? Tout simplement de bons rôles dans de bons films, et elle s'y emploie avec acharnement. Elle trouve en Clarence Brown un illustrateur inspiré qui tire d'elle sa quintessence dans *Fascination, Letty Lynton, la Passagère, Vivre et aimer,* leur parfaite réussite, et *l'Enchanteresse.* Ce sont les films où elle est le plus totalement elle-même : jeune fille modeste et fière, prise au piège de l'arrivisme et des frustrations de l'argent, mais promise au bonheur, rêve cinématographique qu'elle offrit à des millions de midinettes. Edmund Goulding la met en parallèle avec Greta Garbo dans *Grand Hotel* (1932), en lui confiant le rôle parfait de Flammchen, la secrétaire ambitieuse : effectivement, elle s'empare du film, jetant dans l'ombre une Garbo réduite à sa propre rhétorique. W. S. Van Dyke la fait rire et sourire, avec grâce et élégance, et lui apprend à ne pas se prendre au sérieux : *Souvent femme varie, Vivre sa vie* ou *Loufoque et compagnie* ironisèrent sur son personnage, dans des situations de comédie. La preuve fut faite : Joan Crawford pouvait rire et sourire, même si cela ne lui était pas vraiment naturel. Enfin, Frank Borzage la sublima, lui offrant, dans *Mannequin* (1938), son personnage le plus rayonnant et le plus serein. *L'Ensorceleuse* ne reste pas à cette hauteur, mais Borzage y était tout aussi juste dans son approche du personnage. Lui seul a semblé cerner la blessure intérieure de Joan Crawford, sa vulnérabilité, cette angoisse d'adolescente mal nourrie.

Ce personnage comme dénudé, c'est alors George Cukor qui le prit en main, pour l'affirmer, le sophistiquer, pour cacher la plaie que Borzage avait découverte : elle fut étincelante de férocité mondaine dans *Femmes* et dans *Suzanne et ses idées.* Elle fut aussi, plus secrètement, une femme écartelée dans le fascinant *Il était une fois* (1941), où Cukor la préparait, sans qu'elle le sache, pour la seconde phase de sa carrière. Après ce succès, Joan Crawford eut à affronter une période noire. Elle était, disait-on, dépassée et démodée. Elle était surtout obligée de jouer dans n'importe quoi, c'est-à-dire ce que la MGM lui proposait pour terminer à la va-vite un contrat dont les financiers ne voyaient plus l'intérêt. Rachetée au rabais par la Warner Bros, elle dut subir l'affront de rester dans les « placards » pendant plus d'un an, sans travail. Enfin, elle força à nouveau le destin et obtint un rôle dont ni Bette Davis ni Barbara Stanwyck n'avaient voulu : *le Roman de Mildred Pierce* (M. Curtiz, 1945). C'était une Joan Crawford mûrie et durcie, désenchantée, que la caméra de Curtiz noyait dans l'humidité, le noir trop dense, les ombres menaçantes. Peu de films — et nulle actrice — n'ont symbolisé avec plus de vraisemblance l'angoisse d'un après-guerre naissant et déjà malade. Un Oscar salua la surprise de ce retour tragique. Elle était désormais liée à ce mouvement postexpressionniste que des cinéastes d'origine germanique ont développé à Hollywood vers la fin de la Seconde Guerre mondiale. Une esthétique lourde de pièges reflétait le pessimisme ambiant. Jean Negulesco (*Humoresque,* 1947), Curtis Bernhardt (*la Possédée,* 1947), Otto Preminger (*Femme ou maîtresse,* id.) ou Michael Curtiz (*le Boulevard des passions,* 1949) firent d'elle la victime de l'argent, de l'égoïsme des hommes ou de la corruption politique. Ses yeux s'élargirent encore et on put y lire la tristesse et la peur. Dans *la Possédée,* rendue folle par la trahison d'un homme, elle errait au petit matin, dans une ville déserte, murmurant le nom de l'infidèle. Dans *Humoresque,* riche et mûre, mais incroyablement belle, elle quittait la vie du jeune John Garfield en s'avançant, en robe pailletée, dans une mer d'encre où elle allait se perdre. *L'Esclave du gang* (V. Sherman, 1950) ou *la Reine du hold-up* (Felix Feist, 1952) exploitèrent encore cette veine, la croisant intimement à celle du film noir. Mais une autre mutation était en gestation.

L'excellent *Masque arraché* (D. Miller, 1952) nous le prouve : le cheveu court, le visage lisse, presque cireux, les yeux toujours plus grands, la bouche tendue, douloureuse, devenue victime d'un homme jeune et sans scrupules. Crawford, ses rides gommées par la chirurgie esthétique, a alors incarné une abstraction du mûrissement : sans renoncer aux artifices de star qui lui étaient chers, figée dans un âge vague, le vieillissement suggéré par la fixité grandissante du visage. Ce fut sa dernière métamorphose qui trouva en Nicholas Ray (*Johnny Guitare,* 1954) et Robert Aldrich (*Feuilles d'automne,* 1956) ses poètes flamboyants, et en Charles Walters (*la Madone gitane,* 1953), Joseph Pevney (*la Maison sur la plage,* 1955) ou David Miller (*le Scandale Costello,* 1957) ses illustrateurs attentifs. Actrice intense, son allure fantasmagorique apportait à ces mélodrames une impressionnante touche baroque.

Après cela, Joan Crawford ne fut plus que son propre fantôme, offrant au public le reflet, parfois terrifiant, de son glamour passé. Ce fantôme, Robert Aldrich réussit à le piéger, non sans cruauté, dans *Qu'est-il arrivé à Baby Jane ?* (1962), qui l'opposait à son ancienne rivale de la Warner Bros, Bette Davis. D'autres cinéastes, bien moins inspirés, lui firent terminer sa carrière sur de médiocres films d'horreur où Joan, toujours star, arrivait à imposer fugitivement sa splendeur. C'est en fait la télévision, où elle tourna beaucoup, qui lui offrit la dernière apparition qui eût été digne d'elle : dans *Night Gallery* (1969), le tout jeune Steven Spielberg faisait d'elle une troublante aveugle qui passait un pacte avec l'au-delà. Ses larges yeux, une dernière fois grands ouverts, s'y livraient, dans l'ombre, à un magnifique ballet de l'angoisse.

Elle avait été l'épouse de Douglas Fairbanks Jr. (1929-1933), puis de Franchot Tone (1935-1939), de Philip Terry (1942-1946), et enfin d'Alfred Steele, un dirigeant de la firme Pepsi-Cola (1956-1959). Elle écrivit deux livres de souvenirs, *A Portrait of Joan* (1962) et *My Way of Life* (1971). Sa fille adoptive Christina devait tracer d'elle un portrait cruel et corrosif dans un best-seller tapageur : *Mommie Dearest* (1978), qui devait donner lieu à un film médiocre de Frank Perry, où la star était interprétée par Faye Dunaway. C.V.

Films ▲ : *Lady of the Night* (M. Bell, 1925) ; *Fraternité* (K. Vidor, *id.*) ; *Pretty Ladies* (M. Bell, *id.*) ; *Old Clothes* (E. Cline, *id.*) ; *The Only Thing* (J. Conway, *id.*) ; *Poupées de théâtre* (E. Goulding, *id.*) ; *The Boob* (W. A. Wellman, 1926) ; *Plein les bottes* (H. Edwards, *id.*) ; *Paris* (Goulding, *id.*) ; *Taxi Girl* (*The Taxi Dancer,* Harry Millarde, 1927) ; *le Dernier Refuge* (*Winners of the Wilderness,* W. S. Van Dyke, *id.*) ; *The Understanding Heart* (Conway, *id.*) ; *l'Inconnu* (T. Browning, *id.*) ; *le Bateau ivre (Twelve Miles Out,* Conway, *id.) ; le Temps des cerises* (E. Sedgwick, *id.*) ; *West Point* (id., 1928) ; *Rose-Marie* (id., Lucien Hubbard, *id.*) ; *Un soir à Singapour (Across to Singapore,* W. Nigh, *id.) ; la Mauvaise Route (The Law of the Range,* id., *id.) ; la Prison de cœur (Four Walls,* id., *id.); les Nouvelles Vierges* (H. Beaumont, *id.*) ; *Adrienne Lecouvreur (Dream of Love,* F. Niblo, *id.) ; The Duke Steps Out* (J. Cruze, 1929) ; *The Hollywood Revue of 1929* (C. F. Riesner, *id.*) ; *Ardente Jeunesse (Our Modern Maidens,* Conway, *id.) ; Untamed* (id., *id.*) ; *Montana Mound* (M. Saint-Clair, 1930) ; *Our Blushing Brides,* (Beaumont, *id.*) ; *Il faut payer ! (Paid,* S. Wood, *id.) ; Dance Fools Dance* (Beaumont, 1931) ; *la Pécheresse (Laughing*

Sinners, id., *id.)* ; *This Modern Age* (Nicholas Grinde, *id.*) ; *Fascination* (C. Brown, *id.*) ; *Grand Hôtel* (Goulding, 1932) ; *Captive* (Brown, *id.*) ; *Pluie (Rain,* L. Milestone, *id.)* ; *Après nous le déluge* (H. Hawks, 1933) ; *le Tourbillon de la danse* (R. Z. Leonard, *id.*) ; *Vivre et aimer* (Brown, 1934) ; *la Passagère* (id., *id.*) ; *Souvent femme varie* (W. S. Van Dyke, *id.*) ; *la Femme de sa vie* (*No More Ladies,* Edward H. Griffith, 1935) ; *Vivre sa vie (I Live My Life,* W. S. Van Dyke, *id.)* ; *l'Enchanteresse* (C. Brown, 1936) ; *Loufoque et compagnie (Love on the Run,* W. S. Van Dyke, *id.)* ; *la Fin de Madame Cheyney* (R. Boles'lawsky, 1937) ; *l'Inconnue du palace* (D. Arzner, *id.*) ; *Mannequin* (F. Borzage, 1938) ; *l'Ensorceleuse* (id., *id.*) ; *la Féerie de la glace* (R. Schünzel, 1939) ; *Femmes* (G. Cukor, *id.*) ; *le Cargo maudit* (Borzage, 1940) ; *Suzanne et ses idées* (Cukor, *id.*) ; *Il était une fois* (id., 1941) ; *Duel de femmes (When Ladies Meet,* R. Z. Leonard, *id.)* ; *Embrassons la mariée* (*They All Kissed the Bride* [A. Hall], 1942) ; *Reunion in France* (J. Dassin, *id.*) ; *Above Suspicion* (R. Thorpe, 1943) ; *Hollywood Canteen* (D. Daves, 1944) ; *le Roman de Mildred Pierce* (M. Curtiz, 1945) ; *Humoresque* (J. Negulesco, 1947) ; *la Possédée* (C. Bernhardt, *id.*) ; *Femme ou Maîtresse* (O. Preminger, *id.*) ; *Boulevard des passions* (Curtiz, 1949) ; *les Travailleurs du chapeau (It's a Great Feeling,* D. Butler, caméo ; *id.)* ; *l'Esclave du gang* (*The Damned Don't Cry,* V. Sherman, 1950) ; *la Perfide (Harriet Craig,* id., *id.)* ; *la Flamme du passé* (*Good Bye My Fancy,* id., 1951) ; *la Reine du hold-up* (*This Woman Is Dangerous,* Felix Feist, 1952) ; *le Masque arraché* (D. Miller, *id.*) ; *la Madone gitane* (*Torch Song,* Ch. Walters, 1953) ; *Johnny Guitare* (N. Ray, 1954) ; *la Maison sur la plage* (J. Pevney, 1955) ; *Une femme diabolique* (R. MacDougall, *id.*) ; *Feuilles d'automne* (R. Aldrich, 1956) ; *le Scandale Costello* (D. Miller, 1957) ; *Rien n'est trop beau* (*The Best of Everything,* Negulesco, 1959) ; *Qu'est-il arrivé à Baby Jane ?* (Aldrich, 1962) ; *The Caretakers* (H. Bartlett, 1963) ; *la Meurtrière diabolique* (*Straight-Jacket,* W. Castle, 1964) ; *Tuer n'est pas jouer* (*I Saw What You Did,* id., 1965) ; *le Cercle de sang* (*Berserk,* Jim O'Conolly, 1967) ; *Trog* (F. Francis, 1970).

CRÉDITS. Mot anglais pour *générique* ou pour *filmographie.*

CREGAR *(Laird), acteur américain (Philadelphie, Pa., 1913 - Los Angeles, Ca., 1944).* En dépit de l'extrême brièveté de sa carrière, il est un des « méchants » les plus caractéristiques des années 40, l'interprète idéal de personnages à double face, dont l'urbanité amollie masque la folie homicide. Après avoir tourné le rôle du critique arrogant d'*Arènes sanglantes* (R. Mamoulian, 1941), du policier sadique de *I Wake Up Screaming* (Bruce Humberstone, *id.*), du « commanditaire » de *Tueur à gages* (F. Tuttle, 1942), du pirate Henry Morgan dans *le Cygne noir* (H. King, *id.*), et enfin de « Son Excellence » – le Diable – dans *Le Ciel peut attendre* (E. Lubitsch, 1943), il trouvera son registre le plus approprié dans deux thrillers « gothiques » de John Brahm : *Jack l'Éventreur* (1944) et *Hangover Square* (1945), qui concluront sa courte filmographie. O.E.

CREMER *(Bruno), acteur français (Saint-Mandé 1929).* Il a été révélé par le rôle de l'adjudant baroudeur Willsdorf dans *la 317e Section* de Pierre Schoendoerffer en 1964. Son physique, son masque lourd, ses yeux bleu froid le destinent évidemment aux rôles d'homme d'action, qu'il sait nuancer : *Un homme de trop* (Costa-Gavras, 1967) ; *l'Attentat* (Y. Boisset, 1972) ; *le Bon et les Méchants* (C. Lelouch, 1976) ; *Une histoire simple* (C. Sautet, 1978) ; *l'Ordre et la Sécurité du monde* (Claude D'Anna, 1978) ; *Espion lève-toi* (Boisset, 1982). On le remarque également dans *Bye Bye Barbara* (M. Deville, 1969) ; *le Prix du danger* (Boisset, 1983) ; *Effraction* (Daniel Duval, *id.*) ; *Un jeu brutal* (J.-C. Brisseau, *id.*) ; *De bruit et de fureur* (id., 1987) ; *Noces blanches* (id., 1989) ; *Tumultes* (B. van Effenterre, *id.*) ; *Taxi de nuit* (Serge Leroy, 1993). J.-P.J.

CRESTÉ *(René), acteur français (Paris 1881 -* id. *1922).* Cresté, c'est Judex, bras croisés, l'air fatal, sous la cape insolente et le chapeau à larges bords. Avant d'incarner le justicier, il débute obscurément en 1908. Chez Gaumont, Léonce Perret le remarque et le met en valeur (*le Roi de la montagne,* 1915 ; *les Mystères de l'ombre,* id.) ; Feuillade s'en empare (*la Déserteuse,* 1917 ; *les Petites Marionnettes,* 1918 ; *l'Homme sans visage,* 1919). Après *Judex* (1917), *la Nouvelle Mission de Judex* (1918), *Tih Minh* (id.), ses titres de gloire avec Feuillade, il crée sa propre maison de production, pour laquelle il tourne notamment, mais sans succès, *le Château du silence* (1919) et *Un coup de tête* (1922). Il meurt tuberculeux. R.C.

CRICHTON *(Charles), cinéaste britannique (Wallasey 1910).* Il est connu pour ses films d'humour : *Au cœur de la nuit,* le sketch des joueurs de golf (*Dead of Night,* 1945) ; *De l'or en barres* (*The Lavender Hill Mob,* 1951) ; *Tortillard pour Titfield* (*The Titfield Thunderbolt,* 1953) ; *la Loterie de l'amour* (*The Love Lottery,* 1954). Charles Crichton aborde également le film policier à prolongements psychologiques : *À cor et à cri* (*Hue and Cry,* 1947) ; *Rapt* (*Hunted* 1952) ou le mélodrame populaire (*Les hommes ne comprendront jamais, The Divided Heart,* 1954). Après s'être consacré à la TV pendant quelques années (série des *Dirk Turpin,* 1978), il fait en 1988 un come-back surprenant, irrévérencieux et couronné de succès avec *Un poisson nommé Wanda (A Fish Called Wanda),* film qui assure une amusante liaison entre l'humour de l'école d'Ealing dans les années 50 et celui des Monty Python dans les années 80. R.L.

CRIMINEL *(cinéma).* Au sein du cinéma hollywoodien, le film criminel constitue une sorte de nébuleuse, un ensemble vaste et dense, clairement identifiable même si les contours n'en sont pas strictement définis, et dont la configuration interne est d'une grande complexité. Deux types fondamentaux, le film de gangsters et le film noir, s'y opposent assez nettement à l'état pur ; mais il arrive fréquemment qu'ils se combinent et que le film criminel participe dès lors d'un modèle hybride. Cet enchevêtrement est mis en évidence par le déroulement chronologique du genre, où des processus compliqués d'évolution et de rupture voisinent avec la renaissance des types les plus anciens.

Le film de gangsters. La genèse du film criminel, comme celle des autres formes cinématographiques, est graduelle. On cite le plus souvent, comme ancêtre du genre, *Cœur d'apache* de Griffith (1912), qui présente en effet l'originalité de mettre en scène des gangsters dans le cadre urbain auquel ils s'identifient, les taudis new-yorkais où s'entassent les immigrants. Le personnage du « Mousquetaire des taudis » reparaît dans l'épisode moderne d'*Intolérance* (1916). Le cas de Griffith n'est d'ailleurs nullement isolé, comme en témoignent *The Gangsters and the Girl* (T. H. Ince, 1914) ou *The Regeneration* (R. Walsh, 1915). Mais ces films demeurent, pour la plupart, des mélodrames édifiants qui se concluent volontiers par la rédemption du mauvais garçon (cf. le titre du film de Walsh) ; on est donc aux antipodes de ce qui sera « la convention la plus rigide sans doute du genre à son apogée, celle qui veut que le gangster soit abattu dans la rue à la fin du récit » (C. McArthur).

Une étape décisive est franchie avec *les Nuits de Chicago* de Sternberg (1927). Si elle ne constitue évidemment pas (quoi qu'en ait dit son réalisateur) le « premier film de gangsters », cette œuvre très belle dépeint des personnages qui devinrent des types : le chef de gang au physique animal et brutal (George Bancroft) ; l'intellectuel déchu qui prête ses talents au gang (Clive Brook) ; l'amie du gangster, éprise de toilettes voyantes (Evelyn Brent). L'idéalisme de Sternberg, fidèle à certains schémas mélodramatiques de rédemption (cf. aussi *la Rafle,* 1928), contredit l'ancrage du film de gangsters dans la réalité sociale, mais il fait de ses protagonistes des figures mythologiques et précise l'iconographie du genre.

C'est alors que le film de gangsters se constitue en genre rigoureusement défini et c'est cette même époque (celle de la prohibition) que dépeindront les divers cycles de renaissance. On a souvent noté la parenté thématique et stylistique de *Little Caesar* (M. LeRoy, 1931), de *l'Ennemi public* (W. Wellman, 1931) et de *Scarface* (H. Hawks, 1932). Chacun de ces films épouse un schéma d'ascension et de chute, montrant comment le héros se taille un empire au sein de la pègre, éliminant tous ses rivaux avant de succomber à son tour, victime de sa mégalomanie. Ces œuvres s'inspirent du personnage historique d'Al Capone, et, fidèles en ce sens à la tradition griffithienne, elles suggèrent que le gangster est le produit d'un certain environnement urbain (il est issu de l'immigration catholique, italienne ou irlandaise). En même temps, elles désignent chez leurs protagonistes certaines qualités typiquement américaines, mais dévoyées : l'esprit d'entreprise, la volonté de parvenir au sommet, quels que soient les handicaps de départ. Le gangster apparaît alors comme caricature, figure négative, voire victime du « rêve américain » : dans

Scarface, une ironie amère juxtapose la chute de Tony Camonte (Paul Muni) et une enseigne lumineuse affirmant que « le monde lui appartient ».

La fin sans gloire du gangster, « héros tragique » (R. Warshow), ne suffit pas, aux yeux des ligues de vertu, à contrebalancer la fascination trouble qu'il exerce sur le public. Martin Quigley attaque *Scarface* pour son « héroïsation » du criminel, et Edward G. Robinson doit se défendre contre les mêmes accusations pour son interprétation de *Little Caesar.* Pourtant LeRoy rappelait, en exergue du film, que « celui qui a tué par le glaive périra par le glaive », et dans *Scarface* la police opposait la lâcheté de la délinquance urbaine à la manière « loyale » dont se battaient les hors-la-loi de l'Ouest. La figure du policier passe alors au premier plan, et une convergence curieuse se dessine avec le western. C'est ainsi qu'Edward L. Cahn adapte *Saint Johnson* de William Riley Burnett (auteur de *Little Caesar* et coscénariste de *Scarface*) sous le titre de *Law and Order* (1932) ; cette glorification du shérif (interprété par Walter Huston), personnage moral qui « nettoie » la ville, se clôt sur un avertissement clairement destiné aux gangsters de New York ou de Chicago : « Tombstone n'est qu'un commencement. » Sur un autre scénario de Burnett, *The Beast of the City* (Ch. Brabin, 1932) comporte une invitation liminaire du président Hoover à exalter les défenseurs de l'ordre de préférence aux lâches gangsters, et montre un policier intègre (Walter Huston encore) aux prises avec le roi de la pègre. Les interventions d'avocats marrons rendent vains les efforts du policier, qui se mue en justicier : accompagné de ses lieutenants, il va provoquer la « bête » dans sa tanière, déclenchant une fusillade *à la loyale* dont le motif est emprunté au western.

À la même veine appartiennent *les Hors-la-loi* (W. Keighley, 1935) : face à l'inefficacité des polices locales, dont les dirigeants sont souvent corrompus, on a recours au policier fédéral, à l'homme du gouvernement. Le vaste thème de la corruption policière et civique (ébauché dès *The Musketeers of Pig Alley,* D. W. Griffith, 1912), la tendance à l'interchangeabilité des rôles de gangster et de policier, préfigurent certains des éléments qui, quelques années plus tard, caractériseront « le film noir ». Cette tendance tient d'abord à ce que les policiers, contraints d'utiliser les mêmes méthodes que les criminels, font semblant d'appartenir au gang (par exemple Robinson dans *Guerre au crime,* également de Keighley, 1936) ; elle vient aussi de ce que les interprètes sont, de part et d'autre, les mêmes. Ainsi, Cagney, d'ennemi public, devient G-Man ; ainsi, dans *Guerre au crime,* Robinson, policier camouflé, abat Bogart, avant de redevenir dans *Key Largo* (J. Huston, 1948), un gangster qu'abattra Bogart.

L'accent reste mis sur l'environnement social du gangstérisme. Cela n'est nullement infirmé par les œuvres nombreuses qui montrent gangster et prêtre, ou gangster et policier, issus du même milieu : le gangstérisme semble promettre une ascension sociale rapide, et les conditions de la vie urbaine où il s'enracine sont invoquées comme circonstance atténuante. À cette phase du genre appartiennent la théâtrale *Rue sans issue* (W. Wyler, 1937) ou *les Anges aux figures sales* (M. Curtiz, 1938), qui, en dépeignant des délinquants juvéniles, rendent explicite le lien entre l'environnement et la criminalité. Chez Wyler, au gangster qui retourne au quartier de son enfance (Bogart) s'oppose l'architecte qui souhaite démolir les taudis ; chez Curtiz, le gangster (Cagney) est convaincu par son ami d'enfance devenu prêtre de jouer la lâcheté pour se dépouiller, aux yeux de ses admirateurs adolescents, de tout héroïsme. On voit donc reparaître ici les schémas de rédemption mélodramatique présents à l'aube du genre comme chez Sternberg.

Pendant les années 30, mais en marge du film de gangsters proprement dit, tout un courant du cinéma criminel suggère que la délinquance peut être affaire de circonstances et de conditions sociales, et dégage donc, pour une large part, la responsabilité de l'individu. Face au gangster, criminel professionnel paré d'un prestige ambigu, voici au contraire un homme ordinaire dont la société « fait un criminel ». Ainsi, Paul Muni, interprète de *Scarface,* est la même année un héros de la Première Guerre mondiale réduit au chômage, condamné à dix ans de bagne pour sa complicité involontaire dans un hold-up, évadé, dénoncé, contraint de vivre dans la clandestinité et de continuer à voler (*Je suis un évadé,* LeRoy, 1932). Ainsi, John Garfield, dans *Je suis un criminel* de Berkeley, au titre original encore plus explicite (*They Made Me a Criminal,* 1939). Ainsi, avec davantage du lyrisme, et aussi la conscience que le déterminisme social n'est pas seul en cause, dans *J'ai le droit de vivre* de Lang (1937). Cette dernière œuvre annonce, à bien des égards, le film noir : point de vue subjectif, sentiment d'une fatalité plus métaphysique que sociologique.

Le film noir. Il n'existe pas de définition satisfaisante du film noir, car celui-ci est davantage affaire, en dernière analyse, d'atmosphère que de personnages, de milieu ou de scénario. L'expression est apparue après la Seconde Guerre mondiale, sous la plume de critiques français qui, découvrant d'un coup l'ensemble de la production hollywoodienne des années 1940-1945, y reconnurent un air de famille ; elle est passée ensuite, telle quelle, dans la langue anglaise. (En France, on avait qualifié de « films noirs » les œuvres de Carné comme *Hôtel du Nord* ou *Quai des brumes.*)

On cite souvent *le Faucon maltais* de Huston (1941) comme le prototype du film noir, ce qui est contestable, mais a le mérite d'attirer l'attention sur ce qui constitue le noyau même du genre : le film de détective privé. Un groupe cohérent comprend en effet, outre *le Faucon maltais, Adieu ma belle* (E. Dmytryk, 1944), *le Grand Sommeil* (Hawks, 1946), *la Dame du lac* (R. Montgomery, 1947) et *The Brasher Doubloon* (J. Brahm, *id.*). Tous ces films sont des adaptations de Raymond Chandler, sauf *le Faucon maltais,* d'après Dashiell Hammett, où le détective privé Sam Spade est incarné, comme Marlowe dans *le Grand Sommeil,* par Humphrey Bogart.

Ni gangster ni policier, le détective privé jouit d'un statut ambigu. En réalité, son code moral est des plus exigeants, mais s'accommode de gestes violents ou de ruses que ne désavoueraient pas les criminels, et s'accompagne d'un apparent cynisme, souvent gouailleur. Son individualisme est gage de liberté : contrairement aux criminels et aux policiers, il n'est intégré dans aucune organisation. Il est pauvre, mais n'a ni famille ni besoins, si bien qu'il est à l'abri de la corruption. Les criminels qu'il combat appartiennent souvent, contrairement aux gangsters des années 30, aux milieux les plus aisés, dont on nous donne une image décadente.

Dans le film de gangsters, les bas-fonds étaient assez clairement localisés, même si la corruption n'était pas absente. Dans le film noir, le bien et le mal semblent disposés de manière aléatoire, sans égard à l'origine sociale ou à la richesse. De plus, toujours en règle générale, même si, comme le film noir, le film de gangsters affectionnait les décors nocturnes, il était dépourvu de mystère, d'énigme à déchiffrer, parfois même de menace. La violence y était excessive, mais évidente. En revanche, le « privé » a toujours quelque énigme à débrouiller ; la menace est omniprésente, la violence, insidieuse.

À l'intrigue linéaire des films de gangsters s'opposent parfois des flashbacks complexes (*la Griffe du passé,* J. Tourneur, 1947). C'est que, dans le film de gangsters, le point de vue était habituellement objectif, impersonnel ; le film noir utilise volontiers la narration à la première personne (par là, il perpétue la tradition de films criminels comme *Je suis un évadé*) et comporte au moins deux exemples célèbres de « caméra subjective » : *la Dame du lac,* de Montgomery, et *les Passagers de la nuit* (D. Daves, 1947).

Ces caractéristiques peuvent aisément être étendues à des films noirs qui n'appartiennent pas au cycle du détective privé. C'est ainsi que la narration subjective est le mode qui introduit les récits de Preminger (*Laura,* 1944) et de Wilder : *Assurance sur la mort* (1944) ; *le Poison* (1945) ; *Boulevard du Crépuscule* (1950). C'est ainsi, d'autre part, qu'un enquêteur marginal peut être incarné par un assureur (Robinson dans *Assurance sur la mort ;* George O'Brien dans *les Tueurs* de Robert Siodmak, 1946) ou par un journaliste (Ray Milland dans *la Grande Horloge* de Farrow, 1948) ; on notera que, dans *Citizen Kane* (Welles, 1941), une séquence au moins, celle de l'interview de Susan Alexander, appartient au genre noir. Le caractère diffus du « mal » signifie que l'enquêteur est lui-même impliqué dans l'énigme qu'il doit résoudre, soit qu'il doive dissimuler dès le début sa propre qualité de principal suspect *(la Grande Horloge),* soit qu'il s'aperçoive qu'il est la victime désignée (Barbara Stanwyck dans *Raccrochez, c'est une erreur* de Litvak, 1948).

La culpabilité est, de même, diffuse : les « bons » recèlent une part d'ombre, mais inversement il est permis de s'identifier à des héros que la loi désigne conventionnellement comme des « méchants ». Dans le premier cas, un Américain bien tranquille est susceptible de se muer en criminel : citons Fred MacMurray dans *Assurance sur la mort,* Edward G. Robinson dans *la Femme au portrait* et *la Rue rouge,* tous deux de Lang. Dans le second, le spectateur partage le point de vue d'un citoyen ordinaire dont le passé refoulé fait retour : ainsi, dans *la Griffe du passé (Out of the Past),* titre significatif. Dans les deux cas, la notion de criminel professionnel, qui est à la base du film de gangsters, s'estompe.

Il est fréquent que le héros du film noir soit soumis, et succombe, à la tentation d'une femme fatale, beauté vénéneuse dont il faut citer quelques incarnations mémorables : Rita Hayworth dans *la Dame de Shanghai* (Welles, 1948) et dans *Gilda* (Ch. Vidor, 1946) ; Ava Gardner dans *les Tueurs ;* Barbara Stanwyck dans *Assurance sur la mort ;* Lana Turner dans *Le facteur sonne toujours deux fois* (Tay Garnett, 1946) ; Gene Tierney dans *Péché mortel* (Stahl, 1945). Ce personnage féminin a peu en commun avec la « gangster's moll » des années 30. Celle-ci, dont le type reste Jean Harlow dans *l'Ennemi public,* avait, dans sa vulgarité, une sorte de santé, et son amoralisme n'était pas dépourvu de franchise. Sensuelle et hypocrite, la femme fatale est une « femme sans cœur » dont on peut faire remonter le type jusqu'à l'expressionnisme allemand (et plus précisément à *Loulou* de Pabst, 1929).

Parmi d'autres éléments, la figure de la femme fatale désigne donc dans le film noir la résurgence de motifs étrangers à Hollywood. Sur ce point encore, le film noir s'oppose au film de gangsters, si clairement nourri de la réalité socio-économique américaine. On a souvent remarqué que nombre de films noirs ont été signés par des réalisateurs d'origine européenne et notamment germanique (citons Lang, Siodmak, Brahm, Wilder, Preminger, Ulmer). Une photographie à dominante sombre et contrastée accentue le caractère nocturne de l'atmosphère, projette des hachures sur les visages, partage avec l'expressionnisme le goût d'un décor architectural qui écrase l'individu. Chez certains auteurs, et d'abord chez Lang, la dérivation n'est pas seulement décorative, la continuité d'un propos moral et même métaphysique est claire. Mais on observe, comme il est fréquent à Hollywood, qu'à partir d'éléments européens et américains le film noir a effectué une synthèse originale. Ainsi l'interprète idéal, par son masque inexpressif de la « banalité de la culpabilité », est-il le très Américain Dana Andrews, enquêteur épris de la victime supposée *(Laura),* journaliste traquant un criminel auquel la mise en scène l'identifie de manière répétée (*la Cinquième Victime* de Lang, 1956), vrai coupable posant au faux coupable, en un jeu de miroirs à l'ironie désabusée *(Invraisemblable Vérité,* également de Lang, *id.).*

Mais le film noir, dans ces œuvres tardives de Lang, s'est dépouillé de ses ornements expressionnistes, il s'est réduit à une sorte d'épure. Il en va différemment pendant les années 40, où le film noir au contraire, développant certains traits propres au film de gangsters, a multiplié les bizarreries et les exotismes.

Les gangsters des années 30 n'allaient pas sans quelque idiosyncrasie. On se souvient de George Raft faisant sauter une pièce de monnaie dans *Scarface.* Mais précisément Hawks lui avait prescrit ce jeu de scène (auquel il s'identifia sa carrière durant) pour lui conférer un trait distinctif alors que son visage était impassible, sa silhouette banale. Inversement, *le Faucon maltais* frappe par sa galerie de personnages fortement typés : Sydney Greenstreet, obèse excessivement urbain ; Peter Lorre efféminé et boudeur ; Elisha Cook Jr., avec ses grands yeux effarés. Le type du criminel obèse constitue l'apanage de certains comédiens anglais : Greenstreet le reprend dans *le Masque de Dimitrios* (J. Negulesco, 1944) et dans *le Verdict* (D. Siegel, 1946), thriller situé à Londres à la fin du siècle dernier. Une variante également victorienne en est fournie par Charles Laughton dans *le Suspect* (R. Siodmak, 1945) ; une variante moderne, par Francis L. Sullivan dans *les Forbans de la nuit* (J. Dassin, 1950).

Cette tendance sera suivie par Orson Welles dans *la Soif du mal* (1958) : les silhouettes violemment contrastées de Quinlan (Welles) et de son acolyte Menzies (Joseph Calleia) recréant en quelque sorte le tandem Greenstreet-Lorre du *Faucon maltais ;* Akim Tamiroff, perdant sa perruque, campe une autre figure à la fois grotesque et malfaisante, à laquelle Janet Leigh reproche en vain d'avoir vu trop de films de gangsters, et notamment *Little Caesar.*

Contrairement au film de gangsters, le film noir se prête aux exotismes, comme en témoignent *la Soif du mal,* située dans une ville-frontière mexicainede cauchemar, ou *les Forbans de la nuit,* dont l'action se déroule à Londres, et où, bizarrerie supplémentaire, à la boxe traditionnelle se substitue la lutte gréco-romaine, avec ses athlètes au physique monstrueux et à l'accent baroque. Il apparaît bien, à ce propos, qu'on aurait tort de réduire le film noir à une influence «germanique» : les Européens sont venus à Hollywood, mais l'Amérique a essaimé (Dassin) ; en outre, dans la configuration complexe du film noir, les éléments anglais ont joué un rôle capital. Il suffit pour s'en convaincre de songer à Hitchcock (cf. *l'Ombre d'un doute,* 1943, ou*l'Inconnu du Nord-Express,* 1951) et aux adaptations de Graham Greene (ainsi : *Espions sur la Tamise* de Lang, 1944 ; *Tueur à gages* de Frank Tuttle, 1942). Dans *les Forbans de la nuit,* les mendiants qu'on déguise évoquent certes le symbolisme explicite de l'expressionnisme allemand, mais ils remontent, au-delà de Pabst, Brecht et Weill, à *l'Opéra du gueux,* du Londonien John Gay : *The Beggar's Opera* (1728).

Le film de détective pendant les années 30. Divers exotismes du film noir avaient connu, dans les années 30, des précédents. La vogue du film de gangsters les a relégués à l'arrière-plan ; mais, dès cette époque, le film de détective était souvent empreint de fantaisie. *Le Faucon maltais* de Dashiell Hammett a été porté à l'écran dès 1931 par Roy Del Ruth, et en 1936 par Dieterle, dans une version semi-parodique *(Satan Met a Lady).* Rappelons aussi la série du *Thin Man,* avec William Powell dans le rôle du gentleman détective Nick (également créé par Dashiell Hammett) : c'était une combinaison fort réussie de film policier et de comédie loufoque (6 titres de 1934 à 1947, dont les 4 premiers sont signés par W. S. Van Dyke). Une autre série beaucoup plus prolifique, non dépourvue d'humour, a pour héros le détective sino-américain Charlie Chan ; très souvent située dans des lieux exotiques, elle reste, par son atmosphère, plus proche du thriller ou même du film d'horreur.

Permanence et évolution du film de gangsters. Le film de gangsters n'a pas disparu tandis que s'épanouissait le film noir. *Johnny, roi des gangsters* (LeRoy, 1942) appartient clairement au genre : on met l'accent sur l'environnement social qui favorise le crime ; on montre, comme dans *Little Caesar* du même réalisateur, un schéma d'ascension et de chute ; le gangster est comparé à un souverain flanqué de son bouffon intellectuel (Van Heflin). Il a le charme de Robert Taylor et accède à une sorte de grandeur tragique.

Le souci de réalisme social qui gouvernait le genre à la Warner demeure apparent dans *Sang et Or* (Rossen, 1947), évocation d'un boxeur qui échappe au ghetto, mais non aux combines et à la corruption, ou dans les films produits par Mark Hellinger, *la Grande Évasion* (Walsh, 1941) ; *les Tueurs* de Siodmak ; *les Démons de la liberté* (Dassin, 1947) ; *la Cité sans voiles* (id., 1948).

Mais, jusque dans ces œuvres, on a le sentiment d'une contamination du film de gangsters par le film noir, ou d'un mélange des genres. Ainsi le héros de *la Grande Évasion* (Bogart) est un homme seul, soumis à une fatalité plus métaphysique que sociale. Dans *les Tueurs,* Burt Lancaster, boxeur devenu gangster, incarne le gangster *à l'ancienne,* avec sa bonne foi, sa naïveté qui font de lui une victime toute désignée pour la femme fatale (Ava Gardner) et pour des criminels — les tueurs du titre — qui appartiennent, eux, au film noir ; contrairement aux nombreux gangsters, ils dissimulent derrière une façade de normalité un sadisme lancinant. Dans *Key Largo* (1948), Huston dénonce, dans le gangster des années 30 interprété par E. G. Robinson, un criant anachronisme.

En même temps, le gangstérisme évolue dans deux directions distinctes, mais compatibles avec les traits spécifiques du film noir. D'une part, à l'explication par le conditionnement social se substitue la motivation psychotique ; d'autre part, et comme par compensation, le crime devient plus que jamais affaire d'organisation : aux gangsters «héroïques» de la prohibition ont succédé des hommes d'affaires qui gèrent, en capitalistes avisés, le syndicat. Dans la première catégorie, on rangera deux œuvres interprétées par James Cagney, *L'enfer est à lui*de Walsh (1949) et *le Fauve en liberté* de Gordon Douglas

(1950) ; on en rapprochera les personnages incarnés par Richard Widmark, avec son rire nerveux et son regard égaré (*le Carrefour de la mort* de Hathaway, 1947), et même par Alan Ladd, avec son inquiétante beauté (*le Tueur à gages ; la Clé de verre* de Heisler, d'après Dashiell Hammett, 1942).

La seconde catégorie englobe l'essentiel du film de gangsters situé dans un cadre contemporain, de *l'Enfer de la corruption* (A. Polonsky, 1948) et de *la Femme à abattre* (B. Windust et R. Walsh, 1951) au *Parrain* de Coppola (1972-1974). À ce genre, où la violence est au service d'une organisation capitaliste, appartient aussi *Règlement de comptes* de Lang (1953), mixture parfaite du film de gangsters et du film noir. Le chef du gang a l'apparence d'un notable. Il règne donc doublement sur la ville ; il tient les responsables de la police par la corruption, mais c'est en tant que citoyen respectable qu'il est protégé par des policiers. Il emploie des gangsters (par exemple Lee Marvin) qui répondent à certains caractères des années 30, mais avec davantage de sadisme et une violence excessive : au lieu qu'on lui écrase un pamplemousse sur le visage comme dans *l'Ennemi public,* la « gangster's moll » est ébouillantée par du café brûlant. Le policier qui enquête se mue en vengeur, démasque ou abat les principaux responsables de l'organisation.

Ce schéma sera fréquemment reproduit, souvent avec la variante – reprise de *Guerre au crime* – qui veut que l'enquêteur/vengeur pénètre au cœur même du Syndicat avant de le détruire, parfois en s'immolant lui-même : *les Bas-Fonds new-yorkais* (Fuller, 1961) ; *la Revanche du Sicilien* (W. Asher, 1963) ; *le Point de non-retour* (Boorman, 1967).

Résurgence du film de gangsters et du film noir. On voit renaître, à intervalles plus ou moins réguliers, le film de gangsters tel qu'il s'était constitué dans les années 30, avec pour protagonistes des figures « historiques » de l'époque : *Dillinger* (Max Nosseck, 1945) ; *l'Ennemi public* (Siegel, 1957) ; *Mitraillette Kelly* (Corman, 1958) ; *la Chute d'un caïd* (Boetticher, 1960) ; *Les incorruptibles défient Al Capone* (Phil Karlson, 1962) ; *le Massacre de la Saint-Valentin* (Corman, 1967) ; *Dillinger* (J. Milius, 1973) ; *les Incorruptibles* (B. De Palma, 1987).

De même se dessine, dans les années 60, un nouveau cycle du film du « privé », qui avoue sa dette envers le cycle original de Marlowe. *Détective privé* (1966) de Jack Smight rend hommage au *Grand Sommeil* en donnant un rôle à Lauren Bacall. Il est suivi par *Syndicat du meurtre* de l'Anglais Guillermin (1968) ; *Peter Gunn, détective spécial* (B. Edwards, *id.*), par trois films de Gordon Douglas avec Frank Sinatra dans le rôle du « privé » (*Tony Rome est dangereux,* 1967 ; *le Détective,* 1968 ; *la Femme en ciment,* id.) ; et bientôt par de nouvelles adaptations de Chandler lui-même : *la Valse des truands* (Paul Bogart, 1969) ; *le Privé* (Altman, 1973) ; *Adieu ma jolie* (Dick Richards, 1975), où Charlotte Rampling semble une nouvelle Lauren Bacall. Comme pendant les années 40, des metteurs en scène européens illustrent le genre : Polanski signe *Chinatown* (1974) ; Wenders, *Hammett* (1982), qui a pour héros l'auteur du *Faucon maltais.* Du film noir ces œuvres reprennent les intrigues complexes, la peinture d'un monde où les apparences sont trompeuses. Souvent suggérées à l'époque classique, les déviations sexuelles sont devenues explicites. À la faveur de modes nostalgiques, les exotismes, les bizarreries font retour. Mais la couleur remplace le plus souvent les ombres expressionnistes des prototypes : ainsi, dans le remake des *Tueurs* par Don Siegel, *À bout portant,* 1964. Dans les années 80 et 90, cette tendance du film criminel se fait plus rare. Les films de gangsters qui dominent cette période font figure d'exceptions. Deux sont réalisés par De Palma et interprétés par Al Pacino : *Scarface* (1982) resitue le classique de Howard Hawks dans le Miami contemporain, et sa pègre d'origine cubaine, en une vaste fresque de près de trois heures ; moins flamboyante, moins longue, *l'Impasse* (1993) revient au classicisme et retrace avec une rigueur tragique l'impossible survie d'un pathétique malfrat dans une pègre dont le caractère impitoyable le surpasse. F. Ford Coppola revient une dernière fois sur la saga du Parrain (*le Parrain 3,* 1989) et la dénoue dans un fatalisme tragique qui évoque l'opéra. Scorsese, quant à lui, revisite l'univers criminel des immigrés italiens dans le très violent *les Affranchis* (1990), où, à l'opposé de la sécheresse de *Mean Streets* (1973), il opte pour l'ampleur de la fresque. Plus modeste, mais attachant par un style sec et un prolongement scénaristique passionnant, *Pacte avec un tueur* (John Flynn,

1987) raconte comment un gangster engage des tractations avec un célèbre auteur de romans policiers pour rédiger un livre sur sa vie.

Le film noir tel qu'on l'a connu dans les années 40-50, avec ses femmes fatales et ses quidams tout à coup précipités dans l'univers pâteux du crime, est traité de moins en moins souvent, même de manière allusive. On ne fait en général qu'emprunter à sa riche iconographie, comme ce fut le cas dans le prestigieux « à la manière de Dashiell Hammett » de *Miller's Crossing* (J. Coen, 1990). Signalons cependant l'obstination intéressante du franc-tireur John Dahl, qui, dans *Kill me again* (1989) et *The Last Seduction* (1994), poursuit avec bonheur des variations sur l'homme, la femme fatale et l'argent. Un thème également traité par J. Demme dans *Dangereuse sous tous rapports* (1987).

Sous-genres criminels divers. Diverses catégories du film criminel, sans avoir l'importance du film de gangsters et du film noir, constituent des sous-ensembles à l'identité marquée. On se bornera à en signaler trois.

Né dans l'ombre du film de gangsters, le film policier, souvent de tendance documentaire, a parfois acquis une existence autonome. À ce genre appartiennent les séquences documentaires de *The Beast of the City* (Ch. Brabin, 1932), dont le héros est le « flic » et non le gangster ; mais à ceci près que la thématique et l'iconographie sont celles mêmes du film de gangsters. Cette tendance revit dans les années 40 avec les œuvres produites par Louis de Rochemont et mises en scène par Henry Hathaway : *la Maison de la 92e Rue* (1945) ; *13, rue Madeleine* (1947) ou *Appelez Nord 777* (1948). On recrée des événements réels dans les lieux où ils se sont déroulés et avec la participation des protagonistes (déjà le FBI de Hoover avait collaboré au cycle des G-Men) ; à l'espionnage, on substitue parfois la banalité du quotidien (*Quatorze Heures,* également de Hathaway, 1951). Vingt ans plus tard, le policier semi-documentaire renaîtra avec *Police sur la ville* de Siegel (1968), dont le scénario est dû à Polonsky. Le film policier reflète fidèlement les débats de société : *l'Inspecteur Harry* (Siegel, 1971) se plaint du laxisme de la justice en des termes identiques à ceux de W. R. Burnett dans les années 30 ; interprété par Clint Eastwood et volontiers qualifié de fasciste, son héros a eu de nombreux émules tant dans la police (Chuck Norris) que dans la population civile (Charles Bronson et le cycle du *Justicier dans la ville*). *French Connection* (Friedkin, 1971) combine la tradition documentaire, la violence et l'idéologie de la répression, tandis que le personnage du policier en lutte contre la corruption qui l'environne revit dans *Serpico* (Lumet, 1973).

D'autre part, du film de gangsters situé en milieu urbain se distingue le film de « bandits » situé en milieu rural. Ce sous-genre partage la convention d'une fin sanglante ; il se prête soit à l'explication par l'environnement, soit à un traitement plus proprement tragique. Il met souvent en scène un jeune couple fugitif d'abord innocent mais pris dans l'engrenage de la violence. Il conserve, au fil des années, sa cohérence : *J'ai le droit de vivre* (Lang, 1937) ; *les Amants de la nuit* (Ray, 1949) ; *le Démon des armes* (J. H. Lewis, 1950) ; *Bonnie and Clyde* (Penn, 1967) ; *Nous sommes tous des voleurs* (Altman, 1974) ; *la Balade sauvage* (T. Malick, *id.*). Il ne se confond nullement avec le western : il a pour cadre le Midwest ou le Sud des États-Unis, souvent à l'époque de la Dépression.

On isolera enfin ce que les Anglo-Saxons désignent comme « big caper film », le film de « coup » ou de « casse », dont le modèle est *Quand la ville dort* de Huston (1950), mais que Kaminsky fait remonter jusqu'à *l'Attaque du Grand Rapide* (E. S. Porter, 1903). Constitué pour l'occasion et dispersé aussitôt ensuite, le gang compte ses personnages types, le chef, l'intellectuel, les exécutants (techniciens ou tireurs). Citons *Ultime Razzia* (Kubrick, 1956) ; *le Coup de l'escalier* (Wise, 1959) ; *les Sept Voleurs* (Hathaway, 1960) ; *Dollars* (Brooks, 1971) ; *Tuez Charley Varrick* (Siegel, 1973). Dans les années 80 et 90, le film criminel est probablement le genre le plus riche de tous. Inévitablement, c'est dans ce domaine qu'un jeune cinéaste fait souvent ses premières armes, par exemple James Gray, avec l'attachant et émouvant *Little Odessa* (1994), et, bien sûr, Quentin Tarantino. Cette vogue engendre des sous-genres. Deux dominent, que l'on pourrait appeler « le polar à deux flics » et « le faux Hitchcock ».

La formule du « polar à deux flics » vient en droite ligne de la télévision et du succès de séries comme *les Rues de San Francisco, Starsky et Hutch* et *Deux Flics à Miami.* Les deux personnages sont fortement contrastés : différence d'âge, de culture, de race. Mais leur réunion permet de toucher pratiquement toutes les franges sociales du public. La formule est transposée telle quelle au cinéma dans des films comme *Étroite Surveillance* (J. Badham, 1987), *Affaires internes* (M. Figgis, 1990) ou la série des *Armes fatales* réalisée par Richard Donner. Cela reste souvent psychologiquement peu fouillé et fait la part belle au spectacle (fusillades, poursuites en voitures sont des passages obligés). Cette formule binaire connaît quelques variations : le flic et son prisonnier (*Midnight Run,* Martin Brest, 1988) ou le professionnel et l'amateur (*la Manière forte,* Badham, 1991).

Le « faux Hitchcock » est un phénomène à ce jour unique. Le style, l'iconographie et la thématique d'un cinéaste engendrent pour la première fois un sous-genre. Certes, Brian De Palma a beaucoup pastiché Hitchcock (*Pulsions,* 1977 ; *Body Double,* 1982) et Scorsese lui-même ne dédaigne pas de le faire de temps à autre (*les Nerfs à vif,* 1992). Mais il s'agit plus souvent de bons techniciens qui, ne se contentant plus d'un coup de chapeau à un maître, exploitent systématiquement le fonds hitchcockien. Les thèmes sont souvent issus de *Fenêtre sur cour* et de *Vertigo :* voyeurisme (*The Bedroom Window,* Curtis Hanson, 1985 ; *Sliver,* P. Noyce, 1993), transfert de meurtre (*Bad Influence,* C. Hanson, 1990 ; *Pacte avec un tueur,* John Flynn, 1988), amour meurtrier (*Basic Instinct,* P. Verhoven, 1992 ; *Sang chaud pour meurtre de sang froid,* Phil Joannou, 1992). L'iconographie est également réutilisée : on retrouve dans tous ces films la sylphide blonde (au chignon près, dans *Basic Instinct*), l'objet tranchant venu de *Psychose* et le dénouement au sommet d'une construction verticale.

Le genre s'attache enfin au phénomène de société du tueur en série et les nombreux films qui sont consacrés au personnage finissent par constituer un ensemble cohérent. On remarquera tout particulièrement *le Silence des agneaux* (J. Demme, 1990), où la création d'Anthony Hopkins en psychiatre cannibale était inoubliable, ainsi que *Tueurs nés* (O. Stone, 1994), bon scénario de Quentin Tarantino desservi par un style boursouflé et chichiteux qui se voudrait lyrique. Dans un cas comme dans l'autre, on a affaire à une violence rendue en images crues et sanglantes qui nous fait mesurer le chemin parcouru depuis les meurtres suggérés avec finesse dans les films noirs de l'époque classique.

Iconographie. Le gangster se reconnaît d'abord à ses vêtements, qui restent, au fil des années, entachés d'une élégance très voyante. Venant d'un milieu humble, il doit afficher sa réussite sociale et s'habille trop. Le type est fourni par Robinson dès *Little Caesar :* chapeau melon, gilet, guêtres. Le grand chapeau mou, la veste à larges revers, les rayures, les cravates criardes, le cigare enfoncé dans le coin de la bouche suffisent à dénoter le gangster. Dans *Johnny, roi des gangsters,* Robert Taylor choisit la cravate « la plus voyante ». Le type sera reproduit par les gangsters des années 50 (Lee Marvin dans *Règlement de comptes*). Même les gangsters qui ont à la ville l'apparence de businessmen se trahissent dans le privé : ils portent des peignoirs de soie d'un luxe excessif (Robinson dans *Key Largo,* Alexander Scourby dans *Règlement de comptes,* Neville Brand dans *Les Incorruptibles défient Al Capone*). Il en va de même de la « ganster's moll », aux toilettes tapageuses et vulgaires. Ailleurs synonyme de statut mondain, le manteau de fourrure peut désigner l'amie du gangster ; dans *Règlement de comptes* encore, Gloria Grahame (« gangster's moll ») dit à la femme du policier corrompu, habillée comme elle : « Nous sommes les filles en manteau de vison. »

C'est ensuite seulement que le gangster se définit par le port — et par l'usage — d'une arme à feu, caractère qu'il partage avec le policier, le détective privé, le criminel non professionnel... Comme dans le western (*Winchester 73,* A. Mann, 1950), les titres témoignent de l'importance des armes à feu : *Magnum Force* (Ted Post, 1973). Dans le film de gangsters, on utilise volontiers l'arme mi-lourde (cf. *Mitraillette Kelly*) ; dans le film noir, la violence est plus insidieuse : le poison voisine avec l'arme à feu *(le Grand Sommeil).* Vers la fin des années 40, la violence prend les formes les plus extrêmes, à la fois en quantité (cf. *les Démons de la liberté* ou *L'enfer est à lui*) et en raffinement de cruauté. Cela culminera chez Aldrich dont le film de « privé » *En quatrième vitesse* (1955) se termine par une explosion atomique.

Un motif fréquent est celui d'une grande fête du gang qu'interrompt un sanglant règlement de comptes. Dans *les Nuits de Chicago,* Buck Mulligan est tué pendant le « Carnaval diabolique » des gangsters ; dans *The Beast of the City,* le triomphe de Belmonte prélude à une bataille rangée ; dans *Traquenard* (N. Ray, 1958), situé à Chicago dans les années 20, un banquet se termine par l'élimination d'un rival. Le motif a été utilisé avec bonheur dans la comédie de Wilder *Certains l'aiment chaud* (1959) : les gangsters armés de mitraillettes sont cachés dans le gâteau du banquet.

En majeure partie, les films criminels ont pour cadre une grande ville américaine : New York bien sûr, mais aussi Chicago (gangsters de la prohibition), Los Angeles (adaptations de Chandler), San Francisco (adaptations de Hammett). L'ensemble du genre est ainsi associé à la poésie visuelle et à la menace que recèlent les métropoles. Innombrables sont les scènes situées la nuit, dans des rues désertes dont le pavé est humide, où roulent des automobiles souvent annonciatrices de mort, où guettent des silhouettes en chapeau mou et en imperméable. De nombreux titres originaux font allusion à la ville, à la nuit et à l'ombre : qu'il suffise de mentionner *Night and the City (les Forbans de la nuit)* et *While the City Sleeps (la Cinquième Victime).*

Cette iconographie n'est cependant pas immuable. Il arrive que le film criminel contemporain s'inscrive dans son prolongement (*Mean Streets* de Scorsese, 1973) ; mais, le plus souvent, la généralisation de la couleur et les progrès de l'arsenal technologique ont permis d'élargir le registre diurne de la violence urbaine. Une figure obligée du genre devient la poursuite spectaculaire en voiture : *Bullitt* (P. Yates, 1968) ; *French Connection,* ou en hélicoptère (*Tonnerre de feu,* John Badham, 1983 ; *l'Arme fatale,* R. Donner, 1987). Ces morceaux de bravoure procèdent d'une recherche systématique de l'« effet de choc ». Ils transforment l'espace urbain en champ de bataille et l'activité policière en une guerre sans merci. Le conflit flics-gangsters gagne en intensité ce qu'il perd en subtilité. Le gangster y renonce à son humanité (résurgence des tendances caricaturales et manichéennes du sérial), et le policier aussi, qui va jusqu'à se transformer en machine (*Robocop* de Paul Verhoeven, 1987).

Élégance voyante, armes à feu, femme fatale, la ville la nuit, sur une musique jazzée : de ces éléments empruntés au film noir mais aussi au film de gangsters, Minnelli fait la matière d'un ballet (Girl Hunt Ballet) dans *Tous en scène* (1953). De même, Mankiewicz, dans *Blanches Colombes et Vilains Messieurs* (1955), d'après Damon Runyon ; le joueur professionnel qu'y interprète Brando rappelle, par son allure, le gangster de *The Regeneration* de Walsh (1915) : témoignage de la pérennité d'une iconographie. Silhouette stéréotypée, le gangster peut aisément devenir personnage de comédie (*Certains l'aiment chaud* avait été précédé par *Grande Dame d'un jour* de Capra, 1933, également d'après Damon Runyon, et par *Toute la ville en parle* de Ford, 1935), de même qu'il peut être transposé hors de son cadre urbain pour apparaître dans un désert d'Arizona clairement théâtral (Bogart/Duke Mantee dans *la Forêt pétrifiée* d'Archie Mayo, 1936, d'après la pièce de Robert E. Sherwood).

Nombre de films criminels utilisent d'ailleurs à de saisissantes fins de contraste un motif pastoral *(la Grande Évasion, la Griffe du passé, Quand la ville dort)* ; d'autres ont enveloppé de leur ombre menaçante de petites villes bien tranquillement américaines, ainsi que des stations-service et des « diners » (restaurants de routiers) isolés au bord d'une nationale : cf. *l'Ombre d'un doute* de Hitchcock ou *Crime passionnel* (Preminger, 1945), *les Tueurs* de Siodmak ou *Le facteur sonne toujours deux fois* (Tay Garnett, 1946 ; Bob Rafelson, 1981). J.-L.B./C.V.

CRISP *(Donald), cinéaste et acteur britannique (Aberfeldy, Écosse, 1880 - Los Angeles, Ca., 1974).* Après son arrivée à New York en 1906, il commence une carrière de chanteur d'opéra, puis devient l'assistant de D. W. Griffith. De 1914 à 1930, il réalise une soixantaine de films muets dont deux restent célèbres : *la Croisière du Navigator* (*The Navigator,* CO B. Keaton, 1924) et *Don X, fils de Zorro* (*Don Q, Son of Zorro,* où il dirige Douglas Fairbanks, 1925). Mais il est surtout connu pour son impressionnante carrière d'acteur. Deux créations célèbres : le boxeur tyrannique du *Lys brisé* (D. W. Griffith, 1919) et Mr. Morgan de

Qu'elle était verte ma vallée (J. Ford, 1941), qui lui valut un Oscar (best supporting actor). R.L.

Films (acteur) : *Home, Sweet Home* (D. W. Griffith, 1914) ; *Naissance d'une Nation* (id., 1915, [il interprète le général Grant]) ; *le Pirate noir* (*The Black Pirate,* Albert Parker, 1926) ; *le Retour de Sherlock Holmes* (B. Dean, 1929) ; *les Révoltés du Bounty* (F. Lloyd, 1935) ; *Marie Stuart* (J. Ford, 1936) ; *la Charge de la brigade légère* (M. Curtiz, *id.*) ; *la Vie d'Émile Zola* (W. Dieterle, 1937) ; *la Vallée des géants* (*Valley of the Giants,* W. Keighley, 1938) ; *l'Insoumise* (W. Wyler, *id.*) ; *les Hauts de Hurlevent* (id., 1939) ; *l'Aigle des mers* (Curtiz, 1940) ; *Docteur Jekyll et M. Hyde* (V. Fleming, 1941) ; *les Aventures de Mark Twain* (I. Rapper, 1944) ; quatre films de la série des *Lassie* (1943-1949) ; *Prince Vaillant* (H. Hathaway, 1954) ; *Ce n'est qu'un au revoir* (J. Ford, 1955) ; *l'Homme de la plaine* (A. Mann, *id.*) ; *la Dernière Fanfare* (J. Ford, 1958) ; *Pollyanna* (D. Swift, 1960) ; *la Montagne des neuf Spencer* (D. Daves, 1963).

CRISPIN *(Jeannine Crépin,* dite *Jeanine), actrice française (Paris 1911).* Avant la guerre, elle a promené sa blondeur et ses mines volontiers boudeuses à l'Odéon, chez Jouvet et, en 1945, à la Comédie-Française, où elle reste peu de temps. Le cinéma l'emploie dans des rôles de Slave exubérante : *Tarass Boulba* (A. Granowski, 1936) ou passionnée : *Nostalgie* (V. Tourjansky, 1937). Elle pare d'un romanesque souriant des évocations de musiciens célèbres dans *la Chanson de l'adieu* (Geza von Bolvary et A. Valentin, 1934) et *la Guerre des valses* (L. Berger, 1933). On la remarque aussi dans *Du haut en bas* (G. W. Pabst, 1933) et dans *le Bataillon du ciel* (Alexandre Esway, 1947), une de ses dernières apparitions à l'écran. R.C.

CRISTALDI *(Franco), producteur italien (Turin 1924 - Monte-Carlo 1992).* Il produit cinquante documentaires de court métrage et, en 1952, fonde sa maison de production, la Vides. Dès son premier film, *La pattuglia sperduta* (P. Nelli, 1954), une épopée anticonventionnelle sur le Risorgimento, il affirme ses ambitions culturelles, rarement contredites en 70 films. Parmi ses œuvres les plus audacieuses : *le Défi* (F. Rosi, 1958) ; *le Pigeon* (M. Monicelli, *id.*) ; *Divorce à l'italienne* (P. Germi, 1961) ; *Salvatore Giuliano* (Rosi, 1962) ; *les Camarades* (Monicelli, 1963) ; *Sandra* (L. Visconti, 1965) ; *La Chine est proche* (M. Bellocchio, 1967) ; *l'Affaire Mattei* (Rosi, 1972) ; *Amarcord* (F. Fellini, 1973) ; *Le Christ s'est arrêté à Eboli* (Rosi, 1979) ; *Ratataplan* (id., Maurizio Nichetti, *id.*) ; *le Nom de la rose* (J.-J. Annaud, 1986) et *Cinéma Paradiso* (Giuseppe Tornatore, 1988). Plus de nombreuses comédies populaires, et la production de jeunes auteurs. L.C.

CROCKWELL *(Douglas), cinéaste expérimental américain (Colombus, Ohio, 1904 - ? 1968).* Dès 1934, l'animation devient le violon d'Ingres de ce dessinateur professionnel. Il réalise *Fantasmagoria I, II III* entre 1938 et 1940, puis *Glens Falls Sequence* (du nom de l'endroit de l'État de N. Y. où il vit alors) en 1946 et *The Long Bodies* en 1946-1949. Pour obtenir ces libres associations de formes abstraites ou figuratives qui se métamorphosent, le plus souvent dans un espace à trois dimensions, il utilise parfois des objets réels, des pâtes à modeler ou des papiers découpés, et redécouvre des procédés employés par Ruttmann ou Fischinger vers 1920 (filmage de blocs de cires colorées découpés en tranches et peinture sur plaque de verre). Après 1949, il adapte certaines de ses œuvres au principe du mutoscope – série de cartes dont le feuilletage rapide donne l'illusion du mouvement. D.N.

CROIX DE MALTE. Sur les appareils de projection, pièce usinée, comportant quatre rainures en croix, servant à créer le mouvement de rotation intermittente du tambour denté qui entraîne le film. (→ PROJECTION, INVENTION DU CINÉMA.)

CROMWELL *(Elwood Dager Cromwell,* dit *John), cinéaste américain (Toledo, Ohio, 1887 - Santa Barbara, Ca., 1979).* John Cromwell fait ses débuts d'acteur de théâtre en 1906 ; après quelques années, tout en continuant fréquemment à jouer, il devient aussi régisseur, puis metteur en scène et producteur. Curieux de nouveauté, il se rend à Hollywood lors de la naissance du parlant, y joue quelques rôles, dirige (avec Edward Sutherland) son premier film, *Close Harmony,* en 1929, et atteint rapidement à la notoriété avec *Street of Chance*

(1930 – avec William Powell et Kay Francis), puis *les Aventures de Tom Sawyer* (*Tom Sawyer,* id., avec Jackie Coogan). Il acquiert une réputation justifiée de grand directeur d'actrices : citons les interprétations de Katharine Hepburn dans *Mademoiselle Hicks* (*Spitfire,* 1934), Anne Harding dans *Fontaine* (*The Fountain,* id.), Bette Davis dans *l'Emprise* (*Of Human Bondage,* id.), Hedy Lamarr dans son premier film américain *Casbah* (*Algiers,* 1938, remake de *Pépé le Moko* de Duvivier), Carole Lombard dans *le Lien sacré* (*Made for Each Other,* 1939), Carole Lombard et Kay Francis dans *l'Autre* (*In Name Only,* id.). Metteur en scène discret et scrupuleux, et fin lettré, mais très attentif aux valeurs visuelles du cinéma, Cromwell se fait une sorte de spécialité de l'adaptation littéraire de qualité : d'après Mark Twain (*Tom Sawyer),* Dickens *(Rich Man's Folly,* 1931, d'après *Dombey and Son)* et Somerset Maugham *(l'Emprise),* il porte à l'écran *Jalna* d'après Mazo de La Roche (1935), *le Petit Lord Fauntleroy* (*Little Lord Fauntleroy,* 1936), d'après Frances Hodgson Burnett, et *le Prisonnier de Zenda* (*The Prisoner of Zenda,* 1937), d'après Anthony Hope (il donne ainsi deux très beaux exemples du genre impérial britannique dans lequel excella Hollywood). Puis viennent *Abe Lincoln in Illinois* (1940), d'après Robert E. Sherwood, ou *Victory* (id.), d'après Conrad.

Jouissant depuis longtemps de la confiance de Selznick, il est chargé pendant la guerre de diriger *Depuis ton départ* (*Since You Went Away,* 1944), hymne ambitieux et éloquent à la gloire de l'Amérique familiale, chrétienne et patriotique, avec Claudette Colbert et Jennifer Jones. Il revient à l'adaptation soignée : *le Cottage enchanté (The Enchanted Cottage),* féerie de 1945 ; *Anna et le roi de Siam* (*Anna and the King of Siam,* 1946). Il dirige Bogart dans le policier *En marge de l'enquête* (*Dead Reckoning,* 1947) et réalise à la Warner une œuvre forte sur un aspect peu abordé de la vie carcérale, *Femmes en cage* (*Caged,* 1950). Lors de la chasse aux sorcières, ses sympathies démocrates et son passé syndical déplaisent à Howard Hughes, qui le force à quitter Hollywood et à retourner au théâtre, à New York puis à Minneapolis (avec Tyrone Guthrie), où il joue notamment Shakespeare. Il signe encore *la Déesse* (*The Goddess,* 1958) sur un script de Chayefsky, *The Scavengers* aux Philippines (1959) et, en Suède, *A Matter of Morals* (1960). Nonagénaire, il apparaît pour la dernière fois à l'écran dans deux films d'Altman : en compagnie de sa quatrième épouse, l'actrice Ruth Nelson, dans *Trois Femmes* (1977), et seul dans *Un mariage* (1978), où il interprète l'évêque Martin. J.-L.B.

CRONENBERG *(David), cinéaste canadien (Toronto, CAN., 1945).* Après un court métrage, *Transfer,* en 1966, il tourne son premier long métrage en 1968, *Stereo,* suivi de *Crimes of the Future* (1969). C'est *Frissons* (*The Parasite Murders/Shivers,* 1970) qui le fait connaître du public et de la critique. Il se fonde sur un thème qu'il ne cessera de reprendre : une entité vient habiter les corps humains et les métamorphoser. Dans *Rage* (*Rabid,* 1976), il perfectionne les personnages, l'intrigue, la mise en scène. Le choc que crée *Chromosome 3* (*The Brood,* 1979) vient de la force du sujet autant que des effets d'horreur parfaitement justifiés. Reprenant le sujet de *Stereo, Scanners* (*id.,* 1981) mêle, comme *Rage,* la politique à l'horreur. Si *Videodrome* (*id.,* 1983) est un échec commercial, c'est sans doute que Cronenberg, qui a écrit le scénario, y montre, avec la plus grande froideur, l'attirance trouble pour les films de violence et d'horreur et y pousse le plus loin possible le rapprochement entre le héros et le spectateur du film. *Dead Zone* (*The Dead Zone,* 1983) adapte Stephen King avec discrétion. *La Mouche* (*The Fly,* 1986) est, à ce jour, la synthèse des qualités techniques et dramatiques de Cronenberg. L'humanité des personnages et le réalisme des truquages transforment un vieux sujet (un film de Kurt Neuman, 1958) en une fable philosophique. Cronenberg réalise ensuite un film qui n'appartient ni au fantastique ni à la science-fiction, *Fast Company* (1979). *Faux-semblants* (*Dead Ringers,* 1988) privilégie l'horreur psychologique en évoquant les dangers présentés par les manipulations génétiques. Il réalise en 1991 *le Festin nu (The Naked Lunch)* d'après l'œuvre de William Burroughs, film touffu et courageux, malgré des parti-pris parfois contestables. En revanche, on retrouve les qualités de Cronenberg dans le plus sobre, mais plus égal, *M. Butterfly* (*id.,* 1994) : il contrebalance aisément la bizarrerie et l'invraisemblance du sujet par le refus de toute facilité, de tout pittoresque (une Chine de studio minimaliste mais étrangement vraie) et par un ton perpétuellement digne, voire tragique. A.G.

CRONJAGER *(Edward), chef opérateur américain (Los Angeles, Ca., 1900 - New York, N. Y., 1960).* Il débute dans les années 20 comme assistant opérateur, travaille pour la Paramount, la RKO et la 20th Century Fox (entre autres studios). On lui doit aussi bien des westerns tels que *Cimarrón* (W. Ruggles, 1931), *les Pionniers de la Western Union* (F. Lang, 1941) ou *le Passage du canyon* (J. Tourneur, 1946) que des films psychologiques comme *House by the River* (F. Lang, 1950), où se révèle son goût des clairs-obscurs. Parmi ses autres réussites : *Le ciel peut attendre* (E. Lubitsch, 1943) ; *Prisonniers du marais* (J. Negulesco, 1952) et *le Trésor du Guatemala* (*Treasure of the Golden Condor,* D. Daves, 1953). P.B.

CRONYN *(Hume), acteur et scénariste canadien (London, Ontario, 1911).* Sa passion pour le théâtre l'a limité aux seconds rôles de cinéma. Après deux films pour Hitchcock : *l'Ombre d'un doute* (1943) et *Lifeboat* (1944), il écrit pour lui les adaptations de *la Corde* (1948) et *les Amants du Capricorne* (1949). On le voit encore dans *Le facteur sonne toujours deux fois* (T. Garnett, 1946), *les Démons de la liberté* (J. Dassin, 1947), *On murmure dans la ville* (J. L. Mankiewicz, 1951), *Cléopâtre* (id., 1963), *l'Arrangement* (E. Kazan, 1969), *le Reptile* (Mankiewicz, 1970), *Conrack* (M. Ritt, 1974), *À cause d'un assassinat* (A. J. Pakula, *id.*), *Honky Tonk Freeway* (J. Schlesinger, 1981), *Une femme d'affaires* (A. J. Pakula, 1981), *Cocoon* (Ron Howard, 1985), *l'Affaire Pélican* (A. Pakula, 1993), *Camilla* (Deepa Mehta, 1994). J.-P.B.

CROSBY *(Harry Lillis Crosby,* dit *Bing), acteur américain (Tacoma, Wash., 1903 - Madrid, Espagne, 1977).* Comme en témoigne *le Roi du jazz* (J. M. Anderson, 1930), sa vocation de chanteur est d'abord liée à une adaptation édulcorée du jazz, mais il ne tarde pas à se donner un style propre, fondé sur son aisance et sa suavité vocales. Son succès à la radio fait de lui une vedette (*The Big Broadcast,* F. Tuttle, 1932). La Paramount utilise dès lors son charme décontracté dans une série de comédies chantantes : *Mississippi* (E. A. Sutherland, 1935) ; *Anything Goes* (L. Milestone, 1936) ou *Sing You Sinners* (W. Ruggles, 1938). Il fait équipe avec Bob Hope dans la série des *Road to...,* qu'inaugure *En route pour Singapour* (V. Schertzinger, 1940), mais aussi avec Astaire dans *L'amour chante et danse* (M. Sandrich, 1942) et *la Mélodie du bonheur* (S. Heisler, 1946). C'est que la fadeur le menace. Il trouve un personnage plus substantiel, celui d'un prêtre débonnaire, dans *la Route semée d'étoiles* (1944) et *les Cloches de Sainte-Marie* (1945) de Leo McCarey. Mais, même sous la direction de Wilder (*la Valse de l'Empereur,* 1948) ou de Capra (*Jour de chance,* 1950 ; *Si l'on mariait papa ?,* 1951), il conserve sa nonchalante aménité. Deux drames de Seaton, *le Petit Garçon perdu* (1953) et *Une fille de la province* (1954) marquent ensuite sa carrière. Il se retrouve chanteur dans *Noël blanc* (M. Curtiz, 1954) et *Haute Société* (C. Walters, 1956). A.M.

CROSBY *(Floyd), chef opérateur américain (New York, N. Y., 1899 - Ojai, Ca., 1985).* Il aborde le cinéma en 1930 : son expérience de la photographie en fait le collaborateur de Robert Flaherty, Joris Ivens et autres documentaristes. Dès 1931, il remporte l'Oscar de la photo pour *Tabou* de F. W. Murnau. Après une relative éclipse, des films comme *la Corrida de la peur* (R. Rossen, 1951) et *Le train sifflera trois fois* (F. Zinnemann, 1952) rappellent l'attention sur lui. Il dirigera aussi en partie la photo de *l'Aventurier du Rio Grande* (R. Parrish, 1959). Depuis 1958 et jusqu'au seuil des années 1970, il a attaché son nom, avec des résultats variables, aux films d'épouvante de Roger Corman et autres « quickies » de l'American International. G.L.

CROSLAND *(Alan), cinéaste américain (New York, N. Y., 1894 - Los Angeles, Ca., 1936).* Entré chez Edison en 1912, il y occupe les fonctions les plus diverses, et dirige (1914-1917) des courts métrages pour diverses compagnies. Il aborde en 1917 le long métrage, puis est engagé par la Warner. Sa carrière semble sur une bonne voie quand on lui confie le premier film sonore du cinéma (*Don Juan,* 1926), puis le premier film entièrement parlant : *le Chanteur de jazz* (*The Jazz Singer,* 1927, avec Al Jolson). Mais il se tuera dans un accident d'automobile en 1936, après avoir encore dirigé une douzaine de films, dont le plus connu reste *Old San Francisco* (1927, avec Anna May Wong). G.L.

CROSS LIGHT. Locution anglaise (littéralement « lumière qui croise ») pour désigner les lumières qui éclairent le sujet carrément depuis la droite ou la gauche, par rapport à l'axe de prise de vues. (→ ÉCLAIRAGE.)

CRUISE *(Thomas Cruise Mapother IV,* dit *Tom), acteur américain (Syracuse, N. Y., 1962).* Après un petit rôle dans *TAPS,* d'Harold Becker, en 1981, il suit les cours d'art dramatique organisés à Los Angeles par Francis Ford Coppola, qui le fait tourner dans *Outsiders* (1983). On le retrouve en vedette dans *Risky Business* (Paul Brickman, 1983), *All the Right Moves* (Michael Chapman, id.), *American Teenagers* (*Losin'It,* Curtis Hanson, 1983) et *Legend* (Ridley Scott, 1985). *Top Gun* (Tony Scott, 1986) le confirme idole des teenagers. En 1986, il partage avec Paul Newman la vedette de *la Couleur de l'argent,* de Martin Scorsese avant de s'imposer comme l'un des acteurs les plus populaires de sa génération dans *Cocktail* (*id.,* Roger Donaldson, 1988), *Rain Man* (B. Levinson, *id.*), *Né un 4 juillet* (O. Stone, 1989), *Jours de tonnerre* (*Days of Thunder,* T. Scott, 1990), *Far and Away* (Ron Howard, 1992). Il s'acharne aussi, avec souvent de bons résultats, à prouver qu'il est un excellent comédien, moins limité qu'il n'y paraît par son sourire ravageur. Ainsi, Sydney Pollack fait de lui un avocat arriviste pris au piège d'une organisation monstrueuse dans *la Firme* (1993) : interprétation haletante et physique, un peu à la Hitchcock. En revanche, il prend un risque réel en acceptant un rôle de complément dans *Entretien avec un vampire* (N. Jordan, 1994) : livide et pervers, le cheveux défait, les canines légèrement acérées, il y est une des plus troublantes figures de vampire que le cinéma ait engendrées.
D.R.

CRUZE *(Jens Cruz Bosen,* dit *James), cinéaste, acteur et producteur américain (Ogden, Utah, 1884 - Los Angeles, Ca., 1942).* Acteur de théâtre à Broadway, c'est par les serials qu'il vient au cinéma, jouant avec Florence La Badie dans *The Million Dollars Mystery,* extraordinaire succès public et financier de la compagnie Tanhouser, en 1914. Il tient un rôle dans quelque 80 films, entre 1911 et 1918, mais il est, dès 1915, un cinéaste très actif, et dirige, entre autres, Wallace Reid (*The Dictator,* 1922). C'est alors que Jesse Lasky lui confie le soin de tirer un western de prestige, pour la Paramount, d'un feuilleton de Emerson Hough. Cruze lit, apprend, recherche la vérité des gestes, des objets, des paysages avec un grand souci de réalisme. Le tournage débute en novembre 1922 au Nevada, puis en Utah, enfin en Oregon ; on construit 500 chariots ; le matériel, la figuration sont ceux d'une superproduction. *La Caravane vers l'Ouest (The Covered Wagon)* est présenté en mars 1923 à New York. C'est un triomphe. Seul William S. Hart énonce à l'adresse du film des réserves acides (peut-être dépitées). Cruze relançait la vogue un peu tombée des westerns et, surtout, ouvrait la voie aux grands lyriques de l'espace : Walsh, Ford, De Mille... Montée par Dorothy Arzner, photographiée par Walter Reid et Karl Brown, un des chefs opérateurs de Griffith, cette épopée des pionniers vaut à Cruze de devenir le cinéaste le mieux rémunéré du monde. Les acteurs Loïs Wilson, Jack Warren Kerrigan sont célèbres ; le budget de près de 800 000 dollars est couvert en moins d'un an... par une seule salle de Hollywood. En 1925, Cruze tourne (avec Betty Compson, Ricardo Cortez, Wallace Beery, Ernest Torrence) un autre western ambitieux mais moins grandiose, *The Pony Express* – baptisé en France *le Cavalier Cyclone,* ce qui le fait parfois confondre avec *The Cyclone Cowboy* de Richard Thorpe (1927) –, à la gloire des courriers à cheval lancés dans l'Ouest, nouvelle occasion de célébrer les paysages avec un sens plastique et dramatique remarquable – les longs plans-séquences de Cruze sont alors une marque de style tout à fait nouvelle. Par la suite, l'histoire du futur héros de Cendrars lui inspire encore un excellent western, *l'Or maudit* (*Sutter's Gold,* 1936). Il a abordé presque tous les genres, le fantastique – *Gabbo le ventriloque* (*The Great Gabbo,* 1929) avec von Stroheim – et la satire inclus : malheureusement, le film où il évoquait l'affaire Fatty Arbuckle, *Hollywood* (1923), et sa comédie ironique *les Gaietés du cinéma* (*Merton of the Movies,* 1924) semblent à jamais perdus. Il cessa de tourner après 1938.

Cruze épousa Marguerite Snow, puis Betty Compson. Son prestige s'effaça avec le parlant, mais il demeure un exemple de ces cinéastes artisans qui ont fait Hollywood et lui ont donné ses meilleures traditions.
C.M.C.

Autres films : *The Roaring Roads* (1919) ; *l'Île de la Terreur* (*Terror Island* [avec Houdini], 1920) ; *l'Admirable M. Ruggles* (*Ruggles of Red Gap,* 1923) ; *The City That Never Sleeps* (1924) ; *Jazz* (*Beggar on Horseback,* 1925) ; *Old Ironsides* (1926) ; *The Duke Steps Out* (1929) ; *Un homme* (*A Man's Man,* id.) ; sketch *Si j'avais un million* du film homonyme (*If I Had a Million,* 1932) ; *Alerte au bagne* (*Prison Nurse,* 1938) ; *The Gangs of New York* (id.) ; *Come on Leathernecks* (id.).

CS (1). Abrév. anglaise de *Close Shot.*

CS (2). *Perforations CS,* perforations du type CinémaScope. (Voir PERFORATIONS.)

CSEREPY *(Arzén Cserépy,* dit *Arsen von), producteur et réalisateur allemand d'origine hongroise (Budapest 1881* - id. *1946).* Il débute dans le cinéma allemand sous le nom de Konrad Wieder, réalise huit titres de 1913 à 1919, et s'établit producteur en 1919 sous le nom de Cserepy. Il devient célèbre en produisant et réalisant *Fridericus Rex,* une fresque en quatre parties consacrée à Frédéric II de Prusse. Les deux premiers épisodes, présentés en 1922, déclenchent de grandes polémiques à l'initiative de partis de gauche. Fidèle à l'exaltation du mythe du Grand Roi, il écrit le scénario de *Marschall Vorwaerts* à la gloire cette fois de Blücher (Heinz Paul, 1932) et conseille Carl Froelich pour *Der Choral von Leuthen* (1933). Peu après avoir réalisé deux derniers films en Allemagne en 1934, il retourne en Hongrie, où il dirige cinq films de 1939 à 1942. D.S.

CST → COMMISSION SUPÉRIEURE TECHNIQUE DU CINÉMA FRANÇAIS.

CU. Abrév. anglaise de Close Up.

CUADRADO *(Luis), chef opérateur espagnol (Toro-Zamora 1934 - Madrid 1980).* Formé par l'École officielle de cinéma de la capitale, il devient le meilleur directeur de la photographie au service des jeunes cinéastes espagnols. Il est un des piliers du cinéma de « qualité » produit par Elias Querejeta et collabore notamment aux films de Carlos Saura (de *la Chasse,* 1965, à *la Cousine Angélique,* 1973), José Luis Borau, Víctor Erice et Jaime de Armiñán. P.A.P.

CUBA. Le Français Gabriel Veyre organise les premières projections publiques le 24 janvier 1897 et tourne également les toutes premières prises de vues : *Simulacro de incendio* (1897). Le commerce cinématographique se développe ensuite assez vite ; en 1910, 200 salles existent déjà dans l'île. Les principaux exploitants, Santos et Artigas, sont aussi les premiers producteurs nationaux, et lancent neuf longs métrages de fiction dont *Manuel García o el rey de los campos de Cuba* (Enrique Díaz Quesada) dès 1913. La fin de la Première Guerre mondiale marque la pénétration en force des films américains et le déclin de la production locale. Avec le parlant, le marché subit aussi l'assaut des films en provenance du Mexique, où émigre Ramón Peón, l'autre cinéaste cubain de l'époque (*La Virgen de la Caridad,* 1930). Le premier long métrage sonore ne voit le jour qu'en 1937 (*La serpiente roja,* Ernesto Caparrós). Il est suivi de comédies musicales rappelant les mexicaines, à l'exception de *Siete muertos a plazo fijo* (Manuel Alonso, 1950), thriller à la manière hollywoodienne, et de *Casta de roble* (*id.,* 1953), mélodrame rural. Rita Montaner, vedette de la chanson, sensuelle et ironique, mérite tout à fait son sobriquet, *La unica* (Peón, 1952), mais ne trouve pas de rôles à la mesure de son talent dans le cadre étriqué de l'île, pas plus qu'au Mexique. Le gouvernement Prío Socarrás (1948-1952) crée une Banque du cinéma qui rend possible la construction des Estudios Nacionales (dirigés par Alonso), organismes qui passent sous le contrôle de l'industrie mexicaine. On met sur pied des coproductions peu estimables, dont *La rosa blanca* (E. Fernández*, 1953). Alonso prend ensuite la direction d'un Institut national pour le développement de l'industrie cinématographique fondé par le dictateur Batista (1955). Les 150 longs métrages réalisés à Cuba depuis les origines jusqu'à son renversement restent les sous-produits d'une colonisation culturelle. La « perle des Antilles » étant alors aussi le lupanar de l'Amérique, l'île connaît une floraison de bandes pornographiques destinées aux touristes. Le premier concours national de cinéma amateur (1943) suscite un petit mouvement de courts métrages, dans lequel débutent Tomás Gutiérrez Alea* et Néstor Almendros*. D'autres sont produits par la Cinémathèque de Cuba, formée par des intellectuels comme Cabrera Infante* et Almendros (1951). *El Mégano* (Gutiérrez Alea et

Julio García Espinosa*, 1954), sur la vie des mineurs, est interdit. Le premier acte culturel du gouvernement révolutionnaire de Fidel Castro est la création de l'Institut cubain de l'art et de l'industrie cinématographique (1959), placé sous la direction d'Alfredo Guevara. La production s'oriente au départ vers les courts métrages documentaires et pédagogiques. Après la nationalisation des distributeurs américains (1961), le boycottage de l'exportation par Hollywood s'ajoute au blocus économique imposé par les États-Unis. L'ICAIC prend le contrôle de la distribution et de l'exploitation (594 salles, un marché de 83 millions de spectateurs ; par rapport à la population, l'un des plus importants du continent). Pour élargir le public, on organise des unités de « Cine-móvil » (1961), sur camion, parfois même à dos de mulet ; touchant un million de personnes un an après, c'est 25 millions de spectateurs qui en profitent dix ans plus tard. La tentative de surmonter les carences techniques par les coproductions et la contribution des cinéastes étrangers (dont Ivens*, Karmen*, Marker*, Gatti*) se solde par un échec. Cependant, le courant documentariste s'affermit et atteint une qualité d'ensemble appréciable : Santiago Álvarez* en est le maître. Le goût du collage (emprunté à la Nouvelle Vague française) et l'empreinte du documentaire sont repérables dans les réussites du film de fiction, dues à Gutiérrez Alea, Humberto Solás*, M. O. Gómez*, García Espinosa, de même que chez Enrique Pineda Barnet (*David,* 1967). Le cinéma cubain rejoint les préoccupations politiques des nouvelles générations de cinéastes latino-américains, ainsi que leur souci de trouver une expression originale, au-delà de l'assimilation des influences diverses. Les cinéastes n'esquivent point les difficultés. Ils théorisent une ligne à la fois militante et indépendante des stéréotypes populistes ou réalistes socialistes. Cette orientation, rapprochant le cinéma cubain des cinématographies d'État les plus lucides (Pologne*, Hongrie*), semble infléchie durant les années 70. Après un bref déclin, la production de longs métrages privilégie les reconstitutions historiques, notamment l'époque esclavagiste (*El otro Francisco,* 1975 ; *Rancheador,* 1976 ; *Maluala,* 1979, tous les trois de Sergio Giral*) ou celle plus récente des affrontements pré- (*Mella,* E. Pineda Barnet, 1975) et postrévolutionnaires (*El hombre de Maisinicú,* 1973 et *Rio Negro,* 1977, de Manuel Pérez*). Ceux qui abordent l'actualité sont plutôt l'exception : *Ustedes tienen la palabra* (M. O. Gómez*, 1973), *Una mujer, un hombre, una ciudad* (id., 1978), *De cierta manera* (Sara Gómez*, 1974), *Retrato de Teresa* (Pastor Vega, 1979). Le documentaire garde parfois une certaine liberté de ton (*55 Hermanos,* Jesús Díaz, 1978). Pendant la période de plus grande crispation politique, l'ICAIC réussit à limiter les dégâts, au prix d'une certaine inhibition (on interdit des films de S. Gómez, Solás, Giral). Depuis 1979, un festival réunit à La Havane les cinéastes de toute l'Amérique latine : c'est un appel d'air pour une création qui refuse l'isolement et l'étouffement, un carrefour pour les échanges d'idées et les projets de coproductions, et une véritable fête pour le public. Les dessins animés de Juan Padrón* y trouvent un écho tout à fait mérité (*Vampires à La Havane,* 1985). La Fondation du nouveau cinéma latino-américain, créée en 1986 et placée sous la présidence de Gabriel García Márquez*, élargit encore le champ.

Cependant, en 1982, la sortie de *Cecilia* (Solás) suscite la polémique, notamment de la part des secteurs orthodoxes, qui n'ont jamais pardonné à l'ICAIC sa relative indépendance : la crise se solde par l'éloignement de Guevara, pendant dix ans en poste à l'Unesco. García Espinosa, désormais aux commandes, s'attache à resserrer les liens avec le public (grâce notamment à une série de comédies de mœurs), à promouvoir de nouveaux réalisateurs et à accroître l'autonomie de décision des cinéastes, par la formation de trois groupes de création, confiés à Gutiérrez Alea, Solás et M. Pérez (1987). Les comédies *Se permuta* (Juan Carlos Tabío*, 1983) et *Los pájaros tirándole a la escopeta* (Rolando Díaz, 1984) remportent un immense succès et distillent une certaine critique sociale : *Plaff* (Tabío, 1988) s'en prend même à la bureaucratie. *Adorables mentiras* (Gerardo Chijona, 1991) prolonge cette veine, tandis que *Hello Hemingway* (Fernando Pérez, 1990) cherche le dialogue avec les jeunes spectateurs plutôt du côté émotionnel. Des sujets d'actualité plus conflictuels sont abordés par *Jusqu'à un certain point* (Gutiérrez Alea, 1983), *Lejanía* (Jesús Díaz, 1985), *Mujer transparente* (1990, surtout les sketchs signés par Ana Rodríguez et Mario

Crespo), ces deux derniers titres brisant enfin le tabou de l'exil. Le documentaire s'avère à nouveau un terrain fertile. Enrique Colina explore les limites du genre, avec une dose croissante de fiction, pour mieux étayer son irrévérence (*Vecinos,* 1985 ; *Chapucerías,* 1987 ; *El Unicornio,* 1989 ; *El rey de la selva,* 1991). Jorge Luis Sánchez réhabilite le constat social dénué de complaisance, mais non de fraternité (*El Fanguito,* 1990). Le vent de renouvellement déborde l'ICAIC, avec l'irruption d'un mouvement « amateur » (en fait, indépendant), profitant des interstices institutionnels, mais avec une dynamique propre (*Ecos,* Tomás Piard, 1987 ; *Basura,* Lorenzo Regalado, 1989). Ces œuvres de jeunesse, relayées par les « travaux pratiques » de l'École internationale de cinéma et de télévision de San Antonio de los Baños (fondée en 1986, près de La Havane), suscitent des remous. Une plus grande exigence et plus d'audace, sur le plan formel et sur le plan idéologique, caractérisent les principaux films de deux réalisateurs de l'ICAIC ayant également débuté pendant cette période : *Papeles secundarios* (Orlando Rojas, 1989), sans doute l'un des rares à renouer avec l'innovation et l'ampleur de propos jadis en vogue, et *Alicia en el pueblo de Maravillas* (Daniel Díaz Torres, 1991). Leur dimension allégorique est limpide, leurs remises en cause ne se limitent plus à des aspects partiels. Le dernier précipite la plus grave crise politique de l'ICAIC, sauvé d'une dissolution par la mobilisation des cinéastes et des professionnels. Alfredo Guevara est appelé à reprendre les plus hautes responsabilités du cinéma cubain, juste au moment où l'effondrement économique de l'île compromet son avenir. Mais le succès international de *Fraise et chocolat* (Gutiérrez Alea et Tabío), nominé à l'Oscar 1995, montre qu'il y a toujours des cinéastes qui n'entendent pas baisser les bras, fidèles à leur engagement artistique et civique, même si de jour en jour augmente le nombre de ceux qui préfèrent attendre ailleurs le dénouement du drame cubain. P.A.P.

CUI Wei *acteur et cinéaste chinois (Zhucheng, prov. du Shandong, 1912 - ? 1979).* À partir de 1932, il participe à plus d'une trentaine de pièces (acteur, metteur en scène, dramaturge), se partageant entre l'opéra traditionnel et le théâtre moderne. Apparu au cinéma à l'âge de 42 ans dans *Song Jingshi* de Zheng Junli et Sun Yu (1955), il décide d'y consacrer désormais toute son énergie et renonce à toute autre activité. Les rôles de héros rudes et généreux convenaient bien à sa personnalité et tour à tour il est l'interprète principal de *'l'Âme de la mer'* (*Haihun,* Xu Tao, 1957) ; *'la Nouvelle Histoire d'un vieux soldat'* (*Lao bin xin zhuan,* Shen Fu, 1959), le premier film chinois sur grand écran ; *' Le vent vient de l'est'* (*Feng cong dongfang lai,* co Efim Dzigan, 1959), une coproduction sino-soviétique ; *'la Chronique du drapeau rouge'* (*Hongqi pu,* Ling Zifeng, 1960). Il vient à la mise en scène avec *'le Chant de la jeunesse'* (*Qingchun zhi ge,* 1959) et réalise ensuite une série d'opéras filmés : opéras de Pékin, comme *'les Générales de la famille Yang'* (*Yangmen nüjiang,* 1960) ; *'la Forêt des sangliers'* (*Yezhulin,* 1962) avec Li Shaochun, Du Jinfang et Yuan Shihai ; *'Mu Guiying livre bataille à Hongzhou'* (*Mu Guiying dazhan Hongzhou,* 1963) et un opéra Kunju : *'Rêve dans le pavillon des pivoines'* (*Youyuan jingmeng,* Co Chen Huai'ai, 1960), le dernier film de Mei Lanfang (avec Yan Huzhu), dont il a écrit le sujet et dont il assure la direction artistique. D'autre part, il met en scène plusieurs films de fiction : *'les Hommes du Grand Nord'* (*Beidahuang ren,* 1961) ; *'le Gamin de la VIIIe armée'* (*Xiaobing Zhang Ga,* 1963) ; *'les Fleurs rouges du Tianshan'* (*Tianshan de honghua,* Co Chen Huai'ai, Liu Baode, 1964). Emprisonné pendant la révolution culturelle, il est envoyé aux travaux forcés, ce qui achève de détériorer sa santé. En 1975, il réalise *'Pluie rouge' (Hongyu)* ; en 1976, *'Fleur de montagne' (Shanhua)* ; en 1978, *'Une époque troublée' / 'le Trajet de la tempête' (Fengyu licheng).* La mort interrompt son travail pour les films *Li Zicheng* et *' l'Incident de Xian'.* C'était un artiste adoré du public, qui l'avait consacré meilleur acteur masculin en 1962. C.D.R.

CUKOR *(George Dewey), cinéaste américain (New York, N. Y., 1899 - Los Angeles, Ca., 1983).* George Cukor naît dans un milieu aisé et cultivé, la bourgeoisie américaine d'origine hongroise, à l'époque où New York devient la capitale indiscutée, non seulement économique, mais aussi intellectuelle des États-Unis. C'est un homme de théâtre qui abordera le cinéma, tout naturellement, par le biais du parlant, comme dialoguiste et coréalisateur de cinéastes habitués du muet et bientôt supplantés par les nouveaux venus de la côte est.

Sa culture et son expérience théâtrale font que Cukor refuse d'être considéré comme un « auteur ». Il se veut metteur en scène, faisant bénéficier les sujets qu'il traite de toutes les ressources de son intelligence et de son goût, et s'efforçant d'obtenir de ses acteurs la meilleure interprétation possible. Aussi le cinéma de Cukor ne se conçoit-il guère sans la collaboration confiante et sur un pied d'égalité de techniciens, de scénaristes (au premier rang desquels Donald Ogden Stewart, Ruth Gordon et Garson Kanin) et de comédiens. On l'a très tôt considéré avant tout comme un grand directeur d'actrices. Son premier film en solo, *Tarnished Lady* (1931), vaut en effet par une remarquable interprétation de Tallulah Bankhead. Plus tard, il dirigera Greta Garbo dans un de ses rôles à la fois les plus émouvants et les plus humains, où elle fera preuve d'un humour plus convaincant que chez le Lubitsch de *Ninotchka* : *le Roman de Marguerite Gautier* (1937), d'après *la Dame aux camélias.*

Les titres mêmes de plusieurs de ses films évoquent un univers dominé par l'actrice : outre le précédent et *Tarnished Lady,* on peut citer *Girls About Town, Little Women, Sylvia Scarlett, Zaza, Femmes, Susan and God, A Woman's Face, la Femme aux deux visages, The Actress, les Girls, My Fair Lady, Justine.* Parmi les plus remarquables interprètes de Cukor figure Katharine Hepburn, qui fait ses débuts au cinéma dans *Héritage* (1932) et qu'il dirige dans trois étapes de sa carrière, en jeune comédienne éblouissante de virtuosité insolente (*Sylvia Scarlett,* 1935 ; *Indiscrétions,* 1940), dans la plénitude de ses moyens, face à Spencer Tracy (surtout *Madame porte la culotte,* 1949), enfin pendant sa vieillesse ravagée et encore altière d'actrice qui refuse de renoncer (*Love Among the Ruins,* 1975 ; *The Corn Is Green,* 1979). Il est presque fastidieux d'énumérer les très grands numéros d'actrices orchestrés par Cukor, qu'il s'agisse de Joan Crawford (*Femmes,* 1939 ; *Il était une fois,* 1941), de Judy Garland (*Une étoile est née,* 1954), d'Ava Gardner (*la Croisée des destins,* 1956), d'Audrey Hepburn (*My Fair Lady,* 1964) ou de Maggie Smith (*Voyages avec ma tante,* 1973). Cukor n'est cependant pas infaillible et il a connu quelques échecs : avec Norma Shearer dans *Roméo et Juliette* (1936), Lana Turner dans *Ma vie à moi* (1950), voire Marilyn Monroe dans *le Milliardaire* (1960). Inversement, il faut insister sur l'étendue de son registre : de même qu'il a su faire rire Greta Garbo jusque dans le mélodrame, de même il a obtenu d'une Judy Holliday à l'humour explosif (*Comment l'esprit vient aux femmes,* 1950 ; *Une femme qui s'affiche,* 1954) une interprétation dramatique et émouvante : *Je retourne chez maman* (1952).

Mais il convient de ne pas réduire Cukor à une telle définition, si justifiée soit-elle. Tout d'abord, il faut rappeler qu'il est aussi un grand directeur d'acteurs : les interprétations de Cary Grant dans *Sylvia Scarlett* et *Indiscrétions,* de Robert Taylor dans *le Roman de Marguerite Gautier,* de Charles Boyer dans *Hantise* (1944), de Ronald Colman dans *Othello* (1947), de James Mason dans *Une étoile est née,* de Stewart Granger dans *la Croisée des destins,* de Laurence Olivier dans *Love Among the Ruins,* comptent parmi les meilleures de leurs carrières. On vérifie ici encore l'étendue du registre de Cukor, car il a su diriger des hommes au physique ingrat ou brutal, Gregory Ratoff dans *What Price Hollywood ?* (1932), Wallace Beery dans *les Invités de huit heures* (1933), Broderick Crawford dans *Comment l'esprit vient aux femmes,* ou Aldo Ray dans *Je retourne chez maman.*

Sans doute ne faut-il pas non plus limiter Cukor au théâtre, soit comme prétexte, soit comme technique. Pourtant, il s'agit là d'un aspect tout à fait fondamental de l'œuvre. Dès 1930, *The Royal Family of Broadway* met en scène le célèbre « clan » Barrymore. Par le choix de ses sujets Cukor reste bien à certains égards un homme de théâtre ; il soutient avec bonheur une tradition hollywoodienne, qui est l'adaptation cinématographique des succès de Broadway : cf. *les Invités de huit heures*d'après la pièce de George S. Kaufman et Edna Ferber ; *Indiscrétions* d'après Philip Barry ; *Femmes* d'après Clare Boothe. Cette tendance à l'adaptation théâtrale marque toute la carrière de Cukor (et, plus près de nous, *My Fair Lady).*Il aime encore les portraits d'actrices (*The Actress,* 1953, d'après l'autobiographie de Ruth Gordon) et décrira dans *la Diablesse en collant rose* les aventures de comédiens ambulants au Far West, où ils interprètent *la Belle Hélène* d'Offenbach.

D'autre part, qui dit théâtre dit généralement Angleterre, et Cukor n'échappe pas à la règle. Il a adapté Shakespeare *(Roméo et Juliette)* ou est parti de Shakespeare pour étudier l'influence du théâtre sur la vie *(Othello).*Dans les deux cas, d'ailleurs, les interprètes (Leslie Howard, Ronald Colman) sont des Britanniques. Il a réalisé l'étrange et attachante *Sylvia Scarlett* (d'après Compton Mackenzie), dont les déguisements évoquent la pastorale shakespearienne *(Comme il vous plaira).*On rappellera encore ses adaptations de pièces de théâtre de William Somerset Maugham *(Our Betters)* ou indirectement de G. B. Shaw *(My Fair Lady,* d'après *Pygmalion).*

Mais la vaste culture de Cukor est loin d'être exclusivement théâtrale. Autre hommage à l'Angleterre, *David Copperfield* (1935) est sans conteste l'une des plus brillantes adaptations d'un classique victorien, magistrale non seulement dans sa distribution, mais aussi dans la difficile compression de la narration, qui permet d'aboutir à ce résultat si rare au cinéma, le sentiment de la durée romanesque.

Our Betters doit peut-être au théâtre anglais qu'il adapte, mais aussi à l'exemple de Lubitsch et de sa version paradoxalement muette d'Oscar Wilde (*l'Éventail de Lady Windermere,* 1925). Cukor peut d'ailleurs à bon droit être considéré comme un disciple de Lubitsch, sous la supervision duquel il réalisa *Une heure près de toi* (1932), remake de *Comédiennes* (*The Marriage Circle,* 1924) de Lubitsch lui-même.

Nourri de théâtre et de culture européenne, ayant signé quelques-uns des films hollywoodiens les plus raffinés et réalisés avec le plus grand bonheur des années 30, comme *David Copperfield, Sylvia Scarlett, le Roman de Marguerite Gautier, Femmes* ou *Indiscrétions,* Cukor a aussi été un des représentants les plus brillants du cinéma « moderne » des années 50, caractérisé par le grand écran et la couleur. De même qu'il se veut simple metteur en scène, de même il décline toute responsabilité dans l'aspect visuel d'*Une étoile est née* ou de *la Croisée des destins* pour en attribuer le mérite à George Hoyningen-Huene. Encore fallait-il que Cukor s'entourât de tels collaborateurs, qu'il les laissât œuvrer à leur guise, et que lui-même se révélât dramaturge à la mesure d'une forme somptueuse et d'ailleurs porteuse de sens. Il faut se souvenir qu'il devait diriger *Autant en emporte le vent* (1939), film « à grand spectacle » s'il en fut, mais qu'après trois semaines de tournage il fut renvoyé par Selznick et remplacé par Victor Fleming pour des raisons qui ne sont pas entièrement éclaircies. (D'une part, Selznick aurait eu le sentiment que Cukor attachait trop d'importance aux détails et négligeait le mouvement d'ensemble du film. D'autre part, Clark Gable se serait plaint d'être ignoré par le metteur en scène au profit des actrices Vivien Leigh et Olivia De Havilland. Mais sans doute le conflit dérivait-il aussi de ce que, le projet revêtant une importance toute particulière, Selznick intervenait lui-même au niveau de la mise en scène.) Cukor a pu vouloir prendre une sorte de revanche. Quoi qu'il en soit, à partir d'*Une étoile est née,* soit quinze ans après *Autant en emporte le vent,* il réalise une série de films à grand spectacle d'une force dramatique peu commune. Ces œuvres qui marquent peut-être le sommet de sa carrière ont d'ailleurs pour arrière-plan des drames antérieurs. Ainsi *Une étoile est née,* mélange de mélodrame et de musical, autoportrait à la fois flamboyant et cruel d'Hollywood, se souvient non seulement du précédent film du même titre (de Wellman, 1937), œuvre estimable mais moins ambitieuse, mais aussi de *What Price Hollywood ?* de Cukor lui-même, où, déjà, on voit la gloire naissante d'une jeune femme éclipser celle de son compagnon, qui se suicide.

Les œuvres des années 50 sont précédées et, dans une certaine mesure, préfigurées par des drames sombres qu'on aurait tort de ne pas identifier aussi à Cukor, ainsi *Héritage, Hantise* ou encore *la Flamme sacrée* (1943) avec ses échos de *Citizen Kane* et, dans son personnage d'enquêteur, comme une anticipation du *Grand Sommeil* de Hawks... Quant à la violence sexuelle de *la Croisée des destins* ou des *Liaisons coupables* (1962), elle a été précédée par les interrogations de *Sylvia Scarlett* et la sexualité feutrée de *Femmes.*

Le plus précis des directeurs d'actrices a donc également réalisé des spectacles d'une ampleur visuelle et musicale incomparable : en dehors d'*Une étoile est née,* mentionnons *la Croisée des destins* qui met en scène un drame à la fois individuel (celui d'Ava Gardner partagée entre ses origines anglaises et indiennes) et historique (l'Inde accédant, dans les convulsions, à l'indépendance), *les Girls* (1957), *My Fair Lady* (où Cecil Beaton, qui signa décors et costumes, joue un rôle comparable à celui de George Hoyningen-Huene pour les précédents films en couleurs de Cukor, ou encore à celui de William Cameron Menzies sur *Autant en emporte le vent*). J.-L.B.

Films ▲ : *Grumpy* (co Cyril Gardner, 1930) ; *The Virtuous Sin* (co Louis Gasnier, *id.*) ; *The Roval Family of Broadway* (co C. Gardner, 1931) ; *Tarnished Lady* (id.) ; *Girls About Town* (id.) ; *Une heure près de toi* (*One Hour with You,* co E. Lubitsch, 1932) ; *What Price Hollywood ?* (id.) ; *Héritage* (*A Bill of Divorcement,* id.) ; *Rockabye* (id.) ; *Our Betters* (1933) ; *les Invités de huit heures* (*Dinner at Eight,* id.) ; *les Quatre Filles du docteur March* (*Little Women,* id.) ; *David Copperfield* (id., 1935) ; *Sylvia Scarlett* (id., *id.*) ; *Roméo et Juliette* (*Romeo and Juliet,* id.) ; *le Roman de Marguerite Gautier* (*Camille,* 1937) ; *Vacances* (*Holiday,* 1938) ; *Zaza* (id., *id.*) ; *Femmes* (*The Women,* 1939) ; *Suzanne et ses idées (Susan and God,* 1940) ; *Indiscrétions* (*The Philadelphia Story,* id.) ; *Il était une fois* (*A Woman's Face,* 1941) ; *la Femme aux deux visages* (*Two-Faced Woman,* id.) ; *Her Cardboard Lover* (1942) ; *la Flamme sacrée* (*Keeper of the Flame,* 1943) ; *Resistance and Ohm's Law* (DOC pour l'Army Signal Corps, 1944) ; *Hantise* (*Gaslight,* id.) ; *Winged Victory* (id.) ; *la Femme de l'autre* (*Desire Me,* non crédité, 1947) ; *Othello* (*A Double Life,* 1948) ; *Édouard, mon fils* (*Edward, My Son,* 1949) ; *Madame porte la culotte* (*Adam's Rib,* id.) ; *Ma vie à moi* (*A Life of Her Own,* 1950) ; *Comment l'esprit vient aux femmes* (*Born Yesterday,* id.) ; *The Model and the Marriage Broker* (1952) ; *Je retourne chez maman* (*The Marrying Kind,* id.) ; *Mademoiselle Gagne-Tout* (*Pat and Mike,* id.) ; *The Actress* (1953) ; *Une femme qui s'affiche* (*It Should Happen to You,* 1954) ; *Une étoile est née* (*A Star Is Born,* id.) ; *la Croisée des destins* (*Bhowani Junction,* 1956) ; *les Girls* (id., 1957) ; *Car sauvage est le vent* (*Wild Is the Wind,* id.) ; *la Diablesse en collant rose* (*Heller in Pink Tights,* 1960) ; *le Bal des adieux* (*Song Without End,* film terminé à la mort de son réalisateur Charles Vidor, *id.*) ; *le Milliardaire* (*Let's Make Love,* id.) ; *les Liaisons coupables* (*The Chapman Report,* 1962) ; *My Fair Lady* (id., 1964) ; *Justine* (id., 1969) ; *Voyages avec ma tante* (*Travels with my Aunt,* 1973) ; *Love Among The Ruins* (TV, 1975) ; *l'Oiseau bleu* (*The Blue Bird,* 1976) ; *The Corn Is Green* (TV, 1979) ; *Riches et célèbres* (*Rich and Famous,* 1981).

CUMMINGS *(Irving), cinéaste américain (New York, N. Y., 1888 - Los Angeles, Ca., 1959).* Acteur depuis 1909 puis cinéaste en 1925, Irving Cummings fut l'homme à tout faire de la Fox. Sans histoires, il dirigea toutes les stars du studio : Shirley Temple (*Boucles d'or* [*Curly Top*], 1935) ; Alice Faye (*Lillian Russell,* 1940) ; Gene Tierney (*la Reine des rebelles* [*Belle Starr*], 1941) ou Betty Grable (*les Dolly Sisters* [*The Dolly Sisters*], 1945). Son style, inexistant, se confond avec celui du studio, pour le meilleur et pour le pire. C.V.

CUMMINGS *(Clarence Robert Orville Cummings,* dit *Robert), acteur américain (Joplin, Mo., 1908 - Woodland Hills, Ca., 1990).* Débutant à la Paramount en 1935, il apparaît, durant quatre ans, dans des films d'aventures (*Âmes à la mer,* H. Hathaway, 1937), ou des comédies policières (*Casier judiciaire,* F. Lang, 1938). Partenaire de Deanna Durbin chez Universal, il incarne l'innocence et la gentillesse avec fadeur dans *Le diable s'en mêle* (*The Devil and Miss Jones,* S. Wood, 1941), jusque chez Hitchcock, et malgré lui : *Cinquième Colonne* (1942). Quelques rôles dramatiques lui ont donné plus d'étoffe : *Crime sans châtiment* (Wood, 1942) ; *le Livre noir* (A. Mann, 1949) ; *Le crime était presque parfait* (Hitchcock, 1954). Puis il se partage entre la comédie (*Ma geisha,* J. Cardiff, 1962), le drame (*les Ambitieux,* E. Dmytryk, 1964) et la télévision. A.G.

CUMMINS *(Peggy), actrice britannique (Prestatyn, pays de Galles, 1925).* Ses débuts précoces à Hollywood dans les années 40 font d'elle une blonde « femme enfant » : *The Late George Apley* (J. L. Mankiewicz, 1947) ; *la Rose du crime* (G. Ratoff, *id.*). Vedette exceptionnellement inspirée du meilleur film de Joseph H. Lewis, *le Démon des armes* (1950), elle ne pourra conserver cette fascination dans les films britanniques qui suivront, même lorsqu'elle y tient des rôles intéressants : *Train d'enfer* (*Hell Drivers,* Cyril Endfield, 1957) ; *la Nuit du démon* (J. Tourneur, *id.*). Elle quitte l'écran au début des années 60. G.L.

CUNY *(Alain), acteur français (Saint-Malo 1908 - Paris 1994).* Élève des Beaux-Arts de Paris, puis de Charles Dullin, créateur de décors et de costumes pour Cavalcanti, Feyder et Renoir, il débute au théâtre durant la guerre et devient l'acteur claudélien par excellence, du fait de son jeu très dramatique et de sa diction extrêmement recherchée. Après de modestes débuts au cinéma (*Remorques,* 1941 ; RÉ 1939), il obtient de Carné l'un des rôles principaux des *Visiteurs du soir* (1942) et y fait une création attachante mais discutable qui ne parvient pas à le lancer. Il est redécouvert dix ans plus tard par Malaparte (*le Christ interdit,* 1950) et fait dès lors carrière en Italie avec les meilleurs réalisateurs : Antonioni (*la Dame sans camélias,* 1953) ; Fellini (*La dolce vita,* 1960 – son rôle le plus émouvant ; *Satyricon,* 1969) ; Ferreri (*l'Audience,* 1971 ; *Touche pas à la femme blanche,* 1974). Rosi lui offre son rôle le plus fameux, celui du général des *Hommes contre* (1970), figure odieuse et fascinante du militaire professionnel sourd à toute autre chose qu'à l'appel du devoir. On l'a vu aussi dans *les Amants* (L. Malle, 1958), *le Maître et Marguerite* (A. Petrović, 1972), *la Rose rouge* (F. Giraldi, 1973), *Emmanuelle* (Just Jaeckin, 1974), *Irene, Irene* (Peter del Monte, 1975), *Cadavres exquis* (F. Rosi, *id.*), *la Chanson de Roland* (Frank Cassenti, 1978), *Eboli* (Rosi, 1979), *Chronique d'une mort annoncée* (id., 1986), *les Chevaliers de La Table Ronde* (Denis Llorca, 1990). En 1993, quelques mois avant sa mort, il met en scène *l'Annonce faite à Marie,* son premier et unique long-métrage. M.M.

CURTIS *(Jamie Lee), actrice américaine (Los Angeles, Ca., 1958).* On sait que c'est la fille de Tony Curtis et de Janet Leigh. Son physique remarquable mais inhabituel (corps musclé, presque viril, cheveux souvent à la garçonne) la prédisposait assez peu à jouer les demoiselles en détresse chez John Carpenter (*la Nuit des masques,* 1978 ; *Fog, id.,* 1980) ; elle s'en acquitta cependant fort bien et y prouva, outre une poigne peu commune, un tempérament d'actrice indéniable. Depuis, invariablement, ses prestations sont excellentes, aussi bien dans le registre de la sensibilité (la prostituée de *Un fauteuil pour deux,* J. Landis, 1983) que dans celui de la sensualité (sa parodie dans *Un poisson nommé Wanda,* C. Crichton, 1989, est dévastatrice). Mais c'est dans les rôles musclés qu'elle est irremplaçable : sa création de femme-flic dans le méconnu *Blue Steel* (*id.,* K. Bigelow, 1990) est à marquer d'une pierre blanche dans l'évolution du film criminel. C.V.

CURTIS *(Bernard Schwartz,* dit *Tony), acteur américain (New York, N. Y., 1925).* Né dans l'un des secteurs les plus pauvres du Bronx, il a déjà le goût du théâtre dans son enfance vagabonde, mais ne s'initie à l'art dramatique qu'après la Seconde Guerre mondiale. Il a déjà tenu de petits rôles à Broadway quand il est engagé par Universal en 1949 (sa figuration dans *Gilda* relève de la légende). À la surprise générale, le jeune premier de films d'aventures exotiques, dont la renommée semble uniquement bâtie sur un charme physique indéniable et sur la publicité (*le Voleur de Tanger,* R. Maté, 1951 ; *le Fils d'Ali-Baba,* K. Neumann, 1952), se révèle doué d'humour et de finesse (*Houdini,* G. Marshall, 1953) et donne de l'étoffe à ses rôles les plus bondissants (*la Patrouille infernale,* S. Heisler, 1954 ; *le Cavalier au masque, The Purple Mask,* B. Humberstone, 1955). À la fin des années 50, il s'impose avec deux personnages d'arrivistes, l'un rusé et odieux (*le Grand Chantage,* A. Mackendrick, 1957), l'autre cynique mais sympathique (*l'Extravagant M. Cory,* B. Edwards, *id.).* En 1958, il remporte un succès avec *la Chaîne* de Stanley Kramer. Talent versatile au service d'une personnalité complexe, à l'exubérance maîtrisée, il se garde de renoncer aux emplois en costumes qui n'ont pas été pour rien dans sa célébrité, mais il les nuance d'une émotion qui croît avec leur sérieux : on comparera à cet égard sa prestation de*Spartacus* (S. Kubrick, 1960) avec celle des *Vikings* (R. Fleischer, 1958). Il vient tard à la comédie pure et y remporte des succès mérités chez Blake Edwards (*Vacances à Paris,* 1959) et chez Billy Wilder (*Certains l'aiment chaud,* id.). Il compose un tueur névropathe remarquable dans *l'Étrangleur de Boston* (Fleischer, 1968) et un gangster peut-être schizophrène (*Lepke,* Menahem Golan, 1975) avant de s'éloigner discrètement des caméras. Signalons pourtant ses apparitions dans *le Dernier Nabab* (E. Kazan, 1976) et *Le miroir se brisa* (G. Hamilton, 1980). En 1985, il interprète le rôle d'un sénateur patriote dans *Une nuit de réflexion* (N. Roeg), qui n'est pas sans évoquer son rôle du *Grand Chantage* et retrouve un rôle de tout premier plan dans *Welcome to Germany* (Thomas Brasch, 1988). En 1993, il est au générique de *Naked in New York,* de Daniel Algrant. Il a longtemps formé à la ville et à l'écran un couple fameux (1951-1962) avec Janet Leigh. G.L.

CURTIZ *(Mihály Kertész,* dit *Michael), cinéaste américain d'origine hongroise (Budapest 1888 - Los Angeles, Ca., 1962).* Celui qui, à la grande époque des studios, c'est-à-dire pendant les années 30, devait devenir, sous le nom de Michael Curtiz, le plus important réalisateur de la Warner, était un Magyar qui avait derrière lui une longue carrière européenne. Né dans la Budapest de la double monarchie, issu d'un milieu aisé, Mihály Kertész, féru de théâtre, devient comédien et metteur en scène, puis participe, dès 1912, aux débuts de l'industrie cinématographique austro-hongroise. Il se rend en Scandinavie pour apprendre la leçon de Stiller et Sjöström, qu'il retiendra dans tel film exaltant sa terre natale. Son activité n'est interrompue que brièvement par la guerre, pendant laquelle il est opérateur d'actualités. Parmi les films qu'il réalise en Hongrie (près de cinquante), outre une *Peau de chagrin* et une *Veuve joyeuse,* notons plusieurs adaptations de Molnar, dont une version de *Liliom* interrompue en 1919 lorsque Kertész quitte son pays : Béla Kun (qui, entre autres réformes révolutionnaires, a nationalisé l'industrie du cinéma) vient d'être renversé et la Hongrie livrée à la guerre civile. Il se rend alors à Vienne, où il se fait un nom comme auteur de films historiques à grand spectacle : *le Sixième Commandement, l'Esclave reine, Samson et Dalila.* Ce dernier film est produit par Sandor (Alexander) Korda, compatriote de Kertész qui allait devenir un grand producteur en Angleterre. En même temps, le succès de *l'Esclave reine* décide d'un nouveau tournant dans la carrière de Kertész : les frères Warner lui font des offres importantes, parce qu'ils pensent avoir trouvé le cinéaste capable de donner la réplique à De Mille et à ses productions Paramount.

En 1926 donc, Mihály Kertész se rend à Hollywood et devient Michael Curtiz. On lui confie bientôt la réalisation de la superproduction *l'Arche de Noé* qui doit à *Intolérance* de Griffith ou aux *Dix Commandements* de De Mille, auxquels elle emprunte la technique du parallèle narratif entre la fable et l'époque contemporaine. D'une manière qui peut sembler inattendue, Curtiz effectue la transition du muet au parlant sans difficulté. C'est ainsi que le musical *Mammy* (1930) met en scène Al Jolson dans son habituel rôle semi-autobiographique et vaut surtout par la description réaliste de la vie que mènent les ménestrels ambulants.

Curtiz travaillera exclusivement pour la Warner jusqu'en 1953, signant plus de quatre-vingts films appartenant aux genres les plus divers. Aussi son nom résume-t-il le paradoxe de tout un cinéma hollywoodien populaire : à la définition qui ferait de Curtiz un artisan compétent mais impersonnel s'oppose le succès durable de bon nombre de classiques, en particulier *Capitaine Blood, les Aventures de Robin des Bois, l'Aigle des mers, Casablanca, le Roman de Mildred Pierce.* Les œuvres qu'il a réalisées à la fin de sa carrière, après qu'il eut quitté la Warner, sont, semble-t-il, en général nettement inférieures à celles des années 30 et 40, même si l'on excepte un projet ambitieux (*l'Égyptien,* 1954) ou une charmante adaptation de *la Cuisine des anges* (1955). On pourrait donc avancer l'idée que le studio (Warner) a joué un rôle déterminant dans la réalisation même des films de Curtiz.

L'ambiguïté de son statut s'explique aussi par le fait que plusieurs de ses films les plus réussis (par ex. *Capitaine Blood, l'Aigle des mers, Robin des Bois*) appartiennent au genre, tenu pour mineur, de l'aventure. Leur intrigue met en jeu une dialectique de la loyauté et de la révolte. Le héros (chaque fois interprété par Errol Flynn) est un rebelle malgré lui. C'est sa loyauté profonde envers l'ordre des choses (supposé juste) qui fait de lui, en apparence, un rebelle, un révolutionnaire, dont le but est bien plutôt de restaurer une légitimité provisoirement menacée. Ce n'est pas un hasard si le capitaine Blood est médecin : dans le corps social et politique, le véritable trouble vient non des loyaux « rebelles » mais des usurpateurs : Jacques II *(Capitaine Blood),* les Espagnols *(l'Aigle des mers),* Jean sans Terre *(Robin des Bois).* Dans son combat, le héros est généralement aidé par une jeune femme apolitique (Olivia de Havilland dans *Capitaine Blood* et *Robin des Bois*), qui abandonne le parti des oppresseurs plus par amour pour le héros que par sens de la justice.

L'idéologie de ces films est elle-même ambiguë : conservatrice ou subversive ? En effet, s'il est vrai que l'autorité légitime, au bout du compte, est toujours rétablie, les images de libération et de rébellion peuvent avoir, sur le spectateur, plus d'impact que les affirmations d'obéissance, qui servent — paradoxe ! — d'argument à l'œuvre. On se souvient plus de Robin, défiant (de manière explicite et répétée) Jean sans Terre et Guy de Gisbourne, que de son allégeance (presque sous-entendue) envers le roi Richard.

De plus, les films de Curtiz exaltent la liberté, voire l'anarchie, mais sous une forme hautement rhétorique qui ne laisse rien au hasard. Montage, mouvements de caméra, symbolique des images, rythme de la narration, tout est contrôlé, voire prédéterminé (comme l'imposaient effectivement les conditions de production). Enfin, ce qui caractérise les méchants ajoute à leur ambiguïté, parce qu'ils ont une sorte de panache, de raffinement décadent : tels Basil Rathbone*(Capitaine Blood, Robin des Bois),* Claude Rains *(Robin des Bois, l'Aigle des mers)* ou, encore, Henry Daniell *(l'Aigle des mers).* De sorte qu'à bien des égards le style de Curtiz semble plus apte à rendre leurs maniérismes qu'à glorifier la liberté individuelle.

Le personnage du rebelle malgré lui est fondamental dans l'œuvre de Curtiz. C'est lui qu'interprète, dans un cadre contemporain, le Bogart de *Casablanca* et de *Passage to Marseille* (1944), film antinazi qu'il est possible de « lire » comme un film de pirates. Son succès jamais démenti, *Casablanca* le doit non seulement à ses interprètes (Bogart et Ingrid Bergman), mais aussi à son exotisme décoratif et à son inhabituel mélange d'idéalisme et de cynisme. La texture du film rappelle Sternberg : le lieu de l'action, l'architecture, les hachures d'ombre et de lumière évoquent *Morocco,* et le « Café américain de Rick » constitue, à l'instar de la maison de jeu de *Shanghai,* un microcosme : billets de banque, femmes et secrets y passent de main en main, et les personnages prisonniers y sont obsédés par le désir de fuir. Aux deux extrémités de la gamme psychologique s'opposent l'idéalisme le plus conventionnel, celui de Paul Henreid, et la méchanceté la plus caricaturale, celle de Conrad Veidt. Plus intéressants sont les personnages complexes : Bogart, l'idéaliste posant provisoirement au cynique ; Claude Rains, le réaliste, l'opportuniste, qui finira par poser à l'idéaliste. Mais le film d'aventures ne constitue pas le tout de la carrière américaine de Curtiz, qui passa sans difficulté apparente du réalisme à la fantaisie et inversement. Parmi les films réalistes, on peut citer *Deux Mille Ans sous les verrous* (1933), bon exemple du genre « social » caractéristique des années 30 et affectionné par la Warner. L'émotion y provient de l'irruption de Bette Davis et de son charme érotique dans l'univers entièrement mâle de la prison (auquel déjà faisait allusion *Mammy),* alors que dans *les Anges aux figures sales* elle surgit d'une différence « morale » : amis d'enfance, Pat O'Brien et James Cagney sont devenus l'un un prêtre dévoué aux gosses d'une « rue sans joie », l'autre un roi du colt. Dans *Rêves de jeunesse* (1938), c'est John Garfield qui est étranger, physiquement et psychologiquement, au monde douillet des sœurs Lane et de Gail Page. C'est précisément l'introduction du rebelle Garfield dans un milieu sentimental qui fait le prix de *Rêves de jeunesse* et de sa suite *Filles courageuses* (1939). Poète, baladin du monde occidental, il n'est pas à sa place dans un monde prosaïque et corrompu.

Toujours dans la veine réaliste, *le Roman de Mildred Pierce,* un des plus célèbres films noirs des années 40, déroule, entre une énigme criminelle et son élucidation, deux longs flash-back qui décrivent l'ascension économique et sociale de Joan Crawford tiraillée entre la vulgarité de Jack Carson et l'élégance décadente de Zachary Scott, aristocrate mexicain.

Chez Curtiz, la fantaisie est représentée par divers films historiques qui prennent avec l'histoire des libertés nombreuses, par exemple *la Charge de la brigade légère* (1936), qui héroïse un épisode de la guerre de Crimée, *la Piste de Santa Fé* (1940), qui vaut par une brillante distribution : Raymond Massey y est le prédicateur John Brown, Errol Flynn, un officier sudiste, et Ronald Reagan, George Custer, ou encore *la Vie privée d'Élisabeth d'Angleterre* avec Bette Davis et Errol Flynn.

Curtiz a encore réalisé d'importants films d'horreur, qui permettent de poser la question de sa dette envers l'Europe centrale. Ainsi *Masques de cire* (1933) apparaît-il comme un hybride de l'expressionnisme allemand et de la comédie américaine. Les décors d'Anton Grot, les ombres expressionnistes, les figures de cire (Jeanne d'Arc ou Marie-Antoinette) qui périssent pour la seconde fois dans un incendie, le sculpteur fou, les mouvements de caméra dignes de Lubitsch ou d'Ophuls, tous ces éléments sont « européens ». « Américains », en revanche, l'érotisme soyeux et innocent de Fay Wray et Glenda Farrell, aux teintes pastel de Technicolor, l'échange de mots d'esprit entre Glenda Farrell (journaliste) et son rédacteur en chef Frank McHugh. On pourrait même penser que *Masques de cire* dramatise le destin des artistes européens expatriés en Amérique, comme Curtiz lui-même (le sculpteur transfère son musée de cire d'Europe en Amérique, après l'incendie qui l'a détruit) et voir dans cette catastrophe le symbole de la Première Guerre mondiale, où sombra la double monarchie.

En dernière analyse cependant, il faut se rappeler que Curtiz ne contrôlait pas le choix de ses sujets, et conclure, sous réserve d'inventaire, que sa dette européenne est plus technique que thématique. Son style doit beaucoup au cinéma allemand des années 20. Les ombres et l'architecture expressionnistes apparaissent non seulement dans *Masques de cire,* mais aussi pour embellir les duels (réglés comme des ballets) qui concluent *Robin des Bois* et *l'Aigle des mers.* La même technique servira encore à mettre en relief le décor d'un meurtre *(Mildred Pierce). Robin des Bois* est émaillé de gestes et d'effets de montage métaphoriques composant une rhétorique visuelle qui est toujours une rhétorique *narrative,* destinée à rendre le récit plus rapide et plus attrayant à la fois, plus efficace. Curtiz, *in fine,* apparaît bien comme le maître d'un certain cinéma d'évasion, dont l'efficacité, toutefois, n'implique pas nécessairement une quelconque naïveté. J.-L.B

Films ▲ : *le Dernier Bohème* (*Az utolsó bohém,* 1912) ; *Aujourd'hui et demain* (*Ma és holnap,* id.) ; *Házasodik az uram* (1913) ; *Âme d'esclave* (*Rablélek,* id.) ; *Princesse Pongyola* (*Ahercegnö Pongyolában,* 1914) ; *Âme captive* (*Az éjszaka rabjai,* id.) ; *Aranyásó* (id.) ; *Enfants empruntés* (*A kölcsönkért csecsemök,* id.) ; *Bánk bán* (id.) ; *le Vagabond* (*A tolonc,* id.) ; *Doublement aimé* (*Akit ketten szeretnek,* 1915) ; *le Médecin* (*A medikus,* 1916) ; *le Docteur* (*Doktor úr,* id.) ; *le Loup* (*Farkas,* id.) ; *l'Arc-en-ciel noir* (*A fekete szivárvány,* id.) ; *la Chèvre d'argent* (*Az ezüst kecske,* id.) ; *Sept de pique* (*Makkhetes,* id.) ; *le Carthaginois* (*A Karthauzi,* id.) ; *la Force de la terre hongroise* (*A magyar föld ereje,* id.) ; *le Juif fermier* (*Az árendás zsidó,* 1917) ; *Histoire d'un sou* (*Egy krajcár története,* id.) ; *le Colonel* (*Az ezredes,* id.) ; *l'Homme de la terre* (*A föld embere,* id.) ; *la Cloche de la mort* (*A halálcsengö,* id.) ; *le Guérisseur* (*A kuruzsló,* id.) ; *le Secret de la forêt de Saint Job* (*A szentjóbi erdö titkas,* id.) ; *le Fils de personne* (*A senki fia,* id.) ; *le Printemps en hiver* (*Tavasz a télben,* id.) ; *la Dernière Aube* (*Az utolsó hajnal,* id.) ; *Samson le Rouge* (*A vörös Sámson,* id.) ; *la Peau de chagrin* (*A szamárbör,* id.) ; *Maître Zoard* (*Zoárd Mester,* id.) ; *l'Invasion des Tartares* (*Tartárjárás,* id.) ; *la Route de la paix* (*A béke útja,* id.) ; *le Scorpion* (*A skorpió,* 1918) ; *Quatre-vingt-dix-neuf* (*Kilencvenkilenc,* id.) ; *Judas* (*Judás,* id.) ; *Loulou* (*Lulu,* id.) ; *le Diable* (*Az ördög,* id.) ; *la Dame aux tournesols* (*A napraforgós hölgy,* id.) ; *le Mauvais Garçon* (*A csúnya fiú,* id.) ; *Mandragore* (*Alraune,* co Fritz Odön, *id.) ; la Veuve joyeuse* (*A víg özvegy,* id.) ; *Valse magique* (*Varázskeringö,* id.) ; *Lu, la cocotte* (*Lu, a kokott,* id.) ; *l'Énigme de Wellington* (*Wellington i rejtély,* id.) ; *Jean, le cadet / Mon frère arrive* (*Jon az öcsém,* 1919) ; *Liliom* (id., inachevé) ; *la Dame aux gants noirs* (*Die Dame mit dem schwarzen Handschub,* id.) ; *Boccace* (*Boccaccio,* 1920) ; *Die Gottesgeissel* (id.) ; *la Dame aux tournesols* (*Die Dame mit den Sonnenblumen,* id.) ; *l'Étoile de Damas* (*Der Stern von Damaskus,* id.) ; *Miss Tutti Frutti* (1921) ; *Mademoiselle Satan* (*Herzogin Satanella,* id.) ; *Chercher la femme* (id.) ; *Miss Dorothy Bekentis* (*Dorothys Bekenntis,* id.) ; *Jusqu'au crime* ou *l'Amour esclave* (*Wege des Schreckens,* id.) ; *le Sixième Commandement* (*Sodom und Gomorrha,* en deux parties, 1923) ; *le Jeune Médard* (*Der junge Medardus,* id.) ; *Die Lawine* (id.) ; *Enfants dans la tourmente* (*Namenlos,* id.) ; *Harun al Raschid* (1924) ; *l'Esclave reine* (*Die Sklavenkönigin / Moon of Israël,* id.) ; *Célimène, poupée de Montmartre* (*Das Spielzeug von Paris,* 1925) ; *Fiacre numéro 13* (*Fiaker Nr. 13,* 1926) ; *Papillon d'or* (*Der goldene Schmetterling,* id.) ; *Fille de cirque* (*The Third Degree,* 1927) ; *A Million Bid* (id.) ; *le Crime du soleil* (*The Desired Woman,* id.) ; *Good Time Charley* (id.) ; *Tenderloin* (1928) ; *l'Arche de Noé* (*Noah's Ark,* 1929) ; *Cœurs en exil* (*Hearts en Exile,* id.) ; *Poupée de chiffons* (*The Glad Rag Doll,* id.) ; *la Madone de l'avenue* (*The Madonna of Avenue « A »,* id.) ; *les Joueurs* (*The Gamblers,* id.) ; *Mammy* (*id.,* 1930) ; *Sous le ciel du Texas* (*Under a Texas Moon,* id.) ; *The Matrimonial Bed* (id.) ; *Bright Lights* (id.) ; *A Soldier's Plaything* (id.) ; *River's End* (id.) ; *le Démon des mers* (*Dämon des Meeres,* 1931) ; *God's Gift to Women* (id.) ; *le Génie fou* ou *le Diable boiteux* (*The Mad Genius,* id.) ; *la Dame de Monte-Carlo* (*The Woman from Monte Carlo,* 1932) ; *Alias the Doctor* (id., co L. Bacon) ; *l'Étrange Passion de Molly Louvain* (*The Strange Love of Molly Louvain,* id.) ; *Docteur X* (*Doctor X,* id.) ; *Ombres vers le Sud* (*Cabin in the Cotton,* id.) ; *Vingt Mille Ans sous les verrous* (*20 000 Years in Sing Sing,* 1933) ; *Masques de cire* (*The Mystery of the Wax Museum,* id.) ; *le Trou de serrure* (*The Keyhole,* id.) ; *Détective privé* (*Private Detective 62,* id.) ; *Goodbye Again* (id.) ; *Female* (id.) ; *Meurtre au chenil* (*The Kennel Murder Case,* id.) ; *Mandalay* (id., 1934) ; *la Clé* (*The Key,* id.) ; *Agent britannique* (*British Agent,* id.) ; *Jimmy the Gent* (id.) ; *The Case of the Curious Bride* (1935) ; *Furie noire* (*Black Fury,* id.) ; *Sixième Édition* (*Front Page Woman,* id.) ; *Little Big Shot* (id.) ; *Capitaine Blood* (*Captain Blood,* id.) ; *le Mort qui marche* (*The Walking Dead,* 1936) ; *la Charge de la brigade légère* (*The Charge of the Light Brigade,* id.) ; *Stolen Holiday* (1937) ; *Justice des montagnes* (*Mountain Justice,* id.) ; *le Dernier Round* ou *le Dernier Combat* (*Kid Galahad,* id.) ; *Un homme a disparu* (*The Perfect Specimen,* id.) ; *la Bataille de l'or* (*Gold Is Where You Find It,* 1938) ; *les Aventures de Robin des Bois (The Adventures of Robin Hood,* co William Keighley, *id.) ; Quatre au paradis* (*Four's a Crowd,* id.) ; *Rêves de jeunesse* (*Four Daughters,* id.) ; *les Anges aux figures sales* (*Angels with Dirty Faces,* id.) ; *les Conquérants* ou *Ville sans loi* (*Dodge City,* 1939) ; *Filles courageuses* (*Daughters Courageous,* id.) ; *la Vie privée d'Élisabeth d'Angleterre* (*The Private Lives of Elizabeth and Essex,* id.) ; *Quatre Épouses* (*Four Wives,* id.) ; *Sons of Liberty* (CM, *id.*) ; *la Caravane héroïque* (*Virginie City,* 1940) ; *l'Aigle des mers* (*The Sea Hawk,* id.) ; *la Piste de Santa Fé* (*The Santa Fe Trail,* id.) ; *le Vaisseau fantôme* (*The Sea Wolf,* 1941) ; *Dive Bomber* (id.) ; *les Chevaliers du ciel* (*Captains of the Clouds,* 1942) ; *la Parade de la gloire* (*Yankee Doodle Dandy,* id.) ; *Casablanca* (*id.,* 1943) ; *Mission to Moscow* (id.) ; *This Is the Army* (id.) ; *Passage to Marseille* (1944) ; *Janie* (id.) ; *Roughly Speaking* (1945) ; *le Roman de Mildred Pierce* (*Mildred Pierce,* id.) ; *Nuit et Jour* (*Night and Day,* 1946) ; *Mon père et nous* (*Life with Father,* 1947) ; *Le crime était presque parfait* (*The Unsuspected,* id.) ; *Romance à Rio* (*Romance on the High Seas,* 1948) ; *Il y a de l'amour dans l'air* (*My Dream Is Yours,* 1949) ; *Boulevard des passions* (*Flamingo Road,* id.) ; *The Lady Takes a Sailor* (id.) ; *la Femme aux chimères* (*Young Man with a Horn,* 1950) ; *le Roi du tabac* (*Bright Leaf,* id.) ; *Trafic en haute mer* (*The Breaking Point,* id.) ; *le Chevalier du stade* (*Jim Thorpe-All American,* 1951) ; *les Amants de l'enfer* (*Force of Arms,* id.) ; *la Femme de mes rêves* (*I'll See You in My Dreams,* 1952) ; *The Story of Will Rogers* (id.) ; *le Chanteur de jazz* (*The Jazz Singer,* 1953) ; *Un homme pas comme les autres* (*Trouble Along the Way,* id.) ; *l'Homme des plaines* (*The Boy from Oklahoma,* 1954) ; *l'Égyptien* (*The Egyptian,* id.) ; *Noël blanc* (*White Christmas,* id.) ; *la Cuisine des anges* (*We're No Angels,* 1955) ; *Énigme policière* (*The Scarlet Hour,* 1956) ; *le Roi des vagabonds* (*The Vagabond King,* id.) ; *The Best Things in Life Are Free* (id.) ; *Pour elle, un seul homme* (*The Helen Morgan Story,* 1957) ; *le Fier Rebelle* (*The Proud Rebel,* 1958) ; *Bagarres au King Creole* (*King Creole,* id.) ; *l'Homme dans le filet* (*The Man in the Net,* 1959) ; *le Bourreau du Nevada* (*The Hangman,* id.) ; *les Aventuriers du fleuve* (*The Adventures of Huckleberry Finn,* 1960) ; *Un scandale à la Cour* (*A Breath of Scandal,* id.) ; *François d'Assise* (*Francis of Assisi,* 1961) ; *les Comancheros* (*The Comancheros,* id.).

CUSACK *(Cyril), acteur britannique d'origine irlandaise (Durban, Afrique du Sud, 1910 - 1993).* En bon acteur irlandais, il fit ses classes auprès de l'Abbey Theatre dès 1932. Mais il avait débuté au cinéma dès l'âge de sept ans. Discret, à cause de son physique banal, de sa petite taille et de son talent toujours juste, il participa à nombre de films britanniques ou tournés en Angleterre entre 1935 et 1966, sans qu'on le remarque vraiment. François Truffaut transforma sa silhouette bonhomme en celle d'un inquiétant capitaine des pompiers, faussement onctueux et pondéré, dans *Farenheit 451* (1966). Depuis, on a eu plus souvent l'œil sur lui et, dans une filmographie toujours très abondante, on retiendra des silhouettes pétries d'humanité et de vérité dans des films aussi divers que *Harold et Maude* (H. Ashby, 1971), *Chacal* (F. Zinnemann, 1973), *Sanglantes confessions* (Ulu Grosbard, 1981) ou *My Left Foot* (J. Sheridan, 1989). C.V.

CUSHING *(Peter), acteur anglais (Kenley 1913 - Canterbury 1994).* Après s'être formé au théâtre en Angleterre, il débute, comme doublure, à Hollywood (*l'Homme au masque de fer,* J. Whale, 1939) puis fait de la figuration jusqu'en 1942. De retour en Angleterre, tout en jouant dans la troupe de Laurence Olivier, il apparaît à l'écran dans de petits rôles (*Hamlet,* L. Olivier, 1948 ; *Moulin Rouge,* J. Huston, 1953 ; *Vivre un grand amour,* E. Dmytryk, 1955) et se rend célèbre à la BBC dans des téléfilms et des pièces télévisées. En 1957, *Frankenstein s'est échappé,* de Terence Fisher, fait de lui et de Christopher Lee deux des grandes stars du cinéma fantastique moderne. Dès lors, il reprend tous les grands rôles de ce répertoire, dont cinq fois celui du baron Frankenstein ; il lui donne une personnalité neuve : *la Revanche de Frankenstein* (Fisher, 1958) ; *l'Empreinte de Frankenstein* (*Evil of Frankenstein,* Freddie Francis, 1964) ; *Frankenstein créa la femme* (Fisher, 1967) ; *le Retour de Frankenstein* (id., 1969) ; *Frankenstein et le monstre de l'enfer* (id., 1973). Dans la même veine, il compose de nombreux autres rôles, pour — presque toujours — des films européens. Avec son visage émacié, et grâce à l'élégance de sa diction et de ses manières, il les campe tous de façon originale, qu'il s'agisse de Van Helsing (*le Cauchemar de Dracula,* Fisher, 1958), de Sherlock Holmes (*le Chien des Baskerville,* Fisher, 1959), de la mort personnifiée (*Dr. Terror's House of Horrors,* F. Francis, 1965) ou du tyran de la *Guerre des étoiles* (G. Lucas, 1977). En outre, il sauve de l'oubli, à lui seul, bien d'autres productions médiocres. A.G.

CUT (1). Mot anglais pour *coupe franche. Montage cut,* montage recourant uniquement à la coupe franche. (→ SYNTAXE.)

« CUT » (2). Équivalent anglais de *« coupez ! ».*

CUTTING. Mot anglais pour *montage,* au sens restreint de l'activité matérielle de coupe et d'assemblage des plans. (→ MONTAGE.)

CUTTS *(Jack Graham), cinéaste britannique (Brighton 1885 - ? 1958).* D'abord exploitant, il dirige de nombreux films, dont *Flames of Passion* avec Mae Marsh (1922). Associé à Michael Balcon et Victor Saville, il tourne *Woman to Woman* en 1923, avec Clive Brook, l'actrice américaine Betty Compton, et Alfred Hitchcock comme assistant. Cutts et Balcon fonderont Gainsborough Pictures aux studios d'Islington en 1924. Parmi ses autres films mentionnons : *The Rat* (1925) et *The Return of the Rat* (1929), avec Ivor Novello ; *Three Men in a Boat* (1933) et *Aren't Men Beasts ?* (1937). L'actrice Patricia Cutts (alias Patricia Wayne) était sa fille (1926-1974). P.P.

CYBULSKI *(Zbigniew), acteur polonais (Kniaże, près de Śniatyn, Ukraine, 1927 - Wrocław 1967).* Après des études commerciales et de journalisme à Cracovie, il s'enrôle à l'école supérieure de théâtre de cette ville, dont il sortira en 1953. Il y fait surtout la rencontre de celui qui deviendra l'acteur principal du film d'A. Munk, *De la veine à revendre* (1960) : Bogumił Kobiela. C'est avec ce dernier qu'il fait ses débuts professionnels à Gdynia. Leurs carrières ne se sépareront jamais tout à fait et ils créeront ensemble le théâtre satirique étudiant Bim-Bom, puis le théâtre Rozmów, pour lequel ils seront à la fois metteurs en scène et acteurs, tout en interprétant souvent les mêmes films. Cybulski obtient son premier emploi au cinéma dans *Une fille a parlé* d'Andrzej Wajda (1955), où il tient le petit rôle de Kostek, et c'est Wajda qui, deux ans plus tard, fait de lui une vedette internationale avec *Cendres et Diamant* (1958). Le regard myope derrière ses lunettes sombres, il y est « le symbole d'une génération écœurée de sang, stupéfaite d'avoir échappé au massacre et meurtrie [...], un être humain prisonnier et victime d'un monde de haine et de violence, un diamant dans la cendre » (M. Martin).

La fortune de Cybulski suit celle du film — le plus grand succès international du cinéma polonais d'après-guerre — et il se retrouve incarner le désarroi de toute une génération, sa gaucherie et sa vulnérabilité. Jamais plus il ne sera le jeune premier banal qu'on attend encore de lui ; il investira chacun de ses rôles d'une étrangeté essentielle au monde qui imposera la comparaison avec James Dean, Marlon Brando ou Gérard Philipe. Dans *Train de nuit* de Jerzy Kawalerowicz (1959), les lunettes noires qui vont devenir sa marque distinctive abritent le mystère d'une personnalité qui demeurera secrète. Avec *Au revoir, à demain* de Janusz Morgenstern (1960), il écrit, en collaboration encore avec Kobiela, un film qui est le fruit de leur longue expérimentation théâtrale commune. La même année, Wajda recentre habilement son image en faisant de lui un aîné un peu désabusé de la nouvelle génération qu'il met en scène dans *les Innocents Charmeurs.*

Après avoir participé en France à une curieuse fable de Jacques Baratier, *la Poupée* (1962), où il tient le double rôle d'un dictateur sanguinaire et du révolutionnaire idéaliste qui assume sa place, il interprète dans le sketch polonais de l'*Amour à vingt ans* (Wajda, 1962) un de ses plus beaux personnages (auquel Wajda donne son surnom familier : Zbyszek), celui d'un ancien combattant, héros quasi involontaire d'un banal fait divers, qui découvre avec amertume que ses souvenirs n'intéressent plus personne et que l'avenir appartient à ceux qui ont vingt ans. Avec *Giuseppe à Varsovie* (S. Lenartowicz, 1964), Cybulski explore une voie cinématographique nouvelle, celle de la comédie. Il s'y illustrera superbement la même année avec *le Manuscrit trouvé à Saragosse* de Wojciech Has, où il est un jeune ahuri confronté aux machinations macabres imaginées par Jan Potocki. Ses derniers films marquent la volonté de renouveler son image et d'élargir ses activités, même si son rôle dans *Salto* (T. Konwicki, 1965) peut sembler une quintessence de sa présence à l'écran. Cybulski est mort à la fin du tournage du *Meurtrier laisse un indice* (A. Ścibor-Rylski, 1967) : il tentait de prendre en marche le train pour Varsovie... un exercice qu'il avait pratiqué plusieurs fois à l'écran ! Bien que son nom n'y soit jamais prononcé, c'est de toute évidence à la disparition de Cybulski que renvoie le film de Wajda *Tout est à vendre* (1968). J.P.B.

Films ▲ : *Génération / Une fille a parlé* (A. Wajda, 1954) ; *la Carrière (Kariera,* Jan Koecher, *id.)* ; *l'Homme ne meurt pas* (film d'études, *id.*) ; *Trois Départs (Trzy starty, 3ᵉ épisode, Stanis'law Lenartowicz, id.)* ; *le Secret du vieux puits* (*Tajemnica dzikiego szybu,* Wadim Berestowski, 1956) ; *la Fin de la nuit* (*Koniec nocy,* Julian Dziedzina, Paweł Komorowski et Walentyna Uszycka, 1957) ; *les Épaves (Wraki,* Eva et Czes'law Petelski, *id.)* ; *le Huitième Jour de la semaine* (A. Ford, 1958) ; *Cendres et Diamant* (Wajda, *id.*) ; *la Croix de guerre* (K. Kutz, 1959) ; *Train de nuit* (J. Kawalerowicz, *id.*) ; *Au revoir, à demain* (*Do Widzenia, do jutra !,* Janusz Morgenstern, 1960) ; *les Innocents Charmeurs* (Wajda, *id.*) ; *Adieu jeunesse* (W. Has, 1961) ; *la Poupée* (J. Baratier, 1962) ; *Thé à la menthe* (CM, Pierre Kafian, *id.*) ; *l'Amour à vingt ans* (épisode réalisé par A. Wajda, *id.*) ; *les Retardataires (Spóźnieni przechodnie,* Jan Rybkowski, *id.)* ; *l'Art d'être aimée* (Has, 1963) ; *l'Assassin et la Demoiselle* (*Zbrodniarz i panna,* Janusz Nasfeter, *id.*) ; *Leur vie quotidienne (Ich dzień powszedni,* Aleksander Ścibor-Rylski, *id.)* ; *le Silence* (Kutz, *id.*) ; *Pas de divorces* (*Rozwodów nie będzie,* Jerzy Stefan Stawiński, 1964) ; *Giuseppe à Varsovie* (*Giuseppe w Warszawie,* S. Lenartowicz, *id.*) ; *Aimer* (J. Donner, *id.*) ; *le Manuscrit trouvé à Saragosse* (Has, 1965) ; *le Pingouin (Pingwin,* J. S. Stawiński, *id.)* ; *Salto* (T. Konwicki, *id.*) ; *Seul dans la ville (Sam pośród miasta,* Halina Bielińska, *id.)* ; *Demain le Mexique (Jutro Meksyk,* A. Ścibor-Rylski, *id.)* ; *Veillée de fête* (*Przedświąteczny wieczór,* Helena Amiradżibi et Stawiński, 1966) ; *les Codes* (Has, *id.*) ; *le Maître (Mistrz,* Jerzy Antczak, *id.)* ; *En avant toute ! (Ca'la naprzód,* S. Lenartowicz, *id.)* ; *Yovita (Jowita,* Morgenstern, 1967) ; *Le meurtrier laisse un indice (Morderca zostawia ślad,* Ścibor-Rylski, *id.).*

CYAN. Couleur bleu-vert, complémentaire du rouge, qui est une des trois couleurs de base des procédés *soustractifs* de cinéma en couleurs. (→ COULEUR.)

CYCLE D'HALOGÈNE. *Lampe à cycle d'halogène,* lampe à incandescence à ampoule en quartz contenant une petite quantité d'halogène (iode, brome) dont le cycle chimique à l'intérieur de l'ampoule permet d'améliorer le rendement de la lampe. On dit aussi *lampe à cycle d'iode, lampe quartz-iode, lampe à quartz.* (→ SOURCES DE LUMIÈRE, ÉCLAIRAGE.)

CYCLE D'IODE. *Lampe à cycle d'iode,* voir CYCLE D'HALOGÈNE.

CYCLO. Fond de décor courbe, uniformément blanc, joint au sol par un arrondi, entourant un plateau de prises de vues sans qu'on puisse préciser son contour. Le cyclo est souvent employé pour les truquages par travelling matte.

CYLINDRIQUE. Se dit des lentilles à surface cylindrique employées notamment dans les anamorphoseurs.

CZINNER *(Paul), cinéaste allemand d'origine austro-hongroise (Budapest 1890 - Londres, GB, 1972).* Enfant, c'est un violoniste prodige, mais il penche pour le théâtre : production et mise en scène à Budapest avant 1914, puis à Vienne. Il débute comme cinéaste en 1919 en dirigeant sa femme, Elizabeth Bergner. Émigré avec elle en Grande-Bretagne en 1933, puis aux États-Unis en 1940, il rentrera en Grande-Bretagne en 1951.

Toute sa production muette allemande est marquée par l'influence du *Kammerspiel,* c'est-à-dire le souci de l'atmosphère intimiste et de l'analyse psychologique. Son meilleur film est, à ce titre, *À qui la faute* (*Nju,* 1924), qui marque aussi la révélation d'Elizabeth Bergner à l'écran. On lui doit également, dans la même veine, *Der Geiger von Florenz* (1926), *Liebe* (1927), *Dona Juana* (id.), *Fräulein Else* (1929), *Ariane* (1932, vers. ALL et GB ; *Ariane, jeune fille russe* [vers. franç.]), *Der Träumende Mund* (id.). Il a écrit le scénario de ces deux derniers films en collaboration avec Carl Mayer, inspirateur du *Kammerspiel.* En Grande-Bretagne, il dirige sa femme dans *Catherine the Great* (1934), *Escape Me Never* (1935) et *Comme il vous plaira* (*As You Like It,* 1936). Aux États-Unis, il est producteur et metteur en scène de théâtre. Après la guerre, il se consacre à des versions filmées de productions théâtrales et chorégraphiques : *Don Giovanni* (1955) ; *The Bolshoï Ballet* (1957) ; *Der Rosenkavalier* (1962) ; *Romeo and Juliet* (1966). Il utilise simultanément jusqu'à une dizaine de caméras pour restituer la plénitude du spectacle. M.M.

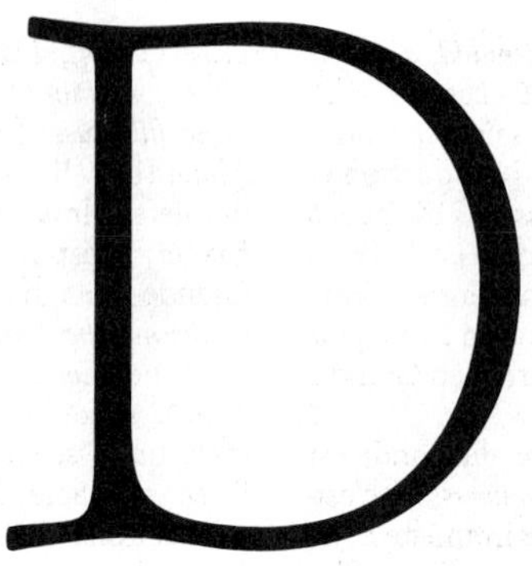

DABADIE *(Jean-Loup), écrivain et scénariste français (Paris 1938).* Journaliste, romancier, parolier et écrivain de théâtre et de télévision, il débute dans l'écriture cinématographique en collaborant avec Yves Robert à l'adaptation de *Clérambard,* de Marcel Aymé (en 1969).

Sa véritable carrière de scénariste commence avec *les Choses de la vie* (C. Sautet, 1969). Le film est un énorme succès, il marque le début de la « liaison » Dabadie-Sautet, qui a peu d'équivalents dans le cinéma français.

De fait, Dabadie a trouvé un *ton* bien à lui. Ses personnages hésitent perpétuellement entre le rire et les larmes, la comédie bascule soudain vers la tragédie ou le mélodrame, et la fantaisie se veut ancrée dans la vie quotidienne. C'est pour Sautet que Dabadie a écrit ses films les plus doux-amers et parfois aussi les plus graves : *Max et les ferrailleurs* (1971), *César et Rosalie* (1972), *Vincent, François, Paul et les autres* (1974), *Une histoire simple* (1978), *Garçon !* (1983) ; et, pour Yves Robert, les plus comiques : *Salut l'artiste* (1973), *Un éléphant ça trompe énormément* (1976), *Nous irons tous au paradis* (1977), *Courage, fuyons* (1979). Mais son nom est également lié à Philippe de Broca (*la Poudre d'escampette,* 1971 ; *Chère Louise,* 1972), à François Truffaut (*Une belle fille comme moi,* 1972), Claude Pinoteau (*le Silencieux,* 1973 ; *la Gifle,* 1974 ; *la Septième Cible,* 1984), Jean-Paul Rappeneau (*le Sauvage,* 1975), Jacques Rouffio (*Violette et François,* 1977), Jacques Monnet (*Clara et les chics types,* 1981). Plusieurs de ces films sont ambitieux. La vulgarité en est absente. Le succès a, le plus souvent, été au rendez-vous. Des comédiens comme Yves Montand, Romy Schneider, Michel Piccoli et Jean Rochefort lui doivent beaucoup. D.R.

DACQMINE *(Jacques), acteur français (La Madeleine 1923).* Plus orienté vers le théâtre que vers le cinéma, malgré un physique de jeune premier, il y rencontre pourtant ses meilleurs rôles dans des personnages ambigus ou mystérieux : *le Secret de Mayerling* (J. Delannoy, 1949), *Charmants Garçons* (H. Decoin, 1958). De belle prestance et portant bien le costume, il figure à son avantage dans *l'Affaire du collier de la reine* (M. L'Herbier, 1946) et tient la vedette masculine dans la série des *Caroline chérie* (Richard Pottier, 1951 ; Jean Devaivre, 1953 et 1955). Sans oublier *Julie de Carneilhan* (Jacques Manuel, 1950), *À double tour* (C. Chabrol, 1959) et *Classe tous risques* (C. Sautet, 1960). R.C.

DADA. Interartistique comme toutes les avant-gardes du début du XXe siècle, le mouvement Dada, formé à Zurich en 1916 autour de l'Allemand Hugo Ball et du Roumain Tristan Tzara, avait toutes les chances de rencontrer le cinéma.

En effet, plusieurs des jeunes gens qui l'annoncent, le rejoignent ou le croisent, hantent les salles obscures : ainsi, à Nantes, vers 1917, Breton et Vaché. « Quel film je jouerai ! » écrit ce dernier en 1918 dans l'une de ses plus fameuses « lettres de guerre ». Avec « des automobiles folles [...], des ponts qui cèdent et des mains majuscules qui rampent sur l'écran... ». C'est pourtant sur les doigts d'une main qu'on peut compter les films dadaïstes.

On retiendra d'abord les deux premiers essais connus de Man Ray, *le Retour à la raison* et *Emak Bakia* : le premier, non tant parce qu'il fut (hâtivement) confectionné pour la soirée du *Cœur à barbe,* qui marqua, le 6 juillet 1923, la fin de Dada, mais à cause de l'esprit de provocation ludique et de non-sens qui préside à ce bref montage de rayogrammes et de plans divers (un champ de marguerites, une femme nue passant devant un rideau à rayures, etc.) ; le second, *Emak Bakia* (1927), pot-pourri de séquences réalistes et de formes abstraites, pour les mêmes raisons et pour l'apparition de Jacques Rigaut déchirant des faux cols qui se reconstituent par inversion du mouvement. Ensuite, il y a *Entr'acte* (1924), filmé par René Clair sur un « scénario » de Picabia (pour être projeté au début et à l'entracte du ballet *Relâche* de Picabia et Satie), où le côté « bric-à-brac épate-bourgeois » le cède peu à peu à la cohérence d'une des plus belles séquences d'humour noir qui soient : l'enterrement du chasseur-prestidigitateur, avec les couronnes que l'on mange, le corbillard tiré par un dromadaire et qui s'emballe, suivi, dans Paris et au-delà, en une poursuite à la Mack Sennett, par le cortège courant ventre à terre, au ralenti ou en accéléré. Outre Satie et Picabia, on voit figurer dans ce film – qui est ainsi également un document Dada – Man Ray et Duchamp. Ce dernier réalise en 1925 *Anemic Cinema,* où des « rotoreliefs » abstraits alternent avec des disques portant quelques calembours de Rrose Sélavy, personnage issu de l'imagination de Duchamp et repris par Desnos.

Mais l'incarnation la plus pure de l'esprit Dada est sans doute *Vormittagsspuck* (*Fantômes du matin / Jeux de chapeaux,* 1928), où l'un des premiers dadaïstes de la période zurichoise, Hans Richter, joue, avec trois amis (dont Hindemith et Graeff) et plusieurs objets, au nombre desquels quatre chapeaux volants, une sarabande époustouflante : un rythme à la *Ballet mécanique* (1924, film de Fernand Léger un peu dada, à sa façon) y règle impeccablement une foule de trucages.

Cet esprit Dada déborde le dadaïsme historique. Plus que dans les films américains de Richter, pénibles commémorations des années 20, plus même que dans les semi-imitations de Sidney Peterson (*The Lead Shoes,* 1949), on le retrouve dans certains Marx Brothers, dans les meilleures œuvres du groupe Fluxus (*Fluxfilm,* 1966-1970), dans les montages facétieux de Conner ou Breer, dans *la Vierge de Bagdad* (1973) de Jean-Christophe Pigozzi – bref, partout où jaillissent les étincelles que fait la réalité heurtée de plein fouet par le nihilisme et la dérision, le gai désespoir et la loufoquerie. D.N.

DAFOE *(Willem), acteur américain (Appleton, Wis., 1955).* Issu du théâtre expérimental new-yorkais, il débute au cinéma en 1979 et est tout d'abord spécialisé dans de petits rôles de méchant. Son premier grand rôle est celui du sergent « pur », victime de l'engrenage de la guerre au Viêt-Nam dans *Platoon* (Olivier Stone, 1986). Il incarne ensuite Jésus dans *la Dernière Tentation du Christ* (M. Scorsese, 1988). Il revient à des rôles de composition dans *Mississippi Burning* (A. Parker, *id.*), *Né un 4 juillet* (O. Stone, 1989) puis dans *Sailor et Lula* (D. Lynch, 1990), *Light Sleeper* (P. Schrader, 1992), *Si loin si proche* (W. Wenders, 1993), *Danger immédiat* (*Clear and Present Danger,* Philip Noyce, 1994). D.S.

DAGOVER *(Marta Seubert,* dite *Lil), actrice allemande (Pati, Java, Indes néerlandaises, 1887 - Munich 1980).* C'est Fritz Lang qui la fait débuter à l'écran, alors qu'elle vient de divorcer de l'acteur de théâtre Fritz Daghofer, dans *Madame Butterfly / Hara Kiri* (1919) et *les Araignées* (id.), rôles exotiques, ici d'une prêtresse inca, là d'une geisha qui se meurt d'amour. Mais c'est surtout *le Cabinet du docteur Caligari* de Robert Wiene qui, la même année, la révèle : c'est elle qu'emporte sur les toits de la ville endormie, en chemise de nuit vaporeuse, Cesare le somnambule. Ses grands yeux apeurés, sa vulnérabilité, sa photogénie lui valent une notoriété qui s'étendra hors des frontières de son pays puisque, après avoir été dirigée de nouveau par Lang (*les Trois Lumières,* 1921 ; *Mabuse le joueur,* 1922), par Murnau (*Phantom,* 1922 ; *Tartuffe,* 1926), par Arthur von Gerlach (*la Chronique de Grieshuus,* 1924), elle ira tourner des films en Suède, en France

(*Monte-Cristo,* 1929, d'Henri Fescourt, où elle est une séduisante comtesse de Morcerf, *le Tourbillon de Paris,* de Julien Duvivier [1928]) et, au début du parlant, aux États-Unis (*la Dame de Monte-Carlo,* M. Curtiz, 1932). Elle passe avec aisance des brouillards expressionnistes à l'opérette filmée (*Le congrès s'amuse,* E. Charell, 1931), au film historique (*Elizabeth von Österreich,* Adolf Trotz, *id.* ; *l'Espion de Napoléon / Haut Commandement* [*Der höhere Befehl,* 1935], de Gerhard Lamprecht), à la comédie musicale (*Accord final,* 1938, de Detlef Sierck [Douglas Sirk]) et au film de propagande (*Friedrich Schiller,* Herbert Maisch, 1940 ; *Bismarck,* W. Liebeneiner, *id.*). Après la guerre, elle apparaîtra encore, parfois en *guest star,* dans une vingtaine de films, dont une adaptation (par A. Weidenmann) des *Buddenbroks,* en 1959. En 1974, Hans Jürgen Syberberg lui confie l'un des rôles clefs de son *Karl May.* Maximilian Schell, qui l'avait déjà dirigée dans *le Piéton* (1973), lui offre son dernier rôle dans *Légendes de la forêt viennoise* (1978), aux côtés d'autres fantômes surgis du passé, Käthe Gold, Kristina Søderbaum et Helmut Käutner. C.B.

DAGUERRE *(Louis Jacques Mandé), peintre et inventeur français (Cormeilles-en-Parisis 1787 - Bry-sur-Marne 1851).* Ayant eu connaissance des travaux de Niepce, il finit par obtenir de ce dernier une association. Poursuivant les recherches après la mort de Niepce, il met au point le procédé du *daguerréotype,* présenté en 1839, qui fait entrer la photographie dans l'ère de l'utilisation pratique. J.-P.F.

DAHL *(Arlene), actrice américaine d'origine norvégienne (Minneapolis, Minn., 1924).* Mannequin de mode, elle doit à un concours de beauté ses débuts à l'écran en 1947. Révélée par *le Livre noir* (A. Mann, 1949), elle était vouée par sa sensualité éclatante aux intrigues romanesques et exotiques : *le Trésor des Caraïbes* (1952) et *Sangaree* (1953) d'Edward Ludwig. Mais seul Allan Dwan sut mettre en valeur tout son potentiel érotique (*Deux Rouquines dans la bagarre,* 1956). Depuis 1959, elle se produit surtout sur scène et à la télévision. Elle dirige, en outre, une entreprise spécialisée dans la lingerie féminine et les produits de beauté, auxquels elle a consacré plusieurs ouvrages. M.H.

DAHL *(Gustavo), cinéaste brésilien (Buenos Aires, Argentine, 1938).* Critique formé à São Paulo, auprès de Paulo Emilio Salles Gomes et de la Cinémathèque brésilienne, il fréquente le Centro sperimentale di cinematografia, à Rome, et y tourne un court métrage expérimental (*Danza Macabra,* 1962). Après avoir travaillé au montage de films du Cinema Novo, il réalise un documentaire désincarné et méticuleux sur les villes minières de Minas Gerais (*Em Busca do Ouro,* 1966). Son premier long métrage, *O Bravo Guerreiro* (1969), s'inscrit dans le courant ouvert par *O Desafio* (P. C. Saraceni, 1965) et *Terre en transe* (G. Rocha, 1967), procédant à une introspection autocritique du monde de la politique et du rôle des intellectuels. *Uirá, um Índio em Busca de Deus* (1974) élargit le discours politique aux choix de civilisation. Appuyée sur les travaux de l'anthropologue Darcy Ribeiro, la quête spirituelle d'un couple d'Indiens révèle l'écart culturel profond qui les sépare des Blancs. Un des premiers à théoriser la portée culturelle de la conquête du marché cinématographique brésilien par la production nationale, Dahl a eu de hautes responsabilités au sein d'Embrafilme (1974-1979) et ensuite à la tête du Concine (1985-86). En 1984, il est revenu à la mise en scène avec *Tensão no Rio.* P.A.P.

DAHLBECK *(Eva), actrice suédoise (Saltsjö-Duvnäs 1920).* Élève en 1939 du Théâtre royal d'art dramatique de Stockholm, dont elle deviendra plus tard l'un des grands noms, elle débute à l'écran en 1942 dans un film de Gustav Molander, *'Chevauchée nocturne' (Rid i natt).* Elle s'impose progressivement sous la direction de Rune Carlsten, Ake Ohberg, Hasse Ekman, Hampe Faustman, Anders Henrikson, Arne Mattsson et remporte un succès de prestige dans *'Rien qu'une mère'* (1949) d'Alf Sjöberg. En 1952, elle est découverte par Ingmar Bergman. Spirituelle, fantasque, mais décidée et impulsive, la blonde Eva Dahlbeck forme dans *l'Attente des femmes* (1952) et *Une leçon d'amour* (1954) un couple mémorable avec Gunnar Björnstrand. Bergman saura désormais employer avec beaucoup de bonheur une actrice capable de rendre avec des nuances inégalables certains rôles à la fois souriants et grinçants (*Sourires d'une nuit d'été,* 1955 ; *Toutes ses femmes,* 1964), d'autres plus mélancoliques (*Rêves de femmes,*

1955), d'autres enfin émouvants et dramatiques (*Au seuil de la vie,* 1958). Lorsque Bergman lui en laisse le loisir, elle apparaît dans *Barabbas* (A. Sjöberg, 1953), *'le Dernier Couple qui court'* (id., 1956, sur un scénario de Bergman), *'les Petits Riens de l'amour'* (*Kärlekens decimaler,* H. Ekman, 1960), *les Amoureux* (M. Zetterling, 1964). Elle semble vouloir mettre un terme à sa carrière à l'écran à la fin des années 60 après avoir interprété *les Chattes* (H. Carlsen, 1965), *les Créatures* (A. Varda, 1966), *la Mante rouge* (*Den røde Kappe,* G. Axel, 1967) et *Sophie de 6 à 9* (H. Carlsen, *id.*). Elle est également scénariste (*'le Meurtre d'Yngsjö'* d'Arne Mattsson en 1966) et romancière. J.-L.P.

DAHLKE *(Paul), acteur allemand (Streitz, Poméranie* [auj. *Pologne*], *1904 - Salzbourg, Autriche, 1984).* Acteur de théâtre attaché à la Volksbühne de Berlin, il débute à l'écran en 1934 et interprète de nombreux films, dont *Capriccio* (K. Ritter, 1938) et *Romance dans la nuit* (H. Käutner, 1942). Il reprend ses activités après la guerre et, dès 1947, tourne sans interruption jusque vers 1960, en particulier sous la direction de Kurt Hoffmann : *Der Fall Rabanser* (1950), *Liebe im Finanzamt* (1952), *Das fliegende Klassenzimmer* (1954) et *Drei Männer im Schnee* (1955). D.S.

DAIEI (abréviation de *Dai* Nihon *Eiga,* ou « Films du Grand Japon »). Compagnie japonaise fondée en 1942 par Masaichi Nagata, ancien président des films Dai-Ichi (1934-1936) au temps de la politique gouvernementale de remembrement cinématographique. À l'origine ne devaient subsister que deux compagnies d'avant-guerre (Shochiku et Toho), mais Nagata parvint à faire accepter la création d'une troisième compagnie, regroupant Nikkatsu, Shinko et Daito, bien qu'il eût été arrêté pour une affaire de pots-de-vin. Mais c'est après la guerre que, malgré les divers scandales politico-financiers dans lesquels fut impliqué Nagata, la Daiei connaît sa période la plus faste. Le succès international vient avec *Rashômon,* d'Akira Kurosawa, qui remporte de façon inattendue le Lion d'or de la Mostra de Venise en 1951, et inaugure à la Daiei une politique de « films de prestige » essentiellement historiques, destinés à conquérir festivals et marchés occidentaux. Politique qui est couronnée de succès aussi bien à Cannes (*les Contes de Genji,* de Kozaburo Yoshimura, en 1951, et surtout *la Porte de l'enfer,* de Teinosuke Kinugasa, Palme d'or en 1954) qu'à Venise, où sont présentés et primés la plupart des grands Mizoguchi de cette période : *les Contes de la lune vague après la pluie* (1953), *l'Intendant Sansho* (1954), *le Héros sacrilège* et *l'Impératrice Yang Kwei Fei* (1955). Les plus grandes vedettes, déjà confirmées (Kinuyo Tanaka, Kazuo Hasegawa, Sesshu Hayakawa) ou nouvelles (Machiko Kyo, Masayuki Mori, puis Ayako Wakao) et d'excellents réalisateurs (Mizoguchi, Kinugasa, Ichikawa, Ito) travaillent alors à la Daiei, qui produit par ailleurs un grand nombre de films populaires pour le public jeune.

Mais la crise économique des années 60 est fatale à la compagnie, qui accuse un rapide déclin, en dépit du succès local de plusieurs séries, dont la plus populaire reste celle de *Zatoichi, le Masseur aveugle* (près de 25 films de 1962 à 1971), et de certains films de Masumura. En 1971, Masaichi Nagata dépose son bilan, mais la compagnie est alors gérée par les syndicats, puis reconstituée partiellement à la fin des années 70. Elle assure actuellement la distribution de ses anciens films et a pratiquement abandonné toute production. Grâce à ses classiques, la Daiei est sans doute la compagnie nippone la plus connue à l'étranger. M.T.

DAILEY *(Dan), acteur américain (New York, N. Y., 1915 - Los Angeles, Ca., 1978).* Chanteur et danseur venu de la radio et du théâtre, il débute à Hollywood dans un petit rôle de *The Mortal Storm,* de Frank Borzage, en 1940. On le voit ensuite dans toute une série de films, le plus souvent des comédies ou des musicals, de *la Danseuse des Folies Ziegfeld* (R. Z. Leonard, 1941) à *la Joyeuse Parade* (W. Lang, 1954) avec Marilyn Monroe et Donald O'Connor. Les personnages qu'il interprète sont à la fois populaires et sympathiques. John Ford sut fort bien l'utiliser, en vedette, dans deux de ses films les moins connus : *Planqué malgré lui* en 1950 et *What Price Glory ?* en 1952, puis, en 1957, aux côtés de John Wayne dans *L'aigle vole au soleil.* Mais on se souvient surtout de l'irrésistible trio qu'il formait, en 1955, dans *Beau fixe sur New York,* de Gene Kelly et Stanley Donen, avec Kelly et Michael Kidd. D.R.

DAILIES (mot anglais d'après *daily,* quotidien). Syn. anglais de *rushes,* plus usité en anglais que rushes.

DALÍ *(Salvador), peintre et cinéaste espagnol (Figueras 1904 - id. 1989).* Sa peinture, qui mêle hyperréalisme avant la lettre, symbolisme freudien et surréalisme, comme sa personnalité de « pitre génial » sont célèbres. Mais on connaît moins son œuvre de cinéaste, qui va bien au-delà de la collaboration avec Buñuel (scénario d'*Un chien andalou,* 1928 ; préparation de *l'Âge d'or,* 1930). Vers 1932, Dalí écrit un autre scénario (non tourné), *Babaouo,* et a un projet assez avancé avec les Marx Brothers. En 1945, Alfred Hitchcock fait appel à lui pour le rêve de *la Maison du docteur Edwardes.* En 1947, un projet de dessin animé avec Walt Disney, *Inferno,* échoue, puis il participe au *Père de la mariée* (V. Minnelli, 1950). En 1954, Dalí met en scène, avec Robert Descharnes, *l'Histoire prodigieuse de la dentellière et du rhinocéros,* film où convergent toutes ses obsessions et qui ne sera jamais distribué. En 1970, il tourne un petit film sur le thème de la crucifixion et en 1978 un long métrage expérimental, *Impressions de Haute-Mongolie.* L'un de ses derniers projets tourne autour d'une femme amoureuse d'une brouette...
C.B.

DALIO *(Israël Blauschild,* dit *Marcel), acteur français (Paris 1899 - id. 1983).* Dans ses Mémoires publiés (Paris, 1976), Dalio évoque les débuts de sa carrière en 1919, après un bref passage au Conservatoire et les quelques années de guerre qu'il a faites après s'être engagé à seize ans : « Au-dessus de mes médailles il y avait une gueule de métèque : la mienne. Avec mes cheveux noirs frisés, mes yeux d'almée et mon teint citron, quel rôle pouvais-je espérer ? Quelle scène accueillerait ce petit Arabe à qui on ne pouvait même pas confier un rôle de chasseur de restaurant ? »

Acteur de revues et de théâtre dans les années 20, il se lie à ce milieu brillant, très parisien, auquel appartiennent les frères Kessel, Stève Passeur, Marcel Achard, Henri Jeanson. Au cinéma, il tourne dans quelques films mineurs (dont *les Affaires publiques* de Robert Bresson, en 1934) avant d'endosser, sur la recommandation d'Henri Jeanson, le rôle du mouchard l'Arbi dans *Pépé le Moko* (J. Duvivier, 1937) et de s'imposer dans celui de Mattéo « le Maltais » (*la Maison du Maltais,* P. Chenal, 1938). Il y est effectivement servi par son physique typé, et son talent lui permet une création ambiguë, encore marquée par les postures qu'une imagerie xénophobe demande à un personnage typique de salaud oriental.

Ce personnage sera le sien dans des dizaines de films tournés tant en France qu'à Hollywood, où il s'exile pendant la guerre (sa famille est déportée par les nazis, il n'en retrouve aucun survivant en 1945), et où il fait plusieurs séjours après 1950. Barman, croupier, indicateur, trafiquant, veule ou cruel, il charrie les clichés d'une société occidentale au racisme parfaitement déterminé.

Il prend le contre-pied des mêmes clichés dans les deux films qu'il tourne sous la direction de Jean Renoir et qui marquent l'apogée de sa carrière. Il y gagne la popularité chaleureuse qui l'entoure depuis plus de quarante ans : dans *la Grande Illusion* (1937), il est Rosenthal, le « petit juif » qui s'évade avec Jean Gabin, et dans *la Règle du jeu* (1939), le marquis de La Chesnaye. Ce rôle inspiré (le seul premier rôle qu'il ait tenu dans une carrière très prolifique), génial dans certaines intuitions auxquelles Renoir a rendu hommage, dérange les milieux conservateurs. Ainsi, dans *l'Action française,* lit-on, sous la plume de Bardèche et Brasillach, cet éloge empoisonné : « [...] un Dalio étonnant, plus juif que jamais, à la fois attirant et sordide, comme un ibis bossu au milieu des marécages... Une autre odeur monte en lui du fond des âges, une autre race qui ne chasse pas, qui n'a pas de château, pour qui la Sologne n'est rien et qui regarde... ». Mais *la Règle du jeu* clôt la première carrière de Dalio en France.

Pendant la guerre, il tourne aux États-Unis tantôt dans des rôles de Français sympathiques : Frenchy Gérard dans *le Port de l'angoisse* (H. Hawks, 1944) aux côtés de Humphrey Bogart, qu'il avait déjà rencontré l'année précédente dans le légendaire *Casablanca* (M. Curtiz, 1943), tantôt dans ses emplois familiers : croupier dans *Shanghai gesture* (J. von Sternberg, 1941).

Dans les années 70, on voit Dalio dans des premiers films de jeunes cinéastes français, à qui il donne ainsi une caution à la fois intellectuelle et financière. Ainsi, des *Yeux fermés* (Joël Santoni, 1973), où il incarne un vieil homme démuni pathétique dans son acharnement à nier la réalité, ou de *la Communion solennelle* (R. Féret, 1977). Simultanément, il retrouve le chemin du théâtre sous la direction de Roger Planchon. J.-P.J.

DALLE *(Béatrice), actrice française (Brest 1964).* Elle fait irruption dans le paysage cinématographique français avec le film de Jean-Jacques Beinex *37° 2 le matin* (1985) qui la positionne sur le terrain de l'érotisme plus que sur celui de la tragédie. Après *la Sorcière* (M. Bellochio, 1988), *Chimères* (Claire Devers, 1989) et *les Bois noirs* (J. Deray, *id.*), son image évolue dans *la Vengeance d'une femme* (J. Doillon, 1990) et la séquence parisienne de *Night on Earth* (J. Jarmush, 1991). Ses rôles se répartissent ensuite entre les stéréotypes (*la Fille de l'air,* M. Bagdadi, 1992) et la création de personnages plus originaux (*J'ai pas sommeil,* C. Denis, 1994). D.S.

DALSACE *(Gustave Chalot,* dit *Lucien), acteur français (Chatou 1893 - L'Haÿ-les-Roses 1980).* De 1920 à 1929, il fixe l'image d'un homme probe, voué à la patrie et à l'honneur du drapeau. D'où ses rôles dans des cinéromans de René Leprince, Henri Desfontaines ou Gaston Ravel et dans des drames d'espionnage de Gaston Roudès. Comme le parlant, alors à ses débuts, le rebute, il fait carrière dans le négoce. En 1938 toutefois, il retourne pour trois ans au studio. Grâce à des rôles secondaires, il y retrouve les films d'espionnage : *Deuxième Bureau contre Kommandantur* (René Jayet et Robert Bibal, 1939) ; *Patrouille blanche* (Christian Chamborant, 1942). R.C.

D'AMBRA *(Renato Eduardo Manganella,* dit *Lucio), scénariste, cinéaste et producteur italien (Rome 1880 -* id. *1939).* Surtout connu pour son activité de romancier, d'auteur dramatique, de critique théâtral et de biographe, Lucio D'Ambra s'est intéressé au cinéma d'abord comme scénariste avec *I promessi sposi* (Ugo Falena, 1916), puis comme metteur en scène. En 1916, il réalise avec Ivo Illuminati son film le plus célèbre, *le Roi, les Tours et les Fous (Il Re, le torri, gli alfieri).* À l'occasion de cette comédie sophistiquée, il met au point un genre qu'il développera dans les années suivantes, et c'est ainsi que naîtront des scénarios que mettront en scène Amleto Palermi, Carmine Gallone (ou Lucio D'Ambra lui-même). En 1919, il fonde sa propre maison de production, la D'Ambra Film. Deux ans plus tard, il abandonne le cinéma pour se consacrer à la littérature. J.-A.G.

DAMIANI *(Damiano), cinéaste italien (Pasiano 1922).* Après des études de peinture à Milan, il débute en 1946 comme décorateur de *Inquietudine* (Vittorio Carpignano et Emilio Cordero) ; il écrit des scénarios pour Gianni Vernuccio et Leonardo De Mitri et dirige plusieurs documentaires. Sa première mise en scène, *Jeux précoces* (*Il rossetto,* 1960), est un efficace policier social écrit par Cesare Zavattini. Sa carrière de réalisateur le voue d'une part aux adaptations littéraires, hélas, plutôt impersonnelles : *l'Île des amours interdites* (*L'isola di Arturo,* 1961), d'après Elsa Morante ; *l'Ennui* (*La noia,* 1963), d'après Alberto Moravia ; *La maffia fait la loi* (*Il giorno della civetta,* 1968), d'après Leonardo Sciascia. Elle est, d'autre part, riche en œuvres populaires et spectaculaires : westerns sociaux (*El Chuncho* [*Quien Sabe ?*], 1967) ; mélodrames siciliens (*La moglie più bella,* 1970, où Damiani découvre Ornella Muti) ; thrillers de dénonciation (*Confession d'un commissaire de police au procureur de la République* [*Confessione di un commissario di polizia al procuratore della Republica*], 1971 ; *Perché si uccide un magistrato,* 1975 ; *Un juge en danger* [*Io ho paura*], 1977). En 1982 il tourne *Amityville 2 / le Possédé (Amityville 2)* aux États-Unis. Ses ambitions de critique politique – il s'en prend en effet à la corruption du régime italien – le rangent parmi les cinéastes les plus engagés de son pays, même si ces bons sujets ne produisent souvent que des films d'action sans style (*Pizza Connection,* 1985). Le meilleur reste *La rimpatriata* (1963), amère histoire d'un groupe d'anciens amis qui essaient de revivre leur passé. Dans les années 80, il réalise également des feuilletons télévisés dont le très populaire *La Piovra* (1984) et quelques films de médiocre relief (*L'inchiesta,* 1986 ; *Gioco al massacro,* 1990 ; *Il sole buio,* id. ; *L'angelo con la pistola,* 1991). L.C.

DAMITA *(Liliane Carré,* dite *Lili), actrice américaine d'origine française (Blaye 1904 - Palm Beach, Fla., 1994).* Vedette de music-hall, notamment au Casino de Paris (où elle succède à Mistinguett), Lili Damita commença sa carrière cinématographique en France au début des années 20. Mais c'est en

Autriche et en Allemagne, sous la direction du Hongrois Mihály Kertész (futur Michael Curtiz), qu'elle tourne son premier succès, *Célimène, poupée de Montmartre,* en 1925. Après d'autres films qui lui assurent une certaine renommée européenne (*les Mystères d'une âme,* G. W. Pabst, 1926), elle part pour Hollywood en 1929, appelée par Samuel Goldwyn. Malgré quelques films prestigieux comme *Têtes brûlées* (R. Walsh, 1929) et un mariage mouvementé avec Errol Flynn, son succès décroît et elle quitte l'écran en 1936. D'Errol Flynn, elle eut un fils, Sean, un temps acteur, puis reporter, disparu au début des années 70 au Viêt-nam. C.V.

DANA *(Virginia Flugrath,* dite *Viola), actrice américaine (New York, N. Y., 1897 - Woodland Hills, Ca., 1987).* Elle débute enfant sur la scène et n'a que treize ans lors de son premier film. Brune, les yeux très clairs, actrice spontanée et charmante, elle reste vedette tout au long des années 20, puis disparaît à l'arrivée du parlant. Particulièrement représentatifs de son talent sont *Rouged Lips* (Harold Shaw, 1923) et *les Gaietés du cinéma* (J. Cruze, 1924). C.V.

DANCIGERS *(Georges), producteur français (Tukkini, Prov. baltiques, Russie, 1908 - Paris 1993).* Il fonde avec Alexandre Mnouchkine et Francis Cosne les Films Ariane. Il a produit ou coproduit *les Parents terribles* (J. Cocteau, 1949), *Fanfan la Tulipe* (Christian-Jaque, 1952), *le Retour de don Camillo* (J. Duvivier, 1953), *Une Parisienne* (M. Boisrond, 1957), *Un homme qui me plaît* (C. Lelouch, 1969), *Stavisky* (A. Resnais, 1974), *Préparez vos mouchoirs* (Bertrand Blier, 1978), *le Professionnel* (G. Lautner, 1981), *Garde à vue* (C. Miller, *id.*), *la Balance* (B. Swaim, 1982), ainsi qu'un grand nombre de films de Philippe de Broca (de *Cartouche,* 1961, à *Psy,* 1981). Son frère, Oscar Dancigers, est le producteur au Mexique de Luis Buñuel. F.LAB.

D'ANCORA *(Rodolfo Gucci,* dit *Maurizio), acteur italien (Florence 1912).* Choisi par Mario Camerini pour être le protagoniste de *Rails* (1929), il devient, après ce début prometteur, le jeune premier par excellence du cinéma italien des années 30. Ironique et désinvolte, D'Ancora donne le meilleur de lui-même dans les films de Camerini (*Figaro e la sua gran giornata,* 1931 ; *Battement de cœur,* 1938 ; *Centomila dollari,* 1940). Citons encore, parmi ses nombreux films, *Il canale degli angeli* (F. Pasinetti, 1934), *Casta diva* (C. Gallone, 1935), *Ginevra degli Almieri* (G. Brignone, 1936), *Terra di nessuno* (Mario Baffico, 1939), *Scandalo per bene* (Esodo Pratelli, 1940), *Don Pasquale* (C. Mastrocinque, *id.*). Il cesse toute activité cinématographique en 1946. J.-A.G.

DANDRIDGE *(Dorothy), actrice, danseuse et chanteuse américaine (Cleveland, Ohio, 1922- Hollywood, Ca., 1965).* Fille d'un pasteur noir, elle apprend à chanter et danser avec sa mère, la comédienne Ruby Dandridge. Elle s'illustre dans de nombreux spectacles musicaux aux côtés de sa sœur aînée, Vivian, et de la chanteuse Etta Jones (trio des Dandridge Sisters), et vient au cinéma comme figurante, puis comme actrice de complément, dans des films comme *Un jour aux courses* (S. Wood, 1937), *Crépuscule* (H. Hathaway, 1941) et *Depuis ton départ* (J. Cromwell, 1944). Ses succès en cabaret, dans l'orchestre de Desi Arnaz, puis en solo, lui valent ses premiers rôles en vedette dans *Tarzan et la reine de la jungle* (*Tarzan's Peril,* B. Haskin, 1951), *The Harlem Globe Trotters* (Phil Brown, *id.*) et *Bright Road* (Gerald Mayer, 1953). Sa réputation monte en flèche avec *Carmen Jones* (O. Preminger, 1954) : elle y crée la Carmen la plus « physique » de l'histoire du cinéma, avec un mélange inégalé de sensualité, d'énergie vitale et de fatalisme innocent. Le brio de cette interprétation aura, paradoxalement, un effet inhibant sur sa carrière d'actrice ; et, à l'exception de *Porgy and Bess* (Preminger, 1959), où elle compose une Bess souvent émouvante, la suite de sa courte filmographie ne présente qu'un faible intérêt : *Une île au soleil* (R. Rossen, 1957) ; *Terreur en mer* (Andrew L. Stone, 1958) ; *Tamango* (J. Berry, *id.*) ; *Malaga / Moment of Danger* (L. Benedek, 1959). Elle succombe à une overdose de barbituriques. O.E.

DANELIA *(Gueorgui)* [*Georgij Nikolajevič Danelija*], *cinéaste soviétique (Tbilissi, Géorgie, 1930).* Fils de la cinéaste Meri Andjaparidzé, neveu du cinéaste Mikhaïl Tchiaoureli et de l'actrice Veriko Andjaparidzé, cousin de la comédienne Sofiko Tchiaoureli. Après des études d'architecture à Moscou, il suit un cours accéléré de formation à la mise en scène au

studio Mosfilm (1956-1958). Il coréalise avec Igor Talankine son premier long métrage, *Sérioja* (*Serëža,* 1960), d'après le livre de Véra Panova, puis seul *'Route du port'* (*Put'k pričalu,* 1962) et *Je m'balade dans Moscou* (*Ja šagaju po Moskve,* 1963), étape importante du « dégel » idéologique. C'est une brillante comédie de mœurs en forme de conte de fées moderne, où la vie quotidienne de la capitale est décrite avec naturel dans des images d'une beauté impressionniste, dues au talent de l'opérateur Vadim Youssov. Son film suivant, *Trente-trois* (*Tridcat' tri,* 1966), est une comédie satirique qui annonce sa production ultérieure : cette histoire d'un simple citoyen dont on découvre qu'il a trente-trois dents est l'occasion d'une satire sociale qui n'a pas le don de plaire aux autorités ; le film n'est en conséquence pas distribué. Après plusieurs années d'inaction, Danelia tourne en Géorgie *Ne sois pas triste/Ne t'en fais pas !* (*Ne gorjuj !,* 1969), savoureuse transposition locale de *Mon oncle Benjamin* de Claude Tillier. Suivent *le Garçon perdu* (*Sovcem propaščij,* 1973), puis trois agréables comédies : *Afonia* (*Afonija,* 1975), corrosive satire des tire-au-flanc et des combinards en la personne d'un ouvrier qui n'est pas un modèle de conscience professionnelle ; *Mimino* (1977), en Géorgie, truculente étude de mœurs provinciales ; *Marathon d'automne* (*Osennij marafon,* 1979), drolatique portrait d'un professeur qui tente difficilement, à coups de mensonges et de subterfuges, de se ménager une vie confortable entre sa femme et sa maîtresse ; *Les larmes coulaient* (*Slëzy kapali,* 1983), d'après un conte d'Andersen, *Kin dza dza* (id.), « science-fiction en forme de comédie musicale » selon ses propres termes, *Passeport* (*Passport,* 1990), une coproduction avec la France, et *Nastya* (*Nastja,* 1993).
M.M.

DANELIUC *(Mircea), cinéaste roumain (1943).* Il étudie à l'Institut d'Art Théâtral et Cinématographique Ion L. Caragiale de Bucarest et en sort en 1972 diplômé tout en étant également lauréat de la Faculté de langue et littérature française. Son premier long métrage *'la Course'* (*Cursa,* 1975) est suivi par quelques films marquants, témoins d'une position courageuse au sein de la contrainte idéologique des « années Ceausescu » : *'Édition spéciale'* (*Ediţie speciala,* 1978), *'Éssai micro'* (*Proba de microfon,* 1980), *'la Chasse aux renards'* (*Vînatorarea de vulpi* (id.), *la Croisière* (*Croaziera,* 1981), *Glissando* (id., 1984), *Jacob* (id., 1988), *'le Onzième Commandement'* (*A unsprezecea poruncă,* 1991), *'la Guerre édentée'* (*Tusea şi junghiul,* 1992), *'le Lit conjugal'* (*Patul conjugal,* 1993), *les Escargots du sénateur* (*Senatorul melcilor,* 1995). Daneliuc a paru dans plusieurs films comme acteur et metteur en scène de théâtre.
J.-L.P.

DANEMARK. En 1896, les habitants de Copenhague peuvent découvrir les films Lumière grâce au peintre Vilhelm Pacht et, d'autre part, ceux que Max Skladanowski réalise avec son Bioscope. Mais c'est un photographe (il sera bientôt le photographe attitré de la Cour), Peter Elfelt, qui au cours de l'hiver 1896-97 tourne le premier film danois, un reportage de 17 mètres : *'Des chiens groenlandais tirent un traîneau' (Kørsel med grønlandske hunde).* Entre 1897 et 1914, Elfelt aura mis à son actif près de 200 documentaires pris en extérieur (dont la longueur n'excédera jamais 100 mètres). Mais il est aussi le premier à expérimenter le film de fiction avec *'l'Exécution capitale' (Henrettelsen),* montrant une mère meurtrière de ses dix enfants conduite à la guillotine. Ces débuts relativement modestes ne laissaient guère présager que, moins de neuf ans plus tard, les productions danoises conquerraient le marché européen, menaçant même sérieusement l'empire des frères Pathé. Cette soudaine et imprévisible extension est due essentiellement à l'activité débordante de la Nordisk Films Kompagni, société fondée en 1906 par Ole Olsen — le véritable « père » du cinéma danois — et de Arnold Richard Nielsen, lequel produira dès 1907 de très nombreux documentaires romancés et des drames sociaux, dont le caractère à la fois osé et pathétique attirera très rapidement les foules européennes. En 1910, les Danois dominent non seulement les marchés scandinave, allemand et russe mais réussissent également à concurrencer en France, en Grande-Bretagne et en Italie les productions nationales. À la Nordisk s'ajoutent d'autres sociétés comme la Fotorama, la Biorama, la Kinografen, la Kosmorama. Parmi les noms des pionniers du cinéma danois, il faut citer Viggo Larsen* (*la Chasse au lion,* 1907 ; *la Dame aux camélias,* id.),

Holger Rasmussen, Eduard Schnedler-Sørensen, Alfred Lind et Robert Dinesen (également acteur célèbre). Mais les quatre cinéastes qui demeurent les plus représentatifs de l'époque sont incontestablement August Blom*, Urban Gad*, Holger-Madsen* et Benjamin Christensen*.

August Blom s'orienta vers le mélodrame, mêlant les plaidoyers les plus vibrants en faveur des suffragettes ou des filles mères à l'exploitation du pittoresque des bas-fonds. Ce romantisme de la prostitution s'accompagne tout naturellement d'un moralisme convaincu. Blom tourne pour la Nordisk d'Ole Olsen *la Traite des blanches* (1910) – thème à la mode puisque la même année Alfred Lind avait tourné un autre film au titre identique –, *Aux portes de la prison* (1911), *la Fin du monde* (*Verdens Undergang*, 1916). Urban Gad lance la vogue du drame mondain, de l'adultère tragique, des catastrophes engendrées par les débordements de la passion et dont l'issue est inévitablement la mort ou la déchéance. C'est à lui que l'on doit la découverte d'Asta Nielsen*, la Duse du Nord, la Sarah Bernhardt danoise qu'il lance, si l'on ose dire, dans *l'Abîme* (1910), et la propagation du mythe de la vamp que recueilleront peu de temps après les Français (avec Musidora), les Italiens (avec Lyda Borelli) et les Américains (avec Theda Bara). Chez Holger-Madsen, on retrouve, à travers un mysticisme luthérien quelque peu morbide, la hantise du péché et des préoccupations spiritualistes et occultes : *Rêve d'opium* (1914), *l'Évangéliste* (id.), *les Spirites* (1915). Quant à Benjamin Christensen, il réalise *l'X mystérieux* (1913) et *la Nuit de la vengeance* (1915) avant de tourner, en Suède, le célèbre *la Sorcellerie à travers les âges* (1921). Avec une production d'environ 150 longs métrages par an (où la Nordisk se taillait la part du lion), le Danemark est, de 1910 à 1916, l'un des plus importants producteurs mondiaux.

Malgré l'outrance des scénarios et le jeu théâtral des acteurs (Asta Nielsen* Valdemar Psilander* Clara Wieth-Pontoppidan, Olaf Fønss, Lily Bech* Betty Nansen, Carlo Wieth), le cinéma danois, grâce à quelques réalisateurs inspirés, à des opérateurs de talent – le meilleur fut sans doute Johan Ankerstjerne* – et à des décorateurs minutieux et inventifs, a été l'un des premiers dans le monde à utiliser à bon escient la puissance d'émotion et de mystère contenue dans l'image cinématographique.

L'évolution de la production danoise est freinée en 1917 par la constitution de la puissante UFA allemande puis, deux ans plus tard, par la formation de la Svensk Filmindustri en Suède. La chute est régulière et impressionnante : 152 films en 1916, 103 en 1917, 83 en 1918, 66 en 1919, 41 en 1920, 21 en 1921, 12 en 1924, 6 en 1926 et 2 en 1930. Cette période de décadence est néanmoins compensée par l'apparition de nouveaux talents dont le plus célèbre est incontestablement Carl Dreyer*, qui débute en 1918 avec *le Président,* suivi par *Feuillets arrachés au livre de Satan.* Après avoir tourné en Suède et en Allemagne, Dreyer revient au Danemark et réalise notamment *le Maître du logis* (1925) avant de s'expatrier à nouveau en France (pour *la Passion de Jeanne d'Arc,* 1928, et *Vampyr,* 1932). Mais, en dehors de Dreyer, d'autres cinéastes s'imposent : Anders Wilhelm Sandberg* avec *le Clown* (1917) et une série de films inspirés par Dickens (*les Grandes Espérances,* 1921 ; *David Copperfield,* 1922 ; *la Petite Dorrit,* 1924) ; Lau Lauritzen Sr, qui, avec les acteurs Harald Madsen et Carl Schenstrøm *(Double-Patte et Patachon),* réalise plusieurs œuvres comiques dont la popularité sera même internationale.

En 1929, la liquidation de la Nordisk réduit le Danemark à un rôle de comparse. Il entre comme la Suède dans une période de sommeil, avec une diffusion limitée et étroitement nationale. Au début du parlant, Anders Wilhelm Sandberg, qui a dirigé plusieurs films en Grande-Bretagne, en Italie et en France, revient dans son pays tout comme Benjamin Christensen. Mais les films en costumes de Georg Schnéevoigt* et les comédies du tandem Lau Lauritzen Jr*-Alice O'Fredericks et de Johan Jacobsen (influencé directement par Frank Capra) ne parviennent pas néanmoins à franchir le mur de la renommée. Des documentaristes comme John Olsen et Paul Henningsen annoncent néanmoins le talent d'un Jørgen Roos*, qui se révélera quelques années plus tard. Pendant la guerre, une œuvre isolée, *Jour de colère* (ou *Dies Irae* [*Vredens dag*], 1943), prouve que le talent de Dreyer n'a guère souffert de ses années d'inactivité cinématographique forcée. En dépit de certaines œuvres comme *Tordenskjøld défend son pays* (*Tordenskjøld går i land,* G. Schnéevoigt, 1942), une épopée historique, et *la Princesse des faubourgs (Afsporet,* Bodil Ipsen et Lau Lauritzen J^r^, *id.),* drame populiste, ce n'est qu'après la Libération qu'une nouvelle vague de réalisateurs tente avec des réussites diverses de rendre au Danemark une place de choix. Après *La terre sera rouge* (*De røde Enge,* 1945) de Bodil Ipsen et Lau Lauritzen J^r^, et *l'Armée invisible* (*Den usynlige haer,* id.) de Johan Jacobsen – qui réalisera en 1947 sa meilleure œuvre : *le Soldat et Jenny (Soldaten och Jenny)* –, quelques noms nouveaux apparaissent sur les écrans. C'est à eux que l'on doit les films les plus intéressants des années 1945-1960, dont la production la plus fascinante est néanmoins *Ordet* (1955) de Carl Dreyer, véritable phare solitaire dans toute l'histoire du cinéma danois. On peut citer : Ole Palsbo (*la Famille Schmidt* [*Familien Schmidt*], 1951) ; Erik Balling* (*Adam et Ève* [*Adam og Eva*], 1953 ; *Qivitoq,* 1956) ; et surtout le couple Astrid et Bjarne Henning-Jensen* : *Ditte, fille de l'homme* (1946), *Ces sacrés gosses* (1947), *Kristinus Bergman* (1948), *Palle seul au monde* (1949).

À partir de 1960, la production danoise se stabilise (15 à 20 films chaque année). En 1964, Carl Dreyer tourne *Gertrud,* son dernier film, tandis qu'une nouvelle génération de cinéastes prend la relève. Parmi ceux-ci : Knud Leif-Thomsen (*le Duel* [*Duellen*], 1962 ; *Tine,* 1966) ; Gabriel Axel* (*la Mante rouge* [*Den røde kappe*], 1967) ; Jens Ravn (*l'Homme qui pensait des choses* [*Mannen, der taenkte ting*], 1969) ; Palle Kjaerulf-Schmidt* (*Week-end,* 1962 ; *Deux,* 1964 ; *Il était une fois une guerre,* 1966). Le plus doué de tous paraît néanmoins Henning Carlsen* : *Dilemme* (1962) ; *Sophie de 6 à 9* (1967) ; *Nous sommes tous des démons* (1969) ; et surtout *la Faim (Sult),* tourné en 1966 d'après le roman de Knut Hamsun avec Per Oscarsson dans le rôle principal, une des plus grandes réussites du cinéma danois depuis l'avènement du parlant.

Les années 70 et la première moitié des années 80 n'apportent guère de renouvellement dans les thèmes favoris des cinéastes : problèmes sociaux, films sur la jeunesse, séries fantaisistes (l'inépuisable *Bande à Olsen* d'Erik Balling), films policiers plus ou moins parodiques. Henning Carlsen signe *Comment faire partie de l'orchestre ?* (1972) et *Un rire sous la neige* (1978). Nils Malmros* analyse avec finesse et chaleur l'enfance et l'adolescence (*Lars Ole 5c,* 1974 ; *Garçons,* 1977 ; *l'Arbre de la connaissance,* 1981) tout comme Astrid Henning-Jensen (*les Rues de mon enfance* [*Barndommens gade*], 1986) tandis que Morten Arnfred brosse des portraits incisifs de la jeunesse (*Moi et Charly* [*Mig og Charly*], 1978 ; *Johnny Larsen,* 1979 ; *Quel pays charmant !,* 1983) et que Lars von Trier* s'essaie dans le fantastique expérimental (*The Element of Crime,* 1984). Il convient encore de citer : Sven et Lene Grønlykke (*la Ballade de Carl Henning* [*Balladen om Carl Henning*], 1969 ; *Linda, fille du Nord* [*Thorvald og Linda*], 1982) ; l'écrivain et cinéaste Henrik Stangerup (*Dieu existe tous les dimanches* [*Giv Gud en chance om søndagen*], 1970) ; Hans Kristensen (*Per,* 1975) ; Carsten Brandt (*92 Minutes de la journée d'hier* [*92 minutter af i går*], 1978) ; Christian Braad Thomsen (*le Couteau dans le cœur* [*Kniven i hjertet*], 1982) ; Erik Clausen (*Rocking Silver* [id.], 1983 ; *la Face obscure de la lune* [*Manden i månen*], 1986) ; Helle Ryslinge (*Cœurs flambés,* 1986 ; *Sirup,* 1990).

À la fin des années 80, le cinéma danois accède à la consécration internationale : Gabriel Axel remporte l'Oscar du meilleur film étranger avec *le Festin de Babette* (1987) et Bille August* la Palme d'or au Festival de Cannes 1988 pour *Pelle le conquérant.* Mieux encore : August obtiendra, fait rarissime, une deuxième Palme d'or en 1992 avec *les Meilleures Intentions.* Dans un style complètement différent, Lars von Trier s'impose sur les écrans du vieux continent avec *Europa* (1991), coproduit avec la Suède, l'Allemagne et la France.

Il n'est pas certain que ces films aient suffi à promouvoir le cinéma danois hors de ses frontières – ou, du moins, hors des pays nordiques, habitués à collaborer en matière de cinéma. Toutefois, le soutien des institutions, attentives à maintenir une expression culturelle danoise et scandinave, et les qualités de maints cinéastes permettent régulièrement quelques découvertes parmi les dix ou douze longs métrages produits chaque année : *Katinka* (1988), réalisé par le célèbre acteur Max von Sydow*, *Sofie* (1992), premier film réalisé par l'actrice bergmanienne Liv Ullmann*, *Traberg* (1992) de Jørgen Leth, (*La Chanteuse russe, Den russiske sangerinde,* 1993) de Morten Arnfred, ou *Affaires familiales (Det bli'r i familien,* 1993), deuxième film de la jeune Suzanne Bier.

Le soutien de l'Institut du cinéma aux films destinés à la jeunesse a permis à des cinéastes comme Bille August de se révéler et à des non-conformistes comme Erik Clausen de travailler dans le meilleur esprit sans se renier. Søren Kragh-Jacobsen a su attirer l'attention avec plusieurs films de cette catégorie dont *l'Ombre d'Emma (Skyggen av Emma),* de même que, plus récemment, Niels Graboel ou Birger Larsen.

Enfin, la tradition du documentaire, brillamment incarnée dans les années 50 et 60 par Jørgen Roos, Theodor Christensen et par Carl Dreyer et Henning Carlsen eux-mêmes, a été maintenue par Jon Bang Carlsen et par Jørgen Leth. On doit à ce dernier, injustement méconnu, *Livet i Danmark* (*la Vie au Danemark,* 1971), *Det gode og det onde* (*le Bien et le mal,* 1975), *Notebook from China* (1986), *Moments of Play* (1986) et *Notes on Love* (1989). J.-L.P.

DANIELL *(Henry), acteur américain (Londres 1894 - Santa Monica, Ca., 1963).* Vétéran du théâtre à Londres et à Broadway, il débute au cinéma avec le parlant. Sa diction comme son élégance, sa froideur comme son humour le vouent aux rôles de composition dramatiques (*le Roman de Marguerite Gautier,* G. Cukor, 1937) ou comiques (*le Dictateur,* Ch. Chaplin, 1940), aux emplois de méchant : *Jane Eyre* (R. Stevenson, 1944), *le Récupérateur de cadavres* (R. Wise, 1945), où il fait un duo savoureux avec Bela Lugosi. Il est maître d'hôtel dans *l'Extravagant Mr. Cory* (B. Edwards, 1957) et meurt à la fin du tournage de *My Fair Lady* (Cukor, 1964). A.G.

DANIELS *(Virginia,* dite *Bebe), actrice américaine (Dallas, Tex., 1901 - Londres 1971).* Bebe Daniels commence à jouer au théâtre à trois ans, et au cinéma à sept. À treize ans, elle est la partenaire de Snub Pollard et surtout d'Harold Lloyd. Enfin, Cecil B. De Mille nous la révèle dans sa féminité radieuse (*l'Admirable Crichton,* 1919). Elle est élégante et sophistiquée, ou sentimentale et simple, à volonté. Dans *Le cœur nous trompe* (1921), elle a un rôle qui la définit admirablement : Satan Synne, la femme la plus perverse de la ville, est en fait, malgré les apparences, une touchante midinette délaissée par un mari viveur. Elle doit attendre d'être dirigée par l'excellent Clarence Badger pour s'imposer comme une comédienne impertinente et malicieuse (*Miss Brewster's Millions,* 1926 ; *The Campus Flirt,* id. ; *Hot News,* 1928). Réalisant que la Paramount néglige sa carrière, Bebe Daniels se démène seule pour franchir triomphalement le cap du parlant, dans le musical *Rio Rita* (Luther Reed, 1929). Elle s'acquitte avec intelligence de rôles souvent difficiles : ainsi on peut préférer sa Brigid O'Shaughnessy dans *le Faucon maltais* (R. del Ruth, 1931) à celle que Mary Astor campera dix ans plus tard. Quand le moment vient, elle aborde avec panache les rôles de complément (la star sur le déclin de *42e Rue,* L. Bacon, 1933 ; la secrétaire fidèle de John Barrymore, dans *Counsellor at Law,* W. Wyler, *id.*). Mariée à l'acteur et aviateur Ben Lyon, elle le suit en Angleterre et se retire pratiquement de l'écran en 1941 pour devenir avec lui une vedette de la radio britannique. C.V.

DANIELS *(William H.), chef opérateur américain (Cleveland, Ohio, 1895 - Los Angeles, Ca., 1970).* Après ses études à l'université de Sud-Californie, il est assistant photographe à la Triangle, puis dirige la photo de films Universal. Il suivra Thalberg à la MGM (1924) qu'il ne quittera qu'en 1943. Avec Ben Reynolds, il a travaillé à quatre œuvres de Stroheim : *Folies de femmes* (1922), *Chevaux de bois* (1923), *les Rapaces* (1925 [RÉ 1923]) et *la Veuve joyeuse* (1925). Il photographiera presque tous les films américains de Garbo, dont il a gagné la confiance. Capable d'utiliser les gris pour produire une délicatesse romanesque, il répugne aux effets gratuits : luministe, il prend prétexte d'une source visible pour construire l'image. Il sait aussi adapter ses discrètes inventions à toutes les exigences : l'âpreté de Stroheim, le goût complexe de Brown (*la Chair et le Diable,* 1927 ; *Anna Karenine,* 1935), la sensualité de Mamoulian (*la Reine Christine,* 1933) ou l'invention plastique de Borzage (*The Mortal Storm,* 1940). L'éclat suave d'une opérette (*l'Île des amours,* R. Z. Leonard, 1940) lui doit autant que les contrastes dramatiques de *la Courtisane* (Leonard, 1931). Pour Dassin, il éclaire vigoureusement *les Démons de la liberté* (1947) et *la Cité sans voiles* (1948), qui lui vaut l'Oscar. Il collabore à deux des films les plus fluides et les plus lumineux d'Anthony Mann (*Winches-*

ter 73, 1950 ; *Je suis un aventurier,* 1955). Venu sans hâte à la couleur, il y réussira des images éclatantes (*Can-Can,* W. Lang, 1960 ; *la Plus Belle Fille du monde,* Ch. Walters, 1962), intenses (*la Chatte sur un toit brûlant,* R. Brooks, 1958) ou puissamment expressives (*Comme un torrent,* V. Minnelli, 1959). Il signe son dernier contrat quelques mois seulement avant sa mort (*Move,* S. Rosenberg, 1970). A.M.

D'ANNA *(Claude), cinéaste français* (1945). Après des études littéraires et un diplôme d'histoire de l'art, il tourne deux courts métrages, puis *la Mort trouble* (CORÉ Ferid Boughedir, 1970), huis clos paroxystique qui vaut à son auteur des parrainages divers, d'Arrabal à Simone de Beauvoir... Les films qui vont suivre, tous différents d'inspiration et de facture, privilégient pourtant une réflexion sur l'identité, la liberté de l'être, avec de beaux portraits : Pascale Audret (*la Pente douce,* 1972), Laure Dechasnel et Max von Sydow (*Trompe-l'œil,* 1975). À ces jeux de miroirs, fantasmatiques et captivants, succède un film ambitieux en forme de polar, *l'Ordre et la Sécurité du monde* (1978), dont la dérision fut mal comprise. *Partenaires* (1984) renoue avec la tradition du film d'acteurs : Jean-Pierre Marielle, Michel Duchaussoy, Galabru servent parfaitement une mise en scène et un « ton » très personnels. En 1987, il signe *Salomé* (RÉ 1985), d'après Oscar Wilde, le *Macbeth* de Verdi, son premier film d'opéra, en 1990, *Équipe de nuit,* et en 1995, *Daisy et Mona.* Homme de culture et de réflexion, D'Anna demeure un des solitaires de la production française. C.M.C.

DANS LA BOÎTE. « C'est dans la boîte », expression fam. pour indiquer l'achèvement du tournage d'un plan. (→ TOURNAGE.)

DANTE *(Joe), cinéaste américain (Morristown, N. J., 1948).* Passionné par le fantastique, l'humour et la bande dessinée, il anime pendant des années la revue *Film Bulletin,* avant d'être engagé à la New World de Roger Corman, où il commence par s'occuper de bandes-annonces et de montage. Après cette solide expérience sur le terrain, il obtient en 1977 le feu vert de Corman pour réaliser une délirante parodie des productions New World, *Hollywood Boulevard* (co Allan Arkush). Il tourne en 1978 un pastiche des *Dents de la mer, Piranhas,* dont le succès lui permet de réaliser *Hurlements* (*The Howling,* 1981). Il devient alors l'homme de confiance de Steven Spielberg, qui lui confie la réalisation d'un épisode de la *Quatrième Dimension* (*Twilight Zone-The Movie,* 1983), puis *Gremlins* (1984). Devenu l'une des valeurs les plus sûres du nouveau cinéma américain, il réalise toujours dans son domaine de prédilection, le fantastique, *Explorers* (1985), *l'Aventure intérieure* (*Innerspace,* 1987), *Gremlins 2 : la Nouvelle génération* (*Gremlins 2 : the New Batch,* 1990), *Panique sur Florina Beach* (*Matinee,* 1993). D.R.

DAQUIN *(Louis), cinéaste français (Calais 1908 - Paris 1980).* D'abord assistant réalisateur (de Pierre Chenal, Fedor Ozep, Jean Grémillon), il réalise son premier film, *Nous les gosses,* en 1941, peu après avoir adhéré au parti communiste français. Suivront, sous l'Occupation, *Madame et le mort* (1943) et *le Voyageur de la Toussaint* (id.), deux bons films policiers, et *Premier de cordée* (1944) d'après Frison-Roche, où sont habilement intégrés l'idéologie pétainiste et un certain esprit de résistance. Élu secrétaire général du Comité de libération du cinéma, il réalise *Patrie* (1946), d'après la pièce de Victorien Sardou, puis *les Frères Bouquinquant* (1947), un honnête mélodrame populiste, puis, en collaboration avec Vladimir Pozner, son meilleur film, sur la condition des mineurs : *le Point du jour* (1949). Après une période de flottement, dont il faut sauver *Bel Ami* (1955), intelligente adaptation de l'œuvre de Maupassant, qui eut à souffrir des ciseaux de la censure, Daquin réussit à tourner, en Roumanie, un film d'une belle tenue épique, *les Chardons du Baragan* (1956), d'après le roman de Panait Istrati. En 1959, il adaptera, de manière plus conventionnelle, *la Rabouilleuse* de Balzac, sous le titre *les Arrivistes.* Il terminera sa carrière, dans les années 60, comme directeur de production (notamment de René Clément pour *Paris brûle-t-il ?* en 1966) et directeur d'études à l'IDHEC. Il a publié deux livres : *le Cinéma notre métier* (1960) et *On ne tait pas ses silences* (1980). Son style filmique s'inscrit dans le droit fil du réalisme socialiste façon Jdanov, dont il fut en France, au moins pour le cinéma, l'un des rares — et peu appréciés — importateurs. C.B.

DARC *(Mireille Aigroz,* dite *Mireille), actrice française (Toulon 1938).* Après des débuts à la télévision, elle est révélée par Georges Lautner, dont elle devient l'une des interprètes favorites : *les Barbouzes* (1965) ; *Galia* (1966) ; *la Grande Sauterelle* (1967) ; *Il était une fois un flic* (1972) ; *la Valise* (1973) ; *les Seins de glace* (1974) ; *Mort d'un pourri* (1977). Peu à peu prisonnière d'une série de films comiques (*Fantasia chez les ploucs,* G. Pirès, 1971 ; *le Grand Blond avec une chaussure noire,* Y. Robert, 1972 ; *le Téléphone rose,* É. Molinaro, 1975), elle incarne parfois des rôles plus dramatiques, notamment dans *Jeff* (J. Herman, 1969). Une exception à cette carrière destinée sans efforts au grand public : une apparition dans *Week-End* (J.-L. Godard, 1967). En 1988 elle passe à la mise en scène *(la Barbare).* C.D.R.

DARCEY *(Janine Cazaubon,* dite *Janine), actrice française (Bois-Colombes 1918 - Verville 1993).* Elle est, à la fin des années 30, l'une des ingénues types du cinéma français. Son succès mérité dans *Entrée des artistes* (M. Allégret, 1938), où son personnage mêle l'énergie à la tendresse, l'oblige à accepter des rôles de plus en plus mièvres : *Entente cordiale* (M. L'Herbier, 1939), *Sixième Étage* (M. Cloche, *id.*), *la Nuit merveilleuse* (Jean-Paul Paulin, 1940), *les Petits Riens* (Raymond Leboursier, 1941), *le Carrefour des enfants perdus* (L. Joannon, 1944). Après la guerre, ses apparitions s'espacent. Elle a été l'épouse de Gérard Landry, puis de Serge Reggiani. R.C.

D'ARCY *(Roy Francis Giusti,* dit *Roy), acteur américain (San Francisco, Ca., 1894 - Redlands,* id., *1969).* Mince, calamistré, la moustache charbonneuse et cirée, l'œil de braise, Roy D'Arcy est une véritable caricature du méchant séducteur. Erich von Stroheim le fixa ainsi, une fois pour toutes, dans *la Veuve joyeuse* (1925), où il était le débauché prince Mirko. Il promena sa silhouette de cliché dans des films souvent remarquables, comme *la Bohème* (K. Vidor, 1926). Mais le parlant le fit vite paraître ridicule, même dans des comédies fantaisistes comme *Carioca* (Thornton Freeland, 1933). Il se retira en 1939. C.V.

DARFEUIL *(Emma Henriette Floquet,* dite *Colette), actrice française (Paris 1906).* Près de 115 films entre 1920 et 1952. L'ingénue se transforme rapidement en grande coquette, emploi à quoi la destinent ses yeux verts, sa démarche ondulante et son jeu minaudant. Elle va ainsi des vaudevilles de Maurice Cammage à d'obscurs mélodrames. Plus exigeante, elle aurait pu mieux montrer qu'elle possède de l'humour (*le Rosier de Mme Husson,* Bernard-Deschamps, 1932 ; *le Patriote,* M. Tourneur, 1938 ; *Bibi Fricotin,* Marcel Blistène, 1951) et un certain sens du drame (*Autour d'une enquête,* R. Siodmak, 1931 ; *la Maison dans la dune,* P. Billon, 1934). R.C.

DARNELL *(Monetta Eloyse Darnell,* dite *Linda), actrice américaine (Dallas, Tex., 1921 - Chicago, Ill., 1965).* Elle est, avec Rita Hayworth et Lana Turner, l'une des « femmes perfides » les plus en vue du cinéma américain des années 40. Sa beauté brune au charme canaille, sa sensualité teintée d'exotisme, son abattage font merveille auprès de partenaires aussi brillants que Tyrone Power, Joel McCrea, Laird Cregar, Victor Mature, Rex Harrison ou Robert Mitchum, qu'elle détourne parfois de leur devoir — à moins qu'elle ne succombe à leur charme... On lui confie volontiers des rôles d'Indienne *(Buffalo Bill, la Poursuite infernale),* de fille facile *(Hangover Square),* mais elle sait aussi bien faire la révérence *(Ambre)* et tenir son rang *(Infidèlement vôtre).* Dans le remake du *Corbeau,* tourné par Otto Preminger en 1952, elle reprend le rôle tenu par Ginette Leclerc dans la version de Clouzot, et ne s'en tire pas mal. « Énigmatique et disponible », elle est (selon Molly Haskell) convertible en métaphore, « visitation d'un ange ou d'un démon » — parfois les deux ensemble, indissolublement liés. Son rôle le plus abouti, le plus superbement féminin, c'est sans doute à Joseph L. Mankiewicz qu'elle le doit, dans l'admirable *Chaînes conjugales,* où elle est confrontée à deux écervelées, Ann Sothern et Jeanne Crain. D'abord cover-girl et actrice de théâtre, elle avait débuté en 1939 dans *Hotel For Women* de Gregory Ratoff. Son dernier rôle : *les Éperons noirs (Black Spurs),* un western de R. G. Springsteen (1965). Elle a péri dans un incendie. C.B.

Films : *le Signe de Zorro* (R. Mamoulian, 1940) ; *Arènes sanglantes* (id., 1941) ; *la Cité sans hommes* (*City Without Men,* Sidney Salkow, 1943) ; *C'est arrivé demain* (R. Clair, 1944) ; *Buffalo Bill* (W. Wellman, *id.*) ; *Hangover Square* (J. Brahm, 1945) ; *Crime passionnel*

(O. Preminger, *id.*) ; *Centenial Summer* (Preminger, 1946) ; *la Poursuite infernale* (J. Ford, *id.*) ; *Ambre* (*Forever Amber,* Preminger, 1947) ; *Infidèlement vôtre* (P. Sturges, 1948) ; *Chaînes conjugales* (J. L. Mankiewicz, 1949) ; *la Furie des Tropiques (Slattery's Hurricane,* A. de Toth, *id.) ; La porte s'ouvre* (Mankiewicz, 1950) ; *The Thirteenth Letter* (Preminger, 1951) ; *l'Île du désir* (S. Heisler, 1952) ; *Barbe-Noire le pirate* (R. Walsh, *id.*) ; *Passion sous les Tropiques* (*Second Chance,* R. Maté, 1953) ; *À l'heure zéro* (*Zero Hour,* H. Bartlett, 1957).

DARRIEUX *(Danielle), actrice française de cinéma et de théâtre (Bordeaux 1917).* Élève du Conservatoire de musique, elle est choisie – à quatorze ans ! – pour être la vedette de la version française du *Bal,* de Wilhelm Thiele (1931). C'est un succès, qui lui vaut une cascade d'engagements : on la revoit dans *Panurge* (Michel Bernheim, 1932), *Château de rêve* (G. von Bolvary, 1933), *Mon cœur t'appelle* (C. Gallone, 1934) et autres comédies plus ou moins « légères » coulées dans le même moule. Son emploi est celui de la jeune fille frondeuse, pétulante, sentimentale sous le masque de la coquetterie. Un titre de film qu'elle tourne en 1935, pour Léo Joannon, résume bien son personnage : *Quelle drôle de gosse !* De ce début de carrière, on retiendra surtout *Mauvaise Graine* et *La crise est finie,* films tournés en France en 1934 par Billy Wilder et Robert Siodmak. *Mayerling,* d'Anatole Litvak (1936), son premier rôle dramatique, la sacre définitivement star. L'Amérique la réclame et en fait la « coqueluche de Paris » *(The Rage of Paris,* H. Koster, 1937). Elle épouse Henri Decoin, cinéaste prolifique qui peaufine ses rôles dans des mélodrames de qualité, tels *Abus de confiance* (1937) et *Retour à l'aube* (1938). Mais c'est la comédie qui lui sied le mieux, comme en témoigne le brillant doublé *Battement de cœur* (1940) et *Premier Rendez-vous* (1941), deux nouveaux grands succès pour le couple Decoin-Darrieux, qui cependant se sépare (ils se retrouveront dix ans plus tard pour *la Vérité sur Bébé Donge,* 1952, dans un registre nettement assombri). Au lendemain de la guerre, Danielle Darrieux évolue vers des compositions plus nuancées : la reine de *Ruy Blas* (P. Billon, 1948) et surtout la jeune épouse infidèle de *la Ronde* (Max Ophuls, 1950). C'est avec ce dernier qu'elle va pleinement s'épanouir, dans deux rôles à la charnière de l'ironie et du sublime : la fille en mal de pureté du *Plaisir* (1952) et la frivole *Madame de,* prise au piège du grand amour (1953). La même année, avec un autre « cinéaste de la femme », Joseph L. Mankiewicz, elle affronte James Mason dans *l'Affaire Cicéron.* Le reste de sa carrière n'atteindra pas de tels sommets, bien qu'elle se maintienne à un niveau estimable : elle incarne successivement Mme de Rênal, la reine Olympias de Macédoine, Lady Chatterley, la Montespan, Agnès Sorel, Mme Hédouin (dans *Pot-Bouille,* J. Duvivier, 1957), Marie-Octobre... La Nouvelle Vague ne la néglige pas : Claude Chabrol (*Landru,* 1962), Jacques Demy (*les Demoiselles de Rochefort,* 1967), Dominique Delouche (*24 Heures de la vie d'une femme,* 1968, et *Divine,* 1975), Philippe de Broca (*le Cavaleur,* 1979). Mais c'est surtout au théâtre (où elle avait débuté en 1937) qu'elle va se consacrer, à partir des années 60 : *la Robe mauve de Valentine, Domino, les Amants terribles, Coco* puis *Ambassador.* Elle ira même jusqu'à Broadway, remplaçant au pied levé Katharine Hepburn (qui fut l'idole de sa jeunesse). Demy lui offre un beau retour à l'écran dans *Une chambre en ville,* en 1982. « Elle a incarné comme Gabin, autant que lui mais de façon légère, l'insouciance des années 30 et la gravité des années 50 » (Claude-Jean Philippe). C.B.

Films ▲ : *le Bal* (W. Thiele, 1931) ; *Coquecigrole* (A. Berthomieu, *id.*) ; *le Coffret de laque* (J. Kemm, 1932) ; *Panurge* (M. Bernheim, *id.*) ; *Château de rêve* (G. von Bolvary, H.-G. Clouzot, 1933) ; *Volga en flammes* (V. Tourjansky, 1934) ; *Mon cœur t'appelle* (C. Gallone, *id.*) ; *Mauvaise Graine* (B. Wilder, *id.*) ; *La crise est finie* (R. Siodmak, *id.*) ; *Dédé* (R. Guissart, *id.*) ; *l'Or dans la rue* (K. Bernhardt, *id.*) ; *le Contrôleur des wagons-lits* (R. Eichberg, 1935) ; *Quelle drôle de gosse* (L. Joannon, *id.*) ; *J'aime toutes les femmes* (C. Lamac, H. Decoin, *id.*) ; *le Domino vert* (H. Selpin, H. Decoin, *id.*) ; *Mademoiselle Mozart* (Y. Noé, 1936) ; *Mayerling* (A. Litvak, *id.*) ; *Tarass Boulba* (A. Granowsky, *id.*) ; *Club de femmes* (J. Deval, *id.*) ; *Un mauvais garçon* (J. Boyer, *id.*) ; *Port-Arthur* (N. Farkas, *id.*) ; *Mademoiselle ma mère* (H. Decoin, 1937) ; *Abus de confiance* (id., *id.*) ; *la Coqueluche de Paris* (*The Rage of Paris,* H. Koster, 1938) ; *Katia* (M. Tourneur, *id.*) ; *Retour à l'aube* (H. Decoin, *id.*) ; *Battement de cœur* (id.,

1940) ; *Premier Rendez-vous* (id., 1941) ; *Caprices* (L. Joannon, 1942) ; *la Fausse Maîtresse* (A. Cayatte, *id.*) ; *Au petit bonheur* (M. L'Herbier, 1946) ; *Adieu chérie* (R. Bernard, *id.*) ; *Bethsabée* (L. Moguy, 1947) ; *Ruy Blas* (P. Billon, 1948) ; *Jean de la Lune* (M. Achard, *id.*) ; *Occupe-toi d'Amélie* (C. Autant-Lara, 1949) ; *la Ronde* (M. Ophuls, 1950) ; *Toselli (Romanzo d'Amore,* D. Coletti, *id.) ; Riche, jeune et jolie* (*Rich, Young and Pretty,* N. Taurog, 1951) ; *la Maison Bonnadieu* (C. Rim, *id.*) ; *le Plaisir* (M. Ophuls, *id.*) ; *l'Affaire Cicéron* (*Five Fingers,* J.-L. Mankiewicz, 1952) ; *la Vérité sur Bébé Donge* (Decoin, *id.*) ; *Adorables Créatures* (Christian-Jaque, *id.*) ; *le Bon Dieu sans confession* (Autant-Lara, 1953) ; *Madame de...* (Ophuls, *id.*) ; *Châteaux en Espagne* (R. Wheeler, 1954) ; *Escalier de service* (Rim, *id.*) ; *le Rouge et le Noir* (Autant-Lara, *id.*) ; *Bonnes à tuer* (Decoin, *id.*) ; *Napoléon* (S. Guitry, 1955) ; *l'Amant de lady Chatterley* (M. Allégret, *id.*) ; *l'Affaire des poisons* (Decoin, *id.*) ; *Alexandre le Grand* (*Alexander the Great,* R. Rossen, 1956) ; *Si Paris nous était conté* (Guitry, *id.*) ; *le Salaire du péché* (D. de La Patellière, *id.*) ; *Typhon sur Nagasaki* (Y. Ciampi, 1957) ; *Pot-Bouille* (J. Duvivier, *id.*) ; *le Septième Ciel* (R. Bernard, *id.*) ; *la Vie à deux* (C. Duhour, 1958) ; *le Désordre et la Nuit* (G. Grangier, *id.*) ; *Un drôle de dimanche* (M. Allégret, *id.*) ; *Marie-Octobre* (Duvivier, 1959) ; *les Yeux de l'amour* (La Patellière, *id.*) ; *Meurtre en 45 tours* (E. Périer, 1960) ; *l'Homme à femmes* (J. G. Cornu, *id.*) ; *Un si bel été* (*The Greenage Summer,* L. Gilbert, 1961) ; *Vive Henri IV, vive l'amour* (Autant-Lara, *id.*) ; *Les lions sont lâchés* (H. Verneuil, *id.*) ; *les Bras de la nuit* (J. Guymont, *id.*) ; *Le crime ne paie pas* (G. Oury, 1962) ; *le Diable et les dix commandements* (Duvivier, *id.*) ; *Landru* (C. Chabrol, *id.*) ; *Méfiez-vous mesdames* (A. Hunebelle, 1963) ; *Du grabuge chez les veuves* (J. Poitrenaud, 1964) ; *Pourquoi Paris ?* (La Patellière, *id.*) ; *Patate* (R. Thomas, *id.*) ; *l'Or du duc* (J. Baratier, 1965) ; *le Coup de grâce* (J. Cayrol, C. Durand, 1966) ; *le Dimanche de la vie* (J. Herman, 1967) ; *les Demoiselles de Rochefort* (J. Demy, *id.*) ; *l'Homme à la Buick* (Grangier, 1968) ; *Les oiseaux vont mourir au Pérou* (R. Gary, *id.*) ; *24 Heures de la vie d'une femme* (D. Delouche, *id.*) ; *la Maison de campagne* (J. Girault, 1969) ; *Roses rouges et piments verts* (Rovira Beleta, 1974) ; *Divine* (Delouche, 1975) ; *l'Année sainte* (Girault, 1976) ; *le Cavaleur* (P. de Broca, 1979) ; *Une chambre en ville* (Demy, 1982) ; *En haut des marches* (P. Vecchiali, 1983) ; *le Lieu du crime* (A. Téchiné, 1986) ; *Corps et biens* (B. Jacquot, *id.*) ; *Quelques jours avec moi* (C. Sautet, 1988) ; *Bille en tête* (Carlo Cotti, 1989) ; *le Jour des Rois* (Marie-Claude Treilhou, 1990).

DARRY COWL (*André Darrigau,* dit), *acteur français (Vittel 1925).* Musicien et comique de cabaret, il apparaît à l'écran en 1955, s'étant constitué un personnage de rêveur ou d'ahuri, à l'élocution difficile, qu'il reproduira à des dizaines d'exemplaires. Après de nombreux rôles secondaires (avec Carbonneaux, Sacha Guitry, Carlo Rim, etc.), il devient la vedette de films conçus pour lui : *l'Ami de la famille* (1957) ; *le Triporteur* (id.) ; *Robinson et le triporteur* (1959), réalisés par Jack Pinoteau, jusqu'à *l'Abominable Homme des douanes* (M. Allégret, 1963). Après l'échec de *Jaloux comme un tigre,* qu'il réalise lui-même en 1964 avec quelque ambition, on ne le voit plus guère que dans son numéro habituel au service de films médiocres — n'échappant à son personnage stéréotypé que sous la direction de Marco Ferreri (*Touche pas la femme blanche,* 1974) ou Jean-Pierre Mocky (*les Saisons du plaisir,* 1987). D.S.

DARVAS *(Iván Szilárd,* dit *Ivan), acteur hongrois de théâtre et de cinéma (Bély 1920).* Déjà connu à la scène, où il tient de nombreux grands rôles (*les Trois Sœurs* de Tchekhov, *le Journal d'un fou* de Gogol), il débute devant la caméra en 1948 avec *Tenue de gala* (*Diszmagyar,* Viktor Gertler). Il obtient un succès décisif en créant le rôle principal de *Liliomfi* (K. Makk, 1955). Depuis, il a tourné dans plus de trente films, dont : *Un amour du dimanche* (I. Fehér, 1957), *Jours glacés* (A. Kovács, 1966) et *Amour* (Makk, 1970). F.LAB.

DARVAS *(Lili), actrice hongroise (Budapest, Autriche-Hongrie, 1902 - New York, N. Y., 1974).* Ayant quitté assez tôt son pays d'origine (elle émigre aux États-Unis en 1938), Lili Darvas fit une honorable carrière sur les scènes de Broadway, et toucha occasionnellement au cinéma dans des rôles secondaires, comme dans *Viva Las Vegas* (R. Rowland, 1955). Elle revint en Hongrie d'abord en 1948, puis, après un retour aux États-Unis, en 1950, où elle travaille essentiellement pour la télévision, à nouveau à la fin des années 60, pour trouver son meilleur rôle dans un joli film de Károly Makk, *Amour* (1970), où sa création de vieille dame agonisante était remarquable. Elle fut l'épouse de l'acteur Ferenc Molnár, puis de l'écrivain Tibor Déry. C.V.

DARVI *(Bayla Wegier,* dite *Bella), actrice française (Sosnowiec, Pologne, 1928 - Monte-Carlo 1971).* Découverte en 1951 par Darryl F. Zanuck et son épouse Virginia, qui lui fabriquent son nom et l'emmènent à Hollywood dans une atmosphère de scandale, elle montre une éclatante et énigmatique beauté dans *le Démon des eaux troubles* (S. Fuller, 1954) et surtout *l'Égyptien* (M. Curtiz, *id.*). Brouillée avec ses protecteurs, renvoyée de la Fox, elle revient en France et tourne de plus en plus rarement, ses meilleurs films étant alors *Je reviendrai à Kandara* (V. Vicas, 1957) et en Italie *Jeux précoces* (D. Damiani, 1960). Flambeuse invétérée, elle tente plusieurs fois de se suicider, et après une rentrée fort discrète (*les Petites Filles modèles,* J.-C. Roy, 1971) met fin à ses jours. G.L.

DARWELL *(Patti Woodward,* dite *Jane), actrice américaine (Palmyra, Mo., 1879 - Woodland Hills, Ca., 1967).* Sa longue carrière (plus de 200 films) débute en 1913 sous l'égide de Cecil B. De Mille *(la Rose du ranch)* et atteint son apogée avec le rôle de « Ma » Joad dans *les Raisins de la colère* (J. Ford, 1940), pour lequel elle remporte l'Oscar. Durant les années 30, Jane Darwell tourne aussi sous la direction d'Ernst Lubitsch (*Sérénade à trois,* 1933), d'Henry King (*le Médecin de campagne* [*The Country Doctor*], 1936 ; *Ramona,* id. ; *le Brigand bien-aimé,* 1939), de Tay Garnett (*l'Amour en première page,* 1937 ; *le Dernier Négrier,* id.) et de Victor Fleming *(Autant en emporte le vent,* 1939). Après quoi elle retrouve la « compagnie de répertoire » fordienne dans *la Poursuite infernale* (1946), *le Fils du désert* (1949), *le Convoi des braves* (1950) et *la Dernière Fanfare* (1958). Elle fait sa dernière apparition à l'écran dans le rôle de la Femme aux oiseaux de *Mary Poppins* (R. Stevenson, 1964). O.E.

DARY *(Anatole Mary,* dit *René), acteur français (Paris 1905 - Plan-de-Cuques 1974).* Touche-à-tout, il a fait parfois des infidélités au cinéma, où, sous le nom de Bébé Abélard, il avait débuté à l'âge de trois ans, dans des bandes pour enfants tournées entre 1908 et 1914. Il préfère ensuite la boxe et, devenu Kid René, livre des combats. Cependant, le monde du spectacle continue à l'attirer et il chante l'opérette, notamment *Normandie* et *Trois Valses.* Il reprend contact avec les studios en tenant des rôles secondaires et s'impose en 1938 avec *le Révolté* (L. Mathot). Il est voué désormais aux personnages de bagarreurs, mauvaise tête mais bon cœur, qu'on retrouve dans *Nord Atlantique* (M. Cloche, 1939), *le Café du port* (J. Choux, *id.*), *Forte Tête* (Mathot, 1942), *Port d'attache* (Choux, 1943), dont il écrit le scénario, et surtout *le Carrefour des enfants perdus* (L. Joannon, 1944). Après la Libération, il continue sur sa lancée, mais seule sa participation à *Touchez pas au grisbi* (J. Becker, 1954), aux côtés de Jean Gabin, mérite d'être retenue. Il s'occupait également de diverses affaires industrielles. R.C.

DASGUPTA *(Buddhadeb), cinéaste indien (Anara, Purulia, Bengale, 1944).* Il étudie les sciences économiques à l'Université de Calcutta, puis devient professeur dans cette même ville de 1968 à 1976 tout en écrivant des poèmes — il est reconnu comme un des poètes bengalis les plus talentueux — et en tournant des documentaires. Son premier long métrage *la Distance* (*Dooratwa,* 1978) le fait immédiatement remarquer sur la scène internationale. Il réalise ensuite *'Bouchée amère'* (*Neem Annapurna,* 1979), *'la Croisée des chemins'* (*Grihajuddha,* 1981), *'les Mémoires des saisons'* (*Sheet Grishmer Smriti,* TV, 1982), *le Chemin aveugle* (*Andhi Gali,* 1984, *'le Retour'* (*Phera,* 1986), *'L'Homme-tigre'* (*Bagh Bahadur,* 1989), *Tahader Katha* (1992), *'À l'abri de leurs ailes'* (*Charachar,* 1993) s'imposant comme l'un des cinéastes majeurs du Bengale. C.O.

DA SILVA *(Harold Silverblatt,* dit *Howard), acteur américain (Cleveland, Ohio, 1909-1986).* Acteur de théâtre chez Kazan (Group Theater) et Welles (Mercury Theater), il débute à l'écran en 1939 dans *l'Esclave aux mains d'or* de Rouben Mamoulian. Puissant mais un peu fruste, il poursuit une carrière de second rôle : *le Vaisseau fantôme* (M. Curtiz, 1941) ; *le Caïd* (L. Seiler, 1942) ; *les Conquérants d'un nouveau monde* (C. B. De Mille, 1947) ; *Incident de frontière* (A. Mann, 1949) ; et cela jusqu'en 1951 (*Quatorze Heures* d'Henry Hathaway). À cette date, alors qu'il vient de tourner dans

M le Maudit de Losey, il est porté sur la liste noire maccarthyste pour avoir invoqué le 5e amendement. Resté actif à Broadway comme acteur, producteur et même auteur, il reparaîtra à l'écran notamment dans *David et Lisa* (F. Perry, 1962) et *Nevada Smith* (H. Hathaway, 1966). G.L.

DASSIN *(Jules), cinéaste américain (Middleton, Conn., 1911).* Familier de l'art dramatique, qu'il a étudié en Europe de 1934 à 1936, il se tourne d'abord vers le théâtre et la radio. Acteur, notamment au Théâtre yiddish de New York, auteur d'émissions, il attire sur lui l'attention d'Hollywood grâce à une mise en scène à Broadway. À la faveur d'un stage technique à la RKO en 1940, Dassin devient l'un des assistants d'Hitchcock qui tourne *Mr. and Mrs. Smith* et lui explique les rudiments du cinéma. Sa première tentative, d'un avant-gardisme déjà tombé en désuétude (*le Cœur révélateur* [*The Tell-Tale Heart*], d'après E. Poe, 1941), obtient un succès public aussi vif qu'inattendu et vaut à Dassin un engagement à la MGM. Il y réalise sept films de 1942 à 1946. *Nazi Agent,* thriller d'espionnage modeste et réussi, où Conrad Veidt interprète un double rôle ; *The Affairs of Martha,* comédie à la Lubitsch ; *le Fantôme de Canterville,* d'après Oscar Wilde : tels sont les meilleurs longs métrages d'une suite inégale qui permet à Dassin de parfaire sa connaissance du métier. Toutefois, de plus hautes ambitions l'animent. Parvenu à rompre le contrat qui le lie à la MGM, Dassin commence à travailler avec Mark Hellinger pour Universal. *Les Démons de la liberté* (1947), leur premier film, écrit par Richard Brooks, évoque l'univers d'un pénitencier dont veut s'évader un groupe de forçats en proie à la haine d'un gardien-chef. Il n'est pas sans faiblesses ; il témoigne néanmoins de préoccupations généreuses et d'une force exceptionnelle dans l'expression de la violence : on n'oublie ni l'exécution d'un mouchard par les forçats ni la brutalité des affrontements. Mais le film, coupé en maints endroits par les censeurs, apparaît plus schématique que dans sa conception initiale : sa violence extrême n'a pas reçu l'éclairage désiré. *La Cité sans voiles* (1948), toujours produit par Hellinger, relate une enquête criminelle menée par des policiers à New York. Tourné en extérieurs, le film découvre, d'une filature à l'autre, les rues et les quartiers populaires de la grande métropole sous un jour neuf et révèle un beau tempérament de cinéaste, capable de saisir des impressions et des sentiments fugitifs (la fin de l'enquête est empreinte de dérision). Cependant, Dassin ne se reconnaît pas dans son film, remonté et mutilé par le studio. Il quitte Universal pour la Fox et réalise d'abord *les Bas-Fonds de Frisco* (1949), œuvre vigoureuse, dynamique, riche en trouvailles visuelles et non dénuée d'humour, qui démonte certains mécanismes du marché des fruits, depuis les vergers californiens jusqu'aux Halles de Frisco. Si l'âpreté des antagonismes rappelle ici Jack London, la sympathie pour les petites gens de différentes nationalités semble faire écho aux récits de Saroyan. Dassin s'apprête ensuite à porter à l'écran *The Journey of Simon McKeever* d'Albert Maltz, dont la Fox a acquis les droits. Mais l'écrivain figure sur la liste noire des maccarthystes depuis 1947 : sous les pressions du « Comité du cinéma pour la préservation des idéaux américains », la grande firme renonce au projet. L'un de ses responsables engage alors Dassin à se rendre à Londres pour y tourner. Le cinéaste accepte. La quête de l'argent et de tout ce qu'il représente tenait un rôle important dans son film précédent. Elle mobilise les protagonistes des *Forbans de la nuit* (1950), et en premier lieu le chimérique Harry Fabian, rabatteur combinard d'un patron de boîte de nuit, qui veut monter une hypothétique affaire de catch et, pour cela, se lance dans une course folle dans les bas-fonds de Londres. Dassin, au sommet de son art, à mi-chemin du réalisme et de la stylisation, du documentaire et du lyrisme, retrouve ici l'univers urbain qui ne cesse de l'inspirer, tour à tour fascinant et inquiétant, trépidant et monstrueux, où certaines destinées semblent si dérisoires, et pourtant pitoyables. Tenu en suspicion et dénoncé comme communiste, au printemps 1951, par ses collègues Edward Dmytryk et Frank Tuttle, Dassin est inscrit à son tour sur la liste noire. Il s'installe en France, mais doit attendre plusieurs années avant de retravailler. Après s'être vu retirer, sous des pressions occultes, la réalisation de *l'Ennemi public n° 1,* il adapte un roman d'Auguste Le Breton, *Du rififi chez les hommes* (1955), qu'il transcende par sa vision d'une ville plongée dans la nuit — Paris —, par sa sympathie lucide pour les personnages, dont il ne masque pas la vacuité, et par le fini de sa réalisation (la séquence du cambriolage fait date). Puis il s'essaie à la fresque sociale avec *Celui qui doit mourir* (1956), d'après Kazantzákis, œuvre ambitieuse, à demi réussie, mais animée d'un souffle épique et généreux. Par la suite, Dassin tourne assez régulièrement, avec une belle obstination, sur des sujets de son choix, souvent interprétés par son épouse Melina Mercouri. Certaines scènes de *Jamais le dimanche* (1960) et de *Topkapi* (1964) ne manquent ni de charme ni de saveur, mais le talent du cinéaste semble s'égarer en Europe dans d'hypothétiques coproductions internationales. Renouant non sans difficultés avec le cinéma américain en 1968, Dassin parvient cependant à trouver un nouveau souffle. P.H.

Films ▲ : *le Cœur révélateur* (*The Tell-Tale Heart*, CM, 1940) ; *Nazi Agent* (1942) ; *The Affairs of Martha* (id.) ; *Reunion in France* (id.) ; *Young Ideas* (1943) ; *le Fantôme de Canterville* (*The Canterville Ghost*, 1944) ; *A Letter for Evie* (1945) ; *Two Smart People* (1946) ; *les Démons de la liberté* (*Brute Force*, 1947) ; *la Cité sans voiles* (*The Naked City*, 1948) ; *les Bas-Fonds de Frisco* (*Thieves ' Highway*, 1949) ; *les Forbans de la nuit* (*Night and the City*, 1950) ; *Du rififi chez les hommes* (1955) ; *Celui qui doit mourir* (1956) ; *la Loi* (*La Legge*, 1958) ; *Jamais le dimanche* (*Never on Sunday*, 1960) ; *Phaedra* (1962) ; *Topkapi* (1964) ; *10 heures 30 du soir en été* (*10. 30. P. M. Summer*, 1966) ; *Comme un éclair / la Guerre amère* (*Survival 1967*, DOC, 1968) ; *Point noir* (*Up Tight*, id.) ; *la Promesse de l'aube* (*Promise at Dawn*, 1970) ; *The Rehearsal* (DOC, 1974) ; *Cri de femmes* (*A Dream of Passion*, 1978) ; *Circle of Two* (1980).

DASTÉ *(Jean), acteur français (Paris 1904 - Saint-Étienne 1994).* Il débute au théâtre dans l'entourage immédiat de Jacques Copeau (il en épouse la fille, qui devient Marie-Hélène Dasté, et prend part à l'aventure bourguignonne des « Copiaux » à Pernand-Vergelesse). Il en continue la tradition dans la Compagnie des Quinze, le Théâtre des Quatre-Saisons ou à la Maison de la culture de Saint-Étienne, qu'il dirige dans les années 60.

Au cinéma, il est l'inoubliable interprète des deux films mis en scène par Jean Vigo : le pion funambule de *Zéro de conduite* (1933), et surtout le jeune patron de *l'Atalante* en 1934. À la même époque, il tient des rôles secondaires dans quelques films de Jean Renoir *(Boudu sauvé des eaux, le Crime de M. Lange, la Grande Illusion).*

Après la guerre, en marge d'une activité théâtrale primordiale, il interprète à l'occasion des petits rôles au cinéma, auxquels il confère une profondeur troublante, notamment dans *Muriel* (A. Resnais, 1963), *la Chambre verte* (F. Truffaut, 1978) ou *Une semaine de vacances* (B. Tavernier, 1980). J.-P.J.

DAUMAN *(Anatole), producteur français (Varsovie, Pologne, 1925).* Homme de culture et de goût, il a su associer sa société Argos Film (créée en 1951 avec Philippe Lifchitz) à la production ou à la coproduction de films novateurs et audacieux, et aider ainsi plusieurs réalisateurs de talent à s'exprimer. Parmi les cinéastes auxquels il a fait ainsi confiance, il faut citer Alexandre Astruc (*le Rideau cramoisi*, 1953), Alain Resnais (*Nuit et Brouillard*, 1956 ; *Hiroshima mon amour*, 1959 ; *l'Année dernière à Marienbad*, 1961 ; *Muriel*, 1963 ; *La guerre est finie*, 1966), Roger Leenhardt (*le Rendez-vous de minuit*, 1961), Robert Bresson (*Au hasard Balthazar*, 1966 ; *Mouchette*, 1967), Jean-Luc Godard (*Masculin féminin*, 1966), Jean Rouch (*Chronique d'un été*, CO Edgar Morin, 1961), Jan Lenica (*A*, 1964), Walerian Borowczyk (*Contes immoraux*, 1974 ; *la Bête*, 1975), Chris Marker (*Lettre de Sibérie*, 1958 ; *la Jetée*, 1962 ; *Sans soleil*, 1983), Nagisa Oshima (*l'Empire des sens*, 1976 ; *l'Empire de la passion*, 1978), Volker Schlöndorff (*le Coup de grâce*, 1976 ; *le Tambour*, 1979 ; *le Faussaire*, 1981), Alain Robbe-Grillet (*la Belle Captive*, 1983), Wim Wenders (*Paris Texas*, 1984 ; *les Ailes du désir*, 1987 ; *Jusqu'au bout du monde*, 1990), Andreï Tarkovski (*le Sacrifice*, 1986). J.-L.P.

DAUPHIN *(Claude Legrand,* dit *Claude), acteur français (Corbeil 1903 - Paris 1978).* Fils du poète fantaisiste Franc-Nohain et frère de l'animateur Jean Nohain, il aborde le cinéma par le biais du théâtre, pour lequel, avant d'être acteur, il brosse des décors. Il évite de tomber dans les clichés du jeune premier, montre de l'humour, du naturel. Sa désinvolture est payante dès ses premiers films : *la Fortune* (Jean Hémard, 1931), *Dédé* (René Guissart, 1934). Peu avant la guerre, son succès s'affirme grâce à Marc Allégret et à *Entrée des artistes* (1938). Il surprend dans *Conflits* (L. Moguy, 1938), séduit dans *Battement de cœur* (H. Decoin, 1940), convainc dans *Cavalcade d'amour* (R. Bernard, 1939). La guerre et l'exode le conduisent sur la Côte d'Azur. Jusqu'en 1942, il y tourne beaucoup et réussit peut-être la meilleure création de sa carrière : *Félicie Nanteuil* (M. Allégret, 1945 ; RÉ 1942). Il passe en Angleterre, rejoint les Forces françaises libres mais n'abandonne pas le cinéma (*Salut à la France,* J. Renoir, 1944). Il enchaîne à la Libération avec bon nombre de comédies anodines, dont *Jean de la Lune* (M. Achard, 1949), mais participe au *Plaisir* (Max Ophuls, 1952) et trace un portrait à l'eau-forte du méchant de *Casque d'or* (Jacques Becker, 1952). Il se partage alors entre Hollywood et Paris, passe d'Ustinov à Frankenheimer, de Decoin à Clément et Duvivier. Scola, en 1972, lui offre un joli rôle dans *la Plus Belle Soirée de ma vie,* dont le tournage lui inspire le livre *les Derniers Trombones.* Vieilli, amaigri, il tient encore sa partie dans *le Locataire* (R. Polanski, 1976) et dans *Mado* (C. Sautet, *id.*). R.C.

DAVES *(Delmer), cinéaste américain (San Franciso, Ca., 1904 - La Jolla, Ca., 1977).* Ses séjours de jeunesse auprès des Hopis ne l'ont pas moins marqué que ses études universitaires. Dans le cinéma, il a été accessoiriste, acteur, mais surtout scénariste : on ne discerne guère sa marque dans les films qu'il a écrits, pas même dans l'admirable *Elle et Lui* (McCarey, 1939), mais il continuera à travailler sur les scénarios qu'il réalisera ; il sera même le producteur de bon nombre de ses ouvrages.

L'inspiration de Daves est doublement généreuse. Par le crédit qu'il accorde à ses personnages, figures nobles, accessibles à la solidarité et capables de découvrir les exigences d'une morale simple et sincère. Par le crédit qu'il fait au spectateur, supposant qu'il saura découvrir, dans les beautés de l'illustration, les vertus même de la fable. Le premier acte de confiance a été plus souvent récompensé que le second, et, si l'on reconnaît volontiers le respect de l'auteur pour ses héros, son amitié pour les cultures indiennes, son sens de la liberté humaine, on oublie que ces mérites seraient insensibles s'ils ne s'exprimaient pas dans la mise en scène, car l'ambition d'instruire ne pousse pas Daves au bavardage. Or, les images savent toujours donner corps aux valeurs intellectuelles et sentimentales du récit. L'élargissement du champ par un plan à la grue ou la peinture de l'action en une série de fondus enchaînés *(la Colline des potences)* épousent une découverte ou un élan ; la fameuse caméra subjective, au début des *Passagers de la nuit,* obéit moins à un point de vue qu'à la nécessité de souligner l'étroitesse d'une vision, celle d'un homme qui cherche un masque et se dérobe à la sociabilité.

Plus que dans ses autres ouvrages, et même si les drames de la jeunesse que l'amitié pour Jack Warner l'a poussé à tourner à la fin de sa carrière ne sont pas négligeables, c'est dans ses westerns que s'exprime l'originalité de Daves. Ils admettent une mise en œuvre plus vigoureuse du paysage ; leur construction narrative se réduit plus facilement à une parabole, et *Jubal* reprend Joseph et ses frères comme *la Colline* joue sur les thèmes de l'Éden ; ils rêvent enfin plus librement sur la bonté des sauvages *(la Flèche brisée),* tout en se nourrissant de recherche historique *(Cow Boy).* A.M.

Films : *la Route des ténèbres* (*Pride of the Marines,* 1945) ; *la Maison rouge* (*The Red House,* 1947) ; *les Passagers de la nuit* (*Dark Passage,* id.) ; *Ombres sur Paris* (*To the Victor,* 1948) ; *la Flèche brisée* (*Broken Arrow,* 1950) ; *l'Oiseau de paradis* (*Bird of Paradise,* 1951) ; *les Gladiateurs* (*Demetrius and the Gladiators,* 1954) ; *l'Aigle solitaire* (*Drum Beat,* id.) ; *l'Homme de nulle part* (*Jubal,* 1956) ; *la Dernière Caravane* (*The Last Wagon,* id.) ; *Trois Heures dix pour Yuma* (*3.10 to Yuma,* 1957) ; *Cow Boy* (1958) ; *l'Or du Hollandais* (*The Badlanders,* id.) ; *la Colline des potences* (*The Hanging Tree,* 1959) ; *Ils n'ont que vingt ans* (*A Summer Place,* id.) ; *la Soif de la jeunesse* (*Parrish,* 1961) ; *l'Amour à l'italienne* (*Rome Adventure,* 1962) ; *la Montagne des neuf Spencer* (*Spencer's Mountain,* 1963) ; *Youngblood Hawke* (1964).

DAVIES *(Marion Cecilia Douras,* dite *Marion), actrice américaine (New York, N. Y., 1897 - Hollywood, Ca., 1961).* Cette jolie blonde aux yeux clairs, pétillante de malice, a souffert de la « grande chance » de sa vie. Quand Ziegfeld, chez qui elle était chorus-girl, lui assura une place de choix dans ses spectacles, le magnat de la presse William Randolph Hearst la remarqua, en tomba amoureux et décida d'en faire une star à sa propre gloire. Toute sa vie, il entretint fabuleusement la comédienne, guidant et soutenant sa carrière de sa considérable puissance. Orson Welles donna sa version de la chose dans *Citizen Kane*, ce qui a encore joué contre Marion Davies, que l'on assimila bien vite à Susan Alexander, la cantatrice sans talent, épouse de Kane. Il est vrai que Hearst imposa à Marion Davies beaucoup de rôles qui ne lui convenaient pas et qui sont autant d'ébauches des fantasmes érotiques du nabab : énormes productions historiques où la jeune femme apparaissait soit en ingénue victorienne, soit en travesti, sa féminité dissimulée sous les uniformes à brandebourgs : *Beverly of Graustark* (S. Franklin, 1926). Mais Marion aimait faire le clown et, quand son tyrannique mentor lui laissait le loisir de jouer dans une comédie, elle brillait intensément de verve et de joie de vivre. Peu de comédiennes jouèrent aussi franchement qu'elle la carte du burlesque dans ces deux classiques que sont *Une gamine charmante* et *Mirages* (1928, tous deux de King Vidor) : elle s'y moquait d'elle-même et des autres avec un plaisir féroce. Dans ce registre, ses possibilités étaient immenses, comme l'atteste sa composition fine et nuancée de la vieille fille en puissance réveillée par l'amour dans *la Galante Méprise* (Franklin, 1927). Elle était également à son avantage dans *When Knightwood Was in Flower* (R.G. Vignola, 1922), *Little Old New York* (S. Olcott, 1923), *The Fair Co-Ed* (S. Wood, 1927), *Peg of My Heart* (R.Z. Leonard, 1932). Mais, hélas, son protecteur étouffa sa personnalité et Marion s'enferma dans une solitude de plus en plus grande et dans l'alcoolisme. Ayant terminé sa carrière en 1936, elle se retira pour s'occuper de Hearst. Il mourut en 1951, elle lui survécut dix ans, s'étant *enfin* mariée quatre ans après sa mort. C.V.

DAVIES *(Terence), cinéaste britannique (Liverpool 1945).* Cinéaste du murmure, Terence Davies a séduit et touché avec *Distant Voices, Still Life* (1988), audacieuse et attentive chronique d'une famille britannique modeste, portée par l'enchaînement des chansons d'époque et où la parole se diluait dans une bande son remarquablement travaillée. *The Long Day Closes* (1993) n'est autre que le deuxième chapitre de cette chronique, toujours aussi juste, mais où l'idée de mise en scène tourne quelque peu au procédé. En 1995, il signe *The Neon Bible* avec Gena Rowlands. C.V.

DAVIS *(Ruth Elizabeth Davis,* dite *Bette), actrice américaine (Lowell, Mass., 1908 - Paris 1989).* Bette Davis, jeune comédienne aux grandes ambitions et au physique ingrat, avait essuyé déjà un certain nombre de rebuffades au théâtre quand elle décida, courageusement, de tenter sa chance au cinéma. Arrivée à Hollywood en 1931, elle trouva le moyen d'être brièvement sous contrat à l'Universal, où elle tourna de petits rôles. Mais, finalement, les dirigeants du studio l'écartèrent, pensant qu'elle n'avait aucun sex-appeal. Effectivement, ses films de cette époque (*Seed*, John M. Stahl 1931 ; *Waterloo Bridge,* James Whale 1931) nous montrent une sorte de petite vieille mal fagotée et excessivement discrète.

Mais l'acteur britannique George Arliss, alors grande vedette de la Warner Bros, la remarqua et fut convaincu de ses possibilités. Grâce à lui, elle obtint un bout d'essai à la Warner Bros, qui entraîna un rôle assez consistant et remarqué, avec Arliss, dans *The Man Who Played God* (John G. Adolfi, 1932) : le talent nerveux et inhabituel de Bette Davis s'y révélait. Cette année-là, sa carrière prit forme et se décida. En l'espace de quelques mois, elle eut une nouvelle grande chance, grâce à un autre transfuge théâtral prestigieux, Ruth Chatterton, dans *The Rich Are Always With Us* (Alfred E. Green), deux bons rôles de complément (*Mon grand,* W. Wellman ; *Une allumette pour trois,* M. LeRoy) et surtout une nouvelle personnalité. Elle était désormais l'objet des attentions maniaques des coiffeurs et costumiers du studio : plus blonde, plus mince, plus élégante, ses grands yeux lourds fascinaient étrangement. La Warner Bros avait décidé d'en faire une nouvelle Constance Bennett, se fiant à tort à une vague similitude physique. Cette même année, Michael Curtiz sentit ce qu'elle avait d'unique, et lui donna deux personnages à sa mesure : dans *Ombres vers le sud,* elle créait une séductrice du Sud, frigide et vipérine, qui fit sensation et qui annonçait les nombreuses prestations sulfureuses qu'elle allait donner par la suite, étrangement toutes liées au sud des États-Unis. Dans *Vingt Mille Ans sous les verrous,* elle était une victime des circonstances, sensible et émouvante, qui annonçait l'autre direction que sa carrière allait prendre. Ces deux films affirmaient son talent sans ambages, et la Warner Bros décida, en 1933, qu'elle était mûre pour être star : une nouvelle fois, on la mit aux mains des coiffeurs, maquilleurs, costumiers, qui devaient lui donner du glamour, et Robert Florey la dirigea dans une comédie dramatique, *Ex-Lady.* Échec. Bette Davis revint aux seconds rôles.

Sa nouvelle chance se présenta en 1934. Cette année-là, elle était apparue, plus sophistiquée que jamais, dans *Fashions of 1934* (W. Dieterle). Mais elle avait eu aussi un rôle intéressant dans *Fog Over Frisco* (du même Dieterle). La RKO préparait l'adaptation de *Servitude humaine* de Somerset Maugham. Bette Davis sentit que le rôle de Mildred, la serveuse mauvaise et perverse, qui mène un étudiant en médecine à la déchéance, avant de mourir dans les affres d'une péritonite, était un rôle pour elle. Elle l'obtint avec difficulté. Mais elle joua en force, se composant un étonnant masque blafard, cernant ses yeux de rimmel humide, cherchant à se faire remarquer. Il était impossible de ne pas être frappé par son tempérament (*l'Emprise,* J. Cromwell). Elle reçut donc un autre bon rôle à la Warner Bros dans *Ville frontière* (A. Mayo, 1935) et surtout *l'Intruse* (A. E. Green, 1935), où sa création d'actrice déchue et alcoolique lui valut son premier Oscar. Mais, à côté, de nombreux emplois subalternes et des films de série finirent par avoir raison de sa patience.

Très vite, les luttes qu'elle mena contre ses producteurs (qui lui imposaient des rôles qui ne l'intéressaient pas) prirent des proportions homériques. De sorte qu'en 1936 elle quitta brusquement Hollywood sur un coup d'éclat. Le procès retentissant qu'elle fit à la Warner Bros, depuis Londres, dura un an. S'étant mise en faute en rompant unilatéralement son contrat, elle perdit son procès et dut retourner à Hollywood. Mais la Warner Bros s'était enfin rendu compte du potentiel exceptionnel de cette comédienne hors du commun. Si bien que, toute rancune effacée, on lui offrit un rôle comme elle les aimait, c'est-à-dire sans concessions : la prostituée courageuse et intransigeante de *Femmes marquées* (L. Bacon, 1937), dont elle fit une de ses meilleures créations. La même année, on refit un essai pour la transformer en star dans *Une certaine femme* : un mélodrame peu nouveau, mais soigneusement réalisé par Edmund Goulding, et que le public accepta avec enthousiasme. Sa carrière était maintenant tracée. Elle était désormais, et allait le rester jusqu'en 1949, lors de son départ du studio, « the Queen of the Warner Lot », la reine des studios Warner. Après sa consécration spectaculaire dans *Ève* (J. L. Mankiewicz, 1950), les années 50 ne lui furent guère clémentes. Mais, en 1962, le succès de *Qu'est-il arrivé à Baby Jane ?* (R. Aldrich) imposa une Bette Davis vieillie, actrice de composition excessive mais fascinante, et lui ouvrit une nouvelle carrière. Dès lors, elle devint infatigable : cinéma, théâtre, télévision, music-hall. Jouer était sa vie.

Bette Davis incarne admirablement « l'actrice ». Chacune de ses créations fait vivre un personnage hors des normes, une personnalité d'exception. Il semble qu'elle ne puisse pas incarner une femme comme les autres, si ce n'est au prix d'un certain effort *(The Catered Affair,* R. Brooks 1956). Son physique, très typé, la limite : larges yeux nerveux, bouche lourde, narines dilatées. Ensuite, son jeu est trop stylisé, trop expressionniste pour être réaliste. Mais quel sens impressionnant de la démesure ! Elle seule pouvait idéalement être la reine impérieuse de *la Vie privée d'Élisabeth d'Angleterre* (M. Curtiz, 1939) ; la Regina de *la Vipère* (W. Wyler, 1941) ; la Julia de *l'Insoumise* (id., 1938) ; la Fanny de *Femme aimée est toujours jolie* (V. Sherman, 1944) ; la Rosa de *la Garce* (K. Vidor, 1949) ou la Margo d'*Ève.* L'excès de ces personnages lui est parfaitement naturel. Elle leur confère de plus une dimension, tantôt poétique, tantôt symbolique, qui enrichit et prolonge la vision de cinéastes sages comme Sherman, Wyler ou Rapper, et qui sert admirablement le propos de cinéastes plus ambitieux comme King Vidor ou Joseph L. Mankiewicz. Sa création dans *la Garce* est, à cet égard, exemplaire. On a été surpris à l'époque par le caractère rageur, violent, brutal, plus grand que nature de l'interprétation de Bette Davis ; on est maintenant saisi par son caractère inspiré, intuitif, presque divinatoire.

Mais Bette Davis est aussi capable de tracés plus délicats. En fait, si ses rôles de garce ont fortement marqué sa carrière, ses rôles de « gentille » sont plus nombreux. Ses créations dans *Victoire sur la nuit* (E. Goulding, 1939), *la Vieille Fille* (id., *id.*), *l'Étrangère* (A. Litvak, 1940), *le Grand Mensonge* (Goulding, 1941), *Une femme cherche son destin* (I. Rapper, 1942), *Le blé est vert* (Rapper, 1945) ou même dans une comédie comme *la Mariée du dimanche* (Bretaigne Windust, 1948) méritent d'être redécouvertes. Ou, dans un registre plus contrasté, celles de *la Voleuse* (C. Bernhardt, 1946) ou de *Jalousie* (Rapper, *id.*). Elle incarne à merveille une victime à l'intérieur d'un appareil social rigoureusement codé qui la broie. Si bien que ses rôles positifs et ses rôles négatifs se rejoignent dans une même tonalité : une sorte de rage furieuse contre les préjugés et la médiocrité.

Son triomphe, ce fut *Ève,* sommet de sa carrière et début de sa fin en tant que star de cinéma. Sa création de Margo Channing, actrice adulée et femme drôle, humaine, vulnérable, puis grandiose, odieuse ou détestable, puis encore séduisante, charmeuse, enfantine, est sans doute une des plus grandes qu'une actrice ait jamais faites au cinéma.

Depuis, chacune de ses apparitions, parfois brève, est souvent un moment de délectation dans des films médiocres. Mentionnons cependant son sens du macabre et du grotesque dans *Qu'est-il arrivé à Baby Jane ?* et *Chut, chut, chère Charlotte* de Robert Aldrich ainsi que sa composition magistrale, fine et subtile, dans *l'Argent de la vieille* (L. Comencini, 1972).

C.V.

Films ▲ : *Bad Sister* (Hobart Henley, 1931) ; *Seed* (J. M. Stahl, *id.*) ; *Waterloo Bridge* (J. Whale, *id.*) ; *Way Back Home* (W. A. Seiter, 1932) ; *The Menace* (R. W. Neill, *id.*) ; *Hell's House* (Howard Higgin, *id.*) ; *The Man Who Played God* (John Adolfi, *id.*) ; *Mon grand* (W. Wellman, *id.*) ; *The Rich Are Always With Us* (Alfred E. Green, *id.*) ; *The Dark Horse* (id., *id.*) ; *Ombres vers le sud* (M. Curtiz, *id.*) ; *Une allumette pour trois* (M. LeRoy, *id.*) ; *Vingt Mille Ans sous les verrous* (Curtiz, 1933) ; *le Parachutiste (Parachute Jumper,* Green, *id.) ; le Roi de la chaussure (The Working Man,* Adolfi, *id.) ; Ex-Lady* (R. Florey, *id.*) ; *Bureau of Missing Persons* (R. Del Ruth, *id.*) ; *Fashions of 1934* (W. Dieterle, 1934) ; *The Big Shakedown* (John Francis Dillon, *id.*) ; *Jimmy the Gent* (Curtiz, *id.*) ; *Fog Over Frisco* (Dieterle, *id.*) ; *l'Emprise* (J. Cromwell, *id.*), *House Wife* (Green, *id.*) ; *Ville frontière* (A. Mayo, 1935) ; *Une femme dans la rue (The Girl From 10th Avenue* [Green], *id.) ; Sixième Édition* (Curtiz, *id.*) ; *Agent spécial (Special Agent,* W. Keighley, *id.) ; l'Intruse (Dangerous,* Green, *id.) ; la Forêt pétrifiée* (A. Mayo, 1936) ; *la Flèche d'or (The Golden Arrow,* Green, *id.) ; Satan Met a Lady* (Dieterle, *id.*) ; *Femmes marquées* (L. Bacon, 1937) ; *le Dernier Combat* (Curtiz, *id.*) ; *Une certaine femme* (E. Goulding, *id.*) ; *l'Aventure de minuit* (A. Mayo, *id.*) ; *l'Insoumise* (W. Wyler, 1938) ; *Nuit de bal* (A. Litvak, *id.*) ; *Victoire sur la nuit* (Goulding, 1939) ; *Juarez* (Dieterle, *id.*) ; *la Vieille Fille* (Goulding, *id.*) ; *la Vie privée d'Élisabeth d'Angleterre* (Curtiz, *id.*) ; *l'Étrangère* (Litvak, 1940) ; *la Lettre* (Wyler, *id.*) ; *le Grand Mensonge* (Goulding, 1941) ; *The Bride Came C. O. D.* (Keighley, *id.*) ; *la Vipère* (Wyler, *id.*) ; *The Man Who Came to Dinner* (Keighley, 1942) ; *In This Our Life* (J. Huston, *id.*) ; *Une femme cherche son destin* (I. Rapper, *id.*) ; *Quand le jour viendra* (H. Shumlin, 1943) ; *Remerciez votre bonne étoile* (D. Butler, *id.*) ; *l'Impossible Amour* (V. Sherman, *id.*) ; *Femme aimée est toujours jolie* (id., 1944) ; *Hollywood Canteen* (D. Daves, *id.*) ; *Le blé est vert* (Rapper, 1945) ; *la Voleuse* (*A Stolen Life*, C. Bernhardt, 1946) ; *Jalousie* (Rapper, *id.*) ; *la Mariée du dimanche* (*Winter Meeting,* B. Windust, 1948) ; *la Garce* (K. Vidor, 1949) ; *Ève* (J. L. Mankiewicz, 1950) ; *l'Ambitieuse* (*Payment on Demand,* Bernhardt, 1951) ; *Jezebel (Another Man's Poison,* Rapper, *id.) ; Appel d'un inconnu* (*Phone Call From a Stranger,* J. Negulesco, 1952) ; *The Star* (S. Heisler, *id.*) ; *le Seigneur de l'aventure* (*The Virgin Queen,* H. Koster, 1955) ; *Au cœur de la tempête* (*Storm Center,* D. Taradash, 1956) ; *le Repas de noces (The Catered Affair,* R. Brooks, *id.) ; John Paul Jones, maître des mers* (J. Farrow, 1959, caméo) ; *le Bouc émissaire* (R. Hamer, *id.*) ; *Milliardaire pour un jour* (F. Capra, 1961) ; *Qu'est-il arrivé à Baby Jane ?* (Aldrich, 1962) ; *La mort frappe trois fois* (P. Henreid, 1964) ; *l'Ennui* (D. Damiani, *id.*) ; *Rivalités (Where Love Has Gone,* Dmytryk, *id.) ; Chut, chut, chère Charlotte* (Aldrich, 1965) ; *Confession à un cadavre* (S. Holt, *id.*) ; *The Anniversary* (R. W. Baker, 1968) ; *Connecting Rooms* (Franklin Gollings, 1970) ; *Bunny O'Hare* (G. Oswald, 1971) ; *Madame Sin* (David Greene, 1972) ; *l'Argent de la vieille* (L. Comencini, *id.*) ; *Burnt Offerings* (Dan Curtis, 1976) ;

les Visiteurs d'un autre monde (*Return From Witch Mountain,* John Hough, 1978) ; *Mort sur le Nil* (J. Guillermin, *id.*) ; *les Yeux de la forêt* (*The Watcher in the Woods*, Hough, 1980) ; *White Mama* (Jackie Cooper, *id.*) ; *Right of Way* (George Schaefer, 1983, TV) ; *les Baleines du mois d'août* (L. Anderson, 1987).

DAVIS *(Desmond), cinéaste et producteur britannique (Londres 1928).* Après un début de carrière comme assistant à la prise de vues, il réalise *la Fille aux yeux verts* (*Girl with Green Eyes,* 1964), *l'Oncle* (*The Uncle,* id.), puis *le Retour* (*I was Happy Here,* 1965), films qui s'inscrivent dans la lignée du Free Cinema. Après *Deux Anglaises en délire* (*Smashing Time,* 1967) et *A Nice Girl like me* (1969), Davis change radicalement de genre en abordant le cinéma historique à grand spectacle, avec *le Choc des Titans* (*Clash of the Titans,* 1980). En 1984, il signe une adaptation d'Agatha Christie, *Ordeal by Innocence.* R.L.

DAVIS *(Juliette David* dite *Dolly), actrice française (Levallois-Perret 1900 - Cannes 1962).* Blonde, potelée et souriante, elle représente l'ingénue type du cinéma muet, toujours de bonne humeur et parfois minaudante. Elle tourne dans les comédies de Pierre Colombier (*Paris en 5 jours,* 1926 ; *Jim la Houlette, roi des voleurs,* id. ; *Dolly,* 1929). Elle anime de sa gaieté *le Fauteuil 47* (1926) et *Mademoiselle Josette, ma femme* (id.) de Gaston Ravel, *le Chauffeur de mademoiselle* (H. Chomette, 1928). René Clair lui avait confié un rôle important dans *le Voyage imaginaire* (1926). Elle participe à un certain nombre de coproductions franco-germaniques et disparaît peu à peu des écrans dans les premières années du parlant. R.C.

DAVIS *(Virginia,* dite *Geena), actrice américaine (Wareham, Mass., 1957).* Geena Davis, grande bringue brune à la moue enfantine, est ravissante. C'est aussi une des meilleures actrices américaines de sa génération, spécialement dans le registre de la comédie. Elle étincelle dans *Une équipe hors du commun* (P. Marshall, 1991) et surtout dans *Héros malgré lui* (S. Frears, 1992) où, journaliste aux dents longues, elle soutient la comparaison avec les Jean Arthur ou Barbara Stanwyck chères à Frank Capra. On la sollicite moins dans le registre dramatique, ce que l'on peut regretter : ainsi, dans *Thelma et Louise* (R. Scott, 1991), c'est surtout la drôlerie de sa composition qui reste à l'esprit. Cependant, sa prestation sensible dans l'univers torturé de D. Cronenberg (*la Mouche,* 1989) aurait dû donner de l'imagination aux producteurs. C.V.

DAVIS *(Judy), actrice australienne (Perth, 1956).* Selon Woody Allen, c'est tout simplement la meilleure actrice contemporaine. Il est certain que son talent est immense : dans l'effervescence de la découverte du cinéma australien, il a pu faire croire à celui de Gillian Armstrong (*Ma brillante carrière,* 1979). Très vite, c'est une carrière internationale qui s'est ouverte à elle, non une carrière de star, mais une carrière d'actrice authentique, exigeante et risquée. Elle peut à loisir suggérer une sexualité complexe, plus ou moins contrôlée (*la Route des Indes,* D. Lean, 1984), ou faire éclater une sensualité plus voyante (*Barton Fink,* J. Coen, 1992 ; *le Festin nu,* D. Cronenberg, 1991). Mais elle peut également jouer l'hystérie et la névrose sans jamais verser dans le cabotinage : on peut en juger à ses deux prestations pour Woody Allen (*Alice,* 1990, et surtout *Maris et femmes,* 1992, où elle forme avec S. Pollack un couple tumultueux et inoubliable, d'une drôlerie constante). Judy Davis peut pratiquement tout jouer ; elle a été une George Sand très crédible dans le bizarre *Impromptu* (*id.,* James Lapine, 1991). Elle sait faire un sort aux répliques les plus banales. Elle sait capter l'attention du spectateur sans pour autant le détourner de l'essentiel. Sans ostentation, elle affirme, rôle après rôle, son talent avec une constance admirable. C.V.

DAVIS *(Robin), cinéaste français (Marseille 1945).* Formé par l'assistanat et le court métrage (*Une méchante petite fille,* 1972), il écrit et réalise, en 1975, *Ce cher Victor,* premier long métrage prometteur, qui séduit la critique par sa maîtrise d'un sujet difficile, l'amour/haine de deux retraités. Très attiré par les sujets « policiers », il connaît un large succès public avec *la Guerre des polices* (1979) et filme le Delon de l'année 1982, *le Choc,* qu'il coécrit d'après un roman de Jean-Patrick Manchette. Il revient en 1983 au suspense noir et psychologique, moins spectaculaire, avec *J'ai épousé une ombre,* adapté de William Irish. Changeant de registre, il tourne en 1985 un film sans vedette, *Hors-la-loi,* l'épopée mouvementée du désir de liberté d'une bande de jeunes délinquants en fuite. A.T.

DAVIS JR. *(Sammy), acteur américain (New York, N. Y., 1925 - Beverly Hills, Ca., 1990).* Enfant de la balle, ayant débuté très tôt comme chanteur et danseur dans le music-hall *all-black,* l'après-guerre lui permet de devenir une personnalité marquante de la TV et du cabaret. C'est alors qu'un accident (qui le prive de l'œil gauche) risque de mettre fin à sa carrière : il répond à ce défi du destin par un surcroît d'énergie et en 1956 débute à la fois à Broadway et à Hollywood (*The Benny Goodman Story,* A. Mann). Son autobiographie, *Yes I Can* (1965), reste un beau livre. Ses autres films exploitent incomplètement ses dons de showman et son humour : *Porgy and Bess* (O. Preminger, 1959) ; *l'Inconnu de Las Vegas* (L. Milestone, 1960) ; *One More Time* (Jerry Lewis, 1970). G.L.

DAVOLI *(Nino,* dit *Ninetto), acteur italien (Rome 1944).* Pasolini le découvre en 1966 et le fait entrer dans son équipe permanente de comédiens « prolétaires ». Sa mimique spontanée, son sourire contagieux, ses cheveux frisés font de lui un des masques privilégiés de l'univers pasolinien : *Des oiseaux petits et gros* (1966), *La terra vista dalla luna* (1967), *Che cosa sono le nuvole ?* (1968) — trilogie où il joue en couple avec Totò ; *Théorème* (1968) ; *le Décameron* (1971) ; *les Contes de Canterbury* (1972) ; *les Mille et Une Nuits* (1974). Après la mort de son mentor, il continue à jouer le même personnage dans de nombreuses comédies et films érotiques. L.C.

DAWN (PROCÉDÉ). Très ancien truquage de prise de vues consistant à placer devant la caméra une vitre sur laquelle est peint un élément du décor. (→ EFFETS SPÉCIAUX.)

DAX *(Jean), acteur français (Paris 1879 - id. 1962).* Il joue, dès avant 1910, les grands premiers rôles cinématographiques, à quoi l'avaient habitué ses succès théâtraux, notamment au théâtre du Vaudeville. Il tourne sous la direction de Camille de Morlhon, de René Leprince et André Calmettes. Le parlant venu, il assume avec talent, autorité, distinction et parfois humour des rôles secondaires (*Accusée levez-vous,* 1930, et *Au nom de la loi,* 1932, de Maurice Tourneur ; *Mayerling,* A. Litvak, 1936, où il interprète l'empereur François-Joseph ; *Un mauvais garçon,* Jean Boyer, 1936 ; *les Cinq Sous de Lavarède,* Maurice Cammage, 1939). R.C.

DAX *(Micheline), actrice française et chanteuse de variétés (1926).* Son dynamisme et sa verve l'ont conduite à participer à de nombreuses œuvres tant théâtrales (*la Vie parisienne* d'Offenbach) que cinématographiques : *les Branquignols* (R. Dhéry, 1950), *Rue de l'Estrapade* (J. Becker, 1953), *Mimi Pinson* (Robert Darène, 1958), *l'Ami de la famille* (Jack Pinoteau, *id.*), *Vos gueules les mouettes* (Dhéry, 1974), *l'Acrobate* (J. D. Pollet, 1976). F.LAB.

DAY *(Doris von Kappelhoff,* dite *Doris), actrice américaine (Cincinnati, Ohio, 1922).* C'est une chanteuse de profession, qui a commencé par le music-hall, les grands orchestres et le disque avant de débuter à l'écran, en 1948, avec *Romance à Rio* de Michael Curtiz, où elle chantait *It's Magic.* Sous contrat à la Warner, elle est la vedette attitrée des musicals de la firme, mais en faisant également quelques incursions dans des films plus dramatiques. On la voit ainsi, toujours sous la direction de Michael Curtiz, face à Lauren Bacall et Kirk Douglas dans l'excellent *la Femme aux chimères* (1950), ainsi que dans le très conventionnel *Escale à Broadway* (1951) du spécialiste maison David Butler, avec qui elle tournera l'année suivante un *Avril à Paris* tout aussi fade, et, en 1953, un *Calamity Jane,* qui lui permet enfin de donner toute sa mesure et de chanter un de ses plus grands succès, *Secret Love.*

Elle est devenue une très populaire vedette de l'écran, archétype idéal de l'Américaine blonde, dynamique et sans complexe. Charles Vidor lui donne la tête d'affiche, aux côtés de James Cagney, de sa « tragédie musicale » *les Pièges de la passion* (1955). Elle y excelle dans le rôle de la chanteuse Ruth Etting. L'année suivante, Alfred Hitchcock lui fait inoubliablement chanter *« Que sera sera »* dans *l'Homme qui en savait trop,* où elle est l'épouse de James Stewart. Enfin, en 1957, Stanley Donen et George Abbott lui offrent les meilleurs numéros musicaux de sa carrière dans une des dernières grandes comédies musicales hollywoodiennes, *Pique-Nique en pyjama.*

Au sommet de sa popularité, mais prisonnière de son image, Doris Day n'interprète plus que des comédies anodines, avec Cary Grant et Rock Hudson comme partenaires privilégiés. *Confidences sur l'oreiller* (M. Gordon, 1959) et *Un soupçon de vison* (Delbert Mann, 1962) sont d'énormes succès. Son dernier film intéressant est un musical de Charles Walters, *Jumbo* (1962). Mieux vaut oublier le reste. Elle a disparu des écrans (mais non de la télévision) en 1968. Elle a publié en 1975 son autobiographie, *Doris Day : Her Own Story*. D.R.

DAY *(Josette Dagory,* dite *Josette), actrice française (Paris 1914* - id. *1978).* Dès l'âge de cinq ans, elle apparaît dans de petits rôles. À son avènement, le parlant semble lui donner la part belle : elle joue un rôle important et sympathique dans le film de Julien Duvivier : *Allô Berlin ? ici Paris !* (1932). Grande, élancée et blonde, le plus souvent enjouée, on la cantonne malheureusement dans un emploi insipide : la jeune première qu'on utilise pour assurer l'heureux dénouement de l'intrigue. Seuls quelques films lui font éviter cette convention : *Lucrèce Borgia* (A. Gance, 1935) ; *Club de femmes* (J. Deval et J. Delannoy, 1936) ; *Messieurs les ronds-de-cuir* (Y. Mirande et René Guissart, 1937), où elle interprète une épouse volage ; *Sœurs d'armes* (L. Poirier, 1937), où elle incarne une héroïne de la Grande Guerre. Sa rencontre avec Pagnol pendant qu'elle tourne *Monsieur Brotonneau* (Alexandre Esway, 1939) va faire d'elle *la Fille du puisatier* (1940) ; mais sa création est jugée avec sévérité, et *la Prière aux étoiles* qui lui est destinée reste inachevée. Elle prend sa revanche avec Cocteau, qui sait employer sa simple et lumineuse beauté (*la Belle et la Bête,* 1946) et qui met en valeur un talent orienté vers le drame (*les Parents terribles,* 1949). C'est alors que son mariage l'éloigne définitivement du cinéma. R.C.

DAY *(Laraine Johnson,* dite *Laraine), actrice américaine (Roosevelt, Utah, 1917).* Sa famille s'étant établie en Californie, la jeune Laraine Day débuta au cinéma en 1937. Charmante et douce, mais sans traits marquants, elle se prêta très bien aux emplois d'ingénue que lui fixa la MGM. Elle eut une certaine popularité dans le rôle de la sempiternelle fiancée de la série *Doctor Kildare.* On l'a vue à son avantage dans *Correspondant 17* (A. Hitchcock, 1940) et dans *Mr. Lucky* (H. C. Potter, 1943). Mais son meilleur rôle fut aussi le plus inattendu : celui de l'héroïne criminelle et perturbée du *Médaillon* (J. Brahm, 1946). Depuis, sa présence à l'écran n'a plus été que sporadique. C.V.

DAY *(Richard), décorateur américain d'origine canadienne (Victoria, Colombie britannique, 1896 - Los Angeles, Ca., 1972).* Il débute à Hollywood en 1918. En 1922, il assure les décors de *Folies de femmes* d'Erich von Stroheim qui l'emploiera ensuite pour tous ses films jusqu'à *Queen Kelly* (1928). Il supervise les décors pour la 20th Century Fox de 1939 à 1947. Il faut citer : *Dodsworth* (W. Wyler, 1936) et *Rue sans issue* (id., 1937) ; *les Misérables* (R. Bolesławsky, 1935) ; *Cardinal Richelieu* (R. V. Lee, *id.*) ; *la Route du tabac* et *Qu'elle était verte ma vallée* (J. Ford, 1941) ; *Boomerang* (E. Kazan, 1947) et *Un tramway nommé Désir* (id., 1951) ; *la Poursuite impitoyable* (A. Penn, 1966) ; *Tora ! Tora ! Tora !* (R. Fleischer, 1970). J.-P.B.

DAY-FOR-NIGHT («jour pour nuit»). Expression anglaise pour *nuit américaine.*

DAY-LEWIS *(Daniel), acteur britannique (Londres 1957).* Né dans une famille d'artistes, Daniel Day-Lewis est un peu béni des dieux : un physique sombre et romantique qui fait se pâmer de nombreuses admiratrices, un talent presque sans limite. On est étonné de constater que le presque voyou décoloré de *My Beautiful Launderette* (S. Frears, 1985), le prétendant amidonné de *Chambre avec vue* (J. Ivory, 1986) ou l'handicapé qui ne peut s'exprimer qu'avec les doigts d'un seul pied de *My Left Foot* (J. Sheridan, 1989) sont interprétés par le même acteur. L'éclectisme domine d'ailleurs dans une trajectoire qui semble vouloir goulûment essayer toutes les possibilités offertes à un acteur. Il peut être physique et musclé dans *le Dernier des Mohicans* (Michael Mann, 1992) ou muré dans le secret comme il est sanglé dans ses vêtements dans *le Temps de l'innocence* (M. Scorsese, 1993). Dans une carrière d'une exceptionnelle qualité, on aura peut-être une tendresse particulière pour l'Irlandais fruste et rageur de *Au nom du père* (J. Sheridan, 1993), peut-être parce que ce beau film n'a pas eu la reconnaissance qu'il méritait. C.V.

DB. Symb. du décibel.

DEA *(Odette Deupes,* dite *Marie), actrice française (Paris 1919 -* id. *1992).* Alors qu'elle tient de petits rôles dans la troupe de Gaston Baty, Robert Siodmak la choisit pour tourner *Pièges* (1939) aux côtés de Maurice Chevalier. Elle donne de l'accent et de la vigueur à un rôle nuancé et prouve les mêmes qualités dans *Nord-Atlantique* (M. Cloche, 1939). De 1940 à 1944, elle est une vedette et affirme sa réelle personnalité dans *Histoire de rire* (M. L'Herbier, 1941) ; *Premier Bal* (Christian-Jaque) ; *les Visiteurs du soir* (M. Carné, 1942) ; *Secrets* (P. Blanchar, 1943). Une légère tendance à trop faire vibrer la corde pathétique lui joue des tours et on ne la revoit plus que de loin en loin : *la Maternelle* (Diamant-Berger, 1949) ; *Orphée* (J. Cocteau, 1950) ; *Caroline chérie* (Richard Pottier, 1951) ; *la Jument verte* (C. Autant-Lara, 1959) ; *le Glaive et la Balance* (A. Cayatte, 1963). Plus récemment un Lelouch et un Vecchiali ont su encore employer cette précieuse actrice. R.C.

DEAN *(Basil), cinéaste et producteur britannique (Croydon 1888 - Londres 1978).* Il aborde le cinéma comme acteur en 1916. En 1928, il passe derrière la caméra avec *The Constant Nymph,* dont une version parlante sortira en 1933. Auteur très caractéristique du cinéma de l'entre-deux-guerres, il exerce dans des genres bien différents : du policier (*The Return of Sherlock Holmes,* 1929) à la comédie (*Look Up and Laugh,* 1935) et au film historique (*Lorna Doone,* id.). Il a réalisé également : *Birds of Pray* (1930), *The Perfect Alibi* (1931), *The Impassive Footman* (1932), *Loyalties* (1933), *Autumn Crocus* (1934), *Sing As We Go* (1935), *Whom the Gods Love* (1936), *Queens of Heart* (id.), *Penny Paradise* (1938), *Twenty-one Days* (1939) et *Mozart* (id.). Fondateur des Ealing Studios, directeur de la British Films Distributors et de l'Associated Talking Pictures, il a aussi été représentant général de la RKO en Europe. Enfin, il a produit notamment *Sally in Our Alley* (M. Elvey, 1931) et *Java Head* (J. W. Ruben, 1935). Il a épousé l'actrice Victoria Hopper. F.LAB.

DEAN *(James Byron Dean,* dit *James), acteur américain (Marion, Ind., 1931 - route de Salinas [R. N. 466 et 41], Ca., 1955).* Il perd tôt sa mère. Son père est dentiste. Son enfance se partage entre une ferme du Midwest et la Californie. Après ses études à Santa Monica et Los Angeles, il apparaît à la TV et dans quelques films. En 1952, il joue à Broadway *See the Jaguar,* puis en 1954 il interprète le rôle du jeune arabe dans *The Immoralist,* adaptation à la scène du roman d'André Gide. Kazan le voit et l'engage pour être Cal Trask, l'adolescent incompris sauvage et malheureux de *À l'est d'Éden* (1955). Dean, qui paraît s'intéresser à la méthode de l'Actors Studio, travaille expression corporelle et rôles avec la même passion qu'il voue à la moto, à son cheval, à la vitesse. Il déconcerte, souvent inapprochable, enjôleur ou grossier, taillé sur mesure pour incarner Jim Stark dans *la Fureur de vivre* (N. Ray, 1955). Le tournage de *Géant* (G. Stevens, 1956) est à peine terminé qu'il se tue sur la route de Salinas. La mort du « premier teenager » déchaîne une hystérie comparable à celle qui suivit le décès de Valentino en 1926, mais différente dans sa nature : il s'agit moins d'idolâtrie que d'un étonnant phénomène d'identification de la part de la jeunesse, qui se reconnaît pour la première fois peut-être à l'écran. Une révolte vague, le désarroi causé par le changement des valeurs – guerre froide, guerre de Corée, un sentiment de solitude et d'incompréhension, tout cela « Jimmy » Dean l'incarne. Le miracle, c'est que ce garçon peu soigné, boudeur, myope, petit et poupin, à la fois félin et râblé, est littéralement transfiguré à l'écran : il n'est que de se rappeler l'image (devenue classique) du Jett Rink de *Géant,* accroché à son fusil comme à la Croix et regardant, à ses pieds, Liz Taylor !

Au contraire de Monty Clift, il est sans ténèbres, sinon sans mystère. Il est l'errant dont l'appel se perd, surpris par la mort rapide en plein romantisme moderne. *The James Dean Story,* de Robert Altman et George W. George (1957), fut « remonté » par Ray Connolly sous le titre *James Dean : the First American Teenager.* ▲ C.M.C.

DEAN *(Priscilla), actrice américaine (New York, N.Y., 1896 - Las Vegas, Nev., 1987).* Née dans une famille d'acteurs de théâtre, elle accompagne ses parents dans de nombreuses tournées et apparaît sur scène alors qu'elle n'a pas encore dix ans. Engagée à la Biograph en 1910, elle rejoint la Universal un an plus tard et apparaît dans plusieurs comédies dont Eddie Lyons et Lee Moran sont les vedettes. Son rôle dans le serial populaire *The Gray*

Ghost (S. Paton, 1917) lui fait gravir les derniers échelons de la célébrité. On la remarque dans plusieurs films dramatiques où elle impose une présence impériale. *The Wildcat of Paris* (Joseph De Grasse, 1918), *la Vierge d'Istanbul* (*The Virgin of Stamboul,* T. Browning, 1920), *Révoltée* (*id.,* 1921), *Sous deux drapeaux* (*id.,* 1922), *White Tiger* (*id.,* 1923), *West of Broadway* (Robert Thornby, 1926), *Jewels of Desire* (Paul Powell, 1927).
J.-L.P.

DE ANTONIO *(Emile), cinéaste américain (Scranton, Pa., 1920 - New York, N. Y., 1989).* Venu au cinéma après avoir exercé divers métiers (dont ceux de débardeur et d'éditeur), il a créé un nouveau genre de « film de montage », fondé moins sur les effets de contraste ou d'enchaînement que sur la fausse neutralité des matériaux utilisés, dont il se contente de souligner discrètement par ses choix la signification latente (ou l'une des significations : De Antonio ne fait pas mystère de ses opinions). Ainsi *Point of Order* (1964), confectionné à partir des matériaux TV filmés pendant le procès de l'armée américaine contre Joseph McCarthy, révèle la théâtralité intrinsèque du monde politique et les « dons d'acteurs » des principaux protagonistes. *Rush to Judgement* (sur les investigations officielles qui suivirent l'assassinat du président Kennedy, 1967) et *Richard Milhouse Nixon* (*Milhouse : A White Comedy,* 1971, violente satire contre Nixon) sont moins réussis. Mais *Vietnam, l'année du Cochon* (*In the Year of the Pig,* 1969), mêlant habilement interviews et documents bruts, reste le meilleur film sur (et contre) la guerre du Viêt-nam. Après *Painters Painting* (1973), remarquable évocation des vedettes de la peinture américaine contemporaine, présentées avec une objectivité et un sens de la mise en place qui orientent le jugement mieux que tout commentaire sur leurs interviews, De Antonio a réalisé *Underground* (1977), où les survivants de la guérilla urbaine et de l'extrémisme radical des années 60 font le bilan (encore clandestin) de leurs rêves et de leurs luttes puis *In the King of Prussia* (1982). Dans *Mr Hoover and I* (1989), il a fait le pittoresque récit de ses démêlés avec le patron du FBI.
G.L.

DEARDEN *(Basil), cinéaste britannique (Westcliff-on-Sea 1911 - Londres 1971).* D'abord acteur, puis régisseur de théâtre, Basil Dearden est associé, au début de sa carrière, à l'auteur-producteur et metteur en scène Basil Dean. Quand ce dernier prend en charge les studios Ealing, Dearden devient assistant de cinéma (1937) et scénariste (il écrit pour le fantaisiste George Formby). Après avoir co-réalisé des films avec l'acteur Will Hay, il signera seul en 1943, pour Michael Balcon, *The Bells Go Down.* Dès lors, membre de l'équipe Ealing, il est souvent associé au réalisateur-décorateur-producteur Michael Relph. Parmi ses premiers films, on peut retenir : *Ils vinrent dans la cité* (*They Came to a City,* 1944, d'après la pièce de John Boynton Priestley) ; *Au cœur de la nuit* (*Dead of Night,* 1945), où il met en scène le sketch du pilote de course au rêve prémonitoire ; *J'étais un prisonnier* (*The Captive Heart,* 1946) ; *Frieda* (id. 1947, où la Suédoise Mai Zetterling, alors actrice, tenait le rôle d'une jeune Allemande venue vivre dans une famille anglaise) ; *Sarabande* (*Saraband for Dead Lovers / Saraband,* 1948), avec Françoise Rosay et Stewart Granger, qui tient le rôle de Koenigsmark ; *Police sans arme* (*The Blue Lamp,* 1950), tableau de la vie quotidienne de la police londonienne : Dirk Bogarde y tenait le rôle d'un jeune voyou, et Jack Warner celui d'un policier au grand cœur. (Ce film sera à l'origine d'une série TV.) Ce climat policier est repris dans *les Trafiquants de Dunbar* (*Pool of London,* 1951) ; *Un si noble tueur* (*The Gentle Gunman,* 1952). En 1955, les studios Ealing sont vendus à la BBC, et Dearden et son associé Relph vont produire et réaliser des films – policiers le plus souvent, tel *Hold-up à Londres* (*The League of Gentlemen,* 1960) – pour Rank. *Sous le plus petit chapiteau du monde,* scénario de William Rose (*The Smallest Show on Earth,* 1957), est produit avec F. Launder et S. Gilliat. Les films les plus originaux de cette période sont sans doute *Opération Scotland Yard* (*Sapphire,* 1959), dénonciation du racisme antinoir, sur fond policier, et, autre scénario de Janet Green, *la Victime* (*Victim,* 1961), qui traite du « racisme antihomosexuel ». On pourra retenir également *la Femme de paille* (*Woman of Straw,* 1964, avec Gina Lollobrigida) et *Assassinats en tous genres* (*The Assassination Bureau,* 1969). Dans *Khartoum* (1966, avec Laurence Olivier et Charlton Heston dans les principaux rôles), il aborde le registre de la superproduction dans le cadre de la grande tradition coloniale. Cinéaste appliqué et scrupuleux, Dearden est le type même de l'honnête artisan : en ne craignant pas d'aborder des sujets « difficiles » (même si le traitement en paraît désuet aujourd'hui), il a fait preuve d'un courage certain. P.P.

DEARLY *(Lucien Rolland,* dit *Max), acteur français (Paris 1874 -* id. *1943).* Ce brillant fantaisiste, qui fit les beaux jours des variétés d'avant 1914, faillit apporter à l'écran un personnage ébouriffant, mais le grain de folie dont il assaisonne ses rôles et sa personnalité débridée s'accommodent mal des conventions d'un certain cinéma. Raymond Bernard (*les Misérables,* 1934) ; Jean Renoir (*Madame Bovary,* id.) misent sur son allégresse diabolique mais la modèrent et l'éteignent quelque peu. En revanche, René Clair la fait crépiter dans *le Dernier Milliardaire* (1934) et son affrontement avec Jules Berry dans *Arlette et ses papas* (H. Roussell, 1934) est étourdissant. Il domine avec son éblouissante désinvolture *Azaïs* (R. Hervil, 1931) ; *Si j'étais le patron* (Richard Pottier, 1934) ; *la Vie parisienne* (R. Siodmak, 1935). Près de la retraite, il se voit confier par Sacha Guitry l'un des meilleurs sketchs de *Ils étaient neuf célibataires* (1939). R.C.

D'EAUBONNE *(Jean)* → EAUBONNE *(Jean d').*

DEBAR *(Andrée), actrice française de théâtre et de cinéma (Maisons-Laffitte 1926).* Elle paraît à l'écran en 1947 dans *le Bataillon du ciel* d'Alexandre Esway. Après quelques petits rôles en Allemagne, elle tourne en France et en Italie. Parmi les films dans lesquels elle a joué, on peut citer : *le Paradis des pilotes perdus* (G. Lampin, 1949) ; *le Jugement de Dieu* (R. Bernard, 1952, RÉ 1949) ; *le Marchand de Venise* (P. Billon, 1952) ; *le Port du désir* (E. T. Gréville, 1955) ; et, avec la cinéaste méconnue Jacqueline Audry, *la Garçonne* (1957) et *le Secret du chevalier d'Éon* (1960). F.LAB.

DE BENEDETTI *(Aldo), scénariste et cinéaste italien (Rome 1892 -* id. *1970).* Dès 1916, il écrit plusieurs drames et comédies théâtrales à succès souvent portés à l'écran. Il dirige trois films (*Marco Visconti,* 1922 ; *Anita* [*Garibaldi l'eroe dei due mondi*], 1926 ; *La Grazia,* 1929). Il écrit des scénarios pour Mario Camerini (*Les hommes, quels mufles !,* 1932) et de nombreux mélodrames pour Mario Mattoli (*Felicità Colombo,* 1937 ; *Lumière dans les ténèbres,* 1941). Il collabore aussi avec Vittorio De Sica (*Roses écarlates,* 1940, d'après sa comédie), avec Alessandro Blasetti, Nunzio Malasomma et Gennaro Righelli. Après la guerre, il écrit quelques-uns des meilleurs mélodrames populaires de Raffaello Matarazzo (*le Mensonge d'une mère,* 1950 ; *le Fils de personne,* 1951 ; *la Fille de la rizière,* 1955), où il affine sa vision tragique du destin humain. Son œuvre littéraire et cinématographique a influencé profondément la culture italienne. L.C.

DE BERNARDI *(Antonio,* dit *Tonino), cinéaste expérimental italien (Chivasso 1937).* Il commence à filmer en 1967, au moment où le cinéma underground américain est découvert en Italie. Allen Ginsberg et Taylor Mead figurent d'ailleurs dans *Il mostro verde* (1966-67), hommage aux films d'horreur réalisé avec Paolo Menzio. Mais, plus encore qu'une esthétique, les Américains lui offrent l'exemple d'un cinéma personnel. Tandis qu'il participe à l'éphémère *Cooperativa del cinema indipendente,* il passe au 8 mm, dont il devient un des artisans les plus inspirés. Outre l'emploi de plusieurs projecteurs (comme dans *Il bestiario,* 1967, pour 4 écrans), ce format lui permet en effet des filmages plus intimes et des œuvres qui peuvent durer quatre ou cinq heures. Si donc l'influence de Rice, de Warhol ou de Jack Smith se repère dans ses premiers films, et notamment dans le raffinement de *Dei* (1968-69), c'est plutôt de l'auteur des *Songs* qu'il est proche. Mais, plus encore que Brakhage, De Bernardi s'oriente vers des chroniques quotidiennes et une utilisation du film de famille (*Il rapporto conjugal-parentale* [1973-1976]). D.N.

DE BERNARDI *(Piero), scénariste italien (Prato 1926).* Il débute en 1953 avec *Dieci canzoni d'amore da salvare* (Flavio Calzavara). En 1955, il écrit avec Leo Benvenuti *Amis pour la vie* (F. Rossi) et, dès ce film, forme avec lui un tandem. Dans la cinquantaine de films comiques qu'ils ont signés, on trouve une verve satirique constante, que bien peu de scénaristes italiens ont égalée. Avec Mario Monicelli, Dino Risi, Steno et surtout Pietro Germi, ils créent des comédies grotesques et féroces.

Ils ont également écrit des drames comme *l'Homme de paille* (P. Germi, 1958) et *Mon fils, cet incompris* (L. Comencini, 1967). L.C.

DÉBITEUR. Pièce cylindrique, tournant à vitesse constante, munie de dents qui s'engagent dans les perforations du film pour provoquer l'avance continue de celui-ci. (→ CAMÉRA, PROJECTION.)

DÉBITEUR, TRICE. *Bobine débitrice, plateau débiteur,* bobine ou plateau à partir desquels le film se déroule.

DEBORD *(Guy-Ernest), philosophe et cinéaste expérimental français (Paris 1931 - Bellevue-la-Montagne 1994).* Il réalise son premier film, *Hurlements en faveur de Sade* (1952), alternance de segments noirs (muets) et blancs (pendant les dialogues), avant de rompre avec le groupe lettriste. Après la fondation de l'Internationale situationniste (1957), dont il est le théoricien le plus connu et dont il dirige la revue, ses films, en 35 mm, retransmettent ses textes ou déclarations plus ou moins directement illustrés par des chutes de films détournées (*Critique de la séparation,* 1961 ; *la Société du spectacle,* 1973 ; *Réfutation de tous les jugements...,* 1975 ; *In girum imus nocte et consumimur igni,* 1978). Il a publié *Contre le cinéma* (1964) et *Œuvres cinématographiques complètes* (1978). Il se suicide en 1994. D.N.

DE BOSIO *(Gianfranco), cinéaste italien (Vérone 1924).* Il a dirigé le Teatro Stabile de Turin et a mis en scène au théâtre beaucoup de drames classiques et modernes. Son début cinématographique, *le Terroriste* (*Il terrorista,* 1964), provoque un débat par son approche lucide et peu conventionnelle de la résistance au fascisme. Malgré cette première réussite, il ne revient au cinéma qu'en 1971 avec une adaptation burlesque de Ruzante : *La Betía ovvero in amore per ogni gaudenza ci vuole sofferenza.* Son troisième film est un feuilleton pour la TV : *Mosé* (1974). Excellent directeur d'acteurs (G. M. Volonté dans *le Terroriste ;* N. Manfredi dans *La Betía ;* B. Lancaster dans *Mosé*), il n'a pas développé jusqu'ici une vraie vision personnelle. L.C.

DEBRIE *(André), inventeur et constructeur français (Paris 1891 - id. 1967).* Fils d'un industriel intéressé par le cinéma, il conçoit en 1908 (à l'âge de dix-sept ans) la caméra *Parvo* (marque déposée en 1923), qui connut une large diffusion. À l'apparition du parlant, Debrie invente un dispositif permettant de rendre insonore le fonctionnement des appareils de prise de vues (1931) qui sera appliqué dans la *Super Parvo,* première caméra totalement silencieuse et qui fut dans le monde entier une des grandes caméras de studio des décennies 30 et 40. Il conçoit et construit également de nombreux matériels destinés à l'industrie cinématographique : machines à développer, projecteurs, caméras spéciales, tireuses. Dans ce dernier domaine, il faut citer notamment la *Truca* (1929), qui permettait de réaliser des effets spéciaux en laboratoire par tirage optique, et dont le succès suscita la graphie « trucage », courante dans le cinéma. Debrie réalisa en outre le dispositif de prise de vues et de projection sur triple écran du *Napoléon* d'Abel Gance. J.-P.F.

DEBUCOURT *(Jean Pélisse,* dit *Jean), acteur français (Paris 1894 - Montgeron 1958).* Fils d'un acteur célèbre, Charles Le Bargy, il remporte sur le Boulevard de vifs succès, qui, dès 1921, lui ouvrent la porte des studios : *le Petit Chose* (André Hugon, 1923) ; *la Chute de la maison Usher* (J. Epstein, 1928) ; *Madame Récamier* (Gaston Ravel, 1928). Les premières années du parlant le cantonnent trop facilement soit dans des rôles de traîtres qui vont souvent peser sur ses créations (*le Prince Jean,* Jean de Marguenat, 1934 ; *Koenigsmark,* M. Tourneur, 1935 ; *la Dame de Malacca,* M. Allégret, 1937), soit dans de fades comédies (*le Mari garçon,* A. Cavalcanti, 1933). L'Occupation donne à sa carrière un nouvel essor : ses rôles se nuancent, il les détaille avec délicatesse : *Marie-Martine* (Albert Valentin, 1943) ; *Monsieur des Lourdines* (Pierre de Hérain, *id.*) ; *Douce* (C. Autant-Lara, *id.*) ; *Le ciel est à vous* (J. Grémillon, 1944). La Comédie-Française l'avait accueilli en 1936, mais le cinéma l'absorbe de plus en plus (70 créations en 12 ans). Récitant de nombreux films, il passe avec aisance du *Diable au corps* (C. Autant-Lara, 1947) au *Diable boiteux* (S. Guitry, 1948), de *Monsieur Vincent* (M. Cloche, 1947) à *Justice est faite* (A. Cayatte, 1950), de *la Poison* (S. Guitry, 1951) au *Carrosse d'or* (J. Renoir, 1953) et à *Madame de* (M. Ophuls, *id.*). Le reproche qu'on peut lui faire est de n'avoir jamais rien su refuser. R.C.

DÉCADRAGE. Incident de projection où l'image vue sur l'écran est décalée en hauteur.

DECAE *(Henri), chef opérateur français (Saint-Denis 1915 - Paris 1987).* Reporter-photographe au *Petit Parisien,* il débute au cinéma comme ingénieur du son et monteur son. Il a déjà réalisé quelques courts métrages lorsqu'il éclaire en 1949 *le Silence de la mer,* dont il fait aussi le montage et le mixage avec Jean-Pierre Melville. Celui-ci le demande encore pour *les Enfants terribles* (1950) et *Bob le flambeur* (1956), mais c'est la Nouvelle Vague qui va l'imposer comme un des meilleurs chefs opérateurs français. On lui doit d'avoir apporté une plus grande liberté dans la prise de vues, un usage efficace de la « caméra à la main », une heureuse utilisation des extérieurs, une grande sensibilité dans l'emploi des « noir et blanc ». J.-P.B.

Films : *Ascenseur pour l'échafaud* (L. Malle, 1958) ; *les Amants* (id., *id.*) ; *le Beau Serge* (1959), *les Cousins* (id.) et *À double tour* (id.) de Claude Chabrol ; *les Quatre Cents Coups* (F. Truffaut, *id.*) ; *Plein Soleil* (R. Clément, 1960) ; *Léon Morin prêtre* (Melville, *id.*) ; *Quelle joie de vivre !* (Clément, *id.*) ; *le Jour et l'Heure* (id., 1962) ; *Vie privée* (Malle, *id.*) ; *les Dimanches de Ville-d'Avray* (S. Bourguignon, *id.*) ; *les Félins* (Clément, 1964) ; *Week-End à Zuydcoote* (H. Verneuil, *id.*) ; *la Ronde* (R. Vadim, *id.*) ; *Viva Maria* (Malle, 1965) ; *le Voleur* (id., 1967) ; *Un château en enfer* (S. Pollack, 1969) ; *le Phare du bout du monde* (K. Billington, 1971) ; *Ces garçons qui venaient du Brésil* (F. J. Schaffner, 1978) ; *Flic ou Voyou* (G. Lautner, 1979) ; *le Professionnel* (id., 1981) ; *Exposed* (James Toback, 1983).

DE CARLO *(Peggy Yvonne Middleton,* dite *Yvonne), actrice américaine (Vancouver, B. C., Canada, 1922).* Adonnée à la danse depuis l'enfance, elle quitte le music-hall pour le cinéma en 1942. Le succès de *Salomé* (*Salome Where she Danced,* Ch. Lamont, 1945), son premier rôle en vedette, la voue, de Shéhérazade en Calamity Jane, à l'emploi d'éternelle tentatrice. Sa sensualité racée s'épanouit dans le film noir (*Pour toi, j'ai tué,* R. Siodmak, 1949), dans le film biblique (*les Dix Commandements,* C. B. De Mille, 1956) puis dans le romanesque exotique (*Tornade* [*Passion*], A. Dwan, 1954 ; *la Femme du hasard,* E. Ludwig, 1955 ; *Timbuktu,* J. Tourneur, 1959). Mais c'est à Raoul Walsh qu'elle doit ses compositions dramatiques les plus émouvantes (*la Belle Espionne,* 1953, et surtout *l'Esclave libre,* 1957, aux côtés de Clark Gable). Depuis 1960, elle se consacre essentiellement à la télévision (série parodique *The Munsters*) et au musical à Broadway (*Follies,* 1971) et réapparaît à l'écran en 1990 dans *Mirror, mirror* (Marina Sargenti). En 1987 elle écrit son autobiographie, *Yvonne.* M.H.

DÉCHARGEMENT. Opération inverse du chargement.

DÉCIBEL. Unité servant à exprimer le rapport entre deux valeurs d'une grandeur physique. Par extension, unité de mesure des niveaux sonores.

Entre le son le plus faible que peut percevoir l'oreille dans les conditions du laboratoire et le son le plus fort qu'elle peut supporter sans risque, l'intensité sonore (→ SON) varie dans un rapport de l'ordre de 1 à 1 000 milliards. Il est évidemment malaisé d'effectuer des calculs sur une quantité susceptible de varier dans de telles proportions, et on conçoit l'intérêt d'une transposition numérique qui comprimerait l'échelle des nombres à manipuler.

Toujours en acoustique, si l'on fait entendre à un auditeur deux sons de même fréquence mais d'intensités différentes, l'expérience montre qu'il faut multiplier l'intensité par 10 (c'est-à-dire la faire passer par exemple de 1 à 10) pour obtenir la *sensation* d'un doublement du niveau sonore. Dans ces conditions, pour obtenir la sensation d'un nouveau doublement, il faut faire passer l'intensité, dans l'exemple choisi, de 10 à $10 \times 10 = 100$. Il y a là un paradoxe : une *addition* (la sensation d'un doublement *plus* la sensation d'un nouveau doublement) oblige, pour calculer l'intensité finale, à une *multiplication.* Une transposition numérique qui permettrait, conformément à la logique, de déterminer l'intensité finale par une addition serait, elle aussi, bien commode.

Une transformation mathématique classique répond à ces deux désirs : comprimer l'échelle des valeurs numériques ; transformer

Tableau 1

pour multiplier (respectivement : pour diviser) par	*ajouter (respectivement : soustraire)*
1	0 dB
2	3 dB
3	5 dB
4	6 dB
5	7 dB
(...)	(...)
10	10 dB
20	13 dB
30	15 dB
(...)	(...)
100	20 dB
1 000	30 dB
10 000	40 dB
(...)	(...)
1 000 000 000	90 dB
(...)	(...)

les multiplications en additions (et les divisions en soustractions). Cette transformation, fondée sur la notion de *logarithme*, peut se présenter numériquement sous diverses formes. En acoustique comme en électronique (où l'on rencontre quotidiennement des problèmes comparables à ceux évoqués ci-dessus), la forme qui s'est imposée fait entrer en scène les *décibels* notés *dB* (prononcer : « débé »). Le tableau 1 indique, pour un certain nombre de valeurs, la correspondance valeurs numériques/dB dans le cas où l'on mesure des intensités sonores. (De façon plus générale : dans le cas où l'on mesure une puissance.)

On vérifie sans peine sur le tableau que *multiplier* par 2 (ce qui fait passer, dans la colonne de gauche, de 1 à 2, ou de 2 à 4, ou de 5 à 10, ou de 10 à 20) revient bien dans tous les cas à ajouter 3 dB. De même, multiplier par 3 revient à ajouter 5 dB, multiplier par 10 revient à ajouter 10 dB, etc.

À l'inverse, diviser par 2 revient à soustraire 3 dB. On ne s'étonnera donc pas de rencontrer des décibels *négatifs*. Ainsi, – 3 dB signifie qu'on divise par 2, – 5 dB signifie qu'on divise par 3, etc.

Tableau 2

120 décibels	décollage d'un avion quand on est au voisinage de la piste. (Seuil de la douleur.)
110 décibels	concert pop très bruyant.
100 décibels	– usine très bruyante. – *fortissimi* dans un concert classique, ou lors de la projection d'un film.
90 décibels	rue très bruyante.
80 à 90 décibels	niveau maximal « normal » lors de la projection d'un film.
75 à 80 décibels	intérieur d'une automobile en marche.
70 à 80 décibels	niveau sonore moyen pendant la projection d'un film.
50 à 60 décibels	conversation.
40 décibels	niveau sonore dans une salle de cinéma pendant les « silences du film ».
30 à 35 décibels	– chambre à coucher tranquille. – bruit de fond (climatisation, etc.) dans une salle de cinéma bien insonorisée en l'absence de public.
25 à 30 décibels	campagne très paisible.
20 décibels	studio désert d'enregistrement du son.
moins de 20 décibels	exceptionnel, sauf en laboratoire spécialisé. (Silence pénible, voire insoutenable.)

Pour obtenir la sensation d'un doublement du niveau sonore, il faut (voir plus haut) que l'intensité sonore *soit multipliée par 10*. Nous pouvons maintenant écrire : il faut que l'intensité sonore *s'accroisse de 10 dB* (puisque « + 10 dB » traduit « multiplier par 10 »).

En pratique, les appareils de mesure utilisés pour étudier la restitution du son dans les salles, et d'une façon plus générale pour déterminer les « courbes de réponses » (→ BANDE PASSANTE), mesurent des tensions électriques et non des intensités sonores. On emploie alors une correspondance valeurs numériques/dB différente de celle du tableau 1 mais définie de telle sorte que, si la tension varie par exemple de 10 dB, l'intensité sonore varie elle-même de 10 dB.

Dans cet ouvrage, on a choisi, pour simplifier, de raisonner uniquement en intensités sonores. Compte tenu de ce choix, il suffisait d'indiquer la seule correspondance du tableau 1.

Fondamentalement, les décibels servent donc à *transposer* des nombres (qui peuvent mesurer toutes sortes de « grandeurs » : intensité sonore, tension électrique, etc.) en d'autres nombres plus faciles à manipuler.

Mais leur emploi ne s'arrête pas là. Ils se sont en effet avérés si commodes qu'on les a chargés, en acoustique, d'un sens dérivé.

Nous savons que l'éventail des intensités sonores audibles s'ouvre dans un rapport d'environ 1 à 1 000 milliards. Statistiquement, l'intensité du son le plus faible perceptible par l'oreille est d'environ 0,000 000 000 001 watt par mètre carré, ce que les physiciens notent 10^{-12} W/m^2. Il suffisait de prendre cette intensité « seuil » comme valeur de référence, et de lui attribuer le « niveau » 0 décibel, pour construire, à partir de la transposition décrite précédemment, une échelle de niveaux sonores commode à manipuler. Parler d'un niveau sonore de 40 décibels revient ainsi (puisque 40 dB correspond à 10 000) à dire que l'intensité sonore est 10 000 fois supérieure à la valeur de référence 10^{-12} W/m^2. De la sorte, l'éventail des « niveaux sonores » ne s'ouvre plus que de 0 décibel à environ 120 décibels.

On voit donc se dessiner les deux sens du terme *décibel*. Selon le cas, « 40 décibels »

— ou bien signifie : « multiplier par 10 000 » (peu importe ce qu'on multiplie) ;

— ou bien repère le « niveau sonore » correspondant à une intensité sonore égale à 10 000 fois 10^{-12} W/m^2.

Dans la pratique, le contexte permet de savoir dans quel cas l'on se trouve. Dans cet ouvrage, on a pris le parti de noter les décibels :

— *dB* quand il s'agit d'exprimer « multiplier (ou diviser) par... » ;

— *décibel* quand il s'agit de repérer des niveaux sonores.

Une difficulté se présente dans l'emploi des décibels pour repérer les niveaux sonores. Pour une même intensité sonore, la sensation auditive varie considérablement avec la fréquence. Dans l'extrême grave ou l'extrême aigu, l'oreille est beaucoup moins sensible que dans les fréquences moyennes. À 30 Hz, par exemple, l'intensité seuil est à peu près 100 fois plus élevée que la valeur de référence 10^{-12} W/m^2. Évaluer les niveaux sonores à partir de la référence 10^{-12} W/m^2 n'est donc pas une méthode valable pour toutes les fréquences.

Afin de tenir compte de ce phénomène, on pondère les mesures en fonction de la fréquence. En fait, la pratique a montré qu'une pondération adéquate pour apprécier le confort d'un lieu d'habitation ne l'est pas nécessairement pour apprécier par exemple les bruits industriels, d'où l'existence de plusieurs pondérations standardisées, qui conduisent à exprimer les décibels en « dB (A) », « dB (B) ».

Le tableau 2 présente quelques ordres de grandeur typiques. J.-P.F./M.BA

DECOIN *(Henri), cinéaste français (Paris 1896 - id. 1969).* Réalisateur de quelque 45 films, Decoin est souvent présenté comme un metteur en scène « à l'américaine », soucieux de technique et d'efficacité, fasciné au début de sa carrière par la mécanique huilée des studios de Berlin, où il assume la version française de films tournés à la UFA (*le Domino vert,* notamment, où il dirige pour la première fois Danielle Darrieux en 1935), puis par Hollywood, où il accompagne la même Danielle Darrieux, devenue sa femme, et l'interprète du rôle principal de *la Coqueluche de Paris* (*The Rage of Paris,* H. Koster, 1938).

Après quatre années de guerre (dans l'infanterie, puis dans l'aviation, qui inspirera quelques-uns de ses films : *les Bleus du ciel* en 1933 ; *Au grand balcon* en 1949), Decoin entame une carrière de journaliste sportif, écrit un roman sur la boxe *(15 Rounds),* une pièce de théâtre, puis des scénarios destinés à Georges Biscot, alors vedette populaire des productions Feuillade (*le Roi de la pédale,* Maurice Champreux, 1925 ; *le P'tit Parigot,* R. Le Somptier, 1926).

Il devient réalisateur au début des années 30, après s'être formé comme assistant auprès des Italiens Gallone et Camerini. Il connaît alors sa période brillante, celle où il dirige, après *Abus de confiance* (1937), qui, considéré comme un beau mélodrame, a beaucoup plu, une série de comédies pour Danielle Darrieux. L'écriture en est légère, le ton à peine grave, le rythme soutenu. Danielle Darrieux, alors au sommet de sa popularité, y est parfaite dans des rôles complexes, passant du drame au rêve, de l'orphelinat aux palaces, du fruste village hongrois où son mari est chef de gare aux mirages d'une Budapest idéalisée (dans *Retour à l'aube*, en 1938). *Battement de cœur* (1940), dont le scénario est tourné parallèlement en Italie par Camerini sous le titre *Batticuore* avec Assia Noris, et *Premier Rendez-vous* (1941) sont de la même veine.

Premier Rendez-vous est produit par la Continental, cette entreprise allemande mise en place à Paris par les autorités d'Occupation, et dirigée avec une grande habileté par le Dr Greven. Il a pris Decoin sous contrat; celui-ci réalise pour la Continental deux autres films en 1941-42, dont *les Inconnus dans la maison*, sur un scénario de Clouzot, qui reste un des films les plus forts des années noires.

De 1943 (il quitte la Continental et réalise *l'Homme de Londres*, adaptation sans génie d'un roman de Simenon) à la fin de sa carrière, Decoin tourne beaucoup, aborde tous les genres (y compris la comédie musicale à l'américaine avec *Folies-Bergère* en 1957) montrant une prédilection parfois heureuse pour le film policier (*la Vérité sur Bébé Donge* en 1952 avec Danielle Darrieux et *Razzia sur la chnouff* en 1955, avec Jean Gabin). Il y laisse admirer cette « technique irréprochable » que les critiques soulignent pour l'opposer au caractère impersonnel de la plupart de ses films dont les derniers, il est vrai, abandonnent toute ambition véritable. J.-P.J.

Autres films : *Mademoiselle ma mère* (1937) ; *le Bienfaiteur* (1942) ; *la Fille du diable* (1946) ; *les Amants du pont Saint-Jean* (1947) ; *Non coupable* (id.) ; *Les amoureux sont seuls au monde* (1948) ; *Entre onze heures et minuit* (1949) ; *Clara de Montargis* (1951) ; *Dortoir des grandes* (1953) ; *la Chatte* (1958) ; *Nathalie agent secret* (1959) ; *Tendre et Violente Élisabeth* (1960) ; *Nick Carter va tout casser* (1964).

DE CONCINI *(Ennio), scénariste et cinéaste italien (Rome 1923).* Assistant de Vittorio De Sica pour *Sciuscià* (1946), il écrit ensuite près de 80 films, dont *Chasse tragique* (G. De Santis, 1948) ; *le Navire des filles perdues* (R. Matarazzo, 1954) ; *Guerre et Paix* (K. Vidor, 1956) ; *le Cri* (M. Antonioni, 1957) ; *le Masque du démon* (M. Bava, 1960) ; *Divorce à l'italienne* (P. Germi, 1961, pour lequel il obtient un Oscar). Avec *les Titans* (*Arrivano i Titani*, D. Tessari, 1962), il crée un des meilleurs et des plus ironiques péplums – c'est le genre qu'il préfère avec la comédie de mœurs. Ses trois mises en scène ne manquent pas d'intérêt : *Gli undici moschettieri* (1952, co Fausto Saraceni) ; *les Dix Derniers Jours d'Hitler (Gli ultimi dieci giorni di Hitler*, 1973) ; *Daniele e Maria* (1975, RÉ 1972). Il devient ensuite le prince des scénaristes de télévision avec la très populaire série *La Piovra* (D. Damiani, 1984). L.C.

DÉCORATEUR → GÉNÉRIQUE.

DÉCOR DE FILM. La chronophotographie précède le film. Elle se doit, dès ses premiers essais, de procurer à ses prises de vues de personnages ou d'animaux en mouvement un *fond* capable de leur donner un modelé, de les isoler. Muybridge fonce le ciel par l'emploi de plaques très sensibles, Marey tend du velours noir et peint en noir son studio. Le premier studio d'Edison, la Black Maria, recherche aussi le noir absolu. Abstraction, degré zéro du décor, qui permet les effets d'éclairage, les trucages, l'illusion magique dont Méliès en France, de 1896 à 1913, s'avère l'incontestable so(u)rcier. Le film, qui alors vient de naître dans les mains des frères Lumière, se découvre immédiatement tributaire de décors construits (qui peuvent être également situés en extérieurs). Issu du théâtre forain, illusionniste et naïf, du théâtre filmé, le cinéma de studio en adopte, avec la situation frontale, statique de la caméra, les fonds de toile peinte, que le film d'art utilise avec un louable souci d'exactitude historique, même si les murs se gondolent au gré des courants d'air et des portes qu'on ouvre (*l'Assassinat du duc de Guise,* A. Calmettes ; DÉC Émile Bertin, 1908). C'est l'illusion, non du réel, mais de la fidélité. Zecca « recopie », pour en faire des « tableaux vivants », les peintures de genre qu'on voit au Salon ou les gravures des magazines (*la Catastrophe de la Martinique,* 1902 ; *les Victimes de l'alcoolisme,* id.). Le studio, déjà, combine le

« réel » et le trompe-l'œil, à la recherche du faux qui deviendra le *vrai.* On utilise des maquettes pour *mimer* les événements de la guerre russo-japonaise (Actualités Pathé)... Décors et trucages l'emportent en importance sur la mise en scène, élémentaire, et les techniciens sont un peu des magiciens à tout faire. Les fonctions ne sont pas encore départagées entre l'ensemblier, l'accessoiriste, le costumier, le décorateur, le directeur artistique et, souvent, le « metteur en scène » assume une grande partie de ces tâches ou les supervise de très près. Ainsi Dreyer, pour qui le décor est un environnement psychodramatique, compose lui-même ceux de ses deux premiers films, dont *le Président* (1918) ; des cinéastes aussi différents que Murnau, L'Herbier, Eisenstein, Welles, Carné, Visconti, Fellini, Kubrick, Bolognini, attachent aux éléments du décor et à son rôle de composante essentielle au film une attention exigeante, qu'il s'agisse d'extérieurs ou de studio. Ils font, eux aussi, appel aux peintres – tradition héritée du théâtre –, mais surtout à des professionnels capables à la fois d'exprimer ce qu'ils demandent au décor et de résoudre avec leur équipe technique les problèmes complexes créés par le 7e art. Plusieurs cinéastes furent, d'abord, de remarquables créateurs de décors, voire de costumes : Cavalcanti, Autant-Lara, qui travaillent avec L'Herbier ; Abd as-Salām avec Kawalerowicz *(Pharaon) ;* Cocteau participe à tous les aspects de la mise en œuvre de ses films. Mais, avant tout, il y a, bien sûr, Méliès, inventeur et artisan de son univers, où règnent les farces et attrapes du rêve.

Fonction du décor. La loi première à laquelle doit satisfaire le décorateur, c'est de créer un espace, un environnement, en accord avec l'esprit général du film, de favoriser la perception par le public des dominantes de l'œuvre : réalisme, exotisme, illusion ou situation dans le temps du film « historique », dit également « film à costumes ». Ce sont, apparemment, des principes que le théâtre connaît, mais que les studios vont devoir adapter aux exigences techniques des tournages. Devenu mobile, non seulement au sol, mais dans les trois dimensions, la caméra doit trouver sa voie sur un *plateau* de plus en plus encombré par les appareillages du son et de l'électricité. Au contraire du décor du théâtre, celui du studio ne peut plus alors se permettre un faux-semblant de convention : le plan rapproché ou la profondeur de champ excluent l'irréalisme du matériau (il doit donner l'illusion d'être ce que *voit* le spectateur), et le règne de la toile peinte, avec l'immobile fumée blanche du Vésuve (*les Derniers Jours de Pompéi,* E. B. Shoedsack, 1935), son paysage africain reliant deux séquences de stock-shots dans *Pour un sou d'amour* (J. Grémillon, 1932) ou son esquisse de désert (*la Forêt pétrifiée,* A. L. Mayo, 1936), disparaît peu à peu, sous les quolibets, au profit des transparences, des décors réels, ou des découvertes photographiques aérant des huis clos dont *la Corde* d'Hitchcock (1948) ou *Violence et Passion* de Visconti (1975) sont des exemples types. Il est intéressant de noter que deux de ces films sont des adaptations d'œuvres théâtrales et respectent l'unité de lieu. Or, plus l'espace est censé être resserré, plus le décor doit être conçu en fonction du découpage technique du film et prévoir des parties amovibles ; la perfection de chaque élément, des murs et plafonds aux accessoires, doit être obtenue. Il faut éviter certaines couleurs, les peintures laquées ou à brillance, à cause des éclairages intenses (→ COULEURS : procédés), et, bien sûr, les détails ou les objets anachroniques. Le coût élevé des architectures a conduit les studios à la réutilisation d'éléments interchangeables – pouvant composer des pans entiers de décor qu'il suffit de « rhabiller » selon les besoins : une ville romaine, une ville de l'Ouest, une jungle... Les producteurs ont naturellement fait naître le fils de King Kong dans les décors de son père, ou plutôt du vrai « père » de son père, le décorateur et animateur Willis O'Brien (1933). Le réemploi d'éléments ou même de parties importantes d'ensembles construits est une pratique courante, sauf s'il s'agit évidemment de décors « consommables » – par toute forme de destruction spectaculaire – que le plan de tournage doit alors préserver jusqu'à ce que tous les raccords soient effectués : *la Party,* de Blake Edwards, illustre avec humour les désagréments d'une consommation prématurée du décor. Fait plus rare : la fresque en caramels (c'est le portrait de Trimalcion), innovée par Luigi Scaccianoce pour « d'exquises raisons techniques » à l'occasion du *Satyricon,* 1969...

Il n'y a pas, en fait, d'évolution du décor du film autre que technique (à contraintes nouvelles matériaux nouveaux). Le bois, la toile, le plâtre armé de fibres (staff), un isolant comme le Cellotex sont toujours employés, mais les matériaux plastiques (polystyrène, polyester et dérivés) ont apporté une souplesse, une rapidité de réalisation alliées à la légèreté et à la solidité pour les structures et les moulages. Les maquettes de navires, de villes, d'engins spatiaux, ou les créatures qui hantent la science-fiction en ont bénéficié. Le faux plus vrai que le vrai demeure la loi fondamentale : si les scènes éclairées à la chandelle de *Barry Lyndon* (S. Kubrick, 1975) paraissent naturelles, elles ne le sont pas plus que les tableaux de Georges de La Tour dont elles retrouvent les tonalités, mais le trucage est dans la prise de vues. Si les années 20, déjà, ne sont pas exemptes de réalisme au niveau des intentions, les moyens ne suffisent pas encore à donner le change. Sauf à suivre la voie ruineuse de *Cabiria* (G. Pastrone, 1914), dont les constructions dues à Inocenti ont impressionné Griffith : la « reconstitution » de Babylone par ses décorateurs, Ellis Wales et Frank Wortman, reste un exemple on ne peut plus fameux du gigantisme luxueux de certaines superproductions, où l'imagination supplée volontiers à la difficile exactitude. L'art naît à partir de l'interprétation de la réalité, sinon de son invention – jamais de la stricte reproduction du réel. Quand Alexandre Trauner reconstitue en studio le canal Saint-Martin, il « met en scène » tous les éléments du réel dans un espace qui n'est « fidèle » à la réalité que parce qu'il permet de l'interpréter, de l'incorporer, au même niveau que le dialogue ou la lumière, dans un tout indissociable qui est le film (*Hôtel du Nord,* M. Carné, 1938). Trauner, comme Meerson, ou Léon Barsaq, ou Vincent Korda, ou des cinéastes tels que Kubrick et Visconti travaillent d'abord sur une immense documentation qu'ils sélectionnent peu à peu. Mais cette sélection n'est en rien réductrice ; elle inspire au contraire le choix des lieux, des aménagements et des accessoires. Le motif n'est choisi que pour être réinventé.

Les erreurs de style, de goût, d'unité, de couleur locale, voire de bon sens, n'ont pourtant pas épargné les productions, et souvent les plus dispendieuses. Aux étranges reconstitutions des conseillers artistiques des studios, un Sternberg préfère sa libre interprétation du délire baroque du tsar dément de*l'Impératrice rouge* (1934), et son équipe s'inspire de ses directives. Le décorateur Hans Dreier, qui travaillera avec De Mille, avait déjà élaboré pour Sternberg les cadres bien différents des *Damnés de l'Océan,* de *Morocco* et de *Shanghai Express,* où la ville chinoise paraît merveilleusement réelle. Deux lignes de force, non pas de l'histoire, mais de l'éthique du décor sont ici successivement évidentes : la reconstitution, et la traduction. Les frontières n'en sont pas absolues : elles subissent l'osmose insidieuse qu'impose à la représentation du réel toute création. Dans *Folies de femmes* (1922), l'extraordinaire décor de Stroheim et Richard Day se veut la fidèle reproduction de Monte-Carlo et passe pour tel ; mais Lazare Meerson, imaginant une ville flamande du XVIe siècle (*la Kermesse héroïque,* J. Feyder), fait preuve d'une autre fidélité : à l'esprit d'une époque, à la tradition visuelle que nous en avons – comme à « l'air du temps » que Jean d'Eaubonne restitue pour Max Ophuls dans *Lola Montès* (1955). On connaît le refus de Welles du recours aux transparences, au profit du champ réel, et des fameux décors plafonnés de *Citizen Kane* et de *la Splendeur des Amberson.*

Lorsque S. M. Eisenstein veut réaliser *le Cuirassé Potemkine* (1925), le navire n'existe plus, et il ne subsiste de son sister-ship, *Dvinatset Apostole* (le *Douze Apôtres*), que la carcasse : le décorateur Vassil Rakhals fait alors reconstruire les superstructures du navire, en bois, d'après les archives de la marine. Le film devait à Eisenstein une particularité : chaque image du drapeau rouge était coloriée à la main sur les copies... Ce procédé d'exaltation symbolique d'un accessoire avait été sans doute inventé par Stroheim (l'or dans *les Rapaces*) deux ans plus tôt ; on le retrouvera par exemple avec la fleur rouge d'hibiscus dans *le Testament d'Orphée* (J. Cocteau, 1960).

En pratique, l'utilisation de procédés techniques (→ DUNNING, SHUFTAN, TRANSPARENCE, TRUCAGE) permet d'obtenir une illusion parfaite, à partir de maquettes ou de préfilmage, d'éléments photographiques rapportés (arrière-plan, perspective, plafond, etc.). Pour *les Révoltés du Bounty* (F. Lloyd, 1935), la mer et le pont du navire furent filmés séparément.

Si les maquettes de *la Guerre de l'opium* sont une représentation naïve de l'escadre anglaise, du moins sont-elles en accord avec le style délicieusement obsolète du film de Zheng Junli et Cen Fao (1959), alors que l'exactitude de l'attaque sur Pearl Harbour dans *Tora ! Tora ! Tora !* est hallucinante (R. Fleischer, 1970). Le décor joue en fait sur deux niveaux de représentation différents : réalisme ou stylisation.

Stylisation et symbolisme. Au début fut la stylisation : graphisme et aplats nés de la toile peinte foraine et annonçant la bande dessinée ; c'était le monde lunaire ou subaquatique de Méliès (on y revient toujours). Il s'agit d'un décor naïf, comme est *naïve* une peinture qui naît à la même époque et que l'on va nommer ainsi. L'enchantement n'en est pas oublié. Le dessin animé en émane d'une certaine manière : simplification ou déformation humoristique des formes, absence de profondeur de champ, arbitraire des couleurs... L'irréalisme poétique se confond ici avec celui des genres ; on le retrouvera d'ailleurs souvent dans des courts métrages, voire dans l'amusant *Aventures fantastiques* de Zeman (1958), qui se déroule dans l'univers gravé des illustrateurs de Jules Verne, ou dans le *Sous-Marin jaune* des Beatles (1968).

L'erreur de l'expressionnisme avait été, à partir d'expériences scéniques, d'accorder au décor une quasi-prééminence au détriment évident de l'équilibre du film. *Le Cabinet du Dr Caligari* (R. Wiene, 1919), où les perspectives et les formes torturées des décorateurs expriment un symbolisme criard, qu'accusait leur stylisation, ouvrit une brève période qui demeure, dans l'histoire du cinéma, un point de curiosité et un exemple de confusion créatrice. Le véritable expressionnisme aura été celui de *Nosferatu le vampire* (F. W. Murnau, 1922) ou de *M le Maudit* (F. Lang, 1931), grâce à des décors souvent naturels et aux éclairages. Le film noir s'en souviendra et y puisera ses effets les plus saisissants. Autrement dit, le décor ne doit pas imposer son style mais servir l'unité de l'œuvre. Lorsque la stylisation est extrême, elle s'inscrit dans un récit visuel qu'elle accompagne en harmonie : c'est ce que tentent Wakhévitch et Trauner dans *les Visiteurs du soir* (Carné, 1942), ou Jean-Pierre Kohut-Svelko pour *Perceval le Gallois* (É. Rohmer, 1979). Dans *la Vengeance d'un acteur* (K. Ichikawa, 1963), il arrivait que les mouvements et la lumière fussent littéralement calligraphiés. De tels exemples démontrent qu'ils ne peuvent être qu'exceptionnels, parce qu'ils se réfèrent au plus haut niveau à un art autre que le cinéma, et que la sorte d'hommage qu'ils lui rendent – comme aux enluminures le *Henry V* de Laurence Olivier (1944) – ne créent pas un style, mais jouent le jeu, dangereux et séduisant, d'œuvres rares selon les deux acceptions du terme.

Le seul genre avec le dessin animé capable d'user d'une manière naturelle de la stylisation reste le musical – parce que tout y est convention, féerie, irréalisme éblouissant et théâtralité sublimée : le bon goût n'y est pas toujours sûr (la couleur a joué de mauvaises surprises) ; mais, dès 1933, tant la Warner que la MGM réussissent l'alliage des éléments scéniques et de la chorégraphie, de la lumière et du mouvement. Les intérieurs pourront être parfaitement fantaisistes, les jardins et le ciel se transformer à vue, les villes ne vivre que par leurs néons, le musical est le lieu du rêve, et le décorateur est son serviteur jusqu'à « ouvrir à la danse un espace solidaire du monde quotidien » (Alain Masson) jusqu'au paradoxe. Qu'on se souvienne d'*Un Américain à Paris* (V. Minnelli, 1951), de *Chantons sous la pluie* (S. Donen, 1952), puis de *West Side Story* (Wise et Robbins, 1961) : on est passé des toiles d'Utrillo aux « brown stone mansions » des quartiers d'immigrés...

Décors réels. Le décor naturel ou habité (qui ne se souvient du générique sur l'approche en hélicoptère de New York dans ce dernier film ?) est rarement utilisé sans modifications : il demande à être recomposé par le chef opérateur selon des orientations précises. Kubrick ou Bolognini se réfèrent à des toiles de maîtres. W. S. Van Dyke et Flaherty sélectionnent les décors naturels qu'ils utilisent et les traduisent plus ou moins dramatiquement (angles des prises de vues, lumière). Wellman use de filtres rouges ou orangés pour filmer la ville abandonnée de *Yellow Sky* (1948). Bondartchouk fait remodeler un paysage russe immense pour y tourner Waterloo. Antonioni, dans *le Désert rouge,* puis dans *Blow-Up,* fait repeindre des façades, mais – surtout ! – ravive par des produits pulvérisés les couleurs des herbes et des arbres. La tentative, louable, de la Nouvelle Vague de tourner *in situ* n'a guère résisté à l'expérience : les décors réels sont plus souvent une gêne (pratique, technique) qu'un apport, sauf cas particuliers — le palais du *Salon de musique* (S. Ray), qui s'est trouvé curieusement être le château réel du récit ; ou les extérieurs de celui de *la Belle et la Bête* (Cocteau). En fait, chaque partie du décor, fût-elle utilisée avec une volonté de symbolisation ou d'insistance qui la met en évidence, ne doit servir qu'à l'utilité stylistique et dramatique du film. Ce qui est « vrai » n'est pas toujours aussi convaincant que ce qui en est la traduction : « À l'écran, le meilleur décor est celui que l'on remarque peu. On n'atteint pas au réalisme par la seule reproduction du réel » (René Clair). C.M.C.

DE CORSIA *(Ted), acteur américain (Brooklyn, N. Y., 1904 - Encino, Ca., 1973).* Venu de la radio, il eut la chance à l'écran de ne jouer le plus souvent que dans des films intéressants, où son physique expressif et son jeu robuste prêtaient vie à des « vilains » de toute catégorie : *la Dame de Shanghai* (O. Welles, 1948) ; *la Femme à abattre* (Bretaigne Windust et R. Walsh, 1951) ; *Une place au soleil* (G. Stevens, *id.*) ; *Association criminelle* (Joseph H. Lewis, 1955) ; *Deux Rouquines dans la bagarre* (A. Dwan, 1956) ; *le Pantin brisé* (Ch. Vidor, 1957) ; *l'Ennemi public* (D. Siegel, *id.*) ; *Cinq Cartes à abattre* (H. Hathaway, 1968). G.L.

DÉCOUPAGE. Document écrit dans lequel le récit est fragmenté en plans numérotés, et qui donne les repères dramatiques (sonores et visuels) du film à tourner. *Découpage technique,* document portant des indications techniques (sur les cadrages, les mouvements d'appareils, les effets spéciaux, etc.) plus élaborées que dans un découpage. (→ TOURNAGE, GÉNÉRIQUE.)

DÉCOUVERTE. Toile peinte ou photographie placée derrière une ouverture d'un décor de studio (une fenêtre par ex.) pour simuler l'arrière-plan. (→ EFFETS SPÉCIAUX.)

DÉCROCHAGE. Source lumineuse éclairant le sujet par l'arrière de façon à créer un liseré lumineux qui détache le sujet du décor. (→ ÉCLAIRAGE.)

DE CUIR *(John), décorateur américain (San Francisco, Ca., 1918).* Il débute aux studios Universal en 1938 et se spécialise après 1950 dans les grandes productions pour la 20th Century Fox. Parmi ses films : *les Démons de la liberté* (1947) et *la Cité sans voiles* (1948) de Jules Dassin ; *le Roi et moi* (W. Lang, 1956) ; *South Pacific* (J. Logan, 1958) ; *Simon le pêcheur* (F. Borzage, 1959) ; *Cléopâtre* (J. L. Mankiewicz, 1963) ; *l'Extase et l'Agonie* (C. Reed, 1965) ; *la Mégère apprivoisée* (F. Zeffirelli, 1967) ; *Hello Dolly !* (G. Kelly, 1969) ; *Melinda* (V. Minnelli, 1970) ; *Avec les compliments de Charlie* (S. Rosenberg, 1979) ; *l'Affaire Chelsea Deardon* (Legal Eagles, 1986). J.-P.B.

DÉDOUBLAGE. Opération consistant à faire le tri entre les prises retenues pour le montage et les prises non retenues. (→ MONTAGE.)

DEE *(Jean Dee,* dite *Frances), actrice américaine (Los Angeles, Ca., 1907).* Brune et élégante, Frances Dee a incarné à merveille la jeune fille sage. Dans des films comme *les Quatre Filles du docteur March* (G. Cukor, 1933) ou *l'Emprise* (J. Cromwell, *id.*), elle est inévitablement sage, mais à l'arrière-plan, éclipsée par les turbulentes Katharine Hepburn ou Bette Davis. Ce n'est pourtant pas une mauvaise actrice, comme elle l'a prouvé adroitement dans *Vaudou* (J. Tourneur, 1943). Mariée depuis 1933 à Joel McCrea, elle n'a plus rien tourné depuis 1954. C.V.

DEE *(Alexandra Zuck,* dite *Sandra), actrice américaine (Bayonne, N. J., 1942).* Cover-girl à douze ans, elle débute à la télévision en 1955 et est engagée en 1957 par l'Universal, qui la « prête » à la MGM pour ses deux premiers films : *Femmes coupables* (R. Wise, 1957) et *Qu'est-ce que maman comprend à l'amour ?* (V. Minnelli, 1958). Après avoir interprété la fille de Lana Turner dans *Mirage de la vie* (D. Sirk, 1959), elle incarne durant plusieurs années la « jeune fille modèle » dans des comédies sentimentales aseptisées, qui lui valent un énorme succès auprès des adolescents américains : *Gidget* (P. Wendkos, 1959) ; *Ils n'ont que vingt ans* (D. Daves, 1959) ; *les Lycéennes* (*Tammy Tell Me True,* H. Keller, 1961) ; *Ah ! si papa savait ça* (*Take Her She's Mine,* H. Levin, 1963). Mariée de 1960 à 1967 au chanteur-interprète Bobby Darin, son audience diminue à la fin des années 60. Elle ne parvient pas à se recycler dans les rôles adultes et arrête sa carrière cinématographique avec *The Dunwich Horror* (Daniel Haller, 1970), tout en poursuivant une activité irrégulière à la télévision. O.E.

DEED *(André Chapais,* dit *André), acteur et cinéaste français (Le Havre 1879 - Paris ? 1931 ?).* Il débute au café-concert comme chanteur et acrobate puis se produit au Châtelet et aux Folies-Bergère. En 1905-1908, il est acteur chez Pathé et, sous le pseudonyme de Boireau, tient la vedette de nombreuses comédies burlesques dirigées par Heuzé et Capellani (*la Course à la perruque, Boireau déménage,* etc.). Plus populaire à l'époque que Max Linder, il est invité par Itala Film en Italie, où il tourne, sous le nom de Cretinetti (en français Gribouille) près de 70 comédies, dont certaines réalisées par lui-même ; revenu en 1911 chez Pathé, il retournera en Italie en 1915. Son comique excentrique et ravageur, fondé sur la poursuite et la destruction, marqué par le goût de l'absurde et de la dérision, préfigure bien celui de Mack Sennett. Il a encore joué dans quelques films des années 20 avant de disparaître et de mourir oublié. M.M.

DEFA *(Deutsche Film Aktien Gesellschaft),* société de production allemande fondée à Berlin en 1946 et devenue en 1949 organisation de production cinématographique d'État chargée de regrouper les activités de tous les studios de la République démocratique d'Allemagne. C.D.R.

DE FILIPPO *(Eduardo Passarelli,* dit *Eduardo), cinéaste, acteur et scénariste italien (Naples 1900 - Rome 1984).* C'est l'un des plus grands écrivains du théâtre en dialecte napolitain et du théâtre tout court. Il débute très jeune sur les planches avec son frère Peppino et sa sœur Titina. Son premier rôle au cinéma, toutefois, est assez tardif : *Trois Hommes en habit* (M. Bonnard, 1932), suivi par une des plus caustiques comédies de Mario Camerini, *le Tricorne* (1934). Après une série de comédies interprétées avec Peppino, il dirige, écrit et produit en 1940 *In campagna è caduta una stella,* plaisante comédie agreste ; sa deuxième réalisation, *Ti conosco, mascherina !* (1944), est une comédie sur le milieu du théâtre musical. Après la guerre, il poursuit sa carrière populaire, brillant acteur de composition dans des films de Mario Mattoli (*La vita ricomincia,* 1945), Luciano Emmer (*les Fiancés de Rome,* 1952), Vittorio Cottafavi (*Fille d'amour,* 1953), Vittorio De Sica (*l'Or de Naples,* 1954), Luigi Comencini (*la Grande Pagaille,* 1960) et d'autres. Mais, surtout, il dirige neuf films centrés sur les vicissitudes comiques et tragiques du peuple napolitain, dont : *Naples millionnaire* (*Napoli milionaria,* 1950) ; *Filumena Marturano* (1951, refait en 1964 par De Sica sous le titre de *Mariage à l'italienne*) ; *Questi fantasmi* (1954) ; *Fortunella* (1958) ; *Spara forte più forte... non capisco !* (1966). Comme dans ses pièces, son style tend à une sorte de néoréalisme poétique et fantasque aux tons surréels. L.C.

DE FILIPPO *(Peppino), acteur italien (Naples 1903 - Rome 1980).* En 1925, il joue au théâtre avec son frère Eduardo et crée un personnage comique plus vivace et moins réfléchi que celui d'Eduardo. Dans les années 30, il interprète les mêmes films que son frère. Il crée en 1950 le rôle inoubliable du minable directeur d'une petite troupe de variétés dans *les Feux du music-hall* (A. Lattuada, F. Fellini). Dans les années suivantes, il joue dans de nombreuses comédies populaires, souvent comme faire-valoir de Totò. Fellini lui donne un autre grand rôle dans *Le tentazioni del dottor Antonio* (épisode de *Boccace 70,* 1962), où il est le censeur moraliste qui s'efforce de lutter contre les rondeurs provocantes d'Anita Ekberg. L.C.

DE FILIPPO *(Titina), actrice italienne (Naples 1898 - Rome 1963).* Elle apparaît très jeune au théâtre et, dès 1929, joue avec ses frères Eduardo et Peppino. C'est à leurs côtés qu'elle débute au cinéma dans *Sono stato io !* (R. Matarazzo, 1937), suivi par un des premiers films de Totò, *Totò apôtre et martyr* (A. Palermi, 1941). Souvent protagoniste des films napolitains dirigés par Eduardo, elle donne sa meilleure interprétation dans *Filumena Marturano* (E. De Filippo, 1951), dans le rôle de la prostituée rachetée. Elle devient ensuite une des comédiennes chevronnées les plus recherchées dans une longue série de comédies populaires parlées en dialecte. L.C.

DÉFINITION. Critère permettant d'apprécier la finesse d'une image : plus il y a de détails, plus la définition est élevée. (→ POUVOIR SÉPARATEUR, VIDÉO.)

DE FOREST *(Lee), inventeur américain (Council Bluffs, Iowa, 1873 - Los Angeles, Ca., 1961).* Il inventa notamment la lampe triode (1907), qui allait permettre la réalisation des premiers amplificateurs électroniques. Après la Première Guerre mondiale, De Forest s'intéressa à l'enregistrement optique du son, et il effectua à partir de 1923 des projections publiques de courts métrages réalisés avec son procédé *Phonofilm* à piste optique latérale, dont on retrouve le principe et divers éléments dans le procédé Fox Movietone. (→ CINÉMA SONORE.) J.-P.F.

DE GREGORIO *(Eduardo), cinéaste et scénariste français d'origine argentine (Buenos Aires 1942).* Installé à Paris, il collabore à l'écriture de films de Bertolucci (*la Stratégie de l'araignée,* 1970), de Rivette (*Céline et Julie vont en bateau,* 1974 ; *Duelle,* 1976 ; *Noroît,* 1977), de Comolli (*la Cécilia,* 1976). Sa première mise en scène, *Sérail* (1976), mêle fiction et réalité autour d'un écrivain et des énigmatiques habitants d'une maison. *La Mémoire courte* (1979) entrecroise passé et présent à propos du trafic d'hommes (les anciens nazis) et d'influences, dans un rythme enlevé de thriller. Il tourne ensuite *Aspern,* au Portugal, une adaptation des *Papiers d'Aspern,* d'après Henry James (1982), et *Corps perdus* (1989), filmé en Argentine et hanté par les mêmes obsessions : les demeures mystérieuses et les pesanteurs de la mémoire. P.A.P.

DE HAVILLAND *(Olivia), actrice anglaise naturalisée américaine (Tōkyō, Japon, 1916).* Née au Japon, Olivia De Havilland regagne les États-Unis à l'âge de deux ans avec sa sœur cadette, Joan Fontaine. Elle interprète divers spectacles avec les Community Players de Saratoga, dont *le Songe d'une nuit d'été,* qu'elle reprend en 1934 au Hollywood Bowl, sous la direction de Max Reinhardt. Ce dernier la retient pour jouer le rôle d'Hermia dans l'adaptation cinématographique de cette pièce (CORÉ William Dieterle, 1935). Elle est alors prise sous contrat par la Warner Bros et choisie comme partenaire d'Errol Flynn dans *Capitaine Blood* (M. Curtiz, 1935). Elle forme avec ce comédien un des grands couples romantiques des années 30, s'illustrant sous la direction du même Curtiz dans *la Charge de la brigade légère* (1936), *les Aventures de Robin des Bois* (1938), *Quatre au paradis* (id.), *les Conquérants* (1939), *la Vie privée d'Élisabeth d'Angleterre* (id.), *la Piste de Santa Fé* (1940), et sous la direction de Raoul Walsh dans *la Charge fantastique* (1941). Dans ces films, qui figurent parmi les plus représentatifs de la production épique Warner, Olivia De Havilland incarne le plus souvent une jeune aristocrate ou une « garçonne » naïve, que l'amour révèle à elle-même et rend capable des plus nobles sacrifices. Ses personnages, d'un naturel tendre (n'excluant pas une certaine malice), sont faits pour aimer, et surtout pour *endurer,* comme ceux qu'elle tourne à la même époque chez Selznick (*Autant en emporte le vent,* V. Fleming, 1939) ou à la Paramount (*Par la porte d'or,* M. Leisen, 1941).

Malgré des succès personnels incontestables, Olivia De Havilland voit, à la Warner, les rôles « forts » échoir à Bette Davis. En 1943, elle remporte contre cette firme un procès qui aura une incidence majeure dans la législation hollywoodienne. Après deux années de mise à l'index, elle tourne *la Double Énigme* (R. Siodmak, 1946), qui lui permet de prouver son aptitude aux rôles dramatiques. Elle obtient la même année l'Oscar pour *À chacun son destin* de Mitchell Leisen, où elle aborde son premier emploi de femme mûre. Après le tour de force de *la Fosse aux serpents* (A. Litvak, 1949), *l'Héritière* (deuxième Oscar, sous la direction de William Wyler, *id.*) et *Ma cousine Rachel* (H. Koster, 1953) révèlent une finesse et une disposition à l'ambiguïté : deux qualités rarement exploitées chez elle.

La troisième partie de sa carrière, moins fournie, caricature à la fois les traits masochistes (*Une femme dans une cage* [*Lady in a Cage*], Walter Grauman, 1964) et potentiellement maléfiques du personnage Havilland (*Chut, chut, chère Charlotte,* R. Aldrich, 1965). Les années 70 ne lui offrirent que de brèves apparitions dans des productions comme *les Naufragés du 747* (Jerry Jameson, 1977) et *l'Inévitable Catastrophe* (I. Allen, 1978), aux titres appropriés. Depuis 1956, l'actrice séjourne principalement à Paris. Elle a tiré de son expérience parisienne un livre d'anecdotes, *Every Frenchman Has One* (1961). O.E.

DEHELLY *(Suzanne), actrice française (Paris 1902 - id. 1968).* Ses succès au théâtre, au cabaret et dans l'opérette l'amènent au studio, où, dans la première partie d'une carrière bien remplie, elle ne trouve que de médiocres rôles dans de médiocres films signés René Pujol, Pierre Caron, Maurice Cammage ou Fernand Rivers. Deux exceptions avec *La crise est finie* (R. Siodmak, 1934) et *Arsène Lupin détective* (H. Diamant-Berger, 1937). Épouse du scénariste Marcel Rivet, elle évolue, à partir de *l'Idole* (Alexandre Esway, 1948), vers des compositions sobres et parfois émouvantes (*Au grand balcon*, H. Decoin, 1949 ; *Olivia*, J. Audry, 1951 ; *La nuit est mon royaume*, G. Lacombe, *id.*). R.C.

DEHN *(Paul), scénariste britannique (Manchester 1912 - Londres 1976).* Cet ancien critique cinématographique obtint l'Oscar du meilleur scénario pour *Ultimatum* (J. et R. Boulting, 1950). Depuis, il a signé les scénarios de films à grande diffusion internationale comme *Ordre de tuer* (A. Asquith, 1958) ; *Goldfinger* (G. Hamilton, 1964) ; *l'Espion qui venait du froid* (M. Ritt, 1965) ; *la Nuit des généraux* (A. Litvak, 1967) ; *la Mégère apprivoisée* (F. Zeffirelli, *id.*) ; *le Secret de la planète des singes* (T. Post, 1970) ; *la Conquête de la planète des singes* (J. L. Thompson, 1972) ; *le Crime de l'Orient-Express* (S. Lumet, 1974). R.L.

DEKEUKELEIRE *(Charles), cinéaste belge (Ixelles 1905 - Bruxelles 1971).* D'abord critique cinématographique, il s'impose, à la charnière de la deuxième et de la troisième avant-garde, avec des films expérimentaux puis, le parlant venu, s'oriente vers le documentaire industriel ou civique de commande. Étonnant précurseur, il anticipe dès la fin du muet le cinéma le plus moderne : *Impatience* (1928) fonctionne déjà comme beaucoup de films underground ; *Histoire de détective* (1929) devance le Jean-Luc Godard de *Week-end* (1967). Il a laissé plusieurs ouvrages de réflexion. Du *ciné-œil* de Vertov, il tire la *technographie* : usage documentaire du cinéma propre à réconcilier l'individu avec la société. C'est une étrange synthèse de matérialisme et d'idéalisme, partagée entre l'illuminisme d'un Jean Epstein et le rationalisme d'un Dziga Vertov. B.A.

Films : *Combat de boxe* (1927) ; *Impatience* (1928) ; *Histoire de détective* (1929) ; *Flamme blanche* (*Witte Vlam*, 1930) ; *Visions de Lourdes* (1932) ; *Terres brûlées* (1934) ; *le Mauvais Œil* (1936) ; *Processions et Carnavals* (id.) ; *Thèmes d'inspiration* (1938) ; *Images du travail* (id.) ; *l'Acier* (1939) ; *l'Usine aux champs* (1940) ; *Au service des prisonniers* (1942) ; *Secours en 1940-41* (id.) ; *La vie recommence* (1946) ; *Métamorphoses* (id.).

DEKKER *(Albert Van Dekker, dit Albert), acteur américain (Brooklyn, N. Y., 1904 - Hollywood, Ca., 1968).* Vétéran de la scène, Albert Dekker n'a abordé le cinéma qu'en 1937. Grand, menaçant, il a excellé dans les rôles inquiétants. Il joua avec goût les savants fous (*Docteur Cyclops*, E. B. Schoedsack, 1940) ou les médecins fous (*Soudain l'été dernier*, J. L. Mankiewicz, 1959). Inoubliable était sa création de *En quatrième vitesse* (R. Aldrich, 1955), où il provoquait une explosion atomique. C.V.

DELAIR *(Suzanne Delaire, dite Suzy), actrice française (Paris 1916).* Chanteuse légère remarquable, cette actrice pleine d'entrain et d'abattage s'est imposée dans le tour de chant, les revues, l'opérette. Ses débuts au cinéma sont difficiles, et on l'aperçoit dans certains films de l'avant-guerre, noyée dans la figuration (*Dédé*, René Guissart, 1934 ; *La crise est finie*, R. Siodmak, *id.* ; *Prends la route*, Jean Boyer, 1937). Sa rencontre avec Clouzot, alors scénariste, est déterminante. Dans *le Dernier des six* (G. Lacombe, 1941), elle ravit sans coup férir la vedette à l'actrice principale. *L'assassin habite au 21* (H.-G. Clouzot, 1942), où elle reprend le même personnage, accroît son succès. Dans *la Vie de bohème* (M. L'Herbier, 1945 ; RÉ 1943), elle campe avec esprit une grisette. Dans *Copie conforme* (J. Dréville, 1947), elle est fascinée par Jouvet. En 1947, elle remporte un triomphe en interprétant le rôle de la chanteuse de music-hall dans *Quai des Orfèvres* (H.-G. Clouzot), où elle passe du rire aux larmes, du drame à la comédie, avec une aisance souveraine. Ses rôles dans *Pattes blanches* (J. Grémillon, 1949) et *Rocco et ses frères* (L. Visconti, 1960) confirment son autorité et son âpreté à défendre des personnages ambigus. Malheureusement, trop souvent délaissée, oubliée ou chargée d'apparitions sans relief, elle ne trouve plus guère que dans *Gervaise* (R. Clément, 1956) l'occasion de se faire remarquer, après avoir beaucoup fait rire dans *Souvenirs perdus* (Christian-Jaque, 1950). Pour son unique tentative de réalisateur, Henri Jeanson lui avait écrit *Lady Paname* (id.), rôle de gouaille et d'émotion à fleur de peau, mais le film fut un échec. R.C.

DELANNOY *(Jean), cinéaste français (Noisy-le-Sec 1908).* Licencié ès lettres, il hésite entre le journalisme, la banque et la décoration. Il opte finalement pour le cinéma, où sa sœur, Henriette Delannoy, joue au temps du muet des rôles importants. D'abord acteur (*Casanova,* A. Volkoff, 1927), il s'intéresse vite au montage et acquiert une renommée certaine dans cette branche de la profession. À partir de 1933 et de *Franches Lippées,* on lui confie la mise en scène de courts ou moyens métrages et, en 1936, il travaille avec l'auteur Jacques Deval sur la réalisation de *Club de femmes* puis avec Félix Gandéra sur celle de *Tamara la complaisante* (1937) et du *Paradis de Satan* (1938). Ainsi se dessine le paysage de son œuvre, qui, jusqu'en 1943, n'outrepasse pas les limites du mélo maîtrisé (*le Diamant noir,* 1940 ; *Fièvres,* 1942) ou du roman d'aventures entraînant et filmé avec vigueur, tel *Macao, l'enfer du jeu* (1939). Le film ne sort d'ailleurs qu'en 1942, après que Pierre Renoir eut remplacé Stroheim dans toutes ses scènes. *Pontcarral, colonel d'empire* (1942) se situe à la jonction de ces deux courants. L'intrigue amoureuse développe des situations mélodramatiques qu'avive un parfum d'aventures héroïques. L'éclat des dialogues de Zimmer, le goût de l'époque pour le panache font de *Pontcarral* un brillant succès. Tout change avec *l'Éternel Retour* (1943). Cocteau tente de rajeunir le mythe de Tristan et de le situer dans un climat qui veut rappeler celui des *Enfants terribles.* Le film joue sur deux niveaux : la légende pure, où Delannoy n'évite pas un hiératisme assez accablant, et la partie réaliste un peu plaquée, dans laquelle se contrarient les machinations des uns et les jeux dangereux des autres. C'est pour Delannoy une rupture complète avec le passé. Son style, qui jusqu'alors ne manque pas de nerfs, se guinde et peu à peu laisse le champ libre à des compositions glacées, élégantes et fastidieuses. Cet écart est sensible dès *le Bossu* (1944), un des classiques du mélo, rendu soudain pompeux et solennel. *La Symphonie pastorale* (1946), qui bénéficie de l'émouvante présence de Michèle Morgan, a la froideur, sinon la beauté, de la neige environnante. Tous ses films vont jouer dès lors leur rôle de grandes machines académiques : aussi bien *Les jeux sont faits* (1947), en dépit du scénario de Sartre, que *Notre-Dame de Paris* (1956), malgré la participation de Prévert. *Le Secret de Mayerling* (1949) reste un ouvrage soigné que d'autres auraient pu signer comme *Aux yeux du souvenir* (id.), *Dieu a besoin des hommes* (1950), *le Garçon sauvage* (1951) ou *Guinguette* (1959). Cependant *Maigret tend un piège* (1958) vaut par son atmosphère, et il traîne dans *la Princesse de Clèves* (1961) un parfum nostalgique à cause de Cocteau, de Jean Marais, de Piéral ; mais le temps de *l'Éternel Retour* est déjà bien loin et *le Rendez-vous* (1961), *Vénus impériale* (1962), *les Amitiés particulières* (1964), *le Majordome* (1965), *le Lit à deux places* (id.), *les Sultans* (1966), *le Soleil des voyous* (1967), *la Peau de Torpédo* (1970), *Pas folle la guêpe* (1972), de même qu'une « trilogie religieuse » : *Bernadette* (la vie de Bernadette Soubirous, 1988), *la Passion de Bernadette* (1990) et *Marie de Nazareth* (1995) apparaissent comme de simples œuvres de commande ou de circonstance. R.C.

DELANNOY *(Marcel), compositeur français (La Ferté-Alais 1898 - Nantes 1962).* Parallèlement à une activité théâtrale, il a composé (ou collaboré à) la musique d'un grand nombre de courts et de longs métrages, dont : *Maldonne* (J. Grémillon, 1928) ; *les Deux Orphelines* (M. Tourneur, 1933) ; *Volpone* (id., 1941) ; *Tempête* (D. Bernard-Deschamps, 1940) ; *Monsieur des Lourdines* (P. De Hérain, 1943) ; *la Ferme du pendu* (J. Dréville, 1945) ; *le Village perdu* (Christian Stengel, 1948) ; *Orage d'été* (Jean Gehret, 1949) ; *le Guérisseur* (Y. Ciampi, 1954) ; *la Bande à papa* (Guy Lefranc, 1956). F.LAB.

DÉLAVÉ. Couleur délavée, couleur peu saturée. (Voir SATURATION.) [→ COULEUR.]

DEL COLLE *(Ubaldo Maria), cinéaste et acteur italien (Rome 1883 - id. 1955).* Doté d'un visage aux traits incisifs et d'une présence physique d'homme de grande stature, Del Colle fait ses débuts au théâtre en 1903. Après quelques incursions dans le cinéma, il se consacre complètement à celui-ci à partir de 1909. Dès l'année suivante, il passe à la réalisation tout en poursuivant sa carrière de comédien : il tourne ainsi de nombreux films pour diverses compagnies de production à Turin et à Rome, sans compter une expérience génoise à la tête de sa propre société. Au début des années 20, il s'installe à Naples et réalise dans la cité parténopéenne ses œuvres les plus significatives, des films mélodramatiques dans lesquels il interprète lui-même des figures d'hommes impulsifs aux prises avec des situations tourmentées et de terribles conflits sentimentaux. Parmi ses œuvres les plus réussies, on peut retenir *Lucia Luci* (1922), *Carnevale tragico* (1924), *Te lasso* (1925), *Napule ca se ne va* (1926). Plus que par leur intrigue, ces films valent par leur contenu naturaliste : Del Colle donne à voir une ville saisie dans sa dimension de misère, de passion et de drame. J.-A.G.

DE LAURENTIIS *(Dino), producteur italien (Torre Annunziata 1919).* Après des études comme acteur au Centro sperimentale de Rome, il interprète des petits rôles dans *Battement de cœur* (M. Camerini, 1938) et dans *Troppo tardi t'ho conosciuta* (E. Caracciolo, 1939). En 1940, il devient inspecteur de production. Il fonde à Turin, l'année suivante, sa compagnie de production, la Real Cine, pour laquelle il produit *l'Amore canta* (F. M. Poggioli, 1941) et *Margherita fra i tre* (Ivo Perilli, 1942). Devenu producteur exécutif pour la Lux Film, il produit deux grands spectacles, *Malombra* (M. Soldati, *id.*) et *Zazà* (R. Castellani, *id.*), et après la guerre quelques titres célèbres du néoréalisme comme *le Bandit* (A. Lattuada, 1946) et *Riz amer* (G. De Santis, 1949), où il lance Silvana Mangano, qu'il épouse la même année. En 1948, il restructure les studios de la Farnesina et fonde avec Carlo Ponti la compagnie Ponti-De Laurentiis, qui produit surtout des films spectaculaires et d'aventures (*Mara, fille sauvage,* Camerini et Steno, 1950 ; *les Trois Corsaires,* Soldati, 1952 ; *Panique à Gibraltar* [*I sette dell'Orsa Maggiore*], Duilio Coletti, 1953 ; *Ulysse,* Camerini, 1954 ; *Guerre et Paix,* K. Vidor, 1956), mais aussi des films d'auteur ambitieux comme *Europe 51* (R. Rossellini, 1952), *Traite des blanches* (L. Comencini, *id.*), *la Louve de Calabre* (A. Lattuada, 1953), *la Strada* (F. Fellini, 1954). Ponti et De Laurentiis ont produit ensemble le premier film italien en couleurs, *Totò a colori* (Steno, 1952) ; ils se sont ensuite consacrés aux coproductions internationales (*Mambo,* R. Rossen, 1954). En 1959, il fonde sa propre compagnie, la Dino De Laurentiis Cinematografica, pour laquelle il construit les studios de Dinocittà, près de Rome. Il produit une série de films spectaculaires pour le grand public international, comme *Barabbas* (R. Fleischer, 1962) ; *la Bible* (J. Huston, 1966) ; *Roméo et Juliette* (F. Zeffirelli, 1968) ; *Waterloo* (S. Bondartchouk, 1970), en même temps que des comédies populaires comme *la Grande Guerre* (M. Monicelli, 1959), *Une vie difficile* (D. Risi, 1961), *les Sorcières* (L. Visconti, M. Bolognini, P. P. Pasolini, F. Rossi, V. De Sica, 1967), *Danger Diabolik* (M. Bava, 1968), *l'Argent de la vieille* (L. Comencini, 1972). Après la faillite de Dinocittà et suite à la crise de l'industrie italienne, il part en 1974 pour Hollywood, où il produit des films à grand succès : *Serpico* (S. Lumet, 1973) ; *Un justicier dans la ville* (M. Winner, 1974) ; *Mandingo* (Fleischer, 1975) ; *les Trois Jours du Condor* (S. Pollack, *id.*) ; *le Dernier des géants* (D. Siegel, 1976) ; *King Kong* (J. Guillermin, *id.*) ; *l'Œuf du Serpent* (I. Bergman, 1977) ; *Hurricane* (J. Troell, 1979) ; *Flash Gordon* (M. Hodges, 1980) ; *Ragtime* (M. Forman, 1981). Malgré certains succès, son entreprise américaine fait faillite en 1987 et il doit interrompre pendant quelque temps ses activités. L.C.

DEL DUCA *(Cino), éditeur et producteur d'origine italienne, établi en France (Montedinove 1899 - Paris 1967).* Il débute en 1916 dans la diffusion du feuilleton populaire au porte à porte. En 1932, il fonde sa première maison d'édition, qui lancera les illustrés pour enfants *Hurrah !* et *l'Aventureux,* puis, après-guerre, de nombreux périodiques de la presse du cœur *(Nous deux, Intimité),* etc., et enfin *Paris Jour* et *Télé-Poche.* Il ajoute une corde à son arc en produisant des films : *Touchez pas au grisbi* (Jacques Becker, 1954), *l'Air de Paris* (M. Carné, *id.*), *le Village magique* (J. P. Le Chanois, 1955), *Futures Vedettes* (M. Allégret, *id.*), *Marguerite de la nuit* (C. Autant-Lara, 1956). « J'ai investi plus d'un milliard dans l'industrie cinématographique », déclarait-il en 1954 au *Film français.* Son épouse Simone lui a succédé à la tête de son « empire ». C.B.

DELERUE *(Georges), musicien français (Roubaix 1925 - Los Angeles, Ca., 1992).* Élève de Darius Milhaud et Henri Busser, il se fait connaître par d'excellentes musiques de scène, surtout pour le TNP, en même temps qu'il écrit dès 1950 de nombreuses musiques de courts métrages, en particulier pour Pierre Kast,

Serge Bourguignon et Agnès Varda (il en a signé plus de 130). Il débute dans le long métrage avec *le Bel Âge* (Kast, 1960), écrit en collaboration avec Alain Goraguer et que suivent la valse entendue sur le juke-box de *Hiroshima mon amour* (A. Resnais, 1959) ainsi qu'une partition malicieuse pour *les Jeux de l'amour* (Ph. de Broca, 1960). L'année suivante, c'est grâce à sa musique poignante et tendre pour *Tirez sur le pianiste* de Truffaut que ce dernier lui demandera sept autres films. Et, en plus, il lui confiera un petit rôle dans les *Deux Anglaises et le continent* (1971). Son extraordinaire fécondité (plus de 120 longs métrages en un peu plus de 20 ans) témoigne d'une invention sans cesse renouvelée, et aucune de ses partitions n'est jamais indifférente. Il y fait preuve d'une grande richesse mélodique et se montre aussi à l'aise dans les pastiches dix-huitiémistes de *la Morte-Saison des amours* (Kast, 1960) et les musiques médiévales, réinventées pour *Promenade avec l'amour et la mort* (J. Huston, 1969), que dans les tangos du *Conformiste* (B. Bertolucci, 1971), les accords majestueux du *Jour du dauphin* (M. Nichols, 1973) ou l'élégance austère du *Jeu du solitaire* (J. F. Adam, 1976). Ken Russell, pour qui il a écrit plusieurs partitions, a brossé de lui un portrait télévisé en 1966 : *Don't Shoot the Composer.* J.-P.B.

Autres films : *le Farceur* (Ph. de Broca, 1961) ; *Jules et Jim* (F. Truffaut, *id.*) ; *Cartouche* (de Broca, *id.*) ; *l'Aîné des Ferchaux* (J.-P. Melville, 1963) ; *l'Homme de Rio* (de Broca, *id.*) ; *100 000 Dollars au soleil* (H. Verneuil, 1964) ; *l'Insoumis* (A. Cavalier, *id.*) ; *les Pianos mécaniques* (J. A. Bardem, 1965) ; *Viva Maria* (L. Malle, *id.*) ; *le Roi de cœur* (de Broca, 1967) ; *Un homme pour l'éternité* (F. Zinnemann, *id.*) ; *la Vingt-Cinquième Heure* (H. Verneuil, *id.*) ; *Interlude* (Kevin Billington, 1968) ; *le Cerveau* (G. Oury, 1969) ; *Love* (K. Russell, *id.*) ; *la Promesse de l'aube* (J. Dassin, 1970) ; *les Cavaliers* (J. Frankenheimer, 1971) ; *le Jour du chacal* (Zinnemann, 1973) ; *la Nuit américaine* (Truffaut, *id.*) ; *L'important, c'est d'aimer* (A. Zulawski, 1975) ; *Calmos* (B. Blier, 1976) ; *Police Python 357* (A. Corneau, *id.*) ; *Julia* (Zinnemann, 1977), *l'Amour en fuite* (Truffaut, 1979) ; *Silkwood* (M. Nichols, 1983) ; *le Bon Plaisir* (F. Girod, 1984) ; *Conseil de famille* (Costa-Gavras, 1986) ; *Platoon* (O. Stone, *id.*) ; *Chouans !* (de Broca, 1988) ; *la Révolution française* (R. Enrico et Richard Heffron, 1989) ; *Potins de femmes* (H. Ross, *id.*).

DELGADO *(Fernando), cinéaste espagnol (Madrid 1891 - id. 1950).* Sa carrière routinière s'étend du muet à l'après-guerre. Il débute dans la mise en scène avec *Los granujas* (1924) et *Las de Méndez* (1927). Parmi ses principaux titres, citons : *¡ Viva Madrid, que es mi pueblo !* (1928) ; *Doce hombres y una mujer* (1934) ; *Currito de la Cruz* (1935) ; *El genio alegre* (1939) ; *La Gitanilla* (1941). Il tourne le premier film de propagande franquiste (*Hacia la nueva España,* 1936). P.A.P.

DEL GIUDICE *(Filippo), producteur britannique d'origine italienne (Trani 1892 - Florence 1961).* Venu d'Italie dans les années 30, juriste de formation, Del Giudice, avec sa société Two Cities Films, produit pour Rank quelques-uns des films les plus importants des années 40 : *l'Écurie Watson* (A. Asquith, 1939), d'après la pièce de Terence Rattigan ; *Ceux qui servent en mer* (N. Coward et D. Lean, 1942) ; *Heureux Mortels* (Lean, 1944) ; *l'Héroïque Parade* (C. Reed, *id.*) ; *Brève Rencontre* (Lean, 1945) ; *L'esprit s'amuse* (Coward et Lean, *id.*) ; *le Chemin des étoiles* (Asquith, *id.*) ; *Huit Heures de sursis* (Reed, 1947). Mais l'entreprise la plus hasardeuse et la plus magistrale de Del Giudice est sans doute d'avoir porté Shakespeare à l'écran, en faisant appel à Laurence Olivier, interprète et réalisateur de *Henry V* (1944) et d'*Hamlet* (1948). Del Giudice entre en conflit avec Arthur Rank sur le budget de ce dernier film et quitte Two Cities Films. Il tente sa chance, sans succès, aux États-Unis et revient en Italie en 1952. Il se fait alors moine chez les bénédictins, puis meurt à l'hôpital. P.P.

DE LIGUORO *(Giuseppe), cinéaste italien (Naples 1869 - Rome 1944).* Pionnier du cinéma, il débute en 1909 comme acteur et metteur en scène, après avoir abandonné le théâtre. Ses premières œuvres d'inspiration historique répondent d'abord à son goût du grandiose : *Marin Faliero doge di Venezia* (1909) ; *Ugo e Parisina* (id.) ; *Gioacchino Murat* (1910) ; *Sardanapalo re dell'Assiria* (id.) ; *Re Lear* (id.) ; *Edipo re* (id.) ; *La cena dei Borgia* (id.) ; *Brutto II* (id.) ; *L'Odissea* (1911). Il s'oriente ensuite vers une voie facile et populaire (*La burla,* 1912 ; *Brivido fatale,* id. ; *Il racconto del nonno,* id.), avant de diriger Francesca Bertini dans une série de films à succès : *Fedora* (1916), *Odette* (id.), *Nel gorgo della vita* (1917). Enfin il a également tourné : *Giuseppe Verdi nella vita e nella gloria* (1913) ; *Lorenzaccio* (1918) et *Il canto di Circe* (1920), entre autres. F.LAB.

DE LIGUORO *(Elena Caterina,* dite *Rina), actrice italienne (Florence 1892 - Rome 1966).* Dernière véritable diva du cinéma italien, elle parvient par son jeu scénique violent à restituer le ton de l'antique théâtre romain. Elle débute à l'écran en 1923 avec *Messalina* de Enrico Guazzoni. Parmi les nombreux films auxquels elle a participé, on peut citer : *La via del peccato* (A. Palermi, 1924) ; *La bella corsara* (Wladimiro De Liguoro, 1928) ; *Caterina da Siena* (Oreste Palella, 1948) ; *Demain est un autre jour* (*Domani è un altro giorno,* L. Moguy, 1951) ; *les Week-ends de Néron* (S. V. Steno, 1956). Elle a également tourné en France (*Casanova,* A. Volkov, 1927), en Allemagne (*Cagliostro,* R. Oswald, 1929) et aux États-Unis de 1928 à la déclaration de la guerre (*Madame Satan,* C. B. De Mille, 1930 ; *Romance,* C. Brown, *id. ; The Bachelor Father,* R. Z. Leonard, 1931). Elle a épousé Wladimiro De Liguoro, fils du précédent. F.LAB.

DELLI COLLI *(Antonio,* dit *Tonino), chef opérateur italien (Rome 1923).* Après avoir travaillé comme assistant des opérateurs pionniers Anchise Brizzi et Ubaldo Arata, il dirige la prise de vues de *Finalmente si* (Ladislao Kísh, 1943) et de *Il paese senza pace* (Leo Menardi, 1943). Dans l'après-guerre il travaille sur plus de 130 films, surtout des comédies et des mélodrames populaires, dont le premier film italien en couleurs, *Totò a colori* (Steno, 1952, tourné en Ferraniacolor). Son style s'affirme avec une vision réaliste et lucide de Rome (*Pauvres mais beaux,* D. Risi, 1956 ; *Accattone,* P. P. Pasolini, 1961 ; *Mamma Roma,* id., 1962). À toute l'œuvre pasolinienne jusqu'à *Salò* (1976), il fournit l'apport professionnel dont elle avait besoin, mais il s'adapte aussi aux visions d'autres cinéastes comme Raffaello Matarazzo (*la Femme aux deux visages,* 1955), Luis Garcia Berlanga (*le Bourreau,* 1963), Alberto Lattuada (*la Mandragore,* 1965), Marco Bellocchio (*La Chine est proche,* 1967), Louis Malle (*Lacombe Lucien,* 1973), Dino Risi (*Âmes perdues,* 1976 ; *Dernier Amour,* 1978), Marco Ferreri (*Le futur est femme,* 1984), Federico Fellini (*Ginger et Fred,* 1985 [co E. Guarnieri] ; *Intervista,* 1987 ; *La voce della luna,* 1990), Jean-Jacques Annaud (*le Nom de la rose,* 1986), Louis Malle (*Au revoir les enfants,* 1987) ou Margarethe von Trotta (*l'Africaine,* 1990). Avec Sergio Leone, il a pu créer une superbe photo en Scope digne des maîtres cameramen du western américain (*le Bon, la Brute, le Truand,* 1966 ; *Il était une fois dans l'Ouest,* 1968 ; *Il était une fois en Amérique,* 1984). Il a aussi composé les délires visuels de *Caligula* (T. Brass, 1977-1980), et les images naïves de *Rosy la Bourrasque* (M. Monicelli, 1980). L.C.

DELLUC *(Louis), cinéaste et écrivain français (Cadouin 1890 - Paris 1924).* Comme les Goncourt, Delluc est surtout connu par le prix qui porte son nom, décerné annuellement par un jury de critiques au film jugé le meilleur de la saison (→ PRIX LOUIS-DELLUC). Mais il fut avant tout l'un des premiers critiques français de cinéma qui ait pris le 7e art au sérieux et présenté des films dans des cénacles qu'il baptisa du nom de *ciné-clubs.* « Par ses articles, par son talent, par son exemple et par sa parole, écrivent Bardèche et Brasillach dans leur *Histoire du cinéma,* il fit plus que personne pour créer un art du film. On peut dire que, sans Delluc, nous ne saurions pas aimer le cinéma. » On sait moins qu'il écrivit de nombreux romans, et même des pièces en vers. Son œuvre de cinéaste, enfin, quoique faible en quantité (7 films, tous tournés entre 1920 et 1923) mérite quelque considération.

C'est surtout par la plume que Delluc s'affirma. Des études secondaires brillantes le destinent à la carrière littéraire. De santé fragile, il consacre ses loisirs à la lecture et au théâtre, publie à l'âge de quinze ans une plaquette de poèmes, *les Chansons du jeune temps,* collabore à la rubrique théâtrale du magazine *Comœdia illustré.* Délaissant l'université, il écrit des romans, dont certains ne seront publiés qu'après sa mort *(Monsieur de Berlin ; le Train sans yeux,* que portera à l'écran Alberto Cavalcanti ; *la Danse du scalp ; le Roman de la manucure),* des nouvelles (*l'Homme des bars),* des pièces de théâtre *(Francesca ; la Vivante),* des souvenirs *(Chez De Max).* Son style alerte et incisif le fait situer par Jean Mitry « entre Blaise Cendrars et Paul Morand ». Le cinéma ne l'intéresse guère (il a vu, dit-il, « trop d'horreurs pour être indulgent et affectueux à cette triste mécanique»), jusqu'à la révélation de *Forfaiture,* de Cecil B. De Mille, en 1915. Dès lors, il abandonne tout pour la défense de cet «art nouveau». Le 27 juin 1917 paraît sa première critique dans l'hebdomadaire de Diamant-Berger *le Film.* Il tient ensuite une chronique cinématographique régulière à *Paris-Midi,* avant de créer, en janvier 1920, son propre magazine, *le Journal du ciné-club.* Insatisfait de la formule, il lance en 1921 *Cinéa,* publication de haut niveau qu'il ouvre aux meilleures plumes de l'époque : Émile Vuillermoz, Lucien Wahl, Jean Epstein, etc. Ce sera la première revue française de cinéma témoignant d'une certaine exigence intellectuelle. Delluc y écrira sans relâche jusqu'à début 1923, après quoi il passera à *Bonsoir,* où son dernier article paraîtra un mois avant sa mort. Dans ces écrits, ou dans les volumes qui ont été publiés de son vivant *(Cinéma et Cie, Photogénie, Charlot, la Jungle du cinéma),* c'est l'amour du cinéma américain qui éclate : Thomas Ince, Griffith, Douglas Fairbanks, Chaplin surtout. Au contraire, il n'a que mépris pour les cinéastes français, ces «aveugles-nés», et pour les «abominations feuilletonnesques» d'un Louis Feuillade. Sont exceptés du discrédit Gance, L'Herbier, Germaine Dulac. C'est à cette dernière qu'il confie son premier scénario : celui de *la Fête espagnole,* qu'elle tournera en 1920. Dans ce film comme dans ceux qu'il dirigera lui-même par la suite, l'action ne compte pas. Il n'y a (ou il ne devrait y avoir) que «la poussière des faits», une mosaïque de détails enregistrés «au hasard de la caméra» (ainsi qu'il devait le déclarer à Henri Fescourt). Le cinéma, selon Delluc, doit viser non à une narration de type romanesque, à grand renfort de péripéties, mais à l'instauration d'un climat, d'une atmosphère. Il doit être fait de notations fragmentaires, d'une myriade d'*impressions,* que le spectateur aura à assembler. C'est l'amorce d'un courant nouveau dans le cinéma français, qui sera appelé, par référence à la peinture, «impressionniste».

Pour affirmer ces audacieuses conceptions, dans la voie ouverte par Germaine Dulac, Delluc passe donc à la mise en scène. Dans *Fumée noire* (1920), il tente d'opposer des événements réels à des images mentales. Mécontent du résultat, il reprend et développe cette idée dans *le Silence* (1920), «instantané dramatique» où le présent est filmé en clair et les souvenirs du temps passé en grisaille. Selon Jean Epstein, ce film parvenait à révéler «l'âme fatale des choses». Mais la grande réussite de Delluc, ce fut, en 1921, *Fièvre* : une simple rixe dans un bouge marseillais est le prétexte à la création d'une ambiance trouble, authentiquement cosmopolite. L'interprète principale était – comme dans tous ses films – une actrice d'origine belge, qu'il avait épousée en 1918 : Ève Francis. Delluc renoncera à cette inspiration «naturaliste» pour revenir à des préoccupations plus intimistes dans *la Femme de nulle part* (1922), nouvelle variation sur les rapports du présent et du passé, célèbre surtout par le dernier plan, où l'on voit l'héroïne s'éloigner sur une longue route au crépuscule, et *l'Inondation* (1924), un drame paysan situé dans la vallée du Rhône, fortement influencé par *À travers l'orage* de Griffith et l'école suédoise : l'héroïne s'appelle Margot, et l'on n'esquive que de justesse le pire mélodrame... Ce fut son dernier film. Delluc, comme le souligne Jean Mitry, «demeure dans l'histoire du cinéma bien davantage par son action morale, par ses idées, que par son œuvre, glorieusement inachevée... Il sut donner à toute une génération le goût du cinéma, et nul plus que lui ne fut responsable de la renaissance du cinéma français au cours des années 20». S'il ne fut pas vraiment un chef d'école, on peut le tenir pour un précurseur. C.B.

Films ▲ : *le Silence* (1920) ; *Fumée noire* (id.) ; *Fièvre* (1921) ; *le Chemin d'Ernoa* (id.) ; *le Tonnerre* (id.) ; *la Femme de nulle part* (1922) ; *l'Inondation* (1924).

DELLUC (PRIX LOUIS-). Ce prix, qui couronne chaque année en France un film jugé (par un jury de critiques) le meilleur de la production nationale, fut décerné pour la première fois en 1937, à l'initiative de Maurice Bessy et Marcel Idzkowski, par un groupe de journalistes de cinéma, réunis de façon informelle sous le label de «Jeune Critique indépendante». Il s'agissait d'abord de faire pièce au «Grand Prix du cinéma français», considéré comme trop académique (ce dernier venait d'être attribué successivement à *l'Appel du silence* et à *Légions d'honneur*). Il n'y eut, à l'origine et il n'y aura jamais, ni statuts ni président, mais un simple communiqué recommandant au jury de fixer son choix sur un « film parlant français, version originale, présenté durant l'année », avec cette précision : « Sera considéré comme film français tout film fait pour un esprit français » (sic). Le premier jury était composé, par ordre alphabétique, de Mmes Odile Cambier et Suzanne Chantal, et de MM. Marcel Achard, Georges Altman, Claude Aveline, Maurice Bessy, Pierre Bost, Émile Cerquant, Georges Charensol, Louis Chéronnet, Georges Cravenne, Benjamin Fainsilber, Nino Frank, Paul Gilson, Paul Gordeaux, Pierre Humbourg, Marcel Idzkowski, Henri Jeanson, André Le Bret, Roger Lesbats, Pierre Ogouz, Roger Régent et Jean Vidal. Par la suite, sont venus s'adjoindre des hommes tels que Lo Duca, Jean de Baroncelli, Jean-Louis Bory, etc. Roger Régent en parle comme d'un jury – et d'un prix – « de copains ». Le patronage de Louis Delluc fut choisi comme symbole d'indépendance, d'exigence critique et d'amour du cinéma, à l'exclusion de toute motivation mercantile. Le premier film primé fut *les Bas-Fonds* de Jean Renoir. Sous l'Occupation, le prix fut mis en sommeil, et le jury disloqué. Le jury se réunit à nouveau en 1945, pour distinguer un film tourné en 1939 (mais non distribué alors), *Espoir* d'André Malraux. Depuis lors, le prix Delluc a été attribué régulièrement, sauf en 1951, aucun film n'ayant été jugé, cette année-là, digne de le recevoir. Il s'est porté tantôt sur des metteurs en scène débutants (Alexandre Astruc, Pierre Étaix, Jean-Paul Rappeneau, Bertrand Tavernier, Diane Kurys), tantôt sur des « vétérans » (Jean Dréville, René Clair, Paul Grimault). C.B.

Palmarès en tome II, page 2365.

DELMONT *(Édouard), acteur français (Marseille 1893 - Paris 1955).* Sa voix cassée, sa silhouette sèche, une sobriété du meilleur aloi parmi l'exubérance de ses partenaires donnent la mesure de son grand talent tout au long d'une abondante filmographie, succession de titres remarquables : la trilogie de Marcel Pagnol (*Marius,* 1931 ; *Fanny,* 1932 ; *César,* 1936) ; *Angèle* (Pagnol, 1934) ; *la Femme du boulanger* (id., 1938) ; *Quai des brumes* (M. Carné, 1938) ; *la Marseillaise* (J. Renoir, *id.*) ; *l'Étrange Monsieur Victor* (J. Grémillon, 1938) ; *le Déserteur* (L. Moguy, 1939) ; *Adieu Léonard* (P. Prévert, 1943) ; *la Fiancée des ténèbres* (S. de Poligny, 1945) ; *l'École buissonnière* (J. P. Le Chanois, 1949). Un grand nombre d'autres films bénéficie de sa présence et de son efficacité. R.C.

DEL MONTE *(Peter), cinéaste italien (San Francisco, Ca., 1943).* Comme essai de diplôme au Centro sperimentale di Roma, il réalise son premier long métrage, *Fuori campo* (1969), qui parle de ses propres expériences par rapport au cinéma. Il travaille ensuite à la TV. Son premier film pour le cinéma, *Irène Irène* (id., 1975), est le portrait lyrique d'un ancien magistrat, Alain Cuny, abandonné par sa femme et en crise existentielle. Dans le panorama assez pauvre du jeune cinéma italien de cette période, ce film brille d'une lumière particulière et possède un style un peu *calligraphique. L'Autre Femme* (*L'altra donna,* 1980) est l'analyse psychologique de deux femmes, une riche bourgeoise et une immigrée éthiopienne, à la recherche de valeurs nouvelles. Après *Piso Pisello* (1981), il aborde le thème du transfert de personnalité entre un frère et une sœur dans *l'Invitation au voyage* (1982). Ses films suivants mélangent recherches psychanalytiques et rêves : *Piccoli Fuochi* (1985) ; *Julia et Julia* (*Giulia e Giulia,* 1987, premier long métrage tourné en vidéo à haute définition) ; *Étoile* (*id.*, 1989) ; *Tracce di vita amorosa* (1990). L.C.

DELON *(Alain), acteur, producteur et cinéaste français (Sceaux 1935).* Très jeune, après une scolarité tumulteuse, il fuit un foyer désuni, et s'engage à l'âge de dix-sept ans. Il sert comme parachutiste pendant la guerre d'Indochine et combat à Diên Biên Phu. De retour en France, il exerce divers petits métiers, notamment celui de fort des Halles. C'est par hasard, et parce qu'il est servi par un physique exceptionnel qu'il aborde, en 1957, les milieux du cinéma, sans formation dramatique particulière. Sa carrière, dès lors, sera fulgurante. Il est le jeune premier que le cinéma français attendait, et ses potentialités non encore révélées, une ambiguïté singulière, un charisme incontestable l'amènent à rencontrer le gotha du cinéma international : Clément, Visconti, Antonioni.

Ses premiers films exploitent un physique (les aptitudes dramatiques n'apparaîtront que plus tard, avec le travail, le métier et la maturité) qui rencontre une certaine mode néoromantique, celle, encore vivace, fixée par James

Dean, dont la disparition est récente. Mais les emplois restent légers, comédies sentimentales à la française, ou sucreries austro-germaniques. Ces dernières lui vaudront de rencontrer Romy Schneider, déjà au zénith de la première phase de sa propre trajectoire. *Quand la femme s'en mêle* (1957), *Christine* (1958), *Faibles Femmes* (1959) sont les films les plus caractéristiques (et les plus oubliés) de cette période. Il rencontre ensuite René Clément, qui, dans *Plein Soleil* (1960), met derechef en évidence l'ambiguïté fondamentale de sa nature, la présence du démon sous l'enveloppe de l'ange, dualité, contradictions, qui nourriront par la suite les meilleures de ses créations. La même année *Rocco et ses frères* confirme cette révélation, grâce à Luchino Visconti, qui restera la rencontre déterminante de Delon pour ce qui concerne, à tout le moins, la part la plus riche et la plus durable de son travail d'acteur. Confirmé par Antonioni, en 1962, dans *l'Éclipse,* comme « matériau » privilégié des plus grands créateurs cinématographiques, Delon entame alors une carrière ambitieuse et « gourmande », malheureusement toujours menacée par une constante dispersion. Il cherche le prestige artistique et, simultanément, la domination commerciale, même au-delà du domaine où s'exerce son métier (il investit dans l'élevage des chevaux de course, échoue dans la fondation d'une compagnie aérienne, etc.). Il est également fasciné par le monde du pouvoir. Très symboliquement, mais peut-être aussi pour aider à effacer un scandale qui l'a profondément atteint (il est compromis puis blanchi dans une affaire criminelle qui défraye la chronique et suscite de violentes réactions politiques), il rachète, pour l'offrir aux compagnons de la Libération, l'original de l'*Appel du 18-Juin* du général de Gaulle, vendu à l'étranger dans une vente publique.

Ayant momentanément renoncé aux affaires extracinématographiques, Delon recentre ses activités sur le cinéma, où il se veut omniprésent, comme acteur, producteur (Productions ADEL), et finalement réalisateur *(Pour la peau d'un flic, le Battant).* Toute sa carrière traduit la dualité d'un comportement soucieux de séduire l'élite aussi bien que le grand public. C'est ainsi qu'il produit parfois des films de talent (*Monsieur Klein* de Losey), en s'effaçant modestement derrière le réalisateur – alors qu'il intervient parfois brutalement dans la mise en scène de ses productions plus commerciales. Un pessimisme masochiste paraît souvent déterminer ses attitudes, son adhésion à une vision du monde fondée exclusivement sur la lutte pour la survie et qui s'exprime notamment par son attirance vers les combats du ring.

Dans la filmographie de Delon, considérable et inégale, les ouvrages commerciaux, qui témoignent d'une conception simpliste de la société et des rapports entre les êtres, alternent avec les œuvres ambitieuses. Parmi les premiers, certains cependant sont loin d'être mésestimables : *l'Insoumis* (A. Cavalier) ; *le Samouraï* (J.-P. Melville) ; *Diaboliquement vôtre* (J. Duvivier) ; *Borsalino* (J. Deray) ; *la Veuve Couderc* (P. Granier-Deferre) ; *le Professeur* (V. Zurlini), dans lequel il change fondamentalement de registre ; *Flic Story* et *Trois Hommes à abattre* (tous deux de J. Deray).

Mais, outre trois films déjà évoqués *(Plein Soleil, Rocco et ses frères, l'Éclipse),* la postérité retiendra plus probablement *la Piscine,* de Jacques Deray, où Delon retrouve Romy Schneider dans une atmosphère digne de la *Laura* de Preminger. Elle prendra en compte *le Guépard* à l'occasion duquel Visconti offre à Delon un rôle lui permettant d'exprimer la face d'ombre de sa personnalité, symétrique de l'angélisme de Rocco. Elle n'oubliera vraisemblablement pas *l'Assassinat de Trotsky* ou *Monsieur Klein,* véritable quête d'identité, œuvre cathartique, peut-être, pour l'acteur lui-même. Enfin, dans *Traitement de choc,* d'Alain Jessua, éclate le charme méphistophélique de cette personnalité inconfortable, qui paraît mue par une pulsion de mort.

La carrière de Delon connut, dans les années 60, une parenthèse américaine, d'ailleurs peu couronnée de succès. Durant cette période, qui correspondait à une perception aiguë de la crise du cinéma français, Delon ne voyait de salut que dans le vedettariat international et, par conséquent, américain. Il convient également de mentionner une prestation théâtrale qui tient un rôle important dans ses « années de formation » : *Dommage qu'elle soit une putain,* du dramaturge élisabéthain John Ford, dans une mise en scène de Visconti, avec Romy Schneider pour partenaire. En 1985, il reçoit un César pour son rôle dans *Notre histoire,* film qui tranche quelque peu – comme le fera, cinq ans plus tard et dans un style très différent, *Nouvelle Vague* de Godard – sur une carrière qui semble s'essouffler en acceptant des rôles stéréotypés dans des œuvres de facture banale qui, curieusement, sont loin de rencontrer le succès commercial escompté. M.S.

Films ▲ : *Quand la femme s'en mêle* (Y. Allégret, 1957) ; *Sois belle et tais-toi* (M. Allégret, 1958) ; *Christine* (Pierre Gaspard-Huit, *id.*) ; *Faibles Femmes* (M. Boisrond, 1959) ; *le Chemin des écoliers* (id., *id.*) ; *Plein Soleil* (R. Clément, 1960) ; *Rocco et ses frères* (L. Visconti, *id.*) ; *les Amours célèbres* (sketch : *Agnès Bernauer*, Boisrond, 1961) ; *Quelle joie de vivre !* (Clément, *id.*) ; *l'Éclipse* (M. Antonioni, 1962) ; *le Diable et les Dix Commandements* (sketch : *l'Inceste*, J. Duvivier, *id.*) ; *Marco Polo* (inachevé, Christian-Jaque, *id.*) ; *le Guépard* (Visconti, 1963) ; *Mélodie en sous-sol* (H. Verneuil, *id.*) ; *Carambolages* (Marcel Bluwal, *id.*, cameo) ; *la Tulipe noire* (Christian-Jaque, 1964) ; *l'Insoumis* (A. Cavalier, *id.*) ; *les Félins* (Clément, *id.*) ; *la Rolls Royce jaune* (A. Asquith, *id.*) ; *l'Amour à la mer* (G. Gilles, 1962-1965, cameo) ; *les Tueurs de San Francisco* (R. Nelson, 1965) ; *Texas, nous voilà !* (*Texas Across the River*, M. Gordon, 1966) ; *Paris brûle-t-il ?* (Clément, *id.*) ; *les Centurions* (Robson, *id.*) ; *les Aventuriers* (R. Enrico, 1967) ; *le Samouraï* (J.-P. Melville, *id.*) ; *Diaboliquement vôtre* (J. Duvivier, *id.*) ; *Histoires extraordinaires* (sketch : *William Wilson*, L. Malle, 1968) ; *la Motocyclette* (J. Cardiff, *id.*) ; *Adieu l'ami* (Jean Herman, *id.*) ; *la Piscine* (J. Deray, 1969) ; *Jeff* (Herman, *id.*) ; *le Clan des Siciliens* (Verneuil, *id.*) ; *Borsalino* (J. Deray, 1970) ; *le Cercle rouge* (Melville, *id.*) ; *Madly* (Roger Kathane, *id.*) ; *Soleil rouge* (T. Young, 1971) ; *Fantasia chez les ploucs* (G. Pirès, *id.* cameo) ; *la Veuve Couderc* (P. Granier-Deferre, *id.*) ; *Doucement les basses* (Deray, *id.*) ; *l'Assassinat de Trotsky* (J. Losey, 1972) ; *Un flic* (Melville, *id.*) ; *le Professeur* (V. Zurlini, *id.*) ; *Il était une fois un flic* (G. Lautner, 1972, cameo) ; *Scorpio* (M. Winner, 1973) ; *Traitement de choc* (A. Jessua, *id.*) ; *les Granges brûlées* (Jean Chapot, *id.*) ; *Big Guns* (D. Tessari, *id.*) ; *Deux Hommes dans la ville* (J. Giovanni, *id.*) ; *la Race des seigneurs* (Granier-Deferre, 1974) ; *les Seins de glace* (Lautner, *id.*) ; *Borsalino C°* (Deray, *id.*) ; *Zorro* (D. Tessari, 1975) ; *Flic Story* (Deray, *id.*) ; *le Gitan* (Giovanni, *id.*) ; *Monsieur Klein* (Losey, 1976) ; *Comme un boomerang* (Giovanni, *id.*) ; *le Gang* (Deray, 1977) ; *Armaguedon* (Jessua, *id.*) ; *l'Homme pressé* (E. Molinaro, *id.*) ; *Mort d'un pourri* (Lautner, *id.*) ; *Attention, les enfants regardent* (Serge Leroy, 1978) ; *Airport 80 - Concorde* (*Airport 79 - the Concorde*, D. Lowell Rich, 1979) ; *le Toubib* (Granier-Deferre, *id.*) ; *Trois Hommes à abattre* (Deray, 1980) ; *Téhéran 43 /Nid d'espions* (A. Alov et V. Naoumov, *id.*) ; *Pour la peau d'un flic* (A. Delon, 1981) ; *le Choc* (Robin Davis, 1982) ; *le Battant* (id., 1983) ; *Un amour de Swann* (V. Schloendorff, 1984) ; *Notre histoire* (Bertrand Blier, *id.*) ; *Parole de flic* (José Pinheiro, 1985) ; *le Passage* (René Manzor, 1986) ; *Ne réveillez pas un flic qui dort* (J. Pinheiro, 1988) ; *Dancing Machine* (Gilles Behat, 1990) ; *Nouvelle Vague* (J.-L. Godard, *id.*) ; *le Retour de Casanova* (E. Niermans, 1992) ; *Un crime* (Deray, 1993) ; *l'Ours en peluche* (id., 1994) ; *les Cent et Une Nuits* (A. Varda, 1995).

DELON *(Francine Canovas,* dite *Nathalie), actrice et cinéaste française (Oujda, Maroc, 1938).* C'est avec *le Samouraï* (J.-P. Melville, 1967) qu'elle fait ses débuts de comédienne. Elle ne cesse ensuite de tourner en France et à l'étranger : *les Sœurs* (Maleno Malenotti, 1969) ; *Une Anglaise romantique* (J. Losey, 1975). Elle signe sa première mise en scène avec *Ils appellent ça un accident* (1982). C.D.R.

DELORME *(Danièle Girard,* dite *Danièle), actrice française (Levallois-Perret 1926).* Fille du peintre André Girard, elle rêve d'une carrière de concertiste et entreprend des études de piano que la guerre et l'occupation allemande interrompent. Réfugiée à Cannes, elle suit sous la direction de Jean Wall des cours d'art dramatique et débute sur les planches dans la compagnie Claude Dauphin et au cinéma dans quelques films du « sourcier » Marc Allégret : *Félicie Nanteuil* (1945 ; RÉ 1942), *la Belle Aventure* (id. ; RÉ *id.*), *les Petites du quai aux Fleurs* (1944), *Lunegarde* (1946 ; RÉ 1944). Après la Libération, elle perfectionne son talent de comédienne avec René Simon et Tania Balachova, apparaît à l'écran dans *Les jeux sont faits* (J. Delannoy, 1947) et *Impasse des Deux Anges* (M. Tourneur, 1948) et sur scène dans des pièces de J. B. Priestley et Jacques Deval. L'interprétation qu'elle donne de la *Gigi* de Colette (J. Audry, 1949) lui apporte une soudaine renommée. Elle tourne alors de très nombreux films : *la Cage aux filles* (M. Cloche, 1949), *Sans laisser d'adresse* (J.-

P. Le Chanois, 1951), *la Jeune Folle* (Y. Allégret, 1952), *le Guérisseur* (Y. Ciampi, 1954), *Huis clos* (J. Audry, *id.*), *le Dossier noir* (A. Cayatte, 1955). Cette grâce limpide, cette sorte de pudeur inquiète, cette passion contenue et frémissante qui la caractérisent conduisent les cinéastes à lui tailler des rôles sur mesure. Qu'elle se nomme Miquette (*Miquette et sa mère*, H.-G. Clouzot, 1950), Agnès (*Agnès de rien*, P. Billon, *id.*), Minne (*Minne l'ingénue libertine*, J. Audry, *id.*), Mitsou (dans le film homonyme de J. Audry, 1956) ou Fantine (*les Misérables*, J.-P. Le Chanois, 1958), elle n'échappe pas au stéréotype de l'héroïne fragile marquée par le destin. Afin d'éviter d'être trop soumise aux personnages que lui propose le cinéma (où sa sensibilité risque de se transformer en sensiblerie), elle se tourne vers le théâtre, où on lui offre des rôles plus diversifiés dans des pièces d'Huxley, Anouilh, Ibsen, Salacrou, Shaw, Claudel ou Pirandello. Sans doute Duvivier lui permet-il un contre-emploi dans *Voici le temps des assassins* (1956), où elle sait se montrer machiavélique, mais on sent bien, après *Prison de femmes* (M. Cloche, 1958), que la comédienne Danièle Delorme a décidé de prendre ses distances avec le cinéma. Mariée en 1945 avec Daniel Gélin – elle a tourné en 1952 sous sa direction *les Dents longues* –, elle divorce et se remarie avec Yves Robert en 1956. Avec ce dernier, elle fonde en 1961 une maison de production (La Guéville) qui obtient d'emblée un large succès populaire avec *la Guerre des boutons* (Y. Robert, 1962) et s'attache ensuite à donner vie à des films originaux et à financer quelques entreprises risquées et courageuses (*la Drôlesse* de Jacques Doillon en 1979). Partagée alors entre le théâtre, la télévision et son métier absorbant de productrice, elle ne réapparaît qu'épisodiquement à l'écran dans *Marie-Soleil* (Antoine Bourseiller, 1964), film qu'elle a produit, *le Voyou* (Cl. Lelouch, 1970), *Absences répétées* (G. Gilles, 1972), *Belle* (A. Delvaux, 1973), *Un éléphant ça trompe énormément* (Y. Robert, 1976), *Nous irons tous au paradis* (id., 1977), *la Naissance du jour* (J. Demy, 1980, TV), où elle personnifie la romancière Colette, *la Cote d'amour* (Charlotte Dubreuilh, 1982). En 1982, elle fonde la collection *Témoins* (vidéo-cassettes sur les personnalités artistiques contemporaines). Elle préside la commission d'avance sur recettes de 1980 à 1981. J.-L.P.

DEL POGGIO *(Maria Luisa Attanasio,* dite *Carla), actrice italienne (Naples 1925).* Pendant ses études au Centro sperimentale di Roma, Vittorio De Sica la découvre et lui donne le rôle de la jeune protagoniste de *Maddalena zero in condotta* (1940). Son visage délicat et son caractère d'ingénue apparaissent dans quelques comédies roses, mais elle n'est mise en valeur que par Alberto Lattuada dans son violent *Bandit* (1946). Après leur mariage, ils travaillent ensemble sur trois films (*Sans pitié*, 1948 ; *le Moulin du Pô*, 1949 ; *les Feux du music-hall*, 1950), où elle crée des personnages toujours plus affirmés. Elle travaille encore pour Giuseppe De Santis (*Onze heures sonnaient*, 1952) ; Georg Wilhelm Pabst (*Cose da pazzi*, 1953) ; Henri Calef (*le Secret d'Hélène Marimon*, 1954) ; Hugo Fregonese (*I girovaghi*, 1956). Depuis 1957, elle n'a travaillé quelques années que pour le théâtre de variétés et pour la télévision. L.C.

DELPY *(Julie), actrice française (Paris 1971).* Fille d'un couple d'acteurs – Albert Delpy et Marie Pillet –, elle débute au cinéma à l'âge de sept ans dans un épisode de *Guerres civiles en France* (Joël Farges, 1978). Après des expériences avec Jean-Luc Godard (*Détective*, 1985) et Leos Carax (*Mauvais Sang*, 1986), c'est auprès de Bertrand Tavernier qu'elle obtient son premier grand rôle dans *la Passion Béatrice* (1987). Elle est dirigée ensuite par Jean-Pierre Limosin dans *l'Autre Nuit* (1988), et par des cinéastes de renom comme Carlos Saura (*la Nuit obscure*, 1989), Agnieszka Holland (*Europa, Europa*, 1991), Volker Schlöndorff (*The Voyager*, *id.*), Krzysztof Kieslowski (*Trois Couleurs : Blanc*, 1993). Elle s'engage alors dans des films américano-européens : *Younger and Younger* (P. Adlon, 1993), *Killing Zoe* (Roger Avary, 1994), *Before Sunrise* (Richard Linklater, 1995). D.S.

DEL RÍO *(Dolores)* → Río *(Dolores del).*

DEL RUTH *(Roy), cinéaste américain (Philadelphie, Penn., 1893 - Sherman Oaks, Ca., 1961).* D'abord dessinateur et scénariste pour Mack Sennett dès 1915, Roy Del Ruth est venu à la mise en scène en 1917, en dirigeant des courts métrages burlesques (Billy Bevan, Ben Turpin, Harry Langdon). Après trois décennies bien actives, il s'est orienté, dans les années 50, vers la télévision. Un cinéaste mineur, sûrement. Mais quel rythme, quel charme, quelle insouciance dans ses films réussis ! On serait en reste si on désirait y trouver un regard personnel, mais on serait bien injuste de ne pas y admirer l'adresse de l'exécution. On connaît mal sa carrière au muet. Dès 1930, cependant, il est facile de cerner ce qu'il fait le mieux. Ses grands films sont des musicals, des comédies ou des drames, qu'il fait basculer dans la comédie : dialogues crépitants et montage ultrarapide. C'est sans doute pour cela que son adaptation du *Faucon maltais* (*The Maltese Falcon,* 1931) de Dashiell Hammett, qui utilise abondamment le dialogue original, est un digne précurseur de la version John Huston. Le cynisme, l'ironie et la sécheresse convenaient bien à cet homme pressé. C'est pourquoi sa grande période fut à la Warner Bros, avec laquelle ses qualités étaient en accord. Les véhicules qu'il imagina pour James Cagney (*Blonde Crazy,* 1931 ; *Taxi !,* 1932 ; *le Tombeur* [*Lady Killer*], 1933), pour Edward G. Robinson (*The Little Giant,* 1933) ou pour Bebe Daniels (*My Past,* 1931) dégagent une ivresse encore intacte. Son meilleur film est une comédie mordante où brillait le méconnu Lee Tracy en chroniqueur radio à la dent acerbe : *Blessed Event* (1932). Dans le domaine musical, sa plus grande réussite est *Folies-Bergère* (1935), dans ses versions américaine et française, très enlevé par un Maurice Chevalier débordant d'énergie. Le style plus amidonné de la MGM le brima : l'essoufflement est sensible dans *Broadway Melody of 1936* (1935) et dans *L'amiral mène la danse* (*Born to Dance,* 1936). De la fin de sa carrière, on retiendra trois musicals : *La Du Barry était une dame* (*Du Barry Was a Lady,* 1943), *les Cadets de West Point* (*The West Point Story,* 1950) et *le Bal du printemps* (*On Moonlight Bay,* 1951). C.V.

DELUBAC *(Jacqueline), actrice française (Lyon 1910).* On s'aperçoit aujourd'hui en voyant évoluer cette ravissante brune aux beaux yeux, toujours suprêmement élégante, que son jeu intelligent, légèrement en décalage avec celui de ses partenaires, a une allure très moderne. Venue des théâtres-bonbonnières, après un passage à la Paramount, elle rencontre Sacha Guitry, qui l'utilise au mieux dans *le Roman d'un tricheur* (1936), *Faisons un rêve* (1937), *les Perles de la couronne* (id.), *le Mot de Cambronne* (id.), *Désiré* (id.), *Quadrille* (1938) et *Remontons les Champs-Élysées* (id.). Après leur séparation et jusqu'à la guerre, elle continue de tourner, en cherchant à varier ses rôles : *Dernière Jeunesse* (J. Musso, 1939) ; *Volpone* (M. Tourneur, 1941). Ensuite, plus rien ou si peu que rien. Elle a marqué pourtant toute une époque du cinéma français. R.C.

DE LUXE COLOR. Mention signifiant « développé par le laboratoire De Luxe. » (→ PROCÉDÉS DE CINÉMA EN COULEURS.)

DELVAUX *(André), cinéaste et musicien belge (Héverlé 1926).* Il étudie la philologie germanique et le droit à l'université de Bruxelles tout en poursuivant au Conservatoire royal des études de piano et de composition. Professeur de langues, il se passionne pour le cinéma et anime, à partir de 1956, la réalisation par ses élèves de plusieurs courts métrages en 16 mm. Il réalise parallèlement ses propres premiers courts métrages, écrit en 1958 la musique de deux courts films de son ami Jean Brismée, dirige plusieurs émissions télévisées, dont des séries sur Fellini (1960) et Rouch (1962), et anime un séminaire sur le langage cinématographique à l'université de Bruxelles. En 1963, il est chargé de cours de langage et de réalisation cinématographiques à l'Institut national supérieur des arts du spectacle de Bruxelles. Depuis, son activité se partage entre l'enseignement théorique du cinéma, la réalisation de ses films et celle de séries télévisées. Aussi s'est-il penché sur le cinéma polonais (1964) et les métiers du cinéma *(Derrière l'écran,* 1966, réalisé en marge du tournage des *Demoiselles de Rochefort). L'Homme au crâne rasé* (1966), produit avec l'aide de la télévision flamande, est une histoire d'amour fou où le rêve se confond avec la réalité sans que nous sachions jamais avec certitude si ce qui nous est donné sur l'écran participe de l'objectif ou du subjectif. *Un soir un train* (1968) élargit son audience tout en précisant ses thèses et son esthétique : dans le voyage hors des lieux et du temps qui mène Mathias (Yves Montand) à la rencontre de la femme qu'il a côtoyée sans la connaître jamais (Anouk Aimée) et de sa propre vérité, le réel bascule dans l'imaginaire. Plus encore que son film précédent, Delvaux construit celui-ci comme une œuvre musicale, non seulement dans son emploi raffiné du dialogue et des bruits mais aussi dans sa structure même. De nouveau, c'est dans les paysages d'une Flandre embrumée par l'automne qu'il trouve la correspondance secrète avec la conscience confuse qu'a Mathias de son identité morale et culturelle. *Rendez-vous à Bray* (1971), produit en France comme le précédent, adapte à l'écran une nouvelle de Julien Gracq et l'annexe à l'univers propre de Delvaux. Le thème, une fois encore, est celui de la frontière impossible à situer entre deux univers, le passé et le présent, et le réalisateur joue de la temporalité pour mieux en brouiller les repères. La musique est projetée au premier plan (le personnage principal est pianiste et accompagnateur de films muets, ainsi que le faisait Delvaux à la Cinémathèque royale). Avec *Belle* (1973), qui est une sorte de quintessence de toute son œuvre (un écrivain tombe follement amoureux d'une créature de rêve qu'il rencontre dans les landes d'Ardenne et qui n'existe peut-être pas), Delvaux renoue avec bonheur avec le sens du mystère de ses premiers films. *Femme entre chien et loup* (1979), en revanche, s'éloigne de ses thèmes de prédilection pour traiter la prise de conscience d'une femme dans la Flandre des années 40. Ce n'est plus l'imaginaire qu'il invoque, mais les souvenirs d'une période de l'histoire flamande que les mémoires ont occultée, et le réalisme minutieux avec lequel sont décrits les gestes quotidiens réaffirme l'ordre ailleurs contesté. Mais l'intimisme psychologique sied moins au cinéaste que les vertiges de l'imaginaire. Dans *Benvenuta* (1983), il tente de revenir aux jeux de miroir qui l'ont toujours fasciné en décrivant un itinéraire passionnel placé sous le double signe de la réalité et des fantasmes. En 1988 il signe une adaptation ambitieuse et consciencieuse de *l'Œuvre au noir* de Marguerite Yourcenar. J.-P.B.

Films ▲ : *Forges* (CM, 1956) ; *le Temps des écoliers* (*Haagschool*, CM, 1962) ; *l'Homme au crâne rasé* (*De man die zijn haar kort liet knippen*, 1966) ; *les Interprètes* (*Tolken*, CM, 1968) ; *Un soir un train* (id.) ; *Rendez-vous à Bray* (1971) ; *Belle* (1973) ; *Avec Dierick Bouts* (CM, 1975) ; *Femme entre chien et loup* (*Een vrouw tussen hond en wolf*, 1979) ; *To Woody Allen, From Europe With Love* (1980) ; *Benvenuta* (1983) ; *Babel Opera* (1985) ; *l'Œuvre au noir* (1988).

DEMARE *(Lucas), cinéaste argentin (Buenos Aires 1910 - id. 1981).* Il débute durant la phase d'expansion de l'industrie cinématographique (*Dos amigos y un amor,* 1938). Son grand succès reste *la Guerre des gauchos* (*La guerra gaucha,* 1942), d'après Leopoldo Lugones, tentative de fonder une épopée filmique nationale inspirée par les luttes d'indépendance. Cette ambition, qui s'abîme dans l'emphase académique et la rhétorique grandiloquente, le porte encore vers les évocations du passé, toujours avec un souci d'édification civique conservatrice. Ses autres titres significatifs sont *Chingolo* (1940), *El cura gaucho* (1941), *Su mejor alumno* (1944), *Pampa barbare* (*Pampa bárbara,* 1945, CO H. Fregonese), *Los isleros* (1951), *Zafra* (1959), *Hijo de hombre* (1961). P.A.P.

DE MATTEIS *(Maria), costumière italienne (Florence v. 1912).* Depuis 1935, elle travaille au théâtre et débute au cinéma en collaboration avec Gino Sensani en 1939 : *Torna caro ideal* (G. Brignone). Elle se spécialise dans les films d'aventures et de cape et d'épée, dont *Don César de Bazan* (R. Freda, 1942), *la Fille du capitaine* (*La figlia del capitano*, M. Camerini, 1947), *Figaro qua, Figaro là* (C. L. Bragaglia, 1950). Restent inoubliables ses costumes flamboyants pour *le Carrosse d'or* (J. Renoir, 1953), *le Carrousel fantastique* (E. Giannini, 1954), *Guerre et Paix* (K. Vidor, 1956), *la Tempête* (A. Lattuada, 1958), *la Bible* (J. Huston, 1966). L.C.

DEMAZIS *(Orane), actrice française (Oran 1904 - Paris 1991).* Une solide formation théâtrale la conduit d'abord chez Dullin, puis sur le Boulevard, où elle rencontre Pagnol, qui lui fait créer *Marius* puis *Fanny*, et l'impose dans l'adaptation cinématographique de sa célèbre trilogie. Devenue très populaire, elle dessine sans sophistication et avec une sensibilité à fleur de peau les figures féminines de *Angèle* (1934) et *Regain* (1937), et Raymond Bernard la choisit pour camper Éponine dans *les Misérables* (1934). Après un long passage à vide, elle reparaît en 1973, personnelle, incisive, moins larmoyante dans *Rude Journée pour la reine* (R. Allio). C'est ensuite *le Fantôme de la liberté* (L. Buñuel, 1974), *Souvenirs d'en France* (A. Téchiné, 1975), *Bastien Bastienne* (Michel Andrieu, 1980). R.C.

DEMENY *(Georges), scientifique français, pionnier du cinéma (Douai 1850 - Paris 1917).* Collaborateur de Marey jusqu'en 1893, il réalisa en 1891 le *Phonoscope*, de la famille des « stroboscopes » (→ INVENTION DU CINÉMA), qui animait l'enregistrement chronophotographique d'un visage prononçant une courte phrase. (Certains auteurs en ont déduit à tort que Demeny s'était attaqué à l'enregistrement des sons.) En 1893, il réalisa le *Biographe*, appareil pour prises de vues chronophotographiques sur pellicule non perforée, où un doigt porté par une came « tirait » à chaque tour une certaine longueur de film. (Le *Bioscope*, conçu pour animer les enregistrements du Biographe, n'était qu'une variante du Phonoscope.) Ce mécanisme d'avance intermittente du film, connu sous le nom de *came Demeny*, fut employé sur plusieurs projecteurs des débuts du cinéma, notamment sur le projecteur Armat et sur les premiers *Chronophotographes* réalisés par Demeny pour Gaumont. J.-P.F.

DE MICHELI *(Adriano)* → ANGELETTI (*Pio*).

DEMIDOVA *(Alla), actrice soviétique (Moscou 1936).* C'est en 1963, après des études de danse et d'économie, qu'elle se lance dans le théâtre et le cinéma. Son allure souveraine et sa présence attachante ont contribué à la faire considérer comme l'une des meilleures actrices soviétiques, plus encore au théâtre qu'au cinéma. Elle débute à l'écran en interprétant le rôle de la poétesse Olga Berggoltz dans *les Étoiles du jour* (*Dnevnye zvëzdy,* 1967), d'Igor Talankine, qui la dirigera encore dans *Tchaïkovski* (1970) et *le Père Serge* (*Otec Sergij,* 1978). On la retrouve, entre autres, dans le personnage de la dirigeante socialiste-révolutionnaire Maria Spiridonova dans *le 6 Juillet* de Iouli Karassik, et dans la Liza du *Miroir* de Tarkovski ainsi que dans deux films d'Igor Talankine, *le Week-end* (1985) et *l'Automne à Tchertanovo* (1988). Elle a publié un livre sur son métier, *la Seconde Réalité* (1980). M.M.

DE MILLE *(Cecil Blount De Mille,* dit *Cecil B.), cinéaste américain (Ashfield, Mass., 1881 - Los Angeles, Ca., 1959).* La légende qui s'est très tôt attachée au nom de De Mille rend malaisée une analyse sereine et objective de son œuvre. L'homme avait lui-même largement contribué à créer et à alimenter cette légende, dont il finit par devenir prisonnier. On colportait avec complaisance ses manies d'autocrate et de mégalomane. Son fidèle collaborateur Mitchell Leisen exprimait une opinion répandue : « De Mille était sans nuances. Tout chez lui était écrit en lettres de néon hautes de six pieds : désir, vengeance, érotisme. Il fallait apprendre à penser à sa manière, c'est-à-dire en lettres majuscules. » Pour le grand public, son nom est devenu synonyme de superproduction à sujet biblique, et aussi de pompiérisme. D'autres lui reprochent son idéologie, ses options résolument antisyndicales et anticommunistes. Le fait est que, parmi ses défenseurs, ont figuré dans les années 60 certains critiques français, eux-mêmes marqués à droite, ce qui n'a pas contribué à éclaircir le débat.

Parmi les critiques anglo-saxons, en revanche, il existe une sorte de consensus qui veut que De Mille ait eu une grande importance historique et même esthétique aux débuts de sa carrière pour sombrer ensuite dans le « commercial ». Mais nul ne s'accorde sur la date de ce prétendu déclin : dès 1918 selon Kevin Brownlow, en 1932 pour Charles Higham.

De Mille est un enfant de la balle, qui, à l'instar de Griffith, restera toute sa vie marqué par l'esthétique précinématographique de ses années de formation. Son père était auteur dramatique et acteur, associé à David Belasco qui tenait pour le « réalisme » théâtral. Sa mère jouait aussi. Son frère aîné William devint auteur dramatique. Lui-même fait des études théâtrales à New York, devient à son tour comédien ambulant. Sous la direction de Belasco et en compagnie de Mary Pickford, il joue en 1907 dans une pièce de son frère, *The Warrens of Virginia,* qu'il portera à l'écran quelques années plus tard. Il rencontre Jesse Lasky, avec lequel il se lance dans la production cinématographique ; ils vont en reconnaissance à Flagstaff (Ariz.), mais déident que le lieu n'est pas approprié : ils poursuivent jusqu'à Los Angeles. Hollywood est né. Le premier film de De Mille est un western d'inspiration primitiviste, pro-indienne, *le Mari de l'Indienne* (1914), sujet qui lui tient à cœur puisqu'il en réalisera deux remakes (1918 et 1931), ce qui ne saurait s'expliquer par des considérations uniquement commerciales. Son premier grand succès est *Forfaiture* (1915), qui a un retentissement mondial. Selon les mots de Bardèche et Brasillach, « il semblait que tout ce qui avait été fait jusqu'à présent ne comptait pas : Fanny Ward et Sessue Hayakawa donnaient le modèle d'un jeu contenu, suggestif et elliptique, qui n'avait aucun rapport avec le jeu alors à la mode au théâtre ». Pour Delluc, *Forfaiture,* quoique sans génie, est « la *Tosca* du cinéma ».

Dès cette époque se font jour les deux tendances profondes de De Mille. D'une part, le goût du spectacle, de la renconstitution historique : *Jeanne d'Arc* (1917), avec la cantatrice devenue actrice Geraldine Farrar. D'autre part, un certain intimisme, luxueux certes, acclimatant au cinéma l'héritage du Boulevard, les scènes de la vie conjugale, avec des notations satiriques et un érotisme qui préludent à Lubitsch et à la « comédie sophistiquée » : *The Golden Chance* (1916) ; *Old Wives for New* (1918) ; *Après la pluie, le beau temps* (1919) ; *l'Admirable Crichton* (id.), d'après la pièce de Sir James Matthew Barrie ; *l'Échange* (1920) ; *le Fruit défendu* (1921) ; *Le cœur nous trompe* (id.), d'après Schnitzler et Elinor Glyn.

On aurait d'ailleurs tort d'opposer strictement ces deux tendances. Dans les comédies sophistiquées, un soin jaloux est apporté aux détails du décor (dû à Wilfred Buckland) et du costume. Dans les films à grand spectacle, les moments d'intimisme ne manquent pas, l'histoire est humanisée. Dans tous les cas, rien n'est laissé au hasard, De Mille contrôle tous les stades de la production en vertu d'une esthétique et d'une économie qui resteront immuables : recherches exhaustives sur chaque sujet, distribution méticuleuse, découpage détaillé comprenant tous les angles de prise de vues, décors souvent à l'échelle et en matériaux durables, etc. En un sens, De Mille est l'adepte d'une conception naturaliste de la mise en scène, ainsi que d'une esthétique victorienne qui a horreur du vide et du flou.

Son « commercialisme » supposé n'explique nullement qu'il n'ait jamais cherché à évoluer, à suivre la mode. Au contraire : son dernier film est un remake des *Dix Commandements* de 1923, ou plus précisément de leur prologue biblique. À l'instar du Griffith d'*Intolérance,* il aime en effet confronter le passé historique et le présent afin d'en souligner les ressemblances : rappelons *l'Admirable Crichton* (avec une séquence babylonienne), *le Réquisitoire* (1922), qui transporte subitement le spectateur dans la Rome antique, *le Signe de la croix* (1932), pour lequel il tourne en 1944 un prologue contemporain.

L'un des principaux réalisateurs de la Paramount (issue de la Famous Players-Lasky), il est entouré d'une vaste équipe de collaborateurs, parmi lesquels on peut mentionner Jeanie MacPherson et, plus tard, Jesse Lasky Jr (scénaristes), Mitchell Leisen (costumier et décorateur), Paul Iribe, Hans Dreier (décorateurs), des acteurs comme Henry Wilcoxon (Marc Antoine dans *Cléopâtre,* 1934, et plus de vingt ans après généralissime égyptien dans *les Dix Commandements*), ou Anthony Quinn qui deviendra son gendre et réalisera sous sa supervision un remake des *Flibustiers* de 1938 : *les Boucaniers* (1958).

Il est vrai qu'au fil de sa carrière De Mille s'est peu à peu détaché des sujets familiers pour ne traiter que des superproductions. De même, le directeur d'actrices comme Mary Pickford (*la Petite Américaine,* 1917) ou Gloria Swanson devait s'accommoder davantage d'acteurs au jeu sobre et stylisé mais statique, fragments des fresques historiques qu'il peignait : Victor Mature en Samson, Charlton Heston en Moïse. Cependant, l'interprétation de Cléopâtre par Claudette Colbert est pleine d'humour ; Anne Baxter incarnera un personnage du même genre dans *les Dix Commandements.* De même, Loretta Young est charmante dans la remarquable épopée des *Croisades* (1935).

Mais la tentation du gigantisme l'emporte : films d'une durée nettement supérieure à deux heures, distributions nombreuses, figuration innombrable, grands sujets d'intérêt à la fois humain, historique, voire philosophique et religieux ; morceaux de bravoure (combat avec un poulpe dans *les Naufrageurs des mers du Sud,* 1942 ; effondrement du temple de Dagon dans *Samson et Dalila,* 1949 ; accident de chemin de fer de *Sous le plus grand chapiteau du monde ;* traversée de la mer Rouge ou adoration du Veau d'or dans *les Dix Commandements...*). Cette esthétique doit en réalité beaucoup aux illustrateurs et aux peintres du XIXe s. : Gustave Doré, John Martin (qui avait illustré le *Paradis perdu* de Milton dans un style « babylonien »), Alma-Tadema, Boutet de Monvel, peut-être (pour *Jeanne d'Arc*). C'est que De Mille, à tous égards — jeu des acteurs, style visuel, idéologie —, était un homme du XIXe siècle. J.-L.B.

Films ▲ : *le Mari de l'Indienne* (*The Squaw Man* co Oscar Apfel, 1914) ; *The Virginian* (id.) ; *l'Appel du Nord* (*The Call of the North,* id.) ; *What's His Name ?* (id.) ; *The Man from Home* (id.) ; *la Rose du ranch* (*Rose of the Rancho,* id.) ; *The Girl of the Golden West* (1915) ; *The Warrens of Virginia* (id.) ; *The Unafraid* (id.) ; *The Captive* (id.) ; *Wild Goose Chase* (id.) ; *l'Arabe* (*The Arab,* id.) ; *Chimmie Fadden* (id.) ; *Kindling* (id.) ; *Carmen* (id., *id.*) ; *Chimmie Fadden Out West* (id.) ; *Forfaiture* (*The Cheat,* id.) ; *The Golden Chance* (id.) ; *Tentation* (*Temptation,* id.) ; *la Piste du pin solitaire* (*The Trail of the Lonesome Pine,* 1916) ; *le Cœur de Nora Flynn* (*The Heart of Nora Flynn,* id.) ; *Maria Rosa* (id., *id.*) ; *The Dream Girl* (id.) ; *Jeanne d'Arc* (*Joan the Woman,* 1917) ; *la Bête enchaînée* (*Romance of the Redwoods,* id.) ; *la Petite Américaine* (*The Little American,* id.) ; *les Conquérants* (*The Woman God Forgot,* id.) ; *le Talisman* (*The Devil Stone,* id.) ; *le Rachat suprême* (*The Whispering Chorus,* 1918) ; *Old Wives for New* (id.) ; *l'Illusion du bonheur* (*We Can't Have Everything,* id.) ; *Till I Come Back to You* (id.) ; *Un cœur en exil* (*The Squaw Man,* id.) ; *Après la pluie, le beau temps* (*Don't Change Your Husband,* 1919) ; *For Better for Worse* (id.) ; *l'Admirable Crichton* (*Male and Female,* id.) ; *l'Échange* (*Why Change Your Wife ?,* 1920) ; *Something to Think About* (id.) ; *le Fruit défendu* (*Forbidden Fruit,* 1921) ; *Le cœur nous trompe* (*The Affairs of Anatol,* id.) ; *le Paradis d'un fou* (*Fool's Paradise,* id.) ; *le Détour* (*Saturday Night,* 1922) ; *le Réquisitoire* (*Manslaughter,* id.) ; *la Rançon d'un trône* (*Adam's Rib,* 1923) ; *les Dix Commandements* (*The Ten Commandments,* id.) ; *Triomphe* (*Triumph,* 1924) ; *le Tourbillon des âmes* (*Feet of Clay,* id.) ; *le Lit d'or* (*The Golden Bed,* 1925) ; *l'Empreinte du passé* (*The Road to Yesterday,* id.) ; *les Bateliers de la Volga* (*The Volga Boatman,* 1926) ; *le Roi des rois* (*The King of Kings,* 1927) ; *les Damnés du cœur* ou *la Fille sans Dieu* (*The Godless Girl,* 1929) ; *Dynamite* (id.) ; *Madame Satan* (*Madam Satan,* 1930) ; *The Squaw Man* (1931) ; *le Signe de la croix* (*The Sign of the Cross,* 1932) ; *le Triomphe de la jeunesse* (*This Day and Age,* 1933) ; *Four Frightened People* (1934) ; *Cléopâtre* (*Cleopatra,* id.) ; *les Croisades* (*The Crusades,* 1935) ; *Une aventure de Buffalo Bill* (*The Plainsman,* 1937) ; *les Flibustiers* (*The Buccaneer,* 1938) ; *Pacific-Express* (*Union Pacific,* 1939) ; *les Tuniques écarlates* (*North West Mounted Police,* 1940) ; *les Naufrageurs des mers du Sud* (*Reap the Wild Wind,* 1942) ; *l'Odyssée du docteur Wassell* (*The Story of Dr. Wassell,* 1944) ; *les Conquérants d'un nouveau monde* (*Unconquered,* 1947) ; *Samson et Dalila* (*Samson and Delilah,* 1949) ; *Sous le plus grand chapiteau du monde* (*The Greatest Show on Earth,* 1952) ; *les Dix Commandements* (*The Ten Commandments,* 1956).

DE MILLE *(William Churchill De Mille,* dit *William C.), cinéaste américain (Washington, D. C., 1878 - Los Angeles, Ca., 1955).* Le frère aîné de Cecil B. De Mille, William de Mille a toujours gardé le « d » minuscule à son nom. De même, modeste et discret, il est resté dans l'ombre de son cadet. Ses rares films parlants que l'on peut voir, bien que visuellement très soignés, ne se départent pas d'un certain anonymat (*Passion Flower,* 1930). En revanche, il semble qu'il y ait beaucoup à glaner dans son œuvre muette. Cinéaste intimiste et tendre, William de Mille est l'auteur de quelques œuvres remarquables (*The Ragamuffin,* 1916 ; *Conrad in Quest of His Youth,* 1920 ; *Miss Lulu Bett,* 1921 ; *Craig's Wife,* 1928) qui font de lui un artiste méconnu. Il collabora très souvent, comme scénariste ou producteur, aux films de son frère. Il est, en outre, le père de la chorégraphe Agnès de Mille.
C.V.

DEMME *(Jonathan), cinéaste américain (Rockville Center, N. Y., 1944).* Hors des sentiers battus, la filmographie de Demme aborde avec la même vitalité les derniers surgeons de la série B (*Cinq femmes à abattre* [*Caged Heat*], 1974, ou *Crazy Mama,* 1975), le vidéo-clip *(Sun City : Artists United Against Apartheid),* le documentaire musical (*Stop Making Sense,* 1984, sur les Talking Heads) ou le documentaire pur et simple (*Swimming To Cambodia,* 1987, sur les à-côtés du tournage de *la Déchirure,* de Roland Joffé [1984]). Ses œuvres de fiction, si l'on excepte la mauvaise expérience de *Swing Shift* (1984), véhicule pour Goldie Hawn, témoignent d'un tempérament remarquable. *Melvin and Howard* (1980) raconte avec sensibilité et enthousiasme la rencontre d'un pompiste et d'un vieillard un peu fou qu'il prend en auto-stop et qui se révèle être le milliardaire Howard Hughes (interprété par un Jason Robards au mieux de sa forme). Sur un type de sujet à la mode (une fille fantasque qui entraîne un jeune cadre dans les dangers de la vie marginale), *Dangereuse sous tous rapports*

(*Something Wild,* 1986) procède par brusques changements de tons, par dérapages narratifs rattrapés avec brio, et par un étourdissant sens du rythme. Plein de vitalité, Demme passe du cinéma à la télévision, de la production à l'écriture et ne dédaigne pas quelques apparitions d'acteur de temps à autre. Il signe en 1988 *Veuve mais pas trop... (Married to the Mob),* un film démystificateur sur la mafia qu'il traite en alerte comédie plutôt qu'en parodie. *Le Silence des agneaux* (*The Silence of the Lambs,* 1991) joue avec habileté sur les mécanismes du thriller et de l'angoisse et remporte un large succès international. Demme réagit à ce succès en s'attelant à un documentaire de long métrage sur un de ses cousins, prêtre et contestataire : *Cousin Bobby* (1992) est un film peu spectaculaire où le cinéaste s'efface devant son sujet. *Philadelphia* (id., 1993) est également un film sobre qui traite sans fausse pudeur du sida : l'interprétation remarquable de Tom Hanks a quelque peu occulté la facture nuancée et le regarde humaniste du cinéaste. Si l'on peut regretter que *le Silence des agneaux* et *Philadelphia* aient un peu bridé l'anticonformisme du cinéaste, on constate qu'il sait cependant résister à la facilité. C.V.

DEMONGEOT (*Marie-Hélène Demongeot,* dite *Mylène*), *actrice française (Nice 1936).* Elle débute au cinéma en 1953. D'abord cantonnée dans des rôles de pin-up (*les Enfants de l'amour,* L. Moguy, 1953 ; *Futures Vedettes,* M. Allégret, 1955), elle s'adapte ensuite avec aisance à différents emplois, qu'il s'agisse de fantaisie (*Bonjour tristesse,* O. Preminger, 1958 ; *Faibles Femmes,* M. Boisrond, *id. ;* ou la série des *Fantômas,* A. Hunebelle, 1964-1967), de drames (*les Sorcières de Salem,* R. Rouleau, 1957), ou de péplums italiens (*la Bataille de Marathon,* J. Tourneur, 1959 ; *l'Enlèvement des Sabines,* R. Pottier, 1961). On la retrouve plus tard dans *les Noces de porcelaine* (R. Coggio, 1975), *le Bâtard* (B. Van Effenterre, 1983) ou dans les films de son mari Marc Simenon : *Par le sang des autres* (1974) ou *Signé Furax* (1981). F.LAB.

DEMPSTER *(Carol), actrice américaine (Duluth, Minn., 1902 - La Jolla, Ca., 1991).* Dans l'esprit de Griffith, Carol Dempster était destinée à remplacer Lillian Gish. En fait, tout ce qui enrichissait la personnalité de Lillian Gish handicapait celle de Carol Dempster. Chez elle, la candeur était mièvrerie, l'innocence une afféterie irritante, l'émotion une gesticulation désordonnée. Son passé de danseuse ne lui conféra cependant pas la grâce aérienne de Lillian Gish. L'héritage était lourd et Carol Dempster était frêle. Ses réelles possibilités n'ont sans doute pas été perçues par un Griffith obsédé par la perte de son actrice d'élection. Plus que dans *la Fleur d'amour* (1920) ou *la Rue des rêves* (1921), c'est dans *Isn't Life Wonderful ?,* (1924), *Sally, fille de cirque* (1925) et *les Chagrins de Satan* (1926) qu'elle fut excellente, inhabituellement séduisante et trouble. C.V.

DEMY *(Jacques), cinéaste français (Pontchâteau 1931 - Paris 1990).* Après une formation technique et un passage à l'École des beaux-arts de Nantes, il suit les cours de l'ETPC de Vaugirard. Attiré par l'animation, il travaille quelques mois avec Paul Grimault avant de devenir l'assistant de Georges Rouquier, qui produit son premier court métrage : *le Sabotier du Val de Loire* (1956). Dans ce film tourné sur les lieux de son enfance, le documentaire attentif aux gestes de l'artisan se double d'un essai authentiquement poétique sur la lente usure d'un univers clos sur lui-même et l'acceptation apaisée de l'écoulement du temps. Son film suivant, *le Bel Indifférent* (1957), sur le texte de Cocteau, expérimente audacieusement avec la couleur, le décor de studio et les longs plans-séquences. Après deux courts métrages mineurs en collaboration avec Jean Masson, *Musée Grévin* (1958) et *la Mère et l'Enfant* (1959), Demy clôt cette phase d'apprentissage avec un dernier court métrage : *Ars* (id.), où il exprime en mouvements d'appareil la grâce et la révolte, en même temps qu'il fait du village hostile qui emprisonne son personnage l'élément principal de son film.

L'émergence de la Nouvelle Vague lui permet de réaliser son premier long métrage, *Lola* (1961), qu'il tourne à Nantes. Il y entrecroise avec une constante invention les itinéraires de trois personnages féminins pour recomposer — dans les trois jours que dure l'action du film — l'existence tout entière d'une femme dont la vie n'est que fidélité à un amour d'enfance. Après le joli sketch sur la luxure dans *les Sept Péchés capitaux* (1962), qui reprend dans un mode plaisant l'expérimentation d'*Ars* (sur l'expression de l'abstrait à l'écran), Demy réalise, avec *la Baie des Anges*

(1963), une descente aux Enfers : le hasard qui présidait aux rencontres de Lola devient ici le meneur d'un jeu destructeur où l'homme s'efforce de sauver son libre arbitre. Au-delà du merveilleux raffinement des couleurs et des décors (de Bernard Évein) et du pari splendidement tenu de faire chanter tous les dialogues (sur une musique de Michel Legrand), *les Parapluies de Cherbourg* (1964) frappe surtout par l'amertume de son sujet (un bonheur simple détruit par la guerre d'Algérie) et la rigueur avec laquelle Demy traite sans condescendance ni ironie un mélodrame tranquillement désespéré. L'immense succès international de ce film lui permet de réaliser un vieux rêve : une comédie musicale à l'américaine, *les Demoiselles de Rochefort* (1967), spectaculaire et colorée, pleine de chansons joyeuses et de numéros dansés, dans laquelle il développe en le multipliant le thème, qui court dans toute son œuvre, du couple « fait l'un pour l'autre » et que le hasard seul peut réunir. *Model Shop* (1969), réalisé aux États-Unis, semble de prime abord une suite à *Lola,* mais c'est plus profondément une nouvelle descente aux Enfers, dans la lignée de *la Baie des Anges.* Revenu en France, Demy tourne *Peau d'Âne* (1970), un conte de fées inspiré à la fois par l'esthétique des illustrations de livres enfantins, le pop art américain et le merveilleux fabriqué cher à Cocteau. Puis il réalise en Angleterre un mélancolique et beau *Joueur de flûte* (*The Pied Piper,* 1972), où la vieille légende du charmeur de rats lui permet de brosser le tableau d'un Moyen Âge rongé par la peste et l'intolérance et de développer métaphoriquement le rôle de l'artiste face aux compromissions du monde des adultes. Donné comme une fable sans prétention, ou comme un conte de fées moderne traité en comédie, *l'Événement le plus important depuis que l'homme a marché sur la Lune* (1973) se refuse à aller jusqu'au bout du sujet (l'événement en question étant la gestation d'un enfant par un homme), ce qui lui est dommageable. Après l'abandon au dernier moment de plusieurs projets importants, Demy réalise en France, mais en langue anglaise et pour des producteurs japonais, une adaptation raffinée et spectaculaire d'un roman-feuilleton historique à succès : *Lady Oscar* (1979), avant d'adapter en 1980 pour la télévision le roman autobiographique de Colette, *la Naissance du jour.* Deux ans plus tard, il revient à Nantes pour y réaliser enfin son plus ancien projet : *Une chambre en ville* (1982), véritable tragédie musicale entièrement chantée sur fond de conflits sociaux et de violences de rues qui obtient un succès critique sans parvenir pourtant à emporter l'adhésion du grand public. En 1985, *Parking* qui tente de moderniser le mythe d'Orphée s'avère un nouvel échec commercial. *Trois places pour le 26* (1988) centré sur le personnage d'Yves Montand joue sur les ambiguïtés de la fiction et de la réalité, en mêlant la naïveté et l'enchantement, le réalisme sentimental et l'optimisme presque onirique. Demy collabore toujours en 1988 avec un cinéaste qu'il admire, Paul Grimault, en participant au tournage de *la Table tournante,* film consacré à l'œuvre du talentueux cinéaste d'animation.

Tirant le meilleur d'une équipe de collaborateurs fidèles (Michel Legrand, Bernard Évein, Jacqueline Moreau, Anne-Marie Cotret) et de comédiens qu'il connaît et qu'il aime (Catherine Deneuve, surtout, qui a interprété quatre films pour lui), Jacques Demy a construit à l'écart des modes un univers cruel et tendre, intensément lyrique, où chaque film éclaire les autres en même temps qu'il se nourrit d'eux — un univers essentiellement cinématographique dont la joliesse et l'élégance masquent mal la gravité profonde. ▲ J.-P.B.

DENEUVE *(Catherine Dorléac,* dite *Catherine), actrice française (Paris 1943).* Issue d'une famille de comédiens français (son père Maurice Dorléac, sa sœur Françoise Dorléac), elle débute à l'écran à treize ans, prenant le nom de sa mère, qui avait été également comédienne. Lancée par Roger Vadim, Pygmalion des stars féminines, elle ne fait que pâle impression dans une adaptation contemporaine de la *Justine* de Sade. Elle est remarquée par Jacques Demy, qui l'impose grâce au succès stupéfiant des *Parapluies de Cherbourg* (1964), mais valorise l'aspect le moins intéressant de sa personnalité : la belle, lisse et pure jeune fille, aspect qui sera ultérieurement surexploité. Plusieurs productions contribuent néanmoins à pérenniser cette image trompeuse d'une comédienne aux ressources plus diverses et plus riches, comme le montrera, pour la première fois, Roman Polanski, avec *Répulsion* (1965), où elle incarne avec une vérité terrifiante une schizophrène frigide, multipliant les meurtres les plus sanguinaires. Aussi la reprise ultérieure par Michel Deville (*Benjamin*, 1968) du rôle de la vierge ingénue prend-il une résonance nouvelle.

Avec Polanski et Deville, peintres et analystes aigus de la Psyché féminine, Luis Buñuel, en deux films (*Belle de jour*, 1967, et *Tristana*, 1970), développe encore les virtualités de l'actrice et la hausse au niveau du mythe. Jamais plus, dans la suite de son abondante carrière, elle ne retrouvera cette plénitude. Mais il n'est pas douteux qu'elle a incarné, dans les années 60, un avatar de l'éternel féminin. N'offrant apparemment aucune prise, inaltérable et insoupçonnable, marmoréenne, elle appelle en quelque sorte le ciseau du sculpteur-réalisateur qui lui insufflera la vie et l'expression, qui dévoilera des abysses troubles cachées sous une limpidité de surface.

Après ces rencontres fabuleuses, c'est malheureusement à l'extériorité la plus superficielle de son personnage que l'on fit appel *(Peau d'âne ; la Femme aux bottes rouges ; Mayerling),* avant de la recycler, la maturité venant, dans un registre de fantaisie voulant faire référence à la comédie américaine, ce qui peut paraître en contradiction avec sa nature, qui est d'être plutôt que de faire, d'incarner plutôt que d'interpréter.

Toutefois, cette nouvelle orientation compte des réussites *(la Vie de château ; les Demoiselles de Rochefort ; le Sauvage),* mais aussi des ratages *(Zig Zig ; l'Agression).* Les années 70 la voient alterner rôles comiques et dramatiques, ayant renoncé aux emplois « décoratifs » *(Mayerling),* qui risquaient de la reléguer dans l'insignifiance. La tentative d'ouverture vers une carrière américaine ne donna pas les effets escomptés chez une comédienne qui aurait pu, pourtant, être un parfait équivalent de l'héroïne hitchcockienne. Au cours des années 80, François Truffaut dans *le Dernier Métro,* André Téchiné dans *Hôtel des Amériques* et *le Lieu du crime,* Alain Corneau dans *le Choix des armes* et François Dupeyron dans *Drôle d'endroit pour une rencontre* lui offrent ses meilleurs rôles. Deneuve demeure l'une des actrices françaises les plus expérimentées, l'une des rares capables d'enflammer un personnage qui de prime abord pourrait être perçu par les spectateurs comme froid, détaché, voire indifférent. M.S.

Films ▲ : *les Collégiennes* (A. Hunnebelle, 1957) ; *les Petits Chats* (Jacques R. Villa, 1959) ; *Les portes claquent* (Jacques Poitrenaud et Michel Fermaud, 1960) ; *l'Homme à femmes* (Jacques Gérard Cornu, *id.*) ; *les Parisiennes* (M. Allégret, 1962, sketch : *Sophie*) ; *Et Satan conduit le bal* (Grisha M. Dabat, *id.*) ; *Vacances portugaises* (P. Kast, 1963) ; *le Vice et la Vertu* (Vadim, *id.*) ; *les Parapluies de Cherbourg* (Demy, 1964) ; *les Plus Belles Escroqueries du monde* (C. Chabrol, *id.* sketch : *l'Homme qui vendit la tour Eiffel*) ; *la Chasse à l'homme* (E. Molinaro, *id.*) ; *Un monsieur de compagnie* (Ph. de Broca, *id.*) ; *Avec amour et avec rage (La constanza della ragione,* P. Festa Campanile, *id.) ; Répulsion* (Polanski, 1965) ; *Belles d'un soir (Das Liebeskarussel,* R. Thiele, *id.* ; sketch : *la Somnambule) ; le Chant du monde* (M. Camus, *id.*) ; *la Vie de château* (J.-P. Rappeneau, 1966) ; *les Créatures* (A. Varda, *id.*) ; *les Demoiselles de Rochefort* (Demy, 1967) ; *Belle de jour* (Buñuel, *id.*) ; *Benjamin* (Deville, 1968) ; *Manon 70* (J. Aurel, *id.*) ; *Mayerling* (T. Young *id.*) ; *la Chamade* (A. Cavalier, *id.*) ; *Folies d'avril* (*The April Fools,* S. Rosenberg, 1969) ; *la Sirène du Mississippi* (F. Truffaut, *id.*) ; *Tristana* (Buñuel, 1970) ; *Peau d'âne* (Demy, *id.*) ; *Ça n'arrive qu'aux autres* (Nadine Trintignant, 1971) ; *Liza* (Ferreri, 1972) ; *Un flic* (J.-P. Melville, *id.*) ; *l'Événement le plus important depuis que l'homme a marché sur la Lune* (Demy, 1973) ; *Touche pas à la femme blanche* (Ferreri, 1974) ; *la Femme aux bottes rouges* (Juan Luis Buñuel, *id.*) ; *la Grande Bourgeoise* (M. Bolognini, *id.*) ; *Zig Zig* (Laszló Szabó, 1975) ; *l'Agression* (G. Pirès, *id.*) ; *le Sauvage* (Rappeneau, *id.*) ; *la Cité des dangers* (R. Aldrich, *id.*) ; *Si c'était à refaire* (C. Lelouch, 1976) ; *Âmes perdues* (D. Risi, *id.*) ; *Il était une fois la légion* (*March or Die,* Dick Richard, 1977) ; *Coup de foudre* (R. Enrico, *id.*, inachevé) ; *Casotto* (S. Citti, *id.*) ; *l'Argent des autres* (Ch. de Challonge, 1978) ; *Écoute voir* (H. Santiago, 1979) ; *Ils sont grands ces petits* (Joël Santoni, *id.*) ; *Courage, fuyons* (Y. Robert, *id.*) ; *À nous deux* (Lelouch, *id.*) ; *le Dernier Métro* (Truffaut, 1980) ; *Je vous aime* (C. Berri, *id.*) ; *Hôtel des Amériques* (A. Téchiné, 1981) ; *le Choix des armes* (A. Corneau, *id.*) ; *le Choc* (Robin Davis, 1982) ; *les Prédateurs* (*The Hunger,* Tony Scott, 1983) ; *l'Africain* (de Broca, *id.*), *le Bon Plaisir* (F. Girod, 1984) ; *Fort Saganne* (A. Corneau, *id.*) ; *Paroles et Musique* (Elie Chouraqui, *id.*) ; *le Lieu du crime* (A.

Téchiné, 1986) ; *Pourvu que ce soit une fille* (Monicelli, *id.*) ; *Agent trouble* (J.-P. Mocky, 1987) ; *Fréquence meurtre* (Élisabeth Rappeneau, 1988) ; *Drôle d'endroit pour une rencontre* (François Dupeyron, *id.*) ; *Frames From the Edge* (Adrian Maben, 1989) ; *la Reine blanche* (Jean-Loup Hubert, 1991) ; *Indochine* (Régis Wargnier, 1992) ; *Ma saison préférée* (Téchiné, 1993) ; *Les Demoiselles ont eu 25 ans* (Varda, *id.*) ; *la Partie d'échecs* (Yves Hanchar, 1994) ; *le Couvent* (M. de Oliveira, 1995).

De Niro *(Robert), acteur américain (New York, N. Y., 1943).* Son arrière-grand-père était un immigrant italien. Né dans une famille d'artistes (son père, d'origine irlandaise et italienne, est peintre figuratif ; sa mère, originaire du Middle West, est également peintre), Robert De Niro n'a jamais souhaité être autre chose qu'acteur et sa famille ne s'y est jamais opposée. À seize ans, il a déjà suivi des cours d'art dramatique au Dramatic Workshop, à l'école dramatique de Stella Adler, au Luther James Studio, puis chez Lee Strasberg, où il rencontre Harvey Keitel. Il fait ses débuts au théâtre dans *l'Ours* de Tchekhov. Il apparaît ensuite dans plusieurs productions « off-Broadway », notamment. D'après ses propres dires, sa première apparition à l'écran, comme figurant, remonterait à *Trois Chambres à Manhattan* de Marcel Carné (1965). Mais c'est Brian De Palma qui lui donne ses premières vraies chances au cinéma, dans trois films tournés entre 1966 et 1970. Remarqué pour sa création d'un joueur de base-ball condamné, dans *Bang the Drum Slowly* (John Hancock, 1973), il ne trouvera place dans la mémoire du public international qu'après son interprétation de Vito Corleone jeune, dans *le Parrain*, 2e partie (F. F. Coppola, 1974). Dans l'intervalle, il a fait la rencontre la plus marquante de sa carrière en la personne de Martin Scorsese, avec lequel il a tourné quatre films, y interprétant des rôles qui sont autant de variantes du type italo-américain, issu de la « petite Italie » new-yorkaise (surtout *Mean Streets* et *Raging Bull*). Dans la galerie des jeunes ou encore jeunes acteurs américains contemporains, De Niro peut être qualifié d'acteur de composition, par opposition à des personnalités plus « mythologiques », qui, d'un film à l'autre, ne font que tisser des variantes sur un seul type ; tel est le cas d'un Robert Redford. De Niro, en comparaison, est un comédien protée, dont aucune interprétation n'est répétitive : marginal quelque peu demeuré dans *Mean Streets*, mafioso d'envergure dans *le Parrain*, propriétaire terrien décadent dans *1900*, producteur dans *le Dernier Nabab*, jazzman dans *New York, New York*, ouvrier immigré lituanien dans *Voyage au bout de l'enfer*, champion de boxe immature et damné dans *Raging Bull*, caïd sans scrupule dans *les Affranchis*. Comparer sa filmographie à celle d'un Robert Redford est intéressant aussi d'un autre point de vue : l'image que chacun d'eux renvoie de l'Amérique. Si Redford incarne une Amérique libérale et policée, traditionnelle et soucieuse de son histoire et de certaines valeurs morales parfois en contradiction avec les faits, De Niro restitue, dans les films de Scorsese surtout, l'image d'une Amérique hétérogène, anarchique, incontrôlée, melting-pot de civilisations et de cultures qui ne trouvent pas leur synthèse ni leur intégration. Dans leur variété, ses rôles ont quand même au moins une problématique commune : l'impossibilité (ou tout au moins la difficulté) de quitter l'adolescence, que ses personnages ont tendance à prolonger et à n'abandonner, quand ils y parviennent, qu'au travers d'épreuves profondément traumatisantes. La précision caméléonesque de ses interprétations autorise, en raison de leur profondeur, des lectures à plusieurs niveaux : psychologique, psychanalytique, sociologique. Cet acteur, dont le physique et la formation (celle de l'Actors Studio) invitent tellement à la projection et à l'identification, est en même temps le contraire d'un illusionniste, dont le but ultime est de traduire clairement la complexité du monde et des âmes. Médium entre le spectateur et le personnage auquel il permet que l'on s'identifie, De Niro représente aussi le paradoxe du comédien à son plus haut niveau : l'incarnation et l'analyse données dans une impossible unité. M.S.

Films ▲ : *Greetings* (B. De Palma, 1968) ; *The Wedding Party* (id., 1969) ; *Bloody Mama* (R. Corman, 1970) ; *Hi, Mom !* (De Palma, *id.*) ; *Né pour vaincre* (I. Passer, 1971) ; *The Gang That Couldn't Shoot Straight* (James Goldstone, *id.*) ; *Jennifer on My Mind* (Noël Black, 1972) ; *Bang the Drum Slowly* (John Hancock, 1973) ; *Mean Streets* (M. Scorsese, *id.*) ; *le Parrain, II* (F. F. Coppola, 1974) ; *1900* (B. Bertolucci, 1976) ; *Taxi Driver* (Scorsese, *id.*) ; *le Dernier Nabab* (E. Kazan, *id.*) ; *New York, New York* (id., Scorsese, 1977) ; *Voyage au bout de l'enfer* (M. Cimino, 1978) ; *Raging Bull* (id., Scorsese, 1980) ; *Sanglantes Confessions* (*True Confessions,* Ulu Grosbard, 1981) ; *la Valse des pantins* (Scorsese, 1982) ; *Il était une fois l'Amérique* (S. Leone, 1984) ; *Brazil* (T. Gilliam, *id.*) ; *Falling in Love* (U. Grosbard, *id.*) ; *Mission* (R. Joffé, 1986) ; *Angel Heart / Aux portes de l'enfer* (A. Parker, 1987) ; *les Incorruptibles* (B. De Palma, *id.*) ; *Midnight Run* (Martin Brest, 1988) ; *Jacknife* (id., David Jones, *id.*) ; *Nous ne sommes pas des anges* (*We're No Angels,* Neil Jordan, 1989) ; *Stanley and Iris* (M. Ritt, 1990) ; *les Affranchis* (M. Scorsese, id.) ; *l'Éveil* (*Awakenings,* Penny Marshall, *id.*) ; *la Liste noire* (*Guilty by Suspicion,* Irwin Winkler, 1990) ; *Backdraft* (Ron Howard, 1991) ; *les Nerfs à vif* (Scorsese, *id.*) ; *Mad Dog and Glory* (John Mc Naughton, 1992) ; *la Loi de la nuit* (Winkler, *id.*) ; *Mistress* (Barry Primus, *id.*) ; *Blessures secrètes* (*This Boy's Life,* Michael Caton-Jones, 1993) ; *Il était une fois le Bronx* (*A Bronx Tale, id.,* réalisé par lui-même) ; *Frankenstein* (K. Branagh, 1994) ; *les Cent et Une Nuits* (A. Varda, 1995).

DENIS *(Claire), cinéaste française (Paris 1948).* Après de longues années d'assistanat, elle réalise en Afrique son premier film, *Chocolat* (1988), en partie fondé sur les souvenirs de son enfance au Cameroun. *Man no Run* (1989) est un documentaire sur le groupe musical africain les Têtes brûlées. Ses deux films suivants traitent de marginaux, africains ou antillais, selon une ligne narrative épurée, dans un décor social d'une grande violence : *S'en fout la mort* (1990) et *J'ai pas sommeil* (1994). D.S.

DENIS *(Jean-Pierre), cinéaste français (Saint-Léon-sur-l'Isle 1946).* Douanier, venu au cinéma en amateur, il réalise des courts métrages puis un long métrage très remarqué (Caméra d'or à Cannes), *Histoire d'Adrien* (1980), bel essai biographique régionaliste (parlé en occitan) sur un adolescent du Périgord au début du siècle. *La palombière* (1983) situe dans la même région l'histoire d'un amour impossible, tout comme *Champ d'honneur* (1987), qui raconte l'aventure tragique d'un conscrit périgourdin pendant la guerre de 1870. M.M.

DENIS *(Maria Esther Beomonte,* dite *Maria), actrice italienne (Buenos Aires, Argentine, 1916).* Révélée en 1934 dans un petit rôle (*Seconda B* de Goffredo Alessandrini), elle tourne dans de nombreux films, où sa diction typiquement romaine la rend assez populaire parmi un public friand de comédies sentimentales : *Il documento* (M. Camerini, 1939) ; *Adieu jeunesse* (F. M. Poggioli, 1940) ; *Sissignora* (id., 1942), surtout, qui marquent le sommet de sa carrière. Malgré un talent dramatique certain (*le Siège de l'Alcazar,* A. Genina, 1940), elle n'obtient que peu de rôles après la guerre (*Quelques pas dans la vie,* A. Blasetti, 1954), sans doute en raison de son intégration difficile au nouveau cinéma italien. F.LAB.

DENNER *(Charles), acteur français (Tarnów, Pologne, 1926).* Il fait partie du TNP et débute au cinéma dans *la Meilleure Part* (Y. Allégret, 1956). Chabrol lui donne le rôle-titre de *Landru* (1962) et, l'année suivante, Alain Jessua lui fait incarner la béatitude de la déraison dans *la Vie à l'envers.* Une diction faubourienne et un jeu concerté excellent à introduire l'humour et une touche d'inquiétude dans chacun de ses rôles, qu'il tire souvent vers une forme de grotesque. Il interprète, entre autres, *les Pieds nickelés 1964* (J. C. Chambon, 1964), *Marie-Chantal contre Dr Kah* (C. Chabrol, 1965), *le Vieil Homme et l'Enfant* (C. Berri, 1967), *le Voleur* (L. Malle, 1967), *La mariée était en noir* (F. Truffaut, 1968), *Z* (Costa-Gavras, 1969), *Une belle fille comme moi* (Truffaut, 1972), *l'Héritier* (Ph. Labro, 1973), *Toute une vie* (C. Lelouch, 1974), *l'Homme qui aimait les femmes* (Truffaut, 1977), *Robert et Robert* (Lelouch, 1978), *Mille Milliards de dollars* (H. Verneuil, 1982), *l'Honneur d'un capitaine* (P. Schoendoerffer, *id.*), *Golden Eighties* (Ch. Akerman, 1985). J.-P.B.

DENNIS *(Sandra Dale Dennis,* dite *Sandy), actrice américaine (Hastings, Nebr., 1937 -Westport, Conn., 1992).* Élève de l'Actors Studio, elle débute en 1961 dans *la Fièvre dans le sang,* grâce à Elia Kazan. Mais c'est surtout en 1966, dans le rôle de la jeune mariée niaise de *Qui a peur de Virginia Woolf ?* (M. Nichols, 1966), que son talent se révèle. Elle est alors très sollicitée, malgré son physique ingrat, à cause de sa sensibilité vive. Son meilleur rôle reste la jeune institutrice maladroite de *l'Escalier interdit* (R. Mulligan, 1967). Depuis, hormis deux films avec Robert Altman (*That Cold Day in the Park,* 1969, *Come Back to the Five and Dime,*

Jimmy Dean, 1982) et *Une autre femme* de Woody Allen (1988), elle a très peu tourné. C.V.

DENNY *(Reginald Leigh Daymore,* dit *Reginald), acteur américain d'origine britannique (Richmond, Surrey, 1891 - Londres 1967).* Arrivé à Hollywood en 1919, Reginald Denny se taille très vite un succès énorme grâce à son physique athlétique et à son sens de l'humour. Tant que le cinéma ne parle pas, il symbolise une certaine image de l'Américain sportif *(The Leather Pushers,* Harry Pollard, 1922-1924, série ; *Oh Doctor !, id.,* 1925 ; *California Straight Ahead, id., id. ; Skinner's Dress Suit,* William A. Seiter, 1926*) ; On Your Toes* (F. Newmeyer, 1927). Mais le parlant révèle un accent « very british », qui met fin à sa carrière de comique populaire et l'oriente vers les seconds rôles. Il s'en tire avec le même bonheur, honorant de son élégance et de son ironie mordante des films aussi divers que *Madame Satan* (C. B. De Mille, 1930), *les Amants terribles* (S. Franklin, 1931) ou *l'Emprise* (J. Cromwell, 1934). Dans les années 40, ses apparitions se font plus brèves : *Rebecca* (A. Hitchcock, 1940), *le Poids d'un mensonge* (W. Dieterle, 1945) ou *le Médaillon* (J. Brahm, 1946). En 1965, il est encore présent dans *Cat Ballou* (E. Silverstein). C.V.

DENOLA *(Georges), cinéaste français (1880-1944).* L'un des pionniers du Film d'Art, pour lequel il travaille abondamment dès 1908. Il met alors en scène des sujets populaires, dont les principaux acteurs sont Germaine Rouer, Jacques Grétillat, Sylvie et surtout Mistinguett, qui joue alors la comédie et paraît dans *l'Abîme* (1911), *la Folle de Pen-March* (id.), *la Moche* (1913), etc. Il signe en 1914 un serial avec l'adaptation de *Rocambole.* Reconnu excellent technicien, il seconde Antoine à partir de 1915 jusqu'à *Mademoiselle de La Seiglière* (1920), tout en s'occupant d'œuvres personnelles, où apparaissent Harry Baur (*48, avenue de l'Opéra,* 1917) et Falconetti (*la Comtesse de Somerive,* id.). Il collabore avec Jean Kemm (*André Cornelis,* 1918) puis s'efface. Son nom n'apparaît plus sur les écrans ; mais, dans *la Fin du jour* (J. Duvivier, 1939), on peut l'apercevoir parmi les vieillards de la maison de retraite. R.C.

DENSITÉ. Nombre, croissant avec l'opacité d'un film, et qui sert à mesurer cette opacité. Par extension, syn. usuel de *opacité.* (→ PHOTOMÉTRIE.)

DENSITÉ VARIABLE. Procédé de cinéma sonore à piste optique, où les sons sont traduits par la variation de l'opacité de la piste. (→ PROCÉDÉS DE CINÉMA SONORE.)

DE PALMA *(Brian), réalisateur américain (Newark, N. J., 1940).* Féru de physique et de technologie, il se consacre à la cybernétique avant de découvrir le cinéma expérimental à la Columbia University de New York. Il dirige Robert De Niro dans *The Wedding Party* (1964-1969), une pochade réalisée dans le cadre du Sarah Lawrence College (dont il enrôlera les étudiants pour le tournage de *Home Movies,* 1980). Comédie noire qui associe la pulsion scopique à la pulsion de mort, *Murder à La Mod* (1968) manifeste déjà sa fascination pour Hitchcock et sa prédilection pour les trompe-l'œil. Cocasses radiographies des états d'âme de la contre-culture newyorkaise, *Greetings* (1968) et *Hi, Mom !* (1970) sont pour lui l'occasion d'inventorier les ressources de la rhétorique filmique et celles des appareils optiques : il y orchestre avec brio des matériaux de format et de texture hétérogènes, avant d'explorer les possibilités du *split-screen* dans *Dionysus in '69* (1970). Après une expérience décevante à la Warner Bros (*Get to Know Your Rabbit,* 1972), il recouvre son indépendance avec *Sœurs de sang* (*Sisters,* 1973) et *le Fantôme du paradis* (*Phantom of the Paradise,* 1974), où se donnent libre cours sa sensibilité gothique et ses recherches expressionnistes. La métaphore du « monstre innocent », voué à tomber dans les rets d'un manipulateur abusif, y renvoie à la paranoïa de l'artiste, toujours menacé d'être dépossédé de son œuvre. Cette expérimentation formelle implique une dramaturgie du regard, quand ce n'est pas une approche démiurgique du médium lui-même, comme en témoigne, d'*Obsession* (1976) à *Carrie au bal du diable* (*Carrie,* id.), de *Furie* (*The Fury,* 1978) à *Pulsions* (*Dressed to Kill,* 1980) et *Blow Out* (1981), le ressort de ses fictions : l'hypnose, la télépathie, la prestidigitation, la paramnésie, la télékinésie, et bien sûr le voyeurisme. En 1983, il réalise un remake paroxystique de *Scarface* avec Al Pacino dans le rôle tenu en 1932 par Paul Muni et, en 1985, *Body Double* et *Wise Guys.* Il connaît en 1987 un grand succès avec *les Incorruptibles (The Untouchables),* où Kevin Costner reprend le rôle d'Eliot Ness, immortalisé dans les années 60 à la télévision par Robert Stack. De Palma manifeste ainsi sans ambages sa volonté de rejeter l'étiquette qu'on lui a collée : cependant, si *Outrages* est un film courageux et douloureux que l'on n'a pas apprécié à sa juste valeur, l'outrance caricaturale du *Bûcher des vanités* est insupportable. Dans une attitude de repli, le cinéaste revient avec *l'Esprit de Caïn* (*Raising Cain,* 1992) à l'horreur grandiloquente qui avait fait sa gloire. Hélas, il est évident que si De Palma n'a pas encore réussi à s'intégrer dans une inspiration nouvelle, il ne peut que se répéter s'il se maintient dans l'ancienne. Heureusement, *l'Impasse* (*Carlito's Way,* 1993), film de gangsters crépusculaire qui offre à Al Pacino l'un de ses plus beaux rôles, témoigne d'un réel renouveau et d'une maturité toute fraîche chez le cinéaste. ▲ M.H./C.V.

DEPARDIEU *(Gérard), acteur français (Châteauroux 1948).* Recherchant très tôt dans la discipline théâtrale l'exutoire à une adolescence tumultueuse, il tourne dès l'âge de dix-sept ans un court métrage de Roger Leenhardt : *le Beatnik et le Minet* (1965) ainsi qu'un film qui demeurera inachevé : *Christmas Carol* (A. Varda, *id.*). Les années qui suivent sont consacrées au théâtre, en particulier avec Jean-Laurent Cochet, Claude Régy ou ses amis du café-théâtre, mais il revient au cinéma en 1971 et s'impose avec l'énorme succès des *Valseuses* comme l'acteur le plus doué de sa génération. Au lieu de se contenter de devenir le nouveau voyou de charme du cinéma français, il fonce d'un film à l'autre, investissant de sa propre énergie les paranoïas et les outrances de personnages qu'il marque indélébilement de son empreinte : toujours rigoureusement déterminés socialement et culturellement, tous ou presque — solitaires et angoissés — rompent avec le conformisme pour choisir l'excès libérateur et la violence. Tous ou presque aussi consacrent le plus clair de leur énergie à se mettre eux-mêmes en scène, avec l'univers qui les entoure ; ils se déchirent de ne pouvoir résoudre le divorce entre leur être profond et la façade qu'ils offrent au monde. En témoignent les cas extrêmes de dédoublements de *Barocco* ou *La nuit, tous les chats sont gris,* mais aussi des « doubles vies » comme celles de *Pas si méchant que ça* ou *Maîtresse* et l'emprunt de personnalité du *Retour de Martin Guerre.* Quand la cassure est plus intérieure, plus secrète, ce sont ces personnages que Depardieu sait faire basculer comme nul autre dans la négation enfantine et obstinée de la réalité, dans le vertigineux refus du monde tel qu'il est : les héros bouleversants et tragiques de *la Dernière Femme, Dites-lui que je l'aime* ou *Rêve de singe.* Mélange de spontanéité fiévreuse et de métier consommé, il affectionne les risques, tant dans les changements d'emplois ou de registres que dans la confiance qu'il manifeste à des réalisateurs peu connus. Il fait montre dans le choix de ses films d'un discernement souvent remarquable et a contribué au succès d'auteurs réputés difficiles comme Marguerite Duras, Marco Ferreri, Maurice Pialat ou Alain Resnais, dans le même temps qu'il assurait sa capacité de continuer à le faire grâce aux productions « grand public » de Francis Girod, Francis Veber ou Claude Zidi.

Les années 80 le consacrent comme le leader incontesté de sa génération. Il doit peut-être ses plus beaux rôles à François Truffaut *(le Dernier Métro),* Andrzej Wajda (*Danton,* rôle-titre), Maurice Pialat (*Police ; Sous le soleil de Satan*), Claude Berri (*Jean de Florette,* rôle-titre), Bruno Nuytten (*Camille Claudel,* rôle du sculpteur Rodin), Bertrand Blier *(Trop belle pour toi),* Alain Corneau *(Tous les matins du monde)* et surtout Jean-Paul Rappeneau (*Cyrano de Bergerac,* où il campe avec panache et émotion le héros d'Edmond Rostand). J.-P.B.

Films ▲ : *le Beatnik et le Minet* (R. Leenhardt, CM, 1965) ; *le Cri du cormoran, le soir au-dessus des jonques* (M. Audiard, 1970) ; *Un peu de soleil dans l'eau froide* (J. Deray, 1971) ; *le Viager* (P. Tchernia, 1972) ; *le Tueur* (D. de La Patellière, *id.*) ; *la Scoumoune* (J. Giovanni, *id.*) ; *Au rendez-vous de la mort joyeuse* (J.-L. Buñuel, 1973) ; *l'Affaire Dominici* (C.-B. Aubert, *id.*) ; *Deux Hommes dans la ville* (J. Giovanni, *id.*) ; *Rude Journée pour la reine* (R. Allio, *id.*) ; *Nathalie Granger* (M. Duras, *id.*) ; *les Gaspards* (P. Tchernia, 1974) ; *les Valseuses* (B. Blier, *id.*) ; *Stavisky* (A. Resnais, *id.*) ; *la Femme du Gange* (M. Duras, *id.*) ; *Vincent, François, Paul et les autres* (C. Sautet, *id.*) ; *Pas si méchant que ça* (C. Goretta, 1975) ; *Sept Morts sur ordonnance* (J. Rouffio, *id.*) ; *Maîtresse* (B. Schroeder,

1976) ; *Je t'aime, moi non plus* (S. Gainsbourg, *id.*) ; *1900* (B. Bertolucci, *id.*) ; *la Dernière Femme* (M. Ferreri, *id.*) ; *Barocco* (A. Téchiné, *id.*) ; *René la Canne* (F. Girod, 1977) ; *Baxter, Vera Baxter* (M. Duras, *id.*) ; *Violanta* (D. Schmid, 1977) ; *La nuit, tous les chats sont gris* (G. Zingg, *id.*) ; *le Camion* (M. Duras, *id.*) ; *Dites-lui que je l'aime* (C. Miller, *id.*) ; *Rêve de singe* (M. Ferreri, 1978) ; *Préparez vos mouchoirs* (B. Blier, *id.*) ; *la Femme gauchère* (P. Handke, *id.*) ; *le Sucre* (J. Rouffio, *id.*) ; *les Chiens* (A. Jessua, 1979) ; *le Grand Embouteillage* (L. Comencini, *id.) ; Buffet froid* (B. Blier, *id.*) ; *Rosy la Bourrasque* (M. Monicelli, 1980) ; *Loulou* (M. Pialat, *id.*) ; *Mon oncle d'Amérique* (A. Resnais, *id.*) ; *le Dernier Métro* (F. Truffaut, *id.*) ; *Je vous aime* (C. Berri, *id.*) ; *Inspecteur la Bavure* (C. Zidi, *id.*) ; *la Femme d'à côté* (F. Truffaut, 1981) ; *la Chèvre* (Francis Veber, *id.*) ; *le Retour de Martin Guerre* (D. Vigne, 1982) ; *le Grand Frère* (F. Girod, *id.*) ; *Danton* (A. Wajda, 1983) ; *la Lune dans le caniveau* (J.-J. Beineix, *id.*) ; *les Compères* (Francis Veber, *id.*) ; *Fort Saganne* (A. Corneau, 1984) ; *le Tartuffe* (G. Depardieu, *id.*) ; *Rive droite, rive gauche* (Ph. Labro, *id.*) ; *Police* (M. Pialat, 1985) ; *Une femme ou deux* (D. Vigne, *id.*) ; *Jean de Florette* (C. Berri, 1986) ; *Tenue de soirée* (Bertrand Blier, *id.*) ; *les Fugitifs* (F. Veber, *id.*) ; *Rue du Départ* (Tony Gatlif, *id.*) ; *Sous le soleil de Satan* (Pialat, 1987) ; *Drôle d'endroit pour une rencontre* (François Dupeyron, 1988) ; *Camille Claudel* (B. Nuytten, *id.*) ; *Deux* (C. Zidi, 1989) ; *Trop belle pour toi* (Bertrand Blier, *id.*) ; *I Want to Go Home* (A. Resnais, *id.*) ; *Cyrano de Bergerac* (J.-P. Rappeneau, 1990) ; *Green Card* (P. Weir, *id.*) ; *Uranus* (C. Berri, *id.*) ; *Merci la vie* (Bertrand Blier, 1991) ; *Mon père, ce héros* (Gérard Lauzier, *id.*) ; *Tous les matins du monde* (A. Corneau, *id.*) ; *1492, Christophe Colomb* (R. Scott, 1992) ; *Hélas pour moi* (J.-L. Godard, *id.*) ; *Germinal* (C. Berri, 1993) ; *My Father, the Hero* (Steve Miner, 1994) ; *Une pure formalité* (G. Tornatore, *id.*) ; *le Colonel Chabert* (Yves Angelo, *id.*) ; *la Machine* (François Dupeyron, *id.*) ; *Elisa* (Jean Becker, 1995) ; *les Cent et Une Nuits* (A. Varda, *id.*) ; *les Anges gardiens* (J.-M. Poiré, *id.*) ; *le Garçu* (M. Pialat, *id.*).

DEPARDON *(Raymond), cinéaste français (Villefranche-sur-Saône 1942).* Photographe de formation, il collabore de 1958 à 1966 à l'agence Dalmas avant de cofonder l'année suivante l'agence Gamma. Parallèlement à ses activités de reporter-photographe, il réalise de 1963 à 1973 plusieurs courts métrages et reportages pour la télévision. En 1974, il signe *50,81 %* son premier long métrage, sur la campagne présidentielle de Valéry Giscard d'Estaing. En 1979, son deuxième long métrage, sur la préparation du *Matin de Paris, Numéro zéro* (tourné en 1977), est couronné du prix Georges-Sadoul. Après *Isola San Clemente* (1980), son travail de documentariste est enfin reconnu de la critique et du public, lorsque *Reporters,* chronique au fil des photos de presse d'un mois d'actualités à Paris, reçoit le César du meilleur documentaire 1982. Présent à Cannes l'année suivante dans la section « Un certain regard », *Faits divers* propose une descente originale dans le monde de la police parisienne. On lui doit encore *les Années-Déclic* (1984), *Une femme en Afrique* (*Empty Quarter,* 1985), *Urgence* (1988), un long métrage de fiction, *la Captive du désert* (1990), qui évoque la prise d'otage d'une jeune Française au Tchad, et *Délits flagrants* (1994), illustration sans doute la plus aboutie de sa méthode documentaire. F.LAB.

DÉPÔT LÉGAL. L'idée qu'il fallait conserver les films en tant qu'éléments du patrimoine national fut clairement énoncée dès la naissance du cinéma. Il fallut attendre la loi du 20 juin 1943 pour que le dépôt légal des films soit institué en France ; ce n'est qu'avec le décret du 23 mai 1977 qu'il est véritablement entré en vigueur. Comme pour tous les autres dépôts légaux (imprimés, disques, photos), l'organisme dépositaire était la Bibliothèque nationale, jusqu'à la réforme importante intervenue dans le cadre de la loi du 20 juin 1992 et du décret du 31 décembre 1993.

Les nouveaux textes réaffirment les finalités culturelles et patrimoniales du dépôt légal : collecte, conservation, constitution et diffusion d'un catalogue national de l'ensemble des dépôts légaux, accès à la mémoire collective par la mise à disposition des documents.

L'innovation fondamentale des nouvelles dispositions est d'atténuer le principe de l'unité du dépôt légal. La loi confie désormais le dépôt légal à plusieurs dépositaires :

— la Bibliothèque nationale de France : imprimés, documents audio et vidéo, logiciels, bases de données et systèmes experts ;

– l'Institut national de l'audiovisuel : programmes radiodiffusés et télédiffusés ;

– le Centre national de la cinématographie : films.

L'unité du dispositif reste préservée par la création du conseil scientifique du dépôt légal, présidé par le président de la Bibliothèque nationale de France.

Les dispositions concernant le film ont été très largement renforcées. L'obligation du dépôt concerne désormais tous les films, quels qu'en soient le métrage, le genre ou la nationalité, dès lors qu'ils ont été diffusés en France. La grande nouveauté est le dépôt des films étrangers. C'est le producteur qui dépose pour les films français, le distributeur pour les films étrangers, le commanditaire pour les films publicitaires ou d'entreprise. La nature du matériel déposé est plus contraignante : soit un élément intermédiaire permettant le tirage d'une copie positive, soit une copie positive neuve. Des dérogations sont accordées pour les courts métrages. Le matériel publicitaire doit également être déposé.

Enfin, le délai de dépôt a été ramené à un mois à compter de la première présentation publique de l'œuvre (six mois pour les courts métrages) et les sanctions pénales ont été renforcées. Les dépôts sont traités par les Archives du film du Centre national de la cinématographie. G.A.

DÉPOUILLEMENT. Document écrit qui indique, scène par scène, tout ce qui sera nécessaire au tournage d'un film. (→ TOURNAGE.)

DEPP *(Johnny), acteur américain (Kentucky 1964).* Le visage juvénile et la silhouette gracile de cet ancien musicien de rock lui valurent d'obtenir le rôle principal de la série télé *21 Jump Street,* où sa création de jeune flic en jeans fit sensation. Au cinéma, il semble choisir très soigneusement ses rôles et ses réalisateurs, auxquels il offre un talent maléable et une grâce presque chorégraphique. Rocker endiablé (*Cry Baby,* J. Waters, 1990), rêveur vêtu de noir (*Arizona Dream,* E. Kusturica, 1992), nouveau Buster Keaton (*Benny and Joon,* Jeremiah Chechick, 1993), touchant et surprenant *Gilbert Grape* dans le film de L. Hallström (*id.*), il a tenu ses deux rôles les plus ambitieux sous la direction de T. Burton. Il fut, blafard, diaphane, bardé de cuir, le visage de Pierrot pleurant, des lames étincelantes au bout des doigts, l'inoubliable *Edward aux mains d'argent* (1992), touchante créature inachevée ; puis, moustachu et résolument bizarre, *Ed Wood* (1994), réalisateur de cinéma bricoleur et calamiteux. Dans *Dead Man* (1995), Jim Jarmush lui offre le rôle principal d'un curieux faux western en forme de quête initiatique. C.V.

DE PUTTI *(Lya), actrice hongroise (Vecse 1897 - New York, N. Y., US, 1931).* D'abord danseuse, elle se produit en Europe, puis, après avoir tourné à Bucarest *les Vagues du bonheur* (D. Szigethy, 1920), elle se fixe en Allemagne et interprète de nombreux films où se forge son image de « vamp malgré elle » (*Ilona,* R. Dinesen, 1921 ; *le Tombeau hindou,* F. Lang, *id.* ; *Die Fledermaus,* M. Mack, 1923 ; *Komödianten,* K. Grune, 1924). Dirigée par F. W. Murnau (*la Terre qui flambe* et *Phantom,* 1922), Arthur Robison (*Manon Lescaut,* 1926) et, surtout, E. A. Dupont (*Variétés,* 1925), elle connaît le succès, ce qui lui ouvre les portes d'Hollywood : *Prince of Tempters* (L. Mendès, 1926) ; *les Chagrins de Satan* (D. W. Griffith, 1926) ; *The Scarlet Lady* (A. Crosland, 1928). Elle a également tourné en Grande-Bretagne (*The Informer,* A. Robison, 1929). F.LAB.

DERAY *(Jacques), cinéaste français (Lyon 1929).* Jacques Deray a étudié l'art dramatique au cours de René Simon et a tenu de petits rôles, à la scène comme à l'écran, avant de travailler comme assistant metteur en scène à partir de 1952 et régulièrement jusqu'en 1960, année où il réalise son premier film. Comme nombre de cinéastes qui abordent la mise en scène plus en techniciens qu'en auteurs, Deray dirige des films de genre, surtout policiers, non sans participer, toutefois, à l'écriture des scénarios, ni affirmer un sens visuel aigu. Si *Rififi à Tōkyō* (1961) est une révélation pour les cinéphiles, il faut attendre 1969 pour voir s'affirmer la personnalité d'un certain regard, avec *la Piscine,* premier opus d'une longue et inégale collaboration avec Alain Delon, acteur-producteur, qui lui signe un contrat de longue durée parfois bien aliénant. Ensemble, ils feront *Borsalino* et *Borsalino et C°, Doucement les basses, Flic Story, le Gang, Trois Hommes à abattre,* ouvrages inégaux, où la personnalité de Deray ne s'affirme que sporadiquement, quand s'atténue l'interventionnisme de l'acteur-producteur. Ainsi, faute d'avoir jamais pu gagner une autonomie suffisante dans le cadre de ses productions, Deray donne l'impression de dilapider un talent qui ne s'est jamais complètement exprimé que dans trois films : *la Piscine, Un peu de soleil dans l'eau froide, Un papillon sur l'épaule,* qui révèlent sinon un auteur complet, du moins un styliste de grande classe. La perfection du découpage, la fluidité du travail de la caméra, la précision de la direction d'acteurs confèrent à des schèmes classiques (policier, adultère, espionnage) une qualité d'émotion, affective et esthétique, une dimension fantastique qui ont parfois permis de citer le nom de Preminger pour définir l'équivalence de son art. Cette référence à l'auteur de *Laura* n'est pas un mince compliment, adressé à un cinéaste au demeurant imprégné de culture cinématographique américaine, culture parfaitement digérée et comme naturellement réinventée avec une sensibilité française. M.S.

Films ▲ : *le Gigolo* (1960) ; *Rififi à Tōkyō* (1961) ; *Symphonie pour un massacre* (1963) ; *Par un beau matin d'été* (1964) ; *l'Homme de Marrakech* (1966) ; *Avec la peau des autres* (id.) ; *la Piscine* (1969) ; *Borsalino* (1970) ; *Doucement les basses* (1971) ; *Un peu de soleil dans l'eau froide* (id.) ; *Un homme est mort* (1973) ; *Borsalino et Cº* (1974) ; *Flic Story* (1975) ; *le Gang* (1977) ; *Un papillon sur l'épaule* (1978) ; *Trois Hommes à abattre* (1980) ; *le Marginal* (1983) ; *On ne meurt que deux fois* (1985) ; *le Solitaire* (1987) ; *Maladie d'amour* (id.) ; *les Bois noirs* (1989) ; *Netchaiev est de retour* (1991) ; *Un crime* (1993) ; *l'Ours en peluche* (1994).

DÉRAYAGE. Traitement de rénovation des films rendant les rayures moins visibles. (Voir GONFLAGE (2) et POLISSAGE.)

DEREK *(Dare* ou *Derek Harris,* dit *John), acteur et réalisateur américain (Los Angeles, Ca., 1926).* Fils du réalisateur Lawson Harris, il débute chez Selznick dans *Étranges Vacances* (*I'll Be Seeing You,* W. Dieterle, 1945) et entre à la Columbia, où il incarne le jeune délinquant des *Ruelles du malheur* (N. Ray, 1949) et le fils de Broderick Crawford dans *les Fous du roi* (R. Rossen, *id.*) avant de devenir le rival (mineur) de Tony Curtis et Cornel Wilde dans une série de films de cape et d'épée et d'aventures exotiques. Il reste fidèle à ce genre, dont il tourne un des classiques : *les Aventures de Hadji* (D. Weis, 1954). Ses rares incursions hors du cinéma « bis » (*Prince of Players,* Ph. Dunne, 1955 ; *les Dix Commandements,* C. B. De Mille, 1956 ; *Exodus,* O. Preminger, 1960) n'ayant guère eu d'incidences sur sa carrière, il s'oriente vers la production (*Tendre Garce* [*Nightmare in the Sun*], Marc Lawrence, 1965). Il se fait également connaître comme photographe et exalte, en une série de films d'une désarmante naïveté, les charmes de ses trois épouses successives : Ursula Andress (*Une fois avant de mourir* [*Once Before I Die*], 1966), Linda Evans (*Childish Things,* 1969) et Bo Derek (*And Once Upon a Time,* 1975 ; *Love You,* 1978 ; *Tarzan, l'homme singe* [*Tarzan the Ape Man*], 1981). Il signe en1990 *Ghosts Can' t Do It.* O.E.

DEREN *(Maya), cinéaste expérimentale américaine d'origine russe (Kiev 1908 - New York, N. Y., 1961).* Fille d'un psychiatre qui émigre en 1922 aux États-Unis, elle fait ses études en Suisse et à New York : licenciée en arts, elle fait un peu de journalisme et s'occupe de poésie, de danse, puis d'anthropologie. De sa rencontre avec le cinéaste Alexander Hammid résulte *Meshes of the Afternoon* (1943), qui marque la naissance d'une avant-garde américaine assez proche de Cocteau. Ses « films de chambre » suivants incorporent de plus en plus la danse ou l'expression corporelle (*A Study in Choreography for Camera,* 1945 ; *Ritual in Transfigured Time,* 1946 ; *Meditation on Violence,* 1948 ; *The Very Eye of Night,* 1959). Elle utilise la première bourse décernée par la Fondation Guggenheim à un cinéaste, en 1946, à des recherches sur les rituels vaudous en Haïti. De ce séjour résulteront un livre, *Divine Horsemen* (1953), et cinq heures d'un film que la mort l'empêchera de monter. Auteur d'un recueil de textes sur « l'art, la forme et le film », elle crée avec Amos Vogel la Creative Film Foundation et, en 1953, participe à l'existence éphémère de l'Independent Film-makers Association, première tentative de regroupement des cinéastes expérimentaux américains. D.N.

DERMOZ *(Germaine Deluermoz,* dite *Germaine), actrice française (Paris 1889 - id. 1966).* Sœur de Jeanne Delvair, tante d'Annabella et épouse de Jean Galland, cette tragédienne est l'une des premières vedettes du Film d'Art (*l'Inventeur,* M. Carré, 1909 ; *le Petit Jacques,*

G. Monca, 1912). Elle obtient un vif succès dans *la Souriante Madame Beudet* (G. Dulac, 1923). Le parlant la fige ensuite dans des compositions de mère éplorée (*l'Arlésienne,* J. de Baroncelli, 1930 ; *le Rêve,* id., 1931 ; *la Porteuse de pain,* René Sti, 1934) ou vindicative (*les Nuits moscovites,* Alexis Granowski, 1934 ; *Remontons les Champs-Élysées,* S. Guitry, 1938 ; *Poil de carotte,* Paul Mesnier, 1951). Son rôle dans *Monsieur des Lourdines* (Pierre de Hérain, 1943) résume heureusement toute sa carrière. R.C.

DERN *(Bruce), acteur américain (Chicago, Ill., 1936).* Il débute à Broadway et tient un petit rôle dans *le Fleuve sauvage* (E. Kazan, 1960). Son visage assez ingrat le contraint à typer ses personnages avec une intensité souvent inquiétante, qu'il s'agisse d'un *loser* ou d'un malfrat. Outre de nombreuses productions télévisées, il interprète *les Anges sauvages* (R. Corman, 1966), *Will Penny le solitaire* (T. Gries, 1968), *Un château en enfer* (S. Pollack, 1969), *On achève bien les chevaux* (id., *id.*), *Bloody Mama* (Corman, 1970), *Vas-y, fonce* (J. Nicholson, 1971), *The King of Marvin Gardens* (B. Rafelson, 1972), *Silent Running* (D. Trumbull, *id.*), *The Cowboys* (M. Rydell, *id.*), *Smile* (M. Ritchie, 1975), *la Brigade du Texas* (K. Douglas, *id.*), *Complot de famille* (A. Hitchcock, 1976), *le Retour* (H. Ashby, 1978), *Black Sunday* (J. Frankenheimer, *id.*), *On the Edge* (Rob Nilsson, 1986), *The Big Town* (Ben Holt, 1987). J.-P.B.

DE ROBERTIS *(Francesco), cinéaste italien (San Marco in Lamis 1902 - Rome 1959).* Officier de marine, Francesco De Robertis dirige à la fin des années 30 le Service cinématographique du ministère de la Marine. Il déploie une grande activité et, après un documentaire, *Mine in vista* (1940), il réalise la même année *S. O. S. 103 (Uomini sul fondo),* un long métrage à mi-chemin entre la fiction et le documentaire sur le naufrage et le sauvetage d'un sous-marin. Après avoir supervisé le premier film de Roberto Rossellini, *le Navire blanc* (1941), De Robertis continue à tourner pendant la guerre des films d'ambiance militaire consacrés à la marine ou à l'aviation, *Alfa Tau !* (1942), *Uomini e cieli* (1947, RÉ 1943), *Marinai senza stelle* (1949, RÉ 1943). Dans ces films, il fait preuve d'une attention aux hommes tout à fait inhabituelle pour l'époque. Son appel systématique à des comédiens non professionnels — généralement des soldats qui interprètent leur propre rôle —, son sens très sûr de documentariste, qui le conduit, par exemple dans *Alfa Tau !* , à donner de la guerre une vision réaliste aussi bien du point de vue des militaires que de celui des civils le désignent comme un des précurseurs du néoréalisme. Après la guerre, De Robertis tourne encore plusieurs films liés à la marine (*Fantasmi del mare,* 1948 ; *Sabotages en mer* [*Mizar*], 1953 ; *Uomini-ombra,* 1954 ; *l'Aventurière de Gibraltar* [*La donna che venne dal mare*], 1957) sans jamais retrouver la force qui fut la sienne au début des années 40. J.-A.G.

DE ROCHEMONT *(Louis), producteur américain (Chelsea, Mass., 1899 - Newington, Conn., 1978).* Il collabore, à des titres divers, aux actualités filmées d'International Newsreel et Movietonews avant de créer en 1935, avec Roy Larsen et sous la bannière de Time Inc., *The March of Time,* un magazine filmé de type nouveau, qui a pour ambition d'analyser et d'interpréter l'événement et qu'Orson Welles pastichera plus tard avec *Citizen Kane.* Le premier long métrage de la série, *The Ramparts We Watch* (1940), étudie les effets du conflit mondial sur une petite ville de province. Après *We Are the Marines* (1942), il rejoint la Fox. Avec l'US Navy, il produit et monte lui-même *The Fighting Lady,* Oscar du meilleur documentaire en 1944. Après guerre, il transpose dans le film de fiction ses principes documentaristes (sujets empruntés à des faits divers, tournage en extérieurs, non-professionnels interprétant leurs propres rôles, narration de type « actualités ») : *la Maison de la 92e Rue* (1945) et *13, rue Madeleine* (1947) de Hathaway ; *Boomerang* (1947) de Kazan ; *The Whistle at Eaton Falls* (1951) de Siodmak. Devenu producteur indépendant, il participe à l'expérimentation du Cinérama et de divers formats d'écran large. M.H.

DÉROULANT. Longue bande de papier que l'on déroule devant la caméra pour faire défiler un texte (généralement de bas en haut) dans le champ de celle-ci.

DERRIEN *(Marcelle), actrice française (Saint-Leu-la-Forêt 1926).* L'essentiel de sa courte carrière tient dans deux films, *Le silence est d'or* (R. Clair, 1947), dont elle est l'héroïne à la fois volontaire et larmoyante, et *Chéri* (P. Billon, 1950), où elle dessine la figure attachante de la petite fiancée du personnage de Colette. Elle aurait sans doute pu mieux faire si elle avait été mieux conseillée. Autres films : *Sombre Dimanche* (J. Audry, 1948), *le Secret de Monte-Cristo* (C. Valentin, 1948) et *l'Impeccable Henri* (Félix Henri Tavano, 1948). R.C.

DESAILLY *(Jean), acteur français (Paris 1920).* Sa récompense au Conservatoire en 1942, immédiatement suivie de son engagement à la Comédie-Française, coïncident avec sa première apparition au cinéma, dans le rôle primordial du *Voyageur de la Toussaint* (L. Daquin, 1943). C'est peut-être à cette occasion qu'il a fait preuve de ses profondes qualités d'émotion et de présence patiente et tenace. Tout en tournant abondamment, il réserve le meilleur de son talent pour le théâtre (il participe pendant un long temps aux activités de la Compagnie Renaud-Barrault, puis dirige avec sa femme, l'actrice Simone Valère, le Théâtre de la Madeleine). Claude Autant-Lara le dirige à plusieurs reprises : *Sylvie et le fantôme* (1946), *Occupe-toi d'Amélie* (1949), *le Franciscain de Bourges* (1968). Après lui avoir confié le rôle du fils du pasteur dans *la Symphonie pastorale* (1946), Jean Delannoy lui permet de réussir une composition saisissante et pitoyable dans *Maigret tend un piège* (1958). Parmi d'autres créations, *le Point du jour* (L. Daquin, 1949), *les Grandes Manœuvres* (R. Clair, 1955), *la Mort de Belle* (É. Molinaro, 1961), *le Doulos* (J.-P. Melville, 1963) *se détachent sur une série de titres un peu en grisaille, en dépit des signatures (la* *Peau douce*, F. Truffaut, 1964 ; *l'Assassinat de Trotsky*, J. Losey, 1972 ; *le Cavaleur*, Ph. de Broca, 1979). Insensiblement, il évolue de l'adolescent romantique et pur au bourgeois confortable, dont l'apparente assurance cache parfois d'assez lourds secrets. R.C.

DÉSANAMORPHOSER. Décomprimer une image anamorphosée. *Dispositif désanamorphoseur*, ou *désanamorphoseur*, dispositif optique utilisé pour désanamorphoser les images. (→ ANAMORPHOSE.)

DE SANTIS *(Giuseppe), cinéaste et scénariste italien (Fondi 1917).* Il fait des études de droit et obtient ensuite le diplôme de metteur en scène au Centro sperimentale de Rome. Dès 1940, il écrit dans la revue *Cinema*, avec d'autres pères du néoréalisme. Dans cette même année, il collabore au scénario de *Don Pasquale* (C. Mastrocinque), en 1942 à celui du célèbre *Ossessione* de Visconti, et, en 1943, à *Desiderio* (R. Rossellini, M. Pagliero). Tout de suite après la guerre, il coordonne la réalisation du film collectif sur la résistance au fascisme *Jours de gloire* (*Giorni di gloria*, 1945). En 1946, il dirige son premier film, *Chasse tragique (Caccia tragica)*, un étonnant mélodrame social sur des anciens combattants réduits au banditisme. Son style réaliste très influencé par la grande tradition du cinéma soviétique révolutionnaire s'épanouit dans *Riz amer* (*Rizo amaro*, 1949), drame d'amour et de lutte de classes situé dans les rizières de la plaine padouane. Le succès populaire de ce film est dû aussi à la découverte de la belle Silvana Mangano, diva faussement prolétaire. *Pâques sanglantes* (*Non c'è pace tra gli ulivi*, 1950) est un drame paysan qui mêle encore la dénonciation de l'exploitation aux sentiments primitifs des protagonistes. Avec *Onze heures sonnaient* (*Roma ore undici*, 1952), il s'inspire d'un tragique fait divers pour composer une large fresque sur les milieux ouvriers de Rome. Avec les films suivants, il perd l'estime des critiques mais poursuit l'analyse très personnelle de ses thèmes politiques et éthiques : *la Fille sans homme* (*Un marito per Anna Zaccheo*, 1953, mélodrame cru avec Silvana Pampanini) ; *Jours d'amour* (*Giorni d'amore*, 1955, comédie de mœurs) ; *Hommes et loups* (*Uomini e lupi*, 1957, drame passionnel et passionné). *Cesta duga godinu dana* (*La strada lunga un anno*, 1960, RÉ 1958, tourné en Yougoslavie), drame choral sur la difficile construction d'une route de montagne, est une claire métaphore sur les espoirs du socialisme. *La Garçonnière* (1960) est un mélodrame peu réussi sur un milieu corrompu et avec un héros négatif. Il tourne en Union soviétique *Marcher ou mourir* (*Italiani brava gente*, 1964), film spectaculaire sur la défaite de l'armée italienne en Russie dans la dernière guerre, plein de bons sentiments et de rhétorique populiste ; les idéaux du réalisateur sonnent faux face à une réalité qui n'a pas évolué selon ses désirs. Il le démontre aussi dans son onzième film, *Un apprezzato professionista di sicuro avvenire* (1972), satire sociale sur la nouvelle bourgeoisie au pouvoir, qui serait féroce si elle ne versait dans des clichés.

La carrière de De Santis est liée aux sauts et aux contradictions de la politique culturelle du parti communiste italien, dont il fut un des membres les plus influents. Cela peut expliquer pour une part sa « décadence » et son trop long silence. ▲ L.C.

DE SANTIS *(Pasquale,* dit *Pasqualino), chef opérateur italien (Fondi 1927).* Frère du cinéaste Giuseppe De Santis, il obtient le diplôme d'opérateur au Centro sperimentale de Rome et débute en 1950 comme assistant opérateur dans le film de son frère *Pâques sanglantes.* Il y travaille avec le grand chef opérateur Piero Portalupi jusqu'en 1957, puis devient l'opérateur de Marco Scarpelli et ensuite de Gianni Di Venanzo. Quand ce dernier ne peut pas terminer *le Moment de la vérité* (F. Rosi, 1965), il devient chef opérateur lui-même et n'abandonne plus Francesco Rosi, aux films duquel il procure une lumière toujours rationnellement conçue pour chaque sujet et chaque paysage. Il reçoit l'Oscar pour la photo splendide de *Roméo et Juliette* (F. Zeffirelli, 1968) et, pour celle de *Mort à Venise,* de Visconti, use d'un style particulier de caméra-zoom qui caractérise tous les derniers films de ce cinéaste. On lui doit aussi les prises de vues de *l'Assassinat de Trotski* (J. Losey, 1972), *Lancelot du Lac* (R. Bresson, 1974), *Une journée particulière* (E. Scola, 1977), *l'Argent* (Bresson, 1983), *Besoin d'amour* (J. Schatzberg, *id.*), *Carmen* (F. Rosi, 1984), *Chronique d'une mort annoncée* (id., 1987), *Oublier Palerme* (id., 1990). L.C.

DESARTHE *(Gérard), acteur français (Paris 1945).* Cours d'art dramatique avec Pierre Valde. Depuis 1962, il poursuit une carrière théâtrale brillante sous la direction, entre autres, de Patrice Chéreau, Roger Planchon, André Engel et Giorgio Strehler. Au cinéma, un rôle en vedette dans *les Yeux fermés* (Joël Santoni, 1973) et des prestations remarquées dans *les Camisards* (R. Allio, 1972), *France, société anonyme* (A. Corneau, 1974), *Que la fête commence* (B. Tavernier, 1975), *la Guerre des polices* (R. Davis, 1979), *Hécate* (D. Schmid, 1982), *l'Homme blessé* (P. Chéreau, 1983), *Un amour en Allemagne* (A. Wajda, *id.*) et des rôles mineurs dans deux « polars » de Jean-Claude Missiaen, *Ronde de nuit* (1983) et *la Baston* (1985). M.M.

DE SETA *(Vittorio), cinéaste italien (Palerme 1923).* Il interrompt ses études d'architecture pour devenir l'assistant de Jean-Paul Le Chanois (*le Village magique,* 1955). Il dirige ensuite une série de documentaires (CM) à sujet ethnographique tournés en Sicile et en Sardaigne (*Pasqua in Sicilia,* 1954 ; *Lu tempu di li pisci spata,* id. ; *Isole di fuoco,* id. ; *Sulfatara,* 1955 ; *Contadini del mare,* id. ; *Parabola d'oro,* id. ; *Pescherecci,* 1957). Les deux derniers, *Pastori di Orgosolo* (1958) et *Un giorno in Barbagia* (id.) traitent les mêmes thèmes du sous-développement en Sardaigne, qu'il aborde aussi dans son premier long métrage : *Bandits à Orgosolo* (*Banditi a Orgosolo,* 1961). Ce film obtient un grand succès critique (mais une distribution commerciale limitée) parce qu'il montre pour la première fois avec efficacité les problèmes des bergers pauvres forcés au banditisme. Cette réussite fait parler d'un « retour au néoréalisme », mais son film suivant est d'un tout autre style : *Un homme à moitié* (*Un uomo a metà,* 1966), essai expérimental pour analyser la crise d'un intellectuel, trop influencé par les œuvres d'Antonioni. Avec *l'Invitée* (*L'invitata,* 1970, tourné en France), il poursuit la description psychologique d'une femme qui abandonne son mari. À partir de 1975, il s'oriente vers la TV. L.C.

DESFASSIAUX *(Maurice), opérateur français (Paris 1886 - Deuil-la-Barre 1956).* Il débute comme assistant opérateur chez Pathé. Après une importante carrière durant la période du muet, il ne collabore plus à l'époque du parlant qu'à des œuvres de moyenne importance. Il a dirigé la photo de près de 80 films, dont il faut citer *les Cinq Sous de Lavarède* (H. Andréani, 1913), *Paris qui dort* (R. Clair, 1924), *l'Affiche* (J. Epstein, 1925), *Carmen* (J. Feyder, 1926), *Un chapeau de paille d'Italie* (R. Clair, 1928), *les Nouveaux Messieurs* (Feyder, 1929), *Arsène Lupin détective* (H. Diamant-Berger, 1937). F.LAB.

DE SICA *(Vittorio), cinéaste et acteur italien (Sora 1901 - Neuilly-sur-Seine, France, 1974).* Dans une carrière particulièrement féconde – plus d'une centaine de films comme acteur, une trentaine comme metteur en scène –, Vittorio De Sica n'a pas toujours réussi à éviter de graves sauts qualitatifs. Cela ne l'empêche pas d'être l'une des figures dominantes de l'histoire du cinéma italien ; on peut même le considérer comme l'artiste le plus représentatif de l'évolution du spectacle cinématographique transalpin des années 30 aux années 70, à tel point sa carrière a épousé son temps avec les contradictions, les enthousiasmes, les abandons ou les sursauts de courage qui caractérisent une époque tourmentée : ce n'est pas par hasard si Ettore Scola lui a dédié *Nous nous sommes tant aimés* (1974). Après une enfance passée à Naples, De Sica suit sa famille à Rome en 1912 ; là, tout en poursuivant des études de comptable, il s'intéresse déjà au théâtre : en 1922, il réussit à se faire engager comme figurant dans la compagnie de Tatiana Pavlova. En 1927, après être passé dans les revues Za-Bum dirigées par Mario Mattoli, il obtient ses premiers succès et s'impose rapidement comme un des comédiens les plus appréciés du public. Dans ces années, si l'on exclut un petit rôle dans *Il processo Clemenceau* (1918) de Eduardo Bencivenga, De Sica commence également à faire du cinéma dans des films de Mario Almirante (*La bellezza del mondo*, 1926 ; *La compagnia dei matti*, 1928). C'est toutefois à partir du début des années 30 – et sans pour autant abandonner les planches auxquelles l'acteur restera longtemps fidèle – que De Sica devient un des acteurs phares de cette période. Surtout à l'aise dans des comédies sentimentales qui permettent à ses dons de sympathie de s'exprimer pleinement, il est dirigé par de nombreux metteurs en scène (Negroni, Bragaglia, Righelli, Mattoli, Malasomma, Mastrocinque, Genina, Gallone, Matarazzo, Cottafavi pour l'admirable *I nostri sogni*, 1943), mais c'est essentiellement Amleto Palermi qui lui donne ses meilleurs rôles : *La vecchia signora* (1932) ; *La segretaria per tutti* (1933) ; *Napoli d'altri tempi* (1938) ; *Partire* (id.) ; *Le due madri* (id.) ; *Napoli che non muore* (1939) ; *La peccatrice* (1940). Sans oublier Mario Camerini : *les Hommes quels mufles* (1932) ; *Je donnerai un million* (1935) ; *Ma non è una cosa seria* (1936) ; *Il signor Max* (1937) ; *Grands Magasins* (1939). Adulé du public, De Sica aurait pu continuer longtemps une heureuse carrière de comédien ; pourtant, il y avait en lui des exigences qui allaient le porter à passer de l'autre côté de la caméra : en 1939, il tourne son premier film comme metteur en scène *(Roses écarlates/ Rose scarlatte).* Commence alors une période de progressive maturation (*Maddalena zero in condotta*, 1940 ; *Teresa Venerdi*, 1941 ; *Un garibaldino al convento*, 1942) qui le conduit à signer son premier film important, *Les enfants nous regardent (I bambini ci guardano),* en 1944, c'est-à-dire en pleine guerre. Point de départ d'une des collaborations les plus fécondes entre un cinéaste et un scénariste, ce film, auquel a participé Cesare Zavattini, annonce clairement le mouvement néoréaliste. Après une œuvre de circonstance réalisée pendant l'hiver 1943-44 pour éviter d'aller en Allemagne *(la Porte du ciel / La porta del cielo),* De Sica aborde les années d'après-guerre avec le profond désir de participer à la reconstruction du cinéma italien. Il tourne alors successivement *Sciuscià* (1946), *le Voleur de bicyclette* (*Ladri di biciclette,* 1948), *Miracle à Milan* (*Miracolo a Milano*, 1951), *Umberto D* (1952). Dans ces quatre films (toujours avec la collaboration de Zavattini), il dresse un des portraits les plus justes de l'Italie d'après-guerrre, un portrait où le sentimentalisme n'altère pas la précision du constat social et où un choix idéologique qui relève de l'humanisme ne masque pas une puissante revendication. Les enfants abandonnés de *Sciuscià*, le chômeur du *Voleur de bicyclette*, les miséreux de *Miracle à Milan*, le retraité famélique de *Umberto D* portent en eux la recherche d'un monde dans lequel l'injustice sociale serait abolie. À partir de *Stazione Termini* (1953), De Sica entre dans une période de déclin au cours de laquelle vont alterner travaux personnels et œuvres de commande, ces dernières étant malheureusement les plus nombreuses. Cela dit, la critique, qui n'a souvent vu, dans le De Sica d'après 1953, qu'un cinéaste de seconde zone, a peut-être eu tort. Si l'on peut négliger certains films, quelques-uns témoignent encore d'une volonté créatrice constamment en butte aux résistances d'une profession qui n'envisage le cinéma que dans une perspective mercantile. Ainsi, des œuvres comme *le Toit* (*Il tetto*, 1956), tentative de revenir aux principes du néoréalisme, *La ciociara* (1960), *La riffa* (épisode de *Boccace 70*, 1962), *Hier, aujourd'hui et demain* (*Ieri, oggi, domani*, 1963), *les Fleurs du soleil* (*I girasoli*, 1970), *Lo chiameremo Andrea* (1972), *Brèves Vacances* (*Una breve vacanza*, 1973), *le Voyage* (*Il viaggio*, 1974) ne méritent pas de tomber dans l'oubli et contiennent des moments qui appartiennent au meilleur De Sica. Par ailleurs, parmi les films réalisés après 1953, *l'Or de Naples* (*L'oro di Napoli*, 1954), *le Jugement dernier* (*Il giudizio universale*, 1961), *Il boom* (1963), *le Jardin des Finzi Contini* (*Il giardino dei Finzi Contini*, 1970) montrent combien son talent est resté réel et divers, et confirment l'impression qu'avec un peu plus d'indépendance le cinéaste aurait pu demeurer fidèle à sa réputation. En particulier, *le Jugement dernier*, accablé par la critique, est une œuvre essentielle, où De Sica est allé le plus loin dans sa tentative unanimiste. Parallèlement à ses mises en scène, il poursuit depuis 1945 une carrière de comédien élégant, racé, mûri : on y trouve bien sûr des films médiocres, mais aussi des comédies de bonne facture (avec Blasetti, Emmer, Comencini, Risi) et des œuvres de premier plan (*Madame de,* Max Ophuls, 1953 ; *Il generale Della Rovere,* R. Rossellini, 1959), où il impose toujours sa personnalité. J.-A.G.

Autres films : *les Séquestrés d'Altona* (*I sequestrati di Altona*, 1962), *Mariage à l'italienne* (*Matrimonio all'italiana*, 1964), *Le renard s'évade à trois heures* (*Caccia alla volpe / After the Fox*, 1966), *Un monde nouveau* (*Un mondo nuovo*, id.), *les Sorcières* (*Le streghe*, un épisode, 1967), *Sept Fois femme* (*Sette volte donna*, id.), *le Temps des amants* (*Amanti*, 1968), *Le coppie* (1970, un épisode).

DESLAW *(Evgenij Stavčenko,* dit *Eugène), cinéaste russe d'origine ukrainienne (Kiev 1900).* Après des études à Prague (où il réalise *Vieux Châteaux* en 1927) et à Paris, il participe à l'avant-garde française. Assistant de Gance pour *Napoléon* (1927), il réalise lui-même des œuvres de « cinéma pur » : *la Marche des machines* (1928), dont le fondateur du bruitisme, Russolo, fait la musique, *les Nuits électriques* (id.) et *Montparnasse* (1930), plus documentaire, où figurent Russolo et Prampolini (et où étaient accessoiristes ou apprentis Buñuel, Carné et Zinnemann...). Parallèlement à *Vers les robots* (1932, inachevé) ou à *Négatifs* (1932), il se mêle de cinéma commercial : assistant de Jacques Daroy ou de Pierre Carron, il tourne lui-même *À nous la jeunesse* (1938), avec René Lefevre et Sylvia Bataille. Réfugié au Mexique pendant la guerre, il s'installe ensuite en Espagne et en Suisse, où il réalise deux nouveaux films expérimentaux, *Images en négatif* (1956) et *Visions fantastiques* (1957). D.N.

DESLYS *(Gabrielle Claire,* dite *Gaby), actrice et chanteuse française (Marseille 1881 - Montrouge 1920).* L'une des cocottes les plus en vue de la Belle Époque. Ses costumes de scène délirants, véritables montagnes de plumes et de fanfreluches, lui avaient valu de Cocteau le surnom de « catastrophe apprivoisée ». Elle fit perdre la tête au roi du Portugal, Manuel II, fut engagée comme étoile chez Ziegfeld et lança en France la vogue du jazz-band. Les quelques films qu'elle tourna entre 1915 et 1920 (la plupart avec Harry Pilcer, un danseur pommadé ramené des États-Unis) sont tombés dans l'oubli. On ne retiendra guère que *Bouclette* (1918) de René Hervil et Louis Mercanton, sur un habile scénario de Marcel L'Herbier. C.B.

DESMARETS *(Jacqueline Desmarets,* dite *Sophie), actrice française (Paris 1922).* Vive, impertinente, avec un sens très sûr du mouvement des scènes et une manière alerte de lancer ses répliques, elle aurait pu en remontrer aux comédiennes d'Hollywood. Elle n'a pu se mesurer qu'aux artifices du Boulevard, transposés à l'écran. Sa filmographie n'est donc pas un palmarès, mais l'actrice, elle, tire avec aisance son épingle du jeu notamment dans *Premier Rendez-Vous,* H. Decoin, 1941 ; *le Capitan,* Robert Vernay, 1946 ; *120, rue de la Gare,* Jacques Daniel-Norman, *id.* ; *la Veuve et l'Innocent,* André Cerf, 1949 ; *le Roi,* Marc-Gilbert Sauvajon, 1950 ; *Demain nous divorçons,* Louis Cuny, 1951 ; *la Famille Fenouillard,* Y. Robert, 1960, et dans un registre plus grave *Un second souffle* (G. Blain, 1978). Elle est l'épouse du critique Jean de Baroncelli. R.C.

DESNOS *(Robert), poète français (Paris 1900 - mort en déportation à Terezín, Tchécoslovaquie, en 1945).* Avec Soupault, il est l'un des surréalistes les plus liés au cinéma. Dès 1923, il donne, à *Paris-Journal* ou au *Soir,* des chroniques dans lesquelles il défend Mack Sennett et Chaplin aussi bien que Clair, Delluc, ou l'érotisme. Man Ray réalise en 1928 un de ses plus beaux films d'après son poème *l'Étoile de mer.* Il fait le commentaire de *Records 37* (1937) et de *Sources noires* (1938), de Jacques Brunius, puis, avec Henri Jeanson, le scénario et les dialogues de *Bonsoir mesdames, bonsoir messieurs* (1944), de Roland Tual. Il est également l'auteur de scénarios surréalistes, dont *Minuit à 14 heures* (1925), qui attendent toujours leur réalisateur. La plupart de ses articles ont été réunis sous le titre *Cinéma* (1966). D.N.

DESNY *(Ivan Desnitski,* dit *Ivan), acteur d'origine russe (Pékin, Chine, 1922).* Acteur polyglotte ayant étudié le théâtre en France, il débute à l'écran en 1947, tourne en Grande-Bretagne et en France (*Lola Montès,* Max Ophuls, 1955 ; *Une vie,* A. Astruc, 1958), puis en Allemagne, participant également au doublage de nombreux films. Il passe des rôles de jeune premier à des personnages antipathiques, puis exerce son métier principalement à la télévision allemande à partir des années 60. Le renouveau du cinéma allemand lui permet d'obtenir des rôles intéressants sous la direction de Fassbinder (notamment *le Droit du plus fort,* 1975, et *le Mariage de Maria Braun,* 1979), de Jeanine Meerapfel (*Malou,* 1981), d'Helma Sanders-Brahms (*l'Avenir d'Émilie,* 1984) et de Uwe Brandner. Il travaille ensuite à la télévision avec de rares échappées en faveur du cinéma (*Quicker than the Eye,* Nicolas Gessner, 1989 ; *Au revoir, Mr. Wallenberg,* K. Grede, 1990 ; *la Désenchantée,* B. Jacquot, 1991 ; *J'embrasse pas,* A. Téchiné, *id.*). D.S.

DESPRÉS *(Joséphine Charlotte Bonvalet,* dite *Suzanne), actrice française (Verdun 1873 - Paris 1951).* D'une grande simplicité d'allure et d'attitude, avec un visage pur et lisse, ainsi apparaît sur scène la compagne de Lugné-Poe, l'interprète d'Ibsen et de Jules Renard. L'art muet utilise ses émotions contenues : *le Carnaval des vérités* (M. L'Herbier, 1920) ; *Pierre et Jean* (E. B. Donatien, 1924) ; *le Tournoi* (J. Renoir, 1929). Le parlant se sert maladroitement d'elle. Toutefois *Maria Chapdelaine* (J. Duvivier, 1934), *l'Équipage* (A. Litvak, 1935) et *Louise* (A. Gance, 1939) démontrent l'efficacité d'une actrice de grand talent. R.C.

DESSAU *(Paul), musicien allemand (Hambourg 1894 - Berlin 1979).* Il est déjà un compositeur et chef d'orchestre reconnu lorsque, en 1928, il apporte son concours à plusieurs films — au demeurant peu ambitieux. En 1930-1933, il collabore à la musique de films réalisés par Max Reichmann et Georg Jacoby et compose la musique de cinq films d'Arnold Fanck ou des collaborateurs de ce dernier, dont *Tempête sur le mont Blanc* (*Stürme über dem Montblanc,* 1930) et *S. O. S. Eisberg* (1933). Il quitte l'Allemagne pour la France, où il collabore à des films de Starevitch et à quelques films de fiction. Après un séjour aux États-Unis et une demi-douzaine de compositions pour Hollywood, il se fixe en RDA. Il écrit des ballets, des musiques de scène (en particulier pour Brecht). Et, lorsque des textes de ce dernier sont portés à l'écran, c'est lui (ou Eisler) qui est sollicité : *Mère Courage* (W. Staudte, 1955) ; *Der kaukasische Kreidekreis* (Lothar Bellag, 1973). D.S.

DE TOTH *(Endre Toth,* dit *André), cinéaste américain d'origine hongroise (Mako, Autriche-Hongrie, 1910).* Après ses débuts de scénariste et de metteur en scène, la guerre lui fait quitter son pays, pour l'Angleterre, où il collabore avec Korda, puis les États-Unis. Ses meilleurs films se distinguent non seulement par l'insistance du travail visuel, mais aussi par un motif inlassablement repris : ainsi, le malentendu de *la Chasse au gang* (*Crime Wave,* 1954) se retrouve dans *la Mission du commandant Lex* (*Springfield Rifle,* 1952) et *la Trahison du capitaine Porter* (*Thunder over the Plains,* 1953). À quoi il faut ajouter la cohérence d'un thème qui joue sur la valeur expressive des éléments : par exemple, le sinistre bayou de *Dark Waters* (1944) ou le voluptueux torrent de *la Rivière de nos amours* (*The Indian Fighter,* 1955), la brume inquiétante et le feu purificateur de *l'Homme au masque de cire* (*House of Wax,* 1953), la neige de *la Chevauchée des bannis* (*Day of the Outlaw,* 1959). Son sens de l'action s'affirme surtout dans des policiers (*Pitfall,* 1948), tandis que son goût de l'espace et du geste marque ses westerns. De retour en Europe en 1960, il ne tournera plus que des ouvrages anonymes, sauf *Enfants de salauds* (*Play Dirty,* 1968). A.M.

DEUTSCH *(Adolph), compositeur américain d'origine britannique (Londres 1897 - Palm Desert, Ca., 1980).* Il arriva à Hollywood à la fin des années 30 et il resta d'abord attaché, comme orchestrateur, à la Warner Bros, puis à la MGM. Il a été responsable de quelques partitions délicates assez réussies : *Thé et Sympathie* (V. Minnelli, 1956). Mais ses véritables réussites furent dans les orchestrations de comédies musicales vives et riches comme celle des *Sept Femmes de Barberousse* (S. Donen, 1954). C.V.

DEUTSCHMEISTER *(Heinrich-Fritz,* dit *Henry), producteur français (Brăila, Roumanie, 1902 - Paris 1969).* Patron de la Franco London Films, qui fut surtout après la guerre l'une des plus importantes maisons de production de France, animateur actif de syndicats professionnels, il a été l'incarnation du producteur soucieux de classicisme et de sécurité. Il a fait travailler des cinéastes français parmi les plus renommés : entre autres, René Clair (*la Beauté du diable,* 1950 ; *les Belles de nuit,* 1952) ; René Clément (*le Château de verre,* 1950) ; Max Ophuls (*Madame de,* 1953) ; Claude Autant-Lara (*le Blé en herbe,* 1954 ; *le Rouge et le Noir,* 1954 ; *la Traversée de Paris,* 1956) ; Jean Renoir (*French Cancan,* 1954 ; *Élena et les hommes,* 1956) ; Jacques Becker (*Montparnasse 19,* 1958). O.B.

DEUX X. Autre façon (d'après le graphisme XX) de désigner la pellicule Double X.

DEVAIVRE *(Jean), cinéaste français (Boulogne-sur-Seine 1912).* Décorateur puis assistant de Colombier, Tourneur et Billon, il tourne un premier film sans prétention, *le Roi des resquilleurs* (1945, avec Rellys et Jean Tissier), suivi d'un film policier, *la Dame d'onze heures* (1947), et d'une œuvre plus ambitieuse, *la Ferme des sept péchés* (1948), dont le titre dissimule une sorte d'enquête sur Paul-Louis Courier, journaliste républicain assassiné en 1825. Il réalise au Canada *l'Inconnu de Montréal* (ou *Son copain,* 1951) puis, en France, quelques films anodins, dont deux dans la série des *Caroline chérie* (*Un caprice de Caroline chérie,* 1952 ; *le Fils de Caroline chérie,* 1954). D.S.

DEVAL *(Marguerite), actrice française (Strasbourg 1868 - Paris 1955).* Petite, boulotte et pépiante, venue tard au cinéma après avoir été une vedette aimée du Boulevard, elle anime avec un brio inlassable des personnages stéréotypés. Aux mondaines jacassantes, aux vieilles toquées, aux entremetteuses et aux châtelaines effervescentes, elle dispense ses gestes de poupée et ses mimiques précieuses, toujours originale et cocasse : *Bichon* (Fernand Rivers, 1936) ; *Gueule d'amour* (J. Grémillon, 1937) ; *Prisons de femmes* (R. Richebé, 1938) ; *Ils étaient neuf célibataires* (S. Guitry, 1939) ; *Marie-Martine* (A. Valentin, 1943) ; *le Voyageur sans bagage* (J. Anouilh, 1944). R.C.

DÉVELOPPEMENT. Opération de laboratoire au cours de laquelle, grâce au révélateur, l'image latente est transformée en image visible. Par extension, ensemble des opérations de laboratoire (développement proprement dit, fixage, lavage, séchage) liées au développement. *Développement chromogène,* développement conduisant à une image en couleurs. *Développement poussé,* développement avec séjour prolongé dans le révélateur, ce qui produit une augmentation de la rapidité apparente du film. (→ COUCHE SENSIBLE, RAPIDITÉ, LABORATOIRE, GRANULATION, POUVOIR SÉPARATEUR.)

DEVILLE *(Michel), cinéaste français (Boulogne-sur-Seine 1931).* Il est l'un de ces réalisateurs de formation traditionnelle (il a été stagiaire, assistant d'Henri Decoin pour une dizaine de films, puis conseiller technique de Jean Meyer pour la mise à l'écran de deux spectacles du Théâtre-Français) qui ont bénéficié du climat euphorique créé par la Nouvelle Vague pour amorcer une carrière très personnelle.

Après un premier film policier (figure alors imposée au débutant, qu'il coréalise avec Charles Gérard), il s'épanouit dans une série de comédies qu'il écrit avec Nina Companeez : les scénarios jouent avec les sentiments de très jeunes femmes, la mise en scène virevoltante exalte un bonheur marqué au coin de la fantaisie, des comédiennes inconnues font leurs premiers pas sous une direction précise – qui est une des qualités les plus fortes, même si ce n'est pas celle que la critique souligne généralement, de Deville. On le rapproche alors de Jacques Becker (à l'époque de sa collaboration avec Annette Wademant) et de la tradition de Marivaux.

À la fin des années 60, le ton de ses films devient plus âpre, sans abandonner cependant le registre de la comédie. *Raphaël ou le Débauché* (en 1971, avec Jean Vilar dans un de ses derniers rôles) laisse sourdre une angoisse sous l'élégance de la mise en scène et la reconstitution flatteuse d'un hier charmeur. Ces précautions n'existent plus dans *le Dossier 51* (1978), sans doute son meilleur film, qui affronte directement le contemporain le plus aigu, le plus menaçant, et décrit la destruction méthodique, imparable, de l'individu par un de ces appareils technico-politiques dans lesquels la fin du vingtième siècle investit sa peur. Inventeur de formes, soucieux d'approfondir les rapports entre la musique et l'image, Michel Deville tente avec chaque film de renouveler son registre :

comédie sociale *(le Mouton enragé),* monde fantasmatique *(le Voyage en douce),* film noir *(Eaux profondes),* jeux subtils de la distanciation et de la manipulation des personnages *(le Paltoquet ; la Lectrice),* jeux de l'amour et du dialogue *(Nuit d'été en ville).* J.-P.J.

Films ▲ : *Une balle dans le canon* (co Charles Gérard, 1958) ; *Ce soir ou jamais* (1961) ; *Adorable Menteuse* (1962) ; *À cause, à cause d'une femme* (1963) ; *l'Appartement des filles* (*id.*) ; *Lucky Jo* (1964) ; *On a volé la Joconde* (1966) ; *Martin soldat* (*id.*) ; *Tendres requins/ Zärtliche Haie* (1967) ; *Benjamin ou les Mémoires d'un puceau* (1968) ; *Bye bye Barbara* (1969) ; *l'Ours et la Poupée* (1970) ; *Raphaël ou le Débauché* (1971) ; *la Femme en bleu* (1973) ; *le Mouton enragé* (1974) ; *l'Apprenti salaud* (1977) ; *le Dossier 51* (1978) ; *le Voyage en douce* (1980) ; *Eaux profondes* (1981) ; *la Petite Bande* (1983) ; *les Capricieux* (TV, 1984) ; *Péril en la demeure* (1985) ; *le Paltoquet* (1986) ; *la Lectrice* (1988) ; *Nuit d'été en ville* (1990) ; *Toutes peines confondues* (1992) ; *Aux petits bonheurs* (1993).

DEVILLERS *(Renée), actrice française .(Paris 1903).* Son nom est synonyme de discrétion, de justesse et d'émotion. Mieux faite pour le drame que pour la comédie (*la Douceur d'aimer,* René Hervil, 1930 ; *Ma femme, homme d'affaires,* Max de Vaucorbeil, 1932), elle obtient un rôle important dans *Untel père et fils* (J. Duvivier, 1945 ; RÉ 1940), mais le film passe inaperçu lors de sa sortie. Elle assume des rôles ingrats (*le Voile bleu,* Jean Stelli, 1942), pleurnichards (*Roger la Honte,* A. Cayatte, 1946) et retient surtout l'attention pour ses compositions nuancées dans *les Dernières Vacances* (R. Leenhardt, 1948), *Les amoureux sont seuls au monde* (H. Decoin, 1948) et *Thérèse Desqueyroux* (G. Franju, 1962). R.C.

DEVINE *(Jeremish Schwarz,* dit *Andy), acteur américain (Flagstaff, Ariz., 1905 - Los Angeles, Ca., 1977).* Arrivé à Hollywood à la fin du muet, il tira parti de sa voix éraillée, résultat d'un accident d'enfance, pour paradoxalement s'imposer comme faire-valoir paysan de cow-boys chantants dans des films aujourd'hui oubliés. En 1939, il a la chance d'apparaître dans *la Chevauchée fantastique* de John Ford et poursuit une carrière semi-comique (qu'il orienta dès 1950 vers la TV populaire) toujours dans des westerns ou des films d'aventures : *Montana Belle* (A. Dwan, 1952) ; *les Deux Cavaliers* (J. Ford, 1962) ; *l'Homme qui tua Liberty Valance* (Ford, *id.*). G.L.

DEVIRYS *(Rachel Monat,* dite *Rachel), actrice française (Simferopol, Russie, 1890 - Nice 1984).* Cette grande vedette du muet, que Feyder utilise intelligemment dans *Visages d'enfants* (1925), sait évoluer à l'arrivée du parlant vers des rôles de composition : *Ariane, jeune fille russe* (Paul Czinner, 1932) ; *Crainquebille* (J. de Baroncelli, *id.*) ; *les Aventures du roi Pausole* (A. Granowski, 1933) ; *Les dieux s'amusent* (R. Schünzel, 1935). Sa dernière apparition date de *Gervaise* (R. Clément, 1956) après que, pour *les Enfants terribles* (1950), Melville eut encore fait appel à elle. R.C.

DEVITO *(Danny), acteur et cinéaste américain (Neptune, N. J., 1944).* Acteur de composition révélé dans *Vol au-dessus d'un nid de coucou* (M. Forman, 1975), qu'il avait déjà joué sur scène, Danny DeVito, petit et rond, possède une silhouette qui peut d'emblée déclencher le rire ou simplement attirer l'attention. Il fut le faire-valoir de Michael Douglas et d'Arnold Schwarzenegger quand ceux-ci voulurent s'affirmer dans le registre comique. On préférera retenir deux prestations de comédie moins inconséquentes, dans *Tin Men* (B. Levinson, 1987) et dans *Opération Shakespeare* (P. Marshall, 1994). Mais sa création la plus riche est celle du Pingouin, monstre difforme et pathétique, réellement grandiose, dont une blessure secrète attise la haine contre Batman (*Batman, le défi,* T. Burton, 1992). Il est également, de manière occasionnelle, un réalisateur plus ou moins inspiré mais ambitieux : *la Guerre des Rose* (*The War of the Roses,* 1989) et, surtout, *Hoffa* (*id.,* 1992), consacré à une complexe et mythique figure de syndicaliste. C.V.

DEWAERE *(Patrick Bourdeaux,* dit *Patrick), acteur français (Saint-Brieuc 1947 - Paris 1982).* Patrick Dewaere appartient à la génération d'acteurs issue du café-théâtre, qui renouvelle le jeu cinématographique, voire la mise en scène chez certains réalisateurs, comme le reconnaît, par exemple, Alain Corneau. Avec Gérard Depardieu, Miou-Miou et quelques autres, il expérimente au café-théâtre, à la fin des années 60, de nouvelles approches de la réalité, et restitue les comportements d'une société radicalement transformée. L'irruption de ces acteurs dans le cinéma français, quelques années plus tard, contribuera à l'avènement d'un nouveau réalisme. Patrick Dewaere (qui avait, durant son enfance, déjà tourné plusieurs petits rôles à l'écran) et Gérard Depardieu, après quelques apparitions plus ou moins remarquées, deviennent célèbres, du jour au lendemain, en raison de leur performance dans le film de Bertrand Blier, *les Valseuses* (1974), qui fixe pour longtemps le stéréotype du loubard de la périphérie urbaine. Cette étiquette leur collera un peu trop longtemps à la peau, avant qu'on ne s'aperçoive qu'ils peuvent faire autre chose et pratiquement tout exprimer de la sensibilité des années 70. Pour cette raison, somme toute sociologique mais aussi à cause du niveau de ses interprétations, on reverra *les Valseuses* ou bien *Adieu poulet,* où il donne une image criante de vérité d'un jeune inspecteur de police, *F. comme Fairbanks,* portrait d'un ingénieur que le chômage et l'indifférence conduisent à la folie, ou *Série noire,* transposition, dans la banlieue parisienne des années 80, de l'univers dément de l'écrivain américain Jim Thompson. Patrick Dewaere se suicide en 1982. M.S.

Films ▲ : *les Mariés de l'an II* (J.-P. Rappeneau, 1970) ; *la Maison sous les arbres* (R. Clément, 1971) ; *Themroc* (C. Faraldo, 1973) ; *les Valseuses* (Bertrand Blier, 1974) ; *Au long de rivière Fango* (Sotha, 1975) ; *Lily, aime-moi* (M. Dugowson, *id.*) ; *Pas de problème !* (G. Lautner, *id.,* caméo) ; *Catherine et Cie* (M. Boisrond, *id.*) ; *Adieu poulet* (P. Granier-Deferre, *id.*) ; *la Meilleure Façon de marcher* (C. Miller, 1976) ; *F. comme Fairbanks* (Dugowson, *id.*) ; *la Marche triomphale* (M. Bellochio, *id.*) ; *le Juge Fayard, dit «le Shérif»* (Y. Boisset, 1977) ; *la Chambre de l'évêque* (D. Risi, *id.*) ; *Préparez vos mouchoirs* (Blier, 1978) ; *la Clé sur la porte* (Boisset, *id.*) ; *Coup de tête* (J.-J. Annaud, 1979) ; *Série noire* (A. Corneau, *id.*) ; *le Grand Embouteillage* (L. Comencini, *id.*) ; *Un mauvais fils* (C. Sautet, 1980) ; *Psy* (Ph. de Broca, 1981) ; *Beau-père* (Blier, *id.*) ; *Les matous sont romantiques* (Sotha, *id.,* caméo) ; *Plein Sud* (Luc Béraud, *id.*) ; *Hôtel des Amériques* (A. Téchiné, *id.*) ; *Mille Milliards de dollars* (H. Verneuil, 1982) ; *Paco l'Infaillible* (Didier Haudepin, *id.,* RÉ 1979) ; *Paradis pour tous* (A. Jessua, *id.*).

DHELIA *(Franceline Benoit,* dite *France), actrice française (Saint-Lubin-en-Vergonnois 1894 -Paris 1964).* Cette agréable brune aux yeux noirs débute sous le nom de Mado Floréal et figure ainsi aux côtés de Gaby Morlay dans *les Épaves de l'amour* (R. Le Somptier, 1916). Du muet au parlant, elle reste la vedette favorite du prolifique Gaston Roudès, mais sans lui elle paraît dans des films qui ont laissé des souvenirs : *la Sultane de l'amour* (Le Somptier et Charles Burguet, 1919) ; *la Montée vers l'Acropole* (Le Somptier, 1920) ; *le Cœur magnifique* (Séverin-Mars et J. Legrand, 1921) ; *Nène* (J. de Baroncelli, 1923) ; *Sa tête* (J. Epstein, 1929). R.C.

DHÉRY *(Robert Fouilley,* dit *Robert), acteur et cinéaste français (Héry 1921).* Il débute dans un cirque à l'âge de quatorze ans et fait des études théâtrales pendant la guerre, obtenant des petits rôles au cinéma (*les Enfants du paradis,* M. Carné, 1945). Il dirige des spectacles comiques sur les scènes parisiennes sans abandonner le cinéma (scénario et interprétation des *Aventures des Pieds Nickelés,* Marcel Aboulker, 1948). Le succès de sa pièce *les Branquignols* lui permet d'en faire une adaptation cinématographique (1950) : on y découvre un des rares exemples français de burlesque à l'américaine et un sens certain du gag et de la parodie. Il tente de poursuivre dans cette voie avec *Ah ! les belles bacchantes* (Jean Loubignac, 1954), non sans maladresses. Déjà, avec *Bertrand cœur de lion* (1950), il pactisait avec un humour plus traditionnel ; *la Belle Américaine,* son grand succès commercial (1961), *Allez France* (1965), *le Petit Baigneur* (1968), qu'il écrit, interprète et réalise, confirment la prédominance des aspects conventionnels dans sa démarche, de même que *Vos gueules, les mouettes* (1974), malgré un certain retour au burlesque. En 1987, on le retrouve dans un autre registre sous la direction de B. Tavernier, *la Passion Béatrice.* D.S.

DIACÉTATE. *Diacétate de cellulose,* matériau utilisé à une certaine époque pour fabriquer des supports ininflammables. (→ FILM.)

DIALOGUISTE. Auteur des dialogues.

DIAMANT-BERGER *(Henri), cinéaste, producteur et scénariste français (Paris 1895 -* id. *1972).*

D'abord journaliste (au *Gil Blas*), puis directeur-fondateur de l'hebdomadaire *le Film,* où Louis Delluc publiera ses premières critiques, il signe sa première mise en scène en 1915 *(le Lord ouvrier)* et sa dernière en 1959 (un remake de *Messieurs les ronds-de-cuir*). Entre ces deux dates, une œuvre inégale, qui fleure bon un certain optimisme bien français. Ses plus grands succès, qui lui valurent un temps l'estime des Américains, furent ses deux adaptations, l'une muette (1921), l'autre parlante (1932), des *Trois Mousquetaires,* interprétées chaque fois par Aimé Simon-Girard ; on lui doit aussi quelques bandes honnêtement commerciales, telles que : *Miquette et sa mère* (1934) ; *la Maternelle* (1949) ; *Monsieur Fabre* (1951) ; *Mon curé chez les riches* (1952) et *Mon curé chez les pauvres* (1956). Mais sa seule vraie réussite artistique est peut-être *Arsène Lupin, détective* (1937, avec Jules Berry), un film policier teinté d'un solide humour. Il a écrit plusieurs ouvrages sur le cinéma : *le Cinéma* (1919) ; *Destin du cinéma français* (1945) ; *Il était une fois le cinéma* (1977, édité après sa mort.) Il fut aussi producteur, à ses débuts et à sa fin.

C.B.

DIAMOND *(Itek Dommnici,* dit *I. A. L.), scénariste et producteur américain (Unghani, Roumanie, 1920 - Beverly Hills, Ca., 1988).* (Noter que les trois initiales qu'il adopte sont purement gratuites.) Après des études de journalisme à l'université de Columbia, il fait son apprentissage à la Paramount, où il récrit, anonymement, de nombreux scénarios de films de série B. Il transite par la Warner Bros (*Ne dites jamais adieu,* James V. Kern, 1946 ; *Romance à Rio,* M. Curtiz, 1948) et collabore à la Fox à trois des premiers films de Marilyn Monroe (*Love Nest,* Joseph Newman, 1951 ; *Let's Make it Legal,* Richard Sale, *id. ; Chérie, je me sens rajeunir,* H. Hawks, 1952) avant de commencer, dans *Ariane,* sa longue collaboration avec Billy Wilder, dont il devient le coscénariste et le coproducteur attitré à compter de *Certains l'aiment chaud.* On lui doit aussi l'adaptation de *Fleur de cactus* (Gene Saks, 1969). O.E.

DIAPH. Abrév. fam. de *diaphragme.*

DIAPHRAGME. Orifice circulaire de diamètre réglable, situé à l'intérieur d'un objectif, destiné à régler l'éclairement de l'image. Par extension, réglage du diaphragme : *Quel est le diaphragme ?* Ce terme est souvent employé au sens d'intervalle entre deux repères de la bague de commande du diaphragme (« *ouvrir de deux diaphragmes* ») et, par extension, au sens de rapport d'éclairement égal au rapport de l'éclairement de l'image correspondant à un « diaphragme » au sens précédent. (→ aussi PROFONDEUR DE CHAMP.)

Pour la plupart des calculs, l'objectif peut être assimilé à une « lentille mince » de même distance focale. (→ OPTIQUE GÉOMÉTRIQUE.) La taille de l'image est proportionnelle à cette distance focale.

Une telle lentille collecte une certaine quantité de lumière, qu'elle répartit entre les différents points de l'image.

Pour une distance focale donnée (c'est-à-dire pour une taille donnée de l'image), plus la lentille est de grand diamètre, plus elle collecte de lumière et donc plus l'image est éclairée.

À l'inverse, pour un diamètre donné de la lentille (c'est-à-dire pour une quantité donnée de lumière collectée), plus la distance focale est grande, plus l'image est grande et donc moins elle est éclairée (puisque cela revient à répartir sur une plus grande surface une quantité donnée de lumière).

L'éclairement de l'image dépend ainsi à la fois du diamètre de la lentille et de la distance focale. Le calcul montre qu'il dépend uniquement du *nombre d'ouverture* (noté *n* — parfois N — et qui exprime que le diamètre de la lentille est *n* fois plus petit que la distance focale) et qu'il varie *en sens contraire* de ce nombre. « Grand diamètre » ne signifie donc pas nécessairement : image lumineuse. Tout dépend de la distance focale.

Si l'on place un diaphragme au contact de la lentille, le raisonnement est inchangé : il suffit de prendre en compte le diamètre du diaphragme et non celui de la lentille.

Pour un objectif réel, c'est-à-dire pour un ensemble de lentilles, les choses sont plus compliquées puisque le diaphragme se situe au milieu de cet ensemble. Mais on montre que, à ce diaphragme réel, correspond un diaphragme *fictif,* dont le diamètre, appelé *diamètre utile,* détermine comme précédemment la quantité de lumière collectée. Le raisonnement redevient alors valable, à condition de prendre en compte ce diamètre utile.

Ouverture. L'*ouverture relative* (« relative » est presque toujours sous-entendu) est égale à l'inverse du nombre d'ouverture. Si le diaphragme est réglé, par exemple, sur le nombre d'ouverture 4, l'ouverture vaut *1:4*, ce qu'on note aussi *f:4*, ou *f/4*, ou *f4*. (Les catalogues sont souvent plus concis encore : « objectif 1,8/50 » signifie : objectif de focale 50 mm ouvrant à pleine ouverture à 1:1,8.)

Dans la pratique quotidienne, on exprime l'ouverture par le nombre d'ouverture : « ouvrir à 5,6 » (prononcer « cinq six ») ou bien « diaphragmer à 5,6 », signifient : régler le diaphragme sur l'ouverture 1:5,6. (Employé sans complément, *diaphragmer* signifie : fermer le diaphragme, ou bien : travailler à faible ouverture. *Diaphragme* est souvent employé pour *réglage du diaphragme* : « Quel est le diaphragme ? » Énoncer qu'un objectif « ouvre à 1,8 » signifie qu'il ouvre au maximum à 1:1,8.)

« Diaph ». La bague tournante qui commande de façon continue l'ouverture ou la fermeture du diaphragme se déplace devant des repères (souvent munis de crans) tels que, d'un repère à l'autre, l'éclairement de l'image varie dans le rapport 1 à 2. Le calcul montre que, d'un repère à l'autre, le nombre d'ouverture doit alors varier dans le rapport $\sqrt{2}$, soit à peu près 1,4. Par souci de normalisation, les nombres d'ouverture gravés en regard des repères sont pris dans la série suivante (prolongeable vers la gauche, encore que l'optique fondamentale montre qu'on ne saurait descendre en dessous de $n = 0,5$) :

etc. 1 1,4 2 2,8 4 5,6 8 11 16 22 32 etc.
← →
grandes ouvertures petites ouvertures

Un objectif « ouvrant à 1:1,8 » portera ainsi les graduations 1,8 2 2,8 4, etc. (Dans ce cas, l'éclairement de l'image entre les deux premiers repères — 1,8 et 2 — ne varie évidemment pas dans le rapport 1 à 2 !) À l'autre extrémité de l'échelle, la diffraction (→ OPTIQUE ONDULATOIRE) interdit de trop fermer le diaphragme : on s'arrête le plus souvent à 16, parfois à 22. (Si le diaphragme laisse encore passer trop de lumière, on peut absorber l'excès de lumière par des filtres gris.)

On emploie couramment « diaphragme », prononcé « diaph », au sens de : intervalle entre deux repères de la bague des diaphragmes. « Ouvrir de un diaph et demi » signifie ainsi que, partant par exemple de f8, on se place entre f4 et f5,6. Par extension, *diaphragme* sert de façon générale à exprimer les rapports d'éclairement. « Avec cette nouvelle pellicule, on gagne un diaph » signifie que cette pellicule se satisfait d'un éclairement moitié moindre de la scène filmée. De même, on exprime usuellement en *diaphragmes* l'intervalle de pose d'une pellicule. (→ CONTRASTE.)

L'américanisme *stop* est souvent utilisé pour *diaphragme* aux sens évoqués ci-dessus.

Ouvertures géométriques et photométriques. Les diaphragmes des objectifs pour amateurs ont pendant longtemps été gradués en ouvertures *géométriques*, calculées en négligeant les pertes de lumière dues à l'absorption de la lumière dans les lentilles et surtout aux réflexions parasites sur les surfaces des lentilles.

Or, ces pertes, à peu près négligeables s'il y a très peu de lentilles, ne le sont plus quand on atteint les 6 à 10 lentilles (voire nettement plus dans les « zooms ») des objectifs de qualité. L'ouverture géométrique ne suffit alors plus à déterminer l'éclairement de l'image.

Certains objectifs comportent les deux graduations géométrique en chiffres blancs, photométrique en chiffres rouges. Pour les calculs de profondeur de champ on utilise l'ouverture géométrique. Les objectifs y sont donc gradués en ouvertures *photométriques*, qui tiennent compte des pertes lumineuses. Quelle que soit sa conception interne, un objectif réglé à f2 procure alors toujours le même éclairement de l'image qu'une « lentille mince » d'ouverture f2. L'ouverture photométrique est évidemment plus petite que l'ouverture géométrique, la différence pouvant atteindre un « diaphragme », voire plus. (Pour indiquer que le diaphragme est gradué en ouvertures photométriques, on emploie parfois la notation T : objectif de 35 mm, T. 1,4.)

Cas particuliers. Les caméras de reportage modernes sont équipées d'un viseur reflex, où la visée s'effectue à travers l'objectif. (→ CAMÉRA.) Si le diaphragme est fermé, l'image dans le viseur est peu lumineuse, et la visée est difficile. Certains objectifs sont munis d'une *présélection*, dispositif mécanique tel que le diaphragme reste grand ouvert tant que la caméra ne tourne pas (ce qui facilite la visée) et se ferme automatiquement dès qu'on déclenche la caméra, sur la valeur présélectionnée.

Les téléobjectifs à miroir (→ OBJECTIFS) ne permettent pas, de par leur conception, l'introduction d'un diaphragme. Ils fonctionnent toujours à pleine ouverture, le réglage du flux lumineux s'effectuant par des filtres gris.

En projection, où l'on cherche le rendement lumineux maximal, les objectifs fonctionnent à pleine ouverture (typiquement 1:1,6) et ne comportent pas de diaphragme. J.-P.F./J.-M.G.

DIAPHRAGMER. *Diaphragmer à* n, régler le diaphragme sur le nombre d'ouverture *n*. *Diaphragmer,* fermer le diaphragme, ou bien travailler à faible ouverture du diaphragme. (→ DIAPHRAGME.)

DICKINSON *(Angeline Brown,* dite *Angie), actrice américaine (Kulm, N. D., 1931).* Gagnante d'un concours de beauté, elle débute à l'écran en 1954 (on l'aperçoit dans *le Bagarreur du Tennessee,* A. Dwan, en 1955). Remarquée en 1957 (*China's Gate,* S. Fuller), elle reçoit la promotion foudroyante de *Rio Bravo* (H. Hawks, 1959) et s'y révèle aussi bonne actrice qu'aventureuse enchanteresse. La suite de sa carrière ne sera pas à la hauteur de cette performance, mais on la voit toujours avec plaisir et souvent dans des films de qualité : *l'Inconnu de Las Vegas* (L. Milestone, 1960) ; *Rome Adventure* (D. Daves, 1962) ; *À bout portant* (D. Siegel, 1964) ; *la Poursuite impitoyable* (A. Penn, 1966) ; *le Point de non-retour* (J. Boorman, 1967) ; *Si tu crois fillette* (R. Vadim, 1971) ; *l'Homme en colère* (C. Pinoteau, 1979) ; *Pulsions* (B. De Palma, 1980). G.L.

DICKINSON *(Desmond), chef opérateur britannique (Londres 1902).* Dans le métier du cinéma depuis 1919, il n'a été promu directeur de la photographie qu'à la fin des années 20. Son maniement raffiné du noir et blanc en fit le collaborateur idéal d'Anthony Asquith (*l'Ombre d'un homme,* 1951). Mais c'est dans son travail somptueux pour *Hamlet* (L. Olivier, 1948) qu'il a donné la pleine mesure de son talent. Plus près de nous, *Qui a tué tante Roo ?* (C. Harrington, 1971) prouvait que Dickinson n'avait rien perdu de sa délicatesse. C.V.

DICKINSON *(Thorold), cinéaste britannique (Bristol 1903 - Londres 1984).* Après des débuts dans l'industrie cinématographique, comme assistant réalisateur, monteur et scénariste (il écrit avec George Pearson le scénario de *Little People,* tourné par ce dernier en 1926), il réalise *The High Command* avec James Mason, en 1937. Le négatif de l'excellent *Gaslight* (1940), avec Anton Walbrook et Diana Wynyard, est détruit après le rachat des droits par la MGM pour favoriser le remake que tourne Cukor (1944). Des copies retrouvées, le film renaît sous le titre *Angel Street.* En 1941, Dickinson signe une biographie de Disraeli, *The Prime Minister,* avec John Gielgud. Puis, pour Michael Balcon et le ministère de l'Information, il filme *Next of Kin,* 1942, sur la menace de l'espionnage nazi, un énorme succès. Il dirige ensuite, au Tanganyika, un long métrage d'inspiration antiraciste, *le Sorcier noir* (*Men of Two Worlds,* 1946), puis, d'après Pouchkine, *la Reine des cartes* (*The Queen of Spades,* 1949), avec Edith Evans et Anton Walbrook. *Secret People* (1952), avec Valentina Cortese, Audrey Hepburn et Serge Reggiani, sa dernière œuvre tournée en Grande-Bretagne se veut une réflexion sur le terrorisme situé à la fin des années 30. En 1954, Dickinson réalise *La colline 24 ne répond plus (Hill 24 Doesn't Answer),* vibrant hommage au jeune État d'Israël. Abandonnant la mise en scène, Dickinson occupe ensuite un poste important au service d'information de l'ONU, devient producteur et professeur de cinéma à l'University College de Londres. P.P.

DICKSON *(William Kennedy Laurie), pionnier américain du cinéma (Minnihic-sur-Rance, France, 1860 - Grande-Bretagne 1937).* Collaborateur d'Edison, il fut chargé par celui-ci d'étudier la possibilité de réaliser pour le mouvement ce qu'Edison avait déjà fait pour le son avec le *Phonographe.* (Un premier appareil de Dickson ressemblait d'ailleurs à un phonographe : les vues successives du mouvement étaient enregistrées autour d'un cylindre, et « immobilisées » pour l'œil par de brefs éclairs lumineux.) En 1888, Edison et Dickson eurent recours à la pellicule Celluloïd, d'abord encochée puis perforée. Les travaux d'Edison et de Dickson débouchèrent sur le *Kinetograph* et le *Kinetoscop* (→ INVENTION DU CINÉMA). Dickson conçut également pour Edison divers matériels de laboratoire, ainsi que la Black Maria (*), le premier studio de cinéma au monde, dans lequel il dirigea la réalisation de films destinés au Kinetoscop. En 1895, Dickson quitta Edison. Après une courte collaboration avec Latham pour la mise au point d'un projecteur, il rejoignit l'American Mutoscope and Biograph Company, où il mit au point, en collaboration avec Lauste, le projecteur *American Biograph* (1896). J.-P.F.

DIEGUES *(Carlos), cinéaste brésilien (Maceio, Alagoas, 1940).* Élevé à Rio de Janeiro, il garde des liens avec son Nordeste natal. Il mène simultanément des études de droit et une activité intense dans les ciné-clubs ; il devient critique cinématographique dans le journal *O Metropolitano*. De la négation du spectacle à son acceptation, tel semble être son cheminement. *Escola de Samba, Alegria de Viver*, épisode de *Cinco Vezes Favela* (1962), juge sévèrement les écoles de samba, présentées comme phénomène d'aliénation et prône plutôt le militantisme syndical. Diegues cherche l'exemple d'un processus de libération dans le monde rural et dans un passé lointain (comme d'autres films du Cinema Novo de l'époque) : la révolte noire contre l'esclavage (*Ganga Zumba*, 1964 ; thème qu'il reprendra vingt ans plus tard dans *Quilombo,* 1984). Ce premier long métrage s'inscrit dans le sillon de Glauber Rocha et de son « esthétique de la faim » ou de la violence, avec une interprétation paroxystique, une plasticité lyrique filmée *con agitato.* Dans *la Grande Ville* (*A Grande Cidade*, 1966), la métropole contemporaine tout entière devient un terrain de spectacle. La mise en scène tient la gageure de mêler constat et artifice pour révéler l'âme citadine. La crise des intellectuels après le coup d'État de 1964 et la contestation du réalisme, le « tropicalisme » aidant, c'est l'Histoire qui devient pure mise en scène dans *les Héritiers* (*Os Herdeiros*, 1969). La stylisation se mue en théâtralisation, enchaînement de tableaux vivants. Ensuite, refusant le silence que prétendent imposer la répression et la censure, Diegues pratique une « esthétique du murmure ». Le refuge du passé vire au passéisme de *Quando o Carnaval Chegar* (1972), hommage à la vieille *chanchada* interprétée par les vedettes de la nouvelle chanson brésilienne. Il atteint le comble de la morbidité et de l'enfermement dans la métaphore, réduite à une formule creuse, avec *Jeanne la Française* (*Joana a Francesa*, 1973). La réconciliation avec une exaltation vitale est cherchée encore une fois dans le passé, et si *Xica da Silva* (1976) est un des records du box-office brésilien, Diegues se voit néanmoins contesté à gauche pour sa réduction folklorique d'un univers jadis dépeint en termes de lutte de classes par *Ganga Zumba*. Tendance qui apparaîtra de manière évidente dans *Quilombo* en 1984. Pourtant, *Quilombo* garde intacte la croyance en l'utopie, enracinée dans les prémices de la civilisation brésilienne, par-delà les traumatismes de la colonisation. Toujours plus soucieux de communiquer avec son public, Diegues, dans *Pluies d'été* (*Chuvas de Verão,* 1977), rend un hommage attendri aux sources de son art, en voie de disparition (le cirque, le théâtre de variétés musicales). Le présent s'ouvre vers un avenir malgré tout optimiste, dans *Bye Bye Brésil* (*Bye Bye Brasil,* 1980), itinéraire d'une troupe de saltimbanques sur lesquels le cinéaste ne porte plus de regard moralisateur, et il donne le meilleur de lui-même lorsqu'il s'attache à cerner quelques personnages assez frustes *(Pluies d'été)*, objectif moins grandiose selon les canons traditionnels, mais davantage en harmonie avec sa vérité. *Rio Zone* (*Um trem para as estrelas,* 1987) confirme la tension sous-jacente chez Diegues entre un optimisme volontariste, sorte de nouvel impératif catégorique, et sa sensibilité pessimiste, symptomatique des contradictions du Brésil contemporain. *Dias melhores virão* (1990), d'un humour aigre-doux, constate les ravages laissés en héritage par l'hégémonie américaine et par la dictature militaire, et met en scène les dilemmes de la culture nationale. *Veja esta canção* (1994), film à sketches, reconnaît sa dette envers la chanson populaire, explore encore une fois le paysage urbain et humain de Rio en perpétuel bouleversement et parie de manière assez ludique sur les nouvelles technologies et l'avenir. P.-A.P.

DIESSL *(Gustav), acteur d'origine autrichienne (Vienne 1899 - id. 1948).* Il est connu surtout pour son travail avec Pabst, au début et à la fin de sa carrière : le mari trompé de *Crise*

(1928) ; Jack l'Éventreur dans *Loulou* (1929) ; le soldat désabusé de *Quatre de l'infanterie* (1930) ; le capitaine Morhange de la version allemande de *l'Atlantide* (1932) ; le duc de Coburg des *Comédiens* (1941). On vit aussi ce bel éphèbe blond dans *les Nuits de Port-Saïd* (Leo Mittler, 1931), *le Testament du docteur Mabuse* (F. Lang, 1933), *S. O. S. Iceberg* (A. Fanck et T. Garnett, *id.*) et dans diverses productions de la UFA, telles que *le Démon de l'Himalaya* (*Der Dämon des Himalaya*, G. O. Dyhrenfurth, 1935) ou *l'Étoile de Rio* (*Stern von Rio,* K. Anton, 1940). C.B.

DIETERLE *(Wilhelm Dieterle,* dit *William), producteur et cinéaste allemand, naturalisé américain (Ludwigshafen 1893 - Ottobrunn 1972).* Carrière « hétéroclite », comme on l'a dit, que celle de ce réalisateur prolifique (plus de 70 films tournés entre 1923 et 1964), qui fut d'abord acteur sous la direction des plus grands cinéastes de l'école expressionniste (Paul Leni, F. W. Murnau, Richard Oswald, etc.) et se lança même quelque temps dans la production indépendante. Son activité théâtrale n'est pas moins abondante : ayant débuté à l'âge de dix-huit ans, il est engagé dans la troupe de Max Reinhardt et joue notamment Demetrius dans *le Songe d'une nuit d'été* à Berlin en 1921 ; il reviendra au théâtre dans les années 60, au poste de directeur du festival de Bad Hersfeld et comme régisseur au Deutsches Theater de Munich.

Ses premiers films se signalent par l'audace de leurs sujets : misère sexuelle des prisonniers de droit commun dans *Chaînes* (*Geschlecht in Fesseln*, 1928), biographie du « roi fou » Louis de Bavière (*Ludwig der Zweite, König von Bayern,* 1929), lui-même s'octroyant le rôle vedette de ces films. Engagé à la Warner Bros, Dieterle va y tourner film sur film : comédies, mélodrames mondains, policiers, opérettes, au rythme de cinq par an en moyenne jusqu'en 1935. Il se retrouve à ce moment-là aux côtés de Max Reinhardt pour l'unique film parlant de ce dernier, *le Songe d'une nuit d'été (A Midsummer Night's Dream)* regorgeant de trouvailles décoratives, mais qui fut un échec commercial. À la veille de la guerre, Dieterle se spécialise dans les *biographical pictures :* ses vies de Pasteur, de Zola et de Juarez, superbement interprétées par Paul Muni, se signalent par une grande rigueur, tant historique qu'esthétique. De cette époque datent aussi : *Satan Met a Lady* (1936), curieuse adaptation en screwball comedy du *Faucon maltais* de Dashiell Hammett, avec Bette Davis ; et, pour la RKO, le fameux *Quasimodo* (*The Hunchback of Notre-Dame,* avec Charles Laughton, 1939). En 1941, c'est *Tous les biens de la terre (All That Money Can Buy),* variation insolite sur le thème de Faust, et en 1949 l'étonnant *Portrait de Jennie (Portrait of Jennie),* foisonnant de recherches plastiques. La suite est décevante, mais l'on peut encore citer *Vulcano* (avec Anna Magnani, 1950) ; *Vocation secrète* (*Boots Malone,* 1952) et l'extravagant *Salome* (1953). Retour en Allemagne en 1959, pour de médiocres films d'aventures, tel *les Mystères d'Angkor* (*Herrin der Welt,* 1960).

Selon son biographe Hervé Dumont, deux tendances gouvernent l'œuvre de Dieterle : d'un côté une « veine fantastique et romanesque », de l'autre un « engagement progressiste et démocrate ». Son meilleur film, dans ces conditions, serait peut-être *Blocus* (*Blockade,* 1938, avec Henry Fonda), un mélodrame flamboyant situé dans le contexte de la guerre d'Espagne, très apprécié, dit-on, d'Eisenstein. Dieterle a en outre coréalisé (sans être crédité), avec King Vidor, *Duel au soleil* (1947). C.B.

Autres films : *Madame du Barry* (id., 1934) ; *Docteur Socrate* (*Dr. Socrates,* 1935) ; *l'Ange blanc* (*The White Angel,* 1936) ; *la Tornade* (*Another Dawn,* 1937) ; *A Dispatch From Reuter's* (1940) ; *Kismet* (1944) ; *le Poids d'un mensonge* (*Love letters,* 1945) ; *Notre cher amour* (*This Love of Ours,* id.) ; *la Corde de sable* (*Rope of Sand,* 1949) ; *Pékin Express* (*Peking Express,* 1951) ; *les Amours d'Omar Khayyam* (*The Loves of Omar Khayyam,* 1957).

DIETRICH *(Maria Magdalena Dietrich,* dite *Marlene), actrice américaine d'origine allemande (Berlin 1901 - Paris, France, 1992).* Actrice de revue, elle débute au cinéma en 1922 et occupe le rôle principal dans de petites productions à partir de 1926. Josef von Sternberg la choisit, en 1930, comme partenaire d'Emil Jannings pour *l'Ange bleu :* elle était déjà une actrice d'une certaine réputation. Le cinéaste américain d'origine allemande fut très vite fasciné par l'exceptionnelle présence physique de Marlene Dietrich et elle n'eut aucun mal à polariser l'attention au détriment d'un acteur aussi envahissant que Jannings : la voix traînante, une manière de rajuster ses dessous, une œillade de Marlene, et Jannings n'était plus que son partenaire. Josef von Sternberg réalisa vite que la caméra était amoureuse d'elle. Il lui proposa de l'emmener à Hollywood. Tandis que *l'Ange bleu* rencontrait un énorme succès en Europe, Marlene Dietrich tournait, aux côtés de Gary Cooper, *Cœurs brûlés,* c'est-à-dire *Morocco* (1930), d'après un sujet qu'elle avait elle-même proposé à Sternberg. En quelques mois, elle s'était transformée. La Lola Lola grassouillette de *l'Ange bleu* était devenue l'Amy Jolly mince et sophistiquée, aux joues creuses et au regard vague, de *Cœurs brûlés :* le mythe de Marlene Dietrich, soutenu par un cinéaste de génie, visiblement subjugué par la personnalité de la jeune femme, était né.

Le public lui fit un triomphe et elle fut citée à l'Oscar. Jusqu'en 1935, elle a tourné encore cinq films pour Sternberg, qui disait à chaque fois que c'était le dernier. Après *Shanghai Express* (1932), leur plus grand succès, la popularité de l'association déclina. Marlene Dietrich s'aventura à se faire diriger par Rouben Mamoulian dans le joli *Cantique d'amour* (1933), sans succès. Les deux derniers films de Marlene Dietrich avec Sternberg, les plus complexes et les plus fiévreux visuellement, furent aussi les plus malmenés par la critique et les plus boudés : *l'Impératrice rouge* (1934) et *la Femme et le Pantin* (1935) sont pourtant maintenant considérés comme des classiques.

Quand la séparation fut définitive, Marlene Dietrich désira changer complètement de style, et ce fut *Désir* (1936), une comédie de Frank Borzage, élégante et réussie, où elle était radieusement belle. Mais, par la suite, ni *le Jardin d'Allah* (Richard Boleslawski, 1936) ni *Ange* (1937), le beau film d'Ernst Lubitsch, ne furent des succès. Trop lointaine, trop artificielle, Marlene Dietrich n'enthousiasmait plus le public prosaïque du New Deal. Si bien qu'elle accepta le rôle principal dans un western a priori routinier : *Femme ou Démon* (George Marshall, 1939). Elle y était une entraîneuse devenue tenancière de saloon, et qui mourait d'une balle perdue destinée au héros. Son entrain, son humour, sa drôlerie, autant de qualités que Sternberg avait obscurcies, firent merveille, et le public, à nouveau, la plébiscita. Elle continua dans ce registre semi-parodique jusqu'à la fin des années 40 (*la Maison des sept péchés,* T. Garnett, 1940 ; *l'Entraîneuse fatale,* R. Walsh, 1941 ; *les Écumeurs,* R. Enright, 1942 ; *Pittsburgh,* L. Seiler, 1942), avec un succès encore renforcé par sa popularité auprès des G. I., acquise à la fin de la guerre. Dans les années 50, Marlene Dietrich se fit plus rare devant les caméras et s'orienta avec succès vers le tour de chant. Bientôt ses apparitions sont devenues sporadiques et elle est entrée dans une semi-retraite.

Si elle n'est pas une énigme, Marlene Dietrich est, néanmoins, un miracle de jeunesse et de glamour. Depuis 1930, sans défaillance, elle symbolise le mot même de « glamour » : élégance suprême de l'artifice et de la composition. Son physique et la partie visible de sa personnalité, elle-même et Sternberg les ont fabriqués. On sent que tout a été minutieusement calculé. Mais quelle merveilleuse réussite ! Elle est un objet, disent ses détracteurs, mais un objet d'art, serait-on tenté de répondre, dont elle serait aussi l'auteur. Ses joues si joliment émaciées qui révèlent une mâchoire aussi volontaire que séduisante, cette bouche dessinée au rouge, ces faux cils démesurés, ces sourcils suspendus en surprise, cette silhouette fine, ces jambes dont elle joue comme un musicien virtuose et ces costumes de rêve, issus des plus folles audaces d'un Travis Banton ou d'un Jean-Louis, faits d'air, de plumes et de mousseline, qu'elle seule peut porter sans ridicule, tout cela est l'œuvre d'un créateur : Marlene Dietrich, que Sternberg n'a fait que révéler à elle-même.

L'actrice ne souffre-t-elle pas de cette artificialité ? Absolument pas, pour peu que l'on ait une vision assez large et souple de ce qu'est une actrice de cinéma. Marlene Dietrich ne provoque pas le rire et les larmes en s'identifiant à un personnage. Elle est tout autre chose. Si elle provoque une émotion, elle en est le seul objet : rien n'existe entre elle et le public, pas même le personnage. Le public vient voir Marlene Dietrich et Marlene Dietrich lui donne exactement ce qu'il veut : du rêve, du glamour, de la sensualité, de la poésie en fait. Marlene Dietrich n'est pas vraiment une actrice ni une chanteuse. Mais elle est un poète. Création de poète, cette gitane malicieuse que la crasse embellit et exalte et que ses haillons transfigurent (*les Anneaux d'or,* M. Leisen, 1947). Création de poète, cette Bijou Blanche croulant sous l'artifice, cachée sous les boas, les dentelles, les ombrelles et les moustiquaires, parodie de la Marlene sternbergienne, dans*la Maison des sept péchés.* Touche poétique, cette voix basse à force d'acharnement, que Marlene Dietrich manie comme un murmure et qui donne à la phrase la plus anodine des sous-entendus merveilleux. Touche poétique encore, cette manière unique d'allumer une cigarette et de jouer avec sa fumée. Touche poétique enfin, ce trait de génie qui juxtapose l'artifice de la femme à sa réalité : Marlene Dietrich, peinte et coiffée pour le cinéma, en tablier blanc de ménagère, jouant à la dînette dans *l'Entraîneuse fatale.*

De plus, Marlene Dietrich est une actrice de métier ; limitée, peu expressive, mais cela ne la gêne guère. Que l'on considère un instant comment elle distribue ses sourires, un haussement de sourcil, ou un arrondi des lèvres, et l'on réalisera qu'elle est une actrice consommée. Des cinéastes de génie ne s'y sont pas trompés. Sternberg d'abord, qui nous en offrit de multiples visages : théâtreuse cruelle *(l'Ange bleu) ;* aventurière amoureuse *(Cœurs brûlés) ;* espionne protéenne *(X. 27) ;* femme perdue *(Shanghai Express) ;* mère et prostituée *(Blonde Vénus) ;* impératrice de Russie *(l'Impératrice rouge) ;* séductrice un rien sadique *(la Femme et le Pantin).* Voilà autant de créations improbables et changeantes qui ne sont que différents portraits de Marlene Dietrich. Billy Wilder lui offrit un rôle dramatique dont elle se tira avec adresse *(Témoin à charge),* après lui avoir proposé peut-être son plus beau rôle d'actrice, celui de la chanteuse désabusée dans le Berlin du marché noir, dans *la Scandaleuse de Berlin* (1948), une création d'un humour, d'une délicatesse et d'une élégance infinis. Alfred Hitchcock la choisit à merveille pour incarner le mensonge et l'illusion du spectacle dans *le Grand Alibi* (1950), où elle chantait *la Vie en rose.* Enfin, Fritz Lang en fit la femme-légende, mystérieuse et meurtrie, de *l'Ange des maudits* (1952).

Marlene Dietrich a eu toutes les chances. Ce qui est incroyable, c'est qu'elle a réussi à n'en gâcher aucune, et qu'elle l'a fait en conservant son humour, son sourire ravageur, sa beauté, défiant tout le monde et le temps, les mains victorieuses posées sur ses hanches. C.V.

Films ▲ : *le Petit Napoléon / Les hommes sont ainsi / le Petit Frère de Napoléon* (*Der kleine Napoleon / So sind die Männer / Napoleon kleiner Bruder,* G. Jacoby, 1923) ; *la Tragédie de l'amour* (J. May, *id.*) ; *la Carrière (Der Mensch am Weze,* W. Dieterle, *id.) ; le Saut dans la vie* (*Der Sprung ins Leben,* Johannes Guter, 1924) ; *Manon Lescaut* (A. Robison, 1926) ; *Une Du Barry moderne (Eine Du Barry von Heute,* A. Korda, *id.) ; Madame ne veut pas d'enfants (Madame wünscht keine Kinder,* id., *id.) ; Tête haute Charlie ! (Kopf hoch Charly !,* Dr Willi Wolff, *id.) ; le Baron imaginaire (Der Juxbaron,* id., *id.) ; Son plus grand bluff* (H. Piel, 1927) ; *Filles d'amour / Quand une femme dévie* (*Cafe Elektric / Wenn ein Weib den Weg verliert,* G. Ucicky, *id.*) ; *Princesse Olala (Prinzessin Olala,* Robert Land, 1928) ; *Ce n'est que votre main, madame* (*Ich küsse Ihre Hand, Madame,* id., 1929) ; *la Femme que l'on désire* (K. Bernhardt, *id.*) ; *le Navire des hommes perdus* (M. Tourneur, *id.*) ; *Dangereuses Fiançailles (Gefahren der Brautzeit,* Fred Sauer, *id.) ; l'Ange bleu* (J. von Sternberg, 1930) ; *Cœurs brûlés* (id., *id.*) ; *X. 27* (id., 1931) ; *Shanghai Express* (id., 1932) ; *Blonde Vénus* (*Blonde Venus,* id.) ; *Cantique d'amour* (R. Mamoulian, 1933) ; *l'Impératrice rouge* (von Sternberg, 1934) ; *la Femme et le Pantin* (id., 1935) ; *Désir* (F. Borzage, 1936) ; *I Loved a Soldier* (H. Hathaway, *id. ;* inachevé) ; *le Jardin d'Allah* (R. Boleslawski, *id.*) ; *le Chevalier sans armure* (J. Feyder, 1937) ; *Ange* (E. Lubitsch, *id.*) ; *Femme ou Démon* (*Destry Rides Again,* G. Marshall, 1939) ; *la Maison des sept péchés* (T. Garnett, 1940) ; *la Belle Ensorceleuse* (R. Clair, 1941) ; *l'Entraîneuse fatale* (R. Walsh, *id.*) ; *Madame veut un bébé* (*The Lady is Willing,* M. Leisen, 1942) ; *les Écumeurs (The Spoilers,* R. Enright, *id.) ; Pittsburgh* (L. Seiler, *id.*) ; *Hollywood parade (Follow the Boys,* E. Sutherland, 1944) ; *Kismet* (id., W. Dieterle, *id.*) ; *Martin Roumagnac* (G. Lacombe, 1946) ; *les Anneaux d'or* (*Golden Earrings,* Leisen, 1947) ; *la Scandaleuse de Berlin* (B. Wilder, 1948) ; *l'Ange de la haine* (*Jigsaw,* caméo, Fletcher Merkle, 1949) ; *le Grand Alibi* (A. Hitchcock, 1950) ; *le Voyage fantastique* (*No Highway / No Highway in the Sky,* H. Koster, 1951) ; *l'Ange des maudits* (F. Lang, 1952) ; *le Tour du monde en 80 jours* (Michael Anderson, 1956) ; *Une histoire de Monte-Carlo* (*The Monte Carlo Story,* Samuel A. Taylor, 1957) ; *Témoin* *à charge* (Wilder, 1958) ; *la Soif du mal* (O. Welles, *id.*) ; *Jugement à Nuremberg* (S. Kramer, 1961) ; *Black Fox* (DOC [rôle de la narratrice], Louis Clyde Stoumen, 1962) ; *Deux Têtes folles* (caméo, R. Quine, 1964) ; *Gigolo* (*Schöner Gigolo / Just a Gigolo,* David Hemmings, 1978).

DIETZ *(Howard), parolier et librettiste américain (New York, N. Y., 1896* - id. *1983).* Pendant la seconde moitié des années 20, il a occupé un poste administratif important à la naissante MGM, dont il inventa par ailleurs l'emblème léonin. Mais les amateurs de comédie musicale aimeront à se souvenir de lui, grâce aux lyrics acérés qu'il écrivit pour les chansons de son complice Arthur Schwartz dans *Tous en scène* (V. Minnelli, 1953). C.B.

DIEUDONNÉ *(Albert), acteur, scénariste et cinéaste français (Paris 1889* - id. *1976).* Il marche d'abord sur les traces de son oncle, le comédien Alphonse Dieudonné, un vieux routier du Vaudeville. (Il joue notamment Wedekind, Lenormand, Vigny, Coppée au Théâtre des Arts.) Puis il mène bientôt une carrière parallèle au cinéma. Il débute au Film d'Art, dans *le Baiser de Judas* d'Armand Bour (1909). On le verra ensuite dans *le Diamant noir* (A. Machin, 1913), dans *l'Héroïsme de Paddy* (1915) et *Ce que les flots racontent* (A. Gance, 1916), dans *l'Angoisse* (André Hugon, 1918) et quelques autres films de moindre importance. Il passe à l'écriture de scénarios puis à la réalisation avec *Sous la griffe* (1921), suivi de *Son crime* (1922), *Gloire rouge* (1923) et surtout *Catherine,* premier film écrit, produit et interprété par un débutant nommé Jean Renoir : il y a de sérieuses divergences de vue entre les deux hommes, et le film, commencé en 1924, ne sort qu'en 1927, sous le titre *Une vie sans joie.* Dieudonné prononce à cette occasion un mot célèbre : « M. Jean Renoir a été mon commanditaire et mon élève. Je verrai par ses futures productions si j'ai lieu d'être satisfait » (*Cinéa-Ciné,* 5 janvier 1926). Mais son plus beau titre de gloire restera le rôle de Bonaparte dans le *Napoléon* d'Abel Gance (1927) : l'identification entre l'interprète et le personnage est hallucinante. Au parlant, la carrière de Dieudonné fut insignifiante : il écrira deux scénarios (*la Douceur d'aimer,* R. Hervil, 1930 ; *l'Homme du Niger,* J. de Baroncelli, 1940) et fera une dernière apparition, en tant qu'acteur, dans *Madame Sans-Gêne,* de Roger Richebé, en 1941. C.B.

DIFFRING *(Anton), acteur britannique (Coblence, Allemagne, 1915 - Châteauneuf-de-Grasse, France, 1989).* Il travaille en Allemagne et s'installe en Grande-Bretagne dès 1950. Celui qui incarna Heydrich dans *Sept Hommes à l'aube* (L. Gilbert, 1974) se spécialise volontiers dans les rôles antipathiques, assassins nazis ou méchants de films d'horreur. Sa forte personnalité contribue, dans des œuvres qui en ont moins, à soutenir une atmosphère inquiétante : *le Cirque des horreurs* (*Circus of Horrors,* S. Hayers, 1960), *Opération Crossbow* (M. Anderson, 1965), *Fahrenheit 451* (F. Truffaut, 1966), *le Crépuscule des aigles* (J. Guillermin, *id.*), *Zeppelin* (E. Perrier, 1971), *Vanessa* (H. Frank, 1976) et *Valentino* (K. Russell, 1977). R.L.

DIGITAL. Mot anglais pour *numérique.*

DILLON *(Carmen), décoratrice britannique (Londres 1908).* Le jury du festival de Venise lui décerne le prix du meilleur décor pour *Il importe d'être constant* (1952) d'Anthony Asquith, avec lequel elle avait collaboré pour *l'Étranger* (1943), *le Chemin des étoiles* (1945), *la Femme en question* (1950) et *l'Ombre d'un homme* (1951). Laurence Olivier utilise son immense talent pour sa trilogie shakespearienne *Henry V* (1944), *Hamlet* (1948), qui lui vaut l'Oscar hollywoodien, et *Richard III* (1955). Elle contribue ensuite à la réussite picturale de films comme *le Prince et la Danseuse* (L. Olivier, 1957), *Accident* (J. Losey, 1967), *le Messager* (id., 1971), *Davey des grands chemins* (J. Huston, 1969). R.L.

DILLON *(Mattew Raymond* dit *Matt), acteur américain (New Rochelle, N. Y., 1964).* Découvert à quatorze ans, durant ses études secondaires, il tient un rôle de jeune « dur » dans *Violences sur la ville* (Jonathan Kaplan, 1979) et s'attache les faveurs des adolescentes américaines avec *les Petites Chéries* (Ronald F. Maxwell, 1980) et *My Bodyguard* (Tony Bill, *id.*). Il tourne coup sur coup trois films inspirés de la romancière Susan E. Hinton : *Tex* (Tim Hunter, 1982), *Outsiders* (F. F. Coppola, 1983) et *Rusty James* (id., *id.*), qui s'inscrivent dans la mythologie juvénile et romantique des années 50, et exploitent avec succès son jeu nerveux et instinctif. Héritier tardif des grands «rebelles» hollywoodiens, Matt Dillon révélera cependant ses limites dans *Target* (Arthur Penn, 1985) et ne tardera pas à dilapider son potentiel de star en dépit d'efforts louables pour changer de registre : *Un enfant du pays* (*Native Son,* Jerrold Freedman, 1986), *Drugstore Cowboy* (Gus Van Sant, 1989), *Kansas* (David Stevens, 1990), *Un baiser avant de mourir* (*A Kiss Before Dying,* James Deaiden, 1991), *To Die For* (G. Van Sant, 1995). O.E.

DIN (initiales de *Deutsche Industrie Norm*). *Indice DIN,* indice employé pour apprécier la rapidité des films. → RAPIDITÉ.

DINDO *(Richard), cinéaste suisse (Zurich 1944).* Il débute dans le documentaire, en 1970, et se fait plus largement connaître avec deux films historiques et politiques : *Des Suisses dans la Guerre d'Espagne* (*Schweizer im spanischen Bürgerkrieg,* 1974) et *l'Exécution du traître à la patrie Ernest S.* (*Die Erschiessung des Landesverräters Ernst S.,* 1977). Il confirmera son style réaliste-critique apparemment dépassionné dans d'autres œuvres «engagées» : *Dani, Michi, Renato et Max* (*Dani, Michi, Renato und Max,* 1987), un film-enquête sur la mort de quatre jeunes de Zurich ayant eu des problèmes avec la police, et un film sur Che Guevara construit à partir du journal des derniers mois du révolutionnaire (*Ernesto Che Guevara, Journal de Bolivie,* 1994). Travaillant à Zurich et à Paris, il a réalisé plusieurs films sur des artistes en rupture : *Max Frisch - Journal I-III* (1981), d'après *Montauk,* un texte autobiographique de l'écrivain suisse, *Arthur Rimbaud, une biographie* (1991) et *Charlotte, vie ou théâtre* (*Charlotte Salomon - Leben oder Theater,* 1992). Il a réalisé un film de fiction dont les personnages sont marqués par la guerre d'Espagne : *El Suizo - Un amour en Espagne* (1986). D.S.

DINESEN *(Robert), cinéaste danois (Copenhague 1874 - Berlin, Allemagne, 1972).* Il fait partie des meilleurs réalisateurs des années 10 au Danemark, alors dans son âge d'or. Acteur, il est le fiancé d'Asta Nielsen dans *l'Abîme* (1910) d'Urban Gad et un trapéziste dans *les Quatre Diables* (*De fire djaevle,* 1911), qui est le premier film dont il signe la mise en scène en collaboration avec Alfred Lind. Sans abandonner sa carrière d'acteur, il tourne ensuite des mélodrames : *la Fille du démon* (*Den Kvindelinge daemon,* 1913), *Un danger pour la société* (*En fare for samfundet,* 1918 ; RÉ 1915), *le Secret du Sphinx* (*Sfinxens hemmelighed,* id. ; *id.*), *la Favorite du Maharadjah* (*Maharajæns Yndlingshustru,* 1917), *Hôtel Paradis* (id., *id.*), *Opium* (*Opiummets magt,* 1918 ; RÉ 1916). Il poursuit sa carrière en Allemagne : *Tatjana* (1923), *la Danseuse de feu* (*Die Feuertänzerin,* 1925), *le Chemin dans la nuit* (*Der Weg durch die Nacht,* 1929). J.-L.P.

DINOV *(Todor), cinéaste bulgare (Alexandroupolis, Grèce, 1919).* Il est le «fondateur» du cinéma d'animation bulgare. Après avoir travaillé en URSS auprès d'Ivan Ivanov-Vano, il signe son premier cartoon en 1955 : *Junak Marko.* Peu à peu, il met sa connaissance des arts plastiques et du folklore de son pays, son engagement humaniste et civique au service d'un humour subtil et laconique : *Prométhée* (*Prometej,* 1959), *le Conte du rameau de sapin* (*Prikazka za borovoto clonce,* 1960), *Duo* (*Duet,* 1961 ; CORÉ Donjo Donev), *le Paratonnerre* (*Gramootvodat,* 1962), *Jalousie* (*Revnost,* 1963), *la Pomme* (*Jabalkata,* 1964), *la Marguerite* (*Margaritka,* 1965), *Chassé du paradis* (*Isgoneni ot raja,* 1968), *Prométhée XX* (*Prometej XX,* 1970), *Perpetuum mobile* (1975). Parfois, il délaisse ses contes philosophiques pour s'essayer au long métrage, signant avec Hristo Hristov *Iconostase* (*Ikonostasat,* 1969) et réalisant seul *le Dragon* (*Lamjata,* 1975). J.-L.P.

DIOP MAMBETY *(Djibril), cinéaste sénégalais (Dakar 1945).* Après avoir reçu une formation d'acteur, il tourne en 1965 une première version en noir et blanc de *Badou Boy.* Après *Contras' City* (1969), court métrage qui décrit les contrastes culturels de la capitale du Sénégal, il réalise, en couleurs cette fois, la seconde version de *Badou Boy* (1970). *Touki Bouki* (1973) rencontre un grand succès d'estime international. Les difficultés de production en Afrique l'empêchent de poursuivre une carrière régulière. En 1989, il signe *Parlons grand'mère,* un court métrage filmé en marge de *Yaaba* d'Idrissa Ouedraogo, en 1991, *Hyènes,* une adaptation de la pièce de Dürrenmatt *la Visite de la vieille dame,* et, en 1995, *le Franc,* un conte drolatique qui se propose d'être le premier volet d'une trilogie intitulée *Histoires de petites gens.* L'humour caustique et lucide de Djibril Diop Mambety lui a permis de devenir une figure importante du cinéma sénégalais. J.-L.P.

DI PALMA *(Carlo), chef opérateur et cinéaste italien (Rome 1925).* Il débute en 1940 comme assistant opérateur de Aldo Tonti pour *Caravaggio* (G. Alessandrini) et travaille avec lui pour d'autres films. En 1954, il dirige la photo d'*Ivan, le fils du diable blanc* (*Ivan, il figlio del diavolo bianco,* G. Brignone) et continuera dans cette voie quarante films durant. Au nombre de ses réussites, il faut compter : *Divorce à l'italienne* (P. Germi, 1961) ; *Leoni al sole* (V. Caprioli, 1962) ; *le Désert rouge* (M. Antonioni, 1964) ; *Blow up* (id., 1967) ; *Drame de la jalousie* (E. Scola, 1970) ; *Moi la femme* (Dino Risi, 1971) ; *la Tragédie d'un homme ridicule* (B. Bertolucci, 1981). Son style éclectique se confirme aussi dans ses trois mises en scène, *Teresa la ladra* (1973), *Qui comincia l'avventura* (1975) et *Mimi Bluette fiore del mio giardino* (1976) : trois comédies brillantes sur le plan visuel mais sans originalité. Il collabore ensuite aux films de Woody Allen *Hannah et ses sœurs* (1986), *Radio Days* (1987) ; *September* (id.) et *Alice* (1990). L.C.

DIRECT. *Son direct,* son enregistré en même temps qu'est effectuée la prise de vues. (→ BANDE SONORE, BRUITAGE, PRISE DE SON.)

DIRECTED BY, équivalent anglais de *réalisé par.*

DIRECTEUR DE LA PHOTOGRAPHIE (anciennement chef opérateur). Technicien responsable de la prise de vues. (→ ÉCLAIRAGE, GÉNÉRIQUE.)

DIRECTEUR DE PRODUCTION Technicien chargé de la gestion de la fabrication du film. (→ GÉNÉRIQUE, TOURNAGE.)

DIRECTIONNEL. *Micro directionnel,* microphone ayant une direction privilégiée de sensibilité. (→ PRISE DE SON.)

DIRECTOR. Mot anglais pour *réalisateur.*

DIRECTOR OF CINEMATOGRAPHY. Mots anglais pour *directeur de la photographie.*

DISNEY *(Walter Elias Disney,* dit *Walt), cinéaste américain (Chicago, Ill., 1901 - Los Angeles, Ca., 1966).* Mythe vivant, il échappe tant à la biographie qu'à la nécrologie, qu'aux clichés : ce « doux poète de l'enfance » était en fait un redoutable magnat, le Henry Ford de l'animation, et doit être étudié comme une institution, un État dans l'État, au carrefour de Citizen Kane et de la General Motors. Plus de quinze ans après sa mort, on est tenu de parler de lui comme d'un vivant puisque des films sortent encore, qui portent son nom, et que des procès se font sur ce nom qui fonctionne comme un modèle déposé. Ses héritiers ou ses dauphins continuent sans lui ce qui sera pourtant considéré comme son œuvre, et ses visions de Disneyworld et Disneyland fonctionnent sur leur lancée, véritables sépulcres de rentabilité. Peut-on en dire autant de Perrault, Grimm, Kipling ou Carroll, qu'il a parasités, et qui souvent se perpétuent en lui ? En sorte que cet immortel de 65 ans dont le présent s'éternise et pose toujours problème est à la fois un personnage borgésien, une fable, un manuel de réussite et un symbole capitaliste désarmant.

Ce forain inexorable et sans limites, le plus grand amuseur public de toute l'Histoire, ne peut être raconté qu'en zigzags et en paradoxes, opposant légende et réalité. Légende, le souriceau grignotant dans un coin de son studio de Kansas City, qui lui aurait inspiré en 1928 son animal fétiche Mickey Mouse. La vérité, c'est qu'il inventa le personnage dans un train, dans l'énergie du désespoir que lui causait l'échec d'une série de cartoons sur Oswald le Lapin. Cette souris a accouché d'une montagne, puis d'un empire. Légende, sa tyrannie de patron, qui causa la fameuse grève de 1941 et lança dans le monde des armées de disciples dissidents. Il mangeait comme ses employés au self-service du studio après avoir fait la queue, et il épousa sa secrétaire. Mais ses employés devaient l'appeler Walt ou prendre la porte. Lorsqu'il se rendait au studio, un mot de passe, emprunté à *Bambi :* « Un être humain a pénétré dans la forêt ! » alertait ses animateurs. Ce perfectionniste fit refaire 175 fois *Pinocchio* et passait en pleine nuit vérifier les planches de croquis de ses collaborateurs.

Légende aussi, son image de pionnier : il n'a inventé ni le dessin animé, ni le son, ni la couleur, mais il les a poussés à un degré inouï de perfection, récoltant 29 Oscars et s'identifiant tellement au genre qu'on décrit les héros de cartoons comme des «petits mickeys», même s'il s'agit de Popeye ou Bugs Bunny.

Après des études à la McKinley High School de Chicago, il devient dessinateur publicitaire à Kansas City ; il y ouvre des studios d'animation, les United Films, avec Hugh et Fred Harman, Rudolf Ising et surtout Ub Iwarks pour développer les Laugh-o-Grams, dont les premiers sont *les Quatre Musiciens de Brême* et *Cendrillon.* Puis, en 1923, il vient rejoindre à Los Angeles son frère Roy pour fonder les Hollywood Walt Disney Studios, qui créent une série nommée les «Alice Cartoons», mêlant l'animation et le tournage direct. En 1926, il crée son fameux style en O pour développer à Columbia son *Oswald le Joyeux Lapin (Oswald the Rabbit),* qui est d'abord un immense succès mais qu'il devra ensuite abandonner à Charles Mintz. Il avait entre-temps développé une technique toute neuve, celle de l'*in-between,* c'est-à-dire le principe de l'intervallisme, qu'il appliqua à sa nouvelle création, une souris appelée Mortimer, laquelle devint très vite Mickey Mouse. Cette dernière, dès ses premières apparitions, dans *Plane Crazy* (1928) puis *Gallopin' Gaucho* (id.), inspiré par Charles Lindbergh et Douglas Fairbanks, devint une véritable idole nationale, surtout après que l'adjonction du son au film *Steamboat Willie* (id.) eut ébloui les foules. Walter Elias fonde alors les Walt Disney Productions, distribuées par United Artists, et donne sa voix à Mickey Mouse, qui devient son porte-parole (bien que son animation doive beaucoup dès 1935 au spécialiste Fred Moore). Peu à peu, l'écurie Disney s'augmentera du chien Pluto, animé par Norman Ferguson, du canard Donald, animé par Dick Lundy (voix de Clarence Nash), et du chien Goofy, animé par Art Babbitt.

À partir de 1929, Disney voua toutes ses recherches à une série de courts métrages musicaux, les *Silly Symphonies* dont Carl Stallings supervisait l'élément musical. C'est pour cette série inaugurée par la *Danse macabre* (*Skeleton Dance,* 1929) qu'il aborde en 1932 le Technicolor, pour le court métrage *Flowers and Trees,* délibérément anthropomorphique, qu'il recrute des équipes d'animateurs et de scénaristes, qu'il met au point la technique (révolutionnaire celle-là) du storyboard (planche à dessins), qu'il crée des classes d'art pour les animateurs à l'Institut Chouinard, enfin qu'il invente la caméra multiplane, donnant un effet de relief, dans le film *le Vieux Moulin (The Old Mill)* en 1937. De ces différentes innovations naît un style nouveau, et surtout un degré qualitatif insurpassé de l'animation. Les studios Walt Disney ont été en une décennie une pépinière d'animateurs, qui, même dissidents, comme le devinrent par la suite Chuck Jones, Friz Frelang, Art Babbitt, John Hubley, etc., furent marqués par le père et gardèrent un niveau élevé d'ambition professionnelle.

Quand les studios Disney abordent enfin le long métrage avec *Blanche-Neige et les sept nains* (1938), c'est pour une accumulation de tous les perfectionnements déjà glanés que travaillent des équipes accomplies. Sous la direction de Grim Natwick, l'animateur Shamus Culhane a travaillé pendant six mois sur la manière de marcher des sept nains (une minute de film), promouvant un standard bafoué depuis par les tenants de l'animation simplifiée et auquel on revient aujourd'hui. Dans les sept bobines de dessin animé Technicolor de *Blanche-Neige* repose le testament définitif de Walt Disney, dont la carrière demeurera tout à fait exemplaire jusqu'à la guerre, ce test crucial. En effet, on peut louer sans réserves *Pinocchio* (1940), sommet de dramaturgie et d'invention, et surtout, de la même année, *Fantasia,* né de la coûteuse extension d'un court métrage de Mickey sur *l'Apprenti sorcier* de Paul Dukas tourné avec la collaboration de Léopold Stokowsky. Ce film, devenu par l'ambition de Walt Disney un long métrage musical classique consacré à des œuvres de Beethoven, Bach, Tchaïkowski, Moussorgski, Schubert et Stravinski, représente un effort intellectuel notable, même s'il enregistre un amoindrissement des collaborations prestigieuses (dont celle de Fischinger) dont s'assura Disney. Le film malheureusement fut à l'époque un échec financier total, qui contraignit subitement Disney à des compromis commerciaux notables. L'effort de guerre avait conduit le studio à produire d'excellents courts métrages de propagande et un long métrage coûteux sur l'histoire de l'aviation (*Victory Through Air Power,* 1943), qui furent le chant du cygne d'un magnat subitement contesté. Sur le plan syndical, Disney était autoritaire et peu patient : une grève éclair paralysa Burbank devenue une usine comme les autres, et dont 500 animateurs (parmi lesquels Steven Bosustow, Bill Hurtz, John Hubley, Bill Tytla) s'exilèrent pour fonder un groupe rival, la UPA.

Après cette ponction de talents incontestables, il y a beaucoup à redire de la production qui suit : si *Dumbo* fait preuve de fraîcheur – et *Bambi,* triomphe du réalisme imposé par la multiplane, représente assez bien aujourd'hui un point de non-retour dans l'animation illustrative, issue des salles de classe de Disney –, si *les Secrets de Walt Disney* contient une tentative intéressante de retour au storyboard, on peut trouver hybrides, inégaux, criards ces pots-pourris musicaux que sont *Make Mine Music, Fun and Fancy Free, Melody Time,* et calamiteux ces mélanges d'animation directe et dessinée que furent *les Trois Caballeros, Saludos amigos,* rappels ratés des Alice Cartoons de 1923. Mais, surtout, on est en droit de contester les adaptations hâtives, vulgaires et en totale déperdition sur les originaux qu'il fit de certaines œuvres immortelles de la littérature : la pâle *Cendrillon* de 1950 ; l'approximatif *Peter Pan ;* la médiocre *Alice aux pays des merveilles,* blasphématoire appauvrissement de Lewis Carroll et de Tenniel, tout comme *le Vent dans les saules* l'est de Kenneth Grahame et de Ernest Shepard.

Cette soudaine chute d'ambitions ou de pouvoir créateur correspondant à un désir de retrouver son public (on connaît le mot fameux de Disney : « Assez de caviar, je vais leur donner de la purée et du jus de viande ! ») n'empêche pas Disney de diversifier toutes ses activités de producteur : il lance une série prisée de documentaires sur la vie des animaux, la série *C'est la vie* (dont *le Désert vivant*). Il produit des films historiques et d'aventures non dessinés : *l'Île au trésor, Vingt Mille Lieues sous les mers, Rob Roy, Davy Crockett, les Robinsons des mers du Sud,* qu'il confie à des metteurs en scène très estimables. Mais surtout il crée en 1955, à Anaheim, le fameux parc d'attractions de Disneyland, qui recrée, en manière de lunapark entièrement commercialisé, différentes ambiances tirées de ses films et que ses services techniques ont sans cesse renouvelé jusqu'à l'inauguration en Floride de son encore plus vaste Disneyworld, en 1971. Autre réussite : la comédie musicale *Mary Poppins* en 1964.

Dans ses dernières années, Walt Disney a su rattraper sur sa lancée ses exigences passées en ayant l'intelligence de passer la main à de nouveaux superviseurs comme Wolfgang Reitherman qui collabora aux *Cent Un Dalmatiens,* à *Merlin l'enchanteur* et signa en 1967 *le Livre de la jungle.* Soudain réévalué, le style Disney continue à mériter l'admiration des animateurs et des spécialistes. Il a fallu finalement que Disney retrouve sur le tard sa véritable vocation, celle d'organisateur et de maître d'œuvre, et qu'il consente à déléguer davantage sa confiance à des réalisateurs plus sensibles au renouvellement du goût collectif pour que se réaffirment son originalité fondamentale et son génie unique.

De nos jours, l'empire Walt Disney – délégué après sa mort relativement prématurée en 1966 à son frère Roy, tout premier compagnon de son aventure, puis à l'un de ses neveux et à toute une armée d'hommes d'affaires – gère l'héritage et monnaye l'acquis : tous les sept ans, on réédite l'opus devenu uniformément rentable ; même *Fantasia,* jadis déficitaire, a fini par devenir un classique admiré. L'après-Disney, c'est encore Disney, et même les producteurs rivaux comme l'Anglais Richard Williams engagent les anciens animateurs de l'oncle Walt pour retrouver tout le fini de l'animation du cru antique, devenue encore plus précieuse depuis l'invasion à la télévision des séries stéréotypées venues du Japon (et d'ailleurs) affadir la plastique de l'image par image. À la longue, et malgré ses périodes de moindre inspiration, Disney s'affirme comme un créateur irremplaçable, un géant incontesté de l'art cinématographique tout entier. R.BN.

Films MM et LM de Walt Disney (en tant que producteur ou producteur exécutif) ▲ : *Blanche Neige et les sept nains* (*Snow White and the Seven Dwarfs,* 1938) ; *Pinocchio* (id., 1940) ; *Fantasia* (id., *id.*) ; *les Secrets de Walt Disney* (*The Reluctant Dragon,* 1941) ; *Dumbo* (id., *id.*) ; *Bambi* (id., 1942) ; *Victoire dans les airs* (*Victory Through Air Power,* 1943) ; *Saludos amigos* (id., *id.*) ; *les Trois Caballeros* (*The Three Caballeros,* 1945) ; *la Boîte à musique* (*Make Mine Music,* 1946) ; *Mélodie du Sud* (*Song of the South,* id.) ; *Coquin de printemps* (*Fun and Fancy Free,* 1947) ; *Melody Time* (1948) ; *So Dear to My Heart* (id.) ; *Ichabod and Mr. Toad* (1949) ; *Cendrillon* (*Cinderella,* 1950) ; *l'Île au trésor* (*Treasure Island,* id., RÉ B. Haskin) ; *Alice au pays des merveilles* (*Alice* *in Wonderland,* 1951) ; *Robin des Bois* (*The Story of Robin Hood,* 1952, RÉ K. Annakin) ; *Peter Pan* (id., 1953) ; *Échec au roi* (*Rob Roy, The Highland Rogue,* id., RÉ H. French) ; *Désert vivant* (*The Living Desert,* id.) ; *l'Épée et la Rose* (*The Sword and the Rose,* id., RÉ Annakin) ; *Vingt Mille Lieues sous les mers* (*Twenty Thousand Leagues Under the Sea,* 1954, RÉ R. Fleischer) ; *la Grande Prairie* (*The Vanishing Prairie,* id.) ; *Davy Crockett, roi des trappeurs* (*Davy Crockett, King of the Wild Frontier,* 1955) ; *la Belle et le Clochard* (*The Lady and the Tramp,* id.) ; *Lions d'Afrique* (*The African Lion,* id.) ; *la Revanche de Pablito* (*The Littlest Outlaw,* id., RÉ R. Gavaldon) ; *Davy Crockett et les pirates* (*Davy Crockett and the River Pirates,* 1956) ; *l'Infernale Poursuite* (*The Great Locomotive Chase,* id., RÉ Francis O. Lyon) ; *Secrets of Life* (id.) ; *Sur la piste de l'Oregon* (*Westward Ho the Wagons,* id., RÉ W. Beaudine) ; *Johnny Tremain* (1957, RÉ R. Stevenson) ; *les Aventures de Perri* (*Perri,* id.) ; *le Fidèle Vagabond* (*Old Yeller,* id., RÉ Stevenson) ; *The Light in the Forest* (1958, RÉ Herschel Daugherty) ; *le Désert blanc* (*White Wilderness,* id.) ; *Tonka* (id., RÉ L. R. Foster) ; *la Belle au Bois Dormant* (*Sleeping Beauty,* 1959) ; *Quelle vie de chien !* (*The Shaggy Dog,* id., RÉ Charles Barton) ; *Darby O'Gill and the Little People* (id., RÉ Stevenson) ; *le Troisième sur la montagne* (*Third Man on the Mountain,* id., RÉ Annakin) ; *le Clown et l'enfant* (*Toby Tyler,* 1960, RÉ Barton) ; *Kidnapped* (id., RÉ Stevenson) ; *Pollyanna* (id., *id.,* RÉ D. Swift) ; *le Jaguar, seigneur de l'Amazone* (*The Jungle Cat,* id.) ; *Ten Who Dared* (id., RÉ W. Beaudine) ; *les Robinsons des mers du Sud* (*Swiss Family Robinson, id., RÉ* Annakin) ; *le Signe de Zorro* (*The Sign of Zorro,* id.) ; *les Cent Un Dalmatiens* (*The Hundred and One Dalmatians,* 1961) ; *Monte là-d'ssus* (*The Absent-minded Professor,* id., RÉ Stevenson) ; *la Fiancée de papa* (*The Parent Trap, id.,* RÉ Swift) ; *Nomades du Nord* (*Nikki, Wild Dog of the North,* id.) ; *Greyfriars Bobby* (id., RÉ D. Chaffey) ; *Babes in Toyland* (id., RÉ J. Donohue) ; *Un pilote dans la lune* (*Moon Pilot,* 1962, RÉ J. Neilson) ; *Big Red* (id., RÉ Norman Tokar) ; *Bon voyage* (id., *id.,* RÉ Neilson) ; *In Search of the Castaways* (id., RÉ Stevenson) ; *Almost Angels* (id., RÉ Steve Previn) ; *la Légende de Lobo* (*The Legend of Lobo,* id.) ; *Son of Flubber* (1963, RÉ Stevenson) ; *Miracle of the White Stallions* (id., RÉ A. Hiller) ; *Savage Sam* (id., RÉ Tokar) ; *Summer magic* (id., RÉ Neilson) ; *la Grande Randonnée* (*The Incredible Journey,* id., RÉ Fletcher Markel) ; *Merlin l'enchanteur* (*The Sword in the Stone,* id.) ; *The Misadventures of Merlin Jones* (1964, RÉ Stevenson) ; *A Tiger Walks* (id., RÉ Tokar) ; *The Three Lives of Thomasina* (id., RÉ Chaffey) ; *la Baie aux émeraudes* (*The Moon Spinners,* id., RÉ Neilson) ; *Mary Poppins* (id., *id.,* RÉ Stevenson) ; *Emil and the Detectives* (id., RÉ P. Tewksbury) ; *Those Calloways* (1965, RÉ Tokar) ; *The Monkey's Unck* (id., RÉ Stevenson) ; *That Darn Cat* (id., RÉ *id.*) ; *Quatre Bassets pour un danois* (*The Ugly Dachshund,* 1966, RÉ Tokar) ; *Lt. Robin Crusoe USN* (id., RÉ Byron Paul) ; *The Fighting Prince of Donegal* (id., RÉ Michael O'Herlihy) ; *Demain des hommes* (*Follow Me Boys,* id., RÉ Tokar) ; *Monkeys, Go Home* (1967, RÉ A. McLaglen) ; *Bullwhip Griffin* (id., RÉ Neilson) ; *The Gnome-Mobile* (id., RÉ Stevenson) ; *le Plus Heureux des Milliardaires* (*The Happiest Millionaire,* id., RÉ Tokar) ; *le Livre de la jungle* (*The Jungle Book,* id., RÉ Wolfgang Reitherman) ; *le Fantôme de Barbe-Bleue* (*Blackbeard's Ghost,* 1968, RÉ Stevenson).

DISSOLVE-. Mot anglais pour *fondu enchaîné.*

DISTANCE FOCALE. Voir FOCALE *(distance).*

DISTORSION. 1. En optique, une des aberrations susceptibles d'affecter l'image fournie par un objectif. (→ OBJECTIFS.) **2.** En acoustique, la déformation du son résultant des imperfections du système d'enregistrement ou de reproduction. (→ HAUTE-FIDÉLITÉ.)

DISTRIBUTEUR. Personne ou entreprise à qui le producteur confie le soin de placer son film auprès des salles, et dont le rôle s'élargit souvent à celui de financier, au moins partiel, du film.

DISTRIBUTION (1). Action de « distribuer » entre divers comédiens les différents rôles d'un film. Par extension, l'ensemble des comédiens concernés : *ce film bénéficie d'une excellente distribution.* (→ TOURNAGE.) (2). Activité du distributeur. Par extension, la branche de l'économie du cinéma qui concerne cette activité.

Le terme *distribution* désigne l'activité du distributeur et, par extension, la branche de l'économie du cinéma relative à l'activité des distributeurs. (Dans un tout autre sens, on appelle *distribution* l'opération qui consiste à « distribuer » entre divers comédiens les différents rôles d'un film [« ce comédien a été victime d'une erreur de distribution »] et, par extension, l'ensemble des comédiens concernés [« ce film bénéficie d'une excellente distribution »].)

Rôle du distributeur (→ aussi ÉCONOMIE DU CINÉMA). Le distributeur est le mandataire du producteur auprès des salles. Ses activités à ce titre (démarchage auprès des salles, négociation des contrats de location, manipulation et expédition des films et du matériel publicitaire, activités d'intermédiaire financier) constituent la *distribution physique.*

Certains aspects de la distribution physique ont notablement évolué à mesure que se développait la programmation : la négociation avec les salles affiliées à un circuit de programmation se limite en effet à une négociation avec le programmateur de ce circuit.

Comme toute entreprise appartenant à une branche de l'industrie cinématographique, les distributeurs doivent être titulaires d'une autorisation d'exercice délivrée par le directeur général du CNC.

La distribution en France. L'évolution à la baisse de la fréquentation a entraîné à partir des années 80 une forte concentration du secteur. La quasi-totalité des recettes de distribution est actuellement réalisée par une quinzaine d'entreprises, qui se sont regroupées entre elles ou ont passé des accords avec des sociétés américaines ou des groupes internationaux. Cette concentration a contribué à la déstabilisation du secteur de la distribution indépendante, qui diffuse essentiellement les films les plus innovants ou les plus fragiles. La fragilisation du secteur s'est aussi traduite par une moindre implication des distributeurs dans le financement des films. Ils ont été relayés dans ce rôle par les télévisions, ce qui n'a pas manqué d'entraîner une certaine uniformisation des œuvres.

L'intervention de l'État sur ce secteur se caractérise par un fort soutien automatique et des aides sélectives complémentaires (aide aux entreprises indépendantes, soutien sélectif pour la distribution de films en fonction de leur intérêt artistique ou des risques pris, soutien sélectif en faveur de cinématographies peu diffusées). J.G./G.A.

DITVOORST *(Adriaan), cinéaste néerlandais (Bergen op Zoom 1940 - id. 1987).* Diplômé de l'Académie néerlandaise de cinéma, Ditvoorst voit son premier court métrage, *'Partir pour Madras'* (*Ik kom wat later naar Madra,* 1965), couronné par un prix dans cinq festivals. Séduit par la fiction hermétique de Wilhelm Frederik Hermans, il réalise, d'après un livre de cet auteur, *'Paranoïa'* (1967), ainsi que *'le Photographe aveugle'* (*De blinde fotograaf,* 1972). En 1978, sa satire *'le Manteau de l'amour' (Der mantel der liefte)* est diversement accueillie. Le talent de Ditvoorst tient à son art de discerner les complexes cachés et le malaise sexuel qui restent sous-jacents dans une société gouvernée par la religion et les idéaux bourgeois. P.CO.

DIVA n. f. (de l'italien *diva* : déesse). Mot qui désigne une catégorie d'actrices italiennes des années 10 ayant donné naissance à un type inédit de femme fatale à l'écran.

Phénomène sociologique autant qu'artistique, le « divisme » constitue, avec le film historique, l'apport majeur du cinéma muet italien au 7e art naissant. Le film de diva, pour représenter des sentiments tels que la passion ou le désespoir, travaille les éclairages, use du gros plan et fait progresser le langage filmique. Le Film d'Art, en vogue vers 1910, est ici transcendé non par un authentique recours au réalisme mais par une stylisation figurative, un nouveau système de codes reflétant l'imaginaire mythique d'une époque en empruntant certains éléments à l'opéra et à l'esthétisme de D'Annunzio. L'ère des divas inaugure la série des vedettes à gros cachets, ce qui pose bientôt des problèmes financiers aux compagnies. La rupture qui s'opère par rapport aux interprètes du début du siècle réside aussi dans le fait que la diva ne doit plus nécessairement sa renommée à une notoriété préalable dans le domaine théâtral mais uniquement à la fascination de l'archétype qu'elle incarne. L'œuvre entière tourne autour de la personnalité d'une femme d'un genre nouveau : dominatrice mais soumise à un destin implacable.

On s'accorde, en principe, pour faire débuter le « divisme » au film de Mario Caserini, *Ma l'amor mio non muore* (1913), interprété par Lyda Borelli. Venue des planches, cette dernière connaît une brève carrière qui s'achève en

1918 par un mariage. Apparue presque en même temps, Francesca Bertini devient, à partir de *Assunta Spina* (G. Serena, 1915), l'actrice la mieux payée de la péninsule. Derrière ces deux étoiles, une importante cohorte de divas se déploie : Leda Gys (*Leda innamorata,* Ivo Illuminati, 1915) ; la Hesperia (*La donna di cuori,* B. Negroni, 1916) ; Maria Jacobini (*La vergine folle,* G. Righelli, 1919) ; Pina Menichelli (*Tigre reale,* G. Pastrone, 1916), etc.

Des cinéastes comme Baldassare Negroni, Emilio Ghione, Nino Oxilia, Mario Caserini, Mario Bonnard, parfois ex-partenaires des divas, se spécialisent dans ce genre de production. Toutefois, les émoluments imposants de ces actrices, la nécessité d'axer tout le film sur leur *ego* et leurs incroyables caprices sonnent, vers 1920, le glas du divisme et de l'âge d'or du cinéma muet italien. R.BA.

DI VENANZO *(Gianni), chef opérateur italien (Teramo 1920 - Rome 1966).* Il fait son apprentissage auprès de Massimo Terzano (*Un coup de pistolet,* R. Castellani, 1942), puis devient l'assistant de G. R. Aldo pour *La terre tremble* (L. Visconti, 1948) et *Miracle à Milan* (V. De Sica, 1951). La même année, il dirige la photo de *Achtung banditi !* (C. Lizzani), où il exploite déjà au maximum les tons réalistes et crus de cette histoire de lutte partisane. Il travaille ensuite avec les meilleurs cinéastes italiens et signe les plus belles images en blanc et noir jamais photographiées en Italie : des rues pitoyables de Florence de *Chronique des pauvres amants* (Lizzani, 1954) aux appartements bourgeois de Turin de *Femmes entre elles* (M. Antonioni, 1955) à la triste et grise plaine padouane du *Cri* (Antonioni, 1957) et aux cruelles bourgades napolitaines du *Défi* (F. Rosi, 1958) ; de *Main basse sur la ville* (Rosi, 1963) à la Sicile blanche et lumineuse de *Salvatore Giuliano* (Rosi, 1962), en passant par la Venise désolée de *Eva* (J. Losey, 1962). Il n'est pas jusqu'aux rêves grotesques de *Huit et demi* (F. Fellini, 1963) qui ne lui doivent quelque chose. Il a exploré de l'intérieur toute une nation. Sa carrière dans la couleur est marquée par quelques grandes réussites comme *le Moment de la vérité* (Rosi, 1965), *Juliette des esprits* (Fellini, *id.*), *la Dixième Victime* (E. Pietri, *id.*), *Guêpier pour trois abeilles* (J.L. Mankiewicz, 1967), pendant le tournage duquel il meurt brusquement. L.C.

DIX *(Ernest Carlton Brimmer,* dit *Richard), acteur américain (St. Paul, Minn., 1894 - Los Angeles, Ca., 1949).* Il débuta à la scène en 1919 et à l'écran en 1921. Vers la fin de la décennie, il jouit d'une bonne réputation de jeune premier athlétique, ayant fait ses preuves dans *les Dix Commandements* (C. B. De Mille, 1923), *The Lucky Devil* (F. Tuttle, 1925), *The Vanishing American* (G. B. Seitz, 1926), *Nothing But the Truth* (V. Schertzinger, 1929) et dans de nombreux westerns. C'est aussi un western, *Cimarrón* (W. Ruggles, 1931), qui lui permet de passer sans encombre au parlant. Sans jamais être une star, il sait s'imposer dans de nombreux films d'action, tel *Hell's Highway* (Roland Brown, 1932) ou *les Conquérants* (W. A. Wellman, 1932). Vers la fin de sa carrière, il était devenu particulièrement populaire dans la série modeste, à sujet policier, du *Siffleur (The Whistler).* C.V.

DIX d'HOLLYWOOD → LISTE NOIRE.

DJORDJEVIĆ *(Puriša), cinéaste yougoslave (Čačak, Serbie, 1924).* D'abord journaliste, il réalise, à partir de 1946, une cinquantaine de courts métrages dont il est l'auteur. Ces documentaires et ces films de fiction privilégient le témoignage social. Simultanément, il a tourné depuis 1951 une quinzaine de longs métrages de fiction. Il s'impose comme un auteur de premier plan avec une superbe trilogie consacrée à la guerre des partisans : *la Jeune Fille* (*Devojka,* 1965), *le Rêve* (*San,* 1966) et *l'Aube* (*Jutro,* 1967). Dans ces films étonnants, qui ruinent toute logique et toute vraisemblance, il donne libre cours au lyrisme et à l'onirisme les plus exaltés. Il poursuit dans la même veine anticonformiste et antiréaliste, souvent nuancée d'humour, avec *Cross-country* (1969) et *les Cyclistes* (*Biciklisti,* 1970), entre autres réussites originales. En 1995, après une longue absence, il réalise *Scherzo (Skerco).* M.M.

DJULGEROV *(Georgi), cinéaste bulgare (Burgas 1943).* Diplômé de l'Institut du cinéma de Moscou (VGIK), il attire l'attention dès son coup d'essai, *'l'Examen'* (*Izpit,* 1971), moyen métrage en forme de conte néoréaliste sur la fabrication par un apprenti tonnelier du « chef-d'œuvre » qui lui permet de passer maître. Dans *'Et le jour vint'* (*I dojde denjat,* 1973), il porte un regard résolument neuf, à la fois antihéroïque et poétique, sur la Résistance. Son indépendance d'esprit et l'originalité de son talent sont confirmées par *'l'Avantage'* (*Avantaj,* 1977), docudrame sur un pittoresque pickpocket, par *'l'Échange'* (*Trampa,* 1979), d'après l'œuvre littéraire d'Ivajlo Petrov, et par *'Aune pour aune'* (*Miara za miara,* 1981), vaste évocation historique de l'éveil de la conscience nationale bulgare au début de ce siècle. Après deux longs métrages documentaires consacrés à l'entraîneur de gymnastique Nechka Robéva et à ses élèves (1984-1986), il est revenu à son inspiration humaniste dans l'essai expérimental *Acadamus* (*Akatamus,* 1988) sur le thème de l'imagination créatrice dans la danse et la musique. *Le Camp* (*Lagerat,* 1990) est une évocation de son enfance de « pionnier ». En 1995, il signe *l'Hirondelle noire (Černata liastovica).* M.M.

DMYTRYK *(Edward), cinéaste américain d'origine ukrainienne (Grand Forks, British Columbia, Canada, 1908).* Dès 1923, Dmytryk travaille à la Paramount comme garçon de course. Puis il devient assistant dans les services de montage et de découpage. Chef monteur de 1930 à 1939, Dmytryk commence à tourner régulièrement à partir de 1939. Prolifique réalisateur de série B, il attire l'attention avec un violent mélodrame mettant en cause l'éducation nazie (*Hitler's Children,* 1943), un film de propagande douteux destiné au « front de l'intérieur » (*Tender Comrade,* 1944) et une adaptation d'un roman de Raymond Chandler qui frappe, à l'époque, par ses recherches formelles : *Adieu ma belle / Le crime vient à la fin* (*Murder My Sweet/Farewell My Lovely,* 1944). Mais c'est avec *Cornered* (1945), excellent thriller antifasciste, fermement contrôlé et émaillé de trouvailles, que Dmytryk commence vraiment à donner la mesure de son talent, épaulé par Adrian Scott, qui avait auparavant produit *Adieu ma belle.* Après *Till the End of Time* (1946), son œuvre jusque-là la plus accomplie, Dmytryk réalise *Feux croisés* (*Crossfire,* 1947), qui, malgré quelques accents naïvement déclamatoires, s'attaque vigoureusement à l'antisémitisme, tout en peignant avec justesse le milieu des anciens combattants à la veille du retour à la vie civile. Puis il se rend en Angleterre, où Adrian Scott produit *So Well Remembered* (1947), film social d'une grande sincérité sur les luttes menées par un directeur de journal dans le Nord industriel, dont l'atmosphère inspire visiblement le cinéaste. En 1947, refusant de répondre au Comité des activités antiaméricaines, qui enquête sur des « menées communistes » dans le cinéma – ce qui lui vaudra plusieurs mois de prison –, Dmytryk est mis sur la liste noire et devient l'un des « 10 d'Hollywood ». Toujours en Angleterre, il réalise un mélodrame, *l'Obsédé* (*Obsession,* 1949), et *Donnez-nous aujourd'hui* (*Give Us This Day,* 1949), qui a pour cadre l'émigration italienne aux États-Unis. Trop riche peut-être, inégal, ce brûlant témoignage social frappe par son exceptionnelle amertume. De retour dans son pays, Dmytryk purge la peine à laquelle il a été condamné, mais révisant la ferme position qu'il avait adoptée quatre ans plus tôt, il accepte en 1951 de « coopérer » avec le Comité des activités antiaméricaines, à qui il livre 26 noms de « communistes » travaillant dans le cinéma, dont celui de son ami Scott. Ayant à ce prix retrouvé la possibilité de travailler à Hollywood, il tourne pour des producteurs indépendants, en particulier Stanley Kramer : *l'Homme à l'affût* (*The Sniper,* 1952), portrait d'un tueur névrosé ; *le Jongleur* (*The Juggler,* 1953), étude d'un cas de claustrophobie consécutive à la guerre, deux films à demi réussis, mais plus audacieux dans leur modestie que *Ouragan sur le Caine* (*The Caine Mutiny,* 1954). Après *la Lance brisée* (*Broken Lance,* 1954), intelligent « sur-western », et *Vivre un grand amour* (*The End of the Affair,* 1955), fidèle adaptation d'un roman de Graham Greene, le talent de Dmytryk ne se manifeste plus que par intermittence, en particulier dans *le Bal des maudits* (*The Young Lions,* 1958), évocation parfois magistrale de la dernière guerre où se retrouvent certaines préoccupations du réalisateur de *Feux croisés,* dans *l'Homme aux colts d'or* (*Warlock,* 1959), un beau western adulte, d'une subtile complexité, et dans *Mirage* (*id.,* 1965), film d'angoisse aux résonances kafkaïennes. Tantôt incisif, tantôt pesant, le style de Dmytryk oscille, en ses moments les plus inspirés, entre un réalisme cruel issu du policier noir et un néo-expressionnisme. Il semble exprimer les hésitations d'une personnalité très ambiguë en proie à des obsessions fondamentales. Le thème de la culpabilité, réelle ou supposée, revient trop fréquemment dans son œuvre pour être l'effet du hasard. P.H.

Autres films : *la Main gauche du Seigneur* (*The Left Hand of God,* 1955) ; *la Neige en deuil* (*The Mountain,* 1956) ; *la Rue chaude* (*Walk on the Wild Side,* 1962) ; *les Ambitieux* (*The Carpetbaggers,* 1964) ; *Alvarez Kelly* (*id.,* 1966) ; *Bataille pour Anzio* (*Anzio,* 1968) ; *Shalako* (id., *id.*) ; *la Guerre des otages* (*The Human Factor,* 1980).

DOCUMENTAIRE ou **FILM DOCUMENTAIRE.** n. m. Film qui a le caractère d'un document, qui s'appuie sur des documents.

Selon Georges Sadoul, Littré admet le terme *documentaire* en 1879 en tant qu'adjectif signifiant « qui a un caractère de document ». Citant Jean Giraud, l'historien note que le vocable prend, dès 1906, un sens cinématographique et devient substantif après 1914.

C'est en février 1926 que John Grierson emploie, dans un article publié par le *Sun,* le mot « documentary » pour désigner le film de Robert Flaherty, *Moana* (1926). Plus tard, il délimite mieux son objet en définissant comme documentaire une bande dans laquelle on décèle un « traitement créatif de l'actualité ». Généralement, ce terme désigne toute œuvre cinématographique, ne relevant pas de la fiction, qui s'attache à décrire ou à restituer le réel. Toutefois, il s'agit là d'une option esthétique et philosophique sur le 7e art : les multiples écoles et tendances qui s'en réclament le démontrent parfaitement dans leur diversité.

Les débuts. Les prises de vues initiales des frères Lumière relèvent, inconsciemment, du cinéma documentaire. Deux de leurs opérateurs esquissent les voies les plus fécondes du genre.

Félix Mesguish visite, entre 1896 et 1910, de nombreux pays et fixe ce qu'il voit sur pellicule. Ses bandes sont les ancêtres du film de voyage. Francis Doublier, détaché en Russie en 1898, traverse des régions à forte population juive. Lors de sa tournée, on lui reproche de n'avoir pas apporté des images de Dreyfus, dont le procès bouleverse l'opinion. Pour pallier cette carence, Doublier assemble entre eux divers plans provenant de sources différentes et étrangères à l'affaire : une parade militaire avec son capitaine en tête, des scènes de rues à Paris, des vues d'un navire... Aidé d'un commentaire circonstancié, le cinéaste présente ainsi une biographie fictive de Dreyfus. Le cinéma de montage et le film de compilation sont nés.

Avec Mesguish et Doublier, nous avons les deux pôles autour desquels tourne toute l'histoire du documentaire : la description de la réalité et son arrangement. Le film d'expédition et d'aventures domine jusqu'au début des années 20 : *l'Éternel Silence* (Herbert Ponting, GB, 1911), *le Voyage du « Snark » dans les mers du Sud* (Martin Johnson, US, 1912), *Dans l'Himalaya du Cachemire* (Mario Piacenza, IT, 1913), *Twenty Thousand Leagues Under the Sea* (John Ernest et George M. Williamson, US, 1914), *À travers le continent noir* (Cherry Kearton, US, 1915)... Des opérateurs accompagnent alors souvent les grands explorateurs : Amundsen, Shakleton, le capitaine Scott.

La Première Guerre mondiale attire l'attention des cinéastes et des gouvernements sur la nécessité de promouvoir l'information et la propagande. Le film de montage composé d'archives et de plans spécialement tournés pour l'occasion connaît alors un certain développement : *European Armies in Action* (US, 1914), *les Grands Jours de la révolution russe (Velikie dni rossiskoj revoljuci,* Mikhaïl Bontch-Tomachevski et V. Viskovski, URSS, 1917), *America's Answer* (US, 1917)... Il faut toutefois attendre que le cinéma (de fiction) devienne maître de sa syntaxe pour que la branche documentaire se définisse par rapport à lui. C'est chose faite vers 1920. Tout au long de la décennie, des gens comme Robert Flaherty, Dziga Vertov, Esther Choub, Alberto Cavalcanti, Walter Ruttmann et d'autres en précisent les enjeux.

Les premiers pionniers. Après la Première Guerre mondiale, des cinéastes cherchent, dans de nombreux pays, à donner un style propre au cinéma non fictionnel. Flaherty, avec *Nanouk* (1922), concrétise ces aspirations en élaborant un documentaire qui est, aussi, une œuvre d'art. Il innove en étudiant de près les gens qu'il va filmer. Familiarisé à leur mode de vie par une longue complicité, le cinéaste leur demande de participer à la confection du film, en réinterprétant, au besoin, des aspects révélateurs de leur existence. Contrairement à Grierson, Flaherty refuse d'utiliser le cinéma d'un point de vue préconçu sur le monde. En observant l'Esquimau Nanouk et les siens, en les regardant vivre avant de les filmer, il ouvre la voie au documentaire poétique ainsi qu'au film ethnologique. Flaherty poursuit dans la même direction avec *Moana,* tourné aux îles Samoa, en Polynésie. On peut noter, dans une perspective similaire, les bandes d'Ernest B. Schoedsack et Merian C. Cooper, *Grass* (1925), sur les migrations annuelles d'une tribu perse, et *Chang* (1927), une œuvre entièrement filmée dans la jungle de Siam.

Opérateur d'actualités dès 1918, croyant également aux possibilités d'innovation esthétique et sociale contenues dans la révolution d'Octobre, Dziga Vertov entrevoit les potentialités illimitées du montage. Farouche ennemi du cinéma de fiction, il achève, en 1922, une chronique historique construite à partir de matériaux d'archives : *Histoire de la guerre civile.* Cette pratique offre à Vertov les bases théoriques de son « ciné-œil », qui prévoit de « saisir la vie à l'improviste » (sans préparation et à l'insu des gens photographiés) et d'en réorganiser idéologiquement les fragments par les vertus de montage. Il réalise, en 1924, un long métrage, *Ciné-Œil* (*Kino-glas*), dans lequel il applique ses théories. On retrouve ces dernières dans la plupart de ses films ultérieurs : *En avant Soviets* (1926), *la Sixième Partie du monde* (id.), *la Onzième Année* (1928) et, surtout, *l'Homme à la caméra* (1929), véritable manifeste du « ciné-œil », dont il dépasse pourtant les données pour rejoindre les « citys symphonies ».

Esther Choub donne ses lettres de noblesse au film de compilation. Comme Vertov, elle est pleinement consciente de l'existence d'un double contenu dans la pièce d'actualité : les données visibles (les faits décrits) et les éléments de composition plastique. En 1927 et 1928, elle élabore une trilogie couvrant l'histoire russe de 1896 à 1927 qui ne comporte aucun plan tourné par elle : *la Chute des Romanov* (1927), *la Grande Voie* (id.) et *la Russie de Nicolas II et de Tolstoï* (1928). Son expérience de monteuse l'aide à sélectionner les matériaux adéquats parmi des milliers de mètres de pellicule provenant de sources diverses ; Esther Choub ne lie pas les significations apparentes entre elles mais en fait surgir, d'après un plan préétabli, un sens nouveau correspondant à une lecture marxiste de l'Histoire.

Au milieu des années 20, les mouvements avant-gardistes attaquent les codes du film de fiction. C'est dans le sillage de ces courants, et sur des bases formalistes, que naissent les documentaires européens les plus marquants de la fin du muet.

Alberto Cavalcanti, établi en France, donne, avec *Rien que les heures* (1926), le coup d'envoi de ce que Sadoul nomme « la troisième avant-garde ». Il s'agit de la première « city symphony ». Ce genre d'œuvre, inscrit dans un laps de temps assez court (24 heures en général), radiographie sous tous leurs aspects (travail, repas, vie nocturne, etc.) les activités des diverses couches sociales d'une ville. Souvent l'élément visuel, rythmique, donne son sens à la bande. Des films comme *Berlin, symphonie d'une grande ville* (W. Ruttmann, 1927), *l'Homme à la caméra* (D. Vertov, 1929), *la Pluie* (J. Ivens, 1929), *À propos de Nice* (J. Vigo, 1930), *A Bronx Morning* (Jay Leyda, US, *id.*), *Lisbonne, chronique anecdotique* (*Lisboa, Crónica Anedótica,* Leitão de Barros, Portugal, *id.*) se rattachent à cette tendance. Quelques documentaires influencés par l'avant-garde se signalent encore en France : *Un tour au large* (J. Grémillon, 1926), *Nogent, eldorado du dimanche* (M. Carné, 1929), Mor Vran (J. Epstein, 1931), *la Vie d'un fleuve* (J. Lods, 1932), dans lequel l'auteur utilise les vertus du contrepoint sonore pour restituer le double visage de la Seine, source du labeur humain et créatrice d'images lyriques. Signalons, réalisé la même année sur des bases identiques, le court métrage du Portugais Manoel de Oliveira, *Douro, Faina Fluvial.*

Georges Lacombe tourne en 1928 *la Zone,* sur la misère en banlieue parisienne, et ouvre la route au documentaire de témoignage social.

L'école anglaise. Parfois en concordance avec les grands courants du cinéma non fictionnel, souvent de manière clandestine, se développent alors en France, en Grande-Bretagne, en Belgique, en Hollande et aux États-Unis des tendances radicales dans le documentaire. Ce dernier se socialise dans les années 30. Le formalisme se met au service de causes tangibles. Le montage idéologique d'Esther Choub et de Vertov fait place à des options plus spontanées sur la réalité sociale.

Le courant documentariste anglais, amorcé en 1929 par John Grierson, constitue la première grande école du genre. Il veut en concevoir simultanément les fondements esthétiques et la dimension humaine. Grierson et son groupe n'œuvrent pas en indépendants, mais se mettent au service d'institutions d'État : l'EMB Film Unit (Empire Marketing Board, ministère du Commerce) de 1929 à 1933, le GPO Film Unit (General Post Office) jusqu'en 1941. Ce dernier se mue, pendant la guerre, en Crown Film Unit et se spécialise dans le film de propagande.

Grierson réalise, en 1929, *Drifters*, une bande sur la vie des pêcheurs en haute mer. C'est surtout grâce à son rôle d'animateur et de théoricien qu'il rentre dans l'Histoire. Des cinéastes comme Basil Wright, Arthur Elton, Stuart Legg, Paul Rotha, John Taylor, Harry Watt, Alberto Cavalcanti, Edgar Anstey, Robert Flaherty, Humphrey Jennings apportent, durant les années 30, leur contribution au projet de Grierson. Cette « école » donne peut-être alors au cinéma britannique ses meilleurs films : *Coal Face* (Cavalcanti, 1935), sur la vie des mineurs de fond ; *Song of Ceylon* (Wright, 1935), une vue exotique des traditions artistiques et religieuses de l'île ; *Night Mail* (Watt et Wright, 1936), reportage sur le travail des postiers ambulants traité comme un ciné-poème. Toutefois, ces œuvres se bornent à constater certains phénomènes, comme le dur travail des mineurs par exemple, sans proposer de solutions pour les combattre.

La vision que Grierson et ses collaborateurs portent sur ce qu'ils observent est essentiellement réformiste : ce sont les agents d'un service public. Ils veulent rapprocher les citoyens de leur gouvernement par une information mutuelle. Grierson dote cependant le film documentaire de règles et de codes : organiser le réel en créant un langage socio-plastique adéquat.

On peut signaler, en Grande-Bretagne, l'existence, à côté de cette « école » officielle, d'organismes de diffusion parallèle très politisés : la Fédération des ciné-clubs ouvriers, fondée en 1929, productrice aussi de bandes militantes comme *Worker's Topical News* ou *Glimpse of Modern Russia* (1931), le groupe Kino et le Workers' Film and Photo League. Ce dernier diffuse au milieu des années 30 le film *Construction* (Alf Garrard, 1935), qui reconstitue le déroulement d'une grève sur un chantier.

Le cinéma américain 1930-1945. Le mouvement documentariste américain ne bénéficie pas de la même infrastructure que son cousin britannique, ce qui favorise au début ses positions radicales. Le Workers' Film and Photo League naît en décembre 1930. Il est issu du WIR (Workers' International Relief) fondé par l'Internationale communiste en 1921. Robert Del Duca, Lester Balog, Sam Brody, Leo Hurwitz et le critique Harry Alan Potamkine en sont les principaux animateurs. Dégoûtés par l'esthétique hollywoodienne et le parti pris réactionnaire des magazines officiels d'actualité, ces jeunes gens veulent témoigner directement des réalités de leur temps.

Les premiers films produits par le Workers' Film and Photo League sont de simples documents, imparfaits sur le plan technique : *Hunger* (1932) décrit la marche nationale de la faim sur Washington, *The Ford Massacre* (1933) s'intéresse aux victimes du travail abattues par la police... Rapidement, la question de l'esthétique divise le groupe : formalistes et militants s'opposent. Leo Hurwitz, Irving Lerner et Ralph Steiner, partisans d'un travail formel, font sécession et fondent, en 1934, le Nykino (« New York + Kino »).

Paul Strand, auteur en 1922 de *Manhatta*, un essai impressionniste, intègre le Nykino en 1935 et fait admettre l'idée que le documentaire est aussi une œuvre d'art. Au milieu des années 30, les idées réformistes du New Deal gagnent les cinéastes indépendants. Pare Lorentz, un libéral croyant aux vertus de la démocratie, côtoie le groupe. Il engage Hurwitz, Steiner et Strand comme opérateurs sur le tournage de *The Plow That Broke the Plains* (1936), un film sur l'érosion des sols. En 1937, il fait appel à Williard Van Dyke pour les prises de vues de *The River* : il s'agit de stigmatiser l'absence de contrôle des crues.

En 1937, le Nykino s'élargit et donne naissance à un vaste front progressiste dans le cinéma : Frontier Films. Il ne vise plus à témoigner uniquement sur les réalités américaines, comme *People of...*, mais aborde des questions internationales comme la guerre d'Espagne (*Heart of Spain*, Herbert Kline et Henri Cartier-Bresson, 1937) ou la situation chinoise (*La Chine riposte,* Harry Dunham,

1937). *Native Land* (Strand et Hurwitz, 1942) clôt les activités de Frontier Films en tant que groupe organisé. C'est un pamphlet sur les dangers qui menacent la démocratie américaine : le racisme, les milices patronales... Les réflexions sur l'interaction de la forme et du fond, ébauchées au début des années 30, trouvent ici leur concrétisation.

D'autres catégories de documentaires se manifestent alors aux États-Unis. La série *The March of Time,* fondée en 1935 par le groupe de presse Time Inc. et dirigée par Louis De Rochemont, en est un des spécimens les plus marquants et inaugure l'ère du journalisme filmé. De février 1935 à août 1951, plus de 200 numéros mensuels de ce magazine voient le jour : chaque épisode dure une vingtaine de minutes. Jusqu'en 1938, on traite plusieurs sujets par édition, ensuite, un seul. *The March of Time* utilise aussi bien des prises de vues documentaires récentes que des *stock-shots* ou des scènes reconstituées. Bien qu'exprimant des opinions conservatrices, la série tente de «guider» les citoyens : *Inside Nazi Germany* (1938) stigmatise le péril fasciste ; *The Fighting French* fait l'éloge de la France libre. On note, à partir de cette époque, la présence de commentaires envahissants dans ce genre de films.

En 1938, l'administration Roosevelt inaugure le US Film Service, avec Pare Lorentz à sa tête. Cet organisme produit, entre autres, *l'Électrification et la Terre* (Ivens, 1940), sur l'installation de l'électricité en zone rurale, et *The Land* (Flaherty, 1942), consacré à l'agriculture durant la Dépression.

Avec l'approche de la guerre, *The March of Time* ouvre la voie au cinéma de propagande. La compilation d'archives connaît un développement foudroyant. *Pourquoi nous combattons (Why We Fight)* en est l'exemple le plus célèbre. C'est une série de sept films *(Prelude to War, The Nazis Strike, Divide and Conquer, The Battle of Britain, The Battle of Russia, The Battle of China, War Comes to America)* produite, entre 1942 et 1945, par Frank Capra pour le War Department's Army Pictorial Service. Il s'agit de montrer à l'opinion publique que le fascisme menace le monde libre.

L'Allemagne et le film de propagande. Une importante tradition documentaire existe en Allemagne. Entre 1922 et 1932 se développe un cinéma de combat lié aux principaux partis en présence pendant la République de Weimar : le KPD (parti communiste), le SPD (parti social-démocrate) et le NSDAP (parti nazi). Une équipe mixte germano-soviétique réalise, en 1924, *la Faim en Allemagne (Hunger in Deutschland).* En 1925, le KPD se dote d'un organisme de production, la Prometheus Film. Des associations syndicales ou politiques confectionnent des œuvres d'agit-prop comme *Réunion du Front rouge à Magdebourg* (*Mitteldeutsches Treffendes RFB in Magdeburg,* 1927). Le réalisateur Phil Jutsi monte les images clandestines prises par des ouvriers lors de la sanglante manifestation du 1er mai1929 dans la capitale : *Mai sanglant (Blut Mai).*

Le SPD fonde, en 1922, la Volksfilm Bühne (le Cinéma du peuple) pour produire et diffuser des films sur des grèves, des fêtes du parti... De nombreuses bandes naissent sous son égide : *Ce que nous réalisons* (*Was wir Schufen*, 1928), sur les activités du SPD au niveau national, *Guerriers debout, militants en avant !* (*Streiter Heraus-Kämpfer Hervor*, 1931), ou comment contrer politiquement la droite.

Les œuvres confectionnées sous l'égide du NSDAP insistent sur les vertus salvatrices de la jeunesse : *l'Ordre de la jeune Allemagne* (*Der Jungdeutsche Orden*, 1926), *Jeunesses hitlériennes dans les montagnes* (*Hitlerjugend in den Bergen*, 1932). À peine arrivés au pouvoir, les nazis instaurent, par l'intermédiaire du ministère de la Propagande dirigé par Goebbels, un contrôle très sévère sur les films. *Le Triomphe de la volonté* (Leni Riefenstahl, 1935) apparaît comme la première et la plus grande réussite du documentaire nazi. C'est un monument élevé à la gloire du régime à travers une symphonie visuelle composée avec le matériel tourné pendant le congrès de Nuremberg, en 1934. Les jeux Olympiques de 1936 permettent à Leni Riefenstahl de concevoir un hymne à l'effort physique : *les Dieux du stade* (1938).

Avec la guerre, l'Allemagne, comme la plupart des pays belligérants, use de fonds d'archives pour ses bandes propagandistes. On adjoint aux plans tournés par des opérateurs des *stock-shots* de films ennemis qu'on détourne de leur signification initiale. *Baptême du feu* (*Feuertaufe,* 1940), consacré à la campagne de Pologne, et *Victoire à l'Ouest* (*Sieg im Western,* 1941), à celle de France, sont deux des œuvres de montage les plus révélatrices de la propagande allemande de cette période. Contrairement aux films américains ou anglais, préoccupés d'humanisme et d'information, ces deux pellicules (supervisées par Fritz Hippler) font figure d'épopées de la nation allemande : leur intention est d'écraser le spectateur en tant qu'individu vulnérable en lui imposant une vérité préfabriquée qu'il ne peut remettre en cause.

En Grande-Bretagne, à côté de documentaires classiques comme *London Can Take It* (H. Jennings et H. Watt, 1940), les films de compilation se multiplient. *The Curse of Swastika* (Fred Watts, 1940) et *Swinging the Lambeth Walk* (Len Lye, *id.*) usent d'extraits du *Triomphe de la volonté* pour flétrir la morale nazie. La série canadienne *World in Action* (Stuart Legg, 1943) pose, fait rare à l'époque, des questions sur les lendemains de la guerre. Ces films ont un grave défaut : ils sont trop bavards.

À partir de 1943, en URSS, beaucoup de cinéastes de fiction comme Iouli Raizman, Iossif Kheifitz ou Boris Barnet œuvrent dans le documentaire. La passion de Dovjenko pour la table de montage fait de *Lutte pour notre Ukraine soviétique* (1943) un véritable poème adressé à la terre natale. Sergueï Youtkevitch donne, avec *la France libérée* (1945), une des pièces maîtresses du genre. L'URSS nous propose également d'autres films documentaires. L'ethnographie a sa place avec *les Hommes de la forêt* (*Lesnye Lioudi*, A. Litvinov, 1928). On note aussi la présence de films d'expédition : *Deux Océans* (Vladimir Chneyderov, 1932) et *Tchelioukine* (Ivan Posselski, 1934). Signalons encore trois œuvres inclassables : *le Document de Shanghai* (Jakob Bliokh, 1929), sur les dures conditions de travail dans cette ville ; *Turksib* (Viktor Tourine, 1929), documentaire symphonique sur la construction de la ligne de chemin de fer reliant le Turkestan à la Sibérie, ainsi que *le Sel de Svanétie* (Mikhaïl Kalatozov, 1930), proche, par son regard aiguisé, de *Terre sans pain* de Buñuel. L'opérateur Roman Karmen réalise une bande intéressante sur les débuts de l'industrie automobile en URSS : *Moscou-Karatoum-Moscou* (1934). Vertov avec *Trois Chants sur Lénine* (1934) et Esther Choub avec *Espagne* (1939) donnent alors leurs derniers grands films.

Démarches solitaires. Quelques personnalités progressistes indépendantes créent, dans les années 30 et 40, des documentaires qui comptent parmi les meilleurs films de leur époque.

De retour en Espagne après son séjour en France, Luis Buñuel conçoit *Terre sans pain* (1932), du nom de la région où se situe l'action – les Hurdes – pour dénoncer le manque d'hygiène et la malnutrition qui y règnent.

Invité en URSS en 1932, Joris Ivens y tourne *Komsomol.* Rentré en Europe, il abandonne ses expériences formelles et se consacre au témoignage social. En 1933, il coréalise avec Henri Storck *Misère au Borinage.* Ce film, considéré comme un classique du documentaire, se fonde en fait sur la reconstitution d'événements. Ivens et Storck tentent de rendre présentes, quelques mois après leur déroulement, les conséquences d'une grève de mineurs. Ivens parcourt ensuite le monde et se fixe là où l'actualité l'appelle. En 1937, il prend, dans *Terre d'Espagne,* le parti des républicains espagnols ; en 1938, le voici en Chine pour témoigner, avec *400 Millions,* de l'agression japonaise. Sa visite suscite la naissance d'un courant documentaire dans la région de Yénan (Yan'an), quartier général des communistes chinois clandestins, dirigé par Yan Muzhi, à qui l'on doit *Yénan ou la 8e Armée de marche* (1939). En 1947, c'est le tour de l'Europe de l'Est, où, avec *les Premières Années,* Ivens se fait le porte-parole de la naissance du socialisme en Bulgarie, en Pologne et en Tchécoslovaquie. Mais, pendant la décennie qui suit la Libération, la plupart des films évoquant la guerre relèvent de la fiction. Ce n'est qu'avec *Nuit et Brouillard* d'Alain Resnais (1956), consacré aux camps de la mort, que le documentaire aborde à nouveau ces événements.

Conçu en 1936 à la demande du parti communiste français à des fins électoralistes, *La vie est à nous,* de Jean Renoir, est un des rares films français de l'époque à évoquer sans ambiguïté le chômage, la crise, la montée du fascisme. L'œuvre mélange documents et séquences jouées : le regard documentaire est plus une conception philosophique du monde que le respect d'une orthodoxie. Georges Rouquier reprend, en 1947, cette méthode dans *Farrebique,* lorsqu'il demande à une famille de paysans de l'Aveyron d'interpréter son histoire sur quatre saisons. L'opérateur Eli Lotar compose, sur un commentaire de Jacques Prévert, un attachant ciné-poème social : *Aubervilliers* (1946).

Le scientifique français Jean Painlevé réalise, à côté de ses travaux de recherche, des films de vulgarisation qui sont de véritables fabliaux : *l'Hippocampe* (1934), *le Vampire* (1945). Tandis que Marcel Griaule lance, avec *Pays dogon* et *Sous les masques noirs* (1938), les bases du cinéma ethnographique.

À l'instar de la Grande-Bretagne, le documentaire constitue en Belgique, grâce à l'apport de Charles Dekeukeleire et de Storck, la première forme authentique de cinéma national. Ces touche-à-tout, tentés un moment par l'avant-garde, s'orientent vers le documentaire poétique avec *le Mauvais Œil* (1936) et *Thèmes d'inspiration* (1938) pour le premier, *Misère au Borinage* (1933) et *Regards sur la Belgique ancienne* (1936) pour le second. Notons que Storck précède Rouquier en concevant *Symphonie paysanne* (1942-1944) quelques années plus tôt que *Farrebique.*

Le film d'art. De 1945 à 1960, le film d'art fait beaucoup parler de lui. Il vise à vulgariser la culture et à prendre le relais du compte rendu de voyage qui encombre les écrans.

Si l'on excepte quelques tentatives pionnières comme *Nos peintres* (Gaston Schoukens, 1926) ne dépassant pas le stade de la photographie animée, il faut attendre *Regards sur la Belgique ancienne,* de Storck (1936), pour être vraiment en présence d'un film qui vise à traiter cinématographiquement l'œuvre d'art. Dans *Thèmes d'inspiration* (1938), Dekeukeleire établit un parallèle entre les hommes et les lieux ayant jadis motivé les peintres et les sites et types flamands contemporains. Mais c'est avec *l'Agneau mystique* et *Memling* (André Cauvin, 1938) que naît l'analyse filmique du tableau. Dans *Violons d'Ingres* (1939), le Français Jacques B. Brunius tente une approche sociologique des cas du Douanier Rousseau et du Facteur Cheval.

Les Italiens Lucianno Emmer et Enrico Gras se consacrent, à partir de 1940, pour une bonne part, au film d'art. Ils se servent des éléments picturaux pour créer de véritables narrations : *Il dramma di Cristo* (d'après Giotto, 1940), *Paradiso terrestre* (d'après Jérôme Bosch, 1941). L'œuvre peinte n'est plus une surface inerte que la caméra balaie, mais un matériau précinématographique que le cinéaste réorganise.

Après une série de films didactiques conçus en 1947, *Visite à Hans Hartung, Portraits d'Henri Goetz,* etc., Alain Resnais s'approprie la création picturale pour la désarticuler et la recomposer filmiquement grâce aux lois du cadre, du travelling et du montage. Dans *Van Gogh* (1948), il restitue la biographie du peintre à travers un agencement judicieux de ses toiles. Des détails d'un célèbre tableau de Picasso, mis en rapport avec d'autres œuvres du plasticien, permettent à Resnais de réaliser, avec *Guernica* (1950), un « reportage » sur la guerre d'Espagne. *Les statues meurent aussi* (1953, co Chris Marker) élabore, à partir d'une réflexion sur l'art nègre, un pamphlet anticolonial.

Les films d'art obéissent à trois buts : faire œuvre biographique ou historique, construire un film poétique et renouveler la critique d'art. Henri Storck et Paul Haesaerts nous introduisent, avec *Rubens* (1948), dans la troisième catégorie. Par l'examen de détails et l'emploi d'un discours uniquement intéressé à nous dévoiler l'esthétique du peintre, ils mettent au point une méthode de critique d'art par le film. Haesaerts étend sa méthode en créant, dans *De Renoir à Picasso* (1949), la perspective d'un musée imaginaire.

De très nombreuses démarches sont encore à citer : *les Charmes de l'existence* (J. Grémillon et P. Kast, 1949), *l'Affaire Manet* (J. Aurel, 1951), *Léonard de Vinci ou la Recherche tragique de la perception* (Enrico Fulchignoni, 1951), *Claude-Nicolas Ledoux* (Kast, 1954), *Gustave Moreau* (N. Kaplan, 1961)... Pour la Belgique, on peut signaler l'excellent *Magritte ou la Leçon de choses* (Luc de Heusch, 1960). *Le Mystère Picasso* (H. -G. Clouzot, 1956) est sans doute la plus brillante réussite du genre : nous assistons expérimentalement et *in vivo* à la genèse de quelques toiles. À partir de 1960, l'intérêt pour le filmd'art baisse ; ce dernier se banalise. La télévision et ses émissions de vulgarisation prennent la relève. On peut signaler encore quelques réussites éparses : *Painters Painting* (Emile De Antonio, 1973), *Film sur Hans Bellmer* (Catherine Binet, 1973), *Georges Braque ou le Temps différent* (F. Rossif, 1974), *Avec Dierick Bouts* (A. Delvaux, 1975),

Je suis fou, je suis sot, je suis méchant (sur James Ensor, Luc de Heusch, 1990).

Quelques cinéastes tentent d'intégrer le regard sur une œuvre plastique à une fiction biographique scrupuleuse (*Frida, naturaleza viva* de Paul Leduc, Mexique, 1984 ; sur Frida Kahlo, peintre et compagne de Diego Rivera) ou à un essai onirico-romanesque (*Permeke* de Henri Storck et Patrick Conrad, Belgique, 1984) ou en associant création picturale et adaptation littéraire (*Franta* de Mathias Allary, RFA, 1989).

Les pays de l'Est. Une abondante production documentaire se développe dans les pays de l'Est après la guerre. Les problèmes du passé dominent longtemps le cinéma soviétique : célébration de la révolution (*les Années inoubliables,* Ilia Kopaline, 1957), bilan de la guerre et du fascisme (*la Raison contre l'insanité,* A. Medvedkine, 1960 ; *le Fascisme ordinaire,* M. Room, 1965), évocation de la guerre d'Espagne (*Grenade, ma Grenade,* R. Karmen, 1967).

Certaines œuvres, connues tardivement en Occident, se sont développées dans un relatif isolement, notamment dans les pays baltes et dans les pays du Caucase, ainsi celles de l'Estonien Mark Soosar (*les Femmes de Kihnu,* 1974 ; *la Concupiscence,* 1977 ; *Miss Saaremaa,* 1988), du Letton Hercs Franks (*Zone interdite,* 1975 ; *le Jugement dernier,* 1987) et celles de l'Arménien Arthur Pelechian, dont les films associent la puissance du montage et un reflet poétique de l'âme de son peuple : *Nous* (*Menk,* 1969), *les Saisons* (*Yeghanaknere,* 1975). Les années de glasnost ont favorisé l'éclosion d'un documentaire qui se libère des directives d'État et porte témoignage sur les problèmes du moment, en particulier en Arménie, dans les pays baltes et à Moscou.

La production polonaise joue un véritable rôle de sismographe de la vie sociale. En 1956, le régime se libéralise et un nouveau groupe de documentaristes, qui aborde de front des sujets brûlants comme la délinquance, la misère, la prostitution, se forme autour de Jerzy Bossak. Leurs films portent le nom de « série noire » : *Attention, houligans* (J. Hoffman et Edward Skorzewski, 1955), *Paragraphe zéro* (Borowik, 1957), *Varsovie 56* (J. Bossak, 1954).

À partir de la fin des années 50, on ne se contente plus de signaler le malaise, on en cherche les conséquences : *Les Polonais ne sont pas des oies* (Jerzy Ziarnik, 1959), *les Mémoires de Son Altesse* (Bohdan Kosinski, 1959). L'autoréflexion se développe chez Tadeusz Jaworski (*J'ai été kapo,* 1963) et Krystyna Gryczelowska (*Il s'appelle Blazej Rejdak,* 1968). La génération des années 70 insiste sur le fossé qui se creuse entre la société et l'appareil d'État : *les Ouvriers 71* (K. Kieslowski et Tomasz Zygadlo, 1971), *450 % des normes* (Wojciech Wiszniewski, 1973), *les Ouvriers 80* (Andrzej Chodalowski et Andrzej Zajaczkowski, 1980).

En Hongrie, le documentaire se diversifie dans les années 60, grâce, surtout, au Studio Bela Balazs : *Tziganes* (S. Sara, 1962), *Où finit la vie ?* (J. Elek, 1967), *Coups de bâtons sur demande* (J. Rózsa, 1972), *Film-Roman* (Istvan Darday et György Szalai, 1978). Pal Schiffer est, aujourd'hui, avec Sandor Sára et Judit Elek, le plus doué des cinéastes de sa génération. Le problème de l'intégration sociale est au centre de ses films : *Que font les Tziganes ?* (1973), *le Protégé* (1982).

Le documentaire renaît en RDA grâce à Annelie et Andrew Thorndike. Bâti comme les œuvres d'Esther Choub, *Toi et d'autres camarades* (*Du und Mancher Kamerad,* 1956) évoque la vie de l'Allemagne entre 1896 et 1956. *Urlaub auf Sylt* (1957) et *Opération teutonique* (1958) sont des dossiers à charge contre des personnalités nazies. Nous devons à Karl Gass un document accablant sur le colonialisme français : *Allons enfants pour l'Algérie* (1961). En 1974-75, Walter Heynowski et Gerhardt Scheumann nous proposent une remarquable trilogie sur les événements chiliens : *la Guerre des momies ; J'étais, je suis, je serai ; le Putsch blanc.* Signalons ici les travaux d'Erwin Leiser, un Allemand travaillant en Suède : *Mein Kampf* (1960), *Eichmann, l'homme du III*e *Reich* (1961), qui constituent de pertinentes synthèses, faites à base d'archives, sur le régime nazi.

Des documentaristes se révèlent également dans d'autres pays de l'Est : Jan Kádár et Elmar Klos en Tchécoslovaquie ; Ion Bostan et Savel Stiopul en Roumanie ; Ante Babaja, Purisa Djordjević en Yougoslavie ; Roumen Grigorov, Nevena Toshava et surtout Hristo Kovatchev (*le Berger,* 1978 ; *les Âmes mortes,* 1979) en Bulgarie.

Le Free Cinema. Le documentaire contemporain, annonçant le cinéma direct, apparaît en février 1956 en Grande-Bretagne lors de la présentation d'un programme de quatre films intitulé « Free Cinema » : *O Dreamland* (L. Anderson, 1953), *Together* (Lorenza Mazetti, 1954-1956), *Thursday's Children* (Anderson et Guy Brenton, 1954), *Momma Don't Allow* (K. Reisz et T. Richardson, 1955).

Les fondateurs du Free Cinema s'inspirent, malgré quelques réserves de fond, de l'école documentariste de Grierson et, surtout, des travaux de Jennings (*Listen to Britain*, 1941 ; *Diary for Timothy*, 1946). Ils veulent traiter sans emphase de la réalité quotidienne des gens simples. Ils préfèrent donner la parole au sujet filmé au lieu de l'enfermer dans une vision préétablie du monde. Lindsay Anderson s'investit physiquement dans *Thursday's Children*, qui traite de l'éducation des sourds-muets. Mais dans *Every Day Except Christmas* (1957), consacré aux porteurs du marché de Covent Garden, il renoue avec l'impressionnisme des documentaires des années 30.

Le Free Cinema, en tant que groupe lié à une période d'effervescence culturelle, ne produit qu'une dizaine de films avant de se saborder en 1959. Cette même année, Karel Reisz réalise *We Are the Lambeth Boys*, une vision réaliste de la vie de quelques jeunes issus de milieux populaires.

Le cinéma militant ou d'intervention sociale explose, en Grande-Bretagne comme dans beaucoup de pays, à la fin des années 60. Des collectifs comme Libertion Films, Cinema Action, Newsreel confectionnent des bandes sur des sujets brûlants : les grèves, les conditions d'existence des travailleurs, l'avortement. On note également le travail des documentaristes Nick Broomfield et Joan Churchill, à qui l'on doit *Juvenile Liaison* (1975) et *Tattoed Tears* (1978), tourné dans une prison californienne. Spécialistes du film de montage, Lutz Becker et Philippe Mora nous proposent, avec *L'aigle avait deux têtes* et *Swastika* (1973), deux volets, sans commentaire, sur la saga hitlérienne.

Cinéma direct et militant. Vers la fin des années 50, le Canada, la France et les États-Unis renouvellent la conception et la finalité du documentaire. Il s'agit, pour les promoteurs du « cinéma direct », d'en recentrer l'objectif en éliminant l'esthétisme, en faisant surgir la parole des sujets eux-mêmes et non en accolant un discours d'auteur sur des séquences déjà composées, notamment au montage. L'influence de la télévision, l'apparition d'appareils de prises de vues et de sons légers et maniables, le désir de communiquer de manière plus spontanée avec les gens ou les groupes sociaux jettent les bases du cinéma direct. D'innovation technique, il se transforme, au cours des années 60, en arme de combat : les cinéastes militants lui doivent beaucoup. Sa vulgarisation par la télévision l'oriente, actuellement, vers le journalisme filmé.

Lorsque Grierson crée, en 1939, l'ONF, il se donne pour but de bâtir un système d'information sur les problèmes du moment qui soit indépendant de tout groupement financier ou politique. Rapidement, après la guerre, apparaissent des films du type de *Paul Tomkowicz, Street Railway Switchman* (C. Low et Roman Kroitor, 1953). Cette bande laisse la parole à un ancien travailleur des chemins de fer qui raconte sa vie.

En 1958, une série télévisée intitulée *Candid Eye,* composée de quinze courts métrages, donne son titre à cette nouvelle manière d'appréhender les sujets. L'équipe, à prédominance anglophone, dominée par Terence Macartney-Filgate, compte dans ses rangs quelques cinéastes de langue française comme Georges Dufaux et Michel Brault. Il s'agit, pour Terence Macartney-Filgate, de jeter un regard sur le vif en allant un peu plus loin que les actualités filmées, mais en demeurant objectif, en s'interdisant d'émettre des jugements. Dans ses films (*The Day Before Christmas, Blood on Fire, The Black-Breaking Leaf,* 1958), où la technique devient partie intégrante du langage, le cinéaste demeure fidèle à son simple rôle de témoin. Les réalisateurs de langue anglaise se désintéressent rapidement du *Candid Eye.* Wolf Koenig et Roman Kroitor proposent, avec *Lonely Boy* (1962), un portrait du chanteur Paul Anka, l'œuvre la plus aboutie de cette époque. C'est l'équipe française de l'ONF qui, avec *les Raquetteurs* (M. Brault et G. Groulx, 1958), donne le coup d'envoi au cinéma direct canadien. Ce dernier coïncide avec la naissance même du film québécois. La langue française, notamment grâce aux films de Pierre Perrault (*Pour la suite du monde,* 1963 ; *le Règne du jour,* 1966 ; *les Voitures d'eau,* 1969), acquiert une nouvelle dimension due à une mise en espace du *parler* québécois. Par-delà l'innocence du *Candid*

Eye, les films de Perrault sont solidement ancrés dans la réalité du Canada francophone. Rapidement, le cinéma direct devient un instrument de lutte : *Saint Jérôme* (Fernand Dansereau, 1968), *On est au coton* (D. Arcand, 1970), etc. On doit également mentionner *la Chronique des Indiens du nord-est du Québec* (A. Lamothe et Rémi Savard, 1974-1980) : cette expérience socio-ethnographique permet à une minorité acculturée de témoigner de sa prise de conscience.

Dans les années 50 se développe en France, parallèlement aux films d'art, un courant réaliste proche des méthodes d'un Rouquier. On y trouve essentiellement les œuvres de Georges Franju (*le Sang des bêtes,* 1949 ; *Hôtel des Invalides,* 1952), de Robert Menegoz (*Vivent les dockers,* 1950), de René Vautier (*Afrique 50),* de Jacques Demy (*le Sabotier du Val de Loire,* 1956), de Roger Leenhardt (*François Mauriac,* 1954), de Jean Dewever (*la Crise du logement,* 1955).

Jean Rouch, cinéaste-ethnologue et grand amoureux de l'Afrique, débute en 1947 avec *Au pays des rois mages.* Il s'aperçoit très vite du côté artificiel du documentaire traditionnel. Le commentaire illustratif du réalisateur sur les images filmées ne le satisfait pas. Dans *Jaguar* (version 1957), il confie à un participant le soin de narrer le film : ce dernier y introduit sa subjectivité. La vérité documentaire se résume pour Rouch à l'authenticité du projet. Développer l'imaginaire des sujets lui semble une étape importante de ce processus. Il demande au protagoniste de *Moi un Noir* (1959) de rejouer des épisodes de sa vie. La conception de Rouch en la matière est bien différente de celle des Canadiens du *Candid Eye* ou de l'école américaine des Drew, Leacock, Pennebaker. Il ne prône pas l'effacement du cinéaste et de sa caméra face à l'événement, mais tente plutôt de le provoquer.

Durant l'été 1960, Jean Rouch et le sociologue Edgar Morin utilisent, pour la première fois en France, dans *Chronique d'un été,* la caméra portative Coutant 16 mm et le magnétophone Nagra. Répondant à la question « Êtes-vous heureux ? », les personnages interrogés se confient spontanément aux instruments, dont ils arrivent à oublier l'existence. En hommage à Vertov, les auteurs qualifient leur entreprise de « nouveau cinéma-vérité ».

Chris Marker, auteur de documentaires subjectifs (*Un dimanche à Pékin,* 1956 ; *Lettre de Sibérie,* 1958 ; *Description d'un combat,* 1961), se lance, avec *le Joli Mai* (1963), dans une entreprise proche de celle de Rouch et de Morin. Cet homme cultivé confère à ses œuvres une exigence formelle : *Sans soleil* (1983). Mario Ruspoli (*les Inconnus de la terre,* 1961 et *Regard sur la folie,* 1962) illustre les tendances de ce « cinéma-vérité ». François Reichenbach les utilise accessoirement. Si les événements sont saisis sur le vif dans *l'Amérique insolite* (1960), le son, en revanche, est postsynchronisé. Dans *Un cœur gros comme ça* (1961), portrait d'un boxeur noir, l'auteur reconstitue certaines scènes pour créer du pittoresque et non pour atteindre à la vérité du sujet. La même approche discutable se retrouvera dans ses films ultérieurs. Signalons la passionnante expérience de Jean-Pierre Daniel et Fernand Deligny, *le Moindre Geste* (1963-1968), qui, sur une durée de cinq ans, restitue le monde intérieur d'un débile mental.

Le cinéma de montage (*Nuit et Brouillard,* A. Resnais ; *le Temps du ghetto,* F. Rossif, 1961) retrouve une nouvelle jeunesse avec *le Chagrin et la Pitié* (Marcel Ophuls, 1969) et *Français, si vous saviez* (A. Harris et A. de Sédouy, 1972), films éclairant d'un jour nouveau le passé national. Depuis 1968, une abondante production militante se développe en France, qui abuse du discours au détriment de l'image. Citons quelques spécimens marquants : *le Ghetto expérimental* (Jean-Michel Carré, 1973) ; *Gardarem Lo Larzac* (Philippe Haudiquet, 1974) ; *Histoires d'A* (Ch. Belmont et Marielle Issartel, 1974) ; *Quand tu disais Valéry* (René Vautier, 1975) ; *Pour qui les prisons ?* (Elia Lennasz, 1977) ; *Regarde, elle a les yeux grands ouverts* (Y. Le Masson, 1979) ; *Plogoff, des pierres contre des fusils* (Nicole Le Garrec, 1980). Ces films parlent du chômage, de l'avortement, de la pollution...

La personnalité la plus marquante du documentaire français contemporain est Raymond Depardon. Il semble reprendre à son compte les préceptes d'apparente neutralité chers au cinéma direct anglo-saxon. Comme Fred Wiseman, il oblige les institutions radiographiées à se révéler d'elles-mêmes : la presse

(*Numéros zéros,* 1981), l'agence photographique (*Reporters,* id.), l'asile psychiatrique (*San Clemente,* id.), le commissariat de police (*Faits divers,* 1983), un service d'urgence en psychiatrie (*Urgences,* 1987). De son côté, Claude Lanzman évoque dans *Shoah* (1985), sans recourir aux archives filmées, uniquement par les vertus de la parole, par une certaine mise en scène et en situation du passé, les rouages de la « solution finale » : l'extermination planifiée des Juifs par les nazis durant la Seconde Guerre mondiale.

Après *Louisiana Story* de Flaherty (1948), la tradition du documentaire sociologique reprend aux États-Unis avec *The Quiet One* (Sydney Meyers, 1949), *All My Babies* (George Stoney, 1952) et, surtout, les bandes de Lionel Rogosin sur les clochards new-yorkais (*On the Bowery,* 1956) et contre l'apartheid qui règne en Afrique du Sud (*Come Back Africa,* 1959).

En 1958, le groupe Time Inc. crée la Drew Associates, sous la responsabilité du producteur-réalisateur Robert Drew, afin de promouvoir une nouvelle forme de journalisme filmé. Richard Leacock, Don Alan Pennebaker et Albert Maysles font partie de l'équipe. Leur philosophie se situe à l'opposé des thèses des promoteurs du cinéma-vérité : ils pensent que leur présence doit demeurer discrète et ne pas perturber les sujets filmés. *Primary* (Leacock, Drew, Pennebaker et Maysles, 1960), sur la campagne électorale de John Kennedy, concrétise les aspirations de la Drew Associates. Leacock et Pennebaker coréalisent ensuite quelques films : *David* (1962), *The Chair* (id.), sur les derniers jours d'un condamné à mort. Lorsqu'il rompt avec la Drew Associates en 1963, qui cesse d'exister, Pennebaker se consacre au portrait de chanteur (*Don't Look Back*, 1967, une tournée de Bob Dylan) ou à la restitution de festivals musicaux (*Monterey Pop,* 1968).

Albert et David Maysles débutent leur carrière indépendante avec *Showman* (1963), une approche du producteur Joseph Levine. Ils connaissent la notoriété en 1970 avec *Gimme Shelter,* conçu à partir du concert des Rolling Stones à Altamont. *Grey Garden* (1975), qui nécessite la complicité des sujets filmés, deux parentes de Jacky Kennedy, pose des problèmes théoriques aux frères Maysles : ils préfèrent définir leur pratique comme « cinéma non fictionnel » plutôt que « cinéma direct ». Fred Wiseman pousse à l'extrême l'effacement du réalisateur devant ses modèles. Un montage très élaboré, qui ne retient que le vingtième des matériaux tournés, offre une critique très subtile des institutions trahies par leur propre fonctionnement : la police (*Law and Order,* 1969), la sécurité sociale (*Welfare,* 1976), les forces militaires de l'OTAN (*Manœuvre,* 1979), un grand magasin (*The Store,* 1983), un service hospitalier accueillant des cas désespérés (*Near Death,* 1989).

Emile De Antonio se veut beaucoup moins dégagé de son objet. Dès son premier film, *Point of Order* (1964), œuvre de montage, il s'attaque au maccarthysme. *In the Year of the Pig* est peut-être la meilleure analyse de l'impérialisme américain au Viêt-nam, tandis qu'*Underground* (1975) se veut un saisissant reportage sur un groupe d'activistes clandestins.

La guerre du Viêt-nam, la révolte des Noirs, le féminisme influent, à la fin des années 60, sur la finalité même du documentaire. Des unités de diffusion de films militants, comme le fameux Newsreel, se chargent de véhiculer cette production. Citons quelques œuvres marquantes : *Attica* (Cinda Firestone, 1973), sur une révolte de prisonniers, *Hearts and Minds* (Peter Davis, 1974), qui met en lumière les conséquences humaines du conflit vietnamien, *Harlan County USA* (Barbara Kopple, 1976), une des meilleures approches du monde ouvrier. Les groupes opprimés suscitent une production propre destinée à restituer une image plus juste de leur identité. Les Noirs trouvent en William Greaves un porte-parole idéal : son émission mensuelle, le *Black Journal,* diffusée de 1968 à 1970 sur les chaînes de télévision, sensibilise tout le pays aux revendications des Afro-Américains. Greaves est, par ailleurs, auteur de très nombreux films documentaires sur les problèmes de sa communauté. Les femmes replacent, dans une perspective historique, leur rôle dans la société : *Union Maids* (Julie Reicher, 1976), *The Life and Times of Rosie the Riveter* (Connie Field, 1980). Les homosexuels évoquent leurs difficultés quotidiennes : *Word Is Out* (Mariposa Film Group, 1978).

Le style du cinéma direct a influencé certains cinéastes de fiction comme Robert

Kramer, John Cassavetes, Shirley Clarke, Jacques Rivette, Jean-Luc Godard.

Aux quatre coins du monde. D'autres pays développent, depuis la guerre, une production documentaire. L'Italie, où un certain nombre de grands réalisateurs choisissent cette voie : Michelangelo Antonioni (*Gente del Po,* 1943-1947), Gian Vittorio Baldi (*Il pianto delle zitelle,* 1958), Vittorio De Seta (*Pastori di Orgosolo,* id.), Gianfranco Mingozzi (*La taranta,* 1962 ; *Sulla terra di rimorso,* 1982). Citons, dans le domaine du film de montage : *All'armi, siam fascisti* (Lino Del Fra, Cecilia Mangini, Lino Micciché, 1961) et *La Rabbia* (P. P. Pasolini et Giovanni Guareschi, 1963). Des Pays-Bas, on peut retenir les bandes poétiques de Bert Haanstra (*Miroirs de Hollande,* 1950 ; *Pantha Rei,* 1952) et, surtout, les œuvres de Johan Van der Keuken (*la Forteresse blanche,* 1973 ; *la Jungle plate,* 1979 ; *Vers le sud,* 1980 ; *le Masque,* 1989), dans lesquelles l'auteur combine les techniques du direct à un certain formalisme proche des essais plastiques du documentaire des années 30. Klaus Wildenhahn poursuit depuis vingt ans, en RFA, une œuvre exemplaire touchant tant à des phénomènes artistiques (*John Cage,* 1966 ; *Harlem Theater,* 1968) qu'à des réalités politiques ou sociales (*l'Insurrection de Hambourg, octobre 1923* [*Der Hamburger Aufstand Oktober 1923*], 1971 ; *Emden va aux États-Unis* [*Emden geht nach USA*], 1975-76 ; ces deux derniers films sont coréalisés par Gisela Tuchtenhagen, avec laquelle l'auteur travaille souvent).

En Suisse, à côté de Richard Dindo (*les Suisses dans la guerre d'Espagne,* 1973 ; *l'Exécution du traître à la patrie Ernst S.,* 1976), pamphlet sur la bonne conscience helvétique, *Dani, Michi, Renato, und Max* (1987), une impitoyable enquête, plusieurs années après les évènements, sur la mort tragique de quatre garçons qui avaient participé auparavant à une révolte de jeunes Zurichois, on distingue les travaux de Peter Hamman (*le Train rouge,* 1972), de Yves Yersin (*les Derniers Passementiers,* 1973) et de Kurt Gloor (*Die grünen kinder,* 1971).

Au Danemark, Jörgen Leth porte un regard en apparence très froid, toujours analytique, parfois ironique (plus chaleureux dans ses films les plus récents) sur la société danoise (*la Vie au Danemark,* 1971), les stéréotypes sociaux (*le Bien et le mal,* 1975) et divers pays où il a promené sa caméra : *66 scènes d'Amérique* (1981), *Carnet de Chine* (1986), *Moments du jeu* (1986), *Notes sur l'amour* (1989).

Au Portugal, au lendemain du 25 avril 1974, un grand nombre d'œuvres militantes fleurissent. Le logement, la terre, la nouvelle société en sont les thèmes principaux : *Barronhos, qui a peur du pouvoir populaire ?* (Luís Filipe Rocha, 1976), *Bon Peuple portugais* (Rui Simões, 1980).

L'équipe japonaise de Shinsuke Ogawa vit et tourne depuis 1968 avec les habitants du village de Sanrizuka qui résistent à l'expropriation, le gouvernement voulant construire un aéroport à cet endroit : *Un été à Narita* (1968), *le Chant de la bête humaine* (1975). La série que Noriaki Tsuchimoto consacre aux conséquences de la pollution du port de Minamata par des déchets chimiques est également exemplaire : *Minamata, les victimes et leur monde* (1971), *la Maladie de Minamata* (1977). Les pays du tiers monde – surtout l'Amérique latine – se servent de la caméra pour sensibiliser le monde à leurs problèmes : *Araya* (Margot Benacerraf, 1959, Venezuela), *Tire dié* (F. Birri, 1958, Argentine), *Jusqu'à la victoire toujours* (S. Álvarez, 1967, Cuba), *Qu'est-ce que la démocratie ?* (Carlos Álvarez, 1971, Colombie), *la Bataille du Chili* (P. Guzmán, Chilien exilé, 1975-1979), *Haïti, les Chemins de la liberté* (Arnold Antonin, 1975), *la Décision de vaincre* (Collectif Cero a la Izquierda, Salvador, 1981). *L'Heure des brasiers* des Argentins Fernando Solanas et Octavio Getino (1968), vaste fresque baroque sur l'oppression dont souffre l'Amérique latine, est l'œuvre maîtresse du documentaire politique dont l'influence déborde largement le continent.

En Afrique, la plupart des bandes non fictionnelles sont le fait de réalisateurs étrangers. La Fédération tunisienne des cinéastes amateurs suscite, depuis le milieu des années 60, une abondante production documentaire. L'Algérien Ahmed Rachedi nous propose, en 1965, une pertinente vision de son pays en gestation : *l'Aube des damnés.* Des témoignages sur l'apartheid nous viennent d'Afrique du Sud (*la Fin du dialogue,* Nana Mahomo, 1969 ; *la Dernière Tombe à Dimbaza,* réalisation anonyme, 1973). La guerre du Liban inspire une série de films à Jocelyn Saab (*le Liban dans la tourmente,* 1977 ; *Lettre de Beyrouth,* 1981). La

Sénégalaise Safi Faye nous offre, avec *Fad'Jal* (1979), un semi-documentaire sur le village de ses parents.

Le documentaire au long cours. Depuis les origines du 7e art, le documentaire s'évertue à rendre compte de tous les domaines de l'activité humaine. À côté du cinéma scientifique pur (Roberto Omega, Jean Painlevé, Pierre Thévenard), peu diffusé, il existe des œuvres de vulgarisation proches de l'essai poétique ou du film d'aventures. Citons les bandes d'exploration sous-marine de l'Autrichien Hans Haas (*Abenteuer im Roten Meer,* 1952 ; *Giganten des Meeres,* 1955) et du Français Jacques-Yves Cousteau, dont les débuts remontent à 1943 (*le Monde du silence,* 1955, Palme d'or au festival de Cannes, et *le Monde sans soleil,* 1964). Le film animalier constitue également un genre en soi. Trois œuvres récentes sont à signaler pour leurs qualités plastiques : *Des insectes et des hommes* (Wallon Green, US, 1973), *la Fête sauvage* (F. Rossif, 1976) et surtout *la Griffe et la Dent* (François Bel et Gérard Vienne, 1977).

La montagne fascine les cinéastes depuis les origines du cinéma. Félix Mesguish et Mario Piacenza confectionnent les premières bandes en la matière au début du siècle. L'Allemand Arnold Fanck donne, avec *Tempête de neige* (*Der Weisse Rausch,* 1931), ses lettres de noblesse au genre. Marcel Ichac, qui débute en 1934, est le plus notoire des cinéastes de la montagne. Il réalise ses meilleurs films après la guerre : *Himalaya* (1950), *Victoire sur l'Anapurna* (1953), *les Étoiles du Midi* (1960). Signalons, dans un registre proche, les pellicules du volcanologue Haroun Tazieff : *les Rendez-vous du diable* (1959) et *le Volcan interdit* (1966).

Les films d'expédition ne se comptent plus depuis les premiers essais des opérateurs Lumière. Citons : *Chang* (E. B. Schoedsack et M. C. Cooper, 1927) ; *L'Afrique vous parle* (Paul Höfler et Walter Futter, 1930) ; *Baboona* (Martin Johnson, 1935) ; *Au pays des Pygmées* (Jacques Dupont, France, 1948) ; *l'Équateur aux cent visages* (André Cauvin, 1948) ; *Des hommes qu'on appelle sauvages* (Pierre-Dominique Gaisseau, 1950) ; *Continent perdu* (Leonardo Bonzi, Mario Craveri, E. Gras, 1955). L'aspect exotique de ces films et leur regard paternaliste en font, du point de vue ethnographique, des documents contestables. Pour trouver une réelle ouverture, il faut se pencher sur les travaux de Jean Rouch, de Ian Dunlop (*Desert People,* 1966) ou sur l'excellent *Histoire de Wahari* (Jean Monod et Vincent Blanchet, 1974).

L'extension, depuis la fin des années 60, des médias légers (vidéo, super 8) a ouvert de nouvelles perspectives au documentaire, aussi révolutionnaires que l'équipement synchrone en 16 mm à la fin des années 50.

Le documentaire des années fin de siècle. Au cours de la première moitié des années 90, quelques grands auteurs se sont confirmés ou affirmés. En France, de pénétrants reportages sont réalisés par Marcel Ophuls sur le métier de journaliste dans la Yougoslavie en guerre (*Veillée d'armes,* 1994), par Claude Lanzmann sur l'armée israélienne (*Tsahal, id.*) ou par Raymond Depardon sur le fonctionnement de la justice (*Délits flagrants, id.*). Le Suisse Richard Dindo signe deux remarquables portraits à base de documents et de témoignages : *Arthur Rimbaud – Une biographie* (1991) et *Ernesto Che Guevara – Journal de Bolivie* (1994). Le Néerlandais Johan Van der Keuken poursuit dans la veine de ses considérations socio-culturelles ambitieuses : *Face Value* (1991), vision du monde à partir du visage humain, *Cuivres débridés* (*Bewogen koper,* 1992), confrontation des pratiques musicales sur divers continents.

Aux États-Unis, Fred Wiseman continue à amasser les témoignages imposants sur l'*«American, way of life»* : Zoo (1992), *High School II* (1994), *Ballet* (1995). Dans l'ex-URSS, Artavazd Pelechian poursuit une œuvre originale et secrète avec *la Fin* (1991) et *la Vie* (1992) ; le débutant letton qui a fait sensation avec *Est-il facile d'être jeune* (1986), Juris Podnieks, disparaît prématurément après avoir dressé le bilan catastrophique de *la Fin d'un empire* (1992). Son percutant exemple a peut-être incité des cinéastes russes connus à se tourner vers le documentaire : Vitali Kanevski avec *Nous les enfants du XXe siècle* et Pavel Lounguine avec *les Inuit, un peuple en trop,* deux « films noirs » en production française.

Le documentaire de long métrage a reçu en 1995 une consécration inattendue de la part de l'industrie américaine : la création d'une catégorie spéciale pour les nominations aux Oscars.

Depuis la multiplication des chaînes de télévision, le documentaire, sous ses diverses formes, ne se diffuse plus que rarement dans les salles de cinéma. Seuls quelques pays (France, Allemagne, Suisse) offrent encore une mince possibilité d'exploitation sur grand écran. Les plus grands eux-mêmes (Wiseman aux États-Unis, par exemple, Chris Marker en France) reçoivent des commandes des chaînes de télévision, qui peuvent apporter parfois un ferme soutien au documentaire : des chaînes spécialisées le diffusent (en France : Planète), les chaînes publiques (en Allemagne, Belgique, Suisse, Suède) ont maintenu un bon niveau de production, de même que la chaîne Arte qui associe Allemagne, France et Belgique francophone. Toutefois, la télévision entretient souvent la confusion entre les différents genres, du journalisme au film simplement didactique, en passant par toutes les formes de reportage et de montage d'archives - d'où, en France, l'apparition de la notion de « documentaire de création », destinée à qualifier les projets les plus ambitieux, qui peuvent par ailleurs recevoir une aide à la production. Les festivals de cinéma documentaire se sont faits plus nombreux (en France, à Paris [Festival du Réel], à Marseille ou Lussas ; en Allemagne, à Munich ; en Italie, à Florence ; au Portugal, à Amadora, etc.) et favorisent les échanges internationaux.

Les œuvres sont aussi diverses que les thématiques et les pays d'origine ; outre les auteurs déjà cités, dont beaucoup poursuivent sans relâche leur tâche de documentariste (Wiseman*, Van der Keuken*, Depardon*, Ophuls*, Dindo*, Sára*...), on peut citer, avec quelques risques d'arbitraire, en France : Laurent Chevallier, Thierry Compain, Philippe Costantini, Denis Gheerbrant, l'Américain Robert Kramer*, Bernard Mangiante, Mosco, Paule Muxel, Stan Neumann, Nicolas Philibert, Claire Simon ; en Belgique : Manu Bonmariage, Thierry Knauf, Peter Brosens, Odo Halflans ; en Allemagne : Jürgen Böttcher, Didi Danquart, Harun Farocki, Peter Heller, Helga Rademeister, Rolf Schübel, Dietrich Schubert, Klaus Wildenhahn ; en Suède : Peter Cohen, Stefan Jarl, l'Allemand Peter Nestler ; en Suisse : Erwin Leiser*, Mathias von Gunten, Peter von Gunten, Alain Klarer, Bruno Moll ; et ailleurs : les Américains Charlotte Zwerin et Michael Moore, les Israéliens Amos Gitaï * et Habehira Vehagoral, le Letton Herz Franck, la Tchèque Yana Sevcikova, l'Indien Anand Patwardhan, les Brésiliens Octavio Bezerra, Jorge Bodanzky*, Eduardo Coutinho*, Artur Omar, les Russes Semion Aranovitch, Artur Aristakissian, Alekseï Khanutin, les Québécois Jean-Claude Labrecque*, Michel Moreau, Jacques Leduc, les Australiens Bob Connoly et Robin Anderson... R.BA./D.S./M.M.

DOILLON *(Jacques), cinéaste français (Paris 1944).* Monteur, puis réalisateur de courts métrages, il aborde le long métrage en assurant la réalisation d'un film conçu par le dessinateur Gébé, et intégrant deux séquences tournées l'une par Alain Resnais, l'autre par Jean Rouch (*l'An 01,* sorti en 1973, encore très marqué par l'utopie soixante-huitarde).

C'est avec *les Doigts dans la tête* (1974) que Doillon amorce véritablement son œuvre personnelle. Hors *Un sac de billes,* film de commande réalisé en 1975, ses films ont en commun une extrême finesse d'analyse psychologique, une audace croissante dans le choix des situations analysées, une expression rigoureuse obtenue par une direction d'acteurs patiente et intraitable (il emploie indifféremment des non-professionnels, des comédiens débutants, ou des acteurs aussi confirmés que Michel Piccoli), et une précision maniaque dans la définition de l'espace qu'il cadre toujours lui-même.

Le sens de l'observation et de l'écoute dont Doillon fait preuve dans ses films essentiels figure déjà dans les courts métrages de commande qu'il tourne parallèlement, et où on peut voir le laboratoire de sa création : *les Demi-Jours* et *Laissés pour compte* notamment, réalisés pour le ministère de l'Agriculture avec un souci constant de ne pas trahir le langage des paysans filmés, entretiennent des rapports passionnants avec *la Drôlesse* et son univers rural étouffé. De *la Femme qui pleure* jusqu'à *Monsieur Abel* (produit par TF-1 qui l'a diffusé en octobre 1983) et *la Pirate,* Doillon a précisé le sens de sa recherche. Il s'applique à mettre à nu la communication qui unit, au-delà des conventions et des règles du jeu social, des êtres enfermés ou oubliés, des personnages clos. Partant d'une observation brûlante des comportements, et d'une analyse aiguë des franges de la conscience, il aboutit à une morale de la liberté insolite, que son talent parvient à imposer comme évidente. J.P.J.

Films ▲ : *l'An 01* (1973) ; *les Doigts dans la tête* (1974) ; *Un sac de billes* (1975) ; *la Femme qui pleure* (1979) ; *la Drôlesse* (id.) ; *la Fille prodigue* (1981) ; *la Pirate* (1984) ; *la Vie de famille* (1985) ; *la Tentation d'Isabelle* (id.) ; *la Puritaine* (1986) ; *Comédie !* (1987) ; *l'Amoureuse* (id., T.V.) ; *la Fille de quinze ans* (1989) ; *la Vengeance d'une femme* 1990 ; *le Petit Criminel* (id.) ; *Amoureuse* (1992) ; *le Jeune Werther* (1993) ; *Du fond du cœur : Germaine et Benjamin* (1994).

DOLBY. Nom de marque d'un procédé de réduction du bruit de fond des enregistrements sonores. (→ BRUIT DE FOND, BANDE PASSANTE.)

DOLBY STÉRÉO. Nom de marque d'un procédé permettant la stéréophonie à partir d'une piste sonore optique. (→ STÉRÉOPHONIE.)

DOLIDZÉ (*Semen* [*Siko*]) [*Semen Vassarionovič Dolidze*], *cinéaste soviétique (Ozurgeti* [auj. *Makharadze*], *Géorgie, 1903 - Tbilissi 1983).* Après avoir débuté comme documentariste, il organise en 1928 une section d'actualités, signe en 1930 son premier film, *'l'Appel de la terre' (Na Šturn zemli),* et devient l'un des principaux représentants du cinéma géorgien : *'Au pays des avalanches'* (*V strane obvalov,* 1932), *'les Derniers Croisés'* (*Poslednie Krestonoscy,* 1934), *'Dariko'* (id., 1937), *'l'Amitié'* (*Družba,* 1941), *'le Bouclier de Djourgaï'* (*Ščit Džurgaja ;* CORÉ D. Rondeli, 1944), *'la Cigale'* (*Strekoza,* 1954), *'le Chant d'Éteri'* (*Pesn' Eteri,* 1957) ; *'Fatima'* (id., 1959), *'le Dernier et le Premier Jour'* (*Den' poslednij, den' pervyj,* 1960), *'Paliastomi'* (id., 1963), *'Rencontre avec le passé'* (*Vstreča s prošlym,* 1967), *'Coucaracha'* (*Kukarača,* 1982 ; CORÉ Keti Dolidze). J.-L.P.

DOLLY. Terme générique pour désigner une famille de chariots de travelling comportant un dispositif hydraulique ou pneumatique permettant de monter ou de descendre la caméra pendant le travelling. (→ MOUVEMENTS D'APPAREILS.) *Dolly in (out),* locution anglaise pour désigner *un travelling avant (arrière)* exécuté grâce à une dolly. Ceux-ci peuvent être plus ou moins élaborés, selon la complexité de l'équipement « dolly ». Comparée à la grue traditionnelle, la dolly est plus souple et plus maniable. Mais, comme la grue, elle est manipulée par un autre technicien que le cadreur, ce qui permet à ce dernier de se concentrer uniquement sur le mouvement du cadre. Équipée de roues pneumatiques indépendantes, ce qui permet les changements de mouvements dans toutes les directions, la dolly peut éventuellement être montée sur rails, si le terrain est accidenté. La dolly peut être aussi dotée d'un bras articulé, gyroscopique (« boom »), permettant à la caméra d'effectuer des mouvements d'une plus grande ampleur et d'une plus grande complexité, comme de filmer une scène en un seul plan-séquence, sans qu'il soit nécessaire de couper pour varier l'angle de prise de vues, ou pour passer d'un plan d'ensemble à un plan rapproché. M.S.

DOMINANTE. Dans un film en couleurs, tonalité parasite affectant l'ensemble de l'image. (→ aussi ÉTALONNAGE.)

Sauf effet délibéré, les couleurs de la scène filmée doivent être restituées sur l'écran à leur juste valeur. Si ce n'est pas le cas, s'il y a par exemple une quantité exagérée de bleu, l'image présente une *dominante,* bleue dans l'exemple choisi.

Les rushes (→ TOURNAGE) présentent fréquemment des dominantes, dues soit à l'emploi d'une lumière de prise de vues dont la température de couleur diffère de celle pour laquelle le film est conçu, soit aux fluctuations de la fabrication ou du développement des films. Normalement, les corrections apportées par l'étalonnage éliminent ces dominantes indésirables. (À l'inverse, l'étalonnage peut être l'occasion d'introduire une dominante à des fins esthétiques ou dramatiques.)

Si on observe néanmoins une dominante lors de la projection en salle, cela provient généralement d'un vieillissement des colorants. Par exemple, sur les anciennes copies Agfacolor ou Sovcolor, le colorant magenta (→ COULEUR) s'affaiblit moins vite que ceux des autres couches, d'où l'apparition progressive d'une dominante violine. (→ aussi CONSERVATION DES FILMS.) Il peut exister aussi une autre raison : le mélange de bobines issues de copies différentes. Quelque soin que prenne le laboratoire de tirage, les copies comportent parfois une légère dominante, identique tout le long de la copie et que l'œil « neutralise » très vite, grâce à son système de correction automatique (→ COULEUR) en se recalant sur les zones de l'image qui correspondent manifestement à un « blanc » du sujet. Mais les bobines ne proviennent pas toujours toutes du même tirage, notamment lorsque l'une d'entre elles, endommagée, a dû être retirée. Au changement de bobine, l'œil, pris au dépourvu, ressent le changement soudain de dominante ; quelques minutes plus tard, il a, de nouveau, « neutralisé ».

On incrimine parfois la température de couleur de la lumière du projecteur. Effectivement, il arrive que cette température de couleur soit assez différente de celle qui a servi de référence pour l'étalonnage. En réalité, l'œil, là encore, « neutralise » assez vite, sauf si le projecteur est équipé d'une lampe « pulsée » (→ SOURCES DE LUMIÈRE), dont la lumière, pauvre en rouge, introduit une dominante bleu-vert. J.-P.F./J.-M.G.

DOMRÖSE *(Angelika), actrice allemande (Berlin 1941).* Découverte par Slatan Dudow en 1958, elle a étudié l'art dramatique et, engagée par le Berliner Ensemble, elle s'est illustrée aussi bien à la scène qu'à l'écran où elle est devenue l'une des grandes vedettes du cinéma de la RDA.

Films : *'les Troubles de l'amour'* (*Verwirung der Liebe,* S. Dudow, 1959) ; *'Chronique d'un meurtre'* (*Chronik eines Mordes,* Joachim Hasler, 1965) ; *'Mise en liberté provisoire'* (*Entlassen auf Bewährung,* Richard Groschoff, 1965) ; *'Moi, la justice'* (*Já, spravedlnost,* Z. Brynych, 1967) ; *'Eva et Adam'* (*Eva und Adam,* H. E. Brandt, 1972-1974) ; *'la Légende de Paul et Paula'* (*Die Legende von Paul und Paula,* Heiner Carow, 1973) ; *'Jusqu'à ce que la mort vous sépare'* (*Bis dass der Tod euch scheidet,* Heiner Carow, 1979). C.D.R.

DONAT *(Robert), acteur britannique (Withington, Manchester, 1905 - Londres 1958).* D'abord comédien de théâtre, il est découvert par Alexandre Korda, grâce à qui il devient l'un des jeunes premiers les plus attachants des années 30, dès son premier film important : *la Vie privée d'Henri VIII* (A. Korda, 1933) aux côtés de Charles Laughton et Merle Oberon. En 1934, Donat se rend à Hollywood pour une version du *Comte de Monte-Cristo* réalisée par Rowland V. Lee *(The Count of Monte-Cristo).* De retour en Angleterre, il tourne *les Trente-Neuf Marches* (A. Hitchcock, 1935), avec Madeleine Carroll. Dans *Fantôme à vendre* avec Jean Parker (R. Clair, 1935), il est un noble écossais ruiné et un fantôme plein de charme. *Le Chevalier sans armure* lui permet de jouer avec Marlene Dietrich (J. Feyder, 1937). Il tourne ensuite *la Citadelle* (1938), d'après le roman de Cronin, sous la direction de King Vidor : il y tient le rôle, qui lui vaudra un Oscar, du jeune médecin « radical ». Puis, en 1939, *Goodbye Mr. Chips,* réalisé par Sam Wood, qui demeure son plus grand succès public. De santé précaire (il souffrait d'asthme chronique), Donat ne peut répondre à toutes les offres qui lui sont faites. Sans abandonner tout à fait le théâtre, il tourne : *le Jeune M. Pitt* (C. Reed, 1942) ; *Perfect Strangers* (A. Korda, 1945), où Deborah Kerr et lui incarnent un couple séparé par la guerre ; *Winslow contre le roi* (A. Asquith, 1948, d'après Terence Rattigan). En 1948, Donat dirige un film, *The Cure for Love,* qui n'a guère laissé de souvenirs. En 1951, il interprète son dernier grand rôle : celui de Friese-Greene, le pionnier britannique du 7e art, dans *la Boîte magique* (J. Boulting). Il fera encore une apparition dans *l'Auberge du sixième bonheur* (M. Robson, 1958). P.P.

DONATI *(Danilo), costumier italien (Suzzara 1926).* Il débute en 1954 à l'opéra auprès de Luchino Visconti. Son goût du spectacle s'affirme dans les costumes, aussi bien réalistes que fantastiques, créés pour *la Grande Guerre* (M. Monicelli, 1959) ; *l'Évangile selon Matthieu* (P. P. Pasolini, 1964) ; *la Mégère apprivoisée* (F. Zeffirelli, 1967) ; *Miracle à l'italienne* (N. Manfredi, 1971). Ses inventions mirobolantes pour les grandes « visions » felliniennes (*Satyricon,* 1969 ; *Roma,* 1972 ; *Casanova,* 1976 ; *Ginger et Fred,* 1986 ; *Intervista,* 1987) sont ses créations les plus riches. Il a collaboré ensuite à des superproductions d'assez mauvais goût, comme *Caligula* (T. Brass, 1977-1980) et *Flash Gordon* (Mike Hodges, 1980) puis à *Momo* (J. Schaaf, 1986) et *Francesco* (L. Cavani, 1989). L.C.

DONEN *(Stanley), cinéaste américain (Columbia, S. C., 1924).* Danseur depuis l'âge de dix ans, Stanley Donen débute à Broadway dans cet emploi, en 1940, dans *Pal Joey.* Ce musical lance Gene Kelly et cimente une solide amitié entre les deux hommes. Si bien que lorsque Kelly vient à Hollywood en 1942, il demande à son ami de le rejoindre. Dès 1943, Donen est en Californie, aux studios MGM, pour assister le chorégraphe de *Best Foot Forward* (Edward Buzzell), un travail qu'il avait déjà accompli l'année précédente à Broadway. Très vite, Stanley Donen chorégraphie, seul ou en collaboration, de nombreux musicals MGM et devient l'assistant personnel de Gene Kelly, qu'il aide à mettre au point quelques superbes numéros pour *la Reine de Broadway* (Ch. Vidor, 1944), ou pour *Match d'amour* (B. Berkeley, 1949). À ce moment-là, Donen se montre déjà très intéressé par la technique cinématographique. Lorsque le producteur Arthur Freed propose à Gene Kelly de réaliser *Un jour à New York* (1949), celui-ci fait très naturellement appel à Donen pour l'assister : cela se traduit par un titre de coréalisateur au générique. Le succès du film profite énormément aux deux compères et Donen est désormais parti pour une carrière de réalisateur à part entière.

Il collabore encore deux fois avec Gene Kelly tant qu'il reste sous contrat à la MGM : pour un immense succès, le grand classique du genre, *Chantons sous la pluie* (1952) ; puis pour un échec commercial, une œuvre originale dont le ton amer est en avance sur son temps : *Beau fixe sur New York* (1955). Parallèlement, dans des projets imposés comme *Donnez-lui une chance* (1953) ou personnels comme *les Sept Femmes de Barberousse* (1954), il prouve sans difficulté son métier et sa personnalité. Quand le projet de *Drôle de frimousse* (1957) ne peut se matérialiser à la MGM, Donen et quelques-uns de ses collaborateurs quittent la compagnie. Le film se fait à la Paramount et marque les débuts du réalisateur comme indépendant. Après être resté fidèle au musical en collaborant avec George Abbott à la réalisation de *Pique-Nique en pyjama* (1957) et de *Damn Yankees* (1958), Donen s'oriente vers la comédie pure. Il prend Londres comme quartier général et, avec *Indiscret* (1958), commence une longue série de comédies élégantes, interprétées par des acteurs de prestige comme Ingrid Bergman ou Cary Grant.

Après l'échec de *l'Escalier* (1969), il est évident que cette veine touche à sa fin. Depuis, Donen se cherche dans des projets hybrides qui lui ressemblent plus (*Folie, folie,* 1978) ou moins (*Saturn 3,* 1979), qui l'inspirent (*les Aventuriers du Lucky Lady,* 1975) ou ne l'inspirent pas (*The Little Prince,* 1974).

On s'est longtemps livré au petit jeu qui consiste à spéculer sur qui, de Kelly ou de Donen, est l'auteur de leurs trois merveilleuses collaborations. Petit jeu dépassé car Gene Kelly n'a pas besoin de prouver son talent et sa personnalité. Quant à Donen, certains de ses musicals en solitaire prouvent amplement la justesse infaillible de son doigté. Il s'est, dans ce domaine, tiré, haut la main, d'embûches redoutables. Un scénario « carte postale » qui tournait autour du mariage de la princesse Élisabeth et du duc d'Édimbourg ne l'a pas empêché de réussir *Mariage royal* (1951). Le peu de goût qu'il a avoué pour la musique de Sigmund Romberg ne l'a pas non plus empêché de préserver dans *Au fond de mon cœur* (1954) quelques instants d'une rare invention. Et puis, surtout, *Donnez-lui une chance, les Sept Femmes de Barberousse, Drôle de frimousse* et *Pique-Nique en pyjama* sont de grandes réussites. Donen y fait montre de l'immense éventail de ses possibilités dans les limites d'un genre. *Donnez-lui une chance* relève du musical le plus traditionnel, avec numéros sur scène. *Les Sept Femmes de Barberousse* relève de l'opérette. *Pique-Nique en pyjama* est typique d'un certain renouveau réaliste. *Drôle de frimousse,* enfin, est l'une des réussites les plus totales et les plus intelligentes de musical conçu exactement en fonction du cinéma et de son langage, de la caméra et de ses possibilités.

Donen a souvent été aidé dans ses réussites par une vertigineuse virtuosité technique. Nul doute que peu de cinéastes ont su, comme lui, suivre l'élan d'un danseur en l'exaltant, sans le briser. D'amples mouvements de caméra très fluides ou, au contraire, un montage très serré, presque haché, lui ont permis de suivre la partition musicale et la chorégraphie sans jamais être pris de court.

Cette technique, Donen a continué à l'employer pour ses comédies. La juxtaposition de ce langage très cinématographique et de scénarios délibérément théâtraux a engendré un heureux contraste qui fait tout le prix d'*Indiscret,* sa meilleure réussite du genre. Mais il faut aussi revoir les méconnus (*Chérie, recommençons,* 1960 ; *Ailleurs, l'herbe est plus verte,* id.), émaillés de jolies trouvailles visuelles, bien joués et emportés à un excellent rythme. Donen va pourtant se trouver dans une impasse. Ayant recours à quelques embrouillaminis policiers, il fait encore illusion dans le très brillant *Charade* (1963). En tentant néanmoins de renouveler l'expérience, *Arabesque* (1966) en accuse cruellement les limites. En fait, le dernier film réellement personnel de Donen est l'éblouissant *Voyage à deux* (1967), qui, grâce à un scénario très cinématographique de Frederic Raphael, permet à Donen une très grande liberté de mouvement. De plus, à travers son actrice-fétiche, Audrey Hepburn, le réalisateur s'y livre à un véritable bilan sur lui-même et sa génération.

Depuis, Donen a connu beaucoup de hauts et de bas. Le plus attristant dans son désarroi est sans doute l'inconfort presque honteux que semblent lui donner ses comédies musicales. « On ne peut pas chanter sous la pluie toute sa vie », disait-il en substance au moment où sortait *Staircase.* Il y a cependant de fortes chances pour que les danses sous la pluie, aux plafonds ou dans la neige assurent à Donen une place prépondérante dans l'histoire du cinéma américain que ne saurait lui assurer le cabotinage dérangeant et vulgaire de *l'Escalier.* Par ailleurs, la nostalgie de ce type de cinéma était trop évidente dans *Folie, folie* pour que nous puissions croire un seul instant que Donen regrette d'avoir chanté sous la pluie. C.V.

Films ▲ : *Un jour à New York* (*On The Town,* co G. Kelly, 1949) ; *Mariage royal* (*Royal Wedding,* 1951) ; *Chantons sous la pluie* (*Singin' in the Rain,* co G. Kelly, 1952) ; *Love Is Better Than Ever* (id.) ; *l'Intrépide* (*Fearless Fagan,* id.) ; *Donnez-lui une chance* (*Give A Girl A Break,* 1953) ; *les Sept Femmes de Barberousse* (*Seven Brides for Seven Brothers,* 1954) ; *Au fond de mon cœur* (*Deep in my Heart,* id.) ; *Beau fixe sur New York* (*It's Always Fair Weather,* co G. Kelly, 1955) ; *Drôle de frimousse* (*Funny Face,* 1957) ; *Pique-Nique en pyjama (The Pajama Game,* co G. Abbott, *id.) ; Embrasse-la pour moi* (*Kiss Them for Me,* id.) ; *Indiscret* (*Indiscreet,* 1958) ; *Damn Yankees* (co G. Abbott, *id.*) ; *Chérie, recommençons* (*Once More With Feeling,* 1960) ; *Un cadeau pour le patron* (*Surprise Package,* id.) ; *Ailleurs, l'herbe est plus verte* (*The Grass is Greener,* 1961) ; *Charade* (id., 1963) ; *Arabesque* (id., 1966) ; *Voyage à deux* (*Two for the Road,* 1967) ; *Fantasmes* (*Bedazzled,* id.) ; *l'Escalier* (*Staircase,* 1969) ; *The Little Prince* (1974) ; *les Aventuriers du Lucky Lady* (*Lucky Lady,* 1975) ; *Folie Folie* (*Movie Movie,* 1978) ; *Saturn 3* (1979) ; *C'est la faute à Rio* (*Blame It on Rio,* 1984).

DONEV *(Donjo), cinéaste bulgare (Berkovitsa 1929).* Il apprend l'art de l'animation avec Todor Dinov, signe avec ce dernier *Duo* (*Duet,* 1961) et se fait peu à peu connaître comme un humoriste spontané, imaginatif et railleur dont la palette très colorée peut aller jusqu'au sarcasme : *'la File d'attente'* (*Opaskata,* 1962), *'Printemps'* (*Prolet,* 1966), *'les Tireurs'* (*Streltsi,* 1967), *'les Trois Nigauds'* (*Trimana glupazi,* 1970), *'Un village intéressant'* (*Umno selo,* 1972), *'De Facto'* (1975). J.-L.P.

DONIOL-VALCROZE *(Jacques), cinéaste français (Paris 1920 - Cannes 1989).* Critique de cinéma *(Cinémonde, la Revue du Cinéma, l'Observateur),* cofondateur des *Cahiers du cinéma* (1951), J. Doniol-Valcroze est aussi un excellent acteur occasionnel sous la direction de Pierre Kast *(le Bel Âge ; Vacances portugaises),* d'Alain Robbe-Grillet *(l'Immortelle)* et de Claude Lelouch *(le Voyou).* Ses courts sujets (*Bonjour Monsieur La Bruyère, l'Œil du maître,* etc.) annoncent l'élégance racée et l'esprit caustique qui marqueront ses débuts dans le long métrage : *l'Eau à la bouche* (1960) et *le Cœur battant* (1961) sont d'aimables et séduisants marivaudages modernes. *La Dénonciation* (1962) et *le Viol* (1967) manifestent plus d'ambition mais moins d'inspiration, tout comme *l'Homme au cerveau greffé* (1972) et *Une femme fatale* (1977). En revanche *la Maison des Bories* (1970) a été saluée comme une réussite et il a poursuivi une intéressante carrière à la télévision. M.M.

DONLEVY *(Brian), acteur américain (Portadown, Irlande, Grande-Bretagne, 1899 - Los Angeles, Ca., 1972).* Après s'être consacré une dizaine d'années au théâtre *(What Price Glory ; The Boy Friend ; The Milky Way),* il tient son premier rôle important à Hollywood dans *Ville sans loi* (H. Hawks, 1935). Son physique massif, son apparence bourrue le typent dans les personnages de brute : *l'Incendie de Chicago* (H. King, 1938) ; *Beau Geste* (W. Wellman, 1939) ;

Femme ou Démon (G. Marshall, 1939) ; mais il s'essaie également à la comédie (*Gouverneur malgré lui,* P. Sturges, 1940) et joue, à l'occasion, les héros (*Les bourreaux meurent aussi,* F. Lang, 1943), les bâtisseurs d'empire (*An American Romance,* K. Vidor, 1944) ou les serviteurs de la loi (*le Carrefour de la mort,* H. Hathaway, 1947). Il s'éloigne progressivement des studios au cours des années 50 et fait ses dernières, et brèves, apparitions à l'écran dans *le Zinzin d'Hollywood* (J. Lewis, 1961), *les Rebelles de l'Arizona* (Lesley Selander, 1968) et *Pit Stop* (Jack Hill, 1969). O.E.

DONNER *(Clive), cinéaste britannique (Londres 1926).* Ancien monteur aux studios de Pinewood (dès 1943), il signe son premier long métrage en 1957 : *Faux Policiers (The Secret Place).* Il se met en évidence avec *The Caretaker* (1963, d'après une pièce d'Harold Pinter) et *Tout ou rien* (*Nothing But the Best,* 1964). Après la réussite de sa comédie burlesque *Quoi de neuf Pussycat ?* (*What's New Pussycat,* 1965), il aborde des genres très différents : *Trois Petits Tours et puis s'en vont* (*Here We Go Round the Mulberry Bush,* 1968) ; *Alfred le Grand, vainqueur des Vikings* (*Alfred the Great,* 1969) ; *Vampira* (1974) ; *le Voleur de Bagdad* (*The Thief of Bagdad,* 1978) ; *Charlie Chan and the Curse of the Dragon Queen* (1980) ; *Oliver Twist* (1982) ; *A Christmas Carol* (1984) ; *Stealing Heaven* (1988). R.L.

DONNER *(Jörn Johan), cinéaste finlandais (Helsinki 1933).* Donner a joué un rôle de catalyseur dans le cinéma scandinave. Respecté en tant que romancier, essayiste, critique, producteur et administrateur, il n'a jamais été reconnu dans son propre pays comme un cinéaste à part entière. Ses films, pourtant, sont empreints d'une certaine ironie et d'une certaine sophistication très appréciées hors de Scandinavie. Après avoir réalisé quelques courts métrages dans sa Finlande natale, Donner émigre en Suède, où il dirige *Un dimanche de septembre* (*En söndag i september,* 1963), film qui remporte le prix de la Première Œuvre à la biennale de Venise. *Aimer* (*Att älska,* 1964), qui met en scène l'acteur polonais Zbigniew Cybulski, n'est pas sans évoquer Stiller par sa vision douce-amère de la société suédoise. *Ici commence l'aventure* (*Här börjar äventyret,* 1965) et *Chassé-croisé* (*Tvärbalk,* 1967) sont des entreprises plus sérieuses, au ton un peu pesant, et, après leur échec – qui incite Donner à regagner la Finlande –, le réalisateur adoptera bientôt un style plus vivant. *Noir sur blanc* (*Mustaa valkoisella,* 1968), *69* (1969) et *Portraits de femmes* (*Naisenkuvia,* 1970) offrent tous trois un mélange agréable (même s'il est frivole) de sexualité et de satire. *Anna* (id., 1970), où quatre personnages en vacances dans l'archipel finnois sont peints avec finesse, restera sans doute l'œuvre la plus durable de Donner, quoique *Les hommes ne peuvent pas être violés* (*Män kan inte våldtas,* 1978) confirme aussi son talent pour les dialogues incisifs et sa compréhension de l'âme féminine. En 1985, il signe *'Une sale histoire' (En smutsig historia).*

Donner, qui avait d'ailleurs été l'un des fondateurs de la Cinémathèque finlandaise, est nommé directeur de la cinémathèque de l'Institut suédois de cinématographie (1972-1975), puis président du même institut (1978-1980), et enfin président de la Fondation finlandaise du film. Il est l'auteur de nombreux romans qui lui ont valu plusieurs prix littéraires. P.CO.

DONOHUE *(John Francis,* dit *Jack), cinéaste américain (New York, N. Y., 1908 - Marina Del Rey, Ca., 1984).* Danseur à Broadway dans les Ziegfeld Follies (1927), puis directeur de la chorégraphie dans des comédies musicales à la scène et à l'écran (1934), il débute à Hollywood comme metteur en scène en 1948 *(Close-Up).* Sa carrière intermittente l'a vu diriger Red Skelton dans *Taxi s'il vous plaît* (*The Yellow Cab Man,* 1950) et dans *Amour et Caméra* (*Watch the Birdie,* 1951), puis Frank Sinatra (*les Inséparables* [*Marriage on the Rocks*], 1965 ; *le Hold-up du siècle* [*Assault on a Queen*], 1966). Cela en marge d'une importante activité à la télévision. G.L.

DONSKOÏ *(Mark)* [*Mark Semenovič Donskoj*], *cinéaste soviétique d'origine ukrainienne (Odessa 1901 - Moscou 1981).* Issu d'une famille juive modeste, Donskoï réussit à s'instruire à la faveur de la révolution d'Octobre. Intéressé par la psychiatrie, il entreprend, après sa démobilisation, des études de médecine. Cette activité trop accaparante ne lui permet pas de s'adonner à la musique, au football et à la boxe, ses violons d'Ingres ; aussi change-t-il de voie. Il étudie le droit et en obtient un diplôme. Bien que peu motivé par sa nouvelle profession, il l'exerce quelque temps dans des branches relevant de la criminologie et de la défense politique, notamment à la Cour suprême d'Ukraine.

À partir de 1925, ses diverses expériences se fondent et se concrétisent dans ce qui devient sa vocation : le cinéma. Il écrit une pièce, *l'Aube de la liberté,* et un recueil de nouvelles, *les Prisonniers,* portant sur l'activité clandestine dans certains milieux pendant la guerre civile. Il élabore, sur un thème voisin, son premier scénario, *le Dernier Rempart,* qu'il ne met toutefois pas en scène. Il entre, en 1926, à l'Institut de cinéma de Moscou, dans la classe d'Eisenstein.

Travaillant comme assistant monteur dans le nouveau studio Byelgoskino, il y réalise en 1927 *la Vie (Žizn),* un essai cinématographique demeuré inachevé. La même année, il mène à terme *'Dans la grande ville' (V bol 'šom gorode),* son premier long métrage. Ce film nous narre une tranche de la vie d'un poète d'extraction paysanne qui se fixe en ville. Donskoï, cinéaste rural par excellence, en profite pour caricaturer certains aspects du comportement des nouveaux bourgeois de la NEP. En 1928, il achève, avec la collaboration de l'écrivain Mikhail Auerbach, *'le Prix d'un homme' (Cena čeloveka).* Après quelques bandes comme *'le Dandy' 'le Gommeux'* (*Pižon,* 1929) ; *'l'Autre rive'* (*Čužoj bereg,* 1930) et *'le Feu'* (*Ogon',* 1931), où Donskoï apprend son métier, il élabore, en 1934, avec le concours de Vladimir Legochine, *le Chant du bonheur (Pesn'o sčast'e),* considéré comme la meilleure réussite de sa première période. Le film traite, avec humour, de l'éveil des peuples vivant sur les zones frontalières ainsi que de leur adaptation à la nouvelle vie. Cette veine de l'œuvre de Donskoï se retrouve également dans *les Romantiques* (*Romantiki,* 1941) et dans *Alitet s'en va dans les montagnes / la Loi de la Grande Terre* (*Alitet uhodit v gory,* 1950), deux films massacrés par la censure stalinienne.

L'adaptation des œuvres biographiques de Maksim Gorki, en une trilogie demeurée célèbre – *l'Enfance de Gorki* (*Detstvo Gor'kogo,* 1938) ; *En gagnant mon pain* (*V ljudjah,* 1939) et *Mes universités* (*Moj universitety,* 1940) –, marque l'entrée de Donskoï dans la sphère des maîtres du 7e art soviétique. Les préoccupations humanistes de l'écrivain trouvent un saisissant écho dans la description de la société paysanne russe du XIXe siècle esquissée par le cinéaste. De l'enfance à la jeunesse, Alexis Pechkov – le futur Gorki – prend conscience, successivement, de l'oppression domestique de la cellule patriarcale, de la dureté du monde du travail et de la difficulté de s'instruire pour les pauvres. Pratiquement, tous les thèmes que l'on retrouve ultérieurement dans l'œuvre de Donskoï sont ici présents : croyance fervente et presque mystique en l'homme ; héros effacés mais jamais résignés ; peinture à gros traits, sous forme de tableaux, de la Russie prérévolutionnaire ; présence du double visage positif de la femme (*cf.* la grand-mère protectrice et la jeune bourgeoise initiant Alexis à la lecture). Le metteur en scène réalise trois films, pendant les hostilités, liés au problème de la guerre : *Et l'acier fut trempé* (*Kak zakaljalas' stal',* 1942), *l'Arc-en-ciel* (*Raduga,* 1944) et *Tarass l'indompté/ les Indomptés* (*Nepokorennye,* 1945). Ici, la générosité s'efface un peu devant l'horreur ; à ce titre, le portrait de la résistante dans *l'Arc-en-ciel* est bouleversant. À la combattante succède, dans *Varvara* ou *l'Institutrice au village* (*Sel'skaja učitel'nica,* 1947), la pionnière de l'éducation (les deux rôles que le créateur impartit à la femme soviétique), thème omniprésent dans la filmographie de Donskoï. Après l'incident d'*Alitet s'en va dans les montagnes,* il reste six ans sans tourner, à l'exception d'un documentaire sportif : *Nos champions* (*Naši čempiony,* 1950).

Par la suite, le cinéaste investit à nouveau, avec une fidélité modelée à sa vision personnelle, l'œuvre de Gorki : *la Mère* (*Mat ',* 1956) et *Thomas Gordeiev* (*Foma Gordeev,* 1959). Il réalise en 1958 un film phare, plus lyrique et débridé que les autres, *le Cheval qui pleure (Dorogoj cenoj),* qui n'est pas sans anticiper, par son envoûtant panthéisme, sur *les Chevaux de feu* (1965) de Sergueï Paradjanov. À l'opposé d'un grand nombre de pionniers du cinéma soviétique, le style de Donskoï, toujours sobre, n'a pratiquement pas varié de la trilogie à *Thomas Gordeiev.* Son enracinement culturel foncièrement ukrainien, son humanisme actif, son inspiration située dans le passé (la meilleure façon d'éclairer le présent selon lui) ont gardé à son œuvre une unité qui lui a permis de traverser, sans compromis, les périodes les plus noires et d'échapper aux fluctuations des modes idéologiques. Par ailleurs, Donskoï est essentiellement un réalisateur du parlant ; et son emploi moderne de la profondeur de champ fait de lui, à l'instar de Renoir ou de Welles, un cinéaste contemporain. Les années 60 voient l'affadissement de ses thèmes, qui frisent parfois la mièvrerie : *Bonjour les enfants* (*Zdravstvujte, deti,* 1962) ; *la Dévotion d'une mère* (*Vernost materi,* 1967). R.BA.

Autres films : *Majak* (épisode du *Ciné-Recueil de guerre n° 9,* 1942) ; *le Cœur d'une mère* (*Serdce materi,* 1965) ; *Chaliapin* (1969) ; *Nadejda (Nadežda,* 1973) ; *les Époux Orlov* (*Suprugi Orlovy,* 1977). ▲

DORFMANN *(Robert), producteur et distributeur français (Marseille 1912).* Après diverses activités, notamment distributeur en province, il fonde en 1945, avec Henri Bérard, la société des Films Corona et reprend en 1946 la société Silver Films fondée en 1935. De sa riche filmographie, on peut extraire : *Miquette et sa mère* (H.-G. Clouzot, 1950), *Justice est faite* (A. Cayatte, id.), *Jeux interdits* (R. Clément, 1951), *Touchez pas au grisbi* (J. Becker, 1954), *l'Air de Paris* (M. Carné, *id.*), *Gervaise* (Clément, 1956), *les Tricheurs* (Carné, 1958), *Fortunat* (A. Joffé, 1960), *la Princesse de Clèves* (J. Delannoy, 1961), *l'Année dernière à Marienbad* (A. Resnais, *id.*), *le Corniaud* (G. Oury, 1965), *la Grande Vadrouille* (id., 1966), *la Prisonnière* (Clouzot, 1968), *Mayerling* (T. Young, *id.*), *l'Armée des ombres* (J.-P. Melville, 1969), *l'Aveu* (Costa-Gavras, 1970), *le Cercle rouge* (Melville, *id.*), *Trafic* (J. Tati, 1971), *Un flic* (Melville, 1972), *Barocco* (A. Téchiné, 1976).

Son fils *Jacques (Toulouse 1945)*, tout d'abord acteur puis producteur délégué avec son père aux films Corona, a racheté Belstar Productions en 1971 qui a produit notamment *l'Albatros* (J.-P. Mocky, 1971), *Nous ne vieillirons pas ensemble* (M. Pialat, 1972), *Traitement de choc* (A. Jessua, 1973), *le Trio infernal* (F. Girod, 1974), *Sept Morts sur ordonnance* (J. Rouffio, 1975), *la Guerre du feu* (J.-J. Annaud, 1981, co Stephan Films), *Family Rock* (José Pinheiro, 1982). Passé à la mise en scène, il signe en 1987 *le Palanquin des larmes* d'après Chow Ching Lie. J.- C.S.

DORLÉAC *(Françoise), actrice française (Paris 1942 - Nice 1967).* Fille du comédien Maurice Dorléac et sœur aînée de Catherine Deneuve, elle débute à dix-huit ans dans *les Loups dans la bergerie,* d'Hervé Bromberger (1960). La même année, Michel Deville lui propose un rôle plus conforme à sa personnalité dans *Ce soir ou jamais* (avec Anna Karina et Claude Rich), où elle est éblouissante de fantaisie. Ses films suivants manquent d'intérêt, même *Tout l'or du monde,* de René Clair (1961). Il lui faut attendre 1962 et *la Gamberge,* de Norbert Carbonnaux (avec Jean-Pierre Cassel et Arletty), pour pouvoir donner sa mesure. Son registre, c'est la fantaisie, et elle le prouve dans *Arsène Lupin contre Arsène Lupin,* d'Édouard Molinaro (1962) et *l'Homme de Rio,* de Philippe de Broca (1963). François Truffaut lui offre un rôle dramatique dans *la Peau douce* (1964, avec Jean Desailly), où elle démontre qu'elle est une comédienne complète, ce que confirme, plus que *la Chasse à l'homme,* de Molinaro (1964), *Cul-de-sac* de Roman Polanski (1966). Elle chante et danse avec Catherine Deneuve dans la comédie musicale de Jacques Demy et Michel Legrand, *les Demoiselles de Rochefort* (1967). Elle s'est fait une place bien à elle dans le cinéma français quand elle se tue, le 27 juin 1967, dans un accident de la route. D.R.

DORS *(Diana Fluck,* dite *Diana), actrice britannique (Swindon 1931 - Londres 1984).* Ancienne lauréate d'un concours de beauté, elle s'imposa comme sex-symbol du cinéma d'outre-Manche des années 50-60. Son physique de blonde capiteuse la spécialisa dans les apparitions décoratives. Elle obtint cependant quelques rôles intéressants dans *Filles sans joie* (*The Weak and the Wicked,* J. L. Thompson, 1954), *l'Enfant à la licorne* (C. Reed, 1955) et surtout dans *Peine capitale* (Thompson, 1956). Depuis, elle s'est reconvertie dans les emplois de femme à forte corpulence : *Baby Love* (A. Reid, 1969) ; *Deep End* (J. Skolimowski, 1970) ; *le Joueur de flûte* (J. Demy, 1972) ; *Steaming* (J. Losey, 1985). R.L.

DORSALE. *Face dorsale,* face d'un film côté support, par opposition à *face émulsionnée.*

DORSCH *(Käthe), actrice allemande (Neumarkt 1890 - Vienne, Autriche, 1957).* Actrice de théâtre dès l'enfance, elle débute à l'écran en 1917 sous la direction de Lubitsch et, parallèlement à une carrière théâtrale très diversifiée, elle devient une vedette du cinéma muet et de l'opérette. Elle tourne notamment *Die blaue Mauritius* (V. Larsen, 1918), et *Fräulein Julie* (Felix Basch, 1922). Favorisée par les autorités du IIIe Reich, elle est une des grandes vedettes du cinéma allemand de l'époque : *Une femme sans importance* (*Eine Frau ohne Bedeutung*, H. Steinhoff, 1936), *Savoy Hotel 217* (G. Ucicky, *id.*), *Yvette* (W. Liebeneiner, 1938), *Mutterliebe* (Ucicky, 1939), *Komödianten* (G. W. Pabst, 1941). Après la guerre, elle fait surtout du théâtre et, presque aveugle, se retire vers 1950. D.S.

DORVILLE (*Georges Henri Dodane,* dit), *acteur français (Paris 1883 - Souillac 1941).* Sa carrière à l'écran ne dure pas plus d'une décennie. Comique troupier d'abord, il triomphe au music-hall et déride les foules dans de nombreuses opérettes en tirant parti d'un physique ingrat et d'une voix rauque. Pabst en fait le Sancho de son *Don Quichotte* (1933) et le retrouve dans *le Drame de Shanghai* (1938). Les personnages campés par Dorville sont à la fois pittoresques et véridiques, truculents et humains : *Sans famille* (M. Allégret, 1934), *l'Affaire du courrier de Lyon* (M. Lehmann et C. Autant-Lara, 1937), *les Otages* (R. Bernard, 1939), *le Veau gras* (S. de Poligny, 1939), *l'Enfer des anges* (Christian-Jaque, 1939), ou même comiques : *Circonstances atténuantes* (J. Boyer, *id.*). R.C.

DORZIAT *(Gabrielle), actrice française (Épernay 1880 - Biarritz 1979).* Cette actrice qui connaît la notoriété très tôt au théâtre n'aborde que tard le cinéma (un film muet : *l'Infante à la rose,* H. Houry, 1921). À partir de *Mayerling* (A. Litvak, 1936), elle tourne beaucoup, affirmant son autorité et la puissance de son jeu dans *Courrier Sud* (P. Billon, 1937), *Mollenard* (R. Siodmak, 1938), *la Fin du jour* (J. Duvivier, 1939). Femmes méchantes, aïeules aimables, créatures despotiques, elle peut tout jouer avec une précision remarquable et un talent rompu à la technique théâtrale : *le Voyageur de la Toussaint* (L. Daquin, 1943) ; *le Baron fantôme* (S. de Poligny, *id.*) ; *Falbalas* (J. Becker, 1945) ; *les Parents terribles* (J. Cocteau, 1949) ; *Manon* (H.-G. Clouzot, 1949) ; *la Vérité sur Bébé Donge* (H. Decoin, 1952). Sachant avec lucidité jusqu'où il lui est permis d'aller, elle imprime à ses rôles un mouvement vigoureux et triomphe d'un physique a priori peu photogénique. R.C.

DOUARINOU *(Alain), chef opérateur français (Saigon, Cochinchine, 1909 - Bretagne 1987).* D'abord assistant opérateur de Nicolas Hayer et de Christian Matras (dont il deviendra après guerre le collaborateur attitré), il « éclaire » son premier film en 1934, *Cartouche* (J. Daroy), puis fait partie de l'équipe des opérateurs bénévoles de *La vie est à nous* et de *la Marseillaise,* de Jean Renoir. Après une longue captivité, on le retrouve auprès de Louis Page et d'André Bac, sur *le 6 Juin à l'aube,* de Jean Grémillon (1946). Il devient par la suite un technicien apprécié : *la Symphonie pastorale* (J. Delannoy, 1946), *Le silence est d'or* (R. Clair, 1947), *Fanfan la Tulipe* (Christian-Jaque, 1952), *Till l'Espiègle* (G. Philipe, 1956), *les Espions* (H.-G. Clouzot, 1957), *le Jeu de la vérité* (R. Hossein, 1961) et surtout les quatre derniers films de Max Ophuls (*la Ronde* [1950], *le Plaisir* [1952], *Madame de* [1953], *Lola Montès* [1955]), cinéaste dont il admire la « ténacité » et le sens de l'improvisation, et qui lui a permis de réaliser quelques mouvements de caméra parmi les plus étonnants du cinéma français, notamment le grand mouvement à la grue autour de la Maison Tellier, dans *le Plaisir.* C.B.

DOUARINOU *(Jean), décorateur français (Cholon, Cochinchine, 1906).* Dessinateur publicitaire, il se tourne vers le cinéma en 1932 et, avec *Cartouche* (J. Daroy, 1934), signe son premier décor. Il a essentiellement collaboré à des films commerciaux où il ne put toujours donner la pleine mesure de son talent. Cependant, il a conçu les décors de quelques films esthétiquement intéressants : *Un carnet de bal* (J. Duvivier, 1937), *la Vérité sur Bébé Donge* (H. Decoin, 1952), *Austerlitz* (A. Gance, 1960), *Cyrano et d'Artagnan* (id., 1963). F.LAB.

DOUBLAGE. Remplacement de la bande sonore originale d'un film par une autre bande, qui donne les dialogues dans une autre langue tout en s'efforçant de respecter les mouvements de lèvres des acteurs. Dans son sens le plus général, le *doublage* consiste à réenregistrer en studio les dialogues d'un film, en synchronisme avec les mouvements des acteurs et tout particulièrement les mouvements de leurs lèvres, de façon à procurer l'illusion que les paroles entendues sont celles réellement prononcées par les personnages filmés. Le son ainsi « plaqué » sur les images vient alors se substituer au « son direct » capté (plus ou moins bien) lors du tournage. Ce son direct peut avoir été conservé comme « son témoin » servant de repère pour établir le texte et déterminer les intonations du tournage.

Plus spécifiquement, on parle de *doublage* quand il s'agit de diffuser le film dans les langues autres que la langue originale (la « version doublée » s'opposant ici à la « version originale ») et de *postsynchronisation* quand il s'agit de réenregistrer les dialogues dans la langue *originale* du film.

Le doublage, au sens de changement de langue, découle du souci d'assurer à un film une large diffusion dans les pays étrangers, et notamment dans les pays peu alphabétisés, où la lecture des sous-titres est difficile ou impossible pour une grande partie du public. Le problème ne se posait évidemment pas au temps du cinéma muet : on pouvait employer dans un film des comédiens de nationalités différentes. L'avènement du parlant, à la fin des années 20, créa une sorte de panique. On commença par tourner les films en plusieurs versions dotées chacune de sa distribution propre, les scènes étant tournées dans le même décor autant de fois qu'il y avait de versions. (Cf. *Marius* [A. Korda, 1931] ou *le Testament du docteur Mabuse* [F. Lang, 1933].) La méthode était longue et coûteuse. Dès que les progrès techniques le permirent, on recourut au doublage. (*Chantons sous la pluie* [S. Donen et G. Kelly, 1952] évoque bien cette période héroïque.) On fit aussi, parfois, des doublages « en direct », c'est-à-dire au moment même du tournage (*Chantage* d'Alfred Hitchcock, 1929), quand la distribution comportait un comédien (dans ce cas : une actrice) ne parlant pas la langue du film.

Contrairement à l'Italie par exemple, où il est très rare de projeter en version originale les films importés, la plupart des films étrangers diffusés en France le sont à la fois en version doublée et en version originale sous-titrée. La deuxième formule offre l'avantage de faire entendre la vraie voix des acteurs, mais certains reprochent aux sous-titres d'abîmer l'image (particulièrement dans les scènes de nuit). À l'inverse, le doublage peut créer une impression de factice et de plaqué, non pas tellement à cause du procédé lui-même (car on peut arriver à une grande précision dans la synchronisation) qu'en raison des discordances qui subsistent toujours entre les façons de s'exprimer du comédien de la version originale et du comédien du doublage, et les génies propres à chaque langue, à chaque culture. Par ailleurs, certains acteurs ont une voix caractéristique, qui fait partie d'eux-mêmes, dont le doublage les ampute, même si l'on met beaucoup de soin à trouver pour le doublage une voix adéquate au physique et à la personnalité de l'acteur. (Quand on a trouvé cette voix, on la conserve : certaines vedettes — John Wayne, par exemple — sont doublées en français, pendant des années, par le même acteur, dont la voix finit par s'identifier à la vedette elle-même.)

En France, le budget moyen du doublage d'un long métrage se situe, en 1981, entre 50 000 et 80 000 F. Certains petits pays, comme l'Islande ou les Pays-Bas, ne peuvent compter sur un public assez nombreux pour amortir un tel budget : ce n'est donc pas par préférence de principe qu'ils diffusent les films étrangers en version originale sous-titrée. Dans certains pays, comme l'URSS, on préfère souvent recourir à une *traduction simultanée* enregistrée *par-dessus* la voix originale, que l'on continue d'entendre.

Un problème quasi insoluble du doublage est celui des *accents*. Si l'on prend un film américain qui oppose, dans une intention humoristique, l'accent texan très prononcé du héros à l'accent urbain new-yorkais, comment traduire dans le doublage cette opposition qui joue un rôle important ? La solution adoptée autrefois aurait consisté à donner au héros un accent « non parisien » : accent méridional ou accent de terroir. Aujourd'hui, on cherche plutôt à traduire l'opposition d'accent par des différences de vocabulaire ou de syntaxe. En fait, toutes les solutions sont bâtardes, voire à la limite de l'absurde (militaires allemands se parlant entre eux en français avec un accent allemand dans les versions françaises de films de guerre). D'un autre côté, les plus réticents au principe même du doublage sont attendris de retrouver, dans les versions françaises de Laurel et Hardy, l'accent anglais caricatural qu'on leur a donné autrefois...

Technique du doublage. Les premières opérations du doublage consistent, en faisant défiler la version originale sur une visionneuse sonore spécialement agencée : d'une part à décrypter puis à *traduire* les dialogues originaux ; d'autre part à *détecter* avec précision les instants où ces dialogues sont émis.

À partir de ces éléments, le « dialoguiste du doublage » établit un texte français en s'efforçant de respecter plusieurs critères a priori peu conciliables : rester autant que possible fidèle à la lettre et à l'esprit du texte original (notamment dans la transposition des jurons, des expressions imagées, argotiques, idiomatiques et familières) ; créer un dialogue qui s'adapte aux mouvements des lèvres des acteurs quand ces mouvements sont nettement visibles ; donner malgré tout une impression de naturel. Les bons dialoguistes du doublage (qui sont en général également auteurs des sous-titres, lesquels répondent à des critères différents) parviennent cependant à réaliser cette quadrature du cercle.

Pour l'enregistrement du doublage, la technique la plus usuelle est celle de la mise en *boucles* (en anglais : « looping »). Le film est découpé en courtes séquences refermées sur elles-mêmes par un collage, et l'on confectionne des boucles équivalentes de bande magnétique. Ces séquences peuvent ainsi être projetées de façon « circulaire », ce qui supprime les temps morts de rechargement des bandes quand il faut reprendre l'enregistrement ou quand on veut écouter le résultat. (La suppression des temps morts permet également aux comédiens de conserver leur concentration.)

Le son original de la version étrangère est diffusé aux comédiens comme modèle pour l'intonation, le rythme, l'interprétation. On enregistre ensuite le doublage, la boucle tournant jusqu'à l'obtention d'une synchronisation et d'une interprétation jugées satisfaisantes par le directeur du doublage. Quand plusieurs comédiens parlent pendant la séquence, on les enregistre généralement sur des pistes séparées de façon à faciliter le mixage. (Ce qui peut conduire à ce qu'il existe plusieurs boucles « parole » pour une même boucle « image ».) Une fois toutes les séquences doublées, les séquences sont remontées bout à bout pour reconstituer les bobines, que l'on envoie au mixage. Là, les paroles sont incorporées à la « version internationale » (→ BRUITAGE), bande sonore établie lors du mixage original et qui comprend tous les éléments sonores du film (ambiances, effets, musique) *autres* que les paroles. (Cette version internationale a précisément été établie pour qu'on puisse y greffer les doublages.)

En France, le procédé de la boucle est complété par une « bande rythmo », ou « bande synchro », film 35 mm transparent sur lequel le texte français est écrit à la main. Cette bande est elle aussi montée en boucle, que l'on projette sous l'écran en la faisant défiler horizontalement, de droite à gauche, en synchronisme avec l'image. Chaque syllabe est inscrite de façon à se présenter sous un repère à l'instant précis où elle doit être prononcée. Le comédien voit ainsi arriver son texte et peut anticiper mentalement la synchronisation qu'il doit réaliser. Ce système permet une synchronisation très serrée mais parfois assez figée, et certains directeurs de doublage préfèrent que le comédien se guide sur l'image plutôt que sur le texte.

Les responsables du doublage cherchent évidemment à recréer la couleur et le « réalisme » du son original, en jouant sur le choix et l'emplacement du micro ainsi que sur les corrections ou manipulations qu'ils peuvent effectuer soit lors de l'enregistrement, soit lors du mixage. Les comédiens, de leur côté, doivent s'efforcer de reproduire, dans leurs déplacements par rapport au micro, les déplacements des personnages visibles sur l'écran, par exemple lorsque ceux-ci s'éloignent. Si l'on ne prend pas soin d'agir ainsi, ce qui arrive parfois dans certains doublages exécutés un peu rapidement (notamment pour des raisons économiques), les voix doublées tendent à conserver une couleur et une présence uniformes de voix de studio.

Aux États-Unis, et dans d'autres pays, on travaille souvent « en longueur », sans découper le film, en utilisant des dispositifs de marche arrière qui assurent un retour très rapide au début de la séquence. Cette technique plus moderne pourrait supplanter en France la technique de la boucle.

Postsynchronisation. Si la fonction du doublage est évidente, on peut s'interroger sur l'intérêt de postsynchroniser dans la langue originale du film. Parfois, la postsynchronisation est *voulue* par les réalisateurs (Welles,

Tati, Bresson, etc.) pour des raisons esthétiques. Le plus souvent, elle correspond à une commodité (libérer le tournage des problèmes liés au son) ou à un rattrapage (quand certaines scènes que l'on a captées en « son direct » ne peuvent être utilisées telles quelles, parce que le son du tournage est défectueux ou inintelligible). Environ 45 p. 100 du temps d'occupation des auditoriums français est consacré au doublage et les salaires des comédiens représentent 60 p. 100 du coût total du doublage d'une œuvre audiovisuelle.

Généralement, les acteurs qui ont joué pour l'image se postsynchronisent eux-mêmes après coup. Il arrive aussi que ce soient d'autres acteurs, quand il s'agit de films tournés avec des non-professionnels dont on utilise le physique mais auxquels on veut donner une diction professionnelle (néoréalisme italien), ou bien quand la distribution du film emploie des acteurs étrangers (acteurs français ou américains dans les films italiens). Le cinéma italien possède d'ailleurs une tradition largement prédominante de postsynchronisation, alors que le cinéma français, s'il recourt souvent à une postsynchronisation partielle pour des raisons pratiques, conserve une préférence de principe pour le son direct.

La technique de la postsynchronisation est identique à celle du doublage, à ceci près que la bande « rythmo » est établie à partir du « son témoin ».

La postsynchronisation peut être considérée comme le symétrique exact du *play-back*, utilisé principalement pour les films musicaux, et qui consiste à tourner l'image sur un son préalablement enregistré. (Cette symétrie apparaît bien dans les textes qui recommandent l'emploi de « présonorisation » pour play-back et « postsonorisation » pour postsynchronisation.) J.-P.F.

DOUBLE BANDE. Forme sous laquelle se présente un film sonore lorsque l'image et le son sont portés par deux bandes distinctes. (→ BANDE SONORE.)

DOUBLE EXPOSITION. Truquage consistant à faire défiler deux fois le film dans la caméra ou dans la tireuse pour y inscrire deux images superposées. (→ EFFETS SPÉCIAUX.)

DOUBLE 8 → FORMAT.

DOUBLEPATTE ET PATACHON → MADSEN *(Harald).*

DOUBLER. *Doubler un film,* effectuer le *doublage* de ce film. *Doubler un acteur,* remplacer cet acteur pour des scènes dangereuses ou osées, ou bien remplacer sa voix. (→ CASCADES, DOUBLAGE.)

DOUBLEUR. Comédien spécialisé dans le doublage.

DOUBLE X. Nom de marque d'une pellicule négative noir et blanc de prise de vues de la firme Kodak. (Apparue entre les deux guerres, la Double X était, pour l'époque, particulièrement rapide.)

DOUBLURE. Personne offrant une ressemblance satisfaisante avec un acteur et qui remplace celui-ci pour diverses activités où la présence de l'acteur n'est pas indispensable : réglage de l'éclairage avant une prise de vues, prise de vues où le personnage n'est vu qu'en amorce ou en silhouette, etc.

DOUBSON *(Mikhaïl)* [*Mihail Iosifovič Dubson*], *cinéaste soviétique (Smolensk 1899 - Moscou 1962).* Après des études de droit à Moscou, il est nommé en 1925 attaché commercial à Berlin, travaille avec des firmes cinématographiques locales et s'y familiarise avec la mise en scène. Il débute lui-même comme réalisateur à Berlin avec *'Deux Frères'* (*Dva brata,* 1929) et *'Gaz asphyxiant'* (*Jadovityj gaz,* id.) : ce dernier film, influencé par l'expressionnisme, est un étonnant pamphlet antimilitariste en forme de parabole de science-fiction politique ; le nom d'Eisenstein, venu rendre visite sur le tournage au réalisateur et à l'actrice Vera Baranovskaia, est parfois cité à son propos. De retour en URSS, Doubson réalise *'Frontière'* (*Granica,* 1935) qui lui vaut des éloges enthousiastes de Gorki et de Romain Rolland. Ses films suivants sont décevants : *'les Grandes Ailes'* (*Bol'šie Kryl'ja,* 1937), *'Concert-Valse'* (*Koncert-val's,* 1941, co Ilia Trauberg) et *'la Tempête'* (*Štorm,* 1957). M.M.

DOUGLAS *(Bill), cinéaste britannique (Newcraighall, Écosse, 1934 - Barnstaple, Devon, 1991).* Fils illégitime d'un mineur, Bill Douglas exerce lui-même ce métier pendant toute son adolescence. De 1968 à 1970, il étudie à la London Film School ; il en sort diplômé après avoir réalisé *Come Dancing,* son court métrage de fin d'études.

De 1972 à 1976, Douglas entreprend la conception d'une trilogie autobiographique composée des films suivants : *My Childhood* (1972), *My Ain Folk* (1974) et *My Way Home* (1976). Les deux premiers volets sont sortis en France sous le titre global de *Portrait d'enfance.* Pour tourner ce triptyque, l'auteur retourne à Newcraighall, son village natal. Il s'agit, comme les fameuses trilogies de Mark Donskoï et de Satyajit Ray en leur temps, d'une œuvre de prise de conscience et d'auto-éveil. Sans nostalgie aucune, par un cheminement quasi documentaire et le recours à une photo contrastée, le cinéaste nous restitue, de manière à la fois brute et précise, ce que sa mémoire a retenu d'une enfance difficile vécue dans la solitude et le manque d'affection. R.BA.

DOUGLAS *(Gordon), cinéaste américain (New York, N. Y., 1909 - Los Angeles, Ca., 1993).* Venu à Hollywood dans les années 20, il est d'abord acteur, assistant et gagman pour le producteur Hal Roach. Longtemps spécialisé ou confiné dans les comédies burlesques de la série *Our Gang* (30 titres entre 1936 et 1939), il dirige enfin un long métrage en 1939 : *Zenobia,* resté connu parce qu'il réunissait Oliver Hardy et Harry Langdon. Après un autre long métrage comique réunissant cette fois Hardy à son partenaire habituel Laurel (*Laurel et Hardy en croisière* [*Saps at Sea*], 1940), Douglas passe de studio en studio, appliquant un métier sans faille aux sujets les plus variés. Bien que cinéaste très mineur, c'est en vieillissant qu'il a, comme les plus grands, montré davantage de personnalité par-delà la réussite technique dans le thriller (*le Fauve en liberté* [*Kiss To-Morrow Goodbye*], 1950), l'aventure (*la Maîtresse de fer* [*The Iron Mistress*], 1952), la science-fiction (*Des monstres attaquent la ville* [*Them !*], 1954) et surtout sans doute le western (*Sur la piste des Comanches* [*Fort Dobbs*], 1958 ; *le Trésor des sept collines* [*Gold of the Seven Saints*], 1961 ; *Rio Conchos* [id.], 1964 ; *Chuka le Redoutable* [*Chuka*], 1967). Avant de prendre un repos bien gagné (plus de 40 longs métrages en 35 ans), Douglas a encore dirigé, entre autres films, deux « véhicules » plus qu'honorables pour Carroll Baker (*Sylvia* [id.], 1965 ; *Harlow, la blonde platine* [*Harlow*], id.) et trois pour Frank Sinatra mûrissant (*Tony Rome est dangereux* [*Tony Rome*], 1967 ; *la Femme en ciment* [*Lady in Cement*], 1968 ; et, surtout, *le Détective* [*The Detective*], 1968), où son sens visuel entrait au service d'une psychologie assez subtile et d'une intrigue fascinante), puis un film pour Sidney Poitier (*Appelez-moi Mr. Tibbs* [*They call Me Mr. Tibbs*], 1970). G.L.

DOUGLAS *(Issur Danielovitch,* dit *Kirk), acteur, cinéaste et producteur américain (Amsterdam, N. Y., 1916).* Né dans une famille d'immigrants d'origine russe (il changera d'abord son nom en celui de Isidore Demsky), il paie ses études à St. Lawrence University puis à l'American Academy of Dramatic Art en utilisant ses talents de lutteur. Il débute à Broadway en 1941 et sert dans la marine en 1942-43 avant de revenir à Broadway pour y reprendre deux rôles créés par Richard Widmark. Dès son premier film, en 1946, on peut discerner les éléments qui caractériseront les premières années de sa carrière. Sous une façade assurée et brillante, le politicien alcoolique qu'il interprète dans *l'Emprise du crime* dissimule en effet une fragilité névrotique et une tendance masochiste à l'autodestruction. Les mêmes traits éclatent dans le film qui propulse l'acteur vers la célébrité : *Champion* (1949), dans lequel il incarne un boxeur qu'une volonté frénétique de s'accomplir entraîne vers la gloire et la mort. Le dénominateur commun de tous ses films des années 50, c'est l'individualisme farouche de ses personnages, l'instinct de mort qui les habite, l'intensité avec laquelle ils se précipitent jusqu'au bout de leurs choix. Il y a dans ses personnages les plus extérieurement forts – le reporter sans scrupules du *Gouffre aux chimères* (1951), le producteur cynique des *Ensorcelés* (1952), les cow-boys de *la Captive aux yeux clairs* (id.) et *l'Homme qui n'a pas d'étoile* (1955), l'avocat militaire des *Sentiers de la gloire* (1957) – une vulnérabilité extrême qui éclate dans leurs accès de violence rageuse et se développe pleinement dans le portrait halluciné de Vincent Van Gogh (*la Vie passionnée de Vincent Van Gogh,* 1956) et la complexité fiévreuse d'un Doc Holliday poitrinaire et raffiné (*Règlements de comptes à O. K. Corral,* 1957).

Il interprète en 1960 deux de ses meilleurs films : *Liaisons secrètes,* où il incarne un architecte idéaliste et englué dans le quotidien, et surtout *Spartacus,* qui concilie avec une exemplaire rigueur les exigences du spectacle et celles de la morale. Douglas produit lui-même le film et on peut y voir un bon exemple de ses constantes qualités comme producteur : goût pour des sujets difficiles et politiquement marqués à gauche, courage face aux pressions (il engage comme scénariste Dalton Trumbo, qui figurait alors sur la fameuse liste noire), intransigeance face à ceux qui lui résistent (il remplace Anthony Mann par Stanley Kubrick). Après un beau western moderne, *Seuls sont les indomptés* (1962), et *Quinze Jours ailleurs* (id.), qui poursuit à Cinecittà la réflexion sur Hollywood commencée dans *les Ensorcelés,* Douglas se laisse enfermer dans des rôles sans guère d'épaisseur sur lesquels tranchent le publiciste rongé par le doute de *l'Arrangement* (1969) et le bagnard sarcastique du *Reptile* (1970).

Kirk Douglas est passé à la réalisation en 1973 et, après un premier essai peu convaincant *(Scalawag),* a livré avec *la Brigade du Texas* (1975) le western qu'on pouvait attendre de lui : efficace sans esbroufe, caustiquement critique de l'exploitation de l'ordre légal par la politique. J.-P.B.

Films ▲ : *l'Emprise du crime* (L. Milestone, 1946) ; *l'Homme aux abois* (B. Haskin, 1947) ; *Le deuil sied à Électre* (D. Nichols, *id.*) ; *la Griffe du passé* (J. Tourneur, *id.*) ; *The Walls of Jericho* (J. M. Stahl, 1948) ; *Ma chère secrétaire (My Dear Secretary,* Charles Martin, *id.) ; Chaînes conjugales* (J. L. Mankiewicz, 1949) ; *le Champion* (M. Robson, *id.*) ; *la Femme aux chimères* (M. Curtiz, 1950) ; *la Ménagerie de verre (The Glass Menagerie,* I. Rapper, *id.) ; le Désert de la peur* (R. Walsh, 1951) ; *le Gouffre aux chimères* (B. Wilder, *id.*) ; *Histoire de détective* (W. Wyler, *id.*) ; *la Vallée des géants (The Big Trees,* Felix Feist, 1952) ; *la Captive aux yeux clairs* (H. Hawks, *id.*) ; *les Ensorcelés* (V. Minnelli, *id.*) ; *Histoire de trois amours* (*The Story of Three Loves,* épis. *Trapèzes,* G. Reinhardt, 1953) ; *le Jongleur* (E. Dmytryk, *id.*) ; *Un acte d'amour* (A. Litvak, FR, 1954) ; *Ulysse* (M. Camerini, IT, *id.*) ; *20 000 Lieues sous les mers* (R. Fleischer, *id.*) ; *le Cercle infernal* (*The Racers,* H. Hathaway, 1955) ; *l'Homme qui n'a pas d'étoile* (K. Vidor, *id.*) ; *la Rivière de nos amours* (A. De Toth, *id.*) ; *la Vie passionnée de Vincent Van Gogh* (Minnelli, 1956) ; *Règlements de comptes à O. K. Corral* (J. Sturges, 1957) ; *Affaire ultrasecrète (Top Secret Affair,* H. C. Potter, *id.) ; les Sentiers de la gloire* (S. Kubrick, *id.*) ; *les Vikings* (R. Fleischer, 1958) ; *le Dernier Train de Gun Hill* (Sturges, 1959) ; *Au fil de l'épée* (G. Hamilton, GB, *id.*) ; *Liaisons secrètes* (R. Quine, 1960) ; *Spartacus* (Kubrick, *id.*) ; *Ville sans pitié* (*Town Without Pity,* Reinhardt, 1961) ; *El Perdido* (R. Aldrich, *id.*) ; *Seuls sont les indomptés* (D. Miller, 1962) ; *Quinze Jours ailleurs* (Minnelli, *id.*) ; *Un homme doit mourir* (*The Hook,* G. Seaton, 1963) ; *le Dernier de la liste* (J. Huston, *id.*) ; *Trois Filles à marier (For Love or Money,* M. Gordon, *id.) ; Sept Jours en mai* (J. Frankenheimer, 1964) ; *Première Victoire* (O. Preminger, 1965) ; *les Héros de Telemark* (A. Mann, GB, *id.*) ; *l'Ombre d'un géant* (M. Shavelson, 1966) ; *Paris brûle-t-il ?* (R. Clément, FR, *id.*) ; *la Route de l'Ouest* (A. V. McLaglen, 1967) ; *la Caravane de feu* (B. Kennedy, *id.*) ; *Un détective à la dynamite* (*A Lovely Way to Die,* D. Lowell Rich, 1968) ; *les Frères siciliens* (M. Ritt, *id.*) ; *l'Arrangement* (E. Kazan, 1969) ; *le Reptile* (J. L. Mankiewicz, 1970) ; *Dialogue de feu* (*A Gunfight,* Lamont Johnson, 1971) ; *le Phare du bout du monde (The Light at the Edge of the World,* Kevin Billington, ESP, *id.) ; les Doigts croisés (Catch Me a Spy,* Dick Clement, *id.) ; Un homme à respecter* (*Un uomo da rispettare,* Michele Lupo, 1973) ; *Scalawag* (K. Douglas, RÉ, *id.*) ; *Cat and Mouse* (D. Petrie, 1974) ; *Une fois ne suffit pas* (G. Green, 1975) ; *la Brigade du Texas (Posse,* K. Douglas, RÉ, *id.) ; Victoire à Entebbé* (*Victory at Entebbe,* Marvin Chomsky, TV, 1977) ; *Holocauste 2000 (Holocaust 2000,* Alberto De Martino, *id.) ; Furie* (B. De Palma, 1978) ; *Cactus Jack* (*The Villain,* Hal Needham, 1979) ; *Saturn 3* (id., S. Donen, *id.*) ; *Nimitz, retour vers l'enfer* (*The Final Countdown,* Don Taylor, 1980) ; *Home Movies* (De Palma, *id.*) ; *l'Homme de la rivière d'argent* (*The Man From Snowy River,* George Miller, 1981) ; *Un flic aux trousses* (*Eddie Macon's Run,* Jeff Kanew, 1983) ; *Coup double* (*Tough Guys,* id., 1986) ; *Oscar* (J. Landis, 1991) ; *Welcome to Veraz* (1992) *Greedy* (Jonathan Lynn, 1994).

DOUGLAS *(Melvyn Edouard Hesselberg,* dit *Melvyn), acteur américain (Macon, Ga., 1901 - New York, N. Y., 1981).* Il est comédien à Broadway dans les années 10 et travaille pour diverses compagnies avec succès. En un demi-siècle de cinéma, il fait preuve d'une prédisposition pour les séducteurs aimables, nobles ou facétieux, ou sudistes portant beau, mais dont le charme un peu convenu peut faire place à des rôles de caractère, aux côtés de Joan Crawford (*l'Ensorceleuse,* F. Borzage, 1938), ou de Ava Gardner et Gregory Peck (*Passion fatale,* R. Siodmak, 1949). Il est très à l'aise en vedette avec Garbo dans trois titres : *Comme tu me veux* (G. Fitzmaurice, 1932) ; *Ninotchka,* la pétillante comédie de Lubitsch (1939), et *la Femme aux deux visages* (G. Cukor, 1941), ultime film de « la Divine ». Douglas est alors au sommet de sa carrière, qui se fait pour l'essentiel à la MGM et à la RKO. Son allure distinguée, sa tenue, sa fine moustache le typent auprès d'un John Barrymore, avec plus de moyens dramatiques qu'un Basil Rathbone (Selznick le juge « intelligent »). Il lui manque la carrure, l'aura de Gable pour rejoindre le cercle des stars. De ses dernières prestations, il faut retenir celle d'un acteur vieilli méditant sur la solitude, auprès de Janet Leigh (*One Is a Lonely Number,* Mel Stuart, 1972) et son rôle dans le *Candidat* avec Redford (M. Ritchie, *id.*). C.M.C.

Autres films : *Une soirée étrange* (J. Whale, 1932) ; *Prestige* (T. Garnett, *id.*) ; *Annie Oakley* (G. Stevens, 1935) ; *l'Enchanteresse* (C. Brown, 1936) ; *Capitaines courageux* (V. Fleming, 1937) ; *Third Finger, Left Hand* (R. Z. Leonard, 1940 ; avec Mirna Loy) ; *We Were Dancing* (id., 1942 ; avec Norma Shearer) ; *le Maître de la prairie* (E. Kazan, 1947 ; avec Spencer Tracy et Katharine Hepburn) ; *A Woman's Secret* (N. Ray, 1949 ; avec Maureen O'Hara) ; *Billy Budd* (P. Ustinov, GB, 1962) ; *le Plus sauvage d'entre tous* (M. Ritt, 1963), qui lui vaut l'Oscar de « Best Supporting Actor » ; *Hôtel Saint Gregory* (R. Quine, 1967) ; *le Locataire* (R. Polanski, 1976 ; en français).

DOUGLAS *(Michael), acteur américain (New Brunswick, N. J., 1944).* Fils de Kirk Douglas, il débute dans le circuit théâtral off-Broadway et fait quelques apparitions remarquées à la télévision. Son aisance et sa prestance contribuent au succès international du feuilleton *les Rues de San Francisco.* Il fait une éclatante entrée dans la carrière de producteur avec *Vol au-dessus d'un nid de coucou* (Milos Forman, 1975), projet « maudit » qui remporte l'Oscar du meilleur film. Il coproduit avec Jane Fonda *le Syndrome chinois* (James Bridges, 1979). Au fil des années, il adopte inconsciemment les maniérismes paternels les plus caractéristiques et, surtout, semble reprendre à son compte les thèmes libertaires chers à Kirk Douglas : vigilance à l'égard de tout « système », exaltation farouche de l'individualisme, de l'esprit d'aventure... Son jeu léger qui frôle parfois l'inconsistance et son allure obstinément lisse et juvénile s'adaptent à une multitude de registres dont le thriller : *Morts suspectes* (*Coma,* Michael Crichton, 1978), *la Nuit des juges* (*The Star Chamber,* Peter Hyams, 1983), le film sentimental : *C'est ma chance* (*It's My Turn,* Claudia Weill, 1980), la comédie d'aventures : *À la poursuite du diamant vert* (R. Zemeckis, 1984) et sa suite, *le Diamant du Nil* (*The Jewel of the Nile,* Lewis Teague, 1985), la comédie musicale : *Chorus Line* (R. Attenborough, *id.*), et le film catastrophe psychopathologique : *Liaison fatale* (*Fatal Attraction,* Adrian Lyne, 1987). Son autorité et son potentiel se révèlent enfin dans son premier rôle « dur » : le « raider » survolté de *Wall Street* (O. Stone, 1987), pour lequel il remporte l'Oscar, dans *Black Rain* (1989) œuvre mineure de Ridley Scott où il interprète un flic taciturne mais intrépide, dans *la Guerre des Rose* (*The War of the Roses,* Danny DeVito, 1990) une comédie burlesque et dévastatrice et dans *Basic Instinct* (P. Verhoeven, 1992). Ce thriller sado-masochiste est un gros succès personnel pour Michael Douglas qui, malgré sa maturité, y est utilisé un peu à la manière d'un sex-symbol. Par contraste, il fait dans *Chute libre* (Joel Schumacher, 1993) un véritable rôle de composition, celui d'un cadre au chômage, terne et lunetté, qui bascule dans la folie meurtrière. Mais, dans *Harcèlement* (B. Levinson, 1994), il est à nouveau au centre d'une intrigue sexuelle complexe et, comme dans *Liaison fatale* ou *Basic Instinct,* la proie d'une femme-harpie prête à tout. À travers ces trois films, Michael Douglas finit par s'imposer comme un paradoxal héros moderne : le mâle effarouché. O.E.

DOUGLAS *(Paul), acteur américain (Philadelphie, Pa., 1899 - Los Angeles, Ca., 1959).* Footballeur professionnel, puis reporter sportif et commentateur aux actualités Fox-Movietone, il fait de timides débuts à Broadway en 1935 avant de triompher dans *Born Yesterday* de

Garson Kanin. Sa carrière cinématographique sera marquée par ce rôle de barbon tyrannique, et on le verra le plus souvent jouer les brutes réformées par l'amour, les officiers, policiers ou patrons balourds, notamment sous la direction de Joseph L. Mankiewicz (*Chaînes conjugales,* 1949), Elia Kazan (*Panique dans la rue,* 1950), Henry Hathaway (*Quatorze Heures,* 1951), Fritz Lang (*Le démon s'éveille la nuit,* 1952), Richard Quine (*Une Cadillac en or massif,* 1956) et Robert Wise (*Cette nuit ou jamais,* 1957). O.E.

DOUNAÏEVSKI *(Isaak), musicien soviétique (Lokhvitsa, Ukraine, 1900 - Moscou 1955).* Après ses études musicales au conservatoire de Kharkov, il compose des opérettes et des chansons. Il débute au cinéma en 1933 et devient aussitôt célèbre grâce au film de Grigorij Aleksandrov, *les Joyeux Garçons* (1934), où sa participation dynamique et enjouée fait bon ménage avec la vivacité et l'humour de cette comédie farfelue. Il reste fidèle à Aleksandrov pour *le Cirque* (1936), *Volga Volga* (1938) et *le Printemps* (1947). Spécialisé dans la musique légère et la chanson populaire, il collabore également aux comédies de Ivan Pyriev, *la Fiancée riche* (1937) et *les Cosaques du Kouban* (1949), ainsi qu'à de nombreux autres films. M.M.

DOUX. Faiblement contrasté, s'agissant d'un négatif ou d'une image positive.

DOUY *(Max), décorateur français (Issy-les-Moulineaux 1914).* Après ses études secondaires, il devient assistant décorateur de cinéma, travaillant successivement avec Jacques Colombier, Jean Perrier, Lazare Meerson, Serge Pimenoff, Eugène Lourié, soit toute la gamme des décorateurs français. *La Règle du jeu* de Renoir (1939) lui permet de s'affirmer, bien qu'il ne soit encore dans ce film que le second d'Eugène Lourié. Il est seul en piste à partir de *Dernier Atout* de Jacques Becker (1942) et signe, la même année, conjointement avec Léon Barsacq et Trauner, le décor « réaliste-poétique » de *Lumière d'été* de Jean Grémillon. C'est ensuite une succession ininterrompue de films importants : *Adieu Léonard* (P. Prévert, 1943), *Le ciel est à vous* (Grémillon, *id.*), *Falbalas* (Becker, 1945), *les Dames du bois de Boulogne* (R. Bresson, *id.*), *Quai des Orfèvres* (H.-G. Clouzot, 1947), *Manon* (id., 1949), *l'Affaire Maurizius* (J. Duvivier, 1954), *French Cancan* (J. Renoir, 1955), *les Mauvaises Rencontres* (A. Astruc, *id.*), *Cela s'appelle l'aurore* (L. Buñuel, 1956), etc. Chaque fois, Max Douy sait s'adapter à la personnalité du cinéaste qui l'engage. Mais c'est surtout avec Claude Autant-Lara qu'il enrichira sa palette : il signera le décor de *tous* ses films à partir du *Diable au corps* (1947), avec les points culminants d'*Occupe-toi d'Amélie* (qui lui vaut le prix du meilleur décor au festival de Cannes 1949), *l'Auberge rouge* (1951), *le Rouge et le Noir* (1954, pour lequel il se livre à des recherches historiques minutieuses) et *Marguerite de la nuit* (1956, son seul film résolument « irréaliste »). Pour Max Douy, le décor doit tendre à une stylisation aussi rigoureuse que possible, permettant l'évocation d'une réalité aussi bien psychologique que sociale ou morale. Le moindre accessoire doit concourir à l'harmonie de l'ensemble, dans une perspective non d'esthétisme gratuit, mais de crédibilité. Cela se vérifie également dans ses travaux pour le théâtre : il a décoré notamment des pièces de Marcel Achard, Jean-Paul Sartre, Roger Vailland, Armand Salacrou.

Son frère Jacques Douy (Paris 1924), également décorateur, a assisté ou relayé son aîné sur de nombreux films, entre autres *Terreur en Oklahoma* (P. Paviot, 1950), *Tamango* (J. Berry, 1959), *les Dragueurs* (J.-P. Mocky, *id.*). C.B.

DOVE *(Lillian Bohney,* dite *Billie), actrice américaine (New York, N. Y., 1901).* Ancienne et sculpturale vedette des Ziegfeld Follies, Billie Dove fut utilisée à Hollywood principalement pour sa beauté décorative. Elle était une demoiselle en détresse que secourait Douglas Fairbanks dans *le Pirate noir* (Al Parker, 1926). Elle joua souvent son propre rôle de Ziegfeld Girl, comme dans *Blondie of the Follies* (E. Goulding, 1932), qui mit fin à sa carrière. En 1963, on l'a revue dans *le Seigneur d'Hawaii* (G. Green). C.V.

DOVJENKO *(Aleksandr) [Aleksandr Petrovič Dovženko], cinéaste soviétique (Sosnitsi, Ukraine, 1894 - Moscou 1956).* Dovjenko naît dans une famille paysanne d'origine cosaque, donc non serve, mais nombreuse, pauvre, irréligieuse et illettrée. De son père, de son grand-père surtout, figures hautes en couleur et riches d'humanité, il s'inspirera pour créer les protagonistes majeurs de ses films. Son art est inséparable de ses racines, de sa province, de cette « Desna magique » (un affluent du Dniepr) qu'il a chantée dans un merveilleux récit autobiographique. Eisenstein justifiait les plans statiques, longs, immenses, presque immobiles, symboliques, de Dovjenko, ses représentations fabuleuses de la nature, son humour *figuratif*, par les liens étroits qui unissaient l'homme à la culture populaire, érudite ou naïve, et à la mythologie nationale de l'Ukraine : « Si notre pays est un grand pays, c'est que les petites gens y sont grands. »

Instituteur (après trois ans d'école normale) à Jitomir d'abord, ensuite à Kiev, où il s'inscrit à l'Institut du commerce, Dovjenko participe à la guerre civile dans la division Chtchors (1918-1920), puis la révolution fait de lui un commissaire (à l'Enseignement, aux Beaux-Arts, au Théâtre), un agitateur politique et, finalement, un diplomate (1921) : Varsovie, Munich, Berlin. À Berlin, il suit les cours du peintre expressionniste Erik Hekkel. Revenu à Kharkov, il se consacre à la peinture, à l'illustration, à la caricature (1923-1926). À travers cette dernière, surtout, se met en place sa vision synthétique, sa conception du plan-sketch, du plan-affiche, qui enferme le maximum d'informations avec le minimum de mouvement. En juin 1926, persuadé que la peinture est sans avenir, que l'art du futur est le seul cinéma, il abandonne tout pour se rendre à Odessa et s'y faire engager par les studios du VUFKU.

Le peintre Dovjenko se donnait dix ans pour devenir maître de sa technique. Le cinéaste Dovjenko acquiert cette maîtrise en moins d'une année avec *le Petit Fruit de l'amour* (1926), court métrage burlesque macksennettien – l'unique comédie de sa carrière – et *la Sacoche du courrier diplomatique* (1927), récit d'aventures et d'espionnage qui emprunte au policier allemand autant qu'au jeune cinéma soviétique, celui de la FEKS notamment. *Zvenigora,* qu'il tourne durant l'été 1927, inaugure son œuvre véritable. Sous les dehors d'un film-fresque qui emmêle les temps sur l'exemple d'*Intolérance,* c'est une geste en douze chants, à la gloire de l'Ukraine et de sa prestigieuse histoire, longue de plus d'un millénaire. L'art singulier de Dovjenko est déjà là dans son intégralité : simplicité et souffle épiques, généralisations philosophiques, audacieuses métaphores à la fois naïves et raffinées, humour corrosif, explosions lyriques, et cette écriture si personnelle, qui ne ressuscite pas un réel, passé ou présent, selon ses coordonnées spatio-temporelles mais qui le *raconte* dans la liberté du poème.

1928 : le cinéaste épouse Youlia Solntseva, la belle souveraine d'*Aélita* (1924) et la timide jeune fille de *la Vendeuse de cigarettes du Mosselprom* (id.). L'actrice renonce à son métier pour devenir la première collaboratrice de son mari. Celui-ci disparu, elle vouera son fidèle talent à le servir encore. Le « Dovjenko posthume », inventé par une certaine critique, c'est elle, qui a réalisé, entre 1958 et 1969, cinq films que l'auteur de *la Terre* avait laissés à l'état de scénarios, de découpages ou de récits littéraires. Entre 1928 et 1935, Dovjenko accumule les réussites (les deux premières sont muettes) : *Arsenal* (1929), qui égale l'*Octobre* d'Eisenstein en puissance comme en didactisme révolutionnaire mais le surpasse en émotion ; *la Terre* (1930), l'un des films les plus glorieusement charnels de l'histoire du cinéma, qui célèbre les noces de l'homme avec le monde et les saisons et, dialectiquement, réintègre la mort dans la plénitude de l'existence ; *Ivan* (1932), dédié aux constructeurs du barrage géant du Dnieprostroï (le film s'ouvre sur un hymne à l'édification socialiste, montage polyphonique d'une grandeur et d'une force rarement égalées) ; *Aérograd* (1935), consacré aux bâtisseurs d'une cité radieuse mais pour l'heure encore utopique. Dans tous ces films, Dovjenko se plie spontanément aux exigences d'éducation, d'exaltation révolutionnaire et de propagande politique propres à l'art soviétique de ce temps. Il chante les combats et les victoires du nouveau sur l'ancien. Mais, quasiment seul parmi les cinéastes de l'URSS, il prend en compte, dans ses œuvres, la douleur des enfantements. Chez lui, l'utopie n'exclut pas le tragique : « La souffrance est une composante de l'être aussi grande que le bonheur ou la joie. » *Chtchors* (1939) – « un *Tchapaïev* ukrainien » – demeure le plus beau et sans doute l'unique film parfaitement, authentiquement « réaliste socialiste » du cinéma stalinien. Dovjenko souffre de tant de difficultés durant sa réalisation qu'au moment de la guerre germano-soviétique il préfère se consacrer au journalisme et au documentaire. La publication, en septembre 1943, du scénario d'*Ukraine en flammes* fait scandale. Dovjenko n'y a pas fardé la réalité. Accusé de défaitisme, de complot nationaliste, relevé de toutes ses fonctions, il subit un ostracisme qui durera jusqu'à la mort de Staline (1954). Il se réfugie dans l'écriture et l'enseignement. La réalisation de *Mitchourine* (1947-48) n'est qu'une parenthèse, au demeurant malheureuse (le cinéaste se désintéressa de son film dont il ne put sauver que deux superbes séquences) et, en 1951, le tournage de *Adieu, Amérique* fut suspendu sans explications : le cinéaste, un matin, trouva le studio fermé. Staline disparu, Dovjenko, soutenu par Khrouchtchev, peut de nouveau s'établir en Ukraine. Il y prépare minutieusement *le Poème de la mer.* Peu de jours avant le début du tournage, un infarctus l'emporte (1956). Youlia Solntseva réalise le film à sa place, scrupuleusement fidèle, bien résolue à faire rendre à Dovjenko le rang éminent qui lui revient. B.A.

Films ▲ : *Vassia le Réformateur* (*Vasja-reformator,* co Faust Lopatinski, 1926) ; *le Petit Fruit de l'amour* (*Jagodki ljubvi,* id.) ; *la Sacoche du courrier diplomatique* (*Sumka dipkur'era,* 1927) ; *Zvenigora* (id., 1928) ; *Arsenal* (id., 1929) ; *la Terre* (*Zemlja,* 1930) ; *Ivan* (id., 1932) ; *Aérograd* (id., 1935) ; *Chtchors* (*Ščors,* 1939) ; *Libération* (*Osvoboždenie,* 1940, co Y. Solntseva) ; *la Bataille pour notre Ukraine soviétique* (*Bitva za našu Soyetskuju Ukrainu,* 1943, co Y. Solntseva) ; *la Victoire en Ukraine* (*Pobeda na Pravoberežnoj Ukraine,* 1945, co Y. Solntseva) ; *Pays natal* (*Strana rodnaja,* 1946 ; non signé, co G. Balassanian, L. Isaakian) ; *Mitchourine* (*Mičurin,* 1947-48, co Y. Solntseva) ; *Adieu, Amérique* (*Proščaj Amerika,* 1949-1951, inachevé).

Films réalisés par Youlia Solntseva (sur scénarios et thèmes de Dovjenko) : *le Poème de la mer* (*Poema o more,* 1958) ; *le Dit des années de feu* (*Povest' plamennih let,* 1961) ; *la Desna enchantée* (*Začarovannaja Desna,* 1964) ; *l'Inoubliable* (*Nezabyvaemoe,* 1967) ; *les Portes d'or* (*Zolotye vorota,* 1969).

DOWNEY *(Robert), cinéaste américain (Tennessee, 1936).* Après *Balls Bluff,* petit film qui raconte les tribulations d'un soldat de la guerre de Sécession débarquant à New York en plein XXe siècle, il réalise *Babo 73* (1963) et *Chafed Elbows* (1965). Aussi loin de la perfection technique que du « bon goût », ces films, surtout diffusés dans les circuits underground, feront dire à Jonas Mekas que leur auteur est « un des satiristes les plus originaux depuis Preston Sturges ». En 1969, il réalise *Putney Swope,* puis, notamment, *Is There Sex After Death ?* (1971), *Greaser's Palace* (1972), *Jive* (1979), *Too Much Sun* (1990). D.N.

DRACH *(Michel), cinéaste français (Paris 1930 - id. 1990).* Après des études de peinture à l'Académie des beaux-arts, il est orienté vers le cinéma par son cousin Jean-Pierre Melville, dont il devient l'assistant. Il débute par des courts métrages de facture très personnelle, dont *les Soliloques du pauvre* (1951) et *Auditorium* (1957), passe au long métrage avec *On n'enterre pas le dimanche* (1959), étude sur la solitude existentielle d'un Noir à Paris, qui lui vaut le prix Louis-Delluc et annonce, par le style de tournage et le mode de production, la Nouvelle Vague. La finesse et la chaleur de son approche des êtres sont confirmées dans le mélancolique *Amélie ou le Temps d'aimer* (1962). Après la parenthèse commerciale de *la Bonne Occase* (1965) et de *Safari diamants* (1966), il revient au cinéma d'auteur (il est scénariste de tous ses films) avec *Élise ou la Vraie Vie* (1970, d'après le livre de Claire Etcherelli), où s'épanouit le talent de Marie-Josée Nat, son épouse, dans le personnage meurtri d'une Française amoureuse d'un Algérien (qu'interprète Mohamed Chouikh) au temps de la guerre d'Algérie. Son orientation sociale se manifeste à nouveau dans *les Violons du bal* (1974), prenante évocation de son enfance juive pendant l'Occupation, et dans *le Pull-Over rouge* (1979), chronique d'une probable erreur judiciaire. Dans *Parlez-moi d'amour* (1975), *le Passé simple* (1977), et *Guy de Maupassant* (1982), il a confirmé de manière plus gratuite son attrait pour les intrigues psychologiques. En 1986, avec *Sauve-toi, Lola,* il a abordé le thème du cancer puis celui des relations entre grand-père et petit-fils dans *Il est génial Papy* (1987). M.M.

DRĂGAN *(Mircea), cinéaste roumain (Gura Ocniţei, près de Tîrgovişţe, 1932).* Critique de cinéma, il débute comme réalisateur en cosignant avec Mihai Iacob en 1956 *'Derrière la sapinière' (Dincolo de brazi),* aborde les films sociaux (*'la Soif'* [*Setea*], 1960 ; *Lupeni 29* [id.], 1962) et s'impose comme un spécialiste des films épiques, habile à manier sur l'écran les masses populaires et les scènes historiques à grande figuration : *'les Faucons'* (*Neamul soimăreştilor,* 1964) ; *'Golgotha'* (*Golgota,* 1966) ; *'la Colonne'* (*Columna,* 1968) ; *'Étienne le Grand'* (*Stefan cel Mare,* 1974). Il est également l'auteur d'*'Explosion'* (*Explozia,* 1973), du *'Nœud de salamandre'* (*Cuibul slamandrelor,* 1976), des *'Bras d'Aphrodite'* (*Braţele Afroditei,* 1978), de *'Rallye'* (*Raliul,* 1984) et de plusieurs comédies policières. J.-L.P.

DRAGIĆ *(Nedeljko), cinéaste yougoslave (Paklenica 1936).* Caricaturiste dans plusieurs journaux de Zagreb, auteur de nombreux scripts pour d'autres cinéastes d'animation, il se lance en 1965 avec *'Élégie' (Elegija)* dans la réalisation de petits films acerbes, satiriques, décapants dont certains n'excéderont pas la minute (*'Per aspera ad astra',* 1969 ; *'Striptease'* [*Striptiz*], id.). Son univers est fertile en rebondissements et en métamorphoses à la fois ironiques et cyniques. Il rend compte avec un humour implacable de la violence et de l'absurdité du monde et milite pour un humanisme plus serein, s'inscrivant ainsi aux côtés des Dušan Vukotić, Vatroslav Mimica, Nikola Kostelac, Vladimir Kristl, Zlatko Bourek, Boris Kolar, Zlatko Grgić, Ante Zaninović, Milan Blažeković, et autres Borivoj Dovniković, comme l'un des fleurons de l'école d'animation dite « de Zagreb ». Il est notamment l'auteur du *'Dompteur de chevaux sauvages'* (*Krotitelj divljih konja,* 1966), de *'Diogène peut-être'* (*Možda Diogen,* 1967), des *'Jours qui passent'* (*Idu dani,* 1969), des *'Voisins'* (*Sujsedi,* 1970), de *'Tup-tup'* (1972) et de *'Journal'* (*Dnevnik,* 1974). J.-L.P.

DRAGOTI *(Stan), cinéaste américain d'origine albanaise (New York, N. Y., 1944).* Cinéphile dès son plus jeune âge, il travaille dix ans dans la publicité avant de transposer son expérience des ghettos new-yorkais dans *Billy le Cave* (*Dirty Little Billy,* 1973), western ultraréaliste qui présente l'Ouest comme un pays sous-développé et les hors-la-loi comme des délinquants juvéniles. L'inaboutissement de ses projets *(Bury My Heart at Wounded Knee, I Giuliano)* le conduit à la télévision. Depuis, il s'est rétabli grâce au succès du *Vampire de ces dames* (*Love at First Bite,* 1979), qui corrige avec irrévérence la légende de Dracula, mais il n'a pas, dans ses films ultérieurs (*Mr. Mom,* 1983 ; *The Man With One Red Shoe,* 1985) ; *Touche pas à ma fille* [*She's Out of Control*] 1989) confirmé son originalité. Il tourne ensuite *Necessary Roughness* (1992). C.D.R.

DRANEM (*Armand Ménard,* dit), *acteur français (Paris 1869 - id. 1935).* Grand acteur de music-hall, la simplicité de son jeu, sa présence sur scène et son habileté le conduisent à interpréter maintes opérettes et revues. Il retrouve ce climat à l'écran dans des adaptations de succès éprouvés (*Ciboulette,* C. Autant-Lara, 1933 ; *Un soir de réveillon,* K. Anton, 1933 ; *la Mascotte,* L. Mathot, 1935) ou dans d'aimables comédies musicales (*Il est charmant,* L. Mercanton, 1932 ; *la Poule,* R. Guissart, 1932). Il aborde aussi le répertoire moliéresque (*le Malade imaginaire,* Jaquelux, 1934), où sa faconde bonhomme fait merveille. R.C.

DRANKOV *(Aleksandr O.), producteur russe.* Correspondant photographique de plusieurs journaux russes et étrangers (dont *l'Illustration* et le *London Illustrated News*), il est aussi le photographe officiel de la Douma. Véritable pionnier de l'industrie cinématographique dans son pays (il sera à la fois producteur, distributeur et exportateur), homme d'affaires avisé, il fonde une première société en 1907 et entre en concurrence avec Pathé et Gaumont. Il essaie d'adapter le *Boris Godounov* de Pouchkine — quelques scènes seulement furent tournées —, offre au public russe un premier succès populaire avec le *Stenka Razine* (*Sten'ka Razin ',* 1908) qu'il fait tourner par Vladimir Romachkov sur un scénario de Vassili Gontcharov, est le premier à filmer Léon Tolstoï, puis il se livre à une lutte sans merci avec un concurrent ambitieux, son compatriote Khanjonkov. En 1913, il crée la société Drankov-Taldykine, s'assure notamment les services de plusieurs réalisateurs de renom — dont Evgueni Bauer (avant que ce dernier ne rejoigne Khanjonkov) — et produit des sérials comme *Sonka, la main d'or* (Vladimir Kassianov et Aleksandr Tchargonine, 1914-1916). En 1917, il émigre et l'on perd sa trace. J.-L.P.

DRAVIĆ *(Milena), actrice yougoslave (Belgrade 1940).* Après des études de danse, elle débute au cinéma dès 1959 dans des films de Veljko Bulajić et B. Bauer. Sa grâce et son humour, sa capacité à jouer le drame comme la comédie l'imposent rapidement en vedette et elle devient l'une des actrices fétiches de la Nouvelle Vague sous la direction de Boštjan Hladnik (*le Château de sable* [*Peščani grad*], 1962), Dušan Makavejev (*L'homme n'est pas un oiseau,* 1965 ; *W. R., les Mystères de l'organisme,* 1971), Matjaž Klopčić (*Une histoire qui n'existe pas,* 1966 ; *la Peur,* 1974), Živojin Pavlović (*l'Embuscade,* 1969) et surtout Puriša Djordjević avec *la Jeune Fille* (1965), *l'Aube* (1967), *Cross Country* (1969) et *les Cyclistes* (1970, film qui lui a valu le prix de la meilleure actrice au festival national de Pula). On l'a vue encore, toujours radieuse et enjouée, dans *Huit Kilos de bonheur* (*Osam kila srěce* [Djordjević], 1980), *Traitement spécial (Poseban tretman* [Goran Paskaljević], *id.)* et *Una* (Miša Radivojević, 1984). M.M.

DREIER *(Hans), décorateur américain d'origine allemande (Brême 1885 - Los Angeles, Ca., 1966).* Architecte de formation, il débute en 1919 dans les studios UFA de Berlin : *Der Reigen* (R. Oswald, 1920), *Danton* (D. Buchowetzky, 1921). Il gagne en 1923 les États-Unis, où il décorera une centaine de films pour la Paramount, dont douze pour Lubitsch, de *Paradis défendu* (1924) à *la Huitième Femme de Barbe-Bleue* (1938), autant pour Sternberg, des *Nuits de Chicago* (1927) à *l'Impératrice rouge* (1934) et *la Femme et le Pantin* (1935), et onze pour Cecil B. De Mille, de *Triomphe de la jeunesse* (1933) et *Cléopâtre* (1934) à *Samson et Dalila* (1949). Également : *Dr. Jekyll et Mr. Hyde* (R. Mamoulian, 1932), *les Trois Lanciers du Bengale* (H. Hathaway, 1935), *Par la porte d'or* (M. Leisen, 1941), *Pour qui sonne le glas ?* (S. Wood, 1943), *Assurance sur la mort* (B. Wilder, 1944), *Boulevard du crépuscule* (*id.,* 1950), *Une place au soleil* (G. Stevens, 1951). Sa formation lui permet de répondre aux exigences « monumentales » des grands films de Sternberg ou De Mille, et son sens du décor comme expression plastique d'un climat, psychologique ou de genre, de traduire des univers très différents avec une rare efficacité. J.-P.B.

DRESSER *(Louise Kerlin,* dite *Louise), actrice américaine (Evansville, Ind., 1878 - Los Angeles, Ca., 1965).* Son physique lourd, sa maturité et sa grande expérience théâtrale destinaient Louise Dresser à la composition. Dans ce registre, elle se montra, entre 1925 et 1935, d'une aisance parfaite, quel que fût son emploi. Elle fut la subtile et élégante impératrice de Russie de *l'Aigle noir* (C. Brown, 1925), une *housewife* plus américaine que nature dans le délicieux *Foire aux illusions* (H. King, 1933), une autre impératrice de Russie, vulgaire et dépenaillée celle-là, dans *l'Impératrice rouge* (J. von Sternberg, 1934). Sa création la plus riche reste celle, splendide, de l'ancienne actrice tombée dans la misère et devenue gardienne d'oies dans *Or et Poison* (Brown, 1923). C.V.

DRESSLER *(Leila Koerber,* dite *Marie), actrice américaine d'origine canadienne (Coburg, Ontario, 1869 - Los Angeles, Ca., 1934).* Après une longue carrière de théâtre faite de hauts et de bas, et quelques petites apparitions cinématographiques, dont une avec Chaplin (*le Roman comique de Charlot et de Lolotte,* M. Sennett, 1914), elle fut le leader d'un mouvement de grève qui brisa sa carrière. Dans la misère, elle dut à l'amitié de la scénariste Frances Marion d'obtenir un petit engagement à la MGM. En deux ans, les mines de chien battu de la vieille dame, son humour et son naturel en firent, contre toute attente, l'une des stars les plus populaires du début du parlant. On l'associe à la comédienne Polly Moran, mais c'est surtout avec Wallace Beery qu'elle fait des étincelles. Ces deux fortes natures étaient faites pour se rencontrer. Ainsi, après un brillant second rôle dans *Anna Christie* (C. Brown, 1930), elle est la vedette de *Min and Bill* (George W. Hill, *id.*), l'un des plus gros succès de l'année qui lui vaut un Oscar. Pendant quatre ans, elle apporte la chaleur et l'émotion du vécu (sa vie est un véritable roman) à de jolis mélodrames comme *Mes petits* (Brown, 1932) ou *Annie, la batelière* (*Tugboat Annie,* M. LeRoy, 1933). Sa composition la plus brillante est l'une de ses dernières : l'actrice passée des *Invités de huit heures* (G. Cukor, *id.*). Quand elle meurt d'un cancer, elle est alors *la* vedette la plus populaire des États-Unis. C.V.

DREVILLE *(Jean), cinéaste français (Vitry-sur-Seine 1906).* Le dessin publicitaire et la photographie l'amènent peu à peu au cinéma. À la fin des années 20, alors qu'il dirige la revue *Cinégraphie,* il se fait la main en réalisant des courts métrages de bonne qualité, dont l'un plein d'intérêt sur le tournage de *l'Argent* de

Marcel L'Herbier (*Autour de « l'Argent »,* 1928). Il aborde le long métrage avec des comédies dues souvent à la plume de Roger Ferdinand (*Trois pour cent,* 1933 ; *Un homme en or,* 1934 ; *Touche-à-tout,* 1935 ; et, plus tard, *le Président Haudecœur,* 1940). Excellent technicien, il sacrifie à la mode avec des films comme *Troïka sur la piste blanche* (1937) ou *les Nuits blanches de Saint-Pétersbourg* (1938) et réussit pleinement le remake du *Joueur d'échecs* (id.), tourné au temps du muet par Raymond Bernard. En 1944, il rencontre l'acteur et chansonnier Noël-Noël et signe, avec *la Cage aux rossignols* (1945), un de ses meilleurs films : l'émotion s'y résout en sourires. Il retrouvera Noël-Noël dans un sketch de *Retour à la vie* (1949), un sketch des *Sept Péchés capitaux* (1952), *À pied, à cheval et en spoutnik* (1958), *la Sentinelle endormie* (1966) mais surtout dans un grand succès, *les Casse-Pieds* (1948), qui valut à l'auteur le prix Louis-Delluc et le Grand Prix du cinéma français. Spécialiste du film d'aviation (*Escale à Orly,* 1953 ; *Horizons sans fin,* 1955 ; *Normandie-Niemen,* 1960), il a su se montrer vigoureusement réaliste dans *Les affaires sont les affaires* (1942) et dans *la Ferme du pendu* (1945) ; il a joué la carte du film de guerre avec l'épopée de *la Bataille de l'eau lourde* (1948) et la relation du débarquement américain en Afrique du Nord (*le Grand Rendez-Vous,* 1950). R.C.

DREYER *(Carl Theodor), cinéaste danois (Copenhague 1889 - id. 1968).* Sa mère, Joséphine Nilsson, est gouvernante chez un gros propriétaire terrien — du sud de la Suède — qui la met enceinte. Le père ne voulant ni scandale ni mariage, elle part accoucher à Copenhague et y abandonne son fils. Elle mourra deux ans plus tard en tentant de se faire avorter. L'enfant grandit sans affection dans la famille d'un ouvrier typographe, Carl Theodor Dreyer, socialisant et irréligieux, qui lui donne son nom et ses prénoms. Il reçoit un enseignement technique, étudie le piano. Il déteste ses parents adoptifs. À dix-sept ans, il apprend la vérité sur ses origines. Il tiendra secret, sa vie durant, cet ébranlement terrible qui retentira en profondeur sur son œuvre. En 1906, il est engagé comme comptable par la Compagnie des télégraphes du Nord. De 1909 à 1915, journaliste dans plusieurs journaux, il se partage entre le reportage — sport, aéronautique (il est lui-même pilote d'aéronef et d'avion) — et l'écriture de « Billet » satiriques ou pittoresques qui révèlent un fort sens du concret et un humour quasi swiftien. (Il avait débuté par des critiques théâtrales qu'il envoyait à des journaux de province.) Entré dès 1912 à la Nordisk Film, il y est rédacteur d'intertitres, adaptateur, conseiller artistique et finalement scénariste : 41 scénarios écrits entre 1912 et 1918, dont 4 réalisés par August Blom et 6 par Holger-Madsen. Il y tourne son premier film en 1918. Ses exigences esthétiques, son intransigeante rigueur, aussi bien que l'exiguïté cinématographique de son pays, feront de lui un cinéaste rare, nomade et plurinational : 14 films en 56 années d'activité, réalisés en 5 pays. Sa période muette fut de loin la plus féconde : un film, en moyenne, par an ; au parlant, un film tous les dix ans !

Influencé par Griffith (il voit *Intolérance* en 1918 et toute son œuvre s'insurgera justement contre l'intolérance), par l'école suédoise (son intimisme, sa spiritualité, son sentiment du paysage), il doit peu à l'expressionnisme, et son *Kammerspiel* n'a rien d'allemand. En deux ans (1918-1920), avec deux films d'« apprentissage » *(le Président,* et *Feuillets arrachés au livre de Satan),* il invente son écriture, établit sa vision morale et définit ce « réalisme métaphysique » qui font son art sans pareil. *La Quatrième Alliance de Dame Marguerite* (1920), *le Maître du logis* (1925) exhibent un humour que Dreyer, non sans malice, ensevelira ultérieurement dans la gravité de ses œuvres les plus tragiques et aussi, déjà, une férocité extrême à l'endroit de la société et du moralisme bourgeois. Dans ces deux films où l'exploration-exaltation d'une réalité domestique et quotidienne historiquement datée va jusqu'au documentaire, où le thème dreyérien de la souveraineté féminine se met définitivement en place, Dreyer réussit la gageure (qu'il renouvellera avec *Dies irae*) de ressusciter plastiquement la spiritualité, l'âme d'une époque, saisies vivantes dans la lumière, le décor, l'espace (construit ou naturel), le rythme de la mise en scène et, bien sûr, le cœur des personnages. (Dans *la Passion de Jeanne d'Arc, Michaël* ou *Gertrude,* décors et accessoires *produisent* l'esprit du temps, des lieux et des héros ; ici, ils le supportent, ils en sont imprégnés.) Tourné en Allemagne un an avant *le Maître du logis, Michaël* (1924) se déroule dans les milieux artistiques de Berlin autour de 1900. C'est un film sur un monde moins intolérant que faux, inauthentique (encore que l'homosexualité discrète du sujet évoque le thème de la répression sociale). Le « dialogue » entre les personnages et le cadre fin de siècle de leur vie est là encore d'une profonde et élégante subtilité. S'y retrouve, sur un registre mineur, *laïc,* la peinture chère à l'auteur d'une foi bafouée ou déçue et néanmoins généreuse, le don et le sacrifice compensant victorieusement l'échec ou la frustration : « Je peux mourir, j'ai vu un grand amour », dit le héros mal-aimé de *Michaël.* C'était déjà le sentiment de Dame Marguerite lorsqu'elle s'effaça dans la mort. Et *Gertrude* dira : « Ai-je été en vie ? Non, mais j'ai aimé. »

Le Maître du logis remporta un éclatant succès en France. Dreyer fut invité à venir y travailler. Ainsi naquit l'un des films majeurs de l'histoire du cinéma. Couronnement des recherches de l'avant-garde française, soviétique (Koulechov, Eisenstein), allemande, *la Passion de Jeanne d'Arc* (1928) est une création d'architecte, aussi calculée qu'inspirée. Film muet « idéal », qui démontre selon la méthode d'un Vinci, d'un Mallarmé, d'un Valéry, que le cinéma est un art et que, art absolu, le muet *parlait ;* qui prouve de façon souveraine que l'art véritable naît toujours de contraintes surmontées : de ses limites, de ses « infirmités », il fait des moyens d'expression ; sur elles, il bâtit son langage. Prototype des héros, plus encore des héroïnes, de Dreyer, Jeanne y incarne l'innocence doublée d'une foi, en proie au pouvoir oppresseur, acculée à la résistance, à la rébellion passive. Plus clairement ici qu'ailleurs, la mise en scène de Dreyer — austère, ascétique, frémissante — est elle aussi de l'ordre de la contrainte (on a parlé d'une « esthétique, d'une liturgie de la torture »). L'abstraction la plus haute y surgit d'une mise à la question du concret le plus concret.

Le parlant venu, le cinéaste tourne *Vampyr* (1932). Le relief des sons, l'extrême rareté des paroles contribuent, avec une lumière onirique, d'entre deux mondes, et une envoûtante lenteur, à suggérer l'envers du réel, insolite, cauchemardesque et néanmoins banal. Car chez Dreyer le surnaturel ne s'ajoute pas au naturel, il en fait partie. Il faut lire, dans *Vampyr,* la métaphore laïcisée de ce qu'*Ordet* (1955) postulera sur un plan religieux : le monde, la vie en ce monde, habités par la mort, hantés par le mal, ne peuvent trouver sens et saveur que dans l'amour. Malheureusement, l'échec commercial de *Vampyr* rend difficile la carrière du cinéaste. Appelé en Grande-Bretagne par John Grierson, il ne parvient pas à s'intégrer à l'École documentariste. En 1934, c'est lui qui refuse de tourner dans l'Allemagne hitlérienne et antisémite une adaptation du *Pan* de Knut Hamsun. La même année, un projet de film (italien), à réaliser en Somalie, avorte. Dreyer rentre au Danemark, retourne au journalisme (rubrique des tribunaux) et se fait critique de cinéma. En 1943, il peut enfin se consacrer à *Dies irae,* qui est comme une synthèse exclusivement tragique de *la Quatrième Alliance de Dame Marguerite* et de *la Passion de Jeanne d'Arc.* Bien que situé dans un XVIIe siècle digne de Rembrandt, le procès de l'intolérance et de la barbarie doctrinaire y revêt sa pleine signification politique et sa dimension d'actualité au moment où le Danemark se voit occupé par l'armée nazie et où Dreyer se réfugie en Suède. En 1946, rentré d'exil, il crée une école documentariste soutenue par l'État danois. Il y dirige, entre 1946 et 1956, six courts métrages et collabore à cinq autres.

À partir de 1949, il s'attelle à un immense projet qui semblera devoir aboutir en 1968 : *Jésus juif,* film réaliste tant dans le caractère prosaïquement humain qu'il entend donner à l'histoire du Christ que dans l'analyse de son contexte politico-social : dans la Palestine occupée par Rome, Pilate est le « gauleiter » d'un empereur fou. Avec *Ordet* (1955), Dreyer réalise le seul de ses films qui exige un spectateur croyant. Encore n'interdit-il pas qu'on donne du miracle qui s'y accomplit une explication « scientifique ». Dans cet univers livide et funèbre où, bien réelle pourtant, la chaleur même est froide, l'accord profond avec la vie, la terre et la chair pour la première fois s'établit au plus près de la mort, au plus près du mal et du péché (d'orgueil, d'intolérance), au plus près de l'irrationnel. À côté de cette œuvre magistrale, *Gertrude* (1964) a pu paraître mineure et bien profane. *Gertrude* reste néanmoins un film religieux en ce sens que son héroïne, après avoir sacrifié sa vie à un idéal d'amour, une utopie, maintient la

réalité, la positivité de cet idéal en dépit de ses échecs : la vérité demeure la vérité, qu'on l'ait atteinte ou non. Après *Gertrude,* Dreyer projetait une *Médée* et ce *Jésus juif* qui l'habitait. Mais, depuis des années déjà, l'un des plus grands cinéastes du monde en était réduit, pour vivre, à diriger un cinéma à Copenhague.
B.A.

Films ▲ : *le Président* (*Praesidenten,* 1920) ; *la Quatrième Alliance de Dame Marguerite* (*Prästänkan,* SUE, id.) ; *Feuillets arrachés au Livre de Satan* (*Blade af Satans bog,* 1921) ; *Aimez-vous les uns les autres* (*Die Gezeichneten,* ALL, 1922) ; *Il était une fois* (*Der var engang,* id.) ; *Michaël* (*Mikaël,* ALL, 1924) ; *le Maître du logis* (*Du skal ære din hustru,* 1925) ; *la Fiancée de Glomdal* (*Glomdalsbruden,* NORV, 1926) ; *la Passion de Jeanne d'Arc* (FR, 1928) ; *Vampyr / l'Étrange Voyage de David Gray* (FR, 1932) ; *Aide aux Mères* (*M'odrehjaelpen,* CM, 1942) ; *Jour de colère / Dies irae* (*Vredens dag,* 1943) ; *Deux Êtres* (*Två människor,* SUE, 1945) ; *l'Eau dans notre pays* (Vandet på landet, CM, 1946) ; *la Lutte contre le cancer* (*Kampen mod kræften,* 1947) ; *Vieilles Églises danoises* (*Landsbykirken,* CM, id.) ; *Ils attrapèrent le bac* (*De nåede færgen,* CM, CO Jorgen Roos, 1948) ; *Thorvaldsen* (CM, 1949) ; *le Pont de Storstrøem* (*Storstrøemsbroen,* CM, 1950) ; *Un château dans le château* (*Et slot i et slot,* CM, 1954) ; *Ordet* (1955) ; *Gertrude* (Gertrud, 1964).

DREYFUSS *(Richard), acteur américain (New York, N. Y., 1947).* La révélation et le succès lui viennent d'*American Graffiti,* de George Lucas, en 1973. Mais il avait déjà une longue pratique du théâtre et de la TV, et il avait obtenu quelques petits rôles au cinéma. Véritable acteur de composition, capable d'incarner le spécialiste des requins des *Dents de la mer* (S. Spielberg, 1975), ou celui qui va voir, en revanche, quelle tête ont les extraterrestres (*Rencontres du troisième type,* id., 1977), ou encore le cinéaste alcoolique et déchu de *Gros Plan* (*Inserts,* John Byrum, 1976), il a été aussi détective privé dans *The Big Fix* (Jeremy Paul Kagan, 1978) et pianiste virtuose dans *le Concours* (*The Competition,* Joel Oliansky, 1980). Il interprète ensuite *le Clochard de Beverly Hills* (P. Mazursky, 1986), *Étroite Surveillance* (*Stakeout,* John Badham, 1987), *les Filous* (B. Levinson, *id.*), *Cinglée* (M. Ritt, *id.*), *Moon Over Parador* (Mazursky, 1988), *Always* (S. Spielberg, 1990), *Rosenkrantz et Guilderstein sont morts* (*R. and D. Are Dead,* Tom Stoppard, *id.*), *Ce cher intrus* (*Once Around,* Lasse Hellström, *id.*), *Bons Baisers d'Hollywood* (M. Nichols, 1991), *What about Bob ?* (Franck Oz, *id.*). Son nom reste attaché à quelques-uns des plus grands succès de ces dix dernières années, dont *Adieu, je reste* (H. Ross, 1978), qui lui vaut un Oscar. D.R.

DRIESSEN *(Paul), cinéaste néerlandais (Nimègue 1940).* Après une formation à l'académie des beaux-arts d'Utrecht, il dessine et anime des films publicitaires. En 1967, il séjourne en Angleterre et participe au long métrage de George Dunning *The Yellow Submarine* pour les storyboards et l'animation. De retour aux Pays-Bas, il réalise en 1970 son premier court métrage, *The Story of Little John Bailey.* La même année, il part au Canada où il collabore au long métrage de Gerald Potterton *Tiki-Tiki* et réalise pour le National Film Board *le Bleu perdu* (1972), *Au bout du fil* (1974) et *Une vieille boîte* (1975). Il retrouve la Hollande pour *David* (1977), qui obtient le grand prix du festival d'Annecy. Toute sa vie professionnelle se ponctue ainsi de séjours partagés entre son pays natal et le Canada : *Jeu de coudes* (Canada, 1980), *la Maison sur les rails* (Pays-Bas, 1981), *Tip-Top* (Canada, 1984), ainsi que *l'Île miroir* (1985) et *le Peuple de l'eau* (1992), tous les deux aux Pays-Bas.

Parfois empreints d'un grotesque flamand moyenâgeux, les personnages de Driessen sont fragiles et démunis. Le fait que l'auteur, iconoclaste et minimaliste, les représente avec un trait particulièrement dépouillé (et tremblé) n'arrange pas leur situation. Il faut qu'ils se débrouillent seuls, à l'intérieur d'un cadre instable et parfois fragmenté. Quand ils ne sont pas condamnés à disparaître, Driessen laissant tout simplement les spectateurs devant un écran vide et blanc pour rythmer l'action et en accentuer la force comique. Il enseigne à Kassel depuis 1989. R.LA.

DRIVE IN (locution anglaise). (Québécois : *ciné-parc.*)

Cinéma de plein air où les spectateurs assistent, en restant à l'intérieur de leur automobile, à la projection du film sur un écran géant. Le son est diffusé dans les véhicules par des haut-parleurs reliés à des bornes implantées sur l'aire de stationnement. Peu nombreux en Europe (en 1980, il y en avait par exemple 24 seulement en Allemagne sur un total de plus de 3 000 salles) et absents de France (où deux tentatives ont échoué), les *drive in* demeurent au contraire très répandus dans leur pays d'origine, les États-Unis, où ils représentent à peu près le quart des salles, essentiellement dans les banlieues ou les zones rurales. Leur nombre a décru après leur implantation (dès les années 50), pour se stabiliser autour de 4 600 depuis la fin des années 60. J.-P.F.

DROIT D'AUTEUR. Le droit des auteurs est régi en France par le *Code de la propriété artistique et littéraire.* Celui-ci prévoit que l'auteur d'une œuvre de l'esprit jouit d'un droit de propriété sur cette œuvre du seul fait de sa création (et donc sans formalité, contrairement aux États-Unis par exemple, où seul le dépôt d'un « copyright » donne naissance à l'œuvre). Ce droit se décompose en :

— un droit *moral,* « perpétuel, inaliénable et imprescriptible », recueilli par les descendants, et qui vise au respect « du nom, de la qualité et de l'œuvre » des auteurs. C'est au nom de ce droit que *Carmen Jones,* par exemple, ne put pendant longtemps être projeté en France, à la requête des héritiers des auteurs du livret de *Carmen* ;

— un droit *patrimonial,* qui confère le monopole d'exploitation de l'œuvre à l'auteur puis à ses héritiers, jusqu'à ce que l'œuvre tombe dans le *domaine public* (en principe, 50 ans — non compris les années de guerre — après le décès du dernier auteur).

Le code précise : « Ont qualité d'auteurs d'une œuvre cinématographique la ou les personnes physiques qui réalisent la création intellectuelle de cette œuvre. Sont présumés, sauf preuve contraire, coauteurs d'une œuvre cinématographique réalisée en collaboration : l'auteur du scénario ; l'auteur de l'adaptation ; l'auteur des textes parlés ; l'auteur des compositions musicales avec ou sans parole spécialement réalisées pour l'œuvre ; le réalisateur. »

Les auteurs autres que le musicien « sont liés au producteur par un contrat qui, sauf clause contraire, comporte cession à son profit du droit exclusif d'exploitation cinématographique ». Conformément aux dispositions générales de la loi, la cession doit comporter au profit de l'auteur, sous peine de nullité, la rémunération proportionnelle aux recettes. En pratique, un usage assez général est de verser aux auteurs une « avance non remboursable », qui peut s'interpréter comme une rémunération forfaitaire de fait. Les textes prévoient par ailleurs que les droits des auteurs ne peuvent être cédés au producteur pour une durée illimitée. Passé le délai de cession (dix ans, par ex.), sauf nouvel accord entre les auteurs et le détenteur des droits d'exploitation, la diffusion du film est bloquée. C'est une des raisons pour lesquelles, parfois, certains films ne ressortent pas. On notera que la rémunération du réalisateur se décompose en : une rémunération, normalement proportionnelle aux recettes, en tant qu'auteur ; une rémunération en tant que technicien de la réalisation.

Contrairement aux autres auteurs, l'auteur de la musique est réputé avoir conservé le droit d'exploitation de son œuvre. En pratique, ce droit est exercé par la SACEM (Société des auteurs, compositeurs et éditeurs de musique). Le musicien est ainsi rémunéré : par les droits provenant de l'exploitation du film ; par les droits annexes, provenant de la diffusion de la « bande sonore » ou de la musique du film. Pour l'exploitation du film en France, en vertu des accords conclus avec les branches de l'industrie cinématographique, la SACEM perçoit 1,5 p. 100 de la recette salle hors-taxe, soit environ 1 p. 100 de la recette guichet. Pour l'exploitation à l'étranger, la SACEM conclut des arrangements soit avec le producteur, soit avec les sociétés d'auteurs locales. Après déduction de ses frais, la SACEM répartit les droits collectés entre le compositeur (deux tiers) et l'éditeur de la musique (un tiers). C'est sur ce dernier tiers que s'amortit l'investissement correspondant à la bande musicale (cachets des musiciens, frais de studio et d'enregistrement, etc.). Les éditeurs spécialisés, liés ou non aux sociétés de production, qui prennent en charge cet investissement (en moyenne : quelques dizaines de milliers de francs) jouent un rôle de coproducteur de fait du film.

En 1985, une nouvelle loi a été adoptée sur les droits des artistes interprètes, des producteurs de phonogrammes et de vidéogrammes, et des entreprises de communication audiovisuelle. Elle renforce les compétences du CNC en matière de vidéo et fixe les conditions de rémunération des auteurs sur les « droits dérivés ». J.-P.F.

DRU *(Joanne Lacock,* dite *Joanne), actrice américaine (Logan, W. Va., 1923).* Interprète discrète mais sensible et non dépourvue de charme (elle avait été « modèle »), on l'a vue d'emblée en protagoniste de films d'aventures opposant sa fragilité à la virilité des héros de Howard Hawks (*la Rivière rouge,* 1948) ou de John Ford (*la Charge héroïque,* 1949 ; *le Convoi des braves,* 1950). Elle apparaît encore dans *la Vallée de la vengeance* (R. Thorpe, 1951), *le Port des passions* (A. Mann, 1953), *Colère noire* (F. Tuttle, 1956), *le Bagarreur solitaire* (*The Wild and the Innocent,* Jack Sher, 1959) et plus tard dans *l'Enquête* (*Sylvia,* G. Douglas, 1965). G.L.

DUARTE *(Anselmo), acteur et cinéaste brésilien (Salto de Itu, État de São Paulo, 1920).* Il débute comme figurant dans l'inachevé *It's All True* (O. Welles, 1942) et devient ensuite l'une des vedettes masculines les plus populaires des écrans brésiliens. Sa carrière de comédien spécialisé dans les rôles de galant homme se partage entre les mélodrames (notamment ceux produits par la Vera Cruz) et des chanchadas : *Um Pinguinho de Gente* (Gilda de Abreu, 1947), *Inconfidência Mineira* (C. Santos, 1948), *Carnaval no Fogo* (W. Macedo, 1949), *Caçula do Barulho* (R. Freda, 1949), *Aviso aos Navegantes* (Macedo, 1950), *Tico-Tico no Fubá* (A. Celi, 1952), *Sinhá Moça* (Tom Payne et Oswaldo Sampaio, 1953), *Carnaval em Marte* (Macedo, 1955), *Sinfonia Carioca* (id., *id.*), *O Caso dos Irmãos Naves* (L. S. Person, 1967), *A Madona de Cedro* (Carlos Coimbra, 1968), *Independência ou Morte* (*id.*, 1972), parmi une cinquantaine de titres. Après avoir été à l'occasion scénariste, monteur et producteur, il passe à la mise en scène avec une comédie musicale (*Absolutamente Certo,* 1957). Sa deuxième réalisation, *la Parole donnée* (*O Pagador de Promessas,* 1962), remporte la Palme d'or... ce qui n'est pas le moindre paradoxe ! Mais n'est-ce pas un signe des malentendus cannois que d'avoir couronné une œuvre académique lors de l'éclosion du Cinema novo, mouvement auquel Duarte est resté étranger ? Tourné à Bahia, à partir d'une pièce à succès de Dias Gomes, le film oppose mysticisme populaire et dogmatisme religieux. *Vereda da Salvação* (1965) s'inspire d'une pièce de Jorge Andrade, et *Quelé do Pajeú* (1970) d'un scénario de Lima Barreto. Sa pente déclinante s'accentue ensuite, en passant par des épisodes de « pornochanchadas ». P.A.P.

DUBBING. Mot anglais pour *doublage.*

DUBOIS *(Claudine Huzé,* dite *Marie), actrice française (Paris 1937).* Elle suit la filière habituelle des comédiennes : Conservatoire, tournées théâtrales, scènes parisiennes, dramatiques télévisées. Un bout d'essai réussi, et François Truffaut lui confie le rôle principal de son deuxième long métrage, *Tirez sur le pianiste* (1960, avec Charles Aznavour). C'est pour la circonstance qu'elle devient Marie Dubois, du titre d'un roman d'Audiberti, écrivain cher à Truffaut. Ses débuts au cinéma se placent donc sous l'égide de la Nouvelle Vague puisqu'elle tourne avec Éric Rohmer (*le Signe du lion,* 1959), Jean-Luc Godard (*Une femme est une femme,* 1961) et qu'elle retrouve Truffaut en 1961 pour *Jules et Jim.* Malgré son physique de jeune fille bien sage, ses cheveux blonds et ses yeux bleus, elle va interpréter, en règle générale, des personnages extrêmement décidés et souvent plus complexes qu'il n'y paraît.

Sa carrière va se dérouler avec une grande régularité. À quelques rares exceptions, elle tourne dans des films ambitieux et estimables, n'hésitant pas à donner leur chance à de jeunes cinéastes (comme Serge Moatti pour *Nuit d'or,* en 1977 ou le cinéaste suisse Michel Soutter pour *les Arpenteurs,* en 1972), ou à tenir des emplois qui comportent quelques risques (*Bôf,* C. Faraldo, 1971). *La Maison des Bories* (J. Doniol-Valcroze, 1970) est un de ses plus grands succès personnels. Elle a réussi à dépasser le stade de la jeune première, et à donner beaucoup de poids à des personnages difficiles : *Vincent, François, Paul et les autres* (C. Sautet, 1974) ; *Il y a longtemps que je t'aime* (J.-Ch. Tachella, 1979) ; *Mon oncle d'Amérique* (A. Resnais, 1980) ; *l'Ami de Vincent* (P. Granier-Deferre, 1983) ; *Garçon !* (Sautet, *id.*) ; *l'Intrus* (Irène Jouannet, 1984) ; *Grand Guignol* (J. Marbeuf, 1987). D.R.

DUBOST *(Paulette), actrice française (Paris 1911).* D'abord petit rat de l'Opéra (en même temps qu'Odette Joyeux), elle abandonne bientôt la danse, à regret, pour l'opérette. Son physique mutin, son air avenant, sa voix pointue la prédisposaient à jouer les soubrettes, les cantinières, les péronnelles gentiment délurées, ce qu'elle fit avec une remarquable constance au long de quelque soixante pièces de Boulevard et cent quarante films qui n'en étaient le plus souvent que le démarquage pur et simple : des *Caserne en folie* (Maurice Cammage, 1934), des *Rosière des halles* (Jean de Limur, 1935) et autres *Ferdinand le noceur* (René Sti, *id.*), débités à la chaîne à l'intention du public du samedi soir. Dans ce tout-venant, quelques films tranchent – Paulette Dubost elle-même, fort sévère sur sa carrière, n'en retient que quatre : *la Règle du jeu* (J. Renoir, 1939), où elle est une camériste dans la plus pure tradition de Marivaux ; *le Plaisir* (Max Ophuls, 1952) et *Lola Montès (id.*, 1955), deux rôles brefs (une fille de la Maison Tellier, la servante fidèle de Lola), mais qui l'ont marquée ; enfin *le Déjeuner sur l'herbe* (Renoir, 1959), où elle est une vieille fille grincheuse dotée d'un solide humour. Ajoutons l'un de ses premiers films, *l'Ordonnance*, de Tourjansky (avec Fernandel, 1933), *Hôtel du Nord* (M. Carné, 1938 – elle est la femme de Bernard Blier, l'éclusier) et *Viva Maria* (L. Malle, 1965 – une saltimbanque de fantaisie). À partir des années 70, elle entame une seconde carrière à la télévision mais apparaît encore parfois à l'écran (*Milou en mai*, L. Malle, 1990 ; *le Jour des Rois*, Marie-Claude Treilhou, *id.*). C.B.

DUCAUX *(Annie), actrice française (Besançon 1908).* Grande actrice de théâtre (Odéon, Boulevard, Comédie-Française), elle débute dans les films franco-allemands de la UFA des premières années du parlant. Puis elle apporte au mélodrame sa silhouette distinguée et son jeu élégant : *les Deux Gosses* (F. Rivers, 1936) ; *Prison sans barreaux* (L. Moguy, 1938) ; *Conflit* (id., *id.*) ; *l'Empreinte du dieu* (id., 1941). On la voit arlésienne dans *les Filles du Rhône* (Jean-Paul Paulin, 1938) et Gance en fait la consolatrice de Harry Baur (*Un grand amour de Beethoven*, 1936). L'Occupation lui permet d'aborder un registre beaucoup plus détendu dans lequel elle prouve sa fantaisie (*l'Inévitable Monsieur Dubois*, P. Billon, 1943). Auparavant, Delannoy lui confie le rôle de Garlone dans *Pontcarral colonel d'empire* (1942), où elle est éblouissante. L'après-guerre la fait revenir presque entièrement au théâtre ; à l'écran, elle continue d'alterner drames à costumes (*Rêves d'amour*, Christian Stengel, 1947 ; *la Princesse de Clèves*, J. Delannoy, 1961), et comédies, parfois burlesques (*la Patronne*, H. Diamant-Berger, 1950 ; *la Belle Américaine*, R. Dhéry, 1961). R.C.

DUCHAMP *(Marcel), peintre et écrivain français (Blainville 1887 - Neuilly-sur-Seine 1968).* Si Marcel Duchamp demeure un des « modernes » importants, ses interventions directes dans le domaine du cinéma ont été extrêmement limitées. Dès 1920, à l'aide de deux caméras, il essaie de réaliser un film en relief avec la collaboration de Man Ray. Il apparaît en 1924 dans *Entr'acte*, de René Clair et Francis Picabia, comme partenaire de Man Ray dans une partie d'échecs. En 1926, il fait appel à Man Ray et Marc Allégret pour tirer un film de ses rotoreliefs, disques mécanisés sur lesquels son texte est imprimé en spirale. C'est *Anemic Cinema*, dont la durée ne dépasse pas sept minutes. En 1946, Hans Richter utilisera ces disques dans *Dreams that Money Can Buy*. D.R.

DUCHAUSSOY *(Michel), acteur français (Valenciennes 1938).* Parallèlement à une brillante carrière théâtrale commencée à la Comédie-Française, il est employé le plus souvent au cinéma dans des rôles de second plan. Il a cependant toujours su donner à ses personnages de la présence et parfois de la complexité. Outre certains films de Claude Chabrol, *la Femme infidèle* (1968), *Que la bête meure* (1969), *la Rupture* (1970), *Juste avant la nuit* (1971), *Nada* (1973), il a tourné dans beaucoup de longs métrages, dont *Jeu de massacre* (A. Jessua, 1967), *Bye bye Barbara* (M. Deville, 1968), *Aussi loin que l'amour* (F. Rossif, 1970), *Ils* (J.-D. Simon, *id.*), *Traitement de choc* (Jessua, 1972), *Femmes femmes* (P. Vecchiali, 1974), *l'Homme pressé* (É. Molinaro, 1977), *la Ville des silences* (Jean Marbœuf, 1979) et surtout *le Beau Mariage* (É. Rohmer, 1982), où il campe avec virtuosité un avocat célèbre résistant au charme d'une jeune fille. Après *Partenaires* (C. D'Anna, 1984), il interprète notamment *le Môme* (A. Corneau, 1986), *la Vie et rien d'autre*

(B. Tavernier, 1989), *les Bois noirs* (J. Deray, *id.*), *Milou en mai* (L. Malle, 1990), *Équipe de nuit* (d'Anna, id.). F.LAB.

DUCHESNE *(Roger Jordaens,* dit *Roger), acteur français (Luxeuil-les-Bains 1906).* Jeune premier brun, rieur et athlétique, de talent assez mince mais d'allure décorative, on le voit beaucoup pendant dix ans. Il passe ainsi du *Golem* (J. Duvivier, 1935) à *Tarass Boulba* (A. Granowsky, 1936) et au *Roman d'un tricheur* (S. Guitry, *id.*). Il joue les espions sympathiques (*les Loups entre eux,* L. Mathot, *id.*) et paraît honorablement dans *Prison sans barreaux* (L. Moguy, 1938) et *Conflit* (id., *id.*). L'Occupation lui est funeste à tous points de vue. On ne le revoit qu'en 1956 dans *Bob le Flambeur* (J.-P. Melville), saisissant en truand fatigué. Cet exploit reste sans lendemain. R.C.

DUCOS DU HAURON *(Louis-Arthur), physicien français (Langon 1837-1920).* Auteur en 1864 d'un brevet pour un appareil (jamais réalisé), où l'on trouve une prémonition du cinéma, il est surtout connu pour son brevet de 1869, où il décrit de façon complète les façons de procéder à la sélection et à la synthèse trichrome, additive ou soustractive, des couleurs. J.-P.F.

DUDOW *(Slatan), cinéaste et homme de théâtre allemand (Zaribrod, Bulgarie, 1903 - Berlin 1963).* Dudow est-il l'homme d'un seul film, le fameux *Kühle Wampe,* l'une des rares œuvres ouvertement marxistes du cinéma préhitlérien, réalisée en étroite collaboration avec Bertolt Brecht, ou bien sa carrière mérite-t-elle un plus ample examen ? Né dans une famille d'ouvriers, il fait des études théâtrales poussées, à Berlin (1922) puis à Moscou (1929), suit les cours de Max Hermann et d'Erwin Piscator, se lie avec Eisenstein et Brecht. Ennemi du naturalisme et de l'expressionnisme, il opte pour le « réalisme documentaire » et participe à des travaux de montage collectifs pour la firme allemande Prometheus. Parallèlement à des mises en scène théâtrales (pièces de Brecht essentiellement), il tourne un premier film en 1930 : *Comment se loge l'ouvrier berlinois (Wie die berliner Arbeiter wohnt).* Puis c'est, en 1932, la mise en chantier de *Kühle Wampe :* un grand film social traitant du problème du chômage en Allemagne et exaltant la solidarité ouvrière pour faire face à la crise. Le sous-titre, explicite, est *À qui appartient le monde ? (Whem gehört die Welt ?).* Dudow et Brecht, son scénariste, y dénoncent le poids de l'oppression familiale, l'aliénation bourgeoise, la montée du militarisme. C'est l'anti-*Jeune hitlérien Quex,* que tournera l'année suivante Hans Steinhoff. « Nous sommes le porte-voix rouge, le porte-voix des masses », scande le chœur des ouvriers en lutte. Soutenu par une musique dynamique de Hanns Eisler, le film subit les assauts de la censure mais connaît néanmoins une certaine audience, en Allemagne et en France (où il fut projeté avant-guerre sous le titre *Ventres glacés*). Peu après, Dudow devra s'expatrier et se limiter au théâtre, en France et en Suisse. C'est en France qu'il tourne, sur des dialogues de Jacques Prévert, un court métrage projeté en 1934, *Bulles de savon (Seifenblasen).* Il revient seulement au long métrage en 1949 avec *Notre pain quotidien (Unser täglich Brot),* histoire d'une famille désunie par la guerre. Fixé en Allemagne, il tourne ensuite *la Famille Benthin* (*Familie Benthin,* 1950 ; co K. Mäetzig) et *Destins de femmes* (*Frauenschicksale,* 1952), deux films qui intègrent (assez lourdement) des thèmes sociaux à des intrigues mélodramatiques. Dudow se retrouve en 1954 avec *Plus fort que la nuit (Stärker als die Nacht),* qui relate, avec une certaine vigueur épique, douze ans de résistance au nazisme, à travers l'histoire du KPD. Puis c'est *le Capitaine de Cologne* (*Der Hauptmann von Köln,* 1956), une satire du néomilitarisme faisant pendant au célèbre *Capitaine de Koepenick,* pièce à succès de Carl Zuckmayer qui inspira plusieurs films. Enfin, en 1959, un dernier film, manqué et négligeable : *les Égarements de l'amour (Verwirrung der Liebe).* « Homme sans compromis », comme le définit son compatriote Konrad Wolf, Slatan Dudow occupe une place restreinte mais estimable dans l'histoire du cinéma réaliste allemand. Brecht, si sévère envers ses autres collaborateurs, de Lang à Cavalcanti, a toujours tenu *Kühle Wampe* pour le film le plus fidèle à ses théories sur le cinéma. C.B.

DUFAYCOLOR → PROCÉDÉS DE CINÉMA EN COULEURS.

DUFILHO *(Jacques), acteur français (Bègles 1914).* C'est un des comédiens les plus actifs de sa génération, pour une bonne raison : il peut tout faire, et il sait tout faire, ce qui explique que, depuis ses débuts en 1939, il a joué dans une quarantaine de pièces, tourné au moins quatre-vingts films, obtenu un grand prix du disque avec ses sketches, réalisé un court métrage (*les Étoiles,* en 1949), écrit un livre, etc. Même s'il se déclare « cultivateur » avant tout !

Il a été à bonne école, avec Charles Dullin. Il a eu, jusqu'à présent, plus de chance au théâtre qu'au cinéma, mettant son talent au service de Marcel Aymé, de Jean Anouilh, de Molière et, surtout, d'Audiberti. Au cinéma, il a tourné dans un nombre imposant de films, souvent de qualité très moyenne, souvent comiques. Un physique à transformation plus qu'insolite, et les prouesses vocales dont il est capable lui ont permis de se mettre au service de personnages pittoresques, par exemple dans *Zazie dans le métro* (L. Malle, 1960), d'après Queneau. Il aurait pu faire une carrière plus populaire, mais peu de cinéastes ont su vraiment l'utiliser. Outre Malle, on peut citer Jean-Pierre Mocky (*Snobs,* 1961 ; *Chut !,* 1972), Jacques Baratier (*la Poupée,* 1962 ; *Dragées au poivre,* 1963 ; *l'Or du duc,* 1965), Michel Deville (*Benjamin,* 1968), mais il a aussi tourné dans beaucoup de comédies à la française plus que médiocres, signées Michel Audiard ou Philippe Clair.

En 1972, Jean-Louis Trintignant n'hésite pas à lui confier le rôle principal de son premier film, *Une journée bien remplie,* ce qui incite d'autres cinéastes à le choisir pour des films « sérieux », où il peut prouver qu'il est plus qu'un simple amuseur (*Ce cher Victor,* Robin Davis, 1975 ; *la Victoire en chantant,* J.-J. Annaud, 1976 ; *le Crabe-Tambour,* P. Schoendorffer, 1977 ; *Nosferatu, fantôme de la nuit,* W. Herzog, 1979 ; *Un mauvais fils,* C. Sautet, 1980 ; *Mangeclous,* M. Mizrahi, 1988 ; *la Vouivre,* Georges Wilson, 1989) ; *Pétain* (J. Marbœuf, 1993, rôle-titre). D.R.

DUFLOS *(Hermance,* dite *Huguette), actrice française (Limoges 1887 - Paris 1982).* Au temps du muet et à la Comédie-Française, elle joue longtemps les pures héroïnes éprouvées par les coups du sort. Elle est ainsi Suzel (*l'Ami Fritz,* R. Hervil, 1919) et la grande duchesse Aurore (*Koenigsmark,* L. Perret, 1923), *Mademoiselle de la Seiglière* (A. Antoine, 1920) et Fleur de Marie (*les Mystères de Paris,* Charles Burguet, 1922). En raison de l'emphase de son jeu, le parlant lui est moins favorable ; elle montre pourtant de la grâce dans *les Perles de la couronne* (S. Guitry, 1937) et de l'émotion dans *Maman Colibri* (J. Dréville, 1937), hommage à son passé de jolie femme. R.C.

DUGOWSON *(Maurice), cinéaste français (Saint-Quentin 1938).* Il travaille essentiellement pour la télévision mais s'est fait remarquer au cinéma par des œuvres poétiques et douces-amères (*Lily, aime-moi,* 1975 ; *F. comme Fairbanks,* 1976 ; *Au revoir, à lundi,* 1979). En 1983, *Sarah* aborde un registre plus grave – et sans doute moins convaincant – en évoquant un microcosme tragi-comique : celui d'une équipe de cinéma dont le tournage est soudainement interrompu. Il se consacre ensuite essentiellement à la télévision et revient à la réalisation en 1994 avec *la Poudre aux yeux.* J.-L.P.

DUHAMEL *(Antoine), musicien français (Valmondois 1925).* Élève au Conservatoire de René Leibowitz, Norbert Dufourcq, Olivier Messiaen, il participe aux expériences de *musique concrète* du Club d'essai de la radio (1955). Son œuvre nombreuse et diverse comprend très tôt des compositions pour films publicitaires, d'art (*Hartung,* A. Resnais, 1948), ou d'animation, puis pour des longs métrages. Il collabore ainsi avec Astruc, Condroyer, Granier-Deferre, Godard (*Pierrot le Fou,* 1965 ; *Week-End,* 1967), Ivens, Freda (*Roger la Honte,* 1966), Truffaut (*Baisers volés,* 1968 ; *l'Enfant sauvage,* 1970), Tavernier (*Que la fête commence,* 1975), Cassenti (*la Chanson de Roland,* 1978), se montrant attentif à l'évolution des formes, aux exigences des genres, sans mépriser les goûts du public ni surestimer le rôle de la musique dans l'équilibre sonore du film. C.M.C.

DUKE *(Daryl), cinéaste canadien (Vancouver, Br. Col., 1932).* Formé principalement à la télévision, Darryl Duke a le sens de l'atmosphère, comme il l'a montré dans *Payday* (1973), qui rendait avec justesse la route et les petites villes américaines. En France, on a exploité en salle un film de télévision, d'ailleurs excellent, de ce cinéaste discret mais sensible, *le Sourire aux larmes* (*Griffin and Phoenix,* 1976), qui racontait les amours de deux mourants avec un sens inattendu de la drôlerie. Il a aussi tourné un policier efficace, *l'Argent de la banque* (*The Silent Partner,* 1978) avant d'adapter le best-seller de James Clavell *Tai-Pan* (1986). C.V.

DULAC *(Germaine Saisset-Schneider,* dite *Germaine), cinéaste française (Amiens 1882 - Paris 1942).* Férue de musique et de photographie, cultivée, ayant un peu pratiqué le journalisme et collaboré à des revues féministes, celle qui allait devenir le « cœur » de l'avant-garde française des années 20 réalise son premier film (produit par son époux Marie-Louis Albert-Dulac) en 1915 : *les Sœurs ennemies,* un mélodrame historique avec Suzanne Després. Suivent quelques travaux sans grande ambition, dans le goût du temps, *Géo le mystérieux* (1916), *Vénus Victrix* (id.) ou *Dans l'ouragan de la vie* (id.). Mais *Âmes de fous* (1918) est un serial insolite, où perce un humour inhabituel à ce genre de production. L'interprète est Ève Francis, qui lui fait connaître son fiancé, Louis Delluc. Sous l'influence de ce dernier, Germaine Dulac s'oriente vers un style plus raffiné, un exotisme de bonne tenue : après *le Bonheur des autres* (1918), elle tourne *la Fête espagnole* (1920), sur un scénario de Delluc qui transpose assez habilement la *Carmen* de Mérimée, film qui lui vaut un certain succès dans les cénacles parisiens. Sa ligne est tracée : elle cultivera un cinéma de recherche, jouant de la gamme des flous, des surimpressions et autres procédés « esthétiques » visant à approfondir la forme au détriment du scénario. L'Herbier, Epstein, Gance et Delluc lui-même la suivront sur cette voie, dite « impressionniste ». Des films tels que *la Cigarette* (1919), *Malencontre* (1920), *la Belle Dame sans merci* (1921), *la Mort du soleil* (id.) et surtout *la Souriante Madame Beudet* (1923, d'après la pièce de Denys Amiel et André Obey), affirmeront ces conceptions. Les films ne sont plus des narrations linéaires, lourdement ponctuées d'intertitres, ils tendent à devenir de véritables « symphonies visuelles ». Mais le grand public renâcle... Germaine Dulac fait donc quelques concessions au commerce, et c'est *Gossette* (1923) et *le Diable dans la ville* (1925), deux productions de Louis Nalpas, qui dénotent chez la réalisatrice – la seconde surtout, soutenue par un excellent scénario de Jean-Louis Bouquet – une veine « irréaliste » inattendue, qu'elle va exploiter dans *Âme d'artiste* (1925) et *la Folie des vaillants* (1926), films d'atmosphère russe débordants de fantaisie, trop contrôlée en revanche dans *Antoinette Sabrier* (1928), besogne nettement académique. Et c'est, en 1927, la curieuse association Germaine Dulac-Antonin Artaud (« le mariage de la carpe et du lapin », selon Charles Ford) pour *la Coquille et le Clergyman* (CM), qui déchaîna les tollés que l'on sait (un spectateur s'étant écrié, lors de la présentation du film aux Ursulines : « Germaine Dulac est une vache », opinion que le poète aurait publiquement entérinée). En fait, le film faisait apparaître aussi bien les audaces que les limites de la « deuxième avant-garde », Germaine Dulac s'en tenant à ses fioritures abstraites là où Artaud espérait véhémentement frapper un grand coup. Désormais, Germaine Dulac ne tournera plus que de brefs essais de « cinéma intégral », variations sur des poèmes de Baudelaire ou des motifs musicaux de Chopin ou Debussy (*l'Invitation au voyage* [CM, 1927], *Disque 927* [id., 1928], *Thèmes et Variations* [id., *id.*], *Étude cinématographique sur une arabesque* [id., 1929]), filmage au ralenti de... la germination d'un haricot ! (*Germination d'un haricot,* CM, 1928). Une ultime tentative dans la fiction, *la Princesse Mandane* (1928, d'après Pierre Benoît), se soldera par un échec. Incapable de s'adapter aux lois du parlant, elle se recycle comme directrice adjointe aux Actualités Gaumont, poste qu'elle occupera jusqu'à sa mort. ▲ C.B.

DULLEA *(Keir), acteur américain (Cleveland, Ohio, 1936).* Il débute dans *le Mal de vivre* (I. Kershner, 1961) et s'impose avec son portrait d'un jeune malade mental dans *David et Lisa* (F. Perry, 1962). Il interprète encore *L'attaque dura sept jours* (A. Marton, 1964), *Bunny Lake a disparu* (O. Preminger, 1965), *le Renard* (M. Rydell, 1968), *2001 : l'Odyssée de l'espace* (S. Kubrick, *id.*) et le rôle-titre du *Divin Marquis* (C. Endfield, 1969). Sa carrière cinématographique marque ensuite le pas : *Jeanne, papesse du diable* (M. Anderson, 1972), *le Cercle infernal* (*Full Circle,* Richard Loncraine, 1977) ; *2010* (Peter Hyams, 1984). J.-P.B.

DULLIN *(Charles), acteur français (Yenne 1885 - Paris 1949).* Grand animateur de théâtre, il ne travaille pour le cinéma qu'en vue de renflouer le budget de l'Atelier ; il apportait, néanmoins, à chacune de ses compositions devant la caméra, son extraordinaire qualité de présence et son art de jouer d'un physique ingrat. Au nombre de ses meilleures créations, retenons celles du *Miracle des loups* (1924), du *Joueur d'échecs* (1927), des *Misérables* (rôle de Thénardier, 1934) réalisés par Raymond Bernard, mais également celles, saisissantes, qu'il accomplit dans *l'Affaire du courrier de Lyon* (C. Autant-Lara et Maurice Lehman, 1937), dans le rôle de Corbaccio (*Volpone,* M. Tourneur, 1941), dans *Les jeux sont faits* (J. Delannoy, 1947 ; sur un scénario de Sartre) et *Quai des Orfèvres* (H.-G. Clouzot, 1947). F.B.

DUMESNIL *(Jacques Joly,* dit *Jacques), acteur français (Paris 1904).* Il mène dans les années 30 une carrière théâtrale où il remporte de beaux succès et une activité cinématographique qui ne cesse de s'amplifier, de *Lucrèce Borgia* (A. Gance, 1935) à *Retour à l'aube* (H. Decoin, 1938) et à *l'Empreinte du dieu* (L. Moguy, 1941). Spécialiste des personnages virils et séduisants, il a interprété avec force et sobriété *le Mariage de Chiffon* (C. Autant-Lara, 1942), *Pierre et Jean* (A. Cayatte, 1943), *la Grande Meute* (Jean de Limur, 1945). Il a campé Paul-Louis Courier dans *la Ferme des sept péchés* (Jean Devaivre, 1949) et le gentleman-farmer dans *Julie de Carneilhan* (J. Manuel, 1950), puis s'est peu à peu retiré des studios sans avoir pu apporter le témoignage de tout son talent. R.C.

DUMONT *(Margaret Baker,* dite *Margaret), actrice américaine (New York, N. Y., 1889 - Los Angeles, Ca., 1965).* Elle est la cible stoïque et digne des insultes de Groucho dans sept films des Marx Brothers dont *la Soupe au canard* (L. McCarey, 1933) et *Une nuit à l'Opéra* (S. Wood, 1935). Victime idéale, elle apparaît encore, toujours dans son registre de dame offusquée, monumentale et placide, avec W. C. Fields : *Passez muscade* (E. Cline, 1941), Laurel et Hardy : *Maîtres de ballet* (M. St Clair, 1943), Red Skelton : *le Bal des sirènes* (G. Sidney, 1944), Jack Benny : *The Horn Blows at Midnight* (R. Walsh, 1945) ou Abbott et Costello : *Deux Nigauds vendeurs* (*Little Giant,* W. A. Seiter, 1946). On la voit encore dans *Madame Croque-Maris* (J. L. Thompson, 1964). J.-P.B.

DUNAWAY *(Faye), actrice américaine (Bascorn, Fla., 1941).* Fille d'un officier de carrière de l'armée américaine, Faye Dunaway a connu une enfance errante, d'une ville de garnison à une autre, en Europe aussi bien qu'aux États-Unis. Diplômée de l'université de Floride et de la School of Fine and Applied Arts de l'université de Boston, elle débute au théâtre à New York. En 1962, elle fait partie de la Lincoln Center Repertory Company. Particulièrement remarquée dans la production off-Broadway *Hogan's Goat,* elle fait ses débuts à l'écran en 1967, dans *The Happening.* Mais c'est sa performance, aux côtés de Warren Beatty et de Gene Hackman, dans *Bonnie and Clyde,* d'Arthur Penn, qui constitue le départ de sa carrière de star, après une première nomination à l'Oscar d'interprétation. Elle sera encore « nominée » en 1974, pour *Chinatown,* avant de décrocher l'Oscar en 1976 pour sa performance dans *Network.* Son physique altier, tempéré par une nervosité qui paraît contredire, parfois, l'élan vital, l'énergie qu'elle dégage naturellement, lui permet d'incarner aussi bien les aventurières calculatrices, les femmes d'action ou les mannequins sophistiqués, guettés par la névrose, de libérer une sensualité débordante *(l'Arrangement)* ou de traduire la frigidité résultant d'une blessure affective, d'une désintégration de la personnalité. Elle est de la race des « sensitives », comparable à Jane Fonda, mais apparemment plus vulnérable et narcissique. C'est Jerry Schatzberg qui révélera le premier cette hypersensibilité, avec *Portrait d'une enfant déchue,* à laquelle feront appel aussi René Clément *(la Maison sous les arbres)* ou Sidney Pollack *(les Trois Jours du Condor).* Son abattage royal est exploité dans *Little Big Man, les Trois Mousquetaires,* où elle incarne Milady, et *Network.* Une approche plus fine permettrait de classer ses interprétations en trois tendances : la femme psychiquement et affectivement vulnérable *(Portrait d'une enfant déchue, les Trois Jours du Condor),* la « féministe » assumant des métiers d'homme, au risque de s'autodétruire par égocentrisme *(Network, les Yeux de Laura Mars, Maman très chère),* la féminité envahissante, conquérante ou trouble *(l'Arrangement, Chinatown).* Après une éclipse qui l'a conduite à beaucoup travailler pour la télévision, elle semble continuer dans la voie de la composition qui lui avait si bien réussi dans *Barfly* : c'est ainsi qu'on est heureux de la revoir, rayonnante et éprise

d'aviation, dans *Arizona Dream* (E. Kusturica, 1992), puis, aux côtés de Marlon Brando, dans *Don Juan DeMarco* (Jeremy Leven, 1995).
M.S.

Films ▲ : *les Détraqués* (*The Happening,* E. Silverstein, 1967) ; *Que vienne la nuit* (O. Preminger, *id.*) ; *Bonnie and Clyde* (A. Penn, *id.*) ; *l'Affaire Thomas Crown* (N. Jewison, 1968) ; *le Temps des amants* (V. De Sica, *id.*) ; *The Extraordinary Seaman* (J. Frankenheimer, 1969) ; *l'Arrangement* (E. Kazan, *id.*) ; *Portrait d'une enfant déchue* (J. Schatzberg, 1970) ; *Little Big Man* (Penn, *id.*) ; *Doc Holliday* (F. Perry, 1971) ; *la Maison sous les arbres* (R. Clément, *id.*) ; *l'Or noir de l'Oklahoma* (S. Kramer, 1973) ; *Chinatown* (R. Polanski, 1974) ; *la Tour infernale* (J. Guillermin, *id.*) ; *les Trois Mousquetaires* (R. Lester, *id.*) ; *les Trois Jours du Condor* (S. Pollack, 1975) ; *le Voyage des damnés* (S. Rosenberg, 1976) ; *Network* (S. Lumet, *id.*) ; *les Yeux de Laura Mars* (I. Kershner, 1978) ; *le Champion* (F. Zefirelli, 1979) ; *De plein fouet* (*The First Deadly Sin,* B. G. Hutton, 1980) ; *Maman très chère* (Perry, 1981) ; *The Wicked Lady* (M. Winner, 1983) ; *Supergirl* (Jeannot Szwarc, 1984) ; *Innocence* (D. Davis, *id.*) ; *Barfly* (B. Schroeder, 1987) ; *Burning Secret* (Andrew Birkin, 1988) ; *Frames From the Edge* (Adrian Maben, *id.*) ; *Midnight Crossing* (Roger Holzberg, *id.*) ; *Bandini* (Dominique Deruddere, 1989) ; *In una notte di claro de luna* (L. Wertmuller, *id.*) ; *la Servante écarlate* (V. Schlöndorff, 1990) ; *Scorchers* (David Beaird, 1991) ; *La partita* (Carlo Vanzina, *id.*) ; *Double Edge* (Amos Kollek, 1992) ; *Arizona Dream* (E. Kusturica, *id.*).

DUNING *(George), musicien américain (Richmond, Ind., 1908).* Après des études universitaires et le Conservatoire de musique de Cincinnati, il s'oriente vers le cinéma, devient directeur musical, puis est chargé de la musique de films de série B, malheureusement réalisés par Rossen, Mate ou Levin, et de *Tant qu'il y aura des hommes* de Zinneman (1953). Le plus intéressant de ses compositions claires et efficaces, qui harmonisent les thèmes folk ou de jazz à l'intérieur de structures classiques, se partage entre les beaux westerns d'Anthony Mann (*l'Homme de la plaine,* 1955), de Delmer Daves (*3 h 10 pour Yuma,* 1957 ; *Cow-Boy,* 1958), de John Ford (*les Deux Cavaliers,* 1962) et les comédies de Quine : la brillante *Ma sœur est du tonnerre* (1955), *l'Adorable Voisine* (1958), *le Monde de Suzie Wong* (1960) ou encore l'analyse cruelle de *Liaisons secrètes* (id.).
C.M.C.

DUNNE *(Irene Marie Dunn,* dite *Irene), actrice américaine (Louisville, Ky., 1898 - Los Angeles, Ca., 1990).* Aspirant à une carrière de cantatrice, elle n'a pourtant guère réussi au théâtre, même dans la comédie musicale, malgré sa voix de soprano, quand la RKO lui confie un rôle dans le futile *Leathernecking* (E. Cline, 1930), puis dans *Cimarrón* (W. Ruggles, 1931), qui lui vaut d'être proposée pour l'Oscar. Dès lors, sa silhouette élégante et fine, son visage net et un peu froid, parfois son chant tendu vont lui permettre d'être la vedette de films de tous les genres. Une comédie de Lowell Sherman (*Bachelor Apartment,* 1931), avant celles de Léo McCarey (*Cette sacrée vérité,* 1937), de Tay Garnett (*Quelle joie de vivre !,* 1938) ou de Gregory La Cava (*Unfinished Business,* 1941) révèle l'aisance de son rythme et son sens de l'euphémisme. Elle donne une grâce un peu contrainte à des films musicaux : *Un soir en scène* (*Sweet Adeline,* M. LeRoy, 1935) ; *Roberta* (W. A. Seiter, *id.*) où elle chante *Smoke Gets in Your Eyes* avec beaucoup de nuances ; *le Théâtre flottant* (J. Whale, 1936) ; *la Furie de l'or noir* (R. Mamoulian, 1937). James V. Kern trouve en elle sa meilleure interprète féminine, la plus sensible au délié de ses ballades. Mais son jeu précis et sobre, sa retenue font d'elle la victime idéale du mélodrame : l'absence d'effets donne sa vraisemblance au personnage de l'amante sacrifiée dans *Histoire d'un amour* (J. Stahl, 1932) et de la malheureuse mère dans *le Secret de madame Blanche* (Ch. Brabin, 1933). En ce sens, son style s'accorde avec celui de Stahl, qui la dirigera encore dans *le Secret magnifique* (1935) et *Veillée d'amour* (1939), mieux qu'avec celui, plus affirmé, de John Cromwell, dont elle sera très souvent la vedette, mais parfois dans des rôles beaucoup plus actifs (*Ann Vickers,* 1933 ; *Anna et le roi de Siam,* 1946). Elle peut même tenir des emplois d'infirme sans mauvais goût, comme dans *Symphony of Six Millions* (La Cava, 1932) ou *Elle et lui* (McCarey, 1939), son interprétation la plus souple et la plus riche.

La diversité de ses talents repose assurément sur son travail — on a vu quelque application dans le loufoque de *Theodora devient folle* (R. Boleslawsky, 1936) ou dans l'ironie de *Mon épouse favorite* (G. Kanin, 1940) –, mais d'abord sur une noblesse simple de port et de mouvement, éminemment sensible dans des chroniques dont le charme doit beaucoup à sa présence : *Mon père et nous* (M. Curtiz, 1947) ; *Tendresse* (G. Stevens, 1948). Puis son apparence physique, jusqu'aux *Blanches Falaises de Douvres* (C. Brown, 1944), suffit à lui donner un aspect romanesque, vague, propice à la rêverie. Sans âge, elle devra se maquiller lourdement pour paraître le sien dans *le Moineau de la Tamise* (J. Negulesco, 1950). Enfin, tous ses gestes sont si clairement délibérés, ses expressions sont si réservées qu'on doit toujours supposer, toute proche, une vérité de l'âme. A.M.

DUNNE *(Phillip), producteur, scénariste et cinéaste américain (New York, N. Y., 1908 - Malibu, Ca., 1992).* Ce dialoguiste brillant, spécialiste du drame historique (*Stanley et Livingstone,* H. King, 1939), apparaît dans les années 50 comme un cinéaste sensible. Le système hollywoodien, alors en mutation, ne l'a malheureusement pas aidé. C'est d'un regard lucide qu'il filme le drame étrange de cet acteur shakespearien, assassin de Lincoln, dans *Prince of Players* (1955). Ou encore qu'il épingle l'hypocrisie bourgeoise dans *l'Impudique* (*Hilda Crane,* 1956) ou *10, rue Frederick* (*Ten North Frederick,* 1958). *Le Train du dernier retour* (*The View From Pompey's Head,* 1955) reste un mélodrame juste et prenant. On peut donc penser que c'est la désagrégation d'un système qui a poussé Dunne à se commettre dans une comédie aussi plate que *les Yeux bandés* (*Blindfold,* 1966). C.V.

DUNNING. Procédé de truquage de prise de vues en noir et blanc précurseur du travelling matte. (→ EFFETS SPÉCIAUX.)

DUNNING *(George), cinéaste canadien (Toronto, Ontario, 1920 - Londres 1979).* Il est, avec McLaren, le plus influent dans le domaine de l'animation au Canada, et un « phare » de sa plastique moderniste. En 1942, il rejoint le National Film Board du Canada à Ottawa sur la série « Chants populaires » et réalise en découpages métalliques articulés *Trois Souris aveugles, Auprès de ma blonde* et *Cadet Rousselle,* ainsi que *Grim Pastures,* film didactique. Puis, en 1949, il se met à son propre compte et fonde le studio TV Graphics. Après une brève période à Paris, où il fréquente Berthold Bartosch, il s'installe à Londres en 1956 et réalise de brefs films humoristiques nonsensiques d'une rare économie de moyens : *la Pomme, l'Armoire, l'Échelle,* etc. Mais, surtout en 1962, il signe *l'Homme volant,* peintures animées sur verre où il parvient à donner l'impression du mouvement en formation et du tâtonnement poétique. Primé à Annecy, ce film audacieux demeure en quelque sorte l'équivalent filmique du *Nu descendant un escalier,* la toile de Duchamp, ironique portrait image par image. Le second point culminant de sa carrière vient avec *le Sous-Marin jaune (Yellow Submarine),* en 1968. Ce long métrage qu'il supervise sur des graphismes de Heinz Edelman (co Robert Balser) illustre avec lyrisme, et une imagination fantasque, la musique des Beatles, lesquels y figurent mythologiquement. Aujourd'hui encore, on peut penser qu'il s'agit du plus extraordinaire long métrage d'animation de toute l'histoire du cinéma. C'est le rayon vert, ou plutôt l'arc-en-ciel de la liberté créatrice éprise d'elle-même. Révolutionnaire modeste et professionnel épanoui, Dunning, avec ses gammes définitives et son absolu naturel, est entré dans l'histoire du dessin animé. R.B.

DUNNOCK *(Mildred), actrice américaine (Baltimore, Md., 1900 - Oak Bluffs, Mass., 1991).* La silhouette fluette et les allures furtives de Mildred Dunnock sont les garants d'une composition savoureuse et discrète. Depuis *la Mort d'un commis voyageur* (L. Benedek, 1951), où elle était l'épouse effacée de Fredric March, elle n'a guère changé d'emploi, mais l'a porté à une sorte de perfection. On n'oubliera ni la ménagère de *Mais qui a tué Harry ?* (A. Hitchcock, 1955) ni la douloureuse tante Ellie de *Doux Oiseau de jeunesse* (R. Brooks, 1962), toute en violence et en rancœurs étouffées. Mais sa création la plus magistrale est celle de la tante Sissy, simplette et lunatique, probablement détentrice de secrets et de vérités, dans *Baby Doll* (E. Kazan, 1956). C.V.

DUPARC *(Henri), cinéaste et acteur ivoirien (Forécuriah, Guinée, 1941).* Il fait des études de cinéma à Belgrade, puis à Paris, à l'IDHEC. D'abord documentariste, il réalise des films sur l'art africain comme *Mouna ou le Rêve d'un* *artiste* (1969). En 1972, avec le long métrage *la Famille (Abusan),* il se révèle un cinéaste «grand public» en Côte d'Ivoire. Avec *Bal poussière* (1988), en s'attaquant au sujet grave de la polygamie, il se confirme réaliste, lucide, ironisant sur les valeurs d'une société africaine en mutation. Ce cinéaste, qui ne refuse pas la télévision lorsqu'il peut y traiter des sujets sérieux (*Rue Princesse,* sur le sida), est resté ancré dans son pays, la Côte d'Ivoire. Les films d'Henri Duparc sont des succès populaires en Afrique, cas exceptionnel pour ce continent.

Autres films : *Obs* (1967, CM), *Récolte du coton* (1967, CM, DOC), *Achetez ivoirien* (1968, CM, DOC), *Tam-tam Ivoire* (1969, CM), *Carnet de voyage* (1971, CM), *les Racines du ciel* (1975, CM), *l'Herbe sauvage* (1977), *J'ai choisi de vivre* (1987, CM), *Aya* (1987, CM), *le Sixième Doigt* (1990), *Joli Cœur* (1992, CM), *Rue Princesse* (1993). M.J.

DUPEREY *(Annie Legras,* dite *Anny), actrice française (Rouen 1947).* Elle est belle, élégante, un peu mystérieuse, et c'est une comédienne de métier. Au cinéma, aucun rôle ne semble l'avoir véritablement marquée, depuis ses débuts, avec Jean-Luc Godard (*Deux ou Trois Choses que je sais d'elle,* 1967). Dans sa filmographie, on retiendra *Bye bye Barbara* (M. Deville, 1969), *les Malheurs d'Alfred* (P. Richard, 1972), *Stavisky* (A. Resnais, 1974, un des rares à avoir su l'utiliser), *Un éléphant ça trompe énormément* (Y. Robert, 1976), *Nuit d'or* (Serge Moati, 1977), *Bobby Deerfield* (S. Pollack, *id.*), *Psy* (Ph. de Broca, 1981), *Meurtres à domicile* (Marc Lobet, 1982), *le Démon dans l'île* (Francis Leroi, 1983), *la Triche* (Y. Bellon, 1984). Elle a également publié un livre, *l'Admiroir,* en 1975. D.R.

DUPEYRON *(François), cinéaste français (Tartas, Landes, 1950).* Auteur de documentaires et de courts métrages remarquables entre 1978 et 1987 (*l'Ornière, On est toujours trop bonne, la Dragonne, Cochon de guerre, Lamento*), il réalise en 1988 son premier long métrage, *Drôle d'endroit pour une rencontre,* film insolite, qui bénéficie du concours de Catherine Deneuve et de Gérard Depardieu. *Un cœur qui bat* (1991) préserve les caractères originaux qui semblent avoir désorienté public et critique. *La Machine* (1994), tirée du roman de René Belletto, est un essai de thriller fantastique. D.S.

DUPONT. Nom de marque (parfois mentionné au générique des films italiens des années 50 et 60) de pellicules noir et blanc de la firme américaine Dupont de Nemours.

DUPONT *(Ewald Andreas), cinéaste allemand (Zeitz 1891 - Los Angeles, Ca., 1956).* D'abord journaliste et critique de cinéma (au quotidien berlinois *BZ am Mittag*), il commence par écrire des scénarios pour Richard Oswald et Joe May, avant de passer à la réalisation en 1917 avec *Das Geheimnis des Amerika-Docks,* un film d'aventures de série. Il en tournera ainsi une dizaine jusqu'en 1923, bénéficiant parfois de la collaboration de techniciens ou d'interprètes solides, tels Paul Leni, Karl Freund ou Wilhelm Dieterle. Sa première œuvre importante est *Das alte Gesetz* ou *Baruch* (1923), un film historique se déroulant dans les milieux juifs orthodoxes d'Europe centrale au siècle dernier, riche en effets de clair-obscur ; mais c'est surtout *Variétés* (*Variete,* 1925) qui va l'imposer. Une conjugaison exceptionnelle de talents : le producteur Erich Pommer, l'opérateur Karl Freund, le couple vedette Emil Jannings-Lya De Putti, un roman à succès de Félix Hollaender se déroulant dans les milieux forains et centré sur l'éternel triangle mari-femme-amant, qui avait déjà été porté à l'écran en 1913 et le sera à nouveau en 1935 (avec Jean Gabin). La réalisation faillit échoir à Murnau. «L'histoire était la simplicité même, écrit Arthur Knight, mais elle était racontée par une caméra qui semblait être partout, pénétrant et mettant à nu la conscience de chacun et intégrant une infinité de détails significatifs à la narration.» Autant que le jeu de Jannings, souvent cadré de dos et qui n'en exprime pas moins toute la gamme des sentiments (attirance sexuelle, jalousie, etc.), on admira l'érotisme trouble de Lya De Putti et le recours au symbolisme des objets. Ce chef-d'œuvre du Kammerspiel (qui influença profondément beaucoup de cinéastes, dont Sternberg, Hitchcock et bien d'autres) valut à Dupont une notoriété internationale. Il alla tourner ensuite des films à Hollywood (*Love Me and the World Is Mine,* 1927), en Grande-Bretagne (*Moulin-Rouge* et *Piccadilly,* 1929), réalisa un film en trois versions : allemande (*Atlantik,* id.), anglaise (*Atlantic,* id.) et française (*Atlantis,* id.), une superproduction inspirée de la tragédie du *Titanic,* revint en

Allemagne pour *Salto mortale* (1931, avec Anna Sten), qui reprend un peu le schéma de *Variétés* (une rivalité amoureuse dans un cirque), avant de se fixer définitivement aux États-Unis en 1933. Jamais il ne parvint, dans ces « coûteux hybrides » (Paul Rotha), à retrouver le succès de *Variétés.* Au contraire, il va décliner de plus en plus, sur le plan des ambitions esthétiques comme sur celui de la vie privée : après une série de films policiers sans envergure à la Paramount (par exemple *A Night of Mystery,* d'après un roman de Van Dyne, 1937), il passe à la Warner et se voit congédier en plein tournage de *Hell's Kitchen* (1939, une suite libre à *Rue sans issue*). Il survit misérablement, comme imprésario et publiciste, avant d'effectuer un come-back sans gloire en 1951 avec *The Scarf,* auquel il comptait pourtant donner « l'impact plastique de *Variétés* ». Ce banal drame policier (dont il est le scénariste) est interprété par John Ireland et Mercedes McCambridge. Ses derniers films seront des « quickies » (séries Z) : *The Neanderthal Man* (1953), *Return to Treasure Island* (1954). On dit qu'il fut encore chassé du studio où il tournait son dernier film, *Miss Robinson Crusoe,* pour ivrognerie. Jovial, colérique, d'une grossièreté typiquement berlinoise, Dupont fut, semble-t-il, un cinéaste d'une réelle ambition, mais qui ne parvint pas à se renouveler. Bien qu'à revoir un film tel que *les Deux Mondes* (*Two Worlds,* 1930) on ne soit guère enclin à l'indulgence, il y a peut-être à glaner dans cette carrière curieusement hétéroclite... C.B.

Autres films : *Die Geierwally* (1921) ; *Kinder der Finsternis* (deux époques, 1921) ; *Die grüne Manuela* (1923) ; *Der Demütige und die Sängerin* (1925) ; *Cape Forlorn* (GB, version all. : *Menschen im Käfig,* 1931) ; *Peter Voss, der Millionendieb* (1932, remake d'un film muet de Georg Jacoby) ; *Der Läufer von Marathon* (1933) ; *The Bishop Misbehaves* (US, 1935).

DUR. Fortement contrasté, s'agissant d'une image ou d'un négatif.

DURÁN *(Rafael), acteur espagnol (Madrid 1911).* Il débute sur l'écran dans *Rosario la cortijera* (León Artola, 1935) et obtient une large consécration grâce à *La tonta del bote* (Gonzalo Delgrás, 1940). Il est un des comédiens les plus populaires de la décennie suivante. Apprécié pour sa prestance de galant homme, il interprète convenablement les rôles dramatiques (*El Clavo,* R. Gil, 1944). Son nom disparaît peu à peu au cours des années 50. P.A.P.

DURAND *(Jean), acteur et cinéaste français (Paris 1882 - id. 1946).* Venu du café-concert, il entre chez Pathé en 1908, puis à la Lux, enfin chez Gaumont (1909-1914), où il joue et dirige la fameuse série des Calino, entouré d'une troupe de comiques cascadeurs, les Pouics (dont font partie Aimos et Gaston Modot). Il réalise la série des Zigoto (1911), puis celle des Onésime dans le même esprit de loufoquerie délirante et de saccage apocalyptique qui annonçait Mack Sennett et ses Keystone Cops et conserve, dans son culte de l'« hénaurme » et de l'absurde, un accent très moderne. En même temps, il tourne avec Joe Hamman des imitations de westerns : *la Prairie en feu* (1907), *Arizona Bill* (1909), *l'Attaque d'un train* (1910). Après la guerre, il dirige la série des *Serpentin* (jouée par Marcel Lévesque), ainsi que quelques longs métrages : *Face aux Loups* (1926), *l'Île d'amour* (1928), *la Femme rêvée* (1929). M.M.

DURANTE *(James Francis,* dit *Jimmy), acteur américain (New York, N. Y., 1893 - Los Angeles, Ca., 1980).* Extrêmement populaire au cabaret, au music-hall, puis à la télévision, son entrain et sa vitalité prodigieuse (il interprétait tour à tour les comiques italien, irlandais et yiddish avec une faconde intarissable et un accent inimitable) lui valurent de prolonger sa carrière jusque dans les années 70. Bien qu'il eût promené sa silhouette et son célèbre nez à Hollywood dès 1930, le cinéma ne l'exploita vraiment que dans quelques comédies farfelues (*Deux jeunes filles et un marin,* R. Thorpe, 1944) et encore en bridant sa folie. On l'a revu en guest-star dans *la Plus Belle Fille du monde* (Ch. Walters, 1962) et *Un monde fou, fou, fou !* (S. Kramer, 1963). G.L.

DURANTI *(Dora Franca Duranti,* dite *Doris), actrice italienne (Livourne 1917 - Saint-Domingue 1995).* Après quelques figurations, sa beauté insolente lui vaut un rôle de protagoniste dans *Sentinelle di bronzo* de Romolo Marcellini (1936) où elle interprète un personnage d'Africaine noire. Commence alors pour elle une carrière de séductrice dans des films souvent médiocres. Bien dirigée, elle témoigne d'un certain talent et fait preuve d'une présence physique jugée scandaleuse, comme dans *Carmela,* de Flavio Calzavara (1942), où elle exibe sa poitrine nue. Autres titres mémorables dans une filmographie abondante, *Sotto la croce del Sud* (G. Brignone, 1938), *Ricchezza senza domani* (F.M. Poggioli, 1939), *Cavalleria rusticana* (A. Palermi, *id.*), *Tragica notte* (M. Soldati, 1941), *Il re si diverte* (M. Bonnard, *id.*), *Giarabub* (G. Alessandrini, 1942), *La contessa Castiglione* (F. Calzavara, *id.*), *Nessuno torna indietro* (A. Blasetti, 1943). Spécialisée dans les rôles de femme fatale, de courtisane ou de pécheresse non repentie, Doris Duranti défraye la chronique par ses relations avec les dignitaires du fascisne, notamment Alessandro Pavolini, ministre de la Culture populaire dont elle est ouvertement la maîtresse. À la Libération, elle se réfugie en Suisse, puis en Amérique latine. Au début des années 50, elle revient en Italie pour tenter de reprendre sa carrière et apparaît dans une dizaine de films dont *Il voto* (M. Bonnard, 1950) et *la Minute de vérité* (J. Delannoy, 1952). L'échec de ce come-back la ramène à Saint-Domingue d'où elle continue à attirer l'attention en ne reniant rien de ses anciennes convictions politiques, comme en témoignent ses confidences à la presse ou un livre de souvenirs publié en 1987, *Potevo avere di più (Je pouvais avoir davantage).* J.-A.G.

DURAS *(Marguerite Donnadieu,* dite *Marguerite), écrivain et cinéaste française (Gia-dinh, Cochinchine, 1914).* Elle fait des études de mathématiques, de droit et de sciences politiques. Très tôt, elle écrit des romans, dont plusieurs sont adaptés au cinéma (par ex. : *Barrage contre le Pacifique,* R. Clément, 1958 ; *Moderato cantabile,* Peter Brook, 1960).

Mais c'est de sa collaboration avec Resnais pour *Hiroshima mon amour* (1959) que date sa vraie rencontre avec le cinéma. Cette histoire d'amour fou, qui annonce le cycle d'*India Song,* où l'oubli menace la mémoire (comme dans le scénario d'*Une aussi longue absence* écrit pour Henri Colpi en 1961), présente déjà le dépouillement des textes suivants. Elle passe elle-même derrière la caméra pour adapter, en 1966, sa pièce *la Musica* (co Paul Seban), puis, en 1969, *Détruire, dit-elle* et, en 1971, *Abahn Sabana David* (sous le titre *Jaune le soleil*). Après *Nathalie Granger* (1973), filmé avant d'être publié, elle réalise *la Femme du Gange* (1974). Dans *India Song,* d'abord écrit pour le théâtre, puis adapté à la radio en 1971, publié en 1973 et filmé en 1974-75, l'histoire d'Anne-Marie Stretter (Delphine Seyrig) ou celle du vice-consul (Michael Lonsdale), empruntées à plusieurs romans antérieurs, sont portées par une bande-son où plusieurs couches de voix off alternent avec la musique de Carlos d'Alessio. En 1976, année où elle réalise *Baxter, Véra Baxter* et adapte pour la télévision sa pièce *Des journées entières dans les arbres* (avec Madeleine Renaud), elle filme pour cette bande-son une autre bande-image – les façades délabrées, les pièces vides de *Son nom de Venise dans Calcutta désert* –, scellant ainsi l'autonomie des deux bandes qui caractérisera désormais la plupart de ses films, du *Navire Night* (1979) à *l'Homme atlantique* (1981) et au *Dialogue de Rome* (*Il Dialogo di Roma,* 1983). C'est que, comme le montre en 1977 *le Camion,* film du « gai désespoir », où elle apparaît lisant elle-même son texte, l'écrivain ne se résigne plus aux « pesanteurs » du jeu d'acteurs. Les images (filmées maintenant par Bruno Nuytten, Pierre Lhomme, etc.) n'établissent plus que des correspondances avec le texte. Ainsi s'élabore, avec peu d'argent, un cinéma qui paraît constituer au début des années 80, aux côtés de celui de Jean-Marie Straub, de Chantal Akerman ou de Jean-Luc Godard, l'une des figures de la modernité. En 1985, elle réalise *les Enfants.* D.N.

DURBIN *(Edna Mae Durbin,* dite *Deanna), actrice américaine (Winnipeg, Manitoba, Canada, 1921).* Sa voix de soprano, précocement assurée, lui vaut de devenir dès 1937 (*Deanna et ses boys* [*100 Men and a Girl*], H. Koster) une des stars-enfants les plus populaires. À mesure qu'elle grandit, d'autres films, souvent réalisés par Koster, produits par Joe Pasternak et écrits par Felix Jackson, qu'elle allait épouser, exploitent sa voix et son charme sirupeux. Devenue adulte, Deanna Durbin a du mal à garder sa popularité. Des escapades, pourtant réussies, dans la comédie sophistiquée (*la Sœur de son valet,* F. Borzage, 1943) ou dans le drame noir (*Vacances de Noël,* de Robert Siodmak, en 1944, où elle est excellente en entraîneuse douloureuse) restèrent sans lendemain. Sage, et très riche, elle se retira donc. C.V.

DURYEA *(Dan), acteur américain (White Plains, N. Y., 1907 - Los Angeles, Ca., 1968).* Acteur de théâtre (1935), il débute en vedette à l'écran dans l'adaptation de *la Vipère* (W. Wyler, 1941) et devra sa célébrité à trois emplois, face à Edgar G. Robinson, chez Fritz Lang, le maître chanteur de *la Femme au portrait,* l'espion nazi d'*Espions sur la Tamise* (1944), et l'un des amants de Joan Bennet dans *la Rue rouge* (1945). Son allure à la fois fragile et fascinante le cantonne dans ces rôles de « vilains » ambigus, qu'il sait adapter au western et à l'aventure comme au policier (*Pour toi j'ai tué,* R. Siodmak, 1949 ; *Winchester 73,* A. Mann, 1950 ; *le Port des passions,* id., 1953 ; *Alerte à Singapour,* R. Aldrich, 1954 ; *Quatre Étranges Cavaliers,* A. Dwan, *id.* ; *la Muraille d'or,* J. Pevney, 1955 ; *le Cambrioleur,* P. Wendkos, 1957). Sa prolifique carrière de névrosé souvent assassin décline après 1960 (*Platinum High School,* Charles Haas, 1960). G.L.

DUSE *(Eleonora), actrice italienne (Vigevano 1858 - Pittsburg, Pa., US., 1924).* Grande actrice du théâtre italien, figure mythique à l'instar d'une Sarah Bernhardt, Eleonora Duse monte sur les planches dès l'âge de quinze ans. Après des années difficiles elle devient à partir de 1880 une actrice dont la renommée s'étend à l'Europe et même aux Amériques. Son répertoire, qui va de Shakespeare au théâtre français du XIXe siècle, comprend également des œuvres de Verga, Ibsen et surtout D'Annunzio, qui écrit spécialement pour elle plusieurs de ses pièces. De 1909 à 1921, elle abandonne le théâtre. C'est pendant cette période qu'elle connaît son unique expérience cinématographique. Les producteurs Arturo Ambrosio et Giuseppe Barattolo décident de faire appel à de grands noms du théâtre. Eleonora Duse accepte la proposition et suggère une adaptation d'un roman de Grazia Deledda, *Cenere.* Le film est réalisé en 1916 par Febo Mari à partir d'un scénario écrit par le metteur en scène et par la Duse elle-même. Le résultat, inégal, vaut surtout par une interprétation exceptionnelle, très rare en son temps, toute de retenue, où le moindre geste prend une valeur exemplaire et où l'économie des moyens confine à l'ascétisme. J.-A.G.

DUSSOLLIER *(André), acteur français (Annecy 1946).* Ancien élève du Conservatoire, il devient pensionnaire de la Comédie-Française en 1972. Son physique élégant, son charme subtil et son jeu retenu le destinent naturellement à des rôles de jeune premier ou de séducteur. Il débute au cinéma avec François Truffaut (*Une belle fille comme moi,* 1982). Tout en menant parallèlement une carrière théâtrale, il fait preuve d'une grande exigence dans le choix des films qu'il interprète. Il tourne notamment avec Éric Rohmer (*Perceval le Gallois,* 1978 ; *le Beau Mariage,* 1982), Jacques Bral (*Extérieur nuit,* 1980), Jacques Rivette (*l'Amour par terre,* 1984), Pascal Kané (*Liberty Belle,* 1983), Alain Resnais (*La vie est un roman,* 1983 ; *l'Amour à mort,* 1984 ; *Mélo,* 1986), Coline Serreau (*Trois Hommes et un couffin,* 1985), Marguerite Duras (*les Enfants,* id.), Francis Girod (*l'Enfance de l'art,* 1988), Élisabeth Rappeneau (*Fréquence meurtre,* id.), José Giovanni (*Mon ami le traître,* id.), Laurent Perrin (*Sushi Express,* 1990), Claude Sautet (*Un cœur en hiver,* 1992), Élie Chouraqui (*les Marmottes,* 1993), Michel Deville (*Aux petits bonheurs, id.*), Y. Robert, (*Montparnasse-Pondichéry,* 1994), Yves Angelo (*le Colonel Chabert, id.*). C.D.R.

DUTILLEUX *(Henri), compositeur français (Angers 1916).* Après des études au Conservatoire à Paris (1933), il obtient le prix de Rome en 1938. Depuis la guerre, il a été chef de chant à l'Opéra et chef du service des illustrations musicales à la Radiodiffusion française. Auteur de mélodies, de suites, de symphonies et d'un ballet, connu pour ses *Métaboles,* il a également écrit la musique d'un certain nombre de films, dont : *la Fille du diable* (H. Decoin, 1946), *Six Heures à perdre* (A Joffé et J. Levitte, 1947), *le Café du Cadran* (Jean Gehret, 1947), *le Crime des justes* (*id.,* 1950), *l'Amour d'une femme* (J. Grémillon, 1954). F.LAB.

DUTRONC *(Jacques), chanteur et acteur français (Paris 1943).* Il impose ses chansons provocatrices au milieu des années 60 et débute au cinéma en 1973 avec *Antoine et Sébastien* de Jean-Marie Périer. Il excelle à exprimer une fragilité rêveuse sous des dehors assurés et interprète entre autres *l'Important, c'est d'aimer* (A. Zulawski, 1975), *Mado* (C. Sautet, 1976), *Violette et François* (J. Rouffio, *id.*), *le Bon et les méchants* (C. Lelouch, 1977), *l'État sauvage* (F. Girod, 1978), *Sale Rêveur* (J.-M. Périer, *id.*), *Retour à la bien-aimée* (J.-F. Adam, 1979), *Sauve* *qui peut (la vie)* [J.-L. Godard, 1980], *Tricheurs* (B. Schroeder, 1984), *Mes nuits sont plus belles que vos jours* (Zulawski, 1989), *Van Gogh* (M. Pialat, 1991 ; rôle-titre), *Toutes peines confondues* (M. Deville, 1992), *le Maître des éléphants* (Patrick Grandperret, 1995). J.-P.B.

DUTT *(Guru), cinéaste indien (Bangalore, Mysore, 1925 - Bombay, Maharashtra, 1964).* Il est étudiant à l'académie d'Art d'Uday Shankar avant de se tourner vers le cinéma. Entre 1945 et 1964, il réalise huit films (dont cinq qu'il interprète lui-même), en produit trois et apparaît comme acteur dans plusieurs longs métrages (notamment dans *'la Lune du quatorzième jour'* [*Chaudvin Ka Chand*], de M. Sadiq, 1960). Il aborde des genres divers, le film d'aventures (*le Faucon* [*Baazi*], 1951), la comédie (*Mr. and Mrs. 55,* 1955) avant de donner, avec *l'Assoiffé* (*Pyaasa,* 1957), une œuvre remarquable : les amours d'un poète obscur et d'une prostituée constituent un mélodrame poignant qui rencontra un immense succès. *Fleurs de papier* (*Kaagaz Ke Phool,* 1959), premier film indien en CinémaScope, fut un échec. L'ascension d'un cinéaste, son amour malheureux pour une jeune actrice et sa chute se voulaient une réflexion sur le cinéma dévoreur d'êtres et de talents. *'Le Maître, la Maîtresse et l'Esclave'* (*Sahib Bibi Aur Ghulam,* 1962), bien que réalisé par Abrar Alvi, peut être porté au crédit de Guru Dutt, qui l'a produit et en a surveillé la réalisation de près. Ce film analyse la décadence des grands propriétaires du Bengale à la fin du XIXe siècle. Guru Dutt joue le rôle principal de ces trois films. Sensible et doué d'un vif sens musical, il atteint une rare qualité d'émotion, notamment par l'intégration habile des chansons. Inquiet, voire tourmenté, il marque ses films d'un pessimisme qui développe sa fascination de la mort. (Il se suicide en 1964.) H.M.

DUVAL *(Daniel), acteur et cinéaste français (Vitry-sur-Seine 1944).* Formé par le court métrage, dont le très remarqué *Mariage de Clovis* (1968), il alterne des réalisations pour la télévision et une carrière d'acteur et réalise en 1974, avec des moyens rudimentaires, *le Voyage d'Amélie,* récit doux-amer de loubards convoyant le corps du mari d'une vieille dame, film très réussi annonçant son goût pour les marginaux, paumés, immigrés ou voyous en quête de devenir et d'espoir, dont il reparlera dans *l'Ombre des châteaux* (1977). En 1979, il adapte le best-seller de Jeanne Cordelier, *la Dérobade,* récit plus conventionnel sur le monde de la prostitution. Ce succès public l'amène à réaliser deux films d'amour noir *l'Amour trop fort* (1981) et *Effraction* (1983). Comme acteur, il a joué notamment dans *la Décharge* (J. Baratier, 1970), *Que la fête commence* (B. Tavernier, 1974), *l'Agression* (G. Pirès, 1975), *le Bar du téléphone* (C. Barrois, 1980) et dans certains de ses films (*la Dérobade* et *l'Amour trop fort*). A.T.

DUVALL *(Robert), acteur américain (San Diego, Ca., 1931).* Bien qu'il aborde des rôles fort divers dès ses débuts à l'écran (*Du silence et des ombres,* R. Mulligan, 1962), il joue le plus volontiers les leaders. Administrateur de télévision (*Network,* S. Lumet, 1976), éminence grise d'une famille de mafiosi (*le Parrain,* F. F. Coppola, 1972, et *le Parrain 2e partie,* 1974), ou officier mégalomane (*Apocalypse Now,* id., 1979), ses personnages expriment une énergie intérieure considérable. Leur diction voilée et saccadée, leur regard, fixe et intense, trahissent d'autre part une nervosité à fleur de peau. Ils affichent une détermination (*THX 1138,* G. Lucas, 1971), une violence rentrée (*les Gens de la pluie,* Coppola, *id.*) qui confinent à l'obsession. Pourtant il sait aussi se faire remarquer dans un contre-emploi trompeur (le chanteur paumé et alcoolique de *Tender Mercies* [1983] de Bruce Beresford, qui lui vaut un Oscar). Duvall possède les qualités propres aux meilleurs acteurs de composition américains : souplesse, discipline et sobriété ; il excelle à incarner les ambitieux frustrés. À quelques exceptions près (*The Great Santini,* Lewis John Carlino, 1979 ; *Sanglantes Confessions* [*True Confessions,* Ulu Grosbard], 1981), la plupart de ses personnages évoluent légèrement en marge de l'action, et se remarquent surtout par la note de menace ou de folie *(Apocalypse Now)* qu'ils apportent à l'ambiance générale du film. Il tourne notamment *The Stone Boy* (Christopher Cain, 1985), *le Bateau-phare* (Jerzy Skolimowski, 1986), *Colors* (D. Hopper, 1988), *la Servante écarlate* (V. Schlöndorff, 1990), *Convicts* (Peter Masterson, 1991), *la Peste* (L. Puenzo, 1992), *Geronimo* (W. Hill, 1993), *The Paper* (R. Howard, 1994), *The Stars Fell on Henrietta* (James Keach, 1995).

Acteur de théâtre et de télévision réputé (il fut en 1979 le héros de la série *Ike*), Duvall a également réalisé deux films : le documentaire *We're Not the Jet Set* (1974) et *Angelo, My Love* (1983), qui se déroule chez les Gitans d'Amérique. O.E.

DUVALL *(Shelley), actrice américaine (Houston, Tex., 1950).* Fille d'un juriste, c'est par hasard qu'elle vient au cinéma : Robert Altman, rencontré dans une soirée, lui propose un rôle dans *Brewster McCloud.* L'excellence de son jeu, une sensibilité originale feront d'elle une des actrices préférées d'Altman, qui, si l'on compte Kubrick et Woody Allen, est jusqu'à présent l'un des trois metteurs en scène de cinéma avec lesquels elle a travaillé. L'incongruité de son physique exagérément longiligne la prédispose aux rôles de composition, à connotation tragique aussi bien que comique (telle l'épouse de Popeye) dont le dénominateur commun paraît être une sorte de rêve éveillé, une apparente attention au réel qui n'est, tout bien considéré, qu'un regard intérieur. Les personnages incarnés par Shelley Duvall sont tous d'une inquiétante cocasserie. Mais, si ce personnage, souvent dérisoire et agaçant, est aussi attendrissant pour Altman, il semble libérer chez Kubrick une forme de misogynie exacerbée *(Shining).* M.S.

Films ▲ : *Brewster McCloud* (R. Altman, 1970) ; *John McCabe* (id., 1971) ; *Nous sommes tous des voleurs* (id., 1974) ; *Nashville* (id., 1975) ; *Buffalo Bill et les Indiens* (id., 1976) ; *Annie Hall* (Caméo, W. Allen, 1977) ; *Trois Femmes* (Altman, *id.*) ; *Shining* (S. Kubrick, 1979) ; *Popeye* (Altman, 1980) ; *Bandits, bandits* (T. Gilliam, 1981) ; *Roxane* (F. Schepisi, 1987) ; *Suburban Commando* (B. Kennedy, 1991).

DUVALLÈS (*Frédéric Coffinières,* dit), *acteur français (Paris 1894 - id. 1971).* Il transporte au cinéma le répertoire égrillard du théâtre du Palais-Royal, dont il reste longtemps le pensionnaire notoire. Dans la grosse farce, de gros succès : *Train de plaisir* (L. Joannon, 1936), *Tricoche et Cacolet* (P. Colombier, 1938). On le voit aussi, trépidant et ahuri, dans *Paris-Méditerranée* (J. May, 1932), *Dora Nelson* (René Guissart, 1935), *le Roi* (Colombier, 1936). Quelques films exceptionnels : *Donne-moi tes yeux* (S. Guitry, 1943) ; *Elena et les hommes* (J. Renoir, 1956) ; *Ni vu ni connu* (Y. Robert, 1958) ; *la Chambre ardente* (J. Duvivier, 1962). R.C.

DUVIVIER *(Julien), cinéaste français (Lille 1896 - Paris 1967).* En 1919, lorsque Duvivier commence la réalisation de *Haceldama,* il apporte au cinéma sa réelle passion pour le théâtre. Il a été très vite tenté par les planches comme acteur et on l'a vu à l'Odéon. C'est Antoine qui lui conseille de ne pas persister dans ce rêve et l'oriente vers les studios ; ainsi Duvivier est-il engagé par la SCAGL et, à partir de sa décision bien réfléchie, il va se mettre au travail avec cette opiniâtreté et ce goût du travail bien fait qui le caractérisent et vont lui permettre de totaliser 61 films au terme d'une carrière exceptionnellement féconde. Le cinéma muet, pendant la période duquel il sacrifie un peu trop aux adaptations littéraires (son éclectisme le menant de Ludovic Halévy à Germaine Acremant et d'Émile Zola à Henri Bordeaux), lui permet, d'une part, d'assimiler au mieux la technique, d'autre part, de s'essayer à des gammes où l'on discerne déjà son doigté pour amener une scène à son paroxysme. Aussi bien Duvivier écrit-il lui-même ses scénarios – et toujours il fera l'adaptation et parfois les dialogues de ses films – et les compose-t-il en homme de théâtre qui connaît le poids et sait le prix d'une œuvre bien charpentée. Avec cela, prêt à honorer toute commande : ce qui explique les nombreux films d'inspiration catholique qui parsèment sa filmographie. Son absence évidente de foi confère à ses films une tournure mélodramatique (*l'Agonie de Jérusalem,* 1927 ; *la Divine Croisière,* 1929). Le brio qu'il apporte dans son travail et en particulier dans son maniement des foules de figurants ne parvient pas à dissimuler le vide de ses productions. Il vaut mieux retenir pour cette période le curieux essai intitulé *la Machine à refaire la vie* dans lequel, aidé par Henry Lepage, il esquisse en 1924, par les vertus du montage, une histoire du cinéma depuis les origines. La révolution du parlant place tout à coup Duvivier parmi les grands réalisateurs français. Il découvre en Harry Baur un acteur inspiré (de lui, il fera le pathétique et inquiétant *David Golder*). En même temps, il assimile et maîtrise les problèmes du son que pose l'année 1930. Il enchaîne sur un marivaudage franco-allemand : *Allô Berlin, ici Paris,* où il résout en souriant d'autres problèmes : ceux de la coproduction. *La Tête d'un homme* lui permet de décrire avec ce goût du détail sordide et fascinant qu'on retrouve dans ses meilleurs films la faune et le décor du Montparnasse d'avant-guerre. Ce réalisme cruel, envoûtant, qui se reflète dans *Panique* (1947) et dans *Voici le temps des assassins* (1956), dérive de cette aventure du commissaire Maigret. Duvivier sait tirer parti des modes cinématographiques : l'exotisme de la Légion (*la Bandera,* 1935), le romantisme de la pègre (*Pépé le Moko,* 1937), l'air du temps (*la Belle Équipe,* 1936), évocation douce-amère du Front populaire. Parfois même, il contribue à les lancer : ainsi celle des films à sketches dont *Un carnet de bal* (1937) reste le modèle. Il en retrouve la veine plus tard aux États-Unis (*Lydia,* 1941 ; *Six Destins,* 1942) et la continue encore en France (*Sous le ciel de Paris,* 1951 ; *le Diable et les Dix Commandements,* 1962). Un fragment de la vie du Christ, *Golgotha* (1935), réalisé avec une belle ampleur, avait attiré l'attention des Américains, qui, après le triomphe de *Pépé le Moko,* l'appellent à Hollywood. Il y réussit brillamment *Toute la ville danse* (1938), prouvant que tous les genres, y compris l'opérette viennoise, lui sont bons. En France, il bénéficie d'une haute renommée affirmée par des récompenses et un statut de cinéaste officiel à qui on confie des commandes comme *Untel père et fils,* tourné en 1940 aux fins de propagande. Mieux vaut se souvenir de *la Fin du jour* (1939), chronique sans espoir des vieux comédiens où éclate le pessimisme foncier qui, de *Poil de carotte* (1925 et 1932) à *Pot-Bouille* (1957), baigne tous ses récits. Pessimisme qui transparaît même dans un divertissement réussi comme *la Fête à Henriette* (1952) ou à travers les rêveries brumeuses de *Marianne de ma jeunesse* (1955). Seuls, les épisodes de *Don Camillo* (1952 et 1953) apportent un sourire ironique et bon enfant sans équivoque. La conscience et l'énergie restent les qualités majeures de celui qui a dit : « Le génie c'est un mot, le cinéma c'est un métier, un rude métier que l'on acquiert. Je n'ai pas d'illuminations. Rien chez moi ne se crée sans effort. » R.C.

Films ▲ : *Haceldama ou le Prix du sang* (1919) ; *la Réincarnation de Serge Renaudier* (1920) ; *les Roquevillard* (1922) ; *l'Ouragan dans la montagne* (id.) ; *le Logis de l'horreur* (*Der Unheimliche Gast,* id.) ; *l'Œuvre immortelle* (1923) ; *le Reflet de Claude Mercœur* (id.) ; *la Tragédie de Lourdes* (id.) ; *Cœurs farouches* (1924) ; *la Machine à refaire la vie* (id., co H. Lepage) ; *l'Abbé Constantin* (1925) ; *Poil de carotte* (id.) ; *l'Homme à l'Hispano* (1926) ; *l'Agonie de Jérusalem* (1927) ; *le Mariage de mademoiselle Beulemans* (id.) ; *le Tourbillon de Paris* (1928) ; *les Mystères de la tour Eiffel* (id.) ; *la Divine Croisière* (1929) ; *la Vie miraculeuse de Thérèse Martin* (id.) ; *Au bonheur des dames* (1930) ; *Maman Colibri* (id.) ; *David Golder* (1931) ; *les Cinq Gentlemen maudits/Sous la Lune du Maroc* (id., et la vers. all. : *Die fünf Verfluchten Gentlemen*) ; *Poil de carotte* (1932) ; *la Vénus du collège* (id.) ; *Allo Berlin ? Ici Paris !* (id., et la vers. all. : *Hallo Hallo ! Hier spricht Berlin !*) ; *la Tête d'un homme* (1933) ; *le Petit Roi* (id.) ; *la Machine à refaire la vie* (id.) ; *le Paquebot Tenacity* (1934) ; *Maria Chapdelaine* (id.) ; *Golgotha* (1935) ; *la Bandera* (id.) ; *la Belle Équipe* (1936) ; *le Golem* (id.) ; *l'Homme du jour* (1937) ; *Pépé le Moko* (id.) ; *Un carnet de bal* (id.) ; *Toute la ville danse* (*The Great Waltz,* 1938) ; *la Fin du jour* (1939) ; *la Charrette fantôme* (1940) ; *Lydia* (1941) ; *Six Destins* (*Tales of Manhattan,* 1942) ; *Obsessions* (*Flesh and Fantasy,* 1943) ; *l'Imposteur* (*The Impostor,* 1944) ; *Untel père et fils* (1945, RÉ 1940) ; *Panique* (1947) ; *Anna Karenine* (1948) ; *Au royaume des cieux* (1949) ; *Black Jack* (1950) ; *Sous le ciel de Paris* (1951) ; *le Petit Monde de Don Camillo* (1952) ; *la Fête à Henriette* (id.) ; *le Retour de Don Camillo* (1953) ; *l'Affaire Maurizius* (1954) ; *Marianne de ma jeunesse* (1955) ; *Voici le temps des assassins* (1956) ; *l'Homme à l'imperméable* (1957) ; *Pot-Bouille* (id.) ; *la Femme et le Pantin* (1959) ; *Marie-Octobre* (id.) ; *la Grande Vie* (*Das Kunstseidene Mädchen,* 1960) ; *Boulevard* (id.) ; *la Chambre ardente* (1962) ; *le Diable et les Dix Commandements* (id.) ; *Chair de poule* (1963) ; *Diaboliquement vôtre* (1967).

DVORAK *(Ann McKin,* dite *Ann), actrice américaine (New York, N. Y., 1912 - Honolulu, Hawaii, 1979).* Enfant de la balle et actrice-enfant au muet, Ann Dvorak n'a jamais été une star. Mais elle est une de ces actrices sûres qui ont été les piliers du cinéma hollywoodien. La composition tragique lui sied particulièrement : Cesca, trouble et innocente, sœur de *Scarface* (H. Hawks, 1932) ; bourgeoise instable, acharnée rageusement à sa propre perte dans *Une allumette à trois* (M. LeRoy, *id.*) ; frénétique et fatale dans *l'Étrange Passion de Molly Louvain* (M. Curtiz, *id.*). Quelques minutes lui suffisent pour créer un personnage en profondeur : ainsi sa fulgurante apparition en mannequin vieilli et suicidaire dans *Ma vie à moi* (G. Cukor, 1950). Elle reprend même, avec panache, le rôle d'Arletty dans la version américaine du *Jour se lève* (*The Long Night,* A. Litvak, 1947). C.V.

DWAN *(Joseph Aloysius,* dit *Allan), cinéaste américain d'origine canadienne (Toronto, Ontario, 1885 - Los Angeles, Ca., 1981).* Allan Dwan naît au Canada dans une famille d'origine irlandaise qui émigre bientôt à Detroit puis à Chicago, déjà métropole florissante. Il reçoit, dans la prestigieuse Université catholique de Notre-Dame (Ind.), une formation d'ingénieur. Il invente une lampe à vapeur de mercure qui est remarquée par la compagnie Essanay, ce qui l'introduit dans le monde des pionniers du cinéma. Il écrit des scénarios, puis assure des mises en scène pour l'American Film Manufacturing Company, issue d'Essanay. De 1911 à 1913, Dwan est en Californie, dirigeant ou supervisant des centaines de films brefs, généralement d'une bobine, souvent des westerns. Embauché à l'Universal, il réalise pour cette compagnie son premier long métrage, *Richelieu* (1914), passe aux Famous Players (New York), enfin à la Triangle, compagnie dirigée par Griffith, pour lequel Dwan professe une vive admiration. Il dirige notamment Douglas Fairbanks, Dorothy et Lillian Gish. Il collabore en tant qu'ingénieur au célèbre plan à la grue d'*Intolérance* (Griffith, 1916). En 1922, il signe *Robin des Bois (Robin Hood),* l'une des plus importantes productions du cinéma muet américain, dont il ne fait cependant pas de doute que le véritable «auteur» est Douglas Fairbanks lui-même. Les décors (dus à Wilfred Buckland), la photographie (par Arthur Edeson), la direction des scènes de foule en sont remarquables. Alors au sommet de sa carrière, Dwan dirige Gloria Swanson : *Zaza* (id., 1923), *Tricheuse* (*Manhandled,* 1924), *Vedette* (*Stage Struck,* 1925), etc. En 1926, il commence à travailler pour la Fox, où il demeurera jusqu'en 1941. L'avènement du parlant réduit considérablement ses moyens d'action sinon son activité, même si l'on peut noter tel titre intéressant (*Chances,* 1931). Il dirige notamment Shirley Temple : *Heidi* (id., 1937), à l'esthétique méticuleusement kitsch. Il revient enfin à la grande production – et au film historique – avec *Suez* (id. 1938), biographie romancée de Ferdinand de Lesseps, avec Tyrone Power, Loretta Young et Annabella, et d'excellents effets spéciaux. La qualité de sa production est, de nouveau, inégale : de tristes farces avec les frères Ritz, *les Trois Louf'quetaires* (*The Three Musketeers,* 1939), *le Gorille* (*The Gorilla,* id.), voisinent avec un bon western, *Frontier Marshall* (1939), où Randolph Scott tient le rôle de Wyatt Earp. De 1945 à 1956, Dwan travaille pour la petite compagnie Republic et donne par intermittence libre cours à son inspiration profonde, élégiaque et intimiste plus que spectaculaire. Ainsi *Driftwood* (1947), attachant conte sentimental, avec Natalie Wood dans le rôle d'une petite orpheline, sorte de Heidi du Far West, ou *Angel in Exile* (co Philip Ford, 1948). En 1949, *Iwo-Jima (Sands of Iwo Jima),* film de guerre important et efficace, avec John Wayne, prélude aux *Douze Salopards* d'Aldrich. Enfin, de 1954 à 1958, Dwan réalise encore une série de films à très petit budget, produits par Benedict Bogeaus : *Quatre Étranges Cavaliers* (*Silver Lode,* 1954), *le Bagarreur du Tennessee / Le mariage est pour demain* (*Tennessee's Partner,* 1955) d'après Bret Harte, *Deux Rouquines dans la bagarre* (*Slightly Scarlet,* 1956), adaptation de James Cain, avec Rhonda Fleming et Arlene Dahl, *Le Bord de la rivière* (*The River's Edge,* 1957), dont l'argument marque une sorte de retour aux westerns des débuts de sa carrière, *la Ville de la vengeance* (*The Restless Breed,* id.), *l'Île enchantée* (*Enchanted Island,* 1958) d'après *Typee* de Melville, à l'inspiration primitiviste, enfin *The Most Dangerous Man Alive* (1961, [RÉ 1958]), film de science-fiction d'une très grande sobriété d'effets, dont le remake fictif servira de point de départ à *l'État des choses* de Wim Wenders (1982).

La carrière de Dwan couvre cinquante ans d'histoire du cinéma, des «one-reelers» à la généralisation de la couleur et du grand écran. Un idéal pastoral y fait écho, nostalgiquement, à la «prairie perdue» de la Californie préhollywoodienne. J.-L.B.

Autres films : *The Foundling* (1915) ; *David Harum* (id.) ; *Scandale* (*A Society Scandal,* 1924) ; *While Paris Sleeps* (1932) ; *Mam'zelle Vedette* (*Rebecca of Sunnybrook Farm,* 1938) ; *Josette et compagnie* (*Josette,* id.) ; *Sur la piste des vigilants* (*Trail of the Vigilantes,* 1940) ; *Brewster's Millions* (1945) ; *Poste avancé* (Northwest outpost, 1947) ; *Surrender* (1950) ; *la Belle du Montana* (*Belle Le Grand,* 1951) ; *Tonnerre sur le Pacifique* (*The Wild Blue Yonder,* 1951) ; *Montana Belle* (1952) ; *la Femme qui faillit être lynchée* (*The Woman They Almost Lynched,* 1953) ; *Tornade* (*Passion,* 1954) ; *la Reine de la prairie* (*Cattle Queen of Montana,* id.) ; *les Rubis du prince birman* (*Escape to Burma,* 1955).

DWOSKIN *(Stephen), cinéaste britannique (New York, N. Y., 1939).* Après des études de dessin et de décoration aux États-Unis, Dwoskin s'installe à Londres en 1964, où il devient professeur au Royal College of Art. D'abord réalisateur de courts métrages à New York, il se lance, à partir de 1970, dans des longs métrages résolument expérimentaux, dont il est souvent lui-même l'opérateur. Dwoskin développe dans ses films le thème du voyeurisme, de la solitude sexuelle et mentale, des handicaps physiques et psychologiques. (Dwoskin est lui-même handicapé physique.) Non narratifs, volontiers répétitifs, d'une sensibilité exacerbée, les films de Dwoskin sont en rupture complète avec le système commercial traditionnel. P.P.

Films : *Seule* (*Alone,* CM, 1963) ; *Échecs chinois* (*Chinese Checkers,* CM, 1964) ; *Prends-moi* (*Take me,* CM, 1968) ; *Dyn Amo* (1972) ; *Times For* (1972) ; *Handicapé* (*Behindert,* 1974) ; *Central Bazaar* (1976) ; *le Cri silencieux* (*Silent Cry,* 1977) ; *Outside In* (1981) ; *Shadows From Light* (1983) ; *Ballet Black* (1986) ; *Further and Particular* (1988) ; *The Spirit of Brendan Behan* (1990) ; *Face of our Fear* (1992) ; *Trying to Kiss the Moon* (1995).

DYALISCOPE → ANAMORPHOSE.

DYMSZA *(Adolf), acteur polonais (Varsovie, Russie, 1900 -* id., *Pologne, 1975).* Acteur comique et auteur de pièces satiriques et de chansons, il est l'un des interprètes les plus populaires du cinéma muet polonais et poursuit sa carrière avec beaucoup de succès à l'époque du parlant. Un de ses meilleurs rôles est celui d'Ostap Bender dans l'adaptation du roman d'Ilf et Petrov, *les Douze Chaises* (*Dvanact Křesel,* M. Frič co Michal Waszyński, 1933), tournée en Tchécoslovaquie. Parmi ses autres films : *le Trésor* (*Skarb,* L. Buczkowski, 1949) ; *Nikodem Dyzma* (J. Rybkowski, 1956) ; *l'Arène* (*Arena,* S. Samsonov, 1967, en URSS). J.-L.P.

DYNALENS → MOUVEMENTS D'APPAREIL.

DYNAMIQUE. Rapport, exprimé en décibels, entre les niveaux des sons les plus forts et des sons les plus faibles d'un passage sonore.

Lorsque nous écoutons un son restitué (que ce soit dans une salle de cinéma ou lors de l'écoute domestique de la radio, du disque, de la télévision), il est rare que le niveau sonore de ce son soit identique à celui du son capté ou enregistré. Par exemple, nous ne pouvons pas, sous peine d'importuner nos voisins, restituer dans notre appartement le niveau sonore des forte d'un concert symphonique. À l'inverse, restituée à son niveau réel, une conversation à voix basse dans une campagne tranquille serait inaudible dans la plupart des appartements, compte tenu du bruit de fond (rue, voisinage, etc.) qui y règne.

D'une façon générale, les sons forts sont donc restitués «moins fort» que les sons originaux, et les sons faibles «plus fort» que les sons originaux : il y a *compression des niveaux.* Cette compression est effectuée en partie dès l'enregistrement, puis complétée au moment où l'on transfère cet enregistrement sur le média de diffusion (disque, radio, film, etc.).

Il se peut aussi qu'il y ait, soit momentanément si l'on considère l'ensemble de la chaîne sonore (voir plus loin), soit de façon systématique dans certains éléments de cette chaîne (voir plus loin), *expansion des niveaux.*

Notons enfin qu'il nous arrive de manipuler nous-mêmes les niveaux lorsque, au cours d'un programme, nous tournons le bouton «volume» de l'amplificateur. Cette manipulation n'existe pas dans un cinéma : lors d'une première projection, l'opérateur recherche le réglage convenant le mieux au film projeté, et ce réglage n'est plus modifié par la suite.

Une salle de cinéma est normalement bien isolée du voisinage. Il paraît donc possible d'y respecter le niveau des sons forts (« tutti » d'un orchestre, coup de feu, etc.). Encore se doivent-ils de ne pas être désagréables à l'auditoire ; encore faut-il que les haut-parleurs supportent la puissance nécessaire à cette restitution. Ces deux raisons conduisent, en pratique, à baisser quelque peu le niveau des sons les plus forts. À l'autre extrémité de l'échelle, on retrouve le problème évoqué précédemment. Le bruit de fond dans la salle se situe typiquement vers 40 décibels (→ BRUIT DE FOND). Si l'on veut y faire entendre l'« ambiance » d'une campagne tranquille (ce qui correspond dans la réalité à un niveau sonore de l'ordre de 25 à 30 décibels), il faut remonter le niveau du son restitué, sinon celui-ci serait noyé dans le bruit de fond.

Sauf cas exceptionnels (explosion d'un obus, décollage d'un avion, etc.), l'éventail des niveaux sonores audibles s'ouvre en pratique d'environ 20 décibels à environ 110 décibels (→ DÉCIBEL, tableau 2), ce qui correspond à une variation des intensités sonores de l'ordre de 1 à 1 milliard (→ DÉCIBEL). Pour enregistrer puis restituer correctement un tel éventail sans jamais toucher au réglage du « volume », il faudrait un système dont le bruit de fond propre soit au moins un milliard de fois plus faible que les sons les plus forts susceptibles d'être rencontrés, c'est-à-dire dont le *rapport signal/bruit* (→ BRUIT DE FOND), soit d'au moins 90 dB (→ DÉCIBEL). Les enregistrements numériques atteignent à peu près cette performance. Ce n'est pas du tout le cas des supports usuels de diffusion, et notamment des films à piste sonore optique, dont le rapport signal/bruit se situe vers 40 à 45 dB. Une compression des niveaux s'impose donc de toute façon. (Une compression encore plus forte s'impose en radio, compte tenu du faible écart qui sépare le niveau de bruit de fond du local d'écoute et le niveau au-delà duquel on gênerait les voisins.) Les films 70mm à pistes sonores magnétiques, dont le rapport signal/bruit dépasse 50 dB, permettent de restituer un éventail plus large de niveaux sonores. Comme en pratique on règle l'amplificateur de façon à « caler » les sons les plus faibles un peu au-dessus du bruit de fond de la salle, le son magnétique permet d'aller plus loin dans la restitution des sons forts.

Ce qui précède ne doit pas faire croire que l'on comprime *mécaniquement* (façon d'écrire, puisqu'il s'agit d'électronique !) les niveaux. Dans une conversation calme, il y a peu d'écart entre le niveau maximal et le niveau minimal des sons émis : non seulement aucune compression ne s'impose, mais ce serait néfaste car l'oreille percevrait l'« aplatissement » des niveaux.

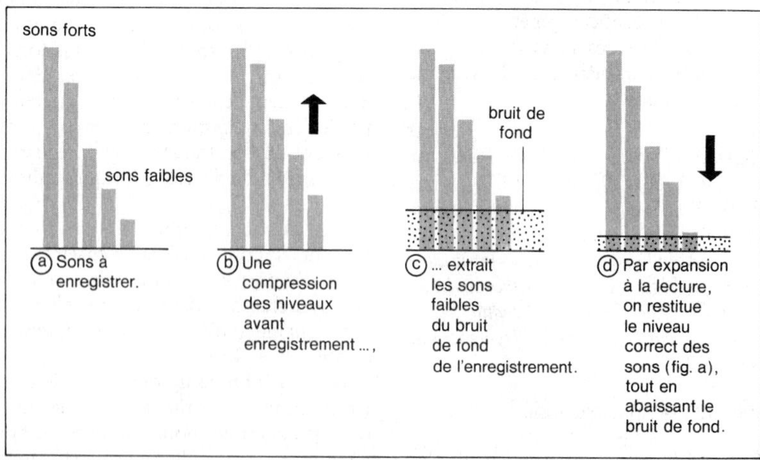

Dynamique. *Principe de la réduction du bruit de fond par compression-expansion.*

Les manipulations effectuées lors du mixage consistent donc à relever *globalement* tel passage trop faible ou à baisser *globalement* tel passage trop fort. On parvient ainsi, tout en respectant la hiérarchie des différents passages (un chuchotement doit rester plus faible qu'une altercation), à « loger » tous les niveaux sonores à l'intérieur de ce que peut restituer le film. Si la hiérarchie est bien respectée, le spectateur ne prend pas conscience de ces manipulations.

L'élaboration de la bande sonore peut, à l'inverse, appeler une expansion des niveaux. Filmons un salon où deux acteurs conversent en plan rapproché devant des figurants en train de bavarder. Si nous nous trouvons sur le plateau à côté de la caméra, nous pouvons suivre la conversation des acteurs, non seulement parce qu'ils sont plus proches que les figurants, mais aussi en raison (notamment) de notre aptitude à localiser les sources sonores. Lors de la restitution en salle, cette localisation n'est plus assurée. Il faut donc « détacher » la conversation, en accroissant la différence de niveau sonore entre cette conversation et le bavardage des figurants. C'est bien d'une *expansion* des niveaux qu'il s'agit. (On y parvient, par exemple, en suspendant le micro juste au-dessus des acteurs.)

La plupart des systèmes de *réduction du bruit de fond* utilisent la compression puis l'expansion des niveaux. Avant l'enregistrement, on comprime « vers le haut » *les sons captés* (figures 1a et 1b), ce qui permet de bien détacher les sons faibles du bruit de fond propre au support de l'enregistrement (figure 1c). Après lecture, on procède à une expansion globale, « vers le bas », *de tout ce qui vient d'être lu :* les sons restitués retrouvent ainsi leur niveau correct cependant que le bruit de fond est abaissé (figure 1d). Les différences entre les divers réducteurs de bruit portent essentiellement sur la mise en application pratique de ce principe général.

Le bruit de fond étant abaissé, le rapport signal/bruit se trouve automatiquement amélioré. Ce gain peut être mis à profit pour améliorer la restitution du niveau des sons forts. Il est également mis à profit pour étendre la bande passante. (→ BANDE PASSANTE.)

Dynamique. — On appelle *dynamique d'enregistrement* d'un passage sonore (œuvre musicale, conversation, etc.) le rapport, exprimé en dB, entre les niveaux du son le plus fort et du son le plus faible contenus dans ce passage. La dynamique d'un enregistrement est donc une caractéristique de ce qui est enregistré, et non une caractéristique du support de l'enregistrement. La dynamique d'un enregistrement ne saurait toutefois excéder le rapport signal/bruit du support (voir ci-dessus), alors que la dynamique du passage sonore peut fort bien excéder ce rapport. (Pensons à l'exécution d'une œuvre symphonique, où la dynamique « d'écoute » atteint, voire dépasse, 80 dB.) La compression des niveaux, nécessaire dans ce cas si l'on veut « loger » le passage sonore à l'intérieur des limites de niveaux propres au support, peut donc s'interpréter comme une réduction délibérée de la dynamique. J.-P.F./M.BA.

DZIGAN *(Efim)* [*Efim L'vovič Dzigan*], *cinéaste soviétique (Moscou 1898 - id. 1981).* Il aborde le cinéma en 1928 en cosignant *'le Premier Trompette Strechnev' (Pervyj Kornet Strešnev)* avec Tchiaoureli, réalise un film antireligieux, *'le Dieu de la guerre'* (*Bog Vojny*, 1929), puis *'Le procès doit continuer'* (*Sud dolžen prodolžat'sja,* 1931), *'la Femme'* (*Ženščina,* 1932). Il rencontre la renommée avec *les Marins de Kronstadt* (*My iz Kronštadta,* 1936), qui doit beaucoup au scénario de Vichnevski. Il ne retrouvera pas dans ses films ultérieurs la réussite de cette œuvre unique.

On lui doit cependant le premier film kazakh en couleurs, *'Djamboul'* (*Džambul,* 1953, avec Chaken Aïmenov) et plusieurs autres films tels que *'Prologue'* (*Prolog,* 1956), *'En rangs serrés'* (*V edinom stroju,* 1959 ; COPR avec la Chine), *'la Flamme inextinguible'* (*Negasimoe plamja,* 1964), *'le Torrent de fer'* (*Železnyj potok,* 1967). J.-L.P.

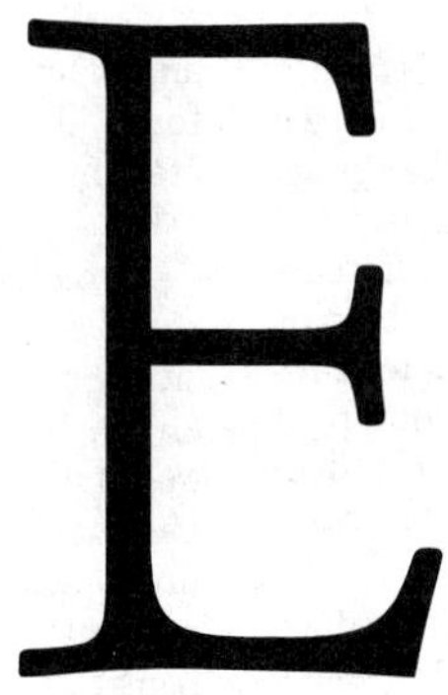

EADY FUND. Ministre adjoint des Finances en 1950, Sir Wilfred Eady a donné son nom à cette taxe parafiscale, perçue sur les billets vendus en Grande-Bretagne, et qui alimente un fonds d'aide au cinéma britannique, connu dès lors sous le nom de « Eady Fund » ou « Eady Money ». Les modalités de fonctionnement de ce fonds ont été constamment modifiées de 1950 à nos jours. Il intervient de trois manières : aide automatique aux films britanniques en proportion de leurs recettes ; aide sélective pour certains projets ; subventions. P.P.

EAGELS *(Jeanne), actrice américaine (Kansas City, Mo., 1890 - New York, N. Y., 1929).* Légende du théâtre (elle fut célèbre dans le rôle de Saddie Thompson de *Rain* d'après Somerset Maugham), c'est des baraques foraines qu'est issue cette star de Broadway. Jeanne Eagels a cependant peu tourné de films. Silhouette diaphane, belle, mais d'une maigreur tragique et poignante, déjà rongée par la drogue, qui la tuera, elle dégage dans *la Lettre* (*The Letter,* 1929), tournée, d'après Maugham, pour la Paramount par le Français Jean de Limur, une émotion qui dépasse le travail appliqué du réalisateur. Kim Novak l'incarna dans *Un seul amour* (G. Sidney, 1957). C.V.

Autres films ▲ : *Under False Colors* (Van Dyke Brook, 1914) ; *The World and the Woman* (à la Biograph, 1916) ; *Man, Woman and Sin* (à la MGM, Monta Bell, 1927) ; *Jalousie* (*Jealousy,* J. de Limur, 1929).

EALING. Célèbres studios de cinéma, situés dans la banlieue ouest de Londres. Bâtis au tout début des années 30 à l'initiative de Basil Dean, afin d'y tourner des films sonores pour sa compagnie Associated Talking Pictures, Ealing devient société de production et « marque de fabrique », à partir de 1938, sous la férule de Michael Balcon. Ce dernier forme une équipe de cinéastes (Walter Forde, Robert Stevenson, Penrose Tennyson, Charles Frend, Basil Dearden, Alberto Cavalcanti, Charles Crichton, Robert Hamer, Harry Watt, Henry Cornelius, Alexander Mackendrick, etc.) et de scénaristes (T. E. B. Clarke, William Rose, John Dighton, Sidney Gilliat) ; il s'attache des collaborateurs fidèles (Monja Danischewsky, Michael Relph), des comédiens qui ont déjà acquis une réputation nationale et internationale ou qu'il « découvre » (Will Hay, George Formby, Nova Pilbeam, Claude et Jack Hulbert, Jack Hawkins, Basil Radford, Joan Greenwood, James Robertson Justice, James Mason, Michael Redgrave, John Mills, Googie Withers, Stanley Holloway, Dirk Bogarde et bien sûr Alec Guinness). Balcon y invente un certain type de film britannique de qualité, où se côtoient psychologie, humour, réalisme et nationalisme discret. Tous les genres sont abordés à Ealing (une centaine de LM sont tournés en 17 ans) : films de guerre, policiers, films d'aventures ; mais ce sont les comédies *Whisky à gogo* (A. Mackendrick, 1949), *Passeport pour Pimlico* (H. Cornelius, *id.*), *Noblesse oblige* (R. Hamer, *id.*), *Tueur de dames* (Mackendrick, 1955) qui ont laissé le souvenir le plus marquant, celui des « Ealing comedies ». En 1955, la BBC achète Ealing. Une plaque est posée : « Ici, durant un quart de siècle, ont été créés de nombreux films illustrant la Grande-Bretagne et le caractère britannique. » P.P.

EASTMAN *(George), inventeur et industriel américain (1854-1932),* fondateur de la firme Eastman Kodak. Après une brève scolarité, il doit travailler très jeune. Employé de banque, il effectue des recherches pour perfectionner les plaques photographiques « sèches » au gélatino-bromure, qu'il commence à commercialiser en 1880. En 1884, il met au point les pellicules souples à support papier et lance avec un grand succès l'appareil *Kodak.* Il se tourne ensuite vers le support Celluloïd, et fabrique pour Edison et Dickson les films perforés qui assurent le fonctionnement du Kinetograph et du Kinetoscope. Jusqu'à la création, vers 1910, des usines Agfa et Pathé, Eastman détint le quasi-monopole mondial de la fabrication des films cinématographiques. (En 1924, Eastman rachète les usines Pathé.) C'est à la firme Eastman Kodak que l'on doit le 16 mm (1923), le 8 mm (1932), le Super 8 (1965) ainsi que divers procédés de cinéma en couleurs : *Kodachrome, Kodacolor, Eastmancolor.* (→ COULEURS.) Eastman est également connu pour son œuvre philanthropique en faveur de l'enseignement, de l'histoire du cinéma et... de l'art dentaire. J.-P.F.

EASTMANCOLOR, nom de marque du procédé négatif-positif de cinéma en couleurs commercialisé en 1951 par la firme américaine Eastman Kodak, et qui fut le premier procédé de ce type à offrir la correction automatique du rendu des couleurs par « masque incorporé ». (→ COULEURS aussi PROCÉDÉS DE CINÉMA EN COULEURS.) J.-P.F.

EASTWOOD *(Clint), acteur et cinéaste américain (San Francisco, Ca.,* 1930). Longtemps confiné dans des rôles mineurs par Universal, il est remarqué dans la série télévisée *Rawhide* (1959-1966), mais c'est en Europe, avec la trilogie westernienne de Sergio Leone *(Pour une poignée de dollars, Et pour quelques dollars de plus, le Bon, la Brute et le Truand),* qu'il s'impose comme « l'homme sans nom », mercenaire impassible et laconique appelé à jouer les anges exterminateurs. De retour aux États-Unis, il fonde en 1968 la Malpaso Company, qui produit la majorité de ses films. Attentif à donner leur chance aux nouveaux venus (*le Canardeur,* premier essai de Cimino, 1974) ou à ses assistants (James Fargo, Buddy Van Horn), il trouve, grâce à Don Siegel *(Un shérif à New York, Sierra torride, les Proies, l'Inspecteur Harry, l'Évadé d'Alcatraz),* un équilibre entre la surenchère irréaliste du « western spaghetti » et la précision sociologique du film de genre hollywoodien : individualiste forcené, jusque sous l'uniforme de la loi et de l'ordre, il révèle par sa violence les pulsions meurtrières d'un « système » aussi hypocrite que pourri. Il débute dans la mise en scène par un thriller original *Un frisson dans la nuit* (1971) et un western baroque qui est aussi une parabole fulgurante sur le pouvoir (*l'Homme des hautes plaines,* 1973), mais déroute son public, et ce ne sera pas la dernière fois, avec la romance délicate, tout en demi-teintes, de *Breezy* (1973). Après *la Sanction* (1975), qui dynamite par l'absurde les conventions du film d'espionnage, il tourne en dérision son image de « macho » invulnérable dans *Josey Wales hors-la-loi* (1976), *l'Épreuve de force* (1977) et *Bronco Billy* (1980). Il s'y situe résolument du côté des rêveurs, des perdants, des marginaux qui fuient dans l'imaginaire la déroute de toutes les valeurs. Puis il revient au film d'espionnage, cette fois antisoviétique, avec *Firefox* (1982) avant de tourner *Honkytonk Man* (1983), film d'initiation d'un adolescent (son fils Kyle) face à un père aventurier raté que lui-même incarne. Il poursuit ensuite sa carrière de metteur en scène, producteur et acteur (*le Retour de l'inspecteur Harry,* 1983 ; *Pale Rider,* 1985) où l'on devine une ambition d'auteur de plus en plus affirmée tout en confortant auprès d'un public qui lui reste très fidèle lorsqu'il ne s'éloigne pas d'une image de marque stéréotypée sa présence « physique » : *la Corde raide* (Richard Tuggle, 1984) ; *Haut les flingues* (R. Benjamin, *id.*) ; *la Dernière cible* (Buddy Van Horn, 1988). Il réalise en 1988 *Bird,* évocation de la vie de Charlie Parker qui vaut à son interprète Forest Whitaker le Prix d'interprétation à Cannes, et en 1990 *Chasseur blanc, cœur noir* qui s'inspire d'un livre de Peter Viertel évoquant la figure complexe et ambiguë d'un réalisateur de cinéma, sosie d'un John Huston tournant *African Queen.* Mais la reconnaissance en tant que cinéaste (critique unanime, Oscars) lui vient avec *Impitoyable*, admirable western crépusculaire d'un classicisme épuré, où il trouve également l'un de ses meilleurs rôles. Par contre, il se met en retrait et laisse le rôle principal à Kevin Costner dans *Un monde parfait* : Eastwood cinéaste finit par dépasser les conventions d'un scénario habile mais prévisible pour créer quelques magnifiques visions (un cadavre souriant autour duquel tournoient des billets de banque). M.H.

Films (Réalisation) ▲ : *Un frisson dans la nuit* (*Play Misty for Me*, 1971) ; *l'Homme des hautes plaines* (*High Plains Drifter*, 1973) ; *Breezy* (id.) ; *la Sanction* (*The Eiger Sanction*, 1975) ; *Josey Wales hors-la-loi* (*The Outlaw Josey Wales*, 1976) ; *l'Épreuve de force* (*The Gauntlet*, 1977) ; *Bronco Billy* (id., 1980) ; *l'Arme absolue* (*Firefox* 1982) ; *Honkytonk Man* (id., *id.*) ; *le Retour de l'inspecteur Harry* (*Sudden Impact*, 1983) ; *Pale Rider* (id., 1985) ; *le Maître de guerre* (*Heartbreak Ridge*, 1986) ; *Bird* (1988) ; *Chasseur blanc, cœur noir* (*White Hunter, Black Heart*, 1990) ; *la Relève* (*The Rookie*, 1991) ; *Impitoyable* (*Unforgiven*, 1992) ; *Un monde parfait* (*A Perfect World*, 1993) ; *Sur la route de Madison* (*The Bridges of Madison country*, 1995).

— (Interprétation) ▲ : *la Revanche de la Créature* (J. Arnold, 1955) ; *Francis in the Navy* (Arthur Lubin, 1955) ; *Par le fer et par l'épée* (*Lady Godiva*, Lubin, *id.*) ; *Tarentula* (Arnold, *id.*) ; *Ne dites jamais adieu* (*Never Say Goodbye*, Jerry Hopper, 1956) ; *The First Travelling Saleslady* (Lubin, *id.*) ; *la Corde est prête* (*Star in the Dust*, Charles Haas, *id.*) ; *Escapade in Japan* (Lubin, 1957) ; *Ambush at Cimarron Pass* (*Jodie Copeland, 1958*) ; *Lafayette Escadrille* (W. Wellman, *id.*) ; *Rawhide* (T.V. 1959-1966) ; *Pour une poignée de dollars* (S. Leone, 1964) ; *Et pour quelques dollars de plus* (Leone, 1965) ; *le Bon, la Brute et le Truand* (Leone, 1966) ; *les Sorcières* (épis. V. De Sica, 1967) ; *Pendez-les haut et court* (*Hang'em High*, Ted Post, 1968) ; *Un shérif à New York*, D. Siegel, *id.*) ; *Quand les aigles attaquent* (B. G. Hutton, 1969) ; *la Kermesse de l'Ouest* (J. Logan, *id.*) ; *De l'or pour les braves* (Hutton, 1970) ; *Sierra torride* (Siegel, *id.* ; *les Proies* (Siegel, 1971) ; *Un frisson dans la nuit*, C.E., *id.*) ; *l'Inspecteur Harry* (Siegel, *id.*) ; *Joe Kidd* (J. Sturges, 1972) ; *l'Homme des hautes plaines* (C.E., 1973) ; *Breezy* (C.E., *id.*) ; *Magnum Force* (Post, *id.*) ; *le Canardeur* (M. Cimino, *id.*) ; *la Sanction* (C.E., 1975) ; *Josey Wales hors la loi* (C.E., 1976) ; *l'Inspecteur Harry ne renonce jamais* (The Enforcer, James Fargo, *id.*) ; *l'Épreuve de force* (C.E., 1977) ; *Doux, dur et dingue* (*Every Which Way But Loose*, Fargo, 1978) ; *l'Évadé d'Alcatraz* (Siegel, 1979) ; *Bronco Billy* (C.E., 1980) ; *Ça va cogner* (*Any Which Way You Can*, Buddy Van Horn, 1981) ; *l'Arme absolue* (C.E., 1982) ; *Honkytonk Man* (C.E., *id.*) ; *le Retour de l'Inspecteur Harry* (C.E., 1983) ; *la Corde raide* (*Tightrope*, Richard Tuggle, 1984) ; *Haut les flingues* (R. Benjamin, 1985) ; *Vanessa in the Garden* (C.E., T.V., *id.*) ; *le Cavalier solitaire/Pale Rider* (C.E., *id.*) ; *Rat Boy* (Sondra Locke, 1986) ; *le Maître de guerre* (C.E., *id.*) ; *Bird* (C.E., 1988) ; *la Dernière cible* (*The Dead Pool*, Van Horn, *id.*) ; *Pink Cadillac* (Van Horn, 1989), *Chasseur blanc, cœur noir* (C.E., 1990) ; *la Relève* (C.E., 1991) ; *Impitoyable* (C.E., 1992) ; *Dans la ligne de mire* (W. Petersen, 1993) ; *Un monde parfait* (C.E., *id.*) ; *Sur la route de Madison* (C.E., 1995).

EAUBONNE (*Jean Piston d'Eaubonne*, dit *Jean*), *décorateur français* (*Talence 1903 - Boulogne-Billancourt 1971*). Élève de Bourdelle, il avait été affichiste publicitaire avant de débuter au cinéma comme assistant de Lazare Meerson (pour *les Nouveaux Messieurs*, 1929) et de Jean Perrier. Jean Cocteau l'engage pour *le Sang d'un poète* (1931). Une connaissance complice de l'œuvre de l'écrivain lui permet de concevoir le fameux décor de la Cité Monthiers, à la lisière du quotidien et du merveilleux. Vingt ans plus tard, il créera de la même façon les séduisants trompe-l'œil d'*Orphée*. Entre-temps, Eaubonne a travaillé avec nombre de réalisateurs : Jean Grémillon ; Raymond Bernard ; Marcel Carné (*Jenny*, 1936) ; Jacques Feyder (l'ample décor des *Gens du voyage*, 1938 ; *la Loi du Nord*, 1942 ; *Une femme disparaît*, id.) ; Max Ophuls, qu'il retrou vera plus tard (*De Mayerling à Sarajevo*, 1940) ; Pierre Chenal ; Christian-Jaque (les constructions complexes de *la Chartreuse de Parme*, 1948) ; Henri Jeanson (le Paris des années 20 reconstitué pour *Lady Paname*, 1950). Son art, fait d'un dosage savant de stylisation théâtrale et de réalisme, trouvera à s'épanouir pleinement, à partir de 1950, avec Ophuls, pour lequel il concevra les féeriques architectures — entre terre et ciel — de *la Ronde* (qui reçoit le prix du meilleur décor de la biennale de Venise et à Punta del Este), du *Plaisir* (1952, inoubliable façade de la Maison Tellier, avec sa profusion d'ornements et d'ouvertures à claire-voie), de *Madame de* (1953) et, l'apothéose, *Lola Montès* (1955). À noter aussi, pour Jacques Becker, les guinguettes de *Casque d'or* (1952) et le Paris des peintres de *Montparnasse 19* (1958). «Le décor, déclarait Jean d'Eaubonne à Marie Epstein, est pour moi l'équivalent d'un accompagnement musical. Il ne doit pas dépasser ce rôle, sauf dans certains cas, où le décor devient acteur lui-même.»

C.B.

ÉCART À LA RÉCIPROCITÉ → PHOTOMÉTRIE.

ÉCHO → ACOUSTIQUE.

ÉCLAIR → CAMÉRA.

ÉCLAIR, société de production française fondée en 1907 par Marcel Vandal, Charles Jourjon et Clément Maurice. Troisième firme française après Gaumont et Pathé de 1908 à 1918, spécialisée dans les mélodrames populaires joués par une troupe de comédiens engagés à l'année (Charles Krauss, André Liabel, Josette Andriot, Camille Bardou), elle sera aussi sous l'égide de Victorin Jasset l'une des premières à réaliser, dans ses studios d'Épinay-sur-Seine, des serials dont certains connaîtront un large succès.

En 1911, elle constitue aux États-Unis l'Eclair Film Company (qui prendra en 1915 le nom d'Ideal) et fait construire à Fort Lee, dans le New Jersey, un studio et un laboratoire. Elle cesse de produire après 1920.

J.-L.P.

ÉCLAIRAGE. L'*éclairage* d'un film, sa *lumière* et, plus concrètement, le rendu photographique des images rêvées par le réalisateur constituent le travail du *directeur de la photographie.* (On dit aussi, couramment, *chef opérateur,* ou encore *opérateur.*)

Globalement responsable de l'image, le directeur de la photographie a une activité complexe. Il décide, en accord avec le réalisateur et selon les indications du découpage, de l'emplacement de la caméra, des mouvements de celle-ci et des cadres successifs qui vont alors se définir. Mais le décorateur aime aussi qu'il mette en valeur ses décors, les acteurs aiment qu'il les mette en valeur (Greta Garbo exigeait d'être photographiée par William Daniels), la production aime qu'il soit rapide et qu'il ne consomme pas trop de kilowatts. En plus de ses qualités techniques, le directeur de la photographie doit donc avoir le sens des relations humaines et une grande disponibilité. Un domaine lui appartient toutefois en propre : l'éclairage, c'est-à-dire la maîtrise non seulement des sources de lumière mais aussi des caractéristiques du film et des différents artifices qui donnent son caractère à une image.

La nécessité d'éclairer relève de l'évidence lorsque l'on tourne en *studio,* c'est-à-dire dans un lieu fermé à toute lumière extérieure : il faut alors complètement composer un éclairage (et du décor et des acteurs qui vont évoluer dans le décor) capable de créer l'atmosphère réclamée par le scénario et par l'idée de mise en scène du réalisateur. En *intérieurs réels,* on conçoit également qu'il faille éclairer : la lumière naturelle n'est pas toujours assez forte pour la sensibilité du film employé, et surtout elle varie au cours de la journée. (Il y a toutefois, ici, une différence avec le studio : il vaut généralement mieux respecter la lumière propre du lieu, et l'atmosphère qui s'en dégage, plutôt que de les contrecarrer.) En extérieurs, la nécessité (paradoxale a priori) d'éclairer — et même d'éclairer d'autant plus qu'il y a déjà plus de lumière — provient du contraste. Un personnage à l'ombre (ou en contre-jour) est considérablement moins «lumineux» que le fond ensoleillé, et le film ne peut pas (→ CONTRASTE) enregistrer correctement une scène aussi contrastée. Si l'on n'éclaire pas le personnage pour réduire le contraste, ou bien le fond sera reproduit mais le personnage sera *bouché* (illisible parce que trop sombre), ou bien le personnage sera reproduit mais le fond sera *brûlé* (presque uniformément blanc parce que trop lumineux).

Évolution historique. Ces problèmes, que les photographes connaissaient bien, se sont posés dès les débuts du cinéma, et ils se posent toujours, même si les choses ont bien évolué depuis le temps où l'opérateur tournait la manivelle sur l'air de *Sambre et Meuse.* L'évolution artistique est toutefois intimement liée à l'évolution technique.

Le noir et blanc. Aux débuts du cinéma, la faible sensibilité des émulsions ne permettait le tournage que par forte luminosité : les premiers films (ceux des frères Lumière par ex.) furent tournés en extérieurs, et il en fut de même lorsque fiction et décors firent leur apparition avec Méliès. (Le studio de Méliès à Montreuil, construit en 1897, avait, comme un atelier d'artiste, un toit et des parois vitrés : la lumière trop crue du soleil était diffusée et modulée par des vélums, comme chez les photographes de l'époque. Antérieurement, le premier studio américain – le *Black Maria* d'Edison – avait un toit ouvrant et pivotait sur un rail circulaire pour suivre le soleil.)

Dépendre de la lumière naturelle était toute fois une contrainte. (Hollywood est né de cette contrainte : initialement, la production américaine était concentrée autour de New York et de Chicago ; c'est notamment pour trouver des cieux plus cléments que les pionniers, à partir de 1908, allèrent en Californie.) Le cinéma ressentit donc rapidement la nécessité de recourir à la lumière artificielle. Ce fut d'abord celle des lampes à arc, dont la forte émission dans l'ultraviolet et le bleu-violet permettait, à l'instar du soleil, d'impressionner les émulsions *orthochromatiques* (→ COUCHE SENSIBLE) de l'époque. On se servit aussi des lampes à vapeur de mercure.

Vers 1928 apparurent les émulsions *panchromatiques,* sensibles à l'ensemble de la lumière visible. Elles permirent l'utilisation des lampes à incandescence, les arcs étant conservés, à cause de leur puissance et de leur portée, pour les extérieurs et pour l'éclairage des très grands décors. (Par ex. Gregg Toland, l'opérateur d'Orson Welles pour *Citizen Kane,* se servit d'arcs – placés très en recul – pour éclairer certains décors profonds munis de plafonds, et qui interdisaient donc l'éclairage traditionnel par le haut.) Avec, un peu plus tard, l'accroissement de la sensibilité des films, les conditions techniques étaient réunies pour la pleine maîtrise de l'image noir et blanc.

Sur un plan historique, ce sont sans doute les Français qui montrèrent les premiers que

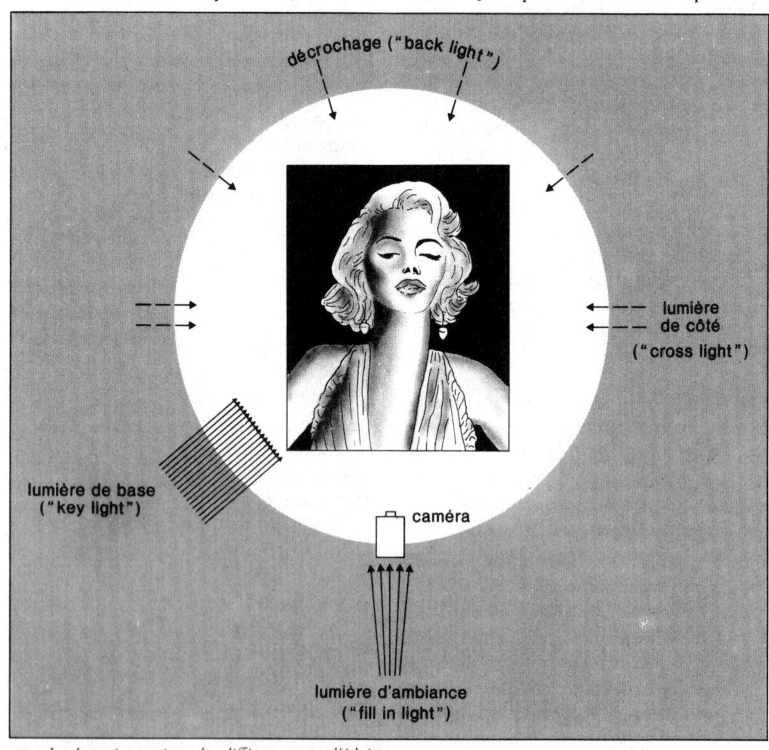

Éclairage. *Implantation typique des différents types d'éclairage.*

l'expression filmique passait aussi par la lumière. Maurice Tourneur et ses opérateurs vont ainsi, dès 1915, importer à Hollywood un style français. Mais, après la Première Guerre mondiale, c'est surtout l'expressionnisme allemand qui imposera ses conceptions plastiques. C'est à cause du succès des films de Lang ou de Murnau que Karl Freund ou Eugen Schuftan seront appelés à Hollywood ou à Paris. Un peu plus tard, le couple Josef von Sternberg/Marlene Dietrich imposera un style photographique – parfaitement assimilé par l'Américain Lee Garmes dans ses clairs-obscurs – en référence affirmée à un style européen, auquel seront également sensibles d'autres opérateurs américains comme James Wong Howe ou Stanley Cortez.

La France est, à ce moment-là, le carrefour où se croisent les émigrés en provenance de l'Europe centrale et en instance de départ pour les États-Unis (comme Boris Kaufmann) et les Américains (comme Harry Stradling) venant travailler en Europe. Les opérateurs français sauront profiter de ce brassage : à la grande époque du noir et blanc, ils avaient su créer un style très élaboré d'éclairages diffusés au moyen de trames en soie, de tulles, etc., sans négliger pour autant l'éclairage directionnel savamment placé. On peut citer ici Michel Kelber ou Philippe Agostini, avec des films comme *le Diable au corps* d'Autant-Lara (1947) ou *les Dames du bois de Boulogne* de Robert Bresson (1945).

Ce style français du noir et blanc connut, assez paradoxalement, un grand succès lors de l'apparition de la couleur, d'aspect alors assez brutal. À ce moment-là, le cinéma avait un demi-siècle d'existence et tous les genres d'éclairage, tous les styles d'image avaient été employés. (Les images de certains films ont été composées en référence ouverte à certaines époques de la peinture, par ex. au XVIIe siècle hollandais ou à Gustave Doré : pensons à *la Kermesse héroïque* de Jacques Feyder, photographiée par Harry Stradling, ou à *la Belle et la Bête* de Jean Cocteau et René Clément [1946] photographiée par Henri Alekan.) Le noir et blanc avait atteint son apogée.

La couleur. Elle était présente depuis le début du cinéma, ou presque : les films de Méliès (par ex. *le Voyage dans la Lune,* 1902) étaient coloriés à la main, image par image. On pratiqua ensuite le coloriage au pochoir. Enfin, on utilisa les virages ou les teintures : scènes de nuit teintées en bleu, scènes d'incendie en rouge, scènes de campagne en vert, etc. Parfois, bien en avance sur cette approche simpliste, la couleur était employée pour sa valeur dramatique : dans certaines copies du *Cuirassé Potemkine* (S. M. Eisenstein, 1925), le pavillon était rouge ; dans *les Rapaces* (1925), dont le leitmotiv est l'or, E. von Stroheim avait fait colorier, dans six copies, tout ce qui était de couleur dorée, depuis les boules de lit en cuivre jusqu'à la cage à oiseau que l'on retrouve dans le désert.

Parallèlement, il y eut rapidement des tentatives pour enregistrer directement les couleurs de la scène filmée : procédés bichromes (tels le *Kinemacolor*) puis procédés trichromes. C'est grâce à ces derniers que la couleur fit véritablement son entrée : *Technicolor* trichrome (popularisé dès l'avant-guerre par *Autant en emporte le vent* de Fleming), *Agfacolor* (lancé pendant la guerre, avec notamment *la Ville dorée* de V. Harlan en 1942). Il fallut toutefois attendre les années 50 pour que la couleur s'impose définitivement, jusqu'à reléguer le noir et blanc au rang d'exception. (Sur tous ces points, → PROCÉDÉS DE CINÉMA EN COULEURS.)

Le Technicolor, guère concurrencé jusqu'aux années 50, ne nécessitait pas seulement une caméra très lourde et encombrante. (→ PROCÉDÉS DE CINÉMA EN COULEURS.) Il était aussi très peu sensible (initialement : 8 ASA) et donnait une image à contraste élevé. Enfin, son utilisation était soumise à la dictature des *colour consultants* de la firme, qui intervenaient à tous les stades de la production. C'est grâce aux procédés négatif-positif (Agfacolor, Eastmancolor, etc.), utilisables dans une caméra ordinaire et progressivement de plus en plus sensibles, que la couleur put conquérir le cinéma. Aujourd'hui, les films en couleurs sont pratiquement aussi sensibles et aussi souples d'emploi que les films noir et blanc.

Parallèlement aux problèmes techniques, l'avènement de la couleur ne fut pas sans poser des problèmes artistiques. Le noir et blanc est par nature une *transposition* de la réalité. La couleur, elle, est réaliste : c'est avec la couleur qu'est apparue la laideur. Le « look » du Technicolor, si prisé de nos jours par certains cinéphiles, ne venait pas tellement du procédé — en lui-même assez fidèle ; il venait des décors, des costumes, que l'on filmait avec la philosophie (en grossissant le trait) suivante : « Nous avons la couleur ; le public veut de la couleur ; eh bien ! nous allons lui en donner ! » (Cela jusqu'au kitsch et au surréalisme : voir les costumes de Carmen Miranda dans *Banana Split* [B. Berkeley, 1943] ou certains ballets nautiques d'Esther Williams.)

La période contemporaine. La Nouvelle Vague des années 50 et 60 avait été précédée par le néoréalisme italien, né pendant la guerre autant par réaction idéologique contre le cinéma des « téléphones blancs » qui fleurissait sous le fascisme qu'en raison des contraintes économiques de l'époque. (*Ossessione,* de Visconti, date de 1942 ; *Rome ville ouverte,* de Rossellini, de 1945.) En 1946, ce nouveau style s'affirma avec *Païsa,* film coûteux pour l'époque mais où Rossellini refusait le studio, le maquillage, les acteurs et (presque) le scénario. Dix ans plus tard, un groupe de jeunes critiques français, issus des *Cahiers du cinéma,* s'attaquait au cinéma traditionnel. À nouveau pour des raisons idéologiques autant qu'économiques, cette Nouvelle Vague entreprit de sortir le cinéma des studios où le tenaient enfermé les vieilles habitudes et les nécessités de la prise de son avec le matériel de l'époque, sans parler de la volonté de contrôle des producteurs.

De nouvelles émulsions noir et blanc très sensibles, et un nouveau style d'éclairage dont Raoul Coutard fut l'initiateur, permirent cette petite révolution au prix d'un paradoxe : éclairer le noir et blanc comme on éclairait alors la couleur, c'est-à-dire avec un faible contraste et sans zone d'ombre (l'éclairage étant le plus souvent indirect), tout cela au nom d'une lumière plus « naturelle » et d'une liberté plus grande de mouvements pour les acteurs et la caméra.

En fait, les résultats furent inégaux. La couleur assure par elle-même la structuration de l'image, la séparation des plans et des masses. En noir et blanc, le résultat est moins évident sans un travail de construction de la lumière. Cette méthode d'éclairage, qui allégeait le tournage et qui permit par là l'arrivée d'une nouvelle génération de cinéastes, donnait en revanche une lumière neutre, sans ombres. En réaction, et avec les progrès des films en couleurs, on est revenu à une lumière plus construite : la couleur est aujourd'hui maîtrisée comme l'était autrefois le noir et blanc. On ressent d'ailleurs actuellement un besoin de retour au studio, au moins dans les cas où le contrôle des éléments de la prise de vues est ressenti comme prépondérant. (C'est le cas en particulier des effets spéciaux.)

Le matériel. Deux types de matériel d'éclairage coexistent aujourd'hui : le matériel traditionnel (amélioré) et celui issu des derniers progrès techniques.

Les projecteurs à arc. La source de lumière est ici un arc électrique (→ SOURCES DE LUMIÈRE). Lourds et encombrants, exigeant une alimentation en courant continu, émettant de la fumée et de la chaleur, les projecteurs à arc (qui constituent le plus ancien matériel d'éclairage artificiel du cinéma) envoient en revanche une telle quantité de lumière qu'ils sont toujours en usage dans les productions importantes.

Les deux types les plus utilisés sont : l'arc 225 ampères (communément appelé « brute ») et le 150 A (ampères). Ce sont des projecteurs à lentille de Fresnel de grand diamètre : 60 cm pour le brute.

Les arcs peuvent être équipés de différents types de charbons (→ SOURCES DE LUMIÈRE) procurant une *température de couleur** adaptée aux conditions du tournage : studio ou extérieur. (En fait, il faut les filtrer pour que leur lumière se mélange parfaitement avec celle des autres sources.)

Les projecteurs à incandescence sont de deux types principaux : avec ou sans lentille de Fresnel. Dans les deux cas, on fait de plus en plus appel aux lampes dites « à quartz », variété de lampe à incandescence nettement plus compacte que les lampes traditionnelles (→ SOURCES DE LUMIÈRE).

Dans les projecteurs à lentille de Fresnel, la lampe, montée devant un réflecteur, est placée à peu près au foyer de la lentille, selon le principe des phares maritimes. Bien qu'ils ne soient pas les meilleurs en termes de rendement lumineux, ces projecteurs constituent l'équipement de base des studios, car ce sont eux qui offrent les plus grandes possibilités de contrôle du flux lumineux. Leur système optique permet, par déplacement relatif de la lampe et de la lentille, tous les réglages du faisceau, du plus large au plus serré, et il donne des ombres nettes. Avec eux, il est particulièrement aisé de sculpter la lumière avec des volets, de la moduler avec des diffuseurs, etc. (Les mêmes remarques s'appliquent aux projecteurs à arc à lentille de Fresnel.) Ils existent dans les puissances : 10 kW, 5 kW, 2 kW, 1 kW, 500 W, 250 W.

Les projecteurs sans lentille de Fresnel, dans lesquels la lampe est simplement placée devant un réflecteur, sont typiquement des projecteurs d'ambiance (voir plus loin) ou d'éclairage des décou vertes. On a beaucoup utilisé les lampes classiques de 5 kW dans des « plats à barbe », grands réflecteurs ronds presque plats. Mais leur consommation est élevée, et leur taille importante, pour un rendement assez médiocre. Aussi a-t-on tendance à les remplacer par des projecteurs à quartz, qui se présentent sous la forme de grosses boîtes rectangulaires, dans des puissances allant jusqu'à 10 kW. Les modèles de puissance 2 et 4 kW, fonctionnant en lumière indirecte, sont typiquement les lumières d'ambiance modernes dites « soft light » ou « north light ».

Alors que les projecteurs ci-dessus donnent un faisceau diffus, certains projecteurs sans Fresnel mais à réflecteur parabolique ont un faisceau directif, réglable par le déplacement relatif de la lampe et du réflecteur. C'est le cas, en particulier, des 2 kW et 850 W quartz (dits « mandarines ») : très utilisés dans les tournages actuels, leur excellent rendement lumineux et leur légèreté les rendent particulièrement pratiques en intérieurs réels.

Les floods. Ce sont des lampes – avec ou sans miroir incorporé – survoltées, donc de durée de vie limitée (quelques heures) mais de rendement élevé. (→ SOURCES DE LUMIÈRE.) En 500 W ou 1 000 W, ils sont utilisés comme lumière d'ambiance dans différents dispositifs : rampes, panneaux, bols individuels montés sur une pince qui permet de les fixer pratiquement n'importe où.

Les mini-brutes. Un modèle particulier de lampes à quartz à réflecteur et à lentille incorporés (un peu comme des phares de voiture) est très largement utilisé – principalement en unités les regroupant par 6 ou 9 (voire plus) appelées « mini-brutes » – pour inonder de lumière tout ou partie de la scène.

Les lampes HMI. Les lampes dites « HMI » (*HMI* est en fait un nom de marque de la société Osram) ne sont pas autre chose (→ SOURCES DE LUMIÈRE) que des arcs électriques enfermés dans une ampoule spéciale. Elles fonctionnent en courant alternatif, avec un rendement très élevé, et elles donnent – contrairement aux lampes à incandescence – une température de couleur de type lumière du jour. (Il existe toutefois, depuis peu, des lampes HMI donnant la même température de couleur que les lampes à incandescence.) Elles sont utilisées dans les projecteurs avec ou sans Fresnel, dans les puissances 200 W, 575 W, 1 200 W, 2,5 kW, 4 kW, 6 kW. Un projecteur Fresnel HMI de 6 kW offre un flux lumineux presque égal à celui d'un brute, avec une consommation de 65 A en courant alternatif au lieu de 225 A en courant continu.

Du fait de leur fonctionnement sur courant alternatif, les lampes HMI peuvent provoquer du scintillement dans l'image si l'on ne prend pas certaines précautions, notamment en ce qui concerne l'ouverture de l'obturateur qui doit être égale à 180° si l'on tourne à 25 im. /s, 172° à 24 im. /s, etc. (Aux États-Unis, où la fréquence du courant est de 60 Hz au lieu de 50 Hz européens, les réglages sont différents.)

Cas particuliers. En extérieurs, les réflecteurs permettent de renvoyer la lumière solaire vers les ombres ou les contre-jours. Ce sont des panneaux orientables, métallisés ou recouverts de polystyrène, d'environ 1 m sur 1 m (parfois plus). Outre que ce moyen d'éclairage est évidemment tributaire du soleil, les réflecteurs bougent au vent, et leur lumière éblouissante est redoutée des acteurs.

Les tubes fluorescents se rencontrent couramment dans les décors réels. Il en existe de toutes sortes, avec des émissions spectrales très diverses. En général, ils donnent un rendu verdâtre très déplaisant. Il faut les filtrer, le mélange avec d'autres sources étant de toute manière délicat, sauf à éclairer à un niveau tel qu'ils soient noyés dans un flot de lumière conventionnelle. (Par ailleurs, il y a – comme avec les lampes HMI – risque de scintillement.)

Quand un personnage doit évoluer avec une bougie (ou une lampe à pétrole), on emploie une fausse bougie évidée contenant une petite lampe quartz de 100 W bas voltage (12 à 30 V) alimentée par une batterie dissimulée dans les vêtements du personnage.

Les mains et le visage du porteur sont alors correctement éclairés ; des projecteurs ordinaires, éventuellement portés à la main en suivant (hors champ !) le personnage, simulent l'effet de lumière mouvante de la bougie sur le décor. La fausse bougie est surmontée d'un petit bout de vraie bougie pour qu'il y ait une flamme. Dans le cas, similaire, d'une torche électrique, des lampes un peu plus puissantes (250 W, par ex.) peuvent permettre de n'utiliser que cette seule source lumineuse lorsque le personnage se déplace dans l'obscurité et que le faisceau de sa torche balaye le décor.

Accessoires. Pour maîtriser et moduler cette lumière, l'opérateur dispose de toute une gamme d'accessoires aux noms parfois pittoresques : coupe-flux, nègres, drapeaux, volets mammas (qui interceptent une partie du faisceau), cônes (qui limitent l'ouverture du faisceau), filtres, dispositifs diffusants (trames, tulles, etc.) ou réfléchissants (polystyrène, etc.), gélatines colorées.

La prise de vues. Le film n'enregistre correctement les divers éléments de la scène filmée, du plus clair au plus sombre, que si le contraste n'est pas trop élevé entre, précisément, les éléments les plus clairs et les plus sombres. (→ CONTRASTE.) Le film se différencie en cela du couple œil/cerveau, beaucoup plus tolérant au contraste grâce aux mouvements incessants de l'œil. Sur un plan strictement technique, le travail fondamental de l'opérateur consiste donc :

— soit à faire entrer le contraste du sujet dans les limites tolérées par le film, d'où la nécessité de l'éclairage, qui permet de contrôler le contraste ;

— soit à savoir quelles informations on peut négliger, voire à faire un atout artistique de ce manque de restitution de certains éléments de la scène. Un cas typique est celui d'un intérieur avec une fenêtre laissant voir l'extérieur. Si l'extérieur est trop lumineux, on ne distinguera rien sur le film. Dans la scène considérée, compte tenu du film en question, est-ce un inconvénient ou bien peut-on en tirer avantage ? Faut-il, au contraire, tout faire pour que le paysage reste lisible ? Ce n'est plus ici de technique seulement qu'il s'agit.

La remarque précédente est valable de façon générale : lumière et mise en scène sont étroitement liées. Par exemple, faut-il — en fonction de l'histoire et des personnages — une lumière douce ou bien une lumière dure avec de grandes zones d'ombre ? Les fonds (décor, paysage) doivent-ils être présents ou estompés ? La mise en scène fera-t-elle jouer la profondeur de champ ? (Si oui, cela impose [→ PROFONDEUR DE CHAMP] un certain diaphragme, et donc un niveau lumineux prédéterminé, celui qui conduit à une illumination correcte du film pour le diaphragme retenu.) Ces options ont été prises en général avant le tournage, pendant la phase de préparation.

Prise de vues en studio. Des lampes réelles n'éclairent pas un décor : si on filmait un appartement réel, on verrait uniquement des points lumineux (les lampes) noyés dans une pénombre indistincte. Toute une configuration de projecteurs, parfois très élaborée, est nécessaire — surtout s'il y a déplacement des acteurs et de la caméra — pour *recréer l'illusion* que la scène est éclairée par les lampes que l'on voit. Le problème est comparable si la scène est censée être une scène de jour, avec une ou plusieurs fenêtres ouvrant sur une découverte. Sur le plateau, l'opérateur va ainsi construire sa lumière comme une sorte de jeu de construction, une lumière en appelant une autre et ainsi de suite, en partant de la partie la plus éloignée de la caméra (le décor, si l'on considère que l'on commence la scène par le plan le plus large) pour finir par les positions d'acteurs les plus proches de la caméra.

La construction débute par la création des effets de lumière, cohérents par rapport au décor, qui assureront à l'image son impact dramatique. Cette lumière de base, ou *effet* ou encore *key light,* doit être établie au niveau d'éclairement requis : par exemple, 2 160 lux pour un film de sensibilité 100 ASA et pour une ouverture de diaphragme — assez usuelle — de f : 4.

Pour contrôler le contraste final de l'image, il faut combler l'ombre existant entre les effets : on ajoute pour cela de la *lumière d'ambiance,* ou *fill in light.* Dans une image peu contrastée, le niveau de fill in light est typiquement égal à la moitié environ de celui de key light, ce qui conduit à un *contraste d'éclairement* (→ CONTRASTE) de 3 (puisque les éléments recevant à la fois le key light et l'ambiance reçoivent alors trois fois plus de lumière que ceux recevant la seule ambiance).

À l'effet et à l'ambiance s'ajoutent (mais pas en termes de réglage du diaphragme, puisqu'ils ne modifient pas la luminosité des éléments filmés) les *décrochages,* ou *back light,* qui éclairent les éléments par derrière, créant autour d'eux un liséré lumineux qui permet de séparer les différents plans. Leur usage était nécessaire, en noir et blanc, à la lisibilité de l'image car des couleurs différentes pouvaient alors se traduire par des valeurs de gris identiques. On distingue aussi, parfois, les lumières rasantes de côté, qui accentuent le relief, et que les Anglo-Américains appellent *cross light.*

Ce schéma de principe (la figure situe l'emplacement typique des divers éclairages) va se répéter autant de fois qu'il le faudra, les différentes phases s'imbriquant les unes dans les autres : il peut en résulter une apparence de très grande complexité.

Le choix de la lumière de base dépend de deux facteurs principaux : la direction de lumière générale indiquée par les sources visibles ; les positions des acteurs. Ce key light pourra être un projecteur puissant mais placé loin, ce qui limite les variations de l'éclairement reçu par les acteurs lorsqu'ils s'approchent ou s'éloignent de la source lumineuse. (Souvent, on a recours aux projecteurs implantés, en hauteur, sur les passerelles du studio.) Mais tout dépend de la scène : le key light peut être donné, selon le cas, par un projecteur de 500 W ou par un brute.

Les différentes lumières d'ambiance, qui servent à modeler les ombres au niveau désiré, relèvent elles aussi du cas d'espèce. Ainsi, on laisse parfois les zones sombres sans aucun éclairage, afin de renforcer l'effet dramatique.

D'une façon générale, l'impact d'une scène provient en grande partie, sur le plan plastique, du rapport entre surfaces claires et surfaces sombres. (C'est évident chez des peintres comme Vinci, Le Nain, Rembrandt ; à l'inverse, on pourrait dire qu'un peintre comme Vermeer « dédramatise ».) Si les zones claires prédominent, c'est la lumière dite « high key », typique des comédies musicales. Si ce sont les zones sombres qui prédominent, c'est le *low key* des films policiers.

Même sans désir de dramatisation, il est plus agréable qu'un acteur qui se déplace passe dans des zones (relativement) sombres et dans des zones éclairées, sinon la scène paraîtra plate. On rejoint ici le fait que le cinéma est mouvement. Il ne faut pas figer l'image au nom de la « belle image ». Il faut inventer à chaque fois une dynamique de la lumière. Le mouvement est spatial, comme on vient de le voir. Il est aussi temporel : on n'éclaire pas de la même manière quelque chose qui restera cinq secondes sur l'écran et quelque chose qui y restera deux minutes. On doit également tenir le plus grand compte de la place du plan dans le déroulement du film : qu'y a-t-il avant, et après ? Ce choc possible, ou cet accord possible, de deux images successives et différentes, les peintres ne pouvaient pas le prévoir.

De toute manière, dans l'éclairage d'une scène, il faut s'assurer qu'il existe un contraste suffisant – de couleur et de luminosité – entre les éléments filmés : le décor, les acteurs et leurs vêtements. La couleur facilite les choses, certes, par rapport au noir et blanc, mais on doit rester attentif.

Autre piège à éviter : les ombres multiples. Si les acteurs sont assez loin des murs, les ombres se perdent au sol. Sinon, il faut appliquer la règle : une seule source visible, une seule ombre.

On peut aussi souhaiter adoucir l'apparence d'un visage, féminin en particulier, ou vouloir en gommer les imperfections, ou effacer « des ans l'irréparable outrage ». Pour cela, on emploiera une lumière douce et diffusée, ou bien on placera, devant l'objectif de la caméra, un diffuseur en verre, un morceau de tulle, un bas de soie. Cette technique du *soft focus* (utilisée, dit-on, dès 1916) est rapidement devenue indispensable à la photogénie des stars. Les maquilleurs apportent ici une contribution essentielle.

Jusque-là, on a considéré implicitement que la scène était éclairée pour un axe donné de prise de vues. Lorsque la caméra se déplace – soit pendant le plan, soit entre deux plans –, il faut redonner la même atmosphère dans un autre axe en donnant cependant l'impression d'avoir respecté les directions de lumière établies pour le plan principal, et ce (parfois) en faisant le tour du décor sur 360^0. C'est tout l'art de l'opérateur que de savoir pratiquer cette tricherie volontaire au service de la fidélité du propos initial. De même, il arrive fréquemment (par ex. pour une question de disponibilité d'un acteur) qu'une scène soit interrompue et reprise plusieurs jours ou plusieurs semaines plus tard. L'opérateur doit pouvoir se souvenir de l'organisation de son éclairage, de l'emplacement, du nombre et du type de projecteurs utilisés, de manière à reconstituer un éclairage qui *raccorde* avec l'éclairage initial.

Les prises de vues hors studio. En *extérieurs,* il est souvent nécessaire, comme on l'a vu, de comprimer le contraste en éclairant ce qui se trouve à l'ombre ou à contre-jour. Comme il faut pour cela beaucoup de lumière, on emploie des arcs, des projecteurs HMI ou des panneaux réflecteurs.

Par temps gris, un jeu de lumière artificielle permet de modeler les personnages. En contrebalançant la lumière naturelle provenant du plafond de nuages, lumière qui n'éclaire pas les yeux et donne un regard «mort», on rend les visages plus vivants.

On peut même, avec des arcs, continuer le tournage d'une scène si le soleil vient à disparaître. Il faut toutefois se placer devant un fond éclairable et travailler en plans relativement rapprochés, pour n'avoir pas à éclairer une trop grande surface.

Un cas particulier d'extérieur est le tournage à l'intérieur d'une voiture qui roule. On retrouve ici les mêmes problèmes que dans un intérieur réel avec vue sur l'extérieur : il faut éclairer à l'intérieur de la voiture. On est alors amené à placer un petit groupe électrogène sur le toit ou dans une remorque, ou bien à faire porter ou tracter la voiture par un véhicule portant ce groupe. (On peut aussi utiliser des batteries puissantes.) Cela permet d'alimenter des projecteurs installés soit sur le véhicule porteur ou tracteur, soit en déport, à l'extérieur de la voiture elle-même, à l'aide de tubes et de colliers d'assemblage. De nuit, le problème est plus simple, car il faut évidemment moins de lumière : quelques lampes quartz de 50 à 100 W, alimentées par la batterie de la voiture, suffisent. (Une tout autre solution, pour ce genre de scène, consiste à tourner en studio devant une transparence [→ EFFETS SPÉCIAUX].)

En *intérieurs réels* filmés de jour, la lumière provient en partie des fenêtres, en partie des projecteurs. La seule lumière du jour est en effet rarement adéquate, sauf pour un plan isolé où les personnages sont situés tout près de la fenêtre.

Le problème est ici de mélanger deux sources de lumière dont les températures de couleur sont différentes : environ 5 600 K (kelvins) pour la lumière du jour, 3 200 K pour les sources artificielles à incandescence. Les arcs peuvent apporter une réponse mais seulement dans un très grand décor, un hall de gare par exemple. Dans la plupart des cas, ils sont impraticables, en raison de leur taille et de leurs émissions de fumée et de chaleur qui rendent le décor rapidement invivable.

Deux possibilités s'offrent alors. On peut placer sur les fenêtres des filtres qui abaissent la température de couleur de la lumière extérieure. (Ces filtres, éventuellement combinés avec du gris neutre pour réduire le flux lumineux entrant, existent en grands rouleaux de 1, 20 m de large sur une vingtaine de mètres. Ils existent aussi en panneaux rigides.) Mais on ne peut plus ouvrir la fenêtre, ce qui ne fait pas nécessairement l'affaire de la mise en scène.

L'autre possibilité consiste à filtrer en bleu la lumière des lampes à incandescence pour élever sa température de couleur. (Bien entendu, on place alors sur la caméra le filtre correspondant au tournage en lumière du jour.) L'inconvénient est ici qu'on perd environ 40 p. 100 de la puissance lumineuse des lampes. Actuellement, une bonne solution est apportée par les lampes HMI, qui émettent une lumière comparable à celle du jour tout en chauffant peu, en consommant peu de courant et en se prêtant à des matériels peu encombrants.

Le problème de bien des décors réels est en effet le manque de recul. Les personnages sont vite «brûlés» s'ils s'approchent par trop des projecteurs. C'est ce qui explique l'emploi fréquent de la *lumière réfléchie,* la réflexion s'opérant sur le plafond ou sur les murs, éventuellement recouverts de matériaux réfléchissants divers : papier d'aluminium, plaques de polystyrène, etc. Cette technique procure une lumière douce, sans ombres marquées, qui reproduit bien la lumière du jour existant normalement dans un appartement. Avantage : acteurs et caméra peuvent se déplacer avec un minimum de contraintes. Inconvénients : une forte consommation électrique et donc une forte chaleur sur le plateau.

Pour conclure. Le cinéma n'est ni la photographie ni la peinture, même s'il leur doit beaucoup : au cinéma, la caméra et les personnages bougent, et le film se développe dans la durée.

Le cinéma n'est pas non plus la reproduction, telle quelle, de la réalité. C'est toujours une recréation, qui doit demeurer cohérente tout au long du déroulement du film (dont le tournage s'opère rarement dans l'ordre chronologique de l'histoire).

La plus grande qualité d'un opérateur est, sans doute, de *comprendre* une mise en scène ou un scénario, avec le réalisateur et pour le réalisateur. (Au besoin : sans que celui-ci s'en aperçoive.)

L'opérateur doit aussi dominer suffisamment la technique, pour rester disponible à tout apport fortuit susceptible d'enrichir l'expression plastique et dramatique du film. Il doit encore prêter une grande attention aux acteurs : pour que s'établisse la communication avec le public, il faut que la lumière s'accorde aux personnages.

Si l'on dit qu'un acteur doit être habité par son personnage, alors l'opérateur doit être habité par son film. La lumière d'un film bénéficiera dans ces conditions d'une démarche chaque fois renouvelée.

Dépassant les problèmes purement techniques, existe-t-il une manière spécifique de photographier pour le cinéma ? Devant la multiplicité des styles d'image possibles, il est plus juste de dire qu'il y a — ou qu'il devrait y avoir — autant de manières de photographier qu'il y a de films. G.S.

ÉCLAIREMENT → PHOTOMÉTRIE.

ÉCLAIRER. *Éclairer un film,* fam. pour régler l'éclairage des prises de vues d'un film. (→ ÉCLAIRAGE.)

ÉCONOMIE DU CINÉMA. Œuvre d'art ou simple divertissement, le film entre dans la catégorie des produits de consommation et il relève de trois agents économiques successifs — fabricant, intermédiaire, détaillant — appelés : producteur, distributeur, exploitant dont les interventions sont complétées par le programmateur.

Le film, en qualité de bien immatériel (projections d'images sur un écran), a toutefois un statut économique particulier.

Producteur, distributeur, exploitant. — Le rôle du *producteur* est de *rassembler* les éléments nécessaires à la fabrication du film : sujet, vedettes, réalisateur, techniciens... et financement. Producteur et réalisateur ont des fonctions différentes, même s'il est aujourd'hui relativement courant qu'elles soient assumées par la même personne.

Le *distributeur,* mandataire du producteur, a en pratique un double rôle. Il démarche et négocie afin de placer le film auprès des salles dans les meilleures conditions possibles pour la carrière du film. Il assure la manipulation et l'expédition des copies et du matériel publicitaire. Il est également intermédiaire financier : c'est au distributeur que l'exploitant verse la part film, c'est-à-dire le pourcentage convenu de la recette, à charge pour le distributeur de transmettre au producteur (ou aux créanciers de la production) les sommes ainsi recueillies, amputées d'une *commission de distribution* destinée à rémunérer l'ensemble des activités décrites ci-dessus. (Ces activités constituent la *distribution physique.*)

Les distributeurs importants participent parfois au financement des films. Prenant part au risque financier, le distributeur se couvre par une participation aux recettes, en supplément du pourcentage de la recette prélevé pour rémunérer la distribution physique. Globalement, la commission de distribution se trouve alors portée typiquement aux environs de 1/3 de la part film. Le distributeur prend en charge, pour le compte du producteur, le coût du tirage des copies et celui de la publicité de lancement et il en retient le remboursement sur la part film.

L'*exploitant* possède (ou gère) le fonds de commerce que représente la salle. Le *programmateur* intervient pour un groupe de salles dont les intérêts sont liés. Ces groupements peuvent être nationaux ou régionaux, au sens de salles situées dans une seule région cinématographique. Ces programmateurs perçoivent un pourcentage des recettes et peuvent être garants des paiements de l'exploitant au distributeur. Il loue le film au distributeur moyennant le versement d'un pourcentage convenu de la recette. En France, le *taux de location* (qui exprime par convention le pourcentage revenant à l'exploitant) est réglementairement au moins égal à 50 p. 100, et il peut atteindre 75 p. 100 voire 80 p. 100 de la recette taxable. Un taux faible correspond au début de carrière d'un film présumé à succès, pour lequel il y a concurrence entre salles ; un taux élevé correspond à un film en fin de carrière. Les contrats de location comportent parfois une clause de *minimum garanti,* par laquelle l'exploitant s'engage à verser au moins la somme minimum convenue, quelle que soit la recette réelle. Le minimum garanti peut s'interpréter soit comme un moyen de mettre les exploitants en concurrence pour l'obtention d'un film, soit comme un moyen pour le distributeur de couvrir ses frais quelle que soit la recette. En dérogation à la règle générale, les « petits exploitants » ont la possibilité de louer les films au forfait. (→ EXPLOITATION.)

Cette présentation classique des branches économiques du cinéma demande à être aujourd'hui affinée, compte tenu de l'évolution induite par le bouleversement des modes de fréquentation au cours des années 60.

Outre la régression importante du nombre des entrées, ce bouleversement se traduisit par une segmentation accrue du public, dont l'ossature déterminante devenait une clientèle jeune, citadine, instruite, pour qui l'attrait du cinéma s'inscrivait dans l'attrait plus général de la « sortie ». (Cette évolution ne fut d'ailleurs pas étrangère à deux phénomènes concomitants à la chute de la fréquentation : la brusque montée du mouvement « art et essai » ; le repli des ciné-clubs, dont la fonction de diffusion des œuvres peu commerciales devenait précisément assurée par les salles « art et essai ».)

Ce nouveau public exigeait notamment de voir les films dès leur sortie. Il accéléra également la fermeture des salles de quartier, déjà privées de leur ancien public captif, et qui furent délaissées au profit des salles modernes qui présentaient les films sans délai. D'étalée dans le temps, la carrière des films devint étalée dans l'espace.

L'exploitation française s'adapta en rénovant complètement le parc des cinémas : modernisation des salles et développement rapide de la formule « complexe multisalles » expérimentée au milieu des années 60. Le choix de titres offert au public en un même lieu, choix d'autant plus large que les complexes sont souvent rassemblés eux-mêmes dans des « quartiers de cinéma », permettait de capter au mieux la composante essentielle du nouveau public : les jeunes.

Compte tenu des investissements nécessaires, l'opération n'était possible — dans un contexte de forte dispersion des recettes — que si l'exploitant pouvait projeter de temps en temps un film à succès. La programmation* de 30, 40, 50 salles permettait de mieux placer les salles affiliées pour obtenir les films à succès. Nombre d'exploitants confièrent alors leur programmation — moyennant redevance — à un « circuit de programmation ». De tels circuits existaient antérieurement ; mais, en raison de leur développement, leur influence économique devint prépondérante. En 1983, l'État a réglementé la programmation.

Des circuits contrôlant la diffusion des films, certains concluent à la domination de l'industrie du cinéma par le secteur intermédiaire. Ceux qui contestent cette argumentation font valoir que ces circuits sont l'émanation de l'exploitation et constituent par ailleurs une forme de réponse à la concentration de la distribution, notamment de la distribution américaine. Le circuit de programmation détermine l'offre dans la relation « offre proposée par les salles/demande du public » et, de ce fait, son influence s'exerce désormais dans la production des films.

Cinéma et audiovisuel. — Sous réserve de tenir compte des interactions, d'ailleurs croissantes, qui existent entre cinéma et télévision (concurrence faite au cinéma par la diffusion de films sur le petit écran ; dans l'autre sens : participation de la télévision au financement de nombreux films — 50 en 1986 — et contribution des droits de diffusion télévisée à l'amortissement de la production), il demeure légitime d'exclure l'économie de la télévision de cette approche économique du cinéma.

Toutefois, l'expansion du marché des magnétoscopes et des vidéocassettes, les perspectives à moyen terme du vidéodisque, la multiplication (grâce aux satellites de télévision directe et aux réseaux de diffusion par câble) des programmes télévisuels modifient notablement l'économie de la diffusion des films et donc l'économie du cinéma. On observe déjà que le film évolue vers le statut d'un produit audiovisuel parmi d'autres, de plus en plus influencé par la télévision, sa dernière originalité tendant à se limiter à ce qu'il est diffusé d'abord en salle.

Au demeurant, les rapprochements qui s'opèrent dans le secteur de la communication montrent bien que les industriels du cinéma inscrivent désormais leur stratégie dans un cadre beaucoup plus général que celui du seul cinéma ou même du seul audiovisuel.

L'économie du cinéma en France. Depuis 1988, la fréquentation s'est stabilisée, en France, autour de 120 millions d'entrées avec une tendance au redressement, à partir de 1993, autour de 130 millions. La fréquentation moyenne par habitant (2,3) est supérieure à celle des autres pays européens. Toutefois, l'audience des films français s'érode, et leur part de marché se situe désormais autour de 30 %. Le volume de films produits se situe autour de 120 titres par an. La baisse légère de la production affecte surtout les films à budget moyen (entre 15 et 25 MF). Le poids de l'intervention des chaînes de télévision dans le financement des films est désormais prépondérant. Elles remplacent depuis les années 80 les distributeurs et la part de recettes des salles dans l'amortissement des films va en s'amoindrissant. Le parc de salles a été particulièrement bien préservé par rapport aux autres pays européens (4 400 écrans). Ce parc est bien réparti sur l'ensemble du territoire (70 % des salles sont situées dans des villes de moins de 30 000 habitants). Le secteur des industries techniques (laboratoires, studios) est en revanche très fragilisé par l'évolution technologique (remplacement de la chimie, de l'optique et de la mécanique par l'électronique et l'informatique) et la délocalisation des tournages dans des pays où le coût de la main-d'œuvre est plus faible.

Les cinémas étrangers. — Dans tous les pays, y compris les pays socialistes, la présentation d'un film au public nécessite que soient successivement remplies les trois fonctions décrites précédemment : production (assurée via l'importation dans les pays qui produisent peu ou pas de films), distribution, exploitation. Mais la diversité des pays, des systèmes économiques, des modes de consommation, des réglementations conduit souvent à des économies du cinéma très spécifiques des pays concernés. (La simple réglementation peut avoir — même dans des pays proches de la France — des conséquences très différentes de celles observées en France. Par exemple, l'implantation des complexes en Italie est entravée par un système de numerus clausus des salles. Autre exemple : l'aide britannique à la production, sous-tendue par le souci de préserver l'emploi dans les professions liées à la production, débouche en pratique sur une incitation au tournage en Grande-Bretagne de productions cinématographiques américaines.)

On notera simplement que, pendant l'« âge d'or » d'Hollywood (de 1925 à 1950), l'économie du cinéma américain était largement dominée par quelques *grandes compagnies* — notamment MGM, Fox, Paramount — qui intervenaient tout au long de la chaîne du film : avec des vedettes, des scénaristes, des réalisateurs, des techniciens sous contrat permanent, Paramount produisait dans les studios Paramount des films distribués par Paramount et qui sortaient dans les salles Paramount. La prospérité d'Hollywood, et par là sa capacité de fabriquer des films susceptibles de conquérir les marchés extérieurs, reposait tout autant sur cette organisation très intégrée que sur l'énorme marché intérieur de l'époque (environ 4 milliards d'entrées annuelles, alors que le marché intérieur français ne dépassa jamais le dixième environ de cette valeur).

En 1948, par application de la législation antitrust, les grandes compagnies se virent contraintes de se séparer de leurs réseaux de salles. L'intégration verticale, qui permettait de boucler la chaîne financière du film, disparaissait ainsi au moment même où le développement de la télévision provoquait une chute de la fréquentation. Pendant un temps, les compagnies redressèrent la situation en jouant sur l'attrait du spectacle cinématographique : couleur, grand écran (CinémaScope, 70 mm), son stéréophonique, films à gros budgets. Mais cette politique ne pouvait masquer indéfiniment l'évolution de la structure et des goûts du public. L'ère de « l'usine à films » était bel et bien révolue : l'une après l'autre, les compagnies perdirent leur indépendance et se retrouvèrent intégrées à des groupes de l'industrie de l'audiovisuel ou de l'industrie des loisirs. Aujourd'hui, c'est surtout dans l'importance du réseau de diffusion des compagnies américaines que réside

la puissance d'Hollywood ; le mode de production des films (un producteur, indépendant dans son travail mais lié financièrement au circuit de diffusion rassemble une équipe le temps d'un tournage) ne diffère plus guère du mode de production des films en Europe.
J.G./G.A.

ÉCRAN. Surface sur laquelle est projetée l'image. Par extension, les comédiens ou les œuvres susceptibles d'apparaître sur l'écran : à *l'écran cette semaine, les vedettes de l'écran, porter à l'écran. Grand écran,* écran de dimensions supérieures à la moyenne, ou bien façon de désigner le cinéma par rapport au *petit écran* de la télévision.

L'écran est l'élément sur lequel apparaît l'image : écran d'une salle de cinéma, d'une visionneuse, écran d'un récepteur de télévision.

L'écran des salles. — Initialement, l'écran était une simple toile (d'où l'argot « toile »). À l'arrivée du parlant, il lui fallut devenir *transsonore,* pour laisser passer les sons émis par le haut-parleur dissimulé derrière lui. Assez vite, on en vint à la formule actuelle : un support recouvert d'un enduit blanc *mat* et comportant d'innombrables petits trous circulaires disposés en quinconce. Ces écrans sont obtenus par assemblage côte à côte de lés verticaux de largeur 1 mètre ou 1,5 mètre.

Les cinéastes amateurs emploient couramment des écrans *perlés,* recouverts de minuscules billes de verre qui assurent une réflexion privilégiée de la lumière au voisinage de l'axe de l'écran. De ce fait, les écrans perlés sont plus directifs que les écrans mats, ce qui interdit pratiquement leur emploi dans les salles commerciales, où les places latérales avancées sont passablement éloignées de l'axe.

Jadis, quand il n'existait qu'un seul format* d'image, l'écran était souvent bordé d'un cadre noir qui augmentait légèrement, par contraste, la luminosité apparente de l'image. Aujourd'hui, plusieurs formats coexistent. L'usage le plus courant est de projeter à hauteur d'image constante, et donc à largeur d'image variable, sur un écran large au format Scope, plus ou moins découvert par les rideaux de scène. (Pour projeter le 70 mm — à l'image moins allongée que le Scope — on choisit généralement d'accroître la hauteur de l'image, de façon à utiliser toute la largeur de l'écran ; un bandeau horizontal mobile ajuste alors la hauteur visible de l'écran.)

Grand écran. — On distingue souvent le cinéma de la télévision par l'opposition grand écran/petit écran. « Grand écran » peut aussi désigner soit l'écran du Scope ou du 70 mm par opposition à l'écran plus étroit du format *standard* (→ FORMAT), soit un écran particulièrement grand (grand en lui-même ou grand par rapport aux dimensions de la salle). Dans les années qui suivirent le lancement du CinémaScope, on appelait *écrans panoramiques* (ou écrans larges) les écrans présentant une image plus large que l'image au format standard.

Écran courbe. — Le CinémaScope est apparu en réplique au Cinérama*, qui présentait une image très allongée sur un écran *courbe.* Par mimétisme, certaines salles projetèrent le Scope ou le 70 mm sur écran courbe. Le résultat fut généralement désastreux, car les objectifs de projection sont calculés pour fournir une image nette sur un écran *plat.* Si l'on veut une image nette sur écran courbe, il faut un objectif calculé à cette fin précise.

Écran hémisphérique. La projection d'un film peut également se faire sur une portion de sphère pour plonger les spectateurs dans un environnement le plus proche possible de la réalité. Les images enregistrées sur le film ainsi que les équipements de projection doivent également être prévus à cet effet ; ces installations sont principalement utilisées dans les parcs de loisirs ou pour les simulateurs. Pour limiter la lumière parasite à l'intérieur de la salle qui est assimilable à une sphère d'intégration en optique, la surface de l'écran est de couleur grise lorsqu'il est de type omnidirectionnel (procédé Omnimax) ou recouvert d'une peinture le rendant très directif afin de ne réfléchir la lumière que dans une direction (procédé français Panrama).

Écrans spéciaux. — Certains procédés de relief binoculaire (→ RELIEF) imposent un écran ne modifiant pas la polarisation du faisceau lumineux issu du projecteur. Seuls répondent à ce critère les écrans *métalliques.* Toutefois, étant donné la difficulté de fabriquer de tels écrans, on a imaginé des écrans *métallisés* au support enduit de poudre d'aluminium qui ne « dépolarisent » que très faiblement la lumière. De fabrication et d'entretien délicats (alors que les écrans mats se nettoient simplement à l'eau savonneuse), ces écrans souffrent d'être assez directifs même s'ils le sont beaucoup moins que les écrans perlés.

Une variété particulière d'écran perlé renvoie la totalité de la lumière vers l'objectif du projecteur. On les emploie dans les trucages par projection frontale. (→ EFFETS SPÉCIAUX.)

Contrairement aux cas précédents, où l'image est observée par réflexion, les écrans *translucides* permettent d'observer l'image *par transparence,* le projecteur se trouvant de l'autre côté de l'écran. Très rares dans les salles, ces écrans sont surtout employés pour les trucages par *transparence.* (→ EFFETS SPÉCIAUX.) J.P.F./J.M.G./M.BA.

ÉCU. Abrév. anglaise de *Extreme Close Up.*.

EDDY *(Nelson), acteur américain (Providence, R. I., 1901 - Miami, Fla., 1967).* Sa belle voix de baryton lui vaut une carrière de cinéma comme principal partenaire de Jeannette MacDonald dans des opérettes sucrées et à grand spectacle comme *la Fugue de Mariette* (W. S. Van Dyke, 1935) ou *Rose Marie* (*id.*, 1936). Jusqu'en 1942, avec *I Married an Angel* (W. S. Van Dyke), au titre malencontreux, il ne se passe pas d'année sans qu'il n'y ait un film du couple. Les tentatives solitaires d'Eddy, comme *le Flambeau de la liberté* (*Let Freedom Ring,* Jack Conway, 1939) ou *Balalaïka* (Reinhold Sohunzel, *id.*), montrèrent toutefois cruellement ses limites. Il s'est retiré en 1947 et s'est consacré au cabaret. C.V.

EDENS *(Roger), compositeur et producteur américain (Hillsboro, Tex., 1905 - Los Angeles, Ca., 1970).* Bras droit d'Arthur Freed à la MGM, Roger Edens est l'un des noms essentiels de la comédie musicale américaine. D'abord pianiste, puis compositeur, il commence au cinéma en signant des chansons, notamment pour des réalisations de Roy Del Ruth : *Kid Millions* (1934), *L'amiral mène la danse* (1936) ou *Broadway Melody de 1938* (1937). C'est en composant les arrangements musicaux pour *le Magicien d'Oz* (V. Fleming, 1939) qu'il commença sa collaboration avec Arthur Freed. Il le secondera comme producteur associé jusqu'à *Tous en scène* (V. Minnelli, 1953). Au passage, il supervisera la musique du *Chant du Missouri* (*id.,* 1944), *Yolanda et le voleur* (*id.,* 1945) ou des *Demoiselles Harvey* (G. Sidney, 1946), contribuant ainsi à la perfection du genre grâce à ses orchestrations joyeusement rythmées, reconnaissables entre toutes. Il composera également quelques chansons comme *Moses,* l'une des plus drôles de *Chantons sous la pluie* (S. Donen, G. Kelly, 1951). Après avoir produit en solo *Au fond de mon cœur* (S. Donen, 1954), il quitte la MGM mais persévère dans le genre en collaborant à *Une étoile est née* (G. Cukor, 1954) et en produisant *Drôle de frimousse* (S. Donen, 1956), un projet dont il était à l'origine à la MGM. Pour ce dernier film, il reviendra à son métier de musicien et composera encore quelques chansons en complément à la partition de Gershwin *(Bonjour Paris !).* Son nom restera lié au genre jusque dans ses derniers soubresauts : *la Reine du Colorado* (C. Walters, 1964) et *Hello Dolly !* (G. Kelly, 1969). C.V.

EDESON *(Arthur), directeur de la photographie américain (New York, N. Y., 1881 - Los Angeles, Ca., 1970).* Arthur Edeson peut se prévaloir de tant de titres de gloire, qu'on ne sait vraiment quoi louer en premier : la riche imagerie de *Robin des Bois* (1922, Allan Dwan) ou du *Voleur de Badgad* (1924, Raoul Walsh) ; le sens de l'espace dans *la Piste des géants* (*id.,* 1930) ; l'expressionnisme soit tragique de *À l'Ouest rien de nouveau* (L. Milestone, *id.*), soit contrasté de *Frankenstein* (1931), ou les gris et les blancs lumineux de *l'Homme invisible* (1933) de James Whale ; la quintessence du style Warner Bros (*le Faucon maltais,* John Huston, 1941 ; *Casablanca,* Michael Curtiz, 1943 ; *le Masque de Dimitrios,* Jean Negulesco, 1944)... S'il n'a pas un style réellement personnel, il a cependant œuvré dans le noir et blanc avec une aisance confondante. C.V.

EDGREN *(Erik Gustaf), cinéaste suédois (Östra Fågelvik 1895 - Stockholm 1954).* Il débute à l'époque des grands maîtres Sjöström et Stiller avec des films régionalistes : *' la Demoiselle de Björneborg '* (*Fröken pa Björneborg,* 1922), *' le Maître de Trollebo '* (*Trollebokungen,* 1924). Puis, metteur en scène attitré du Buster Keaton suédois, l'acteur Fridolf Rhudin, il tourne avec lui *' le Baron fantôme '* (*Spökbaronen,* 1927). Mais c'est dans *' Karl Frederic gouverne '* (*Karl Frederik regerar,* 1934) qu'il aborde le film social. Il réunit Lars Hanson, Victor Sjöström et la débutante Ingrid Bergman dans *' la Nuit* *de la Saint-Jean* ' (*Valborgsmässoafton*, 1935), réalise plusieurs remakes dont ' *Vox populi* ' (*Johan Ulfstjerna*, 1936, avec Gösta Ekman) et ' *les Anciens Flirts du quartier-maître Karlsson* ' (*Styrman Karlssons flammor*, 1938), retrouve Victor Sjöström comme acteur principal de ' *John Ericsson* ' (1937), transpose avec talent un roman de Sally Salminen (*Katrina*, 1943), impose un nouveau couple de jeunes premiers (Alf Kjellin et Mai Zetterling) dans ' *Après la rosée vient la pluie* ' (*Driver dagg faller regn*, 1946), conte les aventures d'un cabotin égocentrique (' *Silence et discrétion* ' [*En svensk tiger*], 1948) et achève sa carrière en 1951, au moment où Ingmar Bergman conquiert sa renommée. Edgren restera l'homme charnière entre l'âge d'or du cinéma muet suédois et la renaissance bergmanienne. Il est en tout cas l'un de ceux qui ont accompli une honorable traversée du désert (au cours de ces années 30 où le flambeau s'éteignit soudain pour ne se rallumer que sporadiquement dans les années 40). J.-L.P.

EDISON *(Thomas Alva), inventeur et industriel américain (Milan, Ohio, 1847 - West Orange, N. J., 1931).* Obligé de travailler dès l'âge de douze ans, il est notamment opérateur de télégraphe. Étudiant et expérimentant en dehors de ses heures de service, il prend son premier brevet neuf ans plus tard. (À la fin de sa vie, il en possédera plus de mille !) À partir de 1876, les ressources procurées par ses inventions dans le domaine de la transmission télégraphique lui permettent de se consacrer pleinement à la recherche. Il invente notamment le phonographe (1877) et la lampe électrique (1879). En 1887, il commence à s'intéresser à l'analyse et à la synthèse du mouvement, affectant à cette tâche son collaborateur Dickson. Pour assurer l'équidistance des images, Edison et Dickson ont recours à la pellicule Celluloïd encochée (1888) puis perforée (1889), et ils demandent à Eastman de leur en fournir des longueurs appréciables. (Les spécifications d'Edison – largeur du film, disposition des perforations, nombre de perforations par image – sont aujourd'hui encore celles du film 35 mm standard.) Après avoir essayé divers mécanismes d'avance intermittente, ils parviennent en 1890-91 au *Kinetograph,* la première véritable caméra de l'histoire du cinéma, et au *Kinétoscope,* appareil forain à défilement continu et à vision individuelle conçu pour exploiter les films du Kinetograph. (Curieusement, Edison ne croit pas alors en l'avenir du projecteur.) Commercialisé à partir de 1893-94, le Kinétoscope inspire de nombreux inventeurs, dont les frères Lumière. En 1896, pris de court par le succès du cinématographe Lumière, Edison achète les droits du projecteur Armat, rebaptisé « Vitascope d'Edison ». Une longue guerre commerciale oppose ensuite Edison aux autres firmes américaines, et notamment à la Biograph, dont le projecteur a été mis au point par Dickson et par Lauste, autre transfuge de l'équipe d'Edison.

On considère souvent que le cinéma est né le 28 décembre 1895 avec les premières représentations publiques du cinématographe Lumière. Cet événement, par son retentissement mondial, fit incontestablement sortir le cinéma de l'ère des pionniers. Il est tout aussi incontestable que les frères Lumière doivent partager la paternité du cinéma avec Edison, qui avait déjà inventé la caméra et le film. (→ INVENTION DU CINÉMA et DICKSON.) J.-P.F.

EDITING. Mot anglais pour *montage.*

EDWARDS *(William Blake McEdwards, dit Blake), cinéaste américain (Tulsa, Okla., 1922).* Petit-fils et fils de metteurs en scène de théâtre, il fait ses apprentissages à la radio et à la TV comme scénariste, tout en jouant de petits rôles, notamment lorsqu'il écrit (à partir de 1947) pour le « grand écran ». Il sera quelque temps le scénariste attitré de Richard Quine, auquel le lie une évidente parenté de tempérament. Il débute comme réalisateur par deux « véhicules » pour le chanteur Frankie Laine, puis s'affirme avec *l'Extravagant M. Cory* (qui marque aussi sa première rencontre avec le musicien Henry Mancini). Il sera coscénariste de tous ses films et souvent son propre producteur ou coproducteur, notamment de 1962 à 1970 (en association avec la Mirisch Company). Il n'a jamais cessé de s'intéresser à la TV (il tirera un film de sa propre série *Peter Gunn*), et il est l'époux de Julie Andrews depuis 1970.

Esprit bouillonnant d'idées, imprévisible, en tout cas volontiers porté à des expériences déroutantes, Blake Edwards déconcerte la critique du « contenu » par son perpétuel mélange des genres, transformant une histoire de cambrioleur mondain en farce nonsensique (le rôle prédominant de Peter Sellers dans *la Panthère rose*), mais chargeant celle-ci d'un potentiel poétique qui la renvoie à la tradition « brillante » : déjà *l'Extravagant M. Cory,* histoire d'un arriviste qui renonce au succès par amour, mêlait cynisme et mélancolie. En outre, il cultive l'érotomanie hypocrite du spectateur, mais c'est pour lui préférer la fidélité (*cf.*, en dernier lieu, *Elle*). Digne héritier de Lubitsch et (dans l'ordre du gag géométriquement amené et développé) du slapstick, il unit à cette tradition des préoccupations plus modernes, en tout cas personnelles : hantise de l'alcoolisme (il lui a consacré un mélodrame saisissant, *Days of Wine and Roses,* et il en est question dans presque tous ses films) ; sens aigu du contraste entre les désirs individuels et les aspects chaotiques de l'environnement social (le sorcier polynésien venant bénir ou maudire le sous-marin d'*Opération jupons,* la loterie en Alaska de *Vacances à Paris*) ; enfin, la hantise du « double » ou du couple de personnages dont l'un assume le rôle rêvé par l'autre *(Victor Victoria),* ou se substitue à soi-même par un hasard qui remonte à la commedia dell'arte ou au jeu de miroir du cirque (c'est le point de départ de *The Party*). Une série d'échecs commerciaux a contraint Edwards, au début des années 70, à se rabattre sur l'exploitation de *la Panthère rose* et du personnage de l'inspecteur Clouseau (il avait déjà cosigné le scénario d'un film de Bud Yorkin sur ce sujet, en 1968), et le lancement d'*Elle* axé sur Bo Derek ne faisait rien pour rappeler que ce fort bon film porte sa marque. Son succès commercial permit à Blake Edwards de signer une satire vengeresse contre Hollywood, *S. O. B.* (1981), puis *Victor Victoria* (1982), brillante variation sur la confusion des sexes qui retrouve le rythme et la sophistication de la comédie loufoque américaine. Il poursuit, malgré la mort de Sellers, la saga de la panthère rose en utilisant les chutes des cinq films précédents et en tournant des scènes additionnelles (*À la recherche de la panthère rose,* 1982). Mais il aborde aussi des sujets de plus en plus personnels où il apparaît plus vulnérable. C'est le cas de *That's Life,* une de ses grandes réussites, comédie-thérapie écrite par le cinéaste et son psychanalyste pour exorciser une dépression très sérieuse : Edwards ironise sur la mort et la maladie, et passe de la farce graveleuse à l'émotion contenue avec une facilité déconcertante. Il tient sur l'alcool *(Boires et déboires)* et surtout sur le sexe *(l'Homme à femmes, Micki et Maude, L'amour est une grande aventure, Dans la peau d'une blonde)* un discours tonique et anticonformiste qui dénote une liberté de pensée remarquable. Dans ces derniers films, il est souvent au bord de la vulgarité mais, s'il n'est pas à l'abri de quelques dérapages, il sait se rattraper avec adresse. G.L.

Films ▲ : *Bring Your Smile Along* (1955) ; *Rira bien* (*He Laughed Last,* 1956) ; *l'Extravagant M. Cory* (*Mister Cory,* 1957) ; *le Démon de midi* (*This Happy Feeling,* 1958) ; *Vacances à Paris* (*The Perfect Furlough,* 1959) ; *Opération jupons* (*Operation Petticoat,* id.) ; *High Time* (1960) ; *Diamants sur canapé* (*Breakfast at Tiffany's,* 1961) ; *Allô, brigade spéciale* (*Experiment in Terror,* 1962) ; *Days of Wine and Roses* (1963) ; *la Panthère rose* (*The Pink Panther,* 1964) ; *Quand l'inspecteur s'emmêle* (*A Shot in the Dark,* id.) ; *la Grande Course autour du monde* (*The Great Race,* 1965) ; *Qu'as-tu fait à la guerre, papa ?* (*What Did You Do in the War, Daddy ?,* 1966) ; *Peter Gunn, détective spécial* (*Gunn,* 1967) ; *la Party* (*The Party,* 1968) ; *Darling Lili* (id., 1970) ; *Deux Hommes dans l'Ouest* (*Wild Rovers,* 1971) ; *Opération clandestine* (*The Carey Treatment,* 1972) ; *Top secret* (*The Tamarind Seed,* 1974) ; *le Retour de la panthère rose* (*The Return of the Pink Panther,* 1975) ; *Quand la panthère rose s'emmêle* (*The Pink Panther Strikes Again,* 1976) ; *la Malédiction de la panthère rose* (*Revenge of the Pink Panther,* 1978) ; *Elle* (*Ten,* 1979) ; *S. O. B.* (1981) ; *Victor Victoria* (*Victor,* 1982) ; *À la recherche de la panthère rose* (*Trail of the Pink Panther,* id.) ; *l'Homme à femmes* (*The Man Who Loved Women,* 1983) ; *Micki et Maude* (id., 1984) ; *Un sacré bordel* (*Music Box/A Fine Mess,* 1985) ; *That's Life* (1986) ; *Boires et Déboires* (*Blind Date,* 1987) ; *Meurtre à Hollywood* (*Sunset,* 1988) ; *l'Amour est une grande aventure* (*Skin Deep,* 1989) ; *Dans la peau d'une blonde* (*Switch,* 1990) ; *le Fils de la panthère rose* (*Son of the Pink Panther,* 1993). En 1967, B. Edwards a produit et supervisé *Waterhole nº 3,* signé William Graham.

EFFET. Syn. de *lumière de base.* (→ ÉCLAIRAGE.)

EFFETS. Les éléments sonores d'un film (bruits proprement dits ou *bruits d'ambiance*) qui ne sont ni de la parole ni de la musique. (→ BRUITAGE.)

EFFETS SPÉCIAUX. Techniques et procédés qui permettent de manipuler l'apparence de l'image ou du son. Par extension, résultat de ces manipulations.

Dans le vocabulaire du cinéma, on regroupe sous le nom d'*effets spéciaux,* d'une part, les techniques et les procédés qui permettent de manipuler l'apparence de l'image ou du son, d'autre part, le résultat de ces manipulations. Les effets spéciaux couvrent donc un domaine extrêmement vaste, qui s'étend du fondu enchaîné aux pas dans la neige de *l'Homme invisible* (J. Whale, 1933) en passant par le bruitage, les surimpressions, les accessoires factices, etc. *Truquage* — ou *trucage* (voir plus loin) — est plutôt réservé aux manipulations de l'image : par exemple, c'est un truquage que de faire apparaître le générique en lettres de couleur sur une scène du film.

Le public, lui, parle plus volontiers de truquages que d'effets spéciaux, et il entend généralement ce terme dans un sens restreint, qui appelle l'idée d'un « truc ». On pourrait partir de cette constatation pour imaginer une classification des effets spéciaux, classification qui s'impose, étant donné l'étendue du sujet. On séparerait par exemple : les procédés qui permettent d'intervenir sur la *présentation* de la scène filmée ; ceux qui permettent d'intervenir sur le *contenu* apparent de cette scène, en créant une illusion ne correspondant pas à ce qu'il y avait en réalité devant la caméra. En d'autres termes, on opposerait les procédés d'*écriture* cinématographique aux « truquages » recelant un *truc.*

Une classification plus traditionnelle distingue : les effets spéciaux *de prises de vues ;* les effets spéciaux *de laboratoire ;* les effets spéciaux *mixtes,* c'est-à-dire réalisés en partie à la prise de vues, en partie en laboratoire. Fonctionnelle, cette classification souffre de rattacher à plusieurs rubriques certains effets (les fondus, par exemple) réalisables soit à la prise de vues, soit en laboratoire.

On a pris ici le parti d'écarter d'abord tout ce qui relève des effets spéciaux mais qui trouve place dans un chapitre spécialisé : accessoires, bruitage, cascades, filtres, maquillage, nuit américaine. S'agissant de ce qui restait (et qui ne concerne plus que l'image), on a distingué : les effets d'écriture ; les truquages de décor ; les truquages au sens où l'on va voir un film pour, précisément, ses truquages ; enfin, ce qui n'entrait dans aucune des catégories précédentes.

Les tireuses optiques. Nombre d'effets spéciaux s'effectuent en laboratoire sur des *tireuses optiques,* communément appelées « Truca » en France — alors que les Anglais parlent d'*optical printers* — d'après le nom de marque de la tireuse conçue par André Debrie en 1929. C'est pourquoi on écrit couramment « trucage », bien que cette graphie ne soit pas cohérente avec le verbe « truquer » (dans les expressions « film à truquer », « plan truqué », etc.).

Les tireuses optiques ne sont pas autre chose, dans leur principe, que des caméras de laboratoire conçues pour filmer... les images d'un autre film. En pratique, elles comportent deux éléments assez similaires où défilent (vue par vue, en synchronisme), d'une part, éclairé par une lampe, le film que l'on veut copier ou truquer (dans l'élément que l'on peut appeler « projecteur ») et, d'autre part, le film vierge (dans l'élément « caméra »). Avance et immobilisation des films sont assurées par des mécanismes de haute précision, du type griffe-contre-griffe (→ CAMÉRA). Entre les deux éléments, un objectif forme sur le film vierge l'image du film à copier.

Ces tireuses sont le plus souvent employées pour des effets où l'image sur le film de copie est de même taille que l'image originale : en ne copiant qu'une image sur deux du film original, on obtient un *accéléré* dans le rapport 2/1 ; en diminuant régulièrement l'éclairement de l'original, on obtient sur la copie (si l'original est un positif) un *fondu au noir,* etc. Mais on peut aussi modifier la taille de l'image : agrandissement (par ex. pour effectuer un recadrage, ou pour « gonfler » en 35 mm un original 16 mm) ; réduction (par ex. pour juxtaposer sur l'écran plusieurs images, ou pour réduire en 35 mm Scope un original 70 mm) ; recadrage ; anamorphose (pour incorporer dans un film Scope des éléments d'un film « plat », telle une vieille bande d'actualités), etc.

Sauf exception, c'est également sur tireuse optique que l'on pratique le *cache-contre-cache.* Imaginons par exemple que l'on veuille faire apparaître un Zeppelin au-dessus d'une foule. On filme d'abord : d'une part la foule, d'autre part une maquette de Zeppelin. On confectionne ensuite, sur pellicule noir et blanc à haut contraste, un film cache comportant, sur un fond aussi transparent que possible, une zone aussi noire (donc aussi opaque) que possible correspondant au Zeppelin. Plaçons ce film cache au contact du film vierge, entre celui-ci et l'objectif de la tireuse. Lors de la copie de la scène de foule, l'image de cette scène s'inscrit sur le film vierge uniquement là où celui-ci n'est pas protégé par le cache opaque. On revient en arrière et l'on recopie le film du Zeppelin après avoir remplacé le film cache par un film contre-cache exactement complémentaire du cache : le contre-cache protège les parties déjà impressionnées tout en laissant l'image du Zeppelin s'inscrire là où le cache avait protégé le film vierge. En pratique, film cache et film contre-cache sont placés au contact des films à copier, et non du film vierge, mais le résultat est bien entendu strictement le même. Sous ses différentes variantes, le cache-contre-cache est le truquage fondamental du cinéma. C'est notamment lui qui permet les truquages souvent spectaculaires du *travelling matte* (voir plus loin).

Les plans obtenus par passage en tireuse optique sont évidemment des copies (on dit aussi : contretypes) du film original. Or, le contretypage introduit une légère dégradation de la qualité de l'image. Pour cette raison, on préfère parfois réaliser dès la prise de vues les truquages qui peuvent être pratiqués à ce moment-là. C'est aussi pour compenser la perte de qualité due au contretypage que certains films de truquages sont — au moins en partie — filmés en 70 mm ou en *Vistavision.*

LES EFFETS D'ÉCRITURE. Un grand sous-ensemble des effets spéciaux d'écriture est constitué par les *liaisons,* dont la plus connue est sans doute le *fondu :* fondu au noir (l'image s'obscurcit progressivement jusqu'au noir complet), fondu à l'ouverture (inverse du fondu au noir), fondu enchaîné (une image est progressivement remplacée par une autre). Initialement, les fondus étaient réalisés à la prise de vues, par fermeture ou ouverture du diaphragme, le fondu enchaîné s'obtenant par combinaison des deux (la pellicule étant rembobinée entre-temps jusqu'au point de départ du fondu au noir). L'usage du diaphragme est toutefois malcommode. Dans le cas du fondu au noir (les autres cas s'en déduisent aisément), pour parvenir au noir franc, il faut que la scène soit initialement filmée avec le diaphragme grand ouvert, sinon l'on ne parviendra qu'à un obscurcissement plus ou moins prononcé de l'image. Cet inconvénient disparaît avec les caméras où l'ouverture de l'obturateur est réglable en cours de fonctionnement : quelle que soit l'ouverture initiale du diaphragme, il est possible d'arriver au noir complet.

Il est néanmoins exceptionnel depuis longtemps de pratiquer les fondus à la prise de vues, notamment parce que c'est seulement au montage que l'on peut déterminer l'emplacement exact, et la durée exacte, d'un fondu. Celui-ci est alors effectué en laboratoire sur tireuse optique. (Voir ci-dessus.) Le seul inconvénient est la légère dégradation de l'image due au contretypage : à l'époque des premiers films en couleurs par procédé négatif-positif, dans certains westerns à plans très longs liés par de lents fondus enchaînés et où l'on contretypait uniquement la longueur du fondu, le cinéphile averti pouvait deviner, au changement de la texture de l'image, l'imminence d'un fondu. (C'est pour éviter ce phénomène que les fondus du *Quarante et Unième* [G. Tchoukhraï, 1956] avaient été réalisés dès la prise de vues, exception qui confirme la règle.) D'autres effets de ponctuation, tel l'*iris* (→ SYNTAXE), étaient initialement réalisés à la prise de vues en plaçant une sorte de diaphragme à quelque distance devant l'objectif de la caméra. Eux aussi sont aujourd'hui effectués sur tireuse optique par cache-contre-cache, sauf exception, quand on veut retrouver l'aspect particulier des iris d'autrefois (*l'Enfant sauvage,* F. Truffaut, 1970).

À l'inverse, certains effets de ponctuation ne peuvent être réalisés qu'en laboratoire. Les laboratoires spécialisés proposent par exemple une gamme extraordinairement variée de truquages optiques par cache-contre-cache permettant à la nouvelle image de prendre progressivement la place de l'ancienne (par bandes de largeur croissante, par carrés de taille croissante, par spirales, etc.). Ces liaisons, employées dans les années 30 et 40 jusqu'à devenir clichés, demeurent couramment employées dans les bandes-annonces. (L'une d'elles, le *volet enchaîné* – où la nouvelle image prend la place de l'ancienne derrière une ligne de séparation verticale qui traverse l'image dans le sens de la largeur –, est réalisable avec un cache métallique défilant au contact du film vierge.)

Les variations du temps (ralenti, accéléré) constituent une autre grande catégorie d'effets d'écriture. Contrairement aux effets de ponctuation, ceux-ci sont généralement réalisés à la prise de vues. (Sur tireuse optique, en doublant, triplant, etc., chaque image, on obtient un ralenti ; mais le résultat est saccadé si le mouvement initial est rapide. À l'inverse, en ne prenant qu'une image sur deux, sur trois, etc., on accélère ; mais c'est économiquement absurde.) On a toutefois recours à la tireuse optique dans certains cas, par exemple un ralentissement supplémentaire (le « trou noir » du film *le Trou noir* [*The Black Hole,* Gary Nelson, 1980] était en fait un tourbillon de liquide coloré filmé à très grande vitesse et ensuite ralenti sur tireuse optique) ou bien encore les marches arrière. Ces dernières peuvent toutefois être réalisées dès la prise de vues – certaines caméras fonctionnant aussi en marche arrière – ce qui supprime l'inconvénient du contretypage : cf. *les Moissons du ciel,* (T. Malick, 1978), où un lâcher de grains de riz depuis un hélicoptère simule l'envol des sauterelles. (Avec les caméras du muet, une technique très simple – mais impraticable aujourd'hui car l'image n'est plus centrée sur l'axe longitudinal du film à cause de la piste sonore – consistait à filmer avec la caméra la tête en bas et à retourner le film tête-bêche.) Par contre, c'est bien sur tireuse optique que Walt Disney, par des alternances marche avant/marche arrière, faisait « danser » en musique les animaux du *Désert vivant* (1953).

Parmi les nombreux autres effets d'écriture faisant appel à la tireuse optique, il en est que le spectateur ne perçoit pas (du moins pas de façon consciente) : l'*arrêt sur l'image* (systématique comme dans *la Jetée* [C. Marker, 1962] ou quasi imperceptible lorsque l'on prolonge d'un tiers de seconde une expression trop fugitive) ; le *recadrage* (qui grossit malheureusement le grain de l'image), l'*inversion droite-gauche* (qui peut permettre – cela s'est vu – de dissimuler un faux raccord du déplacement de l'acteur).

Il est aussi des effets de laboratoire parfaitement « visibles » : le *multi-image,* où l'on juxtapose plusieurs images sur le film (*Woodstock,* Michael Wadleigh, 1970) ; le passage graduel du noir à la couleur (*la Blonde et moi,* F. Tashlin, 1956 ; *Nous nous sommes tant aimés,* E. Scola, 1974), qui s'obtient très simplement par un fondu enchaîné entre un négatif noir et blanc tiré du négatif couleur original et ce même négatif couleur, etc. L'incrustation du générique en lettres de couleur sur une scène du film, obtenue par cache-contre-cache, est également un effet de laboratoire. (La technique des sous-titres est totalement différente.)

Certains effets d'écriture, par contre, ne sont réalisables qu'à la prise de vues : le fondu au flou (impraticable en tireuse optique car le grain de l'image doit rester net) ; le *Transtrav* (cf. la scène finale de *la Curée,* R. Vadim, 1966), où l'on combine avec précision un travelling avant et un zoom arrière : le personnage filmé reste de taille constante sur l'écran mais toute la perspective de la scène « bascule », etc. Il faut également mentionner l'*inversion du mouvement relatif :* le spectateur croit voir le train démarrer, mais en réalité c'est la caméra qui recule. (Même chose pour un intérieur de bateau : c'est la caméra qui « tangue ».) La méthode peut déboucher sur le truquage (au sens de *truc*) pur et simple. Dans *Top Hat* (M. Sandrich, 1935), Fred Astaire danse successivement sur le plancher, les murs, le plafond d'une pièce : en réalité, la caméra était solidaire d'un décor rotatif.

LES TRUQUAGES DE DÉCOR. Les truquages de décor visent, dans leur principe, à donner au spectateur l'impression que la scène a été tournée sans truquage alors qu'en réalité elle a été filmée dans un décor (ou un environnement) plus ou moins factice. Leur raison d'être : il est souvent matériellement impossible (ou malcommode, ou trop onéreux) soit de trouver le décor souhaité, soit de pouvoir y tourner.

Les découvertes. Le cas le plus simple (et qui se rencontrait au théâtre bien avant l'invention du cinéma) est celui où l'on filme en studio un intérieur comportant une ouverture (fenêtre, par ex.) censée laisser voir l'extérieur : on place derrière l'ouverture une *découverte,* toile peinte ou photographie, simulant l'extérieur. Ce truquage, qui demande certaines précautions (en particulier, la découverte doit présenter une perspective plausible) peut passer totalement inaperçu, notamment dans les scènes de nuit. Il peut aussi être visible, soit parce qu'il n'est pas réussi, soit parce que l'on a voulu faire précisément de cette « visibilité » un atout esthétique. (Cette remarque est évidemment valable pour n'importe quel truquage de décor et, au-delà, pour bon nombre de truquages.)

Les transparences. La découverte est inanimée, ou ne permet que des animations simples : feux de croisement, enseigne lumineuse clignotante, etc. Cette limitation est inacceptable pour les scènes censées se dérouler dans une voiture, un train, etc. C'est d'ailleurs pour filmer en studio une scène de compartiment de train que le Français Le Prieur inventa en 1928 la *transparence*, où les acteurs évoluent devant un écran translucide sur lequel on projette par transparence un film, préalablement enregistré, montrant l'extérieur visible. (La transparence avait déjà été pratiquée, mais avec projection d'une vue fixe.)

Outre la règle de perspective crédible déjà évoquée (et notablement compliquée ici puisque le film décor doit correspondre aux mouvements apparents du véhicule ; pensons aux scènes de voiture où l'on voit le comédien tourner le volant), la transparence impose des contraintes non négligeables : studio profond, puisque l'on projette par l'arrière ; projecteur parfaitement synchronisé avec la caméra et très puissant pour que l'écran soit suffisamment lumineux par rapport à l'éclairage du plateau ; éclairage du plateau ne frappant pas l'écran, ou ne portant pas ombre sur celui-ci, etc. Demandant en outre des réglages très soignés, la transparence est un truquage relativement lourd, réservé aux productions importantes. En revanche, elle permet le tournage en studio, avec tout le « confort » de ce dernier.

Pratiquée avec soin, la transparence peut passer inaperçue si l'image à l'écran ne suggère pas d'évidence le tournage en studio. Dans le cas contraire, elle donne d'excellents résultats s'il y a cohérence esthétique avec la convention du tournage en studio : pensons par exemple aux scènes de voiture de *la Main au collet* (A. Hitchcock, 1955).

Dans le cinéma contemporain, le désir des cinéastes d'échapper à cette convention (et d'éviter le coût du truquage) conduit, quand cela se peut, à tourner effectivement dans une voiture, un train, etc. La sensibilité accrue des films, les progrès des matériels d'éclairage, l'allégement des caméras rendent la chose possible. Mais ils ne donnent pas pour autant du recul, et ils n'évitent pas d'avoir à éclairer la scène au moins un peu, ce qui peut rapidement compliquer l'opération (→ ÉCLAIRAGE), sans même parler de nombreux autres inconvénients (prise de son, par ex.).

La projection frontale. Il demeure donc de nombreux cas où le studio reste irremplaçable. La transparence tend toutefois à être aujourd'hui remplacée par un procédé sensiblement plus souple : la *projection frontale*, imaginée quasi simultanément, après la dernière guerre, aux États-Unis et en Europe (procédé Alekan-Gérard, amélioré ensuite en procédé *Transflex*). Les acteurs évoluent ici devant un écran perlé particulier (dont la matière est souvent appelée *Scotchlite*, d'après un nom de marque de la société 3 M), ayant la capacité de renvoyer exactement d'où elle vient la lumière qu'il reçoit. Le projecteur est placé juste à côté de la caméra, perpendiculairement à celle-ci. Un miroir semi-transparent, orienté à 45° devant l'objectif de la caméra, réfléchit vers l'écran les rayons lumineux provenant du projecteur ; tout se passe donc comme si ces rayons provenaient de la caméra. Après réflexion sur l'écran, les rayons lumineux, revenant en sens inverse, traversent cette fois le miroir et atteignent l'objectif de la caméra. En l'absence de comédiens (ou d'accessoires), le négatif enregistre l'image du film décor. Si un comédien se trouve entre caméra et écran, du fait que (contrairement à l'écran) il réfléchit la lumière dans toutes les directions, il ne renvoie vers la caméra qu'une fraction totalement négligeable de la lumière issue du projecteur. Comme, par ailleurs, il masque évidemment la partie de l'écran située derrière lui, le résultat est similaire à celui d'une transparence, avec de nombreux avantages (le studio n'a pas besoin d'être aussi profond, l'éclairage du plateau peut frapper l'écran puisqu'il ne sera pas renvoyé vers la caméra, les réglages sont plus simples puisque caméra et projecteur sont côte à côte, etc.) contrebalancés par quelques inconvénients, notamment l'impossibilité de pratiquer des mouvements de caméra. Très utile aux productions à budget limité, la projection frontale est également employée, en raison de la qualité de ses résultats, dans des films à gros budgets, comme *2001 : l'Odyssée de l'espace* (S. Kubrick, 1968). Notons une utilisation originale du Scotchlite dans *Peau d'âne* de Jacques Demy : Catherine Deneuve y portait une robe taillée dans ce matériau, ce qui permit d'y projeter des vues de nuages, la transformant en robe « couleur du temps ».

Le dunning. Sur le plan historique, un autre procédé mérite d'être mentionné : le *dunning*, développé à la fin du muet par Carroll Dunning. Alors que transparence et projection frontale sont praticables aussi bien en noir et blanc qu'en couleurs, le dunning n'était praticable qu'en noir et blanc. Le film décor, dont l'image – initialement noir et blanc – avait été transformée par virage chimique en image « orange et blanc », défilait dans la caméra au contact du négatif, *devant* celui-ci. Sur le plateau, les comédiens, éclairés en orange évoluaient devant un fond bleu. L'orange est orange parce qu'il laisse passer la lumière orange et arrête les autres couleurs. Vis-à-vis de la lumière bleue provenant du fond, l'image du film décor se comportait donc comme une image noir et blanc, recopiée par contact sur le négatif sauf évidemment là où les comédiens masquaient le fond. Par contre, le film décor se comportait comme un film transparent vis-à vis des rayons lumineux orange provenant des comédiens, dont l'image était donc correctement enregistrée par le négatif. Ingénieux, le dunning était malheureusement d'emploi délicat, et il fut rapidement détrôné par la transparence.

Une autre grande catégorie de truquages de décor met à profit le fait que (en vision monoculaire, ce qui est le cas de la caméra) un objet proche présente le même aspect visuel qu'un agrandissement – placé plus loin – de cet objet.

Vitres, miroirs, etc. Un cas particulier peut faciliter la compréhension des autres procédés. Un réalisateur veut montrer un immeuble, conçu pour le film, où l'action se déroule au seul rez-de-chaussée. Il serait absurde de construire un décor aussi haut que l'immeuble entier. On construit simplement le décor du rez-de-chaussée, et l'on place, près de la caméra, une petite maquette – soigneusement réalisée – des étages supérieurs. Vue depuis la caméra exactement sous le même angle que seraient vus les étages supérieurs d'un décor entier, la maquette fournit l'illusion de ces étages, sous réserve évidemment que tout se raccorde bien visuellement et que la profondeur de champ soit suffisante pour donner une image nette à la fois du rez-de-chaussée « réel » (relativement lointain) et de la maquette (relativement proche). Ce truquage délicat, qui peut créer une illusion parfaite (*Playtime*, J. Tati, 1967), est assez rare. Il existe toutefois de nombreux autres truquages fondés sur le même principe.

Par exemple, il est souvent nécessaire de truquer une partie du décor réel dans lequel on tourne. C'est le cas notamment d'un film historique tourné dans un paysage entaché d'un immeuble moderne ou tourné devant un monument partiellement détruit. Un procédé, fort ancien puisque employé par l'Américain Dawn dès le début du siècle (et parfois dénommé d'ailleurs « procédé Dawn »), consiste à placer devant la caméra une grande *vitre* sur laquelle on peint avec minutie un immeuble ancien pour masquer l'immeuble moderne, la partie détruite du monument, etc. Ce truquage simple (encore qu'il demande un artiste expert et qu'il impose évidemment de faire évoluer les comédiens en dehors de la zone truquée) donne, lui aussi, d'excellents résultats, et il continue de ce fait d'être employé (par ex. *La vie est un roman*, A. Resnais, 1983).

Un procédé comparable consiste à placer, devant la caméra, un *miroir* orienté à 45^0 (vers le côté ou vers le haut, selon le cas) sur lequel se reflète la partie factice du décor, l'avantage sur le procédé précédent étant une plus grande souplesse. (Notamment, l'élément factice peut être relativement grand, et donc plus facile à exécuter, ce qui demanderait une vitre de dimensions prohibitives avec le procédé précédent.) Trois techniques sont possibles.

Si la partie truquée se raccorde visuellement au décor selon une ligne droite (ou du moins simple), on peut couper le miroir selon cette ligne, la caméra enregistrant côte à côte : l'image du décor réel et des acteurs, l'image réfléchie du décor factice. Cela permet, par exemple, avec un miroir placé dans la partie supérieure du champ et orienté vers le haut, de faire évoluer les comédiens sous l'image d'un plafond factice.

Les deux autres techniques sont connues sous le nom de procédé *Schuftan*, du nom de l'opérateur allemand qui en fut, dans les années 20, l'artisan essentiel. Dans la première, on enlève localement la couche réfléchissante du miroir. La caméra enregistre alors : d'une part, les comédiens et la partie réelle du décor à travers le support transparent du miroir là où celui-ci n'est plus miroir ; d'autre part, le décor factice réfléchi sur la partie restante du miroir. (Ou vice versa.) Avantage : la « frontière » du miroir peut être ici de forme complexe. Cette technique demande une grande dextérité pour enlever la couche réfléchissante sans endommager le support et de telle façon qu'image directe et image réfléchie se raccordent exactement.

L'autre procédé Schuftan, plus simple, consiste à placer devant la caméra, toujours à 45°, un miroir semi-réfléchissant. A priori, la caméra enregistre alors deux images surperposées : celle qui est vue à travers le miroir, celle qui est réfléchie sur le miroir. (On peut d'ailleurs en tirer parti pour faire, par ex., apparaître un fantôme.) Mais on place ensuite, d'une part entre le miroir et la partie « réelle » de la scène, d'autre part entre le miroir et le décor factice, des plaques de carton noir découpées de façon à se raccorder visuellement, vues depuis la caméra. On crée ainsi un système de cache-contre-cache : là où un carton noir masque la scène « réelle », le miroir renvoie l'image du décor factice, et réciproquement.

Les procédés à glace ou à miroir fournissent l'image composite dès la prise de vues. S'ils ont été détrônés par le truquage *après-coup* du cache-contre-cache en tireuse optique, c'est essentiellement pour des raisons d'ordre pratique : le truquage simplifie les prises de vues, et il laisse jusqu'au montage la possibilité d'un décor factice différent de celui qui était initialement prévu.

La remarque vaut également pour la famille des procédés (*Simplifilm* et autres) où la caméra est placée derrière une sorte de grande chambre photographique. Cette chambre ne comporte pas de plaque, mais son objectif n'en forme pas moins — dans le plan où se trouverait la plaque — l'image aérienne (→ OPTIQUE GÉOMÉTRIQUE) de ce qui se passe devant la caméra. Dans ce même plan, on place une photographie (ou un carton peint) comportant une découpe correspondant à la partie de l'image précédente que l'on veut conserver. Là encore, la caméra enregistre directement l'image composite. (Le procédé d'*image aérienne* décrit plus loin repose sur le même principe.)

LES « TRUQUAGES ». Très tôt, les cinéastes ont exploité les possibilités de *magie* offertes par le cinéma. Comment ne pas mentionner ici Méliès, précurseur de génie ? Par la suite, le cinéma n'oublia jamais la fascination que les truquages pouvaient exercer, et certains films ont marqué l'histoire du cinéma en raison du succès de leurs truquages :

les Dix Commandements (C. B. De Mille, 1923) et sa célèbre traversée de la mer Rouge par les Hébreux ;

King Kong (E. Schoedsack et M. C. Cooper, 1933) ;

l'Homme invisible (J. Whale, *id.*) ;

le Voleur de Bagdad (L. Berger, CO : M. Powell et Tim Whelan, 1940), premier grand film de truquages en couleurs trichromes (procédé Technicolor) ;

les Aventures fantastiques du baron de Münchhausen (J. von Baky, 1943), premier grand film de truquages en couleurs par procédés négatif-positif.

Plus tard, les truquages devenant usuels, leur fascination s'émoussa quelque peu (même si elle fut un des éléments déterminants de films comme *Mary Poppins*, R. Stevenson, 1964), d'autant qu'il y avait la concurrence de la couleur, du grand écran, du relief, du son stéréophonique, des superproductions. Depuis quelques années, les films à truquages sont redevenus un genre très prisé, d'abord avec les films-catastrophe du début des années 70 (*Tremblement de terre*, M. Robson, 1974 ; *la Tour infernale*, J. Guillermin, *id.*) puis surtout avec les films de science-fiction et de fantastique (*Superman*, R. Donner, 1978 ; *la Guerre des étoiles*, G. Lucas, 1977 ; *le Trou noir*, Gary Nelson, 1980 ; *Tron*, Steven Lisberger, 1982).

Les origines. Au-delà des trucs hérités du théâtre (machineries, trappes), des maquettes, des objets mus par des fils invisibles, etc., les cinéastes des origines — et tout particulièrement Méliès – ont imaginé la plupart des « trucs » du cinéma :

– *l'inversion du mouvement.* Cet effet est né avec le cinéma lui-même : il suffisait de tourner à l'envers la manivelle du projecteur. Autre méthode simple : on tournait avec la caméra la tête en bas et l'on projetait le film (dans le sens normal de défilement) après l'avoir retourné tête-bêche ;

– *l'arrêt momentané de la caméra.* Si les comédiens se sont immobilisés quand on arrête la caméra et ne bougent pas pendant l'arrêt, on peut faire apparaître (ou disparaître) un comédien ou un objet, ou bien pratiquer une substitution ;

– *la surimpression,* connue depuis longtemps par les photographes et qui consiste à surperposer deux prises de vues. Ce truquage permet par exemple la création de fantômes si les « fantômes » évoluent, dans la seconde prise, devant un fond noir (voir ci-dessous) ;

– *les effets de perspective.* Astucieusement filmés, des comédiens (les uns proches de la caméra, les autres plus lointains) paraissent situés à une même distance mais avec des tailles différentes. Combiné au fond noir, ce truc permettait de faire grandir un personnage par rapport à un autre ;

– *le fond noir.* Le velours noir réfléchit très peu la lumière ; à l'emplacement de son image sur le film, le négatif demeure pratiquement vierge, ou n'est pratiquement pas modifié s'il a déjà été impressionné. Le fond de velours noir permettait ainsi toutes sortes de truquages. Truquages par simple exposition : objets se déplaçant apparemment tout seuls mais mus en fait par un manipulateur vêtu de velours noir. Truquages par double exposition : fantômes ; ou bien cet effet longtemps employé avec succès : pendant qu'un personnage dort, son « double » se détache de lui, ou bien encore la multiplication d'un comédien, filmé successivement dans la moitié gauche puis dans la moitié droite de l'écran image.

Dans ce dernier exemple, le fond noir apparaît comme l'ancêtre du cache-contre-cache, qui est aujourd'hui à la base de la plupart des truquages cinématographiques.

Le cache-contre-cache. Caches et contre-caches peuvent être *fixes* et placés soit dans le couloir de la caméra (ou de l'élément « caméra » de la tireuse optique), auquel cas ils ont un bord net, soit devant l'objectif, auquel cas leur bord est flou. Avec des caches démasquant successivement différentes portions de l'image, on peut multiplier un comédien dans plusieurs rôles (Fernandel dans *le Mouton à cinq pattes* d'Henri Verneuil, Alec Guinness dans *Noblesse oblige* de Robert Hamer, Louis Jouvet dans *Copie conforme* de Jean Dréville). C'est également avec des caches-contre-caches fixes que Cecil B. De Mille intégra dans une authentique vue de mer le sillon (filmé en studio) creusé par Moïse dans la mer Rouge.

Caches et contre-caches fixes, reportés sur des films cache défilant dans la tireuse optique (comme indiqué plus avant) au contact du film à copier, sont très souvent employés pour remplacer un élément de l'image ou pour y introduire un élément qui n'existait pas à la prise de vues (cf. le château de *Malevil*, C. de Chalonge, 1981).

Le grand essor du cache-contre-cache en tant que truc date toutefois du moment où l'on sut pratiquer le *cache mobile* (désigné usuellement par l'équivalent anglais *travelling matte*), qui permet, partant d'un film où évolue un comédien, de générer un cache épousant exactement le contour du comédien. On peut ensuite, par cache-contre-cache classique, insérer l'image du comédien à l'intérieur de n'importe quelle autre image.

Une première méthode, employée dans les années 30, utilise uniquement le film noir et blanc. Le comédien, évoluant devant un fond noir, est habillé et éclairé de telle sorte que son image sur le film ne soit nulle part plus sombre que gris soutenu. En copiant le film sur pellicule à haut contraste, on fait venir en blanc tout ce qui n'est pas vraiment noir. Par recopie sur négatif, on obtient un cache noir superposable à l'image du comédien.

La méthode est abandonnée depuis l'apparition des films en couleurs. On en retrouve toutefois le principe dans le procédé aujourd'hui usuel : le travelling matte sur *fond bleu,* où le comédien est filmé devant un fond d'un bleu particulier. En recopiant le film derrière un filtre approprié, on sépare ce qui est vraiment de cette couleur (c'est-à-dire le fond) de ce qui ne l'est pas. Cette méthode est évidemment plus commode que la précédente, la seule contrainte majeure étant que l'image du comédien soit totalement exempte du bleu de sélection. (A priori, n'importe quelle couleur de fond conviendrait. Le bleu présente notamment l'avantage d'être absent de la couleur de la peau.) Nombre de films contemporains, tels *Superman* ou *le Trou noir*, montrent que l'illusion peut être quasi parfaite.

Tous les truquages par cache-contre-cache – et particulièrement le travelling matte, qui implique de multiples recopies – nécessitent de veiller avec un soin extrême, tout le long du processus, à la juxtaposition ou à la superposition parfaites des divers éléments. Sinon, des franges apparaissent, franges qu'il était notamment difficile d'éviter dans le travelling matte sur fond noir.

C'est d'ailleurs pour éviter les étapes intermédiaires, préjudiciables à la qualité du résultat final, que l'on pratique parfois le travelling matte avec des caméras spéciales dotées, derrière l'objectif, d'un prisme diviseur qui dédouble l'image vers deux films distincts défilant en synchronisme. (À cette occasion, on a réutilisé les vieilles caméras Technicolor, inemployées depuis l'arrivée de l'Eastmancolor.) Un des films enregistre normalement l'image des comédiens. L'autre film, filtré de façon appropriée, enregistre uniquement l'image du fond, et fournit ainsi directement un cache. Les comédiens évoluent ici devant un fond soit bleu comme précédemment, soit éclairé en infrarouge ou en ultraviolet, soit encore *(Mary Poppins)* éclairé par des lampes à vapeur de sodium.

On notera que le dunning et la projection frontale, rangés plus haut dans les truquages de décor, peuvent tout aussi bien être regardés comme des procédés de travelling matte automatique.

Un cas particulier de cache mobile est celui des caches tracés à la main, vue par vue, d'après un agrandissement des images du film à truquer. La méthode a été notamment employée dans *le Passe-Muraille* (J. Boyer, 1951) pour faire disparaître Bourvil à mesure qu'il était censé pénétrer dans les murs.

L'image aérienne. Différent dans son principe du cache-contre-cache, le procédé de l'*image aérienne* permet lui aussi de fabriquer des images composites. Un exemple fameux est la séquence *d'Invitation à la danse* (1956), où Gene Kelly, également réalisateur du film, danse avec des personnages de dessin animé. De l'autre côté des cellulos, par rapport à la caméra, un projecteur agrandissait l'image du film montrant Kelly et le décor, cette image agrandie venant se former dans le plan du cellulo. Là où le cellulo était transparent, la caméra voyait Kelly et le décor ; ailleurs, elle voyait les personnages du cellulo, dont la gouache occultait les rayons lumineux provenant du projecteur.

Les maquettes. Fixes ou animées, les maquettes sont employées depuis les premières années du cinématographe. La réalisation est souvent fort délicate si l'on veut créer une illusion crédible, comme le prouvent a contrario certaines scènes de tempête en mer où les vagues éclatent sur les obstacles en projetant... des gouttes. Une façon d'améliorer la crédibilité est souvent de réaliser plusieurs maquettes de taille croissante : une à petite échelle pour les plans d'ensemble, une plus partielle pour les plans rapprochés, une très partielle – à échelle 1 – pour les gros plans. Un des problèmes à résoudre est celui de la perspective : vues par un objectif usuel, les maquettes ont le même aspect visuel qu'un objet de taille réelle vu par un téléobjectif ; une solution peut être apportée par des objectifs spéciaux de très courte focale, incorporés à un périscope qui permet de les faufiler entre les maquettes. Un autre problème est la cadence de prise de vues pour les maquettes de mobiles (trains, bateaux, etc.) : en règle générale, plus la maquette est petite, plus il faut ralentir le mouvement apparent.

De l'usage des truquages. À l'instar du cache-contre-cache, les procédés rangés plus avant dans les truquages d'écriture ou de décor sont aussi bien utilisables comme trucs. Des exemples ont déjà été mentionnés *(Top Hat, Peau d'âne)*. Bien d'autres pourraient être cités. Par exemple, c'est grâce à la marche arrière que l'homme invisible marchait dans la neige, les empreintes de ses pas étant effacées au fur et à mesure. Par exemple, la transparence a été abondamment employée dans *King Kong*, etc.

Les truquages vidéo. La reproduction sur film d'images de télévision, avec tous les truquages que permet la technique télévisuelle, peut difficilement être considérée comme un truquage cinématographique, compte tenu notamment de la médiocre définition de l'image de télévision. Les truquages vidéo de qualité cinématographique se limitent aujourd'hui, pour l'essentiel, à l'incorporation dans le film d'*images de synthèse* (c'est-à-dire générées par ordinateur d'après les instructions de l'artiste), dans lesquelles les personnages sont éventuellement insérés par cache-contre-cache. Il s'agit toutefois d'un domaine où les choses évoluent très vite. Ainsi, de nouveaux standards de télévision fournissent une image dont la finesse se rapproche de celle du cinéma. Il est donc concevable que les techniques vidéo prennent dans l'avenir une place accrue, voire prépondérante. À la limite, on peut imaginer que les images portées par le négatif soient transcrites sous forme vidéo, truquées sous cette forme, et enfin reportées sur film pour l'exploitation en salle, ce qui périmerait nombre de procédés de truquage décrits précédemment.

Ce panorama des effets spéciaux ne prétend pas à l'exhaustivité, tant l'imagination a, dans ce domaine, la part belle. Il est rare, toutefois, que les techniques employées ne dérivent pas, peu ou prou, des procédés évoqués ci-dessus. *Magic ride*, film publicitaire français des années 60, montrait un couple évoluant sur une route aux places avant d'une voiture... invisible. Pour le spectateur averti, l'aspect de l'image excluait les truquages (cache-contre-cache, transparence, etc.) venant naturellement à l'esprit. Finalement, c'était par un système de miroirs et de prismes qu'était dissimulé, dès la prise de vues, le support sur lequel étaient installés les comédiens.

La description des procédés ne doit pas conduire à considérer les effets spéciaux sous l'angle simplement technique, même si la maîtrise de la technique est évidemment fondamentale. (Certains plans de films de truquage contemporains sont obtenus en mariant sur tireuse optique, par cache-contre-cache, jusqu'à 6 ou 8 éléments d'image distincts !) La réussite d'un film de truquages est liée à la capacité des cinéastes de *combiner* tout ce qui peut contribuer à la création de l'illusion. Combinaison des procédés de truquage, à l'intérieur du film ou à l'intérieur du plan. Combinaison, surtout, des divers moyens de l'expression cinématographique : bruitage (le crissement des chaussures dans la neige renforce la vue des pas de l'homme invisible), éclairage, maquillage, etc., jusqu'au découpage et au montage (les gros plans de l'héroïne effrayée rendent King Kong encore plus crédible).

Les films de truquages nécessitent donc un grand professionnalisme, non seulement des artisans des effets spéciaux mais aussi de tous les collaborateurs du film. La connaissance professionnelle s'acquiert par la pratique, la pratique demande des moyens financiers : il n'est pas surprenant que les films à truquages, si bien inventés par Méliès et les cinéastes français, soient devenus une spécialité du cinéma américain.

D'une façon plus générale, on a vu que les effets spéciaux couvrent un domaine bien plus vaste que les trucs. Au demeurant, l'activité des laboratoires de truquage (en gros, les laboratoires mettant en œuvre des tireuses optiques) porte essentiellement sur des effets d'écriture : insertion de génériques, fondus et liaisons en tous genres (notamment pour les bandes-annonces), etc. Les effets spéciaux sont une des techniques, parmi bien d'autres, du langage cinématographique. Et la frontière est bien floue entre ce que l'on range dans les truquages et ce que l'on range dans d'autres rubriques. Éclairer un studio pour créer l'atmosphère d'une rue sous le couvre-feu, n'est-ce pas une forme de truquage ? L'important est de parvenir au but narratif ou esthétique recherché : selon le style du film, une simple découverte en toile peinte pourra être aussi convaincante qu'un décor réel. Le cinéma est de toute façon illusion : même s'ils peuvent la pousser jusqu'à la magie, les effets spéciaux n'en sont qu'un des instruments.

Les trucages numériques. L'informatique et les techniques vidéo ont, dans les années 90, apporté de nouvelles possibilités en matière d'effets spéciaux. Deux familles ont ainsi vu le jour : les images de synthèse et les trucages numériques. La différence entre les trucages numériques et les trucages vidéo réside essentiellement dans la définition du système de balayage 625 (ou 525) lignes en vidéo, 2 000 à 4 000 lignes en numérique si les images sont destinées à être transférées sur film cinématographique. De plus, tout le traitement de ces images aux différents stades du travail est exclusivement numérique. Les images de synthèse sont entièrement dessinées à l'ordinateur en utilisant des logiciels graphiques spécifiques. Le résultat peut être extrêmement varié : il va du dessin animé en deux dimensions à des images pouvant donner une parfaite impression de prises de vues réelles. Les trucages numériques sont issus des images réelles que l'on veut modifier. Les travaux se décomposent en trois opérations distinctes, qui sont l'analyse au moyen d'un scanner, le traitement sur une station graphique qui donnera aux images initiales l'effet recherché et le transfert de ces images numériques sur bande vidéo ou sur film cinématographique au moyen d'un imageur. L'intérêt de ces techniques réside essentiellement dans les possibilités pratiquement infinies d'intervention sur ces images et dans les combinaisons d'images de synthèse avec des images réelles. Il devient possible d'effectuer des modifications de portions d'image, des variations dans les mouvements, des modifications progressives de forme (*morphing*), de couleurs. Ces techniques remplaceront progressivement bon nombre de techniques conventionnelles issues de l'optique et de la mécanique. On peut ainsi réaliser des trucages qu'il n'était pas possible d'envisager avec les techniques conventionnelles. Ces techniques peuvent également être mises à profit pour la restauration d'œuvres dégradées, par exemple pour la restauration des couleurs ou l'élimination de défauts tels que poussières, rayures. Elles peuvent être utilisées pour mettre en couleur une œuvre initialement tournée en noir et blanc. Ce procédé, contesté par certains, porte le nom de « *colorisation* ».

J.P.F./J.M.G./M.BA.

ÉGALISATION. Action d'égaliser la courbe de réponse d'un dispositif de restitution des sons.

Pour un film, il est évidemment souhaitable que tous les spectateurs assistent au même spectacle, quelle que soit la salle où le film est projeté. Cela implique en particulier que les conditions de reproduction du son soient, sinon parfaitement identiques dans toutes les salles (ce qu'il serait irréaliste d'espérer, chaque salle ayant son acoustique propre), du moins raisonnablement similaires. Il est donc souhaitable que la «courbe de réponse» (→ BANDE PASSANTE) de chaque salle soit aussi proche que possible d'une courbe de réponse de référence. Un tel alignement des courbes de réponse est en outre indispensable à l'élaboration correcte de la bande sonore : on ne peut en effet procéder à cette élaboration que si l'on sait à peu près dans quelles conditions le son sera perçu par les spectateurs.

La courbe de réponse d'une salle est essentiellement déterminée par les caractéristiques de l'ensemble haut-parleur + acoustique de la salle. Compte tenu de ce que les caractéristiques des haut-parleurs sont assez dispersées (malgré le soin pris par les fabricants) et compte tenu des caractéristiques acoustiques propres à la salle, les sons de certaines fréquences sont restitués plus fort, et d'autres moins forts qu'ils ne devraient l'être. Une façon de compenser ces irrégularités consiste à intervenir en amont du haut-parleur, en amplifiant un peu moins les fréquences restituées «trop fort», et un peu plus les fréquences restituées «trop faible».

Pendant longtemps, on s'est généralement contenté d'une compensation assez sommaire. L'enceinte acoustique implantée derrière l'écran comporte deux haut-parleurs, spécialisés l'un dans la restitution des graves et du médium, l'autre dans celle des aigus, un filtre électronique envoyant vers chaque haut-parleur les fréquences qui lui sont destinées. (→ HAUT-PARLEUR.) Par le réglage de dispositifs atténuateurs *(graves* et *aigus),* on peut jouer sur les puissances relatives délivrées par les deux haut-parleurs, ce qui permet d'équilibrer dans une certaine mesure la restitution des sons. Bien qu'on sache depuis longtemps relever les courbes de réponse, et bien qu'une courbe de référence ait été définie dès les années 40 (→ ACADEMY), ce réglage s'effectuait le plus souvent «à l'oreille». Pour rustique que fût la méthode, elle conduisait à des résultats satisfaisants si les matériels étaient de bonne qualité, et l'acoustique de la salle raisonnablement correcte.

Apparu dans les années 50 avec le CinémaScope puis le 70 mm, le son stéréophonique complique le problème car il est inacceptable que la tonalité de la voix ou de la musique change de façon appréciable selon que le son vient de tel ou tel haut-parleur. Il devient indispensable d'*égaliser* les courbes de réponse des différents «canaux» qui alimentent les divers haut-parleurs.

L'état des techniques, dans les années 50, n'offrait guère d'autre méthode que celle décrite plus haut. Néanmoins, en procédant avec soin, on parvenait à des résultats fort acceptables.

Les progrès considérables réalisés depuis lors en électronique autorisent aujourd'hui une égalisation plus raffinée.

On place avant chaque amplificateur un *égaliseur* où le « message » provenant de la « lecture » du film est découpé en un certain nombre de tranches de fréquences, le niveau global de chaque tranche pouvant être relevé ou abaissé grâce à autant de boutons ou de curseurs qu'il y a de tranches. On projette un film test spécial dont la bande sonore comporte toutes sortes de fréquences, et un analyseur en temps réel, relié à un micro implanté dans la salle, fournit immédiatement la courbe de réponse du canal sonore étudié. En intervenant sur les réglages de l'*égaliseur*, on ajuste cette courbe de réponse pour l'amener aussi près que possible de la courbe de référence. En réglant successivement, de la sorte, les égalisateurs des différents canaux, on parvient à une bonne homogénéité de la restitution des sons par ces canaux. De surcroît, même pour les films monophoniques (où seul fonctionne le canal sonore du centre de l'écran), cette restitution est bien alignée sur la courbe de réponse de référence, ce qui n'était qu'approximativement le cas avec la méthode décrite plus haut.

Selon les modèles d'égaliseurs, chaque tranche de fréquences couvre soit une octave, soit un tiers d'octave (pour la notion d'octave, → SON), ce qui conduit à découper l'ensemble des fréquences audibles en une dizaine de tranches dans le premier cas, en une trentaine dans le second cas. Le découpage en tiers d'octave permet théoriquement d'ajuster plus finement la courbe de réponse, mais il complique quelque peu les réglages. Les égaliseurs sont parfois appelés « équaliseurs » par traduction littérale de l'anglais « equalisor ». Un égaliseur *graphique* n'est pas autre chose qu'un égaliseur dont les commandes sont des curseurs disposés de façon à visualiser l'ensemble des réglages.

L'égalisation des courbes de réponse par le procédé ci-dessus présente une difficulté liée à l'emplacement du micro dans la salle. En effet, les phénomènes de résonance (→ ACOUSTIQUE) peuvent conduire, pour certaines fréquences, à des variations sensibles, selon l'endroit où l'on se place, du niveau sonore reçu. L'idéal est de disposer plusieurs microphones dans la salle et de relever les courbes en associant un analyseur en temps réel à un microprocesseur. En pratique, on se contente généralement de placer le micro à peu près au milieu de la salle, légèrement à droite ou à gauche de l'axe. Cela conduit à de bons résultats, si l'acoustique de la salle ne présente pas de résonances trop importantes.

L'emploi d'égaliseurs permet d'améliorer sensiblement la reproduction du son dans les salles (tout en standardisant cette reproduction). La technique a néanmoins ses limites. Aucun égaliseur ne saurait ni corriger une acoustique défectueuse (notamment un temps de réverbération excessif) ni réduire les bruits parasites (cabine, voisinage, etc.). De même, si les haut-parleurs sont médiocres, le son restera médiocre, égaliseurs ou pas. Enfin, on ne peut égaliser valablement les différents canaux sonores d'une salle que si les canaux présentent des caractéristiques voisines : autrement dit, si les chaînes sonores correspondantes sont composées de matériels de même type. J.-P.F./M.BA

ÉGALISEUR. Appareil électronique servant à l'égalisation. (→ ÉGALISATION.)

EGGAR *(Samantha), actrice britannique (Londres 1939).* Remarquée dès son deuxième film, *Doctor Crippen* (Robert Lynn, 1963), elle dose, dans *l'Obsédé* (W. Wyler, 1965), candeur et sensualité. *Docteur Dolittle* (R. Fleischer, 1967) ne retient que l'ingénue. À partir de *Traître sur commande* (M. Ritt, 1970), elle nuance son talent dans des rôles de femme à la fois énergiques et fragiles (*Pitié pour le prof*, S. Narizzano, 1977). Le plus révélateur : celui de l'héroïne de *The Brood* (*Chromosome* 3, David Cronenberg, 1979), dont les haines enfantent des monstres, chef-d'œuvre parmi les petites productions où elle semble ensuite reléguée. A.G.

EGGELING *(Viking), peintre et cinéaste expérimental suédois (Lund 1880 - Berlin, Allemagne, 1925).* En 1918, à Zurich, Tzara lui présente Richter. Les deux peintres fraternisent aussitôt et se proposent d'atteindre, côte à côte mais « séparément », pendant plus de deux ans, « le même but », défini par les recherches éthico-artistiques d'Eggeling pour établir une *Generalbass der Malerei* (base générale de la peinture), sorte de typologie des formes élémentaires. Désireux de faire *évoluer* les formes ainsi créées, ils utilisent des rouleaux, à la manière chinoise (généralement de 5 m sur 50 cm), puis s'intéressent au cinéma avec l'aide de techniciens de l'UFA.

Eggeling, qui s'installe seul en 1921 à Berlin, tente alors en vain de tirer un film de son rouleau *Orchestre horizontal-vertical* (*Vertikal-Horizontal Symphonie).* Il délaisse cet essai pour un autre ; la *Symphonie diagonale (Diagonal Sinfonie)* en résulte, premier exemple d'*eidodynamique* : des sortes de peignes, de harpes, de croquis d'architecte y apparaissent ou disparaissent le long d'un axe oblique, sur fond noir. Le film est présenté en projection privée en 1924, puis Eggeling va le montrer à Léger à Paris. Rentré à Berlin, il meurt peu après la première projection publique (3 mai 1925). Il compte alors de nombreux amis et admirateurs au Bauhaus, au groupe dadaïste Novembre et à la revue *De Stijl,* où Van Doesburg avait écrit sur lui dès 1921. D.N.

EGGERTH *(Márta Eggert* ou *Martha), actrice et chanteuse austro-hongroise (Budapest 1912).* Sur la scène depuis l'âge de douze ans, elle est une vedette de l'opérette à Budapest vers 1927. Elle débute au cinéma en 1931 et tourne deux douzaines de films en moins de sept ans : deux comédies et surtout des comédies musicales et des opérettes filmées allemandes ou autrichiennes — auxquelles s'ajoute un film britannique en 1932. Célèbre dès son premier film, elle remporte de vifs succès avec des titres tels que *Symphonie inachevée,* une vie romancée de Schubert (Willi Forst, 1933) et plusieurs œuvres signées par Richard Eichberg, Biktor Janson, E. W. Emo, ou Geza von Bolvary. Parmi celles-ci, on relève deux films de Janson de 1932, dont le scénario est dû à Billy Wilder : *Das Blaue von Himmel* et *Es war einmal ein Walzer,* et les inévitables *Zarewitsch* et *Czardasfürstin* — ainsi qu'un film autrichien de Carmine Gallone : *Mein Herz ruft nach Dir* (1935), qui marque sa première rencontre cinématographique avec le ténor Jan Kiepura, qui deviendra son mari. Après *Das Hofkonzert,* film musical de Detlef Sierck [Douglas Sirk] (1936), et deux films autrichiens, où elle se produit avec Kiepura, elle quitte l'Europe et fait ses débuts sur la scène de Broadway en 1940. Mais elle ne tourne que deux films aux États-Unis, dont *Lily Mars, vedette* (Norman Taurog, 1943) aux côtés de Judy Garland. De retour en Europe, elle tourne quatre films médiocres, dont deux en duo avec Jan Kiepura, *la Valse brillante* (Jean Boyer, 1950) et *le Pays du sourire* (Hans Deppe, 1952), et elle se retire peu après. D.S.

EGIDI *(Carlo), décorateur italien (Rome 1918 -id. 1988).* Licencié en architecture, il débute au cinéma avec deux films de Giuseppe De Santis, *Chasse tragique* (1948) et *Pâques sanglantes* (1950). Il collabore ensuite avec des cinéastes aussi différents que Germi (*Traqué dans la ville,* 1951 ; *Divorce à l'italienne,* 1961 ; *Séduite et abandonnée,* 1964), Lattuada (*la Louve de Calabre,* 1953 ; *Mafioso,* 1962), Comencini (*Les Russes ne boiront pas de Coca-Cola,* 1968), Petri (*Enquête sur un citoyen au-dessus de tout soupçon,* 1970). Son style rigoureux et son attention aux détails sont évidents dans les quelque cinquante films auxquels il collabore. L.C.

EGOROV *(Vladimir)* [*Vladimir Evgen'evič Egorov*], *décorateur soviétique (1878-1960).* Il fait partie, avec Sergueï Kozlovski, Vassili Rakhals, Evgueni Enei, Isaak Chpinel et Aleksandr Outkine, des décorateurs soviétiques les plus talentueux et travaille notamment avec Aleksandr Razoumny (*' la Mère '* [*Mat* '], 1920), Vladimir Gardine (*' Un spectre hante l'Europe '*, 1922 ; *' le Serrurier et le Chancelier '*, 1923), Jakob Protazanov (*le Tailleur de Torjok,* 1925 ; *À son appel,* id.), Fedor Ozep et Boris Barnet (*Miss Mend,* 1926), Ivan Pyriev (*' la Chaîne de la mort '*, 1933), Margarita Barskaïa (*les Souliers percés*, 1933), Efim Dzigan (*les Marins de Kronstadt,* 1936 ; *' Djamboul '*, 1953, CODÉC), Mikhaïl Romm (*les Treize,* 1937), Vsevolod Poudovkine (*Amiral Nakhimov,* 1947, CODÉC). J.-L.P.

EGOYAN *(Atom), cinéaste canadien (Le Caire, Égypte, 1960).* Issu d'une famille d'origine arménienne qui s'établit au Canada, il étudie à l'Université de Toronto d'où il sort diplômé en 1982. Passionné par le théâtre et le cinéma, il s'impose rapidement comme un metteur en scène insolite et original. Après avoir tourné quelques courts métrages : *Howard in Particular* (1979), *After Grad With Dad* (1980), *Peep Show* (1981), *Open House* (1982), il se fait connaître par *Next of Kin* (1984) et assure sa réputation avec ses œuvres suivantes : *Family Viewing* (*id.*, 1987), *Speak'ing Parts* (1989), *The Adjuster* (1991), où l'image (via les films de famille ou la vidéo) participe à la complexité de l'intrigue au même titre que la psychologie des personnages. Il participe au film *Montréal vu par...* (1992) dont il signe un épisode, tourne pour la télévision *Gross Misconduct,* propose dans *Calendar* (1993) une réflexion personnelle sur l'Arménie, le pays de ses racines, et aborde dans *Exotica* (1994) un domaine peu exploré : celui de la fascination ambiguë, en conduisant avec beaucoup de subtilité une intrigue qui marie la psychanalyse, l'onirisme et l'enquête policière. C.O.

EGUINO *(Antonio), cinéaste et chef opérateur bolivien (La Paz, 1938).* Après des études d'ingénieur aux États-Unis (1959-1961), il travaille comme photographe jusqu'en 1965 tout en suivant les cours de cinéma de l'université de la ville de New York. Chef opérateur de Sanjinés pour *le Sang du condor* (1969) et *le Courage du peuple* (1971), il met en scène un premier long métrage en 1973 : *Pueblo Chico,* qui décrit la révolte d'un étudiant devant la situation de la paysannerie. *Chuquiago* (1977), du nom de La Paz en langue aymara, donne à voir la capitale à travers quatre épisodes centrés sur des personnages d'origines diverses. Ces films entendent rester fidèles à un engagement social, tout en évitant le choc frontal avec la censure. Ce pari hasardeux se trouve gagné par *Chuquiago* auprès de son public, succès d'ailleurs mérité par l'originalité du ton, comme une sorte de mélancolie critique. *Amargo mar* (1984), film historique assez controversé sur la guerre avec le Chili qui fit perdre à la Bolivie son littoral, est moins convaincant. P.A.P.

ÉGYPTE. Pendant plus d'un demi-siècle, le cinéma égyptien impose sa prééminence à tout le Proche-Orient par la relative régularité de sa production (moins considérable pourtant que des chiffres très fantaisistes l'ont donné à croire), le prestige de ses stars et de ses chanteurs du Maroc aux pays du Golfe. Rien à l'origine ne distingue le cinéma qu'on y fait des multiples essais d'actualités et de scènes filmées que la plupart des pays du monde ont connues. À la suite de la projection de bandes Lumière au café Zawani, à Alexandrie, le 5 janvier 1896, puis le 28 janvier à l'hôtel Continental du Caire, qui enthousiasment le public, les notables et la presse, un journaliste d'*al-Moayyid* écrit des « ombres lumineuses » qu'elles n'ont pu être inventées que par « un démon génial » et qu'elles sont « la plus grande merveille du XIXe siècle ». Un résident italien ouvre la première salle en avril 1900 au Caire, qui en possède trois en 1904, cinq en 1908 ; à cette date, on en trouve trois à Alexandrie, une à Assiout, Mansurah, Port-Saïd. *La Passion du Christ* (Pathé) est le premier film coloré à être projeté, en 1906. En 1911, on promulgue la première loi sur le cinéma et le théâtre, relative à l'exploitation des salles : il y en a déjà huit au Caire. L'année suivante, deux salles (dont celle de Pathé) programment des films « chantés » : la sonorisation par disques, trop aléatoire, cessa bientôt ; mais elle avait séduit.

C'est également en 1912 qu'un Italien encore, dénommé De Lagarne, tourne, croit-on, les premières bandes locales d'« images animées » programmées sous le titre *Dans les rues d'Alexandrie.* Port alors très actif, où la vie intellectuelle ne le cède en rien à celle du Caire, plus cosmopolite aussi, Alexandrie devient le berceau bientôt dédoublé du cinéma égyptien. Toujours des Italiens, dont le photographe Umberto Dores, fondent avec l'appui financier du Banco di Roma une société cinématographique (éphémère) et créent le premier studio, dont les baies et les plafonds vitrés permettent de régler l'éclairage, dispositif que le climat local permet et qui sera souvent adopté. L'Italien Osato réalise en 1918 trois bandes (de 30 à 40 min) : *' Vers l'abîme ' (Naḥw al-hāwiya), ' l'Honneur du bédouin ' (Sharaf al-Badawi)* et *' les Fleurs qui tuent ' (al-Zuhūr al-Qātila).*

Mais les étrangers (Grecs, Italiens, Libanais, de confessions diverses) ne sont que les premiers techniciens d'un cinéma qui naît, de ratages en succès publics, du théâtre vivant et populaire, surtout à Alexandrie. Ils filment des troupes très « commedia dell'arte » dont une partie du répertoire passe, en deux bobines, à l'écran. La compagnie de Fawzī Gaza'irly interprète une pochade, *Madame Loretta* (1918), filmée par Larrici ; en 1920, Muḥammad Bayyūmī tourne, dans son petit studio, *' le Chef de service ' (al-Bāsh Kātib)* avec l'acteur Amīn 'Aṭāllah. En 1922, *'l'Anneau magique' (al-Khātim al-siḥri),* puis *' la Tante d'Amérique'* *(al-'Amma al-Amrīkaniyya),* que l'acteur 'Alī al-Kassār joue en travesti, prouvent, dans leur amateurisme, que le cinéma n'attend qu'une impulsion pour se développer. Autre signe : 'Aṭāllah demande à Orfanelli de le diriger dans une comédie, fondée sur une chanson en vogue : *' Pourquoi la mer rit-elle ? ' (al-Baḥr bi yaḍḥak līh ?).* Trois ans plus tard, en 1925, les studios, encore modestes, et les sociétés de production, déjà concurrentes, annoncent réellement le cinéma professionnel. Au Caire, les dirigeants de la puissante banque Miṣr créent une société et un petit laboratoire, rachètent le studio de Bayyumi, qui se voit confier la direction des prises de vues. Si la Miṣr n'est pas encore absolument convaincue de l'avenir du film égyptien, du moins prend-elle place sur le terrain où, dans dix ans, elle assurera, grâce à de nouveaux studios excellemment équipés, situés cette fois à Gizah, l'essor du cinéma national.

Ce n'est pas la Société Miṣr pour le théâtre et le cinéma qui voit naître ce qu'on s'accorde à reconnaître pour le premier long métrage véritablement égyptien, encore que l'écrivain Widād Ūrfi Bengo, et Istefan Rosti, acteur, fussent tous deux d'origine turque : il s'agit du fameux mélodrame *Layla,* produit et interprété par l'actrice 'Azīza Amīr. Tourné en studio à Héliopolis et dans les rues du Caire, le film commencé en 1925 n'est présenté qu'en 1927 — triomphalement. Un an plus tôt, Badr et Ibrāhīm Lāmā*, des Palestiniens de retour d'Amérique latine, fondent à Alexandrie la société Condor Film et tournent *' Un baiser dans le désert '* (*Qubla Fī al-Ṣaḥrā',* 1927), aussitôt suivi d'autres « mélodrames bédouins ». C'est en 1925 également que les autorités religieuses coupent court au projet de Widād Urfī et de l'acteur Yūsuf Wahbī* de porter à l'écran la vie du Prophète. La décision demeura sans appel. Togo Mizrahī, Alexandrin israélite, crée le Togo Studio en 1928 ; en 1929, 'Azīza Amīr, dirigée par Ahmad Galal*, produit *' Fille du Nil '(Bint al-Nil),* tourné en partie à Louxor ; un Italien, Chiarini, dirige le célèbre Nagīb al-Rihānī dans la comédie qui eut peut-être le plus de succès à cette époque, *Kish Kish Bey* (id.). 1929 marque le début de la longue carrière de Mizrahī qui s'achève au niveau où elle a commencé en 1946, avec *' la Reine de beauté ' (Malikat al-gamāl),* mais aussi et surtout le retour d'Allemagne de Muḥammad Karīm*, qui réalise, grâce à l'appui de l'acteur Yūsuf Wahbī, le deuxième titre important du cinéma égyptien avec *Layla,* et qui sera par la suite adapté au parlant : *Zaynab.* Acteurs et cinéastes passent volontiers de l'autre côté de la caméra, ce qui n'est pas spécifique à l'Égypte : Mizrahī interprète ses films loufoques sous le nom d'al-Mashriqī ; Bahiga Ḥafīz, vedette de *Zaynab,* ou Yūsuf Wahbī signent leurs mises en scène. Des chefs opérateurs, tels Orfanelli, le Français Gaston Madri, le cinéaste allemand Fritz Kramp, contribuent à la formation technique des Égyptiens et à la qualité des prises de vues, des mouvements de foule, du montage. Lorsque Karīm tourne *' les Fils à papa '* (*Awlād al-zawāt,* 1932), il réalise alors le premier film conçu selon les normes du « parlant » : une page est tournée, à tous points de vue.

Le parlant. L'engouement du public incite les petits studios, du moins une majorité d'entre eux, à s'installer au Caire. L'influence occidentale y était nouvelle, née d'une fermentation intellectuelle hostile à tout ce qui était l'héritage poussiéreux et peu aimé des Turcs. La quête, dans le roman comme au théâtre, d'une identité égyptienne, n'exclut pas les recours à des modèles étrangers. Dans l'adaptation des comédies, des films à poursuite, le cinéma alexandrin apportait toujours une touche proprement locale et populaire, alors qu'il était dans les mains les plus cosmopolites. Au Caire, le cinéma va se développer pour répondre aux goûts de la bourgeoisie montante, qui aime Feydeau ou Noël Coward, et les adaptations *(iqtibās)* de grandes œuvres romanesques dont même de nos jours il ne se départira pas — Thaha Husayn, Dostoïevski, Nagīb Maḥfūẓ*, Tennessee Williams... Parallèlement, le parlant ouvre au film une voie bien particulière, financée par des compagnies de disques puissantes, Odéon, ou Baïdaphone, qui voient dans le film un support idéal pour leurs chansons, leurs orchestres et leurs vedettes. On assiste même, un temps, à la vogue du « Western bédouin » où se distingue Mme Kuka (*Rābiḥa,* N. Musṭafā *, 1943).

Musique, chant et danse — la danse devient prépondérante à partir de 1940 — sont des éléments de la vie quotidienne, compensateurs d'interdits relatifs « aux parties de l'être que l'éthique laisse dans l'ombre. Ainsi dans l'immense domaine de la sexualité, de l'intériorité» (Jacques Berque). Le musical arabe, comme celui de l'Inde, ruse avec les lâches ressorts comiques ou dramatiques du scénario pour ne pas sacrifier son tempo, sa tendance au récitatif. Karīm, qui tourne la *Rose blanche* en 1932 avec le chanteur Muḥammad 'Abd al-Wahhāb, et plus tard Aḥmad Badrakhān*, qui dirigera notamment 'Umm Kulthūm*, puis Fātin 'Abd al-Wahhāb* ou Barakāt*, dont les musicals connaissent un succès constant avec Layla Mūrad, Farīd al-Aṭrash, Fayrūz, donnent au genre ses lois et ses lettres de noblesse. Chāhīn* signera en 1965 le charmant *Vendeur de bagues* au Liban ; Ḥusayn Kamāl**Le monde est une fête* en 1975, comédie dansée. Ṣalāḥ Abū Sayf*, conscient de l'erreur qui fait trop souvent «plaquer» des chansons sur la trame dramatique, s'efforce de les intégrer, joue des pouvoirs expressifs de la danse pour dire ce que la parole ou le geste refusent, ce que la censure, toute-puissante, tatillonne, susceptible, codifie, efface, ou nie. Ainsi le parlant s'avère-t-il un révélateur de l'âme égyptienne et, démultipliant l'engouement pour le cinéma, lui assure-t-il des rentrées financières considérables. Dès le début des années 50, le développement de la radio reprend au film musique et chansons. Si le genre subsiste, il n'a plus alors une place prééminente et se recopie. La musique s'occidentalise, par influence, ou en cédant tout à fait à des compositions à la mode, utilisant la discographie américaine ou européenne notamment pour l'illustration de films dramatiques ou policiers.

Le réalisme. Les années 30 ont développé un cinéma populaire auquel ont œuvré artisans, tâcherons ou cinéastes capables, tels Karīm ou Bradakhān, de dépasser les lois des genres, ou, au long d'une production prolifique, de former des acteurs venus presque tous du théâtre – ce qui demeure l'apport d'un Niyāzī Muṣṭfā*. Le nombre de films est encore peu élevé (7 en 1934-35 ; 12 en 1935-36 ; 17 en 1937-38 ; 9 en 1938-39) et ne fait un bond qu'à partir de la guerre. Le niveau technique et artistique laisse à désirer ; l'enseignement le plus sûr se fait à Rome, Paris, Berlin : le projet d'Institut du cinéma n'aboutira qu'en 1959. Les scénarios sont plus improvisés qu'élaborés : ce n'est qu'après le boom de la production au début des années 40 que cet élément du film est pris en compte. C'est, aussi, avec Kamāl* Salīm, Ṣalāḥ Abū Sayf, l'irruption du réalisme dans un univers cinématographique aussi séparé de la vie quotidienne qu'ignorant des racines socioculturelles de l'Égypte. Après *Zaynab* (1930), le film n'a plus utilisé, surtout pour des mélos et des westerns «bédouins», le désert, les villages, que comme des décors de théâtre. Le tournage aux studios Miṣr, et la projection de *la Volonté,* dix ans plus tard, font scandale, parce qu'on voit des acteurs célèbres incarner les gens du peuple du Caire et Kamāl Salīm leur donner droit de cité... à l'écran. Avant le néoréalisme italien, ce dernier, Aḥmad Kamāl Mursī* (*l'Ouvrier,* 1943), ou Kamāl al-Tilmisānī avec *le Marché noir* (*al-Sūq al-Sawdā',* 1945), Abū Sayf, enfin, ouvrent une voie étroite dans l'interdit des mœurs et du politique, de la satire et de la psychologie. Ils empruntent ses codes au mélodrame, genre auquel le public est accoutumé et réceptif. Les meilleurs acteurs apprennent le registre, pour eux aussi différent, de la vérité cinématographique : Fatma Rushdī, Hind Rustum, Amīna Rizq*, Maryam Fakhr al-Din, Sanā Gamil, parfois Māgda*, surtout Fātin Hamama*, y donnent des interprétations souvent remarquables de la femme égyptienne, face à Ḥusayn Sidqi, 'Imād Hamdī, Zakī Rustum. Leur carrière va se prolonger dans les années 60, mêlée à celle d'une autre génération, et à des acteurs tard venus au cinéma.

La révolution de 1952 apporte d'abord des idées neuves en gardant une censure classique. De fait, ni les autorités ni les producteurs n'encouragent un cinéma d'auteur libre, novateur et... critique. La montée au pouvoir de la petite bourgeoisie nassérienne ne favorise ni un changement de mœurs (statut de la femme), ni une ouverture sur les problèmes agraires (conditions de vie du paysan), ni la remise en cause des interdits extraordinairement pointilleux touchant à la sexualité, la misère et, naturellement, la religion. Il faut, cependant, mettre à l'actif du nouveau régime une volonté d'aide au cinéma dont la production atteint un plafond exceptionnel de 80 titres en 1953-54, et qui se traduit par la création d'un Organisme de consolidation (1957) et de l'Institut supérieur du cinéma (1959). L'État accorde des garanties bancaires aux scénarios acceptés par une commission, nationalise partiellement production et distribution, et adopte, vis-à-vis du « secteur privé », une attitude coopérative. L'Organisme général du cinéma est fondé en 1961 pour promouvoir cette politique de production d'un « secteur d'État ». On lui doit, d'emblée, des œuvres aussi disparates (pourquoi pas ?) que *le Péché,* de Barakāt, *l'Impossible,* de Ḥusayn Kamāl, une comédie comme *Ma femme est PDG* de Fātin 'Abd al-Wahhāb* ou – régime oblige – *' la Révolution du Yémen '* de 'Aṭīf Sālim*.

Les quelque dix années qui suivent sont cependant assez favorables à une politique d'auteurs, dans les limites, il faut le préciser, imparties par un pouvoir sourcilleux, pas toujours dupe des fables métaphoriques et peu enclin à tolérer une approche critique des réalités. C'est en fraudant avec les censeurs et en « détournant » le mélodrame que les cinéastes traitent de l'aliénation sexuelle (*Gare centrale,* Y. Chāhīn, 1958 ; *' la Sangsue ',* S. Abū Sayf, 1956 ; *la Seconde épouse,* id., 1967 ; *le Péché,* Barakāt, 1965), politique (*les Révoltés,* T. Salīḥ*, 1966 ; *Nuit et barreaux,* A. Fahmī, 1972), de la corruption (*l'Homme qui a perdu son ombre,* K. al-Shaykh*, 1968), ou des mœurs de province (*le Facteur,* H. Kamāl, *id.*)... Il est à noter que ces œuvres, d'une qualité d'écriture souvent remarquable, refusent les simplifications manichéennes, et nouent avec habileté les liens d'un tissu mental et social dont les données sont indissociablement mêlées. L'Égypte se révélait à elle-même pour la première fois, dans un courant attentif aux particularismes et aux aspirations d'une génération sans aucun doute plus consciente et plus ouverte que celle qui avait fait précédemment les beaux jours du Wafd. Pourtant le passé historique et culturel de l'Égypte demeure à peu près totalement ignoré du cinéma.

L'évolution. Mais le rapport direct ou même voilé à l'actualité provoque alors des réactions du pouvoir. Abū Sayf avec *le Procès 68,* Chāhīn avec *le Moineau,* Tawfiq Salīḥ presque à chacun de ses films, sont mis en demeure de baisser le ton ou de s'exiler. Sans que des mesures draconiennes soient jamais prises, la fin des années 60, parallèlement aux échecs politiques, économiques et militaires, annonce une régression de tous les espoirs nés avec le nassérisme. En dépit de l'appui et du rôle de producteur que jouent alors en faveur de ce cinéma des vedettes comme Māgda*, Nādiyā Luṭfī, Māgda al-Khatīb, Sarhān* Maḥmūd al-Milīgī*, et plus tard Nūr al-Shārif*, il devient, dès l'accession au pouvoir de Anwar al-Sadate et la disparition du « secteur d'État », de plus en plus difficile aux jeunes techniciens et cinéastes dont ceux du Centre expérimental, que dirige Shādī 'Abd al-Salām*, ou à d'autres trop nombreux, qui se perdent à la télévision, de poursuivre dans la voie enfin ouverte par des hommes qui ont, en s'adaptant aux impératifs particuliers à l'Égypte, fait preuve de talents très différents, singuliers et, en dépit de tout, novateurs dans le champ culturel arabo-africain, ne serait-ce qu'en ouvrant le film à l'introspection, à la radiographie de l'être et du politique, Chāhīn, depuis *Gare centrale* jusqu'à *la Mémoire,* ou Sa'id Marzūq* *(Ma femme et le chien),* Saad Arafa (*' Journal d'une femme '* [*'I Tirafātu'imra'a*], 1969). En dépit de tout, l'humour égyptien se relaie d'œuvre en œuvre avec un réalisme et une lucidité imparables, de *Rien n'a d'importance,* étonnante satire due à Husayn Kamāl (1973), au *Chauffeur d'autobus (Sawwaq al-autobis),* de Atīf al-Tayyib (1982), ou à ces *Gens de la haute (Ahl al-Kemmah,* id.), épinglés par Alī Badrakān*.

Les années 80 sont marquées par une série de films de grande valeur et par la recherche d'un nouveau discours cinématographique : Mohammad Khan avec *' l'Oiseau sur la route '* (*Taer ala el tarek,* 1981) et *Ahlām, Hind et Kamilia* (1988), Atef al-Tayyib avec *l'Innocent* (*al-Bari ',* 1986), Khayri Bishāra (*al-Tawq wa-l Aswira,* id.), Yusri Nasrallah avec *Vols d'été* (*Sarikat sayfeya,* 1988). Parmi les femmes réalisatrices, il faut citer Inās al-Dighidi et son film *Afwan Ayyuha-l qānūn 84.*

La production a baissé brutalement après 1970, plus encore au lendemain des accords de Camp David, dont une conséquence a été de limiter terriblement l'exportation des films vers les États arabes. Un des handicaps du cinéma égyptien est aussi de dépendre essentiellement du bon vouloir de producteurs pour qui le film n'est qu'une spéculation ; les nombreuses sociétés qui naissent et disparaissent pour répondre à cette politique n'offrent que des capitaux flottants, dont les bénéfices peuvent être réinvestis dans la confection, le bâtiment, l'import-export... (Notons que l'État prélève 40 p. 100 des recettes brutes...) Le seul producteur capable d'imposer ses volontés à tous les stades de la production et du lancement fut Ramsīs Nagīb († 1977). Rénovés à la fin des années 70, les studios de Gizah offrent des moyens techniques corrects, sauf en ce qui concerne le son et les truquages, d'une qualité plus que moyenne. On y rencontre d'excellents techniciens, des chefs opérateurs et des décorateurs de premier ordre, qui font oublier le goût douteux des productions commerciales. L'importation est soumise à un quota depuis 1972. Quelques salles ont été modernisées mais sont toujours concentrées dans les grandes villes. L'Égypte ne compte que 152 salles de cinéma pour 55 millions d'habitants. Les clubs vidéo et la programmation des films à la TV (3 chaînes) comblent cette indigence. Depuis que les TV du Golfe arabe diffusent la publicité, la production égyptienne a sensiblement baissé (60 films par an) mais 60 p. 100 au moins des recettes proviennent dorénavant du parc national avec l'aide sensible des clubs vidéo égyptiens. Le Centre technique audiovisuel du Caire joue le rôle d'une cinémathèque où les quelques critiques cairotes ayant une bonne connaissance du cinéma ont coutume de se rassembler, mais ils sont dépourvus d'influence tant la presse reste indifférente à la défense du film. C.M.C.

EHMCK *(Gustav), cinéaste allemand (Garmisch-Partenkirchen 1937).* Il suit une formation de photographe et d'acteur, réalise six courts métrages de 1962 à 1967, crée sa propre société de production et réalise un premier long métrage très remarqué, *la Trace d'une jeune fille* (*Spur eines Mädchen,* 1967). Il réalise ensuite huit autres longs métrages, dont *la Fissure* (*Die Spalte,* 1970 ; d'après Günter Wallraf) et *Étudiants sur l'échafaud* (*Studenten aufs Schafott,* 1972). C'est avec son adaptation d'un livre pour enfants qu'il trouve le succès : *Der Räuber Hotzenplotz* (1974 ; ultérieurement découpé en épisodes pour la télévision). Il donne une suite à ce film en 1979, avec Peter Kern dans le rôle principal à la place de Gert Fröbe. Il ne réalisera ensuite que peu de films, dont *Josephs Tochter* (1982) et *Ein Schweizer namens Nötzli* (1989, en Suisse). D.S.

EICHBERG *(Richard), cinéaste et producteur allemand (Berlin 1888 - Munich 1952).* Il débute en 1913 en réalisant *Collins Tagebuch.* Une quarantaine de films suivront, les premiers teintés d'une vague coloration expressionniste, à la mode du temps *(Hypnose, Monna Vanna),* d'autres (à l'approche des années 30) relevant plutôt de la comédie légère, non exempte de vulgarité *(Die tolle Lola),* les derniers (au parlant) sans originalité ni thème personnel particuliers, à l'exception du fameux diptyque *Der Tiger von Eschnapur / Das Indische Gribmal* (1938), remake du film muet de Joe May, *le Tombeau hindou,* dont Fritz Lang tournera en 1959 une troisième et superbe version. Eichberg a dirigé les deux moutures, allemande et française : l'allemande surtout est riche d'une extravagance et d'un dynamisme dignes des grands serials muets. Eichberg a tourné un ultime film après guerre, *Die Reise nach Marrakesch* (1949). C.B.

EIDOPHORE → TÉLÉPROJECTION.

EILERS *(Dorothea Sally Eilers,* dite *Sally), actrice américaine (New York, N.Y., 1908 - Woodland Hills, Ca., 1978).* Au cours des années 20, elle apparaît dans des rôles mineurs (on la remarque toutefois aux côtés de Hoot Gibson et de Buster Keaton) avant d'être engagée par Mack Sennett dans *The Good bye Kiss,* en 1928. En 1931, Frank Borzage lui offre sa plus belle interprétation dans *Bad Girl,* où elle a James Dunn comme partenaire. Elle est alors considérée comme l'une des plus jolies actrices d'Hollywood, mais, curieusement, elle ne parvient pas à s'imposer dans des films d'envergure et doit se contenter de figurer dans des productions de second ordre. Elle fut l'épouse de Hoot Gibson (1930-1933) et du producteur américain Harry Joe Brown (1933-1943). J.-L.P.

EISBRENNER *(Werner), musicien allemand (Berlin 1908 -* id. *1981).* Il étudie à Berlin avec Dahlke et Hernried. À 26 ans, il entame une carrière prolifique et parfois talentueuse, attachant son nom à quelques films singuliers, parmi lesquels *Lumière dans la nuit* (H. Käutner, 1942) en collaboration avec Lothar Brühne, *Titanic* (Herbert Selpin et Werner Klinger, 1943), *Grosse Freiheit Nr. 7* (Käutner, 1944), *Ballade berlinoise* (R. A. Stemmle, 1948), *Des enfants, des mères et un général* (L. Benedek,

1955), *les Rats* (R. Siodmak, *id.*), *Der letzte Zeuge* (W. Staudte, 1960). P.H.

EISENSTEIN (*Serguei Mikhaïlovitch* [*Sergej Mikajlovič Ejzenštejn*]), *cinéaste et théoricien soviétique (Riga 1898 - Moscou 1948).* Fils d'un architecte-ingénieur d'origine juive allemande et d'une mère « aryenne » russe appartenant à la grande bourgeoisie marchande, Eisenstein connaît une enfance grise et solitaire dans une famille désunie. Ses parents divorcent en 1912. Ses études achevées au lycée de Riga, il entre à l'Institut du génie civil de Petrograd. Après la révolution de février 1917, il fait partie de la Milice populaire puis est appelé à l'École d'élèves officiers du génie. En mars 1918, il s'engage dans l'Armée rouge, collabore au théâtre aux armées, décore des trains de l'*agit-prop.* Démobilisé, il s'inscrit à l'Académie militaire de Moscou en vue d'étudier le japonais. Mais, retrouvant son ami d'enfance Maxime Chtraoukh devenu comédien, il décide de se consacrer lui aussi exclusivement au théâtre. Il devient chef décorateur puis directeur artistique du premier Théâtre ouvrier du Proletkoult. Entre 1921 et 1922, il suit les cours de Meyerhold, où il se lie à Serge Youtkévitch, cofondateur de la FEKS avec Grigori Kozintsev et Léonid Trauberg. Du printemps de 1923 au printemps de 1924, il dispose de sa propre troupe et monte, avec le concours de Serguei Trétiakov, ses propres spectacles, trois *agit-guignols* (*' le Sage '*, avril 1923 ; *' Moscou entends-tu ? '*, novembre 1923 ; *' Masques à gaz '*, février 1924), ce dernier joué dans l'usine à gaz de Moscou. Ce théâtre est dominé par l'*excentrisme ;* Eisenstein y met en pratique le « montage des attractions » qu'il a théorisé dans un article manifeste paru en juin 1923 dans *Lef,* la revue du Front gauche de l'art animée par Maïakovski. Mais la contradiction entre le langage essentiellement conventionnel du théâtre et le discours violent de la réalité d'une usine véritable paraît à Eisenstein insurmontable – sauf au cinéma. Il décide donc le Proletkoult à produire des films. Un cycle de sept films est prévu : *Vers la dictature* (du prolétariat). Eisenstein tournera le cinquième. C'est *la Grève* (1925), que ses « attractions » – le « royaume des gueux », le travail des mouchards de la police, l'attaque par les cosaques de la cité ouvrière, le massacre des grévistes – rendent immédiatement célèbre. L'année suivante, *le Cuirassé « Potemkine »* bouleverse le cinéma mondial. Il inquiète aussi toutes les censures. Dès ces premières œuvres, la réflexion théorique et l'esthétique d'Eisenstein sont assurées. Elles vont nourrir, à partir de 1928, son enseignement à l'Institut du cinéma. Le cinéma doit tendre au langage, le film au discours. Principe dynamique, le montage leur fournit une syntaxe. Il ménage entre les plans des surprises, des chocs, des conflits producteurs de sens. Faire un film, ce ne sera plus élaborer un contenu, une histoire, à partir de lois dramatiques réputées universelles ; ce sera assembler, organiser des plans. Le film ne sera plus un spectacle, ni un drame, ni un voyage documentaire, ni un reportage conçu à la façon des filatures policières ; ce sera une réflexion jaillie d'une expérience concrète, le cheminement orienté d'une pensée, l'analyse d'une réalité. « L'Amérique [avec Griffith] n'a pas compris le montage, écrit Eisenstein. L'Amérique reste honnêtement narrative, elle ne redistribue pas ses images figuratives, elle montre simplement ce qui arrive. » Le gros plan chez Griffith n'est qu'un plan rapproché (on voit mieux). Chez Eisenstein, c'est vraiment un plan gros, un plan agrandi : comme le Christ ou les rois de la peinture gothique qui dépassent de plusieurs têtes ceux qui les entourent (c'est un argument qui prend place et force dans un débat).

1926. Eisenstein s'attelle à *la Ligne générale,* dont le thème est la collectivisation des campagnes. Il lui faut bientôt l'interrompre pour tourner *Octobre,* le film du jubilé (dixième anniversaire de la révolution). *Octobre* inaugure le *montage intellectuel* ou « pensée sensorielle » : jeux d'associations d'images plus ou moins arbitraires qui doivent conduire « physio logiquement » – car il s'agit de concilier l'approche poétique et l'approche rationnelle – l'esprit du spectateur vers les concepts puis les idées préétablis par le cinéaste. Selon une formule qu'il emprunte à l'histoire de l'écriture idéogrammatique (un œil + de l'eau = pleurer ; un arbre + du feu = automne ; une femme + un toit = sérénité), le film construit ses propres « idéogrammes » et les modifie à mesure des besoins de sa dialectique. C'est une pensée qui se développe, qui *s'écrit* en images et en rythmes. Eisenstein n'aura plus latitude de pousser plus avant cette expérience révolutionnaire. Tout au plus pourra-t-il la répéter (dans *la Ligne générale,* dans *Ivan le Terrible*), mais en la déguisant. Quand il reprend le tournage de *la Ligne générale,* la ligne politique du pouvoir a changé, la collectivisation s'est accélérée, la violence et la terreur se sont emparées des campagnes. Le film, débaptisé, devient *l'Ancien et le Nouveau* et Eisenstein l'installe non dans l'idéal réalisé mais, honnêtement, dans le mythe socialiste ou, si l'on préfère, dans l'utopie.

En visite à Moscou, en 1926, Douglas Fairbanks et Mary Pickford avaient promis à Eisenstein de le faire venir à Hollywood afin qu'il tourne pour les Artistes associés. En 1928, Joseph Schenk, président de l'United Artists, invite effectivement le cinéaste, qui, le 19 août 1929, se met en route, accompagné de son opérateur Edouard Tissé et de son assistant Grigori Alexandrov. Mais, moins d'un mois plus tard, Schenk annule sa proposition. Le trio s'affaire en Europe, en quête d'un travail dans le cinéma devenu parlant. En Suisse, au Congrès du cinéma indépendant, il tourne *Tempête sur la Sarraz,* à Paris *Romance sentimentale,* étude poético-musicale de contrepoint audiovisuel. Eisenstein donne des conférences à Londres, à Berlin, à Paris. Enfin (avril 1930), il signe un contrat avec la Paramount. Tous les scénarios qu'il élabore à Hollywood sont rejetés. En octobre, la Paramount résilie leur contrat. Une violente campagne anticommuniste se développe. Le département d'État refuse de prolonger le permis de séjour du trio. L'écrivain socialiste Upton Sinclair offre une solution : il crée une maison de production qui permettra au cinéaste de réaliser un film au Mexique. Commence l'aventure — exaltante puis catastrophique — de *Que viva Mexico !* Eisenstein travaille dans une ferveur renouvelée. Il tient l'œuvre la plus intime de sa vie. Il s'abandonne à l'enthousiasme de la création. Mais, affolé par les dépassements de temps, de métrage et d'argent, Upton Sinclair met brutalement fin au tournage à la mi-janvier 1932. Les négatifs ne parviendront à Moscou qu'en 1973 ! De cette « cathédrale engloutie » nous ne pouvons voir aujourd'hui que des fragments ou des bout-à-bout, images souvent sublimes auxquelles l'essentiel toujours manquera : le montage qui les eût organisées en poème et en discours politiques. Eisenstein se relève mal de cette épreuve. Il réintègre difficilement un cinéma qui, en son absence, s'est modifié. Plusieurs projets qui lui tiennent à cœur (*M. M. M. – Maxime Maximovitch Maximov –,* burlesque satirique dirigé contre l'Intourist ; *Black Majesty* sur Henri-Christophe, libérateur de Haïti qui finit en tyran ; *la Condition humaine* d'après [et avec] André Malraux) sont rejetés. Nouvel échec grave : *le Pré de Béjine,* qu'il commence en 1935, est interrompu en 1936, aussitôt repris sous une nouvelle forme mais définitivement suspendu en mars 1937. Quelques centaines de photogrammes subsistent. Eisenstein « se range ». Il veut à tout prix retrouver sa place dans le cinéma soviétique. Épopée nationale conforme aux credo du « réalisme socialiste », *Alexandre Nevski* lui apporte cette revanche. Eisenstein n'y perd pas son âme ; il y poursuit ses expérimentations, certaines dissimulées, d'autres au grand jour (le montage polyphonique ou vertical). Redevenu le « numéro un », il peut entreprendre l'énorme et puissante fresque d'*Ivan le Terrible,* qui doit comprendre trois époques (1942-1946). La condamnation par le parti du deuxième volet (il ne sera montré publiquement qu'en 1958), bientôt suivie de la mort du cinéaste (1948) ne font pas, paradoxalement, d'*Ivan le Terrible* une œuvre tronquée. Tout au contraire : l'Histoire lui a conféré son unité. Au long du film, Eisenstein évolue en même temps que son héros. Il compose autour d'Ivan et sa mystique de la monarchie un cérémonial de grandeur et de noblesse mais bientôt il s'y trouve piégé avec son héros. Le culte de la personnalité auquel il a forgé ses plus hautes lettres de noblesse est intenable. Il le montre.

Avec seulement huit films, mais aussi les milliers de pages qui rapportent son enseignement au VGIK, avec d'autres milliers de pages qui développent une réflexion théorique ininterrompue depuis les années 20 sur l'esthétique cinématographique, Eisenstein a conquis et conserve une place centrale dans le cinéma universel. B.A.

Films ▲ : *Journal de Gloumov* (*Dnevnik Glumova,* une bobine de 120 m insérée dans le spectacle théâtral *le Sage* [*Mudrec*], 1923) ; *la Grève* (*Stačka,* 1925) ; *le Cuirassé « Potemkine »* (*Bronenosec Potemkin,* id.) ; *Octobre* (*Oktjabr',* 1927) ; *la Ligne générale* (*General'naja Linija,* achevé sous le titre *l'Ancien et le Nouveau* [*Staroe i novoe*], 1929) ; *Tempête sur la Sarraz* (1929), divertissement burlesque tourné en Suisse, inachevé et perdu ; *Romance sentimentale* (1930), court métrage musical réalisé en France par G. Aleksandrov et E. Tissé, signé par Eisenstein ; *Que viva Mexico !* (MEX, 1931, inachevé — les négatifs vendus à la MGM furent utilisés dans le film *Viva Villa.* Par ailleurs, plusieurs montages différents furent commercialisés comme *Tonnerre sur le Mexique* et *Kermesse funèbre* [tous deux de 1933] — Marie Seton en 1939 réalisa un nouveau montage sonorisé : *Time in the Sun.* Jay Leyda en 1954 utilisa les rushes du film dans l'ordre où ils furent enregistrés par Tissé [*Eisenstein's Mexican Project*]. Enfin, en 1979, Aleksandrov donna au film une version dite « intégrale ») ; *le Pré de Béjine* (*Bežin lug,* 1935-1937), inachevé et détruit ; *Alexandre Nevski* (*Aleksandr Nevskij,* 1938) ; *le Canal de Fergana* (*Bolšoj Ferganskij Kanal,* CM-DOC, 1939) ; *Ivan le Terrible,* première partie (*Ivan Groznyj,* 1942-1944) ; *Ivan le Terrible,* deuxième partie (1945-1946), interdite jusqu'en 1958.

EISLER *(Johannes,* dit *Hanns), compositeur allemand (Leipzig 1898 - Berlin 1962).* Ancien élève de Schönberg, il collabore aux expériences de cinéastes d'avant-garde (*Opus III* de Walter Ruttmann, 1924) et aux pièces didactiques de Brecht. Il compose la musique du film pacifiste *No Man's Land* (V. Trivas, 1931) et du film de Dudow [et Brecht] *Kühle Wampe* (1933). Il quitte alors l'Allemagne et travaille dans plusieurs pays européens ; il écrit la musique du *Grand Jeu* (J. Feyder, 1934), adapte pour l'écran un opéra de Leoncavallo (*Pagliacci,* tourné à Londres par Karl Grüne en 1936) et collabore à plusieurs films de Joris Ivens : *Komsomol, Nouvelle Terre, les 400 Millions.* Réfugié aux États-Unis, il enseigne et compose des musiques de films, dont *Les bourreaux meurent aussi* (F. Lang, 1943), *Rien qu'un cœur solitaire* (C. Odets, 1944), *A Scandal in Paris* (D. Sirk, 1946). En 1944, il écrit avec Theodor W. Adorno un livre sur la musique de film. Expulsé par la commission McCarthy en 1948, il s'établit en RDA. Honoré par les autorités mais souvent critiqué (son opéra *Johann Faustus* fait scandale), il se consacre principalement à son œuvre personnelle, mais il lui arrive souvent de composer pour le cinéma : *Notre pain quotidien* (S. Dudow, 1949) ; *Destins de femmes* (id., 1952) ; *Bel Ami* (L. Daquin, 1955) ; *Maître Puntila et son valet Matti* (A. Cavalcanti, 1956) ; *Nuit et Brouillard* (A. Resnais, *id.*) ; *les Sorcières de Salem* (R. Rouleau, 1957). D.S.

EISNER *(Lotte H.), historienne de cinéma, française d'origine allemande (Berlin 1896 - Paris 1983).* Témoin passionné et lucide de l'âge d'or du cinéma allemand des années 20, elle devait quitter son pays natal en 1933 à la montée du nazisme et s'installer à Paris, où elle fut, durant de longues années, la proche collaboratrice d'Henri Langlois à la Cinémathèque française (elle occupa de 1945 à 1975 le poste de conservateur en chef). Son expérience de l'époque expressionniste lui fit écrire trois livres essentiels : *l'Écran démoniaque* (1952), *F. W. Murnau* (1965), *Fritz Lang* (1984). J.-L.P.

EISSYMONT *(Viktor) [Viktor Vladislavovič Ejsymont], cinéaste soviétique (Grodno 1904 - ? 1964).* Assistant de Youtkevitch et Arnchtam de 1931 à 1939, il coréalise avec ce dernier *' l'Amitié '* (*Druz'ja,* 1938), débute avec *' le Quatrième Périscope '* (*Četvertyj periskop,* 1939) puis signe des œuvres de facture relativement académique, parmi lesquelles *' Il était une fois une petite fille '* (*Zila-byla devočka,* 1944), *' le Croiseur Variag '* (*Krejser Varjag,* 1947), *' Aleksandr Popov '* (1949), *' Lumière sur le fleuve '* (*Ogni na reke,* 1954), *' Deux Amis '* (*Dva druga,* 1955), *' Destin d'un tambour major '* (*Sud'ba barabanščika,* 1956), *' À la bonne heure ! '* (*V dobryj čas !,* id.), *' Petit Ami '* (*Družok,* 1958), *' la Fin de la vieille Berezovka '* (*Konec staroj Berezovki,* 1961), *' la Ville extraordinaire '* (*Neobyknovennyj gorod,* 1963). J.-L.P.

EJOV *(Valentin), scénariste soviétique (Samar, auj. Kouibychev, 1921).* Diplômé de la faculté du VGIK en 1950, il débute en 1953 (le plus souvent en collaboration avec un autre scénariste ou/et le réalisateur) avec *Nos champions* (M. Donskoï) et *Liana* (B. Barnet). C'est en 1959 qu'il acquiert une réputation incontestée avec le scénario de *la Ballade du soldat,* écrit avec le réalisateur Grigori Tchoukhraï et qui lui vaut un prix Lénine : ce film apparaît comme l'un des premiers jalons de la Nouvelle Vague soviétique en proposant une vision résolument *antihéroïque* de la Seconde

Guerre mondiale. Il collabore ensuite avec Gueorguï Danélia *(Trente-Trois),* Larissa Chepitko *(les Ailes,* 1966), deux films qui valent par leur engagement social ; il a également contribué au *Nid des gentilshommes* de Mikhalkov-Kontchalovski, à l'adaptation des ouvrages de John Reed pour la superproduction *les Cloches rouges* (S. Bondartchouk, 1982-83) et a signé le scénario du *Tsar Ivan le Terrible* (*Car'Ivan Groznyj,* 1991) de Guennadi Vassiliev. M.M.

EKBERG *(Anita), actrice suédoise (Malmö 1931).* À dix-huit ans, elle est élue Miss Suède et est invitée aux États-Unis, où elle est lancée par la Warner dans *l'Allée sanglante* (W. Wellman, 1955) aux côtés de John Wayne. Elle fait deux apparitions éblouissantes dans *Artistes et Modèles* (F. Tashlin, 1955) et dans *Un vrai cinglé de cinéma* (id., 1956) aux côtés de Dean Martin et Jerry Lewis. Fellini lui donne un rôle de vamp prototype dans *La dolce vita* (1960), repris en dimensions géantes dans son épisode *Le tentazioni del dottor Antonio* de *Boccace 70* (1962). Malgré ce succès fondé sur une plastique plus qu'avantageuse, la suite de sa carrière européenne marque un déclin rapide. Elle fait pourtant un remarquable retour dans *Intervista* (F. Fellini, 1987). L.C.

EKK *(Nikolaï Ivakin,* dit *Nikolaï) [Nikolaj Vladimirovič Ekk], cinéaste et acteur soviétique (Riga 1902 - Moscou 1976).* Élève, acteur et régisseur de scène de Meyerhold, il s'intéresse de bonne heure à la technique cinématographique et notamment aux problèmes du son. Il réalise en 1930 le premier film parlant soviétique, *le Chemin de la vie (Putevka v žizn),* qui restera son œuvre la plus intéressante. C'est une illustration pleine de fougue des principes pédagogiques d'Anton Makarenko (cf. le *Poème pédagogique*), fondés sur les notions (alors révolutionnaires) de responsabilité et d'autodiscipline. Ekk en tire une sorte de poème lyrique à la gloire du marxisme, dépeignant une bande de gavroches ukrainiens (les *besprizornyié,* enfants que la guerre civile et le chômage ont livrés à eux-mêmes) qui vont se transformer, par l'effet d'une éducation au coude à coude, en héros de la collectivité. Par souci de réalisme, Ekk et son équipe vécurent plusieurs mois dans des centres de rééducation lors de la préparation du film. Le succès du film fut considérable, en URSS et à l'étranger, où il triompha de toutes les censures. Son influence est sensible sur de nombreux films traitant de la délinquance juvénile, par exemple *Nous les gosses* (L. Daquin, 1941), *Quelque part en Europe* (G. Radvanyi, 1947) ou *Los olvidados* (L. Buñuel, 1950). La suite de la carrière de Nikolaï Ekk est décevante. Il tourne en 1935 les premiers films en couleurs soviétiques, *' Carnaval de couleurs '* (*Karnaval cvetov,* 1935) et *' Rossignol, petit rossignol ' (Solovej-solovuško* [*Grunja kornakova,* 1936]) sur une grève ouvrière dans une fabrique de porcelaine au début du siècle, puis une adaptation de Gogol, *' la Foire de Sorotchinski '* (*Soročinskaja jarmarka,* 1939). Éloigné des studios pendant l'ère stalinienne, il y est revenu sur le tard pour tourner... des essais de films en stéréoscopie ! C.B.

EKMAN *(Gösta), acteur suédois (Stockholm 1890 -* id. *1938).* Surtout connu à l'étranger pour son interprétation du violoniste qui tombe amoureux d'Ingrid Bergman dans le film de Gustav Molander *Intermezzo* (1936), il fut certainement l'un des plus grands noms de la scène et de l'écran suédois de 1915 à sa mort. « Le théâtre, c'est comme le ping-pong, disait Jouvet : il faut qu'il y ait quelqu'un de l'autre côté du filet. » Dans ses interprétations, Ekman n'a jamais manqué de s'adresser au public bien plus encore qu'à ses partenaires. Il savait être passionné et expansif, tendre et mélancolique, héroïque et plein de vigueur. Pas plus qu'Orson Welles il n'aurait pu jouer un personnage effacé.

À l'écran il s'impose dans plusieurs films de John W. Brunius (*' le Chat botté ',* 1918 ; *' Charles XII ',* 1924-25, *' Gustav Wasa ',* 1928), Rune Carlsten (*' la Bombe ',* 1919 ; *' les Traditions de la famille ',* 1920 ; *' Un jeune comte ',* 1924), Victor Sjöström (*l'Épreuve du feu,* 1921), Gustav Molander (*la Famille Swedenhielms,* 1935) et Gustav Edgren (*Johan Ulfstjerna,* 1936). Au Danemark, il interprète *' le Clown '* d'Anders W. Sandberg en 1926 et la même année obtient le rôle-titre du *Faust* de Murnau. P.CO.

EKMAN *(Hasse), acteur et cinéaste suédois (Stockholm 1915).* Fils de Gösta Ekman, il est une des figures marquantes du cinéma suédois des années 40. Sa carrière a côtoyé un temps celle d'Ingmar Bergman, dont il devint l'ami (et le rival), notamment à l'époque où tous deux travaillaient comme scénaristes à la Svensk Filmindustri. Bel homme, affable et doué d'un joli talent pour la comédie, Ekman joue dans trois films de Bergman : *la Prison* (1949), *la Soif* (id.) et *la Nuit des forains* (1953). Il réalise aussi (et interprète) plusieurs comédies dramatiques et plusieurs comédies, dont les meilleures sont, entre autres : ' *la Première Division* ' (*Första divisionen,* 1941), ' *Changement de train* ' (*Ombyte av tåg,* 1943) et ' *le Banquet* ' (*Banketten,* 1948). Son fils Gösta Ekman est également un excellent comédien du cinéma suédois. P.CO.

EKTACHROME. Nom de marque de films inversibles en couleurs de la firme Kodak. (→ COUCHE SENSIBLE, CONTRASTE.)

ELAM *(Jack), acteur américain (Phoenix, Ariz., 1916).* Il n'est venu au cinéma qu'à l'âge de 34 ans, après avoir exercé divers métiers, notamment dans l'hôtellerie. Sa silhouette longiligne et dégingandée, son visage de dur et son strabisme divergent, incongru et inquiétant, ont contribué à fixer définitivement son image dans la mémoire de deux générations de spectateurs, en particulier dans celle des amateurs de westerns. Il a tenu, en effet, des seconds rôles fortement stéréotypés dans la plupart des classiques du genre, signés Robert Aldrich (*Vera Cruz,* 1954, et *El Perdido* 1961), Anthony Mann (*Je suis un aventurier,* 1955), John Sturges (*Règlements de compte à O. K. Corral,* 1957), Sergio Leone (*Il était une fois dans l'Ouest,* 1968), Sam Peckinpah (*Pat Garrett et Billy le Kid,* 1973). Son physique le cantonnant nécessairement dans un cinéma de genre et dans des rôles épisodiques, il a été naturellement sollicité pour tenir des emplois d'homme de main dans les films noirs : *En quatrième vitesse* (Aldrich, 1955), *l'Ennemi public* (D. Siegel, 1957). Mais il est apparu également dans des rôles moins systématiquement typés, dans des films de réalisateurs aussi prestigieux que Fritz Lang (*l'Ange des maudits,* 1952, et *les Contrebandiers de Moonfleet,* 1955), Frank Tashlin (*Artistes et Modèles,* 1955), Frank Capra (*Milliardaire pour un jour,* 1961). M.S.

ÉLARGI *(cinéma).* On appelle « cinéma élargi » toute forme de présentation cinématographique qui modifie d'une façon ou d'une autre la projection classique définie comme envoi sur un écran, devant des spectateurs assis, d'une image obtenue par le passage d'une pellicule dans un projecteur. Par exemple : la projection par Man Ray, lors d'une fête chez les Pecci-Blunt, dans la France des années 20, de films en couleurs de Méliès sur les invités dansant en costume blanc ; ou la présentation, en guise de spectacle, par l'Américain Tony Conrad, de morceaux de pellicule cuits dans une poêle (*7 360 Sukiyaki,* 1973). Ce cinéma au sens large – dit aussi « syncinéma » par Maurice Lemaître (1952) ou cinéma « éclaté » (les Américains disent depuis 1965 « expanded cinema ») – obéit à des sollicitations assez diverses : volonté de gigantisme, recherche de mariages avec d'autres arts ou, plus près de nous, mise en question ludique ou didactique du processus cinématographique traditionnel.

Le désir d'agrandir ou de multiplier l'image filmique est aussi vieux que le cinéma et se donne rituellement carrière au moment des Expositions universelles : dès celle de 1900, les frères Lumière projettent des films sur un écran de 21 m × 18 m, et Grimoin-Sanson crée son Cinéorama : installés dans la nacelle d'un ballon, les spectateurs peuvent y voir tout autour d'eux une image circulaire continue obtenue à l'aide de dix projecteurs. À l'instar de Gance changeant en triptyque une séquence de son *Napoléon* (1927), beaucoup de cinéastes ont été tentés d'utiliser plusieurs projecteurs à la fois : ainsi Warhol dans *The Chelsea Girls* (1966) ou Werner Nekes dans *Gurtrug n° 2* (1967), film palindrome où l'écran du bas présente à l'envers et en partant de la fin le film projeté en même temps sur l'écran du haut.

De là à joindre au spectacle non seulement d'autres images filmiques mais des éléments empruntés à d'autres arts, il n'y a qu'un pas, que les futuristes italiens, épris de « polyexpressivité », proposent les premiers de franchir. Relèvent de cette perspective les Vortex Concerts de San Francisco (1957-1959) – spectacles lumineux utilisant, avec la stroboscopie et la musique, jusqu'à soixante-dix projecteurs de films ou de diapositives, ou les associations de film et de danse (*Pastorale* de VanDerBeek et *Body Works* d'Emshwiller en 1965).

C'est que le cinéma, art où tout finit par une image impalpable et inchangeable, semble garder la nostalgie du contact à chaque fois unique entre des êtres réels, qui caractérise des arts voisins comme le théâtre ou le cirque : d'où l'idée d'abord de faire participer les spectateurs à la projection. Comme Marinetti pour le music-hall, Van Doesburg pense dès 1929 que « l'espace du spectateur doit faire partie de l'espace filmique » — idée que le lettriste Lemaître concrétise en France à partir de *Le film est déjà commencé ?* (1951). D'autres, après 1960, associent ingénieusement à la projection (commeMcCay avec *Gertie the Dinosaur* dès 1909) des objets réels ou des acteurs (*Laterna Magica* à Prague, R. Whitman aux États-Unis, Terayama au Japon, Fearns en Grande-Bretagne, le Film Road Show en Hollande) ou leur propre corps (Jeff Keen, Lethem, Maria Klonaris, Katerina Thomadaki, etc.).

Souvent, comme en écho aux « déconstructions » et à la « dématérialisation » de l'art conceptuel ou minimal, le cinéma élargi prend aujourd'hui, chez un Tony Conrad ou chez maint Anglais, l'aspect d'un cinéma dépouillé, abandonnant certaines données apparemment essentielles (y compris la projection d'une image) pour se concentrer sur d'autres (le faisceau lumineux chez McCall ou Martedi), en une sorte d'analyse du cinéma par lui-même.

Ainsi se dessine le paradoxe du cinéma élargi, tantôt occupé plus radicalement encore que le « cinéma pur » des années 20 à cerner la spécificité cinématographique, tantôt, au contraire, rejoignant, par un « élargissement » qui peut le mener fort loin de son essence, les arts limitrophes : la peinture (tableaux pelliculaires de Kubelka ou Sharits), la sculpture (Iimura ou Sinden exposant des projecteurs), le music-hall, ou les formes de spectacle qui ont précédé ou qui suivent le cinématographe dans l'histoire des arts de la lumière — orgue de couleurs, spectacles lumino-cinétiques du Bauhaus, mutoscopes (Crockwell, Breer), ombres chinoises (Ken Jacobs), vidéographes ou hologrammes. Cinéma des limites qui découvre, en somme, que le cinéma n'a pas de limite. D.N.

ÉLARGIR. Augmenter le champ, par opposition à serrer.

ELDRIDGE *(Florence McKechnie,* dite *Florence), actrice américaine (Brooklyn, N.Y., 1901 - Santa Barbara, Ca., 1988).* Actrice de théâtre mémorable, célèbre notamment pour sa performance dans *Long Day's Journey Into Night* d'Eugene O'Neill, qui lui valut le New York Drama Critics Award en 1957, elle apparaît sporadiquement à l'écran dans les années 20 puis, toujours sporadiquement, dans les années 30 et 40, n'obtenant pas toujours les rôles qu'elle aurait mérités si l'on en juge par son talent de comédienne de théâtre. Elle s'impose dans *The Greene Murder Case* (F. Tuttle, 1929), *les Misérables* (R. Boleslawsky, 1935, rôle de Fantine), *Marie Stuart* (J. Ford, 1936, rôle de la reine Elizabeth), *le Droit de tuer* (*An Act of Murder,* M. Gordon, 1948). J.-L.P.

ÉLECTRET → PRISE DE SON.

ÉLECTRODYNAMIQUE (MICROPHONE), HAUT-PARLEUR ÉLECTRODYNAMIQUE, → HAUT-PARLEUR, PRISE DE SON.

ÉLECTROSTATIQUE (MICROPHONE), HAUT-PARLEUR ÉLECTROSTATIQUE, → HAUT-PARLEUR, PRISE DE SON.

ELEK *(Judit), cinéaste hongroise (Budapest 1937).* Diplômée de l'École de cinéma de Budapest en 1961, un temps dramaturge et assistante, Judit Elek se révèle très vite comme la pionnière la plus conséquente du « cinéma direct » en Hongrie avec *Rencontre* (1963), qui relate, à partir d'une petite annonce, le premier rendez-vous entre un employé et une infirmière. La subtilité et le tact dont témoigne ce film, la rigueur de son écriture, sa vérité montrent que Judit Elek conçoit le « cinéma direct » comme un mode d'expression spécifique, susceptible d'appréhender la réalité des êtres et des choses avec une profondeur que ne peut atteindre, en Hongrie, le cinéma traditionnel, alors en pleine mutation. D'un film à l'autre, passant du documentaire à une fiction réinventée par les moyens du « direct » et irriguée par un vécu, l'auteur poursuit une démarche d'une singulière cohérence, inscrivant dans un contexte des plus quotidiens les thèmes qu'elle traite et ne cesse d'approfondir : la solitude des êtres et leurs tentatives pour la surmonter, le poids du temps, des circonstances, de l'Histoire, auquel nul ne peut se soustraire. Son œuvre, qui est le fruit d'une exigence inquiète, ne s'accommode ni de concessions à la mode, ni d'entorses à la vérité. P.H.

Films ▲ : *Rencontre* (*Találkozás,* 1963) ; *Des châteaux et leurs habitants* (*Kastélvok lakói,* 1966) ; *Où finit la vie* (*Meddig él az ember ?,* 1967) ; *la Dame de Constantinople* (*Sziget a szárazföldön,* 1969) ; *Nous nous sommes rencontrés en 1971* (*Találkozunk 1971-ben,* 1972) ; *Un village hongrois* (*Istenmezején 1972-73-ben,* 1974) ; *Une simple histoire* (*Egyszerü történet,* 1976) ; *Peut-être demain* (*Majd holnap,* 1979) ; *le Procès Martinovics* (*Vizsgálat Martinovics Ignác szászvári apát és tácsai ügyében,* 1980) ; *la Fête de Maria* (*Mária-nap,* 1984) ; *Mémoires d'un fleuve* (*Tudajosok,* 1989) ; *l'Éveil* (*Ébredés,* 1994).

ELEMACK. Nom de marque d'un chariot de travelling, particulièrement peu encombrant. (→ MOUVEMENTS D'APPAREIL.)

ELÍAS *(Francisco Elias Riquelme,* dit *Francisco), cinéaste espagnol (Huelva 1890 - Barcelone 1977).* Pionnier du cinéma parlant, il débute dans la mise en scène en 1914. *El misterio de la Puerta del Sol* (1930), premier film sonore espagnol, est projeté uniquement à Burgos, à cause d'imperfections techniques. La comédie musicale *Blanc comme neige* (co Jean Choux et Camille Lemoine, 1931) est tournée en France. Avec le soutien de Maciá, président de la Generalitat de Catalogne, Elías fonde à Barcelone le premier studio sonore du pays, Orphea (1932), où il filme *Pax,* la même année, en version française seulement. Il tourne ensuite : *Boliche* (1933), musical joué par un trio argentin, grand succès public, *Rataplan* (1935), policier satirique plein de virtuosité ; *María de la O* (1936), espagnolade prestigieuse, à la mise en scène et à la psychologie suggestives. Durant la guerre civile, il filme la zarzuela *Bohemios* (1937) et la comédie *¡ No quiero... no quiero !* (1938), d'après Benavente. Ces trois derniers titres ne seront exploités qu'après la guerre, avec des modifications substantielles. Exilé au Mexique, il y tourne une dizaine de films conventionnels. Rentré en Espagne en 1948, il ne peut réaliser que *Marta* (1954), qui n'ajoute rien à la carrière de ce dynamique cinéaste des années 30. P.A.P.

ÉLONGATION. Syn. de *allongement.* Par extension, élongation a pris à peu près le sens de frontière entre zone transparente et zone opaque d'une piste sonore optique à élongation variable : piste à *double élongation,* à *quadruple élongation.* (→ PROCÉDÉS DE CINÉMA SONORE.)

ÉLONGATION VARIABLE. Procédé de cinéma sonore à piste optique, où les sons sont traduits par la variation des largeurs respectives d'une zone opaque et d'une zone transparente. (→ PROCÉDÉS DE CINÉMA SONORE.)

ELS. Abrév. anglaise de *Extreme Long Shot.*

ELTON (sir *Arthur*), *cinéaste et producteur britannique (Londres 1906 - ? 1973).* Après des études à Cambridge, Elton travaille pour Michael Balcon à Gainsborough Pictures puis se joint à John Grierson, avec qui il fonde, en compagnie de Harry Watt, le Film Centre en 1937. Spécialiste du film scientifique, Elton sera conseiller dans la haute administration publique et privée : ministère de l'Information, société Shell, Unesco, etc. Son film le plus important est une dénonciation des taudis, *Housing Problems* (1935), coréalisé avec Edgar Anstey, film qui employait l'interview en son direct. P.P.

ELVEY *(William Seward Folkard,* dit *Maurice), cinéaste britannique (Darlington 1887 - Brighton 1967).* Au sein d'une œuvre abondante commencée en 1912 *(Maria Marten),* et terminée en 1957 *(Second Fiddle),* quelques titres font date dans l'histoire du cinéma britannique : *le Chien des Baskerville* (*The Hound of the Baskervilles,* 1921) ; une série *Sherlock Holmes* (1921) ; *Dick Turpin Ride to York* (1922) ; *Mademoiselle from Armentières* (1926) ; *The Flag Lieutenant* (1926) ; *Point ne tueras* (*High Treason,* 1929) ; *Sally in Our Alley* (1931) ; *The Tunnel* (1935) ; *Amour tragique* (*Beware of Pity,* 1946). R.L.

ÉMERGENT. *Rayon émergent,* rayon lumineux qui sort d'un dispositif optique. (→ OPTIQUE GÉOMÉTRIQUE.)

EMERSON *(Clifton Paden,* dit *John), réalisateur et scénariste américain (Sandusky, Ohio, 1874 - Pasadena, Ca., 1956).* Il commença à écrire des scénarios en 1912 et en 1915, à la Triangle, il se vit confier la réalisation de quelques Douglas Fairbanks. Il en écrivit beaucoup avec l'aide de la jeune Anita Loos, qu'il épousa. Ses films sont vifs et sympathiques, tel *The Americano* (1916). Vers le milieu des années 20, il abandonna la réalisation pour se consacrer à l'écriture, toujours en collaboration avec sa femme, ainsi *Les hommes préfèrent les blondes* (Saint-Clair, 1928) ou *San Francisco* (W. S. Van Dyke, 1936). Il fut aussi journaliste et écrivain. C.V.

EMMER *(Luciano), cinéaste italien (Milan 1918).* Avec Enrico Gras, il fonde en 1940 une maison de production pour laquelle il dirige de nombreux courts métrages sur l'art, dont *Racconto da un affresco* (1941) et *Piero della Francesca* (1949). Sergio Amidei écrit et produit son premier long métrage, *Dimanche d'août (Domenica d'agosto,* 1950), un chef-d'œuvre d'analyse sociale ironique, composé de petites histoires entrecroisées pendant un jour d'été. Son style presque documentaire et sa vision pleine de bonhomie s'affirment dans une série de comédies sur des jeunes amoureux, souvent peu appréciées : *Paris est toujours Paris* (*Parigi è sempre Parigi,* 1951) ; *les Fiancés de Rome* (*Le ragazze di piazza... di Spagna,* 1952) ; *l'Amour au collège* (*Terza liceo,* 1953). Dans *Camilla* (1955), il décrit, avec des accents très justes, un milieu familial en crise. Après deux autres comédies de mœurs assez originales comme *le Bigame* (*Il bigamo,* 1956), et *le Moment le plus beau* (*Il momento più bello,* 1957), il dirige en 1961 un excellent drame sur les ouvriers émigrés en Belgique, *la Fille dans la vitrine (La ragazza in vetrina),* son dernier film. Ensuite, il se consacre exclusivement à la TV et à la publicité. Son œuvre rare et apparemment sans grandes ambitions est sans doute une des plus lucides des années 50 et son témoignage sociologique est irremplaçable. L.C.

EMMY. Aux États-Unis, équivalent TV de l'Oscar.

EMPÂTAGE. Lors des opérations de développement, application d'un révélateur pâteux sur la piste sonore optique d'un film en couleurs. (→ PROCÉDÉS DE CINÉMA SONORE.)

EMSHWILLER *(Ed), dessinateur, opérateur, cinéaste et vidéographe américain (Lansing, Mich., 1925 - Valencia, Ca., 1990).* Après la Seconde Guerre mondiale (durant laquelle il est fantassin), il fait des études de dessin à l'université du Michigan, puis de peinture aux Beaux-Arts de Paris. Il se fait alors connaître comme illustrateur de science-fiction. Il lui reste de cette période le goût de filmer, parfois avec des danseuses en surimpression, des peintures abstraites en gestation (*Paintings by E. E.,* 1955-1958 ; *Transformation,* 1959 ; *Dance Chromatic,* 1959, etc.). Son travail d'opérateur dans des films comme *Alléluia les collines* (*Hallelujah the Hills,* A. Mekas, 1963) et le souci de finition dont témoignent ses films lui assurent une réputation d'excellent technicien, à l'opposé du côté volontairement « mal léché » des films underground. De plus en plus, son cinéma, varié et inégal, utilise la danse. Ainsi la séquence de « cauchemar » qu'il réalise pour *Time of the Heathen* (1961) de Peter Kass, *Totem* (1962-63) et *Fusion* (1963), tournés (comme plus tard *Chrysalis,* 1973) avec le danseur Alwin Nikolais, *Image, Flesh and Voice* (1969), *Carol* (1970), *Film with 3 Dancers* (1970) ou *Choice Chance Woman Danced* (1971), qui, comme *Scrambles* (1963), film sur la moto, ou *Branches* (1970), est plus un mélange lyrique de documentaire et de fiction qu'un film expérimental. Au vrai, l'apport d'« Emsh » au cinéma expérimental est plutôt à chercher dans *Thanatopsis* (1962), où le mouvement rapide des corps donne à l'image une sorte d'hystérie tachiste, dans *Body Works* (1965), film « élargi » où trois projecteurs mobiles envoient des images d'eux-mêmes sur des danseurs vêtus de blanc, et surtout *Relativity* (1966), d'une sûre perfection technique. Depuis 1972, il utilise la vidéo pour traiter ses thèmes favoris (*Thermogenesis,* 1972 ; *Scape Mates,* id. ; *Crossings and Meetings,* 1974 ; *Pilobolus and Joan,* id. ; *Family Focus,* 1975). D.N.

ÉMULSION. Terme chimique désignant un milieu hétérogène où de fines particules (solides ou liquides) sont dispersées dans un liquide. Par extension, syn. de *couche sensible.*

ÉMULSIONNÉ. *Face émulsionnée,* face du film où se trouve l'émulsion, par opposition à *côté support.*

ENCEINTE ACOUSTIQUE. Dispositif en forme de boîte destiné à améliorer le rendement des haut-parleurs qui sont disposés sur une de ses faces. (→ HAUT-PARLEUR.)

ENCHAÎNÉ. Voir FONDU ENCHAÎNÉ.

ENCHAÎNEMENT. En projection à poste double, opération qui consiste, en fin de bobine, à basculer la projection d'un appareil sur l'autre sans que le spectateur s'en aperçoive. (→ PROJECTION.)

ENDFIELD *(Cyril Raker Endfield,* dit *Cy), cinéaste américain (Scranton, Penn., 1914 - Shipston on Stour, Warwickshire, 1995).* Scénariste à Hollywood en 1941, il dirige son premier film en 1946 *(Gentleman Joe Palooka)* et s'impose à l'attention du public avec deux petits films violents et nerveux *The Underworld Story* (1950) et *Fureur sur la ville* (*The Sound of Fury,* 1951), suivis d'un assez faible *Tarzan, défenseur de la jungle* (*Tarzan's Savage Fury,* 1952). Inquiété pour ses opinions politiques à l'époque du maccarthysme, placé sur la « liste noire », il doit s'exiler en Grande-Bretagne. Là, il signe des petits films de série B, dont certains ne manquent pas de punch et de rythme (*Train d'enfer* [*Hell Drivers*], 1957 ; *Sea Fury,* 1958). Au début des années 60, après avoir réalisé *l'Île mystérieuse* (*Mysterious Island,* 1961), il fonde une société de production avec l'acteur Stanley Baker et réalise deux productions luxueuses : *Zoulou* (*Zulu,* 1964) et *les Sables du Kalahari* (*Sands of the Kalahari,* 1965) avant de peindre un curieux et très approximatif portrait du marquis de Sade : *le Divin Marquis* (*De Sade,* 1969). En cours de tournage, il se verra remplacé par R. Corman et Gordon Hessler. Ces derniers films, qui n'eurent pas le succès escompté, semblent avoir découragé Endfield, qui abandonna à Douglas Hickox la mise en scène de *Zulu Dawn,* dont il avait écrit le scénario (1979). J.-L.P.

ENEI *(Evgueni), décorateur soviétique (Hongrie 1890 - Leningrad 1971).* Étudiant d'achitecture à l'Académie des beaux-Arts de Budapest, il combat dans les rangs de l'Armée rouge durant la guerre civile en U. R. S. S. Il débute comme décorateur au studio Lenfilm pour *les Partisans rouges* (*Krasnye partizany,* V. Viskovski, 1924) en collaboration avec le vétéran Vladimir Egorov, puis il vole de ses propres ailes en faisant équipe avec Kozintsev et Trauberg et l'opérateur Andréi Moskvine. Il donne avec eux une suite d'œuvres importantes, où son sens de l'atmosphère s'épanouit aussi bien dans l'exactitude réaliste du cadre quotidien que dans l'évocation stylisée du décor d'époque : *le Manteau* (1927), *S. V. D.* (id.), *la Nouvelle Babylone* (1929), *Seule* (1931), *la Jeunesse de Maxime* (1935), *le Retour de Maxime* (1937). Simultanément, il travaille avec Ermler [*Katka, petite pomme de reinette* (1926), *la Maison dans la neige* (1927), *Un débris de l'empire* (1929)] et Youtkevitch (*la Voile noire,* id.). On lui doit encore deux réussites de premier plan après la guerre : *Don Quichotte* (1957) et *Hamlet* (1964) de Kozintsev. M.M.

ENGEL *(Erich), cinéaste allemand (Hambourg 1891 - Berlin 1966).* Metteur en scène de théâtre depuis 1917, il devient un des plus importants directeurs-metteurs en scène de Munich et Berlin. En 1922, il dirige avec Brecht un des meilleurs films de Karl Valentin, *Mysterien eines Frisiersalons,* mais ce n'est qu'en 1931 qu'il commence à travailler réellement pour le cinéma. Il réalise 24 films jusqu'en 1945, dont *Hohe Schule* (1934), *Der Maulkorb* (1938), *Altes Herz wird wieder jung* (le dernier film de Jannings, 1943), des comédies pour la vedette Jenny Jugo et des films musicaux. Après la guerre, il retrouve ses activités théâtrales et revient au cinéma à Berlin-Est avec un film sur l'antisémitisme, *l'Affaire Blum* (*Affäre Blum,* 1948). Il dirige encore dix films, à l'Ouest et à l'Est, tout en collaborant aux activités du Berliner Ensemble, où Brecht lui-même l'avait appelé.

N. B. Il ne doit pas être confondu avec Erich Engels (1889-1971), qui a réalisé de nombreux films en Allemagne à la même époque, et qui a lui aussi notamment travaillé sur quelques films de Karl Valentin dans les années 30. D.S.

ENGEL *(Morris), cinéaste américain (New York, N. Y., 1918 - 1986).* Photographe de formation, il fait preuve d'une grande sensibilité artistique avec la réalisation, en 1953, du *Petit Fugitif (The Little Fugitive),* film plein d'idées, contant la fuite d'un jeune garçon qui croit avoir commis un meurtre, à Coney Island. Pour cette œuvre à très petit budget, tournée avec son épouse Ruth Orkin, il obtient un grand succès international. Dans les mêmes conditions, il réalise ensuite *Lovers and Lollipops* (1955) et surtout *Weddings and Babies* (1958), récompensé par le prix de la critique à Venise. Ce dernier film, qu'Engel tourne en décors naturels avec une caméra légère de sa fabrication, ouvre une voie nouvelle dans l'indépendance des cinéastes vis-à-vis du système cinématographique. Enfin, il est scénariste et producteur de ses films. F.LAB.

ENRICO *(Robert), cinéaste français (Liévin 1931).* Formé à l'IDHEC, il est, dans les années 50, un des réalisateurs de courts métrages (militaires et civils) les plus productifs et les plus primés : *Thaumetopoea* (1960), au carrefour du cinéma scientifique et du cinéma poétique, illustre sa maîtrise technique et son sens du cinéma. En 1962, trois de ses courts métrages, adaptés de nouvelles d'Ambrose Bierce, sont regroupés et diffusés sous le titre *Au cœur de la vie.*

Il débute véritablement dans le long métrage l'année suivante (en fait, il avait coréalisé en Italie *À chacun son paradis* [*Paradiso terrestre*] de Luciano Emmer en 1957, mais son rôle y avait été seulement celui d'un technicien) avec *la Belle Vie,* un des rares films du temps à prendre en compte l'actualité (la fin de la guerre d'Algérie). Il poursuit depuis une carrière irrégulière, où les films intimistes (*Tante Zita,* 1968) sont plus rares que les films d'action virile (policiers, films d'aventures). Son itinéraire illustre remarquablement les servitudes économiques qui pèsent sur les cinéastes français des années 70 : le grand succès commercial qu'il remporte avec *le Vieux Fusil* (1975) n'empêche pas deux ans plus tard l'interruption en plein tournage de son *Coup de foudre.* Son film suivant, *Un neveu silencieux* (produit par Antenne 2 et diffusé au petit écran en mai 1977), est une des rares productions de la télévision française qui soient sorties dans les salles de cinéma. (Il le fut à l'automne 1979.) Il se consacre ensuite à plusieurs adaptations littéraires : *l'Empreinte des géants, Pile ou face, Au nom de tous les miens, Zone rouge* et *De guerre lasse,* avant de se voir confier la réalisation du film « officiel » du bicentenaire de la Révolution française. J.-P.J.

Films ▲ : *Au cœur de la vie* (1962) ; *la Belle Vie* (1965) ; *les Grandes Gueules* (1966) ; *les Aventuriers* (1967) ; *Tante Zita* (1968) ; *Ho !* (1968) ; *Un peu, beaucoup, passionnément* (1971) ; *Boulevard du rhum* (1971) ; *les Caïds* (1972) ; *le Secret* (1974) ; *le Vieux Fusil* (1975) ; *Coup de foudre* (inachevé, 1977) ; *Un neveu silencieux* (1979) ; *l'Empreinte des géants* (1980) ; *Pile ou Face* (id.) ; *Au nom de tous les miens* (1983) ; *Zone rouge* (1986) ; *De guerre lasse* (1987) ; *la Révolution française* (1re partie : *les Années lumières,* 1989) ; *Vent d'est* (1993).

ENRIGHT *(Raymond,* dit *Ray), cinéaste américain (Anderson, Ind., 1896 - Los Angeles, Ca., 1965).* Monteur pour Chaplin, puis pour Mack Sennett et enfin pour Inca, il débute à la Warner en 1927 comme réalisateur. Il dirige les films du chien Rin-Tin-Tin, puis les médiocres comédies musicales de la First National. Enfin, en 1942, commence son association avec Randolph Scott pour une série de westerns dont le meilleur est *Far West 89* (*Return of the Bad Men,* 1948). Réalisateur sans originalité, mais nerveux et habile à dramatiser, Enright signe encore *Montana* (*id.,* 1950, avec Errol Flynn), *Kansas en feu* (*Kansas Riders,* id., avec Audie Murphy) et *Man From Cairo* (1953, avec George Raft). G.L.

ENSEIGNEMENT DU CINÉMA. Les métiers du cinéma nécessitent une formation sur le terrain : on ne s'improvise pas directeur de la photographie, monteur, décorateur, directeur de production, réalisateur.

Cette formation s'effectue normalement par l'*assistanat :* après avoir été stagiaire puis second assistant sur un certain nombre de films, on devient premier assistant ; après avoir fait ses preuves comme premier assistant, on peut enfin prétendre devenir réalisateur, directeur de la photographie, etc. Ce parcours est d'ailleurs obligatoire en France, compte tenu de la réglementation professionnelle, qui prévoit toutefois des possibilités de dérogation, correspondant au fait que l'assistanat n'est pas la seule voie pour apprendre le métier.

En fournissant une formation professionnelle initiale, les écoles spécialisées (qui commencèrent à apparaître il y a une cinquantaine d'années, lorsque le cinéma fut véritablement devenu une industrie) permettent d'accélérer le processus décrit ci-dessus.

L'enseignement du cinéma en France. En France, deux établissements publics d'enseignement préparent aux métiers du cinéma et de la télévision.

La *Fondation européenne des métiers de l'image et du son* (FEMIS). Cet établissement, créé en 1990, a succédé à l'Institut des hautes études cinématographiques (IDHEC) et dispense à ses étudiants une formation de haut niveau dans les principales disciplines de l'audiovisuel, cinéma et télévision. Cette école est sous tutelle du ministère chargé de la Culture.

L'enseignement est réparti entre sept départements : scénario, réalisation, prise de vues et effets spéciaux, prise de son, montage, décoration, administration et gestion de production. La scolarité est de trois ans : 9 mois de formation généraliste (1er cycle), 20 mois de formation spécialisée (2e cycle) et 10 mois pour préparer l'insertion professionnelle des élèves. La FEMIS accueillera chaque année une promotion de 60 élèves recrutés par concours et titulaires du baccalauréat complété par deux ans de formation supérieure. Elle est dotée sur 5 000 m^2 d'un ensemble de moyens techniques cinéma et vidéo, qui en fait l'une des premières écoles de ce genre en Europe. Le lieu principal d'enseignement est le Palais de Tokyo, mais une politique active de collaboration existe avec l'INA et les industries techniques du secteur pour faire bénéficier les étudiants d'équipements aux normes professionnelles.

Située à Paris, la FEMIS n'est pas seulement parisienne. Dès sa création, elle a organisé des enseignements en liaison avec des établissements de formation ou des lieux de création situés en province. D'autre part, elle a une vocation européenne. Elle accueille d'ores et déjà des professionnels et des étudiants étrangers et met en œuvre une politique d'échanges avec d'autres instituts de formation en Europe. La Fondation offre ainsi un lieu de rencontres pour mieux définir le contenu d'un projet de coopération européenne.

L'École nationale supérieure Louis Lumière (ENSLL). Créé en 1994, cet établissement a succédé au lycée d'État Louis Lumière, plus connu sous le nom d'« École de Vaugirard », ou « Vaugirard » tout court, bien qu'il ait quitté depuis nombre d'années la rue de Vaugirard, pour s'installer à Champs-sur-Marne près de Paris. Relevant du ministère de l'Éducation nationale, il dispense un enseignement de deux ans, préparant au brevet de technicien supérieur, orienté sur l'aspect technique de la profession : image (cinéma et photographie) et son. Accessible sur concours, il est ouvert aux Français et aux étrangers. Parmi les anciens élèves, on peut citer de nombreux directeurs de la photographie (G. Cloquet, H. Decae, P. Lhomme) aussi bien que des ingénieurs du son, des réalisateurs (J.-L. Bertucelli, Ph. de Broca, J. Demy, P. Tchernia, C. Zidi et... Louis de Funès).

Il existe également des établissements privés de formation aux métiers du cinéma et de la télévision. Par ailleurs, un certain nombre d'universités dispensent un enseignement sur le cinéma, celui-ci y étant toutefois considéré plutôt en tant qu'art, industrie ou moyen de communication.

Dans les domaines de la prise de vues, du son, du montage, nombre de professionnels sont aujourd'hui d'anciens élèves de l'IDHEC ou de « Vaugirard », l'explication venant aussi bien : de la formation initiale reçue ; des facilités accordées par la réglementation professionnelle ; du fait qu'un professionnel titulaire s'entourera plus facilement de stagiaires ou d'assistants issus de l'école d'où il est lui-même sorti. Dans d'autres domaines techniques, telle la décoration, l'apprentissage sur le terrain demeure la règle. La réalisation, où le critère de la réussite se superpose aux compétences techniques et artistiques, constitue un cas intermédiaire : on trouve aussi bien des réalisateurs issus des établissements d'enseignement que des réalisateurs n'ayant pas reçu cette formation initiale.

L'enseignement du cinéma et de l'audiovisuel a été introduit dans les lycées, à titre expérimental, en 1984. Il s'est ensuite étendu aux collèges et classes primaires, alors que simultanément était née dans les lycées une section A3.

L'objectif des mesures prises est de renforcer et de développer ce type d'expériences, afin de sensibiliser les jeunes et d'accroître leur culture cinématographique. 50 sections A3 existent en 1989. Le nombre des ateliers de pratique artistique est de 200 ateliers ouverts et fréquentés par des élèves de lycées ou de collèges, et ayant un type de fonctionnement proche de la section A3.

Ce dispositif est complété par des actions de sensibilisation en classe primaire : 20 classes fonctionnent à titre expérimental. En 1988 : 400 élèves bénéficient d'une initiation artistique. Ils sont pour la plupart issus de milieu rural ou défavorisé.

La formation des enseignants sera renforcée par le prolongement des stages déjà engagés en collaboration avec l'Éducation nationale et la FEMIS. Parallèlement sera mis en œuvre un programme de fabrication et d'édition de matériel audiovisuel d'accompagnement pédagogique.

L'enseignement du cinéma à l'étranger. Il existe à l'étranger de nombreux établissements d'enseignement du cinéma, le plus ancien établissement public du genre étant sans doute le *Centro sperimentale di cinematografia* de Rome, créé en 1936 lors de la réorganisation du cinéma italien d'où naquit également, entre autres, Cinecittà.

La préparation professionnelle aux métiers du cinéma et de la télévision a été traitée avec une attention particulière dans les pays de l'Est, où cette formation initiale est d'ailleurs indispensable à l'exercice de la profession. On peut citer notamment : le VGIK *(Institut cinématographique d'État)* de Moscou (qui dispense un enseignement de six ans couvrant tous les métiers, jusqu'à maquilleur, perruquier, etc.), en Pologne, l'école de Łódź, et en Tchécoslovaquie le FAMU de Prague.

Dans les autres pays, de nombreuses écoles ont également été créées, notamment à Londres (National Film and Television School), à Bruxelles (INSAS [Institut national supérieur des arts du spectacle et techniques de diffusion]), à Munich (Hochschüle für Fernsehen und Film), à Berlin et aux États-Unis, où plusieurs réalisateurs contemporains renommés sont issus d'établissements d'enseignement : universités et collèges californiens pour G. Lucas, S. Spielberg, F. F. Coppola ; université de New York pour M. Scorsese. J.-P.F./J.G.

ENSEMBLIER. Technicien chargé de rassembler les meubles et objets destinés à compléter le décor. (→ GÉNÉRIQUE.)

ENTOURÉE. *Prise entourée,* prise jugée satisfaisante et dont le numéro est entouré par la scripte sur sa feuille de rapport, ce qui indique que la prise doit être tirée. (→ TOURNAGE.)

EPSTEIN *(Jean), cinéaste et théoricien français (Varsovie 1897 - Paris 1953).* Passionné de littérature, de philosophie et de cinéma, Epstein abandonne des études scientifiques, rencontre Blaise Cendrars, Germaine Dulac et Abel Gance, et, grâce à l'éditeur Laffite, qui a publié son *Bonjour cinéma* (1921), devient assistant de Louis Delluc. Son premier film, un semi-documentaire consacré à Pasteur, et produit par Jean Benoît-Lévy, témoigne de rigueur et de sensibilité. Il vaut à Epstein un engagement chez Pathé, qui le conduit à réaliser trois films de fiction et un documentaire en 1923. Inspirée par une nouvelle de Balzac, *l'Auberge rouge* retient l'attention par la hardiesse d'une construction fondée sur deux actions parallèles situées à des époques différentes, par l'élégance de son style et par une utilisation singulière de plans de détails. Dans *Cœur fidèle,* l'intrigue ténue et mélodramatique située dans les quartiers populaires d'un port semble être le prétexte à une expérience réussie de montage et de rythme, qui utilise le gros plan de façon quasi systématique, et le dynamisme d'une caméra participant, dirait-on, à l'action. Mais la forme adoptée ici par le cinéaste n'est pas gratuite : elle vise à exprimer les états d'âme des personnages par les moyens propres au cinéma. C'est que J. Epstein cherche à créer un art spécifique, même quand il adapte des œuvres littéraires comme celle de Daudet dans *la Belle Nivernaise,* dont le véritable et photogénique héros est d'abord la Seine. Poursuivant parallèlement réalisations et réflexions sur le 7e art — une des constantes de sa démarche —, il conçoit un nouvel essai à partir du tournage d'un documentaire : *le Cinématographe vu de l'Etna* (1926). Moins personnels parce qu'ils ne correspondent guère à ses préoccupations (à l'exception des délicieuses *Aventures de Robert Macaire*), les films que J. Epstein tourne ensuite pour Alexandre Kamenka lui permettent d'explorer d'autres voies que les siennes et d'affermir sa position dans le cinéma, au point qu'il se risque, aidé par des amis, à créer sa propre société de production. Le premier film indépendant d'Epstein, *Mauprat,* d'après George Sand, est le fruit de cette veine romantique qui fut si féconde dans *Robert Macaire,* et traduit un retour à la simplicité. Dans *la Glace à trois faces,* une écriture d'une extrême subtilité permet à Epstein de fondre en une aventure unique trois moments de la vie amoureuse de son héros, lancé sans le savoir dans une course automobile mortelle, de conjuguer au présent trois fragments de passé, de créer une temporalité autonome. Les recherches du cinéaste en ce domaine trouvent d'autres prolongements dans *la Chute de la maison Usher.* Il s'agit cette fois d'exprimer une « surtemporalité » aux confins de la vie et de la mort, et pour cela Epstein utilise, comme nul autre, la technique du ralenti : ainsi, tandis que la vie en s'écoulant se retire des êtres, elle semble animer encore les choses qui les entourent. *La Chute de la maison Usher* tient du songe. C'est une œuvre tissée d'images envoûtantes, empruntées à la réalité par un poète, et non puisées dans le magasin aux accessoires du fantastique. Cependant, malgré un accueil favorable de la critique, les films produits par Epstein ne rapportent pas les recettes qui lui permettraient de continuer à travailler en indépendant. Son œuvre se poursuit, financée par différentes sociétés, mais elle est marquée par une rupture décisive. En 1929, Epstein abandonne une première fois les studios et tout ce qu'ils peuvent comporter à ses yeux d'artifices pour se confronter à l'inconnu : la Bretagne et l'Océan. D'un séjour aux îles Banec, Balanec et Ouessant, d'un commerce avec leurs habitants, goémoniers et pêcheurs, Epstein tire *Finis Terrae,* où aboutit ce qui dans sa création écrite et filmée était jusque-là pressenti : une approche de la réalité aussi fine que possible, à partir d'un scénario qui ne l'enferme pas, mais lui permet de s'exprimer ; de personnages qui n'ont pas besoin de jouer pour être vrais ; de lieux isolés, sauvages et nus, proches des origines et qui s'accordent à une perception quasi cosmique de l'espace et du temps. La beauté dynamique des images, le rythme harmonieux sur lequel elles sont orchestrées concourent ici à une force d'expression visuelle encore jamais atteinte par le cinéaste. Mais l'irruption du parlant, fût-ce à travers des produits quelconques, masque la perfection à laquelle est parvenue l'écriture cinématographique dans une œuvre comme *Finis Terrae* à la fin du muet, et fait oublier les films qu'Epstein tourne par la suite : *Sa tête,* très simple relation d'un fait divers criminel, et *le Pas de la mule,* documentaire sur la forêt et les bûcherons. En dépit de ces déconvenues, le cinéaste ne renonce pas. Il revient dans les îles du Ponant et compose deux nouveaux films, qui, avec *Finis Terrae,* forment un singulier triptyque breton : *Mor Vran,* documentaire sur l'île de Sein qui met en évidence l'âpre affrontement entre les hommes et l'Océan, et *l'Or des mers,* long métrage dramatique tourné à Hœdick, dont les motifs sont puisés dans la chronique locale d'une terre désolée. S'il consent par la suite à tourner deux films dans le goût du temps, c'est par nécessité. Après cette expérience, Epstein tend à s'éloigner des studios pour n'y plus revenir et, comme s'il cherchait de nouvelles sources d'inspiration, il parcourt la Bretagne et le pays entier. Il en rapporte des documentaires, notamment *Vive la vie,* consacré aux auberges de jeunesse à l'époque du Front populaire. Contraint à l'inactivité pendant l'Occupation, Epstein est persécuté à cause de son nom et de son origine. Il ne doit qu'à l'intervention de la Croix-Rouge et de quelques amis d'échapper à la déportation. Après la guerre, Epstein publie *l'Intelligence d'une machine* (1946) et *le Cinéma du diable* (1947), et boucle son cycle océanique breton avec *le Tempestaire,* qui a pour cadre Belle-Île. C'est un pur poème audiovisuel, où le cinéaste accomplit une synthèse de toutes ses recherches, expérimentant le « ralenti sonore » pour traduire les infinies modulations des vagues et du vent. Pionnier du cinéma français, précurseur de maints courants, dont le néoréalisme, Jean Epstein ne cesse de réinventer un langage dont, l'un des premiers, il a posé les fondements. Trop artisan de sa propre recherche pour faire longtemps partie de l'« avant-garde française », il s'en détache à la fin des années 20 pour suivre sa propre voie, solitaire. Dans ses films les plus hardis, Epstein s'est attaché à dilater le temps, à atteindre, au-delà des apparences, la réalité des êtres et des choses. Pour Epstein, le cinéma, art du mouvement, est proche du rêve. Il se fonde, non sur la personne, mais sur le devenir et contribue à une nouvelle manière d'être, de sentir et de penser. P.H.

Films : *Pasteur* (CM) ; *les Vendanges* (CM, 1922) ; *l'Auberge rouge* (1923) ; *Cœur fidèle* (id.) ; *la Montagne infidèle* (CM, *id.*) ; *la Belle Nivernaise* (1924) ; *le Lion des Mogols* (1925) ; *l'Affiche* (id.) ; *le Double Amour* (id.) ; *les Aventures de Robert Macaire* (id.) ; *Mauprat* (1926) ; *Six et demi onze* (1927) ; *la Glace à trois faces* (id.) ; *la Chute de la maison Usher* (1928) ; *Finis Terrae, Sa tête* (CM, 1929) ; *le Pas de la mule* (CM, 1930) ; *Mor Vran* (CM, 1931) ; *l'Or des mers* (1933) ; *l'Homme à l'Hispano* (id.) ; *la Châtelaine du Liban* (1934) ; *Chanson d'Armor* (CM, *id.*) ; *Cœur de gueux* (1936) ; *la Bretagne* (CM, *id.*) ; *Vive la vie* (CM, 1937) ; *la Femme du bout du monde* (1938) ; *les Bâtisseurs* (CM, *id.*) ;

le Tempestaire (CM, 1947) ; *les Feux de la mer* (CM, 1948).

EPSTEIN *(Julius J.), scénariste et producteur américain (New York, N. Y., 1909).* Cet homme de radio est devenu, avec son frère et collaborateur Phillip G., une des « bases » scénaristiques de la Warner Bros. Il incarne un professionnalisme solide. Ses scénarios sont toujours solidement charpentés et justement dialogués. C'est peut-être sans surprises, mais en ce cas le métier compense aisément l'invention. Il fut associé à des phénomènes aussi divers que Kay Francis (*Sur le velours,* F. Borzage, 1935 ; *Confession,* J. May, 1937), *les sœurs Lane* (*Rêves de jeunesse,* 1938 ; *Filles courageuses,* 1939 ; tous deux de Michael Curtiz), Humphrey Bogart (*Casablanca,* Curtiz, 1943), Bette Davis (*Femme aimée est toujours jolie,* V. Sherman, 1944) ou James Cagney (*The Strawberry Blonde,* R. Walsh, 1941 ; *la Parade de la gloire,* Curtiz, 1942), toujours avec un égal succès. Il a également produit, après une absence de vingt ans, *Peter et Tillie* (M. Ritt, 1972), qui bénéficie de son écriture acide et sèche. C.V.

EPSTEIN *(Marie-Antonine), scénariste et cinéaste française (Varsovie 1899 - Paris 1995).* Son nom est tout d'abord associé à celui de Jean Epstein, son frère, auprès de qui elle est assistante-réalisatrice (*l'Affiche,* 1924), mais aussi scénariste ou co-scénariste : *Cœur fidèle* (1923), *le Double amour* (1925) et *Six et demi, onze* (1927). Elle collabore ensuite avec Jean Benoît-Levy de 1928 à 1939, comme assistante, scénariste, coscénariste et coréalisatrice : *Il était une fois trois amis,* film d'éducation sanitaire (1928), *Peau de pêche* (1928), un film longtemps méconnu au ton relativement moderne, *Maternité* (1929), *la Maternelle* (1933), *Hélène* (1936), *la Mort du cygne* (1937) sur une chorégraphie de Serge Lifar. En 1953, elle devient une des collaboratrices d'Henri Langlois à la Cinémathèque française. D.S.

ÉQUALISEUR (d'après l'anglais *equalisor*). Franglais pour *égaliseur.*

ÉQUATEUR. Les premières projections publiques connues ont lieu à Guayaquil en 1901. Dès 1906, on projette à Quito *La procesión del corpus en Guayaquil,* un documentaire. *El tesoro de Atahualpa* (Augusto San Miguel, 1924) est considéré comme le premier film de fiction. Une activité cinématographique encore balbutiante s'écroule lors de l'avènement du sonore. Le premier film parlant (*Se conocieron en Guayaquil,* de Francisco Villar) n'est tourné qu'en 1950, sans connaître de suite appréciable. Le changement de climat favorisé par le « boom » pétrolier, la création d'un département de cinéma à l'Université centrale, à Quito, le surgissement de groupes et de cinéastes plus ou moins militants et l'organisation d'un concours à la télévision (1977) stimulent une petite production de courts métrages qui s'écartent de la simple exploitation du folklore, au profit du constat social : *Hieleros del Chimborazo* (Gustavo Guayasamin, 1980) est remarqué dans certains festivals. C'est en Équateur que le réalisateur bolivien Sanjinés, exilé, filme *I Fuera de aquí !* (1977). L'Argentin Jorge Prelorán y filme également *Mi tía Nora* (1983). Le documentaire favorise l'expression de Mónica Vázquez (*Madre Tierra,* 1983 ; *Tiempo de mujeres,* 1987). Cependant, le long métrage de fiction *La tigra* (Camillo Luzuriaga, 1990) semble un sursaut sans lendemain. P.A.P.

ÉQUILIBRE. *Film équilibré pour une température de couleur donnée,* film en couleurs dont les sensibilités respectives des diverses couches sensibles sont conçues en vue d'une restitution correcte des couleurs lorsque la scène est éclairée par une lumière de cette température de couleur. (→ TEMPÉRATURE DE COULEUR, FILTRES.)

ÉQUIPE. *Seconde équipe,* équipe de tournage légère, chargée de filmer les plans qui ne nécessitent pas la présence du réalisateur et de l'équipe complète. (→ GÉNÉRIQUE.)

ERDÖSS *(Pál), cinéaste hongrois (Budapest, 1947).* Il travaille avec Ferenc Kardos, Lívia Gyarmathy, Istvàn Dárday et Laszlo Vitéry puis à la Télévision avant d'aborder dans le cadre du Studio Béla Balázs le documentaire avec *' Quelque chose de différent ' (Valami màs).* Il tourne une trentaine de courts métrages avant de réaliser son premier long métrage de fiction *la Princesse* (*Adj király katonát !,* 1982) qui remporte la Caméra d'or au Festival de Cannes. Traités comme des reportages, avec une caméra très mobile et une approche sociologique des personnages concernés, les films suivants d'Erdöss : *' Compte à rebours '* (*Visszaszámlálás,* 1985), *Tolérance* (*Gondviselés,* 1986), *les Araignées* (*Pókok,* 1989), *le Prix de la survie* (*A túlélés ára,* 1990), *Histoire photosensible* (*Fényézékeny történet,* 1993), *Ligne de sang* (*Vérvonal, id.*), *Die Drei aus der Haferstrasse,* 1994) confirment l'originalité de la démarche du cinéaste. C.O.

ERICE *(Víctor), cinéaste espagnol (Carranza, Biscaye, 1940).* Il fut longtemps l'auteur d'un seul long métrage, *l'Esprit de la ruche* (*El espíritu de la colmena,* 1972), une des belles réussites du cinéma espagnol. Erice y aborde avec pudeur et sensibilité le mystère et l'imaginaire qui hantent une enfant, interprétée par la petite Ana Torrent. Film d'atmosphère, inquiétant et suggestif sans alibis psychologiques, c'est une œuvre maîtrisée, dont l'originalité dépasse le seul cadre hispanique. C'est une fois tous les dix ans seulement qu'Erice consent à lâcher prise, à passer un compromis avec son producteur (Querejeta, dans les deux premiers cas), à céder un petit peu par rapport à un perfectionnisme absolu. *Le Sud* (*El Sur,* 1982) revient encore sur les rapports d'une fille avec un père mystérieux, si ce n'est absent, et sur l'âge des souvenirs. Il utilise aussi le film dans le film en guise de révélateur, mais avec pour référence mythique une Andalousie, doucement ensoleillée, qui contraste avec l'ascétique Castille de *l'Esprit de la ruche* et avec le nord de l'Espagne, familier à Erice, et dans lequel il situe son nouveau film. Il s'agit d'un coup de maître dont l'éclairage justement reste en mémoire jusqu'à *le Songe de la lumière* (*El sol del membrillo,* 1992), documentaire sur le peintre Antonio López devenu réflexion sur la création et la mort. Rarement le cinéma espagnol est aussi universel, aussi bouleversant, qu'avec les films de Víctor Erice. Solitaire en marge des modes et des tendances, Erice ne semble guidé que par un modèle intérieur. P.A.P.

ERKSAN *(Karamanbey Metin,* dit *Metin), cinéaste turc (Çanakkale 1929).* Figure marquante du cinéma d'auteur en Turquie, il a réalisé, notamment, *Un été sans eau (Susuz Yaz,* 1963) qui obtint l'Ours d'or au Festival de Berlin en 1964. Après des études d'histoire de l'art à l'université d'Istanbul, il débute comme critique de cinéma à la fin des années 50. Il écrit aussi les scénarios de la plupart de ses films, qu'ils soient documentaires, œuvres de fiction ou séries télévisuelles. Dans les années 60, il prend position en faveur du mouvement du « cinéma national » en ne craignant pas d'alimenter la polémique. Il s'impose par l'originalité de son univers cinématographique, où les thèmes de l'amour impossible et de la solitude s'infiltrent jusque dans ses œuvres les plus réalistes pour lesquelles il a eu des démêlés avec la censure. Il s'attaque à des genres très variés, du mélodrame musical à des adaptations littéraires, et signe des essais originaux, comme *l'Ange de la vengeance – Hamlet femme* (*İntikam Melegi – Kadin Hamlet,* 1976). Il tourne beaucoup pour la télévision et divise souvent la critique, aussi bien par la qualité inégale de ses films que par ses prises de position intellectuelles, hautes en couleur. Il ne tourne plus depuis 1977. Parmi ses films les plus importants citons : *le Héros des neuf montagnes* (*Dokuz Dagin Efesi,* 1958), *Au-delà des nuits* (*Gecelerin Ötesi,* 1960), *Vie amère* (*Aci Hayat,* 1962), *la Vengeance des serpents* (*Yilandarin Öcü,* 1962), *le Temps d'aimer* (*Sevmek Zamani,* 1967) et *le Puits* (*Kuyu,* 1968). ME.B.

ERMLER *(Friedrich Rejitsa) [Fridrih Markovič Ermler], cinéaste soviétique (Rechitsa [auj. Rezekne], Lettonie, 1898 - Leningrad 1967).* Originaire d'une modeste famille ouvrière, Friedrich Ermler perd très tôt son père et est obligé de travailler dès l'âge de douze ans. Apprenti pharmacien, il se cultive en autodidacte et fréquente assidûment l'unique salle de cinéma de la ville. Le jeune Friedrich rejoint les rangs de la révolution en 1917 et combat dans l'Armée rouge.

En 1923, il entre à l'Institut des beaux-arts de Leningrad pour y devenir acteur. L'année suivante, il commence à travailler au studio Sovkino, dans la section des scénaristes. Inscrit au parti communiste dès 1919, Ermler, contrairement à la plupart des pionniers de sa génération, défend le contenu révolutionnaire des films au détriment de leur forme. Pour contrer les excentricités de la FEKS, il crée son propre atelier expérimental de cinéma, le KEM, qui prône un certain ascétisme. Le groupe prépare et interprète des projets de films sans disposer du matériel pour les tourner. Une seule œuvre, *Scarlatine* (*Skarlatina,* 1924), est menée à terme. En 1926, il réalise, avec l'aide d'Édouard Ioganson, *les*

Enfants de la tempête (Deti buri), film assez impersonnel sur l'héroïsme des jeunes komsomols pendant la guerre civile.

Dans ses quatre films muets suivants, Ermler donne une série de témoignages sur les mœurs et les mentalités de la nouvelle société soviétique. Ces œuvres, à l'exemple des travaux contemporains de Boris Barnet ou d'Abram Room, sont d'intéressants documents sur l'URSS à l'époque de la NEP. Cette attitude tolérante d'Ermler ne se trouve pas en contradiction avec ses positions idéologiques ni avec ses choix ultérieurs : il demeure, tout au long de son trajet, un chroniqueur attentif aux mutations sociopolitiques de son pays ; *Katka, petite pomme reinette* (*Kat'ka, bumažnyj ranet*, CO : É. Ioganson, 1926), s'attache au cas d'une jeune fille venue de province, séduite et abandonnée par un vagabond, qu'un intellectuel pauvre réussit à tirer d'embarras. *La Maison dans la neige* (*Dom v sugrobah*, 1927) offre, de manière stylisée, une intéressante coupe, selon les étages, de la société d'alors : travailleurs confiants, spéculateurs fourbes et musicien mal assuré idéologiquement. *Le Cordonnier de Paris* (*Parižskij sapožnik*, 1928) est la création la plus audacieuse d'Ermler : une jeune ouvrière, mise enceinte par un komsomol, trouve le réconfort auprès d'un cordonnier non politisé. Pour le cinéaste, les actes priment alors sur les dogmes. *Un débris de l'empire* ou *l'Homme qui a perdu la mémoire* (*Oblomok Imperii*, 1929), film d'une grande virtuosité formelle, marque une césure dans la problématique du réalisateur : un ouvrier, devenu amnésique à la fin de la guerre, recouvre la mémoire en 1928 pour constater les changements sociaux intervenus durant son « absence ». Outre le drame affectif vécu par le héros – dans le droit-fil des bandes précédentes –, l'œuvre fait apparaître une rupture entre le passé et le présent, désormais irréconciliables.

Ermler abandonne pendant trois ans le cinéma. Il y revient avec *Contre-plan* (*Vstrečnyj*, CO : Sergueï Youtkevitch, 1932). Ce film, le seul mis officiellement en chantier pour célébrer le 15e anniversaire de la révolution, ouvre la voie au « réalisme socialiste », par une description euphorique de l'exécution du plan quinquennal. *Les Paysans* (*Krest'jane*, 1935), à travers une mise en images exemplaire, à la fois naturaliste et charnelle, pose la question du retard du monde rural comme une volonté délibérée de ses membres d'entraver la marche du socialisme. Cette vision officielle des choses se retrouve dans *le Grand Citoyen* (*Velikij graždanin*, 1938-1939), diptyque axé sur la personnalité (et le meurtre) du haut fonctionnaire Sergueï Kirov. La lecture de l'histoire ici proposée sert, en fait, de justification aux fameux procès de Moscou. Après sa contribution à l'effort de guerre avec *Camarade P.*, *Elle défend sa patrie* (*Ona zaščiščaet rodinu*, 1943), Ermler réalise, en 1945, *le Tournant décisif* ou *le Grand Tournant (Velikijperelom)* : un curieux film intimiste sur les hésitations d'un chef militaire à la veille d'une bataille.

Longuement malade au début des années 50, Ermler conçoit encore un film intéressant, *le Roman inachevé* (*Neokončennaja povest'*, 1955), qui fait se rejoindre deux êtres un peu perdus (une veuve et un paralysé) dans une société à nouveau en mutation. R.BA.

Autres films : *Automne* (CM expérimental, CO : I. Manaler, V. Gardanov et M. Maguid, 1940) ; *la Grande Force* (*Velikaja sila*, 1950) ; *le Premier Jour* (*Den'pervyj*, 1958) ; *l'Invitation à souper* (*Zvanyj užin/Razbitye mečty*, 1962) ; *De New York à Iasnaïa poliana* (*Iz N'ju-Iorka v Jasnuju Poljanu*, id.).

ERNEMANN → PROJECTION.

ERNST *(Max), peintre franco-américain d'origine allemande (Brühl 1891 - Paris 1976).* Les rapports directs du grand peintre surréaliste avec le cinéma datent de 1944. Réfugié à New York, il y retrouve Hans Richter, qui lui propose de participer avec Duchamp, Léger, Man Ray et Calder à *Rêves à vendre* (*Dreams That Money Can Buy*, 1944-1947). La partie qui lui est confiée, intitulée *Desire*, inspirée par un de ses collages et où il joue lui-même, est une sorte de mise en scène onirique de la frustration sexuelle. Il intéresse aussi le cinéma par ces collages qui, dès 1919, assemblent des figures découpées dans de vieux catalogues illustrés du XIXe siècle. Cette technique, qui donne *la Femme 100 têtes* (1929) ou *Une semaine de bonté* (1934), inspirera des cinéastes comme Harry Smith ou Larry Jordan aux États-Unis, Karel Zeman ou Borowczyk (*les Astronautes*, 1959) en Europe. D.N.

ÉROTIQUE. « Amour maladif », ainsi le *Petit Larousse* définissait-il l'*érotisme* en 1949. Le même dictionnaire traitait l'adjectif *érotique* plus sereinement : « qui a rapport à l'amour ». L'érotisme a toujours pâti (ou bénéficié !) d'un flottement certain dans les définitions, cherchant son lieu géométrique à distance variable d'autres notions, comme celles de sexe, d'amour, de pornographie... L'érotisme au cinéma tombe fatalement sous le coup des mêmes incertitudes sémantiques. Les surréalistes se refuseront à le dissocier de l'amour tout court, tandis que d'autres lui réserveront un domaine particulier, celui de l'amour physique, donc du sexe, mais considéré dans ses manifestations suggestives, détournées, voire sublimées, transférées, plus que dans ses représentations concrètes. Plus précisément encore, on l'opposera assez artificiellement à la pornographie, généralement considérée comme la représentation directe et triviale de l'amour physique. Une querelle partagera longtemps encore les tenants d'un bon usage du sexe dans l'art, et en particulier au cinéma, celui de l'érotisme, et ceux qui dénient toute solution de continuité entre deux aspects d'un même phénomène : érotisme et pornographie, imagination et réalité. Psychologiquement et physiologiquement, rien ne paraît en effet devoir séparer ces deux moments du comportement sexuel, dans la mesure où ils constituent bien le propre de l'homme : le temps de l'imagination, du rêve, du désir ; le temps de la réalisation, de l'acte, du plaisir. Mais, dans l'art, deux considérations viennent parasiter ce schéma : la morale et l'esthétique. Histoire de l'érotisme au cinéma et histoire de la libération du sexe sont inséparables, le souci de la Beauté venant fréquemment conforter, de manière consciente ou non, les interdits relevant fondamentalement de la morale. En réalité, l'érotisme, qui est l'une des dimensions de l'homme et l'un des comportements qui le mettent en relation avec l'univers, est aujourd'hui à peu près reconnu comme tel et admis dans un cinéma globalement libéré. La persistance de circuits spécialisés ne change rien à cette révolution essentielle. L'érotisme au cinéma a connu le même parcours que d'autres genres (l'épouvante, la science-fiction), systématiquement exploités dans des productions marginales, avant de trouver son droit de cité dans la « littérature cinématographique générale », où ses manifestations, plus sporadiques, moins spécialisées, puisque participant désormais d'un tout, sont admises dans leur pleine expression. Signe des temps : des budgets de productions moyennes, et même moyennes-supérieures *(Histoire d'O, Caligula)* sont consacrés à des films à dominante érotique, de la même façon qu'il eût été impensable, il y a vingt ans, de consacrer des budgets de superproduction à des sujets tels que *Shining* ou *Rencontres du troisième type.*

Pour peu que l'on examine la chronologie, l'érotisme au cinéma apparaît rétrospectivement comme l'histoire d'une libération progressive, de la conquête d'une permissivité, quel que soit l'usage qui en sera fait. La vocation plastique du cinéma, la relation de voyeurisme que le spectateur entretient avec l'écran, miroir à la fois réfléchissant et sans tain, impliquaient une prise en compte quasi immédiate de cette composante de la psyché humaine. Pour la commodité de l'exposé historique d'un phénomène aussi touffu qu'insaisissable, on distinguera toutefois trois périodes, d'inégale longueur, déterminées par des mouvements de rupture, qui créent des situations irrévocables. L'avancée des mœurs, tout au moins dans les sociétés industrielles occidentales, correspond, avec l'indispensable temps de réponse, à ces grandes lignes de fracture.

1895-1952 : la nécessité de contrôler les mœurs dans une société de pionniers puritains, l'avènement et le développement immédiat et considérable du cinématographe aux États-Unis justifient presque que la censure se soit rapidement organisée, puis institutionnalisée dans ce pays, au point d'enserrer, à la veille de la Seconde Guerre mondiale, l'expression cinématographique dans un corset dont les dispositions paraissent aujourd'hui plus ridicules qu'odieuses. Non moins logiquement les exigences du corps, son érotisme se sont manifestés dès les débuts du cinéma. En 1895, à Chicago, dans le cadre de l'Exposition universelle, on montre la *Serpentine Dance* de Fatima, dont la pellicule sera maculée, par une volonté moralisante, en 1907, par le premier comité de censure, fondé également à Chicago. En 1896, la projection du premier baiser cinématographique, entre John C. Rice et May Irwin, déchaîne les fureurs de la presse et des ligues bien-pensantes. La conquête de fragments de nudité, introduits en contrebande par des réalisateurs soucieux de « dire autre chose » ou simplement conscients de l'appât spectaculaire que représente ce dévoilement, caractérisera cette première époque (épaule nue de Fanny Ward dans *Forfaiture* et nudité d'Annette Kellerman dans *la Fille des dieux*, 1915 ; celle de Clara Bow dans *Hula*), ainsi que la recherche d'alibis permettant de montrer cette nudité et de peindre les excès de la passion. Inscrit dans des sociétés décadentes révolues (*Cabiria*, 1913) ou projeté sur un bouc émissaire «étranger» au groupe social, dont il constitue le repoussoir (apparition du personnage de la *vamp* avec Theda Bara dans *A Fool There Was*, 1915), ou encore assimilé explicitement à un comportement hérétique (*la Sorcellerie à travers les âges*, 1919), cet érotisme balbutiant accède à l'expression, conformément au mécanisme connu de la mauvaise foi de l'inconscient : le plaisir, mais pas la faute. 1930 est une année particulièrement importante pour cette période, qui voit, aux États-Unis, l'adoption du Code Hays et, en Europe, la réalisation de deux œuvres véritablement subversives : *l'Âge d'or* de Buñuel et *l'Ange bleu* de Sternberg. Ancien juriste, président du Comité national républicain, Will H. Hays est chargé, à partir de 1922, de la direction de la Motion Picture Producers and Distributors of America (MPPDA), fondée par les magnats hollywoodiens en vue de redorer l'image de marque d'une industrie écla boussée par quelques scandales. En 1930 paraît le Motion Picture Production Code, connu sous l'abréviation de Code Hays. Ce code définit ce qui peut ou non être montré dans un film. Son influence déterminera, pour de nombreuses années, le contenu aussi bien que la forme des films réalisés à Hollywood. Quelque peu libéralisé dans son application à partir de 1961, le Code Hays sévira néanmoins jusqu'en 1966, peu de temps avant que la grande révolution des mœurs des années 60 ne trouve un large écho international et ne soit récupérée par la production cinématographique. Le Code Hays a incontestablement l'appui d'une part non négligeable de l'opinion publique : la Légion catholique est fondée aux États-Unis en 1933, suite — dit-on — à la scandaleuse prestation de Mae West (dont le nom reste inséparable de la revendication sexuelle la plus anarchique) dans *Lady Lou* (V. Sherman, 1933). En 1935, le gouvernement américain fait brûler symboliquement une copie d'*Extase*, du Tchécoslovaque Machaty, où Hedy Lamarr apparaît entièrement nue. Alors qu'une certaine émancipation formelle intervient en Europe dès avant la Seconde Guerre mondiale (Arletty apparaît nue dans *Le jour se lève* et en dévoile autant que Martine Carol dans les années 50), l'Amérique, engoncée dans le Code Hays, doit recourir à l'allusion, au transfert, à l'analogie, à la métaphore visuelle, pour introduire la dimension érotique. Cette pratique alimente un véritable fétichisme qui, rétrospectivement, entre pour beaucoup dans le charme désuet de certains films des années 30 et 40, sauvés de l'oubli par les contraintes mêmes que leurs réalisateurs avaient eu à surmonter. Le sexe et, éventuellement, l'érotisme doivent user la plupart du temps de prétextes pour s'exprimer, ou recourir au transfert, à l'allusion. *Le Banni*, d'Howard Hughes, lance dès 1941, mais le film ne sera distribué qu'à partir de 1950, la mode d'une certaine hypertrophie provocante des glandes mammaires (Jane Russell), tandis que Rita Hayworth donne en 1946, dans *Gilda*, un saisissant raccourci de strip-tease, en ôtant simplement son gant, dans une scène anthologique. Mais, au début des années 50, ceux qu'on a appelés «les quarante voleurs», producteurs indépendants refusant le joug des *Major companies* et leur code moral, lancent sur le marché des films de nudistes : aucun contact physique, la caméra ne cadre jamais plus bas que la ceinture. Devant la cour d'appel de l'État de New York, les producteurs de *Garden of Eden* (1957) gagnent le procès d'interdiction intenté par l'université de l'État. En 1959 et 1960, le *nudie* vient relayer le film de nudistes. De caractère parodique, ces films aux scénarios incohérents ne sont que prétextes à effeuillages audacieux. Réalisés avec de très petits budgets, ils restent liés à la personnalité du producteur marginal Russ Meyer.

1956-1968 : en 1956, deux films créent une situation irréversible, en Europe aussi bien qu'aux États-Unis, *Et Dieu créa la femme* , de Roger Vadim, qui révèle complètement Brigitte Bardot, faisant de son personnage bien plus qu'un sex-symbol, et *Baby Doll*, d'Elia Kazan, qui constitue pour le cardinal Spellmann «une occasion de péché». En 1952, la Cour suprême des États-Unis était revenue sur sa décision de 1915 : le cinéma devait aussi profiter de la liberté d'expression garantie par les 1er et 14e amendements de la Constitution. En outre, la publication, en 1948 et 1953, du fameux rapport Kinsey débloque les consciences. Le contenu thématique des films aussi bien que ce qui est montré deviennent de plus en plus audacieux et appellent un choc en retour. 1958 voit le renforcement, en France, de la Commission de contrôle, tandis que le Hays Office refuse son visa à *Autopsie d'un meurtre* de Preminger. Plusieurs titres américains et européens marquent néanmoins le caractère irréversible de l'évolution des mœurs : *les Amants* (L. Malle, 1958), « première nuit d'amour du cinéma » ; *la Morte-Saison des amours* (P. Kast, 1961), ou comment dépasser le couple ; *Viridiana* (L. Buñuel, 1961), Palme d'or à Cannes, interdit en Espagne et provisoirement en France ; *Lolita* (S. Kubrick, 1962) ; *le Silence* (I. Bergman, 1963), montrant pour la première fois un accouplement ; *la Femme mariée* (J.-L. Godard, 1965), interdit, puis autorisé après que l'article « la » eut été remplacé par « une » ; *le Bonheur* (A. Varda, 1965) ; *Galia* (G. Lautner, 1966). L'année 1966 voit encore en France la bataille contre la censure gouvernementale, à propos de *la Religieuse* de J. Rivette, et, aux États-Unis, la disparition du Code Hays, remplacé par un simple code d'autorégulation. Des seins nus apparaissent, pour la première fois, dans une production d'une *Major company* (*le Prêteur sur gages*, S. Lumet, 1965) et les amours interraciales ne sont plus censurées (*les Cent Fusils*, T. Gries, 1969). Mais, en 1967, le Congrès américain vote la création d'une commission sur la pornographie et l'obscénité, car on entre dans la troisième période de l'histoire de la « libération sexuelle » au cinéma. Les films du Suédois Vilgot Sjöman exhibent la nudité et les comportements sexuels les plus libres sans aucun des prétextes utilisés auparavant dans les films de nudistes ou les mélodrames moralisateurs *(Elle n'a dansé qu'un seul été, Demain, il sera trop tard)*. Antonioni, dans *Blow-Up*, montre le premier pubis féminin et Russ Meyer produit un *nudie* avec un accouplement (*Vixen*, 1968).

Depuis 1969 : l'année 1969 sera marquée par deux phénomènes : *Woodstock*, film de toutes les libérations et notamment sexuelle, colporte de par le monde une nouvelle image de la jeune société occidentale ; en Amérique encore, et plus particulièrement à San Francisco, apparaissent dans les circuits commerciaux les premiers films *hardcore* (par opposition au *softcore*), c'est-à-dire où l'acte sexuel, dans toutes ses variantes possibles, est effectivement montré. Ces films vont constituer un véritable genre, avec des stars (Marylin Chambers, Georgina Spelvin, Linda Lovelace) et un metteur en scène fondateur, Gérard Damiano : *Gorge profonde* (*Deep Throat*, 1972), *l'Enfer pour Miss Jones* (*Devil in Miss Jones,* 1973), *Derrière la porte verte* (*Behind the Green Door,* 1975). Buckley, Germontes et les frères Mitchell sont les autres metteurs en scène seuls dignes d'être cités dans un genre qui, très vite, ne se souciera plus que de rentabilité commerciale, loin de l'onirisme et de l'humour de ces productions rares. Si l'exploitation de la pornographie proprement dite aboutit en France à la loi du 31 octobre 1975, classant X les films à caractère pornographique et frappant de lourdes taxes à l'importation les produits étrangers, il n'empêche qu'une libéralisation générale des thèmes abordés s'affirme comme irréversible. *History of the Blue Movie,* première anthologie du film pornographique, est projeté avec succès à Paris en 1975. *Myra Breckinridge* (Michael Sarne, 1970) traite de la transsexualité et de la nymphomanie. Louis Malle aborde le tabou de l'inceste dans *le Souffle au cœur* (1971), tandis que la sodomisation ultrachic du *Dernier Tango à Paris* (B. Bertolucci) déplace les foules en 1972 et fait couler plus d'encre que le superbe et libertaire *W. R. ou les Mystères de l'organisme* de Dušan Makavejev. Just Jaeckin hausse le *softcore* à la référence culturelle, en adaptant pour un large public déculpabilisé deux best-sellers de la littérature érotique : *Emmanuelle,* péan de la polysexualité, et *Histoire d'O,* qui traite de l'amour dans l'esclavage, mais dont les résultats laissent regretter qu'un Kenneth Anger n'ait pu mener à terme sa propre adaptation. L'intérêt de ces productions inégales est d'avoir libéré la thématique des cinéastes-auteurs, qui pourront désormais réaliser des films abordant à peu près librement, tant en ce qui concerne le contenu que l'expression, tous les aspects de la sexualité. *Maîtresse* (B. Schroeder, 1976), *la Dernière Femme* (M. Ferreri, 1976), *l'Empire des sens* (N. Oshima, 1976) ont connu le succès dans les circuits grand public. Les toutes dernières années relèguent le cinéma pornographique dans l'indigence et le ghetto des circuits spécialisés, effet direct de la loi 1975 ; relégation qui marquera un retour en force du *softcore* de luxe, avec les suites d'*Emmanuelle,* ou le *Caligula* de Tinto Brass. La croissance rapide du parc de magnétoscopes au cours des années 80 favorisant la diffusion privée de vidéo-cassettes *hard,* et la programmation sur certaines chaînes de télévision de films de plus en plus explicites ont signé l'arrêt de mort de la diffusion du *hardcore* (X) sur grand écran –du moins en France et dans la plupart des pays occidentaux. Le cinéma de grande consommation, parallèlement, s'est montré de plus en plus souvent tenté par l'insertion de scènes de genre dans des intrigues de consistance très variable. Mais l'essentiel, encore une fois, reste la libération (définitive ?) de la thématique, même quand l'expression recourt encore à la litote. Du reste de nombreux indices - repérables dans une vague de films chastes qui reflètent le retour des valeurs morales dans l'Amérique reaganienne - ont suggéré à quelques observateurs l'émergence d'une volonté de régulation du sexe à l'écran, voire son exclusion des films destinés au plus grand nombre. M.S./D.S.

ES. Abrév. anglaise de *Establishing Shot.*

ESCAMOTAGE. *Phase d'escamotage,* phase de l'avance intermittente d'un film dans une caméra, un projecteur, une tireuse alternative, pendant laquelle (l'obturateur ayant coupé le faisceau lumineux) le film avance de la hauteur d'une image. (→ CAMÉRA.)

ESCANDE *(Maurice), acteur français (Paris 1892 -* id. *1973).* Grand premier rôle à la Comédie-Française (dont il devient finalement administrateur), il apparaît au cinéma dès 1920. Sa distinction, sa royale aisance et plus tard son impeccable diction lui assurent les faveurs d'un Yves Mirande et d'un Sacha Guitry. Il affectionne surtout les ambiances historiques : *les Trois Mousquetaires* (H. Diamant-Berger, 1932), *Lucrèce Borgia* (A. Gance, 1935), *la Marseillaise* (J. Renoir, 1938), *Madame Sans-Gêne* (Roger Richebé, 1941), *Échec au Roy* (Jean-Paul Paulin, 1945 ; RE : 1943), *le Capitan* (Robert Vernay, 1946), et surtout *l'Affaire du collier de la reine* (M. L'Herbier, *id.*). R.C.

ESCRIVÁ *(Vicente), cinéaste et scénariste espagnol (Valence 1913).* Ses premiers scénarios (*La mies es mucha,* J. L. Sáenz de Heredia, 1949 ; *Balarrasa,* J. A. Nieves Conde, 1950) témoignent déjà de la veine religieuse qu'il exploitera jusqu'à satiété durant toute la période « national-catholique ». Il écrit notamment pour le réalisateur Rafael Gil (*la Dame de Fátima,* 1951 ; *De Madrid al cielo,* 1952 ; *Sor Intrépida,* id. ; *La guerra de Dios,* 1953 ; *El beso de Judas,* id.). Cet auteur prolifique d'un des principaux genres du cinéma franquiste passe à la mise en scène avec *El hombre de la isla* (1959). La recherche du succès commercial facile le conduit à exploiter les phases successives du « destape », libération progressive du corps féminin (*Lo verde empieza en los Pirineos,* 1973). Sous ces comédies salaces, on peut cependant déceler le moraliste conservateur de jadis. P.A.P.

ESPAGNE. Les Espagnols revendiquent une des toutes premières places dans la préhistoire du cinéma. En effet, quel autre exemple plus primitif d'une tentative de reproduire par l'image le mouvement des êtres vivants pourrait-on opposer aux peintures rupestres de la grotte d'Altamira ?... Plus près de nous, le 15 mai 1896, a lieu la première projection publique du cinématographe Lumière, à Madrid. L'opérateur français Promio, organisateur de la séance, enregistre ce même jour la *Sortie des élèves de l'École Saint-Louis-des-Français,* puis une série de manœuvres et défilés militaires, pour le compte de la maison lyonnaise. Eduardo Jimeno Correas, le premier Espagnol à manier la caméra, le suit de peu, avec sa *Salida de la misa de doce del Pilar de Zaragoza.* Les pionniers sont inventifs : le Catalan Fructuós Gelabert* fréquente tous les genres jusqu'à la fin du muet. On lui attribue la première bande de fiction (*Riña en un café,* 1897) et une incursion dans le répertoire théâtral (*Tierra Baja,* 1907, d'après Ángel Guimerá), dont on abusera par la suite. L'Aragonais Segundo de Chomón* rivalise avec son maître Méliès en matière de trucages et de fantaisie. Les influences les plus notables viennent d'Italie (le film historique) et de France (le Film d'Art et les serials : on note le succès de *Barcelona y sus misterios,* d'Alberto Marro, en 1915). L'apport national se résume à l'espagnolade et aux divers folklores régionaux ; on n'attend pas le sonore pour adapter des zarzuelas. Bref, le muet constitue le berceau de genres durables, d'un pompiérisme à l'espagnole et de quelques-uns de ses principaux représentants : Ricardo de Baños*, Antonio Cuesta, Adriá Gual, Fernando Delgado*, Francisco Camacho et les prolifiques José Buchs*, Benito Perojo* et Florián Rey*, dont *La aldea maldita* (1929) est considéré comme le sommet de cette phase, et dont la carrière se confond avec celle de la vedette Imperio Argentina*.

L'avènement du parlant perturbe une industrie encore balbutiante, malgré une production annuelle de 58 longs métrages en 1928. Les compagnies hollywoodiennes, fortes de leur avancée technique, passent à l'offensive, avec une production en langue espagnole, dont seul un faible pourcentage est mis en scène par des péninsulaires. L'enjeu, de taille, en est l'immense marché hispanophone, auquel s'intéresse manifestement le premier Congrès cinématographique hispano-américain, réuni à Madrid (1931). L'instauration de la République apporte au cinéma espagnol un renfort en capitaux et en hommes. Le premier film sonore (*El misterio de la Puerta del Sol,* F. Elías*, 1930) est à peine exploité, mais un redémarrage de l'activité est sensible à partir de *Carceleras* (J. Buchs, 1932). Des compagnies de production surgissent : la CEA (1933), Filmófono (1935) et surtout Cifesa (1934) ; les studios prolifèrent. La Catalogne, le plus grand marché, récupère sa primauté, talonnée par Madrid. Quelques tentatives de création d'un cinéma en catalan ont même lieu. Parallèlement, la génération intellectuelle dite « de 1927 » s'intéresse au cinéma : c'est le cas de Ramón Gómez de la Serna à Madrid et de Sebastián Gasch à Barcelone. *La Gaceta Literaria* (1928) lui consacre une rubrique, où écrivent le fasciste Ernesto Giménez Caballero et les communistes César M. Arconada et Juan Piqueras, ainsi que le fondateur du premier ciné-club espagnol (1928), Luis Buñuel*, réalisateur en France d'*Un chien andalou* (1928) et de *l'Âge d'or* (1930) qui font alors scandale. Buñuel filme dans une région déshéritée de son pays *Terre sans pain* (1932), âpre chef-d'œuvre de constat social, puis devient l'homme clé de Filmofono, entreprise qui veut fonder un cinéma populaire digne, quoique teinté de populisme. Cependant, les films de fiction de la période républicaine (et notamment ceux de la Cifesa) prolongent la veine conformiste et conservatrice du muet, avec une nette prédominance de comédies légères (où s'illustre le polyvalent Edgar Neville*) ; *Fermín Galán* (Fernando Roldán, 1931), à la gloire d'un militaire républicain, reste une exception. Deux Français s'intègrent conjoncturellement à cette production commerciale : Jean Grémillon* (*La Dolorosa,* 1934) et Harry d'Abadie d'Arrast* (*La traviesa molinera,* id.). En revanche, le courant documentaire incarné par Carlos Velo* et Fernando G. Mantilla semble plus affiné avec les nouvelles idées libérales. Les polémiques idéologiques s'expriment avec éclat dans l'hebdomadaire anarchiste *Popular Film* et dans la revue créée par Piqueras, *Nuestro Cinema.* Malgré ses faiblesses, le cinéma espagnol connaît un véritable boom à la veille de la guerre civile, dont témoignent les triomphes réservés par le public à *La verbena de la Paloma* (B. Perojo, 1935) et à *Morena Clara* (F. Rey, 1936).

Le conflit interrompt cette « époque dorée » et infléchit vigoureusement la production vers le documentaire militant ou de propagande. L'effervescence cinématographique républicaine durant la guerre est à sa manière un signe de vitalité et l'aboutissement de tendances jusqu'alors embryonnaires. On compte 185 titres entre 1931 et 1936, dont 108 longs métrages ; parmi ceux-ci, 37 sont réalisés en 1935 et 28 de janvier à juillet 1936. De cette date à avril 1939, on dénombre 350 titres, dont 25 longs métrages et 318 documentaires. Faute de contrôler les installations de Barcelone, Madrid et Valence, seul un septième de cet essor revient aux insurgés ; Cifesa, Perojo et Rey, ralliés au mouvement militaire, doivent filmer à Berlin. De son côté, la République reçoit des réalisateurs solidaires comme Malraux*, Ivens* et Strand*. Les anarchistes, les communistes et la Generalitat de Catalogne sont à l'origine de la plupart des films. La mobilisation révolutionnaire débouche sur des expériences collectives, sur l'expropriation des salles et sur une prise en charge de la production par le syndicat du spectacle à Barcelone ; on trouve ainsi de curieux films de fiction anarcho-syndicalistes, tels que *Nuestro culpable* (Fernando Mignoni, 1937), *Barrios bajos* (Pedro Puche, *id.*), *Aurora de esperanza* (Antonio Sau, 1938), *¡ No quiero... no quiero !* (F. Elías, *id.*).

L'espoir s'effondre avec la victoire franquiste. Entre-temps, l'industrie argentine a conquis le marché hispano-américain si convoité. Plus d'une centaine d'artistes, techniciens et réalisateurs s'exilent. Dès 1938, la censure est organisée à Burgos ; la censure préalable sur les scénarios est décrétée l'année suivante. La cinématographie va dépendre du Service national de propagande, au ministère de l'Intérieur. Le cinéma sera pendant trente ans un des principaux instruments d'endoctrinement idéologique du franquisme. La Cifesa, liée à l'industrie allemande et italienne, en sera le premier pilier (le producteur Cesáreo González lui succède après 1948). Le modèle est importé de l'Italie mussolinienne (*le Siège de l'Alcazar,* A. Genina*, 1940 ; en coproduction). Franco* lui-même donne le ton, en écrivant le scénario de *Raza* (José Luis Sáenz de Heredia, 1941), qui inaugure le genre « croisades », prolongeant sur les écrans la guerre sainte gagnée contre les « rouges ». C'est l'époque du salut fasciste et de l'hymne, obligatoires dans les salles. Le doublage imposé aux films étrangers fait de l'industrie nationale une candidate à l'assistance. La tutelle franquiste sera toujours intéressée. Ainsi, les licences d'importation de films étrangers sont liées à la production de films nationaux « de qualité » (1941). Avec les sommes qui proviennent des taxes appliquées aux films importés, le syndicat du spectacle attribue des crédits, mais à certaines conditions seulement, car n'en bénéficient que les films auxquels il a décerné des prix et qu'il a classés « d'intérêt national ». Ce système complexe et subtil (l'initiative privée est préservée) transforme les producteurs en une lumpenbourgeoisie docile, qui poursuit un gain aisé à court terme, sans esprit de suite (l'affaire étant de toucher les prébendes officielles et non de recueillir l'adhésion du public). L'attachement du régime à cette forme d'expression est encore attesté par la publication de la revue *Primer Plano* (1940) et par la création du *No-Do* (1943), actualités dont la projection reste obligatoire jusqu'à 1976. La production passe de 10 longs métrages en 1939 à 52 trois ans plus tard ; elle tourne autour de la quarantaine jusqu'à 1955. La défaite du nazisme et du fascisme précipite la mise à l'écart de la Phalange, au profit d'un poids accru de l'Église catholique. Le genre « croisade », avec son apologétique raciale, fleurissant au début (*Escuadrilla,* A. Román* ; *Harka,* Carlos Arévalo ; *Porque te vi llorar,* J. de Orduña*, tous en 1941), s'estompe, même si on en trouve des échos lointains (*El santuario no se rinde,* Arturo Ruiz Castillo, 1949 ; *La fiel infantería,* P. Lazaga*, 1959). Vers la fin de la Seconde Guerre mondiale, deux genres « nobles » en prennent le relais : le film « impérial », à la gloire de la *hazaña castellana (la gloire castillane),* et le film religieux, fleuron typique de cette époque « national-catholique ». Entre les deux, les variantes coloniale (*Bambú,* Sáenz de Heredia*, 1945 ; *Los últimos de Filipinas,* A. Román, *id.*) et colonial-missionnaire (*La mies es mucha,* Sáenz de Heredia, 1949, écrit par Vicente Escrivá*, scénariste-hagiographe par excellence). Le film historique correspond à la phase autarcique et d'isolement international du franquisme. L'évocation du XVIe siècle, de la guerre d'indépendance ou de la guerre civile est mise au service d'une exaltation patriotique, d'un dessein impérial qui se perpétuent par la langue et la religion, d'une vision exclusivement centraliste du pays autour de la Castille, du culte du héros, du guerrier, dans un monde où la paix est toujours précaire, où le Bien et le Mal s'affrontent sans cesse (*El Abanderado,* Eusebio Fernández Ardavín, 1943 ; *Inés de Castro,* Leitão de Barros* et Manuel A. García Viñolas, 1945 ; *Alba de América,* J. de Orduña, 1951 ; *La llamada de África,* César Ardavín, 1952). Alors que la propagande veut faire croire que l'Espagnol est « moitié moine, moitié soldat », curés et missionnaires passent au premier plan (*Forja de Almas,* E. Fernández Ardavín, 1943 ; *Balarrasa,* José Antonio Nieves Conde*, 1950) ; puisque le sacrifice de la femme sur la terre la prédispose à la sainteté, les bonnes sœurs ne sont pas oubliées (*Sor Intrépida,* R. Gil*, 1952 ; *la Belle Andalouse,* L. Lucía*, *id.*). La route vers le paradis passe volontiers par une apologie masochiste de la mort (*Molokai,* Lucía, 1959), par un appel morbide de l'au-delà (*Marcelino, pain et vin,* L. Vajda*, 1955). La vedette de ce dernier, Pablito Calvo*, ouvre la voie à une série de petits niais, dont les uns chantent, les autres pas (Joselito*, Marisol, Ana Belén*, Rocío Durcal). Une part majoritaire de la production emprunte néanmoins les formes apparemment plus banales de la comédie (comme celle dite « en frac »), de l'espagnolade, du calligraphisme (*El escándalo,* Sáenz de

Heredia, 1943), puis des musicaux rétros (*Valencia,* J. de Orduña, 1957, triomphe de Sarita Montiel*) et des mélodrames bourboniens (*¿ Dónde vas Alfonso XII ?,* L. C. Amadori*, 1958) ; en d'autres mots, l'apogée d'un pompiérisme réactionnaire où se bousculent des tâcherons sans personnalité. Deux anciens élèves de l'Institut de recherches et d'expériences cinématographiques (IIEC, fondé en 1947) essayent d'ouvrir une première brèche : Luis García Berlanga* et Juan Antonio Bardem* ; le premier s'impose avec *Bienvenue Mr. Marshall* (1952), le second avec *Mort d'un cycliste* (1955). Le projet d'un « néoréalisme à l'espagnole », préfiguré par un phalangiste dissident (*Surcos,* J. A. Nieves Conde, 1951), reste lettre morte. L'humour acide de Berlanga ne trouve que deux continuateurs : l'Italien Marco Ferreri* et le comédien réalisateur Fernando Fernán Gómez*. L'effort de réflexion entrepris par les revues *Objetivo* et *Cinema universitario* (1953) culmine avec les Conversations cinématographiques de Salamanque (1955), rassemblant phalangistes, catholiques et communistes. Le diagnostic qu'y formule Bardem est sévère : « Le cinéma espagnol est politiquement inefficace, socialement faux, intellectuellement infirme, esthétiquement nul et industriellement rachitique. » Commence alors l'essor des coproductions, dans lesquelles l'Espagne n'apporte que la « co », c'est-à-dire paysages et figuration. L'empire romain ou moyenâgeux de Samuel Bronston*, le carton-pâte hollywoodien ou italien remplacent le rêve délabré de Franco. Le cinéma espagnol devient un cinéma de sous-genres, de succédanés mimétiques et sous-développés : le film d'horreur, les spaghetti-westerns, le « sexy celtibérique ». Un renouvellement est tenté par des stimulations aux films « d'intérêt spécial » et un léger assouplissement de la censure. Au début des années 60, l'opération *nuevo cine* facilite donc l'accès à la mise en scène de près de cinquante jeunes, plusieurs d'entre eux issus de l'École officielle de cinématographie (l'ancien IIEC) : Manuel Summers*, Mario Camus*, Julio Diamante, Miguel Picazo*, B. M. Patino*, Jaime Camino*, José Luis Borau*, A. Fons*, J. Grau*, Francisco Regueiro* ; la revue *Nuestro Cine* leur sert de plate-forme. En même temps, une éphémère École de Barcelone suit un cours plus expérimental et onirique (V. Aranda*, P. Portabella*, G. Suarez*). Seul Carlos Saura*, qui les devance un peu, préserve une carrière continue et personnelle (en collaboration avec son producteur Elías Querejeta*). En 1966, la production atteint le chiffre record de 164 longs métrages (dont 97 coproductions) ; ensuite, elle se stabilise autour d'une centaine de films annuels. Sous les apparences de la prospérité, le cinéma espagnol est malade. La médiocrité change juste d'habits, les commerçants découvrent les vertus de la nudité. Durant les années 70, la tentative d'une « troisième voie », entre le *nuevo cine,* jugé trop intellectuel, et le mépris pur et simple du public, échoue à son tour. Contre vents et marées, quelques talents arrivent à s'exprimer : Víctor Erice*, Manuel Gutiérrez Aragón*, Jaime de Armiñán*, Jaime Chávarri*, Alfonso Ungria*, Antonio Drove, Ricardo Franco*, Pedro Olea*, José Juan Bigas Luna*. La mort du Generalísimo et la fin de la toute-puissante censure ouvrent l'éventail thématique, amorcent une renaissance culturelle catalane, favorisent une réflexion critique originale et de multiples contestations. Le premier Congrès démocratique du cinéma espagnol (1978), convoqué pour débattre des moyens de surmonter la crise, n'est pas suivi d'effets. La banalité sociologique commence à peser sérieusement sur un cinéma débarrassé de la censure, trop complaisant vis-à-vis des anciens tabous. La collaboration avec la télévision publique apporte enfin un peu d'oxygène à la production. L'arrivée des socialistes au pouvoir et la nomination de Pilar Miró* à la tête de la cinématographie (1982-1985) stimulent un haut de gamme plutôt académique, avec une prolifération d'adaptations littéraires (*Divinas palabras,* J. L. García Sánchez*, 1987). Un système inspiré de l'avance sur recette française (1984) et les subventions des autorités autonomes y contribuent. Le Pays basque inspire les réalisateurs Imanol Uribe*, Montxo Armendáriz*, Julio Medem*. La plus importante révélation de cette période, Pedro Almodóvar*, échappe néanmoins aux pesanteurs et impose une vraie personnalité. Grâce à la promotion institutionnelle, son succès n'est pas isolé : l'Oscar couronne *Volver a empezar* (José Luis Garci*, 1982), puis *Belle Époque* (Fernando Trueba*, 1992). Comme jadis Fernando Rey* ou Francisco Rabal*, quelques jeunes comédiens peuvent entamer une carrière internationale (Victoria Abril*, Angela Molina*, Assumpta Serna*, Antonio Banderas*, Carmen Maura*). Cependant, la privatisation partielle de la télévision déstabilise cet échafaudage fragile (137 longs métrages produits en 1981, 53 en 1993). Désormais intégrée à l'Europe, l'Espagne se bat pour défendre ses industries culturelles face à une dictature qu'elle avait jusqu'alors méconnue, celle des lois du marché. P.A.P.

ESSANAY, société de production américaine créée à Chicago en février 1907 par George K. Spoor et Gilbert M. Anderson (Broncho Billy). Le nom de la compagnie provient de la réunion des initiales des deux partenaires (S and A). Dès sa fondation, elle se spécialise dans deux genres bien définis : le western et la comédie burlesque. Anderson prend en charge la production des westerns, fait voyager une troupe itinérante à travers le Colorado, le Wyoming, le Nouveau-Mexique avant de s'établir à Niles en Californie, et se met lui-même en scène dans des centaines de petites bandes.

Dans le domaine de la comédie, la Essanay connaît d'abord la réussite avec des séries (« Snakesville Comedies », « Alkali Ike Comedies », « Sweedie ») avant d'engager Charlie Chaplin, ravi à la Keystone. Quand Chaplin quitte à son tour la Essanay pour la Mutual et quand Gilbert M. Anderson vend ses parts à son associé, la compagnie périclite et doit cesser ses activités en 1917. J.-L.P.

ESTABLISHING SHOT. Locution anglaise pour *plan d'ensemble.*

ÉTAIX *(Pierre), cinéaste et acteur français (Roanne 1928).* Passionné d'arts graphiques, de musique, de cirque, il s'établit à Paris, où il vit de l'illustration de livres. Il rencontre Jacques Tati, qui l'engage comme graphiste et gagman pour *Mon oncle* (1958). Il devient clown, a ainsi l'occasion de se produire à la télévision et au cabaret, et fait de la figuration. Il se lie avec Jean-Claude Carrière et ils signent ensemble quelques publications et quelques essais cinématographiques. C'est avec lui qu'il écrit ses premiers courts métrages comiques : *Rupture* (1961) et *Heureux Anniversaire* (1962). Il réalise ensuite cinq longs métrages, dont le scénario est issu de leur collaboration. En 1963, *le Soupirant* étonne par un rythme très personnel et une recherche du gag inhabituelle en France, et dont *les Vacances de M. Hulot* (J. Tati, 1953) est un des rares précédents. Abandonnant le masque figé de son personnage du *Soupirant* et une sorte de burlesque pur, il tourne *Yoyo* (1965). Le film déconcerte dans la mesure où le comique, malgré le nombre des gags, est moins important qu'une fiction portée par le goût de son auteur pour l'univers du cirque. La réédition du film, en 1981, a mieux mis en lumière les qualités de pudeur et d'originalité dans l'alliance de l'humour et de l'émotion. *Tant qu'on a la santé* (1966) renoue avec le burlesque, mais développe plus complaisamment les éléments convenus de la satire sociale. C'est la tendance qui s'affirme avec *le Grand Amour* (1969), malgré des gags issus des accessoires de la vie quotidienne, et plus encore dans *Pays de cocagne* (1971), un film souvent agressif, satire des Français en vacances.

Dans les années 70, les activités de Pierre Étaix s'orientent exclusivement vers le cirque. Il crée avec sa femme Annie Fratellini l'École nationale du cirque. Ils apparaissent tous deux dans *les Clowns* de Fellini. Dans les années 80, Pierre Étaix publie plusieurs albums de dessins d'humour et revient à l'audiovisuel avec un film qui est l'adaptation de sa pièce de théâtre : *l'Âge de Monsieur est avancé* (1987), sur le thème du paradoxe de l'auteur face à ses créatures, et en forme d'hommage à Guitry. En 1989 il réalise *J'écris dans l'espace,* premier film non documentaire exploité à la Géode en format Omnimax. D.S.

ÉTALONNAGE. Opération consistant à déterminer, plan par plan, les caractéristiques de la lumière de tirage (intensité et couleur) qui permettront d'obtenir une copie positive correcte. (→ aussi COPIES, DOMINANTE, LABORATOIRE, SOURCES DE LUMIÈRE, TEMPÉRATURE DE COULEUR.)

Pour obtenir des images positives correctes à partir du négatif original, il est presque toujours nécessaire d'apporter des corrections au moment du tirage. Cette nécessité apparaît déjà si l'on considère chaque plan du négatif isolément : image trop claire ou trop sombre, ou bien présentant une *dominante* colorée. Elle provient surtout du fait qu'un film est une *suite* de plans tournés sans ordre chronologique précis et parfois dans des conditions très différentes ; de plus, le traitement des négatifs par le laboratoire peut varier légèrement durant le tournage. Il serait notamment inacceptable qu'à l'intérieur d'une même scène les couleurs varient d'un plan à l'autre.

L'*étalonnage* consiste à déterminer, plan par plan, les caractéristiques de la lumière de tirage (intensité et couleur) qui permettront d'obtenir une copie positive correcte.

L'étalonnage au temps du noir et blanc. En noir et blanc, l'étalonnage est nettement plus simple qu'en couleurs. D'une part, les corrections se limitent à : plus clair ou plus sombre. D'autre part, un œil exercé peut, par simple examen du négatif devant un verre dépoli lumineux, définir avec précision les corrections nécessaires. Aux tout débuts du cinéma, le tirage se pratiquait dans l'appareil universel qui servait tour à tour de caméra, de tireuse, de projecteur. Pour corriger le tirage, il suffisait de tourner la manivelle plus ou moins vite selon les plans, ce qui modulait le temps d'exposition du positif. Lorsque apparurent les véritables tireuses, qui travaillent à vitesse constante, la seule solution consistait à faire varier la lumière de tirage, soit en réglant par rhéostat l'intensité de la lampe, soit grâce à une bande cache, similaire (à l'absence près de filtres colorés) à celle décrite ci-dessous.

L'étalonnage en couleurs. En couleurs, deux méthodes de correction sont possibles. Dans les deux cas, le fait que le négatif soit en couleurs complémentaires de celle du sujet, et surtout l'existence d'un *masque* jaune-orangé (→ COULEUR) excluent la détermination des corrections par examen visuel du négatif ; il faut tout d'abord reconstituer une image positive.

Les tireuses soustractives. Sur les tireuses *soustractives,* on intercale (entre la lampe et le couloir de la tireuse) des filtres colorés qui *soustraient* une partie des radiations lumineuses émises par la lampe.

Ces filtres peuvent être agrafés devant des orifices pratiqués dans une *bande cache,* qui avance d'un cran à chaque changement de plan nécessitant un nouveau réglage. (L'avance de la bande cache est commandée soit à partir d'encoches pratiquées sur le bord du négatif, soit à partir de perforations pratiquées dans une *bande pilote* défilant en synchronisme avec le film.) Les filtres colorés règlent la couleur de la lumière. Pour régler son intensité, deux méthodes sont possibles. Ou bien les orifices de la bande cache sont des trous circulaires de diamètre variable, jouant le rôle d'un diaphragme. Ou bien ils sont de taille constante, et l'on superpose des filtres gris aux filtres colorés. Dans la seconde méthode, on peut remplacer la bande cache par une *bande pochette,* où les films sont tout simplement glissés entre deux films transparents.

Pour déterminer les réglages, on confectionne une *chenille,* succession de quatre images prélevées à la fin de chaque plan monté dans le négatif final. La chenille, qui constitue un raccourci de ce négatif, est tirée en positif à plusieurs réglages : en comparant les résultats, l'étalonneur définit les meilleurs réglages. Il peut être nécessaire de procéder à plusieurs tirages successifs de la chenille avant de parvenir à un résultat correct. Lorsque ce résultat est atteint, l'étalonneur transmet son étalonnage, c'est-à-dire le relevé des réglages nécessaires, à la personne qui confectionne les bandes caches.

Les tireuses additives. Le temps demandé pour la confection des bandes caches, le coût et les risques de détérioration des filtres sont autant d'inconvénients qui ont conduit à la mise au point des tireuses *additives.*

Ici, le faisceau lumineux blanc de la lampe est d'abord divisé par un système optique en trois faisceaux distincts où sont regroupées les radiations lumineuses respectivement bleues, vertes, rouges. Un second système optique fusionne ensuite les trois faisceaux, ce qui reconstitue, par *addition,* le faisceau initial. En fait, des volets mobiles (ou *light valves*) modulent l'intensité de chaque faisceau, permettant ainsi de faire varier à la fois l'intensité globale et la couleur de la lumière finale. Le réglage des volets est commandé par les perforations d'une *bande code* dont l'avance, à chaque changement de réglage, est commandée comme précédemment par des encoches sur le négatif ou par des plots magnétiques collés sur le bord du film ou encore par un compteur électronique.

Outre la suppression des inconvénients mentionnés plus haut, ce procédé présente deux avantages sur le tirage soustractif. D'une part, il permet des réglages plus fins : 50 *lumières* par faisceau sur les tireuses modernes alors que les tireuses soustractives offrent seulement 20 lumières pour l'intensité globale et 20 graduations par couleur. («Lumière» doit être entendu au sens, qu'on lui donne en mécanique, d'orifice laissant un passage – ici : un passage au faisceau lumineux. On peut retenir que les tireuses additives permettent un réglage deux fois plus fin que les tireuses soustractives.) D'autre part, le changement de réglage s'effectue en un temps très court, ce qui permet d'accroître le débit de la tireuse. Tout cela concourt à ce que le tirage additif ait presque entièrement supplanté le tirage soustractif.

Pour déterminer les réglages, l'étalonneur dispose ici de deux méthodes : la chenille, déjà décrite ; l'*analyseur,* dispositif électronique qui fournit sur un écran de télévision l'image positive du négatif à corriger, image qui peut être modifiée grâce à trois boutons, gradués en correspondance avec les réglages possibles des volets de la tireuse. Lorsque l'image observée sur l'écran est jugée satisfaisante, on prend note des nombres relevés sur les boutons, ce qui constitue l'étalonnage du plan. Ces nombres sont ensuite reportés sur la bande code. (Les analyseurs sont même couplés directement avec la machine à fabriquer la bande colle.) Il est possible de combiner l'analyseur et la chenille, afin d'éviter la manipulation excessive du négatif monté.

Remarques diverses. Au-delà des simples corrections considérées jusqu'ici, l'étalonnage prend en compte les interventions demandées par le réalisateur ou le chef opérateur du film à des fins esthétiques (par ex., une tonalité générale «chaude» ou «froide») aussi bien que les interventions nécessaires à la réalisation de certains effets comme la nuit américaine*. De toute façon, l'étalonnage implique la participation du chef opérateur.

S'agissant des *rushes,* projetés quotidiennement pour juger les prises de vues du jour ou de la veille, il existe deux écoles. Les rushes non étalonnés, tirés en lumière standard, reflètent fidèlement le négatif mais demandent une transposition mentale pour imaginer ce que donnera le plan une fois étalonné. On peut aussi demander au laboratoire un premier étalonnage tenant compte des indications qui lui sont fournies (intérieur jour, intérieur nuit, etc.). L'image est beaucoup plus proche de ce qu'elle sera sur la copie finale, mais il est difficile au chef opérateur d'apprécier la qualité – et les défauts éventuels – du négatif, sauf si les rushes reviennent accompagnés d'un rapport technique établi à son intention.

Les films tirés en un grand nombre de copies sont tirés non pas d'après le négatif original mais d'après un internégatif, copie de ce négatif. Les corrections de tirage s'effectuent alors non pas au tirage des copies mais au moment de l'établissement de l'internégatif, les copies étant ensuite tirées en lumière standard.

Charte. S'il vise à obtenir la continuité du rendu des couleurs entre les plans qui se suivent, l'étalonnage vise tout autant à procurer un rendu satisfaisant des couleurs. L'étalonneur, qui procède par appréciation visuelle, a besoin pour cela de références. Le visage des comédiens, harmonisé par le *maquillage**, est une référence. Une autre référence est fournie par la *charte* (également désignée par le terme angl. *liby*), filmée en fin de plan et qui porte deux séries standardisées de plages colorées et de plages grises. Paradoxalement, c'est surtout la gamme de gris qui est utile, car elle permet de détecter aisément les dominantes colorées.

«Négatif tête de femme». Une fois l'étalonnage effectué, l'image positive doit être identique d'une copie à l'autre et ne doit pas dépendre des variations possibles : du développement, de la lumière, de la tireuse, des caractéristiques (variables selon le fabricant et selon le lot de fabrication) de la pellicule positive employée pour le tirage. Pour minimiser l'influence de ces facteurs, le laboratoire peut agir sur les caractéristiques du développement et sur le réglage de la tireuse. (Matériellement, ce réglage s'effectue en soustractif, par un ou plusieurs filtres placés entre lampe et films, ou en additif, par des volets spécialisés, les «trimers»). Parallèlement à la sensitométrie (→ LABORATOIRE), qui permet au laboratoire de mesurer régulièrement la qualité du développement, un contrôle visuel rapide de l'ensemble du processus est fourni par le tirage fréquent (en fin de chaque bobine, par exemple) d'un court fragment de négatif propre au laboratoire et représentant typiquement un visage de femme accompagné d'une charte. Ce «négatif tête de femme» sert également à régler l'analyseur décrit plus avant, par comparaison entre l'image du

négatif fournie par l'analyseur et un tirage positif jugé correct de ce même négatif.
J.-P.F./L.R.

ÉTALONNER. Procéder à l'étalonnage. *Copie étalonnée,* copie tirée en fonction des indications fournies par l'étalonnage.

ÉTALONNEUR. Technicien chargé de l'étalonnage.

ÉTATS-UNIS. Pour beaucoup, le cinéma américain est (qu'on s'en félicite ou qu'on le déplore) le cinéma-spectacle par excellence : une industrie disposant de moyens considérables, une technique dont la supériorité n'est guère contestée, mais un statut qui — comme celui de la culture américaine dans sa globalité — suscite discussions passionnées, déclarations péremptoires et contradictoires et procès d'intention. Tantôt le cinéma américain est la forme la plus inventive d'un art populaire et collectif ; tantôt il est le reflet et l'agent d'un impérialisme intolérable. À quelques années d'intervalle, un Jean-Luc Godard, ou les *Cahiers du cinéma* dans leur ensemble, l'adorent, puis le brûlent, avec la même farouche détermination.

Repères historiques. Il convient d'abord de rappeler les grandes lignes et les dates essentielles de son évolution. L'invention du cinéma est à peu près contemporaine en Amérique et en Europe : Edison* joue aux États-Unis un rôle tout à fait comparable à celui des frères Lumière en France. L'appareil de visionnage individuel (le Kinétoscope) fait bientôt place à la projection publique, mais le cinéma n'est d'abord qu'une curiosité foraine dont le public est constitué en grande partie par les immigrants pauvres venus d'Europe centrale et septentrionale et vivant dans les ghettos des grandes villes.

On assiste, dans un premier temps, à une lutte entre Edison et ses concurrents (guerre des brevets*), chaque fabricant de caméras cherchant à s'assurer la plus grande part possible du marché, voire un illusoire monopole (la caméra fonctionnant aussi comme appareil de projection). Cette concurrence stimule bientôt la production et, les progrès techniques aidant, des films encore très brefs mais de plus en plus variés sont réalisés dans des studios rudimentaires. Dès lors, le conflit porte avant tout sur la distribution, le « trust Edison » (c'est-à-dire Edison et ses anciens rivaux) souhaitant s'assurer un monopole battu en brèche par les « indépendants », soutenus par les exploitants, qui jouent ici un rôle capital. Fripiers ou fourreurs, eux aussi venus d'Allemagne ou d'Europe centrale, Zukor*, Loew*, Schenck*, Fox*, Laemmle* sont en effet les prototypes des producteurs hollywoodiens, créateurs du cinéma américain en tant qu'industrie (non en tant qu'art).

Les œuvres sont d'abord des saynètes pareilles à celles des frères Lumière, ou bien elles tablent sur l'effet de réel et appartiennent au genre documentaire ou pseudo-documentaire : actualités guerrières ou politiques, compétitions sportives... Puis elles se structurent grâce à l'introduction du scénario et du découpage, qu'on s'accorde à dater d'Edwin S. Porter (*l'Attaque du grand rapide,* 1903). Ensuite le rôle le plus important est joué par la Vitagraph*, où J. Stuart Blackton* donne des œuvres où l'on ressent l'influence du théâtre mais qui, solidement charpentées, forment une sorte de lien entre Porter et Griffith* (*cf.,* par exemple, l'adaptation du *Conte de deux cités* d'après Dickens, 1911).

C'est en effet de D. W. Griffith et de *Naissance d'une nation* (1915) que l'on peut dater la véritable naissance du cinéma américain « classique ». Ce progrès avait certes été préparé par les œuvres de J. Stuart Blackton et par l'apprentissage de Griffith lui-même, et *Judith de Béthulie* (1914) en constitue un jalon supplémentaire, mais la loi du progrès par bonds n'en est pas moins vérifiée ici, tant le cinéma, avec Griffith, change de statut sinon de nature, et ambitionne d'égaler les chefs-d'œuvre de la littérature mondiale, en particulier ces piliers de la culture anglo-saxonne : la Bible et Shakespeare, nommément cités par Griffith en exergue de *Naissance d'une nation.* À ce changement décisif concourent tous les progrès de détail : longueur accrue des œuvres, soin accru apporté à la direction d'acteurs, au décor, aux costumes, à la narration (découpage, intertitres), à la musique écrite spécialement pour le film.

L'essentiel de l'œuvre griffithienne tient en quelques années (1915-1924) car le déclin de Griffith — quoique relatif — fut rapide. Mais il avait pendant ces quelques années posé les bases inébranlables du cinéma américain comme art.

La prééminence de Griffith ne doit pas faire oublier l'apport de ses contemporains. Il faut tout d'abord citer à cet égard Cecil B. De Mille*, « inventeur » d'Hollywood et auteur d'une œuvre dont les aspects spectaculaires (comparables à ceux d'*Intolérance* [Griffith, 1916] et redevables, comme ce dernier film, au cinéma italien de l'époque) voisinent avec une veine intimiste dont l'humour sophistiqué faisait défaut à Griffith et qui aura une influence déterminante sur ce genre américain entre tous, la comédie de mœurs.

Capital est, d'autre part, l'apport des comiques dont les talents ont été découverts par Mack Sennett*, au premier chef Charles Chaplin*, qui incarne la tradition anglaise du music-hall, du cabaret. Cette école « burlesque » s'épanouira tout au long des années 20, avec Chaplin lui-même, et aussi Buster Keaton*, Harry Langdon*, Harold Lloyd*, Laurel* et Hardy*, constellation inégalée dont la hiérarchie sera bouleversée par l'introduction du parlant.

En dehors des burlesques, le cinéma muet est, en majeure partie, de caractère dramatique et même mélodramatique. C'est que les meilleurs films utilisent, pour pallier le défaut de parole, un langage gestuel et expressif (les gestes et les mimiques des interprètes) qui est rendu plus complexe par le jeu des éclairages et les angles de prises de vues et qui est renforcé émotionnellement par une partition musicale appropriée : c'est-à-dire que le cinéma muet s'apparente à certains égards à l'opéra.

En même temps, on note que l'influence européenne, tout en se faisant plus directe (par l'intervention de metteurs en scène formés en Europe ou du moins d'origine européenne), tend à être « absorbée » par Hollywood, capitale dotée d'un singulier pouvoir d'assimilation. C'est ainsi que, tandis que les Suédois Stiller* et Seastrom (Sjöström*), le Hongrois Fejos* ne feront que brièvement carrière à Hollywood, les Allemands Lubitsch* et Murnau* s'y installeront, et que Stroheim* et Sternberg* (tous deux d'origine viennoise) y feront pratiquement toute leur carrière de réalisateurs. Influence européenne qui est bien loin de se limiter aux metteurs en scène, car de Suède et d'Allemagne viennent aussi des stars (Greta Garbo*, Pola Negri*, Emil Jannings*) et des techniciens. Ainsi un film comme *l'Aurore* (Murnau, 1927) – un des plus beaux du cinéma muet – est-il un hybride remarquable de la tradition germanique et de la tradition hollywoodienne.

La considérable influence européenne – et allemande en particulier – est en effet contrebalancée par une tradition spécifiquement américaine, incarnée aussi bien par des réalisateurs (King Vidor*, Henry King*...) que par des stars ou des genres (le western*). Même un auteur qui cultive à dessein une image européenne – Erich von Stroheim – réalise, d'après un classique du naturalisme américain, *les Rapaces* (1925). Le cinéma américain révèle dès le muet plusieurs de ses forces permanentes, qu'il s'agisse de son ressourcement aux diverses traditions locales (le Sud chez Griffith, le Midwest rural dans *la Bru* de Murnau, 1930) ou de sa sensibilité à la réalité sociale (*la Foule,* K. Vidor, 1928). Ceci n'empêche évidemment pas qu'il constitue en même temps un spectacle d'évasion (*cf.* les fantaisies de Douglas Fairbanks* ou les films « exotiques » de Rudolph Valentino*).

Cet art qui avait atteint, dans le raffinement du jeu des acteurs, dans la splendeur des décors, dans la délicatesse de la photographie, dans la maîtrise enfin de son tempo, une manière de perfection est frappé à mort par l'invention du sonore puis du parlant (le rôle déterminant étant joué par le procédé Vitaphone* de la Warner*). S'il convient de corriger bien des légendes sur l'absence de mouvements de caméra dans les premiers films parlants, s'il n'est pas évident qu'avec son caractère « muet » le cinéma ait perdu une sorte de pureté intrinsèquement supérieure, il n'en reste pas moins que l'irruption du parlant constitua un bouleversement au moins à deux titres. D'abord, elle mit fin, plus ou moins brutalement, à bien des carrières de réalisateurs et d'interprètes. Elle confirma le déclin de Griffith, signifia la ruine de John Gilbert* dont la voix était trop aiguë. En compensation, on fit appel à de nouveaux metteurs en scène venus du théâtre et donc habitués à diriger des dialogues (Cukor*).

D'autre part – bouleversement plus profond peut-être –, les genres qui avaient dominé le muet, c'est-à-dire le mélodrame et le burlesque, parurent soudain frappés d'archaïsme, et furent (au moins provisoirement) éclipsés par des films d'action au rythme très enlevé, comme les films de gangsters, ou par des comédies où régnait abusivement la parole. Il ne paraît guère contestable que les burlesques les plus représentatifs des années 30 – les frères Marx*– exprimèrent un comique non seulement moins « pur », mais aussi moins drôle, que leurs prédécesseurs ; de même W. C. Fields* – quel que soit son talent – ne réussit jamais (contrairement à Chaplin) à adapter un comique d'essence scénique aux exigences spécifiques de l'écran.

Le parlant privilégia, comme il était normal, les rapports entre Broadway et Hollywood*, entre la scène et l'écran. La naissance de la comédie musicale en est une illustration, encore que très vite Busby Berkeley*, Fred Astaire* et Ginger Rogers* se soient écartés avec bonheur des schémas spécifiquement scéniques et inventèrent, soit sur le mode spectaculaire, soit sur le mode intime, des formes inconcevables ailleurs qu'au cinéma. Il en va de même pour la comédie : si l'on compte de véritables « adaptations » de succès de Broadway (par exemple *les Invités de huit heures* de Cukor, 1933), en revanche les scripts et les dialogues de Lubitsch modifient de multiples manières les originaux qui figurent au générique, et dans le cas de la *comédie loufoque* (Capra*, McCarey*, La Cava*) une large place est laissée à l'improvisation.

La variété et la richesse du cinéma américain des années 30 doivent assurément quelque chose à la Dépression. Le paradoxe n'est qu'apparent : des millions de chômeurs disposent par définition de loisirs, et de ressources suffisantes pour des passe-temps peu onéreux, si bien que l'industrie hollywoodienne est alors prospère et réagit à la crise soit en donnant des images dramatiques (le film social) ou satiriques (la comédie loufoque), soit (le plus souvent) en offrant des images consolantes d'évasion dans des temps meilleurs.

C'est alors l'apogée des studios hollywoodiens, dont le principal est la MGM*, qui a sous contrat, par centaines, acteurs et actrices, mais aussi réalisateurs, scénaristes, techniciens de tous ordres. C'est également l'apogée du « système des stars » *(star system)* dont les plus importantes sont Greta Garbo*, Joan Crawford*, Marlene Dietrich*, Jean Harlow*, Carole Lombard*, Katharine Hepburn*, Jean Arthur*, Anna Sten*, Norma Shearer*... et, du côté masculin, Clark Gable*, Gary Cooper*, Spencer Tracy*, Fred MacMurray*, Fredric March*, Melvyn Douglas*, Charles Boyer*, Cary Grant*... Chacune de ces « figures » a son style propre, dans son apparence physique d'abord (à laquelle contribuent maquillage, costumes, photographie), ensuite dans sa manière d'être et de se prêter de préférence au mélodrame, à la comédie sophistiquée, à l'aventure...

Hollywood justifie alors dans une large mesure l'appellation d'« usine à rêves » : la quantité de la production impose une manière de taylorisation, c'est-à-dire une distribution précise des tâches, en même temps que de standardisation à partir de quelques modèles définis. C'est donc aussi – stylistiquement et thématiquement – l'apogée du système des *genres.* La comédie musicale, dont le développement est lié à la naissance même du parlant, est illustrée en particulier par la Warner (où Busby Berkeley est l'auteur de chorégraphies kaléidoscopiques qui se caractérisent par leur fond unanimiste), la RKO (où se distingue au contraire l'intimisme sophistiqué d'Astaire et Rogers) et par la MGM (avec plus de moyens que de style ou d'imagination véritables). La comédie a une gamme fort étendue, du burlesque des frères Marx aux comédies sophistiquées de Lubitsch et de Cukor en passant par la comédie loufoque où excellent Capra, McCarey, La Cava, Leisen*. Le mélodrame brille de feux encore vifs avec Borzage* ou John M. Stahl* (ce dernier chez Universal*). La Warner se fait une spécialité du film social et du film de gangsters que réalisent Mervyn LeRoy ou William Wellman* et qu'interprètent Paul Muni*, James Cagney*, Humphrey Bogart*... Inversement la Paramount* s'illustre dans le film historique à grand spectacle (Cecil B. De Mille) et dans les drames exotiques de Sternberg avec Marlene Dietrich. L'aventure est représentée de multiples façons, par le western, par le film de cape et d'épée (où se distinguent le réalisateur Curtiz*, l'interprète Errol Flynn*), par le film impérial ou colonial, par de véritables sous-genres comme celui des œuvres consacrées à Tarzan. Universal se fait un nom grâce au film d'épouvante, dont l'atmosphère et le style sont très germaniques (*Frankenstein,* J. Whale*, 1931 ; *Dracula,* T. Browning*, *id.*). Au contraire, le genre « Americana » – chronique nostalgique, rurale ou provinciale – a les faveurs de réalisateurs comme John Ford*, Henry King, King Vidor.

Ce second « âge d'or » d'Hollywood – après celui de la fin du muet – se prolonge pendant les années 40 mais subit de profondes mutations. Certaines sont dues à des facteurs extérieurs : la guerre mobilise les énergies contre l'Allemagne nazie, provoque l'essor de nombreux films d'espionnage et de propagande, puis des films de guerre à proprement parler ; il en va de même, ensuite, de la guerre froide, l'ennemi communiste se substituant dès lors à l'ennemi fasciste. Mais il ne faut pas négliger l'évolution propre – notamment stylistique – du cinéma en tant que moyen d'expression, avec l'apparition météorique, au firmament hollywoodien, d'Orson Welles*, auteur, acteur, metteur en scène, véritable homme-orchestre, dont *Citizen Kane* (1941) résume de manière brillante et provocante toutes les techniques issues du parlant et aussi de la radio. Cette œuvre maîtresse utilise en outre un mode de montage non linéaire tout à fait inhabituel à Hollywood, qui, imité et généralisé, conférera au cinéma certaines des techniques de composition dont s'était dotée, de longue date, la littérature.

Facteurs internes et externes se conjuguent pour donner naissance au genre roi des années 40, le film criminel* dit aussi *thriller* (ce qui l'apparente à l'épouvante) ou film noir (ce qui en exprime la tonalité, l'atmosphère spécifiques). Films criminels proprement dits, ceux qu'interprètent des personnages de « privés », notamment les héros de Raymond Chandler* et de Dashiell Hammett* ; les modèles du genre sont *le Faucon maltais* (J. Huston*, 1941) et *le Grand Sommeil* (H. Hawks*, 1946), avec Humphrey Bogart dans les deux cas ; et encore les adaptations de James M. Cain*, comme *Assurance sur la mort* de Billy Wilder* (1944) et *Le facteur sonne toujours deux fois* de Tay Garnett* (1946). Mais l'atmosphère propre au film noir imprègne quantité d'œuvres appartenant à d'autres genres : le film de gangsters bien sûr (*la Grande Évasion,* Walsh*, 1941), mais aussi le western (*la Vallée de la peur,* id., 1947), le mélodrame (*Rebecca,* Hitchcock*, 1940), l'adaptation littéraire (*Jane Eyre,* Stevenson*, 1944 ; ou *le Portrait de Dorian Gray,* Lewin*, 1945), le drame politique (*les Fous du roi,* Rossen*, 1949) ou le film historique (*le Livre noir,* A. Mann*, *id.*), voire la comédie (*Infidèlement vôtre,* P. Sturges*, 1948).

Stylistiquement, comme c'était déjà le cas pour le film d'épouvante, et comme cela est également sensible dans *Citizen Kane,* le film noir doit beaucoup à l'expressionnisme allemand, dont il reproduit l'univers nocturne et les décors oppressants ; comme l'expressionnisme allemand, il dépeint des personnages en proie à des forces hostiles qui les dépassent et les traquent de manière presque inéluctable, que ces forces soient criminelles à proprement parler, politiques, sociales, ou psychologiques et issues du personnage lui-même. À l'influence germanique se mêle d'ailleurs un apport anglais, traditionnel dans le film d'horreur ; on le vérifie dans les thématiques de *Rebecca* et de *Jane Eyre,* issues (directement ou indirectement) du roman « gothique », et encore si l'on observe qu'en dehors des Allemands (Siodmak*, Brahm*) et des Viennois (Lang*, Wilder, Ulmer*, Preminger*) l'un des réalisateurs qui a le plus assidûment pratiqué le *thriller* est l'Anglais Hitchcock (par exemple *la Maison du Dr. Edwardes,* 1945 ; *les Enchaînés,* 1946 ; *la Corde,* 1948).

Les films criminels, les films d'épouvante, les drames en général étaient le plus souvent réalisés en noir et blanc ; en revanche, la couleur tend à se généraliser pour la comédie musicale et le film d'aventures, autrement dit les genres d'évasion. Le musical est incontestablement dominé par les créations de la MGM, le plus souvent produites par Arthur Freed*, signées par Vicente Minnelli* ou Charles Walters*, interprétées par Judy Garland*, Gene Kelly*, Fred Astaire, et où des chorégraphies « modernes » sont serties dans de luxueux écrins nostalgiques (*le Chant du Missouri,* Minnelli, 1944 ; *Parade de printemps,* Walters, 1948), surréalisants (*Yolanda et le voleur,* Minnelli, 1945) ou exotiques (*le Pirate,* id., 1948).

Avec sa palette colorée, ses acrobaties, sa bonne humeur et ses héroïnes limpides, le film d'aventures (où Tyrone Power* a pris la place d'Errol Flynn) entretient alors avec la comédie musicale des rapports étroits. D'ailleurs, Gene Kelly, pirate d'opérette chez

Minnelli, est un des trois mousquetaires de Sidney* (1948).

Les années 40 voient aussi l'accession à la mise en scène d'une génération qui avait d'abord fait ses preuves au théâtre ou en écrivant des scénarios : les plus talentueux de ces nouveaux venus sont Mankiewicz*, Kazan*, Rossen. Ce sont des « enfants des années 30 », mais leur idéalisme rooseveltien est en porte à faux à l'époque de laguerre froide ; aussi cette génération sera-t-elle affrontée au maccarthysme, idéologie anticommuniste à tendance totalitaire, qui souhaite expurger Hollywood de ses éléments « progressistes » et procède en conséquence à une « chasse aux sorcières ». Plusieurs metteurs en scène sont contraints à l'exil : Chaplin, Dmytryk*, Losey*, Dassin*, en compagnie de plusieurs scénaristes, d'autres sont placés sur une « liste noire* » et interdits de travail à Hollywood. Certains acceptent de renier leurs opinions de jeunesse (Dmytryk, Kazan) ; tous sont désormais contraints de donner des gages et de réaliser des œuvres conformes à l'idéologie dominante (ainsi Kazan signe l'anticommuniste *Man on a Tightrope,* 1953). Il est toujours loisible d'échapper à une trop stricte littéralité en recourant à des symboles ; c'est la tendance naturelle d'un Nicholas Ray*, qui travaillera (mais malaisément) dans le système hollywoodien. On a pu voir une dénonciation du maccarthysme dans son western *Johnny Guitare* (1954).

En même temps, des metteurs en scène plus âgés sont dans la plénitude de leur activité créatrice, qu'il s'agisse de John Ford, dont le nom s'identifie de plus en plus au genre du western, auquel il prête une complexité inusitée (*la Poursuite infernale,* 1946), ou de King Vidor, signant avec *Duel au soleil* (1947) un western de dimensions ouvertement épiques qui doit assurément beaucoup à son producteur David O. Selznick*.

Ces diverses tendances se poursuivent d'abord pendant les années 50 : atmosphère de guerre froide et par conséquent propagande anticommuniste, domination du thriller, fondée sur le noir et blanc mais de plus en plus battue en brèche par la généralisation de la couleur. C'est que le cinéma est soumis à la concurrence de la télévision, mode d'expression à la fois voisin et radicalement différent qui influera sur lui de plusieurs manières. En formant des metteurs en scène dont le style concis et mesuré devra quelque chose à celui des « dramatiques » télévisées ; mais aussi en suscitant une sorte de fuite en avant du cinéma, qui, contre la télévision, voudra jouer de ces atouts que sont l'espace et la couleur. D'où la généralisation de la couleur, qui peu à peu devient la norme (le noir et blanc étant réservé aux sujets dramatiques traités de manière sobre et sérieuse), et celle du grand écran à partir du CinémaScope*, dont le premier exemple est *la Tunique* de Koster* (1953). D'où la prolifération des superproductions, qui demeurera jusquà nos jours une caractéristique d'Hollywood.

On voit en effet renaître l'épopée historique ou biblique qui n'était plus guère illustrée que par De Mille et qui ramène en un sens au cinéma muet : *Quo Vadis ?* de M. LeRoy* (1951), *les Dix Commandements* de De Mille lui-même (1956). La comédie musicale ne subira cette évolution que plus tardivement ; dans l'intervalle, elle redécouvre avec enthousiasme sa capacité à investir l'espace « réel » de la ville (*Un jour à New York,* Donen* et Kelly, 1949) en même temps qu'elle s'interroge sur sa propre fonction et s'élève d'avance d'opulents mausolées à une gloire qui n'est pas encore défunte (*Chantons sous la pluie,* id., 1952 ; *Tous en scène,* Minnelli, 1953). Le mélodrame renaît sous des espèces flamboyantes après sa quasi-absorption par le film noir : Ray (*la Fureur de vivre,* 1955), Kazan (*À l'est d'Eden,* id.), Minnelli (*Comme un torrent,* 1959), l'Allemand Douglas Sirk* (*Écrit sur du vent,* 1957) sont les pionniers de cette recréation, avec les moyens stylistiques nouveaux (Scope et couleur) dont dispose désormais le cinéma. Il en va de même du film d'action avec Sam Fuller*, ou du western, dont la couleur et le grand écran confirment la capacité à offrir des « repérages » de la géographie aussi bien que de l'histoire américaines (*cf.,* en particulier, les films d'Anthony Mann, notamment *l'Appât,* 1953 ; *l'Homme de la plaine,* 1955 ; *l'Homme de l'Ouest,* 1958).

Alors que les années 40 avaient été caractérisées par le travail sur le son, les années 50, qui unissent l'investissement de l'espace et l'utilisation de la musique d'atmosphère, marquent à cet égard une sorte de retour aux valeurs du muet ; on peut encore citer la renaissance du burlesque avec Frank Tashlin* et Jerry Lewis* (*Artistes et Modèles,* 1955 ; *Un vrai cinglé de cinéma,* 1956).

Si le système des genres (quoique modifié) continue à fonctionner, celui des studios en revanche est dangereusement menacé. Naguère minoritaires (il y eut le cas de United Artists*, de quelques producteurs comme Goldwyn* ou Selznick), les « indé pendants » se multiplient ; le phénomène du réalisateur-producteur, ou de l'acteur-producteur, devient de plus en plus fréquent. Le rapport de force qui s'instaurait entre le studio et la star s'inverse : Burt Lancaster*, Kirk Douglas*, Marlon Brando*, Frank Sinatra*, John Wayne*, Gregory Peck*, Gary Cooper, etc., souhaitent davantage contrôler la réalisation des films où ils jouent le rôle principal.

Les années 60 consacrent la crise d'Hollywood : les grands studios connaissent tour à tour des difficultés financières considérables ; nombre de superproductions sont tournées, pour des raisons fiscales, en Espagne ou en Italie ; un nombre croissant de réalisateurs sont désireux de s'exprimer à titre individuel, s'inspirent du cinéma d'auteur européen (Bergman*, Fellini*, Godard*...) et rejettent par conséquent les schémas stylistiques et thématiques d'Hollywood. Il s'agit en particulier d'Arthur Penn* et de Sam Peckinpah*, dont les westerns paraîtront marquer la fin du genre (*le Gaucher,* 1958, *Little Big Man,* 1970, de Penn ; *Coups de feu dans la Sierra,* 1962, et *la Horde sauvage,* 1969, de Peckinpah).

Plus que celui des genres, c'est donc le développement de certaines œuvres individuelles qui caractérise cette période : celle d'un Stanley Kubrick*, dont les ambitions philosophiques et le sens de la démesure imprègnent *2001 : l'Odyssée de l'espace* (1968), ou celle d'un Blake Edwards*, attaché à renouveler le genre de la comédie et à retrouver les recettes du burlesque muet revivifié par l'emprunt aux gags du dessin animé (*la Grande Course autour du monde,* 1965 ; *la Party,* 1968).

Plusieurs metteurs en scène de la période « classique » d'Hollywood donnent alors leurs derniers films, et ce phénomène du passage d'une génération prestigieuse contribue à l'aspect crépusculaire des années 60, d'autant que ces films sont empreints d'un certain désenchantement (par exemple *l'Homme qui tua Liberty Valance,* 1962, et *les Cheyennes,* 1964, de J. Ford ; *la Charge de la 8e brigade* de Walsh, 1964 ; *El Dorado* de Hawks, 1967).

Les années 70 au contraire marquent une renaissance avec la révélation de talents nouveaux et nombreux : Altman*, depuis *MASH* (1970), explore les conventions des genres (*John McCabe,* 1971, *le Privé,* 1973) et réalise des satires truculentes (*Brewster McCloud,* 1970, *Popeye,* 1980), son chef-d'œuvre restant sans doute *Nashville* (1975), musical d'un type inédit ; les œuvres ambitieuses de Coppola* sont servies par un sens « classique » de la construction (*le Parrain,* 1972-1974 ; *Apocalypse Now,* 1979) ; Scorsese*, par sa sensibilité à fleur de peau et sa violence, évoque un peu Ray et Fuller, maîtres longtemps méconnus des années 50 (de *Mean Streets,* 1973, à *Raging Bull,* 1980) ; Jerry Schatzberg* s'adonne sans arrière-pensées au bonheur de filmer les milieux les plus divers (*Portrait d'une enfant déchue,* 1970 ; *l'Épouvantail,* 1973 ; *Showbus,* 1980) ; l'Anglais John Boorman* se montre capable de signer des œuvres à la sensibilité profondément américaine (*le Point de non-retour,* 1967 ; *Délivrance,* 1972) ; quant à Michael Cimino*, sa problématique, dans ses deux fresques, est celle-là même de l'identité nationale américaine, naguère (*Voyage au bout de l'enfer,* 1978) et jadis (*la Porte du Paradis,* 1980). D'autres réalisateurs semblent, pour reprendre un mot d'Orson Welles, voir avant tout dans le cinéma moderne un « train électrique » aux possibilités inépuisables : ce sont George Lucas*, Steven Spielberg*, William Friedkin*, Brian De Palma*, qui manipulent la science-fiction, l'aventure, l'horreur, pour faire frémir, frissonner ou sursauter un public qui se compte par millions ; les modèles du genre, champions des recettes, sont *la Guerre des étoiles* de Lucas (1977) et *E. T.* de Spielberg (1982). Cette tendance ludique ne cesse de s'affirmer depuis 1980. Si Lucas a abandonné la réalisation pour la production et, surtout, pour les effets spéciaux dont il est devenu l'un des maîtres et principaux prestataires de service, Spielberg ne dévie guère de sa lancée. Cependant, il remet volontiers en question des succès prévisibles où son savoir-faire ne commet pas d'erreurs par des sujets courageusement inhabituels, voire polémiques. De Palma, quant à lui, abandonne de plus en plus souvent les suspenses horrifiques et sanglants avec lesquels il s'était fait connaître pour des œuvres plus ambitieuses. Ces personnalités brillantes et virtuoses semblent devenir quelque peu les maîtres à filmer de toute une génération qui n'imite souvent que ce qui peut l'être, c'est-à-dire l'apparence ; mais, en même temps, leur volonté répétée de sortir des sentiers battus laisse apparaître les carences d'un système plus las d'une certaine normalisation narrative et thématique qu'il ne le laisse paraître.

Spielberg, dont l'activité de producteur est intense, met lui-même ses dauphins en selle. Le plus sûr semble être Robert Zemeckis, qui, de *Retour vers le futur* (1985) à *Forrest Gump* (1994), version moderne du *Candide* voltairien, en passant par *Qui veut la peau de Roger Rabitt ?* (1987), signe quelques-uns des plus retentissants succès des deux dernières décennies.

Quant à De Palma, son succès engendre un véritable sous-genre policier qui regroupe des films d'une qualité fluctuante, comme *Basic Instinct* de Paul Verhoeven (1992). Parallèlement à cette veine psychologique, le film criminel met également en scène des actions de plus en plus spectaculaires, comme la série des *Armes fatales,* gros succès public dans la lignée de *French Connection*.

Au sein de ce cinéma grand public, Oliver Stone ne dédaigne pas briguer le succès tout en bouleversant les consciences. Il perpétue la tradition d'un cinéma libéral, né dans les années 30, et qui, périodiquement, refait surface. Les phénomènes de société que furent le succès de *Platoon* (1986) puis celui de *Né un 4 juillet* (1990) en attestent : les Américains avaient sans doute besoin de ces films qui leur tenaient un langage clair pour définitivement digérer l'amertume de la guerre du Viêt-nam. Le lyrisme d'un Michael Cimino ou le baroque d'un Coppola n'étaient finalement pas arrivés au même résultat. Quant au succès de *J.F.K.* (1992), il montre que l'Amérique n'a pas encore totalement évacué le traumatisme de l'assassinat de John Fitzgerald Kennedy.

Le phénomène dominant de cette dernière décennie du cinéma américain, tant du point de vue commercial que du point de vue culturel, est certainement l'affirmation d'un cinéma « noir » qui n'est plus uniquement destiné au public noir. Des cinéastes s'affirment, surtout après l'avènement tonitruant de Spike Lee : Mario Van Pebbles, Boaz Davinson, etc. Les acteurs noirs deviennent les égaux des blancs, du moins dans leur impact commercial et public. Ainsi, deux des vedettes les plus populaires sont noires : Whoopi Goldberg synthétise avec un sens du loufoque remarquable une joie de vivre dont le cinéma américain n'est par ailleurs pas très riche ; quant à Denzel Washington, à travers des films comme *Philadelphia* (1993), de Jonathan Demme, il semble s'imposer comme l'incarnation d'un certain esprit lincolnien toujours présent.

Ce cinéma commercial n'empêche heureusement pas l'éclosion de talents originaux qui utilisent les acteurs et les structures de genre du système mais en récusent la structure économique. C'est dans ce vivier qu'éclosent quelques-uns des cinéastes les plus intéressants de ces dernières années : Steven Soderbergh, Gus Van Sant, Abel Ferrara ou James Gray. Leurs films brassent des influences tant américaines qu'européennes et tiennent un discours neuf, dans le contenu comme dans la forme. La personnalité la plus médiatique à s'être affirmée dans ce registre est certainement Quentin Tarantino, avec le très brillant *Reservoir Dogs* (1992).

Un autre phénomène intéressant voit le jour : l'émergence de cinéastes américains qui semblent travailler uniquement pour un certain public européen. C'est le cas, notamment, d'un Jim Jarmusch ou d'un Hal Hartley, au centre d'un engouement peut-être excessif chez nous, alors qu'ils sont presque complètement inconnus chez eux, ce qui est également excessif. Ils sont cependant la partie apparente de l'iceberg important du cinéma indépendant, où certains œuvrent souvent obscurément dans le militantisme (films féministes, films « gay », films politiques...).

Si Hollywood n'existe plus que comme centre de la production télévisuelle, l'Amérique semble toujours attirer les cinéastes européens. Ou peut-être est-ce le cinéma américain, trop en proie à une certaine uniformisation, qui a besoin de la vitalité que le cinéma européen peut lui apporter. De nombreux Britanniques (Neil Jordan, Stephen Frears, Kenneth Branagh), Australiens (Peter

Weir) ou Néo-Zélandais (Roger Donaldson) ont acquis une place enviable en Amérique tout en préservant pour certains l'originalité de leur talent. Le cinéma américain a également accueilli des Russes (Andrei Kontchalovski), des Scandinaves (Lasse Fossberg, Bille August), des Allemands (Wolfgang Petersen), des Latino-Américains (Luis Puenzo, Luis Mandocki, Hector Babenco), qui, avec des fortunes diverses, perpétuent néanmoins la tradition cosmopolite qui avait déjà été celle d'Hollywood.

Les genres n'ont pas disparu, mais ils surgissent et s'évanouissent en des cycles très brefs dont on ne sait s'ils sont dictés par la mode ou provoquent celle-ci : au film de privé, qui avait été l'objet d'un renouveau pendant les années 60 (*Détective privé* de J. Smight*, 1966), succèdent les « films de copains » dans la lignée de *Butch Cassidy et le Kid* (G. R. Hill, 1969), les films-catastrophes (série *Airport, la Tour infernale* de J. Guillermin*, 1974), les films « disco » (*la Fièvre du samedi soir* de J. Badham, 1977), les adaptations de comics (cycles *Superman* et *Conan*), les voyages dans le temps (tryptique *Retour vers le futur* de Robert Zemeckis, *Peggy Sue s'est mariée* de F. F. Coppola, 1986), et ainsi de suite. Si la comédie musicale dansée et chantée a d'assez longue date pratiquement disparu, les formes musicales restent, en revanche, extrêmement importantes, qu'elles structurent le récit comme dans *Nashville, Showbus* ou *Phantom of the Paradise* (De Palma, 1974) ou qu'elles se substituent librement à celui-ci (*The Last Waltz,* Scorsese, 1978). Par ailleurs, le film d'action domine le cinéma américain. Les jeunes cinéastes y font leurs premiers pas et les producteurs s'y réfèrent quand ils ont besoin de succès faciles. Un montage de plus en plus rapide et éclaté, et des effets spéciaux à la précision de plus en plus confondante lui insufflent un certain dynamisme qui pallie autant que possible le manque d'inspiration de certains. Les vedettes masculines musclées, Sylvester Stallone et Arnold Schwarzenegger y font merveille. Sylvester Stallone revient périodiquement à ses personnages fétiches de *Rocky* ou de *Rambo,* quant à Schwarzenegger, il édulcore le *Terminator* (1985) qui avait fait son succès pour une version grand public, donc commercialement plus rentable (*Terminator 2,* 1991). Il faut noter à ce sujet que ce dernier semble faire confiance à des cinéastes relativement ambitieux comme James Cameron ou John McTiernan, alors que Stallone préfère s'entourer de personnalités plus anonymes comme George Pan Cosmatos quand il ne réalise pas lui-même. Tous deux essaient périodiquement, avec un succès mitigé, de casser leur image. Si les incursions de Stallone dans le domaine de la comédie ne sont pas des succès, celles de Schwarzenegger, également infructueuses du point de vue financier, présentent un certain intérêt cinématographique. On note, depuis les années 70, l'importance capitale de la bande-son ; si précédemment les progrès techniques principaux avaient concerné la couleur et le grand écran (aujourd'hui à ce point banalisés que les films en noir et blanc procèdent désormais d'une intention délibérée), plus récemment il s'est agi de perfectionner les techniques d'enregistrement et de reproduction du son (système Dolby, etc.). Si auparavant la musique semblait surtout avoir pour but de prolonger les implications de l'image, elle a été utilisée plus récemment en contrepoint de celle-ci (par exemple, Erik Satie dans *la Balade sauvage* de Terence Malick*, 1974). Ce réalisme visuel et sonore accru a élargi les possibilités du cinéma fantastique, et par là même son audience et sa respectabilité. Mais « l'effet de réel », induit par ces améliorations techniques, a aussi permis de masquer le simplisme et l'irréalité croissante d'une large fraction du cinéma américain, censée refléter les goûts du public juvénile.

Définitions. Défenseurs et détracteurs du cinéma américain définissent souvent celui-ci comme « cinéma-spectacle », ou encore comme « cinéma représentatif-narratif ». Mais ces définitions globales posent plus de problèmes peut-être qu'elles n'en résolvent. Tout d'abord, elles ne sont pas interchangeables : le « spectacle », dans la comédie musicale, se déroule (au moins apparemment) dans les intervalles de la narration, même s'il est fréquent qu'il fasse progresser celle-ci, de manière directement causale ou symbolique. Le « cinéma- spectacle » ne définit pas seulement Hollywood : il a même été pratiqué par Hollywood à l'imitation d'autres pays, l'Italie de *Cabiria,* l'Allemagne de *Madame du Barry.* Il ne définit pas tout Hollywood : le film social des années 30, le film de propagande s'apparentent évidemment au théâtre à thèse, à la littérature engagée et sont à la limite du spectaculaire.

Quant au cinéma « représentatif-narratif », il constitue la quasi-totalité du cinéma universel, et non seulement américain. À cette définition, il existe des exceptions, aux États-Unis comme ailleurs : la tradition documentaire, qui, il est vrai, telle qu'elle a été pratiquée par Flaherty, tend à être « narrative » aussi bien que représentative ; le cinéma expérimental, dont il existe des exemples dans les années 20 (*The Fall of the House of Usher,* 1928 ; *Lot in Sodom,* 1933, de John Sibley Watson Jr.* et Melville Webber*) comme dans les années 40 (*Dreams That Money Can Buy* de Hans Richter*, 1944) et aujourd'hui (les films de Michael Snow*, par exemple).

De manière plus pertinente, il est évident qu'une partie importante de la production américaine échappe aux normes hollywoodiennes : à diverses époques, on a vu des indépendants tourner à New York en récusant, précisément, le concept hollywoodien du « spectacle » : citons John Cassavetes*, Shirley Clarke*. Et, à Hollywood même, malgré la standardisation, il est clair qu'on n'a pas affaire à un bloc homogène ; que l'idéologie — réellement — dominante a été, à de nombreuses reprises, contestée de l'intérieur. Par la tradition naturaliste des « muckrakers » (*les Rapaces* de Stroheim d'après Frank Norris) ; par les rêves d'utopie rurale d'un King Vidor (*Notre pain quotidien,* 1934) ; par de nombreuses productions d'un studio (la Warner) qui était, dans les années 30, de coloration nettement progressiste (film social, musicals de Busby Berkeley) ; par les héritiers de cette tradition sociale dans les années 40 (Rossen*, Polonsky*) ; par des indépendants de plus en plus nombreux depuis les années 50. On peut citer aujourd'hui un Monte Hellman*, un Bob Rafelson*. Ce qui est vrai, c'est que Hollywood n'a pas — c'est le moins qu'on puisse dire — encouragé ces tendances « déviantes » : sans revenir sur le maccarthysme, on peut noter que la carrière de Stroheim comme réalisateur a été brisée, que Vidor a dû signer des œuvres de commande pour s'assurer les moyens toujours précaires de son indépendance, qu'on tâcha de boycotter la distribution du *Sel de la terre* de Biberman* (1954), etc. En d'autres occasions, Hollywood a procédé différemment, en « récupérant » les contestataires éventuels et en les coulant bientôt dans son propre moule. Cette capacité d'assimilation d'Hollywood frappe à diverses époques et a des conséquences elles-mêmes contradictoires : elle rend classiques, voire académiques, des cinéastes naguère originaux (aujourd'hui un Pollack* ou un Pakula*) ; elle permet aussi parfois à certains réalisateurs de s'exprimer avec une force accrue sans rien renier de leurs convictions : citons, au début des années 60, à une époque marquée par l'idéalisme kennedyen, *la Fièvre dans le sang* (Kazan, 1961) ou *Elmer Gantry le charlatan* (R. Brooks*, 1960).

De même, de nos jours, ce qui frappe et force l'admiration, c'est la capacité d'Hollywood à sortir de la crise profonde (économique et esthétique) où le cinéma était plongé vers la fin des années 60. Ceci explique d'ailleurs cela : la faculté d'appropriation d'Hollywood lui fournit régulièrement de nouvelles sources d'énergie, même si ces dernières s'épuisent devant l'inertie des conventions et des impératifs économiques. C'est donc en quelque sorte à un processus dialectique que l'on assiste. Le système est toujours en léger déséquilibre, donc en évolution. Entre l'effet de réel et l'effet de fiction s'établit une sorte d'équilibre global (dans des proportions diverses selon les genres) qui, lui non plus, n'est jamais parfaitement statique ; pendant les années 50, on voit simultanément les réalisateurs issus de la télévision confectionner des drames minutieux et réalistes, et l'épopée renaître parée de tous les prestiges de la couleur, du grand écran, du désir de spectacle et d'évasion.

L'histoire du cinéma américain apparaît essentiellement comme un champ (ouvert et non pas clos) où trois traditions principales alternent, se conjuguent ou s'opposent : la tradition proprement américaine (elle-même diverse), la tradition britannique, la tradition « continentale », européenne (surtout germanique). À la tradition américaine appartiennent, en grande majorité, les acteurs, même si des exceptions de toute nature sautent aux yeux, qu'il s'agisse de Rudolph Valentino et des autres « latin lovers », d'Adolphe Menjou* et de Charles Boyer, ou des stars Pola Negri, Greta Garbo, Anna Sten... Mais la plupart des grands interprètes hollywoodiens ont une manière d'être américaine, et ils se veulent américains, la diversité éventuelle de leurs origines géographiques ne faisant que refléter celle du peuple américain lui-même. De la même manière, c'est à l'Amérique en tant que continent qu'appartiennent, en grande majorité, les paysages hollywoodiens, quelle que soit l'importance des décors « exotiques », quelle que soit celle du tournage en studio. Non seulement le cinéma américain dépeint la Ville (de *la Foule* de Vidor, 1928, à *Manhattan* de W. Allen*, 1979), le désert (*les Rapaces,* Stroheim, 1925), les marécages (*la Forêt interdite,* Ray, 1958), la forêt (*Délivrance,* Boorman, 1972) ou la montagne (*Voyage au bout de l'enfer,* Cimino, 1978), la plaine à blé (*les Moissons du ciel,* Malick, 1978), mais il épouse en l'enrichissant chaque tradition régionale, les principales étant celles de New York, de l'Ouest et de la Californie, la Nouvelle-Angleterre, le vieux Sud, le Midwest et le Texas n'étant nullement négligés. *Naissance d'une nation* de Griffith (1915), *Hallelujah* (1929) ou *So Red the Rose* (1935) de King Vidor, *Autant en emporte le vent* de Fleming* (1939), les nombreuses adaptations de Tennessee Williams (par Brooks, Kazan, Huston, etc.) : tous ces films s'inspirent d'une tradition culturelle, littéraire, architecturale existante, celle du vieux Sud, mais à leur tour ils la perpétuent et la renforcent. De même le western, dans lequel on est parfois tenté de voir un genre cinématographique par excellence, a puisé dans une abondante littérature populaire ainsi que dans un important répertoire pictural (en particulier Frederick Remington). « Américains » enfin, certains metteurs en scène, qui traitent de préférence des sujets se rapportant à l'histoire de leur pays ou au problème de son identité : Griffith bien sûr (*Naissance d'une nation, America,* 1924), mais aussi King Vidor (*la Grande Parade,* 1925 ; *le Grand Passage,* 1940), John Ford (les films sur la cavalerie), Sam Fuller (*le Jugement des flèches,* 1957), Anthony Mann (*la Ruée vers l'Ouest,* 1960)... Présente chez Ford, la problématique de l'immigration fait partie intégrante de cette conscience historique (*America, America,* de Kazan, 1963).

La tradition britannique, pour sa part, a marqué l'ensemble de la culture américaine et non le seul cinéma. Elle s'explique par des raisons linguistiques et socioculturelles, l'Angleterre n'ayant jamais cessé d'être considérée par l'Amérique (surtout l'Amérique lettrée et conservatrice) comme une seconde mère patrie. C'est l'équivalent, en termes culturels, du phénomène politique bien connu de la solidarité anglo-saxonne. L'influence de cette tradition est particulièrement nette dans le domaine théâtral, où l'Angleterre dispose non seulement de nombreux auteurs, mais aussi de nombreux acteurs de talent, qui ont souvent mené une carrière hollywoodienne de pair avec leur activité scénique. Il est frappant de constater que deux réalisateurs parmi les plus importants d'Hollywood, D. W. Griffith et Orson Welles, ont d'abord été des hommes de théâtre et par conséquent des anglomanes. Chez le premier, cette anglomanie se traduit aussi bien dans *le Lys brisé* (1919), situé à Londres, que dans *America* (1924), où la guerre d'Indépendance est présentée comme une fratricide guerre civile. Le second imprimera sa marque à *Jane Eyre* (1944), adaptation par l'Anglais Robert Stevenson du roman « gothi que » de Charlotte Brontë, dans laquelle Welles interprète Rochester, et exprimera à plusieurs reprises son admiration pour Shakespeare (*Macbeth,* 1948 ; *Othello,* 1955 ; *Falstaff,* 1969).

Plus précisément, la tradition britannique a enrichi Hollywood de deux manières. D'une part, en servant de caution culturelle, les classiques adaptés au cinéma appartenant très souvent à la littérature anglaise, victorienne en particulier. Du *Conte de deux cités* de J. Stuart Blackton (1911) à *Jane Eyre,* en passant par *David Copperfield* de Cukor (1935), les exemples abondent. On a aussi beaucoup puisé dans la littérature d'aventures, d'évasion, d'épouvante, domaine où la Grande-Bretagne est richement dotée : Kipling, Conrad, Stevenson, entre autres, ont eu les faveurs d'Hollywood ; les chefs-d'œuvre du fantastique ont pour source Stevenson (*Dr. Jekyll et Mr. Hyde,* Mamoulian*, 1932), Mary Shelley (*Frankenstein,* Whale, 1931 ; *id.,* K. Branagh, 1994), Bram Stoker (*Dracula,* Browning, 1931 ; F.F. Coppola, 1992), Oscar Wilde (*le Portrait de Dorian Gray,* Lewin, 1945). Cette tradition demeure vivante, comme en témoigne *l'Homme qui voulut être roi* de Huston d'après Kipling (1975). Dans les années 20 et 30, on compte de nombreux films exaltant l'impérialisme britannique et les valeurs qu'il incarne ; même l'« Irlandais » John Ford sacrifie à ce genre à plusieurs reprises (*la Patrouille perdue,* 1934 ; *la Mascotte du régiment,* 1938).

D'autre part, Londres a, ainsi que Dublin, fourni à Hollywood un grand nombre d'acteurs, des réalisateurs (Hitchcock, de loin le plus célèbre, n'est pas un cas isolé) et des techniciens. Parmi les comédiens, qu'il suffise de citer Ronald Colman, interprète idéal du cinéma « impérial », ou Cary Grant, capable de retrouver soudain ses origines « cock ney » (*Sylvia Scarlett,* Cukor, 1935). Aussi certains films hollywoodiens sont-ils plus britanniques que nature : *Jane Eyre,* déjà cité, ou *Rebecca* (1940), réalisé par Hitchcock sur un sujet anglais (Daphné Du Maurier) et avec Laurence Olivier* et Joan Fontaine* dans les rôles principaux.

De même, certains films américains sont extrêmement « germaniques » par l'atmosphère. C'est particulièrement vrai du cinéma d'épouvante, par exemple des films produits par Universal pendant les années 30 : le *Frankenstein* de Whale (1931) reprend telle scène du *Golem* de Wegener* (1920) ; citons aussi *The Black Cat* d'Ulmer (1934). On constate donc que, dans de nombreux films d'horreur, l'influence germanique (sensible dans le style des décors, des éclairages et de la photographie) se mêle à l'influence britannique (plus apparente au niveau du scénario). La remarque vaut aussi bien pour les thrillers réalisés par l'Allemand John Brahm, *The Lodger* (1944), *Hangover Square* (1945), dont le premier est d'ailleurs un remake d'un film muet, anglais, de Hitchcock (1926). Elle vaut encore pour le cinéma d'aventures, où le fatalisme germanique de Lang trouve, avec le roman anglais de John Meade Falkner (*les Contrebandiers de Moonfleet,* 1955), un terrain des plus favorables.

Mais l'atmosphère germanique n'est pas seulement celle, oppressante, du film d'horreur ; il y a une grâce, un raffinement proprement viennois dans *Lettre d'une inconnue* de Max Ophuls* (1948), qu'on a pu décrire, à l'instar de *l'Aurore* de Murnau ou de *Rebecca* de Hitchcock, comme un des films les plus européens réalisés à Hollywood.

C'est que l'immigration en provenance des pays de langue allemande (et d'Europe centrale en général) a été particulièrement nombreuse et de qualité. Elle a commencé pendant les années 20, pour des raisons essentiellement artistiques et commerciales, l'audience d'Hollywood attirant les metteurs en scène les plus talentueux, comme Lubitsch ou Murnau, ou encore le Hongrois Curtiz* (Kertész).

À partir des années 30 et de l'accession au pouvoir de Hitler, les motifs politiques s'ajoutent aux raisons artistiques et personnelles pour maintenir ce mouvement qui s'accélère avec la guerre : tour à tour arrivent à Hollywood les Viennois Lang, Wilder, Ulmer, Preminger, les Allemands Dieterle, Max Reinhardt*, Sirk, Brahm, Curt et Robert Siodmak, Curtis Bernhardt*, le Sarrois Ophuls, etc. Aux réalisateurs, il convient d'ajouter les acteurs (Jannings, Pola Negri, dès les années 20, plus tard Paul Henreid*, Conrad Veidt*, Sig Ruman*, le Hongrois Peter Lorre*...) et les techniciens, notamment les décorateurs et les photographes (Hans Dreier*, Eugene Shuftan). L'Universal, la Paramount furent les studios où l'influence allemande se fit le plus directement sentir ; mais celle-ci fut si diffuse qu'elle n'épargna, pour ainsi dire, personne : elle culmine, comme on l'a noté, dans les années 40, avec le film de propagande antinazi (souvent réalisé et interprété par des Européens) et avec le film noir.

Mais il faut insister sur l'aspect de synthèse du cinéma hollywoodien : l'influence a été réciproque, les Européens se sont américanisés dans la mesure même où ils européanisaient Hollywood. Les Américains proclament leur dette à l'égard de l'esthétique allemande (Orson Welles et son opérateur Gregg Toland dans *Citizen Kane,* 1941) ; symétriquement, Renoir* (*l'Homme du Sud,* 1945), Ophuls (*les Désemparés,* 1949), pour ne pas parler de Wilder ou de Sirk, tiendront à réaliser des œuvres exprimant la tradition propre de leur pays d'adoption.

Cette capacité d'Hollywood à s'ouvrir aux influences extérieures tout en les assimilant demeure jusquà nos jours et constitue un test redoutable (et dont le résultat n'est guère prévisible) de l'adaptabilité des nouveaux venus au système existant. Dans le passé, on opposera à la réussite d'un Lubitsch ou d'un Curtiz l'échec relatif d'un Max Reinhardt ou d'un Ophuls. Puis l'on a opposé au succès isolé de Polanski (*Chinatown,* 1974) l'acclimatation régulière de Miloš Forman (*Taking Off,*

1971 ; *Vol au-dessus d'un nid de coucou,* 1975 ; *Hair,* 1979 ; *Amadeus,* 1984), dont les œuvres constituent autant de « mixtes » de la tradition tchèque et du cinéma hollywoodien. Plus près de nous, on trouve pêle-mêle les incursions irrégulières de Louis Malle (*Alamo Bay,* 1985 ; *le Pays de Dieu,* 1986 ; *And the Pursuit of Happiness,* 1987 ; *Vanya, 42ᵉ rue,* 1994) qui témoignent d'une parfaite intégration du cinéaste en marge d'un cinéma traditionnel, ou encore celles d'un Stephen Frears (*les Arnaqueurs,* 1990 ; *Héros malgré lui,* 1992) qui confirment simultanément la vitalité d'un cinéaste turbulent et la pérennité de certains modèles narratifs et iconographiques du cinéma hollywoodien.

Il en va donc des influences extérieures comme des mutations stylistiques : Hollywood ne s'y soumet que pour mieux les absorber. Et c'est peut-être, précisément, cette étonnante faculté qui frappe détracteurs et admirateurs du cinéma américain : la faculté même du phénix à renaître de ses cendres. (→ NOIRS AMÉRICAINS.) J.-L.B./C.V.

ÉTOUFFOIRS. Au temps du support nitrate, dispositifs implantés sur les appareils de projection entre les débiteurs et les bobines, destinés à éviter la propagation aux bobines d'une inflammation accidentelle du film dans le couloir de projection.

EUSTACHE *(Jean), cinéaste français (Pessac 1938 - Paris 1981).* Cinéphile dès sa prime enfance, le futur réalisateur touche à l'assistanat et à la critique au début des années 60. Il tourne, en 1963, son premier moyen métrage, *Du côté de Robinson,* suivi, trois ans plus tard, par *Le Père Noël a les yeux bleus ;* ces bandes sont réunies sous le titre global : *les Mauvaises Fréquentations* (1966). Venu à la mise en scène peu de temps après l'apparition de la Nouvelle Vague et à un moment où sont débattus les problèmes touchant au cinéma direct, Eustache en assimile, au cours d'un trajet très personnel, les divers acquis. Le « direct » et la fiction dialoguent constamment dans son œuvre : la trame autobiographique, romanesque, du *Père Noël a les yeux bleus* est traduite d'une manière plate, quotidienne et pourtant prenante.

Après quelques années de montage, entre 1966 et 1968, en particulier pour Rivette, Marc'O, Jean-André Fieschi, Eustache conçoit deux films proches du cinéma-vérité, *la Rosière de Pessac* (1969), sur une coutume locale visant à choisir la fille la plus « vertueuse » de l'année, et *le Cochon* (CORÉ : Jean-Michel Barjol, 1970). Outre le fait que ces pellicules sont alors parmi les rares à témoigner avec sincérité de l'existence de la province, on sent, à travers la feinte innocence du cinéaste, percer un regard sociologique acéré. Eustache élabore ensuite, avec *la Maman et la Putain* (1973), une des créations les plus fortes du cinéma contemporain. Dans le Paris des années 70, filmé comme un village, trois êtres (un homme et deux femmes), ancrés dans leur époque tout en lui étant étrangers, vivent entre eux des rapports à la fois banals et inédits, transmués par l'œil impitoyable du cinéaste. Plus linéaire, *Mes petites amoureuses* (1974) évoque la fin d'une enfance à Narbonne.

Après ce film, Eustache éprouve de plus en plus de difficultés pour tourner. Il réalise, en 1977, *Une sale histoire,* diptyque dans lequel se rejoignent ses deux visions du cinéma : le recours au « direct » (l'anecdote scabreuse racontée par le témoin) et sa mise en fiction par un acteur. En 1979, il tourne une seconde mouture de *la Rosière de Pessac.*

Attaché aux choses simples, anodines, Eustache sait en percer l'intériorité de manière exemplaire. R.BA.

Autres films : *Numéro zéro* (1971) ; *Odette Robert* (extrait du précédent film pour la TV, 1980) ; *le Jardin des délices de Jérôme Bosch* (CM, *id.*) ; les *Photos d'Alix* (CM, 1981). ▲

EVANS *(Dame Edith), actrice britannique (Londres 1888 - Cranbrook, Kent, 1976).* D'abord apprentie modiste, Edith Evans fit ses débuts en 1912 au théâtre, où elle fera une très brillante carrière en interprétant notamment Congreve, Wilde, Shaw et, bien sûr, Shakespeare. Son grand succès théâtral : le rôle de la nourrice dans *Roméo et Juliette.* Elle aborde le cinéma en 1949 avec *la Reine des cartes* (T. Dickinson). On retiendra ses prestations à l'écran dans *Il importe d'être constant* (A. Asquith, 1952) ; *les Corps sauvages* (T. Richardson, 1959) ; *Tom Jones* (id., 1963) ; *les Chuchoteurs* (B. Forbes, 1967), film pour lequel elle reçut le prix de la meilleure actrice au festival de Berlin. P.P.

EVANS *(Gene), acteur américain (Holbrook, Ariz., 1922).* Il fait ses débuts en 1946 dans la troupe californienne des Penthouse Players et tient de petits rôles dans *Berlin Express* (J. Tourneur, 1948), *Pour toi, j'ai tué* (R. Siodmak, 1949) et *Quand la ville dort* (J. Huston, 1950), avant d'être choisi par Samuel Fuller comme vedette de *J'ai vécu l'enfer de Corée* (id.), *Baïonnette au canon* (1951) et *Park Row* (1952). Pour le reste, sa carrière est vouée aux rôles de second plan et réserve une place d'honneur au western : *les Bravados* (H. King, 1958) ; *Nevada Smith* (H. Hathaway, 1966) ; *le Reptile* (J. L. Mankiewicz, 1970) ; *Un nommé Cable Hogue* (S. Peckinpah, *id.*) ; *Pat Garrett et Billy le Kid* (id., 1973). O.E.

EVANS *(Robert), acteur et producteur américain (New York, N. Y., 1930).* Insatisfait d'une médiocre carrière d'acteur entre 1944 et 1960 (*l'Homme aux mille visages,* J. Pevney, 1957 ; *The Fiend Who Walked the West,* G. Douglas, 1958), menée de front avec la direction d'une industrie de vêtements, il devient producteur et obtient de grands succès pour la Paramount entre 1966 et 1974. Il s'établit alors comme indépendant et produit *Chinatown* (R. Polanski, 1974), *Marathon Man* (J. Schlesinger, 1976), *Black Sunday* (J. Frankenheimer, 1977), *Smash !* (A. Harvey, 1979) et *Popeye* (R. Altman, 1980). J.-P.B.

EVEIN *(Bernard), décorateur français (Saint-Nazaire 1929).* Après les Beaux-Arts de Nantes, où il se lie avec J. Demy, et la section décoration de l'IDHEC, il débute au théâtre, en particulier avec Jean-Louis Barrault et Jean Desailly. C'est Jacques Demy qui lui demande son premier décor de film : *le Bel Indifférent* (CM, 1957), après quoi six des sept films qu'il décore de 1958 à 1960 sont signés en collaboration avec Jacques Saulnier. Sa carrière se partage depuis lors entre la scène et le cinéma, où il sait aussi bien donner aux extérieurs réels la fantaisie du fabriqué que reconstituer en studio une « réalité » parfaitement convaincante. Le meilleur de son œuvre réside certainement dans les huit films qu'il a décorés pour Demy et les cinq pour Louis Malle. J.-P.B.

Films : *les Amants* (Malle, 1958) ; *les 400 Coups* (F. Truffaut, 1959) ; *À double tour* (C. Chabrol, *id.*) ; *les Jeux de l'amour* (Ph. de Broca, 1960) ; *Zazie dans le métro* (Malle, *id.*) ; *Lola* (Demy, 1961) ; *Une femme est une femme* (J.-L. Godard, *id.*) ; *le Jour et l'Heure* (R. Clément, 1962) ; *Vie privée* (Malle, *id.*) ; *le Feu follet* (Malle, 1963) ; *l'Insoumis* (A. Cavalier, 1964) ; *les Parapluies de Cherbourg* (Demy, *id.*) ; *Viva Maria* (Malle, 1965) ; *les Demoiselles de Rochefort* (Demy, 1967) ; *l'Aveu* (Costa-Gavras, 1970) ; *Lady Oscar* (Demy, 1979) ; *Une chambre en ville* (id., 1984) ; *Notre histoire* (Bertrand Blier, *id.*) ; *Thérèse* (A. Cavalier, 1986) ; *Trois places pour le 26* (J. Demy, 1988).

EWELL *(Yewell Tompkins,* dit *Tom), acteur américain (Owensboro, Ky., 1909 - Woodland Hills, Ca., 1994).* Il débute à Broadway en 1934, puis à l'écran dans le rôle du mari de Judy Holliday dans *Madame porte la culotte* (G. Cukor, 1949). Il reprend à l'écran le rôle qu'il avait créé à Broadway dans *Sept Ans de réflexion* (B. Wilder, 1955), où il incarne face à Marilyn Monroe les rêves et les frustrations de l'Américain moyen. Citons également : *Chéri, ne fais pas le zouave* et *la Blonde et moi* (F. Tashlin, 1956) ; *Gatsby le Magnifique* (J. Clayton, 1974) ; mais son activité est essentiellement tournée vers la scène. J.-P.B.

EXCITATRICE. *Lampe excitatrice,* sur un appareil de projection, petite lampe à incandescence qui éclaire la piste sonore optique au niveau du dispositif de lecture. (→ PROCÉDÉS DE CINÉMA SONORE.)

EXECUTIVE PRODUCER → GÉNÉRIQUE.

EXPANSION. *Expansion des niveaux* → BANDE PASSANTE.

EXPÉRIMENTAL (cinéma). Le cinéma considéré comme art personnel à l'instar de la peinture ou de la poésie ; par extension : ensemble des œuvres qui, par la manière dont elles sont réalisées ou leurs caractères esthétiques, se rattachent à cette conception du cinéma. Le mot « expérimental » n'est ici qu'un label arbitraire : il a été longtemps en concurrence avec des termes comme *pur, absolu, intégral, essentiel, de poésie, d'art, de chambre, d'avant-garde, différent, indépendant, souterrain* (« underground ») ou *personnel.* Employé en littérature par Zola et, déjà, au cinéma, par Koulechov ou Vertov, le terme n'a que le mérite de sa modestie ou plutôt de son insignifiance. Il ne veut pas plus dire *tâtonnant* ou *inachevé* que *scientifique* ou *en avance* : il désigne seulement un type d'art précis – plutôt artisanal qu'industriel, non narratif que narratif. Il a une histoire (avec ses héros, ses traîtres et ses martyrs) et d'abord une carte d'identité. Avec deux séries de signes particuliers, généralement indissociables.

Critères économiques. C'est d'abord un cinéma qui relève du jeu des désirs plus que de l'économie des profits. Qu'il le veuille (la peinture sur pellicule, qu'on fait seul, chez soi) ou non, il est donc fait artisanalement, ce qui ne veut pas dire en amateur, et, souvent, pauvrement, ce qui ne veut pas dire mal. Si d'aventure il coûte cher, c'est que l'auteur est riche (Ian Hugo, Jerome Hill), aidé par un mécène (le vicomte de Noailles payant *le Sang d'un poète*), par une fondation (aux États-Unis) ou par l'État (au Canada, en Grande-Bretagne, voire en Hongrie), généralement sans conditions, d'où liberté : liberté d'inventer, d'aborder tous les sujets ; liberté aussi de n'avoir longtemps aucun public ou d'être censuré dès qu'on fait mine de sortir du ghetto des amis et amateurs éclairés (*Un chant d'amour,* de Genet).

C'est que le cinéma expérimental – comme la peinture abstraite, la musique électroacoustique, la poésie – a tout de même un public (étudiants, artistes, etc.), qu'il sait de mieux en mieux toucher : en organisant des coopératives de diffusion (la première, éphémère, créée à Paris en 1929 ; celle de New York, la mieux organisée, en 1962), en rayonnant dans les universités, les galeries, les musées d'art moderne ou certains festivals (Knokke ou Bruxelles, en 1949, 1958, 1963, 1967, 1974-75 ; Toulon-Hyères ; Rotterdam ; Gênes, etc.), enfin en publiant des revues spécialisées (*Cinéa,* Paris, 1921 ; *Film Culture,* New York, 1955).

Critères esthétiques. Ce cinéma est voué à surprendre. Ses autres signes particuliers tiennent précisément à cette vocation, qui est celle des arts. Et qui tient surtout à ceci : *la forme tend constamment à y prendre le pas sur le sens.* Sans doute, forme et sens sont-ils liés et du sens subsiste toujours. Mais ce sens, qui peut peser lourd parfois, se loge par prédilection dans des formes en crise, ignorées de l'industrie (le journal intime, par exemple), ou qui sollicitent l'attention pour elles-mêmes. Car le cinéma expérimental, c'est le cinéma n'acceptant plus d'être le support transparent d'autre chose, mais n'offrant à la limite que lui-même, exhibant dans un narcissisme généreux chacun de ses plans, parfois chacun de ses photogrammes, chaque mouvement, chaque couleur, et jusqu'à chaque atome de lumière. Art de l'espace, mais de la durée aussi, il peut se faire musique visuelle ou donner ce que les récits d'ordinaire évitent : les détails, les moments sans rien (*Jeanne Dielman,* d'Akerman).

Genres et histoire. Ainsi, c'est un cinéma sans normes, ou qui les brouille et repousse toutes, avec des films de 8 heures (*Empire,* de Warhol) aussi bien que de 1/24 de seconde (*le Film le plus court du monde,* d'Erwin Huppert), d'un seul plan ou d'un millier, en Super 8 couleurs comme en 35 mm noir et blanc, et qui sont parfois plus (ou moins) que des films au sens habituel (cinéma élargi*). Néanmoins, des tendances – faut-il dire des genres ? –, marquées par un contenu ou une technique, sont repérables : le film abstrait ou semi-abstrait (de la *Symphonie diagonale* d'Eggeling ou du *Ballet mécanique* de Léger à *Allures* de Belson ou à *Synchromie* de McLaren) ; le film à clignotements (Kubelka, Conner, Sharits, Lowder) ; le montage de chutes détournées (Conner ou Debord) ; l'intervention directe sur la pellicule (Corradini, Lye, McLaren, les lettristes) ; la symphonie de ville (de Ruttmann à Nedfar ou Hernandez) ; le film de danse (Deren, Clarke, Chase, Dupuis) ; le film-opéra (Anger, Velissaropoulos, Marti, Godefroy) ; le chant poétique (Brakhage, Hernandez, Dupuis) ; le film-cauchemar (Bokanowski) ; le film-humeur d'une génération (*Blonde Cobra* de Jacobs ; *Echoes of Silence* de Goldman ; *Leave me Alone* de Theuring ; *Punk Love* d'Aubergé) ; le film-action (Keen, Lethem, Lemaître, Haubois, Klonaris et Thomadaki), le portrait (Markopoulos, Courant) ; l'autoportrait (Mouris, Hill, Unglee, Ceton) ; le journal (Mekas, De Bernardi, Morder, Guttenplan), etc.

En somme, le cinéma expérimental n'est rien d'autre que le refus de l'hégémonie du conte, de la nouvelle et du roman et l'ouverture du cinéma à tous les autres genres littéraires mais aussi musicaux ou picturaux. Ouverture aussi ancienne que le cinéma, si l'on admet que les films des frères Lumière, artisanaux, personnels, sont les premiers films expérimentaux.

Depuis, l'histoire du cinéma expérimental a été plus ou moins brillante selon les pays et les périodes : florissante en France, en Allemagne et en Russie dans les années 20 (Gance, Léger, Clair/ Picabia, Man Ray, Buñuel/Dalí, Epstein, L'Herbier, Dulac, Kirsanoff, Chomette, Deslaw, Cocteau, Ruttmann, Eggeling, Richter, Fischinger, Vertov) et très liée alors aux grandes avant-gardes littéraires ou artistiques (peinture abstraite, futurisme, dadaïsme, surréalisme), elle décroît avec elles et l'invention du parlant. La guerre, qui amène nombre d'artistes et de cinéastes à s'exiler, donne ensuite leur chance aux États-Unis, où travaillaient déjà Hirsch, Bute ou Crockwell et où Maas, Menken, Deren, Anger, Markopoulos, H. Smith, Belson, les Whitney, Breer, J. Smith, Mekas, Warhol et tant d'autres vont animer ce qui deviendra un moment le cinéma underground : éclipsées par les révolutions qui ont pour chefs de file Brakhage (v. 1958), Kubelka (v. 1960) et Snow (v. 1967), les séquelles dadaïsto-surréalistes y céderont la place à un cinéma de plus en plus dépouillé et prioritairement occupé à s'analyser lui-même. Cela aussi bien aux États-Unis (Ken Jacobs, Conrad, Sharits, Frampton, Landow, Gehr) qu'ailleurs (Wieland, Rimmer ou Grenier au Canada ; Iimura, Hagiwara ou Nakai au Japon ; Winkler en Australie ; Hein, Nekes, Dore O. ou Cleve en Allemagne ; Kren en Autriche ; Le Grice, Gidal, Sinden, Du Cane, Raban, Welsby, Dye, Farrer, Fearns, etc., en Grande-Bretagne ; Sficas en Grèce ; Gotovać en Yougoslavie ; Robakowski ou Wasko en Pologne ; Bargellini, Gioli ou Castagnoli en Italie ; Martedi, Fihman, Eizykman, Rovere, Bouhours, Lebrat ou Kirchhofer en France).

C'est que, dans les années 70, le cinéma expérimental est devenu une réalité largement internationale – du moins dans les pays industrialisés –, avec le danger d'un conformisme planétaire, mais aussi avec des îlots originaux ou dynamiques (en Hollande, autour de Zwartjes ; en France ; à Barcelone). Sans oublier tous les cinéastes – de Duras à Garrel, de Hanoun à Robiolles ou de Mark Rappaport à Peter Wollen – qui font aussi un cinéma du sens ou du récit, mais pour qui le cinéma expérimental reste une tentation, un exemple d'indépendance et, souvent, un allié. Sauf au Japon où ils coexistent bien, son déclin relatif dans les années 80 tient peut-être à l'essor de la vidéo qui retrouve, chez plusieurs artistes, souvent à leur insu, des ambitions, des formes et des trucages qui sont depuis longtemps les siens D.N.

EXPLOITANT. Personne physique ou morale qui exploite une salle de spectacle cinématographique.

EXPLOITATION. Activité de l'exploitant. Par extension, branche de l'économie du cinéma relative à l'activité des exploitants. Exploitation est aussi syn. de *salle,* lorsque l'on s'intéresse aux salles du point de vue économique.

L'exploitant (→ ÉCONOMIE DU CINÉMA) d'une salle de cinéma peut être un particulier, une société, une association régie par la loi de 1901. Le terme *exploitation,* qui désigne d'abord l'activité de l'exploitant (« les résultats d'exploitation d'un film »), peut être aussi quasi synonyme de salle, notamment lorsque l'on évoque les « petites exploitations ». Par extension, il désigne la branche de l'industrie cinématographique relative à l'exploitation des salles.

L'exploitant ne doit pas être confondu avec le directeur de salle, qui veille sur place, pour le compte de l'exploitant, à la bonne marche de la salle. Projectionnistes et personnel de caisse sont rémunérés par l'exploitant, ouvreuses et ouvreurs sont généralement rémunérés par les pourboires et par un pourcentage sur la vente des confiseries d'entracte.

Réglementation. Indépendamment des dispositions administratives et commerciales d'ordre général, l'exploitation d'une salle de cinéma est subordonnée à deux types d'autorisations.

Impératifs de sécurité. Un cinéma appartient à la catégorie des ERP (établissements recevant du public). De ce fait, il est soumis aux dispositions générales du règlement de sécurité contre le risque d'incendie et de panique dans les établissements de ce type, complétées par des dispositions particulières aux installations cinématographiques. La détermination des conditions de sécurité et le contrôle de l'application de ces dispositions sont du ressort du ministère de l'Intérieur et, localement, des services préfectoraux et municipaux.

Autorisation d'exercice. Comme toute entreprise appartenant à une branche de l'industrie cinématographique, les exploitants doivent être titulaires d'une autorisation d'exercice, subordonnée ici au respect d'impératifs techniques et administratifs.

Les impératifs techniques correspondent au respect des normes françaises relatives aux caractéristiques dimensionnelles des salles de cinéma (→ SALLES DE CINÉMA). Les travaux de construction d'une nouvelle salle, ou de modification d'une salle existante, nécessitent l'obtention préalable d'une autorisation délivrée par le CNC. L'autorisation d'exercice ne devient définitive qu'après examen sur place de la salle achevée.

Du point de vue administratif, l'autorisation d'exercice est attribuée après instruction par le CNC d'un dossier permettant : 1° de vérifier que l'entreprise et son responsable répondent aux exigences réglementaires ; 2° de recueillir les informations concernant les modalités de la projection. (Par ex., les exploitations ambulantes ne sont autorisées que pour des tournées organisées de façon régulière dans des localités limitativement énumérées.)

Billets. L'exploitant est tenu d'utiliser uniquement des billets, fournis par séries de billets numérotés, dont la régie (impression et fourniture aux exploitants) est assurée par le CNC.

Chaque série de billets ne peut être employée que dans une salle déterminée et ne peut être employée – même à l'intérieur d'un complexe – à l'entrée d'une autre salle. Cette règle impérative permet un contrôle de recettes efficace. Elle se justifie par ailleurs en ce qu'elle est le moyen d'appréhender de façon précise l'assiette de calcul : de la participation proportionnelle des ayants droit à la recette ; des différentes subventions auxquelles peuvent prétendre, au titre du soutien financier, les branches de l'industrie cinématographique.

L'affichage à la caisse du prix pratiqué est obligatoire. Afin d'éviter les distorsions entre le prix pratiqué au moment de la commande des billets au CNC et le prix pratiqué au moment de leur vente, le prix n'est plus mentionné sur le billet. Pour une exploitation donnée, les billets fournis sont de couleur différente selon les salles (cas des complexes) ou les catégories de places. Le coupon de contrôle délivré avec le billet doit être détaché lors de l'entrée dans la salle et conservé par l'exploitant ; il sert d'élément de contrôle lors des vérifications effectuées par le CNC.

Chaque salle peut délivrer, dans certaines limites liées à la fréquentation moyenne, des billets d'entrée gratuite, usuellement appelés « exos » par abréviation d'« exonérés ».

L'exploitation en France. Le parc de salles français s'est amplement restructuré depuis les années 80. Après une vague de fermeture, le parc se stabilise aujourd'hui autour de 4 400 écrans bien répartis sur l'ensemble du territoire. Cette stabilisation est due à une politique active des pouvoirs publics en matière de soutien et de modernisation de salles dans les zones insuffisamment desservies et également à la prise de conscience par les collectivités locales du rôle d'animation que joue le cinéma. Parallèlement, on a assisté à un renouvellement sociologique de la branche de l'exploitation avec l'arrivée à la tête des nouvelles salles de dirigeants venus du secteur de l'animation socioculturelle. Enfin, les grands groupes (Gaumont, Pathé, UGC) ont profondément modifié leur parc et se lancent désormais dans la création de « multiplexes », nouvelle génération de complexes caractérisés par un changement de dimension (10 écrans de grandes proportions, salle au minimum d'une capacité de 2 000 fauteuils au total) et par un changement de concept (plus grand confort, développement de l'accueil et de la qualité architecturale). Comme dans les autres secteurs du cinéma, l'intervention de l'État se caractérise par des aides automatiques à l'investissement pour la création et la modernisation de salles, et d'aides sélectives ayant pour but soit de développer le parc dans des zones moins bien desservies, soit de soutenir les salles qui développent une programmation de qualité (art et essai) ou déploient une activité importante d'animation (prime d'encouragement à l'animation). L'État intervient également en favorisant l'alimentation rapide des salles en films récents par des systèmes d'aide au tirage des copies.

J.G./G.A.

EXPRESSIONNISME. Recherche esthétique et thématique qui apparaît dans la production austro-allemande entre 1913 et 1933. Encore ces dates extrêmes ne sont-elles retenues que pour tenir compte des amorces d'une tendance et de ses derniers dérivés, à savoir : *l'Étudiant de Prague* (*Der Student von Prag*, 1913), film réalisé par le Danois Stellan Rye, interprété par Paul Wegener, l'année même où Max Reinhardt s'essaie au cinéma dans une tentative sans lendemain : *l'Île des bienheureux (Die Insel der Seelingen)*, en 1932 *l'Atlantide* de G. W. Pabst et en 1933 *le Testament du Dr Mabuse* de Fritz Lang, où se reflètent encore les singularités de l'expressionnisme. Il convient de préciser qu'il ne s'agit ni d'une école ni d'un mouvement conscient et théorisé. En fait, l'interaction des recherches de l'avant-garde au théâtre et dans les arts plastiques, liée au renouveau littéraire, atteint le film par le biais d'une thématique dont le romantisme débouche sur l'angoisse, l'horreur et le dédoublement, à travers la littérature et les légendes du fonds germanique et juif, qu'illustrent, par exemple, les deux *Golem* de Wegener (1914 et 1920) et le *Faust* de Murnau (1926). On a pu voir, après coup, dans la résurgence de ces thèmes et le climat de grands films comme *Nosferatu le vampire* (F. W. Murnau, 1922) ou *Metropolis* (F. Lang, 1927), une prescience de la montée du nazisme et des prochaines tragédies politiques. Mais Lang ne s'est jamais considéré comme expressionniste ; Murnau, Pabst, Wegener, Leni (*le Cabinet des figures de cire*, 1924), le Roumain Lupu Pick ne sont que brièvement sensibilisés à l'expressionnisme pur, pour autant qu'on puisse le définir. Historiquement, la première tentative d'expressionnisme à l'écran qui se réfère aux recherches plastiques issues du *Pont* (*Die Brücke*, fondé à Dresde en 1905 par Kirchner) et du *Cavalier bleu* (*Der blaue Reiter*, constitué à Munich en 1912 par Kandinsky, Klee et Marc), est celle du *Cabinet du Dr Caligari* (1919) de Robert Wiene. Mais si le scénario suscite l'intérêt des décorateurs, leur parti pris théâtral, pour curieux et intéressant qu'il puisse paraître, conduit à une impasse. Le cinéma ne peut en effet se soumettre au décor de théâtre sans compromettre ou perdre sa propre relation à l'espace, à la liberté qu'exige la caméra, et à quoi se plient déjà les décors, cependant encore expressionnistes, du second *Golem* de Wegener. Lotte H. Eisner ne retient, par purisme, que trois films pour illustrer une tentative que l'on a tendance à assimiler au *caligarisme**. L'expressionnisme a largement débordé *le Cabinet du Dr Caligari*, ainsi que *De l'aube à minuit* (*Von Morgens bis Mitternacht*, Karl Heinz Martin, 1920) et *le Cabinet des figures de cire*. Il a permis le passage du baroque au romantisme scandinave alors très influent de Sjöberg ou de Sjöström au *Kammerspiel** et au réalisme, des premiers films de Murnau au *Dernier des hommes*. Il a proposé la systématisation de la déformation des perspectives du décor et des personnages, l'exagération, les contrastes soulignés (notamment par les éclairages), la gesticulation et les effets de masque et de silhouettes jusqu'aux métamorphoses allégoriques porteuses d'angoisse et d'horreur. Mais ni Wegener, ni Murnau, ni Lang ne se sont laissé enfermer dans le systématisme. Les carrières d'un Joe May (*le Tombeau hindou* [*Das Indische Grabmal*], 1921), ou d'un Arthur Robison (*le Montreur d'ombres* [*Schatten*], 1923) ont tourné court.

L'influence de l'expressionnisme, un temps sensible en URSS, s'est rapidement diluée, mais il n'est pas artificiel d'en retrouver trace dans les effets d'éclairages et de cadrages du cinéma noir américain, chez Robert Siodmak par exemple, puis chez Sam Fuller ou Orson Welles. C.M.C.

EXT. Abrév. de *extérieur*.

EXTÉRIEUR. *Scène d'extérieur*, scène qui n'est pas filmée dans un décor, décor de studio ou décor réel. (→ ÉCLAIRAGE.) *Extérieur*, sur les documents de préparation du film ou sur les rapports destinés à l'étalonneur (et parfois sur la claquette), mention indiquant que l'atmosphère visuelle recherchée est celle d'une scène d'extérieur.

EXTREME CLOSE UP. Locution anglaise pour *très gros plan*.

EXTREME LONG SHOT. Locution anglaise pour désigner un *plan général* très large, l'équivalent de *plan général* étant *long shot*.

EYEMO → CAMÉRA.

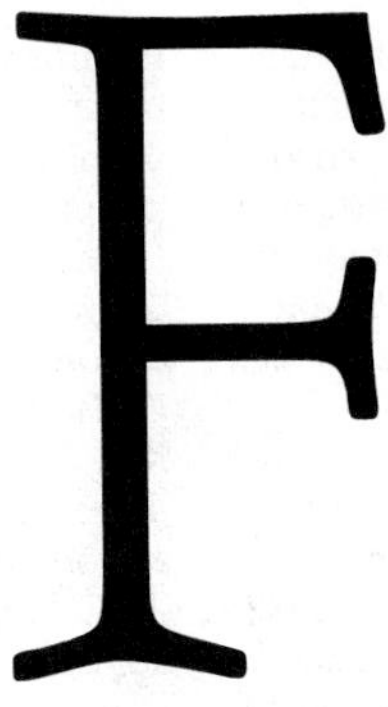

F. Symbole de la distance focale, employé – combiné au nombre d'ouverture – pour noter l'ouverture du diaphragme : *f : 4, f : 11, f : 5,6,* etc. (→ DIAPHRAGME.)

FABBRI *(Diego), scénariste italien (Forli 1911 - Riccione 1980).* Auteur de pièces pour le théâtre, il s'affirme depuis les années 40 avec des drames souvent adaptés à l'écran. Son premier scénario, *la Porte du ciel* (V. De Sica, 1943-1946), contient déjà tous ses thèmes religieux et éthiques exploités dans de nombreux films, dont *le Témoin* (P. Germi, 1947) ; *Fabiola* (A. Blasetti, 1949), *la Beauté du diable* (R. Clair, 1950), *Europe 51* (R. Rossellini, 1952), *I vinti* (M. Antonioni, 1952), *le Général Della Rovere* (R. Rossellini, 1959), *Barabbas* (R. Fleischer, 1962). Il a collaboré aussi à deux des plus virulentes satires des institutions familiales de Marco Ferreri (*le Lit conjugal,* 1963 ; *Marcia Nuziale* , 1965), plutôt anticonformistes par rapport à son esprit habituel. Ses compromis commerciaux sont plus évidents dans ses adaptations de deux de ses propres succès scéniques : *Il seduttore* (F. Rossi, 1954) ; *Une fille qui mène une vie de garçon* (L. Comencini, 1965). L.C.

FABER *(Juliette), actrice française (Grevenmacher, Luxembourg, 1919).* Sa carrière se fait à Paris, où elle triomphe à la scène dans *les Jours heureux* , qu'elle reprend à l'écran en 1941 (Jean de Marguenat). Auparavant, Henri Diamant-Berger lui avait fait interpréter le rôle dramatique de *la Vierge folle* (1938) et Henri Decoin va lui confier en 1942 la charge redoutable de donner la réplique à Raimu dans *les Inconnus dans la maison*. L'ombre de la vedette y éclipse un peu l'ingénue, que l'on ne revoit plus que par intermittence : *l'École buissonnière* (J. P. Le Chanois, 1949) ; *Justice est faite* (A. Cayatte, 1950) ; *la Vérité sur Bébé Donge* (Decoin, 1952). R.C.

FABIAN *(Michèle Cortes de Leone y Fabianera,* dite *Françoise), actrice française (Alger 1933),* d'origine espagnole par son père et polonaise par sa mère. Elle entre au conservatoire de Musique d'Alger pour y étudier le piano et l'harmonie, s'installe à Paris en 1954 afin de suivre les cours du conservatoire d'Art dramatique. Elle débute à l'écran l'année suivante, avec deux films médiocres : *Mémoires d'un flic* de Pierre Foucaud et *Cette sacrée gamine* de Michel Boisrond. Elle épouse, en 1957, le réalisateur Jacques Becker (ce dernier mourra trois ans plus tard sans avoir jamais dirigé sa femme). Son jeu sensible et retenu ne se prête guère aux personnages qu'elle incarne à cette époque dans des bandes comiques ou d'aventures. Mais, à la fin des années 60 et au début des années 70, des cinéastes comme Buñuel (*Belle de jour,* 1967), Rohmer (*Ma nuit chez Maud*, 1969 ; *l'Amour l'après-midi*, 1972), Deville (*Raphaël ou le débauché*, 1971), Rivette (*Out One spectre* , 1974) réveillent le feu qui couvait sous la glace et lui offrent des rôles qui mettent en évidence sa séduction naturelle et une sorte de force passionnelle intériorisée.

On la voit encore dans *Au rendez-vous de la mort joyeuse* (J. L. Buñuel, 1973), *la Bonne Année* (Cl. Lelouch, *id.*), *Salut l'artiste* (Y. Robert, *id.*), *Projection privée* (François Leterrier, *id.*) ; mais, les metteurs en scène français paraissant, à nouveau, ne plus lui confier d'interprétations à sa mesure, elle se laisse séduire par des tournages en Italie (*Vertiges*, M. Bolognini, 1975 ; *Al piacere di rivederla* , Marco Leto, 1976) tandis qu'en France on la remarque plus à la télévision dans des œuvres de Nina Companeez, Jean Chapot, Édouard Molinaro, Marcel Bozzuffi, qu'au cinéma (*Deux Heures moins le quart avant Jésus-Christ*, J. Yanne, 1982 ; *le Cercle des passions*, C. D'Anna, 1983) ; *l'Ami de Vincent* (P. Granier-Deferre, *id.*) ; *Partir, revenir* (C. Lelouch, 1985) ; *Faubourg Saint-Martin* (J. C. Guiguet, 1986) ; *Trois places pour le 26* (J. Demy, 1988) ; *l'Ami retrouvé* (J. Schatzberg, 1989) ; *Plaisir d'amour* (N. Kaplan, 1991). R.BA.

FABRE *(Saturnin), acteur français (Sens 1883 - Paris 1961).* Voilà un comique dont l'extravagance inquiète par sa démesure, et capable par conséquent du meilleur comme du pire : *Ne bougez plus* (Pierre Caron, 1941). Une abondante suite de succès théâtraux qui s'arrêtent peu avant 1939 et dont il rend compte avec une verve délirante dans ses souvenirs (intitulés *Douche écossaise*) lui donne d'emblée une place de choix dans le cinéma parlant. Ses apparitions sur l'écran muet avaient été plus modestes : *Mademoiselle de La Seiglière* (A. Antoine, 1920). De prestance imposante, il utilise avec une confondante habileté les ressources d'un visage qui garde son impassibilité en toutes circonstances et d'une voix profonde dont il tire des modulations irrésistibles. Il transporte d'ailleurs souvent l'originalité de ses rôles dans la vie courante. Grâce à lui, on se rappelle encore des films pourtant voués à l'oubli dès le départ : *Sept Hommes, une femme* (Y. Mirande, 1936) ; *le Club des soupirants* (Maurice Gleize, 1941) ; *Un ami viendra ce soir* (R. Bernard, 1946). Dès que le rôle l'avantage, il étincelle. R.C.

Autres films : *l'Hôtel du Libre Échange* (M. Allégret, 1934) ; *Pépé le Moko* (J. Duvivier, 1937) ; *Ignace* (Pierre Colombier, *id.*) ; *Désiré* (S. Guitry, *id.*) ; *Tricoche et Cacolet* (Colombier, 1938) ; *Ils étaient neuf célibataires* (Guitry, 1939) ; *Battement de cœur* (Decoin, 1940) ; *Marie-Martine* (Albert Valentin, 1943) ; *les Portes de la nuit* (M. Carné, 1946) ; *la Veuve et l'Innocent* (André Cerf, 1949) ; *Miquette et sa mère* (H.-G. Clouzot, 1950).

FÁBRI *(Zoltán), cinéaste hongrois (Budapest 1917 -* id. *1994).* Il est, avec Makk et Máriássy, l'un des principaux artisans de la première renaissance du cinéma hongrois qui se situe entre l'année de la mort de Staline et les événements de 1956. Son *Petit Carrousel de fête* (*Körhinta,* 1955), présenté au festival de Cannes, remporte un large succès international et lance l'actrice Mari Törocsik. *Professeur Hannibal* (*Hannibal tanár úr,* 1956) confirme l'éclosion d'un réalisateur qui, sans se départir jamais d'une certaine lourdeur de style, saura aborder de front certains sujets historiques, sociaux ou politiques. Après une période d'hésitation, Fábri revient au premier plan avec *Deux Mi-Temps en enfer* (*Két félido a pokolban,* 1961), *les Ténèbres du jour* (*Nappali sötétség,* 1964) et surtout *Vingt Heures* (*Husz óra,* id.), témoignage capital sur les contradictions et les vicissitudes du rêve socialiste depuis l'époque de la distribution des terres en 1945. Les films ultérieurs de Fábri, plus solides qu'inspirés, manquent parfois d'originalité (son adaptation de l'œuvre de Ferenc Molnár, *les Garçons de la rue Pál* [*A Pál utcai fiúk,* 1968], reste pesante et académique) mais conservent un intérêt « historique » de première importance *(À un jour près* [*Plusz minusz egy nap*], 1972 ; *la Phrase inachevée* [*141 perc A befejezetlen monatból*], 1975 ; *le Cinquième Sceau* [*Az ötödik pecsét*], 1976 ; *les Hongrois* [*Magyarok*], 1977). J.-L.P.

Autres films : *Orage* (*Vihar,* 1952) ; *Quatorze Vies en danger* (*Életjel,* 1954) ; *Nuages d'été* (*Bolond április,* 1958) ; *Anna* (*Édes Anna,* 1958) ; *le Fauve* (*Duvad,* 1961) ; *Un triste été* (*Vizivárosi nyár,* TV, 1965) ; *Arrière-Saison* (*Utószezon,* 1967) ; *la Famille Tot* (*Isten hozta, ornagy úr,* 1969) ; *la Fourmilière* (*Hangyaboly,* 1971) ; *la Rencontre de Bálint Fabián avec Dieu* (*Fábian Bálint találkozása istennel,* 1980) ; *Requiem* (1982) ; *la Crémaillère* (*Gyertek el a névnapomra,* 1984).

FABRIZI *(Aldo), acteur et cinéaste italien (Rome 1905 -* id. *1990).* Populaire au théâtre de variétés dans les années 30, il débute au cinéma en écrivant et interprétant *Avanti c'è posto* (M. Bonnard, 1942), délicieuse comédie sur un receveur d'autobus qui tombe amoureux d'une jeune femme de chambre ; son grassouillet personnage romain, sympathique et naïf, s'affirme ici déjà avec un grand succès. Après quelques variations comiques, dont l'émouvant *le Diamant mystérieux* (*L'ultima carrozzella* [M. Mattoli], 1943, écrit par lui et par F. Fellini), il interpréta le prêtre de *Rome, ville ouverte* (R. Rossellini, 1945). Grâce à Lattuada, il crée un personnage saisissant de victime humiliée qui se rebelle dans *le Crime de Giovanni Episcopo* (1947). Son premier film comme metteur en scène est le méconnu *Emigrantes* (1949, tourné en Argentine). Il dirige ensuite des comédies très populaires et grotesques comme *La famiglia Passaguai* (1951) et *La famiglia Passaguai fa fortuna* (1952) ; ses réalisations de genre sentimental sont moins réussies (*Una di quelle,* 1953 ; *Il maestro,* 1958, tourné en Espagne). Dans des dizaines de comédies majeures et mineures, il reprend son personnage attachant, devenu un des symboles du cinéma italien ; rappelons seulement *Sa Majesté M. Dupont* (*Prima comunione,* A. Blasetti, 1950) ; *Dans les coulisses* (Steno et M. Monicelli, *id.*) ; *Gendarmes et Voleurs* (id., 1951) ; *Siamo tutti inquilini* (M. Mattoli, 1953) ; *Guardia, guardia scelta, brigadiere e maresciallo* (M. Bolognini, 1956) ; *Totó, Fabrizi e i giovani d'oggi* (M. Mattoli, 1960) ; *Nous nous sommes tant aimés* (E. Scola, 1974). L.C.

FABRIZI *(Franco), acteur italien (Cortemaggiore, Piacenza, 1926).* Après une carrière théâtrale, il aborde le cinéma par un petit rôle dans *Prigioniera della torre di fuoco* (Giorgio W. Chili, 1953). La même année, Fellini lui donne le rôle qui marquera toute sa vie : le séducteur fanfaron et fainéant des *Vitelloni.* Il apparaît encore en «bidoniste» (*Il bidone,* 1955) et répète son personnage dans quelque cent films, surtout des comédies, dont *Noi siamo le colonne* (L. F. D'Amico, 1956) ; *Mariti in città* (L. Comencini, 1957) ; *Femmes d'un été* (G. Franciolini, 1958) ; *Une vie difficile* (D. Risi, 1961) ; *l'Amour tel qu'il est* (A. Pietrangeli, 1965) ; *Ces messieurs-dames* (P. Germi, 1966) ; *La signora è stata violentata* (V. Sindoni, 1973) ; *Ginger et Fred* (Fellini, 1985). L.C.

FACTEUR DE CONTRASTE ou **CONTRASTE PHOTOGRAPHIQUE** ou **GAMMA.** Caractéristique d'un film développé (liée aux caractéristiques propres du film et à celle du développement), égale au rapport entre le contraste du sujet ou de l'image à copier et le contraste de l'image obtenue après développement. (→ CONTRASTE.)

FADE. Mot anglais pour *fondu. Fade in,* ouverture en fondu. *Fade out,* fermeture en fondu.

FAHMĪ *('Abd al-'Azīz), chef opérateur égyptien (1920).* Assistant cameraman d'actualités au studio Misr dès 1937, il suit pendant la guerre, comme opérateur, les Forces françaises libres. Opérateur en 1945 sur *' Premier Amour '* (*al-Ḥubb al-awwal,* Gamāl Madqūr), il signe son premier travail de directeur de la photographie avec *' le Bien et le Mal ' (al-Khayr wa al-Sharr)* de Ḥasan Ḥilmī, en 1946. Il travaille dès lors régulièrement, notamment avec Ṣalāḥ Abū Sayf, Yūsuf Chāhīn : *Gamīla l'Algérienne, l'Aube d'un jour nouveau* et *le Retour du fils prodigue,* où il joue sur un discret expressionnisme de la couleur (1976). Parmi ses meilleurs éclairages en noir et blanc : *' la Ruelle des idiots '* (T. Ṣalāḥ ; *' l'Impossible '* (H. Kamāl) ; *Khān al-Khalīlī* (A. Sālim). Il est exigeant, attentif à la tonalité de chaque plan, à l'unité des valeurs et, à ce titre, *la Momie* est un des plus beaux témoignages de rigueur et de sensibilité (S. 'Abd Al-Salām). Il est cofondateur, en 1959, des Artistes associés, une compagnie de production (al-Sīnimāiyyīn al-muttaḥdīn) qui, entre autres, produit le premier film de Sayyid Marzūq, *Ma femme et le chien* (1970) – une occasion, pour Fahmī, de très bien traduire l'onirisme dans un noir et blanc contrasté. Il a travaillé sur quelque 90 longs métrages et de très nombreux courts métrages documentaires, ainsi que pour la TV du Caire. C.M.C.

FAHMĪ *(Ashraf), cinéaste égyptien (Le Caire 1936).* Après un diplôme d'histoire à l'université du Caire, il étudie la réalisation à l'Institut du cinéma puis à l'université de Californie. Ses premiers courts métrages datent de 1967 au Caire, et son premier film de fiction, *' les Assassins '* (*al-Qatala,* 1971), est vaguement inspiré de *l'Inconnu du Nord-Express* de Hitchcock. En 1972, il signe un étonnant mélodrame, vision métaphorique à travers un univers carcéral d'un monde bloqué, impuissant et livré à l'autodestruction : *Nuits et*

Barreaux (Layl wa qiḍbān), avec Samīra Aḥmad, Maḥmūd Mursī et Maḥmūd Yāsīn. Il n'a plus retrouvé cette vigueur ni ce style. Son goût pour l'analyse des frustrations (sexuelles ou politiques) paraît dangereux au pouvoir. En 1982, il adapte *l'Étranger* d'Albert Camus : *' l'Inconnu '* et tourne *' Le diable prêche '* d'après Nagīb Mahfūz. C.M.C.

FAINSILBER *(Samson), acteur, régisseur et écrivain français d'origine roumaine (Iaşi 1904 - Paris 1983).* Fils de dramaturge, il débute comme acteur au Théâtre Albert en 1922. Il joue des pièces de Guitry, Rostand, Ibsen, Bernstein, etc., publie une étude, *l'Acteur de théâtre* (Monaco, 1945). Au cinéma, après avoir fait ses premiers pas dans *le Requin* (H. Chomette, 1929), il devient l'un des acteurs favoris d'Abel Gance : *la Fin du monde ; Mater Dolorosa ; Jérôme Perreau ; Un grand amour de Beethoven.* Il est Mazarin dans *Si Versailles m'était conté* (S. Guitry, 1954). Alain Resnais lui a confié de petits rôles dans *Stavisky* (l'inspecteur du fichier), *Providence* (le vieillard dans la forêt) et *La vie est un roman.* C.B

FAÏNTSIMMER *(Aleksandr) [Aleksandr Mihajlovič Fajncimmer], cinéaste soviétique (Iekaterinoslav [auj. Dniepropetrovsk] 1905 - Moscou 1982).* Assistant de Poudovkine en 1927 pour *la Fin de Saint-Pétersbourg* et de Raïzman en 1928 pour *le Bagne,* il tourne son premier film *Hôtel Savoy* (*Otel ' Savoj,* 1930) et s'inscrit alors – et ce, pendant une quarantaine d'années – comme un réalisateur conformiste, habile à épouser « l'air du temps », un artisan à la technique honnête et efficace. Il signe successivement *le Bonheur* (*Sčast'e ;* co V. Soloviev, 1932), *le Lieutenant Kijé* (*Poručik Kiže,* 1934), *Ceux de la Baltique* (*Baltijcy,* 1938), *le Pétrolier « Derbent »* (*Tanker Derbent,* 1941), *Kotovski* (*Kotovskij,* 1943), *les Fusiliers de la marine* (*Morskoj batalon,* co A. Minkine, 1946), *Konstantin Zaslonov* (*id.,* co V. Korch-Sabline, 1949), *Ils ont une patrie* (*U nih est ' rodina,* co V. Legochine, 1950), *l'Aube sur le Niémen* (*Nad Nemanom rassvet,* 1953), *le Taon* (*Ovod,* 1955), *Jeune Fille à la guitare* (*Devuška s gitaroj,* 1958), *la Nuit sans pitié* (*Noč ' bez miloserdija,* 1962), *le Lion endormi* (*Spjaščij lev,* 1965), *Loin à l'Ouest* (*Daleko na Zapade,* 1969). J.-L.P.

FAIRBANKS *(Douglas Elton Ulman, dit Douglas), acteur américain (Denver, Colo., 1883 - Santa Monica, Ca., 1939).* Élevé par sa mère et par le second mari de celle-ci, Mousian Fairbanks, Douglas, impétueux et bouillant, s'oriente dès l'âge de seize ans vers le théâtre. En 1915, alors qu'il s'est acquis une honorable réputation d'acteur, il signe un contrat avec la Triangle et tourne son premier film, *Un timide* (*The Lamb,* W.C. Cabanne). Le succès est immédiat et, en 1916, il interprète onze films, souvent dirigés par John Emerson ou Allan Dwan, qui deviendra son metteur en scène d'élection. Déjà, Fairbanks s'intéresse à l'écriture et contribue à bon nombre d'idées originales. En 1917, il signe un contrat plus substantiel à la Paramount, où John Emerson le suit, et qu'Anita Loos, la scénariste, future épouse d'Emerson, vient bientôt rejoindre. En 1918, l'équipe est au complet avec la venue de Dwan, et Fairbanks plus actif que jamais. Ces films, rondement menés, imposent définitivement sa personne athlétique, bronzée et souriante, et la philosophie optimiste qui le caractérise. En 1919, ayant fondé avec Mary Pickford, qu'il vient d'épouser, Griffith et Chaplin, les Artistes associés, il transporte ses activités à la nouvelle compagnie. Il profite de l'occasion pour ralentir le tournage de ses films et pour y apporter plus de soins et de détails. Victor Fleming vient alors le seconder comme cinéaste. En 1920, il tourne *le Signe de Zorro* (F. Niblo), qui sera déterminant pour sa carrière.

Il ne s'agit plus d'un sujet moderne, mais d'une aventure historiquement datée, qui nécessite une attention particulière aux décors et aux costumes. Fairbanks en profite aussi pour fignoler ses cascades, déjà proverbiales, et les rendre encore plus spectaculaires. Le succès est immédiat, énorme, et après *l'Excentrique* (*The Nut,* Ted Reed, 1921), un film selon l'ancienne formule, il va revenir à des productions de plus d'ampleur, soignées, dont *le Signe de Zorro* lui avait ouvert la voie. C'est alors Fred Niblo qui reprend les responsabilités de réalisateur pour *les Trois Mousquetaires* (1921), dont Fairbanks avait cosigné le scénario. Dans une ivresse de perfectionnisme, l'acteur-auteur va viser de plus en plus haut, de plus en plus grand et de plus en plus cher, tenant toujours fermement en main sa carrière, collaborant à l'écriture de ses scénarios, supervisant tous les aspects du film et choisissant d'excellents cinéastes. S'ensuivent de belles réussites : *Robin des Bois* (A. Dwan, 1922) ; *le Voleur de Bagdad* (R. Walsh, 1924) ; *Don X, fils de Zorro* (Crisp, 1925) ; *le Pirate noir* (Albert Parker, en Technicolor, 1926) ; *le Gaucho* (F. Richard Jones, 1927) ; *le Masque de fer* (A. Dwan, 1929). C'est là un ensemble d'une rare cohésion, où la patte de Fairbanks est partout sensible. C'est probablement le sommet de la carrière de Douglas Fairbanks, même si certains privilégient l'amateurisme souriant de ses premiers films.

C'était un acteur-auteur. De nombreux témoins attestent qu'il souffrait de ne pas créer lui-même ; il voulait diriger et mettre en scène. Il s'est rattrapé en projetant sa personnalité sur le travail des autres. Car, plus que sa philosophie, relativement simpliste (un sourire, et le malheur s'enfuit), en évidence dans ses premiers films, c'est sa personnalité que les films du milieu de sa carrière exploitent. Son insouciance, sa bonne humeur, son enfance prolongée avec délices, mais aussi sa sentimentalité et ses brusques assauts de tristesse. Il a eu cet extraordinaire culot de faire vivre ses propres rêves d'enfance et d'en faire les rêves d'une génération. De plus, Douglas Fairbanks, acrobate et danseur, à l'élégance suprême, aux gestes sensibles, à la grâce aérienne, possédait plus que quiconque les dons physiques propres à donner vie à ses rêves.

Au milieu d'immenses décors, tout droit sortis des livres d'images et des gravures, cet homme gambadant incarnait, avec une innocence totale, l'éternité du beau et du bien. Mais, dans les meilleurs cas, une certaine mélancolie, une sorte de conscience de l'irréel, vient tempérer l'enthousiasme de l'illusion. Si *Robin des Bois* souffre un peu de décors gigantesques encore mal maîtrisés, *le Voleur de Bagdad* est déjà un émerveillement continuel. Si *le Gaucho* est un peu lent, *le Pirate noir* contrebalance le même défaut par une splendide imagerie aux couleurs pastel. Enfin, ses œuvres les plus belles, car les plus teintées de mélancolie, *Don X, fils de Zorro* et *le Masque de fer,* méditations délicates sur les héros vieillis et sur le temps cruel, équilibrent admirablement la nonchalance du rythme et la fougue de l'action.

Le parlant fut moins généreux avec lui. Après l'échec de *la Mégère apprivoisée* (Sam Taylor, 1929), où il jouait pour la première et dernière fois avec Mary Pickford, il s'orienta vers des productions plus modestes qui tentaient de recréer l'amateurisme de ses débuts. Il eut du mal à s'intégrer à un cinéma en plein changement. Sa dernière prestation fut particulièrement touchante : le Don Juan sentimental et vieillissant de la jolie *Vie privée de Don Juan* (A. Korda, 1934). Après, il se retira. Ayant divorcé de Mary Pickford, il épousa lady Sylvia Ashley avant de regagner la Californie. Aucun acteur de films d'aventures n'a retrouvé le panache de Fairbanks, probablement parce qu'aucun après lui n'a proposé au public une osmose aussi parfaite entre l'homme et le personnage. Il reste un mythe dont la simplicité et l'innocence fascinent encore. C.V.

Autres films : *The Martyrs of the Alamo* (W.C. Cabanne, 1915) ; *Double Trouble (id., id.)* ; *His Picture in the Paper* (J. Emerson, 1916) ; *The Habit of Happiness* (A. Dwan, *id.*) ; *Flirting With Fate* (Cabanne, *id.*) ; *The Mystery of the Leaping Fish* (Emerson, *id.*) ; *The Half-Breed* (Dwan, *id.*) ; *Manhattan Madness (id., id.)* ; *American Aristocracy* (Lloyd Ingraham, *id.*) ; *The Matrimaniac* (P. Powell, *id.*) ; *The Americano* (Emerson, *id.*) ; *In Again Out Again* (*id.*, 1917) ; *Wild and Woolly (id., id.)* ; *Down to Earth (id., id.)* ; *The Man From Painted Post* (J. Henabery, *id.*) ; *Reaching for the Moon* (Emerson, *id.*) ; *A Modern Musketeer* (Dwan, 1918) ; *Headin'South* (A. Rosson, *id.*) ; *Mr. Fix-It* (Dwan, *id.*) ; *Say Young Fellow* (Henabery, *id.*) ; *Bound in Morocco* (Dwan, *id.*) ; *He Comes Up Smiling (id., id.)* ; *Arizona* (Albert Parker, *id.*) ; *A Knickerbocker Buckaroo (id., id.)* ; *His Majesty, the American* (Henabery, *id.*) ; *When the Clouds Roll by* (V. Fleming et T. Reed, *id.*) ; *The Mollycoddler* (Fleming, 1920) ; *Reaching for the Moon* (E. Goulding, 1931) ; *Around the World in Eighty Minutes* (Fleming et D. Fairbanks, *id.*) ; *Robinson moderne* (*Mr Robinson Crusoe,* E. Sutherland, 1932). ▲

FAIRBANKS *(Douglas Jr.), acteur américain (New York, N. Y., 1909).* Dans l'ombre de son père, Douglas Fairbanks Jr. n'en fut pas moins un acteur plaisant, qui eût mérité une carrière plus brillante. Il débuta en 1923, mais dut attendre le début du parlant pour que sa personnalité s'affirme. Dans *la Patrouille de l'aube* (H. Hawks, 1930) et dans *Little Caesar* (Mervyn LeRoy, 1931), il n'est que la seconde des vedettes en titre. Mais, dans un film plus modeste comme *Union Depot* (Alfred

E. Green, 1932), sa bonne humeur est communicative. Quand, vers la fin des années 30, il voulut suivre les traces de son père, il le fit avec une certaine grâce, comme dans *Sinbad le marin* (Richard Wallace, 1946) ou surtout dans *l'Exilé* (Max Ophuls, 1947). Depuis, il poursuit son activité théâtrale en Angleterre, avec occasionnellement un rôle cinématographique. C.V.

FALCONETTI *(Renée), actrice française (Pantin 1892 - Buenos Aires, Argentine, 1946).* Parce que Dreyer l'a choisie pour incarner Jeanne en 1929 et que Falconetti, vibrante interprète, vit intensément son rôle, une telle création dévore l'actrice. *La Passion de Jeanne d'Arc* (1928), sobre et envoûtante architecture, jeu savant des blancs, des noirs et des gris, présente une Jeanne pitoyable, martyre harcelée par la meute des inquisiteurs. Falconetti, qu'on avait applaudie sur le Boulevard, abolit tous souvenirs sulpiciens et offre une vision terrifiante de la sainte. Le dépouillement, l'humilité et, en quelque sorte, la Grâce irradient de ses scènes. Le film, qui semble résumer tout l'art du muet, l'envoûte et la poursuit même lorsqu'elle joue à l'Odéon une longue rhapsodie de Saint-Georges de Bouhelier, écrite à la gloire de la pucelle de France. Puis ses apparitions se font rares et on apprend sa mort prématurée en Argentine. Elle avait paru également dans *la Comtesse de Somerive* de Georges Denola (1917) et dans *Clown* de Maurice de Féraudy *(id.).* R.C.

FALK *(Feliks), Cinéaste polonais* (*Stanisławów, 1941*). Diplômé de l'Académie des Beaux-Arts de Varsovie et de l'Ecole supérieure de cinéma de Łodź (en 1974), il est peintre et auteur de plusieurs pièces de théâtre. Scénariste, il passe à la mise en scène de cinéma en 1975 : *' Au cœur de l'été '* (*W Środku lata*) après un premier essai à la TV : *' La Nuitée '* (*Nocleg* ; 1973). Il tourne *' l'Actrice '* (*Aktorka*), l'un des épisodes de ' Scènes de la vie ' (*Obrazki z żcia,* 1974) et s'impose par quelques œuvres fortes qui dénoncent à visage découvert le carriérisme et l'opportunisme d'une société communiste gangrenée : *le Meneur de bal* (*Wodzirej,* 1978), *la Chance* (*Szansa,* 1979), ' A côté ' (*Obok,* TV id.). Son film *Il était une fois le jazz* (*Był jazz* [RÉ 1981] 1984) est interdit plusieurs années. Il signe ensuite *' Idole '* (*Idol,* 1984) et *' le Héros de l'année '*(*Bohater roku,* 1986). J.-L.P.

FALK *(Peter), acteur américain (New York, N. Y., 1927).* Il débute à l'écran dans *la Forêt interdite* (N. Ray, 1958) et se spécialise vite dans des rôles de gangsters ou de détectives, souvent parodiques, qu'il prolonge à la télévision avec la série *Colombo.* À noter aussi : *Milliardaire pour un jour* (F. Capra, 1961) ; *Pressure Point* (H. Cornfield, 1962) ; *le Balcon* (J. Strick, 1963) ; *Rio Conchos* (G. Douglas, 1964) ; *la Grande Course autour du monde* (B. Edwards, 1965) ; *Luv* (C. Donner, 1967) ; *Un château en enfer* (S. Pollack, 1969) ; *Husbands* (J. Cassavetes, 1970) ; *Une femme sous influence* (id., 1974) ; *le Sourire aux larmes* (D. Duke, 1976) ; *le Privé de ces dames* (R. Moore, 1978) ; *les Ailes du désir* (W. Wenders, 1987) ; *Cookie* (S. Seidelman, 1989). J.-P.B.

FAMOUS PLAYERS. Société de production américaine fondée en 1912 par Adolph Zukor qui prit modèle sur la société française du Film d'Art en inventant le slogan *Famous Players in Famous Plays.* La compagnie s'unit en 1916 à la Jesse L. Lasky's Feature Play pour former la Famous Players - Lasky Corporation. En 1917 l'unification de la Famous Players et de sa compagnie de distribution (la Paramount) permit de constituer une firme unique la Paramount Pictures Corporation. J.-L.P.

FANCK *(Arnold), cinéaste allemand (Frankenthal 1889 - Fribourg-en-Brisgau 1974).* Géologue de formation, il tourne d'abord, vers les années 20, des films documentaires consacrés à la montagne. Puis il découvre et exploite un genre exclusivement allemand : l'héroïsme de l'ascension, la montée vers l'azur identifié à la divinité. Pour l'alpiniste tel que le conçoit Fanck, l'effort et la technique relèvent moins de l'exploit sportif que d'un rite qui donne à l'homme le moyen de s'affranchir de l'existence quotidienne vulgaire. Dans son livre, *De Caligari à Hitler,* Siegfried Kracauer étudie longuement ce qu'il nomme « l'évangile des fiers sommets » et conclut : « L'idolâtrie des glaciers et des rochers était symptomatique de l'antirationalisme sur lequel les Nazis allaient capitaliser. » Arnold Fanck fut l'un des principaux officiants de ce culte au cinéma, signant en 1926, interprétée par Luis Trenker et Leni Riefenstahl, une œuvre au titre significatif : *la Montagne sacrée (Der heilige Berg).* Leni Riefenstahl interprétera ses cinq films suivants : *le Grand Saut* (*Der grosse Sprung,* 1927) ; *l'Enfer blanc du Piz Palu (Die weisse Hölle vom Piz Palu,* 1929 [co G. -W. Pabst]) ; *Tempête sur le Mont-Blanc* (*Stürme über dem Mont-Blanc,* 1930) ; *Ivresse blanche* (*Der weisse Rausch,* 1931) ; *S. O. S. Eisberg S. O. S. Iceberg* (co T. Garnett, 1933), tous ces films étant réalisés avec l'active collaboration du célèbre opérateur Richard Angst. F.B.

FANSTEN *(Jacques), cinéaste français (Paris 1946).* S'il n'a réalisé que quatre longs métrages cinématographiques depuis 1975, c'est qu'il consacre une partie importante de son temps à des téléfilms qui lui assurent une bonne réputation auprès des spécialistes du petit écran. Un de ses films les mieux diffusés en salles est d'ailleurs, à l'origine, une production TV : *la Fracture du myocarde* (1990), qui a su trouver un ton nouveau pour parler des enfants. Son premier film, *le Petit Marcel* (1975), montrait un délateur naïf pris au piège de la grande ville et des mœurs policières. Des jeunes tout aussi innocents sont les héros d'*États d'âme* (1986), porteurs des désillusions de leur génération. Dans *Roulez jeunesse* (1992), il pose un regard amusé sur les rapports entre de jeunes fugitifs et les retraités qui les aident. D.S.

FANTASCOPE → INVENTION DU CINÉMA.

FANTASTIQUE (cinéma). De tous les genres cinématographiques, le fantastique est l'un des plus difficiles à cerner. D'abord, à cause de la démarcation souvent vague qui le sépare à peine de genres voisins comme la science-fiction, l'horreur ou l'épouvante, voire le film noir. Ensuite, parce qu'il existe autant un ton qu'un genre fantastique. Le premier surgit volontiers et souvent au sein d'œuvres dépendant d'autres genres, par la personnalité d'un cinéaste. Ainsi *la Nuit du chasseur* (C. Laughton, 1955) baigne totalement dans un climat fantastique sans que jamais le film puisse être rattaché au genre. De même pour certaines œuvres de Luis Buñuel, Alfred Hitchcock ou Alain Resnais.

Pour que naisse le fantastique, il suffit qu'un éclairage, qu'un détail, qu'un cadrage, qu'un décor décalent la fiction cinématographique du réel qu'elle est censée représenter. On peut citer, bien sûr, les tentations oniriques et surréalistes de Buñuel, mais aussi le jeu avec la mémoire et l'imaginaire propre à Resnais (le loup-garou de *Providence,* 1977) ou le simple regard d'Hitchcock (le policier motorisé aux lunettes noires de *Psychose,* 1960).

Le fantastique n'est qu'un déséquilibre du réel. Ce déséquilibre peut être momentané. Mais, s'il se prolonge, naît un univers parallèle au nôtre, avec ses lois, ses figures et ses motifs. Si un film se situe dans cet univers, nous avons affaire à un film fantastique proprement dit. Il peut, indifféremment, créer ses propres légendes ou se référer à d'autres, dont la tradition populaire et la littérature nous ont rendu les mystères familiers : légendes historiques, monstres, vampires, voyages au-delà de la mort.

Bien qu'il soit le moins spécifiquement cinématographique des genres et bien qu'il ait fini par se développer avec un certain bonheur en Angleterre et en Italie, le fantastique s'est structuré et épanoui à Hollywood. Ses origines sont cependant nettement européennes, cela non seulement à cause du caractère des légendes et croyances dont il se nourrit. En fait, les possibilités du cinéma fantastique ont été nettes dès que Georges Méliès, en France, a découvert les possibilités infinies du trucage. Par la suite, le cinéma scandinave primitif, celui de Sjöström et Stiller, et plus tardivement celui de Benjamin Christensen (*la Sorcellerie à travers les âges,* 1921), ont fourni une iconographie précieuse : villages pétrifiés de silence, routes cahoteuses menant à de sombres châteaux, paysans aux trognes patibulaires, héros pâles et tourmentés dans des paysages nus et froids, au diapason de leurs troubles. Enfin, le cinéma expressionniste allemand, avec ses violents contrastes d'ombre et de lumière et son esthétique en arêtes vives a fourni au genre son langage : Lang (*les Trois Lumières,* 1921), Paul Leni (*le Cabinet des figures de cire,* 1924) et surtout Murnau (*Nosferatu le vampire,* 1922, et *Faust,* 1926) sont les véritables pères du film fantastique et les auteurs de ses premiers chefs-d'œuvre. Les trois cinéastes finiront par aller, à des dates différentes, à Hollywood, où le genre va réellement prendre forme.

On compte d'excellentes réussites fantastiques un peu partout : en Allemagne (*les Aventures fantastiques du baron de Munchhausen,* de Josef von Baky, 1943) ou en Europe centrale (*le Manuscrit trouvé à Saragosse,* de Wojciech Has, 1965, Pologne), entre autres. En France, la période de l'Occupation suscita une flambée de réussites fantastiques inégalées à ce jour. *Les Visiteurs du soir* de Marcel Carné (1942) ou *l'Éternel Retour* de Jean Delannoy (1943) et même le tardif *la Belle et la Bête,* de Jean Cocteau et René Clément (1946), sont des classiques consacrés. Mais *le Baron fantôme* (1943) et surtout *la Fiancée des ténèbres* (1945), tous deux de Serge de Poligny, ne leur sont en rien inférieurs. Quelques tentatives sont faites aux environs de 1970 qui ne rencontreront qu'un maigre public : *la Rose écorchée* de Claude Mulot (1969), *l'Araignée d'eau* de Jean-Daniel Verhaeghe (*id.*), *Midi-Minuit* de Pierre Philippe (1970), *les Soleils de l'Île de Pâques* de Pierre Kast (1972), *le Seuil du vide* de Jean-François Davy (1971-1974). De nouveaux réalisateurs s'efforcent dans les années 80 de redonner vie à un fantastique français : Bertrand Arthuys avec *Tom et Lola,* Alain Robak avec *Baby Blood,* Enki Bilal avec *Bunker Palace Hôtel.*

Diverses thématiques fantastiques surgissent de-ci de-là, dans des cinématographies très diverses, de la Scandinavie à l'Asie du Sud-Est ou très récemment dans l'U. R. S. S. de la Perestroïka. Toutefois, ce sont là des épisodes : nous concentrerons donc notre regard sur le fantastique hollywoodien, puis sur ses prolongements britanniques et italiens.

Le fantastique hollywoodien. Très vite, le cinéma américain a senti les possibilités visuelles que recélaient des classiques de la littérature fantastique tels que *Frankenstein* de Mary Shelley (filmé en 1910 pour Edison) ou *Dr Jekyll et Mr Hyde* de Robert Louis Stevenson (filmé dès 1913). Mais, à mesure que la technique s'améliorait, le genre prenait une consistance plus grande, bien qu'il ait eu du mal à se libérer des limites théâtrales (*Dr Jekyll et Mr Hyde* de John S. Robertson, 1920, avec John Barrymore). En fait, avant l'arrivée de la première vague d'émigrés allemands, le cinéma fantastique hollywoodien peut se réduire à deux noms, Lon Chaney et Tod Browning.

Acteur protée et contorsionniste, Lon Chaney se fit remarquer dans un rôle de faux infirme dans *The Miracle Man* (George Loane Tucker, 1919). Malgré les détails étranges que sa présence impliquait presque toujours, et dans un climat très fantastique, peu des films qu'il interpréta appartiennent franchement au genre. Cependant, avec Tod Browning, cinéaste qui le dirigea dès 1921, Lon Chaney a suscité une superbe série de films où, malgré quelques tentatives rationalistes, le fantastique est roi (*l'Oiseau noir,* 1926 ; *la Route de Mandalay,* id. ; *Londres après minuit,* 1927 ; *l'Inconnu,* id. ; *À l'ouest de Zanzibar,* 1928). Il s'agit le plus souvent de mélodrames que l'œil de Browning et son goût du bizarre infléchissent vers le fantastique. Par ailleurs, l'opposition nuit/jour, le thème de la double vie, la difformité physique comme ponctuation, l'exacerbation des passions préparent nettement les structures du genre. Cependant, on note que, même dans une histoire de vampires comme *Londres après minuit,* une explication rationnelle vient toujours rassurer le spectateur. Beaucoup plus franchement fantastiques étaient les intrusions surnaturelles que l'on pouvait trouver dans certains mélodrames romantiques comme *Peter Ibbetson* (G. Fitzmaurice, 1921) ou *l'Heure suprême* (F. Borzage, 1927). Quand les maîtres allemands commencèrent à arriver, eux aussi furent limités par un certain rationalisme. Ainsi, Paul Leni, après le romantique (mais visuellement très fantastique) *Homme qui rit* (1928), eut ses plus grands succès dans des films policiers comme *la Volonté du mort* (id.) ou *le Perroquet chinois* (id.), où le fantastique n'était qu'accessoire. C'est véritablement avec le parlant que le genre va se constituer, et principalement autour d'un studio, l'Universal.

L'Universal, dirigé par la famille Laemmle, assez récemment émigrée d'Allemagne, avait été le premier studio à employer Lon Chaney et avait, dès le muet, posé d'importants jalons avec l'aide de cet acteur (*le Fantôme de l'Opéra,* de Rupert Julian, 1925) et de Paul Leni (*cf.* les films mentionnés plus haut). En 1931, *Dracula* de Tod Browning et *Frankenstein* de James Whale donnèrent le coup d'envoi à un cycle fabuleux qui, encore maintenant, survit grâce à d'incessantes nouvelles moutures de ces deux classiques. Dracula, le vampire interprété par Bela Lugosi, était un monstre satanique et séducteur. Le monstre de Frankenstein, interprété par Boris Karloff, était le monstre prométhéen, né de la folie humaine.

Deux pôles entre lesquels le genre aimera à se partager. Deux acteurs qui restent parmi les plus mythiques du genre.

Immédiatement, les réussites les plus audacieuses déferlèrent : le raffiné et freudien *Dr Jekyll et Mr Hyde* de Rouben Mamoulian (1932), l'horrifique et coloré *Masques de cire* de Michael Curtiz (1933), le sadien *Chasses du comte Zaroff* d'Ernest B. Schoedsack *(id.)*, le cruel *Île du Dr Moreau* d'Erle Kenton *(id.)*, le poétique *Zoo in Budapest* de Rowland V. Lee *(id.)*. Il y eut, dans cette prestigieuse foulée, nombre de films moins remarquables, mais attachants (*les Morts vivants* [*White Zombie*] de Victor Halperin, 1933), et d'autres que l'on redécouvre maintenant avec émerveillement (*le Chat noir,* d'Edgar Ulmer, 1934, première et historique rencontre de Bela Lugosi et Boris Karloff). Parallèlement, après l'insuccès de l'audacieux *Monstrueuse Parade* (1932), Tod Browning vit sa carrière s'effilocher : mais il faut retenir la délicieuse féerie des *Poupées du diable* (1936). James Whale, pendant ce temps, édifiait son œuvre bizarre à la source de laquelle tout le genre allait prendre réellement vie : *l'Homme invisible* (1933) et surtout *la Fiancée de Frankenstein* (1935), de loin le film le plus novateur et le plus important du genre à l'époque. Le terrain était propice pour raconter une nouvelle version de la Belle et la Bête, en termes hollywoodiens : *King Kong* (Merian C. Cooper et Ernest B. Schoedsack, 1933), œuvre étonnante et unique qui donnait au fantastique sa forme la plus américaine. Le film resta sans réelle progéniture.

Jusqu'en 1939, le genre connut des hauts et des bas. On le confina volontiers dans la série B et les petits budgets, mais, malgré cette situation, Bela Lugosi et Boris Karloff n'eurent pas de difficultés à s'affirmer. Beaucoup de petites œuvres, modestes et réussies, assurent la survie du genre : *le Loup-garou de Londres* (Stuart Walker, 1935), *la Fille de Dracula* (L. Hillyer, 1936), *le Baron Gregor* (R. W. Neill, *id.*). Le meilleur film de cette période est cependant le très bref mais fulgurant *Mort qui marche* de Michael Curtiz *(id.)*, qui va aussi loin que possible dans l'esthétique expressionniste. Ces films sont marqués par le sens du merveilleux, la conviction des metteurs en scène et le talent des acteurs. Ils retrouvent d'instinct la magie de ces histoires fascinantes et horribles jadis murmurées à la veillée. Créations irrationnelles, issues d'un inconscient collectif (celui de l'Amérique en crise), ces monstres souvent pathétiques portent en eux les peurs et les aspirations du moment historique. Nées de l'Europe, ces œuvres sont fortement imprégnées de nuances victoriennes et byroniennes qui montrent bien à quel point le fantastique, à la différence du merveilleux et du féerique, naît du tabou. On le sent aussi dans les tentations fantastiques de mélodrames amoureux comme *Voyage sans retour* (T. Garnett, 1932) ou *Peter Ibbetson* (H. Hathaway, 1935).

En 1939, après quelques années qui ont vu un certain épuisement du genre, le succès d'une nouvelle version de *The Cat and the Canary : le Mystère de la maison Norman* d'Elliott Nugent, nettement comique, et du dernier volet du triptyque de Frankenstein, *le Fils de Frankenstein* (R. V. Lee), fortement teinté d'ironie et poussant l'esthétique expressionniste jusqu'à la caricature, ouvre un nouveau cycle où le fantastique se mêle délibérément au grotesque, voire au comique. Face au peu de renouvellement de Karloff et Lugosi, il fallut trouver de nouvelles vedettes : mais l'entreprise resta infructueuse. Certains acteurs, spécialisés dans d'autres genres, ne firent par le fantastique qu'un épisodique détour (John Carradine, Dracula dans *la Maison de Frankenstein,* 1945, et *la Maison de Dracula,* id., tous deux d'Erle C. Kenton). D'autres se révélèrent dépourvus de toute personnalité (le mou Glenn Strange qui succéda à Karloff dans le rôle du monstre de Frankenstein, dans les deux titres mentionnés plus haut). Des changements d'emplois se soldèrent par de véritables débâcles (ainsi Bela Lugosi remplaçant Karloff dans le rôle du monstre, dans *Frankenstein rencontre le loup-garou* [*Frankenstein Meets the Wolf Man,* 1943], de Roy William Neill). Certains acteurs n'étaient pas encore mûrs pour la spécialisation (Vincent Price dans *le Retour de l'homme invisible,* J. May, 1940). Le seul acteur qui ait eu à l'époque une carrière cohérente sinon harmonieuse, ce fut Lon Chaney Jr. Porteur du nom prestigieux de son père, fort d'une carrure imposante, mais limité par un jeu assez fruste, Lon Chaney Jr. fut décoratif dans la série consacrée à la momie (*The Mummy's Tomb,* Harold Young, 1942 ; *The Mummy's Curse,* Leslie Goodwins, 1945 ; *The Mummy's*

Ghost, Reginald Le Borg, *id.,* tous inspirés du chef-d'œuvre *la Momie,* de Karl Freund, 1932, avec l'irremplaçable Karloff). Mais il s'avéra totalement incapable de suggérer la séduction de Dracula (*le Fils de Dracula,* R. Siodmak, 1942). Sa meilleure création fut celle de Larry Talbot, le loup-garou de Londres (créée par Henry Hull dans le film de 1935) : *la Maison de Dracula, la Maison de Frankenstein* et surtout *le Loup-garou* (*The Wolf-Man,* 1941) de George Waggner, où Claude Rains lui donnait une brillante réplique.

On réalise, à l'énoncé de tous ces titres, qu'un des principes essentiels de ce nouveau cycle fantastique, proposé encore une fois par l'Universal, fut l'accumulation. Dracula rencontrait Frankenstein et/ou le Loup-Garou dans un no man's land improbable où aucune justification n'était nécessaire au caractère surréaliste de la rencontre. Les moyens financiers étaient assez restreints mais, le brio de quelques acteurs aidant, ces films étaient destinés aux doubles programmes chers aux adolescents d'alors.

Les choses étaient bien plus audacieuses à la RKO, où pourtant les moyens financiers n'étaient guère plus importants. Cela, du fait d'un seul homme, Val Lewton, qui reste un des artisans inégalés du genre. Producteur modeste, écrivain cultivé, Lewton décida d'utiliser au mieux le petit budget qui lui était imparti, le titre idiot qu'on lui imposait *(les Hommes-Chats)* et les décors qu'il avait récupérés de productions plus coûteuses. Avec l'aide de Jacques Tourneur, remarquable cinéaste qui savait, mieux que personne, maintenir un film dans un flou délicat (propre à nous faire croire que le fantastique était vraiment à notre porte), Val Lewton produisit *la Féline* (1942), chef-d'œuvre raffiné qui suggère tout à l'aide de la lumière et de l'ombre, mais ne montre systématiquement rien. L'ambition de Lewton était grande, mais seul un cinéaste de l'envergure de Tourneur put la soutenir avec *l'Homme-Léopard* et surtout *Vaudou* (1943), fascinante transposition de *Jane Eyre* dans des Antilles de studio. Le succès, critique et public, encouragea Lewton à persévérer. Même si les cinéastes qu'il choisit comme collaborateurs n'avaient pas le talent de Tourneur, ils surent se maintenir à un rare niveau de qualité avec *la Septième Victime* (Mark Robson, 1943) ou *la Malédiction des hommes-chats* (R. Wise et Gunther von Fritsch, 1944). L'originalité consistait à inventer de nouvelles légendes, inspirées des anciennes, et à situer le fantastique dans un quotidien contemporain fortement stylisé. Mais, en 1945, l'échec du *Récupérateur de cadavres* (Wise) et, l'année suivante, de *Bedlam* (Robson), riches recréations de l'Angleterre du roman gothique, poussa Lewton à chercher dans d'autres directions que le fantastique. Son œuvre subsiste, scintillante et nette comme un météore.

L'influence de cet homme de goût fut considérable. Elle mit fin aux monstres surannés et ouvrit la voie à des fantômes plus subtils, parfois issus de l'imaginaire d'une personne malade, parfois teintés de freudisme. On retiendra dans cette veine *la Falaise mystérieuse* (L. Allen, 1943) et surtout le spectaculaire et grandiose (mais incompris à l'époque) *Portrait de Jennie* (W. Dieterle, 1949), histoire d'amour fiévreuse défiant le temps et la mort et conçue par le producteur David O. Selznick comme un hommage à l'actrice Jennifer Jones, sa femme. Cette flambée resta cependant de courte durée : l'échec de *Portrait de Jennie* avait nettement montré que le public, désormais plus terre à terre à cause de la récente guerre et des innovations techniques incessantes, n'était plus sensible au fantastique.

Tout au long des années 50, le genre survécut vaille que vaille. Frankenstein ne se remit pas d'avoir rencontré les comiques Abbott et Costello. Des productions modestes comme *le Château de la terreur* (*The Strange Door,* J. Pevney, 1951), ou *le Mystère du château noir* (N. Juran, 1952), malgré des acteurs comme Charles Laughton ou Boris Karloff, ne purent rien sauver. Seuls les succès occasionnels de films soutenus par des innovations techniques furent capables de maintenir le genre à flot : ainsi *l'Homme au masque de cire* (1953), agréable film en relief d'André De Toth. L'heure était résolument à la science-fiction : ce genre, cousin germain du fantastique, était en train, à l'époque, d'acquérir sa véritable autonomie.

On rappellera cependant un nom, celui de Jack Arnold, cinéaste modeste mais compétent, qui signa quelques belles réussites dans la science-fiction et à la périphérie du fantastique : *l'Étrange Créature du lac noir* (1954) et surtout *l'Homme qui rétrécit* (1957), jolie fable pacifiste aux saisissantes trouvailles visuelles.

Il fallut attendre la fin de la décennie pour qu'un autre nom s'affirme : celui de Roger Corman, réalisateur capable de composer un film amusant et intelligent en une petite semaine et avec des bouts de ficelle. Il consacra aux histoires d'Edgar Poe un cycle inégal mais intéressant, qui se signale, malgré la pauvreté des décors, par une interprétation solide (Ray Milland, Boris Karloff, Basil Rathbone) et par une excellente utilisation de la couleur et de l'écran large, que Corman avait apprise sans doute des productions britanniques florissantes de la Hammer. *L'Enterré vivant* (1962) fut une réussite, de même que quelques instants de *la Chute de la maison Usher* (1960) et du *Masque de la mort rouge* (1964). Mais la réussite la plus harmonieuse fut *la Tombe de Ligeia* (id.) entièrement tourné (comme le précédent) en Angleterre.

L'influence de Corman fut immense. Non seulement il fut vite imité (*la Mouche noire,* Kurt Neumann, 1958), mais il s'entoura d'une véritable pépinière de talents qui allait vite dépasser les frontières du cinéma fantastique : Francis Ford Coppola, Jack Nicholson, Martin Scorsese, etc. Cependant, lorsque, vers 1965, il s'orienta vers la production, il n'y eut pratiquement personne aux États-Unis pour faire vivre le genre. Les réussites, parfois belles, ne furent qu'occasionnelles, comme *la Maison du diable* (1963), où Robert Wise retrouvait avec bonheur l'enseignement de Val Lewton.

Mais, entre-temps, la télévision consommait énormément de fantastique. Vers le début des années 70, le cinéma se trouva dans la nécessité d'alimenter la télévision : Hollywood se lança dans des coproductions avec les studios anglais, tandis que les séries télévisées à succès suscitaient des films de cinéma, comme *la Fiancée du vampire,* (Dan Curtis, 1970). Par ailleurs, certains films de cinéma adoptaient volontiers l'esthétique télévisuelle : *Crapauds* (*Frogs,* George McCowan, 1973). Enfin, le succès énorme remporté par le film de Roman Polanski, *Rosemary's Baby* (1968), suscita toute une vague d'œuvres fantastiques influencées par le satanisme (*The Dunwich Horror,* Daniel Haller, 1970).

Cependant, la transformation essentielle qu'opéra *Rosemary's Baby* fut de permettre aux réalisateurs de films fantastiques de travailler avec de très gros budgets. Ainsi apparurent *l'Exorciste* (W. Friedkin, 1973), ou *la Malédiction* (Richard Donner, 1976), films efficaces, quoique assez peu inspirés. Les imitations ont vite fusé, tirant de plus en plus avantage de la nouvelle perfection des trucages, et renvoyant le fantastique de plus en plus près de l'épouvante ou de l'horreur. Dans ces films, un jeune enfant était souvent le siège de puissances maléfiques, mettant en lumière une étrange angoisse de l'Amérique, et *Shining* (1979), de Stanley Kubrick, posa un provisoire point final à ce cycle curieux.

Enfin, enhardie par les succès de Steven Spielberg et de George Lucas dans le domaine voisin de la science-fiction, une nouvelle génération de cinéastes fantastiques s'est affirmée. Pétrie de cinéphilie, jouant volontiers de l'allusion, de la référence ou du clin d'œil, cette nouvelle génération revient aux sources mêmes du genre, fortement aidée par la perfection technique que l'électronique donne maintenant aux trucages. Désormais, l'homme se transforme en loup-garou sous nos yeux mêmes (*le Loup-garou de Londres,* John Landis, 1981, pochade réussie et terrifiante), tout comme *la Féline* (Paul Schrader, 1982), qui semble avoir oublié l'esthétique économe chère à Val Lewton et à Maurice Tourneur. Le talent le plus solide semble être celui de John Carpenter, virtuose de la caméra qui revient très volontiers à des schémas classiques : monstres en liberté (*la Nuit des masques* [*Halloween*], 1978), fantômes vindicatifs (*Fog,* 1980).

À travers les nouvelles tendances du fantastique, remarquablement exprimées par un film comme *Poltergeist* (Tobe Hooper, 1982), on réalise que le genre a opéré un vaste retour sur lui-même et qu'il cherche surtout de nouvelles clés et de nouveaux moyens qui rendront plus magique, plus merveilleuse, l'exploration des vieux thèmes.

La production dominante se caractérise toutefois, dans une abondance de films généralement produits à peu de frais par des sociétés indépendantes, par un renouvellement très lent, trop souvent réduit à un renforcement des effets de l'épouvante, du sang, du suspense, des trucages, des masques. Le recours à l'humour, ou du moins la fréquence des clins d'œil, se généralise dans le moindre film de série B et le burlesque fait de nouveau irruption dans le genre avec la complicité du public : *Ghostbusters* d'Ivan Reitman (1985) en est l'exemple le plus célèbre. Le fantastique populaire reste bien entendu dominé par la loi des séries, ainsi la saga de Freddy : 5 films depuis *les Griffes de la nuit (A Nightmare on Elm Street)* de 1984 à 1990. *Willow* de Ron Howard (1988) pourrait être l'amorce, sous forme d'*Heroïc fantasy,* d'un possible retour du merveilleux - dont l'Américain installé en Grande-Bretagne Terry Gilliam a offert d'autres illustrations : *Bandits, bandits* (1981) et *les Aventures du Baron de Münchhausen* (1988).

Après John Carpenter, revenu au fantastique - *Prince des ténèbres* (*Prince of Darkness,* 1987), *Invasion Los Angeles* (*They Live !,* 1988) - après avoir échoué dans d'autres projets, c'est le Canadien David Cronenberg qui s'est affirmé avec le plus de force tant auprès de la critique que du grand public. Bien après avoir tourné des films à petit budget fondés essentiellement sur une surcharge dans les poncifs du genre, il a su associer une démarche très personnelle à des thèmes déjà repérés : *Videodrome* (1983), *Dead Zone* (id.), *la Mouche* (*The Fly,* 1986), *Faux-semblants* (*Dead Ringers,* 1988). Le fantastique a toujours la faveur du public et le goût du rationnel, qui semble s'affirmer par ailleurs, ne diminue pas la volonté du public de croire ce qui lui paraît en même temps impossible. La charnière des années 80-90 semble se caractériser par un net retour aux sources ou par une forme de métissage du genre. Le fantastique qui, souvent, ne dédaigne pas de flirter avec la comédie, s'inspire du dessin animé (*Qui veut la peau de Roger Rabitt ?,* R. Zemeckis, 1988 ; *The Mask,* Charles Russell, 1994) ou de la bande dessinée (*la Famille Addams,* Barry Sonnenfeld, 1991). Il faut, dans ce domaine, mentionner la réussite exceptionnelle et constante de Tim Burton, dont l'œuvre la plus réussie en appelle à ces références sans y trouver une inspiration directe : *Edward aux mains d'argent* (1990), qui eut moins de succès que les plus spectaculaires *Batman,* est un merveilleux conte de fées. C'est également au conte de fées que se réfèrent des réussites comme *Legend* (R. Scott, 1989) ou *Princess Bride* (R. Reiner, 1989), films qui manient l'ironie avec subtilité et qui, comme *Edward aux mains d'argent,* déploient une inspiration visuelle remarquable.

À l'opposé, on trouve également une volonté de revenir aux obsessions fondamentales du genre. Ainsi, Francis Ford Coppola s'en tient scrupuleusement au roman de Bram Stoker pour porter à l'écran un spectaculaire et controversé *Dracula* (1992). Le succès l'incite à produire, dans la même veine, une fidèle adaptation du roman de Mary Shelley avec *Frankenstein,* de Kenneth Branagh, en 1994. *Darkman* de Sam Raimi (1989) modernise légèrement le vieux mythe du fantôme de l'opéra, quant à *Wolf,* de Mike Nichols (1994), il revisite avec quelques astuces de scénario amusantes le mythe du loup-garou. On peut noter dans ce dernier film, tout comme dans *Entretien avec un vampire* (Neil Jordan, 1994), une tendance à un maquillage de plus en plus sobre, qui, surtout dans ce dernier cas, favorise grandement la création d'un climat réellement effrayant. Cette modernisation des vieux mythes est également sensible dans *Ghost* (Jim Zucker et Jim Abrahams, 1990), grand succès commercial qui opte pour le merveilleux. D'une manière générale, malgré quelques interludes sanglants ou violents, le genre semble aller désormais vers le merveilleux, la variante « gore » paraissant condamnée à se répéter inlassablement dans d'interminables *sequels.*

Le cinéma fantastique britannique. Très tôt influencés par les réussites hollywoodiennes, les studios anglais ont essayé de les imiter. Dès 1933, la Gaumont-British avait attiré Boris Karloff en Angleterre pour en faire *The Ghoul* (T. Hayes Hunter). Le goût du fantastique est de toute manière inné à l'esprit anglais : il existe en filigrane depuis les origines de cette cinématographie, depuis les premiers essais d'Alfred Hitchcock ou d'Anthony Asquith. Cependant, le cinéma de genre restant longtemps un apanage hollywoodien, il faudra un certain temps au cinéma anglais pour vraiment créer *son* cinéma fantastique. En fait, ce fut Michael Powell, le premier, qui créa un fantastique féerique, curieux mélange de sécheresse et de romantisme, totalement différent du modèle hollywoodien. Ses qualités étaient évidentes dès sa collaboration au *Voleur de Bagdad,* produit à Hollywood par Alexandre Korda (1940 ; CORÉ Ludwig Berger et Tim Whelan).

L'originalité du ton était plus vive quand Powell collabora avec Emeric Pressburger. Tous leurs films baignent dans l'étrange et le surréel, mais relativement peu sont réellement fantastiques. Pourtant, ce peu est suffisant pour affirmer une nouvelle orientation du genre. Ainsi : *A Canterbury Tale* (1944), qui se replonge aux sources littéraires et populaires de Chaucer et les modernise ; *The Small Back Room* (1949), où le traitement de l'alcoolisme est souvent prétexte à de fascinantes équivalences visuelles ; ou, encore, *le Voyeur,* que Powell réalise seul en 1960 et qui ressortit à l'épouvante. Seul *Une question de vie ou de mort* (1946) est un authentique film fantastique qui plonge avec audace dans l'univers mental d'un aviateur entre la vie et la mort, sur une table d'hôpital. C'est peu, mais l'audace de Powell, à la fois dans le choix de ses sujets et dans les traitements visuels qu'il imagine pour eux, restera prépondérante.

C'est aussi le cas chez Terence Fisher, le représentant le plus prestigieux de la Hammer Film, véritable bastion du fantastique anglais entre 1957 et 1970. Fondée par William Hammer et Enrique Carreras, cette maison de production va se replonger aux sources du fantastique hollywoodien, essentiellement organisé dans la dichotomie Frankenstein/Dracula, et va réinventer le film de série, mais tout cela avec un nouvel élément plastique, la couleur, et dans une direction nettement plus adulte, qui accepte les implications violentes et sexuelles du genre. Il se créa autour d'eux un véritable artisanat de qualité, avec des cinéastes comme Freddie Francis, photographe remarquable (*l'Empreinte de Frankenstein,* 1964 ; *Dracula et les femmes,* 1968), Roy Ward Baker, qui avait connu un passage à Hollywood (*les Cicatrices de Dracula,* 1970, peut-être le plus sanglant de la série) ou John Gilling (*l'Invasion des morts-vivants* et *la Femme reptile,* 1966). Ils sont secondés par une équipe réduite mais inventive et inamovible : Jack Asher pour la photographie, Roy Ashton pour les maquillages ou Jimmy Sangster pour les scénarios (entre autres). La couleur est utilisée volontairement pour son pouvoir de choc : à la Hammer, dans le bleuté des décors, le rouge vif apparaît pour la première fois dans le fantastique.

Terence Fisher est responsable des meilleurs titres de la compagnie. C'est aussi le seul cinéaste qui ait pu y édifier une *œuvre.* Pour Fisher, le fantastique est une plongée dans l'inconscient, qui réveille dans son flot une agressivité endormie et une sexualité refoulée. Dans sa démarche, le baron Frankenstein devient plus complexe et plus intéressant que sa créature. En 1957, *Frankenstein s'est échappé* et, en 1958, *le Cauchemar de Dracula* allaient d'emblée, et de manière définitive, au fond des choses, tout en imposant deux acteurs marquants. Peter Cushing, mince et narquois, sec comme un gentleman victorien ou comme une sévère caricature dickensienne, sera un Frankenstein illuminé, possédé par le démon de la science, homme de chair et d'audace, aussi éloigné que possible du timoré Colin Clive dans les films de Whale. Quant à Christopher Lee, il créa un Dracula séduisant, coléreux et terrible, d'une subtilité rare, comparée à la création plus crue de Bela Lugosi. À partir de ces deux films, les films de Terence Fisher (et, partant, ceux de la Hammer) seront des variations, souvent brillantes et inspirées, plutôt que des suites.

Malheureusement, les jeunes en qui la Hammer avait mis ses espoirs de relève ne purent pas tenir la distance, malgré de brillantes réussites isolées : Peter Sasdy, auteur du très original *la Fille de Jack l'éventreur* (1972) et John Hough, responsable des *Fiancées de Dracula* (1974). Peu à peu, la Hammer disparut tandis que, autour, le cinéma fantastique anglais survivait de manière désordonnée, mais souvent avec force (Michael Reeves, auteur du *Grand Inquisiteur* [*Witchfinder General*], 1968). Un temps, une compagnie rivale, Amicus, tenta de supplanter la Hammer agonisante en revenant à la voie que Powell avait tracée dans *A Canterbury Tale,* ainsi que plusieurs cinéastes dans le classique *Au cœur de la nuit* (1945) : films à épisodes, parfois savamment architecturés, qui mélangent le fantastique à l'horreur et au comique. Le meilleur spécimen reste *Asylum* (1972), de Roy Ward Baker. Sinon, la seule réussite réellement de taille fut l'amusant et très décoratif *Abominable Docteur Phibes* (Robert Fuest, 1971). Le filon, lentement, s'épuisait et le genre s'éteignit.

La veine fantastique italienne. Elle existe dès les origines, dès les péplums comme *Cabiria* (G. Pastrone, 1914) ou dans les films où scintillent les divas. Mais l'histoire du cinéma italien est celle d'un incessant combat entre l'imaginaire et le réalisme, deux tendances dont quelques grands cinéastes nous ont montré qu'elles n'étaient point contradictoires. C'est surtout dans les années 50 qu'on a pu voir un genre s'affirmer : il a suivi une courbe parallèle à celle d'un autre genre populaire italien, le péplum, empiétant parfois nettement sur son domaine (le bizarre *Maciste aux enfers,* R. Freda, 1962). En un premier temps, le cinéma italien a suivi les modèles hollywoodiens, mais en les personnalisant par un raffinement visuel très caractéristique : ainsi *les Vampires* (Freda, 1957, contemporain des premiers Hammer), somptueusement photographié par Mario Bava et décoré par Béni Montrésor. Bientôt, le genre se mêle inextricablement à la renaissance du film mythologique, curieux mariage où, certes, le fantastique trouve son compte : ainsi *Hercule à la conquête de l'Atlantide* (V. Cottafavi, 1961). Mais Mario Bava crée un précédent avec *le Masque du démon* (1960), sujet qui aurait pu inspirer les Américains ou les Anglais, mais dont le traitement violent et sensuel est tout à fait unique : le film connaît d'ailleurs une très grande fortune dans les pays anglo-saxons.

Peu à peu, le fantastique italien va bifurquer vers le gothique : *l'Effroyable Secret du Dr Hichcock* (Freda, 1962), *le Corps et le Fouet* (Bava, 1963) ou *Danse macabre* (*Danza macabra,* Antonio Margheriti [co S. Corbucci], 1965), histoires d'amour et de sang, stylisées comme un opéra et rehaussées souvent de couleurs chaudes et sensuelles. Vers 1970, le genre, comme tous les autres, perd ses structures traditionnelles, mais il n'en meurt pas et, au contraire, s'infiltre sournoisement dans des œuvres de cinéastes très originaux : Fellini, Ferreri.

Seuls quelques-uns, comme Dario Argento (*Suspiria,* 1977) ou Lucio Fulci (*l'Enfer des Zombies* [*Zombi 2*], 1979) continuent une tradition que le silence des Riccardo Freda ou Mario Bava a fortement ébranlée. Les films d'Argento ou de Fulci se réduisent souvent à un décoratif catalogue sadique et sanglant, image attristante d'un genre réduit à son iconographie la plus superficielle et vidé de sa substance.

Cependant, le fantastique, comme le mélodrame, est une notion très souple, qui a pu survivre à la disparition des genres pour insuffler sa vie un peu partout. Il y aura toujours des films où, tout à coup, le réel n'obéit plus à des lois rationnelles et se transforme : le fantastique, alors, prendra immédiatement sa place. C.V.

FANTONI *(Sergio), acteur italien (Rome 1930).* Pendant qu'il s'affirme comme un grand acteur de théâtre, sa carrière cinématographique ne lui donne guère de chances au-delà des rôles de beau gentilhomme : *Paolo e Francesca* (R. Matarazzo, 1950) ; *Senso* (L. Visconti, 1954) ; *I delfini* (F. Maselli, 1960). Avec *le Commando traqué* (G. Montaldo, 1961), il construit un personnage plus antipathique et convaincant. Il obtient ensuite un certain succès international dans *Pas de lauriers pour les tueurs* (M. Robson, 1963) ; *l'Express du colonel Von Ryan* (M. Robson, 1965) ; *Qu'as-tu fait à la guerre, papa ?* (B. Edwards, *id.*) ; *Diaboliquement vôtre* (J. Duvivier, 1967). L.C.

FARALDO *(Claude), cinéaste français (Paris 1936).* Il est un des très rares cinéastes français à revendiquer une origine prolétarienne. Tout en travaillant, il s'inscrit aux cours du soir chez René Simon et fait un peu de théâtre.

Il découvre le cinéma en 1965 et rencontre le public quelques années plus tard avec *Bôf* (1971), bouffonnerie provocante qui prend le contrepied de la tradition populiste et se nourrit de l'expérience de son auteur (il a été livreur de vin chez Nicolas) comme des courants libertaires de l'après-68. Deux ans plus tard, *Themroc* appartient à la même veine « énergumène » : c'est une fable (inspirée de la pièce *Doux Métroglodytes,* qu'il avait écrite en 1969) sur la révolte et le retour à la vie primitive d'un ouvrier très contemporain interprété par Michel Piccoli.

Après *Tabarnac* (reportage sur la tournée d'un groupe musical québécois), il s'oriente vers des films de facture plus traditionnelle, qui s'appliquent à témoigner de l'écart culturel qui sépare les classes sociales. J.-P.J.

Films ▲ : *la Jeune Morte* (1965) ; *Bôf* (1971) ; *Themroc* (1973) ; *Tabarnac* (1975) ; *les Fleurs du miel* (1976) ; *Deux Lions au soleil* (1980) ; *Flagrant Désir* (1986).

FARIAS *(Roberto), cinéaste et producteur brésilien (Nova Friburgo, Rio de Janeiro, 1932).* Formé à l'école de la « chanchada », il débute dans la mise en scène par ce genre de comédie : *Rico Ri a Toá* (1957) ; *No Mundo da Lua* (1958) ; *Um Candango na Belacap* (1961). Il développe la ligne réaliste amorcée par *Cidade Ameaçada* (1960) dans le meilleur film qu'il ait donné à ce jour : *l'Attaque du train postal* (*O Assalto ao Trem Pagador,* 1962). Thriller efficace, mettant en scène des personnages populaires de la ville dessinés avec force, il est bien accueilli par un public plutôt réticent à l'égard du cinéma novo, dont Farias devient un compagnon de route. Plus ambitieux, *Selva Trágica* (1964) prétend dénoncer l'exploitation dans les plantations de maté ; schématique, il ne satisfait ni la critique ni les spectateurs. Désormais, Farias cherche la formule à succès, d'abord du côté de la comédie, ensuite en bâtissant des films autour de vedettes de la chanson ou du sport. Devenu producteur important, il est nommé directeur général de Embrafilme (1974-1979) ; au cours de sa gestion, l'entreprise officielle gagne une place centrale dans la distribution et la production nationales. En 1981, il réalise un film politique controversé, *Prá Frente Brasil* et en 1987 *Os Trapalhões no Auto da Compadecida.* — Son frère *Reginaldo (Nova Friburgo 1937)* débute comme acteur sous sa direction, puis passe à la mise en scène avec *Os Paqueras* (1969), qui inaugure le filon des « pornochanchadas » ; parmi ses réalisations ultérieures se détache le thriller *Barra Pesada* (1977). P.A.P.

FARID *(Wahid), chef opérateur égyptien (1919).* Sa formation technique (prise de vues et photographie) à Londres et Rome, il la complète en débutant aux studios Miṣr comme assistant cameraman en 1938. Chef opérateur depuis 1945, il travaille avec des cinéastes exigeants ou d'habiles fabricants comme Ḥasan al-Imām. Il signe les beaux noir et blanc de nombreux films de Abū-Sayf, dont : *Rayā' et Sakīna* (1953), *la Jeunesse d'une femme* (1956), *le Caire 30* (1966) ; de Kamāl al-Shaykh (*la Maison nº 13,* 1952 ; *l'Infidèle,* 1965). Il travaille aussi pour Barakāt (*l'Appel du courlis,* 1959 ; *la Porte ouverte,* 1963), qui lui confie la couleur du *Fil fin* (1971). Citons, en couleurs également, le curieux *Empire de M* (1972) de Ḥusayn Kamāl. C.M.C.

FARKAS *(Miklós Farkas,* dit *Nicolas), chef opérateur et réalisateur français (Hongrie 1891 - New York, U. S., 1982).* Il travaille en Autriche puis en Allemagne, gagnant une grande notoriété comme opérateur. Pabst l'engage pour diriger en France la photographie de son *Don Quichotte* (1933) et il passe, ensuite, à la mise en scène : *la Bataille* (1934, avec Charles Boyer) ; *Variétés* (1935, avec Jean Gabin et Annabella) ; *Port Arthur* (1936, avec Danielle Darrieux et Charles Vanel). À la suite de quoi il devient producteur. F.B.

FARKAS *(Zoltán), chef monteur hongrois (Budapest 1913 -* id. *1980).* Il devient rapidement un des meilleurs techniciens de sa génération. Tenté par la réalisation, il met en scène en 1957 *l'Aventure à Gerolstein (Gerolsteini kaland),* avant de se tourner définitivement vers le montage, talent qu'il a exercé sur une cinquantaine de films. Il a ainsi collaboré à de nombreuses œuvres importantes, et à partir de *Cantate* (*Oldás és kötés,* 1963), il a été le compagnon de route fidèle de Miklós Jancsó. Il a également monté certains films de Marta Mészáros et de Zsolt-Kézdi-Kovács. F.LAB.

FARMER *(Frances), actrice américaine (Seattle, Wash., 1913 - Indianapolis, Ind., 1970).* Elle débute à l'écran en même temps qu'à Broadway en 1936 et rencontre le succès dès *le Vandale* (H. Hawks et W. Wyler, 1936), où elle interprète la chanson du titre *Come and Get It.* Très belle et pleine de talent, d'une surprenante modernité, elle joue dans quelques films — entre autres : *l'Or et la Chair* (Rowland V. Lee, 1937) ; *le Voilier maudit* (*Ebb Tide,* James Hogan, *id.*), qui est une remarquable adaptation de *Reflux* de Stevenson ; *le Chevalier de la vengeance* (*Son of Fury,* J. Cromwell, 1942), où elle n'a déjà plus le premier rôle. Sa carrière est en effet détruite par l'alcoolisme. D'un hôpital psychiatrique à l'autre, elle parvient néanmoins à en guérir et reparaît fugitivement à l'écran avant de faire une émission régulière de TV dans les années 60. En 1972, on publie son autobiographie : *Will There Really Be a Morning ?* Sa vie a inspiré le film où elle est incarnée par Jessica Lange. G.L.

FARNUM *(Dustin), acteur américain (Hampton Beach, N. H., 1874 - New York, N. Y., 1929).* C'est l'une des premières vedettes du western, et son nom reste lié au *Mari de l'indienne* (Cecil B. De Mille et Oscar Apfel, 1914), qui donna de l'élan à sa carrière. Après ce film, il tourna dans de nombreux westerns et dans des films d'aventures et de cape et d'épée. Dans les années 20, il était déjà sur le déclin et sa carrière se termina définitivement en 1926.

Son frère William (*Boston, Mass., 1876 - Hollywood, Ca., 1953),* acteur également, débute avec un film à succès, *The Spoilers* (C. Campbell, 1914), et se montre moins prisonnier de son expérience théâtrale que Dustin. L'un de ses films les plus connus demeure *A Tale of Two Cities* (F. Lloyd, 1917), mais il interprète également Jean Valjean *(les Misérables, id., id.),* François Villon (*If I Were King,* J.G. Edwards, 1920), l'acteur Kean (*A Stage Romance,* H. Brenon, 1922), Louis XV (*Du Barry, Woman of Passion,* S. Taylor, 1930). Blessé pendant le tournage du film *A Man Who Fights Alone* (W. Worsley, 1924), il sera contraint à des rôles de second plan, mais il poursuivra sa carrière jusqu'à sa mort.
C.V.

FARRAR *(Geraldine), actrice américaine (Melrose, Mass., 1882 - Ridgefield, Conn., 1967).* Très célèbre cantatrice du Metropolitan Opera, dotée d'une silhouette gracile (peu commune à l'époque dans ce métier), Geraldine Farrar se laissa séduire par Cecil B. De Mille, qui en fit une ravageuse *Carmen* (1915) et une vibrante *Jeanne d'Arc* (1917). Ce furent ses plus grands succès. Comédienne assez adroite, elle ne pouvait rien contre les limites que son physique altier et élégant lui imposait. Sa carrière cinématographique continua jusqu'en 1921, mais avec moins d'éclat.
C.V.

FARRELL *(Charles), acteur américain (East Walpole, Mass., 1901 - Palm Springs, Ca., 1990).* Ce grand gaillard souriant, un peu bêta d'allure, était en fait un des acteurs les plus fins et les plus charmants du muet. Sa naïveté et sa jeunesse, jamais feintes, et sa sincérité lui permirent de faire naître avec une certaine candeur des émotions que d'autres s'acharnaient en vain à provoquer à force de technique. Il forma avec Janet Gaynor un couple de mélodrame inoubliable, qui eut l'immence chance d'avoir souvent Frank Borzage comme maître d'œuvre : ils tournèrent douze films ensemble, dont, surtout, *l'Heure suprême* (1927), *l'Ange de la rue* (1928) et *l'Idole* (1929). Seul, il fut un *Liliom* (F. Borzage, 1930) parfait et l'excellent partenaire de Mary Duncan dans *la Femme au corbeau* (id., 1929) et *la Bru / City Girl* (F. W. Murnau, 1930). Mais son talent était lié à sa jeunesse. Les premiers cheveux blancs firent de lui un séducteur comme les autres. Il s'éloigna du cinéma et fit de la radio, de la TV et du théâtre.
C.V.

FARRELL *(Glenda), actrice américaine (Enid, Okla., 1904 - Manhattan, N.Y., 1971).* Son rôle de *girlfriend* blonde d'un gangster dans *le Petit César* de Mervyn LeRoy en 1931 l'entraîne vers une carrière trop « typée » à son goût, même si *Je suis un évadé* (*id.,* 1932), avec Paul Muni, lui donne un supplément de notoriété. Elle s'oriente donc vers des films plus légers où elle campe pour la Warner des héroïnes plus ou moins cyniques, dévoreuses d'hommes et déterminées dans leurs desseins. Dans la série des *Torchy Blane,* elle est un reporter plausible et original. Elle apparaît souvent aux côtés de Joan Blondell, mais leur partenariat est trop souvent mal exploité par des réalisateurs de routine. Parmi ses films les plus notables, il faut citer *Masques de cire* (M. Curtiz, 1933), *le Trou de serrure (id., id.), Grande Dame d'un jour* (F. Capra, *id.*), *Ceux de la zone* (F. Borzage, *id.*), *Hi Nellie !* (M. LeRoy, 1934), *Chercheuses d'or 1935* (B. Berkeley, 1935), *Chercheuses d'or, 1937* (L. Bacon, 1936), *Johnny Eager* (LeRoy, 1942), *Suzanne découche* (F. Tashlin, 1954), *la Fille sur la balançoire* (R. Fleischer, 1955).
J.-L.P.

FARROW *(John Villiers), cinéaste américain d'origine australienne (Sydney 1904 - Beverly Hills, Ca., 1963).* Chercheur dans la marine, romancier, auteur dramatique, historien, il est conseiller technique au cinéma puis scénariste avant de devenir réalisateur, en 1937. De la série B au film A, ses œuvres les meilleures sont chronologiquement des films de guerre (*Les commandos frappent à l'aube* [*Commandos Strike at Dawn,* 1943]), des policiers (*la Grande Horloge* [*The Big Clock,* 1948]), des westerns (*Vaquero* [*Ride Vaquero,* 1953]) ; *Hondo, l'homme du désert* [*Hondo,* id.]), des films d'aventures maritimes (*les Bagnards de Botany Bay* [*Botany Bay,* id.]).
A.G.

FARROW *(Mia), actrice américaine (Los Angeles, Ca., 1945).* Fille de John Farrow et de Maureen O'Sullivan, elle grandit dans l'atmosphère hollywoodienne et débute au théâtre en 1963, à l'écran en 1964. Rendue célèbre par deux films, *Rosemary's Baby* (R. Polanski) et *Cérémonie secrète* (J. Losey) la même année (1968), elle semble d'autant plus vouée par son physique frêle et sa nervosité aux rôles de victime, que sa carrière a interféré constamment avec une vie privée agitée : mariage avec Frank Sinatra (1966-1968) puis avec André Previn (1970-1979). Parmi ses films, citons encore : *Maldonne pour un espion* (A. Mann, 1968) ; *Terreur aveugle* (R. Fleischer, 1971) ; *Docteur Popaul* (C. Chabrol, 1972) ; *Gatsby le Magnifique* (J. Clayton, 1974) ; *Un mariage* (R. Altman, 1978) ; *Mort sur le Nil* (J. Guillermin, *id.*) ; *Comédie érotique d'une nuit d'été* (W. Allen, 1982) ; *Zelig* (id., 1983) ; *Broadway Danny Rose* (id., 1984) ; *la Rose pourpre du Caire* (id., 1985) ; *Hannah et ses sœurs* (id., 1986) ; *Radio Days* (id., 1987) ; *September* (id., *id.*) ; *Une autre femme* (id., 1988) ; *New York Stories* (id., 1989) ; *Crimes et délits* (id., *id.*) ; *Alice* (id., 1990) ; *Ombres et brouillard* (*id.*, 1991) et *Maris et femmes* (*id.*, 1992), les treize derniers témoignant d'un renouvellement brillant de sa personnalité sous la férule de Woody Allen. Depuis que leur collaboration conjugale et professionnelle a été interrompue, Mia Farrow essaie de reprendre sa carrière d'actrice avec d'autres réalisateurs, ce qui n'est guère aisé, car le cinéaste n'a pas seulement porté l'actrice à son expression la plus haute, il lui a également créé une image qui lui colle à la peau. G.L.

FASSBINDER *(Rainer Werner), cinéaste et acteur allemand (Bad Wörishofen 1945 - Munich 1982).* Contrairement à une opinion répandue, Fassbinder n'est pas un homme de théâtre passé au cinéma, mais un cinéaste qui s'est exprimé au théâtre, faute de pouvoir le faire immédiatement au cinéma. Dès 1965, en effet, il réalise un court métrage en 16 mm placé sous le signe d'Éric Rohmer, *le Clochard (Der Stadtstreicher),* suivi en 1966 d'un autre petit film, en 35 mm cette fois, *le Petit Chaos (Der kleine Chaos).* Il n'a que 21 ans, vit d'emplois occasionnels et suit des cours d'art dramatique à Munich. Il n'est pas admis à l'école de cinéma qui vient d'être créée à Berlin et rejoint une petite troupe de théâtre d'avant-garde de Munich, l'Action Theater. Il y fait ses premières mises en scène et écrit sa première pièce (créée en avril 1968), *Katzelmacher.* À la même époque, il participe avec plusieurs membres de la troupe au tournage de *le Fiancé, la Comédienne et le Maquereau,* de Jean-Marie Straub. C'est alors qu'il crée une nouvelle troupe, l'Antiteater, avec plusieurs des participants actifs de l'Action Theater, dont Irm Hermann, Hanna Schygulla, Peer Raben, Kurt Raab. L'Antiteater se rend célèbre par des représentations jugées provocatrices, révisions iconoclastes de grands classiques ou textes originaux de Fassbinder lui-même. Plusieurs de ces textes destinés au théâtre seront adaptés pour la radio et surtout pour la télévision et le cinéma.

C'est en 1969 qu'il tourne ses premiers films, pour le compte de la société de production baptisée Antiteater-X-Film : trois en une année, auxquels s'ajoute une production télévisée. *L'amour est plus froid que la mort (Liebe ist kälter als die Tod)* et *les Dieux de la peste (Götter der Pest),* variations relativement personnelles sur les thèmes du film noir. *Katzelmacher,* tourné entre les deux précédents, est une réflexion sur le comportement petit-bourgeois et le thème de l'immigré. Très influencé par Godard, c'est le film qui, d'emblée, rend son auteur célèbre, du moins en Allemagne, et lui vaut diverses récompenses. *Pourquoi monsieur R. est-il atteint de folie meurtrière ? (Warum läuft Herr R. Amok ?),* son premier film de télévision, est une expérience de dialogues improvisés, illustrant une amère critique de la vie quotidienne des petits-bourgeois. En 1970, année d'intense production, Fassbinder tourne sept titres pour le cinéma et la télévision. De ces années 1969-1971, également très fécondes au théâtre (activité régulière qu'il n'abandonnera qu'en 1974), date le premier mythe Fassbinder, né d'une capacité de travail qui a toujours étonné. De cette époque date aussi son célèbre pari (atteint en 1976), celui de réaliser trente films avant de dépasser l'âge de trente ans — ambition qui l'a conduit à modifier d'une année sa date de naissance... Il travaille donc beaucoup, sans répit, et tourne très vite, dans le cadre de budgets qui resteront modestes jusqu'en 1977. Il a recours aux services des mêmes techniciens et utilise la polyvalence des membres de l'Antiteater. Parmi ceux-ci, les actrices Hanna Schygulla, Ingrid Caven, les acteurs Ulli Lommel, Günther Kaufmann, ainsi que Peer Raben (musicien),

Kurt Raab (décorateur et acteur), Harry Baer (acteur et surtout assistant réalisateur de la plupart des films de Fassbinder jusqu'à la mort de ce dernier). Fassbinder écrit le scénario et les dialogues de ses films – une constante qui ne souffrira guère que deux exceptions tout au long de sa carrière – et il en assure même le montage, du moins en 1969-70, sous le pseudonyme de Franz Walsch. Il lui arrive de participer, en tant qu'acteur, à divers films tournés à Munich. C'est le cas de *Baal,* par exemple, de Volker Schlöndorff, d'après la pièce de Brecht.

À côté de versions télévisées de deux pièces de théâtre, ses films de 1970 montrent la diversité des recherches qu'il entreprend à l'époque. *Rio des mortes,* écrit pour la télévision, souvent drôle, sur les illusions de deux jeunes gens désireux de faire fortune en Amérique du Sud ; *Die Niklashauser Fahrt,* film de télévision coréalisé par Michael Fengler, une fable sur les illusions gauchistes ; *Whity,* aux nombreuses références hollywoodiennes ; *Prenez garde à la sainte putain (Warnung vor einer heilige Nutte) :* autant d'œuvres qui témoignent de préoccupations formelles (très professionnelles), qu'il abandonnera d'ailleurs de 1971 à 1976. C'est en 1971, après avoir publié une étude sur les mélodrames réalisés aux États-Unis par Douglas Sirk, qu'il tourne *le Marchand des quatre-saisons (Der Händler der vier Jahreszeiten),* soit l'analyse de l'univers culturel d'un petit-bourgeois, dont la déchéance va jusqu'à l'auto-destruction : œuvre froide, parfois ironique, économe de ses moyens techniques, c'est le premier de ses « mélodrames distanciés ». *Gibier de passage* (*Wildwechsel,* 1972), d'après une pièce de théâtre de Franz Xaver Kroetz, s'apparente au *Marchand des quatre-saisons* et offre une illustration violente des conflits de générations. *Tous les « autres » s'appellent Ali* (*Angst essen Seele auf,* 1973) est le plus célèbre des mélodrames fassbindériens. Couronné à Cannes, il connaît une bonne diffusion internationale. La fiction mène une nouvelle fois à une mort en apparence absurde ; on y retrouve le thème du travailleur immigré, mais cette fois l'auteur joue avec les stéréotypes et décrit les formes sexuelles et culturelles des rapports de domination. Des descriptions analogues constituaient l'articulation essentielle d'un film précédent, *les Larmes amères de Petra von Kant* (*Die bitteren Tränen der Petra von Kant,* 1972), tiré d'une de ses pièces de théâtre, et relevant, de son propre aveu, d'une amère expérience personnelle. Il revient sur les mêmes thèmes dans *le Droit du plus fort* (*Faustrecht der Freiheit,* 1975), jetant un regard critique sur les milieux homosexuels et surtout rétablissant la hiérarchie commune aux rapports d'exploitation économique et aux bénéfices culturels. C'est le seul de ses films où Fassbinder joue le rôle principal.

Maman Kusters s'en va au ciel (Mutter Küsters fährt zum Himmel, 1975) résume l'approche de ses œuvres principales des quatre années écoulées. Les stéréotypes de narration et de nouvelles variations sur les rapports de domination caractérisent une fiction qui débouche non plus sur la mort, mais sur la désillusion politique. Il avait adapté, peu de temps auparavant, un classique de la littérature allemande, *Effi Briest* (1972-1974), d'après Fontane.

Fassbinder traverse en 1975-1978 une période relativement difficile. Son talent semble se disperser dans des œuvres qui ont peu de points communs les unes avec les autres. *Le Rôti de Satan* (*Satansbraten,* 1976) est le portrait extrême d'un artiste-gourou qui entretient des relations de plus en plus fascinantes avec son entourage, ses admirateurs. C'est l'époque où le film de Daniel Schmid, *l'Ombre des anges* (*Schatten der Engel,* 1975), dont il a écrit le scénario, est accusé d'antisémitisme et où il est lui-même très critiqué dans la presse. Certains de ses projets ne peuvent aboutir. En 1977, il tourne *Despair,* à la faveur d'un très gros budget. Mais il a dû accepter sans modification le scénario et les dialogues d'un autre, et il est déçu par une faible audience. Il participe toutefois au film collectif *l'Allemagne en automne* (*Deutschland im Herbst,* 1977-78), d'une manière toute personnelle. Les films de cette période sont souvent brillants (*la Femme du chef de gare* [*Bolwieser,* 1978], *Roulette chinoise* [*Chinesisches Roulette,* 1976]), mais manquent d'unité. On a souvent l'impression qu'il se livre à des exercices de style. Toutefois, en 1978, il met en scène *le Mariage de Maria Braun (Die Ehe der Maria Braun),* œuvre clé et synthèse de ses films majeurs des années 1971-1975, portrait d'une femme qui tente de contourner les contraintes et aliénations que lui impose la société – très précisément celle de l'Allemagne des ruines de 1945 et du « miracle économique ». Avant même que ce film soit distribué, il en tourne deux autres, produits par sa propre société, Tango Film, pour laquelle il avait réalisé ses meilleures réussites des années 1971-1975 : *l'Année des treize lunes* (*In eimen Jahr mit 13 Monden,* 1978) est une œuvre qui ne ressemble à aucune autre, la plus ancrée vraisemblablement dans ses problèmes personnels car elle lui a été directement inspirée par le suicide de son ami Armin Meier ; *la Troisième Génération* (*Die dritte Generation,* 1979) donne une vision très critique et très ironique des relations qui existent entre le terrorisme et la police.

Le succès du *Mariage de Maria Braun* (1979) lui attire de nombreuses propositions de producteurs traditionnels. Mais il décide de réaliser d'abord un projet auquel il travaille depuis de nombreuses années : une adaptation du fameux roman d'Alfred Döblin, *Berlin Alexanderplatz.* Il en fait un monument de création télévisée : une série en treize épisodes d'une durée totale de quatorze heures, diffusée à la télévision allemande en 1980. Bénéficiant d'un énorme budget, il revient au cinéma en 1980 et tourne entièrement en studio *Lili Marleen,* un nouveau grand succès. C'est ensuite *Lola, une femme allemande* (*Lola,* 1981) et *Veronika Voss* (*Die Sehnsucht der Veronika Voss,* 1982), deux films à la structure relativement classique qui portent un regard désenchanté sur l'Allemagne des années 50. Son dernier film, achevé peu avant sa mort en 1982, *Querelle,* d'après le livre de Jean Genet, est une nouvelle œuvre inclassable, onirique, presque religieuse, une variation sur les thèmes clés de l'écrivain.

À sa mort, Rainer Werner Fassbinder laisse une œuvre abondante et protéiforme, réalisée en moins de treize ans (si l'on excepte ses deux premiers films, des courts métrages) : au total, une quarantaine de titres pour le cinéma et la télévision. D.S.

Autres films : *le Soldat américain* (*Der amerikanische Soldat,* 1970) ; *Pionere in Ingolstadt* (1971) ; *Acht Stunden sind Kein Tag* (1972, T. V.) ; *Welt am Draht* (1973, T. V.) ; *Martha* (1974). ▲

FATTY → ARBUCKLE *(Roscoe).*

FAULKNER *(William), écrivain et scénariste américain (New Albany, Miss., 1897 - Oxford,* id., *1962).* S'il refusa de participer à l'adaptation de ses œuvres à l'écran (notamment : *l'Intrus* de Clarence Brown ; *la Ronde de l'aube* de Douglas Sirk, d'après *Pylône ; les Feux de l'Été* et *le Bruit et la Fureur* de Martin Ritt), il dut à l'amitié de Hawks, qui l'appela régulièrement à Hollywood, de collaborer aux dialogues d'*Après nous le déluge* (1933), puis aux scénarios des *Chemins de la gloire* (1936), du *Port de l'angoisse* (1944), du *Grand Sommeil* (1946) et de *la Terre des Pharaons* (1955). Il participa, sans être crédité, à l'élaboration de plusieurs films, dont *l'Homme du Sud* de Renoir. Le scénario inabouti de *A Fable (Parabole),* que devait tourner Henry Hathaway, lui inspira un énorme roman allégorique (1954) dédié au cinéaste. Faulkner n'a consacré qu'une nouvelle *(The Golden Land)* à cet univers hollywoodien où il se sentit toujours en porte à faux.
M.H.

FAURE *(Élie), philosophe, historien et critique d'art français (Sainte-Foy-la-Grande 1873 - Paris 1937).* L'un des premiers intellectuels de haute culture à avoir fait crédit au cinéma, sa nouveauté, ses pouvoirs, sa signification sociale. Neveu du géographe anarchiste Élisée Reclus, élève de Bergson au lycée Henri-IV, médecin tôt spécialisé dans la pratique de l'anesthésie et dans celle, plus rare, de l'embaumement, sa pensée procédera de ces sources. Évolutionniste convaincu, il croit fermement en la science et la technique comme facteurs du progrès humain. Son « monisme » (nature et humanité sont *une ;* les lois de l'art et de la culture — organiques, rythmiques, cycliques — sont les lois mêmes de la vie) reste proche du matérialisme dialectique. C'est le mouvement, dit-il, qui spiritualise la matière, le rythme qui spiritualise la chair ; de là, l'importance civilisatrice de la danse. Au long de *l'Histoire de l'art* (1909-1921), Élie Faure établit que les civilisations connaissent dans leur devenir des phases ascendantes, d'« association », puis des phases descendantes, de cristallisation et de « dissociation ». L'art des premières est collectif, celui des secondes est individualiste. Les grandes époques d'unanimité et de construction collective ont trouvé leur plus haute expression dans la danse et l'architecture. Or, le cinéma

– langage universel né d'une machine – réalise la paradoxale merveille d'être à la fois danse et architecture, de construire l'architecture dans le temps et de donner un corps spatial à la musique. Pour forger l'âme et le visage du xxe siècle, qui promettait d'inaugurer une période d'association, Élie Faure ne voit rien qui soit mieux qualifié que le cinéma. Dès 1922, il salue la profondeur de Chaplin, qu'il compare volontiers à Shakespeare et à Molière ; il pressent – et nomme – la *cinéplastique* d'Eisenstein : dramaturgie de formes, polyphonie audiovisuelle, synthèse de tous les arts ; il soutient les recherches d'Abel Gance. Dès la projection corporative de *l'Atalante* (1934), il proclame le génie de Jean Vigo. Si l'histoire a malmené le prophétisme de ses écrits, elle a peu enlevé à la richesse de leurs analyses et rien à leur indispensable dimension d'utopie. B.A.

FAURE *(Renée), actrice française (Paris 1919).* Elle débute au cinéma avec le premier rôle féminin de *l'Assassinat du Père Noël* (Christian-Jaque, 1941). Elle épouse par la suite son metteur en scène, qui lui offre dans *Sortilèges* (1945) un rôle un peu analogue, poétique et frêle. Excellente comédienne, elle démontre ses dons de sincérité et de netteté dans le rôle de la novice ardente des *Anges du péché* (R. Bresson, 1943). Sa présence à la Comédie-Française ne lui a pas permis d'accomplir la carrière espérée au cinéma. Mais ses interprétations dans *la Chartreuse de Parme* (Christian-Jaque, 1948), *Bel Ami* (L. Daquin, 1956), *le Président* (H. Verneuil, 1960) et *le Juge et l'Assassin* (B. Tavernier, 1976) ne sauraient laisser indifférent. R.C.

FAUSSE TEINTE ! Expression consacrée, signalant, lors d'une prise de vue en extérieur, la variation de la lumière consécutive au passage d'un nuage devant le soleil.

FAUSTMAN *(Erik,* dit *Hampe), cinéaste suédois (Stockholm 1919* - id. *1961).* Le plus engagé, sur le plan social, des réalisateurs suédois de la génération des années de l'après-guerre (il est né un an après Ingmar Bergman), Faustman a eu sa carrière interrompue par une mort soudaine à l'âge de quarante-deux ans. En filigrane de ses films des années 40 – dont certains ont Gunn Wallgren, sa première épouse, pour interprète – s'inscrit son admiration pour l'Union soviétique. Technicien consommé, c'est avec passion mais aussi avec rigueur que Faustman exprime son idéalisme dans des films tels que *Quand les prairies sont en fleurs* (*När ängarna blommar,* 1946), *Port étranger* (*Främmande hamn,* 1948) et *le Bon Dieu et le Gitan* (*Gud Fader och tattaren,* 1954). P.CO.

FAUX RACCORD. Discontinuité notable des éléments visuels ou sonores entre deux plans successifs qui sont censés être contigus dans le temps et/ou dans l'espace.

FAVIO *(Leonardo), cinéaste et acteur argentin (Mendoza, Argentine, 1938).* Jeune premier fétiche de plusieurs films de Leopoldo Torre Nilsson, et chanteur populaire, il passe à la mise en scène avec *Crónica de un niño solo* (1965), chronique semi-autobiographique de l'enfance marginalisée, qui veut émouvoir et convaincre, à la manière du premier Pasolini, avec un néoréalisme tempéré par les ruptures narratives et les mélodies de Cimarosa, Vivaldi et Bach. *Este es el romance del Aniceto y de la Francisca, de cómo quedó trunco, comenzó la tristeza... y unas pocas cosas más* (1966) pousse plus loin encore le mélange de tradition et de modernité, puisque le goût du mélodrame y fait bon ménage avec une distanciation tout à fait contemporaine. *El dependiante* (1967), sans doute sa meilleure réussite, intègre l'évocation de l'ambiance feutrée de la province à une description presque clinique de comportements « sur le fil du rasoir », toujours au bord de l'hystérie. Cette trilogie en noir et blanc est pleine de nuances et de suggestions dans l'utilisation des ellipses et des temps morts. Cependant, Favio modifie l'axe de sa recherche formelle en passant à la couleur : il abandonne l'austérité, ne recule plus devant l'emphase, essaie de toucher un large public. Il y parvient en donnant un tour d'écrou à l'idéalisation du gaucho dans *Juan Moreira* (1973), mais confond le lyrisme et le kitsch lorsqu'il récupère la fable et le feuilleton radiophonique de *Nazareno Cruz y el lobo* (1974). Après la comédie *Soñar, soñar* (1976), il s'éloigne du cinéma, d'autant plus qu'il n'est pas en odeur de sainteté auprès des militaires. Il y revient de manière fracassante, en faisant revivre une idole sportive du péronisme, le boxeur *Gatica, el Mono* (1993) : il retrouve par la même occasion ses expériences stimulantes sur la dilatation du temps, la rhétorique populaire, la combinaison de la distance et de l'émotion. P.A.P.

FAYE *(Alice Leppert, dite Alice), actrice américaine (New York, N. Y., 1912).* Blonde et bien en chair, une voix chaude et une qualité d'émotion : en voilà plus qu'il n'en faut pour faire une simple jolie fille. Elle a été aussi à l'aise dans le musical que dans le mélodrame, joignant souvent avec bonheur l'un et l'autre (*l'Incendie de Chicago,* 1938 ; *la Folle Parade,* id., d'Henry King). Les années 40 lui offrirent succès sur succès, dans des musicals bariolés et entraînants, mais qui souvent la sous-employaient (*Hello, Frisco, Hello,* B. H. Humberstone, 1943). Après sa composition inhabituelle et réussie de provinciale frustrée dans *Crime passionnel* (O. Preminger, 1945), elle préféra se consacrer à sa famille. On l'a revue cependant dans *la Foire aux illusions* (*State Fair,* J. Ferrer, 1962) et à la télévision. C.V.

FAZENDA *(Louise), actrice américaine (Lafayette, Ind., 1895 - Los Angeles, Ca., 1962).* Elle débute en 1913 et acquiert très vite une certaine notoriété dans des comédies où ses créations burlesques ou extravagantes sont appréciées. Elle reste dans cet emploi jusqu'en 1939, quand elle se retire de l'écran, ayant passé naturellement des jeunes aux vieilles excentriques. Elle était très drôle dans *Si nos maris s'amusent* (H. Hawks, 1927), en matrone imposante, dans *Wonder Bar* (L. Bacon, 1934) ou dans *la Vieille Fille* (E. Goulding, 1939), fidèle à son image. Elle fut mariée un temps au producteur Hal B. Wallis. C.V.

FEATURE FILM. Équivalent anglais de *long métrage.*

FECHNER *(Christian), producteur et distributeur français (Agen 1944).* Il crée les Films Christian Fechner en 1972 et se spécialise dans un cinéma de grand divertissement. Il a produit quelques-uns des grands succès populaires des quinze dernières années : *La moutarde me monte au nez* (C. Zidi, 1974), *l'Aile ou la Cuisse* (*id.,* 1976), *l'Animal* (*id.,* 1977), *l'Avare* (Jean Girault et L. de Funès, 1980), *Viens chez moi, j'habite chez une copine* (P. Leconte, 1981), *le Ruffian* (J. Giovanni, 1983), *Papy fait de la résistance* (Jean-Marie Poiré, *id.*), *Marche à l'ombre* (M. Blanc, 1984), *les Spécialistes* (P. Leconte, 1985), *les Frères Pétard* (Hervé Palud, 1986). J.-C.S.

FÉDÉRATION INTERNATIONALE DES ARCHIVES DU FILM (FIAF) → CINÉMATHÈQUE.

FEHER *(Friedrich Weiss, dit Friedrich), acteur, cinéaste et musicien autrichien (Vienne 1889 - Stuttgart, R. F. A., 1950).* Friedrich (parfois appelé Fritz) Feher fut un enfant prodige : à treize ans, il avait déjà composé et dirigé un opéra. Il débute à l'écran en Autriche et apparaît notamment en 1919 dans le fameux *Cabinet du Docteur Caligari* (rôle de Franz, le narrateur). Presque en même temps, il s'essaie à la mise en scène, dans le cadre de l'école expressionniste ; d'une dizaine de films muets, il faut retenir *Das Haus ohne Türen und Fenster* (1921), *Mata Hari* (1927) et *Marie Stuart* (1928), tous interprétés par son épouse Magda Sonya. Au parlant, il va cumuler les fonctions de scénariste, producteur, réalisateur, musicien et interprète dans des films tels que *Hotel Geheimnisse, Ihr Junge* (dont il signe également les versions tchèque et italienne) et surtout, en 1935, en Grande-Bretagne, *la Symphonie des brigands (The Robber Symphony),* transposition accomplie d'opérette filmée, où se conjuguent — harmonieusement — les influences de Brecht, de René Clair et de la comédie viennoise (avec, dans la version française, Françoise Rosay, Alexandre Rignault et aussi son fils Hans Feher). Après l'insuccès commercial quasi total de cette dernière entreprise, il s'établit aux États-Unis en 1937 où il crée une société de production tout en poursuivant une carrière de scénariste, d'acteur et de réalisateur de courts métrages. C.B.

FEHÉR *(Imre), cinéaste hongrois (Arad 1926 - Budapest 1975).* Diplômé de l'École de cinéma de Budapest en 1950, Fehér travaille comme dramaturge avant de réaliser son premier film, *Un amour du dimanche (Bakaruhában),* entre l'été 1956 et le printemps 1957. Minutieusement inscrit dans le contexte d'une petite ville de province pendant la Première Guerre mondiale, le film raconte comment une amourette entre une servante et un journaliste réserviste se transforme en liaison passionnée, exposée au jeu de la vérité et du mensonge, du cynisme et de l'émotion. La douceur des éclairages de l'opérateur J. Badal, l'invention d'une réalisation tout en finesse, le jeu parfait des acteurs, tout concourt à faire d'*Un amour du dimanche* une œuvre rare, qui exprime la sensibilité particulière à la Transylvanie, dont sont originaires Fehér, Margit Bara, la fraîche interprète de l'amoureuse, et Sándor Hunyady, auteur de la nouvelle dont le film est tiré. Par la suite, dans les six films qu'il tourne de 1957 à 1966, Fehér ne parvient pas à retrouver l'inspiration et abandonne, non sans lucidité, la réalisation. Il se borne à travailler au studio de postsynchronisation. Peu avant sa mort, un dernier film, *Départ de zéro* (*Tüzgömbök,* 1975), montre qu'il n'avait pas renoncé à ses ambitions premières. P.H.

FEI MU *scénariste et cinéaste chinois (Shanghai 1906 - Hongkong 1951).* Après des débuts de critique cinématographique (il coédite la revue *Hollywood* avec son ami Zhu Shilin), il commence, dès 1933, une carrière de metteur en scène avec *' Une nuit en ville ' (Chengshi zhiye),* dont la vedette est la belle et sensible Ruan Linyu ; celle-ci interprète également *' Une vie '* (*Rensheng,* id.), qui vaut un prix à la Lianhua. Il réalise ensuite *' Une mer de neige parfumée '* (*Xiang xue hai,* 1934), dont il est également scénariste, et *' Piété filiale '* (*Tianlun,* 1935) en collaboration avec Luo Minyou. En 1936, *' Du sang sur la montagne aux loups ' (Langshan diexue ji)* est une attaque antijaponaise voilée. En 1937, un sketch du film *' Symphonie de la Lianhua : rêve tragique d'une jeune fille ' (Chungui duanmeng)* est rendu muet par la censure ! Également en 1937 paraît *' Meurtre dans l'oratoire ' (Zhan jing tang),* un opéra interprété par le célèbre Zhou Xinfang. La même année, *' Une ville plaquée or ' (Du jin de cheng)* et *' Martyrs sur le front du Nord ' (Bei zhanchang junzhong lu)* mêlent actualité et fiction. Pendant la période de ' l'île orpheline ', il écrit et réalise encore quatre films, dont *' Confucius '* (*Kong Fuzi,* 1940), *' les Enfants du monde '* (*Shijie ernü,* 1942), en collaboration avec les exilés autrichiens Jakob et Luise Fleck, et *Hong Xuanjiao* (1941). Lorsque les Japonais prennent le contrôle des studios de Shanghai en 1942, il refuse de collaborer. En 1948, il met en scène un film en couleurs : *' Regrets éternels ' (Sheng si yuan),* opéra de Pékin interprété par le grand acteur Mei Lanfang, et *le Printemps d'une petite ville,* son chef-d'œuvre. En 1950, à Hongkong, il entreprend *' les Enfants du voyage ' (Jianghu ernü,* 1951), mais il meurt en janvier 1951 et c'est Zhu Shilin qui achèvera le film. C.D.R.

FEJOS *(Pál Fejös* dit *Paul), cinéaste américain d'origine hongroise (Budapest, Autriche-Hongrie, 1897 - New York, N. Y., 1963).* Élève officier sur le front austro-italien à la fin de la Première Guerre mondiale, Fejos est chargé d'organiser un théâtre pour soldats. Après l'armistice, il peint des décors pour l'Opéra de Budapest et pour le cinéma, au lieu de reprendre ses études de médecine interrompues par la guerre. En 1920, il commence à tourner des films dont l'exécution n'excède pas une semaine et sur lesquels les informations sont minces : ils sont considérés comme perdus depuis longtemps. L'époque étant peu favorable au développement du 7e art dans une Hongrie indépendante mais diminuée, Fejos, laissant inachevé *les Étoiles d'Eger,* gagne les États-Unis en 1923, et d'abord New York. Comme beaucoup d'émigrés, il y exerce toutes sortes de métiers, puis il travaille à l'Institut Rockefeller de recherche médicale de 1924 à 1926, avant de se rendre en Californie. Au cours de l'année 1927, Fejos rencontre Edward M. Spitz, qui appartient à une riche famille new-yorkaise et qui, désireux de produire un film, lui confie cinq mille dollars pour réaliser *The Last Moment.* Un homme y revoit, en se noyant, défiler toute sa vie en quelques secondes, que Fejos évoque en très brèves séquences, montées sur un rythme comparable à celui d'un kaléidoscope et correspondant à l'afflux des pensées et des images mentales dans l'esprit de son héros infortuné. Visionné par Chaplin, qui en fait publiquement de vifs éloges, et salué par la critique comme une des expériences les plus hardies jamais tentées au cinéma, *The Last Moment* vaut à Fejos un contrat avec Universal, qui, fait exceptionnel, lui donne droit de regard sur le scénario, le choix des acteurs et le montage. Mais les quatre années qui ont précédé *The Last Moment* l'ont rendu exigeant. Il n'accepte de tourner qu'après avoir trouvé un sujet qui lui convienne : celui de *Solitude.* L'histoire toute simple de deux êtres qui se rencontrent, se plaisent, se perdent pour finalement se retrouver, serait des plus rebattues si elle n'était constamment sous-tendue et nourrie par l'obsession universelle de la solitude. Fejos l'inscrit dans la réalité la plus quotidienne, là où elle est la plus vivement ressentie et sans doute la plus mal vécue : la grande ville moderne et ses foules anonymes, sa grisaille, où gestes et tâches sont voués à la répétition, à longueur d'année et d'existence. *Solitude* est pourtant une œuvre délicieuse, d'une fraîcheur et d'une spontanéité exceptionnelles. La réalisation, inspirée et brillante, mobilise toutes les ressources d'une caméra et d'un montage dynamiques. Les trucages optiques (surimpressions, enchaînés et fondus) comme la coloration de certains détails, loin de surcharger ou d'étouffer l'histoire, lui confèrent une totale plénitude, et traduisent à merveille le maelström urbain, les illusions, les désespoirs et les rêves qu'il engendre. Le succès public et critique de *Solitude,* considéré comme un des meilleurs films de 1928, semble consolider la position de Fejos, qui tourne successivement : *Éric le Grand,* avec Conrad Veidt, portrait d'un illusionniste qui veut soumettre ses dons à ses désirs intimes ; *Broadway,* adaptation d'une pièce à succès qui se déroule simultanément dans les milieux du music-hall et de la pègre ; *Captain of the Gard,* fantaisie chantée sur la Révolution française, dont il abandonne la réalisation à la suite d'un grave accident. Aucun de ces films, dont les scénarios ne correspondent pas vraiment à ses préoccupations, ne satisfait Fejos. Tout se passe comme si sa liberté de création s'amenuisait à mesure que croissent les moyens mis à sa disposition (ils atteignent, pour *Broadway,* un million de dollars). Fejos rompt alors avec Universal. Après quelques mois de chômage forcé, il est engagé par la MGM, pour laquelle il réalise les versions française et allemande de *Big House,* film devenu célèbre de George Hill sur l'univers explosif d'une prison américaine. Dans ce nouveau travail de commande, Fejos ne se contente pas d'être un simple « copiste ». Par la qualité des dialogues et par l'excellence de l'interprétation, sa version allemande de *Big House* est particulièrement remarquable, sans cesser d'être fidèle à l'original, dont les mérites reviennent à Hill en ce qui concerne les scènes de foules et d'action. Par la suite, appelé à Paris par Pierre Braunberger pour réaliser des films parlants, Fejos quitte Hollywood pour n'y plus revenir, bien que naturalisé américain depuis 1930 et toujours lié, par contrat, à la MGM. Il supervise d'abord *l'Amour à l'américaine,* un vaudeville de Claude Heymann, qui l'assiste pour une version modernisée de *Fantômas,* inégale certes mais plaisante et non dénuée d'invention. En Hongrie, où il revient en 1932 pour la compagnie française Osso, implantée depuis peu à Budapest, Fejos réalise *Marie, légende hongroise,* histoire d'une petite paysanne séduite et abandonnée, mais aussi victime d'une société hypocrite dont les tares sont impitoyablement mises à nu, ce qui n'est pas du goût de tout le monde. Dans ce film dominé par la gracieuse interprétation d'Annabella, où bruits, musique et dialogues (réduits au minimum) sont savamment dosés, la magie visuelle du cinéaste est opérante, comme à l'époque du muet. *Marie* est immédiatement suivi de *Tempêtes,* un « Roméo et Juliette » villageois, produit cette fois par une firme hongroise, la Phöbus. À Vienne, l'année suivante, Fejos conte, dans *Gardez le sourire,* les tribulations d'un couple de chômeurs, qui, après une tentative de suicide, passent d'un petit travail à un autre, sauvant, au-delà du désespoir, l'amour qu'ils se portent. Passant avec aisance du drame à la comédie, et de la comédie au drame, exprimant tour à tour les angoisses et les joies, petites et grandes, de ses héros, il donne, avec *Gardez le sourire,* le pendant européen de *Solitude.* Après trois petites comédies tournées à Vienne (*les Voix du printemps*) puis au Danemark (*les Millions en fuite* et *le Prisonnier n°1*), *le Sourire d'or,* d'après Kaj Munk (l'auteur d'*Ordet*), termine sur un point d'orgue son œuvre de fiction. La crise de conscience que traverse une actrice adulée, amenée fortuitement à tenir une fois un rôle vrai, est pour le cinéaste l'occasion d'une réflexion sur l'art, ses illusions, ses rapports avec la vie. Désormais, Fejos ne se consacre plus qu'au documentaire, reconstitué ou non. De Madagascar, puis des Indes orientales, il rapporte un important matériel, d'où sont tirés plusieurs courts métrages. Un peu plus tard, avec la collaboration de Gunnar Skoglund, il réalise au Siam *Une poignée de riz,* film d'une tout autre ampleur qui évoque la vie d'un couple de paysans, sa lutte contre l'adversité, la jungle qu'il faut défricher, la patiente culture du riz, si légèrement gaspillé par ailleurs. Avec le soutien moral et financier du millionnaire Axel Wenner-Gren, il entreprend en 1940-41 une expédition au Pérou, au cours de laquelle, entre autres activités, il tourne *The Yagua,* consacré à une tribu indienne de la haute Amazonie, dans laquelle il séjourne un an. *The Yagua* est le dernier film de Fejos, qui, regagnant les États-Unis à la fin de 1941 et s'installant à New York, abandonne définitivement le cinéma pour l'anthropologie. Chercheur, professeur, savant : sa métamorphose est complète. Directeur de recherche à la Viking Fund, qui deviendra la Wenner-Gren Fondation for Anthropological Research, il préside cet organisme en 1955. Esprit libre, peu enclin à faire des concessions, servi par un tempérament aux multiples facettes et par une insatiable curiosité, Paul Fejos fait partie de ces très rares créateurs qui se sont détachés du cinéma, auquel ils ont tant donné d'eux-mêmes, pour se consacrer avec passion à un autre art ou à une autre discipline. Sa légitime célébrité tient à ce qu'il a su fixer un archétype, qui a frappé en son temps le sociologue Friedman, le romancier Eugène Dabit, le critique et futur cinéaste Antonioni. Quant à son influence, elle s'est exercée jusqu'en Chine, ainsi qu'en témoigne le film shanghaien de Shen Xiling, *Carrefour* (1937). P.H.

Films ▲ : – Hongrie : *Pán* (1920) ; *Hallucination* (*Lidércnyomás*, id.) ; *les Ressuscités* (*Ujraélök*, id.) ; *le Capitaine noir* (*A fekete kapitány*, 1921) ; *la Dernière Aventure d'Arsène Lupin* (*Arsène Lupin utolsó kalandja*, id.) ; *la Dame de pique* (*Pique Dame*, 1922) ; *les Étoiles d'Eger* (*Egri csillagok, inachevé*, 1923). – États-Unis : *The Last Moment* (1928) ; *Solitude* (*Lonesome*, id.) ; *Éric le Grand* (*The Last Performance*, 1929) ; *Broadway* (id.) ; *Captain of the Gard* (terminé et signé par John S. Robertson, 1930) ; *Big House* et *Menschen hinter Gittern* (vers. franç. et vers. allem. de *The Big House* de George Hill, *id.*).– France : *l'Amour à l'américaine* (supervision, 1931) ; *Fantômas* (1932). – Hongrie : *Marie, légende hongroise* (*Tavaszi-zápor*, 1932) ; *Tempêtes* (*Itél a Balaton*, id.). – Autriche : *Gardez le sourire* (*Sonnenstrahl*, 1933) ; *les Voix du printemps* (*Frühlingstimmen*, id.). – Danemark : *les Millions en fuite* (*Flugten fra millioherne*, 1934) ; *le Prisonnier nº 1* (*Fange nr. I*, 1935) ; *le Sourire d'or* (*Det Gyldne smil*, id.). – Madagascar - Danemark - Suède : *Horizons noirs* (*Svarta horisonter*, six CM, 1936). – Indes orientales - Suède : sept CM, 1938. – Siam - Suède : *Une poignée de riz* (*En Handfull ris*, 1938, co Gunnar Skoglund). – Pérou - États-Unis : *The Yagua* (1941).

FEKS (« Fabrique de l'acteur excentrique » ; en russe : *Fabrika EKscentričeskogo aktëra*), laboratoire théâtral puis cinématographique créé à Petrograd en décembre 1921. Ses fondateurs furent les benjamins de l'avant-garde révolutionnaire. En 1918, Grigori Kozintsev, qui a alors treize ans, et Sergueï Youtkevitch, son aîné d'un an, animent à Kiev un théâtre de marionnettes, un théâtre de rue et puis un « vrai » théâtre. Ils sont aussi assistants décorateurs pour le Théâtre Solovtzoski. Peintres, ils décorent des wagons de l'*agit-prop* ainsi que les murs de la ville, le 1er mai 1919. À Leningrad, où les conduit l'étude de la peinture, ils se lient avec Léonid Trauberg, journaliste et acteur amateur. Ensemble, ils fondent la FEKS et publient l'année suivante un fracassant manifeste, *Excentrisme,* qui situe leur « art poétique » dans le sillage du futurisme (celui de Marinetti tout autant que celui de Maïakovski), de dada, du constructivisme de Meyerhold, du Théâtre de la comédie populaire (de Sergueï Radlov), du burlesque américain, du serial français et des Ballets russes (picturalité, cirque, tréteaux de foire). Youtkevitch, entre-temps devenu avec Eisenstein élève de Meyerhold, conduit Eisenstein à collaborer avec la FEKS au printemps de 1922. Première manisfestation « scandaleuse » du laboratoire : « l'électrification » de la pièce de Gogol, *Hyménée,* le 25 septembre 1922, bientôt suivie de l'« agit-guignol », *le Vniéchtorg sur la tour Eiffel.* La Fabrique forme principalement des acteurs, conciliant les méthodes *acrobatiques* de Koulechov, *bio-mécaniques* de Meyerhold, pratiquant la commedia dell'arte, la pantomime (sans stylisation), le typage caricatural et le *ciné-geste,* mathématique, rigoureux, logiquement enchaîné. Le groupe fondateur s'étant vite dispersé, FEKS devint synonyme de Kozintsev et Trauberg. En 1924, ceux-ci créent leur propre studio, Feksfilm, au sein du Sevzapkino de Leningrad. Ils y travaillent avec une pléiade d'acteurs disciples : S. Guerassimov, P. Sobolevski, A. Kostritchkine, S. Magarill, I. Jeimo, E. Kouzmina, et deux collaborateurs prestigieux : l'opérateur Andréi Moskvine et (à partir de 1929) le musicien Dmitri Chostakovitch. L'œuvre du tandem Kozintsev-Trauberg (qui ne se sépare qu'après 1945) évoluera en trois temps. La première phase est de destruction – «gauchiste» – (1924-1925) ; la deuxième, la plus insolite et la plus novatrice, de romantisme révolutionnaire (1926-1930) ; la troisième, de réalisme socialiste (1931-1945). C'est entre *la Roue du diable* (1926) et *Seule* (1931), avec *le Manteau* (1926) et *la Nouvelle Babylone* (1929), que culmine l'esthétique de la FEKS, admirable synthèse de dramaturgie et de discours, d'expressionnisme et d'impressionnisme, de fantastique et de grotesque surréalisant, d'art populaire et d'art savant. Grâce à Victor Chklovski, à Youri Tynianov, Kozintsev et Trauberg cultivent quelques-uns des principes de l'école formaliste et notamment (en ce qui concerne l'image comme en ce qui touche le montage) ceux de «la forme compliquée», de la désautomatisation de la perception, de *l'estrangement* ou «dépaysement de l'objet», dans lesquels la critique ne voulut voir longtemps qu'exotisme et recherche du pittoresque. Assagi, l'excentrisme a continué d'irriguer l'œuvre de Kozintsev seul et une bonne part du cinéma soviétique des années 30 et 40. Il est remarquable, notera Chklovski, que tous les grands créateurs de l'art soviétique soient passés par l'expérience de l'excentrisme : de Koulechov à Dovjenko, de Youtkevitch et de Poudovkine à Eisenstein et Medvedkine. Ce trait en dit long sur l'importance de la FEKS. B.A.

FELDMAN *(Marty), acteur et cinéaste britannique (Londres 1934 - Mexico, Mexique, 1982).* C'est le strabisme le plus fameux du cinéma burlesque depuis le règne de Ben Turpin («Visez les yeux !»), tout son comique passant par les anomalies de son regard. Né dans le quartier pauvre de l'East End, il débute comme trompettiste de jazz, assistant d'un fakir, crée un numéro à succès (le Trio Morris, Marty and Mitch), enfin triomphe dans des shows télévisés à la BBC («The Marty Feldman Comedy Hour»). Après avoir tourné avec Richard Lester (*l'Ultime Garçonnière*, 1969) et Jim Clark (*Every Home Should Have One*, 1970, dont il est la vedette et le coscénariste), il rencontre Mel Brooks et Gene Wilder, qui l'enrôlent dans leur train de succès et lui changent la vie. L'un lui fait jouer un bossu dans *Frankenstein Junior* (1974) puis dans *la Dernière Folie de Mel Brooks* (1976), l'autre dans son premier film, *le Frère le plus futé de Sherlock Holmes* (1975). Faisant désormais partie de «l'Académie Mel Brooks» (selon l'expression plaisante de Brooks lui-même), il est en mesure de monter son premier film, *Mon beau légionnaire* (*The Last Remake of Beau Geste*, 1977), puis son second, *La Bible ne fait pas le moine* (*In God we Trust*, 1979). Plus subtiles que ne le laisse supposer son physique, ses idées de gags sont en général très graphiques et refusent l'abattage à la Mel Brooks qui pourrait faire leur éventuel triomphe. R.BN.

FÉLIX *(María de los Angeles Félix Guereña,* dite *María), actrice mexicaine (Alamos, Sonora, 1914).* Ses débuts au cinéma datent de 1942, avec un rôle dans *El peñón de las ánimas* (M. Zacarías). Avec son interprétation, en 1943, de *Doña Bárbara* de Fernando de Fuentes, elle s'impose dès ses débuts comme une des plus grandes stars du cinéma de langue espagnole des années 40. On retrouve sa silhouette élégante dans de nombreux films mexicains, dont : *La monja alférez* (E. Gómez Muriel, 1944) ; *la Femme de tout le monde* (*La mujer de todos*, J. Bracho, 1946) ; *Enamorada* (E. Fernández, *id.*) ; *Maclovia* (id., 1948) ; *la Femme cachée* (*La escondida*, R. Gavaldón, 1956) ; *Sonatas* (J. A. Bardem, 1959) ; *La fièvre monte à El Pao* (L. Buñuel, 1960). Vedette de renom, sa forte personnalité de femme à la fois passionnée et obstinée lui ouvre les portes du cinéma international. Elle tourne en Espagne (*Mare Nostrum*, R. Gil, 1948), en Italie (*Messaline*, C. Gallone, 1951) et en France (*French Cancan*, J. Renoir, 1954 ; *la Belle Otéro*, R. Pottier, *id. ; Les héros sont fatigués*, Y. Ciampi, *id.*). F.LAB.

FELLINI *(Federico), cinéaste italien (Rimini 1920 - Rome 1993).* D'abord attiré par le journalisme – il rêve de devenir grand reporter –, Fellini, après une enfance et une adolescence passées dans un milieu familial petit-bourgeois, quitte sa Rimini natale pour Florence en 1938. Après quelques mois passés dans la cité toscane (il travaille chez l'éditeur Nerbini et collabore au périodique satirique *420*), il arrive à Rome au printemps de 1939 et réussit à se faire engager dans un hebdomadaire humoristique de grand tirage, le *Marc'Aurelio*. À partir de juin 1939, il collabore régulièrement à ce journal, écrivant de nombreux articles jusqu'en 1942 et dessinant de nombreuses vignettes. Ce talent de caricaturiste est demeuré vivace et il n'est pas rare que les personnages des films trouvent leur première forme sous le crayon de l'ancien dessinateur. C'est dans le milieu journalistique que Fellini rencontre le cinéma : il participe avec toute la rédaction du *Marc'Aurelio* à l'invention de gags pour les premiers films de Macario. Dans cette période, l'amitié avec Aldo Fabrizi est décisive : le populaire acteur romain fait participer Fellini aux scénarios d'*Avanti c'è posto* (1942) et *Campo de' fiori* (1943), de Mario Bonnard, et du *Diamant mystérieux* (*L'ultima carrozzella,* id.) de Mario Mattoli. À cette même époque, Fellini fait la connaissance de Rossellini à l'ACI, une société de production qui a engagé le futur cinéaste au bureau des sujets. Fellini écrit également des textes pour des émissions radiophoniques : une des interprètes des sketches est Giulietta Masina (Fellini l'épouse à la fin de 1943). En juin 1944, Rome est libérée par les Américains. Fellini ouvre une boutique de caricaturistes pour les soldats de l'US Army ; c'est là que Rossellini vient le chercher pour collaborer à un projet de court métrage. En quelques semaines, le projet se transforme : Rossellini, Fellini et Amidei écrivent le scénario de *Rome ville ouverte* (1945). La collaboration avec Rossellini va durer pendant plusieurs années (*Paisà,* 1946 ; *le Miracle,* 1948 ; *Onze Fioretti de François d'Assise,* 1950 ; *Europe 51,* 1952). Elle est fondamentale, dans la mesure où elle fait prendre conscience à Fellini que le cinéma peut parvenir à la même personnalisation de l'expression que l'écriture ou le dessin. Fellini a trouvé sa voie : le cinéma comme moyen d'exprimer un univers personnel remplace toute autre forme de création. Fellini collabore aussi avec Germi, mais c'est à partir des scénarios écrits pour Lattuada que va venir la première mise en scène. Après *le Crime de Giovanni Episcopo* (1947) et *Sans pitié* (id.), Lattuada et Fellini réalisent ensemble *les Feux du music-hall* (1950). Dès ce premier film, dont il est l'auteur du sujet, Fellini porte sur l'écran un monde de réminiscences autobiographiques vécues ou rêvées, qui constituera un des filons les plus riches de tout l'œuvre à venir. Après *Courrier du cœur* (1952), digression attendrie sur le milieu des confectionneurs de romans-photos et sur la fascination qu'exerce un histrion sur une jeune mariée écervelée, *les Vitelloni* (1953) impose définitivement l'univers fellinien. Bâti sur les souvenirs d'une adolescence provinciale, le film jette un regard nostalgique et glacial sur un groupe de jeunes gens englués dans leur médiocrité. Les films suivants confirment sa puissance créatrice. Après sa collaboration au film à sketches imaginé par Zavattini, *l'Amour à la ville* (1953), Fellini tourne successivement *La strada* (1954), *Il bidone* (1955), *les Nuits de Cabiria* (1957). De la pauvre fille ballottée sur les routes par un saltimbanque irresponsable à la prostituée candide honteusement trompée par un homme qui n'en avait qu'à son argent, non à son amour, en passant par l'escroc vieillissant qui meurt abandonné par ses complices alors qu'il tentait de retrouver le respect de soi-même, se définit un univers de la détresse humaine, une détresse sans issue sinon une espérance chrétienne fréquemment présente sous les traits de la grâce qui, à l'improviste, frappe les cœurs les plus endurcis. Dans ces années, Fellini écrit ses scénarios avec Tullio Pinelli et Ennio Flaiano : sans rien retrancher au génie de l'auteur de *La strada,* l'apport de ces deux hommes et surtout de Flaiano est essentiel. On peut d'ailleurs distinguer, dans la filmographie de Fellini, une période Flaiano, qui va jusqu'à *Juliette des esprits,* et une période Bernardino Zapponi — le nouveau scénariste —, qui commence avec le sketch d'*Histoires extraordinaires* (1968) et qui dure jusqu'à nos jours, collaboration interrompue seulement pour *Amarcord* (scénario écrit avec Tonino Guerra). À y regarder de près, la période Fellini-Flaiano présente des différences sensibles avec la période Fellini-Zapponi. En 1959, la réputation de Fellini devient encore plus grande avec l'énorme succès de *La dolce vita* (Palme d'or au festival de Cannes en 1960). À travers un personnage (interprété par Marcello Mastroianni), clairement donné comme le double du cinéaste, Fellini se livre à une sorte de radiographie de la société romaine mise en scène dans ses turpitudes. L'amertume du propos n'est ici tempérée que par le visage angélique de Valeria Ciangottini. Le film est par ailleurs un spectacle de près de trois heures, qui suscite lors de son exploitation commerciale des accusations de scandale et de blasphème. Après l'intermède de *Boccace 70* (1962), qui permet à Fellini de régler ses comptes avec le moralisme des bien-pensants, *Huit et demi*

(1963) développe de nouvelles variations sur le double fellinien (toujours interprété par Mastroianni) : l'auteur livre avec impudeur ses angoisses et ses incertitudes de créateur, ses fantasmes œdipiens, sa solitude et ses frustrations sexuelles (le rapport qu'il entretient avec les femmes est à la fois boulimique et empreint de culpabilité). Comme dans les films antérieurs, la pureté est inaccessible et prend les traits évanescents de Claudia Cardinale toute de blanc vêtue. Après les grandes réussites que constituent *La dolce vita* et *Huit et demi,* Fellini traverse une période stylistiquement et thématiquement incertaine. *Juliette des esprits* (1965) est un inventaire un peu artificiel des rêves, des espérances, des cauchemars d'un personnage féminin en qui se retrouvent une fois de plus les obsessions de l'auteur. Le sketch *Toby Dammit* de *Histoires extraordinaires* (1968) ne s'élève guère audessus d'un exercice brillant inspiré d'un conte de Poe. *Bloc-Notes d'un cinéaste* (1968), tourné pour la télévision, évoque un film resté à l'état de projet et introduit les préparatifs du film à venir, le *Satyricon.* Redevenant pleinement maître de ses moyens, Fellini oriente alors son travail vers un sujet moins directement personnel ; il met en scène, avec le *Satyricon* (1969), une Antiquité décadente vue comme le reflet exacerbé de notre propre décadence. Dans un film qui foisonne en images baroques ou fantastiques, le cinéaste parcourt un champ de l'imaginaire qu'il défrichera également dans les films suivants : de plus en plus s'imbriquent notations réalistes, images mentales, projections dans le passé, visions futuristes (*Roma,* 1972 ; *Casanova,* 1976 ; *Répétition d'orchestre,* 1978). C'est toutefois dans une veine plus nostalgique (*les Clowns,* 1970 ; certains moments de *Roma,* 1972 ; *Amarcord,* 1973) qu'il retrouve son inspiration la plus authentique, celle liée à des souvenirs d'enfance qui, dans leur singularité, n'en atteignent pas moins à l'universel. Dans une humanité caricaturale parmi laquelle se range le cinéaste lui-même, l'angoisse du temps qui passe masque son agression sous les déguisements du ridicule ou du grotesque. À nouveau secondé par son acteur fétiche Mastroianni, son double vieillissant, Fellini aborde, avec *la Cité des femmes* (1980), aux rives d'un continent de plus en plus indéchiffrable. Échappant au harem, accédant à une autonomie qui ne relève plus de la virginité, de la maternité ou de la prostitution, la femme renvoie le cinéaste à ses angoisses et à sa solitude. *Et vogue le navire* reprend d'une certaine manière les thèmes du *Satyricon* et de *Casanova.* En mettant en scène une étrange cérémonie funéraire, Fellini évoque la fin d'un monde qui se dissout dans des visions fulgurantes. Grand homme de spectacle, inventeur de formes luxuriantes, visionnaire sachant saisir la dimension onirique des êtres et des choses, Fellini, sous ses oripeaux de magicien de l'écran, contemple le crépuscule de notre univers. Chez lui, face à l'angoisse du présent, le retour aux rives apaisantes du souvenir et de l'enfance est une tentative désespérée pour échapper à la vieillesse et à la mort. Car, à y bien regarder, il plane une atmosphère mortuaire sur tous les films de Fellini. J.-A.G.

Films ▲ : *les Feux du music-hall* (*Luci del varietà,* 1951 ; co Lattuada) ; *Courrier du cœur / le Sheik blanc* (*Lo sceicco bianco,* 1952) ; *les Vitelloni* (*I vitelloni,* 1953) ; *l'Amour à la ville* (*L'amore in città,* sketch *Un' agenzia matrimoniale,* id.) ; *la Strada* (*La strada,* 1954) ; *Il bidone* (1955) ; *les Nuits de Cabiria* (*Le notti di Cabiria,* 1957) ; *la Douceur de vivre* (*La dolce vita,* 1960) ; *Boccace 70* (*Boccaccio' 70,* sketch *Le tentazioni del dottor Antonio,* 1962) ; *Huit et demi* (*Otto e mezzo,* 1963) ; *Juliette des esprits* (*Giulietta degli spiriti,* 1965) ; *Histoires extraordinaires* (*Tre passi nel delirio,* sketch *Toby Dammit* ou *Non scommettere la testa col diavolo,* 1968) ; *Fellini-Satyricon* (*Satyricon,* 1969) ; *Block-notes di un regista* (id.) ; *les Clowns* (*I clowns,* 1970) ; *Fellini-Roma* (*Roma,* 1972) ; *Amarcord* (1973) ; *Casanova* (*Il Casanova di Federico Fellini,* 1976) ; *Répétition d'orchestre* (*Prova d'orchestra,* 1978) ; *la Cité des femmes* (*La città delle donne,* 1980), *Et vogue le navire* (*E la nave va,* 1983) ; *Ginger et Fred* (*Ginger e Fred,* 1986) ; *Intervista* (id., 1987) ; *La voce della luna* (1990).

FENELON *(Moacyr), cinéaste et producteur brésilien (Muriaé, Minas Gerais, 1903 - Rio de Janeiro 1953).* Ingénieur du son formé aux États-Unis à l'avènement du parlant, il fonde la Atlântida Cinematográfica avec José Carlos Burle et Alinor Azevedo (1941). Leurs débuts révèlent des préoccupations sociales et un souci réaliste alors quasi inexistants (*Moleque Tião,* J. C. Burle, 1943). Cependant, Fenelon perd le contrôle de la Atlântida, qui produit à la chaîne des chanchadas stéréotypées. Il joue, dès lors, un rôle important dans l'élaboration de revendications protectionnistes (adoptées plus tard). Il a également signé quelques films, le plus souvent des comédies musicales, avec des vedettes de la radio. P.A.P.

FENÊTRE. Évidemment rectangulaire pratiqué dans le couloir de la caméra ou du projecteur et qui délimite le contour de l'image enregistrée ou de l'image projetée. (→ CAMÉRA, PROJECTION.)

FENTE. *Fente de lecture* → PROCÉDÉS DE CINÉMA SONORE.

FENTON *(Frank), scénariste américain d'origine britannique (Walton, Liverpool, 1903-1971).* Pendant les années 30, il travaille essentiellement sur des petites productions de série. Ce n'est que vers la fin des années 40 que l'on voit son nom dans quelques génériques prestigieux et dans les années 50 qu'il donne le meilleur de lui-même. On retiendra le nerf de *Fort Bravo* (J. Sturges, 1953) et de *Vaquero* (J. Farrow, *id.*), la limpidité nonchalante de *Rivière sans retour* (O. Preminger, 1954) ou l'âcreté du *Jardin du diable* (H. Hathaway, *id.*), quatre excellents westerns. Même la molle mise en scène d'un Melvin Frank ne peut effacer la vivacité brillante de son scénario de *Violence au Kansas* (1959). C.V.

FÉRET *(René), cinéaste français (La Bassée 1945).* Ses études à l'École nationale d'art dramatique de Strasbourg le préparent à une carrière de comédien et de metteur en scène de théâtre. Mais, simultanément, le cinéma l'attire, et il sera le scénariste de tous ses films : *Histoire de Paul* (1975, prix Jean-Vigo), saisissante mise en question de l'enfermement psychiatrique ; *la Communion solennelle* (1977), savoureuse chronique de trois générations d'une famille du Nord sur fond d'histoire de France ; *Fernand* (1979), portrait d'un cambrioleur sympathique et malchanceux ; *l'Enfant roi* (1980), réflexion sur le processus de la création filmique. Il a aussi traité un curieux cas sexuel dans *Mystère Alexina* (1985) avant de signer un polar de série, *l'Homme qui n'était pas là* (1986), et de faire un attachant retour à l'inspiration de *la Communion solennelle* dans *Baptême* (1987). Après une parenthèse de cinq ans, il réalise coup sur coup *Promenades d'été* (1992), *la Place d'un autre* (1993) et *les Frères Gravet* (1994) M.M.

FERGUSON *(Elsie), actrice américaine (New York, N. Y., 1883 - New London, Conn., 1961).* Actrice du muet au physique noble, imposant, spécialisée dans le mélodrame, elle fut célèbre de 1915 à 1920. Mais elle était déjà sur le déclin quand elle eut son meilleur rôle dans *Peter Ibbetson* (G. Fitzmaurice, 1921). C.V.

FERIDA *(Luisa Manfrina Farnet,* dite *Luisa), actrice italienne (Castel S. Pietro 1914 - Milan 1945).* Après une expérience théâtrale dans la compagnie de Ruggero Ruggeri puis dans celle de Paola Borboni, Luisa Ferida passe au cinéma avec *Freccia doro* (1935) de Corrado D'Errico. Actrice très belle et dotée d'un fort tempérament dramatique, Luisa Ferida s'impose en quelques années comme une des meilleures comédiennes de l'époque. À l'aise dans des rôles très différents, elle est notamment dirigée par Enrico Guazzoni (*Re burlone,* 1935 ; *I due sergenti,* 1936), Mario Bonnard (*Il conte di Brechard,* 1938 ; *La fanciulla di Portici,* 1940), Alessandro Blasetti (*Una avventura de Salvatore Rosa,* id. ; *la Couronne de fer,* 1941 ; *La cena delle beffe,* id.), Goffredo Alessandrini (*Nozze di sangue,* id.), Ferdinando Maria Poggioli (*Jalousie,* 1942), Gianni Franciolini (*Fari nella nebbia,* id.), Luigi Chiarini (*La bella addormentata,* id. ; *La locandiera,* 1944). On la voit également dans des films de Carlo Ludovico Bragaglia, Corrado D'Errico, Camillo Mastrocinque, Carmine Gallone, Piero Ballerini... Accusés de collaboration avec le régime fasciste de Salò, Luisa Ferida et son mari, l'acteur Osvaldo Valenti, sont fusillés par les partisans en avril 1945. J.-A.G.

FERJAC *(Anouk), actrice française (Paris 1932).* Fille du dessinateur du *Canard enchaîné* Pol Ferjac, elle suit des cours de danse et devient l'élève de René Simon. Très jeune débutante au cinéma, elle fait figure de future vedette vers 1950 (*Justice est faite, Nous sommes tous des assassins* de Cayatte) mais n'est reconnue que par les cinéastes appartenant ou postérieurs à la Nouvelle Vague, Deville (*Lucky Joe,* 1964), Resnais (*La guerre est finie,* 1966 ; *Je t'aime je t'aime,* 1968), Chabrol (*Que la bête meure,* 1969). Comédienne très fine, très appréciée des cinéastes débutants, elle tourne plusieurs courts métrages et un grand nombre de premiers films : *Mektoub* (Alī Ghālem, 1970), *la Michetonneuse* (Francis Leroi, 1972), *Les grands sentiments font les bons gueuletons* (Michel Berny, 1973), *le Diable dans la boîte* (Pierre Lary, 1977), *Lien de parenté* (Willy Rameau, 1986), *Buisson ardent* (Laurent Perrin, 1987), *la Salle de bain* (John Lvoff, 1989), tout en jouant au théâtre, notamment dans la troupe de Roger Planchon, et à la télévision. O.B.

FERMETURE. *Fermeture en fondu,* voir FONDU.

FERNANDEL (*Fernand Joseph Désiré Contandin,* dit), *acteur français (Marseille 1903 - Paris 1971).* Son père, un modeste employé de banque, occupe ses loisirs à se produire au café-concert, sous le pseudonyme de Sined (anagramme de son prénom Denis). Le petit Fernand l'accompagne dans ses tournées et, dès l'âge de cinq ans, fait de la figuration comme... grognard d'Empire, avant d'apprendre par cœur le répertoire du comique troupier Polin. Avec son frère cadet, il forme un couple de duettistes, Fernand et Marcel Sined (la carrière de ce dernier sera très effacée, il apparaîtra dans quelques films sous le nom de Fransined). Fernand épousera en 1925 Henriette Manse (sa belle-mère, en l'appelant le « Fernand d'elle », lui donne l'idée de son pseudonyme), il en aura trois enfants dont Josette (qui interprétera un unique film à ses côtés, *Josette,* en 1936) et Franck (chanteur et acteur à partir de 1962). Quant à son beau-frère Jean Manse, il fut coadaptateur et dialoguiste attitré de la plupart de ses films, et l'auteur des *lyrics* qui les émaillent obligatoirement.

À quatorze ans, le jeune Contandin est chasseur à la Banque nationale de crédit de Marseille. Mais il ne rêve que de spectacle. Il réussit à se faire engager à l'Eldorado de Nice, d'où il part en tournée avant d'être pris sous contrat à l'Odéon de sa ville natale. Il campe un irrésistible tourlourou, par exemple dans *le Cavalier Lafleur,* une opérette à succès de Baine et Mauprey. En 1928, les Parisiens le découvrent, à Bobino d'abord, puis au Concert Mayol, dans la revue *Vive le nu.* Marc Allégret le remarque et lui confie le rôle du « chasseur vierge » dans son adaptation à l'écran de la pièce de Sacha Guitry *le Blanc et le Noir.* Son partenaire n'est autre que Raimu. Dès lors, il va enchaîner film sur film, sans délaisser pour autant le théâtre, jouant entre autres *Ignace* au Châtelet en 1936, *le Rosier de madame Husson* à la porte Saint-Martin en 1937, *Tu m'as sauvé la vie,* de Sacha Guitry, aux Variétés en 1949, trois pièces qui deviendront autant de films à succès, ou enfin *Freddy,* de Robert Thomas, qu'il promène en tournée à la fin des années 60.

Entre 1930 et 1969, Fernandel a tourné quelque 150 films, déchaînant automatiquement le rire du public, même aux heures sombres de l'Occupation (on dit qu'il ne put jamais monter la garde, sa seule présence à l'entrée d'une caserne provoquant aussitôt des attroupements hilares !). Le niveau moyen de cette production est assurément assez bas, si l'on s'en tient à l'interminable série des *Ferdinand le noceur, Raphaël le tatoué, Cœur de coq, Émile l'Africain* et autres *Boniface.* Il est vrai que cette médiocrité est la rançon de sa colossale popularité : « Si vous demandez à un enfant de cinq ans qui est Fernandel, disait-il lui-même, il le sait ! » Et il ajoutait, avec une marge raisonnable d'humour : « La preuve que je suis un grand acteur, c'est que dans Don Camillo j'ai eu le plus grand des partenaires : Dieu lui-même ! » De sa période d'avant-guerre, quelques films émergent : *On purge Bébé* (un rôle très bref, sous la direction de Jean Renoir), *les Gaietés de l'escadron,* de Maurice Tourneur (avec Raimu et Gabin), *Adémaï aviateur* (avec Noël-Noël), *Un de la Légion* et *François I*er, de Christian-Jaque, *Fric-Frac* (avec Michel Simon). On peut également apprécier, pour leur débilité soigneusement contrôlée, ses prestations ubuesques dans *les Dégourdis de la onzième* (dialogue d'Anouilh !) ou *Tricoche et Cacolet,* et le sens du travesti dont témoignent les célèbres *Cinq Sous de Lavarède.* Mais c'est surtout de Fernandel transfiguré par Pagnol que l'on se souviendra : Saturnin, le benêt au grand cœur d'*Angèle ;* Gédémus dans *Regain ;* l'inoubliable *Schpountz* mimant avec génie un article du Code pénal ; Felipe le confident du puisatier Raimu, au lendemain de la guerre ; enfin Toine le pathétique bossu amoureux de la belle Naïs, un rôle d'où toute velléité comique a disparu. « C'est à Pagnol, reconnaît honnêtement Fernandel, que je dois d'avoir pu prouver que j'étais un vrai comédien. »

Son jeu, après guerre, ira se nuançant. Mûri, le regard un peu désabusé dans un faciès encore chevalin, il se paie le luxe de compositions ambiguës, allant de l'humour noir *(l'Armoire volante, l'Auberge rouge)* au mélodrame *(Meurtres, le Fruit défendu),* et du policier *(l'Homme à l'imperméable)* au western parodique *(Dynamite Jack).* Il est excellent en Ali-Baba, vu par Jacques Becker, savoureux en Sganarelle, dans le *Don Juan* de John Berry, et tient tête aussi bien à Totò qu'à Bob Hope, dans des coproductions hybrides. Mais la sobriété apprêtée du *Voyage du père* lui sied plutôt mal. Quant à la série des *Don Camillo,* en dépit (ou à cause) d'une certaine démagogie inhérente au personnage, elle lui conféra la dimension de la mythologie. Sa carrière se clôt, assez curieusement, sur un film à la poésie chaleureuse, regorgeant d'élans écologiques : *Heureux qui comme Ulysse...* Heureux comme Fernandel, serait-on tenté de dire : comédien couvert d'or par ses innombrables succès, ayant tâté incidemment de la mise en scène *(Simplet, Adrien, Adhémar ou le Jouet de la fatalité)* et de la production (la « Gafer », en collaboration avec Jean Gabin), il est resté humblement attaché à son pays natal, à la simple et chaude atmosphère provençale. Le secret de la longévité de sa carrière tient à cette simplicité même, à cet art dont parle Marcel Pagnol, qu'il possédait au plus haut degré : « faire rire des êtres qui ont tant de raisons de pleurer ». C.B.

Films : COURTS MÉTRAGES ▲ : *la Meilleure Bobonne* (M. Allégret, 1930) ; *J'ai quelque chose à vous dire* (id., *id.*) ; *Bric à Brac et Cie* (André Chotin, 1931) ; *Attaque nocturne* (M. Allégret et Jean de Marguenat, *id.*) ; *la Fine Combine* (Chotin, *id.*) ; *Vive la classe* (Maurice Cammage, *id.*) ; *Pas un mot à ma femme* (Chotin, *id.*) ; *Une brune piquante* (S. de Poligny, 1932) ; *Quand tu nous tiens amour* (M. Cammage, *id.*) ; *la Terreur de la Pampa* (id., *id.*) ; *Ordonnance malgré lui* (id., *id.*) ; *Un beau jour de noces* (id., *id.*) ; *Comme une carpe / le Muet de Marseille* (C. Heymann, *id.*) ; *Par habitude* (M. Cammage, *id.*) ; *Maruche / Restez dîner* (R. Florey, *id.*) ; *la Claque* (Robert Péguy, *id.*) ; *Cunégonde* et *Elle disait non* (chansons filmées) ; *Ça colle* (Christian-Jaque, 1933) ; *Lidoire* (M. Tourneur, *id.*) ; *la Veine d'Anatole* (M. Cammage, *id.*) ; *Irma la voyante* (série de chansons filmées, 1945, Antoine Toé) ; *Comédiens ambulants* (Jean Canolle, 1946) ; *Philomène* (A. Toé, *id.*) ; *Escale au soleil* (H. Verneuil, 1947) ; *l'Art d'être papa* (Maurice Regamey, 1956) ; *le Téléphone* (M. Regamey, *id.*) – LONGS MÉTRAGES ▲ : *le Blanc et le Noir* (R. Florey, 1931) ; *On purge Bébé* (J. Renoir, *id.*) ; *Paris Béguin* (A. Genina, *id.*) ; *le Rosier de madame Husson* (Bernard Deschamps, 1932) ; *Cœur de lilas* (A. Litvak, *id.*) ; *Un homme sans nom* (G. Uciky et Roger Le Bon, *id.*) ; *les Gaietés de l'escadron* (M. Tourneur, *id.*) ; *le Jugement de minuit* (Alexandre Esway et André Charlot, *id.*) ; *Pas de femme* (M. Bonnard, *id.*) ; *le Coq du régiment* (M. Cammage, 1933) ; *l'Ordonnance* (V. Tourjansky, *id.*) ; *D'amour et d'eau fraîche* (Félix Gandera, *id.*) ; *Une nuit de folies* (M. Cammage, 1934) ; *Adémaï aviateur* (J. Tarride, *id.*) ; *la Garnison amoureuse* (Max de Vaucorbeil, *id.*) ; *le Chéri de sa concierge* (Joseph Guarino-Glavany, *id.*) ; *le Train de 8 h 47* (Henry Wuschleger, *id.*) ; *l'Hôtel du libre-échange* (M. Allégret, *id.*) ; *les Bleus de la marine* (M. Cammage, *id.*) ; *la Porteuse de pain* (René Sti, *id.*) ; *Angèle* (M. Pagnol, *id.*) ; *Jim la Houlette* (A. Berthomieu, 1935) ; *le Cavalier Lafleur* (P. J. Ducis, *id.*) ; *Ferdinand le noceur* (R. Sti, *id.*) ; *les Gaietés de la finance* (Jack Forrester, *id.*) ; *Un de la Légion* (Christian-Jaque, 1936) ; *Josette* (id., *id.*) ; *les Dégourdis de la onzième* (id., 1937) ; *Regain* (M. Pagnol, *id.*) ; *Ignace* (Pierre Colombier, *id.*) ; *François Ier* (Christian-Jaque, *id.*) ; *les Rois du sport* (P. Colombier, *id.*) ; *Un carnet de bal* (J. Duvivier, *id.*) ; *Hercule* (Alexandre Esway, *id.*) ; *le Schpountz* (M. Pagnol, 1938) ; *Raphaël le tatoué* (Christian-Jaque, *id.*) ; *Barnabé* (Esway, *id.*) ; *Tricoche et Cacolet* (P. Colombier, *id.*) ; *Ernest le rebelle* (Christian-Jaque, *id.*) ; *les Cinq Sous de Lavarède* (Cammage, *id.*) ; *Fric-Frac* (M. Lehmann, 1939) ; *Berlingot et Cie* (Fernand Rivers, *id.*) ; *la Fille du puisatier* (M. Pagnol, 1940) ; *l'Héritier des Mondésir* (A. Valentin, *id.*) ; *Monsieur Hector* (Cammage, *id.*) ; *Une vie de chien* (Cammage, 1943, RÉ 1941) ; *l'Acrobate* (J. Boyer, *id.*) ; *les Petits Riens* (Raymond Leboursier, *id.*) ; *le Club des soupirants* (M. Gleize, *id.*) ; *Simplet* (Fernandel et Carlo Rim, *id.*) ; *Adrien* (Fernandel, *id.*) ; *la Bonne Étoile* (J. Boyer, *id.*) ; *Ne le criez pas sur les toits* (Jacques Daniel-Norman, *id.*) ; *la Cavalcade des heures* (Yvan Noé, *id.*) ; *Un chapeau de paille d'Italie* (*id.* 1944, RÉ 1948) ; *la Nuit merveilleuse* (Jean-Paul Paulin, *id.*) ; *le Mystère Saint Val* (R. Le Hénaff, 1945) ; *Naïs* (Leboursier, *id.*) ; *les Gueux au paradis* (Le Hénaff, 1946) ; *Petrus* (M. Allégret, *id.*) ; *l'Aventure de Cabassou* (G. Grangier, *id.*) ; *Cœur de coq* (M. Cloche,

1947) ; *Émile l'Africain* (Robert Vernay, 1948) ; *Si ça peut vous faire plaisir* (Daniel-Norman, *id.*) ; *l'Armoire volante* (Carlo Rim, 1949) ; *On demande un assassin* (Ernest Neubach, *id.*) ; *l'Héroïque Monsieur Boniface* (Maurice Labro, *id.*) ; *Casimir* (R. Pottier, 1950) ; *Je suis de la revue* (*Botta e Risposta,* Mario Soldati, *id.*) ; *Tu m'as sauvé la vie* (S. Guitry, *id.*) ; *Topaze* (M. Pagnol, *id.*) ; *Uniformes et Grandes Manœuvres* (Le Hénaff, *id.*) ; *Meurtres* (R. Pottier, *id.*) ; *l'Auberge rouge* (C. Autant-Lara, 1951) ; *Adhémar ou le Jouet de la fatalité* (Fernandel, *id.*) ; *Boniface somnambule* (M. Labro, *id.*) ; *le Petit Monde de Don Camillo* (J. Duvivier, 1952) ; *Coiffeur pour dames* (J. Boyer, *id.*) ; *la Table aux crevés* (H. Verneuil, *id.*) ; *le Fruit défendu* (H. Verneuil, *id.*) ; *le Boulanger de Valorgue* (id., *id.*) ; *Carnaval* (H. Verneuil, 1953) ; *le Retour de Don Camillo* (J. Duvivier, *id.*) ; *l'Ennemi public nº 1* (id., 1954) ; *le Mouton à cinq pattes* (id., *id.*) ; *Mam'zelle Nitouche* (Y. Allégret, *id.*) ; *Ali Baba et les quarante voleurs* (J. Becker, *id.*) ; *le Printemps, l'Automne et l'Amour* (G. Grangier, *id.*) ; *la Grande Bagarre de Don Camillo* (C. Gallone, 1955) ; *le Couturier de ces dames* (J. Boyer, 1956) ; *Don Juan* (John Berry, *id.*) ; *Honoré de Marseille* (M. Régamey, *id.*) ; *le Tour du monde en quatre-vingts jours* (M. Anderson, *id.*) ; *le Chômeur de Clochemerle* (J. Boyer, 1957) ; *Sous le ciel de Provence* (*Era di Venerdi 17,* M. Soldati, *id.*) ; *l'Homme à l'imperméable* (J. Duvivier, *id.*) ; *Sénéchal le magnifique* (id., *id.*) ; *À Paris tous les deux* (*Paris Holiday,* Gerd Oswald, 1958) ; *la Vie à deux* (Clément Duhour, *id.*) ; *les Vignes du seigneur* (J. Boyer, *id.*) ; *la Loi c'est la loi* (Christian-Jaque, *id.*) ; *le Grand Chef* (H. Verneuil, 1959) ; *le Confident de ces dames* (J. Boyer, *id.*) ; *la Vache et le Prisonnier* (H. Verneuil, *id.*) ; *Crésus* (J. Giono, 1960) ; *le Caïd* (B. Borderie, *id.*) ; *Cocagne* (M. Cloche, 1961) ; *le Jugement dernier* (Vittorio de Sica, *id.*) ; *Dynamite Jack* (Jean Bastia, *id.*) ; *Don Camillo Monseigneur* (C. Gallone, *id.*) ; *L'assassin est dans l'annuaire* (L. Joannon, 1962) ; *En avant la musique* (*Avanti la Musica !,* Giorgio Bianchi, *id.*) ; *le Diable et les Dix Commandements* (J. Duvivier, *id.*) ; *le Voyage à Biarritz* (G. Grangier, *id.*) ; *le Bon Roi Dagobert* (Pierre Chevalier, 1963) ; *Blague dans le coin* (M. Labro, *id.*) ; *la Cuisine au beurre* (G. Grangier, *id.*) ; *Relaxe-toi chérie* (J. Boyer, 1964) ; *l'Âge ingrat* (G. Grangier, *id.*) ; *Don Camillo en Russie* (L. Comencini, 1965) ; *la Bourse et la Vie* (J.-P. Mocky, *id.*) ; *le Voyage du père* (D. de La Patellière, 1966) ; *l'Homme à la Buick* (G. Grangier, 1968) ; *Heureux qui comme Ulysse...* (H. Colpi, 1970).

FERNÁNDEZ *(Emilio), cinéaste et acteur mexicain (Mineral del Hondo, Coahuila, 1904 - Mexico 1986).* Ancien militaire, il débute par de petits rôles à Hollywood (*The Western Code,* J. P. MacCarthy, 1933), puis au Mexique, où il interprète notamment *Janitzio* (Carlos Navarro, 1934) et *Adiós Nicanor* (Rafael E. Portas, 1937), dont il écrit le scénario. Sa première mise en scène date de 1941 *(La isla de la pasión),* mais ce sont deux films tournés en 1943 qui font figure de manifeste esthétique : *l'Ouragan (Flor Silvestre)* et *María Candelaria,* primé à Cannes. La gloire internationale que Fernández procure au cinéma mexicain regorge de malentendus. On le prend pour un poète de l'authenticité et de la justice sociale. Il s'avère en fait politiquement naïf, et esthétiquement plutôt complaisant. Nationaliste, il pense, certes, que la révolution de 1910 a été nécessaire, mais elle n'en reste pas moins un cauchemar. Son héritage se réduit à un discours civique et patriotique simpliste, en accord avec le Mexique institutionnalisé et bourgeois de son temps (*Río Escondido,* 1947). Pourtant, son scénariste habituel, Mauricio Magdaleno, est à l'origine d'un film autrement plus lucide (*El compadre Mendoza,* F. de Fuentes, 1933). L'indigénisme de celui qu'on surnomme « el Indio » est à mi-chemin entre le romantisme du XIXᵉ siècle et la revendication culturelle à laquelle procèdent des écrivains contemporains. Ses Indiens sont soumis, stoïques, insaisissables, mais, surtout, ils sont beaux. Leur hiératisme s'intègre à un cinéma marqué par un véritable complexe d'Eisenstein, où prédomine l'éclairage décoratif de Gabriel Figueroa. La structure mélodramatique se révèle typique des écrans mexicains, et la violence est devenue un ressort dramatique, presque abstrait, chez des personnages frustes mais emphatiques, qui prennent des allures d'archétype sous les traits de Pedro Armendáriz (ou d'autres). Ce lyrisme grandiloquent, cette photogénie rhétorique, ce populisme bucolique véhiculent une vision folklorique de la réalité, empreinte de conformisme et de fatalisme (*La perla,* 1945). On comprend qu'amateurs d'exotisme et partisans du « réalisme socialiste » se soient rejoints pour faire l'éloge de ces héros positifs empêtrés dans des amours malheureuses et des cataclysmes. Fernández donne aussi ses lettres de noblesse à la prostitution : récits édifiants où la maman et la putain sont les deux faces de la femme : *les Abandonnées* (*Las abandonadas,* 1944) ; *les Bas-Fonds de Mexico* (*Salón México,* 1948) ; *Quartier interdit* (*Víctimas del pecado,* 1950). Le pseudo-érotisme, dans *le Filet* (*La red,* 1953), annonce un déclin désormais irréversible. Il signe aussi *Soy puro mexicano* (1942), *Bugambilia* (1944), *Pepita Jiménez* (1945), *Enamorada* (1946), *Maclovia* (1948), *Pueblerina* (id.), *la Mal-Aimée* (*La malquerida,* 1949), parmi une quarantaine de titres. Il a l'occasion de réapparaître à l'écran comme acteur, grâce à des rôles dans *La cucaracha* (1958), *Los hermanos del Hierro* (1961) d'Ismael Rodriguez et *Au-dessous du volcan* (1984) de John Huston. P.A.P.

FERNÁN GÓMEZ *(Fernando), acteur et cinéaste espagnol (Lima, Pérou, 1921).* Prolifique interprète de plus de 150 films de l'après-guerre, sa popularité initiale se fonde sur des fleurons de la production franquiste (*Botón de ancla,* Ramón Torrado, 1947 ; *Balarrasa,* J. A. Nieves Conde, 1950). Après avoir joué pour Bardem et Berlanga (*le Couple heureux,* 1951), il aborde la mise en scène. Parmi la vingtaine de titres réalisés, certains se situent parmi les meilleurs de cette phase du cinéma espagnol. Les comédies *La vida por delante* (1958) et *La vida alrededor* (1959) traitent avec finesse, brio et un pessimisme lucide les difficultés de la vie quotidienne. Après *El mundo sigue* (1963), mélodrame noir, Fernán Gómez tourne une œuvre insolite, féroce, sans égale dans la production espagnole d'alors : *El extraño viaje* (1964). Mais ces films passent à peine dans le circuit commercial : auteur maudit, il ne sera revalorisé que dix ans plus tard. Sa carrière d'acteur devient plus sélective et il peut ainsi donner la mesure de son talent, sous la direction de Carlos Saura (*Ana et les loups,* 1972), Víctor Erice (*l'Esprit de la ruche,* id.), Ricardo Franco (*Los restos del naufragio,* 1978), Manuel Gutiérrez Aragón (*Maravillas,* 1980 ; *Feroz,* 1983), ou Jaime de Armiñán (*Stico,* 1984 ; *Mi general,* 1986). Homme polyvalent, que les frustrations propres à sa génération n'ont pas apprivoisé, il s'est exprimé aussi à travers le théâtre, la poésie, le roman, la radio, l'opéra et la télévision (*Juan Soldado,* 1973). Au cours des années 80, il remporte un succès critique et public à la fois comme acteur et réalisateur dans *Malbrough s'en va-t-en guerre* (*Mambrú se fue a la guerra,* 1986), *El viaje a ninguna parte* (1987) et *El mar y el tiempo* (1989). En mettant en scène *Siete mil dias juntos* (1994), il revient à l'humour noir. P.A.P.

FERRANIACOLOR → PROCÉDÉS DE CINÉMA EN COULEURS.

FERRARA *(Abel), cinéaste américain (New York, N.Y., 1952).* À la difficile lisière entre la production indépendante et les grands studios, Abel Ferrara s'est signalé à l'attention des cinéphiles vers les années 80, avec des films aussi peu « aux normes » qu'*Angel of Vengeance / MS 45* (1981) ou *China Girl* (1987). Le film policier, nerveux et sanglant, aux résonnances symboliques voire mystiques, est dès lors le terrain d'élection du cinéaste : dans ce registre, la réussite de *King of New York* (*id.,* 1989) est indiscutable. Il convie à ses expériences des acteurs « dans le système » mais « différents » : ainsi, Christopher Walken ou Harvey Keitel ont effectué chez lui certaines de leurs prestations les plus inspirées. La vision très personnelle et apocalyptique de l'Amérique contemporaine se traduit chez Ferrara dans un style dynamique, peu soucieux du bon goût. *Bad Lieutenant* (1992) et *Snake Eyes* (1994) prolongent cette observation désabusée et parfois répétitive mais se perdent par instant dans un dolorisme nombriliste. L'excellence de la facture de *Body Snatchers* (1993), troisième version d'un classique de la science-fiction horrifique, masque mal l'inconfort de Ferrara à travailler dans un cadre de production relativement traditionnel. C.V.

Autres films : *Driller Killer* (1979) ; *Fear City* (1984) ; *Miami Vice* (1985, TV) ; *Crime Story* (1986, TV) ; *Cat Chaser / Short Run* (1988) ; *The Addiction* (1995).

FERREOL *(Andrea), actrice française (Aix-en-Provence 1947).* La célébrité lui est arrivée, brusquement, avec le succès et le scandale de *la Grande Bouffe,* de Marco Ferreri, en 1973. Elle y était inoubliable dans un rôle « d'ange de la mort dodu », comme on a pu l'écrire, qui utilisait fort habilement un physique sortant de l'ordinaire. Ses débuts avaient été assez

anodins : *la Scoumoune* (J. Giovanni, 1972), *Elle court elle court la banlieue* (G. Pires, 1973). Quelques cinéastes l'utilisèrent sur la lancée de son rôle dans le film de Ferreri. Ainsi, Francis Girod la fit dissoudre dans l'acide de la fameuse baignoire de son *Trio infernal* (1974), et Michel Drach lui fit porter, comme d'habitude, des dessous noirs dans *Parlez-moi d'amour* (1975). Heureusement, elle réussit à tourner, en particulier en Italie, quelques films où elle démontre qu'elle est aussi une bonne comédienne, et, en France, Philippe de Broca (*l'Incorrigible,* 1975) et Joël Seria (*les Galettes de Pont-Aven,* id., et *Marie Poupée,* 1976) lui permettent d'être autre chose qu'une caricature. Ultérieurement Fassbinder (*Despair,* 1978), Enrico (*l'Empreinte des géants,* 1980), Truffaut (*le Dernier Métro,* id.), Rosi (*Trois Frères,* 1981), Scola (*la Nuit de Varennes,* 1982), Comencini (*Cuore,* 1985), Greenaway (*Z. O. O.,* id.), Brusati (*Lozio indegno,* 1988) et Fuller (*Sans espoir de retour,* 1989) lui ont permis d'affirmer une riche personnalité.
D.R.

FERRER *(José Vincente Ferrer de Otero y Cintro,* dit *José), acteur et cinéaste américain (Santurce, Porto Rico, 1909 - Coral Gables, Fla., 1992).* Auteur à Broadway dès 1935, il s'impose par sa prestance et la variété de ses dons. Metteur en scène de théâtre déjà illustre, il débute en vedette à l'écran dans *Jeanne d'Arc* (V. Fleming, 1948) et multiplie les rôles de composition : *Cyrano de Bergerac* (M. Gordon, 1950), qui lui vaut un Oscar ; *Moulin-Rouge* (J. Huston, 1953), où il incarne très bien Toulouse-Lautrec. Il est aussi l'excellent interprète de *Cas de conscience* (R. Brooks, 1950), *le Mystérieux Docteur Korvo* (O. Preminger, *id.*) ; *Au fond de mon cœur* (S. Donen, 1954) ; *Ouragan sur le Caine* (E. Dmytryk, *id.*). Il signe sa première mise en scène cinématographique : *Ange ou Démon* (*The Shrike,* avec June Allyson), échec total qui sera suivi de *l'Affaire Dreyfus* (*I Accuse !,* 1958), où il interprète Dreyfus, et surtout *Les lauriers sont coupés* (*Return to Peyton Place,* 1961), où il ne paraît pas. Acteur, il promène désormais un cabotinage dépourvu de prétention dans des films généralement médiocres, hormis *Fedora* (B. Wilder, 1978) ou *Dune* (D. Lynch, 1984). Dans l'amusant *Cyrano et d'Artagnan,* d'Abel Gance (1963), il avait repris avec nonchalance le personnage fortement typé qui avait tant fait pour sa renommée.
G.L.

FERRER *(Melchior Gaston Ferrer,* dit *Mel), acteur et cinéaste américain (Elberon, N. J., 1917).* Danseur puis acteur à Broadway (1938), disc-jockey et enfin producteur-directeur de shows à la NBC, il dirige un film à petit budget pour la Columbia (1945) et débute à l'écran comme acteur en 1949. Il est l'interprète tour à tour charmeur et cynique de films de qualité : *l'Ange des maudits* (F. Lang, 1952) ; *Scaramouche* (G. Sidney, *id.*) ; *Lili* (Ch. Walters, 1953) ; *les Chevaliers de la Table ronde* (R. Thorpe, 1954) ; *Guerre et Paix* (K. Vidor, 1956) ; *Éléna et les hommes* (J. Renoir, *id.*) ; *Le soleil se lève aussi* (H. King, 1957) ; *Et mourir de plaisir* (R. Vadim, 1960)... Sa carrière s'enlise ensuite dans le tout-venant des productions internationales. En 1950, il avait dirigé un thriller de bonne facture : *Fureur secrète (The Secret Fury).* En 1959, il tente de revenir à la direction avec *Vertes Demeures (Green Mansions)* qu'interprète son épouse d'alors, Audrey Hepburn. C'est un échec, et Mel Ferrer (qui tourne de moins en moins souvent) se consacre surtout depuis la fin des années 60 à la production en Europe de films hybrides, se réservant parfois une apparition : *l'Antéchrist* (*L'anticristo,* Alberto De Martino, 1974).
G.L.

FERRERI *(Marco), cinéaste italien (Milan 1928).* Personnalité originale du cinéma italien, Ferreri, après avoir abandonné des études de vétérinaire, découvre le cinéma en réalisant des films publicitaires pour la société de liqueurs dont il est par ailleurs le représentant. Associé à Riccardo Ghione, il produit en 1950-51, sur une idée de Zavattini, des *Documents mensuels* qui se proposent de renouveler le genre des actualités cinématographiques et auxquels collaborent des cinéastes et des scénaristes célèbres (Fellini, De Sica, Visconti, Emmer, Moravia, Zavattini, Sinisgalli). L'échec de cette entreprise ainsi que l'insuccès financier des films auxquels il participe en tant que producteur (*l'Amour à la ville* [*L'amore in città*], collectif, 1953 ; *Donne e soldati,* de Marchi et Malerba, 1955) le conduisent à abandonner le cinéma et à partir pour l'Espagne faire commerce d'appareils de projection et d'anamorphoseurs. Lié d'amitié au journaliste et romancier Rafael Azcona qui deviendra son scénariste attitré, Ferreri s'introduit dans les milieux cinématographiques et fait ses débuts de metteur en scène en tournant successivement *El pisito* (1958), *Los chicos* (1959), *la Petite Voiture* (*El cochecito,* 1960), trois films qui définissent déjà un univers d'ironie, de grotesque, de paradoxe, d'humour noir. Rentré en Italie et après avoir collaboré au film collectif réalisé à l'initiative de Zavattini, *Les femmes accusent (Le italiane e l'amore,* 1961 ; sketch *Gli adulteri),* Ferreri met en scène *le Lit conjugal* (*Una storia moderna : l'ape regina,* 1963), dont le contenu provocateur vis-à-vis de l'institution du mariage lui vaut les foudres de la censure. Désormais, le style de Ferreri est bien au point et le cinéaste va broder toute une série de variations sur le thème de l'aliénation de l'homme moderne, sur les contraintes, les frustrations et les tabous qui pèsent sur lui, notamment dans le domaine sexuel. *Le Mari de la femme à barbe* (*La donna scimmia,* 1964), l'épisode *Il professore* du film *Controsesso* (id.) – sans doute un des chefs-d'œuvre du cinéaste dans sa brièveté même –, *Marcia nuziale* (1965), *le Harem* (1967), *Break-Up* (1969 ; version définitive du sketch *L'uomo dei cinque palloni,* 1965), *Il seme dell'uomo* (1969) sont autant de films qui expriment la prolixité d'un talent dont la volonté de communiquer relève d'une exigence vitale. *Dillinger est mort* (*Dillinger è morto,* 1969) marque un tournant dans l'œuvre de Ferreri : le cinéaste se fait encore plus allégorique ; l'économie de moyens pour conduire un récit qui évoque l'absurde quotidien et l'état de crise de l'homme contemporain confine à l'ascèse. La thématique de Ferreri devient toujours plus désespérée, voire suicidaire ; si *Dillinger est mort* et *Liza* (*La cagna,* 1972) se terminent sur des fuites improbables, c'est la mort qui attend les protagonistes des films suivants : *l'Audience* (*L'udienza,* 1971) ; *la Grande Bouffe* (1973) ; *Touche pas à la femme blanche* (1974) ; *Rêve de singe* (*Ciao maschio,* 1978) ; *Pipicacadodo* (*Chiedo asilo,* 1979). À cet égard, *la Grande Bouffe* est exemplaire, avec le parti pris clairement symbolique de dire l'impasse de la société de consommation dans le suicide par indigestion d'un pilote de ligne, d'un journaliste, d'un magistrat, d'un restaurateur. Définissant une étroite liaison entre la sexualité et la mort, Ferreri conduit ses héros à la mutilation physique dans *la Dernière Femme* (1976) et dans *Conte de la folie ordinaire* (*Storie di ordinaria folia,* 1981). Ce dernier film marque l'aboutissement provisoire d'un cinéaste qui met en scène le drame existentiel de l'homme contemporain déchiré entre ses aspirations à une autre vie, à d'autres types de rapports, à d'autres formes de communication et une existence qui, telle qu'elle est, n'est vivable qu'à la condition – c'est le thème d'un des sketches de *Marcia nuziale* – de n'être que des poupées gonflables insensibles à tout ce que nous éprouvons. Provocateur, paradoxal, maniant l'agression verbale et le choc visuel, Ferreri dérange ; il ne peut en aucune manière laisser indifférent. En 1991, *la Maison du sourire (La casa del sorriso)* remporte l'Ours d'or au festival de Berlin. J.-A.G.

Autres films : *le Secret des hommes bleus* (*El secreto de los hombres azules,* 1960) ; *Perché pagare per essere felici ?* (1970) ; *Histoire de Piera* (*Storia di Piera,* 1983) ; *le Futur est femme* (*Il futuro è donna,* 1984) ; *I Love You* (1986) ; *Y'a bon les Blancs* (1988) ; *le Banquet* (1989, TV) ; *la Chair* (*La carne,* 1991) ; *Diario di un vizio* (1993) ; *Faictz ce que vouldras* (MM, 1995). ▲

FERRERO *(Anna Maria Guerra,* dite *Anna Maria), actrice italienne (Rome 1934).* Elle débute très jeune dans *Le ciel est rouge* (*Il cielo è rosso,* Claudio Gora, 1950) et développe ensuite son personnage de jeune rebelle dans *le Christ interdit* (C. Malaparte, *id.*), *I vinti* (M. Antonioni, 1952), *les Infidèles* (Steno et M. Monicelli, *id.*), *Febbre di vivere* (C. Gora, 1953), *Totò e Carolina* (Monicelli, 1955). Après la rencontre avec Vittorio Gassman, qui la dirige au théâtre, et dans *Kean,* elle crée des personnages plus mûrs et grinçants – comme dans *le Bossu de Rome* (C. Lizzani, 1960), *I delfini* (F. Maselli, *id.*), *Les partisans attaquent à l'aube* (*Un giorno da leoni,* N. Loy, 1961), *l'Or de Rome* (Lizzani, *id.*). L.C.

FERREYRA *(José Agustín), cinéaste argentin (Buenos Aires 1889 -* id. *1943).* Premier créateur véritable du cinéma argentin, il ne se confine pas à imiter les modèles étrangers, mais se soucie d'authenticité nationale. *El tango de la muerte* (1917) s'inspire déjà de l'univers qui hante la chanson de Buenos Aires. Avec Ferreyra, la réalité des faubourgs, les caractères populaires devenus mythologiques grâce au tango s'animent sur l'écran. Artiste instinctif, il improvise de manière anarchique, presque sans scénario. Mais il possède un sens plastique acquis par l'expérience de la peinture et, au théâtre Colón, de la scénographie ; il a des intuitions brillantes, lorsqu'il découvre des acteurs, ou qu'il tourne dans les rues. Durant le muet, il met en scène notamment *El organito de la tarde* et *Muchachita de Chiclana* (1926) ; *Perdón, viejita* (1927), avec sa « muse » Maria Turgenova. Il est l'auteur du premier film parlant argentin, *Muñequitas porteñas* (1931). Il parachève sa trajectoire réaliste pendant cette période : *Calles de Buenos Aires* (1933), *Mañana es domingo* (1934) et *Puente Alsina* (1935). Nettement plus mélodramatiques, les films suivants consacrent la star Libertad Lamarque et préfigurent la formule à succès d'un cinéma qui atteint la phase industrielle : *Ayúdame a vivir* (1936) ; *Besos brujos* et *La ley que olvidaron* (1937). L'homme qui trouva les thèmes, l'ambiance, les personnages et l'extraordinaire véhicule musical dont le cinéma argentin tire alors profit n'arrive plus à garder sa place, dans une industrie fonctionnant à la manière hollywoodienne. Ferreyra finit ses jours, dans le déclin et la misère, comme un protagoniste de tango. P.A.P.

FERREZ *(Júlio), cinéaste et chef opérateur brésilien (Rio de Janeiro 1881 -* id. *1946).* Pionnier du cinéma, fils du photographe, producteur et exploitant Marc Ferrez, d'origine française, représentant de Pathé à Rio de Janeiro, Júlio Ferrez est un des opérateurs et réalisateurs les plus actifs de la belle époque du cinéma brésilien (1907-1911), essor attribué à une harmonie entre production et exploitation qui n'a jamais été retrouvée depuis. Il tourne de nombreux documentaires d'actualités et les « chansons filmées » alors à la mode. Parmi ses titres les plus connus, on trouve la comédie *Nhô Anastácio chegou de viagem* (1908), la reconstitution d'un fait divers sanglant dans *A Mala Sinistra* (1908), l'opérette *A Viúva Alegre* (1909). P.A.P.

FERRONI *(Giorgio), cinéaste italien (Pérouse 1908 - Rome 1981).* Il débute en 1932 à la Cines comme assistant de Gennaro Righelli et dirige ensuite plusieurs documentaires. En 1940, il signe son premier long métrage, *L'ebbrezza del cielo* sur des jeunes passionnés du vol. Après deux parodies avec Macario, il dirige des films néoréalistes *(Pian delle stelle,* 1947 ; *Tombolo, paradiso nero,* id.). Après un long silence, il revient à la mise en scène avec l'étonnant *Moulin des supplices* (*Il mulino delle donne di pietra,* 1960), un des films les plus fous du fantastique italien. Il ne retrouve plus cette forme avec les péplums et les westerns qui suivent (signés souvent Kelvin ou Calvin Jackson Padget). L.C.

FERTÉ *(René), acteur français (1900-1958).* D'allure mélancolique et parfois ténébreuse, il glisse dans le cinéma muet, imposé par Epstein. Son titre de gloire, c'est d'être passé ainsi de *l'Auberge rouge* (1923) à *Sa tête* (1929) par des étapes telles que *Mauprat* et *la Glace à trois faces* (1927) et *Six et demi, onze.* Dès que le parlant oublie Epstein, la silhouette de Ferté s'efface. Ses films se font rares et médiocres, sauf *le Train des suicidés* (E. -T. Gréville, 1931), la version française du *Testament du docteur Mabuse* (F. Lang et René Sti, 1933) et *Untel père et fils* (J. Duvivier, 1945). R.C.

FERZETTI *(Pasquale,* dit *Gabriele), acteur italien (Rome 1925).* Après des petits rôles dans *Via delle cinque lune* (L. Chiarini, 1942), *l'Évadé du bagne* (R. Freda, 1948), *Cuore ingrato* (G. Brignone, 1952) et quelques autres films, il interprète le rôle du protagoniste dans *la Provinciale* (M. Soldati, 1952), qui lui vaut le prix Nastro d'Argento pour le meilleur acteur. Il perfectionne ensuite son personnage d'élégant séducteur, ambigu mais charmant, dans plusieurs mélodrames et comédies populaires, dont *Puccini* (C. Gallone, 1953), *Il sole negli occhi* (A. Pietrangeli, *id.*), *Le avventure di Giacomo Casanova* (Steno, 1954), *Femmes entre elles* (M. Antonioni, 1955), *Donatella* (M. Monicelli, 1956), *les Époux terribles* (*Nata di marzo,* Pietrangeli, 1958). Le sommet artistique de sa carrière est *l'Avventura* (M. Antonioni, 1960), où il joue le rôle d'un architecte à la recherche de sa maîtresse disparue. En vieillissant, il accroît sa force expressive et interprète à contre-emploi des personnages de « méchant », comme dans *Il était une fois dans l'Ouest* (S. Leone, 1968) et dans *À chacun son dû* (E. Petri, 1967). Mais on le voit aussi en père de famille dans des films de jeunes cinéastes : *Escalation* (R. Faenza, 1968) ; *Merci ma tante* (S. Samperi, *id.*). Dans *Julia et Julia* (P. del Monte, 1987), il interprète le rôle du père de l'héroïne (Kathleen Turner). Dans *Appas-*

sionata (Gian Luigi Calderone, 1974), il se montre encore capable de séduire les voluptueuses Ornella Muti et Eleonora Giorgi. Sa carrière au théâtre est également riche en succès. L.C.

FESCOURT *(Marcellin Henri), cinéaste et écrivain français (Béziers 1880 - Neuilly-sur-Seine 1966).* D'abord journaliste et auteur dramatique (*les Maudits, Une torche ardente,* 1908), il débute au cinéma comme scénariste chez Gaumont, où Louis Feuillade, languedocien comme lui, l'accueille et l'encourage. Il passe bientôt à la mise en scène (*la Méthode du professeur Neura,* 1912). Sa carrière s'épanouit après la guerre dans les cinéromans, sous l'autorité de Louis Nalpas. Il devient l'un des plus honnêtes pourvoyeurs de films d'aventures à épisodes, avec *Mathias Sandorf* (1920), *Rouletabille chez les bohémiens* (1922), *Mandrin* (1923) et *Monte-Cristo* (1929). En 1925, il tourne une somptueuse adaptation, en quatre époques et 32 bobines, des *Misérables* (avec Gabriel Gabrio, Sandra Milovanoff et Jean Toulout). De cette époque datent également quelques entreprises plus modestes : *les Grands* (1924) ; *la Maison du Maltais* (1927) ; *l'Occident* (1928). Le parlant lui sera fatal, et son dernier film (*Retour de flamme,* 1943) passe inaperçu. Il se retire sur l'Aventin : professeur à la première promotion de l'IDHEC, puis à l'ETPC, il publie en 1959 un remarquable ouvrage sur sa traversée du cinéma, *la Foi et les Montagnes, ou le 7e Art au passé.* On lui doit également un essai d'esthétique cinématographique, *l'Idée et l'Écran* (en collaboration avec le scénariste et écrivain Jean-Louis Bouquet, 1925-26). C.B.

FESPACO (Festival panafricain de cinéma de Ouagadougou) → BURKINA.

FESTA CAMPANILE *(Pasquale), cinéaste et scénariste italien (Melfi 1927-Rome 1986).* Après une activité de journaliste, écrivain et essayiste, il collabore en 1950 au scénario de *Faddija* ou *La legge della vendetta* (Roberto Montero), suivi par celui de *Pauvres mais beaux* (D. Risi, 1956), où il forme un tandem avec Massimo Franciosa. Ils écrivent ensemble des comédies gaies comme *La nonna Sabella* (Risi, 1957, d'après le roman de Festa Campanile), et des drames sociaux comme *Rocco et ses frères* (L. Visconti, 1960), *La viaccia* (M. Bolognini, 1961), *Smog* (F. Rossi, 1962), *le Guépard* (Visconti, 1963). Ils débutent à la mise en scène avec *Amour sans lendemain* (*Un tentativo sentimentale,* 1964), un subtil drame psychologique. Avec *le Sexe des anges* (*Le voci bianche,* id.), ils construisent une splendide satire sociale du XVIIIe siècle. Ils se séparent en 1965, et Festa Campanile dirige un film historique : *Une vierge pour le prince* (*Una vergine per il principe,* 1965), puis des comédies érotiques ou de mœurs (*Adulterio all'italiana,* 1966 ; *Ma femme est un violon... sexe* [*Il merlo maschio*], 1971, où il lance Laura Antonelli). Ensuite, sa filmographie abondante comprend soit de nombreuses farces à grand succès, dont *Rugantino* (1973), *Qua la mano* (1979), *Nessuno è perfetto* (1981), soit des comédies aigres-douces plus personnelles : *Il ritorno di Casanova* (1978), *le Larron* (*Il ladrone,* 1979), *Porca vacca* (1982). Cette même année il tourne *la Fille de Trieste (La ragazza di Trieste),* d'après son roman. L.C.

FESTIVALS DE CINÉMA. Manifestations cinématographiques nationales ou internationales, compétitives ou non, organisées périodiquement ou dans le cadre exceptionnel d'une manifestation pluridisciplinaire à l'intention du public et de la presse, consacrées aux longs ou aux courts métrages — parfois aux deux —, les festivals sont destinés à faire découvrir la production actuelle ou à rendre hommage à la production passée, qu'ils soient accompagnés ou non d'un « marché » commercial. La première manifestation de quelque relief a lieu en 1910 à Milan avec la participation des sociétés françaises Éclipse, Éclair et Lux, de la Bioskop allemande, de la Vitagraph américaine et des firmes italiennes Cines, Itala, Comerio et Ambrosio. Mais, au sens véritablement moderne du terme, le premier festival de cinéma naît à Venise le 24 mai 1932 et se déroule du 6 au 21 août de la même année. En 1950, la FIAPF (Fédération internationale des associations des producteurs de films), association constituée en 1933-34 et remodelée en 1948, tente d'organiser la réglementation des festivals et « reconnaît » certains d'entre eux (Cannes, Venise, Berlin, Karlovy Vary, etc.). Nonobstant, dans de nombreux pays du monde, d'autres festivals sont organisés avec la participation particulière de certains producteurs privés ou d'organismes d'État.

Parmi les grandes manifestations mondiales du 7e art, il faut essentiellement nommer les festivals de : Venise (ce dernier fut « suspendu » en 1975 et « repris » en 1979) ; Cannes (sa création, décidée en 1939 par le gouvernement français, sera contrariée par la guerre et il ne deviendra régulier qu'à partir de 1946) ; Berlin (le Film Festspiel naît en 1951) ; San Sebastian (depuis 1954) ; Karlovy Vary (organisé d'abord dès 1946 à Mariánské Lázně puis à Gottwaldov, transféré à Karlovy Vary en 1950, il fonctionne désormais en alternance une année sur deux avec le festival de Moscou, fondé en 1959) ; Locarno (depuis 1946).

Parmi les manifestations de moindre importance mais dont le rôle a été souvent essentiel pour la propagation des films de qualité à travers les différents pays du monde, il faut citer des festivals spécialisés comme Annecy, Zagreb, Ottawa, Varna pour l'animation ; Oberhausen, Cracovie, Lille, Clermont-Ferrand pour le court métrage ; Leipzig, Nyon (Suisse) et Paris (Festival du Réel) pour le documentaire ; Avoriaz pour le cinéma fantastique ; Trieste pour les films de science-fiction ; ainsi que des festivals ouverts à une plus large palette de films comme ceux de Los Angeles (Filmex), San Francisco, New York, Chicago, Denver et Telluride aux États-Unis ; Londres et Édimbourg en Grande-Bretagne ; Hyères, La Rochelle, Nantes, Deauville, Biarritz, Amiens, Montpellier, Valence, Strasbourg, Orléans en France ; Pesaro, San Remo, Porretta Terme, Taormina, Florence, Pordenone, Turin, Bergame, Bologne en Italie ; Mannheim, Hof, Munich en Allemagne ; Benalmadena, Valladolid, Huelva en Espagne ; Figueira da Foz, Porto au Portugal ; Cork en Irlande ; Rotterdam aux Pays-Bas ; Göteborg en Suède ; Salonique en Grèce ; Montréal, Vancouver, Toronto au Canada ; Sydney et Melbourne en Australie ; New Delhi (ou Calcutta ou Bangalore ou Bombay) en Inde ; Tōkyō au Japon ; Rio de Janeiro au Brésil ; La Havane à Cuba ; Carthage en Tunisie ; Hongkong ; Ouagadougou (FESPACO) au Burkina.

De même, en Europe de l'Est, certains festivals (Pula en Yougoslavie ; Pécs ou Budapest en Hongrie ; Varna en Bulgarie ; Gdańsk en Pologne) sont consacrés à la présentation de la production nationale annuelle. Plusieurs de ces manifestations, comme ce fut le cas pour le festival de Punta del Este (Uruguay), ou celui de Téhéran (Iran), ont eu le plus grand mal à s'affirmer ou à s'imposer dans la durée. J.-L.P.

FETCHIT *(Lincoln Theodore Perry,* dit *Stepin), acteur américain (Key West, Fla., 1902- Woodland Hills, Ca., 1985).* Ce cliché vivant du Noir lent, peureux, souriant et soumis est surtout intéressant pour ce qu'il révèle de l'attitude hollywoodienne envers les Noirs, pendant une longue période. Sa silhouette familière et dégingandée a traversé nombre de films des années 30, Fox pour la plupart : *Show Boat* (Harry Pollard, 1929) ; *Carolina* (H. King, 1934) ; *Judge Priest* (J. Ford, *id.*) ; *David Harum* (J. Cruze, *id.*). À mesure qu'Hollywood perdait son innocence, il s'est fait, inévitablement, plus rare. C.V.

FEUILLADE *(Louis), cinéaste français (Lunel 1873 - Nice 1925).* C'est le « troisième homme » du cinéma français muet, après Lumière et Méliès, dont il constitue une parfaite synthèse, héritant du premier le goût de la réalité prise sur le vif (l'un de ses objectifs explicites fut de fixer « la vie telle qu'elle est »), de l'autre le sens du spectacle et de l'imaginaire contrôlé (il créa aussi le « film esthétique », qui ambitionnait de « produire une impression de pure beauté »). Cette double et paradoxale orientation fait de lui le précurseur incontesté (avec Victorin Jasset) de l'école dite du « réalisme poétique ». Alain Resnais admire son art de faire surgir le merveilleux de la réalité quotidienne la plus banale (des rues, des docks, des palissades) ; Georges Franju, qui lui rendit hommage en 1963, dans son remake de *Judex,* le décrit comme le maître de la « magie orthochromatique, inaltérable au temps » ; André Delvaux glisse un extrait de *Fantômas* dans *Rendez-vous à Bray* (1971) ; et Francis Lacassin, son infatigable exégète, découvre dans ses films les plus oubliés « le fantastique tapi derrière le naturel, l'irréalité des apparences ». Feuillade apparaît – pour reprendre le titre d'un de ses courts métrages – comme une sorte d'*homme aimanté,* qui attire à lui le mystère du réel. Ajoutons qu'à la tête des Établissements Gaumont il fut, pendant de longues années, un directeur de service économe et vigilant, sachant combiner habilement l'art et les impératifs du commerce.

Son œuvre est considérable : près de 700 films (dont 12 longs métrages à épisodes ou serials), écrits et réalisés entre 1906 et 1925, sans compter une centaine de scénarios, à ses débuts, pour Alice Guy, Étienne Arnaud et Roméo Bosetti. On y trouve à la fois des scènes mythologiques, des reconstitutions historiques, des vaudevilles, des mélodrames, des burlesques, des féeries, des drames de guerre, des tableaux patriotiques ou religieux, des films d'aventures. Il excelle surtout dans le genre comique (la série des *Bébé* et des *Bout-de-Zan*), mais c'est le film policier et le film à épisodes qui vont l'imposer définitivement. En 1913 et 1914, il tourne la série des *Fantômas* (cinq films d'une quarantaine de minutes chacun, avec René Navarre), d'après l'œuvre de Pierre Souvestre et Marcel Allain, qui connaîtra un succès prodigieux – à l'écran tout autant qu'en librairie. Suivront, en pleine guerre, *les Vampires,* vaste fresque criminelle où les surréalistes voudront voir plus tard « la grande réalité de ce siècle ». L'effrayant génie du crime cède la vedette à une séduisante égérie opérant en collant noir, la belle Musidora. La paix revenue, Feuillade tournera encore deux grands cinéromans à épisodes, dont le héros, Judex, incarne cette fois les forces du bien. Moins célèbres, *Tih Minh* (1918) et *Barrabas* (1919) contiennent également de beaux éclats de baroque visuel.

Feuillade fut, de son vivant, vilipendé par la critique. Louis Delluc, tout le premier, stigmatisa ses « abominations feuilletonesques », tout en leur reconnaissant un brio technique « supérieur à toute la production française » de l'époque. Il est vrai que Feuillade ne s'embarrassait pas de préciosités formelles ; mais il avait un sens très pur de la narration et du rythme. « Un film, écrivait-il en 1920, n'est pas un sermon, ni une conférence, encore moins un rébus, mais un divertissement des yeux et de l'esprit. La qualité de ce divertissement se mesure à l'intérêt qu'y prend la foule pour laquelle il a été créé. » Se définissant lui-même en toute humilité comme un « ouvrier du mélodrame », il sut toucher le cœur du grand public et édifier un univers authentiquement populaire. On ne trouve à lui comparer, à cet égard, que Griffith ou Fritz Lang.

Le gendre de Louis Feuillade, Maurice Champreux (1893-1976), après avoir été son chef opérateur, termina son dernier film, *le Stigmate,* et devint réalisateur à son tour. – Le petit-fils Jacques Champreux (né en 1930) est comédien, scénariste (il a collaboré au *Judex* de Georges Franju) et metteur en scène. C.B.

Films : – Principales séries : *les Heures* (1909) ; *le Film esthétique* (1910) ; *les Sept Péchés capitaux* (id.) ; *Bébé* (1910-1913) ; *la Vie telle qu'elle est* (1911-12) ; *les Enquêtes du détective Dervieux* (1912-13) ; *Bout-de-Zan* (1913-1916) ; *Fantômas* (5 films : *Fantômas, Juve contre Fantômas, le Mort qui tue, Fantômas contre Fantômas, le Faux Magistrat,* 1913-14) ; *la Vie drôle* (1913-1918) ; *les Vampires* (10 films : *la Tête coupée, la Bague qui tue, le Cryptogramme rouge, le Spectre, l'Évasion du mort, les Yeux qui fascinent, Satanas, le Maître de la foudre, l'Homme des poisons, les Noces sanglantes,* 1915-16) ; *Belle Humeur* (1921-22). – Serials : *Judex* (1917) ; *la Nouvelle Mission de Judex* (1918) ; *Tih Minh* (id.) ; *Vendémiaire* (id.) ; *Barrabas* (1919) ; *les Deux Gamines* (1920) ; *l'Orpheline* (1921) ; *Parisette* (id.) ; *le Fils du flibustier* (1922) ; *l'Orphelin de Paris* (1923) ; *Vindicta* (id.) ; *le Stigmate* (1925). – Divers : *Dans la brousse* (1912) ; *l'Agonie de Byzance* (1913) ; *Severo Torelli* (1914) ; *l'Homme sans visage* (1919) ; *le Gamin de Paris* (1924) ; *Lucette* (id.).

FEUILLÈRE *(Edwige Cunati,* dite *Edwige), actrice française (Vesoul 1907).* L'évolution de ses rôles et la courbe de sa carrière montrent ce qu'une discipline rigoureuse, un contrôle permanent et une volonté inflexible peuvent faire d'une actrice que le cinéma cantonne à ses débuts dans des rôles polissons : *Une petite femme dans le train* (K. Anton, 1931) ; *les Aventures du roi Pausole* (A. Granowski, 1933). Elle prend appui sur son expérience du théâtre qui la mène à la Comédie-Française pour affiner son jeu, exploiter les ressources d'une voix de gorge et aborder indifféremment le drame ou la comédie, voire la reconstitution historique : *Lucrèce Borgia* (A. Gance, 1935) ; *Golgotha* (J. Duvivier, *id.*). Elle joue dans les années 30 les aventurières au grand cœur et les espionnes sentimentales (*Marthe Richard,* R. Bernard, 1937 ; *l'Émigrante,* L. Joannon, 1939 ; *Sans lendemain,* Max Ophuls, 1940), tout en se réservant de rire de son personnage (*J'étais une aventurière,* Bernard, 1938). Sa composition d'archiduchesse (*De Mayerling à Sarajevo,* Max Ophuls, 1940) l'oriente vers les rôles qui vont établir son prestige et en même temps glacer son jeu en raison de sa perfection même (*la Duchesse de Langeais,* J. de Baroncelli, 1942 ; *l'Idiot,* G. Lampin, 1946 ; *l'Aigle à deux têtes,* J. Cocteau, 1948). En même temps, elle détaille en virtuose la comédie : *l'Honorable Catherine* (M. L'Herbier, 1943) ; *Adorables Créatures* (Christian-Jaque, 1952) ; *les Amours célèbres* (M. Boisrond, 1961). Dans *En cas de malheur* (C. Autant-Lara, 1958) et *la Chair de l'orchidée* (P. Chéreau, 1975), elle aborde avec aisance des emplois pour elle inhabituels. R.C.

FEYDER *(Jacques Frédérix,* dit *Jacques), cinéaste français d'origine belge (Ixelles 1885 - Prangins, Suisse, 1948).* Sa famille – d'officiers, d'écrivains, de peintres – le destinait à la carrière militaire. Il s'y essaie sans conviction, échoue, change de nom et opte pour le théâtre. Il y rencontrera Françoise Rosay. Au cinéma, dès 1912, il est figurant puis acteur pour Méliès, Jasset, Feuillade, Gaston Ravel. Ce dernier patronne ses débuts de réalisateur chez Gaumont, en 1915. Entre 1915 et 1917, Feyder tourne quinze films généralement comiques, dont trois à partir de scénarios de Tristan Bernard, « bâclés en quinze jours, dit-il, à grandes journées de quinze heures où l'on mettait la main à tout ». Juillet 1917 : il épouse Françoise Rosay ; fin 1917, il est mobilisé dans l'armée belge. 1918 -début 1919, théâtre aux armées. Libéré, Feyder inaugure son œuvre véritable avec une comédie de court métrage, *la Faute d'orthographe* (1919), riche d'humour et déjà de subtilités d'écriture visuelle. Elle passe inaperçue. Vingt mois plus tard, cependant, c'est la gloire internationale. *L'Atlantide* (1921), certes, bénéficie de l'énorme succès du livre de Pierre Benoit, mais elle n'en est pas indigne. Ses images sahariennes exhalent la même magie *documentaire* que Flaherty vient de révéler avec *Nanouk,* et, par un étonnant mélange de « modern style » et de « sécession », Feyder confère une crédibilité saisissante aux rêveries ironico-fantastiques du roman. *Crainquebille* (1923), qui suit *l'Atlantide,* établit définitivement le réalisme de Feyder, « réalisme psychologique étayé sur une croyance obstinée dans la réalité du monde extérieur » (Grémillon). Paris y est saisi à vif, comme il l'était chez Feuillade, et la vérité des caractères, des sentiments, restituée par la fraîcheur de l'interprétation autant que par l'intelligence de la transposition visuelle. Ainsi Feyder s'affirme-t-il d'emblée pour ce qu'il sera tout au long de sa carrière : le continuateur, l'artisan d'une certaine tradition française faite de rigueur classique, d'amour du concret, d'intérêt non formaliste pour les recherches formelles. Ainsi nomme-t-il *Visages d'enfants* (1923-1925) un film que d'autres, plus immodestes, auraient baptisé « Âmes d'enfants ». Celui-ci n'est pas achevé quand la firme Vita, de Vienne, engage Feyder comme directeur artistique de ses studios nouvellement équipés. En Autriche, mais aussi en Hongrie, il tourne *l'Image* d'après un scénario original de Jules Romains. La firme autrichienne fait faillite. Feyder termine *Visages d'enfants* et revient travailler en France. *Gribiche* (1926), qui donne la vedette à Françoise Rosay, est de la veine de *la Faute d'orthographe,* populisme et (grâce à Lazare Meerson) arts déco en plus. Il annonce *les Nouveaux Messieurs* (1928-29) et sa satire (aimable) de la bourgeoisie française. Après *Carmen* (1926), qui vaut surtout par la force émotionnelle de ses décors (réels ou reconstitués), le cinéaste réalise à Berlin une *Thérèse Raquin* (1928) saluée comme un chef-d'œuvre d'atmosphère, de style plastique et de réalisme. Le film, qui marquera un Marcel Carné, est perdu. 1928 : Feyder est naturalisé français. Il établit pour Jean Grémillon le scénario et le découpage de *Gardiens de phare.* 1929 : quand sortent *les Nouveaux Messieurs,* retardés par la censure, la crise du parlant est ouverte. Feyder accepte l'offre de tourner à Hollywood. La MGM lui confie le dernier film muet de Greta Garbo (*le Baiser,* 1929), puis les versions allemande et suédoise de son premier parlant (*Anna Christie,* de Clarence Brown), enfin quelques films ou versions étrangères sans relief. Déçu, il revient à Paris (août 1931). Deux années encore de déboires, et il produit, coup sur coup, trois œuvres magistrales : *le Grand Jeu* (1934), *Pension Mimosas* (1935), *la Kermesse héroïque* (id.). Le triomphe mérité de la troisième – film d'histoire, de peinture, de culture – éclipse injustement la richesse et la profondeur des deux autres, par lesquelles Feyder ouvre la voie à ce qui sera bientôt le « réalisme poétique » français. À ce courant, qu'il a inventé, il n'apportera malheureusement plus rien. *Le Chevalier sans armure* amorce son déclin, dès 1937. Le monde de Feyder, qu'on a dit à bon escient « pirandellien », est dominé par l'ambivalence des êtres, des sentiments, des lieux mêmes. L'enracinement y est difficile ou impossible (lui-même a tourné dans douze pays ; quinze de ses films – sur 22 – ont été produits hors de France). Le désert, les énormes solitudes y exaltent l'amour qu'en même temps ils interdisent (on le voit dans *l'Atlantide, l'Image, le Grand Jeu, la Loi du Nord*). Le même fait, la même personne, le même attachement deviennent plusieurs faits, plusieurs personnes, plusieurs attachements dissemblables. Le personnage le plus souvent interprété par Françoise Rosay en est le meilleur exemple, chez qui l'amour maternel n'est jamais donné, « naturel », mais toujours conquis plus ou moins bien, sur l'amour tout court. B.A.

Films ▲ : *le Ravin sans fond* (co R. Bernard, 1918) ; *la Faute d'orthographe* (1919) ; *l'Atlantide* (1921) ; *Crainquebille* (1923) ; *Visages d'enfants* (SUI, 1923-1925) ; *l'Image* (AUT, 1923-1925) ; *Gribiche* (1926) ; *Carmen* (id.) ; *Thérèse Raquin* (*Du sollst nicht ehebrechen,* ALL, 1928) ; *les Nouveaux Messieurs* (1928-29) ; *le Baiser* (*The Kiss,* US, 1929) ; *Si l'Empereur savait ça* (id., 1930) ; *Fils de Radjah* (*Son of India,* id., 1931) ; *Daybreak* (id., *id.*) ; *le Grand Jeu* (1934) ; *Pension Mimosas* (1935) ; *la Kermesse héroïque* (id.) ; *le Chevalier sans armure* (*Knight Without Armour ;* GB, 1937) ; *Fahrendes Volk* (1938, ALL., et sa version franç. : *les Gens du voyage,* id.) ; *la Loi du Nord, la Piste du Nord* (1942, RÉ 1939) ; *Une femme disparaît* (SUI, 1942) ; *Macadam* (co Marcel Blistène, 1946).

FIELD *(Alice Fille,* dite *Alice), actrice française (Alger 1905 - Paris 1969).* On la voit dans *Villa Destin* (M. L'Herbier, 1921), dans *Visages voilés, âmes closes* (H. Roussell, 1924), mais le talent de cette actrice, aussi douée pour la comédie que pour le drame, ne parvient jamais à s'épanouir que dans des films sans grand intérêt. Elle est trépidante dans *Théodore et Cie* (P. Colombier, 1933), garce dans *Cette vieille canaille* (A. Litvak, *id.*) et *Campement 13* (A. Constant, 1940) ; elle débite beaucoup de théâtre filmé et l'après-guerre ne l'utilise plus que dans des rôles secondaires (*Au p'tit zouave,* G. Grangier, 1950). R.C.

FIELD *(Betty), actrice américaine (Boston, Mass., 1913 - Hyannis, Mass., 1973).* Rondelette, quelque chose comme une Clara Bow attardée dans les années 40, mais également cérébrale comme peut l'être une actrice de Broadway, Betty Field avait tout ce qu'il fallait pour devenir une vedette. Sa présence, dans *Des souris et des hommes* (L. Milestone, 1940), était sensuelle à souhait et n'était pas moins émouvante dans *Obsessions* (J. Duvivier, 1943) ou dans *Crime sans châtiment* (Kings Row, S. Wood, 1942). Mais Betty Field préféra le théâtre et la composition. On l'a revue, plus boulotte, mais toujours immanquablement juste et mesurée, en tenancière de bar dans *Arrêt d'autobus* (J. Logan, 1956) et en missionnaire vieillissante et timorée dans *Frontière chinoise* (J. Ford, 1966), prouvant ainsi le large éventail de son talent et donnant la pleine mesure de ce que le cinéma avait un peu négligé. C.V.

FIELD *(Sally), actrice américaine (Pasadena, Ca., 1946).* Elle interprète de nombreux rôles pour la télévision depuis 1965, avant de connaître la consécration, au cinéma, dans des œuvres à caractère politique comme *Norma Rae* (M. Ritt, 1979), qui lui vaut une récompense à Cannes, et *Absence de malice* (S. Pollack, 1981). Avec une certaine sobriété, elle incarne la jeune femme libre, aussi bien dans des films d'auteur que dans des productions plus commerciales : *Stay Hungry* (B. Rafelson, 1976) ; *Cours après moi shérif* (*Smokey and the Bandit,* Hal Needham, 1977) ; *Suicidez-moi docteur* (*The End,* B. Reynolds, 1978) ; *Back Roads* (Ritt, 1981) ; *Kiss Me Goodbye* (R. Mulligan, 1982) ; *les Saisons du cœur* (R. Benton, 1984) ; *Murphy's Romance* (Ritt, 1985) ; *Cordes et discordes* (*Surrender,* Jerry Belson, 1987) ; *Potins de femmes* (H. Ross, 1989) ; *Not Without My Daughter* (Brian Gilbert, 1990) ; *Soapdish* (Michael Hoffman, 1991). On peut constater dans *Forrest Gump* (R. Zemeckis, 1994), où elle joue avec abattage la mère de Tom Hanks, qu'elle aborde avec intelligence les rôles de composition. F.LAB.

FIELDS *(Grace Stansfield,* dite *Gracie), actrice britannique (Rochdale 1898 - Capri, Italie, 1979).* Sur les planches du music-hall depuis l'âge de treize ans, Gracie Fields est devenue dans les années 30 une véritable institution britannique. Elle était le symbole d'une certaine joie de vivre et d'une certaine truculence. Forte en gueule, mûrissante, elle était exactement celle que l'on voulait rencontrer au coin d'une rue ou dans un pub un soir de cafard : en un rien de temps, elle vous aurait remonté le moral. *Queen of Heart* (1936, de son mari Monty Banks), *Keep Smiling* (id., 1938) sont de véritables classiques populaires. Pendant la guerre, elle perpétua cette image à Hollywood, où elle eut un excellent rôle dans *Holy Matrimony* (J. M. Stahl, 1943). Elle s'est retirée en 1945. C.V.

FIELDS *(William Claude Dukinfield,* dit *W. C.), comédien et auteur américain (Philadelphie, Pa., 1879 - Pasadena, Ca., 1946).* On a dit de lui qu'il était « le plus grand humoriste américain depuis Mark Twain ». La réévaluation de son œuvre au travers de multiples reprises le prouve désormais : il est considéré comme l'un des comiques majeurs de son époque, après Chaplin et Keaton, dans la mesure où sa vie demeure inséparable de ses films, dont elle est l'éclairage indispensable.

Fils d'un marchand des quatre-saisons cockney originaire de Londres, il décide à l'âge de neuf ans, après une sortie au cirque, de devenir jongleur. Ayant quitté le domicile paternel, il vit dans les terrains vagues et les granges de rapines et de chapardages. Ce paria précoce découvre ainsi deux de ses ennemis traditionnels : les chiens, qui savent reconnaître d'emblée un vagabond, et les enfants, dont il envie secrètement la vie familiale. Il dira plus tard des premiers : « Ces fils de chienne lèvent la patte sur les fleurs », et des seconds : « Je les préfère frits. » C'est en 1893 qu'il débute enfin comme jongleur dans un parc d'attractions de Philadelphie, puis dans les académies de billard et suit en tournée des troupes de mélodrames à l'ancienne ou des spectacles de vaudeville dont il conservera les maniérismes en les satirisant dans leurs excès. En 1905, il joue sa première pièce légitime, *The Ham Tree,* vaudeville musical ; puis, après avoir fait le tour du monde et joué aux Folies-Bergère, il est engagé par le légendaire Florenz Ziegfeld, qui l'exhibe dans ses *Follies* de 1915 à 1925. Il y donne, en les embellissant sans cesse, ses numéros de croquet, de golf, de billard et de pique-nique. On le verra aussi dans les « Scandales » de George White et les « Vanités » de Earl Carroll, où il esquisse les sketches de dentiste et de pharmacien qu'il développera au cinéma. Il créera également la comédie musicale *Poppy* (1925), où, dans le rôle du professeur Eustace McGargle, escroc, hâbleur et misogyne, il trace les lignes pratiquement définitives de son personnage mythique. Jongleur impénitent dans sa jeunesse (il avait exhibé son talent devant Édouard VII et aux côtés de Sarah Bernhardt, dont le contrat stipulait pourtant qu'elle ne se montrait jamais en compagnie de saltimbanques et d'animaux savants), clochard des princes, il exigera bientôt d'être affiché comme « W. C. Fields, le distingué comédien ».

Dès 1915, il apparaît dans des courts métrages, mais c'est en 1924 qu'il fit ses vrais débuts au cinéma, surtout dans *Sally of the Sawdust* de D. W. Griffith, tiré de *Poppy,* pendant le tournage duquel il passe déjà pour un perfectionniste de sa propre idiosyncrasie et le maître absolu de ses routines. Lecteur assidu de Dickens, il adore se fabriquer des patronymes farfelus et des costumes avantageux, cols durs, guêtres et hauts-de-forme, qu'il dessine lui-même avec un vrai talent de caricaturiste. L'arrivée du parlant en 1930, avec la révélation de sa voix traînante, capable de mille variations de volume, et de ses exquises trouvailles verbales, trouve en lui un héros déjà complètement posé et imposé de mari fanfaron, généralement tyrannisé par la vie de famille, et qui se réfugie dans les détails obnubilants d'une vie de petit commerce provincial, dans les illusions d'une minable sinécure foraine, ou dans les songes vains d'un spéculateur malchanceux. Il a déjà tourné deux films avec Griffith (le second est *That Royle Girl,* 1926) et trouvé ses metteurs en scène favoris : Edward Sutherland (*It's the Old Army Game,* 1926) et Gregory La Cava (*So's Your Old Man,* 1926, *Running Wild,* 1927), qui savent l'amadouer et stimuler ses instincts créateurs.

C'est la première partie de sa carrière, la période réaliste, fondée sur l'observation minutieuse et furibarde d'un milieu rural ou suburbain au carrefour de O'Henry, Booth Tarkington et Ambrose Bierce, sur l'humour libertaire du petit homme opprimé par le quotidien et qui médite une éclatante revanche. Elle s'oppose à la période surréaliste qui suivra et comporte d'absolues merveilles comme *Une riche affaire* (1934), où il donne sa version définitive de la sieste épique de l'épicier Bissonette sur son porche semé d'embûches, et *les Joies de la famille* (1935), dont les scènes de ménage atteignent à une splendeur digne de Huysmans. Cette période s'appuie sur des variantes classiques du personnage de McGargle : on les trouve dans *la Parade du rire* (1934), *Mississippi* (1935), *Poppy* (1936) et même *David Copperfield,* où il ramène à lui le rôle de Micawber.

Enfin, c'est le triomphe de l'ère absurde, où l'oncle Claude, auteur complet, vénéré pour sa sereine incongruité, s'écrit des scénarios fort improbables sous des noms d'emprunt tels que Charles Bogle, Otis Crible Coblis ou Mahatma Kane Jeeves. Des extravagances musicales comme *Big Broadcast of 1938* (course de paquebots que se disputent deux jumeaux excentriques) culminent à la Universal avec ces parfaites aberrations narratives que sont *Sans peur et sans reproches* (1939), où Fields dirige abusivement un cirque, *Mines de rien* (1940), où un employé de banque dirige un film au pied levé, et surtout *Passez muscade* (1941). Autres moments privilégiés, il forme avec l'agressive Mae West l'un des couples les plus destructeurs du cinéma dans *Mon petit poussin chéri* (1940) et incarne Humpty Dumpty dans l' *Alice au pays des merveilles* de Norman McLeod.

Génie du monologue nasal, des fioritures verbales excessives et autres incongruités anachroniques, il se complaît à des effets sonores insultants, à des chansons indéchiffrables, il s'exprime en aphorismes foudroyants : « Lady Godiva a mis tout ce qu'elle avait sur un cheval. Les femmes me font autant d'effet qu'un éléphant : j'aime à les regarder, mais je n'en voudrais pas à la maison. » Mort la nuit de Noël, qu'il détestait particulièrement, dans un berceau géant où il agonisait depuis des semaines, il laisse le souvenir d'un révolté surréel, d'un pamphlétaire subversif et d'un cynique impénitent, dont les trouvailles reflétaient l'imaginaire poétique le plus pur. Il est le Benjamin Péret du cinéma. R.BN.

Films ▲ : *Pool Sharks* (1915) ; *Janice Meredith* (E. Mason Hopper, 1924) ; *Sally, fille de cirque* (D. W. Griffith, 1925) ; *Détresse* (*id.,* 1926) ; *It's the Old Army Game* (E. Sutherland, *id.*) ; *Aïe ! mes aïeux !* (G. La Cava, *id.*) ; *The Potters* (Fred Newmeyer, 1927) ; *Running Wild* (G. La Cava, *id.*) ; *Tillie's Punctured Romance* (Sutherland, 1928) ; *Fools for Luck* (Charles Reisner, *id.*) ; *The Golf Specialist* (Monte Brice, 1930 ; CM) ; *Her Majesty Love* (W. Dieterle, 1931) ; *The Dentist* (Leslie Pierce, 1932 ; CM) ; *If I Had a Million* (Norman Taurog, *id.*) ; *Million Dollar Legs* (E. Cline, *id.*) ; *International House* (Sutherland, 1933) ; *The Barber Shop* (Arthur Ripley, *id. ; CM)* ; *The Fatal Glass of Beer* (Ripley, *id.*) ; *The Pharmacist* (Ripley, *id. ;* CM) ; *Alice au pays des merveilles* (N. Z. McLeod, *id.*) ; *Tillie and Gus* (Francis Martin, *id.*) ; *Six of a Kind* (L. McCarey, 1934) ; *You're Telling Me* (Erle Kenton, *id.*) ; *Mrs Wiggs of the Cabbage Patch* (N. Taurog, *id.*) ; *Une riche affaire* (*It's a Gift,* McLeod, *id.*) ; *la Parade du rire* (W. Beaudine, *id.*) ; *les Joies de la famille* (C. Bruckman, 1935) ; *David Copperfield* (G. Cukor, *id.*) ; *Mississippi* (Sutherland, *id.*) ; *Poppy* (Sutherland, 1936) ; *The Big Broadcast of 1938* (M. Leisen, 1938) ; *Sans peur et sans reproches* (G. Marshall, 1939) ; *Mines de rien* (Cline, 1940) ; *Mon petit poussin chéri* (Cline, *id.*) ; *Passez muscade* (Cline, 1941) ; *Six Destins* (J. Duvivier, 1942) ; *Hollywood parade* (*Follow the Boys,* Sutherland, 1944 ; caméo) ; *Hollywood Melody* (*Song of the Open Road* [Sylvan Simon], *id. ;* caméo) ; *Swing Circus* (*Sensations of 1945,* Andrew L. Stone, *id. ;* caméo).

FIGUEROA *(Gabriel), chef opérateur mexicain (Mexico 1908).* Technicien à la formation solide, sa contribution est remarquée dès *Allá en el Rancho Grande* (F. de Fuentes, 1936). Mais sa réputation est liée au nom du réalisateur Emilio Fernández, avec qui il forme un véritable tandem, à partir de *Flor Silvestre* (1943). Ensemble, ils développent, jusqu'au maniérisme, une composition à la plasticité rigoureuse, où les personnages sont vite figés. Une femme en voiles, un maguey et un nuage forment la sainte trinité de son idéal esthétique, où la beauté de chaque plan pris isolément prime sur toute vue d'ensemble et compromet d'avance un quelconque rythme imprimé au montage. Cette géographie physique et humaine idéalisée s'inspire des images filmées par Eisenstein pour *Que viva México !* Elle passe pour du réalisme auprès d'une critique étrangère avide de folklore, alors qu'elle en est aux antipodes et relève d'un populisme alors en faveur au Mexique. C'est dans ce pays, où se situe l'action du roman, que John Ford tourne l'adaptation de *la Puissance et la Gloire* de Graham Greene, et Figueroa en signe la photographie (*Dieu est mort,* 1947). Seul, ensuite, Luis Buñuel réussit à restreindre le goût de Figueroa pour l'artifice (*Los olvidados,* 1950 ; *Nazarin,* 1958 ; *l'Ange exterminateur,* 1962). Il collabore encore à des films de Roberto Gavaldón (*La escondida,* 1955), Ismael Rodríguez (*La cucaracha,* 1958), John Huston (*la Nuit de l'iguane,* 1964 ; *Au-dessous du volcan,* 1984) et Don Siegel (*Sierra torride,* 1970), entre autres (car sa filmographie dépasse la centaine de titres). P.A.P.

FIL À FIL. Méthode permettant d'indiquer au laboratoire le début et la fin (repérés par des fils noués dans les perforations) d'un fragment de bobine dont on demande un nouveau tirage. (→ LABORATOIRE.)

FILAGE. Défaut de l'image, dû à une mauvaise synchronisation entre l'obturateur et le mécanisme d'avance intermittente du film. (L'obturateur découvre le film pendant sa phase d'avance, et non uniquement pendant sa phase d'immobilisation.)

FILÉ. Panoramique extrêmement rapide, où le mouvement transforme les éléments de l'image en traits horizontaux, autrefois beaucoup employé comme liaison. (→ MOUVEMENTS D'APPAREIL.)

FILL IN LIGHT ou **FILL LIGHT.** Locutions anglaises pour *lumière d'ambiance.*

FILM. Long ruban souple, support matériel des images cinématographiques. Par extension : objet culturel véhiculé par ce ruban ; ensemble des activités relatives à la fabrication des films au sens précédent.

D'une façon générale, on appelle « film », ou encore « pellicule », une couche mince et régulière d'un produit donné. Un film d'huile réduit les frottements entre deux pièces mécaniques ; les produits alimentaires sont couramment emballés sous film plastique, etc.

Dans le cinéma, *film* et *pellicule* désignent d'abord (ce sera le cas dans ce chapitre) le long ruban souple qui porte les images. Par extension, *film* désigne l'objet culturel véhiculé par ce ruban : « J'ai vu tel film. » Par une nouvelle extension, *film* désigne enfin les activités relatives à la fabrication des films au sens précédent : « l'industrie du film ».

Un film se compose essentiellement d'un *support* transparent, qui assure la tenue mécanique, recouvert par la *couche sensible* (ou *émulsion*), qui contient l'image. (Une mince couche intermédiaire, le *substratum,* assure la liaison entre support et émulsion.) Typiquement, l'épaisseur du support est de 0,15 mm alors que celle de la couche sensible est environ dix fois plus faible.

Le support — Outre les indispensables qualités de transparence et de souplesse, le support doit offrir une bonne résistance mécanique, de façon à encaisser sans dommage les efforts subis soit lors de l'entraînement intermittent par les griffes ou par la croix de Malte (→ CAMÉRA et PROJECTION), soit lors du rembobinage. Il doit en outre être chimiquement stable et présenter une bonne stabilité dimensionnelle et mécanique tant en ce qui concerne la température ou le degré hygrométrique qu'en ce qui a trait au vieillissement. (Conservé en atmosphère trop sèche, le Celluloïd a tendance à devenir cassant et à souffrir d'un retrait — c'est-à-dire d'un rétrécissement —, suffisant parfois pour que le film devienne à peu près improjetable, par suite d'un raccourcissement excessif de la distance entre les perforations.)

Pendant longtemps, le support fut en *Celluloïd,* obtenu à partir de *nitrate de cellulose,* d'où le nom courant de « support nitrate » (on parle aussi, couramment, de « film flamme » ; voir plus loin). *Celluloïd* était, à l'origine, le nom de marque déposé par l'Américain Hyatt pour un produit qu'il avait inventé en 1869. Les travaux ultérieurs d'autres chercheurs américains conduisirent à la fabrication par Eastman, à partir de 1889, et sur la demande d'Edison, des films cinématographiques. (Jusqu'à l'édification en 1910 de l'usine Pathé de Vincennes, la fourniture des films Celluloïd demeura une exclusivité Eastman.)

S'il a les qualités requises de transparence, de souplesse, de résistance mécanique, le support nitrate souffre de deux graves défauts. D'abord, il est chimiquement instable. Entreposé dans de mauvaises conditions, il se décompose purement et simplement. (→ CONSERVATION DES FILMS.) Il est par ailleurs terriblement inflammable : en cas d'immobilisation accidentelle du film devant la fenêtre de projection, l'échauffement dû au faisceau lumineux provoque l'inflammation en une ou deux secondes ; le contact avec une cigarette allumée provoque l'inflammation immédiate. Le feu se propage ensuite très vite, conduisant à un dégagement important de gaz toxiques (oxyde de carbone, vapeurs nitreuses). Si la flamme atteint les bobines, il ne reste guère qu'à s'enfuir. Voilà pourquoi ont été prescrites des règles de sécurité draconiennes pour la manipulation des films nitrate, et notamment pour l'aménagement des cabines de projection (→ PROJECTION). Il est finalement assez miraculeux que si peu d'accidents se soient produits pendant les soixante années où le nitrate fut le support exclusif des films commerciaux. (Le plus grave n'eut d'ailleurs pas lieu dans un cinéma, mais à l'hôpital de Cleveland, où l'inflammation en 1929, par suite d'une imprudence, de près de quatre tonnes d'archives radiologiques provoqua l'asphyxie de 125 personnes.)

Un support *ininflammable* à base de diacétate de cellulose avait bien été mis au point dès le début du siècle en Allemagne. Moins économique que le Celluloïd, et présentant des qualités mécaniques moindres, le diacétate ne fut employé que pour les films d'amateurs et pour le cinéma d'enseignement, où les impératifs de sécurité excluaient évidemment le Celluloïd.

C'est grâce au *triacétate* de cellulose, lui aussi ininflammable mais dont les qualités mécaniques rejoignaient celles du Celluloïd, que ce dernier put enfin être prohibé. Au milieu des années 50, on décida mondialement de ne plus autoriser que les supports de sécurité *(safety films),* une tolérance de quelques années étant accordée à la circulation des copies à support nitrate, communément qualifié de «film flamme» (ou «flam»). Depuis 1960, tout «film flamme» doit être impérativement remis à un établissement équipé pour l'entreposer en toute sécurité, et seules quelques rares salles de cinémathèques sont autorisées, par dérogation, à projeter les copies «flamme».

À partir de la fin des années 50, le support triacétate est devenu le support universel. Au début des années 90, pour des motifs économiques et écologiques, mais aussi en raison de sa grande stabilité dimensionnelle, de ses caractéristiques de résistance mécanique (notamment au déchirement), le support polyester s'est progressivement imposé, d'abord pour les éléments intermédiaires de laboratoire, pour les enregistrements de négatifs son, puis pour les copies d'exploitation malgré une réticence des exploitants craignant la grande résistance mécanique du polyester pour leurs projecteurs. Ce support était déjà employé depuis les années 80, comme support des bandes magnétiques perforées utilisées au cinéma. La grande résistance des films polyester permet de réduire leur épaisseur, mais les impératifs de standardisation et de compatibilité avec les copies triacétate, que l'on exploitera encore longtemps, ont engagé à conserver pour le polyester la même épaisseur que pour le triacétate, soit environ 0,14 mm.

(*Ininflammable* ne signifie pas *incombustible.* Au contact d'une flamme, les films de sécurité se consument, mais très lentement, sans flamme et sans dégagement de gaz toxiques. Le risque est devenu négligeable.)

Coupe d'un film – À la prise de vues, ou lors du tirage des COPIES, les rayons lumineux atteignent le film par la couche sensible. Une partie des rayons, après avoir traversé cette couche, pénètre dans le support. Si l'on n'y prenait garde, après réflexion sur la face dorsale du support, ces rayons reviendraient impressionner la couche sensible, provoquant un halo autour de l'image des objets lumineux. Pour éviter cela, on applique sur la face dorsale une *couche antihalo,* éliminée mécaniquement lors du développement, qui absorbe les rayons indésirables. (La couche antihalo est parfois intercalée entre couche sensible et support. Elle est alors éliminée chimiquement. Sur les négatifs noir et blanc, on peut aussi incorporer au support des colorants antihalo, qui absorbent suffisamment la lumière pour éviter les halos : au tirage des copies, on compense cette absorption en augmentant la lumière.) Sur la face émulsion, une mince couche de gélatine protège la couche sensible contre l'abrasion. Au lieu d'une couche sensible unique les films en couleurs comportent trois couches superposées. (→ COUCHE SENSIBLE.)

Les différents types de films – Indépendamment des distinctions qui peuvent être faites en fonction du format*, des perfora-

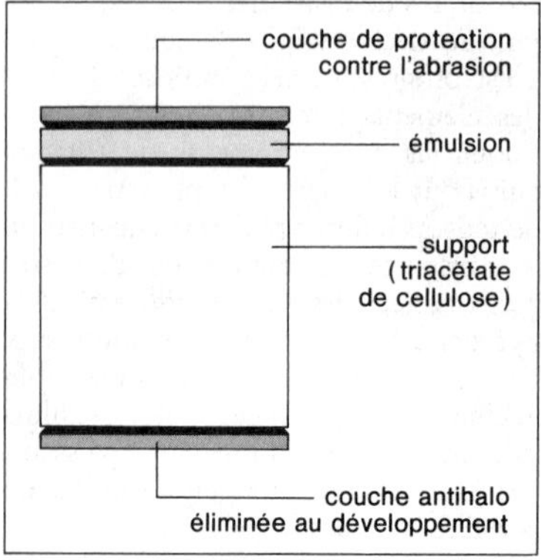

Film. *Coupe d'un film noir et blanc.*

tions, du fait qu'ils sont en noir et blanc ou en couleurs, les films peuvent être classés en :

– films *de prise de vues,* qui sont presque toujours, en cinéma professionnel, des films *négatifs ;*

– films *positifs pour tirage des copies ;*

– films *intermédiaires,* destinés au contretypage (→ COPIES), employés soit pour obtenir l'internégatif (→ COPIES), soit pour réaliser certains effets* spéciaux de laboratoire (fondus, trucages divers) ;

– films noir et blanc *à haut contraste,* où les valeurs du sujet sont traduites soit par du noir, soit par du blanc, employés pour la confection des titres ou pour la réalisation de certains effets spéciaux (travelling-matte, etc.) ;

– films noir et blanc, à pouvoir résolvant élevé, pour l'établissement du *négatif son ;*

– films *spéciaux,* généralement à usage scientifique ou extracinématographique (films sensibles à l'infrarouge, films à pouvoir résolvant extrêmement élevé pour microfilms, etc.).

– émulsion holographique : grande résolution jusqu'à 5 000 traits par millimètre, faible sensibilité 0,1 ASA environ.

Fabrication et conditionnement des films – Pour fabriquer un film, on coule d'abord le support, sur lequel on coule ensuite les différents éléments de la couche sensible. On obtient ainsi un long ruban de film vierge, d'une longueur de 600 m et d'une largeur supérieure à 1 m, qu'on découpe en bandes de la largeur désirée, les perforations étant effectuées par une machine de type emporte-pièces. (Les « chutes » correspondant aux perforations sont récupérées et recyclées.) Les films découpés dans un même ruban, et qui proviennent donc d'une même coulée, sont dits *de même axe.* Les utilisateurs professionnels préfèrent travailler sur des films de même axe, ce qui leur garantit un rendu photographique homogène. (Ce rendu varie en effet légèrement d'une coulée à l'autre.) En marge des films, on « imprime » photographiquement, sous forme d'image latente (→ COUCHE SENSIBLE) qui apparaîtra au développement, des repères d'identification et notamment, sur les négatifs, les numéros de *piétage,* qui croissent d'une unité tous les pieds (environ 30 cm) et qui facilitent la recherche des éléments du négatif lorsqu'il s'agit de monter celui-ci en conformité avec la copie de travail (→ MONTAGE).

Les films sont conditionnés soit en *bobines,* soit en *galettes,* où les spires sont suffisamment serrées pour que le film n'ait pas besoin d'être retenu par les flasques d'une bobine. (Les galettes sont enroulées autour d'une pièce cylindrique centrale, généralement de diamètre 7,5 cm, appelée noyau.) Une galette de 300 m pèse, en 35 mm, un peu plus de 3 kg.

J.-P.F./J.-M.G./M.BA.

FILM CULTURE. Fondée à New York en 1955 par Jonas et Adolfas Mekas, cette revue va rapidement devenir le meilleur soutien critique de l'avant-garde américaine. Le nº 1 est imprimé à crédit sur les presses de franciscains lituaniens de Brooklyn. Au nº 3, un commanditaire, Harry Gantt, permet à la revue de continuer à raison de quatre à cinq numéros par an (rythme aujourd'hui plus que ralenti). Orson Welles figure sur la première couverture (janv. 1955) et, au début, la revue accueille aussi bien Ford et De Mille que Richter ou Lotte Eisner. Il s'agit simplement de « comprendre plus en profondeur les aspects esthétiques et sociaux du cinéma » avec parfois le piment d'articles marxisants d'Édouard de Laurot. En 1959, quand Jonas Mekas lance l'opération « New American Cinema », la revue devient plus militante, soutenant à la fois la Nouvelle Vague, Buñuel, Antonioni et les espoirs américains. Les premiers « prix du film indépendant », décernés par la revue, vont à Cassavetes, Robert

Frank, Alfred Leslie et Leacock. Puis la création de la Film-Makers' Cooperative amène une radicalisation plus grande : à partir du nº 29 (été 1963), les cinéastes expérimentaux (d'abord vomis dans un article de 1955) entrent par la grande porte, et *Film Culture* devient, avec des textes de moins en moins polémiques et de plus en plus érudits, la principale revue mondiale exclusivement consacrée au cinéma expérimental (surtout américain). D.N.

FILM D'ART. Conception de l'art cinématographique reposant sur l'exploitation du fonds romanesque et dramatique, et qui fait appel aux écrivains en renom (scénarios) ainsi qu'aux acteurs célèbres du théâtre. Deux sociétés, surtout, créées en 1908, d'abord la Société cinématographique des auteurs et gens de lettres (SCAGL), sous l'impulsion de Pathé, puis celle du Film d'art, à laquelle devait s'identifier ce courant, traduisent l'intérêt des uns et des autres pour cette « nouvelle forme de théâtre », encore que les écrivains, et cela malgré une intéressante proposition d'Edmond Benoît-Levy, manquent alors l'occasion de prévoir la réglementation des droits. Mais le film d'art marque également la volonté, de la part de quelques esprits distingués, écrivons-le sans ironie, de sauver le cinéma des pantomimes burlesques, voire de la vulgarité et de la superficialité des sujets offerts au public, de l'usure aussi des trouvailles de Méliès. Le mouvement n'est pas sans précurseurs, héritier au fond des « tableaux vivants » : un premier *Assassinat du duc de Guise,* (nº 752 du catalogue Lumière) est « mis en scène » par Georges Hatot et dure une minute ; une décapitation de Marie Stuart est réalisée à la même époque grâce à la « Black Maria » d'Edison et diffusée par les Kinetoscopes. Puis, chez Pathé, Zecca tourne *l'Affaire Dreyfus* en plusieurs « tableaux », exploitant alors au maximum le goût du public pour les « actualités reconstituées » (guerre russo-japonaise, élection du pape, etc.). Tout cela aboutit au triomphe, le 17 novembre 1908, salle Charras à Paris, du film mis en scène par André Calmettes pour le Film d'art, qu'il fonde avec Charles Le Bargy : *l'Assassinat du duc de Guise* (314 mètres, soit 20 minutes de déroulement). Ce ne sont pas moins que l'Académie (le scénario est de Henri Lavedan ; il est bien conçu, les caractères existent) et la Comédie-Française qui volent lourdement au secours du cinématographe. Les rôles sont confiés à Le Bargy, Albert Lambert, Gabrielle Robinne... La musique composée sur l'image, scène après scène, est de Camille Saint-Saëns. Les décors, s'ils sont vacillants, sont fidèles, comme les costumes. « Le cinéma, déclare Charles Pathé — alors aussi distributeur du Film d'art —, est à son apogée. » Dès lors, le genre fait recette. Éclair fonde l'Association cinématographique des auteurs dramatiques (ACAD), pour laquelle Victorin Jasset réalise, entre deux feuilletons, un *Philippe le Bel et les Templiers* (1909). L'époque aime l'Histoire, à travers Walter Scott, Hugo et Dumas... On pille, avec plus ou moins de bonheur, le répertoire romantique, à Paris, Turin, Milan (notamment les Milano et Itala film), et l'Antiquité : Calmettes tourne *le Retour d'Ulysse* d'après Jules Lemaître, Armand Bour un *Baiser de Judas* (avec Mounet-Sully). En 1913, Pie X croit utile d'interdire la représentation cinématographique des épisodes de l'Évangile... Henri Desfontaines, Henri Pouctal (*Camille Desmoulins,* 1911, *la Dame aux camélias,* 1912) assurent jusqu'à la guerre le succès du Film d'art, dont Charles Delac puis Louis Nalpas ont repris la direction, alors que la SCAGL déclinait. En 1912, Sarah Bernhardt était allée à Londres interpréter *la Reine Élisabeth* de Desfontaines et Louis Mercanton. Une des conséquences du film d'art est, indéniablement, un assujettissement aux « vedettes », dont les excès vont empoisonner le cinéma, à commencer par le cinéma italien. L'Histoire, d'autre part, veut des décors, des costumes, de la figuration. Les coûts de production croissent sensiblement. Sinon dans la vérité, on donne dans le luxe, qui prélude au gigantisme. Du film d'art sortiront et le péplum italien (*la Chute de Troie* de Pastrone est de 1910, *Cabiria* de 1914) et Gance ; même Griffith est impressionné par *l'Assassinat du duc de Guise.* Mais, si Griffith invente son langage, le film d'art pèse encore sur le cinéma de tout le poids du théâtre et de la littérature dont il est issu, et dont il demeure le support, sans ressentir vraiment la nécessité de s'en libérer. L'acquis réel se situe peut-être ailleurs : dans l'élaboration du scénario et, finalement, du décor. C.M.C.

FILMO (1). Abrév. fam. de *filmographie.*

FILMO (2) → CAMÉRA.

FILMOGRAPHIE. Catalogue des films où une personne donnée (réalisateur, comédien, producteur, etc.) est apparue ou est intervenue.

FILTRES (1). Fines lames de verre ou de gélatine arrêtant une partie des rayons lumineux : *filtres gris, filtres colorés, filtres dégradés, filtres polarisants, filtres de conversion, filtres de vision,* etc. Par extension, dispositifs optiques placés devant l'objectif pour modifier l'image par modification du trajet des rayons lumineux : *filtres à effet, filtres low contrast, filtres à brouillard,* etc. **(2).** Dispositifs électroniques qui suppriment ou atténuent les fréquences supérieures, ou inférieures, à une fréquence donnée.

Les filtres sont de fines lames de verre, ou de fines feuilles de gélatine, qui ne modifient pas (idéalement) le trajet des rayons lumineux mais dont la transparence varie selon la longueur d'onde : les filtres permettent ainsi de modifier le rendu photographique de l'image formée par l'objectif devant lequel — ou derrière lequel — ils sont placés.

Les filtres dans le cinéma noir et blanc. L'image noir et blanc différencie les objets uniquement par le niveau du gris obtenu sur la pellicule. Si l'on absorbe (plus ou moins fortement) une couleur, les objets qui sont de cette couleur sont traduits par un gris plus ou moins sombre : les filtres *colorés* permettent donc de modifier le rendu *noir et blanc* de la scène. Le plus souvent, on s'en sert pour *assombrir* les objets dont la couleur est complémentaire (→ COULEUR) de celle du filtre. (Par ex., orange et bleu étant des couleurs complémentaires, un filtre orangé assombrit le ciel.) En prise de vues noir et blanc, les filtres colorés ne sont pratiquement utilisés qu'en extérieur. En raison de la sensibilité spectrale du film, il est possible que deux couleurs très différentes visuellement se traduisent par deux gris identiques, c'est-à-dire sans contraste. On désigne sous le nom de « filtres à contraste » ceux destinés à accentuer le contraste des gris qui traduisent deux couleurs différentes. L'opérateur peut être conduit à apporter une surcorrection dans le rendu, afin de mieux rendre la sensation visuelle. Les filtres les plus fréquemment utilisés sont les jaunes, qui assombrissent le bleu du ciel et mettent en évidence des nuages presque invisibles à l'œil nu. L'effet sera d'autant plus violent avec un filtre jaune-orangé si l'on veut obtenir un ciel orageux (*cf.* nombre de films du chef opérateur mexicain G. Figueroa). Ces filtres accentuent par ailleurs le contraste des images du fait que, absorbant le bleu, ils renforcent les ombres, dont l'éclairement provient essentiellement de la lumière diffusée par le ciel bleu. Accentuant encore plus le contraste de l'image, et rendant le ciel bleu presque complètement noir, les filtres *rouges* ont beaucoup servi à l'effet de *nuit* américaine.* On a aussi employé les filtres *verts* ou *jaune-vert* pour éclaircir les feuillages. En intérieur, les filtres colorés n'avaient guère d'emploi, sauf éventuellement pour corriger le rendu chromatique de la pellicule ou, dans les films d'art, pour améliorer le rendu noir et blanc des tableaux.

Les filtres dans le cinéma en couleurs. Les filtres colorés sont évidemment inutilisables dans le cinéma en couleurs, sauf recherche délibérée d'un effet. Les films en couleurs ont conduit par contre à l'apparition d'une autre famille de filtres teintés.

Les proportions respectives des différentes radiations lumineuses varient en effet notablement d'une source de lumière à une autre : par exemple, la lumière du Soleil contient à peu près autant de rouge, de vert et de bleu alors que les lampes à incandescence émettent surtout du rouge. (Cette caractéristique d'une source lumineuse se mesure par la *température de couleur* de la source.) Contrairement à l'œil humain, lequel se « recale » par l'observation des plages manifestement blanches du sujet, les pellicules en couleurs sont incapables de savoir si le fait qu'un objet renvoie surtout du rouge (par ex.) signifie que l'objet est effectivement rouge ou bien que la lumière qui l'éclaire contient surtout du rouge. Un rendu correct des couleurs n'est possible que si la scène est éclairée par une lumière de même température de couleur que celle pour laquelle la pellicule est « équilibrée ». En pratique, les films négatifs sont équilibrés pour la lumière des lampes à incandescence des studios (température de couleur 3 200 K [kelvin]). Si l'on travaille avec d'autres sources de lumière, il faut placer, soit devant la caméra, soit devant la source lumineuse, des *filtres de conversion* qui absorbent de façon convenable les radiations présentes en quantité proportionnellement trop importante, et qui ont ainsi pour effet de « convertir » à 3 200 K la température de couleur de la lumière qui éclaire la scène. Le plus employé de ces filtres (usuellement désignés d'après leur numéro dans la série des filtres *Wratten* proposés par Kodak) est le *85,* adapté aux prises de vues à la lumière directe du Soleil (température de couleur de l'ordre de 5 500 K). Mais il en existe bien d'autres, qui permettent soit de convertir à 3 200 K toutes sortes de températures de couleur, soit d'infléchir le rendu des couleurs, dès la prise de vues, dans le sens de « plus chaud » ou de « plus froid ». (Pour plus de détails sur les filtres de conversion et les filtres *correcteurs de couleur* → TEMPÉRATURE DE COULEUR.)

Les filtres ci-dessus n'ont évidemment rien à voir avec les filtres colorés (rouge, vert, bleu) employés dans les procédés *additifs* de cinéma en couleurs. (→ PROCÉDÉS DE CINÉMA EN COULEURS.)

Autres filtres. Les *filtres gris neutre,* qui absorbent exactement de la même façon toutes les radiations, servent dans certains cas à ajuster le niveau de l'éclairement reçu par le film : lorsque le diaphragme est imposé par la *profondeur de champ ;* lorsque l'on utilise un objectif à miroir (→ OBJECTIFS), etc.

Les filtres *dégradés* comportent deux zones – l'une transparente, l'autre absorbante (grise ou colorée) – séparées par une zone de transition graduelle. Ils servent typiquement, placés devant la caméra de façon que le dégradé se situe au niveau de l'horizon, à assombrir le ciel sans modifier le rendu du paysage.

Les filtres *polarisants* arrêtent les rayons lumineux dont la polarisation (→ OPTIQUE ONDULATOIRE) est perpendiculaire à la direction de référence du filtre. En plaçant devant l'objectif de la caméra un filtre polarisant convenablement orienté, on peut ainsi éliminer – ou du moins considérablement atténuer – les reflets : reflets sur un plan d'eau en contre-jour, sur une vitrine, sur une carrosserie de voiture, etc. (La réflexion sur un miroir, ou sur une surface se comportant comme un miroir, provoque une importante polarisation de la lumière.) On peut aussi assombrir un peu, sans toucher aux autres couleurs de la scène, le ciel bleu (dont la lumière est passablement polarisée) : on retrouve ici, en couleurs, une possibilité qu'offraient les filtres jaunes en noir et blanc. D'une façon moins « visible », les filtres polarisants sont parfois employés, du fait qu'ils peuvent réduire la proportion de lumière diffuse réfléchie par les objets, pour accroître un peu la saturation (→ COULEUR) des couleurs d'un paysage.

Les filtres *antiultraviolets,* transparents aux rayons visibles, arrêtent les rayons ultraviolets, invisibles pour l'œil humain mais auxquels les pellicules sont sensibles. On les place devant l'objectif pour les prises de vues en haute montagne, aux altitudes où les ultraviolets deviennent trop abondants. (Certains opérateurs d'actualités laissent un filtre UV en permanence devant l'objectif, pour protéger ce dernier de la poussière, du sable, etc. Un simple filtre transparent fait ici aussi bien l'affaire.)

Les filtres *dichroïques* sont des lames de verre sur lesquelles ont été déposées de très fines couches similaires, dans leur principe de fonctionnement, aux couches antireflets des objectifs. (→ OPTIQUE ONDULATOIRE.) Fragiles et onéreux, ils offrent l'avantage de séparer bien plus nettement que les filtres colorés l'ensemble des radiations transmises et l'ensemble des radiations absorbées. Non utilisé, en prise de vues, un filtre dichroïque travaille de façon différente en fonction des angles d'incidence des rayons lumineux, il provoque des variations de couleurs dans le champ. Ils sont surtout employés dans les tireuses additives où ils travaillent en faisceaux parallèles. (→ ÉTALONNAGE.)

Filtres à effet. Par abus de langage, on classe généralement dans la rubrique « filtres » les *filtres à effet,* qui, placés devant l'objectif, modifient l'image en changeant le trajet des rayons lumineux. Certains de ces filtres diffusent la lumière, et envoient sur l'image des plages sombres du sujet un peu de la lumière provenant des plages les plus lumineuses, ce qui diminue le contraste de l'image (filtres *low contrast*). Les *filtres à brouillard* relèvent du même principe. On trouve aussi toutes sortes de dispositifs optiques : lentilles prismatiques multipliant l'image du sujet, dispositif procurant un effet d'« étoile » autour des sources lumineuses ponctuelles, etc.

Filtres de vision. (Appelés « verres de contrastes » par les opérateurs). Ces filtres ne sont pas destinés à l'objectif de la caméra mais à l'œil du chef opérateur. Ce ne sont pas autre chose que des filtres très foncés (gris ou colorés) qui, en « éteignant » les ombres et en « gommant » les différences chromatiques entre les diverses plages du sujet, permettent à l'opérateur exercé d'apprécier visuellement l'équilibre entre zones lumineuses et zones d'ombre de la scène. (On se fait une idée approchée de leur effet en fermant presque complètement les paupières.) Ils sont surtout utilisés pour les prises de vues en studio.

Filtres et gélatine. Lorsqu'ils sont placés sur la caméra, les filtres sont généralement disposés devant l'objectif. Certaines caméras permettent toutefois de les placer derrière l'objectif, à proximité immédiate du plan du film. (Il faut alors que le filtre soit totalement exempt de poussières ou de rayures.) Dans tous les cas, les filtres ne doivent pas altérer la qualité de l'image fournie par l'objectif, ce qui nécessite une fabrication très soignée. Les filtres d'emploi courant sont en verre : le plus souvent, ils sont obtenus en montant une feuille de gélatine colorée entre deux lames de verre, mais il existe aussi des filtres en verre teinté dans la masse. C'est seulement pour les filtres d'emploi peu fréquent que l'on a recours aux gélatines nues.

Devant les projecteurs, on place généralement des filtres en gélatine. Les gélatines (gris neutre ou filtres de conversion) existent également en rouleaux de grande dimension qui servent à doubler les fenêtres en cas de prise de vues en intérieur réel avec vue sur l'extérieur.

Coefficient des filtres. Tout filtre absorbe une partie de la lumière qui atteint l'objectif. Le *coefficient* d'un filtre, généralement gravé sur la monture du filtre, sous la forme $\times n$ (par ex. : $\times 2$), est hérité de la photographie : il exprime qu'il faut multiplier le temps de pose par n pour compenser l'absorption du filtre. En cinéma, où le temps d'exposition du film est le plus souvent imposé par la cadence de prise de vues et par l'ouverture de l'obturateur, on compense l'absorption en augmentant l'ouverture du diaphragme. Pour déterminer cette augmentation, l'opérateur peut se référer au coefficient du filtre : un filtre jaune moyen de coefficient 2 nécessite d'« ouvrir » de un diaphragme ; un filtre orangé de coefficient 4 nécessite d'ouvrir de deux diaphragmes, etc. Une autre méthode est de modifier, sur le posemètre, la sensibilité *apparente* du film : ainsi, un film en couleurs de sensibilité 250 ASA en « lumière artificielle » (lampes à incandescence des studios) se verra attribuer une sensibilité moindre — 160 ASA — si l'on place devant l'objectif le filtre de conversion nº 85. J.-P.F./J.-M.G.

FINA *(Giuseppe), cinéaste italien (Lecco 1924).* Après une longue activité comme cinéaste amateur, il a dirigé plusieurs documentaires. Son premier et unique long métrage pour le cinéma, *Pelle viva* (1964), est un des rares essais d'analyse des conditions de vie de la classe ouvrière du nord du pays, remarquablement interprété par Raoul Grassilli dans le rôle d'un travailleur en crise. Il travaille ensuite à la TV. L.C.

FINCH *(William Mitchell,* dit *Peter), acteur britannique (Londres 1916 - Los Angeles, Ca., 1977).* Élevé en Inde, il émigre tout jeune encore en Australie, où il exerce divers métiers. Au cours d'une tournée aux antipodes, Laurence Olivier le remarque alors qu'il joue *le Malade imaginaire* et l'invite à venir à Londres tenter sa chance. Il devient assez rapidement un comédien réputé (il est notamment, aux côtés d'Orson Welles, un étonnant Iago dans l'*Othello* de Shakespeare, 1952). Après quelques films tournés en Australie (dont *la Dernière Barricade* [*Eureka Stockade*] d'Harry Watt en 1949), il obtient un contrat de longue durée à la Rank. On le voit dans *le Train du destin* (*Train of Events,* B. Dearden, 1949), *le Cheval de bois* (*The Wooden Horse,* Jack Lee, 1950), *le Fond du problème* (*The Heart of the Matter,* G. More O'Ferrall, 1953), *Détective du bon Dieu* (R. Hamer, 1954), *Ma vie commence en Malaisie* (*A Town Like Alice,* J. Lee, 1956), *la Bataille du Río de la Plata* (M. Powell et E. Pressburger, *id.*), *Au risque de se perdre* (F. Zinnemann, 1959), *le Procès d'Oscar Wilde* (K. Hughes, 1960), *la Fille aux yeux verts* (D. Davis, 1964), *le Mangeur de citrouille* (J. Clayton, *id.*), *Dix heures et demie du soir en été* (J. Dassin, 1966), *Loin de la foule déchaînée* (J. Schlesinger, 1967). C'est également sous la direction de John Schlesinger qu'il rencontre son rôle le plus marquant : celui d'un médecin juif homosexuel qui doit partager avec une femme divorcée sa passion pour un jeune homme (*Un dimanche comme les autres,* 1971). Bohème, il ne se fixe nulle part — il habitera successivement l'Australie, la Grande-Bretagne, l'Italie, la Suisse, la Jamaïque ; farouchement indépendant, il déroute ceux qui cherchent à l'enfermer dans le star-system. Il sait échapper aux productions commerciales (que parfois il ne refuse pas) pour réapparaître soudain dans un rôle à sa mesure (*The Abdication* d'Anthony Harvey en 1974 et, surtout, *Network* de Sidney Lumet en 1976 — pour lequel il reçoit un Oscar). Il semble avoir encore beaucoup à apporter au cinéma quand il meurt brutalement, terrassé par une crise cardiaque dans le hall d'un hôtel hollywoodien peu de temps après avoir fini le tournage de *Raid sur Entebbe* (I. Kerschner, 1976). J.-L.P.

FINLANDE. Depuis 1907, 700 longs métrages ont été réalisés en Finlande, dont la majorité a été produite entre 1935 et 1955. Avec une population de 4,75 millions d'habitants seulement, dispersés sur 337 000 km², la Finlande n'offre guère de débouché à une industrie cinématographique nationale. Aujourd'hui, un film finlandais doit attirer 400 000 spectateurs pour atteindre le seuil de rentabilité ; or, ceux qui font 150 000 entrées sont déjà les mieux lotis. « Quand on fait un film en Finlande, dit Erkko Kivikoski, il faut jouer sa dernière carte. Ailleurs, on vous accorderait une deuxième chance. » Au cours de ces dernières années, malgré tout, l'industrie du film s'est bien portée en Finlande, les recettes et les taux de fréquentation y étant en hausse sensible.

Le cinéma finlandais a réussi à survivre sans le secours de genres tels que le western, le film de gangsters ou le thriller. Il a su composer avec une censure aujourd'hui encore sévère et résister à l'envahissement progressif de la télévision. Les structures de la production filmique se sont radicalement transformées au fil des ans. Dans les années 40 et 50, entre quinze et vingt-cinq longs métrages étaient réalisés bon an mal an en Finlande. Pendant la décennie suivante, à mesure que la télévision touchait un plus grand nombre de foyers, la quantité de films produits a chuté pour ne plus être que de six à douze par an, même si on continuait encore à diffuser 133 films par an dans les années 60. Malgré la création de la Fondation finlandaise de cinématographie en 1969, le marasme allait s'aggraver au niveau de la production, et il a fallu attendre 1979 pour discerner les signes d'une reprise. Aujourd'hui, la Fondation joue un rôle important dans la mesure où elle soutient la production cinématographique et en assure la promotion.

C'est en 1896 que la Finlande reçoit, comme la plupart des pays européens, la visite du cinématographe Lumière. Huit ans plus tard, une salle s'ouvre à Helsingfors et quelques bandes d'actualité sont tournées. En 1907, le premier film de fiction (quelque 360 mètres de pellicule) sort sous le titre *' les Contrebandiers ' (Salaviinanpolttajat).* La Suomi Filmi (d'abord connue sous le nom de « Suomen Filmikuvaamo ») est fondée en 1919 et ne tarde pas à devenir la puissance dominante de la production cinématographique nationale. L'un des associés de la Suomi Filmi, Erkki Karu, s'avère être un metteur en scène talentueux, ainsi que le prouvent des œuvres telles que *' Quand papa a mal aux dents '* (*Kun isällä on hammassärky,* 1923) et *' Nos garçons '* (*Meidän poikamme,* 1929).

En 1933, avec la nomination de Risto Orko à la tête de la Suomi Filmi s'ouvre une ère nouvelle pour le cinéma finlandais. Avec son grand ami et rival T. J. Särkkä, Orko va dominer la scène pendant les vingt années suivantes. Contrairement à la plupart des producteurs, c'était un metteur en scène et un opérateur compétent, dont les plus grands succès appartiennent au registre de la farce mouvementée et de la comédie légère (ainsi, par exemple, *' l'Intendant de Siltala '* [*Siltalan pehtoori*], 1934 ; ou *' la Fiancée du fantassin '* [*Jääkärin morsian*], 1938), mais une bonne partie de son œuvre est compromise par des élans naïfs de patriotisme et des débordements mélodramatiques.

Särkkä, qui a produit 233 longs métrages — dont 49 dirigés par lui-même — entre 1935 et 1963, est de loin le plus prolifique de tous les metteurs en scène finlandais. *' La Valse du vagabond '* (*Kulkurin valssi,* 1941) et *' Derrière le miroir de la rue '* (*Katupeilin takana,* 1949) sont deux de ses films les mieux faits, mais il faut admettre que l'essentiel de sa production a sombré dans l'oubli.

Deux thèmes ont toujours traversé le cinéma finlandais à la manière d'un leitmotiv : la guerre et la vie rurale. La guerre civile de 1918, les combats de l'hiver 1939-40 et le conflit dans lequel la Finlande est prise entre les Alliés et l'Allemagne nazie ont, à tour de rôle, occupé un rang primordial sur les écrans du pays. Le film finlandais le plus célèbre, *le Soldat inconnu* (*Tuntematon sotilas,* 1955), dit l'héroïsme qui s'est manifesté au cours de la Seconde Guerre mondiale. Dirigé par Edvin Laine* d'après le roman de Väinö Linna, il est centré sur un groupe d'hommes constituant une section de l'armée, sur leurs réactions au combat, leurs révoltes, leurs moments de courage ou de lâcheté.

Parmi les grands films de guerre, on peut citer aussi : *' Évacué '* (*Evakko,* 1956), de Ville Salminen, sur la perte tragique de la province orientale de Carélie pendant l'hiver de 1939-40 ; *Garçons* (*Pojat,* 1962), de Mikko Niskanen, sur l'impact de la présence nazie dans le nord du pays en 1944 ; et *' la Mort volée '* (*Varastettu kuolema,* 1938), mis en scène par Kyrki Tapiovaara*, qui se passe au tournant du siècle, dans les années sombres et incertaines pendant lesquelles les « activistes » menaient une lutte subversive pour s'émanciper de la Russie tsariste. Tapiovaara disparaissait lui-même pendant la guerre de 1939-40, mais il laissait une poignée de longs métrages, qui allaient inspirer la génération suivante.

La tradition pastorale, quant à elle, est attestée dans quantité de productions finlandaises. *' Le Cordonnier de village ' (Nummisuutarit),* d'après le roman d'Aleksis Kivi (1834-1872), l'écrivain préféré des Finnois, a été porté à l'écran à trois reprises, en 1923, 1938 et 1957, tandis que le prix Nobel de littérature F. E. Sillanpää (1888-1964) inspirait *' Silja '* tourné en 1937 puis en 1956 (cette dernière version par J. Vittika), *' le Destin d'un homme '* (*Miehen tie,* 1940), mis en scène par Tapiovaara, et *' le Mois des moissons '* (*Elokuu,* 1956), dirigé par Matti Kassila*. Autre écrivain important, Hella Wuolijoki (1886-1954), le coauteur de Brecht pour *Maître Puntila et son valet Matti* (d'ailleurs brillamment porté à l'écran par Ralf Langbacka en 1979), donnait des œuvres bucoliques qui ont été adaptées à l'écran : *Loviisa* (1946) et *' Heta de Niskavuori '* (*Niskavuoren Heta,* 1952). *La Chanson de la fleur écarlate (Laulu tulipuna isesta),* un best-seller au moment de sa parution en 1908, mérite d'être mentionné dans l'histoire du cinéma à cause de la version que Mauritz Stiller en a donnée en 1918. Deux fois porté à l'écran en Finlande, ce récit picaresque d'un flotteur de bois amoureux a fourni aux metteurs en scène l'occasion d'exalter la beauté des paysages finlandais.

Dans les années 50, Erik Blomberg* et Matti Kassila* font passer dans leurs films un sens aigu de l'atmosphère et de l'émotion, tandis que Jack Witikka se montre, avec *' l'Homme de cette planète '* (*Mies tältä tähdeltä,* 1958), le critique le plus acerbe et le plus impitoyable de ce vice finlandais qu'est l'alcoolisme. Le début des années 60 est une période relativement stérile, si l'on excepte l'œuvre tout en finesse et en demi-teintes de Maunu Kurkvaara, dont les films tels que *' Chéri '* (*Rakas,* 1961) et *' Poil de carotte '* (*Punatukka,* 1969) attestent l'influence d'Antonioni et de Rossellini.

Si Jörn Donner*, plus récemment, a travaillé à faire connaître le cinéma finnois à l'étranger en même temps qu'il réalisait lui-même quelques films de divertissement, c'est sous le signe de Risto Jarva* que se placent les années 70, en raison de la diversité de cet auteur, de son engagement social et de l'abondance de sa production. Rauni Mollberg*, pour sa part, a le mérite d'avoir tourné le film le plus brillant du cinéma finnois de l'après-guerre et celui qui a aussi eu le plus grand succès : *' La terre est un chant coupable ' / la Terre de nos ancêtres* (*Maa on syntinen laulu,* 1973), sur le rituel du quotidien dans un village isolé de Laponie et sur les pulsations du désir et de la foi qui y rythment l'existence. La longue étude à la Zola que Mikko Niskanen consacre à un petit paysan qui succombe progressivement à l'emprise de l'alcool (*' Huit Coups mortels '* [*Kahdeksan surmanluotia*], 1972) relève d'un projet similaire, l'exotisme en moins. Fondé sur un fait divers authentique, ce film courageux conserve une force poignante, même dans sa version internationale écourtée.

Bien d'autres réalisateurs ont retenu un moment l'attention qui ont ensuite déçu ou qui, en raison d'un échec commercial, ont été contraints de se livrer à d'autres activités entre des tournages espacés. Mais Erkko Kivikoski, Jaakko Pakkasvirta, Aito Mäkinen, Eija-Elina Bergholm, Timo Linnasalo, Sakari Rimminen et Markku Lehmuskallio sont tous des noms auxquels le cinéma finlandais doit des œuvres intéressantes. Kivikoski a dressé un tableau sévère des failles et des injustices de la société finnoise, et Lehmuskallio, avec *'la Danse du corbeau'* (*Korpinpolska,* 1980), porte un regard poétique mais clairvoyant sur les dangers qui menacent l'environnement naturel à l'âge industriel. Les années 80 sont celles d'un renouveau, perçu à l'étranger principalement grâce aux films d'Aki et de Mika Kaurismäki*.

Alors qu'arrivent sur le marché de nombreux jeunes, les grands cinéastes réalistes poursuivent leur œuvre, tels Rauni Mollberg, Matti Kassila et même le vétéran Edvin Laine. La production finlandaise continue d'illustrer ses thèmes traditionnels, y compris la guerre contre l'URSS évoquée par Mollberg dans le *Soldat inconnu* (*Tuntematon sotilas,* 1985), quasi-remake du film de Laine de 1955, ou par Pekka Parikka dans *la Guerre de l'hiver* (*Talvisota,* 1989). On tourne de plus en plus de comédies et les nouveaux metteurs en scène tentent souvent d'acclimater le genre policier au cadre du pays (parfois à partir de faits réels) ; les résultats sont parfois originaux : *l'Arrangement final* (*Tilinteko,* 1987) de Veikko Aaltonen ; *Trahison* (*Petos,* 1988) de Taavi Kassila, fils de Matti Kassila ; *l'Homme sans visage* (*Mannen utan ansikte,* 1995) de Lauri Törhönen - sans oublier les films des frères Kaurismäki tels *le Clan, Rosso, Crime et châtiment* ou *Ariel.*

Parmi les nouveaux talents se distinguent Tapio Suominen, avec *En avant la vie* (*Täältä tullan, elämä,* 1980) et *Bannies du ciel* (*Porttikielto taivaaseen,* 1990), ainsi que Pirjo Honkasalo et Pekka Lehto, qui ont réalisé ensemble *Cœur de feu* (*Tülipää,* 1980) et *250 grammes, un testament radioactif* (*250 gramma,* 1993, avec Nikita Mikhalkov pour interprète) ; Pekka Lehto a réalisé, seule, *Mysterion* (1991) ; Pirjo Honkasalo, lui *Solitude* (*Yksinteoin,* 1990) et *le Puits* (*Kaivo,* 1990).

La réussite des frères Kaurismäki a encouragé les plus jeunes dans des voies non-conformistes parfois radicales. Certains figurent parmi leurs collaborateurs, comme Pauli Pentti (*Macbeth,* 1987), dont les films ont été produits par la société des deux frères, ou encore Villealfa et Veikko Aaltonen, qui a réalisé avec eux *l'Arrangement final,* déjà cité, puis *le Fils prodigue* (*Tuhlaajapoika,* 1992) et *Pater Noster* (*Isa meidän,* 1993). D'autres manifestent des intentions analogues, comme Lauri Törhönen, dès son premier film, *l'Ange enflammé* (*Palava enkeli,* 1984), Ansi Mäntärri, Markku Pölönen, Tero Jartti (*Aapo,* 1994) et Matti Iljas, dont on connaît, à l'étranger, *Virgules et petites culottes* (*Pikkuja ja pikkuhousuja,* 1992). P.CO./D.S.

FINNEY *(Albert), acteur britannique (Salford 1936).* Après de brillants débuts au théâtre en 1958 (avec la Royal Shakespeare Company, mais aussi avec *Des garçons blancs comme neige* [*The Lily White Boys*], une comédie musicale de Cookson, Logue, Kinsey et Lesage, mise en scène par Lindsay Anderson, en 1960), Finney s'impose au cinéma avec le « Free cinema » britannique regroupé autour de Woodfall Films. Après *le Cabotin* (T. Richardson, avec Laurence Olivier), il tourne, toujours en 1960, *Samedi soir et dimanche matin* sous la direction de Karel Reisz. Il y interprète le rôle d'Arthur Seaton, ouvrier révolté contre sa condition. En 1963, nouveau succès avec *Tom Jones,* d'après Henry Fielding, mis en scène par Richardson : après la révolte, Finney incarne l'énergie et la joie de vivre. Promu star, Finney va désormais choisir ses rôles entre théâtre (par exemple, il met en scène un *Hamlet* pour l'ouverture du National Theater en 1976) et cinéma, et intervenir dans la production : sa société Memorial Films vient en aide à de nombreux jeunes cinéastes. En 1967, Finney réalise *Charlie Bubbles,* sur un scénario de Shelagh Delaney, où il tient le rôle principal au côté de Billie Whitelaw et de Liza Minnelli : le film raconte, sur le mode du désenchantement, la crise d'un écrivain à succès, sorti du milieu ouvrier. Après avoir quelque peu délaissé le cinéma au profit du théâtre, il revient à l'écran en force au début des années 80, interprétant notamment le rôle du « Consul » alcoolique d'*Au-dessous du volcan* (J. Huston, 1984) après avoir joué *l'Habilleur* de Peter Yates (1983). P.P.

Autres films : *les Vainqueurs* (C. Foreman, 1963) ; *la Force des ténèbres* (K. Reisz, 1964) ; *Voyage à deux* (S. Donen, 1967) ; *The Picasso Summer* (S. Bourguignon, 1969) ; *Scrooge* (R. Neame, 1970) ; *Gumshoe* (Stephen Frears,

1971) ; *Alpha Beta* (Antony Page, 1973) ; *le Crime de l'Orient-Express* (S. Lumet, 1974), où il interprète Hercule Poirot ; *les Duellistes* (*The Duellists,* Ridley Scott, 1977) ; *Loophole* (John Quested, 1980) ; *Wolfen* (Michael Wadleigh, 1981) ; *Looker* (Michael Crichton, *id.*) ; *Annie* (J. Huston, 1982) ; *Shoot the Moon* (A. Parker, *id.*) ; *les Enfants de l'impasse* (A. J. Pakula, 1987) ; *Miller's Crossing* (J. et E. Coen, 1990).

FINOS *(Filopimin), producteur grec (Athènes 1908).* Étudiant, le droit et les sciences politiques ne sont pas ses seuls centres d'intérêt. La photographie et le cinéma (il acquiert notamment une formation d'opérateur) le passionnent, ce qui le conduit à créer sa société de production, la Finos Films, ainsi que ses propres studios et laboratoires dans les années qui précèdent la guerre. Il coréalise avec Frixos Illiadis *la Cité morte* (1951), qui révèle Irène Pappas. Il fait appel à Georges Tzavellas *(Visages oubliés, Agnès du port),* Dino Dimopoulos, Cacoyannis *(Fin de crédit, Électre).* Il sait assurer à la Finos, qui devient la première société de production et de coproduction grecque, des assises professionnelles, techniques et économiques solides. Il a ainsi contribué à relancer un cinéma national populaire. C.M.C.

FIORE *(Jolanda Di Fiore,* dite *Maria), actrice italienne (Rome 1935).* Renato Castellani la découvre et lui donne le rôle de la jeune paysanne amoureuse dans *Deux Sous d'espoir* (1952). Sa grâce âpre et agressive se confirme dans une longue série de comédies musicales et populaires, dont *Canzoni di mezzo secolo* (Domenico Paolella, 1952), *le Carrousel fantastique* (E. Giannini, 1954), *Napoli terra d'amore* (Camillo Mastrocinque, 1956 ; RÉ 1954), *Quanto sei bella Roma* (Marino Girolami, 1960), *Parlons femmes* (E. Scola, 1964). En fait, sa carrière a tourné court. L.C.

FIORINI *(Guido), décorateur italien (Bologne 1891 - Rome 1966).* Avec Virgilio Marchi et Gastone Medin, Guido Fiorini fait partie des décorateurs qui, dans les années 30, ont rénové en Italie l'art et la technique des décors cinématographiques. Après des études d'ingénieur, Fiorini se spécialise dans le domaine de l'architecture et commence sa carrière de décorateur en 1934. Assez éclectique dans ses goûts, il collabore à des films très divers, dans lesquels il fait toujours preuve de beaucoup d'imagination. Parmi ses travaux les plus significatifs, on peut citer *Teresa Confalonieri* (G. Brignone, 1934), *Passaporto rosso* (id., 1935), *Aldebaran* (A. Blasetti, *id.*), *Squadrone bianco* (A. Genina, 1936), *l'Homme de nulle part* (*Il fu Mattia Pascal,* P. Chenal, 1937), *Giuseppe Verdi* (C. Gallone, 1938), *Tarakanova* (F. Ozep, *id.*), *Grands Magasins* (M. Camerini, 1939), *Manon Lescaut* (Gallone, 1940), *Via delle cinque lune* (L. Chiarini, 1942), *La bella addormentata* (Chiarini, *id.*). Pendant ces années, Fiorini est également enseignant au Centro sperimentale. Après la guerre, Fiorini réduit son activité ; toutefois, il signe encore quelques œuvres importantes comme *le Crime de Giovanni Episcopo* (A. Lattuada, 1947), *l'Évadé du bagne* (R. Freda, 1948) ou encore – signe d'une incontestable faculté de renouvellement – *Miracle à Milan* (V. De Sica, 1951). J.-A.G.

FIPRESCI, sigle de la Fédération internationale de la presse cinématographique. Fondée en 1930 afin d'imposer la critique comme discipline professionnelle spécifique, la Fipresci est dotée de statuts qui l'engagent à « affirmer la liberté de la critique » et à « promouvoir l'idée du cinéma comme moyen d'expression artistique, de formation culturelle et de conscience civique ». Elle groupe une trentaine d'associations nationales de critiques du monde entier. Elle organise des colloques et décerne chaque année dans une dizaine de festivals ses « prix de la critique internationale/Fipresci ». M.M.

FIRST NATIONAL, compagnie de production et de distribution américaine. Fondée en 1918 par un groupe d'exploitants, la First National s'est affirmée dans les années 20 comme une des compagnies les plus solides du jeune Hollywood, surtout grâce au grand nombre de salles dont elle pouvait disposer aux États-Unis. Pour alimenter ces salles, la First National en vint à produire. On lui doit les premiers *Tarzan* (1918), joués par Elmo Lincoln, les premiers moyens métrages importants de Chaplin (*Une vie de chien,* 1918 ; *Charlot soldat,* id.), des succès de Mary Pickford (*Heart of the Hills* et *The Hoodlum,* tous deux de Sidney Franklin, 1919) et de Richard Barthelmess (*Sonny,* 1922 ; *The Bondboy,* id. ; *Fury,* 1923 – tous trois d'Henry King ; *le Châle* *aux fleurs de sang* [*The Bright Shawl*], J. S. Robertson, 1923). On distingue assez mal une politique définie dans le choix de ces films, mais la qualité est là. En 1923, la First National offrait une moyenne de 45 films par an. La Warner Bros, de son côté, souffrant de ne pas avoir de salles, s'associa à la First National et finit par l'absorber complètement en 1927. Le label resta cependant jusqu'en 1941, plus comme une commodité de production que comme symbole d'une unité autonome. C.V.

FISCHER *(Gunnar), chef opérateur suédois (Ljungby 1910).* Il débute au cinéma en 1935, et devient rapidement un des grands parmi les directeurs de la photographie en Europe. Il a à son actif plus de trente films suédois. Photographe remarquable, il a su rendre admirablement la beauté de certaines scènes d'extérieur, notamment par un subtil équilibre entre les noirs et les blancs. Son talent a été récompensé par la plus haute distinction de l'Académie suédoise du cinéma. Outre le travail technique impressionnant qu'il a effectué sur *le Visage* (1958), œuvre toute en contrastes, il a dirigé la photo d'une dizaine de films d'Ingmar Bergman : *Ville portuaire* (1948), *Vers la joie* (1950), *Jeux d'été* (1951), *l'Attente des femmes* (1952), *Un été avec Monika* (1953), *Sourires d'une nuit d'été* (1955), *le Septième Sceau* (1957), *les Fraises sauvages* (id.), *l'Œil du diable* (1960). Il a également collaboré à *Une nuit au port* (*Natt i hamn,* H. Faustman, 1943), *Gabrielle* (H. Ekman, 1954), *Entrée privée* (*id.,* 1956), *' Que ne ferait-on pas pour ses amis ? '* (*För vänshaps skull,* Hans Abramson, 1965), *le Serpent* (Ormen, *id.,* 1966), *Parade* (J. Tati, 1975, CO J. Badal). F.LAB.

FISCHINGER *(Oskar), cinéaste allemand (Gelnhausen 1900 - Los Angeles, Ca., 1967).* Il découvre le cinéma abstrait de l'avant-garde allemande en 1920 à Francfort et abandonne son métier de facteur d'orgues pour se livrer à des expériences au moyen d'un appareil qu'il a conçu pour animer de la cire. Fixé à Munich, il réalise ainsi *Wax Experiments* (1921-1923) et, associé à Louis (Julius) Seel, il produit des courts métrages sous le titre général de *Recueil d'images munichoises* (*Münchener Bilderbogen,* 1922), série pour laquelle il réalise six petits films d'animation. À la même époque, il anime les matériaux les plus divers dans une demi-douzaine de films expérimentaux et commence sa fameuse série d'*Études* (*Studie 1/13,* 1929-1934) fondées sur la recherche de « rythmes coloriés », contrepoints de compositions de Brahms, Verdi, Mozart, Rubinstein, Beethoven... Établi à Berlin depuis 1927, il parvient à faire fonctionner un studio indépendant, dans lequel il emploie notamment son frère Hans (1909-1944), qui réalisera ultérieurement un film d'animation (*Danse des couleurs* [*Tanz der Farben*], 1938). Le studio travaille aux effets spéciaux de certains films (*la Femme sur la Lune,* F. Lang, 1929) et à divers films de commande, notamment publicitaires (dont un, très populaire : *Muratti attaque* [*Muratti greift in*], 1934). Oskar Fischinger fait des recherches sur la couleur, sur le son optique, met au point avec Béla Gaspar le procédé Gasparcolor (dès 1933) et réalise en 1934 *Composition en bleu (Komposition in Blau).* Bien que méconnue, la période allemande de sa carrière d'expérimentateur infatigable a une grande importance historique. Contemporain du Bauhaus, de Walter Ruttmann et Hans Richter, il a eu une grande influence par ses recherches plastiques et sonores, en particulier sur Norman McLaren. Émigré aux États-Unis en 1936, il essuie quelques échecs dans sa collaboration avec Hollywood et avec les fondations privées. Bien que non reconnue par son auteur, une séquence du *Fantasia* de Disney provient de ses travaux, ainsi qu'une autre, dans *Pinocchio* (1939-40). Il réalise plusieurs films expérimentaux importants : *An Optical Poem* (1938), *Allegretto* (1936-1940), *Radio Dynamics* (1942), *Motion Painting 1* (1947). Il fréquente l'avant-garde américaine, fait de nouvelles expériences sur le son (*Stereo Film,* 1953) et sur la télévision ; il conseille de nombreux jeunes chercheurs, fait des films publicitaires... En 1961, il abandonne le cinéma, laissant *Motion Painting 2* inachevé, et se consacre à la peinture. D.S.

FISHER *(Gerald,* dit *Gerry), chef opérateur britannique (Londres 1926).* Il débute en 1947 comme assistant, devient cadreur, puis directeur de la photo avec *Accident* (J. Losey, 1967), que suivent *Cérémonie secrète* (id., 1968), *la Mouette* (S. Lumet, *id.*), *Hamlet* (T. Richardson, 1969), *Ned Kelly* (*id.,* 1970), *le Messager* (Losey, 1971), *la Maison de poupée* (id., 1973),

Terreur sur le « Britannic » (R. Lester, 1974), *Une Anglaise romantique* (Losey, 1975), *Monsieur Klein* (id., 1976), *l'Île du docteur Moreau* (*The Island of Dr. Moreau,* Don Taylor, 1977), *Fedora* (B. Wilder, 1978), *les Routes du Sud* (Losey, 1978), *le Malin* (J. Huston, 1979), *Don Giovanni* (Losey, *id.*), *À bout de course* (S. Lumet, 1988). J.-P.B.

FISHER *(Terence), cinéaste britannique (Londres 1904* - id. *1980).* Il débute dans la mise en scène à la Rank en 1948 après avoir été monteur. Ses premiers films sont des drames romantiques sentimentaux. En 1952, il rejoint la Hammer et change radicalement de genre en tournant des films d'épouvante à petit budget. Il semble se prendre au jeu et s'impose dès 1957 comme un habile « restaurateur de monstres ». Il a, en effet, l'idée de rajeunir le héros de Mary Shelley dans *Frankenstein s'est échappé* (*The Curse of Frankenstein,* 1957) et *la Revanche de Frankenstein* (*The Revenge of Frankenstein,* 1958), soigne ses effets et ses décors et sait harmoniser le fantastique et l'humour. Plusieurs films émergent d'une production surabondante : ainsi *le Cauchemar de Dracula* (*Horror of Dracula,* 1958), *la Nuit du loup-garou* (*The Curse of the Werewolf,* 1961), *les Deux Visages du docteur Jekyll* (*The Two Faces of Dr. Jekyll,* 1960), *le Fantôme de l'Opéra* (*The Phantom of the Opera,* 1962) ou *les Vierges de Satan* (*The Devil Rides out,* 1968). Victime peut-être de cette spécialisation à outrance, Terence Fisher, malgré le soutien inconditionnel de ses deux acteurs favoris, Peter Cushing et Christopher Lee, ne parviendra pas à sauver ses films de fin de carrière de certaines redites et facilités de style. R.L.

Autres films : *Song of Tomorrow* (1948) ; *le Mystère du camp 27* (*Portrait From Life,* id.) ; *Égarement* (*The Astonishing Heart,* co : Anthony Darnborough, 1950) ; *Meurtre sans empreintes* (*The Stranger Came Home,* 1954) ; *le Chien des Baskerville* (*The Hound of the Baskervilles,* 1959) ; *la Malédiction des Pharaons* (*The Mummy,* id.) ; *les Étrangleurs de Bombay* (*The Stranglers of Bombay,* id.) ; *les Maîtresses de Dracula* (*The Brides of Dracula,* 1960) ; *le Serment de Robin des Bois* (*The Sword of Sherwood Forest,* id.) ; *Sherlock Holmes et le collier de la mort* (*Sherlock Holmes und das Halsband des Todes,* ALL-ITAL-FR, 1962) ; *la Gorgone* (*The Gorgon,* 1964) ; *Dracula, prince des ténèbres* (*Dracula, Prince of Darkness,* 1965) ; *l'Île de la terreur* (*Island of Terror,* 1966) ; *Frankenstein créa la femme* (*Frankenstein Created Woman,* 1967) ; *le Retour de Frankenstein* (*Frankenstein Must Be Destroyed !,* 1969) ; *Frankenstein et le monstre de l'enfer* (*Frankenstein and the Monster From Hell,* 1973).

FISH EYE (locution anglaise signifiant « œil de poisson »). Se dit des objectifs dont le champ est de l'ordre de 180°.

FITZGERALD *(William Joseph Shields,* dit *Barry), acteur irlandais (Dublin 1888* - id. *1961).* Il débute à l'écran dans *Junon et le paon* (A. Hitchcock, 1930) tout en se produisant à l'Abbey Theatre de Dublin. Il ne s'installe à Hollywood qu'après *Révolte à Dublin* (J. Ford, 1936) et y interprète les vieux bougons excentriques : *l'Impossible Monsieur Bébé* (H. Hawks, 1938), *les Hommes de la mer* (Ford, 1940), *Qu'elle était verte ma vallée* (id., 1941), *la Route semée d'étoiles* (L. McCarey, 1944), *Dix Petits Indiens* (R. Clair, 1945), *la Cité sans voiles* (J. Dassin, 1948) et, en Irlande, *l'Homme tranquille* (Ford, 1952), *Rooney* (George Pollock, 1958) et *A Broth of a Boy* (id., 1959). J.-P.B.

FITZGERALD *(Francis Scott), écrivain et scénariste américain (Saint Paul, Minn., 1896 - Los Angeles, Ca., 1940).* Fasciné par « les heureux et les damnés » du cinéma, qu'il décrivit sur le mode satirique dans *Crazy Sundays,* il connaît deux séjours infructueux à Hollywood (en 1927 et en 1931) avant d'être pris sous contrat par la MGM en 1937. Incapable de se plier aux servitudes du scénariste professionnel, il collabora, sans être crédité, à de nombreux films, dont *Femmes* (G. Cukor, 1939) et *Madame Curie* (M. Le Roy, 1943). En dépit de ses démêlés avec Mankiewicz, producteur, il cosigna l'adaptation des *Trois Camarades* (F. Borzage, 1938) ; mais ni *Infidelity,* projet destiné à Joan Crawford, ni *Cosmopolitan,* adapté par ses soins de *Babylon Revisited,* ne virent le jour. Tout en ébauchant *le Dernier Nabab,* roman posthume inspiré par la figure légendaire d'Irving Thalberg, il conta les tribulations d'un scénariste de série B dans les *Histoires de Pat Hobby* (1939), qui témoignent fort bien du statut précaire des écrivains à Hollywood. Après sa mort, plusieurs de ses œuvres ont été portées à l'écran, notamment *Gatsby le Magnifique* (E. Nugent en 1949 et

J. Clayton en 1974), *Babylon Revisited* (sous le titre *la Dernière Fois que j'ai vu Paris,* R. Brooks, 1954), *Tendre est la nuit* (H. King, 1962), *le Dernier Nabab* (E. Kazan, 1976). M.H.

FITZMAURICE *(George), cinéaste américain d'origine française (Paris 1885 - Los Angeles, Ca., 1940).* Peintre et décorateur de théâtre, scénariste (dès 1908) et directeur de nombreux films muets à partir de 1914, il franchit sans encombre les étapes de la transformation d'Hollywood, réalisant, grâce à son éclectisme, des comédies brillantes et des drames romantiques, avec un égal succès commercial. Ayant eu la chance de diriger Betty Compson dans *To Have and to Hold* (1922), puis Pola Negri dans *Bella Donna* (1923), *The Cheat* (id.), le couple Ronald Colman et Vilma Banky dans *l'Ange des ténèbres* (*The Dark Angel,* 1925) et *la Nuit d'amour* (*Night of Love,* 1927), Rudolph Valentino dans *le Fils du cheikh* (*The Son of the Sheik,* 1926), Lupe Velez dans *Tiger Rose* (1929), Greta Garbo dans *Mata Hari* et dans *Comme tu me veux* (*As You Desire Me,* 1932), Jean Harlow dans *Suzy* (1936), Melvyn Douglas dans *le Retour d'Arsène Lupin* (*Arsene Lupin Returns,* 1938), il était assuré de passer à l'histoire malgré un certain manque de personnalité. G.L.

FIXAGE. Opération chimique au cours de laquelle les cristaux de sels d'argent non « révélés » lors du développement sont transformés en produits solubles, éliminés ensuite par lavage. (→ COUCHE SENSIBLE.)

FIXATEUR. Agent chimique du fixage. (→ COUCHE SENSIBLE.)

FIX FOCUS (locution anglaise signifiant « foyer fixe »). Se dit des objectifs, employés sur les appareils d'amateurs très simples, dépourvus d'un système de réglage de la mise au point. (L'objectif est réglé par construction sur une distance telle que, compte tenu de la profondeur de champ, les objets à l'infini paraissent nets.)

FLAHERTY *(Robert Joseph), cinéaste américain (Iron Mountain, Mich., 1884 - Dummerston, Vt., 1951).* Les films qu'il a tournés lui ressemblent. Il les a vécus. Il fut conforme à ce personnage impavide d'Irlandais à l'esprit et au corps assurés, trappeur, pionnier, prospecteur, Robinson selon les cas, mais toujours homme d'action et de sagesse voué aux espaces vierges que la littérature et le cinéma américains (ne citons que John Ford) ont si souvent chantés. Venu d'Irlande, son grand-père s'installe à Québec vers 1850. Sa postérité nombreuse s'établit au sud du Canada et au nord des États-Unis. Le père de Flaherty dirige une exploitation minière dans le Michigan. En 1893, il part prospecter la région frontalière du lac des Bois. Une année entière, son fils partage cette existence exaltante, puis retourne à l'école, la fuit à dix-sept ans, revient travailler aux côtés de son père sur des chantiers de recherches minières, est renvoyé pour insuffisance du Collège des mines du Michigan où il a fini par s'inscrire. Il rencontre alors Frances Hubbard, également dressée par son père à l'exploration et l'aventure. Ils s'épousent.

1910-1916 : la Fondation Mackenzie finance cinq expéditions de Flaherty vers la terre de Baffin. Flaherty redécouvre les îles Belcher, il en dresse la carte ; la plus grande porte désormais son nom. Il tient le journal de ses pérégrinations et filme déjà, en amateur, la vie des Esquimaux. À la fin de la Première Guerre mondiale, la firme française des fourrures Revillon accepte le projet d'un film sur ses territoires de chasse du Grand Nord. Durant deux années (1919-1921), Flaherty vit la vie difficile de Nanouk et de sa famille. Ainsi naît *Nanouk l'Esquimau,* qui invente le genre documentaire. Avant lui, le cinéma n'a connu pratiquement que le document brut orienté sur le pittoresque ou le sensationnel. Succès retentissant (depuis, à l'entracte, on vend des *esquimaux*). Flaherty s'est prémuni contre le traditionnel regard objectif, tombant du dehors, si souvent proche du point de vue de l'entomologiste — « il s'agissait d'êtres humains, non d'insectes » ; aussi ne recule-t-il pas devant *la mise en scène.* Il fait son film *avec* Nanouk ; ils l'élaborent, le répètent, le tournent ensemble. La Paramount offre bientôt à Flaherty de renouveler son exploit mais dans les mers du Sud. D'un séjour de trois ans aux îles Samoa, le cinéaste rapporte *Moana* (1926), qui n'a guère de succès qu'en France. C'est pourtant un chef-d'œuvre d'ethnographie lyrique et fraternelle, le plus authentiquement « flahertien » sans doute de ses films : l'image d'un paradis préservé où le bonheur néanmoins doit être conquis, gagné. Revendiqué par l'avant-garde, Flaherty réalise, dans l'esprit de recherche et d'expérimentation esthétique de celle-ci, *l'Histoire d'un potier* (1925) puis *l'Île aux 24 dollars* (1925), « film de ville » sur les gratte-ciel de Manhattan. Le premier reste confidentiel ; le second est mutilé par les exploitants.

1927 : la MGM lui propose de retourner dans les îles du Pacifique pour y filmer *Ombres blanches.* Si Flaherty est bien d'accord – comme il le sera au moment de *Tabou* – pour dénoncer la déculturation des autochtones provoquée par la colonisation blanche, il refuse farouchement la structure romanesque hollywoodienne que le producteur exige ; il abandonne le tournage à W. S. Van Dyke. Pour la Fox, il travaille toute une année à un film sur les Indiens Pueblos du Nouveau-Mexique ; cette fois encore, il rejette l'histoire d'amour conventionnelle imposée par le commanditaire. Le voici désormais, définitivement, excommunié par Hollywood. Brouillé lui-même avec les grandes compagnies, Murnau crée sa propre maison de production et offre à Flaherty de réaliser en commun *Tabou,* à Tahiti et Bora Bora. Leurs deux personnalités divergent trop pour s'accorder longtemps. Murnau tourne avec *Tabou* un film *allemand* (il dénature le tabou lui-même, en en faisant une sorte de fatum occidental). Flaherty se retire de l'entreprise.

1930 : le cinéaste se dispose à tourner en URSS un film sur la femme soviétique ; il ne peut mener à bien ce projet. Il se rend alors en Grande-Bretagne, à l'invitation de John Grierson, père de la jeune école documentariste anglaise. Il y produit son premier film sonore, *Industrial Britain* (1931-32) puis ce grandiose poème épique qu'est *l'Homme d'Aran* (1934), consacré à l'inlassable combat contre l'Océan de quelques dizaines de pêcheurs. Il se laisse à nouveau piéger par le commerce. *Elephant Boy,* qui devrait magnifier l'amitié d'un jeune garçon indien et d'un éléphant, se voit « enrichi » d'emprunts à Kipling et d'épisodes tournés en studio. L'apport de Flaherty disparaît sous les banalités accumulées par Zoltan Korda (1937). Le film eut du succès mais, désenchanté et lassé, le réalisateur s'éloigne du cinéma au profit de l'écriture. Une commande du département de l'Agriculture, aux États-Unis, l'y ramène pour une dernière désillusion : *la Terre* (1939-1942), qui traitait de la perte des sols par l'érosion dans le Mississippi, n'est jamais projetée. Quatre ans plus tard, la Standard Oil (Esso) lui permet de tourner, en pleine liberté (comme avait fait la maison Revillon frères !), *Louisiana Story* (1948), où deux univers s'interpénètrent : le vieux monde patriarcal, agraire, archaïque, naturel et le monde du pétrole, technologique et industriel, leur harmonieuse conciliation s'opérant essentiellement grâce à l'esprit de jeu et de poésie, à la foi en la vie d'un enfant, de l'enfance éternelle.

L'œuvre de Flaherty a soulevé autant d'admirations enthousiastes que de critiques. On lui a reproché sa fuite dans l'exotisme, les terres lointaines, les petites collectivités humaines ; son rejet du social, son désengagement, son rousseauisme et, fait plus grave, ses « trucages » (Nanouk chassait au fusil, non au harpon ; on ne pêchait plus le requin aux îles Aran depuis cinquante ans ; on ne dansait plus, on ne tatouait plus à Samoa, les missionnaires l'avaient interdit), son côté « Viollet-le-Duc de l'anthropologie ». Des entorses qu'il a apportées à la réalité, Flaherty s'est judicieusement expliqué : « Au moment où c'était encore faisable, j'ai tenté de recréer pour le conserver un document sur ces gens, voulant faire voir l'étincelle humaine qui les distingue de tous les autres... » Aussi bien le vrai continuateur de Flaherty n'est pas Jean Rouch ; c'est Pierre Perrault. Rousseauiste ? Flaherty a célébré non le bon sauvage mais l'unité de la condition humaine. Bien plus que l'éloge toujours recommencé du monde, comme on l'a dit, il a fait l'éloge de la grandeur de l'homme pris dans ce combat et ce dialogue multiforme avec la nature d'où naissent les civilisations. B.A.

Films ▲ : *Eskimo* (1918) ; *Nanouk l'Esquimau* (*Nanook of the North,* 1919-1922) ; *Histoire d'un potier* (*The Pottery Maker / Story of a Potter,* id.) ; *Moana* (1926) ; *l'Île aux 24 dollars* (*The 24 Dollar Island,* 1927) ; *Ombres blanches* (*White Shadows of the South Seas,* CO : W. S. Van Dyke, 1928) ; *Tabou* (*Tabu,* CO : F. W. Murnau, 1931) ; *Industrial Britain* (1933) ; *l'Homme d'Aran* (*Man of Aran,* 1932-1934) ; *Elephant Boy* (CO : Z. Korda, 1937) ; *la Terre* (*The Land,* 1939-1942) ; *Gift of Green* (1943) ; *Guernica* (1946) ; *Louisiana Story* (1948) ; *The Titan : Story of Michelangelo* (RE : Curt Oertel ; supervision, montage : R. Flaherty, 1937-1950).

FLAIANO *(Ennio), scénariste italien (Pescara 1910 - Rome 1972).* Après des études d'architecture, en 1939, il commence à écrire sur le cinéma comme journaliste, une activité qu'il poursuivra toujours. En 1942, il collabore au scénario de *La danza del fuoco* (Giorgio Simonelli) et de *Pastor angelicus* (Romolo Marcellini) ; avec d'autres écrivains comme Moravia et Zavattini, il écrit *La freccia nel fianco* (A. Lattuada, 1944), et après la guerre il conçoit *La nuit porte conseil* (M. Pagliero, 1948 ; RÉ 1946), une satire amère de la Libération. Son humour sarcastique et anticonformiste se révèle dans *les Feux du music-hall* (A. Lattuada et F. Fellini, 1950) et dans *Courrier du cœur* (Fellini, 1952), qui s'attaquent avec humour à des mythes populaires. Il collabore à *Gendarmes et Voleurs* (Steno et M. Monicelli, 1951), *Où est la liberté ?* (R. Rossellini, 1953 ; RÉ : 1952), *Totò e Carolina* (Monicelli, 1955 ; RÉ : 1953), trois films des plus cruels de Totò. Il collabore à tous les films de Fellini et son apport (bien que mêlé à celui des autres) est sans doute déterminant, son esprit étant plus cynique et plus rationnel que celui du grand cinéaste. De ses idées ou de ses bons mots, le cinéma italien se nourrit sans cesse, même si souvent les scénarios qu'il signe ne deviennent que des films moyens. Mentionnons parmi les plus réussis : *Canzoni, canzoni, canzoni* (D. Paolella, 1953) ; *la Belle Romaine* (L. Zampa, 1954) ; *Dommage que tu sois une canaille* (A. Blasetti, 1955) ; *l'Inassouvie* (D. Risi, 1961) ; *la Fille dans la vitrine* (L. Emmer, *id.*) ; *la Nuit* (M. Antonioni, *id.*) ; *le Bourreau* (L. G. Berlanga, 1963) ; *la Dixième Victime* (E. Petri, 1965). De son roman *Melampus,* Marco Ferreri a tiré un de ses meilleurs films : *Liza* (1972), qui synthétise tout le monde flaianien, son indéracinable pessimisme, sa méfiance envers les femmes, sa solitude d'intellectuel hors des courants et probablement en avance sur son temps. L.C.

FLAM. *Film flam,* graphie assez courante pour *film flamme.*

FLAMME. *Film flamme* (fam.), film à support nitrate, c'est-à-dire inflammable. (→ FILM.)

FLASHAGE (franglais d'après *flash,* éclair ; équivalent anglais *flashing*). Méthode consistant à soumettre le film à une légère exposition auxiliaire uniforme (généralement pratiquée en un temps très court, d'où son nom) de façon à améliorer le rendu photographique des zones les plus sombres de l'image (ou des zones les plus claires si le flashage est appliqué au positif de copie). [→ LATENSIFICATION, CONTRASTE, LABORATOIRE.]

FLASHBACK (mot anglais, de *flash,* éclair, et *back,* en arrière). Plan, ou suite de plans, montrant une action antérieure à l'action représentée. (→ SYNTAXE.)

FLASH GORDON, personnage de bande dessinée créé en 1934 aux États-Unis par Alex Raymond, repris ensuite par Austin Briggs, Dan Barry, etc. Un grand classique du comic-strip de science-fiction, contant la lutte de l'héroïque Flash Gordon (alias Guy l'Éclair pour les Français) contre le féroce Ming, empereur de la planète Mongo. Cette « quête du Graal à l'échelle cosmique » (Francis Lacassin) a inspiré, avant-guerre, trois serials : *Flash Gordon* de Frederick Stephani (1936), en treize épisodes, d'une relative fidélité à l'œuvre originale, *Flash Gordon's Trip to Mars,* de Ford Beebe et Robert Hill (1938), et *Flash Gordon Conquers the Universe,* de Ford Beebe et Ray Taylor (1940), tous interprétés par Larry « Buster » Crabbe. En 1980, Dino de Laurentiis produisit pour Famous Films Prod. un somptueux — et décevant — *Flash Gordon* en couleurs, mise en scène de Mike Hodges, avec Sam J. Jones et Max von Sydow. Signalons enfin une parodie pornographique en 16 mm, de Howard Ziehm et Michaël Benveniste, *Flesh Gordon,* avec Jason Williams et Suzanne Fields (1973). C.B.

FLEISCHER *(Max* et *Dave), cinéastes d'animation américains.* Fils d'immigrants allemands, Max *(Vienne, Autriche, 1883 - Los Angeles, Ca., 1972)* invente en 1915 le Rotoscope, qui permet de transcrire en animation une action réelle préalablement filmée, et travaille l'année suivante pour le studio Paramount de J. R. Bray où le rejoint son frère Dave *(New York, N. Y., 1894 - Los Angeles, Ca., 1979).* En 1919, après avoir tous deux réalisé des films d'entraînement pour l'armée, les deux frères fondent leur propre studio d'animation, Out of the Inkwell, qui emprunte son nom à une série populaire de petits films mêlant à des prises de vues réelles de Max l'animation de Koko, un clown malicieux qui s'échappe de l'encrier du dessinateur. En 1929, ils réorganisent leur association pour former les Fleischer Studios dont toute la production sera distribuée par Paramount. Max est plus particulièrement chargé de la gestion, tandis que Dave se consacre à la production effective. Avec l'avènement du parlant, Koko cède la place à Bimbo, un chien qui ne réussira jamais véritablement à s'imposer, et surtout à Betty Boop, une chanteuse roucoulante aux formes évocatrices, dont la joyeuse franchise connaît un énorme succès et qui ne sera abandonnée qu'en 1939. En 1933, le studio s'enrichit d'un nouveau personnage emprunté à la bande dessinée, Popeye le Marin, qui demeurera la vedette du studio jusqu'à sa fermeture et qui est le héros d'un moyen métrage en 1936 : *Popeye the Sailor Meets Sinbad the Sailor.* Les frères produisent aussi deux longs métrages, *les Voyages de Gulliver (Gulliver's Travels,* 1939) et *Douce et Criquet s'aimaient d'amour tendre* (*Mr. Bugs Goes to Town,* 1941), qui ne rencontrent pas le succès escompté, ainsi qu'une série adaptée des aventures de Superman (1941-42). À la suite du désaccord grandissant entre les deux frères et de l'échec commercial de leur dernier film, Paramount les oblige à fermer le studio en décembre 1941. Tandis que Paramount continue pour son propre compte la production des Popeye et Superman sous la responsabilité du gendre de Max, Seymour Kneitel, Max se consacre à la réalisation de films éducatifs, et Dave, après avoir dirigé durant deux ans la production de dessins animés pour Columbia, travaille durant quinze ans pour Universal. J.-P.B.

FLEISCHER *(Richard), cinéaste américain (New York, N. Y., 1916), fils de Max Fleischer.* Son œuvre, d'une constante exigence formelle, et dont la thématique ne manque pas d'intérêt, est assez communément sous-estimée. Elle témoigne d'abord d'une réelle passion pour le cinéma, qu'il s'agisse des prouesses techniques du *Voyage fantastique* (*The Fantastic Voyage,* 1966), des reconstitutions saisissantes de l'attaque de Pearl Harbour par les Japonais en 1941, *Tora ! Tora ! Tora !* (id., 1970 ; co T. Masuda et K. Fukasaku), ou de films moins spectaculaires dont il faut reconnaître la qualité de l'écriture, inventive et efficace. Acteur devenu monteur à la RKO, il fait des débuts de cinéaste avec des mélodrames (*Child of Divorce,* 1946), des documentaires ou des films de montage (*Make Mine Laughs,* 1949). Il donne toute sa mesure, avant même les superproductions, à partir de scripts plus élaborés – même si *le Génie du mal* (*Compulsion,* 1959) et *Drame dans un miroir* (*Crack in the Mirror,* 1960), tous deux avec Orson Welles, sont des échecs –, notamment *Duel dans la boue* (*These Thousand Hills,* 1959), western singulier, novateur et aujourd'hui classique. Il excelle déjà dans le thriller : *l'Énigme du Chicago Express* (*The Narrow Margin,* 1952) et surtout *les Inconnus dans la ville* (*Violent Saturday,* 1955), suspense et coupe sociopsychologique brutale dans l'épaisseur d'une petite ville. Car, si l'on fait l'impasse sur le script maccarthyste qui gâche bien inutilement *le Voyage fantastique,* et sur la « récupération », dont on se serait passé, de Che Guevara (*Che !,* 1969), Fleischer sait à la fois témoigner de la réalité américaine et se livrer à de captivantes explorations de l'imaginaire, de l'angoisse et de la solitude. Mise en cause d'une caste, *le Temps de la colère* (*Between Heaven and Hell,* 1956) s'en prend à la gloire militaire, et *la Fille sur la balançoire* (*The Girl in the Red Velvet Swing,* 1955) nous laisse sans illusion sur les pouvoirs de la bassesse, du cynisme et de l'argent. L'utilisation du scope, les mouvements d'appareil, la valeur expressive de la couleur – à laquelle Fleischer, de *Duel dans la boue* (*These Thousand Hills,* 1959) à *Soleil vert* (*Soylent Green,* 1973), accorde une attention fondamentale – y sont remarquables. La sûreté de sa direction d'acteurs est reconnue, et il n'est que de citer Kirk Douglas dans *les Vikings* (id., 1958), Anthony Quinn dans le très curieux *Barabbas* (id., 1962), ou Henry Fonda en enquêteur dans *l'Étrangleur de Boston* (*The Boston Strangler,* 1968), le film peut-être le moins conventionnel qu'on ait consacré à un criminel. Les personnages de Fleischer sont le plus souvent murés dans leur incapacité à communiquer, ligotés par les interdits, sans armes pour se sauver, ou réduits à un destin solitaire (Robert Mitchum, dans ce beau film d'aventures qu'est *Bandido* [*Bandido Caballero,* 1956], y fait figure d'exception assez satirique). Quels qu'en soient les échecs, dont ceux de la dernière décennie, on ne saurait réduire sans mauvaise foi à un « cinéma de la violence » une œuvre qui, si elle commence en fait avec *l'Énigme du Chicago*

Express, n'est dépourvue ni de recherches ni de réussites, de *Duel dans la boue,* amorce de la mutation du western, au quasi-huis clos de *l'Étrangleur de la place Rillington* (*10 Rillington Place,* 1971). C.M.C.

Autres films : *Mon chien et moi (Banjo* 1947) ; *So This Is New York* (1948) ; *Bodyguard* (id.) ; *Design for Death* (id.) ; *le Pigeon d'argile* (*The Clay Pigeon,* 1949) ; *l'Assassin sans visage* (*Follow Me Quietly,* id.) ; *le Traquenard* (*Trapped,* id.) ; *Armored Car Robbery* (1950) ; *Sacré Printemps* (*Happy Time,* 1952) ; *Arena* (1953) ; *20 000 Lieues sous les mers* (*20 000 Leagues Under the Sea,* 1954) ; *le Grand Risque* (*The Big Gamble,* 1961) ; *l'Extravagant Docteur Dolittle* (*Dr. Dolittle,* 1967) ; *Che !* (id., 1969) ; *Terreur aveugle* (*Blind Terror,* 1971) ; *les Complices de la dernière chance* (*The Last Run,* id.) ; *Les flics ne dorment pas la nuit* (*The New Centurions,* 1972) ; *Don Angelo est mort* (*The Don Is Dead,* 1973) ; *The Spikes Gang* (1974) ; *Mr. Majestyk* (id.) ; *Mandingo* (id., 1975) ; *Incroyable Sarah* (*The Incredible Sarah,* 1976) ; *The Prince and the Pauper* (1977) ; *Ashanti* (id., 1979) ; *The Jazz Singer* (id., 1980), *Tough Enough* (1983) ; *Amityville 3-D* (id.) ; *Kalidor* (*Red Sonja,* 1985) ; *Million Dollar Mystery* (1987) ; *Call from Space / Showscan* (1990). ▲

FLEISCHMANN *(Peter), cinéaste allemand (Zweibrücken 1937).* Après des études secondaires dans différentes villes d'Allemagne, il entre à l'université de Munich. Parallèlement, il anime divers ciné-clubs et tourne plusieurs courts et moyens métrages. Il s'inscrit ensuite à l'IDHEC à Paris, puis travaille comme assistant réalisateur avec plusieurs cinéastes français, dont Jacques Rozier et Jean Chapot. Il retourne en Allemagne et signe son premier long métrage en 1967, un documentaire, *l'Automne des Gammlers.* Il opère une percée internationale avec *Scènes de chasse en Bavière,* présenté à Cannes en 1969 et récompensé par le prix Georges-Sadoul en 1970. Adaptation d'une pièce de théâtre de Martin Sper, le film dénonce la permanence du racisme dans une petite communauté rurale de Basse-Bavière, qui marginalise et traque un homosexuel, de la même manière qu'elle écarte, tout en l'exploitant, une minorité de travailleurs immigrés turcs. Fleischmann, contrairement à son compatriote Alexander Kluge, ne mélange pas le documentaire et la fiction, mais son regard est pourtant celui d'un documentariste et sa vision, celle d'un ethnologue, se refusant toute identification avec les personnages, ni positifs, ni négatifs, dont on analyse seulement les mœurs. Moins réussis, à l'exception des *Cloches de Silésie* (1971), les films suivants poursuivent la même investigation à propos de la société allemande contemporaine, dont le comportement paraît gouverné par l'oubli de l'apocalypse nazie. *Dorothéa* (1973), fable symbolique, avec des acteurs pour la plupart non professionnels, est une fantaisie réaliste, décrivant un underground de proxénètes, prostituées, masochistes, une caricature parfois complaisante de notre monde. *La Faille* (1975), tiré d'un roman de l'écrivain grec Antonis Samarakis, déçoit davantage encore, proportionnellement à ses ambitions : film épique, parabole de la naissance d'une dictature, de la résistance des opprimés. Avec *la Maladie de Hambourg* (1979), Fleischmann revient à des préoccupations écologiques, déjà présentes dans *les Cloches de Silésie.* M.S.

Films ▲ : *L'Automne des Gammlers* (*Das Herbst Gammlers,* 1968) ; *Scènes de chasse en Bavière* (*Jagdszenen aus Niederbayern,* 1969) ; *les Cloches de Silésie* (*Das Unheil,* 1971) ; *Dorothéa* (*Dorotheas Rache,* 1973) ; *la Faille* (*Der Dritte Grad,* 1975) ; *la Maladie de Hambourg* (*Die Hamburger Krankheit,* 1979) ; *Frevel* (1984) ; *Al Capone von der Pflaz* (DOC 1970-1987) ; *Un Dieu rebelle* (*Es ist nicht leicht ein Gott zu sein,* 1988) ; *Deutschland, Deutschland* (DOC., 1991) ; *Abenteuer Russland* (1993).

FLEMING *(Marilyn Louis,* dite *Rhonda), actrice américaine (Los Angeles, Ca., 1923).* Longtemps cantonnée dans le film d'aventures de série, elle incarna la belle ensorceleuse sauvée par l'amour dans d'innombrables intrigues exotiques (notamment *l'Appel de l'or,* Edward Ludwig, 1954). Trop rares, mais remarquables de sensualité, furent ses incursions dans le film noir : *la Griffe du passé* (J. Tourneur, 1947), *Le tueur s'est évadé* (B. Boetticher, 1956), *la Cinquième Victime* (F. Lang, 1956). Elle doit à Allan Dwan ses rôles les plus attachants (*le Bagarreur du Tennessee / Le mariage est pour demain,* 1955, et *Deux Rouquines dans la bagarre,* 1956). M.H.

FLEMING *(Victor), cinéaste américain (Pasadena, Ca., 1883 - Los Angeles,* id., *1949).* Assistant opérateur dès 1910, opérateur à la Triangle en 1915, cameraman à la conférence de la Paix de Paris et au traité de Versailles en 1919, sous contrat à la MGM à partir de 1932... Pour beaucoup, il est celui qui a signé *Autant en emporte le vent* (*Gone With the Wind,* co S. Wood, G. Cukor [non crédités], 1939), réussite romanesque attribuable à de nombreuses personnalités. Mais réduire Fleming à cela, c'est ne pas lui faire justice. Sa carrière est certes inégale ; il est capable du pire : *l'Aventure* (*Adventure,* 1946), *Jeanne d'Arc* (*Joan of Arc,* 1948) ; mais aussi du meilleur. Quand les acteurs et le sujet l'inspirent, il réalise une œuvre vivante au classicisme exemplaire. D'une abondante œuvre muette qui le fit collaborer dès 1919 avec Douglas Fairbanks, dans les excellents *Cauchemars et Superstitions* (*When the Clouds Roll By,* co Ted Reed, 1919) et *la Poule mouillée* (*The Mollycoddle,* 1920), on retient surtout une belle adaptation de Conrad (*Lord Jim,* 1925), qui convenait à son tempérament aventureux, et un superbe mélodrame rural aux extérieurs splendides (*Mantrap,* 1926). Fleming se spécialise un peu dans ce genre auquel son humour et sa santé donnent un recul ironique : *Common Clay* (1930) par exemple, où Constance Bennett répond bien à son approche. De même, les films où il dirigea Jean Harlow : *la Belle de Saigon* (*Red Dust,* 1932) et *Bombshell* (1933). Mais, si le sujet bifurque vers le prêche (*The Wet Parade,* 1932 ; *la Sœur blanche* [*The White Sister,* 1933]) ou la fadeur (*la Jolie Batelière* [*The Farmer Takes a Wife,* 1935]), Fleming le laisse impitoyablement s'effilocher. Il fut un excellent cinéaste pour Wallace Beery (*l'Île au trésor* [*Treasure Island*], 1934), Spencer Tracy (*Capitaines courageux* [*Captains Courageous*], 1937 ; *Tortilla Flat,* 1942) et surtout Clark Gable, qu'il dirigea quatre fois et qui, dit-on, imita beaucoup les manières cavalières du cinéaste pour imposer son image de marque. En 1939, il s'attela aux deux plus importantes productions de l'année, *le Magicien d'Oz (The Wizard of Oz)* et *Autant en emporte le vent,* servant surtout de lien entre les différents collaborateurs : force est de reconnaître la perfection de ces deux films. De plus, *le Magicien d'Oz* semblait exciter en Fleming une certaine fascination pour l'inconscient, inclination qu'il put satisfaire dans l'excellent *Docteur Jekyll et Mr. Hyde* (1941). En bref, une personnalité attachante et une signature qui fut souvent le garant d'un divertissement vif et intelligent. C.V.

FLETCHER *(Louise) actrice américaine (Birmingham, Ala., 1934).* Elle était déjà un vétéran de la télévision et de la scène quand Robert Altman, en 1974, la fait débuter à l'écran dans *Nous sommes tous des voleurs.* Elle crée une impression inoubliable en infirmière-bourreau de Jack Nicholson (mais aussi sa tête de turc) dans *Vol au-dessus d'un nid de coucou* (Miloš Forman, 1975), qui lui vaut un Oscar. On peut cependant préférer sa prestation nuancée et modeste dans le rôle de la psychiatre dans *Exorciste II : l'Hérétique* (J. Boorman, 1977). C.V.

FLICKER *(Theodore J* [*onas*]*), cinéaste américain (Freehold, N. J., 1930).* Après avoir traîné (sans succès) sur les scènes de Broadway, puis dans les studios de télévision, Flicker débuta comme réalisateur en 1964, avec un film satirique et confidentiel au ton personnel : *le Trouble-Fête (The Trouble-Maker).* Depuis, il n'a réalisé que peu de films, dont le meilleur est *la Folle Mission du docteur Schaeffer* (*The President's Analyst,* 1967), bonne satire politique où James Coburn était excellent et qui bénéficiait aussi d'un scénario astucieux écrit par Flicker lui-même. C.V.

FLIPPEN *(Jay C.), acteur américain (Little Rock, Ark., 1899 - Hollywood, Ca., 1971).* Il abandonne Broadway pour Hollywood après 1945 et y interprète une série de seconds rôles, en particulier dans d'excellents westerns : *les Amants de la nuit* (N. Ray, 1949) ; *Winchester 73* (A. Mann, 1950) ; *Le peuple accuse O'Hara* (J. Sturges, 1951) ; *les Affameurs* (A. Mann, 1952) ; *l'Équipée sauvage* (L. Benedek, 1954) ; *Je suis un aventurier* (Mann, 1955) ; *Ultime Razzia* (S. Kubrick, 1956) ; *le Jugement des flèches* (S. Fuller, 1957) ; *le Fleuve sauvage* (E. Kazan, 1960) ; *Cat Ballou* (E. Silverstein, 1965). J.-P.B.

FLON *(Suzanne), actrice française (Kremlin-Bicêtre 1923).* Elle aborde le monde du spectacle en étant secrétaire d'Édith Piaf et débute au théâtre sous le pseudonyme d'Anne Lancel. Raymond Rouleau la remarque ; en 1947, elle se fait connaître dans *Le mal court* d'Audiberti, puis ne quitte plus le métier de la scène, qui l'accapare et lui laisse peu de temps pour le cinéma. Elle y débute toutefois dans *Capitaine Blomet* (Andrée Feix, 1947). Huston l'engage pour *Moulin-Rouge* (1953) et Orson Welles pour *Monsieur Arkadin* (1955). Elle s'impose en 1961 par la force qu'elle confère au personnage de la mère dans *Tu ne tueras point* de Claude Autant-Lara, puis en 1971 avec *Térésa* de Gérard Vergez. Elle tourne régulièrement, généralement des rôles de second plan (parfois pour de grands cinéastes : *le Procès,* O. Welles, 1962 ; *Monsieur Klein,* J. Losey, 1976) mais semble plutôt conserver son ambition pour le théâtre. Au cours des années 80 on la revoit avec plaisir interpréter des rôles modestes mais remarqués dans *l'Été meurtrier* (Jean Becker, 1983), *En toute innocence* (A. Jessua, 1988), *la Vouivre* (Georges Wilson, 1989) ou *Gaspard et Robinson* (Tony Gatlif, 1990). F.B.

FLOOD (mot anglais, prononc. « floude »). Lampe à incandescence survoltée, avec ou sans miroir incorporé. (→ ÉCLAIRAGE, SOURCES DE LUMIÈRE.)

FLORELLE *(Odette Rousseau,* dite *Odette), actrice française (Les Sables-d'Olonne 1901 - La Roche-sur-Yon 1974).* Reine du music-hall, à la fois exubérante et attendrissante, faite pour les sourires et la joie de vivre, elle apparaît très vite dans les petits films muets de Diamant-Berger, où elle donne souvent la réplique à Chevalier (*Jim Bougne boxeur,* 1923 ; *l'Affaire de la rue de Lourcine,* 1923). Sa belle époque se situe dans les premières années du parlant grâce aux coproductions franco-allemandes. Elle doit beaucoup à Pabst, qui en fait la Polly de la version française de *l'Opéra de quat'sous* (1931) avant de lui faire danser un inoubliable cancan dans *l'Atlantide* (1932). Mais un Siodmak (*Autour d'une enquête* et *Tumultes,* 1932), un Wiene (*le Procureur Hallers,* 1930) et, un peu plus tard, un Lang (*Liliom,* 1934) ou un Schünzel (*Les dieux s'amusent,* 1935) savent jouer à merveille de son minois chiffonné et d'une perversité naïve, en quelque sorte, et doucement inconsciente. Avant que Renoir fasse d'elle la blanchisseuse blessée et courageuse du *Crime de M. Lange* (1936), elle avait joué avec une grande intensité dramatique la Fantine des *Misérables* (R. Bernard, 1934). L'année suivante, dans un registre bien plus léger, le même cinéaste lui fait interpréter la petite femme de *Amants et Voleurs.* Elle y montre les qualités qui ont fait d'elle *la Dame de chez Maxim's* (A. Korda, 1933) : jambes gainées de bas noirs, froufrous mousseux, bonne humeur inaltérable et pépiements d'oiseau. Une série de films médiocres où on la distribue mal finit par l'éloigner des studios. On ne la revoit plus guère que dans des rôles secondaires auxquels le souvenir de ce qu'elle fut confère un certain pathétique : *les Caves du Majestic* (R. Pottier, 1944) ; *Trois Femmes* (A. Michel, 1952) ; *Gervaise* (R. Clément, 1956) ; *le Sang à la tête* (G. Grangier, 1956). R.C.

FLOREY *(Robert), cinéaste et historien français (Paris 1900 - Santa Monica, Ca., 1979).* Passionné de bonne heure par le cinéma, ce jeune journaliste émigre aux États-Unis en 1921, sur les conseils de Louis Delluc, après quelques travaux obscurs chez Gaumont et Pathé. Il devient chef de publicité de Douglas Fairbanks, secrétaire de Rudolph Valentino, conseiller technique pour plusieurs films d'ambiance française, assistant de Vidor et Sternberg, talent-scout des Marx Brothers, qu'il dirige dans leur premier film, *Noix de coco* (*The Cocoanuts,* 1929). Bref retour en France, à l'aube du parlant, le temps de tourner *La route est belle* et *L'amour chante* (1930), deux films « cent pour cent chantants » (et médiocres), et, pour Sacha Guitry, *le Blanc et le Noir.* Mais c'est aux États-Unis, son pays d'adoption, qu'il est le plus à l'aise. De 1930 à 1950, il y réalise une vingtaine de films, dont les meilleurs semblent ressortir au genre fantastique (Florey a été très influencé par l'expressionnisme allemand et l'avant-garde européenne de la fin du muet) : *Double Assassinat dans la rue Morgue* (*Murders in the Rue Morgue,* d'après Edgar Poe, 1932, avec Bela Lugosi), *The Face Behind the Mask* (1941) et *la Bête aux cinq doigts* (*The Beast With Five Fingers,* 1947, avec Peter Lorre). Il avait travaillé à la préparation du premier *Frankenstein* (1931) et réalisé, pour son plaisir, quelques films expérimentaux, restés inédits, notamment une *Chute de la maison Usher* (1928). Ses derniers films sont des besognes strictement commerciales : *Tarzan et les sirènes* (*Tarzan and the Mermaids,* le dernier Weissmuller, 1948), *The Vicious Years* (1950). Il se tournera ensuite vers la télévision, participant à plus de 200 épisodes de séries telles que *les Incorruptibles, Alfred Hitchcock présente, Capitaine Troy,* etc. Retenons enfin qu'il fut un peu plus que l'assistant dévoué de Chaplin pour *Monsieur Verdoux :* certaines séquences auraient été, dit-on, entièrement réglées par lui.

Mais la contribution la plus importante de Florey à l'histoire du cinéma réside dans ses innombrables reportages, interviews, chroniques (à *Cinémagazine* et *Cinémonde* notamment), d'une exceptionnelle rigueur documentaire pour son époque ; puisant dans sa documentation, Florey a écrit (en français) quelques ouvrages d'un grand intérêt historique : *Deux Ans dans les studios américains ; Hollywood d'hier et d'aujourd'hui ; la Lanterne magique ; Hollywood année zéro,* etc. C.B.

FLUORURE DE CALCIUM → OBJECTIFS.

FLUX LUMINEUX → PHOTOMÉTRIE.

FLYING SPOT (locution anglaise signifiant « tache volante »). Méthode d'analyse des films cinématographiques, pour les reporter en vidéo, recourant au défilement continu du film. (→ TÉLÉCINÉMA.)

FLYNN *(Errol), acteur américain (Hobart, Tasmanie, Australie, 1909 - Los Angeles, Ca., 1959).* De son père, explorateur, biologiste et océanographe britannique réputé, il hérite un tempérament d'aventurier et l'amour de la nature, mais non le goût de l'étude. Renvoyé de plusieurs collèges, il est tour à tour boxeur amateur, chercheur d'or, caboteur, pêcheur de perles, plongeur (de restaurant), etc. Il a relaté cette existence mouvementée dans trois livres de souvenirs, plus ou moins enjolivés : *Beam Ends* (1937), *Showdown* (1946) et *My Wicked, Wicked Ways* (publié après sa mort, en 1959, et traduit en français sous le titre *Mes quatre cents coups,* 1977). Il s'y décrit sans complexe comme un « baladin du monde occidental », ou comme un incorrigible « traîne-savates, un roué, un sacré numéro ». Son goût pour la vodka est légendaire. Quant à ses frasques sentimentales... En 1937, on annonce sa mort en Espagne. En 1943, à Hollywood, il est compromis (et acquitté) dans une affaire de viol. Un an avant sa mort, on le trouve à Cuba, dans le sillage de Fidel Castro (« Pour une fois qu'il existait un vrai Robin des Bois dans le monde, déclara-t-il, j'ai voulu faire sa connaissance... »). Sa vie, dit-il, ne fut qu'une « peinture picaresque » qui lui donna plus de satisfaction que son œuvre.

Celle-ci est pourtant loin d'être négligeable : plus de cinquante films, dont une bonne douzaine de grandes réussites, signés principalement Michael Curtiz et Raoul Walsh. Une adéquation parfaite entre l'acteur et ses personnages, qu'il s'agisse de ferraillants corsaires comme le Capitaine Blood ou l'Aigle des mers, d'un major de l'armée des Indes conduisant la célèbre charge de la brigade légère, d'un héros de Mark Twain (dans *le Prince et le Pauvre,* qui lui valut le surnom de « prince »), de Robin des Bois, du Comte d'Essex aimé et décapité par Élisabeth d'Angleterre, du « brave » général Custer, du boxeur « gentleman » Jim Corbett (sans doute son meilleur rôle), d'un capitaine de commando parachuté dans la jungle de Birmanie, ou — pour finir — de Don Juan en personne ; une sobriété de jeu acquise à la seule et dure épreuve des caméras (une brève carrière théâtrale à Londres s'étant avérée désastreuse) ; une espèce de « désinvolture alliée à une certaine noblesse innée » (G. et M. Devillers) ; voilà qui ne contribue pas peu à faire de lui l'un des plus parfaits aventuriers de l'écran américain, de 1935 à 1950. Vieilli, usé par l'alcool, il est encore excellent en personnage d'Hemingway dans *Le soleil se lève aussi* (H. King et R. Gary), dans *les Racines du ciel* (J. Huston, 1958), son avant-dernier film.

Marié successivement à l'actrice Lili Damita, à Nora Eddington et à Patricia Wymore, il avait un fils, Sean Flynn, qui chercha en vain à lui succéder, dans de médiocres bandes d'aventures européennes, et qui disparut au Viêt-nam. C.B.

Films ▲ : *In the Wake of the « Bounty »* (Ch. Chauvel, AUST, 1933) ; *Murder at Monte-Carlo* (Ralph Ince, GB, 1935) ; *The Case of the Curious Bride* (M. Curtiz, *id.*) ; *Ne pariez pas sur les blondes (Don't Bet on Blondes,* R. Florey, *id.) ; la Femme traquée (I Found Stella Parish,* M. Le Roy, *id.* ; caméo) ; *Pirate Party on Catalina Isle* (CM, Alexander Van Dorn, *id.*) ; *Capitaine Blood* (Curtiz, *id.*) ; *la Charge de la brigade légère* (id., 1936) ; *la Lumière verte* (F. Borzage, 1937) ; *le Prince et le Pauvre (The Prince and the Pauper,* W. Keighley, *id.) ; la Tornade* (W. Dieterle, *id.*) ; *Un homme a disparu* (Curtiz, *id.*) ; *les Aventures de Robin des Bois* (id., 1938) ; *Quatre* *au paradis* (id., *id.*) ; *Nuits de bal (The Sisters,* A. Litvak, *id.) ; la Patrouille de l'aube (The Dawn Patrol,* E. Goulding, *id.) ; les Conquérants* (Curtiz, 1939) ; *la Vie privée d'Élisabeth d'Angleterre* (id., *id.*) ; *la Caravane héroïque* (id., 1940) ; *l'Aigle des mers* (id., *id.*) ; *la Piste de Santa-Fé* (id., *id.*) ; *Footsteps in the Dark* (L. Bacon, 1941) ; *Dive Bomber* (Curtiz, *id.*) ; *la Charge fantastique* (R. Walsh, *id.*) ; *Sabotage à Berlin* (id., *id.*) ; *Gentleman Jim* (id., *id.*) ; *l'Ange des ténèbres* (*Edge of Darkness,* L. Milestone, 1943) ; *Remerciez votre bonne étoile* (D. Butler, *id.*) ; *Du sang sur la neige* (Walsh, *id.*) ; *Saboteur sans gloire* (id., 1944) ; *San Antonio* (Butler, 1946) ; *Aventures en Birmanie ou le Commando de l'enfer* (id.) ; *Ne dites jamais adieu (Never Say Good Bye,* James V. Kern, *id.) ; Escape me Never* (Peter Godfrey, 1947) ; *Cry Wolf* (id., *id.*) ; *Always Together* (Frederick de Cordova, *id.*) ; *la Rivière d'argent* (Walsh, 1948) ; *les Aventures de Don Juan* (*The Adventures of Don Juan,* V. Sherman, 1949) ; *les Travailleurs du chapeau (It's a Great Feeling,* Butler, *id.) ; la Dynastie des Forsyte (That Forsyte Woman,* C. Bennett, *id.) ; Montana* (id., R. Enright, 1950) ; *la Révolte des dieux rouges* (W. Keighley, *id.*) ; *Kim* (id., V. Saville, 1951) ; *Hello God !* (W. Marshall, *id.*) ; *la Taverne de La Nouvelle-Orléans (Adventures of Captain Fabian,* id., *id.) ; Mara Maru* (id., G. Douglas, 1952) ; *À l'abordage* (G. Sherman, *id.*) ; *le Vagabond des mers* (Keighley, 1953) ; *le Maître de Don Juan (Il maestro di Don Giovanni / Crossed Swords,* Milton Krims, 1954) ; *Le aventure de Guglielmo Tell* (J. Cardiff, inachevé, *id.*) ; *Voyage en Birmanie (Lilacs in the Spring / Let's Make Up,* H. Wilcox, *id.) ; l'Armure noire* (*The Dark Avenger / The Warriors,* H. Levin, 1955) ; *Rhapsodie royale* ou *Idylle royale à Monte-Carlo (King's Rhapsody,* Wilcox, *id.) ; Istanbul (Istambul,* J. Pevney, 1956) ; *Trafic à La Havane* (*The Big Boodle,* Richard Wilson, 1957) ; *Le soleil se lève aussi* (H. King, *id.*) ; *Une femme marquée* (*Too Much, Too Soon,* Art Napoleon, 1958) ; *les Racines du ciel* (J. Huston, *id.*) ; *Cuban Rebel Girls* (Barry Mahon, 1959).

FOCALE. *Distance focale,* caractéristique d'un objectif à laquelle est directement liée – toutes choses égales par ailleurs – la taille de l'image fournie par cet objectif. (La distance focale est égale à la distance *foyer/lentille* d'une lentille unique qui fournirait, pour une mise au point sur l'infini, une image de même taille que l'objectif considéré.) [→ OBJECTIFS, OPTIQUE GÉOMÉTRIQUE.] *Focale* est couramment employé comme abrév. fam. de *distance focale* et, par extension, comme syn. de *objectif* lorsque l'on s'intéresse à la distance focale de ce dernier : *ce plan a été tourné avec une courte focale.*

FOCUS. Mot anglais pour *foyer.*

FOLDES *(Peter), cinéaste français d'origine hongroise (Budapest 1924 - Paris 1977).* Il étudie la peinture à Londres et s'y fait remarquer. Puis il se tourne vers le cinéma d'animation et manifeste autant d'originalité dans le graphisme que de hauteur dans l'inspiration (*Animated Genesis,* 1952 ; *A Short Vision,* 1954). Après un séjour à New York consacré à la peinture, il s'installe à Paris et y réalise, pour le compte du Service de la recherche de l'ORTF, des dessins animés qui font sensation : *Appétit d'oiseau* (1964), *Un garçon plein d'avenir* (1965), *Plus vite* (id.), *Éveil* (1967), *Visages de femmes* (1969). Une saisissante invention graphique (en particulier dans la transformation continue des volumes, qui n'est pas sans évoquer l'art d'Émile Cohl) y soutient une thématique axée souvent sur la violence et la mort. Il s'essaie au long métrage avec *Je, tu, elles* (1972), mêlant personnages réels et images composées. Ayant découvert au Canada les possibilités de l'animation par ordinateur, il fait figure de pionnier en réalisant des œuvres marquantes telles que *Metadata* (1970) et *la Faim* (1975). Il revient aux techniques classiques dans *le Rêve* (1976), fragment d'un long métrage, *Daphnis et Chloé,* resté inachevé. M.M.

FOLSEY *(George), chef opérateur américain (New York, N. Y., 1900 - Santa Monica, Ca., 1988).* Opérateur depuis 1919, fréquemment nominé pour un Oscar, sa personnalité se définit mal, mais son métier est très sûr. Ces deux traits ont fait de lui un collaborateur d'élection pour Vincente Minnelli et pour George Cukor, ainsi que pour de nombreux artisans de moindre prestige, qui tous ont bénéficié de sa considérable expérience. Le noir et blanc, qu'il utilisa avec bonheur à la Paramount (*Laughter,* H. d'Abbadie d'Arrast, 1930 ; *le Lieutenant souriant,* E. Lubitsch, 1931) et à la MGM (où il s'occupa avec un soin extrême de Joan Crawford, notamment dans *Mannequin,* F. Borzage, 1938), ne fut peut-être pour lui qu'une préparation à sa réelle explosion, avec le Technicolor rutilant des années 40. *Le Chant du Missouri* (V. Minnelli, 1944), aux nuances tendres de calendrier passé, est un succès total, que Folsey sut renouveler souvent, par exemple dans *la Toile d'araignée,* à la palette plus sombre (Minnelli, 1955), et dans *Planète interdite,* aux coloris plus fantaisistes (F. McLeod Wilcox, 1956). C.V.

FONDA *(Henry), acteur américain (Grand Island, Nebr., 1905 - Los Angeles, Ca., 1982).* Étudiant journaliste piqué par la mouche du théâtre, il rejoint, en 1928, la jeune compagnie des University Players qui regroupe, entre autres, Joshua Logan, Margaret Sullavan, qu'il allait épouser, et James Stewart, l'ami de toujours. En 1929, il débute à Broadway. En 1934, il s'y fait remarquer et, la même année, Hollywood l'appelle pour recréer au cinéma le rôle qui l'avait lancé sur les planches : *la Jolie Batelière* (V. Fleming, 1935). Henry Fonda jouait un jeune campagnard, emploi dont il parviendra difficilement à se débarrasser. C'est à la famille cinématograhique des Charles Ray, Richard Barthelmess ou Charles Farrell qu'il semble alors appartenir. De nombreuses fois marié, vedette adulée de la scène (sur laquelle il ne renoncera jamais à paraître), il était aussi, dans les dernières années de sa vie, un populaire acteur de télévision : il a embrassé toutes les expressions qui s'offraient à son métier d'acteur.

Une longue interruption (1948-1955), consacrée au théâtre, scinde sa carrière cinématograhique en deux périodes, nettement distinctes. Jeune acteur courtisé par le cinéma qui lui fait les honneurs d'un début en vedette, il devient vite le partenaire masculin que les stars à forte personnalité se disputent. Barbara Stanwyck *(Miss Manton est folle),* Sylvia Sidney *(la Fille du bois maudit ; J'ai le droit de vivre)* ou Bette Davis *(Une certaine femme ; l'Insoumise)* se le partagent. Mais il est déjà évident que Fonda n'est pas un fade jeune premier : opposée à l'énergie de Barbara Stanwyck, à l'émotion de Sylvia Sidney ou à la nervosité de Bette Davis, sa tranquillité sereine et grave a, elle aussi, l'art de séduire le spectateur. Dès 1935, quand il succède à Richard Barthelmess dans la seconde version d' *À travers l'orage* (H. King), il a su s'inventer un personnage d'innocent honnête et solide qui lui deviendra familier. Malgré ses rapports tendus avec Fritz Lang, il donne la pleine mesure de son talent dans sa composition de délinquant fugitif et haletant de *J'ai le droit de vivre.* Par ailleurs, la cohabitation avec une autre grande vedette masculine, Pat O'Brien *(Rivalité)* ou Tyrone Power *(le Brigand bien-aimé),* ne l'empêche pas de tirer habilement son épingle du jeu en « composant » avec précision (ainsi le Frank James chiquant de ce dernier film). En 1939, avec un faux nez qui ne diminue en rien l'intensité de son regard, il est le jeune Abraham Lincoln de *Vers sa destinée* et inaugure ainsi, dans l'enthousiasme, sa collaboration fructueuse avec John Ford. C'est aussi, paradoxalement, l'époque des rancœurs qui commence. Pour être l'inoubliable Tom Joad, avec dans ses yeux toute la misère du monde (*les Raisins de la colère,* 1940), il doit accepter trois ou quatre films de routine que la Fox lui impose. Ce compromis ne lui convient pas et son absence, due à la guerre, creuse le fossé : en 1948, après *le Massacre de Fort Apache,* il se retire. Plus tard, réconcilié avec lui-même, Fonda se reverra avec plaisir dans des productions modestes où il fait merveille, comme *The Big Street* (1942).

Il revient au cinéma avec *Permission jusqu'à l'aube* (1955), qu'il avait fait triompher à Broadway. Il se brouille avec Ford, mais accepte les propositions qui affluent : le scrupuleux Pierre de *Guerre et Paix,* le pathétique *Faux Coupable* ou l'honnête juré de *Douze Hommes en colère.* Le goût du cinéma lui revient et il semble s'amuser. Ce qui explique que cet homme intransigeant se soit transformé avec délectation en incarnation démoniaque dans *les Cinq Hors-la-loi* (Vincent McEveety, 1968) ou *Il était une fois dans l'Ouest* (S. Leone, *id.*). C'est ainsi encore que se justifient les épiphanies fugitives et les apparitions dans des films médiocres.

Le regard de source claire, le pas mesuré, le geste économe suggèrent l'honnêteté, même dans une composition frénétique comme *J'ai le droit de vivre.* Sa voix articulée, aux trémolos étouffés, fait vibrer les monologues (les conclusions des *Raisins de la colère* et de *l'Étrange Incident*). Mais il sait aussi se taire et son visage sobre de Christ aux douleurs balaye tout (le bouleversant *Faux Coupable*). Tout en lui est si limpide qu'il a souvent navigué aux confins de la naïveté *(la Fille du bois maudit, le Brigand bien-aimé* ou *Chad Hanna).* Le dessinateur Al Capp en fit le modèle de son Lil' Abner. Cet aspect de son jeu a obscurci quelque peu les autres, riches, nuancés. Il a joué l'indignation *(J'ai le droit de vivre),* la colère *(les Raisins)* ou l'obstination stupide *(le Massacre de Fort Apache).* Mais il fut aussi un acteur de comédie exemplaire, comme en témoigne l'éblouissant *Un cœur pris au piège* (1941), où on le verra, savant hurluberlu, recroqueviller sa grande taille face à une Barbara Stanwyck qui s'amuse à jouer les mantes voraces.

Acteur avant tout, Henry Fonda est, entre tous, un visage ami, intime. Il suscite l'identification et la compréhension. Il murmure la confidence à l'oreille du public. Il s'est servi de ce rapport privilégié pour s'assurer une des plus belles « sorties » qu'un acteur ait jamais eues. Dans *la Maison du lac* (1981), professeur à la limite de la décrépitude, il sait, avec un art consommé, jusqu'où il peut être grossier ou mufle. Il s'effraie de l'obscurité d'une forêt, signe de sa mort prochaine, il joue son agonie, puis, finalement, revit, précairement, illusoirement. Comme pour nous dire que, malgré une issue qu'il savait inévitable, son visage de bon pain serait toujours là. Clair, ouvert, généreux, personnification d'un certain idéal démocratique, mais aussi, furtivement calculateur ou durci, humain, son visage est un miroir. C.V.

Films ▲ : *la Jolie Batelière* (V. Fleming, 1935) ; *À travers l'orage* (H. King, *id.*) ; *Griseries (I Dream Too Much,* J. Cromwell, *id.) ; la Fille du bois maudit* (H. Hathaway, 1936) ; *le Diable au corps (The Moon's Hour Home,* W. Seiter, *id.) ; Spendthrift* (R. Walsh, *id.*) ; *la Baie du destin* (*Wings of the Morning,* H. Schuster, 1937, GB) ; *J'ai le droit de vivre* (F. Lang, *id.*) ; *Rivalité (Slim,* R. Enright, *id.) ; Une certaine femme* (E. Goulding, *id.*) ; *Collège mixte* (*I Met My Love Again,* A. Ripley et J. Logan, 1938) ; *l'Insoumise* (W. Wyler, *id.*) ; *Blocus (Blockade,* W. Dieterle, *id.) ; les Gars du large (Spawn of the North,* H. Hathaway, *id.) ; Miss Manton est folle (The Mad Miss Manton,* Leigh Jason, *id.) ; le Brigand bien-aimé* (H. King, 1939) ; *Laissez-nous vivre (Let Us Live,* J. Brahm, *id.) ; Et la parole fut (The Story of Alexander Graham Bell,* I. Cummings, *id.) ; Vers sa destinée* (J. Ford, *id.*) ; *Sur la piste des Mohawks* (id., *id.*) ; *les Raisins de la colère* (id., 1940) ; *Lillian Russell* (I. Cummings, *id.*) ; *le Retour de Frank James* (F. Lang, *id.*) ; *Chad Hanna* (King, *id.*) ; *Un cœur pris au piège* (P. Sturges, 1941) ; *Wild Geese Calling* (Brahm, *id.*) ; *Tu m'appartiens (You Belong to Me,* W. Ruggles, *id.) ; The Male Animal* (E. Nugent, 1942) ; *la Poupée brisée (The Big Street,* I. Reis, *id.) ; Qui perd gagne (Rings on Her Fingers,* R. Mamoulian, *id.*) ; *Six Destins* (J. Duvivier, *id.*) ; *The Magnificent Dope* (W. Lang, *id.*) ; *l'Étrange Incident* (W. Wellman, 1943) ; *Aventure en Libye (Immortal Sergeant,* J. Stahl, *id.) ; la Poursuite infernale* (J. Ford, 1946) ; *Dieu est mort* (id., 1947) ; *Femme ou maîtresse* (O. Preminger, *id.*) ; *The Long Night* (A. Litvak, *id.*) ; *la Folle Enquête* (*On Our Merry Way,* K. Vidor, Leslie Fenton, 1948) ; *le Massacre de Fort Apache* (J. Ford, *id.*) ; *l'Ange de la haine* (*Jigsaw* [caméo], Fletcher Markle, 1949) ; *Permission jusqu'à l'aube* (J. Ford, M. LeRoy, 1955) ; *Guerre et Paix* (K. Vidor, 1956) ; *le Faux Coupable* (A. Hitchcock, 1957) ; *Douze Hommes en colère* (S. Lumet, *id.*) ; *Du sang dans le désert* (A. Mann, *id.*) ; *Stage Struck* (Lumet, 1958) ; *l'Homme aux colts d'or* (E. Dmytryk, 1959) ; *l'Homme qui comprend les femmes (The Man Who Understood Women,* N. Johnson, *id.) ; Tempête à Washington* (Preminger, 1962) ; *le Jour le plus long* (A. Marton,..., *id.*) ; *la Conquête de l'Ouest* (épisode dirigé par G. Marshall, *id.*) ; *la Montagne des neuf Spencer* (D. Daves, 1963) ; *Que le meilleur l'emporte* (F. Schaffner, 1964) ; *Une vierge sur canapé (Sex and the Single Girl,* R. Quine, *id.) ; Point limite* (Lumet, *id.*) ; *Première Victoire* (Preminger, 1965) ; *Guerre secrète* (T. Young, *id.*) ; *le Mors aux dents* (B. Kennedy, *id.*) ; *la Bataille des Ardennes (Battle of the Bulge,* K. Annakin, *id.) ; Gros Coup à Dodge City (A Big Hand for a Little Lady,* Fielder Cook, 1966) ; *Welcome to Hard Times* (Kennedy, 1967) ; *les Cinq Hors-la-loi* (*Firecreek,* Vincent McEveety, 1968) ; *Police sur la ville* (D. Siegel, *id.*) ; *les Tiens, les miens, le nôtre* (*Yours, Mine and Ours,* M. Shavelson, *id.*) ; *l'Étrangleur de Boston* (R. Fleischer, *id.*) ; *Il était une fois dans l'Ouest* (S. Leone, *id.* ITAL/US) ; *Trop tard pour les héros* (R. Aldrich, 1970) ; *le Reptile* (J. Mankiewicz, *id.*) ; *Attaque au Cheyenne Club* (G. Kelly, *id.*) ; *le Clan des irréductibles* (P. Newman, 1971) ; *le Poney rouge* (*The Red Pony* [TV], Robert Totten, 1972) ; *le Serpent* (H. Verneuil, 1973, FR/ALL) ; *les Noces de cendres (Ash Wednesday,* L. Peerce, *id.) ; Mon nom est personne (Il mio nome è nessuno,* Tonino Valerii, *id.,* ITAL/ALL) ; *Un flic véreux* (*Inside*

Job, Michael Lewis, *id.,* TV) ; *les Derniers Jours de Mussolini* (*Mussolini : ultimo atto,* C. Lizzani, 1974, ITAL) ; *la Bataille de Midway* (*Midway,* J. Smight, 1976) ; *le Toboggan de la mort* (*Rollercoaster,* James Goldstone, 1977) ; *Tentacules* (*Tentacoli,* Oliver Hellman, *id.,* ITAL) ; *The Great Smokey Roadblock / The Last of the Cowboys* (John Leone, *id.*) ; *l'Inévitable Catastrophe (The Swarm,* I. Allen, 1978) ; *Fedora* ([caméo], B. Wilder, *id.,* ITAL/ALL) ; *Meteor* (R. Neame, *id.*) ; *la Grande Bataille* (*La battaglia di Mareth,* Umberto Lenzi, 1979) ; *Wanda Nevada* (P. Fonda, *id.*) ; *Cité en feu (City on Fire,* Alvin Rakoff, *id.) ; la Maison du lac* (M. Rydell, 1981).

FONDA *(Jane), actrice américaine (New York, N. Y., 1937).* Comme son père, Jane a connu deux phases distinctes dans sa carrière. En un premier temps, elle a été l'adorable poupée blonde qui essayait de faire oublier qu'elle était la fille de Henry. Femme-objet boudeuse et provocante, peut-être parce que Henry Fonda n'a jamais été ni homme-objet, ni boudeur, ni provocant. Son charme poivré a pimenté quelques bluettes américaines sucrées comme *la Tête à l'envers* (1960) ou *Dimanche à New York* (1964), avant de devenir la raison d'être de bluettes françaises, tout aussi inconséquentes, mais nettement plus relevées, comme *la Ronde* (id.) ou *la Curée* (1966). Çà et là, un écart révélait une actrice cérébrale et précise, à l'érotisme subtil : la jeune prostituée de *la Rue chaude* (1962) ou la bourgeoise frigide des *Liaisons coupables* (id.). Son mariage et sa collaboration avec Roger Vadim sont, en même temps, l'apogée de sa première période (une période qui va s'éteindre avec *Histoires extraordinaires* et *Barbarella* en 1968) et le moment de la prise de conscience. Il est révélateur que, dans ses sporadiques incursions hollywoodiennes, Jane Fonda, toute en nerfs, y paraisse une remarquable poupée sudiste que la tragédie transforme en fugitive pantelante *(la Poursuite impitoyable,* A. Penn, 1966).

Jane Fonda entame alors la seconde partie de sa carrière, sur des coups d'éclat successifs : ses prises de position intègres sur la guerre du Viêt-nam et sur la cause des femmes. Mais aussi grâce à des films et à des cinéastes choisis avec un flair infaillible. *On achève bien les chevaux* (S. Pollack, 1969) la métamorphose en une mémorable starlette aigrie et suicidaire. Recherchant la difficulté, elle devient la prostituée solitaire et apeurée de *Klute* (A. Pakula, 1971). Cette création, l'une de ses meilleures, lui ouvre une voie royale. Stimulée par ses rôles, Jane Fonda trouve son épanouissement d'actrice et de femme. Fidèle à ses idées, la militante se fait sereine et resplendissante, mais reste vraie. *Klute* est exemplaire de son art : un instant fantomatique femme fatale pailletée et emplumée, elle est, le plan suivant, une paumée aux yeux cernés et au nez qui coule. À partir de là, rien ne l'effraie. Elle joue, avec la même intelligence aiguë, Ibsen (*Maison de poupée,* J. Losey, 1973) ou Neil Simon (*California Hôtel,* H. Ross, 1978). Parfois productrice, elle s'implique dans ses films et les marque de sa personnalité et de ses préoccupations : les blessures du Viêt-nam (*Retour,* H. Ashby, 1978), le fascisme (*Julia,* F. Zinnemann, 1977) ou la menace nucléaire (*le Syndrome chinois,* J. Bridges, 1979). Quadragénaire éclatante, elle est aussi la superbe star d'*Une femme d'affaires* (1981). Enfin en paix avec elle-même, elle joue en harmonie avec Henry dans l'émouvante *Maison du lac* (M. Rydell, *id.*), qu'elle produit comme un cadeau. Là, dans un rôle épisodique, désormais brune, elle nous montre de manière criante qu'elle a hérité le visage-miroir de son père. C.V.

Films ▲ : *la Tête à l'envers* (*Tall Story,* J. Logan, 1960) ; *la Rue chaude* (E. Dmytryk, 1962) ; *les Liaisons coupables* (G. Cukor, *id.*) ; *l'École des jeunes mariés* (G. Roy Hill, *id.*) ; *In the Cool of the Day* (Robert Stevens, 1963) ; *les Félins* (R. Clément, 1964, FR) ; *Un dimanche à New York* (P. Tewksbury, *id.*) ; *la Ronde* (R. Vadim, *id.,* FR/ITAL) ; *Cat Ballou* (E. Silverstein, 1965) ; *la Poursuite impitoyable* (A. Penn, 1966) ; *la Curée* (R. Vadim, *id.,* FR/ITAL) ; *Chaque mercredi* (R. Ellis Miller, *id.*) ; *Que vienne la nuit* (O. Preminger, 1967) ; *Pieds nus dans le parc* (G. Saks, *id.*) ; *Barbarella* (Vadim, 1968, FR/ITAL) ; *Histoires extraordinaires* (épisode : Metzengerstein, *id.,* FR/ITAL) ; *On achève bien les chevaux* (S. Pollack, 1969) ; *Klute* (A. Pakula, 1971) ; *Tout va bien* (J.-L. Godard, 1972, FR) ; *F. T. A. /Free the Army* (collectif, *id.*) ; *Steelyard Blues* (Alan Myerson, 1973) ; *Maison de poupée* (J. Losey, *id.,* GB) ; *Introduction to the Enemy* [DOC] (collectif, 1974) ; *l'Oiseau bleu* (G. Cukor, 1976, URSS/US) ; *Touche pas à mon gazon* (T. Kotcheff, 1977) ; *Julia* (F. Zinnemann, *id.*) ;

Retour (H. Ashby, 1978) ; *le Souffle de la tempête* (Pakula, *id.*) ; *California Hôtel* (H. Ross, *id.*) ; *le Syndrome chinois* (J. Bridges, 1979) ; *le Cavalier électrique* (Pollack, *id.*) ; *Comment se débarrasser de son patron* (*Nine to Five,* Colin Higgins, 1980) ; *la Maison du lac* (M. Rydell, 1981) ; *Une femme d'affaires* (Pakula, *id.*) ; *Agnes de Dieu* (N. Jewison, 1985) ; *le Lendemain du crime* (S. Lumet, 1986) ; *Old Gringo* (*id.,* Luis Puenzo, 1989) ; *Stanley et Iris* (M. Ritt, 1990).

FONDA *(Peter), acteur et cinéaste américain (New York, N. Y., 1939).* Fils d'Henry Fonda, frère de Jane Fonda, il acquiert une formation d'acteur de théâtre, puis passe à l'écran pour y interpréter la jeunesse des années 60 lâchée, à la suite de Jack Kerouac, « sur la route », entre la révolte (*Lilith,* Rossen, 1964) et la mouvance hippie. Dans la foulée des motos des *Anges sauvages* (R. Corman, 1966), il interprète un film qu'il écrit et produit en marge des studios, et dont le succès incroyable renouvellerait le mythe de James Dean si Fonda en avait le charisme : *Easy Rider,* de Dennis Hopper (1969). La suite de sa carrière se dilue dans le tout-venant, et les westerns qu'il dirige – *l'Homme sans frontières (The Hired Man),* 1971 ; *Idaho Transfer,* 1975 ; *Wanda Nevada,* 1979 –, esthétisants et complaisants, ne sauvent pas une aura déjà fatiguée. Cependant, on remarquera sa prestation dans un curieux film allemand des années 80, *Peppermint Frieden* (Marian Rosenbaum, 1984) et dans le *Jardin des roses* de F. Rademackers (1990). C.M.C.

FONDAMENTAL → SON.

FONDATION EUROPÉENNE DES MÉTIERS DE L'IMAGE ET DU SON (FEMIS) → ENSEIGNEMENT DU CINÉMA.

FONDATO *(Marcello), cinéaste et scénariste italien (Rome 1924).* Il débute en collaborant au scénario de *Moglie e buoi...* (Leonardo De Mitri, 1956) et écrit ensuite plusieurs films pour Luigi Comencini, dont *Mogli pericolose* (1958), *la Grande Pagaille* (1960), *la Ragazza* (1963) et deux films d'horreur pour Mario Bava : *les Trois Visages de la peur* (*I tre volti della paura,* id.), *Six Femmes pour l'assassin* (1964). Après quelques scénarios pour des comédies, il dirige en 1968 son premier film, *I protagonisti,* un drame sur le banditisme en Sardaigne. Il se spécialise ensuite dans la comédie loufoque : *Certo, certissimo... anzi probabile* (1969) ; *Nini Tirebouchon* (*Ninì Tirabusciò, la donna che inventò la mossa,* 1970) ; *Causa di divorzio* (1972) ; *Histoire d'aimer* (*A mezzanotte va la ronda del piacere,* 1975). Avec ce même savoir-faire, il a dirigé Bud Spencer dans deux de ses films de routine à succès garanti, *Attention, on va se fâcher* (*Altrimenti ci arrabbiamo,* 1974) et *Charleston* (1977) ; il a d'ailleurs écrit d'autres scénarios pour le même acteur. L.C.

FOND BLEU. Fonds de studio, uniformément éclairé en bleu, devant lequel on filme les personnages pour l'exécution des truquages du type traveling matte. (→ EFFETS SPÉCIAUX).

FONDU Truquage conduisant à l'apparition ou à la disparition progressive des images. *Ouverture en fondu,* apparition progressive de l'image à partir du noir. *Fermeture en fondu,* effacement progressif de l'image jusqu'au noir. *Fondu enchaîné,* passage progressif, par superposition des deux effets précédants, d'une image à la suivante. (Il existe également des « fondus au blanc » ou « à la couleur ».) [EFFETS SPÉCIAUX, SYNTAXE.]

FONG *(Fang Yuping,* dit *Allen), cinéaste chinois (Hong Kong, 1947).* Allen Fong fait ses études aux États-Unis : Radio-film-télévision à l'université de Géorgie, cinéma à l'université de South California. À partir de 1977, il est réalisateur à la télévision de Hong Kong (RTHK) et se fait remarquer pour sa participation à la série *Below the Lion Rock,* notamment pour une fiction documentaire de long métrage en 16 mm, *les Enfants sauvages (Ye haizi).* Son premier film en 35 mm, *Père et fils* (*Fuzi qing,* 1981), participe à de très nombreux festivals à l'étranger, tandis qu'Allen Fong apparaît comme l'un des meilleurs espoirs du jeune cinéma d'auteur de Hong Kong, une option difficile à défendre dans cette métropole du capitalisme. Ce n'est que deux ans plus tard qu'il achève le film suivant, *Ah Ying* (*Ban bian ren,* 1983), et il lui faut trois ans de plus pour que sorte son troisième film : *Just Like Weather* (*Meiguo xin,* 1986). Son dernier film à ce jour est *Dancing Bull* (*Wu niu,* 1990). Depuis, il met en scène des pièces de théâtre et réalise occasionnellement des documentaires pour la télévision. M.-C.Q.

FONS *(Angelino), cinéaste espagnol (Madrid 1935).* Critique cinématographique (à *Nuestro*

Cine), assistant de Marco Ferreri pour *El cochecito,* scénariste de Carlos Saura *(la Chasse, Peppermint frappé),* il s'est fait connaître comme réalisateur par un documentaire sur l'enfance, *Garabatos,* et surtout *La busca* (1966), chronique tumultueuse des années 1900 en Espagne, en proie aux luttes sociales, d'après le premier volet de la trilogie de Pío Baroja, *les Bas-Fonds de Madrid.* Il en a assez bien restitué l'atmosphère d'anarchisme pittoresque, tout en y glissant de discrètes allusions aux bouleversements de l'Espagne contemporaine. Ses travaux ultérieurs (une dizaine de films depuis 1968, dont : *Marianela,* 1972 ; *Separación matrimonial,* 1973 ; *La casa,* 1974 ; *Esposa y amante,* 1977 ; *Mar brava,* 1982 ; *El Cid cabreador,* 1983 ; *Miguel Hernández,* 1986) n'ont guère franchi les frontières nationales. C.B.

FONS *(Jorge), cinéaste mexicain (Tuxpan, Veracruz, 1939).* Il appartient à la génération de Ripstein, Cazals, Leduc et débute dans le long métrage avec *El quelite* (1970), où perce déjà son penchant pour l'excès et le grotesque. Il adapte *Los cachorros* (1971) de Vargas Llosa et signe le troisième sketch, désopilant, de *Fe, esperanza y caridad* (1973). Fons s'impose finalement avec *Los albañiles* (1976), singulière incursion dans l'univers des ouvriers de la construction, mais se consacre ensuite au documentaire militant (*Así es Vietnam,* 1979) et aux *télénovelas.* Il revient au cinéma avec *Rojo amanecer* (1989), première évocation du massacre des étudiants de Mexico en 1968. À la suite de Ripstein, il porte à l'écran un récit de Naguib Mahfouz, *El callejón de los milagros* (1994). P.A.P.

FONSECA E COSTA *(José), cinéaste portugais (Caala, Angola, 1933).* Il dirige un ciné-club, puis il est critique de cinéma, traduit Eisenstein et réalise au cours des années 70 plusieurs courts métrages et films publicitaires. Après avoir signé *le Message* (*O Recado,* 1971) et *les Démons d'Alcácer-Kibir* (*os Démonios de Alcácer-Kibir,* 1975), il remporte un succès populaire avec *Kilas* (*Kilas, O Mau da Fita,* 1980) puis met en scène successivement *Música Moçambique* (1981), *Sans l'ombre d'un péché* (*Sem Sombra de Pecado,* 1982), *Ballade de la plage des chiens* (*Balada da Praia dos Cães,* 1987), *la Femme du prochain* (*A Mulher do Próximo,* 1988) et *Coração Partido* (1990). J.-L.P.

FONTAINE *(Joan de Beauvoir De Havilland, dite Joan), actrice américaine (Tōkyō, Japon, 1917).* Sœur cadette d'Olivia De Havilland, elle prend d'abord le pseudonyme de Joan Burfield puis adopte dès 1937 (*Pour un baiser,* G. Stevens) celui qu'elle rendra célèbre. Sauf pour *Une demoiselle en détresse* et *Gunga Din,* la RKO la maintiendra dans des films à petit budget jusqu'à 1939. Mais elle joue une scène d'une bouleversante sensibilité dans *Femmes* et interprète de 1940 à 1944 plusieurs grands rôles. *Soupçons* lui vaut même l'Oscar. Menée sans doute avec quelque nonchalance, sa carrière, après la guerre, manque de relief : elle figure élégamment dans des films à costumes ou joue des dames distinguées, inquiètes, parfois jusqu'à la névrose. De ce déclin, on exceptera *la Lettre d'une inconnue* et *l'Invraisemblable Vérité.* Les échotiers, entre-temps, ne se lassent pas de conter les détails de la rivalité avec sa sœur.

Mince et élégante, la silhouette de Joan Fontaine, légèrement voûtée, garde toujours une part de maladresse. Mieux : une hésitation. Cette incertitude, dans sa tournure adolescente, explique le charme d'*Une demoiselle en détresse,* retrouvé dans la première partie de *Lettre d'une inconnue.* Plus tard, elle prendra l'aspect d'un malaise : accentué par son aspect fragile, cet air instable deviendra pour Hitchcock la meilleure traduction de l'anxiété. Quand *Jane Eyre* l'oppose à la stature autoritaire d'Orson Welles, l'image de Joan Fontaine révèle son manque d'assise. L'acte même de l'expression semble pour elle un tourment, ce qui fait d'elle une comédienne à la fois discrète et convaincante. Lang a parfaitement utilisé ce recul devant la déclaration ; Cukor et Ophuls ont compris au contraire quelle rayonnante douceur cette retenue pouvait conférer au rare moment de l'aveu. Quand le regard s'arrête, quand toute torsion et toute agitation ont abandonné le corps, la pudeur fait subsister une tension, merveilleuse messagère de la passion. Elle a écrit son autobiographie (*No Bed of Roses,* 1978). A.M.

Films : *Une demoiselle en détresse* (G. Stevens, 1937) ; *Gunga Din* (id., 1939) ; *Femmes* (G. Cukor, *id.*) ; *Rebecca* (A. Hitchcock, 1940) ; *Soupçons* (id., 1941) ; *Âmes rebelles* (*This Above All,* A. Litvak, 1942) ; *Tessa, la nymphe au cœur fidèle* (E. Goulding, 1943) ; *Jane Eyre* (R. Stevenson, 1944) ; *L'aventure vient de la mer* (M. Leisen, *id.*) ; *les Caprices de Suzanne* (*The Affairs of Susan,* W. Seiter, 1945) ; *le Crime de Mme Lexton* (*Ivy,* S. Wood, 1947) ; *la Valse de l'Empereur* (B. Wilder, 1948) ; *Lettre d'une inconnue* (M. Ophuls, *id.*) ; *Born to Be Bad* (N. Ray, 1950) ; *les Amants de Capri* (*September Affair,* W. Dieterle, 1951) ; *Darling, How Could You* (M. Leisen, *id.*) ; *l'Ivresse et l'Amour* (*Something to Live,* G. Stevens, 1952) ; *Ivanhoé* (R. Thorpe, *id.*) ; *Pages galantes de Boccace* (H. Fregonese, 1953), *Vol sur Tanger* (Ch. M. Warren, *id.*) ; *The Bigamist* (I. Lupino, *id.*) ; *Sérénade* (A. Mann, 1956) ; *l'Invraisemblable Vérité* (F. Lang, *id.*) ; *Une île au soleil* (R. Rossen, 1957) ; *Femmes coupables* (R. Wise, *id.*) ; *Un certain sourire* (*A Certain Smile,* J. Negulesco, 1958) ; *Tendre est la nuit* (H. King, 1962).

FONTAN *(Gabrielle Pène-Castel,* dite *Gabrielle), actrice française (Bordeaux 1873 - Juvisy-sur-Orge 1959).* Une figure décharnée où brillent des yeux extraordinairement fureteurs et une voix dont les notes élevées grimpent vers le suraigu : voilà celle qui suit au théâtre l'école de Dullin et, au cinéma, celle de Grémillon. Elle marque la moindre silhouette d'une empreinte inoubliable : aussi bien l'une de *Ces dames aux chapeaux verts* (M. Cloche, 1937) que la grand-mère d'*Une partie de campagne* (J. Renoir, 1946, RÉ : 1936), sans oublier la vieille bonne des *Inconnus dans la maison* (H. Decoin, 1942), la camériste de *Douce* (C. Autant-Lara, 1943) ou la nonne diabolique de *la Jeune Folle* (Y. Allégret, 1952). R.C.

FOOT (pl. *feet*). Mesure anglaise de longueur (français *pied*) valant à peu près 30 cm.

FOOT-CANDLE. Unité anglaise d'éclairement, valant à peu près 10 lux.

FORBES *(John Theobald Clarke,* dit *Bryan), cinéaste, producteur et acteur britannique (Stratfordatte-Bow 1926).* Son activité inlassable a fait de lui une forte personnalité du cinéma dans son propre pays. À l'étranger, il est surtout connu pour ses réalisations soignées : *la Chambre indiscrète* (*The L-Shaped Room,* 1962), *le Rideau de brume* (*Seance on a Wet Afternoon,* 1964), *Un caïd* (*King Rat,* 1965), *Un mort en pleine forme* (*The Wrong Box,* 1966), *les Chuchoteurs* (*The Whisperers,* 1967), *Le chat croque les diamants* (*Deadfall,* 1968), *la Folle de Chaillot* (*Madwoman of Chaillot,* 1969), *The Raging Moon* (1971), *Sarah* (*International Velvet,* 1978), *les Séducteurs* (*Sunday Lovers,* 1er sketch, 1980), *Ménage à trois* (id., 1982), *The Naked Face* (1984). R.L.

FORD *(Aleksander), cinéaste polonais (Łódź* [Russie] *1908 - Los Angeles, Ca., U. S., 1980).* Étudiant en histoire de l'art, il s'intéresse au cinéma et débute avec deux courts documentaires consacrés à sa ville natale, *'Au petit matin' (Nad ranem,* 1928) et *'le Pouls du Manchester polonais'* (*Tętno Polskiego Manchesteru,* 1929). Avec Wanda Jakubowska, Eugeniusz Cekalski et Stalisław Wohl, il fonde (1930) l'Association des amateurs du film artistique (Start), qui entend lutter « pour un cinéma socialement utile ». Il passe au long métrage avec *la Légion de la rue* (*Legion ulicy,* 1932) et *le Réveil* (*Przebudzenie,* 1934), marqués par une vigoureuse critique sociale. En 1935, il réalise en Palestine un documentaire, *Sabra Chalutzim,* sur la vie des pionniers juifs. En 1936, *la Voie des jeunes (Droga młodych),* sur les enfants juifs, est interdit par la censure, puis *les Gens de la Vistule* (*Ludzie Wisły,* 1937 ; co : Jerzy Zarzycki) lui assure une solide réputation en Pologne.

Après l'attaque allemande, il se réfugie en URSS, où il organise le service cinéma de l'armée polonaise et réalise plusieurs reportages, dont *la Pologne en lutte* (1943), *la Bataille de Lenino* (id.) et *Maïdanek* (1944). En 1945-1947, il est directeur de l'entreprise d'État Film Polski puis réalise ses films les plus marquants : *La vérité n'a pas de frontière* (*Ulica graniczna,* 1949, sur l'insurrection de Varsovie), *la Jeunesse de Chopin* (*Młodość Chopina,* 1952) et surtout *les Cinq de la rue Barska* (*Piątka z ulicy Barskiej,* 1954), primé à Cannes pour la mise en scène. En RFA, il tourne *le Huitième Jour de la semaine* (*Der achte Woçhentag,* 1958, d'après Marek Hłasko), qui ne sera pas distribué en Pologne. Suivent *les Chevaliers teutoniques* (*Krzyżacy,* 1960), d'après Sienkiewicz, et *le Premier Jour de la liberté* (*Pierwszy dzien wolnosci,* 1964), des fresques historiques. Il réalise encore à l'étranger *Un médecin constate* (*Der Arzt stellt fest* [SUI, ALL], 1966), le documentaire *Good Morning Poland* (1970), *le Premier Cercle* (*The First Circle* [DAN, ALL], 1973, d'après Soljenitsyne) et enfin *The Martyr / Der Märtyrer* (ALL, ISR, 1975). Victime de la vague antisémite de 1968 en Pologne, il a dû s'exiler en Israël puis aux États-Unis, où il est mort oublié. M.M.

FORD *(Francis O'Feeney [O'Fearna], dit Francis), acteur et cinéaste américain d'origine irlandaise (Portland, Maine, 1882 - Los Angeles, Ca., 1953).* Il est le frère aîné de John Ford. Billy Picket, le cabaretier de Dry Fork dans *la Chevauchée fantastique* (1939), c'était lui. Mais, avant de devenir une des « mascottes » favorites de son illustre cadet, du *Champion* (1925) à *l'Homme tranquille* (1952), il avait déjà derrière lui une solide carrière de réalisateur, fabriquant des westerns à la chaîne pour Gaston Méliès puis pour la Bison de Thomas Ince (dont il devint le directeur en 1912). Il se spécialisa ensuite dans le serial, fit engager John chez Carl Laemmle et le prit comme assistant dans *The Doorway of Destruction* et *The Broken Coin* (1915) et acteur dans *The Mystery of 13* (1919). Il abandonne la mise en scène en 1928, après un dernier film : *Call of the Heart,* et tout rôle après 1953. Son fils PHILIP (1902-1976) tourna également de nombreux westerns à la Republic et même un film musical « à la française », *Bal Tabarin* (1952). C.B.

FORD *(Gwyllyn Samuel Newton, dit Glenn), acteur américain d'origine canadienne (Québec 1916).* Ses parents ayant émigré aux États-Unis en 1924, il fait ses classes en Californie, puis se produit dans des spectacles d'amateurs et débute au cinéma en 1939, dans *Heaven with a Barbed Wire Fence* de Ricardo Cortez. L'essai est concluant et la Columbia l'engage. Sa gloire naissante est quelque peu stoppée dès 1942 car il est appelé sous les drapeaux dans les marines.

En 1946, *Gilda* (Ch. Vidor) lui permet de reprendre avec éclat ses activités interrompues et il s'affirme très vite comme l'un des jeunes acteurs les plus recherchés de l'immédiat après-guerre. Certainement, le fait qu'il est un peu le partenaire attitré de la très populaire Rita Hayworth n'est pas pour rien dans son ascension. Déjà, en 1940, les dirigeants de la Columbia ont senti qu'un courant passait entre ces deux jeunes acteurs quand ils jouèrent pour la première fois ensemble dans *The Lady in Question* (Ch. Vidor, 1940), remake du *Gribouille* de Marc Allégret. Rita Hayworth le choisit naturellement comme partenaire quand elle produit elle-même *les Amours de Carmen* (*The Loves of Carmen,* Ch. Vidor, 1948). Cela continue quand Rita revient à Hollywood en 1952 et tourne dans *l'Affaire de Trinidad* (V. Sherman). Plus tard, en 1965, Glenn Ford renvoie l'ascenseur à la belle et infortunée actrice en lui offrant de jouer à ses côtés un bon rôle de composition dans *Piège au grisbi* de Burt Kennedy. Glenn Ford passe de la Columbia à la MGM en 1958, puis du cinéma à la télévision vers 1970.

C'est probablement la raison même de son originalité qui a empêché Glenn Ford de devenir une superstar. Il incarne à merveille l'homme moyen (*cf.* son rôle de professeur face à une classe rebelle dans *Graine de violence* de Richard Brooks en 1955) avec, en plus, aux moments les plus inattendus, quelque chose dans le regard qui suggère la cruauté du chat ou la ruse du renard. Mélange subtil qui lui a certainement permis de si bien s'accorder avec Rita Hayworth. Mais qui lui a aussi valu d'être un des meilleurs interprètes américains de Fritz Lang dans *Règlements de comptes* (1953) et dans *Désirs humains* (1954). C'est encore cette trace de déséquilibre dans sa normalité qui est la clé de ses excellentes prestations chez Vincente Minnelli : *les Quatre Cavaliers de l'Apocalypse* (1962) et surtout le jeune veuf d'*Il faut marier papa* (1963).

Delmer Daves a, lui aussi, joué sur ce léger trouble en lui confiant une série de héros westerniens remarquables auxquels Ford a donné une humanité généreuse : *l'Homme de nulle part* (1956), *Cow Boy* (1958) et surtout le bandit noble de *Trois Heures dix pour Yuma* (1957). L'acteur était également parfaitement à l'aise dans *la Vallée de la poudre* (G. Marshall, 1958) et dans *la Ruée vers l'Ouest* (A. Mann, 1960).

Glenn Ford a beaucoup tourné ; mais, vers la fin de sa carrière, il n'est le plus souvent qu'une vedette invitée. Il faut avouer pourtant qu'il tirait le maximum de ses quelques minutes en père adoptif de *Superman* (Richard Donner, 1978), juste histoire de prouver son talent, sobre, mais bien solide. C.V.

FORD *(Harrison), acteur américain (Chicago, Ill., 1942).* Il prend le goût du métier en jouant dans la troupe de son collège du Wisconsin et, après avoir gagné Los Angeles, il fait de modestes débuts dans quelques séries « B » de la Columbia. Pris sous contrat par l'Universal, il va mettre en valeur ses dons pour la composition autant que son physique propre à servir les héros de l'aventure. On le voit donc alterner ses rôles, passant d'un registre à l'autre avec aisance. Sa présence troublante ou sympathique et son humour sont particulièrement prisés dans les films spectaculaires de Lucas et de Spielberg ; ses interprétations, notamment sous la direction de Coppola, laissent rarement indifférent. Parmi ses principaux films, citons : *Un truand* (*Dead Heat on a Merry-Go-Round,* thriller dans la meilleure tradition, de Bernard Girard, 1966) ; *A Time for Killing* (Phil Karlson, 1967) ; *American Graffiti* (G. Lucas, 1973) ; *Conversation secrète* (F. F. Coppola, 1974) ; *la Guerre des étoiles* (il est Han Solo, le « capitaine » du vaisseau pirate ; Lucas, 1977) ; *Heroes* (J. P. Kagan, *id.*) ; *Apocalypse Now* (Coppola, caméo, 1978) ; *Un rabbin au Far West* (R. Aldrich, 1979) ; *L'empire contre-attaque* (I. Kerschner, 1980) ; *Blade Runner* (Ridley Scott, 1981) ; *les Aventuriers de l'Arche perdue* (S. Spielberg, *id.*) ; *le Retour du Jedi* (*Return of the Jedi,* Richard Marquand, 1983). Sous la direction de Steven Spielberg, il connaît en 1984 avec *Indiana Jones et le temple maudit* et en 1989 avec *Indiana Jones et la dernière croisade* un succès populaire mondial. Il impose sa personnalité avec deux films de Peter Weir : *Witness* (1985) et *Mosquito Coast* (1986). Vedette incontestée du box-office, il est engagé par R. Polanski dans *Frantic* (1988), par M. Nichols dans *Working Girl* (id.), par A.J. Pakula dans *Présumé innocent* (1990) par S. Pollack dans *Sabrina* (1995). C.M.C.

FORD *(John Sean Aloysius O'Feeney* [*O'Fearna*], *dit John), cinéaste américain (Cape Elizabeth, Maine, 1894 - Palm Desert, Ca., 1973).* L'une des cinq ou six « colonnes du temple » hollywoodien, un de ces hommes qui ont façonné à jamais le visage du cinéma. « Un créateur à l'état brut, sans préjugés, sans recherche, immunisé contre les tentations de l'intellectualisme » (F. Fellini). « Un de ces artistes qui n'utilisent jamais le mot *art,* de ces poètes qui ne parlent jamais de poésie » (F. Truffaut).

Simplicité : telle est la qualité première des quelque 140 films que Ford a tournés, entre 1917 et 1966. Simplicité d'une action ramassée, dépouillée jusqu'à l'épure, d'un décor (celui de Monument Valley, notamment) personnalisé de manière inimitable, d'une plastique vigoureuse, d'une direction d'acteurs exemplaire. Le classicisme américain dans toute sa majestueuse splendeur. D'où un succès qui ne s'est jamais démenti, et l'admiration inconditionnelle que lui vouent cinéastes, critiques et public du monde entier, pour une fois réunis dans l'éloge. Dans le référendum organisé en 1976 par la Cinémathèque royale de Bruxelles, à l'occasion du bicentenaire des États-Unis, auprès de 200 spécialistes internationaux, visant à désigner les plus grands films et les plus grands metteurs en scène de l'histoire du cinéma américain, John Ford arrive en tête, distançant Griffith, Chaplin et Welles.

Et quelle modestie en même temps dans ses (rares) interviews, quel humour ! « Je suis un paysan qui fait des films de paysan », déclare-t-il. Ou bien : « Je suis un metteur en scène de comédie qui fait des films tristes. » Ou encore : « Je ris tout le temps. Mais à l'intérieur. » À la question de savoir quels sont ceux de ses films qu'il préfère, il répond : « *The Sun Shines Bright,* dont le personnage est très proche de moi, et *Young Mr. Lincoln.* Je suis très fier aussi de *The Long Voyage Home, How Green Was my Valley, Drums Along the Mohawk, She Wore a Yellow Ribbon, Cheyenne Autumn.* J'adore *Sergeant Rutledge.* » On observera que ce ne sont pas là ses films les plus spectaculaires, ni même les plus célèbres (tels *le Mouchard* ou *la Chevauchée fantastique*), mais plutôt les ouvrages intimistes, proches de la juste mesure humaine.

On peut diviser la carrière de John Ford en quatre grandes périodes :

La période muette (1917-1928), la plus abondante : soixante films, les premiers, il est vrai, étant des *shorts* de deux à six bobines. On y trouve déjà un large éventail de genres : comédies sentimentales, sportives, mélodrames, films de guerre, mais surtout des westerns, depuis la série des « Cheyenne Harry », interprétés par Harry Carey, jusqu'aux *Trois Sublimes Canailles,* en passant par le fameux *Cheval de fer* (1924), vaste épopée de la conquête du rail. Certains de ces films sont encore signés Jack Ford, le pseudonyme ayant été repris à son frère Francis, de treize ans son aîné, qui l'avait précédé dans les studios de la Universal, et dont il fut d'abord l'assistant et l'accessoiriste. Juste revanche, ce dernier deviendra par la suite la « mascotte » attitrée des films de son cadet.

L'évolution vers la maturité (1928-1941), qui voit son style s'épanouir, ses sujets se hausser à la dimension épique (n'excluant jamais un solide humour), son idéologie « lincolnienne » s'exprimer sans détours. C'est l'époque de *Air Mail,* de *la Patrouille perdue,* de *Je n'ai pas tué Lincoln,* de *la Chevauchée,* des *Mohawks* et du *Long Voyage.* Grands et petits sujets sont passés au même pressoir d'idéalisme familier et chaleureux. Ford se paie même le luxe de manifester son soutien aux minorités opprimées, dans *les Raisins de la colère* et surtout dans le méconnu et très « engagé » *Révolte à Dublin.* Le sommet de cette période est sans doute *Vers sa destinée* (1939), hymne éperdu au libéralisme.

La guerre d'aujourd'hui et d'hier (1942-1951). En 1941, Ford est mobilisé dans la Marine (au grade de lieutenant-commandant). Il participe à sa manière à l'effort de guerre américain, avec deux beaux films : *la Bataille de Midway* et *les Sacrifiés.* À la fin des hostilités, il se tourne – vieille nostalgie de baroudeur – vers les combats d'autrefois : *Fort Apache, la Charge héroïque* et *Rio Grande* forment une trilogie à la gloire de la cavalerie américaine. John Wayne, son acteur de prédilection, y forge son mythe. La guerre est aussi un prétexte à comédie *(Planqué malgré lui)* ou à propagande directe *(This Is Korea).* Mais Ford n'oublie pas pour autant le western, à dominante volontiers folklorique *(My Darling Clementine)* ou allégorique *(le Fils du désert).*

Le retour aux sources (1952-1966). La dernière période fordienne pousse le cinéaste vers l'Irlande de ses ancêtres *(l'Homme tranquille, Quand se lève la lune),* la chronique provinciale *(Le soleil brille pour tout le monde, la Dernière Fanfare),* la vie quotidienne d'un policier londonien *(Gideon of Scotland Yard),* la guerre de Sécession vue par le petit bout de la lorgnette *(les Cavaliers),* le western lyrique et décontracté *(la Prisonnière du désert, les Deux Cavaliers).* Il clôt sa carrière sur deux films admirables, qui exaltent la générosité et le sacrifice : *les Cheyennes* et *Frontière chinoise.*

Ford, réactionnaire ou révolutionnaire ? La question n'a guère de sens. Il incarne les contradictions de l'Amérique, son passé comme son avenir, les forces de la tradition comme celles du progrès, l'Ancien et le Nouveau Testament. Son art échappe aux classifications restrictives. Il crée ce que Carson demande à « Spig » Wead dans *L'aigle vole au soleil :* « De simples choses. Et qui comptent. De la poésie pure. » C.B.

Films ▲ : *The Tornado* (CM, 1917) ; *The Trail of Hate* (CM, *id.*) ; *The Scrapper* (CM, *id.*) ; *Pour son gosse (The Soul Herder,* CM, *id.) ; Cheyenne's Pal* (CM, *id.*) ; *le Ranch Diavolo* (*Straight Shooting,* id.) ; *l'Inconnu* (*The Secret Man,* id.) ; *A Marked Man* (id.) ; *À l'assaut du Boulevard* (*Bucking Broadway,* id.) ; *le Cavalier fantôme* (*The Phantom Riders,* 1918) ; *la Femme sauvage* (*Wild Women,* id.) ; *Thieve's Gold* (id.) ; *la Tache de sang* (*The Scarlet Drop,* id.) ; *Du sang dans la prairie* (*Hell Bent,* id.) ; *The Craving* (id.) ; *le Bébé du cow-boy* (*A Woman's Fool,* id.) ; *le Frère de Black Billy* (*Three Mounted Men,* id.) ; *Sans armes* (*Roped,* 1919) ; *The Fighting Brothers* (CM, *id.*) ; *À la frontière* (*A Fight for Love,* id.) ; *By Indian Post* (CM, *id.*) ; *The Rustlers* (CM, *id.*) ; *le Serment de Black Billy (Bare Fists,* CM, *id.) ; Gun Law* (CM, *id.*) ; *The Gun Packer* (CM, *id.*) ; *la Vengeance de Black Billy* (*Riders of Vengeance,* id.) ; *The Last Outlaw* (CM, *id.*) ; *le Proscrit* (*The Outcasts of Poker Flat,* id.) ; *le Roi de la prairie* (*The Ace of the Saddle,* id.) ; *Black Billy au Canada* (*The Rider of the Law,* id.) ; *Tête brûlée* (*A Gun Fightin' Gentleman,* id.) ; *les Hommes marqués* (*Marked Men,* id.) ; *The Prince of Avenue A* (1920) ; *The Girl in Number 29* (id.) ; *l'Obstacle* (*Hitchin' Posts,* id.) ; *Pour le sauver* (*Just Pals,* id.) ; *Un homme libre* (*The Big Punch,* 1921) ; *The Freeze-Out* (id.) ; *The Wallop* (id.) ; *Face à face* (*Desperate Trails,* id.) ; *Action* (id.) ; *Sure Fire* (id.) ; *Jackie* (id.) ; *Little Miss Smiles* (1922) ; *Silver Wings* (prologue, *id.*) ; *le Forgeron du village* (*The Village Blacksmith,* id.) ; *l'Image aimée* (*The Face on the Bar-room Floor,* 1923) ; *Three Jumps Ahead* (id.) ; *Cameo Kirby* (premier film signé John Ford, *id.*) ; *le Pionnier de la baie d'Hudson* (*North of Hudson Bay,* id.) ; *Hoodman Blind* (id.) ; *le Cheval de fer* (*The Iron Horse,* 1924) ; *les Cœurs de chêne* (*Hearts of Oak,* id.) ; *Sa nièce de Paris* (*Lightnin',* 1925) ; *la Fille de Négofold* (*Kentucky Pride,* id.) ; *le Champion* (*The Fighting Heart,* id.) ; *Extra Dry* (*Thank You,* id.) ; *Gagnant quand même* (*The Chamrock Handicap,* 1926) ; *l'Aigle bleu* (*The Blue Eagle,* id.) ; *les Trois Sublimes Canailles* (*Three Bad Men,* id.) ; *Upstream* (1927) ; *Maman de mon cœur* (*Mother Machree,* 1928) ; *les Quatre Fils* (*Four Sons,* id.) ;

la Maison du bourreau (*Hangman's House,* id.). – Films parlants : *Napoleon's Barber* (CM, *id.*) ; *Riley the Cop* (id.) ; *le Costaud* (*Strong Boy,* 1929) ; *The Black Watch* (id.) ; *Salute* (CO: D. Butler, *id.*) ; *Hommes sans femmes* (*Men Without Women,* 1930) ; *Born Reckless* (id.) ; *Up the River* (id.) ; *Seas Beneath* (1931) ; *The Brat* (id.) ; *Arrowsmith* (id.) ; *Tête brûlée* (*Air Mail,* 1932) ; *Une femme survint* (*Flesh,* id.) ; *Deux Femmes* (*Pilgrimage,* 1933) ; *Docteur Bull* (*Dr Bull,* id.) ; *la Patrouille perdue* (*The Lost Patrol,* 1934) ; *le Monde en marche* (*The World Moves on,* id.) ; *Judge Priest* (id.) ; *Toute la ville en parle* (*The Whole Town's Talking,* 1935) ; *le Mouchard* (*The Informer,* id.) ; *Steamboat ' Round the Bend* (id.) ; *Je n'ai pas tué Lincoln* (*The Prisoner of Shark Island,* 1936) ; *Marie Stuart* (*Mary of Scotland,* id.) ; *Révolte à Dublin* (*The Plough and the Stars,* id.) ; *Hurricane* (*The Hurricane,* 1938) ; *la Mascotte du régiment* (*Wee Willie Winkie,* id.) ; *Quatre Hommes et une prière* (*Four Men and a Prayer,* id.) ; *Patrouille en mer* (*Submarine Patrol,* id.) ; *The Adventures of Marco Polo* (CORE : scènes d'action, id.) ; *la Chevauchée fantastique* (*Stagecoach,* 1939) ; *Vers sa destinée* (*Young Mr. Lincoln,* id.) ; *Sur la piste des Mohawks* (*Drums Along the Mohawk,* id.) ; *les Raisins de la colère* (*The Grapes of Wrath,* 1940) ; *les Hommes de la mer / le Long Voyage* (*The Long Voyage Home,* id.) ; *la Route du tabac* (*Tobacco Road,* 1941) ; *Sex Hygiene* (CM DOC , US Army, *id.*) ; *Qu'elle était verte ma vallée* (*How Green Was My Valley,* id.) ; *The Battle of Midway* (CM DOC, US Navy, 1942) ; *Torpedo Squadron* (id., *id.*) ; *December 7th* (id., CO G. Toland, 1943) ; *Nous partons ce soir (We Sail at Midnight,* id., *id.) ; les Sacrifiés* (*They Were Expendable,* 1945) ; *la Poursuite infernale* (*My Darling Clementine,* 1946) ; *Dieu est mort* (*The Fugitive,* 1947 [tourné au Mexique]) ; *le Massacre de Fort Apache* (*Fort Apache,* 1948) ; *le Fils du désert* (*Three Godfathers,* 1949) ; *la Charge héroïque* (*She Wore a Yellow Ribbon,* id.) ; *Planqué malgré lui* (*When Willie Comes Marching Home,* 1950) ; *le Convoi des braves* (*Wagonmaster,* id.) ; *Rio Grande* (id.) ; *This is Korea* (supervision, CM DOC, US Navy, 1951) ; *What Price Glory* (1952) ; *l'Homme tranquille* (*The Quiet Man,* id.) ; *Le soleil brille pour tout le monde* (*The Sun Shines Bright,* 1953) ; *Mogambo* (id.) ; *Ce n'est qu'un au revoir* (*The Long Gray Line,* 1955) ; *Permission jusqu'à l'aube (Mister Roberts,* CO M. LeRoy, *id.) ; The Bamboo Cross* (TV, *id.*) ; *la Révélation de l'année (Rookie of the Year,* TV, *id.) ; la Prisonnière du désert* (*The Searchers,* 1956) ; *L'aigle vole au soleil* (*The Wings of Eagles,* 1957) ; *Quand se lève la lune* (*The Rising of the Moon,* id.) ; *So Alone* (CM, GB, 1958) ; *la Dernière Fanfare* (*The Last Hurrah,* id.) ; *Inspecteur de service* (*Gideon's Day / Gideon of Scotland Yard,* GB, 1959) ; *Korea* (DOC, US Army, *id.*) ; *les Cavaliers* (*The Horse Soldiers,* id.) ; *le Sergent noir* (*Sergeant Rutledge,* 1960) ; *The Colter Craven Story* (TV, *id.*) ; *The Alamo* (supervision du film réalisé par John Wayne, *id.*) ; *les Deux Cavaliers* (*Two Rode Together,* 1962) ; *l'Homme qui tua Liberty Valance* (*The Man who Shot Liberty Valance,* id.) ; *Flashing Spikes* (TV, *id.*) ; *la Conquête de l'Ouest (How the West Was Won* [séquence de la guerre de Sécession], *id.) ; la Taverne de l'Irlandais* (*Donovan's Reef,* 1963) ; *les Cheyennes* (*Cheyenne Autumn,* 1964) ; *le Jeune Cassidy* (*Young Cassidy,* CO J. Cardiff, 1965) ; *Frontière chinoise* (*Seven Women,* 1966). John Ford aurait également participé, en 1971, au film de propagande produit par les Services américains d'information : *Vietnam, Vietnam.*

FORDE *(Seymour Thomas,* dit *Walter), cinéaste britannique (Bradford 1896-1984).* Ancien pianiste et artiste de music-hall, il débute dans la carrière cinématographique avec des courts métrages burlesques, dont il est aussi l'interprète (la série des *Walter,* 1921-1927). À partir de 1928, il réalise une quarantaine de longs métrages, parmi lesquels : *The Silent House* (1929), les deux versions de *The Ghost Train* (1931 et 1941), *Rome Express* (1932), *Jack Ahoy !* (1934), *Bulldog Jack* (1935), *Forever England* (id.), *Saloon Bar* (1940), *le Chevalier de carton* (*Cardboard Cavalier,* 1949). R.L.

FOREMAN *(Carl), scénariste et cinéaste américain (Chicago, Ill., 1914 - Beverly Hills, Ca, 1984).* Fils d'émigrés russes, d'abord journaliste et écrivain publicitaire, c'est à Stanley Kramer et ses productions ambitieuses que Carl Foreman doit sa réputation. À la fin des années 40 et au début des années 50, on voit son nom au générique de films vigoureux et engagés comme *Champion* (M. Robson, 1949) ou *C'étaient des hommes* (F. Zinnemann, 1950). Ayant été très admiré pour *Le train sifflera trois fois* (Zinnemann, 1952), Foreman dut cependant quitter les États-Unis à cause de ses sympathies de gauche. Curieusement, si l'exil lui apporta le succès commercial, il tua en lui bon nombre d'ambitions. Il y a très peu à retenir dans les scénarios des *Canons de Navarone* (J. Lee Thompson, 1961) ou l'atterrant *Or de Mackenna* (Lee Thompson, 1969). Il n'a réalisé qu'un film : *les Vainqueurs* (*The Victors,* 1963). C.V.

FORMAN *(Miloš), cinéaste américain d'origine tchèque (Časlav, Tchécoslovaquie, 1932).* Fils d'un professeur juif et d'une mère protestante, tous deux morts en camp de concentration nazi, Miloš Forman sera élevé par de proches parents. En 1955, après quatre ans d'études à la FAMU , il travaille pour la télévision, écrit deux scripts pour Martin Frič (*Nechte to na mně,* 1955) et Ivo Novala (*Štěňata,* 1957). Il devient l'assistant réalisateur d'Alfred Radok (*Grand-Père automobile* [*Dědeček automobil*], 1956), l'un des hommes de théâtre les plus importants de Tchécoslovaquie à l'époque, et de Pavel Blumenfeld (*Tam za lesem,* 1962). Il fait ses débuts de réalisateur en 1963, avec deux courts métrages : *Concours* et *S'il n'y avait pas ces guinguettes.* Sous leur aspect documentaire, ces deux films font apparaître des constantes de l'œuvre à venir : concernant la forme, un goût de l'improvisation contrôlée qui a pu faire parler de cinéma-vérité ; concernant les thèmes, des esquisses que l'on retrouvera, pleinement développées, dans *les Amours d'une blonde* et *Au feu, les pompiers,* longs métrages au scénario desquels participera Ivan Passer.

Le conflit des générations est un thème récurrent dans toute une partie de sa production, tant américaine que tchécoslovaque. *L'As de pique* (1963), scénario original écrit en collaboration avec Jaroslav Papousek et Ivan Passer, est la chronique des désillusions d'un adolescent qui entre dans la vie et, en particulier, dans le monde du travail. L'humour et la mélancolie y sont constamment en balance, et la satire sociale est déjà celle que l'on retrouvera jusqu'à *Hair,* opposant un establishment à une jeunesse provisoirement en révolte, mais qui n'a vraiment rien de révolutionnaire. En revanche, ce film apparaît comme un manifeste tranquille de la Nouvelle Vague tchécoslovaque, dans un cinéma dont l'originalité avait à peu près complètement disparu dans les années 50. Toujours avec Passer, il écrit *les Amours d'une blonde* (1965), qui traite encore du conflit des générations, du passage à l'âge adulte, de l'avenir bouché. Il mêle encore le rire et le désespoir, mais le regard du cinéaste est celui du moraliste, à la fois sympathique et détaché, épinglant ses personnages un peu à la manière d'un entomologiste, sans jamais conduire le spectateur à s'identifier à eux. *Au feu, les pompiers* (1967) est le dernier film que Forman réalise en Tchécoslovaquie. Une nouvelle fois en collaboration avec Ivan Passer et Jaroslav Papousek, il étend aux dimensions d'un long métrage la description d'un rituel collectif, sans faire venir aucun personnage particulier au-devant de la scène, ce qui en constitue à la fois la force et la relative faiblesse, au point qu'on risque de ne le lire que comme une parabole politique (le sort de l'individu prisonnier de l'incohérence des décisions de la collectivité), sans attacher suffisamment d'importance à la mise en scène, à la liberté de la composition, au mélange chaplinien du comique et du pathétique.

En juin 1968, Forman a des contacts à Prague avec des représentants de la Paramount en vue d'un tournage aux États-Unis. En août 1968, il est à Paris, quand l'intervention soviétique en Tchécoslovaquie met fin au Printemps de Prague. Il y reste jusqu'en 1969, avant de partir pour les États-Unis, avec d'autres cinéastes tchèques (Kadar, Passer). Il travaille au script de *Society For the Parents of Fugitive Children* (SPFC), qu'il tournera en 1971 sous le titre *Taking Off.* Le réfugié politique en terre étrangère n'a rien perdu de son esprit corrosif et le regard qu'il pose sur la moyenne bourgeoisie américaine est aussi aigu que naguère sur la société tchécoslovaque. Le conflit des générations, le retour des jeunes vers des valeurs qu'ils croyaient avoir rejetées, le désarroi des adultes font de *Taking Off* un des portraits les plus profonds et les plus vrais de la société occidentale de l'époque, en dépit même du grossissement du trait, qui touche souvent à la caricature. Le récit reste fidèle encore aux méthodes *ouvertes* de Forman ; le tournage recourt partiellement à l'improvisation, et la part d'aléatoire qui en résulte traduit parfaitement l'incohérence de l'univers mis en scène. *Vol au-dessus d'un nid de coucou* (1975) est tiré du best-seller de Ken Kesey. C'est une œuvre parabolique, qui, tel un miroir grossissant et déformant, renvoie autant l'image de la société américaine que celle des pays de l'Est. Le personnage anarchique de McMurphy (Jack Nicholson) est le reflet des origines de l'Amérique, nation jeune, conquise sur la *sauvagerie,* super ficiellement policée, puritaine et si anxieuse de voir surgir le retour du refoulé qu'elle préfère lobotomiser cette part ingouvernable d'elle-même. Mais l'hôpital psychiatrique, où l'action se déroule, est aussi l'image de tous les goulags et c'est surtout cet aspect second qui a trouvé l'écho le plus fort dans le public. Un autre thème a été moins remarqué, qui domine pourtant la seconde moitié de l'œuvre et gouvernera tout le scénario de son film suivant, *Hair,* et, à un moindre degré, une part du récit de *Ragtime,* celui du transfert de personnalité. *Vol au-dessus d'un nid de coucou* a été récompensé par cinq Oscars, asseyant du jour au lendemain la réputation internationale de Forman, qui, en outre, est nommé en 1978 codirecteur de la Columbia University's Film Division. *Hair,* autre grand succès, au départ simple mise en images cinématographiques du musical des années 60, suite de tableaux sans lien véritable autre que la libération des mœurs avec la guerre du Viêt-nam en filigrane, devient une réflexion poignante (et un spectacle admirable) sur l'impossibilité de la révolution permanente, la victoire honteuse, mais incontournable, de tous les establishments. *Ragtime* apparaît comme le seul échec (relatif d'ailleurs) de ce cinéaste. L'adaptation, peut-être impossible, du roman foisonnant de Doctorow, qui devait être confiée à Robert Altman, ne convenait assurément pas au tempérament plus linéaire de Miloš Forman. Après l'ouverture polyphonique brillante, le reste s'enlise dans la thèse, en dépit des croquis acides que Forman nous donne de tel ou tel personnage. Il ne parvient pas non plus à réintroduire en contrebande ses thèmes favoris, celui du transfert d'identité, notamment, esquissé entre le Noir, héros du film, et le personnage incarné par Brad Dourif. Retournant en Tchécoslovaquie pour *Amadeus,* librement adapté de la pièce de Peter Shapper, Forman y signe l'un de ses meilleurs films. On y retrouve sa verve caustique et son goût pour les « rebelles ». L'œuvre, visuellement inspirée, est aussi une réflexion sur le monde du spectacle et la création musicale. La même année que Stephen Frears, il adapte le roman de Choderlos de Laclos *les Liaisons dangereuses,* d'une manière très libre et en privilégiant intentionnellement la séduction par rapport au cynisme intellectuel (mis en valeur par le réalisateur britannique). M.S.

Films ▲ : *Concours / l'Audition* (*Konkurs,* 1963) ; *S'il n'y avait pas ces guinguettes* (*Kdyby ty muziky nebyly,* id.) ; *l'As de pique* (*Černy Petr,* id.) ; *les Amours d'une blonde* (*Lasky jedné plavovlásky,* 1965) ; *Au feu, les pompiers* (*Hoři, ma panenko,* 1967) ; *Taking Off* (id., 1971) ; *Visions of Eight* (documentaire sur les jeux Olympiques de Munich, 1973) ; *Vol au-dessus d'un nid de coucou* (*One Flew Over the Cuckoo's Nest,* 1975) ; *Hair* (id., 1979) ; *Ragtime* (id., 1981) ; *Amadeus* (id., 1984) ; *Valmont* (id., 1989).

FORMAT. 1. Type de film, considéré uniquement du point de vue de ses caractéristiques géométriques. 2. Rapport des dimensions de l'image sur l'écran. (→ aussi PROJECTION, SALLES DE CINÉMA, TÉLÉCINÉMA.)

Dans un premier sens, *format* sert à différencier les divers types de films, considérés uniquement du point de vue des caractéristiques géométriques : largeur du film, forme et espacement des perforations. Le format est ici défini par la largeur du film, exprimée en millimètres (mm).

Dans un deuxième sens, on appelle *format* le rapport des dimensions de l'image sur l'écran. Dans ce cas, le format est caractérisé par ce rapport : par exemple, 1,65 × 1, généralement abrégé en 1,65 (prononcer : « un soixante-cinq »), signifie que l'image sur l'écran est 1,65 fois plus large que haute.

Si un format donné d'image peut être obtenu avec différents formats de film, et si un format donné de film peut se prêter à différents formats d'image, les deux sens de *format* sont généralement liés en pratique, compte tenu de la standardisation indispensable à toute industrie. Ainsi, lorsque l'on évoque le format (de film) 70 mm, on pense automatiquement à une image non anamorphosée de 22 mm sur 48,5 mm (format d'image 2,2 × 1), bien que rien n'interdise d'employer différemment le film 70 mm. (Le *Cinérama** fonctionna un temps avec un film 70 mm à image anamorphosée, donnant sur l'écran le rapport 2,6 × 1.)

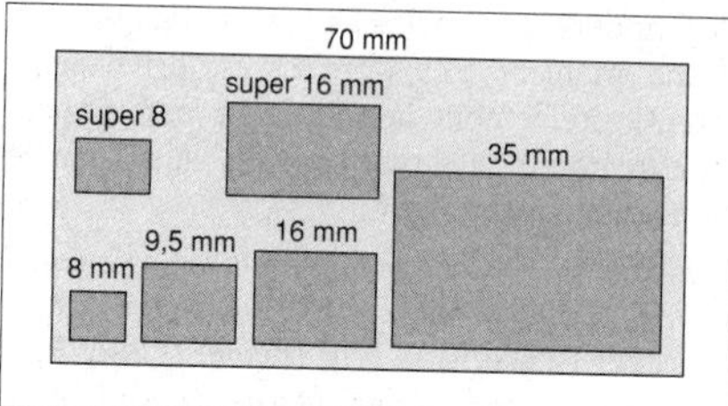

Format. *Fig. 1.* Formats d'image (grandeur réelle) de différents types de films.

Il peut arriver aussi que *format* prenne un sens voisin de procédé : « format : Vistavision » désigne une façon particulière d'employer le film 35 mm. (Voir plus loin.) Par contre « format : Panavision » n'est pas une indication de format. (→ PANAVISION.)

Les formats de films. Du point de vue des caractéristiques géométriques, il existe aujourd'hui sept formats de film. (Les dimensions indiquées pour l'image sont celles de la fenêtre de projection, toujours légèrement inférieures aux dimensions de la fenêtre de prise de vues.)

Le *8 mm* (Kodak, 1932), qui possède une seule rangée latérale de perforations, n'est autre qu'un film 16 mm dont on a doublé le nombre des perforations et qu'on a fendu dans le sens de la longueur. (Les caméras 8 mm utilisent des bobines de *Double 8,* c'est-à-dire précisément de 16 mm dont on a doublé les perforations. Lors d'un premier passage, le film est exposé sur la moitié de sa largeur ; après retournement des bobines, on expose ensuite l'autre moitié, le film étant refendu par le laboratoire de développement.) Le 8 mm – comme le Super 8, le 9,5 mm et le 16 mm – avance d'une perforation par image. Il fournit une image de 4,4 mm sur 3,3 mm (14,3 mm^2) au format 1,33.

Le *Super 8* (Kodak, 1964) diffère du 8 mm par les perforations, plus étroites (pour accroître la largeur de l'image) et plus espacées (pour accroître la hauteur de l'image). Il fournit une image de 5,4 sur 4 mm (21,5 mm^2) au format 1,33. Le *Single 8* ne se distingue du Super 8 que par la nature du support (polyester au lieu de triacétate) et surtout par son conditionnement : une caméra Super 8 n'accepte pas les chargeurs Single 8, et réciproquement ; pour les projecteurs, il n'y a aucune différence.

Le *9,5 mm* (Pathé, 1922) se reconnaît à ses perforations axiales, qui permettaient de consacrer à l'image toute la largeur du film. Il porte une image de 8,2 mm sur 6,15 mm (50 mm^2) au format 1,33.

Le *16 mm* (Kodak, 1923) est disponible avec deux rangées latérales de perforations ou bien avec une seule rangée, l'emplacement de l'autre rangée étant alors disponible pour une piste sonore. Normalement, il porte une image de 9,7 mm sur 7,26 mm (70 mm^2) au format 1,33.

Le *35 mm* (Eastman et Edison, 1889) est le format *standard* du cinéma professionnel pratiquement depuis les origines. (Voir plus loin.) Les films de largeur inférieure sont de ce fait qualifiés de formats *substandards.* Par extension, on parle de « salles standards » (équipées pour projeter les films de format standard) et de « salles substandards » (uniquement équipées pour projeter les copies 16 mm). Le 35 mm comporte deux rangées latérales de perforations au pas (→ PERFORATIONS) de 4,75 mm, et le film avance (sauf utilisations particulières) de 4 perforations par image, ce qui conduit – à la cadence normale de 24 im. /s – à une vitesse de défilement d'environ 45 cm/s. Ce format de film se prête à toutes sortes de formats d'image, les plus courants étant le 1,37 (image de 21 mm sur 15,3 mm, soit 320 mm^2), le 1,65 (image de 21 mm sur 12,75 mm, soit 270 mm^2), le Scope (image anamorphosée de 21,3 mm sur 18,15 mm, soit 390 mm^2, donnant sur l'écran, après désanamorphose, le format 2,35 × 1).

Les *65 mm* et *70 mm* (lancés en 1955 sous le nom de *Todd-AO*) ont des perforations strictement superposables. Le 65 mm est employé pour le négatif de prise de vues, le 70 mm pour les copies d'exploitation, les 5 mm de différence permettant de placer plusieurs pistes sonores. (Le gain de 5 mm ainsi réalisé sur le négatif ne conduit pas à une économie significative ; les pays de l'Est tournent directement sur négatif 70 mm.) Chacune des rangées de perforations est superposable aux rangées de perforations du 35 mm ; mais le film avance ici de 5 perforations par image. Le 70 mm porte une immense image de 48,5 mm sur 22 mm (1 070 mm^2, alors que la surface utile en photographie 24 × 36 n'excède guère 800 mm^2) au format 2,2.

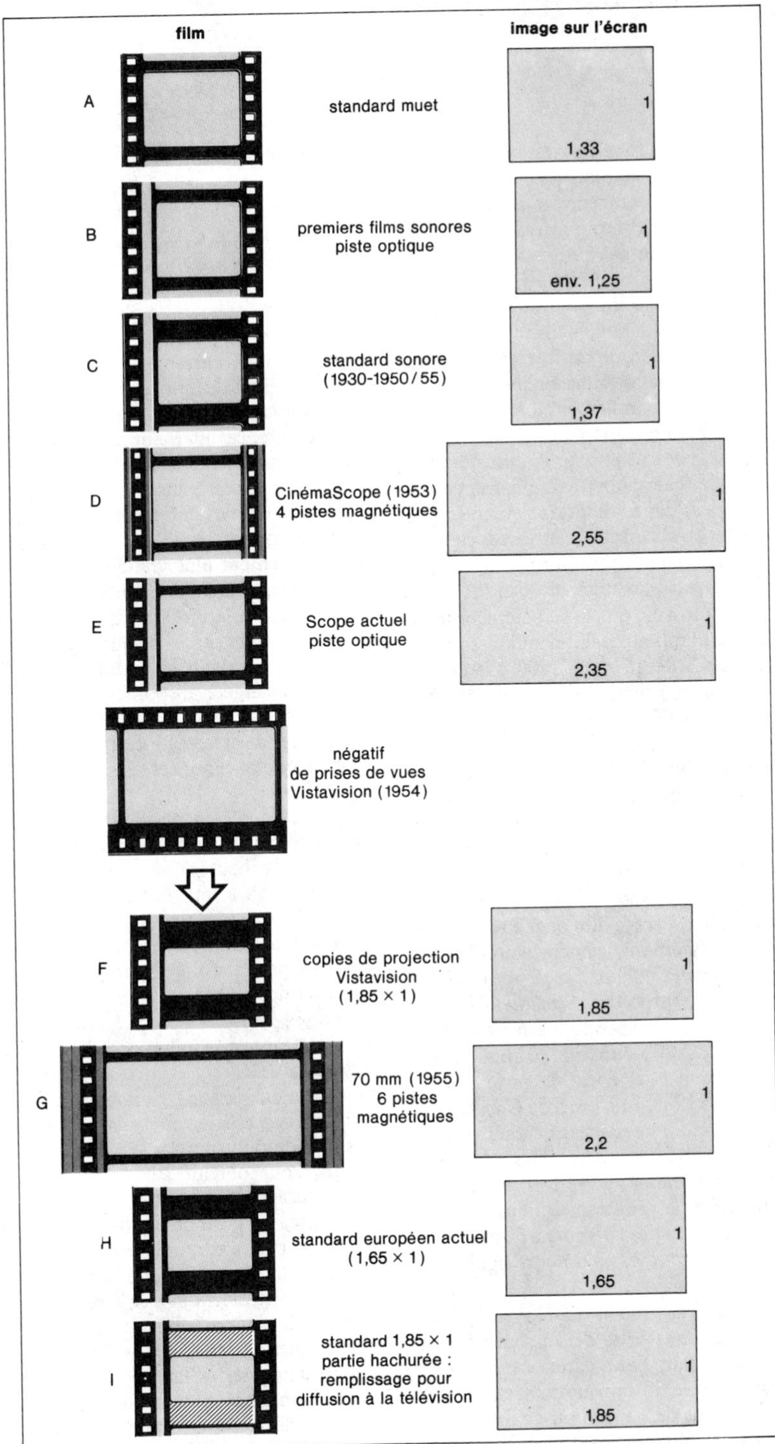

Format. *Fig. 2.* Formats d'image du cinéma professionnel.

Les trois premiers formats cités sont à l'usage quasi exclusif des amateurs, le 8 mm et surtout le 9,5 mm étant en voie de disparition. Le 16 mm, lancé comme format d'amateur, est devenu un format professionnel, qui a connu un extraordinaire développement grâce à la télévision. (Sensiblement plus maniable et considérablement plus économique que le 35 mm, il fournit en effet une image dont la qualité suffit aux besoins de la télévision.) Il est également beaucoup employé pour les films non commerciaux (films d'entreprise, par ex.) et pour la diffusion non commerciale (ciné-clubs), voire commerciale (salles rurales) des films normalement projetés en salle en 35 mm. À l'inverse, certains films diffusés en 35 mm sont obtenus par agrandissement d'un original 16 mm.

D'autres formats, qu'on ne peut citer tous, tant ils sont nombreux, jalonnent l'histoire du cinéma : films de 15 mm (1900, Gaumont, *Chrono de poche*) ; films de 17,5 mm (1895 : Paul et Acres ; 1903 : Ennemann, caméra et projecteur *Kino ;* 1928, *Pathé Rural,* pour la diffusion des films dans les petites exploitations rurales) ; films de 22 mm (1912, Edison, projecteur *Home Kinetoscop*) ; films de 28 mm (1913, caméra et projecteur *Pathé-Kok*) ; film 35 mm Lumière (décrit plus loin) ; film 57 mm (1895, Dickson et Lauste, caméra et projecteur *Panoptikon*) ; film de 60 mm (1896, Demeny et Gaumont, caméra et projecteur *Chronophotographe*) ; film de 65 mm (1928, Debrie, pour le procédé *Magnafilm* de Paramount, rapidement abandonné mais précurseur du Todd-AO) ; films de 70 mm (1897, Grimoin-Sanson pour son *Cinéorama ;* 1911, Alberini ; vers 1930, Fox, procédé *Grandeur* lui aussi vite abandonné mais également précurseur du Todd-AO) ; film de 75 mm (1898, Lumière). Si certains de ces formats connurent une certaine diffusion, le film 35 mm Lumière est le seul de ces formats disparus sur lequel aient été tournés un nombre significatif de films.

Bien qu'ils ne soient employés — tels quels — ni pour la prise de vues ni pour la projection, il faut enfin citer les films de laboratoire, tel le 35 mm portant également des perforations de 16 mm ou de Super 8 et servant à tirer simultanément plusieurs copies 16 mm ou Super 8 d'après un original 35 mm.

Histoire des formats. (Les lettres entre parenthèses renvoient à la figure 2.)

Le muet. Les deux grands « inventeurs » du cinéma, Lumière et Edison, employaient des films de même largeur (35 mm) mais incompatibles : sur chacune des deux rangées de perforations latérales, le film Lumière portait une perforation ronde par image contre 4 perforations rectangulaires pour le film Edison. L'essor de l'industrie cinématographique imposait une standardisation : en 1909, une conférence internationale retint le film Edison, pratiquement identique au 35 mm actuel, sur lequel s'inscrivait une image de 24 mm sur 18 mm au format 1,33 (A). [Le film Lumière portait une image de même format mais légèrement plus grande.]

Le parlant. À la fin des années 20, le cinéma devint parlant, la piste optique latérale l'emportant très vite sur les disques synchronisés. (→ CINÉMA SONORE.) En réduisant d'environ 2,5 mm la largeur disponible pour l'image, l'introduction de cette piste conduisit à une image presque carrée (B). Ce format fut utilisé pendant quelques années (*Sous les toits de Paris,* R. Clair, 1930 ; *Marius,* A. Korda, 1931) jusqu'à ce que l'on décide de revenir à un format d'image voisin de celui du muet en abaissant la hauteur de l'image, ramenée finalement à 21 mm sur 15,3 mm (C). Ce format 1,37 (on parle souvent de 1,33 par assimilation avec l'ancien format du muet) allait être pendant plus de vingt ans le format universel du cinéma.

Le Scope. Vers 1950, face à la concurrence de la télévision, Hollywood lança l'écran large, avec le *Cinérama,* trop complexe pour connaître une grande diffusion, et surtout avec le *CinémaScope,* où l'anamorphose permettait de doubler la largeur de l'image sur l'écran. Pour obtenir sur grand écran une image suffisamment nette et suffisamment lumineuse, les promoteurs du CinémaScope agrandirent au maximum l'image que pouvait porter le 35 mm. L'emploi de perforations carrées (→ PERFORATIONS), et le remplacement de la piste sonore optique par des pistes magnétiques nettement plus étroites, permirent d'augmenter la largeur de l'image ; en hauteur, on gagna autant qu'il était possible sans toucher à la traditionnelle avance de quatre perforations par image. On arriva ainsi à 21,3 mm sur 18,15 mm, ce qui donnait sur l'écran, après désanamorphose, le format 2,55 (D).

Le succès de l'écran large par anamorphose tua, paradoxalement, le CinémaScope, qui nécessitait tout un investissement dans les salles, notamment pour le son (4 têtes de lecture magnétique, 4 amplificateurs, 4 haut-parleurs). On revint assez vite à la piste sonore optique traditionnelle et aux perforations traditionnelles. Cela ramena l'image à ce qui est devenu le standard *Scope :* 21,3 mm sur 18,15 mm, donnant sur l'écran le format 2,35 (E).

Le film large. Pour obtenir sur grand écran des images de qualité, une autre méthode consistait à partir d'une grande image non anamorphosée. La *Vistavision* (Paramount, 1954) utilisait le déroulement horizontal du film 35 mm traditionnel, avançant de huit perforations par image, comme en photographie 24 × 36. Très peu de salles s'équipèrent pour la projection horizontale : les films Vistavision furent presque toujours projetés sur copies 35 mm usuelles, l'image étant généralement réduite à 21 mm sur 11,35 mm (format 1,85) [F]. Le procédé, inauguré avec *Noël blanc* (M. Curtiz, 1954) et employé pour un nombre non négligeable de films, notamment toute une série de Hitchcock (*la Main au collet,* 1955 ; *la Mort aux trousses,* 1959, etc.), fut abandonné lorsque les progrès des couches sensibles et des objectifs permirent d'obtenir sur négatif 35 mm à défilement vertical traditionnel une qualité d'image comparable à celle obtenue par réduction au tirage de la grande image négative de la Vistavision. Les caméras Vistavision demeurèrent toutefois en service pendant quelque temps encore, l'image négative – légèrement anamorphosée – étant convertie pour l'exploitation soit en Scope (procédé *Technirama*), soit en 70 mm (procédé *Super Technirama*).

Le 70 mm utilisait un nouveau type de film, mais il offrait l'avantage de reprendre le défilement vertical habituel, ce qui autorisait la construction de projecteurs bi-films 35/70. Apparu en 1955 (*Oklahoma !,* F. Zinnemann) sous le nom de procédé Todd-AO, il s'imposa par l'exceptionnelle qualité de son image au format 2,2 (G). Trop onéreux pour le tirage des copies et surtout pour l'équipement des salles, il fut lui aussi abandonné lorsque deux mouvements simultanés (l'amélioration des couches sensibles et des objectifs, la réduction de la taille des salles) permirent l'obtention de résultats satisfaisants en 35 mm Scope. Les salles qui demeurent équipées en 70 mm projettent parfois des copies 70 mm (reprises d'anciens films 70 mm, agrandissements 70 mm d'originaux 35 mm Scope). Les caméras 65 mm, comme d'ailleurs les caméras Vistavision, sont parfois employées à nouveau pour certains tournages. (Voir plus loin.)

Le format panoramique. Vers 1955, devant le succès du CinémaScope, nombre d'exploitants « fabriquèrent » de l'image large à partir du standard sonore 1,37 : il suffisait de réduire la hauteur de la fenêtre de projection et d'agrandir un peu plus l'image pour lui redonner sur l'écran sa hauteur habituelle. L'anarchie qui en résulta imposa la définition de nouveaux standards. En Europe, on opta pour le 1,65 (H), encore que les Italiens pratiquent volontiers le 1,75. (Le format 1,65 est parfois appelé 1,66 [c'est-à-dire 5/3] par analogie avec l'ancien format – 4/3 – du muet.) Les Américains optèrent pour le 1,85 de la Vistavision, mais ils tournent généralement en 1,37 (en « remplissant » le haut et le bas de l'image avec du décor, du ciel, etc.) de façon à faciliter la vente des films à la télévision (I).

D'un format à l'autre. Normalement, on emploie le même format de film tout au long de la chaîne qui conduit de la prise de vues à la projection dans les salles. Ce format unique est en principe le 35 mm, la seule exception vraiment notable ayant été la filière 65/70 mm.

Il arrive toutefois que la projection s'effectue à partir d'un format de film différent du format de prise de vues, ou différent du format normalement utilisé pour l'exploitation. L'image du film n'étant alors plus superposable à celle du film original, il faut ici recourir à la tireuse optique (→ EFFETS SPÉCIAUX) pour agrandir l'image (opération qualifiée de *gonflage*) ou pour la réduire (opération de *réduction*), éventuellement pour l'anamorphoser ou la désanamorphoser.

La quantité de détails contenus dans une image projetée est limitée par la quantité de détails contenus dans l'image de prise de vues, cette dernière quantité étant – toutes choses égales par ailleurs – proportionnelle à la taille de l'image. C'est pour cette raison que le 8 mm, le Super 8 et le 9,5 mm demeurent des formats pour amateurs : acceptable pour le petit écran des séances privées, leur image n'est pas assez détaillée pour l'écran des salles commerciales. La possibilité d'un gonflage satisfaisant en 35 mm apparaît seulementavec le 16 mm, moyennant des précautions adéquates : objectif de qualité, film de faible granulation, etc.

À l'inverse, les réductions n'entraînent pas – du moins tant que le rapport de réduction demeure modéré – une perte vraiment significative de la finesse de l'image, car les films positifs de copie sont capables d'enregistrer beaucoup plus de détails que les films de prise de vues. A priori, il paraît donc possible de projeter un film 35 mm en copies 16 mm (ou un film 70 mm en copies 35 mm Scope) sans diminution notable de la qualité de l'image. En fait, pour une taille donnée de l'écran, l'image est évidemment beaucoup plus agrandie si l'on projette un 16 mm que si l'on projette un 35 mm. Cela conduit à une diminution de la qualité de l'image sur l'écran, compte tenu des inévitables limitations sur la capacité des objectifs des projecteurs à restituer les fins détails, ou sur la stabilité du défilement du film dans le projecteur.

Les formats de prise de vues. En partant d'une grande image négative réduite au tirage, on améliore la qualité de l'image finale. La méthode a surtout été illustrée par la Vistavision, déjà décrite. On peut aussi mentionner le *CinémaScope 55,* brève tentative de la Fox (*le Roi et Moi,* W. Lang, 1956) pour améliorer la qualité de l'image CinémaScope par emploi d'un négatif de largeur 55 mm. L'amélioration des négatifs conduisit à l'abandon de la méthode, de même qu'il conduisit un peu plus tard à l'abandon de la filière 65/70 mm. Depuis quelques années, cependant, les caméras 65 mm, voire Vistavision, reprennent parfois du service aux États-Unis afin de fournir un meilleur matériau de base pour les grosses productions à trucages, les films étant ensuite diffusés en Scope.

Dans une deuxième famille de cas, l'image négative est plus petite que l'image finale. Exemple typique : les films tournés en 16 mm gonflés en 35 mm pour l'exploitation. (La différence de format d'image – 1,33 pour le 16 mm, 1,37 pour le 35 mm au format standard sonore – est pratiquement inappréciable.) La qualité de l'image finale est ici inférieure à celle que fournirait un négatif 35 mm. En revanche, le 16 mm est considérablement plus économique que le 35 mm. C'est ce qui peut justifier le tournage en 16 mm de films à budget très modeste, tels *la Salamandre* (A. Tanner, 1971) ou *les Doigts dans la tête* (J. Doillon, 1974), ce dernier employant d'ailleurs le Super 16 décrit plus loin. (Si le budget n'est pas très modeste, le 16 mm n'apporte pas d'avantage financier déterminant, car le poste « pellicule » est vite marginal dans le coût d'ensemble d'un film.) En fait, l'argument économique, et l'allégement du matériel par rapport au 35 mm, ne justifient vraiment le 16 mm que pour les films de reportage, où l'on sait que l'on va tourner une grande quantité de négatif dont seule une faible fraction sera conservée au montage : *Chronique d'un été* (J. Rouch, 1961), *Général Idi Amin Dada* (B. Schroeder, 1974), la série de films animaliers *C'est la vie* de Walt Disney, etc. (Le dernier exemple cité s'inscrit par ailleurs dans la lignée des films tournés en 16 mm pour la raison qu'il n'existait pas, à l'époque, d'autre film en couleurs que le Kodachrome 16 mm.) Le gonflage est également la seule méthode permettant d'utiliser les documents filmés, en tant que purs documents, en format standard. (Le moyen métrage *l'Expédition du Kon Tiki* [Tor Heyerdahl, 1952] est probablement le seul film 35 mm entièrement obtenu par agrandissement d'un original 9,5 mm.) En dehors de cette utilisation de documents, il est très rare que l'on gonfle en 35 mm des films 16 mm non conçus pour cette fin : le cas ne se rencontre guère que pour l'exploitation en salle d'œuvres initialement réalisées pour diffusion à la télévision : *la Flûte enchantée* (I. Bergman, 1975), *la Mort d'un guide* (Jacques Ertaud, *id.*), etc.

Le gonflage en 35 mm de négatifs 16 mm ne pose pas de problème majeur lorsque l'intérêt du spectacle passe avant la qualité de l'image. Il n'en va pas de même pour les films de fiction, sauf recherche d'un effet esthétique délibéré. Une méthode pour améliorer la qualité de l'original 16 mm consiste à travailler sur film inversible (→ COUCHE SENSIBLE), le grain des films inversibles étant plus fin que celui des négatifs (→ GRANULATION). L'inconvénient est que l'on ne peut pas, contrairement à ce qui se produit pour la prise de vues sur négatif, corriger au tirage les inévitables imperfections du réglage de la lumière (→ CONTRASTE) sauf – en couleurs – avec l'Ektachrome commercial, pellicule à faible contraste dont la sensibilité est malheureusement très faible. Le 16 mm est pénalisé par ailleurs par la généralisation du format panoramique, qui ne permet pas d'utiliser toute la hauteur de l'image 16 mm, d'où une diminution de la surface utile (déjà modeste) de l'image 16 mm. Une solution peut être ici apportée par le *Super 16,* imaginé à la fin des années 60, où une caméra 16 mm modifiée fournit, sur film 16 mm à une seule rangée de perforations, une image de même hauteur que l'image 16 mm usuelle mais de largeur accrue puisque empiétant sur l'espace normalement réservé à la piste sonore : on obtient directement une image au format 1,65, projetable uniquement après gonflage.

Le nouveau format de télévision au rapport 16/9, ainsi que les incertitudes sur un futur standard de télévision haute définition ont apporté un renouveau au format super 16. En effet, le rapport 1,78 peut s'inscrire sans grand problème dans le format 1,66. De plus, les incompatibilités entre les différents standards de télévision « haute définition » 1 250 ou 1 125 lignes, les standards de télévision améliorés – tous probablement incompatibles les uns avec les autres – ont conduit à retenir le film cinématographique comme moyen de prise de vues. Son absence de codage permet son transfert dans tous les standards de télévision. La surface des images enregistrées dans ce format le rend parfaitement compatible avec les standards 625 lignes. La perte de qualité devrait être sensible par rapport au film 35 mm pour les transferts en 1 250 lignes.

Le *Techniscope,* passablement employé dans les années 60 (*Il était une fois dans l'Ouest,* S. Leone, 1968 ; *les Grandes Gueules,* R. Enrico, 1965 ; *la Vallée,* B. Schroeder, 1972, etc.), avait recours à un gonflage un peu particulier. Une caméra 35 mm modifiée faisait avancer le négatif de deux perforations par image (au lieu des 4 habituelles), ce qui permettait d'y inscrire une image non anamorphosée de 22 mm sur 9,5 mm, directement au format du Scope ; en laboratoire, le négatif était anamorphosé et agrandi aux dimensions de l'image Scope. Comme l'on partait d'une image de dimensions restreintes, l'image sur l'écran était un peu moins détaillée que celle du Scope traditionnel. En revanche, le procédé consommait deux fois moins de négatif, et il permettait l'utilisation d'objectifs plus lumineux et plus souples d'emploi que les objectifs anamorphoseurs. L'amélioration des optiques a finalement conduit à l'abandon du Techniscope. (Le procédé japonais *Ultrasemiscope* fonctionnait à la prise de vues comme le Techniscope, les copies d'exploitation, tirées par contact, étant projetées grâce à des projecteurs faisant eux aussi avancer le film de 2 perforations par image.)

Il faut enfin mentionner, même si les exemples sont peu nombreux à ce jour, le report sur film de spectacles enregistrés sur magnétoscope, tel *Parade* (J. Tati, 1974), enregistré initialement pour la télévision. L'image télévisuelle étant au format 1,33, un report en format 1,37 ne modifie pas le cadrage de façon appréciable. La qualité de l'image n'excède pas celle de l'original : on peut la comparer à celle résultant d'un gonflage de 16 mm.

Les formats de projection. Les films ne sont pas toujours projetés dans le format d'origine.

Le cas le plus typique est celui des films 70 mm, qui étaient généralement de grosses productions, trop onéreuses pour être amorties par la seule diffusion dans les salles équipées pour projeter le 70 mm. Il y eut donc toujours une diffusion parallèle en réduction 35 mm Scope. Cette réduction nécessite de sacrifier un peu de la hauteur de l'image originale, puisque le Scope est plus allongé (2,35 × 1) que le 70 mm (2,2 × 1). Par ailleurs, comme chaque fois que l'on projette une réduction, la qualité de l'image sur l'écran est un peu moins bonne, le phénomène n'étant toutefois vraiment sensible que dans les grandes salles. Pour ce qui est du son, le problème est mineur si l'on projette une réduction 35 mm à quatre pistes magnétiques ; si l'on projette une copie à piste optique traditionnelle, on perd évidemment la stéréophonie, et on perd en outre sur la qualité du son, moindre en piste optique (notamment pour la *bande passante*) qu'en piste magnétique. Globalement, le spectacle est donc plus ou moins amputé selon le cas, l'amputation pouvant être significative si le film avait été conçu pour exploiter au maximum les possibilités du 70 mm (*Playtime,* J. Tati, 1967). À l'inverse, il n'y a aucune raison de critiquer la projection, dans certaines grandes salles d'exclusivité, de films 35 mm Scope en copie 70 mm. On ne peut, par contre, que désapprouver la diffusion en Scope (voire en « 70 mm » !) de films tournés pour le format 1,37 sonore, puis recadrés et anamorphosés ultérieurement en laboratoire : *Tant qu'il y aura des hommes,* F. Zinnemann, 1953 ; *Autant en emporte le vent,* V. Fleming, 1939.

L'autre cas typique est celui de la projection en copies 16 mm de films originellement en 35 mm. Outre la perte, éventuellement, de la stéréophonie (pour des raisons de coût des copies et de coût des installations de projection, les copies 16 mm sont en piste sonore optique monophonique), il y a diminution de la qualité de l'image et surtout du son, très limité notamment du point de vue de la *bande passante.* En fait, la question se pose rarement dans l'exploitation commerciale, où les salles substandards ont pratiquement disparu. (→ EXPLOITATION.)

Si l'on écarte les cas, déjà traités, du 70 mm projeté en 35 Scope et du 35 mm projeté en copies 16 mm, le problème du format se réduit essentiellement, dans les salles commerciales, à celui du format 35 mm. Toutes ces salles sont aujourd'hui équipées pour projeter au moins deux formats d'image : le Scope, et un format non anamorphosé.

Le Scope, bien standardisé, ne pose pas problème dans les salles modernes. (Dans certaines salles anciennes, qui durent s'adapter au Scope, la disposition des lieux a parfois conduit à un écran Scope un peu moins large qu'il ne devrait l'être.) Le seul problème est celui de la réédition des films en CinémaScope 2,55 × 1. Rares sont en effet les salles qui demeurent équipées pour ce format ; le plus souvent, ces films sont diffusés en copies Scope (2,33 × 1) tirées par contact d'après le négatif original. Outre la perte du son magnétique et de la stéréophonie, l'image est un peu moins large qu'elle ne devrait l'être. (L'amputation, due à la réintroduction de la piste sonore optique, se situe pour le spectateur à gauche de l'image.)

S'agissant des films contemporains non anamorphosés, il y a rarement problème pour les films français ou européens, généralement tournés en 1,65 à l'intérieur d'une fenêtre de prise de vues elle-même au format 1,65. La difficulté essentielle vient des films américains, conçus pour une projection en 1,85 mais enregistrés sur toute la hauteur de 4 perforations. Pour les salles équipées en 1,65 comme pour les rares salles équipées également en 1,85 (fenêtre de projection et objectif correspondant), il y a risque d'erreur quant au cadrage vertical de l'image. Certaines salles résolvent le problème en projetant le film en 1,37 mais ce n'est pas non plus l'idéal puisque le film a été conçu pour une projection en salle avec un format allongé.

Très rares étant les films contemporains au format 1,37 du standard sonore, certaines salles sont équipées uniquement pour le Scope et le 1,65. Projetés en 1,65, les films 1,37 y sont amputés en hauteur, ce qui est particulièrement dommageable pour les « films de reprise » car les chefs opérateurs des années 30 et 40, assurés que le film serait toujours projeté dans les mêmes conditions, n'hésitaient pas à cadrer « serré ». Même dans les salles équipées pour le 1,37, les films au format 1,37 sont, malheureusement, parfois projetés en 1,65, l'image au format 1,37 étant jugée « trop petite ». (L'habitude étant prise de projeter à hauteur constante de l'image sur l'écran, l'image 1,37 est effectivement moins large sur l'écran que l'image 1,65, bien qu'elle occupe une surface plus grande de film.)

Les formats historiques. Pour projeter correctement les films contemporains ou les grandes reprises, une salle doit donc être déjà équipée pour au moins trois formats : Scope ; 1,65 ; 1,37 sonore. (Projetés avec la fenêtre au format 1,65, les films aux formats 1,75 et 1,85 ne sont pas amputés ; simplement, on voit, en haut ou en bas de l'image, soit un peu du noir de la barre interimage, soit des éléments de remplissage.) Pour des raisons évidentes d'investissement et de commodité d'exploitation, il paraît difficile (sauf cas d'espèce, telles les cinémathèques) de demander un équipement plus complet.

S'agissant des films autres qu'en Scope, en 1,37 sonore ou en 1,65 (le cas du 70 mm a déjà été traité), deux cas se présentent. Ou bien le film est d'un format totalement incompatible avec les projecteurs contemporains (films Lumière, par ex.) ou bien le film est en 35 mm. Dans le premier cas, la seule issue consiste à transférer l'œuvre, par tirage optique, sur film 35 mm, les images étant réduites ou agrandies de façon à prendre place dans la fenêtre de projection d'un des formats usuels.

Dans le second cas, qui est essentiellement celui des films muets, on peut être tenté de recourir au tirage contact, plus économique. Dans ces conditions, l'image muette déborde malheureusement de la fenêtre de projection du 1,37 sonore, à plus forte raison de la fenêtre du 1,65 : sans même parler du problème de la cadence (→ CADENCE), l'œuvre est amputée. La solution satisfaisante consiste, ici aussi, à recourir au tirage optique, qui permet de remettre les images au format 1,37 sonore et qui rend possible également la remise à cadence (→ CADENCE). J.-P.F. / M.BA.

FORQUÉ *(José María), cinéaste espagnol (Saragosse 1923 - Madrid 1995).* Metteur en scène prolifique, il débute avec *Niebla y sol* (1951) et s'impose avec *Embajadores en el infierno* (1956) et surtout *Amanecer en Puerta Oscura* (1957), appréciés pour leur efficacité dramatique. Cependant, après *La noche y el alba* (1958) et *Un hecho violento (id.),* il préfère se consacrer à la comédie (*Maribel y la extraña familia,* 1960 ; *Atraco a las tres,* 1963). Bientôt, il se contente de cultiver le charme discret de l'humour érotique. Il surveille les premiers pas de sa fille Verónica Forqué (Madrid, 1955), à partir de *Una pareja distinta* (1974), avant que son talent d'actrice comique ne soit reconnu sous les auspices d'Almodóvar (*Qu'est-ce que j'ai fait pour mériter ça !,* 1985) et de Berlanga (*Moros y cristianos,* 1987). P.A.P.

FORST *(Wilhelm Frohs,* dit *Willi), acteur et cinéaste autrichien (Vienne 1903 -* id. *1980).* Acteur, depuis 1922, dans de nombreux films muets autrichiens et dans de nombreux petits théâtres, il devient dans les années 1925-1930 un spécialiste de l'opérette. C'est le cinéma parlant qui fait de lui une vedette, dès *Atlantik* (E. A. Dupont, 1929). Il obtient de nouveaux succès en Allemagne et en Autriche avec *Ein blonder Traum,* aux côtés de Lilian Harvey et Willi Fritsch (Paul Martin, 1932), et des films de Robert Siodmak, Geza von Bolvary et Karl Hartl. Il passe à la réalisation en 1933 avec *Symphonie inachevée (Leise flehen meine Lieder),* dont il a écrit le scénario à partir de la vie de Schubert. Spécialiste de l'opérette filmée, il dirige encore dix titres de 1934 à 1945, dont *Mascarade* (*Maskerade,* 1934), *Mazurka* (id., 1935), *Serenade* (1937), *On a volé un homme* (*Ich bin Sebastian Ott,* co : V. Becker, 1939), *Bel-Ami* (id., *id.*), *Operette* (id., 1940), *Wiener Mädeln* (1945). Il en est généralement le producteur et le scénariste, et souvent l'acteur principal. Il s'inscrit dans la tradition légère viennoise et représente parfaitement le cinéma de divertissement qui a prospéré sous le pouvoir nazi. Cependant, il ne sera pas dupe de sa renommée et, quand on lui propose un rôle dans le film de Veit Harlan, *le Juif Süss,* il refuse. De ce fait, il tombe en disgrâce. Après la guerre, en Autriche, il renoue avec cette tradition et réalise six films de genre de 1951 à 1957 avec toutefois une exception, *Confession d'une pécheresse* (*Die Sünderin,* 1951). Ce drame, produit en Allemagne par Rolf Meyer, a beaucoup choqué à sa sortie et constitue le premier scandale du cinéma allemand d'après-guerre. D.S.

FORSYTH *(Bill), cinéaste britannique (1948).* Ses débuts modestes l'ont fait remarquer comme l'un des talents les plus authentiques du nouveau cinéma anglais. D'origine écossaise, il tenait à ses origines et entendait donner à ses œuvres, réalistes et intimistes, un parfum local. *That Sinking Feeling* (1979) abordait sur un mode comique le problème du chômage chez les jeunes à partir de l'expérience du Glasgow Youth Theatre. Même fraîcheur, même intérêt pour les adolescents dans *Une fille pour Gregory* (*Gregory's Girl,* 1981), histoire d'amour dans le cadre d'une équipe sportive. Bill Forsyth reconnu par la critique saute le pas et réalise un film plus « public », *Local Hero* (id., 1983), qui renoue avec les comédies des années 50 style *Whisky à gogo :* un Américain (Burt Lancaster) est confronté à un village écossais. Forsyth conserve toutes ses qualités personnelles et atteint le marché international. C'est dans le même registre qu'il tourne *Comfort and Joy* (1984), une parodie des films de gangsters filmée chez les marchands de crème glacées. Moins accompli, il confirme néanmoins le ton modeste et amusé de son auteur. En 1989, il réalise *Breaking in* et, en 1994, *Being Human.* M.C.

FOSSE *(Bob), danseur, chorégraphe et cinéaste américain (Chicago, Ill., 1925 - Washington 1987).* On ne s'attendait pas que ce très jeune danseur blond et modeste, soupirant timide de Debbie Reynolds dans *Donnez-lui une chance* (S. Donen, 1953) ou de Janet Leigh dans *Ma sœur est du tonnerre* (R. Quine, 1955), devienne l'auteur de films aussi ambitieux et importants que *Cabaret* ou *All That Jazz.* Bob Fosse a monté lentement tous les échelons de la hiérarchie, depuis ses débuts sur les planches, comme danseur, en 1948 (c'était pour un spectacle intitulé *Call Me Mister*). Il a été un des chorégraphes les plus notables de Broadway (*The Pajama Game,* 1954 ; *Damn Yankees,* 1955, sous la direction de George Abbott) avant de devenir metteur en scène et, parfois, coauteur de ses spectacles, dont les plus célèbres sont *Bells Are Ringing* (1956), *How to Succeed in Business Without Really Trying* (1961), *Sweet Charity* (1966) [tous trois portés à l'écran], *Chicago* (1975) et *Dancin'* (1978).

C'est en réalisant *Sweet Charity* (1969) qu'il fait ses débuts de cinéaste. Mais il avait été acteur dès 1953, dans des rôles dansants : *The Affairs of Dobie Gillis,* de Don Weis (avec Debbie Reynolds) ; *Embrasse-moi, chérie* (G. Sidney, *id.* ; variations sur *la Mégère apprivoisée*), sans oublier les films de Donen et de Quine. Il est chorégraphe, en 1957 et en 1958, pour *Pique-Nique en pyjama* et *Damn Yankees,* tous deux de George Abbott et Stanley Donen. Pour *Sweet Charity,* il disposa d'un budget très important pour un premier film. Le résultat fut brillant, et le succès contribua à relancer un genre où les tentatives ambitieuses se faisaient rares.

En 1972, il remporte son plus grand succès avec *Cabaret.* Il s'agit d'un essai de spectacle total à partir d'un livre *(Adieu Berlin)* de Christopher Isherwood sur le Berlin des années 30 et la montée du nazisme qui, a priori, n'était pas fait pour la comédie, surtout musicale. Mais, grâce en particulier à l'interprétation de Liza Minnelli et de Joel Grey, il réussit à tenir son pari.

En 1974, *Lenny,* sa biographie (en noir et blanc) du comédien Lenny Bruce, lui permet de démontrer qu'il n'est pas uniquement un chorégraphe et un metteur en scène de « shows » à l'américaine. Le film surprit par un ton particulièrement amer ; mais celui-ci annonce, en fait, son film suivant, *All That Jazz* (*Que le spectacle commence,* 1979), qui est son film le plus ambitieux. Là aussi, le spectacle se veut total, et le musical prend pour thème la lutte d'un metteur en scène contre la mort. L'œuvre reçut une Palme d'or au festival de Cannes et connut un grand succès international. En 1983, il signe *Star 80* (id.), témoignage sur la cruauté des mœurs du spectacle.

D.R.

FOSSEY *(Brigitte), actrice française (Tourcoing 1946).* À l'âge de cinq ans, elle est engagée par René Clément pour *Jeux interdits,* où sa spontanéité et son assurance font merveille. Elle paraît encore comme enfant dans deux films, prend des leçons de comédie puis commence une nouvelle carrière à la demande de Jean-Gabriel Albicocco, qui la choisit pour le rôle d'Yvonne de Galais dans *le Grand Meaulnes* (1967), où elle réaffirme une personnalité toute de fraîcheur et de grâce. Rapidement promue au rang de jeune vedette, elle s'épanouit dans *Raphaël ou le Débauché* (M. Deville, 1971) mais fait montre aussi de son très sûr métier dans des films plus graves, tels *M comme Mathieu* (J.-F. Adam, 1973), *Erica Minor* (Bertrand Van Effenterre, *id.*), *la Brigade* (R. Gilson, 1975), *le Chant du départ* (Pascal Aubier, *id.*). Apportant à tous ses personnages flamme et distinction, enjouement et conviction, elle se voit offrir des rôles par des cinéastes en renom, comme Lelouch (*le Bon et les Méchants,* 1976), Truffaut (*l'Homme qui aimait les femmes,* 1977), Altman (*Quintet,* 1979), Sautet (*Un mauvais fils,* 1980), Enrico (*Au nom de tous les miens,* 1983), Zanussi (*A Long Conversation with a Bird*, 1991), tout en restant fidèle à des auteurs au box-office plus discret tels que Claude Faraldo (*les Fleurs du miel,* 1976), Benoît Jacquot (*les Enfants du placard,* 1977), Jean-Charles Tacchella (*Croque la vie,* 1981), Helma Sanders-Brahms (*l'Avenir d'Émilie,* 1984) ou Karel Kachyňa (*le Cri du papillon*, 1990). Elle a encore élargi son public grâce au succès de *la Boum 1* (C. Pinoteau, 1980), *la Boum 2* (*id.,* 1982). M.M.

FOSTER *(Alicia Christian,* dite *Jodie), actrice et cinéaste américaine (Los Angeles, Ca., 1962).* Jodie Foster est la preuve qu'une bonne actrice enfant peut devenir une bonne actrice tout court. Enfant, elle n'avait déjà pas une personnalité acidulée, comme en témoigna très tôt son interprétation de garçon manqué surdoué et secrètement blessé dans *Alice n'est plus ici* (M. Scorsese, 1974). Elle se signala de manière mémorable en prostituée enfant dans *Taxi Driver* (*id.,* 1976). On pouvait craindre qu'elle se perde dans une carrière désastreuse en Europe, où elle s'était un moment exilée. Fort heureusement, elle est repartie aux États-Unis et, après quelques années obscures, elle s'est métamorphosée en une des meilleures comédiennes de cinéma actuelles. Elle a obtenu un Oscar pour *les Coupables* (J. Kaplan, 1988). Mais c'est surtout dans *le Silence des agneaux* (J. Demme, 1990) que son interprétation butée et silencieuse face à un Anthony Hopkins flamboyant fait merveille. Après cela, on l'a vue aussi face à Richard Gere dans *Sommersby* (Jon Amiel, 1993) puis, Mel Gibson dans *Maverick* (id., Richard Donner, 1994) ou en fille sauvage au langage inarticulé dans *Nell* (M. Apted, *id.*), qu'elle a produit. Parallèlement à cette belle carrière de comédienne, Jodie Foster s'est intéressée à la mise en scène avec l'attachant *Petit Homme* (*Little Man Tate,* 1991). Difficile de ne pas lire des allusions autobiographiques dans ce récit de la manipulation d'un enfant surdoué (Jodie Foster est une intellectuelle bardée de diplômes) ; discrète, elle se donnait un rôle en retrait et dirigeait avec poigne l'excellente performance, plus brillante, de Dianne Wiest. Ce film sobre et sincère était bien à l'image de son auteur. C.V.

FOSTER *(Lewis R.), cinéaste américain (Brookfield, Mo., 1900 - Tehachapi, Ca.,* 1974). Journaliste, scénariste de six « Laurel et Hardy », il écrit *Mister Smith au Sénat* (F. Capra, 1939) et *Plus on est de fous* (G. Stevens, 1943), après ses débuts de cinéaste en 1936. Il œuvre, à partir de 1950, dans la série B, brillant dans le western (*le Dernier Bastion* [*The Last Outpost,* 1951]) et surtout dans le film d'aventures exotiques : *Hong Kong* (1952) ; *Tropic Zone* (1953) ; *le Courrier de la Jamaïque* (*Jamaica Run,* id.). Son unique film de guerre, *le Brave et le Téméraire* (*The Bold and the Brave,* 1956), est d'une grande dureté et d'une grande rigueur. A.G.

FOSTER *(Norman Hoeffer,* dit *Norman), cinéaste américain (Richmond, Ind., 1900 - Los Angeles, Ca., 1976).* Longtemps acteur, faire-valoir de stars féminines éphémères, il passe à la réalisation de films à petit budget à la Fox en 1936. Sa production routinière est allée des séries consacrées à *Charlie Chan* et à *Mister Moto,* où il dirige Peter Lorre, à celle des *Davy Crockett* de Walt Disney, en passant par de médiocres films d'aventures. Ne se détachent de ce naufrage que *Rachel and the Stranger* (1948), *les Amants traqués* (*Kiss the Blood Off My Hands,* id.), *Dans l'ombre de San Francisco* (*Woman on the Run,* 1950), *Navajo* (id., 1952), semi-documentaire assez authentique, et *Sombrero* (id., 1953), film mexicain typique d'un certain mauvais goût. Il faut également signaler qu'il a « achevé » — et signé seul — le film d'Orson Welles *Voyage au pays de la peur* (*Journey Into Fear,* 1942) et qu'il s'était associé avec ce dernier pour un film qui ne dépassa pas les premiers tours de manivelle (*It's All True,* id.). Tâcheron de la TV, il a clos sa carrière en 1967. G.L.

FOSTER *(Preston), acteur américain (Ocean City, N. J., 1900 - La Jolla, Ca., 1970).* Conducteur d'autobus, employé, voyageur de commerce, lutteur professionnel, chanteur à l'Opéra de Philadelphie, puis acteur à Broadway, il débute à Hollywood en 1929 et se voit vite confier des seconds rôles importants (*Je suis un évadé,* M. LeRoy, 1932). Mais sa carrière ne dépassera jamais ce stade : son physique massif le condamne à jouer les brutes généreuses ou les « vilains » (*le Mouchard,* J. Ford, 1935) et peu de titres émergent de ses quelque 120 films : *Moon Over Burma* (E. Ludwig, 1941) ; *The Harvey Girls* (G. Sidney, 1946) ; *J'ai tué Jesse James* (S. Fuller, 1949) ; *The Big Night* (J. Losey, 1951) ; *J'aurai ta peau* (*I, the Jury,* Harry Essex, 1953). G.L.

FOURNIER *(Claude), cinéaste et écrivain canadien (Waterloo, Iowa, U. S., 1931).* D'abord journaliste, il entre à Radio-Canada comme rédacteur publicitaire, puis à l'ONF, comme scénariste et réalisateur. En 1961, il quitte l'ONF pour rejoindre à New York l'équipe des cinéastes du « direct », Drew, Leacock et Pennebaker. De retour au Québec, après avoir tourné *le Dossier Nelligan* (1969), il fonde sa propre compagnie et réalise notamment *les Chats bottés* (1971) et *Alien Thunder / le Tonnerre rouge* (1973). On peut citer encore de lui *la Pomme, la Queue et les Pépins* (1974), *Je suis loin de toi, mignonne* (1976) et *Bonheur d'occasion* (1983), qui dénotent un certain tempérament satirique. Il a publié également des recueils de poésie (*le Ciel fermé,* 1956). C.B.

FOX *(Edward), acteur britannique (Londres 1937).* Celui qui incarna le tueur chargé de supprimer de Gaulle dans *Chacal* a toujours su donner du relief aux rôles secondaires (notamment dans un registre cynique, voire cruel) qui lui furent confiés. Parmi ses meilleures créations : *Morgan* (K. Reisz, 1966), *Qu'arrivera-t-il après ?* (M. Winner, 1967), *les Turbans rouges* (*The Long Duel,* K. Annakin, *id.*), *Chantage au meurtre* (S. Furie, *id.*), *la Bataille d'Angleterre* (G. Hamilton, 1969), *Ah ! Dieu, que la guerre est jolie !* (R. Attenborough, *id.*), *le Messager* (J. Losey, 1971), *Chacal* (F. Zinnemann, 1973), *Galileo* (Losey, 1974), *le Piège infernal* (M. Apted, 1977), *Un pont trop loin* (Attenborough, *id.*), *les Duellistes* (*The Duellists,* Ridley Scott, *id.*), *l'Habilleur* (P. Yates, 1984), *la Partie de chasse* (A. Bridges, 1985), *Retour de la Rivière Kwai* (A. McLaglen, 1988). R.L.

FOX *(James), acteur britannique (Londres 1939).* Frère du précédent. Le personnage du jeune aristocrate corrompu du *Servant* (1963) a imposé cet ancien enfant acteur de *l'Aimant* (Ch. Frend, 1949), que Tony Richardson avait choisi pour incarner le champion de cross d'une « public school » dans *la Solitude du coureur de fond* (1962). Il représente le stéréotype de l'Anglais traditionnel dans *Ces merveilleux fous volants dans leurs drôles de machines* (K. Annakin, 1965). Après une brève carrière aux États-Unis : *Un caïd* (B. Forbes, 1965), *la Poursuite impitoyable* (A. Penn, 1966), *Millie* (G. Roy Hill, 1967) et une incursion en Italie (*Arabella,* Bolognini, *id.*), il apparaît successivement dans *Duffy, le Renard de Tanger* (R. Parrish, 1968) et *Isadora* (K. Reisz, 1969) avant d'interpréter le rôle du gangster de *Performance* (N. Roeg et David Cammell, 1970) et de quitter la scène du spectacle pour se retirer dans un monastère. Il réapparaît sur les écrans au début des années 80 dans *la Route des Indes* (D. Lean, 1984), *Anna Pavlova* (E. Lotianou, *id.*), *Greystoke, la légende de Tarzan* (H. Hudson, *id.*), *Absolute Beginners* (Julien Temple, 1986) *Soleil grec* (*High Season,* Clare Peploe, 1987), *She's Been Away* (P. Hall, 1990), *la Maison Russie* (F. Schepisi, *id.*), *Afraid of the Dark* (Mark Peploe, *id.*). R.L.

FOX *(Wilhelm Fried,* dit *William), producteur américain (Tulchva, Autriche-Hongrie, 1879 - New York, N. Y., 1952).* Comme la plupart des grands fondateurs d'Hollywood et des grands studios, W. Fox est un émigré d'Europe centrale qui fait fortune en passant du commerce des vêtements à l'exploitation des premières salles de cinéma. En 1912, à la tête d'une importante chaîne de salles, il devient producteur pour les alimenter. *A Fool There Was* de Frank Powell sera en 1915 son premier succès et révélera sa première star, Theda Bara. À partir de là naît la Fox, compagnie prestigieuse s'il en est, qui assoit son équilibre financier grâce aux westerns de Tom Mix et atteint son apogée artistique avec *l'Aurore* de Murnau en 1927. Le krach de 1929 lui porte un rude coup et Fox doit bientôt vendre ses parts de la compagnie, qui devient alors la 20th Century-Fox. Au bord de la banqueroute, il met longtemps à payer ses dettes et purge même une peine de prison. Il passe ses dernières années loin de ce monde du cinéma qu'il avait contribué à créer. C.V.

FOX FILMS, compagnie de production et de distribution américaine. Ce fut avant tout la création personnelle de William Fox qui se lance dans l'industrie cinématographique en 1904, en achetant son premier Nickelodeon. Son sens des affaires, qui lui avait valu son surnom, Renard (Fox), dont il fait bientôt son nom, lui permet de se retrouver bientôt à la tête d'une chaîne de quinze salles. En 1910, il dirige une des chaînes de cinéma les plus importantes de New York. En 1913, il décide, après quelques vicissitudes qui l'ont opposé aux trusts des grandes compagnies, et dont il est sorti victorieux, de se lancer dans la distribution de films. Il crée pour cela la Box Office Attractions, qui exploite de nombreux films européens. En 1914, la Box Office Attractions devient la Fox Films et William Fox prend la décision de produire. Il engage le cinéaste J. Gordon Edwards comme superviseur, et il l'envoie en Europe pour y apprendre comment faire des films de qualité. À son retour, Edwards supervise la production du premier film Fox, *Life's Shop Window* (1914), réalisé par Henry Behlmer. Le succès prouve à Fox qu'il est dans la bonne voie. Sa femme Eve lit scénario sur scénario et il s'attache les services d'un nouveau réalisateur, Frank Powell, et d'une actrice de théâtre, Theda Bara. Avec un sens incroyable de la publicité, il fait d'elle une vedette dès son premier film, *A Fool There Was* (F. Powell, 1915) et crée la première vamp cinématographique. Grâce à l'immense popularité de Theda Bara, dirigée soit par Edwards, soit par Charles Brabin (qu'elle devait épouser), la Fox Films se hisse vite à la hauteur des plus importantes compagnies. Elle exploite des films européens mais se fait vite une spécialité des westerns et des films ruraux.

En 1927, Fox fait venir à Hollywood F. W. Murnau, le grand cinéaste allemand. Il lui donne des moyens considérables pour réaliser *l'Aurore.* Ce succès de prestige (qui est en même temps une déconvenue « commerciale ») est heureusement équilibré financièrement par le succès populaire de *l'Heure suprême* (F. Borzage, 1927), qui lance le couple amoureux idéal des films Fox, Janet Gaynor et Charles Farrell. Mais, au début du parlant, l'instabilité financière ambiante fait perdre à William Fox le contrôle de sa compagnie. Cependant, la Fox traverse tant bien que mal les difficultés des années 1930-1933, grâce au couple Gaynor-Farrell et au populaire Will Rogers, dans des films ruraux et des comédies citadines, typiquement américaines. En 1935, cependant, elle fusionnera avec une jeune compagnie aux dents longues, la 20th Century, jusqu'alors distribuée par les Artistes associés, et à la tête de laquelle se trouve Darryl F. Zanuck, un producteur ambitieux. Très vite, il prend la direction de la 20th Century Fox. Une page décisive était tournée. C.V.

FOYER. Point, situé à l'arrière de l'objectif, où viennent converger les rayons lumineux issus d'un point situé sur l'axe de l'objectif à une très grande distance de celui-ci. (→ OPTIQUE GÉOMÉTRIQUE.) Par extension, ce terme est parfois utilisé au sens de *focale.*

FPS. Abrév. anglaise de *Feet Per Second* (pieds par seconde).

FRAKER *(William A.), chef opérateur et cinéaste américain (Los Angeles, Ca., 1923).* Il débute comme assistant cameraman, à la télévision, dans les années 50, comme élève du chef opérateur Conrad Hall, qu'il suit tout naturellement lorsque celui-ci passe de la télévision au cinéma. C'est en 1967 qu'il vole pour la première fois de ses propres ailes en signant la photographie du *Diable à trois,* de Curtis Harrington. Il devient rapidement l'un des chefs opérateurs américains les plus demandés, spécialement pour les très grosses productions. Dans sa filmographie, on peut citer *Bullitt* (P. Yates, 1968), qui établit définitivement sa réputation, *Rosemary's Baby* (R. Polanski, *id.*), *Vol au-dessus d'un nid de coucou* (M. Forman, 1975), *Rencontres du troisième type* (S. Spielberg, 1977) – plusieurs chefs opérateurs ont signé ces deux derniers films –, *l'Hérétique* (J. Boorman, *id.*), *À la recherche de M. Goodbar* (R. Brooks, *id.*), *Old Boyfriends* (Joan Tewkesbury, 1979), *Protocol* (H. Ross, 1984), *The Fever Pitch* (R. Brooks, 1985), *Murphy's Romance* (M. Ritt, *id.*), *Délit d'innocence* (P. Yates, 1989) et *Premiers pas dans la mafia* (Andrew Bergman, 1990).

William A. Fraker a également réalisé quelques films : un western nostalgique (*Monte Walsh,* 1970, avec Lee Marvin, Jack Palance et Jeanne Moreau), un thriller (*A Reflection of Fear,* 1973, est un film criminel avec Robert Shaw et Mary Ure) et *The Legend of the Lone Ranger* (1981), une évocation du fameux justicier masqué. D.R.

FRANCE. On doit pour être honnête se contenter de survoler la période muette du cinéma français. Que reste-t-il, en effet, de cette production qui s'étale entre *la Sortie des usines Lumière* (1894) et *la Passion de Jeanne d'Arc* (C. Dreyer*, 1928) et sur laquelle on voudrait porter des jugements ? Un certain nombre de films dont les noms émaillent les histoires du cinéma et qu'on revoit dans des conditions médiocres de présentation, des catalogues qui vous livrent des nomenclatures de films de Méliès*, de Max Linder*, de Rigadin, des dates repères qui permettent de découper en tranches ces années lointaines. La préhistoire avec ses appareils aux noms rébarbatifs et ses pionniers en redingote (Marey*, Émile Reynaud*) ; les inventions (Lumière* animant la photo, Méliès devinant la richesse des spectacles qui en pourraient découler) ; les premières firmes : Pathé qui lance sur le marché les drames réalistes et les scènes religieuses de Zecca, crée une pépinière de cinéastes réunis sous le nom d'École de Vincennes et essaime des agences dans le monde entier. Gaumont et les courses poursuites filmées par Alice Guy* ou les drames de l'alcoolisme qui hantent les premiers écrans. La Star Films de Méliès qui s'épanouit au gré de ses trucages et de la fantaisie de son animateur et que l'on découvre avec ravissement. En 1908, les frères Laffite, financiers avisés, décident de donner ses lettres de noblesse au cinéma. L'Académie française et la Comédie-Française sont au rendez-vous, et *l'Assassinat du duc de Guise* (A. Calmettes* et Le Bargy*) ouvre la voie royale et toujours parcourue des adaptations. Tout le patrimoine littéraire et dramatique se voit ainsi colonisé par le cinéma. C'est un effort artistique considérable qui aboutit très vite à des solutions de facilité mais donne à la France, jusqu'à la déclaration de la guerre en 1914, une hégémonie incontestée. En même temps, une école comique se développe dans deux directions : celle du jeu aimable et fin de Max Linder, directement issu des comédies du Boulevard et dont la renommée dépasse vite les frontières (dans son sillage, Rigadin et ses facéties bourgeoises, Léonce [Léonce Perret*] et son « bon-garçonnisme » bedonnant) ; celle d'un burlesque apocalyptique, dévastateur et frénétique, que Jean Durand* déchaîne dans les séries Onésime ou Calino. De plus, inspiré par les bandes américaines, Jean Durand essaie d'implanter sous le ciel de Camargue un type de westerns à la française.

Victorin Jasset*, qui avait tourné une *Vie du Christ* après avoir monté des spectacles à grande mise en scène, s'oriente pour la firme Éclair vers des séries d'aventures populaires, soit d'origine américaine (*Nick Carter,* 1908-09), soit inspirées par des feuilletons français (*Zigomar,* 1911-1913 ; *Balao,* 1913 ; *Protéa,* id.). Louis Feuillade*, qui avait abordé tous les genres chez Gaumont, entreprend à partir de 1913 les différents épisodes de *Fantômas* d'après les romans de Pierre Souvestre et Marcel Allain. Il réussit à capter la sourde poésie du Paris de la Belle Époque en même temps que le satanisme de son héros le détourne des scénarios platement petit-bourgeois qu'il confectionnait alors.

1914 stoppe l'essor de la France. La production diminue et des cinéastes (Maurice Tourneur*, Léonce Perret, Albert Capellani*) se fixent à l'étranger, tandis que les films américains envahissent les écrans. On reprend la confection d'histoires qu'on dévide en épisodes à la manière d'Henri Pouctal* (*Monte-Cristo,* 1917-18). Ce dernier va encourager la carrière du jeune Abel Gance*, qui, après *Mater Dolorosa* (1917) et *la Dixième Symphonie* (1918), va entreprendre *J'accuse,* tourné à la fin de la Grande Guerre et très vite taxé d'antimilitarisme. Œuvre bouillonnante, puissamment rythmée et parfois ridicule où l'auteur bouleverse la mesure et la joliesse dont la France se faisait alors gloire.

Cependant, le groupe surréaliste, de Breton à Soupault, s'enthousiasme pour le cinéma en général, et pour la Musidora des *Vampires* (Feuillade, 1915) en particulier. Peu à peu les critiques cinématographiques se font respecter : Louis Delluc*, en tête, qui va soutenir les noms d'Antoine, de Léon Poirier*, de Jacques de Baroncelli*, de Germaine Dulac*. Déjà la plupart de ces œuvres souffrent de leurs scénarios trop grêles et les conditions de travail en studios sont souvent déplorables. La production moyenne qui oscille entre les drames mondains et les bluettes sentimentales manque totalement d'imagination et Delluc a beau jeu de s'écrier : « Que le cinéma français soit du cinéma, que le cinéma français soit français ! », tout en proclamant son admiration pour les Allemands, les Danois et surtout les Américains. Louis Delluc, qui dirige alors la revue *Cinéa,* tourne quelques films avant de mourir prématurément. Ses sujets simples sont dominés par l'étude psychologique des personnages, par leur intégration au décor, par une recherche de l'atmosphère (*Fièvre,* 1921). Dans son sillage, les compositions de Marcel L'Herbier* recherchent l'esthétisme (*l'Homme du large,* 1920 ; *El Dorado,* 1921) mais se figent souvent dans la froideur et le maniérisme (*Don Juan et Faust,* 1922 ; *l'Inhumaine,* 1924). Germaine Dulac compromet les qualités de sa photographie et de ses montages dans des historiettes de mince intérêt, à une ou deux exceptions près. Le théoricien Jean Epstein* étonne la critique avec *Cœur fidèle* (1923) et son montage accéléré. Gance tourne dans le génie et la démesure *la Roue* (1921-1923), son premier film-fleuve, où se précipitent ses défauts et ses inoubliables morceaux de bravoure. Tout de suite après, il entame *Napoléon,* dont le tournage va durer quatre ans ; il y multiplie les prouesses techniques : pour sa projection, il préconisera le triple écran pour faire vibrer les salles au diapason de son lyrisme. En 1925, L'Herbier donne une adaptation soignée et pleine d'ironie de *Feu Mathias Pascal,* le roman de Pirandello. Il lui faut ensuite attendre la fin du muet et *l'Argent* (1929) pour trouver un sujet flattant son goût pour les recherches de prises de vues et le modernisme des décors. À Paris, des salles se spécialisent et, sous l'impulsion de Delluc, on crée des ciné-clubs. Le merveilleux à la Méliès et le réalisme à la Zecca* ont trouvé leur prolongement dans les inventions de René Clair* (*Paris qui dort,* 1924 ; *le Fantôme du Moulin-Rouge,* 1925 ; *le Voyage imaginaire,* 1926). Viendra ensuite le temps des quadrilles et des poursuites inspirés de Labiche (*Un chapeau de paille d'Italie,* 1928 ; *les Deux Timides,* 1929). Feyder*, attentif et minutieux, saisit le grouillement des Halles autour du père *Crainquebille* (1923), joue le pince-sans-rire avec *Gribiche* (1926), fait sourdre l'émotion de *Visages d'enfants* (id.) et sait détraquer avec ironie le mécanisme des inaugurations officielles ou des séances au Palais-Bourbon (*les Nouveaux Messieurs,* 1929).

Le cinéma commercial glisse de plus en plus vers un formalisme hors de propos et un cosmopolitisme envahissant (combinaisons franco-allemandes, les Russes blancs installés aux studios de Montreuil), happant au passage un L'Herbier, un Epstein, une Dulac. Le vieux mélo refleurit, la société des Cinéromans présente des films à costumes et à épisodes, on adapte les romans à la mode, mais la production diminue tout de même, inexorablement.

En réaction contre toutes les solutions de facilité, les histoires impossibles, les décors tapageurs, les vedettes toutes-puissantes, l'avant-garde cinématographique se dresse depuis 1923, depuis que le photographe Man Ray* a fourni avec *le Retour à la raison,* titre qui est un programme, le premier film réalisé sans but lucratif, hors des circuits financiers habituels. Suite d'images sans sujet, combinaisons magiques de la lumière et du mouvement, poésie qui naît des courbes et des volumes, dynamitage mystificateur, épanchements du dadaïsme et du surréalisme, du cubisme et du futurisme, tentatives de cinéma pur... Aux noms de Picabia, d'Artaud* et de Desnos se raccrochent ceux de Clair (*Entr'acte,* 1924), de Germaine Dulac (*la Coquille et le Clergyman,* 1928), de Man Ray (*Emak-Bakia,* 1927 ; *l'Étoile de mer,* 1928). Henri Chomette*, le frère de Clair, présente en 1923 ses *Jeux des reflets et de la vitesse* et *Cinq Minutes de cinéma pur.* La place est libre pour qu'éclatent les bombes d'*Un chien andalou* (1928) et de *l'Âge d'or* (1930), à quoi sont liés les noms de Buñuel* et de Dalí*, et pour que le cinéma documentaire soit subtilement détourné de son propos. Ainsi le Paris de *Rien que les heures* (A. Cavalcanti*, 1926), de *la Tour* (R. Clair, 1927), d'*Études sur Paris* (A. Sauvage, 1928), la Côte d'Azur de *À propos de Nice* (J. Vigo*, 1930) et, un peu plus tard, l'Espagne de *Terre sans pain* (L. Buñuel, 1932).

Il faudrait voir, revoir, comparer et réévaluer. Savoir si *Thérèse Raquin* (J. Feyder, 1928) ne souffre pas de son tournage dans les studios allemands, découvrir les films de Mosjoukine*, ne pas recopier ce qu'on a écrit de *la Cité foudroyée* (Luitz-Morat, 1924), regarder Gloria Swanson dans *Madame Sans-Gêne* (L. Perret, 1925), Raquel Meller dans *Violettes impériales* (H. Roussell*, 1924), retrouver les essais comiques de Pierre Colombier et faire de la curiosité boulimique la règle d'or du critique et de l'historien.

Toutefois, avant d'aborder la révolution du parlant, il faut citer deux artistes, l'un français, l'autre polonais installé en France avec les Russes émigrés : Émile Cohl* et Ladislas Starevitch*. Émile Courtet, qui signe sous le pseudonyme de Cohl les dessins destinés aux journaux illustrés, vient au cinéma dès 1908 et passe successivement sous les bannières de Gaumont, Pathé, Éclipse et Éclair, qui lui confie la direction d'une succursale aux États-Unis. Les dessins animés de Cohl sont toujours reçus avec joie par le public car sa verve est intarissable et son imagination brillante. Il s'essaie également dans des films composés à partir de poupées animées. Ces mêmes poupées qui rendent célèbre le nom de l'artiste authentique qu'est Ladislas Starevitch. De 1920 à 1940, il émerveille le public tant par le charme qui jaillit de ses fantaisies que par le travail considérable et minutieux qu'il accomplit, en dessinant seul, comme Émile Cohl, ses personnages.

Le documentaire connaît en ces temps-là une grande vogue. Directement issu des films Lumière et d'une vocation très pédagogique, il est cité abondamment dans les catalogues des grands producteurs. Le nom de Jean Benoît-Lévy* doit figurer à ce titre puisqu'il développe à côté de réalisations d'un très honorable niveau commercial toute une branche qui groupe films éducatifs, scientifiques, voire chirurgicaux. Léon Poirier, l'auteur de *Jocelyn* (1922) et de *la Brière* (1925), suit en Afrique *la Croisière noire* (1926) comme il suivra plus tard en Asie *la Croisière jaune.* Feyder, parti pour réaliser en Indochine un film qui ne se fait pas, en rapporte des croquis de voyage saisis avec la collaboration de Chomette et intitulés *Au Pays du roi lépreux* (1927) et des cinéastes, dont le talent va s'épanouir dès les débuts du parlant, font leurs premières armes avec des films tels que *Voyage au Congo* (M. Allégret*, 1927), *la Zone* (G. Lacombe*, 1929), *Autour de «l'Argent»* (J. Dréville*, *id.*), *Nogent, Eldorado du dimanche* (M. Carné*, *id.*), *Paris-cinéma* (P. Chenal*, 1928). Le cinéma, à la suite du docteur Comandon, s'installe dans les laboratoires, découvre l'intérêt des effets de ralenti et d'accéléré dans les films scientifiques ; on retrouve avec Epstein et ses documentaires romancés l'exaltation d'une nature sauvage et de ses éléments (*Finis Terrae,* 1929).

1929 reste une année pathétique. Si l'on feuillette les périodiques corporatifs de cette époque, on est frappé par l'angoisse qui gagne brusquement les exploitants, les techniciens, les acteurs et les producteurs devant l'arrivée du sonore et du parlant. Les voyages des représentants des firmes américaines Paramount et Metro à Paris confirment l'agonie du muet. En fait, celle-ci a commencé le 6 octobre 1926, lorsqu'on entendit l'enregistrement musical qui accompagnait le film *Don Juan* réalisé par Alan Crosland* pour John Barrymore*. On se rappela les tentatives de pionniers français pour doter l'écran de la parole et des sons, de 1896 (Auguste Baron*) à 1911 (Eugène Lauste*) ; les essais de Gaumont (chronophono, 1904 ; chronophone, 1906 ; chronomégaphone, 1911) visant à reproduire des morceaux chantés et des films parlants en projection publique — toutes tentatives qui furent abandonnées en raison de leur prix de revient. Déjà, en 1928, à Paris, un film français, *l'Eau du Nil* de Marcel Vandal, avait été projeté avec des passages sonorisés, puis *Ombres blanches* de R. Flaherty* et W. S. Van Dyke* ; enfin, le 25 janvier 1929, *le Chanteur de jazz* de Crosland, premier film parlant, est présenté avec un énorme succès. Avec fébrilité, les grandes maisons de production commencent à se battre à coups de brevets, tandis que les ingénieurs se hâtent de proposer des systèmes prétendument définitifs : disques ou son optique. En octobre 1929, les appareils d'enregistrements allemands Tobis Klang Film équipent les studios Tobis, Pathé, Éclair. Cependant, le coût des installations fait hésiter les exploitants, et les producteurs gardent en stock un nombre important de bandes muettes. On les écoule (le muet ne s'éteindra que lentement sur les écrans) et on propose des films courts parlants et chantants, ou encore on ajoute des sons et des bruits à des productions importantes (*l'Argent* et *Nuits de princes* de L'Herbier, *Tarakanowa* de Raymond Bernard*). Les salles qui s'équipent dès la fin de 1929 doivent prendre des bandes sous-titrées en français et s'exposer à la colère des spectateurs. Les orchestres qui accompagnaient l'action sont remerciés et les acteurs doivent subir en tremblant l'examen que leur fait passer l'ingénieur du son. Des carrières ne s'en relèveront pas, notamment celles des Russes établis à Paris, tels Ivan Mosjoukine ou Nicolas Rimsky, qui essaieront en vain de maîtriser leur accent. De nombreuses vedettes connues pour leur photogénie vont s'éclipser. Les hommes de théâtre sourient : on tente cependant de pallier l'obstacle des langues sur lequel réalisateurs et techniciens vont longtemps trébucher. Le doublage intervient vite. On essaie aussi de conserver dans certains films les voix originales (*No man's land* de Trivas*, *Allô Berlin, ici Paris* de Duvivier*, *les Nuits de Port-Saïd* de Mittler, plus tard *la Tragédie de la mine* de Pabst*). La pratique coûteuse de réaliser des films en double version (franco-américaine ou franco-allemande) est expérimentée par la MGM à Hollywood et développée à Berlin pour une période beaucoup plus longue. Plus étonnante encore va être la tentative des versions européennes multiples que la Paramount essaie d'instaurer pendant trois ans aux studios de Joinville dont elle s'est rendue propriétaire. Son but : inonder l'Europe avec des décalques d'histoires destinées à la consommation américaine mais peut-être susceptibles d'intéresser aussi bien les différents pays d'Europe. Il faudrait juger sur pièces cette énorme production qui soulève la consternation des critiques du temps, à de rares exceptions près, par exemple : *Il est charmant* de Louis Mercanton*, opérette aux airs plaisants qui ne s'encombre pas de souvenirs américains. C'est aussi du côté de l'opérette que se tournent les producteurs allemands pour filmer leurs doubles versions. Le genre est rafraîchi. La mise en scène du *Congrès s'amuse* (E. Charell, 1931) est riche et fluide. On essaie de rythmer gaiement la vie quotidienne, les joies et les déceptions de la classe moyenne, ouvriers et commerçants (*le Chemin du paradis,* W. Thiele* et M. de Vaucorbeil, 1930 ; *Un rêve blond,* Paul Martin et André Daven, 1932 ; *À moi le jour, à toi la nuit,* Berger et Claude Heymann*, *id.*). L'idée est plaisante, mais n'esquive pas la gêne de voir des acteurs français plaqués sur des décors et des extérieurs allemands, entourés de comparses berlinois. Ce malaise, valable aussi pour les coproductions américaines, diminue la valeur des versions françaises de *Tumultes* (R. Siodmak*, 1932), *l'Opéra de quat'sous* (G. W. Pabst, *id.*) ou *le Tunnel* (K. Bernhardt*, 1933). Peu à peu, on reviendra à des comédies sans envergure en dépit d'incursions du côté de l'aventure (*Au bout du monde,* G. Ucicky* et H. Chomette, 1933) ou de la science-fiction : *I. F. 1. ne répond plus,* K. Hartl*, 1932 ; *l'Or,* Hartl et S. de Poligny*, 1934. La colonie française installée à Hollywood s'ennuie en tournant des versions qui déçoivent. Seul Maurice Chevalier*, solidement pris en main par Lubitsch*, triomphe avec Jeanette MacDonald* et conquiert une popularité énorme qu'il va conserver aux États-Unis jusqu'à la fin de sa vie.

À Paris, la plupart des réalisateurs notoires montrent de la perplexité lors de l'avènement de la parole. L'Herbier met son espoir dans la musique conjuguée avec les recherches décoratives. Clair avoue son scepticisme. Tourneur, engagé chez Pathé, entame une production abondante où il va tenter de combiner son sens heureux de la plastique avec des arguments relevant du théâtre (*Accusée, levez-vous,* 1930). Abel Gance adopte d'emblée les possibilités nouvelles et, dans *la Fin du monde* (1931), veut dompter le son, les bruits et les plier à sa conception du spectacle cinématographique : il échoue par la faute d'un scénario grandiloquent et cette erreur va contrarier ses projets. Renoir*, gêné comme ses collègues par le lourd appareil des studios, prend le parti de se moquer des effets sonores dans une pochade : *On purge Bébé* (1931). Le mélo réaliste *la Chienne* (id.), avec les rumeurs de la rue, les bribes de la chanson, les paroles parfois estompées, lui permet de maîtriser rapidement les problèmes qui lui sont soumis. Le *David Golder* de Duvivier (1931) démontre aussitôt que ce réalisateur n'attendait que la parole et la musique pour s'épanouir. Il réussit là où les recherches de Grémillon* se heurtent à une incompréhension générale, qui va sérieusement compromettre l'avenir du réalisateur de *la Petite Lise* (1930). *Sous les toits de Paris* (1930) et *le Million* (1931) de Clair s'amusent à des jeux de cache-cache entre parole et musique agrémentés de farandoles et pirouettes. *Quatorze-Juillet* (1933) souligne à la fois l'exaspération et l'affaiblissement d'un style qui surprit et ravit. *À nous la liberté* (1931) vibre d'une certaine violence ; l'air du temps s'y insinue et stimule le scénario. On sent passer le même courant dans *le Dernier Milliardaire* (1934), satire d'une dictature, sur laquelle on fit la fine bouche. Raymond Bernard est en passe de devenir le cinéaste officiel de la IIIe République : *les Croix de bois* (1932) ressuscitent l'enfer de la Grande Guerre et *les Misérables* (1934) exaltent en un vaste triptyque les créatures de Hugo. Il ne manque à ces fresques que le souffle épique ou lyrique d'un Gance. Epstein, décontenancé et freiné dans ses tentatives, est obligé de faire alterner des œuvres commerciales médiocres avec des recherches sonores poussées dans le domaine du documentaire romancé. Germaine Dulac ne s'occupe plus que du secteur Actualités de la maison Gaumont. Baroncelli, à de rares exceptions près (*Cessez le feu,* 1934), enregistre avec conscience des œuvres banales comme le fait aussi Tourjanski. Mathot* tourne n'importe quoi, Hugon de même et n'importe comment. Colombier exploite une veine comique plutôt lourde faite pour des vedettes comme Milton* (*le Roi des resquilleurs,* 1930) ou Raimu* (*Ces Messieurs de la Santé,* 1933).

L'énumération de ces titres donne le panorama de la production française jusqu'en 1940. Les adaptations littéraires (certaines très soignées à l'instar des films d'un nouveau venu, Pierre Chenal) alternent avec la reprise des vieux succès du Boulevard : vaudevilles (*la Dame de chez Maxim's,* A. Korda*, 1933), comique troupier (*Tire au flanc,* Henry Wulschleger, 1933 ; *les Dégourdis de la onzième,* Christian-Jaque*, 1937), drames policiers (*le Mystère de la chambre jaune* et *le Parfum de la dame en noir,* M. L'Herbier, 1931), mélos (*les Deux Orphelines,* M. Tourneur, 1933 ; *les Deux Gosses,* F. Rivers, 1936), pièces de Bernstein (*le Bonheur,* L'Herbier, 1935), de Bataille (*le Scandale,* id. 1934), de Flers et Caillavet (*le Roi,* P. Colombier, 1936), de Verneuil (*Ma cousine de Varsovie,* C. Gallone*, 1931), etc. Dans cette production usée, ressassée, deux auteurs à succès vont faire circuler de vifs courants d'air. Sacha Guitry* enregistre ses répliques à l'intention des plus lointaines campagnes et déplace son climat euphorique de la scène à l'écran. Pagnol* affirme, lui aussi, la primauté du texte qui doit libérer une émotion simple et vraie mêlée à la saveur de l'accent provençal. Le public suit, ce qui explique en partie l'engouement manifesté pour les films « marseillais » avec ou sans musique de Vincent Scotto*.

Le film populiste cher à Clair et à ses élèves (*Jeunesse,* 1934, *les Musiciens du ciel,* 1939, de Georges Lacombe) reste vivace, mais, peu à peu, les aquarelles prennent des teintes plus sombres (*la Rue sans nom,* P. Chenal, 1933 ; *le Paquebot Tenacity,* J. Duvivier, 1934 ; *la Marmaille,* Bernard-Deschamps*, 1935) pour incliner vers le réalisme (*Justin de Marseille,* M. Tourneur, *id.*), puis dériver dans le réalisme poétique qui reste l'un des aspects les plus attachants du cinéma parlant de l'entre-deux-guerres. Un mal de vivre qui se complaît dans les rues mouillées, les ports nocturnes, qui passe de la nostalgie à l'amertume, va chanter la geste des voyous, des marlous et des déserteurs. C'est le règne de Carné*, de Gabin*, de Prévert*, de Duvivier. Le légionnaire de *la Bandera* (Duvivier, 1935) est le cousin du soldat de *Quai des brumes* (Carné, 1938). *Pépé le Moko* (Duvivier, 1937), enfermé dans le labyrinthe de la casbah, devient finalement l'ouvrier du *Jour se lève* (Carné, 1939) que la police traque dans sa chambre barricadée. Et c'est encore, et c'est toujours Gabin, russe improbable des *Bas-Fonds* (Renoir, 1937), qui va devenir le repris de justice soucieux de refaire sa vie sur *le Récif de corail* (M. Gleize, 1938). Les femmes traînent avec elles en même temps le bonheur fugitif et la mort inévitable : Edwige Feuillère* (*l'Émigrante,* L. Joannon*, 1939 ; *Sans lendemain,* Max Ophuls*, 1940), Viviane Romance* (*la Tradition de minuit,* R. Richebé*, 1939) et Michèle Morgan*, tantôt désespérée (*Quai des brumes,* Carné, 1938), tantôt révoltée (*l'Entraîneuse,* A. Valentin*, *id.*), rarement apaisée (*le Récif de corail).*

Réalisme poétique que celui de Jean Vigo. Ni mauvais garçons ni filles de joie dans *l'Atalante* (1934) ; un marinier qui rêve, sa jeune épouse qui s'ennuie, l'équipage qui inquiète, la grande ville qui menace, et, en conclusion, la péniche qui fend les flots avec une grâce inexprimable. Le film sort mutilé, alors que Vigo meurt à l'hôpital et que son premier film, *Zéro de conduite* (1933), frappé par la censure, ne fera carrière qu'après la Libération.

Comme au temps du muet, le cinéma de France reste sensible aux paysages, à l'appel de la route, aux cimes et aux canaux. Un metteur en scène comme Poligny sait ainsi retrouver les plaisirs bucoliques (*Claudine à l'école,* 1938). Un Jean Choux* (*Miarka la fille à l'ours,* 1937), un Jean Boyer* (*Prends la route,* id.), un Barberis (*Ramuntcho,* 1938) reviennent aux joies du plein air, pour ne rien dire d'un Pierre Caron (*la Route enchantée,* id.) ou d'un Willy Rozier (*Champions de France,* id.). Quant à Grémillon, il situe *Gueule d'amour* (1937) à Orange, *l'Étrange M. Victor* (1938) à Toulon et retrouve sa chère Bretagne fouettée par les embruns dans le drame puissant de *Remorques* (1941 ; RE : 1939-40).

Mais Paris reste l'obsession majeure (et la facilité évidente). Inexorablement, la caméra revient dans les studios de Billancourt ou de la place Clichy et les dialoguistes sont tenus de faire scintiller leurs mots d'auteur, car ce cinéma parisien est avant tout bavard, souvent brillant, parfois subversif et contrarié alors par les appréhensions des commerçants de la pellicule. Un Prévert qui ne signe pas toujours, même dans le cas d'une réussite rafraîchissante (*les Disparus de Saint-Agil,* Christian-Jaque, 1938), un Spaak* obligé de composer une autre fin pour *la Belle Équipe* (Duvivier, 1936), un Jeanson* qui rue dans les brancards en sont les victimes. Prévert entoure les amants traqués par le destin de comparses pour lesquels il prodigue sa verve mordante et ravageuse. Spaak s'imprègne du décor – bistrot aux confins du désert du *Grand Jeu* (1934) ou petit hôtel de *Pension Mimosas* (1935) – pour y faire vivre en vase clos les personnages de Feyder et leur donner une dimension pathétique. Sa vision de la Flandre au temps de l'occupation espagnole, superbement recréée par les architectures de Meerson et aérée par la mise en scène savante et d'un bel équilibre de Feyder conduit à un beau film : *la Kermesse héroïque* (1935). Les répliques à l'emporte-pièce, de Jeanson, crépitent dans *Entrée des artistes* (M. Allégret, 1938), clin d'œil amical aux comédiens que le feu sacré dévore. Jouvet* se taille la part du lion dans le film d'Allégret. Grand comédien, venu tard au cinéma (*Topaze,* L. Gasnier*, 1932), il y rejoint d'emblée ceux qu'on a appelés les « monstres sacrés ». Ils ont sauté en 1930 de la scène au studio. Leur personnalité, leur brio, l'efficacité de leur mimique, leur cabotinage grandiose en font les terre-neuve de maintes productions et favorisent la vogue des films à sketches : c'est Raimu dans *la Femme du boulanger* (Pagnol, 1938), Harry Baur* dans *le Patriote* (Tourneur, *id.*), Gaby Morlay* dans *le Roi,* Elvire Popesco* dans *Sa meilleure cliente* (Colombier, 1932), Jules Berry* dans *Arlette et ses papas* (H. Roussel, 1934), Max Dearly* dans *Si j'étais le patron* (Richard Pottier, *id.*). Évidemment aussi, tous leurs prestigieux partenaires, de Saturnin Fabre* à André Lefaur*, de Marguerite Moreno à Marguerite Pierry, de Carette* à Aimos*. Certains réalisateurs savent exploiter à fond leur talent et leurs outrances : Duvivier pousse ainsi Harry Baur au premier rang, aidé en cela par M. Tourneur ; Colombier* et Mirande* orientent de nouveau Gaby Morlay vers la comédie pure où elle excelle. Les producteurs jouent de plus en plus la carte « vedettes », qui dissimule souvent l'indigence des scénarios ou la platitude de la mise en scène.

La décennie, éclaboussée de troubles, minée par la crise, traversée par le courant du Front populaire, roule vers la guerre. Les vieilles maisons chancellent : en 1929, les frères Natan et Émile Tanenzaft parviennent à associer leur maison de production à Pathé Cinéma : la faillite de Pathé-Natan est consommée en 1936. Gaumont, en dépit de ses alliances avec Aubert et Franco-Film, survit avec peine et échappe à la faillite grâce à l'intervention des banques. En face de ces deux géants, l'un terrassé, l'autre vacillant, on assiste à un émiettement considérable. Une étude de R. Borde révèle qu'en dix ans 285 producteurs n'ont sorti qu'un seul film et souligne que 426 sociétés de production indépendantes ont réalisé en dix ans 681 films. Un tel état de choses émeut le Parlement. En 1937, un groupe interparlementaire pour la défense du cinématographe est constitué. Il faut de toute urgence donner des structures à la profession. Le régime de Vichy mènera cette œuvre à bien.

Cependant, dès 1934, on assiste à un afflux de cinéastes étrangers. Les studios français avaient accueilli autrefois les Russes blancs, qui dotèrent la société Albatros de quelques beaux films. Voici qu'arrivent Fedor Ozep*, Nicolas Farkas*, Alexis Granowski*, Wladimir Strijewski : de leur présence va naître la mode de ces films somptueux et superficiels qui s'acharnent à évoquer les fastes du vieil empire des tsars. *Tarakanowa* (Ozep, 1938), *Port-Arthur* (Farkas, 1936), *Tarass Boulba* (Granowski, *id.*), *les Bateliers de la Volga* (Strijewski, *id.*) consacrent cet engouement. Les Français s'en mêlent : que de *Nuits de feu* (L'Herbier, 1937), de *Nuits de Princes* (Strijewski, 1938), de *Nuits blanches de Saint-Pétersbourg* (Dréville, *id.*) ! Que de *Katia* (Tourneur, *id.*), de *Tragédie impériale* (L'Herbier, *id.*), de *Brigade sauvage* (id., 1939) ! Il en reste des images parfois belles, souvent vaines, et des décors opulents. Les Allemands, dans l'ensemble, se montrent moins conventionnels. Lang*, pressé de gagner les États-Unis, tourne rapidement un *Liliom* (1934) qui déçoit à l'époque. Patient, obstiné, Robert Siodmak travaille beaucoup avec éclectisme. Il arrive à peindre en pied le portrait du redoutable *Mollenard* (1938), forban mal marié, et, au début de la guerre, à présenter *Pièges,* beau film vénéneux et trouble où l'on retrouve l'atmosphère expressionniste. Siodmak achève *Ultimatum* (1938) tandis qu'agonise son réalisateur Robert Wiene* loin de sa patrie et des fantômes de Caligari. Litvak*, très à l'aise, fait vibrer la corde sentimentale aussi bien avec l'*Équipage* (1935) qu'avec l'idylle sanglante de *Mayerling* (1936). Deux films à chansons et un mélo sont confectionnés par Bernhardt. Pabst présente une belle illustration de *Don Quichotte* (1933) et un film d'espionnage, bourré de vedettes et soigneusement emballé, *Mademoiselle Docteur* (1937) : toute critique sociale a disparu de tels choix. En revanche, Ophuls va imposer un style. La cruauté ironique et la construction légère de la *Tendre Ennemie* (1936), le souffle du romantisme qui énerve la vieille Allemagne patriarcale dans *le Roman de Werther* (1938) et les réminiscences oppressantes de son *Liebelei* allemand (1933) dans *Sans lendemain* (1940) arrivent à peine à triompher de cette incompréhension teintée de racisme dont Ophuls souffrira toute sa vie durant.

Des opérateurs, tel Eugène Schüfftan* qui eut une influence certaine sur la photographie des films français, des décorateurs comme Andrejew*, Pimenov ou Trauner* choisissent aussi la France pour y travailler. Au début de 1939, Ludwig Berger* présente *Trois Valses,* compromis heureux entre l'opérette viennoise et le boulevard parisien. À travers les chants et les rires, c'est un adieu à toute une époque.

La guerre arrive. On ne veut pas le croire. Pourtant, depuis 1936, les histoires d'espionnage se sont multipliées. L'ennemi n'y est pas clairement désigné. Toute allusion au nazisme est évitée. Si l'on excepte un médiocre film de Mathot, la crise de Munich ne se reflète que dans *Menaces* (E. T. Gréville*, 1940), dont la sortie sera contrariée par la fatalité et les événements. Mais on exalte les vertus guerrières (*Trois de Saint-Cyr,* Jean-Paul Paulin, 1939), les pactes d'amitié (*Entente cordiale,* L'Herbier, *id.*), la solidarité coloniale (*Sentinelles de l'Empire,* Jean d'Esme, *id.* ; *La France est un empire,* Degrai et Bourcier, 1940). On veut croire en la ligne Maginot (*Sommes-nous défendus ?,* Jean Loubignac, 1938), en la Légion (*le Chemin de l'honneur,* Paulin, 1940), en la France d'outre-mer (*Légions d'honneur,* Gleize, 1938). On invoque constamment l'Union sacrée de 1914. Gance tire hâtivement une seconde mouture de *J'accuse* (1938) et, dans *Paradis perdu* (1940), peint de façon saisissante la mobilisation et la Grande Guerre. Poirier idéalise les figures de deux *Sœurs d'armes* (1937) et Hugon transforme Raimu en *Héros de la Marne* (1938). On veut conjurer les périls : au pacifisme éperdu de Jean Choux (*Paix sur le Rhin,* id.) fait écho la fraternité internationale prêchée par Joannon (*Alerte en Méditerranée,* id.) ; mais, comme l'optimisme reste de rigueur, on multiplie les farces de caserne (*Ignace,* P. Colombier, 1937 ; *Trois Artilleurs au pensionnat,* René Pujol, *id.).*

Le spectateur est ainsi ballotté entre les images d'un Paris tendrement pittoresque (*Hôtel du Nord,* Carné, 1938) ou violemment dramatique (*Le jour se lève,* id., 1939). Il passe des faubourgs en clair-obscur aux grandes artères chaudes de lumière, théâtre des sketches cyniques de Mirande ou désinvoltes de Guitry, pour se retrouver devant des mélos patriotiques. Les tirades sentimentales s'y débitent avec accompagnement de trompettes à la gloire des armées de terre (*Double Crime sur la ligne Maginot,* Félix Gandéra, 1937), des gardiens de l'Empire *(les Hommes sans nom,* J. Vallée, *id.),* des armées de mer (*Feu !,* Baroncelli, 1936), des chasseurs alpins (*Sidi-Brahim,* M. Didier, 1939). Dans de telles conditions, un film aussi dérangeant que *Drôle de drame* (Carné, 1937) ne pouvait que choquer le public.

La filmographie de Renoir montre qu'il a imposé son style à tous les grands thèmes : adaptations théâtrales (*On purge Bébé* et *la Chienne,* 1931 ; *Boudu sauvé des eaux,* 1932 et *Chotard et C ie,* 1933) ; adaptations littéraires (*la Nuit du carrefour,* 1932 ; *Madame Bovary,* 1934 ; *Une partie de campagne,* 1946, RE : 1936 ; *les Bas-Fonds,* 1937 ; *la Bête humaine,* 1938). Le drame de *Toni* (1935), sans comédiens professionnels, est tourné dans les décors naturels de Provence. *La Grande Illusion* (1937) dénonce les faux-semblants. On pourrait aussi bien parler du réalisme de *la Chienne,* de *Boudu,* de *la Bête humaine,* de la Russie des *Bas-Fonds,* du tragique social de *Toni.* La lumière du Front populaire, qui commence à percer à travers les répliques et les situations du *Crime de monsieur Lange* (1936), illumine *La vie est à nous* (id.), assemblage de sketches et de morceaux d'actualité montés à la demande du parti communiste, et *la Marseillaise* (1938), entrepris grâce à une souscription de la CGT avec l'ambition d'être la fresque révolutionnaire attendue. Sinon, le recensement des œuvres inspirées par cette période est mince. Duvivier imprime sa marque sur l'aventure décevante des cinq chômeurs de *la Belle Équipe* (1936), et *le Temps des cerises* de Jean-Paul Le Chanois* (1938) développe parallèlement la vie difficile des ouvriers et les manœuvres des nantis. On ne veut pas entendre parler de la guerre d'Espagne. Seul André Malraux* en témoignera dans *Sierra de Teruel (Espoir),* qui sera présenté fin 1939 mais n'aura de diffusion qu'après la guerre. À deux mois à peine du conflit, la sortie de *la Règle du jeu* scandalise et déchaîne la colère. Plus que jamais impétueux et lyrique, amoureux d'une liberté qui l'écarte des normes classiques, inclinant ses interprètes vers un jeu décontracté, savoureux et déroutant, Renoir fait le procès d'un monde qui meurt. Le rideau tombe sur cette danse macabre grotesque, sur cette perpétuelle partie de cache-cache, sur ces intrigues qui se télescopent, sur ces coups de fusil qui foudroient le gibier et les invités, sur ces déguisements et ces fous rires forcés. Au son du limonaire, la farce devient drame. Dans dix mois, la France sera aux abois.

La déclaration de guerre empêche la création du premier festival international du cinéma à Cannes. Les studios se vident. L'exploitation est gênée par les mesures de sécurité et par le black-out. La censure interdit tout ce qui porte préjudice à l'image de la France et de son armée. La production reprend doucement à partir d'octobre, mais le seul film de quelque envergure ne sera mis en chantier que le 2 janvier 1940 à Nice. Duvivier, Spaak et Marcel Achard* en sont les maîtres d'œuvre. Les services de Jean Giraudoux, responsables de la propagande, leur ont commandé une fresque sur la vie des Français de 1870 à 1939. Une riche interprétation la soutient. *Untel père et fils* sera à peine terminé au moment de l'invasion. Duvivier arrive à le soustraire aux Allemands, à l'expédier aux États-Unis. Les Américains en auront la primeur. Pendant neuf mois, la production — comme la guerre — stagne. Yves Mirande s'amuse des nouvelles contraintes. Le comique troupier lance ses derniers pétards. L'Herbier, pressé par les événements, termine de justesse à Rome *la Comédie du bonheur,* qui ne sortira qu'en 1942. Les projets italiens de Renoir échouent. Cependant, Pagnol annonce le tournage de *la Fille du puisatier,* qui sera interrompu puis repris après l'armistice. Quelques gracieux documentaires, signés Marc Allégret ou Marcel L'Herbier, prévus pour l'Exposition internationale de New York, passent sur les écrans. On y voit aussi des films de montage : *Eux et nous* de E. Helsey et A. Rasimi, ou *De Lénine à Hitler* de G. Rony. Alors que Grémillon n'arrive pas à terminer *Remorques,* la capitale se vide, les Français s'affolent, les armées se disloquent, l'envahisseur est partout. Par un beau jour de juin, une ligne de démarcation mutile soudain le pays. La IIIe République a vécu, l'Occupation commence et le maréchal Pétain devient le garant de l'ordre nouveau.

L'État français, qui s'intéresse au cinéma, n'attend pas longtemps pour réglementer la profession. De 1940 à 1944, le Comité d'organisation de l'industrie cinématographique (ou COIC) va diriger l'ensemble de l'industrie du film et de ses collaborateurs de création. Présidé d'abord par un directeur puis, en 1942, par un triumvirat, dont deux des membres démissionneront au bout d'un an, le COIC comprend une commission consultative subdivisée en cinq sous-commissions, régissant chacune diverses branches d'activité. L'État, attentif et tatillon, en surveille le fonctionnement par le système des cartes professionnelles, par la censure, par les commissaires du gouvernement et par le ministre de l'Information. De plus, le COIC doit jouer au plus serré avec les Allemands de Propagandaabteilung et des services de l'ambassade. Les contrôles se multiplient, l'élimination des juifs de la profession ne va cesser de s'amplifier, attisée par les articles outrageants de la presse parisienne. Heureusement, toutes les mesures ne sont pas de cet acabit : nombre d'initiatives du COIC ne seront pas suspendues à la Libération et assainissent le marché ; ainsi l'autorisation de tournage, les avances pour financement, le versement en banque et le blocage du montant des devis. Aujourd'hui encore, le contrôle des recettes, la numérotation de la billetterie, l'interdiction du double programme conservent force de loi.

La production se trouve assez vite privée de cinéastes éminents (Clair, Duvivier, Renoir, Ophuls s'installent aux États-Unis, Feyder en Suisse) et de vedettes aimées du public (Gabin, Michèle Morgan, Jouvet, Jean-Pierre Aumont*), et, si la reprise du travail s'effectue rapidement en zone libre, laquelle bénéficie des studios de Marseille et de Nice et de la présence d'acteurs ou de réalisateurs, elle ne s'opère que plus tard dans la capitale. L'espoir de voir éclore sur la Côte une pépinière cinématographique ne dure guère. Les conditions précaires de travail, la médiocrité de la pellicule et, surtout, les entraves perpétuelles de la censure vichyssoise découragent les bonnes volontés. Gance offre toutefois avec *Vénus aveugle* (1943 [RE 1940]) un grand mélo de style flamboyant ; Gréville et Pierre Billon* font appel à Jacques Prévert pour quelques scènes d'*Une femme dans la nuit* (1943, RE 1941) et du *Soleil a toujours raison* (id.). L'activité méridionale ne cesse pourtant qu'après la capitulation italienne (fin 1943), et plusieurs grandes œuvres de l'époque sont réalisées : *les Visiteurs du soir* (Carné et Prévert, 1942), *Lumière d'été* (Grémillon et Prévert, 1943), *l'Éternel Retour* (Delannoy* et Cocteau*, *id.*). Marc Allégret donne *Félicie Nanteuil* (1945, RE 1942), une de ses œuvres les plus sensibles. Enfin, c'est dans les studios de la Victorine que débutent *les Enfants du paradis* (Carné et Prévert, 1945), dont la réalisation se poursuivra l'année suivante à Paris.

En zone occupée, la situation est différente. Une société de production, Continental Films, est créée fin 1940. S'appuyant sur des techniciens, des acteurs français et des capitaux allemands, elle élabore un vaste programme. Christian-Jaque, M. Tourneur, Carné, Joannon, Lacombe, Henri Decoin* sont mis en demeure de travailler pour cette firme, faute de quoi les studios parisiens resteront fermés. Ayant obtenu l'assurance qu'on ne leur demandera aucune œuvre de propagande, les metteurs en scène se soumettent et, au début de 1941, commencent, l'un *l'Assassinat du Père Noël* (Christian-Jaque), l'autre *le Dernier des six* (Lacombe). La situation se débloque et s'ouvre alors un véritable âge d'or pour le cinéma français. Durant toute l'Occupation, les spectateurs affluent, les films les distraient de leurs misères et de leurs angoisses. Les productions anglo-saxonnes sont interdites ; malgré un énorme effort publicitaire, les bandes allemandes ou italiennes sont moyennement suivies. Les réalisations françaises les plus médiocres pulvérisent les records d'exclusivité, les recettes sont éblouissantes. Cette parenthèse de quatre ans dans l'histoire du cinéma continue comme auparavant à faire la part belle aux adaptations littéraires, à la reproduction de pièces de théâtre, aux intrigues policières, sentimentales ou mélodramatiques. Très peu de travaux de propagande (en tout cas, jamais à la Continental) et d'une grande médiocrité. Au fil des jours, les œuvres vont se faire de plus en plus agressives et percutantes.

Ce parti pris d'ignorer que le monde est en feu, que les hommes sont traqués et de proclamer que « Paris reste toujours Paris » alimente les films de divertissement, où l'on célèbre la jeunesse (*Premier Rendez-Vous,* Decoin, 1941) et où l'on assaisonne à la mode américaine les vieilles recettes du Boulevard (*l'Inévitable Monsieur Dubois,* Billon, 1943 ; *l'Honorable Catherine,* L'Herbier, *id.*). Ni Pagnol ni Guitry ne donnent d'œuvres majeures. Les aventures policières connaissent toujours le succès (*L'assassin habite au 21,* H.-G. Clouzot*, 1942) ; il s'y mêle parfois un léger parfum de social (*les Inconnus dans la maison,* Decoin, 1942). On essaie de retrouver le rythme et le crépitement des films d'action américains (*Dernier Atout,* Jacques Becker*, 1942 ; *L'aventure est au coin de la rue,* Daniel-Norman, 1944). Les épreuves de l'héroïne du *Voile bleu* (Jean Stelli, 1942), les malheurs de *la Femme perdue* (J. Choux, *id.*) font salles combles. On s'incline devant les évocations de Berlioz *(la Symphonie fantastique,* Christian-Jaque, 1942), de Napoléon Ier (*le Destin fabuleux de Désirée Clary,* Guitry, *id.),* de *Mermoz* (L. Cuny, 1943), de *la Malibran* (Guitry, *id.*). *Monsieur des Lourdines* (P. de Hérain, *id.*) prêche le retour à la terre, *Patricia* (P. Mesnier, 1942) milite en faveur de la famille, *Pontcarral, colonel d'Empire* (Delannoy, *id.*) exalte la patrie, la France d'outre-mer et la résistance aux usurpateurs. Les adaptations des romans de Simenon (*le Voyageur de la Toussaint,* Daquin*, 1943) équilibrent celles des œuvres de Balzac (*la Duchesse de Langeais,* Baroncelli, 1942). Le bon curé devient un personnage traditionnel mais Satan rôde par-ci par-là (*les Visiteurs du soir,* Carné ; *la Main du diable,* M. Tourneur, 1943 ; *l'Homme qui vendit son âme,* Paulin, 1943) ; on s'intéresse aux rêves, à la magie, à la sorcellerie, aux hérésies, tout en goûtant les films de Tino Rossi* ou de Charles Trénet*. 1943 reste une année riche. Grémillon (avec la complicité de Prévert) vient de donner *Lumière d'été,* âpre drame aux antipodes des mots d'ordre vichyssois. Il change de registre avec Charles Spaak pour peindre la figure d'une modeste Française dévorée par la passion de l'aviation *(Le ciel est à vous).* Clouzot tourne pour la Continental *le*

Corbeau, dont l'agressivité, la méchanceté, la noirceur choquent. Autant-Lara*, qui avait trouvé son style en contant des histoires désuètes, fait éclater un conflit de castes, dans *Douce,* parmi les poufs et les capitons d'un hôtel particulier à la fin du siècle dernier. *Voyage sans espoir,* que Christian-Jaque filme en virtuose, retrouve brusquement la poésie trouble des boîtes à matelots, des ports et des adieux dans les gares. Robert Bresson présente *les Anges du péché,* essai cinématographique inspiré par Giraudoux : symphonie en blanc, dédiée aux religieuses de Béthanie, où la sérénité dissimule mal le feu qui couve. Les frères Prévert avec *Adieu Léonard* déversent leurs réserves de farces et attrapes et allument des lampions en l'honneur des « petits métiers ». *Goupi Mains rouges* donne à Becker le plaisir de se pencher sur une famille paysanne de haute saveur, sans tomber dans la convention patoisante. Un peu plus tard, Christian-Jaque va orchestrer les thèmes de *Sortilèges* (1945), jalousie, sang, amour éternel, dans des paysages de neige où passe un cheval fou.

Le cinéma de l'Occupation trouve sa consécration lors de la présentation des *Enfants du paradis.* Le pittoresque et le faste, la minutie et la prodigalité, l'or et la pourpre résument en deux époques le paradoxe du cinéma de l'Occupation. Pauvre et humilié, il sut déguiser son indigence, la voiler de riches atours et prodiguer l'éclat de leurs chatoiements. Alors que, précédemment, courts métrages et documentaires étaient sacrifiés, un effort évident, de la part des distributeurs comme des exploitants, permet pendant ces quatre ans de faire connaître au grand public les noms et les œuvres de René Clément*, de Georges Rouquier*, de G. Régnier, de Jean Tédesco*, de Jean Lods*, de René Lucot, de René Chanas, de Jacqueline Audry* et de Marcel Ichac*. Des dessins animés voient le jour, tels *le Marchand de notes* (1943), *l'Épouvantail* (id.), *le Voleur de paratonnerres* (1944), tous trois dus à Paul Grimault*. Aidé par l'opérateur Nicolas Hayer*, Jean-Paul Le Chanois constitue un groupe de travail qui enregistre la vie du maquis dans le Vercors de l'année 1944, prélude au film *Au cœur de l'orage* que l'on verra plus tard.

La lutte s'est intensifiée. Grâce à la réunion d'organismes, un comité de libération du cinéma français se forme au début de 1944. Un journal sort, *l'Écran français,* et un plan d'organisation du cinéma libéré s'élabore. Le 19 août 1944, le Comité participe activement à l'insurrection parisienne en même temps qu'il la filme. *Le Film de la libération de Paris,* fiévreux témoignage, connaît un énorme retentissement aussi bien en France qu'à l'étranger. Les lendemains sont moins euphoriques. L'industrie du cinéma se trouve gênée par les impératifs de la guerre, qui n'est pas terminée. Les conditions de travail, soumises aux restrictions d'électricité, au manque de matières premières, à la rigueur de l'hiver, sont pénibles. La Libération fait revenir dans les studios ceux que les lois raciales de Vichy en avaient bannis, mais l'épuration frappe d'autres personnes. Peu à peu, les cinéastes exilés rentrent en France, non sans susciter parfois quelques remous. Le public reste fidèle au rendez-vous des salles obscures, mais la production doit faire face au raz de marée américain : quatre années de films prêts à déferler. Cette situation de fait va se trouver aggravée par la signature des accords Blum-Byrnes, qui, faisant la part belle aux films américains sur le marché français, ameutent contre eux l'ensemble de la profession. La création du Centre national de la cinématographie (CNC) et la réglementation de l'exercice de la profession, promulguées cette même année, apaisent mal les esprits. En revanche, le spectateur moyen qu'on essaie de sensibiliser se désintéresse de la question et, entre deux films de l'Amérique en guerre qu'il découvre enfin, continue à se presser aux films français. Il voit d'une part les dernières productions de ce qu'on appelle « le cinéma de Vichy » et se montre souvent injuste pour ce qu'il juge anachronique. Des films comme *Sortilèges* (Christian-Jaque, 1945), *Félicie Nanteuil* (M. Allégret, 1945 [RE : 1942]), *Falbalas* (Becker, 1944), *la Fiancée des ténèbres* (Poligny, 1945) valent incontestablement mieux que ce qu'on en a pu dire alors. Il est vrai que l'énorme succès remporté par *les Enfants du paradis* (Carné, 1945) compense quelque peu ces injustices. Comme il fallait s'y attendre, les films à la gloire de la Résistance pullulent pendant un an, puis leur vogue s'éteint à cause de la médiocrité des histoires racontées, peinturlurées à grands traits. Certains se veulent allusifs, dans des décors historiques : l'amusant *Capitan* (Robert Vernay, 1946), le mélodramatique *Patrie*

(Daquin, *id.*) et le vif et caustique *Boule-de-Suif* (Christian-Jaque, 1945). René Clément, qui s'est fait connaître pendant l'Occupation par ses courts métrages, serre de près la vérité avec *la Bataille du rail* (1946), sorte de documentaire sur l'action des cheminots pendant la guerre. Le même réalisateur obtint ensuite un succès populaire avec *le Père Tranquille* (1946), un des meilleurs films de Noël-Noël*. Maurice de Canonge présente, sous le titre *Mission spéciale* (id.), deux épisodes dont le premier, *l'Espionne,* retrace à la façon des bandes dessinées l'action de la 5e colonne pendant la « drôle de guerre ». Enfin *Jéricho* (Henri Calef, 1946) lie le sort d'un groupe d'otages à un bombardement aérien qui doit les libérer de leur prison. Sujet poignant très amoindri par de nombreux stéréotypes. La plus grosse déception vient de Raymond Bernard, peu inspiré par un médiocre mélodrame d'Yvan Noé : *Un ami viendra ce soir,* qu'il tente vainement de sauver en insistant sur les numéros d'acteurs. Sensible à l'air de ce temps-là, Carné tente d'en laisser le souvenir avec *les Portes de la nuit.* Le film se situe très précisément pendant l'hiver glacé de 1945 ; la description que le réalisateur fait du quartier Barbès-Rochechouart, l'espace d'une nuit, avec son humanité grouillante, ses gagne-petit, les ex-collabos sournois et honteux, les anciens résistants d'une sobre dignité, s'enrichit du dialogue de Jacques Prévert. Des difficultés d'interprétation (Gabin et Dietrich* pressentis puis remplacés par deux débutants : Montand* et Nattier), un symbolisme un peu lourd et des scènes sentimentales un peu plaquées nuisent au film, contre lequel une cabale se déchaîne. L'échec des *Portes de la nuit* va contrarier la future carrière de Carné, qui en garde une amertume compréhensible.

Les spectateurs restent friands de comédies bourrées de mots d'auteur, de films policiers ; mais il va falloir attendre 1947 pour retrouver Clouzot. Celui-ci s'appuie – à peine – sur un roman de S. A. Steeman pour présenter *Quai des Orfèvres,* où il s'intéresse surtout à la psychologie des principaux personnages qu'il place dans des décors d'un réalisme exact et dont les comparses ont des silhouettes bien mises en relief. *Quai des Orfèvres* triomphe et incite Clouzot à choisir des sujets plus ambitieux : *Manon* (1949), transposition colorée et fiévreuse du roman de l'abbé Prévost dans l'actuelle après-guerre, reste extérieure à l'histoire d'amour, pourtant pivot du film. *Le Salaire de la peur* (1953) joue du suspense tout au long de la randonnée d'un camion bourré de nitroglycérine. *Les Diaboliques* (1955) et ses trois assassins font frissonner dans des situations appuyées et soulignées. *Les Espions* (1957), jeu de massacre absurde et cocasse, n'enthousiasme pas le public dérouté, ni la critique perplexe. L'utilisation de Brigitte Bardot* dans *la Vérité* (1960) ne va pas sans un certain académisme. *La Prisonnière* (1968), sa dernière œuvre, passe inaperçue en dépit d'un sujet « tabou » sur les rapports sadomasochistes. Clouzot, qui souffrait d'une maladie de cœur (et d'un caractère agressif), ne put mener à bien différents sujets. Il s'intéressa à la genèse des œuvres d'un grand peintre (*le Mystère Picasso,* 1956) et ne dédaigna pas de verser dans le sirop de la pièce *Miquette et sa mère* (1950) quelques gouttes de vitriol qui surprirent, mais tonifièrent le breuvage.

Dans cette lignée du film noir, Yves Allégret* tient une place importante. Il avait fait ses premières armes sous l'Occupation et, dès 1945, il réussit *les Démons de l'aube,* film de guerre sec et violent. À partir de *Dédée d'Anvers* (1948), qui révèle Simone Signoret*, il trouve son scénariste, Jacques Sigurd*, et sa voie. Le film renoue avec les succès de l'immédiate avant-guerre. Pavés mouillés, angoisse et espoir toujours mélangés, nuits oppressantes, aubes désenchantées : les filles et les souteneurs, les tenanciers et les marins y exploitent avec efficacité leurs silhouettes traditionnelles. *Une si jolie petite plage* (1949) va plus loin dans la désespérance et tire d'un sujet linéaire un long accord plaintif et déchirant ; enfin, *Manèges* (1950) choque par son pessimisme brutal. Chaque personnage traîne son ignominie, son imbécillité, ses vices. Avec ses partis pris : chef-d'œuvre d'un style. Ni les amours contrariées des *Miracles n'ont lieu qu'une fois* (1951), ni les révolutionnaires irlandais de *la Jeune Folle* (1952), ni le couple des *Orgueilleux* (1953) observé sous le soleil mexicain, ni même un film social comme *la Meilleure Part* (1956) ne permettent à Allégret de s'exprimer aussi complètement et sa carrière reste curieusement inaccomplie.

Avatar du film noir, le film de gangsters, de truands, porté par le succès des romans de la

Série noire, va proliférer à partir des années 50 ; de l'énumération des titres se dégagent accablement et morosité. Le genre a pourtant ses lettres de noblesse. *Touchez pas au grisbi* de Becker (1954) décrit sans complaisance la vie, traversée d'orages, de deux truands embourgeoisés. D'autres films beaucoup moins intéressants vont en découler, confectionnés pour Gabin, qui s'affirme avec la pesanteur d'un roc. Jules Dassin* prend également pour héros dans *Du rififi chez les hommes* un gangster fatigué, qu'il fourvoie dans un «casse» élaboré et détaillé avec minutie. Decoin trouve avec *Razzia sur la chnouff,* réquisitoire contre la drogue, des accents qui surprennent chez cet estimable commerçant (1955), comme avait surpris l'amertume des vies manquées dans *la Vérité sur Bébé Donge* (1952). C'est aussi dans un milieu de grands bourgeois où s'introduit une gamine perverse que Autant-Lara* situe *En cas de malheur* (1958), et on peut classer toujours sous la même étiquette les films de Franju, où jaillissent des éclairs de poésie cruelle : *la Tête contre les murs* (1959) et son décor d'asile d'aliénés, *les Yeux sans visage* (1960) avec son inquiétante clinique, son chirurgien fou et ses vols de colombes au-dessus des flaques de sang.

Parallèlement au film noir, le film judiciaire avec le cérémonial des procès, l'incertitude des verdicts reste le domaine réservé d'André Cayatte*. Ancien avocat devenu scénariste puis réalisateur, il avait fourni pendant huit ans des films d'un intérêt modeste (à l'exception des *Amants de Vérone,* 1949, auquel Prévert avait participé) lorsque, en 1950, il décroche un prix à Venise pour *Justice est faite.* Les insuffisances des jurys de cours d'assises y sont lumineusement démontrées et mises en valeur par une brochette d'excellents comédiens. L'année suivante, il se livre à un vibrant réquisitoire contre la peine de mort, et *Nous sommes tous des assassins* demeure son film le plus maîtrisé et aussi le plus émouvant. D'autres, de la même veine, vont suivre : *le Dossier noir* (1955), *le Glaive et la Balance* (1963), *Verdict* (1974), *l'Amour en question* (1978). Malheureusement, si les thèses exposées ont toujours leur intérêt, l'académisme de leur mise en scène, le manichéisme des porte-parole desservent leur générosité évidente. De semblables défauts alourdissent les autres œuvres de Cayatte, et l'auteur est prolifique.

On continue de goûter les charmes des époques révolues, ranimées avec amour par Autant-Lara : *le Diable au corps,* qui fait scandale à Bruxelles en 1947 ; *Occupe-toi d'Amélie* (1949), étonnante adaptation du vaudeville de Feydeau* par Bost* et Aurenche* ; *le Blé en herbe* (1954), qui ressuscite les modes de 1930 à la faveur du roman de Colette ; *Marguerite de la nuit* (1956), dont les admirables décors stylisés de Max Douy* recréent la période Arts déco ; enfin, *le Joueur* (1958). L'Occupation, avec ses misères et ses ignominies, permet au réalisateur de peindre des tableaux acides et virulents, dont le plus célèbre demeure, à juste titre, *la Traversée de Paris* (1956) ; mais *le Bon Dieu sans confession* (1953) et *les Patates* (1969) ne manquent pas non plus de causticité. Le fabliau qui a pour décor une Ardèche sauvage et enneigée, *l'Auberge rouge,* doit être mis à part. Film bourré de malices, de ricanements, où Fernandel* trouve l'un de ses meilleurs rôles (1951).

Autres exemples de films désuets réussis : *Le silence est d'or* (1947), où le revenant René Clair s'attendrit sur les années d'enfance du cinéma et agite de jolis pantins au gré d'un scénario minutieusement construit. Le même soin préside à la stratégie amoureuse des *Grandes Manœuvres* (1955), où la couleur accentue la gravité du drame sous-jacent. Les trois époques des *Belles de nuit* (1952) n'échappent pas à une certaine mécanisation ; quant aux *Fêtes galantes* (1966), alourdies par une interprétation hybride, elles ne rappellent que de très loin les grandes réussites du cinéaste. Jean Renoir fait surgir avec une belle humeur communicative et une palette éclatante Montmartre 1900 dans *French Cancan* (1955) et ironise de manière plus brouillonne sur l'aventure boulangiste dans *Éléna et les hommes* (1956). Quant à André Michel*, il sait transcrire les rosseries douces-amères de Maupassant (*Trois Femmes,* 1952). Maupassant encore permet à Ophuls de donner son œuvre la plus accomplie et la plus lumineuse (*le Plaisir,* 1952). Il avait enfin trouvé le succès avec *la Ronde* (1950), viennoiserie de A. Schnitzler brillamment enlevée par des artistes parisiens. *Madame de* (1953) enveloppe de grâces surannées et mélancoliques un bref récit de Louise de Vilmorin. *Lola Montès* (1955), coûteuse superproduction et retentissant échec commercial, modèle de film incompris et par ailleurs inclassable, hâte la mort de son réalisateur. Et l'on remonte jusqu'au XVIIIe siècle, avec *Fanfan la Tulipe* (Christian-Jaque, 1952), poudre d'irrévérence et de drôlerie, pour retrouver le souvenir des vieux cinéromans.

Le cinéma puise donc toujours dans la littérature : de Victor Hugo (*Notre-Dame de Paris,* Delannoy, 1956 ; *les Misérables,* Le Chanois, 1958) à Zola (*Gervaise,* Clément, 1956 ; *Pot-Bouille,* Duvivier, 1957), de Madame de La Fayette (*la Princesse de Clèves,* Delannoy, 1961) à Radiguet (*le Bal du comte d'Orgel,* M. Allégret, 1970), sans oublier le Mauriac de*Thérèse Desqueyroux* (Franju*, 1962), le Cocteau de *Thomas l'imposteur* (id., 1965) et l'inépuisable Simenon. Le film à sketches survit grâce à Duvivier (*Sous le ciel de Paris,* 1951), qui n'oublie sa misogynie et son pessimisme (*Voici le temps des assassins,* 1956) qu'en compagnie de *Don Camillo* ou avec l'ingénieux prétexte de *la Fête à Henriette* (1952). Le populisme se fane (*Sans laisser d'adresse,* 1951 ; *Agence matrimoniale,* 1952, tous deux de Le Chanois), mais d'une façon générale une grisaille envahit les écrans, une médiocrité besogneuse : nombre de petits films bâclés et fauchés asphyxient la production et lassent le public. Restent des individualités vigoureuses qui émergent et déroutent quelquefois. Sacha Guitry, par exemple, décoche quelques films grinçants, très modernes de ton, où il lance les dernières fusées d'un esprit désabusé (*la Poison,* 1951 ; *la Vie d'un honnête homme,* 1953 ; *Assassins et Voleurs,* 1957) ; Anouilh* (*Deux Sous de violettes,* 1951) ; J.-P. Melville*, qui avait d'abord joué les francs-tireurs (*le Silence de la mer,* 1948), a conquis le grand public avec l'adaptation de *Léon Morin, prêtre* (1961). Son talent va le conduire de plus en plus à se figer dans le hiératisme glacé, mais *l'Armée des ombres* (1969) ramène les souvenirs poignants de l'Occupation et *le Cercle rouge* (1970) est une brillante variation sur un thème usé (le hold-up d'une bijouterie). Jacques Tati* fait cavalier seul avec son personnage de M. Hulot qu'il fait mouvoir en mime précis parmi les aléas de la vie quotidienne. Quant à Buñuel, son retour en France lui permet de signer quelques œuvres importantes, soit inspirées par des romans de Mirbeau ou de Joseph Kessel, soit développant des scénarios originaux dont le chef-d'œuvre reste *le Charme discret de la bourgeoisie* (1972), satire d'une drôlerie explosive qui combine avec efficacité un certain nombre de fantasmes du réalisateur. Robert Bresson, qui n'avait rien donné depuis *les Dames du bois de Boulogne,* adapte en 1950 le *Journal d'un curé de campagne* de Bernanos. Il étonne par son parti pris de dépouillement et d'austérité sur lequel les films suivants vont renchérir. Le jansénisme de la mise en scène et de l'interprétation séduira des épigones qui n'arriveront pas à retrouver l'émotion sous-jacente de *Pickpocket* (1959) et, plus tard, d'*Au hasard Balthazar* (1966) ou de *Mouchette* (1967).

Mais les temps sont révolus, des films précurseurs apparaissent : *Et Dieu créa la femme* (Vadim*, 1956), *les Amants* (L. Malle*, 1958) ; le réalisateur essaie de se dégager des carcans traditionnels du scénario, des dialogues, de l'interprétation. L'équipe des jeunes critiques des *Cahiers du cinéma* commence à tirer à boulets rouges sur ce qu'elle appelle le bon goût français. Favorisée par les circonstances, portée par son amour du cinéma, ne connaissant pas les contingences financières, elle atteint rapidement son but : la réalisation de films. Elle innove ou pense innover, se libère des studios, adopte un matériel léger, fait fi des scénarios trop construits, des histoires trop élaborées et se livre, sur les lieux du tournage, aux délices de l'improvisation. Les devis de films s'allègent, les producteurs s'intéressent à cette nouvelle forme de cinéma, le public suit et remplit les salles grâce à une publicité bien orchestrée qui répand à travers le monde le slogan de « Nouvelle Vague ».

1959 voit donc passer derrière la caméra un Truffaut* *(les Quatre Cents Coups)* et un Godard* *(À bout de souffle).* La même année, Alain Resnais* délivre le message d'*Hiroshima mon amour,* où il entrelace les thèmes du souvenir avec une intrigue amoureuse, où les images d'Hiroshima détruite alternent avec des rappels de l'occupation allemande, récit doucement commenté par le texte de Marguerite Duras*. L'intelligence et l'émotion du film convainquirent le public sans surprendre ceux qui connaissaient les courts métrages antérieurs de l'auteur, aussi bien ceux voués à la peinture que ceux dénonçant le colonialisme ou faisant le constat des crimes nazis. La mémoire, le souvenir, le passé et le présent continuent d'obséder le cinéaste dans des œuvres aussi importantes que *l'Année dernière à Marienbad* (1961), *Muriel* (1963) ou *La guerre est finie* (1966).

Truffaut exploite longuement une veine autobiographique où peut s'épancher sa sensibilité (*les Quatre Cents Coups, Baisers volés,* 1968, *Domicile conjugal,* 1970). Sa retenue et l'élégance de son style l'amènent peu à peu à une nouvelle qualité française. Jean-Luc Godard, dès *À bout de souffle,* avait rompu avec les canons du cinéma commercial et violenté le public. L'esprit sans cesse en éveil pour profiter de tout ce qui peut enrichir le thème choisi, il continua de bousculer les moules traditionnels des genres en faveur : *le Petit Soldat* (1960), *Une femme est une femme* (1961), *Vivre sa vie* (1962), *le Mépris* (1963), *les Carabiniers* (id.), *Bande à part* (1964), *Alphaville* (1965) pour arriver à *Pierrot le fou* (id.), puis bifurquer vers des recherches sociologiques (*Masculin-Féminin,* 1966, *Deux ou Trois Choses que je sais d'elle,* 1967) ou des développements politiques (*la Chinoise,* id.) qui vont l'amener bientôt à se consacrer à des activités militantes.

Auteur prolifique, Claude Chabrol* se plaît dans le persiflage, la satire et la désinvolture. Il fait de la bourgeoisie sa cible préférée, articulant souvent son récit sur un meurtre qui sert de révélateur. Très inégal, capable de tomber dans le commerce le plus facile (films de 1963 à 1967), il a réussi ses œuvres les plus intéressantes avec la complicité de Paul Gégauff*, son scénariste favori (*les Cousins,* 1959 ; *les Bonnes Femmes* et *les Godelureaux,* 1960 ; *les Biches,* 1968).

Pierre Kast* (*le Bel Âge,* 1960), Éric Rohmer* (*Ma nuit chez Maud,* 1969), Jacques Doniol-Valcroze* (*la Maison des Bories,* 1970), Jacques Rivette* (*Paris nous appartient,* 1961) font partie à la fois du groupe des *Cahiers du cinéma* et de la Nouvelle Vague, où se retrouvent aussi Chris Marker* (*Lettre de Sibérie,* 1960 ; *Cuba Si,* 1961 ; pour ne rien dire de ses importants courts métrages), Agnès Varda* (*Cléo de 5 à 7,* 1962), Jacques Demy* (*Lola,* 1961 ; *les Parapluies de Cherbourg,* 1964), Alexandre Astruc* (*les Mauvaises Rencontres,* 1955) et Louis Malle, touche-à-tout de talent, Roger Vadim, dont la vogue ne dura pas, à l'inverse de celle d'un Claude Lelouch* qui, par certains points, rappelle l'auteur des *Liaisons dangereuses* (1959). À l'école documentariste, le nom de Jean Rouch* qui veut découvrir l'âme de l'Afrique noire mérite sans aucun doute d'être mentionné.

En dépit de la généralisation de la couleur, la crise qui couve dans le cinéma français va s'intensifier autour des années 60. Une lourde taxation fiscale, la concurrence de la télévision affirmée de jour en jour, l'extension du cinéma érotique et pornographique, autant de facteurs qui interviennent dans une baisse inquiétante de la production. Conséquence directe de cette situation, l'inactivité forcée d'un grand nombre de réalisateurs ou de techniciens qui trouvent refuge dans les studios de télévision, alors que ceux qui jusque-là étaient réservés au cinéma se ferment et disparaissent. À cela s'ajoute encore le prix de revient élevé d'un film, difficile à supporter malgré les aides financières diverses venant de l'État, du distributeur, de l'exportateur, ce qui d'une certaine manière favorise l'ingérence américaine dans les affaires françaises et la pression des coproducteurs français ou étrangers et même de la télévision, lors de l'achat d'un film. Sans oublier la puissance des gros exploitants qui pratiquent une obstruction facile en se refusant à sortir tel ou tel film pour des raisons diverses.

Le spectateur hésite à payer un prix de place élevé pour regarder un spectacle souvent sans consistance, parfois mal fini et d'une évidente légèreté en regard de la production étrangère. Le Groupement des salles d'art et d'essai va connaître alors un vif intérêt. Les salles associées sous ce signe vont proliférer et supplanter peu à peu les anciens ciné-clubs, aidées par un système spécial de détaxation. Le paysage de l'exploitation se modifie radicalement. Les anciennes salles de vaste capacité disparaissent et se métamorphosent sur un rythme accéléré en multisalles, tributaires de la tutelle de grosses sociétés. Gaumont, par exemple, qui développe une structure pyramidale de production-distribution-exploitation et qui s'allie avec Pathé pour ouvrir de nombreuses salles sous un label commun de Groupement d'intérêt économique.

Le cinéma français va peu à peu s'intéresser à des sujets accrochés à la réalité de l'heure comme *O Salto* de Christian de Chalonge* (1967) et *Z* de Costa-Gavras* (1969).

Les événements de mai 1968 ont leur incidence sur la vie cinématographique, dont le plus immédiat est la production à chaud de films, témoins de la période, œuvres des collectifs de réalisation. Bon nombre de ces films ne pourront par la suite être diffusés normalement. On peut tout à coup évoquer le Front populaire, révéler certains aspects déplaisants de l'Occupation, peindre les luttes ouvrières, stigmatiser les excès du colonialisme et dénoncer les agissements d'une certaine bourgeoisie. Se développent aussi les coopératives de production, créatrices d'un courant parallèle de cinéma marginal et militant. Cependant, les structures générales du cinéma français ne changent pas en profondeur. Les sujets traités et la manière de les traiter ne varient guère par rapport à la période précédente. Le cinéma français, après une poussée de fièvre et quelques résolutions non tenues, rentre dans le rang. Et l'on entend souvent dire : « Le cinéma français est en crise. » Cette phrase est devenue un lieu commun et n'en finit pas de susciter des prises de position contradictoires dans tous les milieux concernés. Au chevet du malade, les pessimistes ont beau jeu de prouver que le cinéma français s'exporte mal, qu'il manque d'auteurs, qu'il ne parvient pas à trouver le juste équilibre entre les exigences du commerce et les ambitions de l'art et de l'esthétique. Les optimistes rétorquent avec juste raison que, malgré la concurrence de la télévision, les films français trouvent néanmoins leur public, un public fidèle mais plus imprévisible que ne le souhaiterait un planificateur. En effet, les surprises sont nombreuses au box-office. Si un Delon*, un Belmondo*, un de Funès*, un Yves Montand restent des valeurs sûres, il n'en est pas de même pour d'autres acteurs de grand talent qui ne parviennent plus à assurer sur leur seule notoriété le succès financier d'un film. Chaque année voit un outsider s'imposer sans que l'on puisse donner des raisons satisfaisantes à cette réussite éclair : après *À nous les petites Anglaises* de Michel Lang (1976), ce fut le cas de *Diabolo menthe* de Diane Kurys (1977), puis celui de *Et la tendresse... bordel* de Patrice Schulman (1979), de *la Balance* de Bob Swaim (1982) ou de *Marche à l'ombre* (Michel Blanc, 1983).

Les années 70 sont marquées par deux disparitions : Jean Renoir meurt en avril 1979 aux États-Unis, à Beverly Hills ; Marcel L'Herbier à Paris en novembre 1979. Le premier n'avait plus rien tourné depuis *le Petit Théâtre de Jean Renoir* en 1969, malgré plusieurs demandes d'avances sur recettes, toutes refusées. Parmi les autres cinéastes de renom, Robert Bresson réalise en 1974 *Lancelot du lac* sur le thème du roman de Chrétien de Troyes, en 1976, *le Diable, probablement,* et en 1983 *l'Argent.* Alain Resnais*, après avoir échafaudé plusieurs projets qui n'aboutiront pas, tourne *Stavisky* (1974) avec Belmondo, *Providence* (1977) avec l'acteur britannique Dirk Bogarde*, *Mon oncle d'Amérique* (1980) et *La vie est un roman* (1983). Jacques Tati se tait bien malgré lui et ne pourra tourner aucun film après *Trafic ;* il en mourra en 1983. Son cadet, Jacques Demy*, doit aller chercher au Japon des capitaux pour mettre en scène son *Lady Oscar* (1979), avant de faire sa rentrée avec un film qui divise la critique et le public : *Une chambre en ville* (1983).

Tandis qu'André Cayatte poursuit la série de ses films sociaux sur la justice (*Verdict,* 1974), on découvre quelques auteurs capables de dénoncer les injustices et de se tenir à l'écoute des problèmes d'actualité, par exemple Christian de Chalonge (*l'Argent des autres,* 1978) ou Robin Davis (*la Guerre des polices,* 1979).

D'autres cinéastes conservent un public fidèle : Costa-Gavras (*Section spéciale,* 1975 ; *Clair de femme,* 1979 ; *Missing,* 1982), Jacques Deray* (*Flic Story,* 1975 ; *le Gang,* 1977 ; *Un papillon sur l'épaule,* 1978 ; *le Marginal,* 1983), Michel Deville* (*le Mouton enragé,* 1974 ; *le Dossier 51,* 1978 ; *la Petite Bande,* 1983), Claude Lelouch (*le Bon et les Méchants,* 1976 ; *Un autre homme, une autre chance,* 1977 ; *les Uns et les Autres,* 1981), Louis Malle (*Lacombe Lucien,* 1974 ; *Atlantic City,* 1980), Yves Boisset* (*Dupont Lajoie,* 1975 ; *le Juge Fayard dit « le Shérif »,* 1977 ; *Un taxi mauve,* 1977), Henri Verneuil* (*le Corps de mon ennemi,* 1976 ; *I comme Icare,* 1979), Pierre Granier-Deferre* (*Une femme à sa fenêtre,* 1976 ; *Une étrange affaire,* 1981 ; *l'Étoile du Nord,* 1982), Robert Enrico* (*le Vieux Fusil,* 1975), Édouard Molinaro*, Philippe de Broca*, Jean-Paul Rappeneau*. Les « anciens » de la Nouvelle Vague connaissent des fortunes diverses. Jean-Luc Godard reste délibérément marginal. Il travaille entre 1968 et 1972 avec le groupe Dziga Vertov*, puis s'installe à Grenoble, où il expérimente des techniques nouvelles (films télévisuels, travail sur magnétoscope). Après *Tout va bien* (1972), il donne *Numéro deux* (1975) avant d'amorcer un retour remarqué avec *Sauve qui peut ! (la vie)* [1980], *Passion* (1982), *Prénom Carmen* (1983), *Je vous salue Marie* (1985), *Détective* (id.).

François Truffaut connaît un succès international avec *la Nuit américaine* (1973) et réalise ensuite notamment *l'Histoire d'Adèle H* (1975), *la Chambre verte* (1978), *le Dernier Métro* (1980), *Vivement dimanche* (1983). Claude Chabrol reste fidèle à ses attaques contre la société en utilisant son habituel savoir-faire (*les Noces rouges,* 1973 ; *Nada,* 1974 ; *Violette Nozière,* 1978). En 1980, il adapte le roman de Pierre Jakez Hélias, *le Cheval d'orgueil.*

Agnès Varda*, après *Daguerréotypes* (1975), réalise *L'une chante et l'autre pas* (1977) ; Jacques Rivette signe *Out One* (1971-1974), *Céline et Julie vont en bateau* (1974) ; Éric Rohmer, *la Marquise d'O* (1976), *Perceval le Gallois* (1979), *la Femme de l'aviateur* (1981), *Pauline à la plage* (1983). Jean Eustache* tourne *Mes petites amoureuses* (1974) et *Une sale histoire* (1977). Il se suicidera en 1981.

Claude Sautet* parvient à analyser l'« air du temps » et touche un public nombreux, qui reconnaît en lui un auteur sensible et habile (*Vincent, François, Paul et les autres,* 1974 ; *Mado,* 1976 ; *Une histoire simple,* 1978 ; *Un mauvais fils,* 1980 ; *Garçon !,* 1983) ; Yves Robert*, de son côté, livre des comédies de mœurs qui évoquent La Bruyère : *Un éléphant ça trompe énormément* (1976), *Nous irons tous au paradis* (1977), *Courage, fuyons* (1979). Les auteurs comiques sont, il faut l'avouer, plutôt rares (Pierre Richard, Georges Lautner*, Gérard Oury* sont d'agréables exceptions), ce qui ne veut pas dire que les films comiques le soient. On note à la fin des années 70 un développement du comique de café-théâtre qui, à défaut de révéler des auteurs de premier plan, donne une chance de premier choix à plusieurs acteurs.

Les jeunes auteurs des années 70 sont peut-être moins nombreux qu'on ne le souhaiterait. Parmi eux : Bertrand Tavernier* (*l'Horloger de Saint-Paul,* 1974 ; *Que la fête commence,* 1975 ; *le Juge et l'Assassin,* 1976 ; *la Mort en direct,* 1979 ; *Une semaine de vacances,* 1980) ; Daniel Duval* (*l'Ombre des châteaux,* 1977) ; René Féret* (*Histoire de Paul,* 1975 ; *la Communion solennelle,* 1977) ; Claude Miller* (*la Meilleure Façon de marcher,* 1976 ; *Dites-lui que je l'aime,* 1977 ; *Garde à vue,* 1981) ; André Téchiné* (*Barocco,* 1976) ; Alain Corneau* (*Police Python,* 1976 ; *Série noire,* 1979) ; Yannick Bellon* (*la Femme de Jean,* 1974 ; *Jamais plus toujours,* 1976) ; Jacques Doillon* (*les Doigts dans la tête,* 1974 ; *la Femme qui pleure,* 1978 ; *la Drôlesse,* 1979) ; Benoît Jacquot* (*les Enfants du placard,* 1977). Il serait juste de citer également Paul Vecchiali* (*la Machine,* 1977), Jean-Louis Bertucelli* (*l'Imprécateur,* 1977), Ariane Mnouchkine* (*1789,* 1974 ; *Molière,* 1978) et Patrice Chéreau* (*la Chair de l'orchidée,* 1975 ; *l'Homme blessé,* 1983) — ces deux derniers étant par ailleurs d'excellents metteurs en scène de théâtre —, René Allio* (*Moi, Pierre Rivière...,* 1976), Alain Cavalier* (*Martin et Léa,* 1979), Gérard Blain* (*le Pélican,* 1974 ; *Un enfant dans la foule,* 1976), Maurice Pialat* (*la Gueule ouverte,* 1974 ; *Passe ton bac d'abord,* 1979 ; *Loulou,* 1980 ; *À nos amours,* 1983), Jean-Pierre Mocky* (*l'Ibis rouge,* 1975), Pierre Schoendoerffer* (*le Crabe-Tambour,* 1977), Michel Drach* (*le Passé simple,* 1977 ; *le Pull-Over rouge,* 1979), Jean-Charles Tacchella* (*Cousin, cousine,* 1975), Jean-Jacques Beineix* (*Diva,* 1981), Jacques Rouffio*, Francis Girod*, Bertrand Blier*.

Marguerite Duras* joue, dans son œuvre, sur la dissociation du discours visuel et oral et provoque des prises de position polémiques (*India Song,* 1975 ; *Son nom de Venise dans Calcutta désert,* 1976 ; *Baxter, Vera Baxter,* 1977 ; *le Camion,* id. ; *le Navire Night,* 1979). Elle reste néanmoins, avec Alain Robbe-Grillet*, l'un des rares écrivains à se passionner pour le cinéma.

La fin des années 80 est marquée par le « syndrome *Diva* », caractérisé par une photo très léchée et la recherche d'effets visuels saisissants. *37° 2 le matin* (J.-J. Beineix, 1986) et *Mauvais Sang* (L. Carax*, *id.*) illustrent pleinement cette tendance que l'on retrouve dans plusieurs « grosses machines » plébiscitées par un large public. Des réalisations comme *le Grand Bleu* (L. Besson*, 1988), véritable film-culte pour certains, ou *l'Ours* (J.-J. Annaud*, *id.*) accusent le retour d'un cinéma à grand spectacle qui fait la part belle aux prouesses techniques sans craindre de verser parfois dans l'esthétisme. Le souci de la belle image n'épargne pas non plus les représentants d'un certain cinéma de qualité, enclin, lui, à l'académisme : *Au revoir les enfants* (L. Malle, 1987), *la Passion Béatrice* (B. Tavernier, *id.*), *Camille Claudel* (B. Nuytten*, 1988). Les efforts de renouvellement en matière d'écriture ou d'inspiration restent avant tout le fait de « francs-tireurs » qui n'en sont plus à leurs premiers essais : Alain Cavalier (*Thérèse,* 1986), Michel Deville (*la Lectrice,* 1988), sans oublier Jean-Luc Godard (*Soigne ta droite,* 1987), Agnès Varda (*Jane B. par Agnès V.,* id.), Éric Rohmer (*le Rayon vert,* 1985), Jacques Rivette (*la Belle Noiseuse,* 1991). Jean-Pierre Mocky continue de tourner « plus vite que son ombre » avec un bonheur inégal (*le Miraculé,* 1986) tandis que d'autres cinéastes comme Bertrand Blier* (*Trop belle pour toi,* 1989) ou Claude Miller (*l'Effrontée,* 1985) poursuivent une œuvre personnelle intéressante. Cependant, une poignée de réalisateurs, déjà expérimentés ou nouveaux venus au cinéma, créent la surprise : Coline Serreau* (*Trois Hommes et un couffin,* 1985), Jean-Loup Hubert (*le Grand Chemin,* 1986), Jean-Claude Brisseau* (*De bruit et de fureur,* 1987), Patrice Leconte* (*Tandem,* id.), Régis Wargnier* (*Je suis le seigneur du château,* 1988), Étienne Chatiliez (*La vie est un long fleuve tranquille,* 1987), François Dupeyron* (*Drôle d'endroit pour une rencontre,* 1988), Éric Rochant* (*Un monde sans pitié,* 1989), Christian Vincent* (*la Discrète,* 1991).

Depuis la fin des années 80, les contradictions s'accentuent dans un cinéma français qui recherche désespérément son public. Devenu minoritaire sur son propre marché, il est dépassé par le cinéma américain depuis 1987, tombant progressivement au-dessous de 30 % du total des entrées des salles de cinéma. Il croit trouver son salut dans des productions coûteuses, et plus généralement dans des films fonctionnant sur des références bien répertoriées auprès du public : souvenirs de Pagnol par Yves Robert (1990), nouveau type de films de Rappeneau, avec *Cyrano de Bergerac* et *le Hussard sur le toit,* adaptations de *Madame Bovary, Germinal, la Reine Margot, les Misérables,* par Chabrol, Berri, Chéreau ou Lelouch. Drames sentimentaux et mélodrames situés dans un cadre historique récent ne manquent pas de séduire : après *l'Amant* de J.-J. Annaud, Wargnier réalise successivement *Indochine* et *Une femme française.* Le versant le plus populaire de la production dominante reste la comédie, représentée par Gérard Oury*, Jean-Marie Poiré* (dont le film *les Visiteurs* a battu tous les records d'audience) et, de temps à autre, par Claude Zidi*, par un nouveau venu, Hervé Palud (*Un Indien dans la ville,* 1995), ou par les adeptes d'un humour plus grinçant : Coline Serreau avec *la Crise* (1992), Josiane Balasko* avec *Gazon maudit* (1995). Pendant ce temps, les cinéastes établis tournent régulièrement (Chabrol, Rohmer, Godard, Rivette, Doillon, Blier, Corneau, Téchiné, etc.), rejoints par quelques jeunes (Claire Denis*, Olivier Assayas*) ; d'autres le font plus rarement tout en créant l'événement (Resnais, Pialat, Cavalier, Léos Carax) ; quelques producteurs tentent de faire une percée sur le marché nord-américain avec des films tels que *Green Card* (P. Weir, 1991) et *1492, Christophe Colomb* (Ridley Scott, 1992), tous deux avec Depardieu, ou *Léon* (L. Besson, 1994).

Le système français permet l'émergence d'un très grand nombre de jeunes cinéastes. Alors que le nombre de premiers films était en moyenne de 27 par an entre 1987 et 1990, il est passé à 39 en 1992 et en 1993. Les premiers et deuxièmes films représentent alors 60 % de la production d'initiative française. Le court métrage de fiction est redevenu depuis les années 80 le banc d'essai des jeunes talents qui passeront au long métrage (Éric Rochant*, Christian Vincent*, F. Dupeyron*, Philippe Le Guay, Manuel Sanchez, Cédric Klapisch, Caro et Jeunet, Christine Carrière, Karim Dridi, Henri Herré, Pascale Ferran, Mathieu Kassovitz, Xavier Beauvois). Ce « jeune cinéma » est fondé, sauf exception, sur des petits budgets bénéficiant souvent d'un pré-achat de la chaîne TV Canal Plus, voire d'un financement de La Sept-Arte. Il reste globalement un cinéma de faible audience, à quelques exceptions près, et les cinéastes parviennent rarement à réaliser un troisième film, sauf à réviser la position d'auteur de films qu'ils ont adoptée à leurs débuts. On peut aussi reprocher à ces films de manquer de diversité dans leur thématique et leurs références sociales ou culturelles ; on y observe en effet une prééminence des récits intimistes et psychologiques, des conflits de génération, des drames et stratégies amoureuses (en particulier en milieu adolescent).

Parmi les dizaines de nouveaux noms, certains peuvent être retenus : Cédric Kahn (*le Bar des rails,* 1992 ; *Trop de bonheur,* 1994), Philippe Le Guay (*les Deux Fragonard,* 1980 ; *l'Année Juliette,* 1995), Manuel Poirier (*la Petite Amie d'Antonio,* 1992 ; *À la campagne,* 1995), Philomène Esposito (*Mima,* 1991) et qui a connu un grave échec en 1993 avec *Toxic Affair,* Patricia Mazuy (*Peaux de vache,* 1989 ; *Travolta et moi,* 1994), Martine Dugowson (*Mina Tannenbaum, id.),* Marion Vernon (*Personne ne m'aime, id.*), Marc Caro et Jean-Pierre Jeunet (*Delicatessen,* 1991 ; *la Cité des enfants perdus,* 1995), Edwin Baily (*Faut-il aimer Mathilde ?* 1993), Tran Anh Hung d'origine vietnamienne (*l'Odeur de la papaye verte, id. ; le Cyclo,* 1995), Arnaud Desplechin (*la Sentinelle,* 1992 ; *Comment je me suis disputé,* 1995), Pascale Ferran (*Petits Arrangements avec les morts,* 1994), Noémie Lvovski (*Oublie-moi,* 1995), sans oublier Jacques Audiard, scénariste expérimenté passé à la réalisation avec *Regarde les hommes tomber* (1994) et Mathieu Kassovitz, qui obtient le prix de la mise en scène au Festival de Cannes 1995 avec *la Haine*. Deux noms sont à ajouter, ceux de jeunes cinéastes décédés peu après avoir réalisé leur premier grand film : Cyril Collard (*les Nuits fauves,* 1992) et Michel Bena (*le Ciel de Paris, id.*). R.C./J.L./D.S.

FRANCEN *(Victor), acteur français (Tirlemont, Belgique, 1888 - Aix-en-Provence 1977).* On a eu le tort en France de ne pas saisir l'humour dont était capable cet artiste de belle envergure. Grande vedette, on lui réserve sans cesse des personnages de prophète (*la Fin du monde,* A. Gance, 1931 ; *J'accuse,* id., 1938) ; on lui confie des rôles déclamatoires (*l'Aiglon,* V. Tourjansky, 1931 ; *le Chemineau,* Fernand Rivers, 1935) ; on le catalogue une fois pour toutes parmi les héros de carton, tiraillés entre le devoir patriotique et l'amour bafoué *(Veille d'armes,* M. L'Herbier, 1935 ; *Feu !,* J. de Baroncelli, *id. ; Double Crime sur la ligne Maginot,* Félix Gandéra, *id.).* Sa haute taille, son regard clair, sa barbe courte et sa fréquentation assidue du répertoire de Bernstein semblent d'ailleurs l'inviter à de tels excès. C'est oublier trop vite que dans *le Roi* (Pierre Colombier, 1936) il témoigne en souverain d'opérette d'une finesse et d'une jovialité réjouissantes ; que, dans *Entente cordiale* (L'Herbier, 1939), il donne de la figure d'Édouard VII une image où la bonhomie se combine heureusement à la majesté, et qu'il teinte d'une mélancolie poignante les répliques du vieux cabot déçu dans *la Fin du jour* (J. Duvivier, 1939). Les Américains, qui l'employèrent beaucoup dans de brèves apparitions, ont mieux perçu la solidité du talent de Francen, que l'on vit encore se parodiant dans *la Grande Frousse* (J.-P. Mocky, 1964). R.C.

FRANCEY *(Micheline Taberlet,* dite *Micheline), actrice française (Paris 1919 -* id. *1969).* Sa carrière tient dans deux rôles : sœur Édith, la salutiste amoureuse et poitrinaire de *la Charrette fantôme* (J. Duvivier, 1940) ; Laura, l'héroïne ambiguë et énigmatique du *Corbeau* (H.-G. Clouzot, 1943). L'un et l'autre prouvent des qualités de sensibilité profonde et d'intensité dramatique. Le reste du temps, on l'accable sous des personnages sans intérêt, comme faire-valoir de Tino Rossi – mis à part, pourtant, sa création dans *la Dame d'onze heures* (Jean Devaivre, 1947) et son ironique composition dans *la Fête à Henriette* (Duvivier, 1952). R.C.

FRANCIOLINI *(Gianni), cinéaste italien (Florence 1910 - Rome 1960).* Après avoir été l'assistant de Georges Lacombe, il retourne en Italie en 1939. Parmi ses nombreux films : *L'ispettore Vargas* (1941), *Fari nella nebbia* (1942), *Giorni felici* (1943) avec Amedeo Nazzari, qu'il dirigera à nouveau dans *Dernier Rendez-Vous* (*Ultimo incontro,* 1951) et *les Anges déchus* (*Il mondo le condanna,* 1952). Il tourne également une comédie avec Vittorio De Sica et Sabu, *Bonjour éléphant* (*Buongiorno elefante,* 1952) et, après avoir mis en scène *les Amants de Villa Borghèse* (*Villa Borghese,* 1953), porte à l'écran deux œuvres de Moravia : *Cette folle jeunesse* (*Racconti romani,* 1955) et *Femmes d'un été* (*Racconti d'estate,* 1958). Une carrière impersonnelle, à mi-chemin entre le néoréalisme, le drame bourgeois et la comédie de mœurs. P.B.

FRANCIOSA *(Massimo), cinéaste et scénariste italien (Rome 1924).* Journaliste et écrivain à succès, il débute en tandem avec Pasquale Festa Campanile en cosignant le scénario des *Amoureux* (M. Bolognini, 1955), suivi par d'autres comédies très fraîches pour Dino Risi (*Pauvres mais beaux,* 1956 ; *La nonna Sabella,* 1957 ; *Beaux mais pauvres,* id. ; *Venise, la lune et toi,* 1958 ; *Poveri milionari,* 1959) et pour d'autres réalisateurs. Tous deux écrivent avec Marc Gilbert Sauvajon le scénario de *Rocco et ses frères* (L. Visconti, 1960) et d'autres films pour Mauro Bolognini, Elio Petri, Marco Ferreri. Ils passent à la mise en scène avec *Amour sans lendemain* (*Un tentativo sentimentale,* 1964), suivi par *le Sexe des anges* (id.). Franciosa réalise ensuite seul six sensibles comédies de mœurs qui n'obtiennent pas le même succès que celles de son ancien collègue (*Il morbidone,* 1966 ; *Pronto... c'è una certa Giuliana per te,* 1967 ; *Togli le gambe dal parabrezza,* 1970 ; *La stagione dei sensi,* id. ; *Quella chiara notte d'ottobre,* 1974, RE 1970 ; *Per amore o per forza,* 1971). Il est revenu ensuite à son métier de scénariste en écrivant plusieurs films comiques, dont *Je suis photogénique* (D. Risi, 1980). L.C.

FRANCIS *(Anne), actrice américaine (Ossining, N. Y., 1930).* Mannequin de mode enfantine dès l'âge de cinq ans, vedette très précoce de la radio, elle débute à la MGM en 1947 et joue les utilités (*le Portrait de Jennie,* W. Dieterle, 1949). Douée d'un charme blond un peu maniéré, elle ne deviendra jamais une star malgré son passage à la Fox, où elle étoffe certains rôles. Elle avait su pourtant montrer une réelle capacité dramatique, notamment en suggérant une sensualité sous sa candeur *(A Lion is in the Streets,* R. Walsh, 1953 ; *Un homme est passé,* J. Sturges, 1955 ; *le Cri de la Victoire,* Walsh, *id. ; Graine de violence,* R. Brooks, *id.).* Après 1960, elle se consacre surtout à la TV. G.L.

FRANCIS *(Ève), actrice française d'origine belge (Saint Josse ten Noode 1896 - Neuilly-sur-Seine 1980).* Elle monte sur scène à dix-sept ans. On la tient pour une des grandes interprètes des pièces de Claudel. Ses premiers pas cinématographiques datent de 1914 (*la Dame blonde,* Henry Roussel). Mais c'est en 1918, avec *Âmes de fous* de Germaine Dulac, qu'elle inaugure véritablement sa carrière. Le 16 janvier 1918, elle épouse le critique, et futur cinéaste, Louis Delluc.

À l'instar de Gina Manès, elle devient une des actrices préférées de l'« école » impressionniste française des années 20. Si le nom de sa collègue s'attache, alors, surtout à la production de Jean Epstein, Ève Francis, elle, interprète essentiellement les œuvres de Dulac, L'Herbier et Delluc. Après avoir joué dans *la Fête espagnole* de Dulac (sur un scénario de son mari, 1920), elle tient le rôle principal dans les cinq films suivants de Delluc : *Fumée noire* (1920), *le Silence* (id.), *le Chemin d'Ernoa* (1921), *la Femme de nulle part* (1922) et *l'Inondation* (1924). *El Dorado* (1921) marque le départ de sa collaboration avec Marcel L'Herbier ; ce dernier s'y exerce, visuellement, au fameux « flou psychologique ». Les cinéastes de ce groupe, qualifié de *première avant-garde,* préoccupés par leurs recherches formelles, délaissent la finition des scénarios. La construction de leurs films relève de la composition plastique et n'offre guère un moule adéquat à l'exercice « plein » du métier d'acteur. Le jeu d'Ève Francis oscille entre le maniérisme et la pose ; à la limite, on peut la considérer comme un élément de l'architecture filmique. En 1924, à la mort de son conjoint, la tragédienne espace ses apparitions sur l'écran : *Antoinette Sabrier* (G. Dulac, 1928), *Club de femmes* (Jacques Deval, 1936), *Forfaiture* (M. L'Herbier, 1937) et *la Comédie du bonheur* (id., 1942). Ève Francis est assistante artistique sur quelques films de L'Herbier : *le Bonheur* (1935), *la Route impériale* (id.), *Veille d'armes* (id.), *la Porte du large* (1936), *la Citadelle du silence* (1937) et d'autres. À partir des années 30, elle se consacre à de nombreuses activités : le théâtre, les conférences, la critique de cinéma (dans *Film* et *le Pays*).

On lui doit également un livre (*Temps héroïques,* 1949) où elle évoque la personnalité de Delluc. Membre de la Commission des recherches historiques à la Cinémathèque française, elle devient, après la guerre, animatrice de ciné-clubs, ces lieux de formation de la culture par le film créés par son mari en 1920. Elle fait une dernière et curieuse apparition devant la caméra dans *la Chair de l'orchidée* de Patrice Chéreau (1975) : elle y tient le rôle de la mère de Bruno Cremer. R.BA.

FRANCIS *(Frederick,* dit *Freddie), chef opérateur et cinéaste britannique (Londres 1917).* Après avoir travaillé avec John Huston sur *Moulin-Rouge* (1953) et *Plus fort que le diable* (1954), sa carrière de chef opérateur est liée à de nombreuses réussites du cinéma anglais : *Temps sans pitié* (J. Losey, 1957), *les Chemins de la haute ville* (J. Clayton, 1958), *Amants et Fils* (J. Cardiff, 1960), pour lequel il obtient un Oscar, *Samedi soir et dimanche matin* (K. Reisz, *id.*), *les Innocents* (Clayton, 1961), *la Force des ténèbres* (Reisz, 1964), *Elephant Man* (D. Lynch, 1980), *Dune* (id., 1984). Toutefois, son activité de réalisateur, commencée en 1962 avec *Two and Two Make Six,* n'a guère donné d'œuvres culminantes au sein d'une filmographie spécialisée dans le genre fantastique à gros effets : *Paranoïaque* (*Paranoiac,* 1963), *le Train des épouvantes* (*Dr Terror's House of Horrors,* 1964), *Poupées de cendres* (*The Psychopath,* 1966), *Dracula et les Femmes* (*Dracula has risen from the Grave,* 1968), *Histoires d'outre-tombe* (*Tales from the Crypt,* 1972), *Asylum* (1973), *Legend of the Werewolf* (1974), *le Docteur et les assassins* (*The Doctor and the Devils,* 1985). R.L.

FRANCIS *(Katharine Edwina Gibbs,* dite *Kay), actrice américaine (Oklahoma City, Okla., 1899 - New York, N. Y., 1968).* Le cheveu sombre, le regard clair, l'élégance allurée de Kay Francis la prédisposaient à l'emploi de femme dangereuse. C'est ainsi qu'elle commença sa carrière au théâtre et à la Paramount en 1929. Quand la Warner Bros racheta son contrat, elle se trouva soudain au cœur de somptueux mélodrames agencés tout exprès pour elle. On retiendra le romantisme du merveilleux *Voyage sans retour* (T. Garnett, 1932) ou des émouvants *Sur le velours* et *Bureau des épaves* (F. Borzage, 1935). Mais c'est paradoxalement dans une comédie d'Ernst Lubitsch, *Haute Pègre* (1932), que Kay Francis fut le plus elle-même : sculpturale, aristocratique, distante, mais très belle. Malgré un succès déclinant, elle s'accrocha à son contrat, ce qui lui permit de tenir la vedette jusqu'en 1939. Après quelques emplois secondaires, dont certains très brillants (l'épouse cupide de *l'Autre,* de John Cromwell en 1939), elle s'est retirée en 1946, refusant catégoriquement de parler de son passé. C.V.

FRANCO *(Ricardo Franco Rubio,* dit *Ricardo), cinéaste espagnol (Madrid 1949).* Après un premier long métrage interdit par la censure (*El desastre de Annual,* 1970), il se fait remarquer par le naturalisme à outrance de *Pascual Duarte* (1975), qui vaut à José Luis Gómez le prix d'interprétation à Cannes. L'œuvre de Camilo José Cela y gagne une épaisseur sociale. *Los restos del naufragio* (1978), tout à fait différent, est un film touffu, à la première personne, qui semble mieux exprimer la personnalité de l'auteur : tout en rendant hommage aux vieux films d'aventures, il aboutit à un constat désenchanté sur l'actualité post-soixante-huitarde. Il tourne en 1984 au Mexique *San Judas de la Frontera* puis *El sueño de Tánger* (1986) et *Berlin Blues* (1988). P.A.P.

FRANÇOIS *(Michel Secnazy,* dit *Michel), acteur français (Nice 1929).* Jusqu'en 1944, on le voit beaucoup dans des rôles de garçonnet qu'il dote de gentillesse et de simplicité : *Sans lendemain* (Max Ophuls, 1940), *l'Assassinat du Père Noël* (Christian-Jaque, 1941), *Péchés de jeunesse* (M. Tourneur, 1941), *Le ciel est à vous* (J. Grémillon, 1943). Puis, adolescent, il joue de façon plus conventionnelle et sans grand éclat dans *le Diable au corps* (C. Autant-Lara, 1947), *les Dernières Vacances* (R. Leenhardt, 1948), *Clara de Montargis* (H. Decoin, 1951), *Deburau* (S. Guitry, *id.*) ; *la Maison Bonnadieu* (C. Rim, *id.*) et *la Meilleure Part* (Y. Allégret, 1956). Il a ensuite fondé la société Les Films Michel-François, spécialisée dans la fabrication de films-annonces, génériques, truquages. R.C.

FRANCO Y BAHAMONDE *(Francisco), général et homme d'État espagnol (El Ferrol 1892 - Madrid 1975).* Au lendemain de la guerre civile, le victorieux général Franco écrit et publie, sous le pseudonyme de Jaime de Andrade, un récit destiné à devenir le scénario du film *Raza* (J. L. Sáenz de Heredia, 1941). Produit par un organisme officiel (le Conseil de l'Hispanité), celui-ci se présente comme le modèle du cinéma « de croisade », d'exaltation patriotique et religieuse, promu pendant la première phase du franquisme (→ ESPAGNE). Il est possible d'y voir une transfiguration des frustrations et ambitions du Caudillo : sa vocation de marin brisée par la chute de l'empire espagnol ; sa volonté d'affirmation et d'ascension sociales ; son puritanisme sexuel et l'idéalisation de la femme-mère ; les valeurs familiales et militaires comme essence de la « race » hispanique. Satisfait de cette version cinématographique, il confie au même réalisateur un portrait remis au goût du jour (*Franco, ese hombre,* 1964), financé aussi avec des fonds publics. Un jeune metteur en scène procède à une relecture critique de ce « classique », en utilisant des entretiens avec l'acteur Mayo et avec la sœur du Generalísimo, Pilar Franco (*Raza, el espíritu de Franco,* Gonzalo Herralde, 1977). P.A.P.

FRANJU *(Georges), cinéaste français (Fougères 1912 - Paris 1987).* Décorateur de théâtre, il fonde avec Henri Langlois, en 1935, le Cercle du cinéma, puis la Cinémathèque française en 1936. Il y collabore activement jusqu'en 1938, année où il devient le secrétaire exécutif de la Fédération internationale des archives du film (FIAF). De 1945 à 1953, il est secrétaire général de l'Institut de cinématographie scientifique fondé et dirigé par Jean Painlevé. Pendant cette période, il réalise ses premiers courts métrages et devient l'un des chefs de file de l'École française du documentaire qui se révèle à cette époque, préparant l'avènement de la Nouvelle Vague en 1958, année où, précisément, il aborde le long métrage de fiction.

Héritier du réalisme poétique, proche de l'esprit du surréalisme, Franju, notamment avec *le Sang des bêtes* et *Hôtel des Invalides,* lance un cri de révolte en adoptant une esthétique où se conjuguent violence et tendresse, double postulation qui se retrouve dans ses adaptations de romans, toujours choisis en fonction de cette conception personnelle de la vie et de l'art. On y perçoit un attrait (avoué par son *Judex*) pour Feuillade et le fantastique en plein jour contre le formalisme gratuit, les effets aguicheurs, les séductions conventionnelles. L'aspect esthétique ou décoratif de l'image n'est, chez lui, que l'expressif contrepoint de contenus d'un non-conformisme actif, même lorsque le cinéaste s'inspire de Mauriac ou de Cocteau, écrivains qui pourraient sembler contraires à son tempérament, plus proche de l'ironie à la Prévert. Mais d'eux, comme d'Hervé Bazin ou de Zola, Franju tire ce qui répond le mieux à sa volonté polémique : une dénonciation des hypocrisies institutionnalisées et une revendication constante en faveur des libertés individuelles, de la fantaisie, du rêve. F.B.

Films CM : *le Sang des bêtes* (1949) ; *En passant par la Lorraine* (1950) ; *Hôtel des Invalides* (1952) ; *le Grand Méliès* (1953) ; *Monsieur et Madame Curie* (id.) ; *le Théâtre national populaire* (1956).

▲ LM : *la Tête contre les murs* (1959, d'après Hervé Bazin) ; *les Yeux sans visage* (1960) ; *Pleins Feux sur l'assassin* (1961) ; *Thérèse Desqueyroux* (1962, d'après François Mauriac) ; *Judex* (1964) ; *Thomas l'Imposteur* (1965, d'après Jean Cocteau) ; *la Faute de l'abbé Mouret* (1970, d'après Zola) ; *Nuits rouges* (1973).

FRANK *(Melvin), scénariste, producteur et cinéaste américain (Chicago, Ill., 1913 - Los Angeles, Ca., 1988).* Encore étudiant, il inaugure par une pièce de théâtre sa collaboration avec Norman Panama. Ensemble, ils écrivent des sujets radiophoniques (1938) et le scénario de ce qui sera le premier film où Bob Hope jouera seul en vedette : *la Blonde de mes rêves* (*My Favourite Blonde,* Sidney Lanfield, 1942). Par la suite, Frank et Panama écriront (et dirigeront parfois ensemble) divers scénarios pour Bob Hope (*Si j'épousais ma femme* [*That Certain Feeling*], 1956) et Danny Kaye (*Un grain de folie* [*Knock on Wood*], 1954 ; *le Bouffon du Roi* [*The Court Jester*], 1956). Parmi leurs autres films, citons : *le Grand Secret* (*Above and Beyond,* 1953) et *L'il Abner* (1959).

En 1959, il met seul en scène un curieux western, *Violence au Kansas (The Jay Hawkers),* et en 1962 produit avec Panama le dernier film joué par le tandem Bing Crosby-Bob Hope : *Astronautes malgré eux (The Road to Hong Kong).* Il signe ensuite quelques films sans grand relief comme *le Prisonnier de la seconde avenue* (*The Prisoner of Second Avenue,* 1975), *la Duchesse et le Truand* (*The Duchess and the Dirtwater Fox,* 1976) ou *Lost and Found* (1979). G.L.

FRANK *(Robert), cinéaste américain d'origine suisse (Zurich, 1924).* Marginal à l'intérieur d'un mouvement lui-même marginal, le cinéma underground new-yorkais, Robert Frank n'en signe pas moins un des films manifestes du groupe d'artistes réunis autour de Jonas Mekas et de la revue *Film Culture, Pull My Daisy* (1959). Il s'agit de l'adaptation du troisième acte d'une pièce non jouée de Jack Kerouac, *The Beat Generation*, commentée par l'écrivain lui-même sur des images muettes. Coréalisé par Alfred Leslie, le film marquait ainsi les débuts au cinéma de Robert Frank, qui venait de se faire remarquer pour son premier album de photos, *les Américains* (1958). Sans cesser de figurer parmi les meilleurs photographes américains, Frank continua à travailler pour le cinéma, réalisant en particulier *Me and My Brother* (1969), semi-documentaire inspiré par Julius Orlovsky, un schizophrène catatonique qui joue son propre rôle. Après une longue absence des écrans, Robert Frank est revenu au cinéma avec *Candy Mountain* (co Rudy Wurlitzer 1986), un « road movie » qui est un retour nostalgique aux films d'errance de la fin des années 60, héritiers de Kerouac, la première inspiration de Robert Frank puis, en 1992, avec *The Last Supper.* M.C.

FRANKEL *(Cyril), cinéaste britannique (Londres 1921).* Formé à l'école documentariste anglaise, il se spécialise vite dans les films de fiction à vocation commerciale, comme *le Collège endiablé* (*It's Great to Be Young,* 1955), *Méfiez-vous des inconnus* (*Never Take Sweets From a Stranger,* 1960), *The Very Edge* (1963), *The Witches* (1966), *le Signe du trigone* (*The Trygon Factor,* 1967), *la Trahison* (*Permission to Kill,* 1975). R.L.

FRANKENHEIMER *(John), cinéaste américain (Malba, N. Y., 1930).* Fils d'un agent de change juif allemand et d'une mère irlandaise, il poursuit des études à la Lasalle Military Academy. Sportif accompli, remarquable tennisman, il participe aussi très tôt à la réalisation de spectacles scolaires. Sa découverte du cinéma remonte aux années 1951-1953, alors qu'il fait son service militaire dans les forces aériennes des États-Unis. Il y apprend la technique et réalise plusieurs courts métrages documentaires. Puis il fait ses débuts à la télévision. Démobilisé, il devient assistant metteur en scène de télévision, pour la CBS à New York. En novembre 1954, il prend la succession de Sidney Lumet à la direction du programme *You Are There.* Frankenheimer dirigera plus de 125 dramatiques et, notamment, un certain nombre de la série fameuse *Playhouse 90.* Il appartient à une génération formée par la télévision, comme Robert Mulligan, Sidney Lumet, Martin Ritt ou Delbert Mann. En 1956, il réalise un premier film pour le cinéma, assez prometteur et remarqué par la critique, aux États-Unis aussi bien qu'en Europe : *Mon père, cet étranger.* Il ne réalisera son second film qu'en 1961, après un retour à la TV : c'est *le Temps du châtiment,* qu'il y avait déjà traité dans la série *Climax.* Bien que le manque de moyens et les conditions générales de production ne fussent guère plus favorables qu'à l'occasion de son premier film et qu'il garde encore aujourd'hui un mauvais souvenir de ces débuts, il restera au cinéma et réalisera dans les années suivantes une série de films assez ambitieux et remarqués : *l'Ange de la violence,* second portrait de la jeunesse américaine ; *le Temps du châtiment ; le Prisonnier d'Alcatraz,* à partir d'un fait divers, histoire de la transformation d'un homme dans l'adversité, thème qu'il retrouvera ailleurs dans son œuvre, notamment dans *l'Homme de Kiev ;* enfin *Un crime dans la tête, Sept Jours en mai* et *l'Opération diabolique,* films de politique-fiction qui assoiront sa réputation de cinéaste-auteur, observateur de la société américaine des années 60. Sa mise en scène est reconnaissable et trahit sa formation télévisuelle, caractérisée par un montage rapide, le recours à des plans très larges et au grand angle, esthétique qui rappelle aussi sa dette envers Orson Welles. Frankenheimer s'installe alors en Europe. Les films qui vont suivre feront alterner la superproduction la plus spectaculaire *(Grand Prix, les Cavaliers)* et l'intimisme à gros budget *(l'Homme de Kiev, Les parachutistes arrivent, le Pays de la violence).* Si les superproductions n'apportent rien à la gloire de Frankenheimer, les œuvres intimistes marquent le sommet qualitatif de sa carrière (il n'a alors que 40 ans), mais leur valeur reste résolument confidentielle, en raison d'une distribution aberrante et en dépit du succès critique rencontré en Europe chez une partie des cinéphiles. À compter de cet échec, l'œuvre de Frankenheimer paraît se dépersonnaliser. Dans *l'Impossible Objet,* il tente une expérience « européenne » de cinéma symbolique et poétique qui est une erreur sur ses propres possibilités et un échec commercial cuisant, mais, cette fois, justifié, il faut bien le dire. Il redevient alors un exécutant, tournant des sujets de commande, où sa mémoire et sa sensibilité sont inégalement reconnaissables :

ainsi *French Connection II,* et *Black Sunday* (les meilleurs), *Prophecy* et *À armes égales* (les plus mauvais). M.S.

Films ▲ : *Mon père, cet étranger* (*The Young Stranger,* 1957) ; *le Temps du châtiment* (*The Young Savages,* 1961) ; *l'Ange de la violence* (*All Fall Down,* 1962) ; *le Prisonnier d'Alcatraz* (*Birdmen of Alcatraz,* id.) ; *Un crime dans la tête* (*The Mandchurian Candidate,* id.) ; *Sept Jours en mai* (*Seven Days in May,* 1964) ; *le Train* (*The Train,* FR-IT-AL-US, *id.*) ; *l'Opération diabolique* (*Seconds,* 1966) ; *Grand Prix* (id., *id.*) ; *l'Homme de Kiev* (*The Fixer,* 1968) ; *The Extraordinary Seaman* (1969 [RÉ : 1967]) ; *Les parachutistes arrivent* (*The Gypsy Moths,* id.) ; *le Pays de la violence* (*I Walk the Line,* 1970) ; *les Cavaliers* (*The Horsemen,* 1971) ; *l'Impossible Objet* (*Impossible Object,* 1973) ; *The Iceman Cometh* (id., *id.*) ; *Refroidi à 99%* (*99 and 44/100 Dead,* 1974) ; *French Connection II* (*The French Connection II,* 1975) ; *Black Sunday* (id., 1977) ; *Prophecy* [*le Monstre*] (id., 1979) ; *À armes égales* (*The Challenge,* 1982) ; *The Holcroft Covenant* (1985) ; *Paiement cash* (*52 Pick-up,* 1986) ; *Dead Bang* (id., 1989) ; *The Forth War* (1990) ; *Year of the Gun* (id., 1991).

FRANKEUR *(Paul), acteur français (Paris 1905 - Nevers 1974).* Un numéro de cabaret, monté avec l'acteur Yves Deniaud, décide de sa carrière artistique qui débute en 1941 (*Nous les gosses* de Louis Daquin). En 33 ans, il paraît dans 90 films, alternant les rôles de flic et d'ancien voyou. Ami de Gabin, il figure souvent à ses côtés (*Touchez pas au grisbi,* J. Becker, 1954) mais paraît également dans *Jour de fête* (J. Tati, 1949), puis *la Voie lactée* (1969), *le Charme discret de la bourgeoisie* (id., 1972) et *le Fantôme de la liberté* (id., 1974), tous de Buñuel. André Cayatte a également fait appel à sa bonhomie qui pouvait devenir tantôt cruelle, tantôt sournoise, tantôt redoutable. R.C.

FRANKLIN *(Sidney), cinéaste américain (San Francisco, Ca., 1893 - Los Angeles, Ca., 1972).* Comme beaucoup de pionniers, Sidney Franklin et son frère Chester sont passés par toutes sortes de professions avant d'échouer en 1913 dans un Hollywood naissant. Là, peu à peu, Sidney et Chester gravissent les échelons et passent à la mise en scène. Le maladif Sidney resta actif dans cette branche jusqu'en 1937. Après quoi, il est passé aux activités de production, pour enfin se retirer en 1958, après *The Barrets of Wimpole Street,* qui marquait un retour à la mise en scène après vingt ans d'absence et qui était le remake d'un de ses plus grands succès.

Cet homme modeste, timide, toujours en retrait, n'a jamais rien fait pour sa propre publicité. Quand on lui parlait de sa carrière, il reportait volontiers toutes les qualités qu'on pouvait lui trouver sur son frère Chester, et il donnait comme ses meilleurs films ceux que d'autres avaient réalisés sous sa supervision (par exemple *Madame Miniver* de William Wyler ou *Prisonniers du passé* [*Random Harvest*], de Mervyn LeRoy, tous deux réalisés en 1942). Et pourtant maintenant, vue avec le recul, la plupart du temps, il est vrai, dans l'ombre confidentielle des cinémathèques, son œuvre est celle d'un véritable artiste, fin, sensible et profondément romantique, celle d'un pionnier au métier considérable, à la technique sans faille et aux effets sûrs. On dit le plus grand bien des films pour enfants qu'il coréalisa avec Chester dans les années 10. Il travailla seul à partir de 1918.

Avec en main un scénario suffisamment romanesque, Franklin était capable de changer le fer en or, sans que le genre cinématographique importe vraiment. Qu'il touche au western (*Heart of Wetona,* 1918) ou à l'opérette (*Beverly of Graustark,* 1926), tout peut lui réussir. *Heart o' the Hills* et *The Hoodlum* (1919), avec Mary Pickford, frappent par leur considérable invention décorative, comme *Her Sister From Paris* (1925) par son rythme trépidant. Mais c'est dans le drame ou la comédie romantique qu'il excelle, n'hésitant pas, travailleur attentif et patient, à peaufiner son travail sur deux versions (*Victoire du cœur* [*Smilin' Through,* 1922] et *Chagrins d'amour,* id., 1932 ; *Miss Barrett* [*The Barretts of Wimpole Street,* 1934] et la version homonyme de 1957). Ses meilleurs films sont sans doute *la Galante Méprise* (*Quality Street,* 1927), où brille Marion Davies, *les Amants terribles / Vies privées* (*Private Lives,* 1931), magnifique et fidèle adaptation de Noël Coward, *l'Ange des ténèbres* (*The Dark Angel,* 1935), mélodrame sombre et vigoureux, *Visages d'Orient* (*The Good Earth,* en CORÉ, 1937), superproduction où le gigantisme n'entame jamais la délicatesse psychologique, et surtout ces deux chefs-d'œuvre du faux style anglais MGM que sont *Chagrins d'amour* et *Miss Barrett.* Norma Shearer s'y révélait l'actrice privilégiée de ce miniaturiste précis, continuateur anachronique de l'esprit victorien dans l'Hollywood de l'âge d'or. C.V.

FRANSCOPE → ANAMORPHOSE.

FREARS *(Stephen), cinéaste britannique (Leicester 1941).* Après de nombreux travaux pour la télévision (24 films en douze ans), il débute au cinéma avec deux thrillers qui attirent l'attention : *Gumshoe* (1971), essai nostalgique sur le thème du « privé », et *The Hit* (1984), haletant règlement de comptes entre gangsters. Puis il s'affirme brillamment comme l'un des rénovateurs du cinéma britannique avec *My Beautiful Laundrette* (1985), où il combine le réalisme documentaire et l'atmosphère du film noir dans un percutant constat social centré sur un jeune immigré pakistanais qui tente, avec l'aide de son amant, un voyou cockney, de gérer une laverie dans la jungle de la délinquance londonienne. *Prick Up Your Ears* (*Prick Up,* 1987), inspiré d'une histoire véridique, celle de l'écrivain Joe Orton, revient au thème de l'homosexualité tout comme *Sammy et Rosie s'envoient en l'air* (*Sammy and Rosie Get Laid,* 1987) où s'ajoute le constat de la violence raciale. *Les Liaisons dangereuses* (*Dangerous Liaisons,* 1988) est une pénétrante adaptation d'une cynique élégance (à travers la pièce de Christopher Hampton) du roman de Choderlos de Laclos. *Les Arnaqueurs* (*The Grifters,* 1990), adapté de Jim Thompson par Donald Westlake, renoue avec la tradition américaine du « film noir » des années 40. C'est avec la comédie sociale américaine, plus proche de Preston Sturges que de Frank Capra, qu'il renoue avec *Héros malgré lui* (*Hero,* 1992). Ensuite, comme un pied de nez à ceux qui déjà l'imaginaient s'endormir sur son savoir-faire dans de prestigieuses productions américaines, il revient en Grande-Bretagne et filme avec sa vitalité coutumière une petite comédie épatante, à très petit budget, sans aucune vedette, et il en fait un succès : *The Snapper* (1994). Faisant fi des étiquettes et des clivages, libre de toute entrave, tant économique qu'artistique, Stephen Frears donne l'impression d'un cinéaste heureux de filmer. En 1995, il signe *Typically British,* un documentaire sur sa vision personnelle du cinéma britannique réalisé pour le centenaire du cinéma et produit par le British Film Institute et *Mary Reilly.* ▲ M.M.

FREDA *(Riccardo), cinéaste italien (Alexandrie, Égypte, 1909).* Il étudie la sculpture à Milan et le cinéma au Centro sperimentale de Rome. En 1937, il collabore au scénario de *Lasciate ogni speranza* (G. Righelli), suivi par d'autres mélodrames et comédies. Il débute à la mise en scène avec *Don César de Bazan* (*Don Cesare di Bazan,* 1942), un brillant film de cape et d'épée. Après deux comédies musicales, il tourne *l'Aigle Noir* (*Aquila Nera,* 1946), saga aventureuse inspirée par Pouchkine. Il dirige encore des films du même genre, adaptant avec liberté et humour Hugo (*l'Évadé du bagne* [*I miserabili*], 1948), Dante (*Il conte Ugolino,* 1950) ou Dumas (*le Fils de D'Artagnan* [*Il figlio di D'Artagnan*], id.). Sa culture historique et littéraire lui permet de réussir des drames en costumes qui devancent la vague à venir des péplums : *Spartacus* (*Spartaco,* 1953) ; *Théodora, impératrice de Byzance* (*Teodora, imperatrice di Bisanzio,* 1954) ; *le Château des amants maudits* (*Beatrice Cenci,* 1956). En 1956, il dirige le premier film fantastique de cet après-guerre : *les Vampires (I vampiri),* un récit sadique superbement photographié par Mario Bava. Dans la même veine très noire il crée aussi *l'Effroyable Secret du docteur Hichcock* (*L'orribile segreto del dottor Hichcock,* 1962, signé sous un pseudonyme, Robert Hampton, qu'il utilisera souvent) et *le Spectre du professeur Hichcock* (*Lo spettro,* 1963). Il réalise également quelques-uns des meilleurs péplums, dont *le Géant de Thessalie* (*I giganti della Tessaglia,* 1961), *Maciste aux enfers* (*Maciste all'inferno,* 1962) et brode quelques variations sur un sujet connu : *les Deux Orphelines* (*Le due orfanelle,* 1966). Après un talentueux *Roger la Honte* réalisé en France *(id.),* des westerns et des films d'espionnage assez anonymes, il reste inactif jusqu'en 1980, et signe alors un insolite petit film d'horreur, *Murder Obsession.* Son œuvre passionnante et généreuse aurait mérité une meilleure estime. L.C.

FREDERICK *(Beatrice Libbey,* dite *Pauline), actrice américaine (Boston, Mass., 1883 - Los Angeles, Ca., 1938).* Active au théâtre dès 1902, spécialement dans le musical, Pauline Frederick est venue à l'écran vers 1915. Sa stature imposante et ses larges yeux clairs ont été ses meilleurs atouts. Au cinéma, elle a presque toujours été une femme mûrissante qui souffre de se voir vieillir. Son plus grand succès fut *Madame X* (F. Lloyd, 1920). Mais ce sont ses créations de quadragénaire tourmentée et jalouse de sa propre fille dans *la Femme de quarante ans* (C. Brown, 1925) et son rôle dans *Comédiennes* (E. Lubitsch, *id.*) que la postérité retiendra. C.V.

FREE CINEMA. Mouvement cinématographique britannique lancé officiellement en février 1956 lors de la présentation par le British Film Institute de trois courts métrages *O Dreamland* (réalisé en 1953 par Lindsay Anderson), *Together* (Lorenza Mazzetti, 1955) et *Moma Don't Allow* (K. Reisz et T. Richardson, *id.*) dont la projection fut suivie de la lecture d'un manifeste. Cherchant à mettre en application les idées avancées par Anderson et Reisz alors qu'ils étaient rédacteurs de la revue *Sequence* (de 1946 à 1952), le Free Cinema se situe dans le prolongement de l'école documentariste de Grierson et des films de Jennings, s'opposant essentiellement aux scléroses et aux contraintes du cinéma commercial de son temps, réclamant plus d'engagement social dans le traitement des sujets et plus d'audace dans la description de la réalité quotidienne. En dehors des œuvres citées, quelques courts métrages seulement (*Every Day Except Christmas,* L. Anderson, 1957 ; *We Are the Lambeth Boys,* K. Reisz, 1959 ; *Terminus,* J. Schlesinger, 1961) peuvent se rattacher directement à un mouvement qui s'était développé parallèlement à un autre mouvement contestataire plus général, d'origine littéraire et théâtrale, celui des « Angry Young Men » (les Jeunes Gens en colère). En abordant le long métrage, les jeunes réalisateurs furent obligés d'accepter certaines concessions mais l'esprit du Free Cinema se retrouva dans les films de Tony Richardson (*les Corps sauvages,* 1959 ; *Un goût de miel,* 1961 ; *la Solitude du coureur de fond,* 1962), Lindsay Anderson (*le Prix d'un homme,* 1963), Karel Reisz (*Samedi soir et Dimanche matin,* 1960), John Schlesinger (*Un amour pas comme les autres,* 1962 ; *Billy le menteur,* 1963), Desmond Davis (*la Fille aux yeux verts,* 1964). J.-L.P.

FREED (*Arthur Grossman,* dit), *producteur américain (Charleston, S. C., 1894 - Los Angeles, Ca., 1973).* Auteur des textes de chansons (musique : N. H. Brown) souvent utilisées par la MGM, de *The Broadway Melody* (H. Beaumont, 1929) à *Chantons sous la pluie* (S. Donen et G. Kelly, 1952), il assiste LeRoy dans la production du *Magicien d'Oz* (V. Fleming, 1939), avant de devenir le principal producteur MGM de comédies musicales. À la tête d'un véritable atelier, et avec l'aide de Roger Edens, il exerce alors une influence décisive sur ce genre, qui lui doit ses classiques. Soucieux de l'unité de ses films, de leur continuité de ton, il respecte les goûts et les affinités des artistes dont il s'entoure : Berkeley, Minnelli, Walters, Donen, Gene Kelly, Cyd Charisse, Judy Garland, Astaire, le chorégraphe Michael Kidd. S'il prépare minutieusement les projets, cela ne l'empêche ni de laisser beaucoup de liberté à ses collaborateurs ni d'affectionner la fantaisie onirique. Deux des films qu'il produisit gagnèrent l'Oscar du meilleur film : *Un Américain à Paris* (V. Minnelli, 1951) et *Gigi* (*id.,* 1958). A.M.

Films : *Place au rythme* (B. Berkeley, 1939) ; *En avant la musique* (id., 1940) ; *Lady Be Good* (N. Z. McLeod, 1941) ; *Débuts à Broadway* (Berkeley, *id.*) ; *Pour moi et ma mie* (id., 1942) ; *Un petit coin aux cieux* (V. Minnelli, 1943) ; *La Du Barry était une dame* (R. Del Ruth, *id.*) ; *Best Foot Forward* (E. Buzzell, *id.*) ; *le Chant du Missouri* (Minnelli, 1944) ; *The Clock* (id., 1945) ; *Yolanda et le voleur* (id., *id.*) ; *les Harvey Girls* (G. Sidney, 1946) ; *Ziegfeld Follies* (Minnelli, *id.*) ; *Vive l'amour* (C. Walters, 1947) ; *Belle Jeunesse* (R. Mamoulian, 1948) ; *le Pirate* (Minnelli, *id.*) ; *Parade de printemps* (Walters, *id.*) ; *Match d'amour* (Berkeley, 1949) ; *Entrons dans la danse* (Walters, *id.*) ; *Un jour à New York* (Donen et Kelly, *id.*) ; *Annie, reine du cirque* (Sidney, 1950) ; *Mariage royal* (Donen, 1951) ; *Show Boat* (Sidney, *id.*) ; *Un Américain à Paris* (Minnelli, *id.*) ; *la Belle de New York* (Walters, 1952) ; *Chantons sous la pluie* (Donen et Kelly, *id.*) ; *Tous en scène* (Minnelli, 1953) ; *Brigadoon* (id., 1954) ; *Beau fixe sur New York* (Donen et Kelly, 1955) ; *Kismet* (Minnelli, *id.*) ; *la Belle de Moscou* (Mamoulian, 1957) ; *Gigi* (Minnelli, 1958) ; *Un numéro du tonnerre* (id., 1960).

FREGONESE *(Hugo), cinéaste américain d'origine argentine (Mendoza 1908 - Buenos Aires 1987).* Venu à New York en 1935, il devient conseiller technique à Hollywood pour les films « latino-américains » puis il rentre en

Argentine pour y diriger en collaboration avec Lucas Demare *Pampa barbare* (*Pampa bárbara,* co L. Demare, 1943). De retour à Hollywood en 1949, il réalise, avec une évidente personnalité artistique, le goût du détail insolite et le sens de la violence calculée, des films à petit budget pour Universal (*l'Impasse maudite* [*One Way Street*], 1950 ; *Saddle Tramp,* id. ; *Quand les tambours s'arrêteront* [*Apache Drums*], 1951 ; *le Signe des renégats* [*Mark of the Renegade*], id. ; *Passage interdit* [*Untamed Frontier*], 1952) puis pour d'autres firmes, notamment les Artistes associés (avec davantage de moyens). Si, dans *Mes six forçats* (*My Six Convicts,* 1952), il ne semble être que le simple exécutant du producteur Stanley Kramer, et si, dans *Pages galantes de Boccace* (*Decameron Nights,* US-GB, 1953), il semble devoir beaucoup à son chef opérateur Jack Cardiff, il apparaît dans les thrillers et les westerns qu'il dirige ensuite comme un habile artisan, capable de donner du mouvement et du rythme à des scénarios parfois schématiques : *le Souffle sauvage* (*Blowing Wild,* 1953), *Man in the Attic* (id.), *The Raid* (1954).

Malgré le succès de *Mardi ça saignera* (*Black Tuesday,* 1955), il ne rencontre que peu d'offres à Hollywood pour y poursuivre sa carrière et décide de travailler en Europe. Il tourne en Italie, en Grande-Bretagne, en Allemagne et en France des films sans grand relief jusqu'en 1965 (*I girovaghi,* IT, 1956 ; *les Sept Tonnerres* [*Seven Thunders*], GB, 1957 ; *Harry Black et le Tigre* [*Harry Black and the Tiger*], GB, 1958 ; *Marco Polo,* IT, film terminé par Piero Pierotti, 1962 ; *les Cavaliers rouges / Old Shatterhand,* ALL-FR-IT-YU, 1964) avant de tourner un remake de son premier film : *Pampas sauvages* (*Pampa salvaje,* ARG-ESP-US, 1966). G.L.

FREHEL (*Marguerite Boulc'h,* dite), *actrice et chanteuse française (Paris 1889 -* id. *1951).* Robuste et l'œil aigu, elle reste essentiellement célèbre comme chanteuse de music-hall, à la fois réaliste et sentimentale, puissamment attachée à un répertoire populaire. Elle ne parut que rarement à l'écran mais eut la chance de graver ses personnages dans des films qui marquèrent peu ou prou la production française : *Cœur de lilas* (A. Litvak, 1932) ; *le Roman d'un tricheur* (S. Guitry, 1936) ; *le Puritain* (Jeff Musso, 1938) ; *l'Entraîneuse* (Albert Valentin, *id.*) ; *la Maison du Maltais* (P. Chenal, *id.*) ; *l'Enfer des anges* (Christian-Jaque, 1939) ; *Un homme marche dans la ville* (M. Pagliero, 1950). Son interprétation écrasée de nostalgie dans *Pépé le Moko* (J. Duvivier, 1937), où, s'écoutant chanter, elle fait surgir tout un passé, demeure une scène d'anthologie. R.C.

FRELENG *(Isadora,* dit *Friz), cinéaste américain d'animation (Kansas City, Mo., 1906 - Hollywood, Ca., 1995).* Ancien condisciple de Walt Disney, il travaille pour lui comme animateur quand ce dernier vient s'installer en Californie, puis à New York pour la Columbia sur la série *Krazy Kat.* En 1930, il retourne en Californie et entre comme metteur en scène à la division Warner Bros (après un court passage chez MGM). À la Warner, sous John Burton, il est avec Chuck Jones et Bob McKimpson l'un des trois mousquetaires de la maison, anime Bugs Bunny et le chat Sylvestre ; il crée tour à tour le canari Tweety Pie, le souriceau véloce mexicain Speedy Gonzalès, enfin la Panthère rose, un générique de film qui donne naissance à une série populaire du même nom, grâce au succès de laquelle il peut fonder la firme indépendante De Patie-Freleng. Il est titulaire de trois Oscars, pour *Speedy Gonzales, Tweety Pie* et *Birds Anonymous.* R.B.

FRENCH *(Harold), cinéaste britannique (Londres 1897).* D'abord acteur de théâtre et de cinéma, il passe à la mise en scène en 1937 avec *Cavalier of the Streets.* La même année, il prend la tête de la British Film. Auteur de nombreux films peu marquants, il est plus à l'aise dans un cinéma statique, où domine le dialogue, que dans des films d'action. Il a donné le meilleur de lui-même dans des films à sketches adaptant des nouvelles de Somerset Maugham : *Quartet* (épisode : *The Alien Code,* 1948), *Trio* (un épisode, 1950), *Encore* (épisodes : *The Ant and the Grasshopper* et *Gigolo and Gigolette,* 1951). Parmi ses autres réalisations, on peut remarquer : *Dead Men Are Dangerous* (1939) ; *The House of the Arrow* (1940) ; *Major Barbara* (1941) ; *Service Secret* (*Secret Mission,* 1942) ; *Quiet Week-end* (1946) ; *Adam et Evelyne* (*Adam and Evelyne,* 1949) ; *Au temps des valses* (*The Dancing Years,* 1950) ; *l'Homme qui regardait passer les trains* (*The Man Who Watched the Trains Go By,* 1952) ; *la Treizième Heure* (*The*

Hour of 13, id.) ; *Échec au roi* (*Rob Roy,* 1953) ; *Forbidden Cargo* (1954) ; *l'Homme qui aimait les rousses* (*The Man Who Loved Redheads,* 1955).
F.LAB.

FREND *(Charles), cinéaste britannique (Pulborough 1909 - Londres 1977).* De 1931 à 1941, Frend travaille dans les salles de montage de la British International Pictures, de la Gaumont et de la MGM British. Il monte notamment *Young and Innocent* (1937) d'Hitchcock et *Citadelle* (*The Citadel,* 1938) de Vidor. En 1941, épaulé par Cavalcanti, il débute dans la réalisation aux studios d'Ealing (*The Big Blockade ; Le contremaître vient en France* [*The Foreman Went to France*]). Mais c'est avec *le Navire en feu* (*San Demetrio, London,* 1943, terminé par Robert Hamer), relation du sauvetage, par son équipage, d'un pétrolier torpillé dans l'Atlantique, qu'il affirme une sobre personnalité : son style réaliste s'apparente à celui des documentaristes et il excelle à enregistrer les réactions d'un groupe humain soumis à une épreuve décisive (ici la guerre). Réalisé deux ans plus tard, *Johnny Frenchman,* qui exalte la solidarité des pêcheurs de Bretagne et de Cornouailles, est d'une veine comparable. Après *The Loves of Joanna Godden* (1947), qui traduit un désir de renouvellement et vaut surtout par l'interprétation sensible de l'actrice Googie Withers, *l'Aventure sans retour* (*Scott of the Antarctic,* 1948), reconstitution minutieuse de l'odyssée du célèbre explorateur et de ses compagnons, ne peut faire oublier, malgré de très belles couleurs, les documents rapportés en leur temps par H. G. Ponting et marque les limites des reconstitutions dans le style documentaire telles qu'on les conçoit aux studios d'Ealing. C. Frend s'essaye ensuite à la comédie avec *De la coupe aux lèvres* (*A Run for Your Money,* 1949) et surtout *l'Aimant* (*The Magnet,* id.), œuvre mineure mais pleine de charme. Puis il réalise, sur des scénarios d'E. Ambler, ses films les plus accomplis : *la Mer cruelle* (*The Cruel Sea,* 1953), qui évoque, de façon parfois saisissante, la vie à bord des escorteurs de convois pendant la guerre, et *Lease of Life* (1954), portrait réussi d'un pasteur de province, qui frappe par son anticonformisme insolite. Après son départ des studios d'Ealing, consécutif à leur vente en 1956, C. Frend ne parvient pas à trouver un nouveau souffle.
P.H.

FRÉQUENCE PILOTE. Fréquence, enregistrée sur le magnétophone de prise de son, permettant de reporter ensuite le son sur une bande magnétique perforée superposable à la bande image. (→ REPIQUAGE.)

FRÉQUENTATION.

La fréquentation en France. Elle a connu plusieurs phases d'évolution :

— jusqu'à la fin des années 50, elle se situait autour de 250 millions de spectateurs par an ;

— pendant les années 60, elle s'abaisse régulièrement pour se stabiliser, vers les années 70 et le début des années 80, autour de 200 millions d'entrées ;

— depuis 1985, elle connaît une baisse sensible qui l'amène en 1992 à 115 millions d'entrées, pour remonter vers un palier plus stable de 130 millions de spectateurs annuels.

Avant la télévision, le cinéma était peu concurrencé dans le domaine des loisirs, et la structure de l'exploitation (nombreuses salles disséminées à proximité des lieux d'habitation, prix fortement dégressifs entre l'exclusivité et les salles de quartier) permettait de toucher un large public, notamment tout un public « captif » qui allait au cinéma local par habitude.

À la fin des années 50, la conjonction de deux phénomènes (l'élévation continue du niveau de vie, l'extension du réseau d'émetteurs de télévision) permit la diffusion croissante de la télévision. Le choix devint possible entre deux images animées : les statistiques montrent bien une corrélation étroite entre la chute de la fréquentation des salles et l'accroissement du parc des téléviseurs.

Touchant différemment les diverses catégories de spectateurs, la chute de la fréquentation accentua la « segmentation » du public (où les jeunes avaient toujours eu un poids déterminant). Le cinéma conserva la clientèle (là où les salles ne disparaissaient pas) de ceux qui étaient sensibles à l'attrait de la sortie, du spectacle collectif, de la « salle obscure », ce qui explique la stabilisation finale de la fréquentation. D'autres catégories, notamment l'ancien public captif des salles populaires, « basculèrent » vers la télévision. Ces déplacements des modes de fréquentation furent renforcés par la réaction d'adaptation de l'exploitation : fermetures des salles de quartier, création de « quartiers de cinéma » dans les zones animées des grandes villes.

Une évolution similaire, due aux mêmes phénomènes fondamentaux, a touché l'ensemble des pays développés. Si la chute de la fréquentation (comptée par rapport à l'année de fréquentation maximale) a dépassé 50 p. 100 en France, elle fut plus sévère encore aux États-Unis (où un net redressement apparaît toutefois depuis 1972 pour se stabiliser à 1 milliard d'entrées par an), en RFA, au Japon, et surtout en Grande-Bretagne (plus de 90 p. 100 de régression de la fréquentation avec un réaffermissement depuis 1987). Pendant longtemps, l'Italie fut relativement épargnée ; la multiplication des télévisions privées y a finalement provoqué, là aussi, une chute spectaculaire du nombre des entrées (455 millions en 1976, 199,7 millions en 1982, 100,8 millions en 1988).

Les statistiques montrent que la fréquentation cinématographique est inégalement répartie : 55,4 % de la population française âgée de 6 ans et plus (29,3 millions de personnes) fréquente le cinéma une fois par an. Toutefois, tous les spectateurs n'y vont pas au même rythme. Les assidus (au moins une sortie par semaine) représentent 4,4 % du public, mais 20,6 % des entrées. Les réguliers (moins d'une sortie par semaine et plus d'une sortie par mois) représentent 29,6 % du public et 43,7 % des entrées. Les occasionnels (moins d'une fois par mois) représentent 66 % du public et 35,7 % des entrées. Le profil type du spectateur de cinéma est celui d'un individu de sexe masculin, jeune, d'un niveau d'instruction supérieur, célibataire et plutôt urbain. J.G./G.A.

FRESNAY *(Pierre Laudenbach,* dit *Pierre), acteur français (Paris 1897 - Neuilly-sur-Seine 1975).* De petite taille mais sachant détailler à merveille les tirades en prose et en vers, intransigeant de nature comme il le fait bien voir lors de ses éclats avec la Comédie-Française ou par son attitude pendant la guerre (ce qui lui vaut des ennuis à la Libération), passionné à l'extrême puisque son grand amour pour Yvonne Printemps bouleverse sa vie entière, on le tient très longtemps pour l'un des plus grands artistes de l'écran français. On doit convenir aujourd'hui que son jeu apparaît le plus souvent très artificiel, sec et exagérément théâtral. Le muet, dès 1915, lui fait déjà la part belle : *France d'abord* (H. Pouctal, 1915) ; *les Mystères de Paris* (Charles Burguet, 1922) ; *le Diamant noir* (André Hugon, *id.*) ; *le Petit Jacques* (Lannes et Raulet, 1923) ; *Rocambole* (Charles Maudru, 1924). Le parlant met aussitôt en valeur sa diction incisive, martelée, intelligente, et il a la chance de jouer tout de suite le rôle de Marius dans les trois adaptations de l'œuvre de Pagnol (*Marius,* 1931 ; *Fanny,* 1932 ; *César,* 1936), où son succès égale presque celui de Raimu. Il tourne beaucoup et Hitchcock lui demande même d'interpréter le personnage clé de *l'Homme qui en savait trop* (1934). Le rôle est court, mais il se rattrape avec *Mademoiselle Docteur* (G. W. Pabst, 1937), où il figure en bonne place dans une brochette de vedettes, et surtout avec *la Grande Illusion* (J. Renoir, *id.*), où il donne la réplique avec une morgue distinguée à Gabin et à Stroheim. À peu près à la même époque, il fignole le *Chéri-Bibi* de Gaston Leroux, héros d'un film de Mathot et, en 1939, il partage avec Yvonne Printemps, partenaire idéale, le triomphe qui accompagne *Trois Valses* (L. Berger). Un essai malencontreux (*le Duel,* 1940) en tant que réalisateur reste sans lendemain. Aussi bien son engagement à la Continental lui vaut pendant l'Occupation ses meilleures compositions : le détective ironique et sentencieux du *Dernier des six* (G. Lacombe, 1941) et de *L'assassin habite au 21* (H.-G. Clouzot, *id.*), le peintre halluciné de *la Main du diable* (M. Tourneur, 1943) et surtout l'âpre docteur Germain du *Corbeau* (Clouzot, *id.*). La guerre passée, son prestige, toujours vif, s'accroît encore avec *Monsieur Vincent* (M. Cloche, 1947), *Au grand balcon* (H. Decoin, 1949), *la Valse de Paris* (M. Achard, 1950), *Dieu a besoin des hommes* (J. Delannoy, *id.*) : films qui mettent en valeur son goût pour la composition mais accusent de plus en plus le côté factice de son art. Il sombre ensuite dans les productions de Léo Joannon (*le Défroqué,* 1954 ; *l'Homme aux clés d'or,* 1956 ; *Tant d'amour perdu,* 1958) et de Gilles Grangier (*les Vieux de la vieille,* 1960). Il comprend tout de même qu'il se fourvoie et se consacre alors entièrement à la scène. Sa carrière s'y était déroulée brillamment, depuis les amoureux de Musset jusqu'aux Romains de Montherlant, en passant par le répertoire de la Comédie-Française et les pièces boulevardières sans oublier Diderot et Paul Valéry. R.C.

FRESNEL. *Lentille de Fresnel* (ou lentille à échelons), lentille convergente de grand ou de très grand diamètre, formée d'anneaux concentriques, employée pour concentrer le faisceau lumineux des projecteurs de prise de vues. (Le principe de ces lentilles est dû au physicien français Fresnel.) [→ ÉCLAIRAGE.]

FRESSON *(Bernard), acteur français (Reims 1931).* Il débute au cinéma par un petit rôle dans un grand film : celui du soldat allemand de *Hiroshima mon amour* (A. Resnais, 1959). Depuis cette date, sa silhouette carrée, sa gentillesse bourrue et facilement désarmée sont une des constantes du cinéma français. On le retrouve au générique de films de Resnais (*La guerre est finie,* 1966 ; *Loin du Viêt-nam,* 1967 ; *Je t'aime, je t'aime,* 1968), Costa-Gavras (*Z,* 1969), Clouzot (*la Prisonnière,* 1968), Cayatte (*Il n'y a pas de fumée sans feu,* 1973 ; *À chacun son enfer,* 1977), Sautet (*Max et les ferrailleurs,* 1971 ; *Mado,* 1976 ; *Garçon !,* 1983), Boisset (*Espion lève-toi,* 1982), Fuller (*Sans espoir de retour,* 1989) ou D'Anna (*Équipe de nuit,* 1990). Il n'a obtenu de premier rôle que dans quelques rares films : *Jeudi on chantera comme dimanche* (L. de Heusch, 1967) ou *le Guêpiot* (Joska Pilissy, 1981). J.-P.J.

FREUND *(Karl), chef opérateur et cinéaste d'origine austro-hongroise (Königinhof an der Elbe, Autriche-Hongrie [auj. Dvůr Králové nad Labem, Tchécoslovaquie], 1890 - Santa Monica, Ca., 1969).* Projectionniste, puis cameraman à la Union Film, il travaille en Allemagne auprès de Lang, de Wegener — il est l'opérateur de *Golem* en 1920 —, de Dreyer (*Michael,* 1924, avec Rudolph Maté), de Murnau. Avec l'équipe de ce dernier, il fait accéder la prise de vues à un niveau d'invention et de liberté technique seulement alors égalée, mais en France, par Gance dans son *Napoléon* (1927). À l'extrême mobilité de la prise de vues Freund ajoute un sens très sûr des effets de lumière et d'ambiance du Kammerspiel, des priorités à respecter, en extérieurs comme en studio. Il se plie aux exigences d'une mise en scène constamment créatrice : « suivi » des volutes d'une fumée, simulation de l'ivresse (*le Dernier des hommes,* Murnau, 1924) ; il invente une caméra-valise lui permettant de filmer sans être remarqué ses propres séquences de *Berlin, symphonie d'une grande ville* (W. Ruttmann, 1927), dont il est aussi coproducteur. En 1928, il participe à la création du Volksverband für Filmkunst, sorte de ciné-club progressiste, avec Heinrich Mann, Pabst, et Piscator, dont les expériences berlinoises sont à l'origine de cette défense du film allemand d'art et essai avant la lettre. En 1929, Freund est aux États-Unis, nimbé de l'éclatante réputation qu'y a confirmée le succès de *Variétés* (E. A. Dupont 1925). Engagé par Universal, il devient chef opérateur de Florey (*Double Assassinat de la rue Morgue,* exploité seulement en 1932), de Milestone (*À l'ouest rien de nouveau,* 1930), de Tod Browning pour son *Dracula* (1931, avec Bela Lugosi) ; il assure les prises de vues du film d'aviation mouvementé de John Ford, *Tête brûlée* (1932) ; il est le chef opérateur de Cukor, James Whale et Sidney Franklin, qui lui doit les superbes sépias de *Visages d'Orient* (1937), d'une extraordinaire beauté tactile. Il est alors passé à la MGM, où il fera encore un très beau travail, photographiant notamment Greta Garbo et Charles Boyer pour Clarence Brown dans *Marie Walewska* (id.). Sa carrière au temps fort de l'expressionnisme, sa collaboration américaine avec Whale et Browning l'ont sans doute incliné, en tant que cinéaste, vers le fantastique. En tout cas, c'est ce qu'il convient de retenir de la dizaine de films qu'il a réalisés : *la Momie* (*The Mummy,* 1932) pour Universal, avec Boris Karloff ; un remake des *Mains d'Orlac* (*Mad Love,* 1935), pour la MGM, occasion d'une étonnante prestation de Peter Lorre. Mais Freund demeure essentiellement un des grands techniciens du film, capable, de surcroît, de s'intégrer à une équipe aussi fertile en trouvailles anticonformistes que celle qui entourait Murnau. C.M.C.

Autres films : *Satanas* (F. W. Murnau, 1920) ; *la Terre qui flambe* (id., 1922, avec Fritz Arno Wagner) ; *Tartuffe* (id., 1926) ; *Metropolis* (Lang, 1927, avec Günther Rittau) ; *le Roman de Marguerite Gautier* (G. Cukor, 1937, avec William Daniels) ; *Orgueil et Préjugés* (R. Z. Leonard, 1940) ; *Key Largo* (J. Huston, 1948).

FREY *(Samuel Frey,* dit *Sami), acteur français (Paris 1937).* Élève de René Simon, il obtient dès 1960 un rôle clé dans *la Vérité,* film très attendu d'Henri-Georges Clouzot avec Brigitte Bardot. Remarquable comédien au physique de jeune premier, il tourne beaucoup mais trouve plutôt sa véritable dimension au théâtre. En 1966-1968, il participe à de nombreux spectacles mis en scène au Théâtre-Antoine par Claude Régy et contribue à la révélation en France du théâtre anglais contemporain, Pinter en tête. Au cinéma, il est choisi par des auteurs tels que Franju (*Thérèse Desqueyroux,* 1962), Deville (*l'Appartement des filles,* 1963), Godard (*Bande à part,* 1964), Pollet (*Une balle au cœur,* 1965), Klein (*Qui êtes-vous Polly Magoo ?,* 1966), Rappeneau (*les Mariés de l'an deux,* 1970), Charles Belmont (*Rak,* 1972), Sautet, qui lui confie l'un des trois rôles principaux de *César et Rosalie* (1972) aux côtés d'Yves Montand et Romy Schneider, Adam (*M comme Matthieu,* 1973), Marguerite Duras (*Jaune le soleil,* id.), Coline Serreau (*Pourquoi pas,* 1977), Claude Miller (*Mortelle Randonnée,* 1983), Jacques Doillon (*la Vie de famille,* 1985), Rouffio (*l'État de grâce,* 1986), Drach (*Sauve-toi Lola,* id.), Sanders-Brahms (*Laputa,* 1987), Delvaux (*l'Œuvre au noir,* 1988), von Trotta (*l'Africaine,* 1990) sans que Sami Frey accède cependant à une notoriété à la mesure de son talent. O.B.

FRIČ *(Martin), cinéaste tchèque (Prague 1902 - id. 1968).* Acteur à seize ans, scénariste dès 1922, il collabore avec Josef Rovenský et Karel Lamač avant de signer son premier film de metteur en scène en 1928. Il tourne quatre films muets dont *l'Organiste de la cathédrale Saint-Guy* (*Varhaník od Sv. Víta,* 1929) d'après un scénario de Vítězslav Nezval. Au début du parlant (après quelques films réalisés en Allemagne, sous le nom de Mac Fric), il s'impose à l'attention du public par plusieurs comédies adroitement menées, parmi lesquelles : *Ho ! hisse !* (*Hej rup,* 1934) ; *Le monde est à nous* (*Svět patří nám,* 1937), avec le célèbre duo Jan Werich et Jiři Voskovec ; *le Revizor* (*Revisor,* 1933) ; *Héros pour une nuit* (*Hrdina jedné noci,* 1935), avec Vlasta Burian ; *Kristián* (1939), avec Oldřich Nový. On lui doit aussi des films plus dramatiques, comme le célèbre *Jánošík* (1936), et des adaptations littéraires soignées : *les Aventures du brave soldat Švejk* (*Dobrý voják Švejk,* 1932) d'après Jaroslav Hašek ; *le Dernier Homme* (*Poslední muž,* 1934), d'après František Xaver Svoboda ; *les Hordubal* (*Hordubalové,* 1937), d'après Karel Čapek ; *la Fille des musiciens* (*Muzikantská Liduška,* 1940), d'après Vitězslav Hálek.

Après la guerre, la réputation de Martin Frič grandit encore avec *les Contes de Čapek* (*Čapkovy povídky,* 1947), *la Ville de fer* (*Zocelení,* 1950), *le Piège* (*Past,* id.) et, surtout, les films jumeaux *le Boulanger de l'Empereur* et *l'Empereur des boulangers* (*Císařův pekař ; Pekařův císař,* 1951), avec Jan Werich dans le double rôle principal.

La carrière prolifique de Frič (plus de cent films en quarante et quelques années au service du cinéma) se poursuit au cours des années 60 avec, notamment, *le Roi des rois* (*Král Králů,* 1963) et *Une étoile nommée Absinthe* (*Hvězda zvaná Pelyněk,* 1964). Il devient pour la jeune génération un tuteur respecté, et son professionnalisme reste un modèle pour tous ceux qui vont apporter un sang nouveau au cinéma tchécoslovaque. Il est victime d'une attaque cardiaque le jour même où les tanks soviétiques entrent à Prague en août 1968. J.-L.P.

FRIEDHOFER *(Hugo), compositeur américain (San Francisco, Ca., 1902 - Los Angeles, Ca., 1981).* Il est l'un des plus prolifiques compositeurs hollywoodiens, au point qu'on a du mal à rassembler sa filmographie complète. Actif dès 1930, il signe sa première partition en 1938 (*les Aventures de Marco Polo* d'Archie Mayo). Son activité l'a souvent incité à la facilité. Mais ses dons de mélodiste sont incontestables. Quelques-unes de ses partitions sont de véritables classiques : *Jack l'éventreur* (J. Brahm, 1944), *Gilda* (Ch. Vidor, 1946), *Sang et Or* (R. Rossen, 1947) ou *Bungalow pour femmes* (R. Walsh, 1956). *Elle et Lui* (L. McCarey, 1957) et *Le soleil se lève aussi* (H. King, *id.*), où son goût de la mélodie sentimentale a trouvé à s'épancher avec bonheur, sont ses deux plus belles réussites. C.V.

FRIEDKIN *(William), cinéaste américain (Chicago, Ill., 1939).* Il commence à travailler à l'âge de seize ans au service du courrier d'une station de télévision locale. Un an plus tard, il est metteur en scène, dirigeant des émissions d'intérêt local en direct, avant de se voir confier la réalisation de dramatiques et de musicals. En dix ans, de 1954 à 1963, il réalise ainsi près de 200 émissions dramatiques, mais aussi documentaires, notamment dans les programmes pédagogiques télévisés. Il n'a que 27 ans lorsqu'il réalise son premier film pour le grand écran (*Good Times,* 1967), film de moindre intérêt, conçu comme support des numéros de Sonny et Cher. Il adapte ensuite trois succès de la scène : *l'Anniversaire* d'Harold Pinter ; *The Night They Raided Minsky's,* à la fois burlesque et nostalgique ; puis *les Garçons de la bande,* version cinématographique de la pièce sur les homosexuels, présentée « off-Broadway ». Mais c'est le triomphe international de *The French Connection* qui fait de lui, en 1971, un réalisateur vedette, obtenant l'Oscar de la mise en scène. Il réalise ensuite un autre énorme succès, avec un gros budget, cette fois : *l'Exorciste,* film qui propulse le genre marginal de la démonologie au statut de superproduction. Friedkin fait alors figure de surdoué maîtrisant tous les aspects de la technique et du récit cinématographiques ; il paraît capable de s'approprier n'importe quel sujet et, éventuellement, de développer des thèmes plus personnels. Or, curieusement, il reste silencieux jusqu'en 1977, année où il produit et réalise *le Convoi de la peur,* un remake du *Salaire de la peur* d'Henri-Georges Clouzot. Échec financier aux États-Unis comme en Europe, cette œuvre hybride dégage pourtant un ton original : alors qu'on attendait un film de suspense, Friedkin réalise un film d'atmosphère qui, dans ses meilleurs moments, touche au fantastique. Les déficiences du scénario paraissent être les vraies causes de l'échec d'une œuvre qui laisse une impression d'hésitation, d'inachevé : refus des gros effets qui avaient garanti le succès un peu honteux de *l'Exorciste,* incapacité à s'engager sur une voie résolument personnelle. Dans son film suivant *(Têtes vides cherchent coffre plein)* Friedkin revient à l'exercice de style sur un canevas de comédie policière. Le métier admirable, où la plastique n'a d'égale que la dynamique, masque l'absence de sujet ; mais l'art de découper une scène, la précision du cadrage, le plaisir sans complaisance d'une reconstitution « rétro » ne suffisent pas à faire une œuvre. Ce sujet, Friedkin paraissait l'avoir trouvé avec *la Chasse* (1980), dont le scénario allait lui permettre de déployer toute la gamme de son savoir-faire, dans l'extériorisation (l'argument est celui d'une enquête sur des crimes sexuels dans les milieux homosexuels sadomasochistes) comme dans l'intériorisation (la mutation psychologique du policier chargé de l'enquête, auquel Al Pacino prête toute l'ambiguïté nécessaire). Or, les deux aspects du sujet, extérieur et intérieur, ne se fondent jamais harmonieusement, laissant l'impression d'un documentaire spectaculaire, quelque peu racoleur, juxtaposé, sans vraie nécessité, à une aventure intérieure largement éludée, bien que lourdement suggérée. Friedkin semblera au cours des années 80 rechercher chaotiquement et frénétiquement des sujets sulfureux et violents mais cette fascination nihiliste s'enlise souvent dans le mécanisme plus ou moins vain des effets « coup de poing » et de la dramatisation intempestive. Ainsi, *le Sang du châtiment* et *la Nurse* essaient vainement de renouer avec le succès de *l'Exorciste.* En revanche, *Police fédérale, Los Angeles* est un excellent policier qui dépasse le surestimé *French Connection.* Le plus modeste *Blue Chips* atteste d'un métier toujours solide que l'on souhaiterait voir mieux canalisé. M.S.

Films ▲ : *Good Times* (1967) ; *l'Anniversaire* (*The Birthday Party,* 1968) ; *The Night They Raided Minsky's* (id.) ; *les Garçons de la bande* (*The Boys in the Band,* 1970) ; *French Connection* (*The French Connection,* 1971) ; *l'Exorciste* (*The Exorcist,* 1973) ; *le Convoi de la peur* (*Sorcerer,* 1977) ; *Têtes vides cherchent coffre plein* (*The Brink's Job,* 1978) ; *la Chasse* (*Cruising,* 1980) ; *Deal of the Century* (1983) ; *Police fédérale, Los Angeles* (*To Live and Die in L. A.,* 1985) ; *le Sang du châtiment* (*Rampage,* 1988) ; *la Nurse* (*The Guardian,* 1990) ; *Rampage* (1992) ; *Blue Chips* (1994).

FRIESE-GREENE *(William), précurseur britannique du cinéma (Bristol 1855 - Londres 1921).* Intéressé par l'enregistrement et la synthèse du mouvement, Friese-Greene imagina entre 1885 et 1889 divers appareils qui préfigurent le cinéma, et réalisa notamment, en association avec Mortimer Evans, une caméra chronophotographique (1889). Sa vie et son œuvre furent évoquées dans le film *la Boîte magique* (1951) de John Boulting. J.-P.F.

FRITSCH *(Willy), acteur allemand (Kattowitz, Autriche-Hongrie [auj. Katowice, Pologne], 1901 - Hambourg 1973).* Il débute comme acteur de théâtre à Berlin sous la direction de Max Reinhardt et gagne rapidement une enviable notoriété en jouant dans plusieurs films muets aux côtés de Lil Dagover, Olga Tschechowa,

Mady Christians ou Xenia Desni. On le voit donner la réplique à Dita Parlo dans *Mélodie des Herzens* (Hanns Schwarz, 1929) et surtout Lilian Harvey dans la version allemande du *Congrès s'amuse* (E. Charell, 1931) ou *Un rêve blond (Ein blonder Traum,* Paul Martin, 1932). Fritz Lang saura l'utiliser à contre-emploi dans *les Espions* (1928) et *la Femme sur la lune* (1929) mais la UFA comprend vite que son domaine de prédilection est l'opérette. Willy Fritsch exploite alors son charme de jeune premier avantageux, fantaisiste, vivace sans manifester d'ambition démesurée, au gré des modes, soucieux d'un succès qui ne se démentira guère pendant plus d'un quart de siècle. Le couple idéal qu'il forme avec Lilian Harvey se perpétue avec Käthe de Nagy, sa partenaire dans *Son Altesse commande (Ihre Hoheit befiehlt,* H. Schwarz, 1931), *Moi le jour, toi la nuit* (*Ich bei Tag und du bei Nacht,* L. Berger, 1932), *la Princesse Turandot* (G. Lamprecht, 1934) ou *En fils de soie* (*An Seidenem Faden,* R. A. Stemmle, 1938), Renate Müller et Käthe Gold. Infatigable, il joue pendant et après la guerre des rôles légers et fantaisistes (*la Chauve-Souris,* G. von Bolvary, 1945 ; *Film ohne Titel,* Rudolf Jugert, 1948 ; *Schwarzwaldmelodie,* G. von Bolvary, 1956). Pour lui, la dernière valse (c'était le nom d'un film tourné en 1927 [*Der letzte Walzer*] par Arthur Robison avec Liane Haid et Ida Wüst) ne semblait jamais devoir s'achever. F.B.

FRÖBE *(Gerhardt Fröber,* dit *Gert), acteur allemand (Planitz, Zwickau, 1913 - Munich 1988).* Acteur de théâtre depuis 1937, il se fait connaître sur la scène berlinoise après la guerre, et fait ses débuts au cinéma dans un film issu du cabaret, *Ballade berlinoise* (R. A. Stemmle, 1948). La première partie de sa carrière est marquée par le climat conventionnel du cinéma allemand de l'époque. En 1955-1957, il est très sollicité par le cinéma français et tourne avec Ciampi (*Les héros sont fatigués,* 1955), Dassin (*Celui qui doit mourir,* 1956), Decoin, Grangier, Robert Hossein. Sa carrière internationale est jalonnée des inévitables emplois d'Allemand « typique » (*Paris brûle-t-il ?,* de René Clément, 1966 — par exemple) dont il parvient parfois à dépasser agréablement les poncifs : *Goldfinger* (G. Hamilton, 1964), *Ces merveilleux fous volants...* (K. Annakin, 1965). D'une filmographie très abondante, on peut retenir parmi ses meilleures interprétations : *la Fille Rosemarie Nitribitt* (R. Thiele, 1958), *l'Opéra de quat'sous* (W. Staudte, 1963), *le Diabolique Dr Mabuse* (F. Lang, 1960) et une suite tournée par Harald Reinl, *le Retour du Dr Mabuse* (1961), *Via Mala* (P. May, *id.*), *Der Räuber Hotzenplotz* et *Mein Önkel Theodor* (Gustav Ehmck, 1974 et 1975). D.S.

FROELICH *(Carl), cinéaste allemand (Berlin 1875 -* id. *1953).* Pionnier du cinéma allemand, associé d'Oskar Messter en 1903 (il est l'opérateur de *Salomé*), il dirige notamment *Trop tard* (*Zu spät,* 1911), *Richard Wagner* (1913) et *Tirol in Waffen* (1914), seconde version du *Andreas Hofer* de Franz Porter (1909) dont il avait été l'opérateur. Reporter-opérateur pendant la guerre, il crée sa société de production en 1919 et devient célèbre avec une longue série de films dont la vedette est Henny Porten. Réalisateur prolifique, spécialiste d'un réalisme quelque peu théâtral, il dirige 37 films muets puis, en 1929, la version allemande de *Die Nacht gehört uns (La nuit est à nous),* un des premiers films parlants faits (simultanément) en Allemagne et en France. En 1931, c'est lui qui supervise la réalisation de *Jeunes Filles en uniforme* de Leontine Sagan, et qui, en 1937, procède à la première application du procédé Opticolor. Producteur à la UFA, il fera débuter à l'écran Zarah Leander dans *Pages immortelles* (*Es war eine rauschende Ballnacht,* 1939) et *Marie Stuart* (*Das Herz der Königin,* 1940). Auteur assez conventionnel, avec notamment *la Reine Louise* (*Luise, Königin von Preussen,* 1931), *Der Choral von Leuthen* (1933), *Reifende Jugend* (id.), *Traumulus* (id., 1936), *Magda* (*Heimat,* 1938), *Hochzeit auf Bärenhof* (1942), il réalise une vingtaine de films dans la période nazie, qui le voit devenir président de la Reichsfilmkammer. Après la guerre, il tourne deux autres films, en 1950 *(Komplott auf Erlenhof)* et 1951 *(Stips)* peu avant sa mort. D.S.

FRÖHLICH *(Gustav), acteur allemand (Hanovre 1902 - Lugano, Suisse, 1988).* Il quitte le journalisme pour le théâtre et s'affirme très vite au cinéma. Ses premiers rôles, dans *Metropolis* (F. Lang, 1927), dans *le Chant du prisonnier* (J. May, 1928) et *Asphalte* (*id.,* 1929), assurent sa réputation qui, pendant une trentaine d'années, ne fléchira pas : il sera l'une des vedettes les plus populaires d'Allemagne avec Willy Fritsch. Parmi ses films les plus représentatifs citons : *l'Immortel Vagabond* (*Der unsterbliche Lump* [G. Ucicky], 1930) ; *Kismet* (W. Dieterle, 1931) ; *Mein Leopold* (H. Steinhoff, *id.*) ; *Voruntersuchung* (R. Siodmak, *id.*) ; *Die verliebte Firma* (Max Ophuls, 1932) ; *Ein Lied, ein Kuss, ein Mädel* (G. von Bolvary, *id.*) ; *Johann Strauss* (Conrad Wiene, *id.*) ; *Was Frauen träumen* (von Bolvary, 1933) ; *Barcarole* (G. Lamprecht, 1935) ; *Alarm in Peking* (Herbert Selpin, 1937) ; *Frau Sixta* (Ucicky, 1938) ; *Herz geht vor Anker* (Theo Lingen, 1940) ; *Clarissa* (Lamprecht, 1941) ; *Der grosse Fall* (K. Anton, 1945) ; *Rosen aus dem Süden* (F. Antel, 1954) ; *Sag nicht Addio* (Hans H. König, 1956). Il en profitera pour passer, parfois, derrière la caméra, signant des divertissements à l'image de son personnage : élégants et charmeurs. F.B.

FRONTALE. *Projection frontale,* truquage de prise de vues permettant d'obtenir directement une image composite. (→ EFFETS SPÉCIAUX.)

FRONTIER FILMS. Important groupe de documentaristes indépendants américains — fondé, en 1937, sur les bases élargies de l'ancien « Nykino » (New York Kino) —, afin de constituer un vaste front de forces cinématographiques progressistes. Le but de ses promoteurs est de sensibiliser, dans l'optique du New Deal, les citoyens aux problèmes internes et externes du pays. En plus de son président, Paul Strand, et de ses vice-présidents, Leo Hurwitz et Ralph Steiner, l'organisation compte sur l'aide ou la sympathie de gens comme Elia Kazan, Joris Ivens, Herbert Kline, John Dos Passos, Lewis Milestone...

En dehors de l'émulation créée dans les milieux concernés, Frontier Films n'a réellement conçu que six bandes. *Cœur d'Espagne* (*Heart of Spain,* H. Kline et H. Cartier-Bresson, 1937) nous montre l'engagement de la population civile autochtone aux côtés d'un chirurgien canadien se battant pour la République espagnole. *La Chine riposte (China Strikes Back,* Harry Dunham, *id.),* une des premières pellicules montrant Mao Zedong et ses compagnons, connaît une bonne diffusion sur le sol américain. *Les Gens de Cumberland* (*People of Cumberland,* E. Kazan, 1938), tourné dans le Tennessee, nous sensibilise à une forme grave d'atteinte aux libertés : le meurtre d'un professeur formant des militants syndicaux. *Retour à la vie (Return to life,* Kline et Cartier-Bresson, *id.),* seconde œuvre consacrée à l'Espagne, s'intéresse à la rééducation des blessés dans un hôpital.

Depuis longtemps, les questions de forme, de langage préoccupent les membres de Frontier Films : ils veulent rendre le documentaire non seulement didactique mais aussi attractif. Après la confection, en 1940, par William Osgood Field, d'un court métrage sur les glaciers *(White Flood),* Paul Strand et Leo Hurwitz nous donnent, avec *Native Land* (1941-42), le chef-d'œuvre de leur mouvement. Une vision inquiétante des divers dangers menaçant la démocratie perce à travers la structure élaborée du film qui mélange matériaux bruts et scènes reconstituées. En 1942, les changements sociaux et la guerre obligent le groupe à se disloquer. L'École de New York et les pratiquants du cinéma direct reprennent, dans les années 50 et 60, son flambeau. R.BA.

FS. Abrév. anglaise de *full shot.*

FUENTES *(Fernando de), cinéaste mexicain (Veracruz 1894 - Mexico 1958).* Il débute avec *El anónimo* (1932) et démontre des qualités dès *El prisionero trece* (1933). Il est l'auteur de deux œuvres remarquables sur la révolution mexicaine. *El compadre Mendoza* (id.) est une allégorie introspective, autour d'un grand propriétaire qui fréquente aussi bien zapatistes que gouvernementaux pour conserver ses terres, mais finit par trahir son ami révolutionnaire. Sous des apparences satiriques, Fuentes dégage les dimensions sociales et psychologiques du conflit, sa perplexité, la richesse des nuances. Il joue admirablement avec le temps, chronologique et intérieur. *¡ Vámonos con Pancho Villa !* (1935) possède une mise en scène également brillante. Cette superproduction reçoit le soutien financier et logistique du gouvernement Cárdenas. Pourtant, ce film d'action ne vise pas à l'épopée ni au culte du héros, mais à un cadre humain et social véridique, qui débouche sur une réflexion morale. Ainsi, durant sa phase préindustrielle, le cinéma mexicain porte un regard lucide, critique même, sur une révolution que la littérature se borne alors à décrire. Il faudra

attendre encore quelques années pour que des romanciers abordent sans mystification cette problématique ; Fuentes précède ainsi des écrivains comme Agustín Yáñez, Juan Rulfo, Carlos Fuentes, José Revueltas. Cependant, ses films *Allá en el Rancho Grande* (1936), *Bajo el cielo de México* et *La Zandunga* (1937) contribuent à consolider l'industrie, gagner les marchés extérieurs et orienter la production nationale dans un sens tout à fait différent. Ils inaugurent un genre prolifique, la comédie *ranchera* (rurale), caractérisée par l'idéalisation de la province, la sensiblerie romantique, l'optimisme musical, l'hymne au machisme, un passéisme drapé de pittoresque. À part des remakes ou des succédanés de ce genre qui fige l'image internationale du Mexique, Fuentes contribue à imposer une Maria Félix implacable (*Doña Bárbara* et *La mujer sin alma,* 1943 ; *La devoradora,* 1946). Parmi ses autres titres, on peut mentionner le fantastique *El fantasma del convento* (1934), le film de cape et d'épée *Cruz Diablo* (id.), plus convaincants que ses incursions dans les genres nationaux comme la famille (*La familia Dressel,* 1935 ; *Las mujeres mandan,* 1936) ou le mélodrame maternel (*La gallina clueca,* 1941). Fuentes marque le cinéma mexicain d'avant-guerre, pour le meilleur et pour le pire.
P.A.P.

FUJICOLOR, nom de marque du procédé soustractif de cinéma en couleurs de la firme japonaise Fuji. (→ PROCÉDÉS DE CINÉMA EN COULEURS.)

FULLER *(Samuel), cinéaste américain (Worcester, Mass., 1911).* Pigiste d'Arthur Brisbane au *New York Journal* (auquel il rendra hommage dans *Park Row*), il est, à dix-sept ans, le plus jeune reporter affecté aux affaires criminelles. Cet apprentissage lui inspire des nouvelles et des romans policiers (dont *The Dark Page,* 1944). Dès 1936, il collabore aux scénarios de diverses productions « B » (il sera ainsi à l'origine de *Jenny, femme marquée* de D. Sirk, 1949). De 1942 à 1945, il combat avec la Big Red One, la première division d'infanterie, en Afrique du Nord et en Europe. De cette expérience fondamentale témoigneront ses films de guerre, qui sont autant de répétitions ou d'esquisses de *The Big Red One,* projet mûri pendant plus de trente ans. Il débute dans la réalisation en 1949, s'affirmant d'emblée comme l'auteur complet de ses films ; il en sera également le producteur (Globe Enterprises) à partir de 1956. Réduit à l'inactivité par son exigence d'indépendance, il se consacre à la télévision (1962-1966), accumule les scénarios et fait des apparitions dans les films de ses jeunes admirateurs (J.-L. Godard, D. Hopper, W. Wenders, S. Spielberg, etc.). Il prend une revanche éclatante en 1980, avec *The Big Red One,* enfin mené à bien sur les deux fronts, littéraire et cinématographique.

« Un film est un champ de bataille : amour, haine, violence, action, mort — en un mot émotion », décrète Fuller dans *Pierrot le Fou.* Abrupte, chaotique, plus soucieuse de surprendre que de séduire, son œuvre reste, aujourd'hui comme hier, fort controversée. Comment cerner, comment « récupérer » cette force de la nature qui dirige son équipe à coups de revolver et conçoit en une journée plus de projets qu'il n'en pourra jamais réaliser ? Cet éternel « jeune homme en colère » qui dénonce l'hypocrisie et le conformisme dans des fables aussi déconcertantes qu'explosives ! Cet individualiste forcené que seuls passionnent les excès de personnages exceptionnels, mais n'en croit pas moins aux vertus pédagogiques de son art ! Ce pamphlétaire imprévisible qui pourfend les totalitarismes de droite ou de gauche avec la même véhémence, la même générosité de libéral à tout crin ! Ce journaliste « à sensation » qui dynamite les clichés de genres consacrés pour mieux dévoiler les pulsions inavouées de l'Amérique ! Ce moraliste paradoxal qui choisit pour figures du double jeu social mercenaires et prostituées, imposteurs et névropathes ! Cet anarchiste romantique qui célèbre la démesure ou l'infamie en convertissant chaque valeur en son contraire, l'amour en haine, la peur en courage, l'héroïsme en traîtrise ! Cet artificier baroque qui ne compose ses images qu'en termes de collision ou de conflagration, télescopant dans le même plan les signes les plus opposés, jusqu'à trouver dans l'asile d'aliénés de *Shock Corridor* la métaphore définitive de sa poétique ?

« Barbare » ? « Primitif » ? « Confusionniste » ? Cinéaste de la folie et du chaos, Fuller est aussi celui de l'inconfort et de la lucidité. N'a-t-il pas toujours rêvé d'installer une mitrailleuse derrière l'écran pour décharger quelques rafales authentiques sur les spectateurs

– et les rappeler ainsi à la réalité à laquelle ils espéraient échapper ? M.H.

Films ▲ : *J'ai tué Jesse James* (*I Shot Jesse James,* 1949) ; *The Baron of Arizona* (1950) ; *J'ai vécu l'enfer de Corée* (*The Steel Helmet,* id.) ; *Baïonnette au canon* (*Fixed Bayonets,* 1951) ; *Park Row* (1952) ; *le Port de la drogue* (*Pick up on South Street,* 1953) ; *le Démon des eaux troubles* (*Hell and High Water,* 1954) ; *Maison de bambou* (*House of Bamboo,* 1955) ; *le Jugement des flèches* (*Run of the Arrow,* 1957) ; *China Gate* (id.) ; *Quarante Tueurs* (*Forty Guns,* id.) ; *Ordres secrets aux espions nazis* (*Verboten !,* 1959) ; *The Crimson Kimono* (id.) ; *les Bas-Fonds new-yorkais* (*Underworld U. S. A., 1961*) ; *Les maraudeurs attaquent* (*Merrill's Marauders,* 1962) ; *Shock Corridor* (id., 1963) ; *Allô, Police spéciale* (*The Naked Kiss,* 1965) ; *Shark !* (1967-1969) ; *Un pigeon mort dans Beethoven Street* (*Dead Pigeon on Beethoven Street,* 1972) ; *Au-delà de la gloire* (*The Big Red One,* 1979) ; *Dressé pour tuer* (*White Dog,* 1982) ; *les Voleurs de la nuit/Thieves After Dark* (1984) ; *Sans espoir de retour* (1989).

FULL SHOT. Locution anglaise à peu près équivalente à *long shot.*

FU MANCHU. Inventé par le romancier anglais Sax Rohmer (1893-1959), héros de treize romans et d'un recueil de nouvelles, Fu Manchu est un méchant Chinois légendaire dont les aventures mêlent au genre policier le fantastique et la science-fiction. Il apparaît pour la première fois à l'écran sous les traits d'Harry Agar Lyons dans un serial anglais : *The Mystery of Dr. Fu Manchu* (A. E. Coleby, 1923 ; 15 épisodes). Aux États-Unis, Warner Oland reprend le rôle dans trois films : *The Mysterious Dr. Fu Manchu* (1929), *The Return of Dr. Fu Manchu* (1930), élégamment réalisés par Rowland V. Lee, et *Daughter of the Dragon* (Lloyd Corrigan, 1931). Boris Karloff campe le docteur avec majesté dans *le Masque d'or* (*The Mask of Fu Manchu,* Ch. Brabin, 1932), d'une fantaisie raffinée. Henry Brandon reprend le flambeau dans l'adaptation la plus fidèle : *Drums of Fu Manchu* (W. Witney et John English, 1940 ; 15 épisodes). Enfin, en Angleterre de nouveau, Christopher Lee ressuscite le criminel dans *le Masque de Fu Manchu* (D. Sharp, 1965). La nouvelle série, qui connaît un médiocre succès, est abandonnée après deux autres épisodes. A.G.

FUNÈS *(Louis Germain de Funès de Galarza,* dit *Louis de), acteur français (Courbevoie 1914 - Nantes 1983).* Avant de devenir dans les années 60 la vedette la plus populaire du cinéma français, il fait longtemps du music-hall, du cabaret ; comme acteur comique, il reste confiné dans les rôles secondaires de très nombreux films : il est dirigé dans *la Tentation de Barbizon,* son premier film en 1945, par Jean Stelli ; par Sacha Guitry, dans *la Poison* (1951), *Je l'ai été trois fois* (1953) et *la Vie d'un honnête homme* (id.) ; par Jean Loubignac dans *Ah ! les belles bacchantes* (1954) ou par Claude Autant-Lara, dans *la Traversée de Paris* (1956), où il explose dans le rôle de Jambier, le boucher trafiquant. Il a déjà tourné 112 films lorsque *Pouic-pouic* (Jean Girault, 1963) le propulse au sommet du box-office français. Cette soudaine popularité s'amplifie avec *le Gendarme de Saint-Tropez* (id., 1964) et surtout avec *le Corniaud* (1964) et *la Grande Vadrouille* (1966), deux films de Gérard Oury où il a comme partenaire Bourvil. Sa silhouette de petit homme irascible, ses mimiques forcées en grimaces, le jeu exaspéré qu'il avait travaillé sur les planches des cabarets assurent soudain son succès, en France et hors de France, auprès d'un public conquis à l'avance mais peu exigeant sur l'écriture des films auxquels il prête son talent comique : *Fantômas* (A. Hunebelle, 1964), *le Grand Restaurant* (Jacques Besnard, 1966) ; *les Grandes Vacances* (J. Girault, 1967), *Oscar* (É. Molinaro, *id.*), *Hibernatus* (id., 1969), *l'Avare* (J. Girault, 1980). On le verra ainsi animer la série des *Gendarmes* (6 films entre 1964 et 1982, dirigés par Jean Girault et régulièrement repris à la télévision), et porter à bout de bras des productions financièrement plus ambitieuses réalisées par Gérard Oury (*la Folie des grandeurs* en 1971 et *les Aventures de Rabbi Jacob* en 1973), puis par Claude Zidi (*l'Aile ou la Cuisse,* 1976 ; *la Zizanie,* 1978). J.-P.J.

FURIE (*Sidney J.*), *cinéaste canadien (Toronto, Ont., 1933).* Il commence sa carrière dans les studios de la télévision et tourne deux longs métrages : *A Dangerous Age* (1957), *A Cool Sound from Hell* (1958). Il s'installe à Londres en 1960, réalise notamment *The Young Ones* (1961), *The Leather Boys* (1963), *Ipcress, danger immédiat* (*The Ipcress File,* 1965). Le succès de ce film lui vaut plusieurs engagements aux

États-Unis, où il dirige Marlon Brando dans *l'Homme de la Sierra* (*The Appaloosa,* 1966), Frank Sinatra dans *Chantage au meurtre* (*The Naked Runner,* 1967) et Diana Ross dans *Lady Sings the Blues* (1972). Il continue une carrière sans surprise : *Gable and Lombard* (1976) ; *The Boys in Company C.* (1978) ; *Night of the Juggler* (1979) ; *l'Emprise (The Entity,* 1983) ; *Purple Hearts* (1984) ; *Aigle de fer* (*Iron Eagle,* 1985) ; *Superman IV* (*Superman IV - The Quest for Peace,* 1987) ; *Iron Eagle II* (1988) ; *The Taking of Beverly Hills* (1990) ; *Lady Bugs* (1992). R.L.

FURTHMAN *(Julius Grinnell Furthmann,* dit *Jules), scénariste et cinéaste américain (Chicago, Ill., 1888* - id. *1966).* Après des études universitaires, il tâte du journalisme et gagne Hollywood, où il signe ses premiers scénarios en 1915. Il écrit quantité de films, en particulier pour Henry King et Maurice Tourneur, et adopte dans les années qui suivent la Première Guerre mondiale le pseudonyme moins germanique de Stephen Fox (1918 à 1920). Après s'être essayé lui-même à la mise en scène (*The Land of Jazz,* 1920 ; *The Blushing Bride* et *Colorado Pluck,* 1921), il collabore étroitement avec Josef von Sternberg : *la Rafle* et *les Damnés de l'océan* (1928), *le Calvaire de Léna X* et *l'Assommeur* (1929), *Cœurs brûlés* (1930), *Shanghai-Express* et *Blonde Vénus* (1932), ainsi que *Les espions s'amusent* (1957 [RÉ 1950]), qu'il coproduit et dont il assure le montage final avec Howard Hughes. Il collabore aussi fructueusement avec Howard Hawks : *le Vandale* (1936), *Seuls les anges ont des ailes* (1939), *le Banni* (1950, achevé par Hughes [RÉ 1941]), *le Port de l'angoisse* (1944), *le Grand Sommeil* (1946), *Rio Bravo* (1959). La préoccupation pour les petites communautés traversées de tensions qui ressort de ces titres se retrouve dans les plus connus de ses nombreux autres films : *Hôtel Impérial* (M. Stiller, 1927), *la Malle de Singapour* (T. Garnett, 1935), *les Révoltés du Bounty* (F. Lloyd, *id.*), *le Charlatan* (E. Goulding, 1947) ou *Pékin-Express* (W. Dieterle, 1951), remake affadi de *Shanghai-Express.*

Son frère **Charles Furthman** (1884-1936) était aussi scénariste. J.-P.B.

FUSCO *(Giovanni), musicien italien (Sant'Agata dei Goti 1906 - Rome 1968).* Frère cadet du musicien Tarcisio Fusco, il fait ses études à l'Accademia di Santa Cecilia de Rome. Il débute au cinéma en composant la musique du documentaire patriotique *Il cammino degli eroi* (Corrado D'Errico, 1936). Après des films mineurs, il commence à collaborer avec Antonioni pour son court métrage *N. U.* (1948), et en 1950 crée la musique de son premier long métrage, *Chronique d'un amour.* Toute l'œuvre ultérieure d'Antonioni est parcourue et enrichie par les rythmes dépouillés et martelants de Fusco, qui avoue ne jamais utiliser pour lui l'orchestre mais seulement les instruments les plus essentiels. Il collabore avec Cottafavi pour deux mélodrames comme *Fille d'amour* (*Traviata '53,* 1953) et *Repris de justice* (1955), et avec Pierre Billon (*le Marchand de Venise,* 1952), Maselli (*Gli sbandati,* 1955 ; *les Indifférents,* 1964), les frères Taviani (*les Subversifs,* 1967), Mingozzi (*Michelangelo Antonioni, storia di un autore,* 1966), Damiani (*La maffia fait la loi,* 1968). Mais ses créations musicales essentielles sont celles des films d'Antonioni (*le Cri,* 1957 ; *l'Avventura,* 1960 ; *l'Éclipse,* 1962 ; *le Désert rouge,* 1964) et d'Alain Resnais (*Hiroshima mon amour,* 1959, avec G. Delerue ; *La guerre est finie,* 1966). Il est sans doute le musicien italien qui a le mieux introduit au cinéma les sonorités expérimentales de la musique contemporaine. Il a signé quelquefois sous le pseudonyme de John Wellman. L.C.

FUSIER-GIR *(Jeanne Fusier,* dite *Jeanne), actrice française (Paris 1892* - id. *1973).* Un Clouzot, un Becker, un Duvivier, un L'Herbier, un Guitry surtout ont su exploiter les dons comiques de cette artiste souvent inspirée dans l'exagération et poussant parfois la cocasserie jusqu'à une sorte d'hystérie. Vieille fille refoulée, bigote hypocrite, cuisinière exaltée, duchesse despotique, servante dévouée, bourgeoise prude, centenaire, elle a tout joué et fort bien chez les réalisateurs précités, sans oublier sa composition de libraire circonspecte et ironique provoquée par Albert Valentin dans *Marie-Martine* (1943). R.C.

FUSIL PHOTOGRAPHIQUE → INVENTION DU CINÉMA.

FUTURISME. Ce premier grand mouvement d'avant-garde lancé en Italie au début du siècle a moins apporté au cinéma des œuvres — il n'en reste plus — que des propositions, un état d'esprit, une vision du monde. La vision du monde apparaît de façon tonitruante dans le *Manifeste du futurisme* publié par Marinetti dans *le Figaro* du 20 février 1909. Exaltation du danger, de l'audace, de la nouveauté, de la vitesse, ce bréviaire de la modernité esthétise d'un coup le nouveau visage machiniste, électrique et urbain que l'industrialisation est en train de donner à l'Occident. Comment ne pas retrouver ce fétichisme industriel dans les symphonies de machines ou les symphonies de villes (*Berlin, Symphonie d'une grande ville,* W. Ruttmann, 1927 ; *l'Homme à la caméra,* D. Vertov, 1929, etc.) qui vont proliférer dans les années 20 ? Curieusement, comme Sadoul l'a remarqué, le futuriste qui influence le plus Vertov n'est pas un cinéaste mais un musicien, Russolo, l'auteur de *l'Art des bruits* (1913).

Il y eut pourtant des cinéastes futuristes. Non pas Bragaglia, qui n'est futuriste que dans ses photos, mais les frères Corradini – Arnaldo Ginna et Bruno Corra –, qui s'appliquent vers 1911 à créer une « musique chromatique » en peignant directement sur la pellicule. Les quatre rouleaux, les trois esquisses et les deux films – la plupart abstraits – qui en résultent sont aujourd'hui perdus. Même chose pour le film *Vita futurista,* réalisé par Ginna, qui paraît toutefois moins novateur que le manifeste qui l'accompagne en septembre 1916 : *La cinematografia futurista* propose non seulement une conception du cinéma comme « symphonie polyexpressive », un refus, qui annonce Vertov, des « drames, dramuscules et hyperdrames », mais des projets précis de films où il est possible de voir la prémonition de maints procédés et de maints types de films qui s'épanouiront ensuite dans l'histoire du cinéma expérimental.

L'apport direct des futuristes au cinéma ne va guère plus loin. Certes, Prampolini fait les décors de *Thaïs* (1916) de Bragaglia ; Russolo compose une musique bruitiste pour *la Marche des machines* de Deslaw ; des films comme *Velocità (Vitesse)* de Cordero, Martina et Oriani (1931) ou *La gazza ladra (la Pie voleuse)* de Corrado D'Errico (1935) ont pu être rattachés au mouvement ; Marinetti, qui remet à jour en 1938 avec Ginna le manifeste de 1916, émet dans plusieurs textes des propositions qui annoncent le « cinéma élargi ». C'est peu. L'essentiel est plutôt dans l'état d'esprit futuriste, dans cette témérité joyeuse, ne dédaignant pas la provocation (« se mouvoir violemment, de façon insolite, neuve », écrivent dès 1911 les frères Corradini), qui sera l'un des ressorts les plus constants du cinéma expérimental.

On considère habituellement comme futuriste *Drama v kabare futuristov no 13 (Drame au cabaret futuriste nº 13),* puisque réalisé par Kassianov avec le groupe « la Queue de l'âne » formé des peintres Larionov et Gontcharova et des poètes Maïakovski, Bourliouk et Cherchenevitch, tous futuristes, mais cette parodie de film policier témoigne moins de la présence futuriste en Russie que les textes de Maïakovski sur le cinéma ou que l'œuvre de Vertov.

D.N.

GAÁL *(István), cinéaste hongrois (Salgótárjan 1933).* Inscrit à l'École supérieure du cinéma de Budapest, il y réalise un court métrage remarqué (*Hommes d'équipe* [*Polyamunkasok*], 1957). Diplômé en 1959, il reçoit une bourse qui lui permet d'approfondir ses connaissances au Centro sperimentale de Rome. De retour en Hongrie, il fait partie des pionniers du Studio Béla Balázs – fondé en 1958 – et tourne plusieurs courts métrages documentaires comme opérateur (*Tziganes,* S. Sára, 1962) ou comme metteur en scène (*Aller-retour* [*Oda-vissza*], id ; *Tisza, croquis d'automne* [*Tisza*], id.) avant d'aborder avec succès le long métrage (*Remous* [*Sódrásban*], 1963). Dès lors, Gaál apparaît comme l'un des fleurons de la génération cinématographique « des années 60 ». Il signe successivement *les Vertes Années* (*Zöldar,* 1965), *Baptême* (*Keresztelö,* 1968) et s'impose à l'attention internationale avec deux films : *les Faucons* (*Magasiskola,* 1970) et *Paysage mort* (*Hólt videk,* 1972). Le premier est une parabole sur la perversion du pouvoir, le second une méditation pénétrante sur les dangers de l'ordre individualiste et l'incommunicabilité – aussi bien conjugale que sociale. Gaál se fait le porte-parole des jeunes Hongrois de l'après-guerre dont la maturation a été contrariée par une difficile intégration dans un ordre nouveau qui a imposé ses dogmes sans pour autant se préoccuper de renforcer la fraternité entre les hommes et les classes sociales. Les films de Gaál évoquent avec rigueur et une profonde honnêteté intellectuelle le choix difficile entre la vie citadine (et ses risques de déshumanisation) et la vie villageoise (et ses risques d'immobilisme), les épreuves liées à la solitude et au vieillissement, les écueils de l'âge adulte avec son train de compromissions et de petites lâchetés, thèmes qui hantent ses œuvres ultérieures : *Legato* (1977) et *Quarantaine* (*Cserepek,* 1981). En 1985, il signe une adaptation de l'opéra *Orphée et Eurydice (Orfeusz és Eurydiké).* István Gaál est resté fidèle au documentaire : *Chronique* (*Krónika,* 1968) ; *Dix Ans de Cuba* (*Tíz éves Kuba,* 1969) ; *Béla Bartók, musiques nocturnes* (*Bartók Béla : Az éjszaka zenéje,* 1970) ; *Images de la vie d'une ville* (1973-1975), *Notre héritage* (1975). Il a en outre réalisé pour la télévision : *l'Autre Rive* (*Vámhatár,* 1976), *Deux Trains par jour* (*Naponta két vonat,* id.), *les créatures de Dieu* (*Isten teremtményei,* 1986), *Peer Gynt* (1988), *la Nuit* (*Éjszaka,* 1989). ▲ J.-L.P.

GABIN *(Jean Gabin Alexis Moncorgé,* dit *Jean), acteur français (Paris 1904* - id. *1976).* Enfant de la balle (ses parents, Joseph Gabin et Hélène Petit, sont des vedettes de café-concert), il exerce divers métiers (cimentier, vendeur de journaux) avant d'embrasser, à partir de 1922, la carrière théâtrale. Il fait ses débuts comme figurant aux Folies-Bergère et au Vaudeville, puis effectue un tour de chant en province et apparaît dans une opérette aux Bouffes-Parisiens, où il chante et danse avec Mistinguett *la Java de Doudoune.* Ses autres partenaires sont Dranem, Lucien Baroux et le clown Dandy : avec ce dernier, il paraît pour la première fois à l'écran, dans deux sketches muets. Mais c'est avec le parlant qu'il va s'affirmer, dans des rôles de bon ou de mauvais garçon *(Paris-Béguin, Cœur de lilas),* poussant parfois la romance *(J'aime les grosses dames de 125 kilos,* dans *Méphisto),* puis fixant progressivement un personnage, plus rude, de cabochard au grand cœur, dans la lignée de George Bancroft et de Spencer Tracy. Charles Spaak, l'un de ses scénaristes, le décrit « à l'aise dans les bagarres, champion de tous ceux qui n'ont guère eu de chance et qui luttent pour des causes simples : la liberté, l'amour, l'amitié ». Plus qu'un acteur : un mythe. Plus vigoureux que Pierre Richard-Willm, plus sensible qu'Albert Préjean, ses rivaux dans ce registre, il a la chance de travailler avec les meilleurs cinéastes de l'époque, Renoir, Grémillon, Duvivier, Carné. Tour à tour légionnaire, truand, officier, déserteur, cheminot, ouvrier marqué par le destin, il figure, selon André Bazin, « le héros tragique par excellence du cinéma français d'avant-guerre », une sorte d'Œdipe roi en salopette, cristallisant tous les espoirs et les échecs de son temps. « Il suffit, écrit Jean Piverd, que cette silhouette de brute follement vraie traverse l'écran pour que soit créé un climat. Jean Gabin ne joue pas. Il existe. » Et Jean Renoir de préciser : « L'étendue des émotions que peut fournir Gabin est immense, tout son art est de n'en donner que l'essentiel. »

La guerre va bouleverser cette carrière prestigieuse. Après avoir triomphé dans *la Grande Illusion* et *la Bête humaine,* il gagne les États-Unis, en 1941, où il interprète deux films médiocres. Combattant des Forces françaises libres, il est de retour à Paris en 1946, mais ne retrouve pas de sitôt un rôle à sa mesure. Renonçant à tourner le film que Jacques Prévert et Marcel Carné avaient conçu pour lui, *les Portes de la nuit,* il s'égare dans la convention et le mélodrame *(Martin Roumagnac, Miroir),* revient au théâtre (*la Soif,* de Bernstein), va tenter sa chance en Italie *(Au-delà des grilles).* Dans ce que l'un de ses exégètes, Claude Gauteur, appelle sa « traversée du désert », une oasis : *le Plaisir,* de Max Ophuls, où il campe un paysan normand étonnant de naturel. Il retrouve la faveur du public en jouant le truand embourgeoisé de *Touchez pas au grisbi,* sous la direction de Jacques Becker, que suivent *French Cancan,* de Jean Renoir, et *la Traversée de Paris,* de Claude Autant-Lara. C'est le point de départ d'une seconde carrière : les tempes blanchies, la silhouette épaissie, il joue désormais les flics bonasses, les « présidents », les « pachas », voire les « vieux de la vieille », des rôles sur mesure que lui façonnent Michel Audiard ou Pascal Jardin et que dirigent (sans génie) Gilles Grangier, Denys de La Patellière ou Henri Verneuil. L'un de ses plus gros succès des années 60 sera *Mélodie en sous-sol,* où il a pour partenaire Alain Delon. Il se lance dans la production en fondant, avec Fernandel, la Gafer (de *Ga*bin et *Fer*nandel). Son chant du cygne sera *le Chat,* d'après Georges Simenon, où il est un pathétique retraité de banlieue muré dans son silence et sa haine de l'autre (Simone Signoret)... Ses dernières années, il les passe surtout dans sa ferme et son haras de Normandie. Un ultime film, de routine, clôt sa carrière en 1976 : *l'Année sainte.* Mais, derrière le vieil homme bougon, il est resté jusqu'à la fin celui dont Jacques Prévert a célébré « le regard toujours bleu et encore enfantin » :

Jean Gabin
acteur tragique de Paris
gentleman du cinéma élisabéthain
dans la périphérie du film quotidien. C.B.

Films ▲ : *Ohé ! les valises* et *les Lions* (sketches muets, auteur inconnu, 1928) ; *Chacun sa chance* (H. Steinhoff et René Pujol, 1930) ; *Méphisto* (Henri Debain et Nick Winter, 1931) ; *Paris-Béguin* (A. Genina, *id.*) ; *Tout ça ne vaut pas l'amour* (J. Tourneur, *id.*) ; *Cœurs joyeux* (Hanns Schwarz, *id.*) ; *Gloria* (Hans Behreudt et Yvan Noé, *id.*) ; *les Gaietés de l'escadron* (M. Tourneur, 1932) ; *Cœur de lilas* (A. Litvak, *id.*) ; *la Belle Marinière* (Harry Lachman, *id.*) ; *La foule hurle* (Raoul Daumery et H. Hawks, *id.*) ; *Pour un soir* (Jean Godard, 1933) ; *l'Étoile de Valencia* (S. de Poligny, *id.*) ; *Adieu les beaux jours* (Johannes Meyer, *id.*) ; *le Tunnel* (C. Bernhardt, *id.*) ; *Du haut en bas* (G. W. Pabst, *id.*) ; *Zouzou* (M. Allégret, 1934) ; *Maria Chapdelaine* (J. Duvivier, *id.*) ; *Variétés* (N. Farkas, 1935) ; *Golgotha* (Duvivier, *id.*) ; *la Bandera* (id., *id.*) ; *la Belle Équipe* (id., 1936) ; *les Bas-Fonds* (J. Renoir, 1937) ; *Pépé le Moko* (Duvivier, *id.*) ; *la Grande Illusion* (Renoir, *id.*) ; *le Messager* (R. Rouleau, *id.*) ; *Gueule d'amour* (J. Grémillon, *id.*) ; *Quai des brumes* (M. Carné,

1938) ; *la Bête humaine* (Renoir, *id.*) ; *le Récif de corail* (Maurice Gleize, 1939) ; *Le jour se lève* (Carné, *id.*) ; *Remorques* (Grémillon, 1940) ; *la Péniche de l'amour* (*Moontide* [A. Mayo], 1942) ; *l'Imposteur* (*The Impostor* [Duvivier], 1944) ; *Martin Roumagnac* (G. Lacombe, 1946) ; *Miroir* (Raymond Lamy, 1947) ; *Au-delà des grilles* (R. Clément, 1949) ; *Pour l'amour du ciel* (*È più facile che un cammello...* [L. Zampa], 1950) ; *la Marie du port* (Carné, *id.*) ; *Victor* (C. Heymann, 1951) ; *La nuit est mon royaume* (Lacombe, *id.*) ; *le Plaisir* (Max Ophuls, 1952) ; *la Vérité sur Bébé Donge* (H. Decoin, *id.*) ; *la Minute de vérité* (J. Delannoy, *id.*) ; *Leur dernière nuit* (Lacombe, 1953) ; *Fille dangereuse (Bufere* [G. Brignone], *id.) ; la Vierge du Rhin* (G. Grangier, *id.*) ; *Touchez pas au grisbi* (Jacques Becker, 1954) ; *l'Air de Paris* (Carné, *id.*) ; *Napoléon* (S. Guitry, 1955) ; *le Port du désir* (E. T. Gréville, *id.*) ; *French Cancan* (Renoir, *id.*) ; *Razzia sur la schnouff* (Decoin, *id.*) ; *Chiens perdus sans collier* (Delannoy, *id.*) ; *Gas-oil* (Grangier, *id.*) ; *Des gens sans importance* (H. Verneuil, 1956) ; *Voici le temps des assassins* (Duvivier, *id.*) ; *le Sang à la tête* (Grangier, *id.*) ; *la Traversée de Paris* (C. Autant-Lara, *id.*) ; *Crime et Châtiment* (G. Lampin, *id.*) ; *le Cas du docteur Laurent* (J.-P. Le Chanois, 1957) ; *Le rouge est mis* (Grangier, *id.*) ; *les Misérables* (Le Chanois, 1958) ; *Maigret tend un piège* (Delannoy, *id.*) ; *En cas de malheur* (Autant-Lara, *id.*) ; *le Désordre et la Nuit* (Grangier, *id.*) ; *les Grandes Familles* (D. de La Patellière, *id.*) ; *Archimède le clochard* (Grangier, 1959) ; *Maigret et l'affaire Saint-Fiacre* (Delannoy, *id.*) ; *Rue des prairies* (La Patellière, *id.*) ; *le Baron de l'Écluse* (Delannoy, 1960) ; *les Vieux de la vieille* (Grangier, *id.*) ; *le Président* (Verneuil, *id.*) ; *Le cave se rebiffe* (Grangier, 1961) ; *Un singe en hiver* (Verneuil, 1962) ; *le Gentleman d'Epsom* ou *les Grands Seigneurs* (Grangier, *id.*) ; *Mélodie en sous-sol* (Verneuil, 1963) ; *Maigret voit rouge* (Grangier, *id.*) ; *Monsieur* (Le Chanois, 1964) ; *l'Âge ingrat* (Grangier, *id.*) ; *le Tonnerre de Dieu* (La Patellière, 1965) ; *Du rififi à Paname* (id., 1966) ; *le Jardinier d'Argenteuil* (Le Chanois, *id.*) ; *le Soleil des voyous* (Delannoy, 1967) ; *le Pacha* (G. Lautner, 1968) ; *le Tatoué* (La Patellière, *id.*) ; *Sous le signe du taureau* (Grangier, 1969) ; *le Clan des Siciliens* (Verneuil, *id.*) ; *la Horse* (P. Granier-Deferre, 1970) ; *le Chat* (id., 1971) ; *Le drapeau noir flotte sur la marmite* (M. Audiard, *id.*) ; *le Tueur* (La Patellière, 1972) ; *l'Affaire Dominici* (C. Bernard-Aubert, 1973) ; *Deux Hommes dans la ville* (J. Giovanni, *id.*) ; *Verdict* (A. Cayatte, 1974) ; *l'Année sainte* (Jean Girault, 1976).

GABLE *(William Clark Gable,* dit *Clark), acteur américain (Cadiz, Ohio, 1901-Los Angeles, Ca., 1960).* Fils d'un paysan devenu extracteur de pétrole, il passa son adolescence à rêver de théâtre et à étudier en cachette, fuyant enfin à vingt ans avec une troupe itinérante. Il fut (entre autres) marchand de cravates et caricaturiste, avant de rencontrer une autre troupe dirigée par l'actrice Josephine Dillon, de quatorze ans son aînée, qui l'épousa et fit de lui un acteur. La troupe atteignit Hollywood, où Gable tint de très petits rôles dans des films de Lubitsch et de Stroheim. Mais cette expérience (1924-25) fut décevante. C'est seulement après d'autres tentatives théâtrales que Gable, grâce à Lionel Barrymore, « força les portes » de la MGM, non sans peine. Il serait resté confiné à des emplois de brute (on le trouvait laid) sans une série d'actrices (Joan Crawford notamment) qui ne partagèrent pas les préjugés du studio quant à son physique, et lui apprirent son métier. Il eut l'intelligence et l'acharnement de travailler à sa propre transformation, tournant de 1931 à 1939 dans près de quarante films, et s'imposant comme un séducteur tour à tour brutal et raffiné, au sourire irrésistible, cachant un cœur généreux sous l'écorce de l'aventurier. Ce personnage (limité par les standards de la MGM, où il fut sous contrat) correspondait certes à sa nature, y compris dans ses aspects les plus sympathiques : il n'eut guère que des amis à Hollywood. D'où, aussi, le « naturel » dont il fit preuve dans des emplois stéréotypés.

Le succès inattendu de *New York-Miami,* pour lequel il fut « loué » à la Columbia par Louis B. Mayer (qui croyait ainsi le discipliner !), prouva qu'il avait de l'humour et lui valut un Oscar. En 1938-39, Gable apparut comme au sommet de sa gloire. On le baptisa « le Roi », et son (troisième) mariage avec Carole Lombard enthousiasma les foules. Quand Selznick le loua à prix d'or pour *Autant en emporte le vent,* tout le monde (sauf lui-même, chose curieuse) pensa qu'il était le seul à pouvoir jouer Rhett Butler. (Si cette interprétation le statufia un peu, il faut dire aussi qu'elle demeure, en fin de compte, l'un des meilleurs éléments d'un film hétérogène.)

Brisé par le décès tragique de Carole Lombard (1942), Gable s'engage dans l'Air Force avec le grade de commandant. À son retour, il regagne Hollywood. Ses premiers films d'après-guerre sont des échecs ; plus tard, la MGM ne renouvelle pas son contrat (1954). Mais son prestige reste vivace, les techniciens l'aiment et le respectent. L'amitié de Wellman et surtout celle de Walsh lui valent des rôles excellents, dont l'un *(l'Esclave libre)* témoigne de la puissance intacte de son jeu. Ayant reconquis par son courage un titre que nul ne lui contestait, il meurt épuisé par ses dernières performances, avant de pouvoir lire les éloges que lui valurent *les Misfits :* il avait improvisé avec Marilyn Monroe les ultimes répliques du dialogue, écho d'un individualisme qu'il avait su imposer à Hollywood. G.L.

Films ▲ : *Paradis défendu* (E. Lubitsch, 1924, figur.) ; *la Veuve joyeuse* (E. von Stroheim, 1925, figur.) ; *le Désert rouge (The Painted Desert,* Howard Higgin, 1931) ; *Quand on est belle (The Easiest Way,* J. Conway, *id.) ; Dance Fools, Dance* (H. Beaumont, *id.*) ; *The Finger Points* (J. F. Dillon, *id.*) ; *Âmes libres* (C. Brown, *id.*), *Sporting Blood* (C. Brabin, *id.*) ; *Courtisane (Susan Lenox : Her Fall and Rise,* R. Z. Leonard, *id.) ; Fascination* (Brown, *id.*) ; *The Secret Six* (G. Hill, *id.*) ; *Laughing Sinners* (Beaumont, *id.*) ; *Night Nurse* (W. Wellman, *id.*) ; *Hell Divers* (Hill, *id.*) ; *la Belle de Saigon* (V. Fleming, 1932) ; *Polly of The Circus* (A. Santell, *id.*) ; *Strange Interlude* (Leonard, *id.*) ; *Un mauvais garçon (No Man of Her Own,* W. Ruggles, *id.) ; la Sœur blanche* (Fleming, 1933) ; *Dans tes bras (Hold Your Man,* S. Wood, *id.) ; Vol de nuit* (Brown, *id.*) ; *le Tourbillon de la danse (Dancing Lady,* Leonard, *id.) ; New York - Miami* (F. Capra, 1934) ; *les Hommes en blanc (Men in White,* R. Boleslawsky, *id.) ; Manhattan Melodrama* (W. S. Van Dyke, *id.*) ; *la Passagère* (Brown, *id.*) ; *Souvent femme varie (Forsaking All Others,* Van Dyke, *id.) ; Chronique mondaine (After Office Hours,* Leonard, 1935) ; *l'Appel de la forêt* (Wellman, *id.*) ; *les Révoltés du Bounty* (F. Lloyd, *id.*) ; *la Malle de Singapour* (T. Garnett, *id.*) ; *Sa femme et sa dactylo* (Brown, 1936) ; *San Francisco* (Van Dyke, *id.*) ; *Caïn et Mabel* (L. Bacon, *id.*) ; *Loufoque et compagnie* (Van Dyke, *id.*) ; *Un grand tribun (Parnell,* J. M. Stahl, 1937) ; *Saratoga* (Conway, *id.*) ; *Pilote d'essai (Test Pilot,* Fleming, 1938) ; *Un envoyé très spécial* (Conway, *id.*) ; *Autant en emporte le vent* (Fleming, 1939) ; *la Ronde des pantins* (Brown, *id.*) ; *le Cargo maudit* (F. Borzage, 1940) ; *la Fièvre du pétrole (Boom Town,* Conway, *id.) ; Comrade X* (K. Vidor, *id.*) ; *L'aventure commence à Bombay* (Brown, 1941) ; *Franc Jeu* (Conway, *id.*) ; *Je te retrouverai (Somewhere I'll Find You,* W. Ruggles, 1942) ; *l'Aventure (Adventure,* Fleming, 1946) ; *Marchands d'illusions (The Hucksters,* Conway, 1947) ; *le Retour (Homecoming,* M. LeRoy, 1948) ; *Tragique Décision (Command Decision,* Wood, *id.) ; Faites vos jeux (Any Number Can Play,* LeRoy, 1949) ; *la Clé sous la porte (Key to the City,* G. Sidney, 1950) ; *Pour plaire à sa belle* (Brown, *id.*) ; *Au-delà du Missouri* (Wellman, 1951) ; *Une vedette disparaît (Callaway Went Thataway,* N. Panama et M. Franck, caméo, *id.) ; l'Étoile du destin* (V. Sherman, 1952) ; *Ne me quitte jamais (Never Let Me Go,* D. Daves, 1953) ; *Mogambo* (J. Ford, *id.*) ; *Voyage au-delà des vivants (Betrayed,* G. Reinhardt, 1954) ; *le Rendez-vous de Hong Kong (Soldier of Fortune,* E. Dmytryk, 1955) ; *les Implacables* (R. Walsh, *id.*) ; *Un roi et quatre reines* (Walsh, 1957) ; *l'Esclave libre* (id., *id.*) ; *l'Odyssée du sous-marin Nerka* (R. Wise, 1958) ; *le Chouchou du professeur (Teacher's Pet,* G. Seaton, *id.) ; la Vie à belles dents (But Not For Me,* W. Lang, 1959) ; *C'est arrivé à Naples* (M. Shavelson, 1960) ; *les Misfits* (J. Huston, 1961).

GÁBOR *(Miklós), acteur hongrois (Zalaegerszeg 1919).* Acteur de théâtre de premier plan, il est apparu à l'écran dans quelques rôles notables : ceux qu'il tient dans *Quelque part en Europe* (G. Radvanyi, 1947), *Michou Magnat (Mágnás Miska,* Marton Keleti, 1949), *Printemps à Budapest* (F. Máriássy, 1955), *Alba Regia* (Mihaly Szemes, 1961), *Père* (I. Szabo, 1966) et *les Murs* (A. Kovács, 1967). J.-L.P.

GÁBOR *(Pal), cinéaste hongrois (Budapest 1932 - Rome, Italie, 1987).* Après des études de lettres et un bref passage dans l'enseignement, il suit les cours de l'École supérieure de théâtre et de cinéma. Diplômé metteur en scène en 1961, il s'intègre à la génération moyenne du cinéma hongrois et prend part à la fondation du studio Béla Balázs.

En plus d'un certain nombre de courts métrages et de téléfilms, il a réalisé six longs métrages. *Horizon,* en 1971, évoquait les difficultés d'un adolescent qui refusait la voie toute tracée que la société lui proposait. *L'Éducation de Vera,* son film le plus abouti, puis *Vies gâchées* peignent sans tendresse le dressage et la destruction des individus dans la Hongrie d'avant 1956. J.-P.J.

Films : *Territoire interdit* (*Tiltott terület,* 1969) ; *Horizon* (*Horizont,* 1971) ; *Voyage avec Jacques* (*Utazás Jakkabal,* 1972) ; *Épidémie* (*Járvány,* 1976) ; *l'Éducation de Vera* (*Angi Vera,* 1978) ; *Vies gâchées* (*Kettevalt Mennyezet,* 1982) ; *À bride abattue* (*Hosszú vágta,* 1983) ; *La mariée était merveilleuse* (*A menyasszony gyönyörü volt,* 1986).

GABOR *(Sari Gabor,* dite *Zsa Zsa), actrice américaine d'origine hongroise (Budapest, 1917).* Zsa Zsa Gabor est un phénomène, car elle a réussi à faire croire qu'elle était une star de cinéma en ne tournant pratiquement pas, ou, en général, dans des films médiocres. Après avoir mentionné son apparition décorative en Jane Avril dans *Moulin-Rouge* (J. Huston, 1953) et en reine du cirque dans *Lili* (Ch. Walters, *id.*), on a fait le tour de sa carrière, bien qu'elle continue, de temps à autre, à figurer par-ci par-là. C.V.

GABRILOVITCH *(Evgueni)* [*Evgenij Iosifovič Gabrilovič*], *scénariste soviétique (Voronej 1899 - Moscou 1993).* De formation juridique (Moscou), il est écrivain depuis 1921, membre du Centre littéraire des constructivistes (1924-1931), auteur de très nombreux articles et études sur le cinéma (en particulier sur les problèmes du scénario et l'adaptation) et scénariste depuis 1933. Il s'impose rapidement comme coauteur (en général avec le réalisateur) de scénarios empreints d'une grande sensibilité dans l'approche des caractères. Il travaille avec Iouli Raïzman pour *la Dernière Nuit* (1937), *Machenka* (1942), *la Leçon de la vie* (1955), *le Communiste* (1958), *Ton contemporain* (1967), *Une femme étrange* (1977), Mikhail Romm pour *le Rêve* (1943 ; RÉ 1941), *Matricule 217* (1945), *le Crime de la rue Dante* (1956), Vsevolod Poudovkine pour *la Moisson* (1953 ; co G. Nikolaeva), Sergueï Youtkevitch pour ses trois films sur Lénine : *Récits sur Lénine* (1957), *Lénine en Pologne* (1966), *Lénine à Paris* (1981), Mikhail Chveitzer pour *Résurrection* (1960 et 1962 ; deux parties). À la fin des années 60 et au cours des années 70, ce « vétéran » prend une part active au renouveau du cinéma national en proposant des scénarios d'un modernisme éclatant aux cinéastes de la « deuxième vague », dont Gleb Panfilov (*Pas de gué dans le feu,* 1967 ; *Débuts,* 1970) et Ilia Averbakh (*Monologue,* 1972 ; *Lettres d'autrui,* 1975 ; *la Déclaration d'amour,* 1978). M.M.

GABRIO *(Gabriel), acteur français (Reims 1888 - Paris 1946).* Il impose sa silhouette massive, son entêtement un peu borné et, en fin de compte, sa sensibilité voilée dans des films aussi divers et aussi marquants que *la Fête espagnole* (G. Dulac, 1920), *les Misérables* (H. Fescourt, 1925), *les Croix de bois* (R. Bernard, 1932), *Au nom de la loi* (M. Tourneur, *id.*), *Lucrèce Borgia* (A. Gance, 1935), *Pépé le Moko* (J. Duvivier, 1937), *Regain* (M. Pagnol, *id.*), *les Visiteurs du soir* (M. Carné, 1942). Sa dernière apparition, et non la moins émouvante, se situe dans *le Val d'enfer* (M. Tourneur, 1943). R.C.

GAD *(Urban), cinéaste danois (Skælsør 1879 - Copenhague 1947).* S'il n'est pas à proprement parler celui qui a « découvert » Asta Nielsen, il est sans aucun doute celui qui lui a donné son aura. Il tourne avec elle *l'Abîme* (*Afgrunden,* 1910) et *le Rêve noir* (*Den sorte drøm,* 1911), l'épouse en 1912, quitte son pays pour aller en Allemagne imposer sa vedette en signant de nombreux films, dont *la Danse de mort* (*Der Totentanz,* 1912), *Quand tombent les masques* (*Wenn die Maske fällt,* id.), *la Mort à Séville* (*Der Tod in Sevilla,* 1913), *la Suffragette* (*Die Suffragette,* id.), *la Bande de Zapata* (*Zapatas Bande,* 1914), *Roses blanches* (*Weissen Rosen,* 1915), *la Nuit éternelle* (*Die ewige Nacht,* 1916). Séparé d'Asta Nielsen, il réalise encore plusieurs films dans les studios berlinois avec Maria Widal ou Hella Moja comme têtes d'affiche, mais il comprend assez vite qu'il ne pourra jamais remplacer Asta Nielsen. Il cesse dès lors de construire ses films sur le seul éclat d'une *star,* travaille pour Saturna-Film, Terra-Film et Corona-Film (*Christian Wahnschaffe,* 1921, en deux épisodes ; *l'Île des disparus* [*Die Insel der Verschollenen*], id. ; *l'Assomption d'Hannele Mattern* [*Hanneles Himmelfahrt*], 1922), puis revient à Copenhague diriger Schenström et Madsen (Doublepatte et Patachon) dans *les Joyeux Lurons/la Roue de la fortune* (*Lykkehjulet,* 1926). Il gère ensuite dans la capitale danoise une salle de répertoire, le Grand Teater. J.-L.P.

GADE *(Sven[d]), cinéaste danois (Copenhague 1877 - Aarhus 1952).* Acteur de théâtre et décorateur, il travaille dans son pays natal puis en Allemagne, où il subit l'influence de Max Reinhardt. Il est surtout connu pour avoir dirigé en 1920 Asta Nielsen dans le rôle-titre d'*Hamlet* (non pas l'adaptation shakespearienne mais l'évocation d'une légende ancienne fondée sur l'étrange personnalité de la princesse Hamlet, qui pour des raisons politiques se fait passer pour un homme). En 1923, il part pour Hollywood, perd le *d* de son prénom, dessine pour Lubitsch les décors de *Rosita* (1923) et de *Three Women* (1924), puis dirige quelques films dont *Siège* (1925), *Watch Your Wife* (1926), *The Blonde Saint* (id.), *Into Her Kingdom* (id.). Il ne s'adapte pas au cinéma parlant, revient au Danemark, travaille essentiellement pour le théâtre mais réalise encore un film en 1938 : *Balletendanser.* J.-L.P.

GAEL *(Janine Blanlœil,* dite *Josseline), actrice française (Paris 1917).* Toute petite, on la voit sur les écrans muets ; à peine grandie, ses rôles s'étoffent et elle interprète avec justesse les jeunes filles en fleur (*Tout ça ne vaut pas l'amour,* J. Tourneur, 1931) ou la Cosette des *Misérables* (R. Bernard, 1934). Séduisante, elle met de l'esprit et du piquant dans des apparitions qui n'en comportent guère et se distingue dans *Monsieur Personne* (Christian-Jaque, 1936) ; *Un déjeuner de soleil* (M. Cravenne, dit « Cohen », 1937) ; *Remontons les Champs-Élysées* (S. Guitry, 1938) ; *la Main du diable* (M. Tourneur, 1943). Mariée avec Jules Berry, sa carrière est brisée net à la Libération en raison de ses graves imprudences pendant l'occupation allemande. R.C.

GAFFER. Équivalent anglais de *chef électricien.* (→ GÉNÉRIQUE.)

GAINSBOURG *(Lucien Ginzburg,* dit *Serge), musicien, chanteur, acteur et cinéaste français (Paris 1928* - id., 1991). Pianiste de bars à la mode dans les années 50, il devient musicien à succès avec la partition et les chansons agréablement légères du film *l'Eau à la bouche* (J. Doniol-Valcroze, 1960). Dès lors, il compose avec talent pour beaucoup d'autres, dont on ne peut guère sauver que *l'Horizon* (J. Rouffio, 1967), qui est pourtant un échec, ou *Paris n'existe pas* (R. Benayoun, 1969), qui en est un autre. Sa carrière d'acteur le mène de mauvais péplums en *Chemins de Katmandou* (A. Cayatte, 1969)... À la ville comme à l'écran, il cultive le physique ingrat et l'aspect hirsute et douteux de son personnage. En 1975, il tourne un premier long métrage curieux, *Je t'aime, moi non plus,* avec Jane Birkin (qui a partagé sa vie de 1969 à 1982), Joe Dallessandro et Gérard Depardieu, en 1983 : *Équateur,* au Congo, adaptation d'une nouvelle de Simenon, en 1986 : *Charlotte for Ever* qu'il tourne avec sa propre fille (et celle de Jane Birkin) Charlotte, et en 1990 : *Stan the Flasher.* C.M.C.

GALABRU *(Michel), acteur français (Safi, Maroc, 1924).* Il est passé par la Comédie-Française avant de débuter au cinéma, en 1951. Pendant plus de dix ans, il obtient des rôles secondaires dans de nombreux films, généralement de peu d'importance. Dans les années 60 et 70, il devient une des principales figures du cinéma comique français, grâce notamment à ses apparitions aux côtés de Louis de Funès dans la série tropézienne des *Gendarmes* (Jean Girault). Il tourne beaucoup, et n'importe quoi. En 1975, on peut le voir dans un film non comique, *Monsieur Balboss* (Jean Marbœuf), où il est remarquable. Peu après, le public le plus large peut apprécier une nouvelle facette de son talent dans *le Juge et l'Assassin* (B. Tavernier, 1976). Très populaire, il poursuit la même carrière inégale, où le meilleur côtoie le pire. La diminution de la production de comédies très populaires dans lesquelles il acceptait si facilement d'apparaître l'amène à se spécialiser dans deux directions : les films adaptés de classiques du théâtre (de *l'Avare* de Jean Girault, 1979, à *la Folle journée ou le Mariage de Figaro* de R. Coggio, 1988) et des rôles originaux, bizarres, inquiétants ou dramatiques : *l'Été meurtrier* (Jean Becker, 1982), *Réveillon chez Bob* (Denys Granier-Deferre, 1984), *Subway* (L. Besson, 1984), *Grand guignol* (J. Marbœuf, 1987). D.S.

GALĀL *(Aḥmad), acteur, cinéaste et producteur égyptien (1897-1947).* Son nom demeure associé à celui de l'actrice Azīza Amīr, et aux débuts du film égyptien : après avoir tenu un petit rôle dans *Layla* (Widāl Ūrfī, 1927) aux côtés de la vedette, il participe à la mise en scène de *'la Fille du Nil'* (*Bint al-Nil,* 1929). Acteur, il devient le partenaire de Assia Dāghir, actrice et productrice, et de Mary Qeeny. Après avoir repris des mains d'Ibrāhīm Lāmā la réalisation d'un mélodrame, *'Remords',* et fait la preuve de son efficacité, il tourne une douzaine de titres pour la Lotus Film, qu'il quitte, fondant la Galal Film avec Assia Dāghir, devenue son épouse. À partir des années 40, ayant renoncé lui-même à jouer, il dirige, pour sa compagnie, policiers, musicals ou films sentimentaux dont il est presque toujours le scénariste ou le coscénariste. Il meurt brusquement alors qu'il vient de faire construire ses propres studios. Excellent directeur d'acteurs, il a aussi formé à un métier de bons artisans, pour qui le film est d'abord, sinon tout entier, un spectacle populaire, des cinéastes comme Ḥasan al-Imām ou 'Aṭīf Sālim. Aḥmad Galāl était le frère de deux autres réalisateurs, Ḥusayn Fawzī et ' Abbās Kāmil. C.M.C.

Films : *'Remords' (Wakhz al-ḍamīr,* 1931 ; col. Lāmā) ; *'Des yeux ensorceleurs' (' Uyūn sāḥira,* 1933) ; *'Chagarat al-Durr'* (id., 1934) ; *'Banknote'* (id., 1935) ; *'la Fille du Pacha' (Bint al-Bāchā al-Mudīr,* 1937) ; *'Cherchez la femme' (Fattish 'an al-Marīa,* 1938) ; *'la Fille révoltée ' (Fatāh Mutamarrida,* 1939) ; *'Rabāb'* (id. 1942) ; *'Māgda'* (id., 1943) ; *'Retour de l'absent' ('Awda al-ghā'ib,* 1947).

GALEEN *(Henrik), scénariste et cinéaste allemand (Berlin 1882 - Rochester, Vt., 1949).* Il est d'abord acteur puis metteur en scène de théâtre et travaille avec Max Reinhardt au Deutsches Theater. Il écrit quelques scénarios pour le cinéma en collaboration avec Paul Wegener (avec lequel il codirige la première version du *Golem* [*Der Golem*] en 1914). Il s'impose comme un scénariste d'inspiration fantastique (2e version du *Golem,* P. Wegener et C. Boese, 1920 ; *Nosferatu le vampire,* F. W. Murnau, 1922 ; *le Cabinet des figures de cire,* P. Leni, 1924).

Il dirige deux films essentiels de l'âge d'or du cinéma allemand qui sont aussi le chant du cygne de l'expressionnisme : *l'Étudiant de Prague* (*Der Student von Prag,* 1926) et *la Mandragore* (*Alraune,* 1928). Après avoir écrit le scénario du film d'Harry Piel, *Sein Grösster Bluff* (id.), il part en Grande-Bretagne, tourne *After the Verdict* (1929) puis s'exile aux États-Unis à l'arrivée du nazisme. J.-L.P.

GALETS. Tambours, tournant librement, sur lesquels le film prend appui lorsque l'on construit son cheminement dans un projecteur.

GALETTE. Film enroulé de façon suffisamment serrée pour qu'il n'ait pas besoin d'être retenu par les flasques d'une bobine. (→ FILM.)

GALINDO *(Alejandro), cinéaste mexicain (Monterrey, Nuevo León, 1906).* Il débute en 1937 avec *Almas rebeldes* à la veille de l'expansion de l'industrie mexicaine, dont il est un des principaux artisans. Son deuxième film, *Refugiados en Madrid* (1938), est prorépublicain, mais confus ; le suivant, la même année, prend pour cadre les bas-fonds de la capitale *(Mientras México duerme).* Il montre vite son assimilation du langage hollywoodien, après un excès de virtuosité au départ (l'utilisation du plan-séquence dans *Tribunal de justicia,* 1943). Son originalité, toutefois, réside dans un souci réaliste exprimé à l'intérieur de la structure (obligée alors au Mexique) du mélodrame. *Campeón sin corona* (1945), biographie d'un champion de boxe, inaugure le genre urbain, avec de l'authenticité dans l'appréhension de la psychologie populaire. Il poursuit cette analyse des mentalités des faubourgs, sur un ton de chronique, dans *¡ Esquina, bajan !* (1948) et *Hay lugar para... dos* (id.), puis commence lui-même à abâtardir un genre bientôt aussi empreint de conventions que les autres (*Confidencias de un ruletero,* 1949). *Una familia de tantas* (1948) présentait la famille sous un angle moins conformiste que d'habitude sur les écrans mexicains : sa lente désagrégation sous les coups de la vie moderne entraîne l'agonie d'un patriarcat abusif. Galindo s'identifie aux personnages, exalte leur verve, préfère une mise en scène dépouillée au folklore et à la préciosité de ses contemporains. Cinéaste instinctif, on a dit de lui qu'il était le plus proche, au Mexique, d'un néoréalisme sentimental à la De Sica (J. Ayala Blanco). Ces qualités se retrouvent dans le regard qu'il porte sur la province (*El muchacho alegre,* 1947). Au cours d'une carrière prolifique et irrégulière, qui couvre plus de cinquante ans, on remarque encore *Doña Perfecta* (1950), d'après Pérez Galdós, et *Espaldas mojadas* (1953), sur les saisonniers mexicains aux États-Unis. Galindo cède ensuite aux poncifs des genres (la famille *Los Fernández de Peralvillo,* id.). Académique et conservateur, il finit par faire la leçon à la jeunesse (*La edad de la tentación,* 1958). Il a publié quelques essais sur le cinéma. P.A.P.

GALLAND *(Jean), acteur français (Laval 1887 - Paris 1967).* Acteur formé à l'école de Jacques Copeau, il a souffert d'être catalogué au cinéma parmi les espions et les traîtres qui peuplaient l'écran avant 1939. Après Fejos (*Fantomas,* 1932), Gréville (*Remous,* 1935 ; *Marchand d'amour,* id. ; *Menaces,* 1940) et Max Ophuls (*le Roman de Werther,* 1938) rendent hommage à son talent. Ce dernier l'emploie par ailleurs dans *le Plaisir* (où il joue « le masqué ») en 1952, puis dans *Madame de* (1953) et *Lola Montès* (1955). Dans ces trois films, il retrouve l'humour mordant dont il avait fait preuve dans le film de Jacques Becker, *Édouard et Caroline* (1951). R.C.

GALLONE *(Carmine), cinéaste italien (Taggia 1886 - Rome 1973).* Solide artisan du cinéma italien (on l'a parfois comparé à Cecil B. De Mille), Gallone, au long de sa carrière de près de cinquante ans, a exercé son métier dans les genres les plus divers avec une prédilection pour les films musicaux et les reconstitutions historiques. Il fait ses débuts dans la mise en scène en 1919 avec *Il bacio di Cirano* et entame une carrière italienne qui durera sans interruption jusqu'en 1927. Durant ces années, il dirige principalement Lyda Borelli (*La Donna nuda,* 1914 ; *Marcia nuziale,* 1915 ; *La Falena,* 1916 ; *Malombra,* id.) et sa propre épouse, Soava Gallone (*Senza colpa,* 1915 ; *Maman Poupée,* 1917 ; *Nemesis,* 1920 ; *I Volti dell'amore,* 1924 ; *La cavalcata ardente,* 1925). En 1926, il participe à la réalisation (Amleto Palermi ayant mis en scène la moitié du film) du dernier « colossal » italien, une œuvre démesurée, véritable champ du cygne de la cinématographie muette, *les Derniers Jours de Pompéi (Gli ultimi giorni di Pompei).* À la fin des années 20, la crise le conduit à aller travailler en Allemagne ; de là, il passe en Angleterre, puis en France, où il réalise trois films, *Un soir de rafle* (1931), *le Chant du marin* (id.), *Un fils d'Amérique* (1932). Après un nouveau séjour dans les studios allemands, Gallone rentre en Italie, où il devient rapidement un des piliers de la reprise cinématographique (16 films de 1935 à 1943). Dans cette abondante production, on peut relever des films musicaux (*Casta diva,* 1935 ; *Solo per te,* 1937, avec Beniamino Gigli ; *Giuseppe Verdi,* 1938 ; *Il sogno di Butterfly,* 1939 ; *Melodie eterne,* 1940), des adaptations de textes célèbres (*Manon Lescaut,* 1940 ; *Oltre l'amore,* id., d'après Stendhal ; *les Deux Orphelines* [*Le due orfanelle*], 1942 ; *Tristi amori,* 1943, d'après Giuseppe Giacosa), des films de propagande (*Scipion l'Africain* [*Scipione l'Africano*], 1937 ; *Odessa in fiamme,* 1942 ; *Knock-out* [*Harlem*], 1943). *Scipion l'Africain,* son film le plus célèbre, est une reconstitution historique dont les moyens n'ont pas été comptés mais qui n'évite pas le piège de la boursouflure. Après la guerre, Gallone réalise encore une vingtaine de films dans les genres les plus divers. Il signe des films musicaux : *Rigoletto* (1947) ; *la Traviata* (*la Signora dalle camelie,* 1948) ; *le Trouvère* (*Il Trovatore,* 1949) ; *la Forza del destino* (1950) ; *Puccini* (1953) ; *Duel en Sicile* (*Cavalleria rusticana,* id.) ; *la Maison du souvenir* (*Casa Ricordi,* 1954, le meilleur film de cette série) ; *À toi... toujours* (*Casta diva,* 1955) ; *Madame Butterfly* (id.) ; *Tosca* (1956). Il tourne des péplums : *Messaline* (*Messalina,* 1951) ; *Carthage en flammes* (*Cartagine in fiamme,* 1959). On lui doit des films d'aventures, tel *Michel Strogoff* (*Michele Strogoff,* 1956), et des comédies : *la Grande Bagarre de Don Camillo* (*Don Camillo e l'onorevole Peppone,* 1955) ; *Don Camillo Monseigneur* (*Don Camillo monsignore... ma non troppo,* 1961). Dans une carrière bien remplie, Gallone n'a que rarement dépassé le niveau moyen de la production la plus commerciale ; son éclectisme lui a permis de s'adapter à tous les genres et à toutes les époques. J.-A.G.

GALLONE *(Stanislawa Winawerówna, dite Soava), actrice italienne d'origine polonaise (Varsovie 1880 - Rome 1957).* Appartenant à une famille aristocratique, elle séjourne d'abord en France avant de s'installer en Italie, en 1911, où son beau visage aux yeux bleu-vert encadré par de magnifiques cheveux capte l'attention des spectateurs qui se pressent pour la voir jouer au théâtre. En 1914, elle fait ses débuts au cinéma et devient rapidement une des divas les plus appréciées du public. Elle épouse Carmine Gallone, qui la dirige dans la grande majorité de ses nombreux films (*Avatar,* 1915 ; *La chiamavano Cosetta,* 1916 ; *La storia di un peccato,* 1917 ; *Maman poupée,* 1918 ; *Il bacio di Cirano,* 1919 ; *La cavalcata ardente,* 1925 ; *Celle qui domine,* 1927, en langue française). Elle tourne aussi sous la direction de Palermi (*Madre,* 1916) et de Genina (*La peccatrice senza peccato,* 1922). Elle cesse de travailler avec l'arrivée du parlant pour suivre son mari dans ses déplacements et se consacrer à sa famille. J.-A.G.

GAMĪL *(Sanā), actrice égyptienne (Manṣurah [?], v. 1927).* Issue du Conservatoire du Caire, aujourd'hui sociétaire du Théâtre national, sa carrière cinématographique débute assez tard sans jamais l'inciter à abandonner les planches. Indéniablement une très grande actrice, dont la sobriété, l'intensité, le don d'émouvoir sans sensiblerie ni pathétique outré sont exceptionnels. On la voit s'essayer à l'écran sous la direction d'un 'Aṭīf Sālim : *'J'ai détruit mon foyer' (Hadamtu bayti,* 1947), *'les Amours du millionnaire'* (*Gharamu al-millyunir,* 1957, avec Kamal ash-Shinnawi) et *'Rendez-vous avec l'inconnu'* (*Maw'id ma'a al-maghul,* 1959, aux côtés d'Omar Sharif). Mais ce n'est que l'année suivante que Sanā Gamīl trouve un rôle à la mesure de son talent, celui de la sœur sacrifiée de *Mort parmi les vivants/le Commencement et la fin* (S. Abū Sayf, 1960). Elle domine magnifiquement l'éclatant mélodrame : la lente dissolution de la famille, l'abnégation qu'elle mène jusqu'à la perte de son « honneur » pour aider ses frères, l'un qui finit malfrat, l'autre qu'elle adore avant de le découvrir dans sa lâcheté et toute sa triste ambition (Sharif). Elle aura encore deux beaux rôles : dans *l'Aube d'un jour nouveau* (Y. Chāhīn, 1964) et dans *la Seconde Épouse* (Abū Sayf, 1967), puis deux prestations dans des films qui ne sont pas dépourvus d'intérêt : *'l'Impossible'* (Ḥ. Kamāl, 1964) et *'l'Inconnu'* (Ashraf Fahmi, 1982). Mais elle n'a pas obtenu à l'écran la place qu'elle était en droit d'espérer, que son métier, sa beauté expressive lui eussent assurée dans un registre, de surcroît, très ouvert. C.M.C.

GAMMA. Autre désignation du *facteur de contraste.* (→ CONTRASTE.)

GANCE *(Abel), cinéaste français (Paris 1889* - id. *1981).* Pionnier du cinéma français avec Louis Delluc et Marcel L'Herbier, il disparut longtemps après ses compagnons, auréolé d'une gloire trop ancienne, laissant peu de films à la hauteur de ses ambitions : *la Roue* (1923 ; RÉ : 1921) et *Napoléon* (1927). Si la virulence des critiques à son égard s'atténua avec le temps (les quelques distinctions honorifiques qu'il reçut ne lui furent décernées qu'à la fin de sa vie), c'est parce qu'il ne réalisa plus de nouvelles œuvres, privé de moyens par les producteurs méfiants. « J'ai droit aux interviews, aux hommages, jamais aux commandes », déclara-t-il.

De ses études secondaires, Abel Gance conserve une attirance particulière pour la littérature et le théâtre. Dès 1908, il joue, à Paris, à Bruxelles ; il écrit deux tragédies, dont *la Victoire de Samothrace ;* il est Molière jeune dans un film de Léonce Perret. « Ce goût pour une littérature passablement décadente lui fait écrire un livre de poèmes, *Un doigt sur le clavier,* l'amène à composer des scénarii jusqu'au jour où on lui demanda de les réaliser lui-même. » (Charensol, in *Panorama du Cinéma,* 1930.) Gance peut laisser déborder son imagination ; il écrit, réalise : *la Digue* (1911), *le Nègre blanc* (1912), *Il y a des pieds au plafond* (id.), *le Masque d'horreur* (id.), *Un drame au château d'Acre* (1915). Mais Gance veut aller plus loin, explorer la technique pour le plaisir du spectateur et pour le sien. Il réalise *la Folie du docteur Tube* (1915), riche en essais et trucages. Et malgré l'échec de ce film, il signera une dizaine d'autres films les années suivantes, dont un *Barberousse* à épisodes (1917) fort apprécié du public. Gance va apporter son concours à l'effort de guerre en réalisant des films de propagande dont certains ne sont pas dénués d'intérêt. Ainsi, après *l'Héroïsme de Paddy* (1915), *Strass et Cie* (id.), *les Gaz mortels* (1916), il réalise *la Zone de la mort* (1917), qui attire l'attention de la critique, accroît la méfiance de certains producteurs (Gance n'est-il pas l'inventeur du gros plan ?), mais conforte la confiance d'autres, dont Charles Pathé. C'est à partir de 1917 qu'il tourne ses premiers grands films : *Mater Dolorosa* (1917), *la Dixième Symphonie* (1918), le célèbre *J'accuse* (1919), plaidoyer contre une guerre qui le marque profondément, et *la Roue* (1921-1923), dans lequel « le monde des locomotives, des rails, des disques contraste avec un monde de neige, de sommets, de solitude : une symphonie blanche succédant à une symphonie noire » (A. Gance).

Déjà, les critiques vont souligner l'ambivalence des œuvres de Gance, où le meilleur côtoie toujours le pire : grandiloquence et lyrisme, mais aussi emphase et symbolisme primaire, imagination et créativité puissantes dont il use souvent avec abus, « abondance de richesses neuves et de pauvretés banales et de mauvais goût » (L. Moussinac). Ainsi est

Gance : contradictoire et ambitieux, visant toujours plus haut, souvent trop, convaincu de son génie, déçu du manque de conviction de ses interlocuteurs.

Mais sa foi en lui et dans les possibilités du cinéma le conduit à inventer des outils nouveaux quand la technique est défaillante : surimpression, polyvision, prachiscope, polytipar, pictoscope, pictographe, pour lesquels il recevra le prix international de l'Invention en 1954. En 1926, Gance achève la réalisation de *Napoléon Bonaparte.* Étonnante rencontre de l'Empereur et du cinéaste (qui incarne Saint-Just). À ses techniciens et acteurs, Gance proclame : « Il va vous permettre d'entrer dans le temple des arts par la gigantesque porte de l'histoire. » Grandiose et lyrique, riche en procédés nouveaux, *Napoléon* est considéré comme le chef-d'œuvre de Gance qui le sonorisera en 1934, et le modifiera en 1971. Mais c'est l'historien anglais Kevin Brownlow qui parviendra à en reconstituer une version quasi intégrale à laquelle New York (1981) puis Londres et Rome (1982), et enfin Paris (1983) feront un triomphe.

La Fin du monde (1931), dans lequel il se réserve le rôle principal, décevra beaucoup. Et, parmi les nombreux films qui suivront, seuls *Un grand amour de Beethoven* (1937) et *le Paradis perdu* (1940) se distingueront quelque peu. Ni *la Tour de Nesle* (tourné en 1954 « non pour vivre, mais pour ne pas mourir »), ni le médiocre *Austerlitz* (1960), ni même sa première réalisation de télévision, *Marie Tudor,* ne brilleront de l'éclat gancien.

Premier lauréat du Grand Prix national du cinéma en 1974, Abel Gance reçut également un César d'honneur en 1980. Mais il ne put jamais mener à terme ses projets, faute de moyens. De lui, Moussinac écrivit après *J'accuse* qu'il fallait l'accepter ou le rejeter en bloc. Ce choix lui aura été fatal. Parmi ses écrits, on peut notamment retenir : *Le temps de l'image est venu* (1926), *Prisme* (1930). P.C.

Films ▲ : *la Digue* (1911) ; *le Nègre blanc* (1912) ; *Il y a des pieds au plafond* (id.) ; *le Masque d'horreur* (id.) ; *Un drame au château d'Acre* (1915) ; *la Folie du docteur Tube* (id.) ; *la Fleur des ruines* (id.) ; *l'Énigme de dix heures* (id.) ; *l'Héroïsme de Paddy* (id.) ; *Strass et Cie* (id.) ; *les Gaz mortels* (1916) ; *le Fou de la falaise* (id.) ; *Fioritures* (id.) ; *Ce que les flots racontent* (id.) ; *le Périscope* (id.) ; *le Droit à la vie* (id.) ; *Barberousse* (1917) ; *la Zone de la mort* (id.) ; *Mater Dolorosa* (id.) ; *la Dixième Symphonie* (1918) ; *J'accuse* (1919) ; *la Roue* (1923 ; RÉ 1921) ; *Au secours* (1924) ; *Napoléon* (1927 ; RÉ 1925) ; *Marines et Cristaux* (CM1928) ; *la Fin du monde* (1931) ; *Mater Dolorosa* (remake, 1932) ; *le Maître de forge* (1933 ; co Fernand Rivers) ; *la Dame aux camélias* (1934, *id.*) ; *Poliche* (id.) ; *le Roman d'un jeune homme pauvre* (1935) ; *Napoléon Bonaparte* (id., version modifiée et sonorisée de *Napoléon*) ; *Jérôme Perreau* (id.) ; *Lucrèce Borgia* (id.) ; *Un grand amour de Beethoven* (1936) ; *le Voleur de femmes* (1938) ; *J'accuse* (remake, *id.*) ; *Louise* (1939) ; *le Paradis perdu* (1940) ; *la Vénus aveugle* (1943 [RE 1940]) ; *le Capitaine Fracasse* (id.) ; *Quatorze-Juillet* (CM, 1953) ; *la Tour de Nesle* (1955) ; *Magirama* (série de CM, 1956 ; co Nelly Kaplan) ; *Austerlitz* (1960) ; *Cyrano et d'Artagnan* (1963) ; *Marie Tudor* (TV, 1966) ; *Bonaparte et la Révolution* (nouveau montage, 1971 puis 1983).

GANDA *(Oumarou), cinéaste nigérien (? 1934 - Niamey 1981).* Engagé à seize ans, il fait la guerre avec les troupes françaises au Viêt-nam (1951-1956). De retour en Afrique, il rencontre Jean Rouch, qui lui demande de jouer le rôle central de *Moi, un Noir* (1959). Assistant réalisateur au Centre culturel français de Niamey avec Serge Moati, il réalise et interprète *Cabascabo* sur son expérience coloniale et les aléas du retour au pays (1968), puis, en couleurs, *le Wazzou polygame,* satire pleine d'humour dont le titre devrait être en fait « le Wazzou (la morale) du polygame ». Ces deux moyens métrages sont suivis de *Satan (Saïtane),* long métrage qui s'attaque aux malversations des marabouts, abusant de la crédulité du monde. Son dernier film, *l'Exilé* (1980), est une fable sur la parole et la mort. C.M.C.

GANGULY *(Dhirendranath,* dit *Dhiren), cinéaste indien (Calcutta, Bengale, 1893 - id. 1978).* De famille aristocratique, il étudie à l'université de Calcutta puis à Śāntiniketan, avec Tagore. D'abord photographe, il fonde avec trois associés la Indo British Film Company (1918) puis tourne et interprète *Retour d'Angleterre* (*England Returned/Bilet Pherat,* 1921), satire d'un certain snobisme indien. Il fonde ensuite à Hyderabad la Lotus Film Company et réalise, entre 1922 et 1927, dix films, surtout des comédies, dont *la Femme professeur* (*The Lady Teacher,* 1922). Il fonde encore à Calcutta la British Dominion Film Company (1929), dont le premier titre est *Flammes de chair* (*Kamaner Aagun,* 1928), écrit par Debaki Bose, suivi par neuf autres films. Il rejoint pour un temps la New Theatres Ltd, y dirige des comédies et travaille encore pour la East India dans les années 30. En dehors de son talent pour la comédie, sa contribution au cinéma est d'avoir donné un statut social et artistique à une profession alors très décriée. H.M.

GANZ *(Bruno), acteur allemand d'origine helvétique (Zurich 1941).* Découvert au théâtre chez Peter Zadek et chez Peter Stein, il joue dans le premier film de ce dernier, *les Estivants* (*Sommergäste,* 1975), puis dans le film tourné par Éric Rohmer avec la troupe de la Schaubühne, *la Marquise d'O* (1976). Son premier rôle important pour le cinéma date toutefois d'un film peu connu, *Der sanfte Lauf* (Haro Senft, 1967). Il tourne en 1976 dans *le Canard sauvage* de Hans W. Geissendörfer et dans *l'Ami américain* de Wim Wenders. L'année suivante, il est le protagoniste de *la Femme gauchère (Die Linkshändige Frau)* de Peter Handke, puis interprète *le Couteau dans la tête* de Reinhard Hauff, derniers titres qui vont le faire connaître d'un plus large public. À partir de *Nosferatu, fantôme de la nuit* (W. Herzog, 1979), sa carrière devient européenne et on le voit dans *5 de risque* de Jean Pourtalé (1980) et *Une femme italienne (Oggetti Smarritti)* de Giuseppe Bertolucci *(id.),* suivis notamment de *la Provinciale* (C. Goretta, 1981), *le Faussaire* (V. Schlöndorff, *id.*), *Dans la ville blanche* (A. Tanner, 1983), et *la Main dans l'ombre* (R. Thome, id.). En 1982, il a réalisé avec Otto Sander *Mémoire (Gedächtnis)* un film sur les vieux acteurs Curt Bois et Bernhard Minetti. Désireux de consacrer plus de temps au théâtre, il répond moins souvent aux sollicitations du cinéma, tournant en Suisse *le Pendule* (Bernhard Giger, 1986) et *Bankomatt* (Villi Hermann, 1989), interprétant le rôle principal des *Ailes du désir* de Wim Wenders (1987), puis interprétant en Nouvelle-Zélande *Te Rua* (Barry Barclay, 1990). On le voit ensuite dans *Succès* (*Erfolg,* Franz Seitz, d'après Feuchtwanger, 1991), *Prague* (Ian Sellar, 1992), *The Last Days of chez nous* (G. Armstrong, *id.*), *l'Absence* (P. Handke, *id.*), *Brandnacht* (Markus Fischer, *id.*), *Si loin si proche* (W. Wenders, 1993), *Heller Tag* (André Nitzche, 1994). D.S.

GARAT *(Henri Garascu,* dit *Henri), acteur français (Paris 1902 - Hyères 1959).* Il est le « jeune premier » par excellence du cinéma français des années 30, après avoir débuté au music-hall (en 1918), fait un peu de comédie et du tour de chant, où il avait été remarqué — et séduit — par Mistinguett. Il tourne un premier film en 1930 : la version française des *Deux Mondes* de Ewald André Dupont. Le succès lui vient avec *le Chemin du paradis* (W. Thiele, 1930) et *Le congrès s'amuse* (E. Charell, *id.*), deux opérettes filmées où il pousse la romance, remplaçant dans les versions françaises l'Allemand Willy Fritsch. Sa popularité va s'amplifier, au fil de bandes pourtant médiocres (*Il est charmant,* L. Mercanton, 1932 ; *Un rêve blond,* Paul Martin, *id. ; Un mauvais garçon,* Jean Boyer, 1936, etc.), jusqu'à en faire une véritable idole des foules : les femmes embrassent les pneus de sa voiture ; il s'offre yacht et avion, épouse une princesse russe, gaspille des millions vite amassés. Parmi ses « conquêtes » : Florelle, Jane Marnac, Lilian Harvey... Une série d'échecs tout aussi imprévisibles que ses réussites, la drogue, la prison précipitèrent sa chute. Elle fut rude. Après plusieurs mariages manqués, sa fortune dilapidée, il se retrouve (comme Méliès !) propriétaire d'un magasin de jouets (à l'enseigne du « Chemin du paradis » !). Un comeback pitoyable, organisé par de vieux amis dans un cabaret des Champs-Élysées, mit un peu de baume sur ses plaies. Quand il mourut, il était paralysé des deux jambes. Il fut enterré dans son légendaire smoking blanc... De la trentaine de films qu'il a tournés, un seul peut-être est à sauver : *On a volé un homme,* de Max Ophuls (1934, avec Lili Damita). C.B.

GARBO *(Greta Lovisa Gustafsson,* dite *Greta), actrice américaine d'origine suédoise (Stockholm 1905 - New York 1990).* Naturalisée américaine en 1951, elle est, avec Chaplin sans doute, la personnalité la plus universellement célèbre du cinéma. « Garbo » demeure l'archétype absolu de cet étonnant phénomène sociologique que fut *la star,* si exactement définie par André Malraux : une star est « une personne dont le visage exprime, symbolise, incarne un instinct collectif », « une femme capable de faire naître un grand nombre de scénarios convergents... comme les créateurs de mythes inventèrent l'un après l'autre les travaux d'Hercule ». Sa beauté fut légendaire (on vérifia sur ses traits le nombre d'or) et sa « mythologie », issue de ses films, alimentée tant par la publicité des studios, les rêves des admirateurs, les fables des journalistes, que par le soin farouche qu'elle mit à tenir secrète sa vie privée, fit d'elle aussi une figure de légende, un symbole vivant : « Sphinge du nord », « Divine », « Femme fantôme », « Mademoiselle Hamlet ». Son éloignement volontaire des écrans, à trente-six ans, en pleine lumière, a préservé jusqu'à nous l'aura magique de son personnage. Magie d'autant moins contestable que, trois fois sur quatre, elle transfigure des scénarios, et parfois des mises en scène, qui sans Garbo seraient au bord de l'inepte.

Troisième enfant d'une famille pauvre (le père est journalier, la mère coud pour les gens), Greta Gustafsson est orpheline à quatorze ans. Elle quitte l'école, se met au travail. D'abord assistante de barbiers-coiffeurs, elle est bientôt vendeuse au rayon des chapeaux de dames dans les grands magasins PUB de Stockholm. Promue « modèle », elle présente les chapeaux sur le catalogue de la maison puis intervient dans le film publicitaire que son patron a commandé à la firme Ragnar Ring. Encore un film publicitaire de Ring pour une Coopérative de consommateurs puis un petit rôle dans une comédie burlesque, *Peter le vagabond* (1922). Elle prépare alors le concours d'entrée à l'Académie royale d'art dramatique. Elle y est admise et, après deux semestres d'études sous la direction de Gustav Molander, Mauritz Stiller lui confie le rôle de la comtesse italienne Élisabeth Dohna dans *la Légende de Gösta Berling* (1924). Le cinéaste s'éprend d'elle. Il prophétise solennellement qu'elle deviendra une grande actrice internationale si elle lui obéit en tout, et, effectivement, il la modèlera comme Pygmalion sa Galathée. Fascinée, Greta Gustafsson rebaptisée Garbo lui abandonne son destin. Le film est un succès, spécialement en Allemagne, pour Garbo, superbe, qui révèle déjà cette mélancolie lointaine, ce romantisme distant qui la caractériseront toujours. À Berlin, Stiller négocie avec la Trianon la réalisation de *l'Odalisque de Smolna* qui doit être tourné sur le Bosphore. Malgré le voyage à Istanbul, le film ne se fait pas. Stiller, désargenté, endetté auprès de la Svensk Filmindustrie, « loue » sa vedette à Georg Wilhelm Pabst pour *la Rue sans joie.* Il lui fait travailler toutes ses scènes mais n'a pas accès au plateau. Pabst pose sur la beauté de Garbo comme un voile funèbre, donne à sa pureté menacée un air de somnambulisme. Pour effacer les effets du trac, d'une trop grande mobilité du visage qui en rendent la photographie difficile, Guido Seeber, l'opérateur, filme ses gros plans au ralenti, expédient technique qui ne va pas sans retentir sur le style futur de l'actrice. De passage à Berlin en 1925, Louis Mayer engage Stiller pour le compte de la MGM et aussi, sans conviction, seulement parce que ce dernier l'exige, Greta Garbo. À Hollywood, première déception : Garbo tourne son premier film sans Stiller, *le Torrent* (1926), mélodrame flamboyant adapté de Blasco Ibañez (mais, cette fois encore, Stiller la prépare et la dirige « clandestinement », hors du studio). Le film plaît et rapporte. La deuxième interprétation, *la Tentatrice* (1926), encore d'après Ibañez, répète presque le premier. La Metro commence à croire en l'étoile de Garbo, laquelle exige que le film soit confié à Stiller. Mais, au bout de dix jours difficiles, ce dernier, qui ne s'adapte pas aux méthodes d'Hollywood, est remplacé par Fred Niblo. C'est dans *la Tentatrice* que Garbo apparaît plus radieusement charnelle qu'elle ne le sera jamais. La Metro semble avoir très tôt arrêté sa politique vis-à-vis de sa vedette. D'abord l'exotisme, et, puisqu'elle vient du Nord, on l'affrontera, comme Stiller déjà dans *la Légende,* au charme latin. Elle est blonde et espagnole dans *le Torrent.* Brune et parisienne dans *la Tentatrice,* elle y torture les cœurs dans un ranch argentin. Ensuite, elle sera, chronologiquement, russe dans une *Anna Karenine* actualisée (la révolution soviétique n'a pas eu lieu !), comtesse hongroise *(la Chair et le Diable),* espionne russe *(la Belle Ténébreuse),* parisienne encore *(la Femme divine)* puis lyonnaise *(le Baiser),* américaine pour finir. Cet exotisme s'avère un parfait révélateur de la personnalité et des moyens de l'actrice. Et, comme pour s'assurer qu'aucune facette de son talent ne sera oubliée, la MGM diversifie ses metteurs en scène : 24 films, quinze réalisateurs différents. Privilégié, Clarence Brown la dirigera sept fois. Rentré en Suède malade et aigri, Stiller meurt en novembre 1928, laissant Garbo désemparée. Elle s'enferme dans l'anonymat et la solitude. La Metro redoute que le sonore ne soit fatal à l'actrice, star du muet. Elle met les bouchées doubles : quatre films en 1929. Mais *Anna Christie* (1930) impose aussi « la voix de contralto profond » de Garbo. Le réalisme poétique du film ne contredit pas le mythe, il le nourrit de pouvoirs nouveaux. La légende peut flamber de plus belle. Une féconde compétition commence bientôt entre la MGM et la Paramount, Greta Garbo et Marlene Dietrich, Gilbert Adrian et Travis Banton, leurs costumiers respectifs. Entre *la Courtisane* (1931) et *Blonde Vénus* (J. von Sternberg, 1932), *Mata-Hari* (1931) et *X 27* (Von Sternberg, *id.*), *l'Inspiratrice* (1931) et *Cantique d'amour* (R. Mamoulian, 1933), *Romance* (1930) et *la Femme et le Pantin* (Von Sternberg, 1935), *la Reine Christine* (1933) et *l'Impératrice rouge* (Von Sternberg, 1934), *le Voile des illusions* (1934) et *le Jardin d'Allah* (R. Boleslawsky, 1936) s'engage un passionnant jeu d'échos, de correspondances et de symétries. Dans ses premiers rôles américains (muets), Garbo incarne une « mauvaise femme », vamp que le destin châtie à la fin, encore que, dès *la Chair et le Diable,* la fatalité de l'amour lui soit une circonstance atténuante. Aussi bien les studios, hésitants, tournent-ils deux fins, une tragique et une heureuse, pour *la Tentatrice* et *Anna Karenine.* Puis c'est de l'égoïsme masculin et du puritanisme dominant que Garbo devient la victime trop aimante, amoureuse perdue par l'amour. De là, la dimension authentiquement féministe de ses films (qui s'annonce parfois dès le titre, tel *A Woman of Affairs*). Pour finir, et c'est la plus haute période, son impossibilité d'être aimée se révèle impossibilité de vivre, nostalgie de l'absolu, une sorte d'exil au sein de la condition humaine. À partir de 1939, le phénomène parareligieux du « divisme » décline. Bientôt la guerre privera Hollywood du marché européen sur lequel les films de Garbo font l'essentiel de leurs recettes. L'« Étrangère » doit être convertie en Américaine, l'étoile inaccessible ramenée sur la terre commune. Ernst Lubitsch trouve en elle une merveilleuse actrice comique pour *Ninotchka,* comédie ouvertement antisoviétique, pleine de sel. « Garbo rit », affiche la publicité. Ce n'était pas si nouveau mais cette fois elle fait rire, désinvolte, élégante et suprêmement digne. Deux années encore, et son « humanisation » est accomplie. Dans *la Femme aux deux visages,* dont l'humour s'essouffle vite, elle incarne « la femme américaine type », gaie, sportive, conquérante épanouie. On l'y voit en costumes succincts et dessous transparents. Le mythe agonise : pour ramener à elle son mari, l'ex-star doit se dédoubler en sa sœur jumelle plus séduisante qu'elle ! Garbo se plie mal à l'entreprise, persuadée qu'il s'agit d'« un complot pour la couler ». Adrian (son costumier habituel), révolté, quitte la MGM. Le film n'a guère de succès ; il soulève en revanche l'indignation de la National Legion of Decency, qui l'accuse d'immoralité. Garbo décide d'abandonner l'écran, « jusqu'à la fin de la guerre », disent certains. Mais elle n'y reviendra plus, scellant ainsi sa légende dans la jeunesse et la beauté. B.A.

Films ▲ : Stockholm : *Herr och Fru Stockholm* (Ragnar Ring, 1921) ; *Konsumtionsföreningen Stockholm Med Omnejd* (Ragnar Ring, 1922) ; *Peter le vagabond (Luffar-Petter,* Erik A. Petschler, *id.) ; la Légende de Gösta Berling* (M. Stiller, 1924). Berlin : *la Rue sans joie* (G. W. Pabst, 1925). Hollywood : *le Torrent* (M. Bell, 1926) ; *la Tentatrice* (Stiller et F. Niblo, *id.*) ; *Anna Karenine* (E. Goulding, 1927) ; *la Chair et le Diable* (C. Brown, *id.*) ; *la Belle Ténébreuse* (Niblo, 1928) ; *la Femme divine* (V. Sjöström, *id.*) ; *Intrigues* (C. Brown, *id.*) ; *Terre de volupté* (*Wild Orchids* [S. Franklin], 1929) ; *le Droit d'aimer* (J. S. Robertson, *id.*) ; *le Baiser* (J. Feyder, *id.*) ; *Un homme* (J. Cruze, *id. ;* caméo), *Anna Christie* (C. Brown, 1930) ; *Romance* (id., *id.*) ; *la Courtisane* (*Susan Lenox : Her Fall and Rise,* R. Z. Leonard, 1931), *l'Inspiratrice* (Brown, *id.*) ; *Grand Hôtel* (Goulding, 1932) ; *Mata-Hari* (G. Fitzmaurice, *id.*) ; *Comme tu me veux (As You Desire Me,* G. Fitzmaurice, *id.) ; la Reine Christine* (R. Mamoulian, 1933) ; *le Voile des illusions* (R. Boleslawski, 1934) ; *Anna Karenine* (Brown, 1935) ; *le Roman de Marguerite Gautier* (G. Cukor, 1937) ; *Marie Walewska* (Brown, *id.*) ; *Ninotchka* (E. Lubitsch, 1939) ; *la Femme aux deux visages* (Cukor, 1941).

GARBUGLIA *(Mario), décorateur italien (Fontespina, Marche, 1927).* Il fait des études d'architecture et suit les cours du Centro sperimentale de Rome. Le théoricien hongrois Balázs l'y fait débuter comme assistant décorateur dans le film italien de Geza Radványi, *Donne senza nome.* En 1952, il crée les décors réalistes et poétiques des *Fiancées de Rome* (*Le ragazze* *di Piazza di Spagna,* L. Emmer). Il travaille ensuite avec le grand décorateur Mario Chiari pour beaucoup de films spectaculaires et pour plusieurs mises en scène théâtrales de Visconti. Depuis *Rocco et ses frères* (1960), il conçoit tout seul les décors viscontiens, justement loués pour leur richesse de détails et pour leur beauté : *le Travail* (épisode de *Boccace 70,* 1962) ; *le Guépard* (1963) ; *Sandra* (1965) ; *l'Étranger* (1967) ; *Violence et Passion* (1975) ; *l'Innocent* (1976). Il a collaboré aussi avec Charles Vidor (*l'Adieu aux armes,* 1957), Mario Monicelli (*la Grande Guerre,* 1959 ; *les Camarades,* 1963), Marco Ferreri (*le Mari de la femme à barbe,* 1964), Mauro Bolognini (*le Bel Antonio,* 1960, *la Dame aux camélias,* 1981), Serguei Bondartchouk (*Waterloo,* 1970), Édouard Molinaro (*la Cage aux folles,* 1978), Paul Morissey (*le Neveu de Beethoven,* 1985), Peter Del Monte (*Julia et Julia,* 1987), Nikita Mikhalkov (*les Yeux noirs,* 1988). L.C.

GARCI *(José Luis), cinéaste espagnol (Madrid 1944).* Après avoir débuté comme scénariste, il remporte d'emblée l'adhésion du public avec la comédie *Asignatura pendiente* (1977), bientôt suivie par *Solos en la madrugada* (1978) et *Las verdls praderas* (1979). Il sait exprimer le mélange de perplexité et de désenchantement que connaissent les Espagnols après Franco, teinté d'une certaine nostalgie ambiguë. *El crack* (1980), doublé de *El crack II* (1983), donne à Alfredo Landa un beau rôle de privé. Entre-temps, *Volver a empezar* (1982) revient à son premier registre sentimental et obtient l'Oscar à Hollywood. Il signe encore *Sesión continua* (1984), *Asignatura aprobada* (1987) et *Canción de cuna* (1994). P.A.P.

GARCIA *(Nicole), actrice française (Oran [auj. Wahrān, Algérie], 1946).* Premier prix de comédie moderne au Conservatoire en 1969, elle se produit sur les planches avec Jean-Pierre Bisson, Jean-Pierre Miquel et Roger Planchon. Au cinéma, à partir de 1975, elle incarne des héroïnes au pastel, qui, sans hausser le ton, se frayent leur chemin. Douce blondeur et caractère. Principaux rôles : *Que la fête commence* (B. Tavernier, 1975) ; *Duelle* (J. Rivette, 1976) ; *la Question* (Laurent Heynemann, 1977) ; *Un papillon sur l'épaule* (J. Deray, 1978) ; *le Cavaleur* (Ph. de Broca, 1979) ; *Mon oncle d'Amérique* (A. Resnais, 1980) ; *les Uns et les Autres* (C. Lelouch, 1981) ; *l'Honneur d'un capitaine* (P. Schoendoerffer, 1982) ; *Stella* (Heynemann, 1983) ; *les Mots pour le dire* (José Pinheiro, 1983) ; *Garçon !* (C. Sautet, 1983) ; *Partenaires* (C. D'Anna, 1984) ; *Péril en la demeure* (M. Deville, 1985) ; *le Quatrième Pouvoir* (Serge Leroy, *id.*) ; *l'État de grâce* (J. Rouffio, 1986) ; *la Lumière du lac* (Francesca Comencini, 1988) ; *Outremer* (Brigitte Roüan, 1990) ; *Aux petits bonheurs* (M. Deville, 1993). En 1990, elle passe avec brio à la mise en scène avec *Un week-end sur deux,* suivi en 1994 par *le Fils préféré.* M.B.

GARCÍA ESPINOSA *(Julio), cinéaste cubain (La Havane 1926).* Formé au Centro sperimentale de Rome, il aborde le constat social avec *El Mégano* (co T. Gutiérrez Alea, 1955), interdit sous Batista. Communiste, il détient des responsabilités dans le domaine du cinéma après la victoire de Fidel Castro et contribue à la création de l'Institut cubain de l'art et de l'industrie cinématographiques (ICAIC). Après quelques documentaires, il tourne deux longs métrages de fiction, aux scénarios desquels collabore Zavattini : *Cuba baila* (1960) est une satire de la petite bourgeoisie sous l'ancien régime et une exaltation de la créativité populaire ; *El joven rebelde* (1961) retrace l'itinéraire d'un jeune paysan qui adhère instinctivement à la guérilla. Nettement plus inventif, *Las aventuras de Juan Quinquin* (1967) manie avec ironie les ressorts du film d'aventures, avec un « héros » tour à tour guérillero et torero, sacristain et directeur de cirque, dans la tradition picaresque. Il réalise ensuite un essai sur le Viêt-nam, film militant, et destiné aux militants (*Tercer mundo, tercera guerra mundial,* 1970, en collaboration avec Miguel Torres) ; il réussit à y concilier émotion et didactisme, et théorise alors un « cinéma imparfait », qui surmonterait la dichotomie entre art élitaire et art de masses. Des responsabilités politiques grandissantes (il est nommé vice-ministre à la Culture) ne l'empêchent pas de collaborer à plusieurs scénarios et de superviser certaines œuvres (*la Bataille du Chili,* P. Guzmán, 1975-1979). Il célèbre l'amitié soviéto-cubaine dans *La sexta parte del mundo* (1977) et réalise en 1980 *Son... o no son.* Après avoir présidé l'ICAIC (1982-1992), il cherche toujours à concilier l'expérimentation et la quête d'un cinéma populaire : *La inútil muerte de mi socio Manolo* (1989), *El plano* (1993), *Reina y Rey* (1994). P.A.P.

GARCÍA MÁRQUEZ *(Gabriel), écrivain colombien (Aracataca 1928).* L'auteur de *Cent ans de solitude* débute dans le journalisme et écrit à l'occasion des comptes-rendus de films. Le néoréalisme lui semble une voie à suivre : *Miracle à Milan* (V. De Sica, 1951), n'est-ce pas du « réalisme magique » avant la lettre ? En tout cas, avec l'écrivain Alvaro Cepeda Samudio et d'autres amis de Barranquilla, il participe au tournage de *La langosta azul* (1954), un court métrage insolite. Il rêve de créer une école de cinéma en Colombie. Au Mexique, avant la consécration, il travaille comme scénariste (*El gallo de oro,* R. Gavaldón, 1964 ; *Tiempo de morir,* A. Ripstein, 1965). Ensuite, il ne cesse de fournir des arguments et d'inspirer des adaptations : *Presagio* (L. Alcoriza, 1974), *la Veuve Montiel* (M. Littín, 1979), *María de mi corazón* (J. H. Hermosillo, 1981), *Eréndira* (R. Guerra, 1983), sans oublier *Tiempo de morir* (Jorge Alí Triana, 1985) et *Chronique d'une mort annoncée* (F. Rosi, 1987), tournés en Colombie. À Cuba, il assume la présidence de la Fondation du nouveau cinéma latino-américain (1986) et anime des ateliers d'écriture à l'École internationale de cinéma et télévision de San Antonio de los Baños (pour laquelle il s'est battu), sans toujours faire la part des différences entre récit littéraire et récit filmique. Il suscite six films coproduits par la télévision espagnole (*les Amours difficiles*), mis en scène par le Cubain Gutiérrez Alea, le Brésilien Guerra, le Mexicain Hermosillo, le Colombien Lisandro Duque (1988), le Vénézuélien Olegario Barrera, l'Espagnol Jaime Chávarri, sans compter *Un señor muy viejo con unas alas enormes* (F. Birri, *id.*). Pareille boulimie semble destinée à exorciser un de ces amours contrariés dont son œuvre regorge. P.A.P.

GARCÍA SÁNCHEZ *(José Luis), cinéaste espagnol (Salamanque 1941).* Il fait ses classes comme assistant et scénariste, notamment auprès de Saura, Gutiérrez Aragón et Patino. Il débute avec *El love feroz* (1972), mais sa première réussite est *Las truchas* (1977), une comédie truculente. C'est d'ailleurs à Rafael Azcona, un connaisseur, qu'il fait appel pour porter à l'écran *La corte de Faraón* (1983), une zarzuela un tantinet paillarde, ainsi que *Tirano Banderas* (1993), le portrait du dictateur tropical brossé par Valle-Inclán, le maître du « esperpento ». Du même écrivain, il avait déjà adapté *Divinas palabras* (1987), trop académique. Il signe également *Hay que deshacer la casa* (1986), *Pasodoble* (1988), *El vuelo de la Paloma* (1989), *La noche más larga* (1991). P.A.P.

GARCIN *(Anton Albers,* dit *Henri), acteur français d'origine hollandaise (Anvers 1929).* Il arrive à Paris en 1949 et suit rapidement des cours chez René Simon. Puis il se produit dans un cabaret avant de connaître un certain succès au théâtre. Il débute au cinéma en 1964 (*les Amoureux du France,* Pierre Grimblat et F. Reichenbach). Parallèlement à son activité théâtrale, le cinéma lui offre des rôles qui s'étoffent peu à peu. Après le succès de *la Vie de château* (J.-P. Rappeneau, 1966), il tourne régulièrement de nombreux films dont : *Un condé* (1970), *Dupont Lajoie* (1975), *le Juge Fayard dit « le Shérif »* (1977), de Yves Boisset, *Détruire, dit-elle* (M. Duras, 1969), *les Guichets du Louvre* (M. Mitrani, 1974), *Plus ça va moins ça va* (Michel Vianey, 1977). F.LAB.

GARDEL *(Charles Romuald Gardés,* dit *Carlos), chanteur et acteur argentin (Toulouse, France, 1887 - Medellín, Colombie, 1935).* Le principal interprète du tango est à l'apogée de sa réputation internationale lors de l'avènement du parlant. À Buenos Aires, il enregistre une dizaine de courtes bandes, sous la direction d'Eduardo Morera (1929-30). À Joinville, il tourne son premier grand rôle : *Luces de Buenos Aires* (Adelqui Millar, 1931). Puis il apparaît dans une série de films pour Paramount, d'abord en France (*Espérame,* L. Gasnier, 1932 ; *La casa es seria,* Jacquelux, *id.* ; *Melodía de arrabal,* Gasnier, *id.*), ensuite aux États-Unis (*Cuesta abajo,* Gasnier, 1934 ; *El tango en Broadway, id.,* 1935 ; *El día que me quieras* et *Tango Bar,* John Reinhardt, *id.*). Après l'abandon des « versions espagnoles » et des films hispanophones par les studios hollywoodiens, il aurait pu grâce au tango s'intégrer au cinéma argentin, alors en pleine expansion. Mais une mort accidentelle met fin à sa carrière, tandis que naît sa légende, toujours vivace. P.A.P.

GARDINE *(Vladimir) [Vladimir Rostislavovič Gardin], cinéaste russe et soviétique (Moscou 1877 - Leningrad 1965).* Acteur de théâtre dès 1898, il fait partie de la troupe de Komissarjevski en 1904. Il commence en 1912 à diriger des films dont certains restent parmi les plus renommés de la période prérévolutionnaire, notamment ses adaptations de Tolstoï, *la Sonate à Kreutzer* (*Krejcerovu sonatu,* 1914), *Anna Karenine* (*Anna Karenina,* id.), *Guerre et Paix* (*Vojnu i mir,* 1915 ; co J. Protazanov), d'Ibsen : *les Revenants* (*Prividenija,* 1914), Tourgueniev : *Une nichée de gentilshommes* (*Dvorjanskoe gnezdo,* 1915), Andreev : *la Pensée* (*Mysl',* 1916). Il est aussi l'auteur des *Clefs du bonheur* (*Ključi sčast'ja,* 1913 ; co J. Protazanov), des *Exploits du cosaque Kosma Krioutchkov* (*Podvig kazaka Kuz ' my Krjučkova,* 1914), des *Millions de Privalov* (*Privaloskie milliony,* 1915). Après la révolution, il fonde la première École d'État de cinéma à Moscou (1919) et devient l'un des premiers réalisateurs « engagés » en signant *le Talon de fer* (*Železnaja pjata,* 1919), *Faim... faim... faim* (*Golod... golod... golod,* 1921), *la Faucille et le Marteau* (*Serp i molot,* id.), *Un spectre hante l'Europe* (*Prizrak brodit po Evrope,* 1922), *le Serrurier et le Chancelier* (*Slezar'i kancler,* 1923), l'*Ataman Khmel* (*Ataman Hmel',* id.), *la Croix et le Mauser* (*Krest i mauzer,* 1925), *le Poète et le Tsar* (*Poet i car ',* 1927). Après 1929 (*la Chanson du printemps* [*Pesnija vesny*]), il quitte la mise en scène et redevient acteur, une activité qu'il n'avait jamais abandonnée (y compris sous sa propre direction). On le voit dans *les Âmes mortes* (*Mertvaja duša,* V. Feïnberg, 1930), *Contre-plan* (F. Ermler et S. Youtkevitch, 1932), *les Paysans* (F. Ermler, 1935), *Mission secrète* (M. Romm, 1950). J.-L.P.

GARDNER *(Ava), actrice américaine (Smith Field, N. C., 1922 - Londres 1990).* Ava Gardner est très belle, terriblement humaine et vulnérable. C'est ce mélange de beauté sculpturale et de faillibilité qui l'a rendue si apte à jouer les déesses chancelantes et les mythes vacillants. Elle est d'autant plus belle que sur son visage se lisent les incertitudes, les égarements et le besoin de tendresse. Persuadée elle-même, à tort, de ses piètres possibilités d'actrice, Ava Gardner, pour notre joie, a rarement été au cinéma autre chose qu'elle-même. Elle ne compose pas de personnage, elle ne l'émaille pas de ces détails où l'on devine le métier d'une actrice. Elle est une créature cinématographique dont la présence sur un écran suffit à faire rêver.

Ce trait était déjà sensible au début de sa carrière quand, cinq ans après être arrivée à Hollywood et ayant rempli dûment ses obligations de starlette, elle apparut enfin telle qu'en elle-même dans *les Tueurs* (R. Siodmak, 1946) : il y avait déjà dans cette femme fatale, typique du film noir, la suggestion de quelque désespoir caché. Dans un film médiocre (*Singapour,* J. Brahm, 1948), ou dans d'autres meilleurs mais qui ne prenaient nullement la peine de l'intégrer à l'intrigue et d'étoffer son personnage, elle affirmait royalement sa présence (*Marchands d'illusions,* J. Conway, 1947 ; *Passion fatale,* Siodmak, 1949). Elle laissait déjà entendre que « le plus bel animal du monde » était une femme extrêmement vulnérable. À partir du moment où elle s'est vu attribuer des rôles plus consistants, et partant des cinéastes propres à la comprendre, elle n'a eu de cesse de prouver qu'elle savait jouer. Et elle est, beaucoup plus qu'on ne l'a dit, une bonne comédienne. Il suffit de voir *Mogambo* (J. Ford, 1953) pour s'en convaincre : sa manière de jouer d'un dialogue rapide, la douce modulation de ses émotions, sa manière de tenir tête à Clark Gable, tout cela dénote un indiscutable tempérament sur lequel Ava Gardner aura l'occasion de s'appuyer plus tard dans sa carrière, notamment dans sa belle composition de *la Nuit de l'iguane* (J. Huston, 1964).

Quand elle entrait dans un personnage et dans une situation auxquels elle pouvait s'identifier, elle avait plus que du tempérament, une sorte de grâce, au-delà du métier. Dans *Show Boat* (G. Sidney, 1951), son personnage, pourtant moins développé que celui de Kathryn Grayson, reste à l'esprit. Sa dernière apparition, détruite par l'alcool et par les hommes, le visage nu, mais plus belle que jamais dans ce dépouillement, laissait présager ce que sa carrière devait avoir de meilleur. Sa grande chance, celle qui fait d'Ava Gardner une de ces femmes cinématographiques d'exception, comme Louise Brooks ou Marilyn Monroe, est d'avoir rencontré deux cinéastes esthètes et intelligents qui ont compris qu'il fallait non pas la glisser à l'intérieur d'un film qui lui était étranger, mais construire un film autour d'elle. Albert Lewin, dans *Pandora* (1951), rendait crédible ce qu'aucune autre actrice n'aurait pu faire vivre. Au-delà des spéculations les plus folles, elle était un mythe : femme de rêve, mais aussi de chair et de sang, pour qui les hommes mouraient, mais qui meurt à son tour pour un homme.

Irisée d'or, de bleu nuit et de vieux rose, elle était quelque chose que le cinéma ne connaissait plus depuis Greta Garbo ou Louise Brooks. Et, en 1954, le miracle se reproduisit dans *la Comtesse aux pieds nus* (J.-L. Mankiewicz) : Ava Gardner y jouait un rôle qui, profondément, était le sien, celui d'une déesse de cinéma aux exigences de femme et au cœur de fillette. Ce fut une création inoubliable, qui ne devait rien au métier ou à la composition traditionnelle d'une actrice. La réussite tenait ici de l'inspiration ou de la divination. Bien sûr, Ava Gardner eut du mal à trouver des rôles d'une telle valeur. Elle dut donc se résigner à apparaître, sculpturale, lointaine, et secrètement blessée, dans des films simplement honorables comme *Le soleil se lève aussi* (H. King, 1957) ou *les 55 Jours de Pékin* (N. Ray, 1963). Heureusement, elle eut encore un rôle qui, pour n'être pas mythique, fut l'un de ses plus beaux : la métisse de *la Croisée des destins* (G. Cukor, 1956), personnage intense, déchiré et tragique, auquel elle prêtait noblesse et sensibilité. C.V.

Films ▲ : *We Were Dancing* (R. Z. Leonard, 1942) ; *Joe Smith American* (R. Thorpe, *id.*) ; *Sunday Punch* (D. Miller, *id.*) ; *This Time For Keeps* (Charles Riesner, *id.*) ; *Calling Dr. Gillespie* (H. Bucquet, *id.*) ; *Kid Glove Killer* (F. Zinnemann, *id.*) ; *Reunion in France* (J. Dassin, *id.*) ; *Pilot No. 5* (G. Sidney, 1943) ; *Hitler's Madman* (D. Sirk, *id.*) ; *Ghosts on the Loose* (W. Beaudine, *id.*) ; *La Du Barry était une dame* (R. Del Ruth, *id.*) ; *Young Ideas* (Dassin, *id.*) ; *l'Ange perdu (Lost Angel,* R. Rowland, *id.)* ; *Swing Fever* (T. Whelan, 1944) ; *Music For Millions* (H. Koster, *id.*) ; *Trois Hommes en blanc (Three Men in White,* Willis Goldbeck, *id.)* ; *Blonde Fever* (Richard Whorf, *id.*) ; *Maisie Goes to Reno* (H. Beaumont, *id.*) ; *Deux Jeunes Filles et Un Marin (Two Girls and a Sailor,* Thorpe, *id.)* ; *She Went to the Races* (Goldbeck, 1945) ; *Tragique Rendez-Vous* (L. Moguy, 1946) ; *les Tueurs (The Killers,* R. Siodmak, *id.)* ; *Marchands d'illusions* (*The Hucksters,* J. Conway, 1947) ; *Singapour* (J. Brahm, 1948) ; *Un caprice de Vénus (One Touch of Venus,* W. A. Seiter, *id.)* ; *l'Île au complot* (*The Bribe,* Leonard, 1949) ; *Passion fatale (The Great Sinner,* Siodmak, *id.)* ; *Ville haute ville basse (East Side West Side,* M. LeRoy, *id.)* ; *Mon passé défendu* (*My Forbidden Past,* R. Stevenson, 1951) ; *Show Boat* (id., G. Sidney, *id.*) ; *Pandora* (A. Lewin, *id.*) ; *l'Étoile du destin* (V. Sherman, 1952) ; *les Neiges du Kilimandjaro* (H. King, *id.*) ; *Vaquero* (J. Farrow, 1953) ; *Tous en scène* (caméo, V. Minnelli, *id.*) ; *Mogambo* (Ford, *id.*) ; *les Chevaliers de la Table ronde* (*Knights of the Round Table,* Thorpe, 1954) ; *la Comtesse aux pieds nus* (Mankiewicz, *id.*) ; *la Croisée des destins* (G. Cukor, 1956) ; *la Petite Hutte* (*The Little Hut,* Mark Robson, 1957) ; *Le soleil se lève aussi* (King, *id.*) ; *la Maja nue* (Koster, 1959) ; *le Dernier Rivage* (S. Kramer, *id.*) ; *l'Ange pourpre* (N. Johnson, 1960) ; *les 55 Jours de Pékin* (N. Ray, 1963) ; *Sept Jours en mai* (J. Frankenheimer, 1964) ; *la Nuit de l'iguane* (J. Huston, *id.*) ; *la Bible* (id., 1966) ; *Mayerling* (T. Young, 1968) ; *The Devil's Widow / Tam Lin* (Roddy Mac Dowall, 1971) ; *Juge et Hors-la-loi* (Huston, 1972) ; *Tremblement de terre* (Robson, 1974) ; *la Trahison* (C. Frankel, 1975) ; *l'Oiseau bleu* (Cukor, 1976) ; *le Pont de Cassandra* (*The Cassandra Crossing,* George Pan Cosmatos, 1977) ; *la Sentinelle des maudits (The Sentinel,* M. Winner, *id.)* ; *Cité en feu* (*City on Fire,* Alvin Rakoff, 1979) ; *l'Enlèvement du président (The Kidnapping of the President,* George Mendeluk, 1980) ; *Priest of Love* (C. Miles, *id.*) ; *Regina* (Jean-Yves Prat, 1982).

GARFEIN *(Jack), cinéaste américain d'origine tchèque (Mukacevo, Tchécoslovaquie, 1930).* Rescapé d'Auschwitz, il est arrivé aux États-Unis en 1945. Homme de théâtre, adepte de l'Actor's Studio, il a assisté Elia Kazan (*Baby Doll,* 1956) et George Stevens (*Géant,* id.) avant de débuter au cinéma avec *Demain ce seront des hommes* (*The Strange One,* 1957). Il dirigea surtout sa femme Carroll Baker dans un beau film désespéré et original, *Au bout de la nuit* (*Something Wild,* 1961). Depuis, il est revenu au théâtre. C.V.

GARFIELD *(Julius Garfinkle, dit John), acteur américain (New York, N. Y., 1913 -* id. *1952).* Des études d'art dramatique menées grâce à une bourse (au sortir d'une maison de redressement) et entrecoupées de vagabondages à travers les États-Unis mûrirent assez l'ancienne « tête dure » de l'East Side pour qu'il rejoigne le Group Theatre en 1933. Vedette à Broadway (1936), il est engagé en 1938 par la Warner pour *Rêves de jeunesse* (M. Curtiz) et tournera presque tous ses films pour cette firme. Malgré la médiocrité de plusieurs d'entre eux, il s'impose comme une figure de « rebelle sympathique », au jeu très étudié sous son apparente nonchalance, et d'une grande générosité malgré son introversion. Ses meilleurs rôles sont à chercher dans *Je suis un criminel* (B. Berkeley, 1939) ; *Juarez* (W. Dieterle, *id.*) ; *le Vaisseau fantôme* (M. Curtiz, 1941) ; *Air Force* (H. Hawks, 1943) ; *Pride of the Marines* (D. Daves, 1945) ; *Le facteur sonne toujours deux fois* (T. Garnett, 1946) ; *Humoresque* (J. Negulesco, 1947) ; *Sang et Or* (R. Rossen, *id.*) ; *le Mur invisible* (E. Kazan, *id.*) ; *l'Enfer de la corruption* (A. Polonsky, 1948) ; *les Insurgés* (J. Huston, 1949) ; *Trafic en haute mer* (M. Curtiz, 1950) ; *Menaces dans la nuit* (John Berry, 1951). En 1951, Garfield, qui avait signé une pétition en faveur des « Dix d'Hollywood », est à son tour interrogé par la commission sénatoriale d'investigation : il refuse de donner le moindre nom, mais tient des propos anticommunistes. Ses sympathies « de gauche » sont cependant manifestes ; il n'obtient plus de travail et meurt d'une crise cardiaque, probablement consécutive à un profond drame moral. En dépit d'une campagne de presse abjecte, ses amis lui gardèrent leur estime. Il est devenu une figure quasi légendaire : objectivement, des acteurs comme Bogart et même James Dean lui ont dû beaucoup. G.L.

GARINE *(Erast) [Erast Pavlovič Garin], acteur et cinéaste soviétique (Riazan 1902 - Moscou 1980).* Acteur de la troupe de Meyerhold, petit, fluet, fureteur avec une lueur d'étrangeté et d'inquiétude dans le regard, il est voué aux rôles comiques. Parmi les films qu'il a interprétés, il faut citer *le Lieutenant Kijé* (A. Faïntsimmer, 1934), *la Noce* (Ženit'va, 1937, sous sa propre direction), *À la frontière* (*Na granice,* Aleksandr Ivanov, 1938), *Une histoire musicale* (*Muzykal'naja istoria,* Aleksandr Ivanovski et Herbert Rappaport, 1940), *Ivan Nikouline, matelot russe* (I. Savtchenko, 1945), *Cendrillon* (*Zoluška,* Nevena Kocheverova et M. Shapiro, 1947), *le Revizor* (V. Petrov, 1952), *Alenka* (B. Barnet, 1962). Réalisateur, il signe après son adaptation gogolienne de *la Noce* plusieurs films en collaboration avec sa femme Khesia Lokchina : *Docteur Kalioujni* (*Doktor Kaljužnyj,* 1939), *le Prince et le Pauvre* (*Princ i niščij,* 1943), *le Pays des montagnes bleues* (*Sinegorija,* 1946), *le Petit Oiseau bleu* (*Sinjaja ptička,* 1955), *le Jet d'eau* (*Fontan,* 1956). J.-L.P.

GARLAND *(Frances Gumm,* dite *Judy), actrice américaine (Grand Rapids, Minn., 1922 -Londres, G. B., 1969).* Elle est certainement une des plus incontestables victimes du système hollywoodien ; et pourtant, Judy Garland, amoureuse de son métier, n'y aurait renoncé pour rien au monde. Enfant de la balle, elle se produit avec ses deux sœurs aînées. Mais quand ses sœurs se marient, sa mère la pousse vigoureusement à passer une audition devant Louis B. Mayer : elle a treize ans, et sa voix, déjà parfaitement formée, cuivrée, juste et claire, impressionne si fortement le *boss* de la MGM qu'elle est engagée sans bout d'essai. Prêtée à des studios concurrents pour ses deux premiers films, elle bouleverse l'Amérique à son troisième : fillette boulotte et peu gracieuse, elle chante sa passion platonique pour Clark Gable dans *Broadway Melody of 1938.* Au sein d'un film assez quelconque, cet instant d'émotion pure fait encore impression aujourd'hui.

Une étoile est née, comme le confirme *le Magicien d'Oz* en 1939. Petite paysanne à tresses, partie sur les routes des légendes, Judy Garland y laisse encore une fois, tout à coup, se dissoudre son apparence juvénile quand sa voix d'airain, rêveuse et plaintive, attaque cet *Over the Rainbow* qui restera, toujours, sa chanson fétiche. La MGM a vite fait de comprendre qui elle a sous contrat et très vite impose à l'adolescente un rythme de travail exténuant qui, finalement, a raison de sa santé et de son équilibre. Elle mène alors tambour battant, avec un Mickey Rooney fiévreux, sous la direction de Busby Berkeley, des comédies musicales trépidantes que l'intensité des deux interprètes fait s'envoler loin de toute frivolité. Elle passe bientôt, avec grâce, mais au prix de régimes draconiens, à des rôles d'adulte comme celui de la chanteuse de *For Me and My Gal* (1942).

Mais, en 1944, Vincente Minnelli lui donne un merveilleux rôle de jeune fille en fleur dans un musical doucement nostalgique : *le Chant du Missouri.* À cette époque, Judy est mariée au musicien David Rose. En 1945, elle épouse Minnelli et tourne sous sa direction un rôle sans musique dans *The Clock :* son jeu nerveux fait passer, dans cette comédie douce-amère, le sentiment désespéré de l'éphémère. En réalité, Judy est déjà malade, dépendante de tranquillisants et d'excitants. Ses retards et ses indispositions créent de fréquents problèmes au studio. En 1947, son mariage avec Minnelli n'est pas sans en souffrir, mais le cinéaste la guide de main de maître à travers les embûches d'une création incandescente dans *le Pirate.* En 1951, le mariage est rompu, et Judy, très malade, suicidaire, se voit rayer des listes de vedettes de la MGM après le tournage de *la Jolie Fermière* (1950), qui a été fort pénible.

Sidney Luft l'épouse et la tire un moment du gouffre. Elle fait sensation au Palladium de Londres dans un spectacle scénique légendaire. En 1954, Luft produit le colossal *Une étoile est née,* où, sous la direction de George Cukor, Judy Garland assume magnifiquement sa composition la plus vraie, la plus brûlante et la plus personnelle. Il est vrai que cette histoire de vedette de cinéma naissante qui aime à la folie son mari, Pygmalion suicidaire sur le déclin, tient d'un terrifiant psychodrame... Impossible d'oublier l'harmonie magique que Judy engendre dans un cabaret endormi en entonnant *The Man that Got Away,* ou son assurance sans faille quand elle raconte un jour de tournage mouvementé dans *Somewhere' There's a Someone.* En dehors de son excellence même, *Une étoile est née* reste le document le plus riche sur l'unique Judy Garland.

Après, elle se jette, hélas ! à corps perdu dans une relation amour/haine avec le music-hall, alternant chutes et triomphes. Au cinéma, on la voit, bouffie et sans maquillage, mais émouvante, dans la courte création inattendue d'une ménagère détruite par le nazisme dans *Jugement à Nuremberg* (1961). Puis elle est l'éducatrice trop tendre d'un enfant mongolien dans *A Child Is Waiting* (1963). La même année, elle termine sa carrière cinématographique avec un mélodrame musical de Ronald Neame, *l'Ombre du passé,* tourné en Angleterre. Elle meurt en 1969, d'un excès (accidentel) de tranquillisants.

Un phénomène du siècle certainement, comme Édith Piaf ou Marilyn Monroe. Le plus étonnant est que la dimension tragique du personnage n'est présente à l'écran que par défaut : elle a presque toujours incarné, surtout dans ses meilleurs films, un symbole de joie de vivre et de stabilité dont le déséquilibre n'est qu'allusif. Mais Judy a eu la chance de trouver en face d'elle des Minnelli et des Cukor pour fixer à jamais ces infimes discordances qui font le génie.

Deux de ses enfants, Lorna Luft et surtout Liza Minnelli, ont suivi ses traces. C.V.

Films ▲ : *Every Sunday* (CM) ; *Pigskin Parade* (D. Butler, 1936) ; *Broadway Melody of 1938* (R. Del Ruth, 1937) ; *Thoroughbreds Don't Cry* (A. E. Green, *id.*) ; *Everybody Sings* (Edward L. Marin, 1938) ; *L'amour frappe Andy Hardy* (*Love Finds Andy Hardy,* G. B. Seitz, *id.*) ; *Listen Darling* (Marin, *id.*) ; *le Magicien d'Oz* (V. Fleming, 1939) ; *Place au rythme* (B. Berkeley, *id.*) ; *Andy Hardy Meets Debutante* (Seitz, 1940) ; *En avant la musique* (Berkeley, *id.*) ; *Little Nellie Kelly* (N. Taurog, *id.*) ; *la Danseuse des Folies Ziegfeld* (R. Z. Leonard, 1941) ; *Life Begins for Andy Hardy* (Seitz, *id.*) ; *Débuts à Broadway* (Berkeley, *id.*) ; *We Must Have Music* (CM, 1942) ; *Pour moi et ma mie* (Berkeley, *id.*) ; *Lily Mars, vedette* (*Presenting Lily Mars,* Taurog, 1943) ; *Girl Crazy* (id., *id.*) ; *Parade aux étoiles* (G. Sidney, *id.*) ; *le Chant du Missouri* (V. Minnelli, 1944) ; *The Clock* (id., 1945) ; *The Harvey Girls* (Sidney, 1946) ; *Ziegfeld Follies* (Minnelli, *id.*) ; *la Pluie qui chante* (*Till the Clouds Roll By,* Richard Whorf, *id.*) ; *le Pirate* (Minnelli, 1948) ; *Parade de printemps* (Ch. Walters, *id.*) ; *Ma vie est une chanson* (*Words and Music,* Taurog, *id.*) ; *In the Good Old Summertimes* (Leonard, 1949) ; *la Jolie Fermière* (Walters, 1950) ; *Une étoile est née* (Cukor, 1954) ; *Pepe* (Sidney, 1960, caméo) ; *Jugement à Nuremberg* (S. Kramer, 1961) ; *Gay Purr-ee* (Abe Leviton, DA, voix de J. G., 1962) ; *Un enfant attend* (J. Cassavetes, 1963) ; *l'Ombre du passé* (*I Could Go on Singing / The Lonely Stage,* R. Neame, *id.*).

GARMES *(Lee), chef opérateur et cinéaste américain (Peoria, Ill., 1898 - Los Angeles, Ca., 1978).* Vétéran du cinéma américain, il est assistant dès 1916 et, engagé par Ince, chef opérateur dès 1924. Sa très impressionnante filmographie comporte plus de cent titres. Considéré comme un des maîtres du noir et blanc, il travaille notamment avec Josef von Sternberg (*Morocco,* 1930 ; *X 27,* 1931 ; *Une tragédie américaine,* id. ; *Shanghai Express,* 1932), avec Rouben Mamoulian (*les Carrefours de la ville,* 1931), avec Howard Hawks (*Scarface,* 1932 ; *la Terre des pharaons,* 1955), avec Rowland V. Lee pour le très étrange *Zoo in Budapest* (1933), avec Ben Hecht et Charles MacArthur, dont il signe pratiquement tous les films comme coréalisateur (*Crime sans passion,* 1934 ; *Once in a Blue Moon* et *le Goujat,* 1935 ; *Angels Over*

Broadway, 1940 ; *Specter of the Rose,* dont il est le producteur associé, en 1946).

Il semble avoir atteint le sommet de son art au début des années 30. Mais, jusqu'en 1968, on lui doit des films comme *le Poids d'un mensonge* (W. Dieterle, 1945), *Duel au soleil* (K. Vidor, 1947), *le Procès Paradine* (A. Hitchcock, 1948), *les Indomptables* (N. Ray, 1952) et *Simon le pêcheur* (F. Borzage, 1959). Il participa également, sans être crédité, à l'aventure du tournage d'*Autant en emporte le vent* (1939).

D.R.

GARNER *(James Baumgarner,* dit *James), acteur américain (Norman, Okla., 1928).* Après avoir fait un peu de théâtre, il est venu au cinéma par la télévision (où il fut une vedette très populaire à partir de 1957 grâce, notamment, à la série *Maverick*). Sa haute taille, son charme aventureux en firent un bon interprète de films d'action et même de comédies malgré un jeu assez neutre. Homme d'affaires avisé, devenu son propre producteur, il se consacre de nouveau surtout à la TV dans les années 70 (séries *Nichols* et *The Rockford Files*). Principaux films : *Sayonara* (J. Logan, 1957) ; *Les commandos passent à l'attaque* (*Darby's Rangers,* W. Wellman, 1958) ; *Cet homme est un requin* (*Cash McCall,* J. Pevney, 1960) ; *la Grande Évasion* (J. Sturges, 1963) ; *les Jeux de l'amour et de la guerre* (A. Hiller, 1964) ; *Grand Prix* (J. Frankenheimer, 1966) ; *la Valse des truands* (*Marlowe,* Paul Bogart, 1969) ; *Ne tirez pas sur le shérif* (B. Kennedy, 1971) ; *Victor, Victoria* (B. Edwards, 1982) ; *Murphy's Romance* (M. Ritt, 1985) ; *Meurtre à Hollywood* (Edwards, 1988) ; *Maverick* (Richard Donner, 1994).

G.L.

GARNETT *(William Taylor,* dit *Tay), cinéaste américain (Los Angeles, Ca., 1894 - Sawtelle, Ca., 1977).* « Personnalité négligeable », selon Georges Sadoul, ou « metteur en scène énergique, direct », sachant conter des « histoires pleines de santé, de gaieté, de saveur », comme le définissait, au début de sa carrière, Jean George Auriol ? Œuvre abondante, en tout cas, que celle de Tay Garnett : de scénariste d'abord (notamment de films d'Harry Langdon), de producteur indépendant incidemment (à la RKO en 1941, et de son propre film *The Fireball* en 1950) et, surtout, de réalisateur : plus de quarante longs métrages entre 1928 et 1973, sans compter d'innombrables séries télévisées (*la Grande Caravane, Bonanza, les Incorruptibles,* etc.). Selon son biographe Christian Viviani, « Garnett a donné le meilleur de lui-même dans le registre du mélodrame et dans celui de la comédie, ou à la frontière des deux avec cet étonnant mélodrame rigolard qu'est *Seven Sinners* ». En fait, cet Irlandais jovial, bourlingueur invétéré, ami de Francis Carco, a touché à presque tous les genres : film d'aventures, thriller, mélodrame romantique, screwball comedy, policier, film de guerre, western... Son premier film, *Célébrité* (*Celebrity,* 1928), se déroulait dans les milieux de la boxe : de là, peut-être, ce penchant pour les furieuses bagarres qui vont émailler son œuvre, de *Son homme* (*Her Man,* 1930) aux *Corsaires de la terre* (*Wild Harvest,* 1947), en passant par la pittoresque *Maison des sept péchés* (*Seven Sinners,* 1940, avec John Wayne et Marlene Dietrich). En 1932, il signe le célèbre *Voyage sans retour* (*One Way Passage,* avec William Powell et Kay Francis), une histoire d'amour à bord d'un paquebot entre un condamné à mort et une jeune femme atteinte d'un mal incurable — la quintessence du romantisme américain de l'entre-deux-guerres ! En 1934-35, il fait le tour du monde sur son propre bateau, l'*Athene,* ce qui lui inspirera un film au ton alerte et décontracté, *la Femme aux cigarettes blondes* (*Trade Winds,* 1939, avec Fredric March et Joan Bennett). Auparavant, il a fait ses preuves dans la comédie trépidante avec *Gosse de riche* (*She Couldn't Take it,* 1935), *l'Amour en première page* (*Love Is News,* 1937) et *Quelle joie de vivre !* (*Joy of Living,* 1938, qui devait s'appeler *Joy of Loving,* titre que la censure refusa). On doit également à Garnett la troisième version (après Chenal et Visconti, et avant Rafelson) du *Facteur sonne toujours deux fois* (*The Postman Always Rings Twice,* 1946, avec John Garfield et Lana Turner). Les films qu'il tourne dans les années 50 sont plus faibles, encore que *le Serment du chevalier noir* (*The Black Knight,* GB, 1954) ne manque pas d'humour, ni *les Ranchers du Wyoming* (*Cattle King,* 1963, avec Robert Taylor) de punch. Ses dernières années, il les emploiera à recueillir les confidences de quelques « grands » du cinéma international, de Capra à Fellini, pour un livre *(Un siècle de cinéma)* qui sera publié après sa mort. Il avait déjà écrit un roman, *Man Laughs Back,* en 1935 et, en 1973, une autobiographie pleine de verve : *Light Your Torches and Pull Up*

Your Tights (littéralement : «Allumez vos torches et remontez vos collants»). Si l'histoire du cinéma range Tay Garnett parmi les «petits maîtres», les cinéphiles lui réservent, en ce qui les concerne, une place de choix dans leur cœur, quelque part entre John Ford et John Huston. C.B.

Autres films : *Tragédie foraine* (*The Spieler,* 1928) ; *The Flying Fool* (1929) ; *Oh ! Yeah !* (id.) ; *Officer O'Brien* (1930) ; *Chicago* (*Bad Company,* 1931) ; *Prestige* (1932) ; *Okay America* (id.) ; *Destination Unknown* (1933) ; *S. O. S. Iceberg* (id. ; co A. Fanck) ; *la Malle de Singapour* (*China Seas,* 1935) ; *Professional Soldier* (1936) ; *le Dernier Négrier* (*Slave Ship,* 1937) ; *M. Dodd part pour Hollywood* (*Stand-In,* id.) ; *Divorcé malgré lui* (*Eternally Yours,* 1939) ; *le Poignard mystérieux* (*Slightly Honorable,* 1940) ; *Cheers For Miss Bishop* (1941) ; *My Favorite Spy* (1942) ; *Bataan* (id., 1943) ; *The Cross of Lorraine* (id.) ; *Madame Parkington* (*Mrs. Parkington,* 1944) ; *la Vallée du jugement* (*The Valley of Decision,* 1945) ; *Un Yankee à la cour du roi Arthur* (*A Connecticut Yankee in King Arthur's Court,* 1949) ; *Jour de terreur* (*Cause For Alarm,* 1951) ; *Trois Troupiers* (*Soldiers Three,* id.) ; *Une minute avant l'heure H* (*One Minute to Zero,* 1952) ; *Main Street to Broadway* (1953) ; *les Sept Merveilles du monde* (*Seven Wonders of the World,* en CORÉ, 1956) ; *les Combattants de la nuit* (*The Night Fighters,* 1960) ; *The Delta Factor* (1970) ; *The Mad Trapper* (1972) ; *Timber Tramp* (1973). ▲

GARNIER *(Robert-Jules), décorateur français (Sèvres 1883 - Condeau 1958).* Il est le décorateur en chef des studios Gaumont de 1906 à 1938, travaille notamment avec Jean Durand pour ses séries comiques, avec Louis Feuillade (*Fantômas,* 1913 ; *les Vampires,* 1915 ; *Judex,* 1917 ; *Vindicta,* 1923), Marcel L'Herbier (*l'Homme du large,* 1920 ; *Eldorado,* 1921), Louis Delluc (*Fièvre,* 1921, dont le décor n'est pas sans évoquer le style Kammerspiel), Jean Renoir (*Nana,* 1926), André Berthomieu, André Hugon, Jean Choux. Il fera également par deux fois équipe avec Jacques Becker (*Antoine et Antoinette,* 1947 ; *Rendez-Vous de juillet,* 1949). J.-L.P.

GARREL *(Maurice), acteur français (Saint-Gervais 1923).* Ancien élève de Charles Dullin, il est avant tout acteur de théâtre et de télévision. Au cinéma, son physique typé et son regard inquiétant l'amènent à jouer des personnages louches et ambigus. Il tourne, entre autres, avec Alain Cavalier, Édouard Molinaro, Pierre Kast, José Giovanni, Jacques Rivette et Claude Lelouch. Parmi ses apparitions particulièrement marquantes, on peut citer *la Maison des Bories* (J. Doniol-Valcroze, 1970) et *Nada* (C. Chabrol, 1974). Il joue dans certains des courts et longs métrages réalisés par son fils Philippe, dont *Marie pour mémoire* (1967). E.K.

GARREL *(Philippe), cinéaste français (Paris 1948).* Fils du comédien Maurice Garrel, il fait son premier film à seize ans. *Les Enfants désaccordés* (1964) ou *Anémone* (1968 RÉ 1967) donnent une vision directe et assez godardienne de la génération de ceux qui auront vingt ans en 1968. Mais ses films suivants gomment toute référence sociale concrète. Il y met en scène de façon épurée des «substituts de lui-même» affrontés à la «guerre des sexes» et à la folie, à cette désespérance d'avoir quitté le *«Bleu des origines»* (1979) ou le *«Berceau de cristal»* (1976), bref ! l'absolu de l'enfance. Muets ou très parlants, en décors clos (*la Concentration,* 1975) ou dans les vastes extérieurs de *la Cicatrice intérieure* (1971), en noir et blanc ou dans les couleurs du très esthète *Athanor* (1972), les films de Garrel sont faits de longs plans très composés. Il reçoit en 1982 le prix Jean-Vigo pour *l'Enfant secret,* un film dont le tournage avait été entrepris en 1979. Au cours des années 80 et 90, il poursuit un itinéraire insolite, exigeant, secret, qui lui confère une place marginale mais très originale dans le cinéma français de son temps. En 1991, *J'entends plus la guitare* reçoit le Lion d'argent du festival de Venise. D.N.

Autres films : *Marie pour mémoire* (1967) ; *le Lit de la vierge* (1969) ; *les Hautes Solitudes* (1973) ; *Un ange passe* (1975) ; *Voyage au jardin des morts* (1978) ; *Elle a passé tant d'heures sous les sunlights* (1985) ; *les Baisers de secours* (1989) ; *la Naissance de l'amour* (1993).

GARRETT *(Betty), actrice américaine (Saint Joseph, Mo., 1919).* Excellente danseuse, c'est surtout une chanteuse expressive et une comédienne pleine de vivacité. Après de beaux succès à Broadway, elle apparaît dans *Big City* et *Ma vie est une chanson,* deux films de Norman Taurog, en 1948, mais c'est dans

Match d'amour (B. Berkeley, 1949) et *Un jour à New York* (S. Donen et G. Kelly, *id.*) qu'elle dessine un personnage d'une spontanéité toute neuve, d'une franchise et d'un humour peu communs chez les protagonistes féminins de la comédie musicale. Son mari Larry Parks se trouvant poursuivi par l'inquisition anticommuniste du HUAC, elle doit interrompre sa carrière cinématographique. Mais on retrouvera sa figure intelligente et vigoureuse dans *Ma sœur est du tonnerre* (R. Quine, 1955). A.M.

GARSON *(Greer), actrice américaine d'origine britannique (County Down, Irlande, 1906).* Cette actrice de théâtre, à la flamboyante chevelure et aux manières distinguées de « housewife » de rêve, est une figure cinématographique emblématique dans la mythologie américaine de la Seconde Guerre mondiale, contrepartie des explosives Betty Grable ou Rita Hayworth, archétype hollywoodien de la *mère.* Louis B. Mayer ne pouvait manquer d'être saisi par sa beauté à la fois piquante et rassurante. Après lui avoir fait tourner *Goodbye Mr. Chips* (S. Wood, 1939), il la fait venir à Hollywood et lui ouvre les portes d'une carrière dorée. Le plus souvent distribuée sans imagination en figure maternelle (*Madame Miniver,* W. Wyler, 1942) ou salvatrice (*Madame Curie,* M. LeRoy, 1943), Greer Garson est pourtant une excellente comédienne. C'est à son talent que *les Oubliés* (LeRoy, 1941), *le Prisonnier du passé* (*Random Harvest,* id., 1942) ou *la Vallée du jugement* (T. Garnett, 1945) doivent de ne pas sombrer dans la fadeur. Un rien d'humour au fond du regard, un sens précis des gestes, des cheveux de flamme, pas toujours en place, suggèrent une Greer Garson plus malicieuse qu'on ne voulait la montrer. Mais, dès la fin de la guerre, de mauvais films aidant, sa personnalité n'est plus au diapason de l'Histoire. Tous les efforts pour la diriger vers la comédie (*la Belle imprudente* [*Julia Misbehaves*] J. Conway, 1948) ou pour faire revivre ses succès (*l'Histoire des Miniver* [*The Miniver Story,* H. C. Potter] 1950) restent sans lendemain. Elle se retire au milieu des années 50, ne revenant au théâtre ou au cinéma qu'occasionnellement. En 1960, *Sunrise at Campobello,* de Vincent J. Donehue, met en valeur ses dons de composition en la transformant en Eleanor Roosevelt. Mais son rôle le plus charmant restera celui d'*Orgueil et Préjugés* (R. Z. Leonard, 1940), le film qui exploita au mieux son caractère britannique et où elle se montra d'une aisance souveraine. C.V.

GARY *(Romain Kacew,* dit *Romain), romancier, diplomate et cinéaste français (Wilno [auj. Vilnious], Russie, 1914 - Paris 1980).* Fils adultérin de l'acteur russe Ivan Mosjoukine, il est l'auteur de nombreux romans dont plusieurs ont été portés à l'écran : *les Racines du ciel* (J. Huston, 1958), *l'Homme qui comprend les femmes* (*The Man Who Understood Women,* N. Johnson, 1959), *Lady L* (P. Ustinov, 1965), *la Promesse de l'aube* (J. Dassin, 1970), *Clair de femme* (Costa-Gavras, 1979), *Au-delà de cette limite votre ticket n'est plus valable* (George Kaczender, 1982), *Dressé pour tuer* (S. Fuller, *id.*). Deux autres de ses livres écrits sous le nom d'Émile Ajar ont, eux aussi, été adaptés au cinéma : *la Vie devant soi* (Moshé Mizrahi, 1977) et *Gros-Câlin* (Jean-Pierre Rawson, 1979). Pour sa femme, Jean Seberg, il a lui-même réalisé deux longs métrages de médiocre facture : *Les oiseaux vont mourir au Pérou* (1968) et *Kill* (1972). M.B.

GASNIER *(Louis J.), cinéaste américain d'origine française (Paris 1875 - Hollywood, Ca., 1963).* Après avoir dirigé les premiers courts métrages de Max Linder, Gasnier part pour les États-Unis où il réalise un des plus célèbres serials, *les Mystères de New York* (*The Exploits of Elaine,* 1915 ; co Donald MacKenzie et G. B. Seitz), dont la popularité, y compris en France, est extraordinaire et qui demeure son titre de gloire dans l'histoire du cinéma. Après quoi il tourne bien d'autres films de la même veine, avec Pearl White comme vedette. Le parlant venu, il tourne quelques versions françaises de films américains puis sombre dans les besognes les plus modestes de série Z. Il s'est retiré en 1942, après un film de circonstance : *Fight on Marines !* C.V.

GASPARCOLOR → PROCÉDÉS DE CINÉMA EN COULEURS.

GASS *(Karl), cinéaste allemand (Mannheim 1917).* Après des études d'économie et de journalisme de radio à Cologne, il s'installe en RDA en 1948 et devient scénariste et réalisateur à la DEFA pour les actualités et les documentaires. Il a réalisé depuis 1950 une soixantaine de courts, moyens et longs métrages documentaires consacrés à l'actualité sociale, politique et culturelle en RDA et à l'extérieur, tout en jouant un rôle décisif dans la naissance d'une nouvelle génération de documentaristes. Il porte un regard aigu et lucide en « cinéma direct » sur le monde du travail (*Week-end* [*Feierabend,* 1964] ; *Des as* [*Asse,* 1966] ; *les As, année 74* [*Asse-Anno 74,* 1975]), sur la vie artistique (*Vorwärts die Zeit,* portrait du chanteur Ernst Busch, 1968 ; *Fünfe auf einen Streich,* sur le théâtre Volksbühne, 1973), ainsi que sur l'histoire étrangère : *Allons enfants... pour l'Algérie* (sur la guerre d'Algérie, 1961), *Die grüne, weisse, rote Toscana* (sur la Toscane, 1975). On lui doit encore deux remarquables longs métrages d'analyse historique : *l'Année 1945* (*Das Jahr 1945,* 1984, montage d'actualités) et *Une carrière allemande-Regards sur notre siècle* (*Eine deutsche Karriere-Rückblicke auf unser Jahrhundert,* 1987, sur la vie de l'amiral Doenitz). M.M.

GASSMAN *(Vittorio), acteur et cinéaste italien (Gênes 1922).* Il fréquente l'Accademia d'arte drammatica et débute en 1943 au théâtre à Milan avec la troupe d'Alda Borelli, puis joue avec celles d'Elsa Merlini, Evi Maltagliati et Laura Adani. Après un certain succès sur scène, il débute au cinéma dans *la Fille maudite* (*Preludio d'amore,* Giovanni Paolucci, 1946), dans un rôle d'ancien combattant qui retrouve son milieu transformé. Son physique athlétique le destine pour quelques années surtout à des films d'aventures ou de cape et d'épée, dont *Daniele Cortis* (M. Soldati, 1947), *la Fille du capitaine* (M. Camerini, *id.*), *le Chevalier mystérieux* (*Il cavaliere misterioso,* R. Freda, 1949), *le Loup de la Sila* (*Il lupo della Sila,* D. Coletti, *id.*), *l'Épervier du Nil* (*Lo sparviero del Nilo,* G. Gentilomo, 1951 [RÉ 1949]), *le Prince pirate (Il leone di Amalfi,* Pietro Francisci, *id.), Trahison* (*Il tradimento/Passato che uccide,* Freda, *id.*), où il joue presque toujours le rôle du vilain. Citons encore *le Faucon* (S. Abū Sayf, 1950). De cette période qu'aujourd'hui il renie émergent trois superbes mélodrames sociaux à succès : *Riz amer* (G. De Santis, 1949), *Anna* (A. Lattuada, 1951) et *Traite des blanches* (L. Comencini, 1952). Mais c'est dans sa carrière parallèle au théâtre qu'il obtient ses satisfactions majeures, puisqu'il y est dirigé par Visconti. En 1954, il forme avec Luigi Squarzina sa propre troupe, met en scène et interprète soit des pièces classiques (Shakespeare, Sophocle), soit des œuvres contemporaines (T. Williams). La MGM l'engage en 1953 et lui fait interpréter à Hollywood quatre films : *le Mystère des Bayous* (*Cry of the Hunted,* J. H. Lewis, 1953) ; *les Frontières de la vie (The Glass Wall,* Maxwell Shane, *id.) ; Sombrero* (N. Foster, *id.*) ; *Rhapsodie* (Ch. Vidor, 1954). Bien que son contrat américain soit vite déchiré, il joue encore dans quelques grands spectacles italiens conçus pour le public international, comme *Mambo* (R. Rossen, 1954), *la Belle des belles* (*La donna più bella del mondo* [R. Z. Leonard], 1955), *Guerre et Paix* (K. Vidor, 1956). En 1956, il dirige en collaboration avec Francesco Rosi l'adaptation cinématographique d'un de ses plus grands succès au théâtre, la version écrite par Sartre de la pièce de Dumas, *Kean :* c'est déjà un premier film autobiographique où il souligne les splendeurs et les misères d'un monstre sacré de la scène. En 1957, après quelques films mineurs, Monicelli transforme complètement son physique et lui fait jouer un rôle comique à contre-emploi : le petit voleur minable du *Pigeon.* Le film et Gassman obtiennent un succès énorme et sa carrière prend un tournant décisif, puisqu'il sera recherché désormais presque exclusivement comme acteur comique au cinéma. En 1959, il dirige et interprète à la TV une émission satirique virulente, *Il Mattatore,* où il joue différents « monstres » avec une bravoure à la Fregoli. Monicelli lui donne un autre rôle important dans *la Grande Guerre* (1959) : il est le fantassin lâche qui essaye de se « planquer » mais meurt comme un héros. Dino Risi en fait *l'Homme aux cent visages* (1960) puis la figure clé de *la Marche sur Rome* (1962), deux variations sur le même personnage d'esbroufeur couard, avant de lui donner encore un rôle extraordinaire dans *le Fanfaron* (id.) : cet adulte resté enfant qui a tout gâché dans sa vie est un portrait hallucinant qui doit beaucoup à la spontanéité créatrice de l'acteur. Avec *les Monstres* (1963) et *Il Gaucho* (1964), Risi exploite ses mille possibilités d'un Protée qui semble ne jamais se prendre au sérieux — puisque le côté sérieux de son activité reste toujours le théâtre. Devenu une star populaire au box-office, on le voit dans *Barabbas* (R. Fleischer, 1962) et il tourne des comédies à la chaîne, souvent sans intérêt, dont *La cambiale* (C. Mastrocinque, 1959), *Il successo* (Mauro

Morassi, 1963), *Frenesia dell'estate* (L. Zampa, 1964), mais aussi des satires très originales comme *Une vierge pour le prince* (P. Festa Campanile, 1965). C'est encore Monicelli et Risi qui lui donnent ses meilleures chances, le premier avec le diptyque médiéval effréné, *l'Armée Brancaleone* (1966) et *Brancaleone aux croisades* (1970), le second avec une série de comédies amères sur les vices de la société italienne, de *l'Homme à la Ferrari* (1967), à *Au nom du peuple italien* (1971), *Parfum de femme* (1974), *Âme perdue* (1976), *Cher Papa* (1979). En 1969, Gassman dirige son deuxième film, cette fois en collaboration avec ses amis Luciano Lucignani et Adolfo Celi, *l'Alibi ;* c'est une œuvre déchirante qui affronte directement les échecs personnels vécus par les trois auteurs. Son troisième film comme réalisateur est moins personnel : *Sans famille* (*Senza famiglia nullatenenti cercano affetto,* 1972), une parodie des mélodrames larmoyants. En 1978, Robert Altman l'appelle aux États-Unis et lui donne deux grands rôles : le riche italien immigré et père de famille d'*Un mariage* et le prêtre diabolique de *Quintet.* Dans cette dialectique constante entre le théâtre (où il donne aussi des cours aux jeunes comédiens) et le cinéma (où ses rôles s'épaississent avec l'âge), l'« œuvre » gassmanienne reste ouverte et refuse tout classement. Il a livré ses souvenirs, *Un grande avvenire dietro le spalle* (1981), et tourné un film du type cinéma-vérité sur, et avec son fils, *Di padre in figlio* (1982). En 1983, il est le personnage principal du film d'André Delvaux, *Benvenuta,* et l'un des principaux protagonistes de *La vie est un roman* d'Alain Resnais. Il interprète ensuite notamment *le Pouvoir du mal* (K. Zanussi, 1985), *la Famille* (E. Scola, 1987), *I picari* (M. Monicelli, *id.*), *Mortacci* (S. Citti, 1988), *Lo zio indegno* (F. Brusati, 1988), *Oublier Palerme* (F. Rosi, 1989), *les Mille et Une Nuits* (P. de Broca, 1990), *Tolgo il disturbo* (D.Risi, *id.*) , *Quando eravamo repressa* (Pino Quartullo, 1991), *El largo invierno* (J. Camino, 1992). L.C.

GASTONI *(Lisa), actrice italienne (Alassio 1935).* Elle travaille à Londres comme modèle et débute en 1954 dans *Prisonnier du harem* (*You Know What Sailors Are,* K. Annakin), suivi par une quinzaine de comédies et films policiers, dont *Toubib or not Toubib* (R. Thomas, 1954), *Trois Hommes dans un bateau* (*Three Men in a Boat,* Annakin, 1956), *Tueurs à gages* (*Intent to Kill,* J. Cardiff, 1958). Dès 1961, elle joue en Italie dans des films comiques ou d'aventures qui exploitent sa beauté sensuelle, dont *Le avventure di Mary Read* (Umberto Lenzi, 1961), *Il monaco di Monza* (S. Corbucci, 1963). Sa carrière prend un nouvel essor grâce au succès de *Merci ma tante* (S. Samperi, 1968) et elle joue ensuite dans des drames assez érotiques et plus ambitieux, dont *L'amica* (A. Lattuada, 1969), *Amore amaro* (F. Vancini, 1974), *Scandale* (Samperi, 1976), *L'immoralità* (M. Pirri, 1978). L.C.

GASTYNE *(Marc Benoist,* dit *Marc [Marco] de), cinéaste français (Paris 1889* - id. *1982).* Grand prix de Rome de peinture, il débute comme décorateur (*la Sultane de l'amour,* Charles Burguet et R. Le Somptier, 1919), puis passe à la mise en scène à partir de 1924. Il tourne en 1928 une *Merveilleuse Vie de Jeanne d'Arc* (1928) avec Simone Genevois, beaucoup plus académique que celle de Dreyer, mais non dépourvue de charme « sulpicien ». Au parlant : *Une belle garce* (1931), *la Bête errante* (id.), *Rotschild* (1933), *l'Île de la solitude* (1936), *Trique, gamin de Paris* (1960) et de nombreux courts métrages pour enfants.

Son frère, le décorateur *Guy de Gastyne* (*Guy Benoist,* dit) [*Neuilly-sur-Seine 1888 - Créteil 1972*], a collaboré à la plupart de ses films, et aussi avec Grémillon *(la Petite Lise),* Genina, Baroncelli, L'Herbier (*le Bonheur, Tragédie impériale, Entente cordiale),* Maurice Tourneur (*Katia, Mam'zelle Bonaparte,* etc.). C.B.

GATLIF *(Michel Dahmani,* dit *Tony), cinéaste français (Alger - Reggaïa, Algérie, 1948).* D'ascendance à la fois gitane et algérienne, il trouve dans cette double origine l'inspiration de ses films : *la Terre au ventre* (1978), qui évoque l'Algérie en guerre, et *les Princes* (1982), un film dépourvu de toute concession et de tout attendrissement sur les Gitans sédentarisés dans une banlieue sans âme. Attentif aux êtres marginalisés, il réalise *Rue du départ* (1986), qui sera suivi de *Pleure pas my love* et de *Gaspard et Robinson* (1990). Il consacre à la culture des Tsiganes et des Gitans, sujet de son premier film (un court métrage, *Canta gitano*), le documentaire *Latcho drom* (1993) et tourne en 1994 *Mondo,* d'après Le Clézio. D.S.

GATTI *(Dante,* dit *Armand), écrivain et cinéaste français (Monaco 1924).* Journaliste, auteur d'essais, de pièces de théâtre et de récits de voyage, il collabore avec Chris Marker pour *Dimanche à Pékin* (CM, 1956) et *Lettre de Sibérie* (1958) et écrit le scénario de *Morambong* (Jean-Claude Bonnardot, 1959). Il écrit et met en scène pour le cinéma *l'Enclos* (1961), sur l'univers des camps de concentration. Il part pour Cuba, où il tourne en 1962-63 *l'Autre Cristobal (El otro Cristóbal).* D'autres projets cinématographiques échouent mais il se livre à diverses expériences théâtrales. En 1970, il tourne pour la télévision allemande *Übergang über den Ebro.* Entre 1975 et 1979, il réalise quelques vidéofilms pour l'Institut national de l'audiovisuel et, en 1981, il est en Irlande du Nord, où il signe (en 16 mm) *Nous étions tous des noms d'arbres.* D.S.

GAUDIO *(Gaetano Antonio,* dit *Tony), chef opérateur américain d'origine italienne (Cosenza 1885 - Burlingame, Ca., 1951).* Il débute en Italie en 1903 et émigre en 1906 aux États-Unis avec son frère Eugene, qui deviendra aussi chef opérateur. Il éclaire en 1911 une trentaine de courts métrages de Mary Pickford et photographiera plus de mille films en quarante ans. Il est connu pour ses nombreuses innovations techniques et contribuera largement à établir le style caractéristique des studios Warner entre 1930 et 1943. Il réalise deux films en 1925, *The Price of Success* et *Sealed Lips,* et photographie, entre autres, *le Signe de Zorro* (F. Niblo, 1920), *la Tentatrice* (id., 1926), *Little Caesar* (M. LeRoy, 1931), *le Masque d'or* (Ch. Brabin, 1932), *Détective privé* (M. Curtiz, 1933), *Docteur Socrate* (W. Dieterle, 1935), *la Vie de Louis Pasteur* (*The Story of Louis Pasteur,* id., 1936), *Anthony Adverse* (LeRoy, *id.*), *le Dernier Round* (Curtiz, 1937), *la Vie d'Émile Zola (The Life of Emile Zola,* Dieterle, *id.*), *les Aventures de Robin des Bois* (W. Keighley, 1938), *le Mystérieux Dr Clitterhouse* (A. Litvak, *id.*), *Juárez* (Dieterle, 1939), *la Grande Évasion* (R. Walsh, 1941), *le Grand Mensonge* (E. Goulding, *id.*), *la Chanson du souvenir* (Ch. Vidor, 1945), *le Poney rouge* (L. Milestone, 1949). J.P.B.

GAUFRÉ. *Film gaufré* → PROCÉDÉS DE CINÉMA EN COULEURS.

GAUGE. Mot anglais pour *format* (1).

GAUMONT *(Léon), producteur et industriel français (Paris 1864 - Sainte-Maxime 1946).* Il fut l'un des premiers, sinon le premier, en Europe, à prendre conscience de l'extraordinaire puissance commerciale que représentait le cinéma et à en maîtriser les rouages, au mieux de ses intérêts mais aussi des goûts du public, qu'il respectait au plus haut point. Il n'avait rien de l'inventeur, comme Lumière, ni de l'homme de spectacle, comme Méliès. Il n'était qu'un commerçant, mais un commerçant avisé, qui sut s'entourer d'une équipe artistique hors pair, gérer ses affaires, imposer une image de marque (symbolisée par la célèbre marguerite, concurrençant le coq gaulois de Pathé), le tout avec un dosage raisonnable de conformisme et d'audace. Il eut, certes, des revers de fortune, notamment à la naissance du cinéma parlant, dont il avait été pourtant l'un des précurseurs ; mais il fit en sorte que le nom de Gaumont se perpétue et lui survive.

D'abord commerçant en matériels d'optique (Comptoirs Richard), il se lance, dès 1895, avec l'appui de clients tels qu'Eiffel et Joseph Vallot (le directeur de l'Observatoire du mont Blanc), dans la fabrication et l'exploitation d'appareils de prises de vues animées. Il fonde alors la société en commandite Gaumont et Cie, au capital de 200 000 F. Au moment même où Louis Lumière triomphe avec son Cinématographe, il étudie les possibilités commerciales d'un appareil conçu par Georges Demenÿ, le Chronophotographe, le dotant de tous les aménagements possibles, dont l'enregistrement combiné du son, à l'aide de cylindres de cire. Soucieux avant tout de rentabilité, il lance un « chrono » de poche, peu onéreux, permettant à la fois la prise de vues et la projection. Au Châtelet, au musée Grévin, au Théâtre du Gymnase, ses appareils font sensation. En 1903, il montre sa propre « image parlante » à la Société française de photographie, ainsi que quelques *phonoscènes* synchronisées selon le procédé Demenÿ. Il s'intéresse aussi à la couleur, et au Chronophone, ancêtre du cinéma sonore, succède le Chronochrome (1912), ancêtre du cinéma en couleurs (système Camille Lemoine, à base d'images superposées). Ces procédés, tout perfectionnés qu'ils sont, en restent pourtant au stade de l'expérimentation. Signalons toutefois que de courtes bandes parlantes et coloriées seront régulièrement présentées dans les circuits

Gaumont à partir de 1912. Il apporte d'autre part divers perfectionnements à la technique de la photographie, tels que le châssis magasin, le matériel pour rayons X, le Chromoscope, les stérospidos panoramiques, les stéréodromes, etc.

En 1905, Léon Gaumont a fait installer aux Buttes-Chaumont, rue des Alouettes, un local de 45 mètres de long et de 34 mètres de haut, spécialement destiné à la prise de vues et muni d'un appareillage électrique perfectionné : ce sera le premier grand studio de cinéma, surclassant les installations de Méliès à Montreuil et de Pathé à Vincennes (les grands studios américains ne seront pas mis en chantier avant l'année suivante). Ces locaux existent toujours, ils abritent aujourd'hui la télévision. Quant au secteur distribution de l'entreprise, il se développe considérablement, sous l'impulsion de son collaborateur Edgar Costil, les films produits étant d'abord vendus, puis loués (l'initiative d'un système de location incombant à son rival Charles Pathé). En 1906, les Établissements Gaumont sont devenus une société anonyme au capital de 2 millions et demi de francs, chiffre qui sera porté à 4 millions en 1913 et à 10 millions en 1921. Léon Gaumont rachète l'Hippodrome, vaste salle de spectacle de la place Clichy (ouverte depuis 1900), et le rebaptise Gaumont-Palace : ce sera « le plus grand cinéma du monde » (la nef est haute de 20 mètres), un véritable temple voué au culte de l'art nouveau (qui sera détruit en 1972). À partir des années 10, de nombreuses salles Gaumont sont implantées à Paris (Madeleine, Gaumont-Théâtre, Splendid Cinéma) et en province, et un nouveau studio, de 10 000 mètres carrés, est édifié à Nice : la Victorine. La maison édite en outre un important « journal filmé » (Gaumont-Actualités) et des documentaires éducatifs (Encyclopédie Gaumont). L'empire s'étend à l'étranger, notamment en Grande-Bretagne (Gaumont C° Ld., qui deviendra en 1927 la Gaumont British) et en Europe centrale.

Côté production, l'« écurie » Gaumont comprend de nombreux réalisateurs, menés d'une main ferme, voire tyrannique. Au début, une simple secrétaire, « Mademoiselle Alice » (autrement dit, Alice Guy), se charge de la mise en scène de courts sujets, comiques (*la Fée aux choux,* 1896) ou édifiants (*les Dangers de l'alcoolisme,* 1899). Elle sera bientôt relayée par Victorin Jasset, Étienne Arnaud, Jean Durand, Émile Cohl et surtout Louis Feuillade, qui deviendra directeur artistique des Établissements Gaumont et leur imprimera un cachet très personnel (cependant qu'Alice Guy prendra, avec son mari Herbert Blaché, la direction d'une succursale Gaumont à Berlin). Viendront ensuite Henri Fescourt, René Le Somptier, Jacques Feyder, Marcel L'Herbier, Léon Poirier et bien d'autres. On trouve aussi chez Gaumont une équipe d'acteurs de premier ordre, venus du théâtre ou formés « sur le tas » : René Navarre, Gaston Modot, Jean Ayme, Luitz-Morat (qui deviendra par la suite réalisateur), Madeleine Guitty, Madeleine Soria, Suzanne Grandais, Yvette Andreyor, Alice Tissot, etc. C'est sous l'égide de Gaumont que seront entrepris quelques-uns des films les plus marquants du cinéma français muet, de *l'Ascension du mont Blanc* (1900) à *Judex* (L. Feuillade, 1917), de *l'Agonie de Byzance* (id., 1913) à *El Dorado* (M. L'Herbier, 1921). Dans son livre, *la Foi et les Montagnes,* Henri Fescourt décrit longuement ce que fut à cette époque héroïque l'ambiance de la « maison Gaumont », plus connue sous le nom de « Cité Elgé », des initiales (L. G.) de son fondateur. Il en souligne l'organisation rigoureuse, les règles quasi monastiques imposées par un patron impitoyable, possédant « une volonté irréductible et une confiance en l'effort », qui « ne résolvait rien à la légère, pesait les risques, voyait loin », tout en obéissant à un « instinct de joueur ». « Avec cela, ajoute Fescourt, un don réel d'animateur ». Hardi et économe de son langage, net dans ses ordres, il enjoignait à ses auteurs : « Allez de l'avant ! Et que ça ne coûte pas trop cher ! » Le cinéaste des *Misérables* ne tarit pas d'éloges sur cette personnalité d'exception, que d'autres au contraire jugent avec sévérité. Ainsi Jacques Champreux, petit-fils de Louis Feuillade, soutient-il que « s'il fut l'un des pionniers de l'industrie du film, Léon Gaumont, il faut bien le dire, ne comprit jamais rien à l'art cinématographique ». À cela, Henri Langlois rétorque qu'il y a bel et bien un *style* Gaumont, fait de fraîcheur, d'élégance, de bon ton, de verve légère, qui « s'apparente au meilleur de la littérature enfantine et des images d'Épinal » ; il va jusqu'à affirmer que « de 1910 à 1916, la Société Gaumont fut la citadelle, le refuge de l'esprit cinématographique. D'où son importance, d'où sa primauté ».

Pendant la Grande Guerre, la maison Gaumont va vivre au ralenti. Les affaires reprennent à partir de 1919, mais la concurrence américaine est rude ; et, de même que Gaumont a écrasé Méliès, Hollywood va écraser Gaumont. Vers 1925, la société (soutenue jusqu'alors par le Crédit commercial de France) doit faire appel à des capitaux étrangers. La Metro-Goldwyn-Mayer rachète des parts. Mais l'alliance est de courte durée. À la naissance du parlant, l'empire chancelle, bien que Gaumont ait fait preuve, une fois de plus, d'une féconde initiative en produisant le premier film sonore français, *l'Eau du Nil* (Marcel Vandal, 1928). Alors même que l'actif de sa société est estimé à plus de 100 millions, Léon Gaumont se retire, passant le relais à Louis Aubert, qui vient lui-même de fusionner avec Franco-Film. Sous un nouveau sigle, GFFA (Gaumont-Franco Film-Aubert), seront produits quelques films de prestige, tels *le Collier de la reine* (Gaston Ravel, 1929) ou *la Tragédie de la mine* (G. W. Pabst, 1931), et aussi des ouvrages de série, signés Maurice Champreux (gendre de Louis Feuillade) ou André Hugon. L'administrateur est alors Charles Schneider, du Creusot. Mais la gestion s'avère bientôt lourdement déficitaire et, en 1938, la société doit déposer son bilan. Elle renaît de ses cendres grâce à l'appui de la Banque nationale de crédit, sous l'appellation de Société nouvelle des établissements Gaumont. Sous l'Occupation, la SNEG produira ou distribuera *la Fille du puisatier* (M. Pagnol, 1940), *Le journal tombe à cinq heures* (G. Lacombe, 1942), *Vautrin* (P. Billon, 1944), *Blondine* (Henri Mahé, 1945 [RE 1943]), *la Cage aux rossignols* (J. Dréville, *id.*). Après guerre, ce seront *Antoine et Antoinette* (J. Becker, 1947), la série des *Caroline chérie* (Richard Pottier, 1951), *les Belles de nuit* (R. Clair, 1952), *le Défroqué* (L. Joannon, 1954), *Un condamné à mort s'est échappé* (R. Bresson, 1956), *l'Eau vive* (François Villiers, 1958) et presque tous les films de Sacha Guitry et de Marcel Pagnol. Le département Actualités n'est pas négligé : il fonctionnera jusqu'en 1965, produisant même quelques films autonomes, par exemple, *les Années folles* (M. Alessandresco et H. Torrent, 1960). Le destin de la firme est alors entre les mains du dynamique Alain Poiré (père du cinéaste Jean-Marie Poiré). Nouveau fléchissement au début des années 60, puis remontée en flèche au cours de la décennie 70. Parmi les grands succès de la Gaumont, ces dernières années, on peut citer : *la Folie des grandeurs* (G. Oury, 1971) ; *Cousin cousine* (J. C. Tacchella, 1975) ; *la Marquise d'O* (É. Rohmer, 1976) ; *la Dentellière* (C. Goretta, 1977) ; *le Diable probablement* (R. Bresson, *id.*) ; *Don Giovanni* (J. Losey, 1979) ; *le Guignolo* (G. Lautner, 1980) ; *la Chèvre* (Francis Veber, 1981) ; *la Nuit de Varennes* (E. Scola, 1982) ; *Danton* (A. Wajda, *id.*) ; *Carmen* (F. Rosi, 1984). Ces réussites sont imputables à une politique d'avant-garde que les responsables de la firme semblent vouloir maintenir à tout prix. C'était là un des soucis majeurs de Daniel Toscan du Plantier, lequel entendait se situer dans la lignée de son prédécesseur Louis Feuillade : aux antipodes d'un cinéma « populaire » dévoyé, en « portant au plus haut la notion artistique dans un esprit d'industrie ».

C'est ainsi que Gaumont partage aujourd'hui, notamment avec Pathé, U. G. C. et les chaînes de télévision le marché cinématographique français — et, également une partie du marché européen. Tel est le bilan d'une entreprise assimilée par Henri Fescourt à « une sorte d'aristocratie », et qui domina, pour le meilleur et pour le pire, l'industrie du cinéma français, de ses origines à nos jours.

C.B.

GAUMONTCOLOR → CHRONOCHROME GAUMONT.

GAUMONT-PETERSEN-POULSEN (PROCÉDÉ) → PROCÉDÉS DE CINÉMA SONORE.

GAVALDÓN *(Roberto), cinéaste mexicain (Ciudad Jiménez, Chihuahua, 1909 - Mexico 1986).* Ancien acteur, sa première mise en scène remarquée, *La Barraca* (1944), est un cas presque unique de film tourné par un nombre significatif d'exilés espagnols. Il s'impose à partir de *Double Destinée* (*La Otra,* 1946) comme un artisan prolixe et appliqué, qui alterne productions médiocres et films ambitieux. D'une cinquantaine de titres se détachent *La Diosa arrodillada* (1947), *la Maison de l'amour perdu (La casa chica,* 1949), *Rosauro Castro* (1950), *Mains criminelles* (*En la palma de tu mano,* id.), *La noche avanza* (1951), *Las tres perfectas casadas* (1952) — les sept titres précédemment énumérés étant écrits par le romancier José Revueltas. Viennent ensuite *le Révolté de Santa Cruz (El rebozo de Soledad,*

1952), *El niño y la niebla* (1953), *La escondida* (1956, mélodrame de la révolution mexicaine qui ne manque pas de charme), *Miércoles de ceniza* (1958), *le Destin* (*Macario,* 1959), d'un indigénisme naïf, *El gallo de oro* (1964). *Rosa blanca* (tourné en 1961) aborde, sur le mode mélodramatique habituel, la période où Cárdenas nationalisa l'industrie du pétrole ; il est néanmoins interdit et ne sort qu'en 1972.
P.A.P.

GAVIN *(John), acteur américain (Los Angeles, Ca., 1928).* Grand, athlétique, le cheveu noir-bleu, il fut choisi par l'Universal pour prendre la suite de Rock Hudson. C'est donc naturellement qu'il remplaça celui-ci dans l'univers de Douglas Sirk. Il faisait preuve de sensibilité en soldat permissionnaire voué à l'amour et à la mort dans *le Temps d'aimer, le temps de mourir* (1958), mais le cinéaste ne l'a voulu que décoratif dans *Mirages de la vie* (1959). Sa carrière débuta ainsi dans la production de prestige, même s'il n'y jouait que les utilités séduisantes : amant de Janet Leigh dans *Psychose* (A. Hitchcock, 1960) ou Jules César juvénile dans *Spartacus* (S. Kubrick, *id.*), face à quelques acteurs redoutables. Il mangea ainsi son pain blanc et ne figura plus ensuite que dans des productions sans intérêt ou dans des comédies sympathiques où sa présence se remarquait à peine (*Millie,* G. Roy-Hill, 1967). Il a arrêté de tourner en 1981 et s'est orienté avec succès vers une carrière diplomatique : il fut pendant cinq ans ambassadeur des États-Unis au Mexique.
C.V.

GAYNOR *(Laura Gainor,* dite *Janet), actrice américaine (Philadelphie, Pa., 1906 - Palm Springs, Ca., 1984).* Figurante chez Hal Roach, puis sous contrat à la Fox, elle a la chance de jouer dans trois grands films : *l'Aurore* de Murnau (1927), *l'Heure suprême* (id.) et *l'Ange de la rue* (1928), tous deux de Borzage, qui lui valent le premier Oscar décerné à une actrice. Ingénue dramatique très attendrissante, elle est un moment au sommet du box-office hollywoodien (1934) et quitte alors la Fox. Elle interprète deux productions de Selznick, *Une étoile est née* (W. Wellman, 1937) et *The Young in Heart* (Richard Wallace, 1938) puis annonce sa retraite, en pleine gloire. Mariée au célèbre couturier hollywoodien Gilbert Adrian (1939), elle s'installe au Brésil. Veuve en 1959, revenue aux États-Unis, elle reparaît parfois à la TV mais se consacre surtout à la peinture.
G.L.

GAYNOR *(Franceska Mitzi Gerber,* dite *Mitzi), actrice américaine (Chicago, Ill., 1930).* Danseuse de formation classique, elle a su donner à ses gestes assez de plénitude et de rythme pour réussir au cinéma, animant de petites comédies musicales de la Fox (*Une fille en or,* L. Bacon, 1951), puis des productions plus ambitieuses (*la Joyeuse Parade,* W. Lang, 1954 ; *le Pantin brisé,* Ch. Vidor, 1957). Son talent d'actrice et ses dons chorégraphiques triomphent dans *les Girls* (Cukor, 1957). Après *South Pacific* (J. Logan, 1958), elle tentera sans grand succès de revenir à la comédie (*Un cadeau pour le patron,* S. Donen, 1960).
A.M.

GAZIADIS *(Dimitris), producteur et cinéaste grec (Athènes 1897* - id. *1961).* Fils de photographe, il fait une partie de ses études à Munich, s'initie à la production, à la prise de vues et à la réalisation auprès de Dupont, Lang, Lubitsch ou Pabst. De retour en Grèce, il part pour l'Asie Mineure, où la guerre gréco-turque fait rage (1919-1922), et en rapporte des actualités (Cinémathèque grecque). En 1921, il réalise une commande gouvernementale, *le Miracle grec (To helleniko thauma).* Avec ses frères Alexandre, Costas et Michel, il fonde la DAG Films, dont les studios et les activités couvrent les années 30. Influencé à la fois par l'expressionnisme et une formation pratique de documentariste, Gaziadis, entouré de peintres et d'écrivains, s'efforce de promouvoir un cinéma national capable de restituer la culture et les traditions hellènes à la Grèce moderne et dans leur cadre — aussi fait-il appel aux décors naturels comme aux studios. On lui doit, en 1927, *Prométhée enchaîné (Prometheus desmotès),* qui annonce de futurs recours aux classiques. Son inspiration éclectique donne le coup d'envoi au mélo, dit *fustanella,* à grand renfort de chevriers de théâtre (*Astero,* 1928), ou de marins, et de passion malheureuse (*le Port des larmes* [*To limani ton dakryon*], 1929 ; *l'Amour et les vagues* [*Eros kai kymata*], 1930), comme aux premières comédies musicales grecques au succès également considérable (*les Apaches d'Athènes* [*I apachidès ton Athinon*], 1930) avec les vedettes lyriques et dramatiques des théâtres nationaux, film que suivent immédiatement *Embrasse-moi, Maritsa (Philise* *me, Maritsa)* et une œuvre mêlant un roman de guerre (contre les Turcs) à des actualités, *la Tempête (O thiella).* Gaziadis ne cesse d'ailleurs de produire, jusqu'en 1955, des bandes d'actualités d'un intérêt historique reconnu. C.M.C.

GAZZARA *(Biagio,* dit *Ben), acteur américain d'origine italienne (New York, N. Y., 1930).* Élève d'Erwin Piscator et de l'Actors Studio, débutant à l'écran dans *Demain ce seront des hommes* (J. Garfein, 1957), Ben Gazzara est un remarquable comédien, sobre et introspectif, qui, en d'autres temps, aurait pu devenir une manière d'Humphrey Bogart. Très typiques sont ses créations dans *Husbands* (J. Cassavetes, 1970), *le Bal des vauriens* (id., 1976) *Opening Night* (id., 1978) ou *Jack le Magnifique* (P. Bogdanovich, 1979). Plus opaque et troublante était son interprétation du militaire criminel dans *Autopsie d'un meurtre* (O. Preminger, 1959). Il tourne occasionnellement avec des cinéastes italiens comme Monicelli (*Larmes de joie,* 1960), Ferreri (*Conte de la folie ordinaire,* 1981), Festa Campanile (*la Fille de Trieste,* 1983), Antonio Bevilacqua (*La donna delle meravigile,* 1985), Giuseppe Tornatore (*Il camorista,* 1986), brésiliens comme W.H. Khoury (*Forever,* 1989) ou tunisiens comme Ridha Behi (*Les hirondelles ne meurent pas à Jérusalem,* 1994). En 1990 il passe à la mise en scène avec *Beyond the Ocean*. Très actif à la télévision. Il est marié à l'actrice Janice Rule. C.V.

GEBÜHR *(Otto), acteur allemand (Kettwig 1877 - Wiesbaden 1954).* Acteur de théâtre, puis de cinéma depuis 1920, il triomphe dans la fresque de Arzen von Cserepy, *Fridericus rex* (1922), et sa ressemblance avec le roi de Prusse le condamne à incarner une douzaine de fois son illustre modèle : films de Lamprecht (*Der alte Fritz,* 1928), de Carl Froelich (*Der Choral von Leuthen,* 1933), de Johannes Meyer (*Fridericus,* 1936), etc., jusqu'au film de Veit Harlan, *le Grand Roi* (1942). Il a eu cependant d'autres emplois, notamment dans le fantastique : *Die Perücke,* de Berthold Viertel (1925). Après la guerre, il travaille sans interruption pour le cinéma mais n'obtient que des rôles secondaires. D.S.

GEGAUFF *(Paul), scénariste, romancier et acteur français (Blötzheim 1922 - Gjøvik, Norvège, 1983).* Il écrit dès 1950 un court métrage pour Éric Rohmer : *Journal d'un scélérat.* On lui doit aussi plusieurs romans, mais le meilleur de son œuvre est dans sa longue collaboration aux scénarios et aux dialogues des films de Claude Chabrol : *les Cousins* et *À double tour* (1959) ; *les Bonnes Femmes* et *les Godelureaux* (1960) ; *Ophélia* (1963) ; *l'Homme qui vendit la tour Eiffel* (sketch des *Plus Belles Escroqueries du monde,* 1964) ; *le Scandale* (1967) ; *les Biches* (1968) ; *Que la bête meure* (1969) ; *la Décade prodigieuse* (1971) ; *Docteur Popaul* (1972) ; *Une partie de plaisir* (1975), qu'il interprète également avec sa femme Danièle ; *les Magiciens* (1976). L'apport de Gégauff à l'univers de Chabrol réside probablement dans une vision assez cynique des rapports humains et une fascination pour les jeux de masques et les identités ambiguës. Il collabore aussi aux scénarios ou aux dialogues de *Plein Soleil* (R. Clément, 1960), *le Signe du lion* (É. Rohmer, *id.*), *le Gros Coup* (J. Valère, 1964), *la Femme écarlate* (id., 1968), *More* (B. Schrœder, 1969), *les Novices* (G. Casaril, 1970), *la Vallée* (B. Schrœder, 1972), *la Rivale* (S. Gobbi, 1974). Il joue encore dans quelques films et a réalisé en 1962 *le Reflux ou l'Enfer au Paradis,* qui n'a pas été distribué en salles. J.-P.B.

GEHR *(Ernie), cinéaste expérimental américain (1943).* Arrivé à New York en 1966, il voit par hasard un film de Brakhage qui décide de sa vocation. En utilisant les simples possibilités de la caméra (zoom, changements de vitesse ou d'ouverture du diaphragme, refilmage, etc.), il transfigure dans ses films une réalité banale en œuvre plastique, toujours entre l'insolite et l'abstrait : deux personnages lisant dans une pièce ou marchant dans la rue deviennent un Vermeer sombre et clignotant (*Wait,* 1968) ou les survivants d'une explosion atomique (*Reverberation,* 1969). Un couloir désert d'université se change en un Vasarely frénétique (*Serene Velocity,* 1970). Des voitures filmées en contrebas d'une route ne sont plus que giclées de couleurs filantes (*Transparency,* 1969). La durée et la surimpression jouent aussi un rôle dans son film le plus important, *Still* (1969-1971). Parmi ses autres films : *History* (1970) ; *Field* (id.) ; *Eureka* (1974-1979) ; *Table* (1976-1981) ; *Mirage* (1981) ; *Untitle* (id.). D.N.

GEISSENDÖRFER *(Hans W.), cinéaste allemand (Augsbourg 1941).* Après des études très diverses (dont théâtrales), il réalise en 1966-1968 sept courts métrages et commence à travailler pour la télévision. Son premier long métrage au cinéma, production indépendante, est une œuvre foisonnante, très originale, renouvelant totalement l'argument vampirique : *Jonathan, le dernier combat contre les vampires* (*Jonathan,* 1969). Ses films suivants sont fortement structurés, d'une grande sobriété, mais moins personnels et peut-être trop influencés par son travail régulier à la télévision : *la Ferme de Sternstein* (*Der Sternsteinhof,* 1975) ; *le Canard sauvage* (*Die Wildente,* 1976, D'AP Ibsen), *la Cellule de verre* (*Die gläserne Zelle,* 1977, D'AP Patricia Highsmith). En 1981, il peut tourner avec un budget important *la Montagne magique (Der Zauberberg),* d'après Thomas Mann et en 1983 *le Journal d'Édith (Édiths Tagebuch).* Il devient un spécialiste des séries télévisées, adaptant des classiques de la littérature allemande, et fait retour au cinéma avec *Bumerang-Bumerang* (1989), *Gudrun* (1991) et *Justiz* (1993). D.S.

GELABERT *(Fructuós), cinéaste catalan (Barcelone 1874 - id. 1955).* Ébéniste d'origine, il tourne la première bande de fiction en Espagne (*Riña en un café,* 1897). Il enregistre des scènes de la vie quotidienne à la manière des frères Lumière (*Salida de los trabajadores de la España industrial* et *Salida del público de la iglesia parroquial de Sans,* 1897), puis met en scène des sketches comiques (*Los guapos de la Vaquería del Parque,* 1905 ; *Guardia burlado, Los competidores* et *Los calzoncillos de Toni,* 1908). Gelabert s'inspire du répertoire dramatique pour des œuvres plus ambitieuses : *Terra Baixa* (1907) et *Maria Rosa* (1908), d'après Ángel Guimerà ; *La Dolores* (id.), d'après José Feliú y Codina. La reconstitution historique de *Guzmán el Bueno* (1909) est contemporaine du film d'art français. Il essaye d'acclimater la mode italienne des divas (*Ana Kadowa,* 1912, COPRO US ; CO : Otto Mulhauser). Pionnier versatile de la phase artisanale du cinéma, Gelabert n'arrive pas à accomplir le saut vers l'industrie ; les studios qu'il fonde voient leur expansion compromise par la Première Guerre mondiale. Il se cantonne peu à peu dans le rôle d'opérateur, s'intéresse à diverses recherches techniques et se lance dans le commerce cinématographique. Sa filmographie dépasse la centaine de titres, dont la majorité sont des documentaires ; elle se clôt avec le long métrage *La Puntaire* (1928), drame à thème catalan. P.A.P.

GÉLATINE. Substance chimique complexe, où peuvent être incorporés d'autres éléments (cristaux d'halogénures d'argent, coupleurs, colorants), susceptible d'être étalée en couches minces : couche sensible d'une pellicule ou filtres. (→ COUCHE SENSIBLE, FILM, FILTRES, TEMPÉRATURE DE COULEUR, CONSERVATION DES FILMS.)

GÉLATINO-BROMURE. Mélange de gélatine et de bromure d'argent, qui permit l'avènement de la photographie instantanée (et donc, plus tard, du cinéma) et d'où dérivent les couches sensibles actuelles. (→ INVENTION DU CINÉMA.)

GÉLIN *(Daniel), acteur français (Angers 1921).* Après des études inachevées au Conservatoire de Paris, il débute au cinéma dans des petits rôles (*Premier Rendez-Vous,* Henri Decoin, 1941) ou de simples figurations. C'est sa rencontre avec Jacques Becker qui l'impose comme comédien de premier plan dans *Rendez-Vous de juillet* en 1949. Sa silhouette mince, nerveuse, la mèche romantique qui tombe sur ses yeux sombres et qu'il relève d'un geste brusque marquent le cinéma des années 50. Il y compose des personnages tourmentés, marqués de cette angoisse qu'on dit alors « existentialiste » (il interprète en 1951 la version filmée par Fernand Rivers des *Mains sales* de Jean-Paul Sartre), ou des héros de comédie, fragiles et déterminés, toujours porteurs d'une inquiétude lointaine. Dans les années 60, il se consacre surtout au théâtre et à la télévision, et n'apparaît plus qu'épisodiquement au cinéma.

En 1952, Daniel Gélin a lui-même mis en scène un film, *les Dents longues,* qu'il interprète aux côtés de Danièle Delorme, alors son épouse. Il a en outre publié plusieurs volumes de poésie. J.-P.J.

Films : *Premier Rendez-Vous* (H. Decoin, 1941) ; *Martin Roumagnac* (G. Lacombe, 1946) ; *Rendez-Vous de juillet* (J. Becker, 1949) ; *la Ronde* (Max Ophuls, 1950) ; *Édouard et Caroline* (Becker, 1951) ; *les Mains sales* (F. Rivers, *id.*) ; *le Plaisir* (Max Ophuls, 1952) ; *les*

Dents longues (D. Gélin, 1953) ; *Rue de l'Estrapade* (Becker, *id.*) ; *l'Esclave* (Y. Ciampi, *id.*) ; *La neige était sale* (L. Saslavsky, 1954) ; *l'Affaire Maurizius* (J. Duvivier, *id.*) ; *les Amants du Tage* (H. Verneuil, 1955) ; *l'Homme qui en savait trop* (Hitchcock, 1956 ; US) ; *Mort en fraude* (M. Camus, 1957) ; *le Testament d'Orphée* (J. Cocteau, 1960) ; *la Morte-Saison des amours* (P. Kast, 1961) ; *Vacances portugaises* (id., 1963) ; *Paris brûle-t-il ?* (R. Clément, 1966) ; *le Souffle au cœur* (L. Malle, 1971) ; *l'Honorable Société* (Arielle Weinberger, 1980) ; *les Enfants* (M. Duras, 1985) ; *Dandin* (Roger Planchon, 1988) ; *Itinéraire d'un enfant gâté* (C. Lelouch, *id.*) ; *les Marmottes* (Élie Chouraqui,1993).

GÉMIER *(Firmin), acteur français (Aubervilliers 1869 - Paris 1933).* Le grand animateur qui tente de promouvoir un théâtre du peuple et combine à cet effet diverses tentatives aventureuses se double d'un acteur au jeu sobre, efficace et d'un réalisme exact. Avant 1914, il reprend le rôle qu'il vient de créer sur scène dans *l'Homme qui assassina* (Andreani, 1914) et, en 1917, il est le mari jaloux de *Mater Dolorosa* (A. Gance). Le parlant lui apporte des rôles complexes d'amnésique (*Un homme sans nom,* G. Ucicky, 1932), d'industriel trop ambitieux (*la Fusée,* J. Natanson, 1933), de père incestueux *(le Simoun,* Gémier, *id.).* Malgré sa participation à la réalisation, il n'a pas pu exprimer toute sa personnalité lors de ses rapides passages à l'écran. R.C.

GEMMA *(Giuliano), acteur italien (Rome 1938).* Il débute avec des petits rôles dans *Ben Hur* (W. Wyler, 1959), *Arrangiatevi* (M. Bolognini, 1960), *Messaline* (V. Cottafavi, *id.*). Son premier rôle de protagoniste dans *les Titans* (*Arrivano i Titani,* D. Tessari, 1962) le lance dans une carrière d'athlète et de super-héros dans une longue série de péplums, dont *le Retour des Titans* (*Maciste, l'eroe più grande del mondo,* Michele Lupo, 1963), *Hercule contre les fils du soleil* (*Ercole contro i figli del Sole,* Osvaldo Civirani, 1964), *la Révolte des prétoriens* (*La rivolta dei pretoriani,* Alfonso Brescia, 1965). C'est de nouveau Duccio Tessari qui le lance dans sa deuxième carrière de cow-boy violent avec *Un pistolet pour Ringo* (1965), suivi par de nombreux autres westerns. Il montre une forte personnalité dramatique dans quelques films d'auteur comme *Un vrai crime d'amour* (L. Comencini, 1974), *le Désert des Tartares* (V. Zurlini, 1976), *Un uomo in ginocchio* (D. Damiani, 1979) ou *le Cercle des passions* (C. D'Anna, 1984). L.C.

GENDAI-GEKI (littéral. *film contemporain).* Terme japonais pour les films (ou pièces) à sujet contemporain, se passant en principe depuis l'époque Taishô (1912). Les films antérieurs sont appelés jidai-geki ou meiji-mono. Ainsi *la Rue de la honte* (K. Mizoguchi, 1956) ou *la Cérémonie* sont des gendai-geki. M.T.

GÉNÉRATION. *Copie de nième génération,* copie obtenue à partir de *n* contretypages successifs du négatif original ou de la bande vidéo originale.

GÉNÉRIQUE. Partie du film où sont indiqués le titre du film, les noms des principaux acteurs, les noms des principaux artisans de la fabrication du film (auteurs, réalisateur [s], techniciens, producteur [s], etc.) et diverses informations : studio de tournage, procédé de cinéma en couleurs, etc.

Bref historique. Dans sa conception traditionnelle, qui prévalut jusque dans les années 50, le générique était placé au début du film, et il comportait un nombre restreint d'informations, regroupées sur quelques cartons : un pour les acteurs, un pour les auteurs, un pour les techniciens, etc.

Amorcée dès les années 40 (pensons notamment aux génériques où l'on tourne les pages d'un livre), l'évolution vers un générique plus élaboré s'accéléra dans les années 50, en conjonction avec le mouvement (lié à l'évolution des conditions de production des films et à l'évolution des rapports entre le cinéma et son public) qui poussait à fournir plus d'informations et à mieux mettre ces informations en valeur.

Deux grandes écoles purent alors être distinguées. Dans la première école, marquée notamment par l'Américain Saul Bass, le générique, qui demeurait généralement placé en tête du film, devenait spectacle en lui-même : *Vertigo* (A. Hitchcock, 1958), les *James Bond, l'Homme au bras d'or* (O. Preminger, 1955), *Autopsie d'un meurtre* (id., 1959). Souvent, le générique devint ici un véritable dessin animé : *la Souris qui rugissait* (J. Arnold, 1959), *le Tour du monde en 80 jours* (M. Anderson, 1956), *la Panthère rose* (B. Edwards, 1964).

Dans la deuxième école, popularisée par les premiers westerns sur écran large, la projection débutait directement par des images du film, en l'occurrence des plans d'ensemble (qui situaient le décor de l'action, pendant que la musique situait le genre du film), sur lesquels venaient se superposer les lettres du générique. L'action proprement dite commençait après le générique.

En règle générale, les génériques d'aujourd'hui relèvent de la seconde école, le générique apparaissant souvent lors d'un temps mort ménagé après une séquence de quelques minutes (le prégénérique) qui plonge directement le spectateur dans l'action. La nécessité de ne pas trop briser le rythme du film conduit alors à ne présenter qu'un générique succinct, le générique complet étant reporté en fin de film. Ce fractionnement du générique, parfois perçu comme permettant d'allonger la liste des noms, correspond aussi à une nouvelle façon de « faire sortir » le spectateur du film : le générique de fin, où l'on reprend les thèmes musicaux du film, ménage une transition entre la fin de l'action et la fin du spectacle cinématographique, contrairement au coup d'arrêt brusque que provoquait jadis l'apparition des traditionnelles lettres FIN.

Si la majorité des génériques relèvent d'un des schémas décrits ci-dessus, de nombreux autres témoignent d'une belle imagination : outre certains films déjà mentionnés, on pensera par exemple aux génériques parlés d'Orson Welles ou de Sacha Guitry, ou encore de *M. A. S. H.* (R. Altmann, 1970), au générique de *la Fête à Henriette* (J. Duvivier, 1952).

Le contenu du générique. Le film est précédé par l'indicatif du distributeur. Cet indicatif ne relève pas du générique proprement dit, puisqu'un même film peut être distribué, selon les pays et selon les époques, par différents distributeurs. Une mention particulière doit cependant être faite des indicatifs des grandes compagnies d'Hollywood : « un film Paramount » faisait référence à Paramount en tant que compagnie de production *et* de distribution. Certains de ces indicatifs sont passés à la postérité, notamment le lion rugissant de la MGM et les lettres monumentales de la 20th Century Fox. L'homme au gong de la compagnie britannique Rank, aujourd'hui disparue, connut lui aussi la notoriété.

Les indications contenues dans le générique peuvent être regroupées en diverses rubriques. On trouvera ci-dessous les principaux termes susceptibles d'être rencontrés avec, dans les cas les plus importants, les équivalents anglais et italien. Sauf mention particulière, la présentation est la suivante : terme français (terme anglais, terme italien).

La production. Le *producteur (producer, produttore)* est le fabricant du film au sens économique : c'est lui qui rassemble tous les éléments nécessaires à la fabrication du film : sujet, vedettes, techniciens, studio, réalisateur, financement, etc. (→ ÉCONOMIE DU CINÉMA.) En France, les films de long métrage doivent être produits par une *société* de production : « le producteur » désigne alors soit cette société, soit son animateur. Le nom du producteur est le premier à apparaître dans le générique traditionnel, où il « présente... » (nom des vedettes) « dans... » (titre du film), le nom de la société de production étant éventuellement rappelé vers la fin du générique : « une production... ». On peut aussi trouver uniquement *produit par (produced by, prodotto da).*

Producteur associé, coproduction. Souvent, le producteur qui a l'initiative du film s'associe pour le financer à des producteurs associés (angl. *associate producer).* En Europe, cette association est plutôt appelée *coproduction,* le terme pouvant prendre un sens plus restreint si le film est produit dans le cadre d'un accord de coproduction signé entre deux ou plusieurs pays (→ PRODUCTION).

Producteur délégué, producteur exécutif. Dans le cas d'une association de producteurs, ou dans le cas d'une société de production assez importante pour produire simultanément plusieurs films, les fonctions effectives du producteur sont assurées, pour un film précis, par le *producteur délégué* (cf., par ex., Alain Poiré pour nombre de films produits par Gaumont). En France, producteur exécutif a le même sens que producteur délégué. Aux États-Unis, à l'époque des « grandes compagnies », l'*executive producer,* employé de haut rang de la compagnie, supervisait la production de plusieurs films, chacun de ceux-ci étant à la charge d'un *producer,* équivalent du producteur délégué décrit plus haut. (Dans ce dernier cas, le nom de la compagnie – MGM, Fox, ou autre – apparaissait en tête du générique ; « produced by » faisait référence au *producer.*)

Le *directeur de production (production manager, direttore di produzione)* est un technicien chargé de la gestion du film, depuis la phase de préparation jusqu'à la première copie projetable, en passant par le tournage où il est présent en permanence. Les problèmes matériels du tournage (autorisations diverses, convocation des acteurs ou des techniciens, transports, restauration, etc.) sont à la charge du *régisseur général.* Sur les grosses productions, les problèmes administratifs sont confiés à un *administrateur général.*

Les auteurs. Le *scénario (screenplay, sceneggiatura)* est le document littéraire de base du film, écrit par le *scénariste (screenwriter, sceneggiatore),* éventuellement par développement d'un *sujet (story, soggetto)* plus court ou *d'après un roman de... (based on a novel by..., dal romanzo di...).* Le générique se contente parfois d'indiquer : *écrit par... (written by..., scritto da...).*

L'*adaptation* est le travail littéraire, ou bien le document résultant de ce travail, dans lequel le scénario est adapté aux spécificités du cinéma ou à celles du film envisagé. Le *découpage* (rarement indiqué au générique) est le document où l'on trouve indiqué, plan par plan, tout ce qui va être tourné. L'indication de l'auteur de la *musique* est souvent accompagnée d'indications diverses non spécifiques du cinéma : éditeur de la musique (en France, c'est lui qui supporte les frais d'enregistrement de la musique), orchestre, chef d'orchestre, etc. L'anglais *lyrics* désigne les paroles d'une chanson.

Les acteurs. Il y a peu à écrire sur les acteurs, sinon que l'ordre d'apparition des noms des vedettes principales, de même que les dimensions respectives de ces noms ou leur apparition avant ou après le titre du film, sont souvent minutieusement négociés lors de l'établissement du contrat avec le producteur. (Il en est de même pour les affiches.)

L'anglais *starring* (littéralement : « montrant comme vedette »), placé avant le nom des vedettes principales, et *co-starring* (ou *also starring*), placé avant les noms des vedettes de second rang, n'ont pas d'équivalents en français, mais on ne les trouve guère que sur les affiches. *With* (ital. : *con*) a le sens de *avec. Introducing* est l'équivalent de *avec pour la première fois à l'écran.*

Avec la participation de X (guest star X, con la partecipazione di) signifie que X, vedette connue, apparaît brièvement dans le film, sa participation pouvant être « extraordinaire ». Il y a « aimable participation » si X n'a pas été rémunéré.

Le *casting* consiste à rechercher des acteurs et des figurants adaptés aux rôles.

La réalisation. Le *réalisateur (director, regista)* est fondamentalement le technicien chargé de diriger la réalisation du film. À la grande époque d'Hollywood, sa tâche pouvait se limiter à diriger les prises de vues, toute la préparation et tout ce qui suit le tournage étant pris en charge par d'autres. En Europe, et aux États-Unis aujourd'hui, il participe à la préparation du film (il est souvent l'auteur, ou le coauteur, du scénario) et il suit le montage et le travail du son jusqu'à l'achèvement du film : il est donc tout autant auteur que technicien. Son nom peut figurer au générique de diverses manières : *réalisation* (ital. : *regia di*), *réalisé par (directed by, diretto da), metteur en scène, mise en scène,* voire même, pour les réalisateurs très connus, *un film de (a film by, un film di).*

Le *premier assistant réalisateur (assistant director, aiuto-regista)* seconde le réalisateur, mais il a surtout pour tâche de préparer le tournage (*repérage* des lieux de tournage possibles, *recherche* de comédiens convenant aux rôles, établissement – en accord avec tous les techniciens – du *plan de travail,* planification quotidienne du tournage) et d'en vérifier le bon déroulement, de façon à ce que le réalisateur puisse se consacrer au maximum à la mise en scène.

Les autres assistants réalisateurs secondent le réalisateur et le premier assistant.

La *secrétaire de plateau,* plus connue sous le nom de *script-girl (continuity girl* ou *c. clerk* ou encore *script-girl* ou *s. supervisor* ou *s. clerk ; script-girl* ou *segreteria di edizione)* prend note, pendant le tournage, de toutes les informations (numéro du plan tourné, nombre de prises, métrage consommé, etc.) qu'il est nécessaire de conserver jusqu'à l'achèvement du film. En particulier, c'est grâce à ses notes que l'on évite les *faux raccords* entre deux plans qui se suivent à l'écran mais peuvent avoir été tournés à des jours, voire des semaines d'intervalle.

En France, le *conseiller technique* (lorsque ce terme apparaît à côté du réalisateur) est un réalisateur chevronné chargé de superviser le travail d'un réalisateur débutant, non encore détenteur de la carte d'identité professionnelle.

L'image. Le *directeur de la photographie (director of photography, direttore della fotografia),* que l'on appelle aussi *chef opérateur,* est responsable de l'image et notamment de l'éclairage (d'où son autre nom angl. de *lighting cameraman*). Au générique, son nom est parfois introduit sous la forme «image : X», «prise de vues : X», «pho tographie : X», voire (dans les films anciens) «caméra : X».

Le *cadreur (camera operator* ou *second cameraman ; operatore alla macchina),* qui agit selon les indications du réalisateur et du chef opérateur (avec lequel il forme souvent équipe), est responsable du maniement de la caméra.

Le *premier assistant opérateur* (angl. : *assistant cameraman*) seconde le cadreur pour le réglage de la mise au point et, le cas échéant, le maniement de l'objectif à focale variable. Il est également chargé de l'entretien de la caméra. Chargement et déchargement de la caméra sont effectués par le second assistant.

En Europe, le matériel d'éclairage est mis en place par les électriciens, dirigés par le *chef électricien* (angl. : *gaffer*), qui applique les instructions du chef opérateur. Aux États-Unis, des raisons historiques (la standardisation des tournages dans les studios des grandes compagnies) donnent au *gaffer* beaucoup plus d'initiative dans la disposition du matériel d'éclairage, même si la décision finale appartient là aussi au chef opérateur.

Le son. Le *chef opérateur du son (recordist* ou *recording supervisor ; fonico),* ex- *ingénieur du son,* est responsable de l'enregistrement des sons pendant le tournage. Son *assistant,* qui manipule la perche au bout de laquelle le micro peut être suspendu – hors champ – au-dessus des acteurs (l'autre extrémité de la perche pouvant être fixée à un trépied appelé girafe), est souvent appelé *perchiste (boom man ; giraffista),* terme préconisé à la place de *perchman.*

Il arrive aujourd'hui que le générique mentionne l'*ingénieur du son de mixage,* responsable du son pendant les opérations de *mixage.*

Décors et costumes. L'*architecte-décorateur* (ital. : *scenografo)* conçoit les décors conformément aux souhaits du réalisateur et en liaison avec le chef opérateur, et fait procéder à leur construction, confiée aux menuisiers, peintres, staffeurs, etc. (Dans le cas de tournage en décor naturel, il fait procéder aux aménagements nécessaires : dépose d'antennes, modifications de façade, etc.) L'*ensemblier (property manager ; arredatore)* rassemble meubles et accessoires, aidé par l'*accessoiriste (property man* ou *prop man ; trovarobe).* Normalement, l'accessoiriste a également la charge des *artifices.* Le dessin des costumes est soit assuré par le décorateur, soit confié par celui-ci à un créateur des costumes *(costume designer ; costumista).*

Aux États-Unis, l'*art director* (parfois appelé *production designer* sur les grosses productions) a une responsabilité plus large que celle du décorateur puisqu'elle s'étend à tous les éléments visuels du film. À ce titre, il donne ses directives au *set designer* (concepteur des décors), lequel dirige le *set decorator* (responsable de la réalisation des décors), et au *costume designer.*

À l'équipe des décors et costumes, on peut rattacher le *maquilleur (make-up artist ; truccatore),* l'*habilleur (costumer* ou *wardrobe master* ou *w. mistress),* le *coiffeur (hairdresser ; parucchiere).*

Autres termes. Le *chef monteur (editor ; montatore)* est responsable du montage. Si le son a une grande importance, il peut y avoir un *monteur son* spécialisé.

Les *machinistes (grip ; macchinista),* placés sous la direction du *chef machiniste* (angl. : *head grip*), assurent la manutention et l'installation du matériel de prise de vues (pied de caméra, installations de travelling, grues). Ils assurent également la manœuvre des travellings ou des grues.

Les *cascadeurs (stuntmen)* exécutent les *cascades.* S'agissant des *effets spéciaux,* on distingue en anglais *special effects* (effets de prise de vues) et *optical effects* (effets réalisés en laboratoire sur tireuse optique).

Le *photographe de plateau* ne joue aucun rôle dans le tournage : les photos qu'il prend sont uniquement destinées au matériel publicitaire du film.

L'anglais *on location* est un faux ami, synonyme en fait (pour les plans non tournés en studio) de *lieu de tournage.*

Seconde équipe. La *seconde équipe* (angl. : *second unit*) est une équipe légère, comportant au moins un *réalisateur seconde équipe* et un responsable des *prises de vues seconde équipe.* Elle est chargée des plans qui ne nécessitent pas la présence du réalisateur et de l'équipe complète : typiquement, c'est elle qui réalise les plans de Paris (sans acteurs mais éventuellement avec figurants) destinés à être insérés dans un film tourné en studio hollywoodien. Dans les scènes à grand déploiement de moyens, notamment les scènes de bataille, il peut y avoir plusieurs secondes équipes. J.-P.F.

GENET *(Jean), écrivain français (Paris 1910-* id. *1986).* Son seul film, longtemps interdit, est un des films « souterrains » les plus célèbres du monde. Tourné en 1950 avec des décors dans un night-club et dans la forêt de Milly, *Un chant d'amour* dit sans paroles, avec le seul lyrisme d'un plan leitmotiv de fleurs que deux mains essaient de se passer d'une fenêtre de prison à une autre, l'amour plus ou moins fantasmé d'un prisonnier pour un autre et reconstitue, sans fard, mais sans pornographie, quelques scènes de la vie carcérale qu'a connue et célébrée l'auteur de *Haute Surveillance.* D.N.

GENEVOIS *(Simone), actrice française (Paris 1912).* Fillette populaire du cinéma français des années 20, elle paraît souriante et délurée dans des films qui s'appellent *le Rêve de Simone* (1918), *la Dette de Simone* (1919), *Un ange a passé* ou *Un million dans une main d'enfant* (Adrien Caillard, 1921). Un peu plus tard, adolescente, elle figure dans *Napoléon* (A. Gance, 1927) et dans *André Cornélis* (J. Kemm, 1927). Elle assume avec ferveur le rôle de la Pucelle dans *la Merveilleuse Vie de Jeanne d'Arc* (M. de Gastyne, 1928). Malgré des personnages de premier plan dans *le Rêve* (J. de Baroncelli, 1931) et *le Cas du D*[r] *Brenner* (J. Daumery, 1933), elle se retire des écrans en pleine jeunesse pour n'y jamais revenir. R.C.

GENIAT *(Marcelle), actrice française (Saint-Pétersbourg 1881 - Paris 1959).* Elle joue les aïeules dolentes et doucement attendries (*la Belle Équipe,* J. Duvivier, 1936 ; *la Glu,* J. Choux, 1938 ; *Carrefour,* K. Bernhardt, 1939), les épouses nobles et désabusées (*la Fusée,* J. Natanson, 1933), les héroïnes de mélos populaires (*la Joueuse d'orgue,* G. Roudès, 1936), les mégères (*les Mystères de Paris,* Felix Gandéra, 1935 ; *le Voile bleu,* J. Stelli, 1942). Tout cela avec un égal bonheur dû à sa science du théâtre (Comédie-Française). Elle excelle dans la centenaire du *Briseur de chaînes* (Jacques Daniel-Norman, 1941) et dans la vieille Bretonne de *Dieu a besoin des hommes* (J. Delannoy, 1950). R.C.

GENIN *(René), acteur français (Aix-en-Provence 1890 - Paris 1967).* Ecclésiastique débonnaire, clochard sympathique, surveillant ahuri, employé hargneux, gendarme à accent, assassin méticuleux... Pendant trente ans, il peuple l'écran de silhouettes hilarantes : *les Jumeaux de Brighton* (C. Heymann, 1936) ; *les Bas-Fonds* (J. Renoir, 1937) ; *Un carnet de bal* (J. Duvivier, *id.*) ; *l'Entraîneuse* (A. Valentin, 1938) ; *Mon oncle et mon curé* (Pierre Caron, 1939) ; *les Disparus de Saint-Agil* (Christian-Jaque, *id.*) ; *L'assassin habite au 21* (H.-G. Clouzot, 1942) ; *Goupi Mains rouges* (J. Becker, 1943) ; *les Yeux sans visage* (G. Franju, 1960) ; *Classe tous risques* (C. Sautet, *id.*). R.C.

GENINA *(Augusto), cinéaste italien (Rome 1892* - id. *1957).* Au cours d'une carrière qui couvre une période de plus de quarante ans, Augusto Genina s'est affirmé comme un cinéaste de grande professionnalité, habile dans tous les genres, sachant se plier aux contraintes d'une industrie tournée vers la rentabilité commerciale mais réussissant, du moins dans ses meilleurs films, à préserver un style et une sensibilité qui, sans en faire un cinéaste de premier plan, lui permettent de figurer honorablement dans l'histoire du cinéma italien. Engagé dès 1913 comme auteur de sujets par la Celio Film et la Cines, Genina débute la même année dans la mise en scène avec *La moglie di Sua Eccellenza.* À partir de cette date, Genina travaille sans discontinuité dans les studios romains, milanais, turinois. Ce n'est qu'en 1927 que la crise du cinéma italien le conduit à s'expatrier. De cette première période, riche de plusieurs dizaines de films, on peut retenir *Il piccolo cerinaio* (1914), *La fuga degli amanti* (id.), *La doppia ferita* (1915, film interprété par Mistinguett), *La signorina Ciclone* (1916), *Maschiaccio* (1917), *Addio giovi-*

nezza (1918), *La maschera e il volto* (1919), *Lucrezia Borgia* (id.), *Cirano di Bergerac* (1923), *Il corsaro* (co C. Gallone, *id.*), *L'ultimo Lord* (1926), *Addio giovinezza* (2e version, 1927). Après un passage dans les studios allemands (il y réalise 5 films), Genina se fixe à Paris de 1929 à 1934. Pendant ces années, il tourne *Quartier latin* (1929), *les Amants de minuit* (co M. Allégret, 1931), *Paris béguin* (id.), *la Femme en homme* (1932), *Ne sois pas jalouse* (id.), *Nous ne sommes plus des enfants* (1934) et surtout *Prix de beauté* (1930). Dominé par l'interprétation presque mythique de Louise Brooks, *Prix de beauté* marque un des sommets de la carrière de Genina ; la tension dramatique du film qui culmine dans un final d'anthologie (la mort de l'héroïne dans la salle où elle assiste à la projection du film dont elle est la vedette) en fait une œuvre mémorable. Après un nouveau séjour en Allemagne puis en Autriche, Genina, à la demande du gouvernement fasciste, rentre en Italie et réalise (avec un bref intermède français pour tourner *Naples au baiser de feu,* 1937), des œuvres profondément marquées par l'idéologie du régime au pouvoir. *L'Escadron blanc* (*Lo Squadrone bianco,* 1936), *les Cadets de l'Alcazar/le Siège d'Alcazar* (*L'assedio dell'Alcazar,* 1940), *Bengasi* (1942) peuvent être considérés comme des films de propagande ; ce sont aussi des œuvres d'excellente facture dont le ton épique emporte l'adhésion. Après quelques années de silence, Genina reprend son activité en 1949 et réalise successivement *la Fille des marais* (*Cielo sulla palude,* 1949), *L'edera* (1950), *Histoires interdites* (*Tre storie proibite,* 1952), *Une fille nommée Madeleine* (*Maddalena,* 1954), *Frou-Frou* (1955). De ces derniers films, assez médiocres dans l'ensemble, se détache une entreprise hagiographique à la gloire de Maria Goretti – jeune fille canonisée par l'Église –, *Cielo sulla palude,* où Genina retrouve le sens de l'atmosphère et le dépouillement narratif qui caractérisent le meilleur de son œuvre. J.-A.G.

GENN *(Leo), acteur britannique (Londres 1905 - id. 1978).* Cet ancien avocat, devenu membre de l'Old Vic et temporairement speaker à la BBC, fut surnommé « l'homme à la voix de velours noir ». Le cinéma utilisa surtout sa distinction aristocratique et sa diction parfaite pour des rôles de médecin (*la Couleur qui tue,* S. Gilliat, 1947 ; *la Fosse aux serpents,* A. Litvak, 1949 ; *la Boîte magique,* J. Boulting, 1951) ou d'avocat (*l'Affaire Dreyfus,* J. Ferrer, 1958). Il incarne le connétable de France dans *Henry V* (L. Olivier, 1944) et figure aux génériques de *Quo Vadis* (M. LeRoy, 1951), *l'Amant de lady Chatterley* (M. Allégret, 1955), *Moby Dick* (J. Huston, 1956), *les 55 Jours de Pékin* (N. Ray, 1963). R.L.

GÉODE. Nom de la salle de projection à écran hémisphérique (26 mètres de diamètre, 1 000 mètres carrés de surface) installée à la Cité des Sciences et de l'Industrie de la Villette. Procédé utilisé : Imax et Omnimax. La grandeur de l'image nécessite une lampe au xénon de 15 kw et un système de refroidissement du film au niveau de la fenêtre de projection (→ PANRAMA et OMNIMAX). J.-M.G.

GEORGE *(Heinz Georg Schulz, dit Heinrich), acteur allemand (Stettin [auj. Szczecin, Pologne] 1893 - Sachsenhausen 1946).* Acteur sur les scènes de province dès 1912, il apparaît à l'écran après avoir conquis la célébrité dans les théâtres de Francfort, Vienne et Berlin. On lui confie de grands rôles pour ses débuts en 1921, dans *Der Roman der Christine von Herre* de Ludwig Berger et *Kean* de Rudolf Biebrach. Il tourne dans trente films muets, dont *Metropolis* (F. Lang, 1927), *Das Meer* (Peter Paul Felner, *id.*), *Die Leibeigenen* (Richard Eichberg, *id.*), *Der Mann mit dem Laubfrosch* (G. Lamprecht, 1928). Il joue dans quelques-uns des films les plus importants des débuts du parlant, en particulier sous la direction de réalisateurs de gauche, Richard Oswald (*Dreyfus,* 1930 ; rôle de Zola), ou Phil Jutzi (*Sur le pavé de Berlin,* 1931 ; rôle de Franz Biberkopf). En 1933, il dirige et interprète *Schleppzug M-17,* film supervisé par Werner Hochbaum.

Dès la prise du pouvoir par les nazis, il abandonne ses convictions de gauche et se rallie au nouveau régime. Il apporte sa popularité au film de propagande *le Jeune Hitlérien Quex* (H. Steinhoff, 1933). Devenu directeur d'un grand théâtre de Berlin, il ne se consacre sur scène qu'au répertoire classique, mais il participe au tournage de plusieurs films nationalistes et au film antisémite *le Juif Süss* (V. Harlan, 1940, rôle du duc de Wurtemberg). Il remporte souvent de grands succès : *Un ennemi du peuple* (H. Steinhoff, 1937), *Magda* (C. Froelich,

1938), *Friedrich Schiller* (Herbert Maisch, 1940), *le Maître de poste* (G. Ucicky, *id.*), *Andreas Schlüter* (H. Maisch, 1942). Son dernier film est la fresque de Veit Harlan, *Kolberg*, achevée dans les dernières semaines de la guerre. Prisonnier de l'armée soviétique, il meurt après quelques mois d'emprisonnement dans le camp de Sachsenhausen, non loin de Berlin. Son fils, *Götz* George (*Berlin 1938*), a débuté très jeune au théâtre (1950) et au cinéma (1953). Il a eu quelques grands rôles dans *Je ne voulais pas être nazi* (W. Staudte, 1960), *La mort est mon métier* (T. Kotulla, 1977), *l'Effraction* (F. Beyer, 1988), *les Yeux bleus* (R. Hauff, 1989), mais est devenu surtout populaire grâce à la série TV *Schimanski*, où il tient le rôle-titre. D.S.

GÉRALD *(Gérald Cuenot,* dit *Jim), acteur français (Genève 1889 - Paris 1958).* Après une jeunesse aventureuse au Far West, Jim Gérald prend contact avec le cinéma français dans les films poursuites des premières années du muet. Il va participer plus tard aux spectacles des Pitoëff et, à la même époque, jouera des rôles importants dans les films de Clair : *Paris qui dort* (1924), *le Voyage imaginaire* (1926), *la Proie du vent* (1927), *Un chapeau de paille d'Italie* (1928), *les Deux Timides* (1929). Il a tourné en Angleterre (*la Symphonie des brigands,* F. Feher, 1935) et en Allemagne. Sans essoufflement malgré son embonpoint, il paraissait encore dans *Moulin-Rouge* (J. Huston, 1953) et *Éléna et les hommes* (J. Renoir, 1956). R.C.

GERARDI *(Roberto), chef opérateur italien (Rome 1919).* Il débute comme assistant des opérateurs Carlo Montuori et Anchise Brizzi, mais il travaille surtout avec Otello Martelli. Son premier film comme chef opérateur est *I colpevoli* (Turi Vasile, 1957). Il travaille ensuite avec des réalisateurs comme De Santis (*la Garçonnière/Flagrant Délit,* 1960), Lattuada (*la Novice,* id. ; *Don Giovanni in Sicilia,* 1967), D. Damiani (*l'Île des amours interdites,* 1962), V. De Sica (*les Séquestrés d'Altona,* 1962 ; *Mariage à l'italienne,* 1964), P. Festa Campanile (*Adulterio all'italiana,* 1966 ; *Il marito è mio e l'ammazzo quando mi pare,* 1968), Maurizio Ponzi (*Il caso Raoul,* 1975), Sergio Martino (*Spogliamoci così senza pudor...,* 1976). Il n'a pas un style à lui mais il est capable de bien s'adapter aux visions des différents cinéastes. Il revient aux lumières essentielles de ses premiers films avec la splendide photo de *Ligabue* (Salvatore Nocita, 1978), qui transforme une réalité sordide en une peinture naïve. L.C.

GERE *(Richard), acteur américain (Philadelphie 1949).* Dès son troisième film (*À la recherche de M. Goodbar,* R. Brooks, 1977), il est dans le peloton de tête des acteurs américains découverts à la fin des années 70. Il incarne quelques archétypes avec conviction : le desperado solitaire – avatar du « born loser » de l'après-guerre –, le rocker sexy, le GI romanesque, le prolétaire qui cherche à s'élever dans la hiérarchie sociale par la promotion militaire. On le voit dans *les Moissons du ciel* (T. Malick, 1978), *les Chaînes du sang* (A. Mulligan, *id.*), *American Gigolo* (P. Schrader, 1979), *Yanks* (J. Schlesinger, *id.*), *Officier et Gentleman* (*An Officer and a Gentleman,* Taylor Hackford, 1982), *À bout de souffle made in USA* (*Breathless,* Jim McBride, 1983), *Cotton Club* (F. F. Coppola, 1984), *le Consul* (*The Honorary Consul,* John Mackenzie, *id.*), *le Roi David* (B. Beresford, 1985), *les Coulisses du pouvoir* (S. Lumet, 1986), *Sans pitié* (*No Mercy,* Richard Pearce, *id.*), *Miles From Home* (Gary Sinise, 1988), *Affaires privées* (*Internal Affairs,* Mike Figgis, 1990), *Pretty woman* (Garry Marshall, *id.*). Ce dernier film est pour lui un retour en force après une période de baisse de popularité : plus mûr, le cheveu poivre et sel, il semble bénéficier d'un registre élargi. Après un court rôle dans *Rhapsodie en août* (1991), pour le plaisir d'être dirigé par Kurosawa, il reprend sur les chapeaux de roue une carrière commerciale brillante. Psychiatre au cœur d'un suspense hitchcockien (*Sang chaud pour meurtre de sang-froid,* Phil Joanou, 1992), il joue cependant de sa séduction, affrontant les féminités conjuguées de Kim Basinger et d'Uma Thurman. Il est très à l'aise auprès de Jodie Foster dans *Sommersby* (Jon Amiel, *id.*), honorable remake du *Retour de Martin Guerre,* transposé dans l'Ouest américain. Malheureusement, il semble moins à l'aise dans *Intersection* (M. Rydell, 1994), morne remake des *Choses de la vie* ou dans le *Lancelot* de Jerry Zucker (1995). J.-L.P.

GERIMA *(Haile), cinéaste américain d'origine éthiopienne (Gondar 1946).* Formé à l'université de Californie de Los Angeles, Gerima commence à tourner aux États-Unis, où il réside.

Hour Glass (1971), *Child of Resistance* (1972), *Bush Mama* (1975), ses premiers films, ont pour protagonistes des Noirs américains (un joueur de basket-ball, une détenue, une mère de famille), chez qui s'éveille la conscience. De retour en Éthiopie, il y réalise *la Récolte de trois mille ans* (*Harvest : 3000 Years*, 1976), une des œuvres les plus mûres du cinéma africain. Gerima sait y exprimer le désir de justice qui anime les paysans dépossédés et faire du bourg montagnard, où se déroule le film, un microcosme du pays à la veille de la révolution. Depuis, son travail se poursuit aux États-Unis dans le documentaire et le film de fiction : *Cendres et Braises* (*Ashes and Embers*, 1982). P.H.

GERLACH *(Arthur von), cinéaste allemand (1881-1925).* Venu du théâtre, il est certainement le plus méconnu et le plus mystérieux des réalisateurs dits « expressionnistes ». Il est l'auteur de deux films seulement, mais l'un comme l'autre de premier plan. *Vanina* (id., 1922, sur un scénario de Carl Mayer d'après Stendhal) est une étude sur le sadisme, noyée dans une poésie prenante et tourmentée ; l'autre, *la Chronique de Grieshuus* (*Zur Chronik von Grieshuus*, 1925, sur un scénario de Thea von Harbou d'après une nouvelle de Theodor Storm), est un mélodrame noir et angoissant. A. von Gerlach meurt prématurément en laissant inachevé son film *le Prince de Hombourg (Der Prinz von Homburg).* J.-L.P.

GERMI *(Pietro), cinéaste italien (Gênes 1914 - Rome 1974).* D'abord attiré par une carrière de capitaine au long cours, Pietro Germi modifie l'orientation de ses études pour aller suivre à Rome les cours de mise en scène et d'interprétation du Centre expérimental de cinématographie. Après avoir été l'assistant de Blasetti, Germi réalise, sous la supervision de ce dernier, son premier film, *le Témoin (Il testimone),* en 1946. La carrière de Germi, qui comprend dix-huit films au total, peut se diviser en deux parties. De 1946 à 1958, le cinéaste tourne des films où dominent la critique sociale et la volonté de porter un témoignage sur la situation de l'Italie de l'après-guerre. Avec le recul, ces œuvres ne semblent pas toujours très bien maîtrisées, elles hésitent entre le constat dépouillé à la manière du néoréalisme et une intention spectaculaire qui doit beaucoup à l'influence du film noir américain. Les films réalisés pendant cette période pèchent parfois par leur schématisme ou par un didactisme trop appuyé : *Il testimone* (1946) ; *Jeunesse perdue* (*Gioventù perduta*, 1948) ; *Au nom de la loi* (*In nome della legge*, 1949) ; *la Tanière des brigands* (*Il brigante di Tacca del Lupo*, 1952). En revanche, certains d'entre eux ont une force narrative incontestable et posent avec acuité les problèmes de l'émigration des travailleurs siciliens (*le Chemin de l'espérance* [*Il cammino della speranza*, 1950]), de la délinquance dans les grandes villes (*Traqué dans la ville* [*La città si difende*, 1951]), de la désagrégation familiale (*le Cheminot/le Disque rouge* [*Il ferroviere*, 1956] ; *l'Homme de paille* [*L'uomo di paglia*, 1958]). Après un film charnière comme *Meurtre à l'italienne* (*Un maledetto imbroglio*, 1959), comédie policière inspirée du célèbre roman de Carlo Emilio Gadda, *Quer pasticciaccio brutto de via Merulana (l'Affreux Pastis de la rue des Merles),* Germi commence la seconde partie de sa carrière. Pendant plusieurs années, le cinéaste se consacre à des comédies de mœurs – souvent situées en Sicile – dans lesquelles l'épaisseur du trait n'empêche pas la précision et la virulence de la critique. *Divorce à l'italienne* (*Divorzio all'italiana*, 1961), *Séduite et abandonnée* (*Sedotta e abbandonata*, 1964), *Ces messieurs-dames* (*Signore e signori*, 1966 ; Palme d'or au festival de Cannes), *Beaucoup trop pour un seul homme* (*L'immorale*, 1967) constituent une espèce de tétralogie sur la médiocrité et la petitesse des passions humaines. Les dernières œuvres, *Serafino* (1968), *Le castagne sono buone* (1970), *Alfredo, Alfredo* (1972), indiquent une volonté de renouvellement qui aurait dû culminer avec *Mes chers amis* (*Amici miei*, 1975), film que Germi gravement malade demanda à Mario Monicelli de réaliser à sa place. Également acteur (dans plusieurs de ses films mais aussi dans des œuvres de Mario Soldati, Damiano Damiani, Mauro Bolognini), Germi est un cinéaste assez représentatif de l'évolution du cinéma italien depuis les années de l'immédiat après-guerre jusqu'au milieu des années 70. L'amertume de ses analyses sociales, malgré des choix stylistiques parfois contestables, confère à ses films une force de témoignage qui trouve à s'exprimer aussi bien dans les drames que dans les comédies. J.-A.G.

GERMON *(Germaine Hélène Nannon,* dite *Nane), actrice française (Paris 1909).* Le cinéma a longtemps confiné cette actrice originale dans des rôles de laiderons dont elle sut toujours tirer le maximum : *Mayerling* (A. Litvak, 1936) ; *le Mioche* (L. Moguy, *id.*) ; *Ma sœur de lait* (Jean Boyer, 1938) ; *Accord final* (J. Rosenkranz [I. R. Ray], *id.*). Épouse infidèle dans *Remorques* (J. Grémillon, 1941 ; RÉ 1939), elle esquisse une apparition balzacienne dans *Vautrin* (P. Billon, 1944), puis un personnage de pécore dans *la Belle et la Bête* (J. Cocteau, 1946). Ainsi va-t-elle, toujours spirituelle, du *Café du cadran* (Jean Géhret, 1947) à *l'Auberge rouge* (C. Autant-Lara, 1951), passant de Colpi (*Une aussi longue absence,* 1961) à Malle (*le Voleur,* 1967). R.C.

GERRON *(Kurt Gerson,* dit *Kurt), acteur et cinéaste allemand (Berlin 1897 - Auschwitz 1944).* Célèbre « rondeur » de l'écran allemand, il est surtout connu pour son rôle de directeur de la troupe de *l'Ange bleu* de Sternberg (1930), où il écrase des œufs sur la tête d'Emil Jannings. Mais Gerron avait déjà à son palmarès une dizaine de films, ayant débuté en 1922 (dans *Frau Sünde* de Fred Sauer) et tourné notamment sous la direction de Richard Oswald, Carl Froelich, Hans Behrendt (en Grande-Bretagne), G. W. Pabst, Anatole Litvak, etc. À partir de 1931, il devient réalisateur, d'abord en Allemagne (*Meine Frau, die Hochstaplerin*), puis en France (*Une femme au volant ;* co Pierre Billon, 1933) et en Hollande. Directeur du Théâtre juif à Amsterdam, il tombe aux mains des nazis, qui le contraignent à tourner en 1944 l'atroce documentaire truqué commandé par Hitler sur le camp de concentration « modèle » de Terezin (Terensienstadt) : *Le Führer offre une ville aux Juifs (Der Führer schenkt den Juden eine Stadt).* Il meurt en déportation à Auschwitz sitôt le film terminé. C.B.

GERSHWIN *(George), compositeur américain (Brooklyn, N. Y., 1898 - Beverly Hills, Ca., 1937) et* Gershwin *(Ira), parolier américain (New York, N. Y., 1896 - Beverly Hills, Ca., 1983).* Hollywood adapte les opérettes de ces deux frères, avec leurs chansons entraînantes et solidement bâties : *Lady Be Good* (1924) sera filmée en 1941 (N. Z. McLeod) ; *Funny Face* (1927) en 1957 (*Drôle de frimousse* de Donen) ; *Girl Crazy* (1930) en 1932 par Seiter, en 1943 par Taurog et en 1965 par Alvin Ganzer *(When the Boys Meet the Girls)* ; *Porgy and Bess* (1935) en 1959 par Preminger. De plus, les Gershwin ont créé pour l'écran de riches ensembles de chansons : *Delicious* (D. Butler, 1931), *l'Entreprenant M. Petrov* (M. Sandrich, 1937), *Demoiselle en détresse* (G. Stevens, 1937) et *The Goldwyn Follies* (G. Marshall, 1938), et la comédie musicale fit souvent appel à leur répertoire (*Tout le plaisir est pour moi,* H. Potter, 1955), recourant parfois à des inédits (*The Shocking Miss Pilgrim,* G. Seaton, 1947). Trois films enfin rendent hommage à George Gershwin : *Manhattan* (W. Allen, 1979) par sa partition ; *Un Américain à Paris* (V. Minnelli, 1951), qui illustre certaines de ses plus belles pages ; *Rhapsody in Blue* (I. Rapper, 1945), sa biographie romancée.

Ira continue sa carrière après la mort de son frère. Pour le cinéma, il écrit des textes vifs et rythmés, sur des musiques de Kern (*la Reine de Broadway,* Ch. Vidor, 1944), de Burton Lane (*Donnez-lui une chance,* S. Donen, 1953) et de H. Arlen (*Une étoile est née,* G. Cukor, 1954). Mitchell Leisen adapte, dans son film *les Nuits ensorcelées,* l'œuvre qu'il avait écrite en 1941 avec Kurt Weill. A.M.

GERT *(Gertrud Samosch,* dite *Valeska), actrice allemande (Berlin 1892 - Kampen, île de Sylt, 1978).* Élève de Maria Moissy, elle se spécialise au cabaret, dès 1920, dans un type de danse « grotesque » de style expressionniste où elle affirme traduire sa volonté de vivre sa vie et d'exorciser la mort ; au cinéma, son jeu sera également marqué par son goût du style excentrique et volontiers caricatural. Elle se fait remarquer par ses créations dans les films de Pabst (la patronne du bordel dans *la Rue sans joie,* 1925 ; la directrice de la maison de redressement du *Journal d'une fille perdue,* 1929 ; Frau Peachum dans *l'Opéra de quat'sous,* 1931). Renoir *(Nana,* 1926) fait d'elle une camériste, et Junghans sait l'utiliser dans *Telle est la vie* (1929). Émigrée aux États-Unis en 1933, elle fonde à New York un cabaret : le Bar des mendiants. Après la guerre, on la retrouve en Europe dans *Juliette des esprits* (F. Fellini, 1965) et *le Coup de grâce* (V. Schlöndorff, 1976), ainsi que dans un savoureux court métrage de Pierre Philippe, *la Bonne Dame* (1967), qui rend justice à son talent inquiétant en lui donnant le rôle d'un vam-

inquiétant en lui donnant le rôle d'un vampire ; elle sera d'ailleurs pressentie par Herzog pour son *Nosferatu,* peu avant sa mort. Schlöndorff lui a consacré en hommage son *Kaleidoskop Valeska Gert* (1977). Elle a écrit plusieurs livres : *Mon chemin* (1931) ; *le Bettlerbar de New York* (1950) ; *Je suis une sorcière* (1968) ; *les Chats de Kampen* (1973). M.M.

GESCHONNEK *(Erwin), acteur allemand (Berlin 1906).* Membre de la troupe d'Erwin Piscator, antihitlérien actif, il connaîtra l'épreuve des camps de concentration. Après la fin de la guerre, il débute au cinéma (*In jenen Tagen* d'Helmut Kaütner en 1947), et Bertholt Brecht l'engage au Berliner Ensemble. Il devient alors l'un des plus célèbres acteurs de la RDA en s'imposant notamment dans *le Capitaine de Cologne* (S. Dudow, 1956), *les Aventures de Till l'Espiègle* (G. Philipe et J. Ivens, *id.*), *Leute mit Flügeln* (K. Wolf, 1960), *Nu parmi les loups* (*Nackt unter Wölfen,* F. Beyer, 1963), *Jacob le menteur* (F. Beyer, 1975), *l'Île des hérons blancs* (J. Jireš, 1977 COPR avec TCH.), *le Moulin de Levine* (*Levins Mühle,* Horst Seemann, 1980), *Mon Dieu, quel papa* ! (*Mensch, mein Papa* !, Ulrich Thein, 1989). J.-L.P.

GETINO *(Octavio), cinéaste argentin d'origine espagnole (León 1935).* Écrivain et documentariste de formation, il est un des fondateurs du groupe péroniste Cine Liberación. Il est à ce titre coauteur de *l'Heure des brasiers* (F. Solanas, 1968), ainsi que de *La revolución justicialista* et d'*Actualización política y doctrinaria* (id., 1971), deux exposés du général Perón. Il tente la fiction avec *El familiar* (1973), allégorie historique peu convaincante. Parmi d'autres écrits, le manifeste *Vers un troisième cinéma* (1969) obtient un certain retentissement à l'heure où se profile à Cuba le mouvement pour une organisation tricontinentale. Contre, d'une part, le *premier* cinéma (impérialiste, dominant, aliénant) et, d'autre part, contre le *deuxième* cinéma (d'auteur, réformiste, idéaliste), ce texte prône un nouveau cinéma militant, de témoignage social, produit et distribué hors des circuits officiels, un cinéma-guérilla, qui sorte le spectateur de sa passivité pour l'engager dans l'action politique. Auteur d'études sur l'économie du cinéma latino-américain, Getino assume des responsabilités à la tête de la cinématographie argentine à deux reprises (1973 et 1989-90). P.A.P.

GEVACOLOR. 1) nom de marque d'un procédé soustractif de cinéma en couleurs proposé peu après la dernière guerre par la firme belge Gevaert ; 2) depuis la fusion en 1964 d'Agfa et de Gevaert, nom de marque des films en couleurs pour cinéma professionnel proposés par Agfa-Gevaert. J.-P.F.

GEVAERT. Firme belge, aujourd'hui fusionnée au sein d'Agfa-Gevaert. Dans les années 50, la « Gevaert » était une façon familière de désigner une pellicule négative noir et blanc de rapidité élevée, alors couramment employée pour filmer avec un éclairage réduit.

GHĀNA. Indépendant en 1957, l'ancienne Gold Coast britannique dispose, dans les années 60, de la meilleure infrastructure de l'Afrique tropicale, et d'une poignée de jeunes techniciens et cinéastes formés tant à Londres que par la Colonial Film Unit 'locale. Des Anglais tournent plusieurs longs métrages avec des Ghanéens : *The Boy Kumasemu* (Sean Graham, 1960), *The Tongo Hamlet* (Terry Bishop, 1965). En 1966, un Ghanéen, Ato Yanney, réalise le court métrage qui est sans doute le premier film national, *Panoply of Ghana.* Il est produit par Sam Aryetey, lequel tourne en 1968 un premier long métrage (parlé en anglais et en akan) d'après un conte populaire, *No Tears For Ananse.* Les titres suivants, dont les auteurs ne paraissent avoir pu s'affirmer, évoquent le sempiternel conflit des générations, du passé et du présent : *I Told You So* (Egbert Adjesu, 1970) ; *Doeing Their Thing* (Bernard Odjidja, 1971) ; *You Hide Me* (Kwaté Nee Owoo, 1972, CM) ; plusieurs projets n'ont pas abouti, et une coproduction avec l'Italie, en 1976, s'est révélée désastreuse. En 1980, Kwaw Paintie Ansah, homme de théâtre, tourne (en anglais) *L'amour mijote dans la marmite africaine (Love Breved in the African Pot).* C.M.C.

GHATAK *(Ritwik Kumar), cinéaste indien bengali (Dacca, Bengale-Oriental* [*auj. Bangladesh*] *1925 - Calcutta 1976).* Très marqué par l'indépendance, suivie de la partition de l'Inde qui fait de sa province un État étranger et de lui-même un réfugié au Bengale-Occidental, il étudie à l'université de Calcutta, fait du journalisme, du théâtre avec l'Indian People's Theatre Association, rejoint le parti communiste, traduit Brecht en bengali, devient l'assistant de Manoj Bhattacharya puis passe à la mise en scène. Il laisse une œuvre inégale, convulsée, brutale, faite de quelques films, et plusieurs d'entre eux sont d'incontestables chefs-d'œuvre du cinéma indien dont il reste pourtant le plus méconnu des auteurs. *La Pathétique Illusion / l'Homme-Auto* (*Ajantrik,* 1957) raconte l'histoire des relations entre un chauffeur de taxi et sa vieille voiture, laquelle finit par rendre l'âme. *L'Étoile voilée de nuages / l'Étoile cachée* (*Meghe Dhaka Tara,* 1960) aborde le thème des réfugiés du Bengale-Oriental, des effets désastreux de la partition, de la misère et de l'aliénation. *Mi bémol* (*Komal Gandhar,* 1961), œuvre presque autobiographique, raconte les efforts d'un groupe de jeunes gens engagés qui espèrent résoudre par l'art les contradictions de l'Inde indépendante. *Le Fil d'or* (*Subarnarekhā,* 1966 ; RÉ 1962) reprend, avec davantage de brutalité, le thème des réfugiés et décrit l'anéantissement d'une famille dans la misère et l'humiliation. *Une rivière nommée Titas* (*Titash Ekti Nadir Naam,* 1973), réalisé au Bangladesh, après l'éclatement du Pākistān, raconte, à travers l'histoire d'une rivière qui s'ensable, la dégradation du pays et les conflits qu'elle provoque. *Raison, Illusion, Histoire / Raison, discussion et un conte* (*Jukti Takko Aar Gappo,* 1974), son dernier film, hanté par la déchéance et la mort, est l'histoire d'un intellectuel alcoolique finalement tué par les *naxalites* (gauchistes). Dans tous ces films, Ritwik Ghatak a identifié ses souffrances à celles vécues par un peuple arraché à son pays et à ses traditions : de là, la volonté de peindre des personnages toujours reliés à une conscience collective et à une mythologie dont la jonction constitue pour lui la source des émotions les plus authentiques ; de là aussi, venus de l'intensité vécue de ces souffrances, l'impatience du cinéaste, sa violence et son dédain absolu pour toute forme de pudeur ou de bon goût. Ses films connurent rarement le succès. Aujourd'hui, ils sont l'objet d'un culte de la part de nombreux jeunes cinéastes indiens, d'autant que Ritwik Ghatak fut, en 1966-67, directeur du Film and Television Institute of India et qu'il dispensa un enseignement fort peu orthodoxe mais que beaucoup de ses étudiants, notamment Mani Kaul, John Abraham et Kūmar Śhahani, n'ont pas oublié. H.M.

Autres films : *Bedeni* (1951) ; *le Citoyen* (*Nagarik,* 1952) ; *le Fugitif* (*Bari Theke Paliye,* 1959) ; *Kata Ajanare* (id.).

GHERARDI *(Piero), décorateur et costumier italien (Poppi, Arezzo, 1909 - Rome 1971).* Il débute en 1946 comme ensemblier pour *Notte di tempesta* (G. Franciolini) et pour *Eugénie Grandet* (M. Soldati). L'année suivante, il devient décorateur pour *Daniele Cortis* (M. Soldati), suivi par quelques films néoréalistes : *Sans pitié* (A. Lattuada, 1947) ; *De nouveaux hommes sont nés* (L. Comencini, 1948) ; *Naples millionnaire* (E. De Filippo, 1949). Dans les années 50, il travaille avec Steno (*Cinema d'altri tempi,* 1953), où il dessine les costumes aussi, comme dans plusieurs autres films, L. Zampa (*Anni facili,* id.), Monicelli (*Du sang dans le soleil,* 1955 ; *Pères et Fils,* 1957 ; *le Médecin et le Sorcier,* id. ; *le Pigeon,* 1958). Depuis *les Nuits de Cabiria* (1957), il collabore souvent avec F. Fellini, et il crée pour ses films des décors fantastiques, toujours plus grandioses à mesure que ses budgets augmentent — avec une vraie apothéose dans *Juliette des esprits* (1965). Ses libres évocations historiques dans *l'Armée Brancaleone* (M. Monicelli, 1966), dans *Brancaleone aux croisades* (id., 1970) et dans *Casanova, un adolescent à Venise* (L. Comencini, 1969) sont parmi les plus inspirées du cinéma italien. L.C.

GHIONE *(Emilio), cinéaste, acteur et scénariste italien (Fiesole 1879 - Rome 1930).* Peintre miniaturiste, il tente sa chance comme acteur de cinéma et tourne, pour l'Aquila et l'Itala d'abord, puis la Celio de Baldassare Negroni en 1913 dans *La Gloria* et *L'anima del demimonde,* film où, après avoir incarné le saint François d'Assise du film homonyme de Guazzoni (1911), il installe la figure, nouvelle en Italie, de l'apache, aux côtés de Francesca Bertini. Tous deux passent alors à la Caesar : Ghione scénariste, acteur et cinéaste, crée, dans *Nelly la gigolette ovvero la danzatrice della Taverna Nera,* le personnage de Za la Mort, bâtard émacié de l'apache sentimental et d'Arsène Lupin. En 1915, il peaufine sa silhouette dans un serial en trois parties : *la*

Banda delle cifre, où apparaît Kally Sambucini dans le rôle de Za la Vie. Tout cela ne l'empêche pas de tenir des rôles de femmes ! À partir de 1917, il écrit, interprète et dirige notamment deux nouveaux serials, *les Souris grises (I topi grigi)* et *le Triangle jaune (I triangolo giallo).* Il fonde la Ghione Film (1920) et produit des œuvres qu'il écrit, interprète et dirige mais dont, pour la plupart, l'intérêt et la qualité faiblissent. Les meilleures sont des classiques du feuilleton policier, traité par ce curieux épigone de Feuillade aux « pommettes de poitrinaire, l'œil à la fois torve et éteint... Quand on croisait son regard macabrement lyrique, écrit Nino Frank, on perdait pied. » Inventive, baroque, comme celles de Gasnier et Feuillade, et dans un domaine voisin, son œuvre doit être appréciée à partir des lois du genre. Enfin, s'il a mis la production cinématographique en garde, par ses articles, contre la dictature des vedettes, c'est en connaissance de cause : pour avoir vécu le temps des divas, et avoir tant contribué à la carrière de la Bertini et de la Sambucini – laquelle lui fut aussi une compagne dévouée. Il a écrit, entre autres, *L'ombra di Za la Mort* (roman posthume, 1933). C.M.C.

Autres films : *le Cadran d'or* (*Quadrante d'oro,* 1920) ; *Za la Mort ou le cauchemar de Za la Vie* (*L'incubo di Za la Vie,* 1921) ; *Il club dei suicidi* (1923).

GHOSE (*Goutam* [on écrit également *Gautam Ghosh*]), *cinéaste indien* (*Faridpur, Bengale-Oriental* [*auj. Bangladesh*] *1950*). Diplômé de l'université de Calcutta, il dirige en 1975 un documentaire sur la famine au Bengale, *'Automne affamé'* (*Hungry Autum*), qui obtient le Grand Prix du festival d'Oberhausen. Reporter photographe passionné de théâtre, il opte néanmoins pour le cinéma dès 1979, réalisant successivement *'Notre terre'* (*Maabhoomi,* en langue telugu, 1979), *'l'Occupation'* (*Dakhal,* 1982, en bengali), *'la Traversée'* (*Paar,* 1984, en hindi), *'le Voyage au-delà'* (*Antarjali Jatra,* 1987, en bengali et hindi), *Ek Ghat Ki Kahani* (CM, 1987), *'Jalon sur le chemin de la musique'* (*Sange Meel Se Mulaqat,* DOC, 1989), *le Batelier de la Padma* (*Padma Nadir Majhi, 1993*), *Patang* (1994). C.O.

GIACHETTI *(Fosco), acteur italien (Livourne 1904 - Rome 1974).* D'abord acteur de théâtre – il joue notamment dans les compagnies de Tatiana Pavlova et de Marta Abba –, il fait ses débuts au cinéma en 1933 dans *le Masque qui tombe (Il trattato scomparso)* de Mario Bonnard. Après quelques films mineurs, sa carrière cinématographique commence réellement en 1936 avec *l'Escadron blanc* d'Augusto Genina. Dès lors, Giachetti se consacre presque exclusivement au cinéma. Composant une figure héroïque chère au régime fasciste, prototype d'une image virile de l'homme, Giachetti tourne de nombreux films qu'il marque de son jeu sobre et de son visage marmoréen. Parmi ceux-ci, on peut retenir : *Sentinelle di bronzo* (1937) de Romolo Marcellini ; *Scipion l'Africain* (id.) et *Giuseppe Verdi* (1938) de Carmine Gallone ; *Napoli che non muore* (1939) de Amleto Palermi ; *les Cadets de l'Alcazar* (1940) de Genina ; *La peccatrice* (id.) de Palermi ; *Lumière dans les ténèbres* (1941) de Mario Mattoli ; *Fari nella nebbia* (1942) de Gianni Franciolini ; *Un coup de pistolet* (*Un colpo di pistola,* id.) de Renato Castellani ; *Bengasi* (id.) de Genina ; *Noi Vivi* et *Addio Kira* (id.) de Goffredo Alessandrini. Dans ce dernier film – un diptyque mélodramatique –, Giachetti trouve sans doute le meilleur rôle de sa carrière, celui d'un bolchevique à l'âme tourmentée. Après la guerre, il n'interprète plus que des rôles de second plan : parmi les nombreux films qu'il tourne encore, on peut citer *les Frères Karamazov* (*I fratelli Karamazoff,* 1948) de Giacomo Gentilomo et *la Maison du souvenir* (*Casa Ricordi,* 1954) de Gallone. Les années 60 le voient surtout au théâtre et à la télévision. J.-A.G.

GIANNETTI *(Alfredo), scénariste et cinéaste italien (Rome 1924).* Ses débuts sont marqués par le scénario de *la Fille sans homme,* de Giuseppe De Santis (1953), que suivent d'autres mélodrames. En 1956, il collabore avec Germi sur *le Disque rouge* et obtient un Oscar en 1963 pour le scénario de *Divorce à l'italienne* (*Divorzio all'italiana,* 1961). Il avait débuté la même année par un lourd drame réaliste, *Giorno per giorno disperatamente.* Il dirige d'autres films mineurs ou médiocres, pour les studios ou la TV, avant de reprendre son premier métier de scénariste : *Ragazzo di borgata* (G. Paradisi, 1976), *Febbre da cavallo* (Steno, 1976). L.C.

GIANNINI *(Ettore), scénariste, metteur en scène italien de théâtre et cinéaste (Naples 1912).* Il abandonne progressivement son activité théâtrale après une belle carrière, pour se consacrer au cinéma à partir de 1941, cosignant le script de *l'Orizzonte dipinto* (G. Salvini). Il est également l'auteur du scénario des *Coupables* (*Processo alla città,* L. Zampa, 1952), de *Scandale à Milan* (*Difendo il mio amore,* V. Sherman, 1956), de *La Nonna Sabella* (D. Risi, 1957) et du dialogue de *Fra Diavolo* de Luigi Zampa (1942), notamment. Il passe à la mise en scène en 1947 avec *Gli uomini sono nemici,* puis obtient un gros succès critique et public avec *le Carrousel fantastique* (*Carosello napoletano,* 1954), spectacle folklorique riche en inventions dramatiques. Signalons qu'il a participé en tant qu'acteur à *Europe 51* (R. Rossellini, 1952). F.LAB.

GIANNINI *(Giancarlo), acteur italien (La Spezia 1942).* Diplômé de l'Academia d'arte drammatica de Rome en 1963, il débute cette même année au théâtre, où il obtient de nombreux succès. Au cinéma, il n'a encore que des rôles mineurs : *Fango sulla metropoli* (H. Wilson, 1964) ; *Rita la zanzara* (L. Wertmüller, sous le pseud. de George H. Brown, 1966) ; *Arabella* (M. Bolognini, 1967) ; *Fräulein Doktor* (A. Lattuada, 1969). Mais il joue le personnage brillant du « pizzarolo » dans *Drame de la jalousie* (E. Scola, 1970). Dès lors, il prend place parmi les stars les plus populaires, grâce aux comédies de Lina Wertmüller (*Mimi métallo blessé dans son honneur,* 1972 ; *Un film d'amour et d'anarchie,* 1973 ; *Vers un destin insolite sur les flots bleus de l'été,* 1974 ; *Pasqualino,* 1975). Il crée des figures grotesques dans les films de Dino Risi (*Sexe fou,* 1973), Monicelli (*Voyage avec Anita,* 1979), Petri (*Buone notizie,* id.) ; mais il sait également s'adapter avec aisance aux sombres psychologies imposées par Visconti (*l'Innocent,* 1976), par Fassbinder (*Lili Marleen,* 1981), voire par Richard Brooks (*Fever Pitch,* 1985). En 1986, il débute dans la mise en scène avec *Ternosecco,* une bizarre comédie napolitaine. Actif à la télévision, il n'abandonne pas pour autant le cinéma : *I picari* (M. Monicelli, 1987) ; *O'Re* (L. Magni, 1988) ; *Snack Bar Budapest* (T. Brass, *id*) ; *New York Stories* (F. F. Coppola, *id.*) ; *Lo zio indegno* (F. Brusati, *id.*) ; *Il male oscuro* (Monicelli, 1990) ; *le Raccourci* (G. Montaldo, 1991) ; *Giovanni Falcone* (Giuseppe Ferrara, 1993). L.C.

GIBBONS *(Cedric), décorateur américain d'origine irlandaise (New York, N. Y., 1893 - Los Angeles, Ca., 1960).* Il débute en 1915 aux studios Edison et travaille pour Sam Goldwyn de 1918 à 1923. Dès la formation de la MGM en 1924, il prend la direction de la décoration, département qu'il supervisera jusqu'en 1956. Son nom figure au générique de quelque 1 500 films produits par la MGM durant cette période et il est difficile de savoir lesquels il a réellement supervisés : *les Rapaces* (1925, RE 1923) et *la Veuve joyeuse* (1925) d'Erich von Stroheim doivent certainement bien plus à Richard Day. Indéniablement, c'est à lui (et à ses collaborateurs les plus proches : William A. Horning, A. Arnold Gillespie) qu'il faut attribuer la tenue visuelle très caractéristique des décors MGM dans les années 30 (des décors très clairs et raffinés, éclairés sans excès) et le souci de qualité qui est la marque du studio. Après la guerre, il délègue davantage son autorité, et les comédies musicales des années 50 lui doivent moins qu'à Preston Ames ou Jack Martin Smith. Il a signé en 1934 une unique réalisation : *Tarzan et sa compagne (Tarzan and His Mate),* qui a été dirigée en fait par Jack Conway. Ses décors ont reçu onze Oscars. Il fut un temps le mari de Dolores del Río. J.-P.B.

GIBSON *(Edmund Richard Gibson,* dit *Hoot), acteur américain (Tekamah, Nebr., 1892 - Los Angeles, Ca., 1962).* Vedette de cirque et de rodéo, il devient, vers le milieu des années 10, une des premières vedettes de western. Il le reste jusqu'au début des années 30 et tourne encore sporadiquement jusqu'en 1959, dans des rôles secondaires. Dans ses prestations, il insiste sur l'humour et la comédie. Il joue souvent avec John Ford, dont il est l'un des premiers interprètes : *Action* (1921) et *Sure Fire* (id.), jusqu'aux *Cavaliers* (1959). C.V.

GIBSON *(Mel), acteur américain (Peekskill, N. Y., 1956).* La réussite de cet Américain émigré en Australie à l'âge de 12 ans est liée à l'explosion internationale du cinéma australien. Sous le trait épais du justicier *Mad Max* (George Miller, 1980), dans la sensibilité du jeune soldat de *Gallipoli* (P. Weir, 1981) ou dans la prestance d'un héros de modèle traditionnel (*l'Année de tous les dangers,* id., 1982), et au-delà d'un physique de jeune premier qui aurait pu le limiter à des emplois athlétiques ou décoratifs, il affirme une indéniable présence d'acteur. Il ne s'enferme pas dans le confort que sa bonne santé suggère, mais relève brillamment les défis, affirmant là où on ne l'attend pas une certaine complexité psychologique (*The Bounty,* Roger Donaldson, 1984), prenant plaisir à composer (*l'Arme fatale,* Richard Donner, 1987) et faisant même évoluer son personnage fétiche de la dimension unique de Mad Max à la véritable sensibilité de *Mad Max III* (George Miller, 1985). Dans des registres opposés, tant dans le journaliste survolté de *l'Année de tous les dangers* que dans le paysan acharné et humilié du méconnu *la Rivière* (Mark Rydell, 1985), il s'avère que Mel Gibson pourrait s'inscrire dans la voie royale qui passe par Gary Cooper et Robert Redford. Il est également l'interprète de *Comme un oiseau sur la branche* (*Bird on a Wire,* John Badham, 1990), *Air América* (Roger Spottiswoode, *id.*), *Hamlet* (F. Zeffirelli, *id.*). Il est trop âgé pour le rôle, bien qu'il s'y investisse avec courage. Mais il revient vite à des succès plus conventionnels comme *l'Arme fatale 3* (R. Donner, 1991). Il garde un certain charme mais ne prend guère de risques dans *Maverick* (*id.,* 1994). Il a également débuté comme réalisateur avec *l'Homme sans visage (The Man Without a Face,* 1993) suivi de *Braveheart* (1995). C.V.

GIELGUD (sir *Arthur John*), *acteur britannique (Londres 1904).* Son activité professionnelle a surtout été consacrée au théâtre avec la mise en scène et l'interprétation des plus grandes pièces shakespeariennes. Il débute à l'écran vers la fin de la période du muet, dans *Who is the Man ?* (W. Summers, 1924) et *The Clue of the New Pin* (A. Maude, 1929). Il trouve son premier rôle important dans *Quatre de l'espionnage* (A. Hitchcock, 1936) et compose un très beau portrait de Disraeli dans *The Prime Minister* (T. Dickinson, 1941). Sa parfaite connaissance du répertoire shakespearien lui vaut d'être choisi pour jouer Cassius dans *Jules César* (J. Mankiewicz, 1953) et Clarence dans *Richard III* (L. Olivier, 1955) ; il personnifie le roi Louis VII de France dans *Becket* (P. Glenville, 1964). Il apporte toujours un grand relief aux rôles, souvent secondaires, qu'il accepte dans les genres les plus variés : *le Tour du monde en 80 jours* (M. Anderson, 1956) ; *Sainte Jeanne* (O. Preminger, 1957) ; *Cher disparu* (T. Richardson, 1965) ; *Falstaff* (O. Welles, 1966) ; *la Charge de la brigade légère* (Richardson, 1968) ; *les Souliers de saint Pierre* (Anderson, *id.*) ; *Ah ! Dieu, que la guerre est jolie !* (R. Attenborough, 1969) ; *le Crime de l'Orient-Express* (S. Lumet, 1974) ; *Meurtre par décret* (B. Clark, 1978) ; *Elephant Man* (D. Lynch, *id.*) ; *les Chariots de feu* (H. Hudson, 1980) ; *Gandhi* (Attenborough, 1983) ; *Plenty* (Fred Schepisi, 1985) ; *la Partie de chasse* (A. Bridges, *id.*) ; *Barbablù, Barbablù* (F. Carpi, 1987) ; *Rendez-vous avec la mort* (M. Winner, 1988) ; *Strike It Rich* (James Scott, 1990) ; *Prospero's Books* (P. Greenaway, 1991). Il doit à Alain Resnais et à Andrzej Wajda les deux meilleures performances cinématographiques de sa carrière avec *Providence* (1977) et *le Chef d'orchestre* (1980). R.L.

GIL *(Rafael), cinéaste espagnol (Madrid 1913* - id. *1986).* Ancien critique et documentariste, au service de la République durant la guerre civile, il devient le réalisateur le plus récompensé du cinéma espagnol sous le franquisme. Il débute dans le long métrage avec *El hombre que se quiso matar* (1941) et obtient un premier succès avec *Huella de luz* (1943). Pendant cette période, il passe du mélodrame d'époque (*El clavo,* 1944) au film « impérial » (*Reina Santa,* 1946), et du film à problématique religieuse (*La fe,* 1947) aux adaptations littéraires prestigieuses (*Don Quijote de la Mancha,* id.). À partir de sa rencontre avec le scénariste Vicente Escrivá (*la Dame de Fatima* [*La Señora de Fátima,* 1951]), il exploite à fond le genre religieux alors en vogue : *Hommes en détresse* (*La guerra de Dios,* 1953) et *El beso de Judas* (id.). Lorsqu'il diversifie à nouveau ses thèmes, il ne pare plus sa commercialité d'alibis « transcendants » : *l'Espionne de Madrid* (*La reina del Chantecler,* 1962) avec Sarita Montiel. Sa filmographie, dépassant la soixantaine de mises en scène, est typique des artisans dociles qui réussissent à faire carrière dans l'Espagne d'après-guerre. P.A.P.

GILBERT *(John Pringle,* dit *John), acteur américain (Logan, Utah, 1895 - Los Angeles, Ca., 1936).* Cet enfant de la balle, élevé dans une école militaire, est devenu une des vedettes les plus éclatantes du muet. À bien des égards, il paraît porter en lui tous les clichés de l'acteur silencieux : séducteur calamistré et moustachu, sanglé dans des uniformes seyants, l'œil de braise largement ouvert, la narine palpitante et la lèvre frémissante pour exprimer la passion. En fait, il est rarement sorti des rôles de pure convention et n'a pu que rarement faire preuve de talent. Son interprétation sobre et émouvante du soldat de *la Grande Parade* (K. Vidor, 1925) fut sa meilleure. Pour le reste, il a été le plus souvent un faire-valoir, soit de Mary Pickford (*Heart o' the Hills,* 1919), soit de Lon Chaney (*Celui qui reçoit des gifles Larmes de clown,* V. Sjöström, 1924), soit de Lillian Gish (*La Bohème,* K. Vidor, 1926), soit encore des splendeurs baroques d'Erich von Stroheim (*la Veuve joyeuse,* 1925), mais surtout de Greta Garbo : *la Chair et le Diable* (1927) et *Intrigues* (1928), de Clarence Brown ; *Anna Karenine* (1927) d'Edmund Goulding. Sa popularité était immense (*Monte Cristo,* J. Flynn, 1922 ; *Cameo Kirby,* J. Ford,1923 ; *Man, Woman and Sin,* M. Bell, 1927 ; *The Cossacks,* G. Hill, 1928). Mais, comme il était de plus en plus alcoolique et que son personnage était trop lié à l'esthétique du muet, il passa très difficilement au parlant. Pour comble de malchance, les techniques du son, rudimentaires à l'époque, le desservirent, sa voix paraissant trop haut perchée. Ses films sonores furent des échecs retentissants et pas toujours mérités. *Downstairs* (Monta Bell, 1932, d'après un scénario de Gilbert) et *Fast Workers* (T. Browning, 1933) ne méritent pas l'oubli. Greta Garbo se souvint de lui et l'imposa comme partenaire dans *la Reine Christine* (R. Mamoulian, 1933), sans plus de succès. Après *The Captain Hates the Sea* (L. Milestone, 1934), il continua à boire plus que de raison et mourut d'un infarctus, amer et sans illusions. C.V.

GILBERT *(Lewis), cinéaste britannique (Londres 1920).* Ancien enfant acteur, formé à l'école d'Alexander Korda, il s'est acquis une réputation d'artisan soigneux avec des films comme *le Prisonnier fantôme* (*Albert Royal Navy,* 1953), *Vainqueur du ciel* (*Reach for the Sky,* 1956), *l'Admirable Crichton* (*The Admirable Crichton,* 1957), *la Septième Aube* (*The Seventh Dawn,* 1964), *Alfie le dragueur* (1966). Il s'est fait une spécialité des « James Bond » de fin de série : *On ne vit que deux fois* (*You Only Live Twice,* 1967) ; *l'Espion qui m'aimait* (*The Spy who Loved Me,* 1977) ; *Moonraker* (id., 1979). Il tourne encore *Educating Rita* (1983), *Shirley Valentine* (1989) et *Stepping Out* (1991). R.L.

GILLES *(Guy), cinéaste français (Alger 1940).* Après des études secondaires à Paris, puis à l'École des beaux-arts d'Alger, il devient assistant de Jacques Demy (*la Luxure,* 1962, épisode des *Sept Péchés capitaux),* réalise des films non commercialisés, des courts métrages. *L'Amour à la mer* (entre 1962 et 1965), avec Alain Delon et Juliette Gréco, reste un film non distribué. *Au pan coupé* (1968), *Absences répétées* (1972) déçoivent par un maniérisme complaisant. C'est dans *Clair de Terre* (1970), avec Edwige Feuillère, et *le Jardin qui bascule* (1975) qu'il a le mieux exprimé sa nostalgie d'un pays perdu qui est, aussi, l'adolescence, voire l'innocence (*le Crime d'amour,* 1982). Il réalise en 1987 *Nuit docile.* C.M.C.

GILLIAM *(Terry), scénariste, animateur et cinéaste américain (Minneapolis, Minn., 1940).* Formé aux États-Unis, illustrateur de revues et travaillant à l'occasion dans un studio d'animation, Terry Gilliam s'installe à Londres en 1967 et participe deux ans plus tard à la formation du groupe de Monty Python, dont il est l'un des six membres. Il écrit, interprète et réalise avec eux tous leurs films, se spécialisant plus particulièrement dans les séquences animées et la conception visuelle. Il codirige avec Terry Jones *Monty Python, sacré Graal* (*Monty Python and the Holy Grail,* 1974), puis réalise seul *Jabberwocky* (id., 1977) et *Bandits, Bandits* (*Time Bandits,* 1981), d'une fantaisie débridée mais aussi d'une poésie romanesque. Après avoir mis en scène l'éblouissant prologue de *Monty Python, le sens de la vie* (*Monty Python's the Meaning of Life,* 1983), il est l'auteur complet du surprenant *Brazil* (id., 1985) fable sociale et surréaliste où l'humour sarcastique côtoie les visions cauchemardesques, la rencontre selon lui de Frank Capra et de Franz Kafka. Plus spectaculaire sans doute, mais moins naïf et moins poétique que la première version tournée par Josef von Baky, *les Aventures du Baron de Münchhausen* (1988) tente un délicat mariage entre l'humour et le délire. Il est également coauteur de nombreux livres d'une invention constante signés collectivement par les Monty

Python. En 1991, il signe *Fisher King, le Roi-pêcheur (The Fisher King).* M.C.

GILLIAT *(Sidney), scénariste, cinéaste et producteur britannique (Edgeley, Cheshire, 1908 - Wiltshire 1994).* Après des études à l'université de Londres et un passage à l'*Evening Standard,* Gilliat entre au département scénario de la British International Pictures en 1928, grâce à Walter Mycroft. Il y fait la connaissance d'Alfred Hitchcock et de Frank Launder. La collaboration Launder-Gilliat durera des années : ils cosigneront plus de 25 longs métrages et collaboreront, de près ou de loin, à près de 200 films. Gilliat travaillera ensuite pour Nettlewood Studios, Gainsborough Pict., Gaumont British, avant de créer Independent Pictures avec Launder en 1945. Il aborde tous les genres, écrit et dirige toutes sortes de films : on trouve même parmi ses projets, en 1944-45, une biographie filmée de Karl Marx, *le Prophète rouge (The Red Prophet) !* Citons parmi les scénarios et dialogues écrits par Gilliat, seul ou en collaboration : *Rome Express* (W. Forde, 1932) ; *Week-End* (*Bank Holiday,* C. Reed, 1937) ; *Vive les étudiants* (*Yank at Oxford,* J. Conway, 1938) ; *Une femme disparaît* (A. Hitchcock, *id.*) ; *l'Auberge de la Jamaïque* (id., 1939) ; *Train de nuit pour Munich* (C. Reed, 1940) ; *le Jeune M. Pitt* (id., 1942). En 1943, Gilliat et Launder écrivent et réalisent *Ceux de chez nous (Millions Like Us),* qui, souvent considéré comme leur meilleur film, est très influencé par l'École documentaire de Grierson. On y voit la vie quotidienne des ouvrières de l'usine d'une petite ville participant à l'effort de guerre. La collaboration Gilliat-Launder sera prolifique, sinon toujours de grande qualité ou de grande originalité. Parmi les films dirigés par Gilliat : *l'Honorable M. Sans-Gêne* (*The Rake's Progress,* 1945) ; *l'Étrange Aventurière* (*I See A Dark Stranger,* 1946 ; co F. Launder) ; *la Couleur qui tue* (*Green for Danger,* id.) ; *London Belongs to Me* (1948) ; *Secret d'État* (*State Secret,* 1950) ; *The Story of Gilbert and Sullivan* (1953) ; *Un mari presque fidèle* (*The Constant Husband,* 1955) ; *On n'y joue qu'à deux* (*Only Two Can Play,* 1962). Nous n'aurons garde d'oublier la série des aventures des jeunes filles du collège de Saint-Trinian, inspirées par les dessins de Ronald Searle et inaugurées par *The Belles of St. Trinian's* (réalisé par F. Launder seul, 1954), et poursuivies en coréalisation par *The Great St. Trinian's Train Robbery* (1966) et *The Wildcats of St. Trinian's* (1980). P.P.

GILLING *(John), cinéaste britannique (1910 - Madrid, Espagne, 1984).* Il passe à la réalisation en 1948 tout en continuant à écrire des scénarios pour d'autres cinéastes (*la Gorgone,* T. Fisher, 1964). Il s'est spécialisé dans le film policier et le film d'horreur, peu personnalisés, mais techniquement habiles. Particulièrement : *The Gamma People* (1956) ; *Police Internationale* (*Pick-Up Alley,* 1957) ; *Signe particulier : néant* (*The Man Inside,* 1958) ; *l'Impasse des violences* (*The Flesh and the Fiends,* 1960) ; ainsi que *l'Invasion des morts-vivants* (*The Plague of the Zombies,* 1966) et *la Femme reptile* (*The Reptile,* 1966), assez originaux. C.V.

GILSON *(René), cinéaste français (Arras 1921).* Il fut d'abord professeur, animateur de ciné-club, critique (essais sur Jean Cocteau, Jacques Becker, Marilyn Monroe). Il est aujourd'hui réalisateur indépendant et auteur complet de films contestataires : *l'Escadron Volapük* (1971), satire de la vie militaire ; *On n'arrête pas le printemps* (1972), comédie sur le milieu enseignant ; *la Brigade* (1975), évocation sensible de la Résistance ; *Juliette et l'air du temps* (1977), portrait d'une adolescente moderne ; *Ma blonde, entends-tu dans la ville...* (1980), évocation d'un couple du Front populaire. En 1988 il signe un marivaudage sentimental parsemé de clins d'œil cinéphiliques : *Un été à Paris.* M.M.

GIOI *(Vivien Trumphy,* dite *Vivi), actrice italienne (Livourne 1919 - Fregene 1975).* Elle débute grâce à De Sica avec un petit rôle dans *Mais ça n'est pas une chose sérieuse,* un film de Camerini (1936). Mastrocinque la lance avec *Bionda sotto chiave* (1939). Elle reprendra dans plusieurs comédies – dont *Roses écarlates* (V. De Sica, 1940), *Vento di milioni* (D. Falconi, *id.*), *Tutta la città canta* (R. Freda, 1943) – ce même personnage de fille dynamique et moderne. Avec son rôle dramatique dans *Chasse tragique* (G. De Santis, 1948), elle obtient le prix Nastro d'Argento pour la meilleure actrice. Sa carrière se poursuit avec des grands succès au théâtre et de rares rôles de composition au cinéma, notamment dans *Exodus* (*Il grido della terra,* Duilio Coletti, 1949), *Femmes sans nom* (*Donne senza nome,*

G. Radvany, *id.*), *Gente così* (Fernando Cerchio, 1950), *Senza bandiera* (Lionello De Felice, 1951), *le Procès de Vérone* (C. Lizzani, 1963, où elle joue la femme de Mussolini) et *Dio non paga il sabato* (Amerigo Anton, sous le pseudonyme de Tanio Boccia, 1967). L.C.

GIONO *(Jean), écrivain, scénariste, producteur et cinéaste français (Manosque 1895 - id. 1970).* On connaît l'œuvre de Giono romancier, le chantre inspiré de la haute Provence, l'auteur de ces ouvrages gorgés de nature et de sensualité que sont *Colline* et *le Chant du monde,* tout comme l'écrivain racé et picaresque de la deuxième période, celle du *Hussard sur le toit* et de *l'Iris de Suze.* On sait moins que Giono fut aussi un homme de cinéma, bien au-delà des adaptations — ou plutôt des appropriations — de Pagnol (*Jofroi, Angèle, Regain, la Femme du boulanger,* ce dernier film devant fort peu à Giono). Il crée en effet, après guerre, sa propre maison de production, écrit un découpage technique du *Chant du monde* (sans rapport avec le film du même nom), le scénario d'un court métrage, *le Foulard de Smyrne,* adapte et dialogue pour l'écran deux de ses romans, *l'Eau vive* (François Villiers, 1958) et *Un roi sans divertissement* (F. Leterrier, 1963), produit *les Grands Chemins* de Christian Marquand (1962, d'après son roman), enfin assure lui-même la mise en scène d'un film : *Crésus* (1960, avec Fernandel), allégorie provençale du reste assez pauvre. Son « œuvre cinématographique », comportant de nombreux inédits, a été éditée en 1980. C.B.

GIOVANNI *(José), scénariste et cinéaste français (Paris 1923).* Il se définit lui-même comme un « accidenté de la guerre » : jeune, il avait participé à des actions de résistance. Après la Libération, il connaît le milieu parisien, puis la prison. Son expérience personnelle se retrouve dans les romans qu'il écrit, surtout pour la Série noire. Il rencontre le cinéma quand Jacques Becker, en 1958, envisage de porter à l'écran un de ses romans, *le Trou :* il collabore à l'adaptation, qui dure plus d'un an (1958-59). Puis, notamment, à celles de *Classe tous risques* (C. Sautet, 1960) ; de *Un nommé La Rocca* (Jean Becker, 1961), d'après son roman *l'Excommunié ;* des *Grandes Gueules* (R. Enrico, 1965), d'après son roman *le Haut-Fer ;* du *Deuxième Souffle* (J.-P. Melville, 1966). En 1966, il dirige *la Loi du survivant,* son premier film, également adapté d'un de ses romans. Son œuvre cinématographique s'inscrit dans la ligne de celles de Decoin ou de Grangier : conventions du milieu, exaltation de l'amitié virile. C'est un cinéma démodé, même quand il se nourrit de l'actualité (*les Égouts du paradis,* en 1979, inspiré de l'affaire Spaggiari). En 1973, *Deux Hommes dans la ville,* avec Jean Gabin et Alain Delon, avait été un intéressant plaidoyer contre la peine de mort. J.-P.J.

Films ▲ : *la Loi du survivant* (1967) ; *le Rapace* (1968) ; *Dernier Domicile connu* (1969) ; *Un aller simple* (1971) ; *Où est passé Tom ?* (id.) ; *la Scoumoune* (1972) ; *Deux Hommes dans la ville* (1973) ; *le Gitan* (1975) ; *Comme un boomerang* (1976) ; *les Égouts du paradis* (1979) ; *Une robe noire pour un tueur* (1981) ; *le Ruffian* (1983) ; *les Loups entre eux* (1985) ; *Mon ami le traître* (1988).

GIRAFE. Perche, fixée à un pied articulé, au bout de laquelle est fixé le microphone. (→ PRISE DE SON.)

GIRAL *(Sergio), cinéaste cubain (La Havane 1937).* Après des études d'arts plastiques aux États-Unis et l'apprentissage obligé dans le documentaire, il se fait remarquer en proposant dans *El otro Francisco* (1974) une « relecture », plutôt qu'une adaptation, d'un roman antiesclavagiste de XIXe siècle. Démarche brechtienne, critique, qui interroge à la fois un classique de la littérature cubaine et l'héritage colonial. *Rancheador* (1976), *Maluala* (1977) et *Plácido* (1986), plus conventionnels, représentent autant d'incursions dans l'histoire méconnue des Afro-cubains, à laquelle l'auteur s'identifie et qu'il prétend exalter. Entre-temps, *Techo de vidrio* (1982), ancré dans la contemporanéité, reste plusieurs années interdit pour avoir dénoncé la corruption inhérente à un système bloqué. *María Antonia* (1990), son meilleur film, s'installe dans un entrelacs de marginalité sociale et de sexualité à fleur de peau, de tragédie antique et de mythologie populaire, dans le temps suspendu d'un passé toujours présent, et interpelle la Révolution à partir des archétypes véhiculés par les puissances tutélaires de l'île. Giral décide ensuite de quitter Cuba. P.A.P.

GIRALDI *(Franco), cinéaste italien (Comeno 1931).* Après avoir travaillé comme critique de cinéma à *l'Unità,* il débute en 1956 comme assistant de Gillo Pontecorvo et de Giuseppe De Santis. Il dirige les deuxièmes équipes de *Romulus et Remus* (*Romolo e Remo,* S. Corbucci, 1961) et de *Pour une poignée de dollars* (S. Leone, 1964). Sa première mise en scène est un western parodique, *Les sept Écossais explosent* (*Sette pistole per i Mac Gregor,* 1966, signé Frank Garfield) ; il dirige encore trois westerns et, en 1968, sa première comédie de mœurs, *la Bambolona,* qui adapte le roman d'Alba De Cespedes sur l'amour fou d'un avocat (Ugo Tognazzi) pour une jeune fille fantasque. Toujours avec Tognazzi comme efficace protagoniste, il crée deux satires de la vie matrimoniale, *Cuori solitari* (1970) et *Supertémoin* (*La supertestimone,* 1971). Après une comédie moins réussie, *Les ordres sont les ordres* (*Gli ordini sono ordini,* 1972), il évoque le milieu décadent de sa jeunesse vécue à Trieste dans deux subtiles adaptations littéraires réalisées pour la TV : *la Rose rouge* (*La rosa rossa,* 1973), d'après Quarantotti Gambini, et *Un anno di scuola* (1977). *Colpita da improvviso benessere* (1976) est une comédie coréalisée par G. Ralli. Son style calligraphique s'épanouit dans *La Giacca verde* (1979), histoire très originale d'un chef d'orchestre célèbre, ami et rival d'un minable musicien de province. Il réalise ensuite des films pour la télévision. L.C.

GIRARDOT *(Annie), actrice française (Paris 1931).* Après une enfance difficile partagée entre Paris et la Normandie, elle suit des cours d'art dramatique, entre au Conservatoire, puis à la Comédie-Française (1954-1957). À l'issue de la générale de sa *Machine à écrire,* Jean Cocteau la salue : « Tu as le plus beau tempérament dramatique de l'après-guerre ! » Parallèlement, elle se produit dans les cabarets de la Rive gauche et débute au cinéma (dans *Treize à table* d'André Hunebelle, en 1956). En 1957, elle quitte le Théâtre-Français en adressant une lettre de démission retentissante à Pierre Descaves. Elle tourne à cette époque un grand nombre de films populaires, dans le goût « Série noire » qui prévaut avant la Nouvelle Vague : *Le rouge est mis* (G. Grangier, 1957), *Maigret tend un piège* (J. Delannoy, 1958), l'un et l'autre avec Jean Gabin.

Après un début de carrière dans des productions très populaires, elle s'engage dans une autre direction grâce à Luchino Visconti (il l'a déjà dirigée au théâtre dans *Deux sur la balançoire* avec Jean Marais), qui fait appel à elle pour le rôle de Nadia dans *Rocco et ses frères* (1960). Elle tourne énormément, en France et en Italie (elle a épousé Renato Salvatori, un de ses partenaires dans *Rocco*), des films médiocres et des grands films, sans discernement, jusqu'à une crise qui la chasse presque complètement des écrans en 1965-66.

Elle reparaît à la fin des années 60, et pendant une décennie elle est l'une des stars les plus populaires du cinéma français – la seule comédienne après 1970 dont le nom suffise pour permettre le « montage » financier d'un film. Elle passe sans heurt de ce cinéma facile (sous la direction de Michel Audiard, de Claude Lelouch, d'André Cayatte) à des films plus ambitieux comme *Dillinger est mort* ou *Il seme dell'uomo,* réalisés en 1969 en Italie par Marco Ferreri. Vers 1975, Annie Girardot sait être Madame Tout-le-Monde, une vedette populaire plutôt qu'une star, sympathique, drôle ou pathétique, désirable naturellement, aussi crédible en chauffeur de taxi qu'en juge d'instruction, aussi à l'aise dans la bouffonnerie que dans le drame. Elle s'impose logiquement dans ce temps où le féminisme accrédite une promotion, toute relative, de la femme adulte. Elle endosse les personnages nouveaux et en tempère l'audace par la familiarité qu'elle entretient avec le public populaire. J.-P.J.

Autres films : *la Proie pour l'ombre* (A. Astruc, 1961) ; *le Vice et la Vertu* (R. Vadim, 1963) ; *les Camarades* (M. Monicelli, *id.*) ; *Trois Chambres à Manhattan* (M. Carné, 1965) ; *Vivre pour vivre* (C. Lelouch, 1967) ; *les Gauloises bleues* (Michel Cournot, 1968) ; *Érotissimo* (G. Pirès, *id.*) ; *Il pleut dans mon village* (A. Petrovic, *id.*) ; *Un homme qui me plaît* (Lelouch, 1969) ; *Elle boit pas, elle fume pas, elle drague pas, mais elle cause* (M. Audiard, 1970) ; *Mourir d'aimer* (A. Cayatte, *id.*) ; *la Vieille Fille* (Jean-Pierre Blanc, 1972) ; *Il n'y a pas de fumée sans feu* (Cayatte, 1973) ; *Traitement de choc* (A. Jessua, *id.*) ; *la Gifle* (C. Pinoteau, 1974) ; *Docteur Françoise Gailland* (J. -L. Bertucelli, 1976) ; *Tendre Poulet* (Ph. de Broca, 1978) ; *la Zizanie* (Zidi, *id.*) ; *la Clé sur la porte* (Y. Boisset, *id.*) ; *le Cavaleur* (de Broca, 1979) ; *le Grand Embouteillage* (L. Comencini, *id.*) ; *On a volé la cuisse de Jupiter* (de Broca, 1980) ; *Liste noire* (Alain Bonnot, 1984) ; *Partir, revenir* (Lelouch, 1985) ; *Prisonnières*

(Charlotte Silvera, 1988) ; *Cinq jours en juin* (M. Legrand, 1989) ; *Comédie d'amour* (Jean-Pierre Rawson, *id.*) ; *Il y a des jours et des lunes* (Lelouch, 1990) ; *Merci la vie* (Bertrand Blier, 1991) ; *les Misérables* (Lelouch, 1995).

GIRAUDEAU *(Bernard), acteur français (La Rochelle 1947).* Il joue sa vie, avant même d'aborder le théâtre et l'écran, en parfait accord avec ce qu'il paraît être : jeune bourlingueur (sept ans de marine nationale), petits métiers, publicité... Ce grand diable aux yeux clairs et au sourire enchanteur ou carnivore travaille à Paris avec Jacques Fabbri et entame en 1973 une carrière au cinéma dont on peut dès à présent retenir *Deux Hommes dans la ville* (J. Giovanni, 1973), son premier film ; *le Gitan* (id. 1975) ; *le Juge Fayard dit le Shérif* (Y. Boisset, 1977) ; *Passion d'amour* (E. Scola, 1981)... Il se laisse ensuite séduire par des œuvres comme *Rue Barbare* (Gilles Béhat, 1983), *les Spécialistes* (Patrice Leconte, 1985), *les Longs Manteaux* (Béhat, 1986), *Poussière d'ange* (Édouard Niermans, 1987), qui, répondant à certains critères d'action et de violence à la mode du jour, lui apportent une franche popularité. Dans *Vent de panique* (Bernard Stora, *id.*), il s'essaie à la comédie loufoque et rocambolesque. Il s'essaie avec un certain bonheur à la mise en scène (*l'Autre,* 1990 ; *les Caprices d'un fleuve,* 1995). On le retrouve acteur en 1991 aux côtés de Catherine Deneuve dans *la Reine blanche,* de Jean-Loup Hubert, puis dans *Après l'amour* (D. Kurys, 1992), *Une nouvelle vie* (O. Assayas, 1993), *le Fils préféré* (N. Garcia, 1994). C.M.C.

GIROD *(Francis), cinéaste français (Semblançay 1944).* Assistant (de Mocky, Vadim, Reichenbach), journaliste, réalisateur de TV, producteur (films de Jacques Rouffio), il s'essaie à la mise en scène par un bel exercice de grand-guignol sardonique (*le Trio infernal,* 1974), mais tombe dans le « polar » de série avec *René la Canne* (1977). La collaboration de l'écrivain Georges Conchon lui assure un deuxième souffle avec des sujets plus ambitieux et vigoureusement critiques sur le racisme (*l'État sauvage,* 1978) et l'affairisme (*la Banquière,* 1980). En 1982, il signe *le Grand Frère,* en 1984, *le Bon Plaisir* d'après un scénario de Françoise Giroud et en 1986, *Descente aux enfers,* d'après un roman de David Goodis. *L'Enfance de l'art* qui se voulait une sorte d'*Entrée des artistes* 1988 ne rencontre les faveurs ni de la critique ni du public. Après avoir interprété le rôle d'un réalisateur de films dans *Zanzibar* (Christine Pascal, 1988), il met en scène en 1990 un séduisant *Lacenaire* et, en 1994, un film noir moins personnel : *Délit mineur.* M.M.

GIROTTI *(Mario,* dit aussi *Terence Hill), acteur italien (Venise 1939).* Dino Risi le découvre et le lance dans le rôle d'un beau garçon dans *Vacanze col gangster* (1952). Il joue ensuite des petits rôles dans *les Amants de Villa Borghese* (G. Franciolini, 1953), *Divisione folgore* (Duilio Coletti, 1955), *Gli sbandati* (F. Maselli, *id.*), *Un dénommé Squarcio* (G. Pontecorvo, 1957) et d'autres films. Grâce à son physique, il s'affirme aisément comme héros de péplums (*Carthage en flammes,* C. Gallone, 1959). En 1963, on le voit dans *le Guépard* (L. Visconti). En 1967, il prend le pseudonyme de Terence Hill pour une longue série de westerns, dont *Dieu pardonne... moi pas* (*Dio perdona... io no !,* Giuseppe Colizzi, 1967) et *Trinita, prépare ton cercueil* (*Preparati la bara !,* Ferdinando Baldi, 1968). Dans *les Quatre de l'Ave Maria* (*I quattro dell'Ave Maria,* Colizzi, *id.*), il rencontre le gros Bud Spencer, avec qui il forme un tandem très populaire dans plusieurs westerns et films d'aventures parodiques, dont *Più forte ragazzi !* (Colizzi, 1972), *Deux Superflics* (*I due superpiedi quasi piatti,* Enzo Barboni, sous le pseudonyme d'E. B. Clucher, 1977). Son meilleur rôle, il l'obtient dans le western ironique produit par S. Leone, *Mon nom est Personne* (*Il mio nome è Nessuno,* Tonino Valerii, 1973). Il a joué aussi dans des productions américaines comme *On m'appelle Dollars* (*Mr. Billion,* J. Kaplan, 1977) et *Il était une fois... la Légion* (*March or Die,* D. Richards, 1977). Sa silhouette séduisante et désinvolte est devenue l'image même de l'aventurier, à mi-chemin du héros imprévisible (Flynn, Eastwood) et de la figure de bande dessinée. Celui qui fut l'un des rois du western spaghetti sous les appellations de Trinita, *Plata,* El magnifico et Personne passe à la réalisation en 1984 avec une curieuse adaptation de l'œuvre de Guareschi, *Don Camillo.* L.C.

GIROTTI *(Massimo), acteur italien (Mogliano 1918).* Après des études de diction, il débute en 1939 avec un petit rôle dans *Dora Nelson*

(M. Soldati), suivi par des apparitions dans *Tosca* (C. Koch, 1941) et dans *Une aventure romantique* (M. Camerini, 1940). Blasetti lui donne un rôle de protagoniste dans son pamphlet pacifiste *la Couronne de fer* (1941). Sa force expressive et son charme sont mis en valeur par Visconti dès *Ossessione* (1943), où il joue le rôle difficile du vagabond meurtrier du mari de sa maîtresse. Il interprète ensuite des films de Gallone (*Knock-out,* id.), De Sica (*la Porte du ciel,* 1946), et s'affirme bientôt comme l'un des meilleurs comédiens de son pays, au registre très varié. Il obtient le prix Nastro d'Argento pour son rôle de juge en lutte contre les bandits en Sicile dans *Au nom de la loi* (P. Germi, 1949). Sa carrière au théâtre, commencée en 1945, lui vaut des succès, notamment dans des mises en scène de Visconti. De ses très nombreux films, les plus intéressants sont : *Chronique d'un amour* (M. Antonioni, 1950) ; *les Volets clos* (L. Comencini, 1951) ; *Onze heures sonnaient* (G. De Santis, 1952) ; *Il tenente Giorgio* (R. Matarazzo, *id.*) ; *la Fille sans homme* (De Santis, 1953) ; *Spartacus* (R. Freda, *id.*) ; *l'Amour d'une femme* (J. Grémillon, 1954) ; *la Strada lunga un anno* (De Santis, 1960, RÉ 1958). Il interprète ensuite de nombreux péplums mais revient aux rôles modernes avec l'épisode *La strega bruciata viva* des *Sorcières* de Visconti (1967) et avec *Théorème* de Pasolini (1968). Bertolucci exploite son mythe cinématographique dans *le Dernier Tango à Paris* (1972) ; Visconti l'appelle pour figurer dans *l'Innocent* (1976), tout comme Losey dans *Monsieur Klein* (id.), Scola dans *Passion d'amour* (1981), Borowczyk dans *l'Art d'aimer* (1983) et Liliana Cavani dans *Berlin Affair* (1986). L.C.

GIROUD *(Françoise Gourdji,* dite *Françoise), journaliste et scénariste française (Genève 1916).* Avant de faire une carrière dans le journalisme (à *Elle,* puis à *l'Express,* dont elle est cofondatrice) et d'être promue secrétaire d'État à la Condition féminine puis à la Culture et à la Communication dans le gouvernement de Jacques Chirac, Françoise Giroud s'est imposée dans les « petits métiers » du cinéma : à quinze ans, elle était script-girl (de Marc Allégret, pour *Fanny,* 1932). Elle travaille, ensuite, à divers postes (scripte, assistante, scénariste, dialoguiste) avec Pierre Billon (*Courrier Sud,* 1937), Jean Renoir (*la Grande Illusion,* id.), Marcel L'Herbier (*Au petit bonheur,* 1946), Jacques Becker (*Antoine et Antoinette,* 1947), Jules Dassin (*la Loi,* 1958), Roger Vadim (*les Liaisons dangereuses 1960,* 1959), Jean Stelli, Gilles Grangier, Michel Boisrond, Francis Girod (*le Bon Plaisir,* 1984), Serge Leroy (*le Quatrième Pouvoir,* 1985). Au total, près d'une cinquantaine de films. C'est à elle que l'on doit le lancement de l'étiquette « Nouvelle Vague ». Elle a présidé la Commission d'Avances sur Recettes en 1989 et 1990. C.B.

GISH *(Dorothy), actrice américaine (Massillon, Ohio, 1898 - Rapallo, Italie, 1968).* Sa carrière est d'une certaine manière parallèle à celle de sa sœur cadette, Lillian, qui l'a un peu éclipsée. Elle débuta avec elle au théâtre en 1903 et fut engagée par Griffith, avec elle, en 1912. On la vit quelquefois en vedette unique : *In Old Heidelberg* (John Emerson, 1915) ; *Nell Gwyn* (H. Wilcox, 1926, GB) ; *Madame Pompadour* (id., 1927, *id.*). Mais, le plus souvent, elle fut le pendant pétulant et ironique de la plus prestigieuse Lillian (*les Cœurs du monde,* D. W. Griffith, 1918 ; *les Deux Orphelines,* id., 1922 ; *Romola,* H. King, 1924). Elle était elle-même une actrice gracieuse et brillante, que l'on vit au parlant dans de nombreux rôles de complément (*Centennial Summer,* O. Preminger, 1946 ; *The Whistle at Eaton Falls,* R. Siodmak, 1951 ; *le Cardinal,* Preminger, 1963). C.V.

GISH *(Lillian), actrice américaine (Springfield, Ohio, 1896 - New York 1993).* Elle et sa sœur Dorothy débutèrent très jeunes au théâtre. Lillian, à cinq ans, tourne déjà dans une compagnie enfantine qui compte Mary Pickford parmi la troupe. C'est cette dernière qui, plus tard, persuade David W. Griffith de donner leur chance aux deux sœurs, en 1912, dans *An Unseen Enemy.*

On serait tenté de voir en Lillian Gish la première actrice spécifiquement cinématographique. Au cours d'une carrière exemplaire et rigoureuse, qui va de Griffith à Robert Altman, Lillian Gish a couvert presque tout ce que le cinéma américain a été depuis ses origines. Sévère dans le choix de ses rôles et de ses cinéastes, elle peut être légitimement fière de ce qu'elle a accompli.

C'est au muet que ce qu'elle a de plus original et d'unique est le mieux perceptible.

Modelée par Griffith, qui ne trouva plus chez aucun acteur cette souplesse et cette entente privilégiée, elle représente, dans le milieu des années 10, un idéal féminin fortement marqué par l'héritage victorien. Jeune fille virginale, à la petite bouche, aux paupières baissées et à la chaste et opulente chevelure, elle aurait pu être un cliché vivant dont le temps aurait impitoyablement accusé le ridicule. Mais Lillian Gish était d'une sensibilité peu commune et une actrice complète : par la force de sa personnalité, elle a donné à ses rôles l'éternité du classicisme.

En 1917, quand, après les grandes productions, Griffith revient à un certain intimisme dans *les Cœurs du monde,* Lillian Gish donne la pleine mesure de son génie, notamment dans cette scène extraordinaire où, pleurant nerveusement sur le cadavre de sa mère, elle crispe tout à coup son visage dans une expression de désarroi total. Griffith semble parfois perfectionner sa technique particulière du gros plan uniquement pour mettre en valeur le tempérament à la fois exceptionnel et sobre de l'actrice. Dans le bucolique *Un pauvre amour* (1919) ou dans le dickensien *Lys brisé* (1919), le visage de Lillian Gish, tantôt serein, tantôt torturé, joue le rôle d'une véritable ponctuation. On peut encore penser que c'est pour elle que Griffith s'orienta de plus en plus délibérément vers le mélodrame, érigeant avec *À travers l'orage* (1920) et *les Deux Orphelines* (1922) deux monuments du genre, fixant à jamais, en gros plans poétiques (fonds noirs, comme abstraits du réel), le dépouillement et la mobilité de l'expression de Lillian Gish. De fait, il se remit mal de la perdre et tenta vainement de la faire revivre en Carol Dempster.

Après avoir dirigé elle-même un film avec sa sœur Dorothy comme interprète (*Remodeling Your Husband,* 1920), Lillian Gish, de son côté, resta marquée à jamais par ce que Griffith avait fait d'elle : son personnage et sa manière de jouer. Pour Henry King, elle est, par deux fois, un lys de pureté dans les spectaculaires *Sœur blanche* (1923) et *Romola* (1924). Pour King Vidor (*la Bohème,* 1926), elle compose une Mimi idéale et totalement personnelle, jouant de son visage et de son corps : ainsi sa silhouette frêle et maladive qu'elle accroche désespérément à une charrette pour se traîner, mourante, jusqu'à Rodolphe. C'est elle qui décida du caractère chaste que devaient revêtir les scènes d'amour : ses lèvres ne devaient pas toucher celles de John Gilbert. Pruderie ? Certainement pas quand on constate le caractère complet et dense que Mimi acquiert dans son interprétation.

Pour Victor Sjöström, Lillian Gish tourne deux chefs-d'œuvre. Dans *la Lettre rouge* (1926), elle est Hester Prynne : innocente victime, délicatement colorée de sensualité, et finalement animée par la rage du juste. Inoubliable, son geste impétueux qui lui fait arracher l'austère bonnet qu'elle gardait pendant tout le film et qui libère, indomptée, sa chevelure en bataille dans un moment de joie. Dans *le Vent* (1928), c'est de son corps que Sjöström lui demande de jouer. Mince, voûtée, pliée par le vent et la douleur, elle était, en contrepoint à la beauté lourde et austère des images, la palpitation de la vie. Une interprétation qui est peut-être un des sommets de l'art de l'acteur du muet.

Dans les années 30, Lillian Gish entre dans une semi-retraite. La mythologie de l'époque ne semble guère lui proposer la place qui lui convient. Mais, à la fin des années 40, elle resurgit magique, telle qu'en elle-même, dans *Duel au soleil* (K. Vidor, 1947). Son visage vieilli gardait toute sa beauté dans ses yeux chargés d'émotion. Et Vidor la faisait revivre, échevelée, implorante, se traînant aux pieds de Lionel Barrymore au nom de l'amour qu'ils avaient jadis vécu, image bouleversante d'une passion sur laquelle le temps n'a pas de prise.

Après, elle apparaît dans quelques seconds rôles, toujours mémorables, comme celui de l'intendante dans *la Toile de l'araignée* (V. Minnelli, 1955) ou, surtout, celui de la vieille dame dans *la Nuit du chasseur* (Ch. Laughton, 1955). Dans *Un mariage* (1978), Robert Altman la nimbe de lumière, déploie encore une fois ses cheveux, grand-mère mourante, symbole ambigu d'un monde qui s'éteint, aïeule lucide qui comprend tout d'un regard. La magie, encore une fois, est intacte.

Il faut enfin savoir sa lutte acharnée pour arracher les films muets à l'oubli et à la destruction. C.V.

Autres films : *The Musketeers of Pig Alley* (D. W. Griffith, 1912) ; *Judith de Béthulie* (id., 1914) ; *Naissance d'une nation* (id., 1915) ; *The Lily and the Rose* (Paul Powell, *id.*) ; *Intolérance*

(D. W. Griffith, 1916) ; *À côté du bonheur* (id., 1918) ; *Une fleur dans les ruines* (id., *id.*) ; *le Roman de la Vallée heureuse* (id., 1919) ; *Le cœur se trompe* (id., 1919) ; *Annie Laurie* (J. S. Robertson, 1927) ; *The Enemy* (F. Niblo, 1928) ; *Une nuit romantique* (*One Romantic Night,* Paul L. Stein, 1930) ; *Les commandos frappent à l'aube* (J. Farrow, 1943) ; *Miss Susie Slagle's* (J. Berry, 1946) ; *le Portrait de Jennie* (W. Dieterle, 1949) ; *Ordre de tuer* (A. Asquith, GB, 1958) ; *le Vent de la plaine* (J. Huston, 1960) ; *Demain des hommes* (*Follow Me Boys !,* Norman Tokar, 1966) ; *L'assassin est-il coupable ?* (*Warning Shot,* Buzz Kulik, 1967) ; *les Comédiens* (P. Glenville, *id.*) ; *Sweet Liberty* (A. Alda, 1986) ; *les Baleines du mois d'août* (L. Anderson, 1987).

GITAI *(Amos), cinéaste israélien (Haifa 1950).* Ses grands-parents maternels participent au début du siècle en Russie à la fondation des premiers kibboutz. Son père étudie au Bauhaus en Allemagne avant de fuir le nazisme et d'émigrer en 1934 en Palestine où il s'établit comme architecte. Amos Gitai opte tout d'abord pour la discipline paternelle et reçoit un diplôme d'architecture à Berkeley en Californie avant de se tourner vers le cinéma. Ses documentaires et ses films-enquêtes (*After* [*Aharè*], 1974 ; *Charisma,* 1976 ; *Dimitri,* 1977 ; *Wadi Rushmia,* 1978 ; *les Émeutes de Wadi Salib* [*Meoraot Wadi Salib*], 1979 ; *la Maison / House* [*Baït*], 1980 ; *Wadi,* id. ; *À la recherche de l'identité / In Search of Identity,* id. ; *American Mythologies,* 1981 ; *Journal de campagne / Field Diary* [*Yoman Sade*], 1982 ; *Ananas,* 1983 ; *Travail à vendre / Bangkok-Bahrein,* 1984) sont souvent contestés voire boycottés. Dans son propre pays, le cinéaste est peu ou prou marginalisé car ses idées «dérangent». Il décide de s'orienter vers la fiction en 1985 avec *Esther,* signe un nouveau documentaire *(Brand New Day)* en 1987 et tourne en 1989 *Berlin-Jérusalem.* Il réalise ensuite *Golem, l'esprit de l'exil* (1991), *Petrified Garden* (1993), *Dans la vallée du Wupper* (DOC., 1993). C.O.

GLENN *(Pierre-William), chef opérateur et cinéaste français (Paris 1943).* Diplômé de l'IDHEC, ce cameraman, passionné par la moto, tourne un long métrage documentaire (*le Cheval de fer,* 1975) sur les compétitions. Puis il travaille avec des cinéastes marginaux aussi bien qu'avec Truffaut ou Vadim, mais reste fidèle à Bertrand Tavernier et Alain Corneau. Sans imposer un style – encore qu'il se plaise à des brillances un peu métalliques –, il traduit de manière personnelle des univers très différents avec une belle sûreté technique. On peut citer notamment : *Out One : Spectre* (J. Rivette, 1970) ; *la Nuit américaine* (F. Truffaut, 1973) ; *État de siège* (Costa-Gavras, *id.*) ; *Que la fête commence* (B. Tavernier, 1975) ; *le Juge et l'Assassin* (id., 1976) ; *Monsieur Klein* (J. Losey, *id.*) ; *I Love You, je t'aime* (G. Roy Hill, 1979) ; *Série noire* (A. Corneau, *id.*) ; *Loulou* (M. Pialat, 1980) ; *Coup de torchon* (Tavernier, 1981) ; *la Crime* (Philippe Labro, 1983) ; *Ronde de nuit* (Jean-Claude Missiaen, 1984) ; *Sans espoir de retour* (S. Fuller, 1989) ; *l'Orchestre rouge* (J. Rouffio, *id.*) ; *Une saison blanche et sèche* (Euzhan Palcy, *id.* ; CO Kelvin Pike) ; *les Enfants du désordre* (Y. Bellon, *id.*) ; *A Captive in the Land* (J. Berry, 1991). En 1985, il réalise son premier long métrage de fiction, *les Enragés,* suivi en 1987 par *Terminus,* une fable futuriste avec Johnny Halliday, et, en 1993, par *23 heures 58.* C.M.C.

GLENNON *(Bert Lawrence), chef opérateur et cinéaste américain (Anaconda, Mont., 1893 - Los Angeles, Ca., 1967).* Il débute en 1915 avec le serial de James W. Horne *The Stingaree* et participe à la photographie des *Dix Commandements* (C. B. De Mille, 1923). Après avoir éclairé, entre autres, *Hotel Imperial* (M. Stiller, 1927), *Barbed Wire* (R. V. Lee, *id.*), *les Nuits de Chicago* (J. von Sternberg, *id.*), *Crépuscule de gloire* (id., 1928) ou *le Patriote* (E. Lubitsch, *id.*), il réalise sans réel succès neuf films entre 1928 et 1932. Il revient à la photographie avec *Blonde Vénus* (1932) de Sternberg, avec lequel il collaborera également deux ans plus tard pour *l'Impératrice rouge.* On lui doit encore *Alice au pays des merveilles* (N. Z. McLeod, 1933), *la Charge fantastique* (R. Walsh, 1941), *San Antonio* (D. Butler, 1945), *l'Homme au masque de cire* (A. De Toth, 1953), *The Mad Magician* (J. Brahm, 1954), *The Man From Galveston* (William Conrad, 1963) et, surtout, les superbes images de huit films de John Ford : *Je n'ai pas tué Lincoln* (1936), *Hurricane* (1938), *la Chevauchée fantastique* (1939), *Vers sa destinée* (id.), *Sur la piste des Mohawks* (id.), *le Convoi des braves* (1950), *Rio Grande* (id.), *le Sergent noir* (1960). J.-P.B.

GLENVILLE *(Peter), cinéaste britannique (Londres 1913).* Très connu dans le monde théâtral, notamment pour une prestigieuse mise en scène du *Becket* de Jean Anouilh, à New York, avec Laurence Olivier et Anthony Quinn, il se spécialise dans les adaptations conformes à ses goûts littéraires. R.L.

Films ▲ : *l'Emprisonné* (*The Prisoner,* 1955) ; *Moi et le Colonel* (*Me and the Colonel,* 1958) ; *le Verdict* (*Term of Trial,* 1961) ; *Été et fumées* (*Summer and Smoke,* d'après Tennessee Williams, 1962) ; *Becket* (id., 1964) ; *Paradiso, hôtel du libre-échange* (*Hotel Paradiso,* d'après Feydeau, 1966) ; *les Comédiens* (*The Comedians,* d'après Graham Greene, 1967).

GLEYZER *(Raimundo), cinéaste argentin (Buenos Aires 1941- ?).* Il commence à vingt ans comme documentariste (*La tierra quema,* 1965) et collabore à des films de Jorge Prelorán. Son long métrage *México : la revolución congelada* (1970) est une brillante analyse du dévoiement de la révolution mexicaine au profit de la bourgeoisie. Avec le groupe militant Cine de la base, il aborde la fiction politique : *Los traidores* (1973) est une critique radicale de la bureaucratie syndicale péroniste. Connu pour son engagement marxiste, il est séquestré dans la capitale argentine en 1976. Probablement assassiné, il rejoint les nombreux « disparus » du temps du régime militaire. P.A.P.

GLIESE *(Rochus), décorateur et costumier de théâtre et de cinéma, cinéaste allemand (Berlin 1891 - id. 1978).* Après des études d'art graphique au Kunstgewerbemuseum de Berlin, sa ville natale, il fit ses débuts à l'écran comme décorateur, grâce à son ami l'acteur-réalisateur Paul Wegener. De 1914 à 1927, il collabore à ce titre à une vingtaine de films, dont *le Golem* (H. Galeen et P. Wegener, 1914) et la plupart des autres films de Wegener, *Rausch* (E. Lubitsch, 1919), *Katharina die Grosse* (R. Schünzel, 1920) et quatre films de Murnau : *la Terre qui flambe, l'Expulsion, les Finances du grand-duc* et, aux États-Unis, *l'Aurore.* Il en signe parfois aussi les costumes (notamment ceux du *Golem* de 1920 de Wegener et Boese). Mais, dès 1916, il est passé également à la réalisation. Des douze films qu'il tourne, retenons *Die schöne Prinzessin von China* (1916), *l'Image vagabonde* (*Der verlorenen Schatten,* 1920), *Brüder* (1923), *Komödie des Herzens* (1924, avec Murnau comme coscénariste) et surtout le curieux *Die Jagd nach dem Glück,* son dernier film et le seul parlant, tourné en France en 1930, avec une équipe prestigieuse : Lotte Reiniger (coscénariste et responsable des effets spéciaux), Carl Koch (coréalisateur), Berthold Bartosch, Catherine Hessling et Jean Renoir (interprètes). Siegfried Kracauer rattache cette œuvre insolite, de laquelle n'ont été conservées que les séquences de « théâtre d'ombre » de Lotte Reiniger, à *la P'tite Lili* de Cavalcanti. En 1929, Rochus Gliese a également collaboré, sans être crédité, au film de Robert Siodmak et Edgar G. Ulmer *les Hommes le dimanche.* De 1930 à 1949, il se consacrera exclusivement au théâtre. Il reviendra épisodiquement au cinéma après la guerre, pour signer les décors de *Hanna Amon* de Veit Harlan (1951) et du *Fidelio* de Walter Felsenstein (Autriche, 1956). C.B.

GLORIA *(Leda Nicoletti,* dite *Leda), actrice italienne (Rome 1912).* Elle débute à la fin du muet en 1928 et se fait connaître avec le film de Blasetti *Terra madre* (1930). Elle remporte des succès populaires avec Mario Camerini (*Figaro e la sua gran giornata,* 1931 ; *le Tricorne,* 1934), Alessandro Blasetti (*Palio,* 1932 ; *La tavola di poveri,* id.), Gennaro Righelli (*L'armata azzura,* 1932), Guido Brignone (*Oggi sposi,* 1933). Elle délaisse quelque peu le cinéma pour l'opérette, puis retrouve sporadiquement le chemin des studios de 1939 à 1944 et après 1949. On la voit notamment dans *le Moulin du Pô* (A. Lattuada, 1949) ou *Naples millionnaire* (E. De Filippo, 1950). Dans la série des *Don Camillo,* la femme du maire communiste Peppone (Gino Cervi), c'est elle. J.-L.P.

GLORY *(Marie Thoully,* dite *Marie), actrice française (Mortagne 1903).* Entre 1920 et 1928, elle tourne quelques rôles d'ingénue sous le pseudonyme d'Arlette Genny : *Monsieur le directeur* (Robert Saidreau, 1925), *Miss Hélyett* (G. Monca et H. Kéroul, 1927). Sa fraîcheur et l'éclat d'un jeu spontané, une simplicité qui la différencie des vamps du temps la font choisir par Marcel L'Herbier pour *l'Argent* (1929), où elle crée remarquablement un personnage en contraste avec celui de Brigitte Helm. Ses autres interprétations déçoivent un peu, malgré la franchise qu'elle dispense dans *la Femme idéale* (A. Berthomieu, 1934), *le Mort en fuite* (id., 1936), *les Amants terribles* (M. Allégret, *id.*) ou *Avec le sourire* (M. Tourneur, 1937). R.C.

GODARD *(Jean-Luc), cinéaste et critique français (Paris 1930).* Né dans une famille de la moyenne bourgeoisie protestante, d'un père médecin et d'une mère fille de banquier, Jean-Luc Godard, malgré ses nombreuses ruptures de ban, exprime sa vision du monde du point de vue des gens de sa classe. Cet itinéraire explique, partiellement, la fascination exercée par son œuvre sur de larges couches d'intellectuels, et les réserves que les individus politisés émettent à son égard. Toute sa carrière, située à une période cruciale de l'évolution des mentalités, se présente comme un long noviciat au cours duquel il « découvre » le cinéma, la sociologie, la politique, la technologie, la communication... Il associe étroitement le spectateur à ses diverses expériences.

Le jeune Jean-Luc poursuit sa scolarité à Nyon (Suisse) puis au lycée Buffon, à Paris. Il s'inscrit à la Sorbonne en 1949 pour y étudier l'ethnologie et fréquente alors assidûment la cinémathèque de l'avenue de Messine et le ciné-club du Quartier latin. Le futur cinéaste fait la connaissance d'André Bazin, de François Truffaut, de Jacques Rivette et d'Éric Rohmer. La même année, il débute dans la critique en collaborant, sous la signature de Hans Lucas, à *la Gazette du cinéma* (n° 2). Pseudonyme qu'il emploie, en alternance avec son véritable nom, dans ses articles. Peu de temps après, il commence à écrire occasionnellement aux *Cahiers du cinéma* (n° 8), mais sa véritable activité de critique ne débute qu'en 1956 ; il collabore alors également à *Arts.*

François Truffaut se souvient de l'impatience fébrile du jeune Godard devant le savoir, feuilletant hâtivement les livres, ne voyant souvent que des extraits de films, n'aimant guère les discussions et préférant donner tout de suite des avis tranchés. D'où ce curieux rapport à la culture dans lequel paradoxes, ellipses et collages offrent des visions souvent pénétrantes.

En 1954, Jean-Luc Godard se trouve alors en Suisse. Il est ouvrier sur le chantier qui élève le barrage sur le cours supérieur de la Dixence. Avec sa paie, il y tourne son premier film, un documentaire de 20 minutes : *Opération béton* (1954). Il réalise, entre 1955 et 1958, quatre courts métrages, *Une femme coquette* (1955), *Tous les garçons s'appellent Patrick* (1957), *Charlotte et son Jules* (1958) et *Une histoire d'eau* (CO : François Truffaut, 1958), dans lesquels il ébauche son style.

En 1959, sur un sujet de François Truffaut inspiré d'un fait divers, il élabore *À bout de souffle,* l'histoire d'un jeune homme sans attaches qui vole une voiture, tue un motard, connaît l'amour, est poursuivi et meurt bêtement. Dans ce premier film, Godard propose une lecture critique du thriller américain. Le caractère sans complexes du personnage, interprété par Jean-Paul Belmondo, le montage heurté du film, ses nombreux faux raccords, la vision quasi documentaire de la capitale qui s'en dégage focalisent l'attention de la critique sur le nom de Godard. Sa conception du film policier déconcerte les amateurs comme, plus tard, son attachement au marxisme hérisse les dogmatiques.

Dans ses premières créations, la peinture d'un monde de déracinés, de gangsters minables, de prostituées, trouve ses sources dans l'attirance que l'auteur éprouve pour la série B américaine. De sa propre biographie surgissent des individus aux options politiques et sociales indéterminées qui se cherchent un idéal. *Le Petit Soldat* (1960) – interdit pendant trois ans par la censure française – met en scène, lors des événements d'Algérie, un déserteur passé à l'OAS qui rencontre l'amour et le doute. Godard épouse en 1961 l'actrice principale du film, Anna Karina. Sa présence marque la plupart des mises en scène de l'auteur, d'*Une femme est une femme* (1961) à *Made in USA* (1967). *Vivre sa vie* (1962) constitue une étape dans la production du cinéaste. Fondé sur des témoignages de la vie des filles de joie, le film, par une curieuse mise à distance des faits décrits, un style presque documentaire et l'emploi du plan-séquence, s'éloigne des œuvres du genre. *Les Carabiniers* (1963), une métaphore pacifiste, représentent, après *le Petit Soldat,* un nouvel éclairage sur l'état de conscience sociale du cinéaste. Tourné la même année, *le Mépris,* qui rassemble des vedettes comme Brigitte Bardot, Michel Piccoli et Jack Palance, est son premier film abouti. Il reprend la notion de prostitution, clé de voûte du monde moderne, et l'étend aux rapports entre hommes et femmes, cinéaste et producteur.

Avec *Bande à part* (1964) et *Une femme mariée* (1964), sur un mode tour à tour parodique et « réaliste », Godard revient à une description tendre ou désabusée de ses contemporains. Bientôt, les rapports entre Godard et Anna Karina se détériorent. *Alphaville* et *Pierrot le Fou,* tournés en 1965, en portent déjà les stigmates. À travers une allégorie de science-fiction ou le récit éclaté d'une double dérive, Godard nous livre son trouble existentiel. Jusqu'à *Pierrot le Fou,* il se montre poète ; après, il se veut sociologue. Il élimine ce qui lui paraît trop personnel dans ses créations et rend leur trame narrative de plus en plus mince. Ses films sont des expériences au niveau formel (emploi du plan-séquence, des grands mouvements de caméra, du montage sec, du collage d'images et de sons ; utilisation systématique de données graphiques, comme les lettres et les affiches, en tant qu'éléments signifiants) et des essais au plan thématique. *Masculin-Féminin* (1966) conforte l'initiation sociologique de Godard tandis que *Made in USA* est un peu son nouveau manifeste esthétique. Avec *Deux ou Trois Choses que je sais d'elle* (1967), le réalisateur opère une nouvelle synthèse de ses préoccupations à travers le double traitement de la transformation d'une ville et de celle d'une femme, ménagère devenue prostituée.

La Chinoise (1967) dévie son centre d'intérêt de la sociologie vers la politique. Pendant le tournage, il épouse Anne Wiazemski. Avec ce film, il élabore un document fictionnel qui anticipe de quelques mois sur les événements de Mai 68. *Week-end* (1967), métaphore caustique sur la prostitution par le travail et sa compensation dans les loisirs, est un film où tous les dérèglements sont présents.

Les événements de 1968 conduisent le réalisateur à perdre pied. *Le Gai Savoir* (1968), qui tente d'ébaucher une théorie du cinéma conduisant à la pratique révolutionnaire par la critique des images et des sons émis par la bourgeoisie, et *One + One* (1969), une série de séquences ouvertes sur les Rolling Stones en répétition, les revendications des Black Panthers, etc., sont les deux dernières bandes où transparaît encore le Godard cinéaste.

Afin d'acquérir une conscience politique et de faire « politiquement du cinéma », il s'efface en tant qu'auteur pour se fondre dans un noyau, le groupe Dziga Vertov. Pour ce groupe, le cinéma, comme son ancêtre la photographie, est modelé selon des normes qui servent les intérêts de la bourgeoisie. Il s'agit d'élaborer d'autres codes pour promouvoir un cinéma politique nouveau. *Vent d'Est* (1969), réflexion sur la théorie révolutionnaire, *Pravda* (1969), analyse de la situation tchécoslovaque après les événements d'août 1968, *Vladimir et Rosa* (1970), pastiche sur la justice, sont parmi les films les plus représentatifs du groupe Dziga Vertov, qui compte, outre Godard, Jean-Henri Roger et Jean-Pierre Gorin.

Un accident de moto tient le réalisateur éloigné pendant deux ans de la scène artistique. Il réfléchit sur l'échec de sa « période Dziga Vertov ». *Tout va bien* (cosigné par Gorin, 1972) marque le retour très provisoire de l'enfant prodigue à la réalisation traditionnelle.

Après son incursion dans la politique, Godard s'intéresse à la communication et à la technologie. La vidéo, qui lui permet de parcourir seul toutes les étapes de la chaîne création-production, lui semble être le médium par excellence. Il quitte Paris pour Grenoble, où il travaille avec Anne-Marie Miéville dans le cadre de Sonimage, société de production audiovisuelle, et s'installera ensuite en Suisse, à Rolle. Il y conçoit *Numéro deux* (1975), *Comment ça va* (1978 [RÉ 1975]), et *Ici et ailleurs* (1970-1976), essai élaboré à partir d'une bande inachevée (*Jusqu'à la victoire,* 1970), qui met en relation deux réalités : celle de la Palestine de 1970 et celle de la France de 1975, et leur impossible synthèse. *Six Fois deux* (1976), une série de douze émissions traitant du chômage, de la création, de la parole, etc., et *France tour détour deux enfants* (1979), autre série d'émissions portant sur le degré d'aliénation sociale, linguistique, etc., d'un garçon et d'une fillette de dix ans, connaissent une diffusion télévisée.

En 1979, il revient, avec *Sauve qui peut (la vie)* au cinéma traditionnel. Son pessimisme, sous un apparent dépouillement, s'avère plus profond que du temps de *Week-end :* la prostitution, comme dynamique sociale, est, encore une fois, au centre de ses préoccupations. À nouveau, la réflexion sur ses méthodes créatrices, ses doutes, ses essais forment la charpente osseuse de son cinéma. À ce titre, *Passion* (1982) se présente comme le traité poétique de Godard. Il y dévoile, presque sous forme de travaux pratiques, sa philosophie de l'emprunt culturel doublée d'une critique constructive des œuvres du passé. Cela le conduit, dans *Je vous salue Marie* (1985), à mettre en parallèle, de manière un peu artificielle, le mystère que constitue son propre travail (le film en gestation) et une certaine idée du sacré. Avec *Prénom Carmen* (1983) et *Détective* (1985), l'auteur s'intéresse, comme à ses débuts, à l'univers des marginaux et aux personnages de série « B » qui lui permettent d'évoquer ses obsessions : les rapports douloureux entre les hommes et les femmes, la permanence de la mort, la circulation de l'argent. Par son rôle de médiateur perpétuel, de chercheur impénitent, de questionneur de son époque, Godard renouvelle l'esthétique du film, les rapports du cinéaste à la production et ceux de l'homme à son environnement. Depuis un quart de siècle, son influence sur les jeunes metteurs en scène ne se dément jamais. Avec *Soigne ta droite* (1987) Godard refuse apparemment de nous livrer le véritable mode d'emploi de son film. Il y cerne trois constantes : la commande, le conditionnement et la crise de la création. Ces trois vecteurs sont à proprement parler la matière même du film. Godard interprète lui-même le rôle de « l'idiot », dit aussi « le prince », cinéaste autrefois en vogue, obligé de s'atteler à des besognes alimentaires. On le voit tester diverses fictions issues de son long conditionnement de spectateur : il nous en livre les essais, les ratures, les ratés (ce que nous voyons sur l'écran).

En 1990, il réalise avec Alain Delon un *Nouvelle Vague* au titre nostalgique et provocateur qui tourne délibérement le dos à tout procédé réaliste de narration continue et peaufine à grand renfort de citations et de « signes codés » le parcours initiatique du cinéaste qui slalome d'une idée à l'autre, d'un concept abstrait à une évidence concrète en s'aidant d'une bande-son très travaillée. Son *JLG/JLG*, réalisé en 1994, est un faux autoportrait. (« Que cherchait Rimbaud lorsqu'il installa le chevalet à côté du miroir ? Probablement : jusqu'où la peinture peut aller. Et ensuite : jusqu'où il la suivrait, c'est-à-dire jusqu'à quand. Non à cause de l'âge, mais à cause de la peinture elle-même, car c'était le temps lui-même mis à peindre qu'il déposa sur la toile. Mis à nu, si l'on peut dire. ») R.BA.

Autres films : *la Paresse* (sketch des *Sept Péchés capitaux,* 1962) ; *le Nouveau Monde* (sketch de *Rogopag,* 1963) ; *le Grand Escroc* (sketch des *Plus Belles Escroqueries du monde,* 1964) ; *Montparnasse-Levallois* (sketch de *Paris vu par...,* 1965) ; *Anticipation, ou l'Amour en l'an 2000* (sketch du film *le Plus Vieux Métier du monde,* 1967) ; *Caméra-Œil* (sketch de *Loin du Viêt-nam,* 1967) ; *Ciné-Tracts* (bandes tournées en mai-juin 1968) ; *Un film comme les autres* (1968) ; *One A [merican] M [ovie]* (inachevé, *id.*) ; *l'Amour* (sketch de *la Contestation / Amore e Rabbia,* 1969) ; *British Sounds* (groupe Dziga Vertov, *id.*) ; *Vent d'Est* (id., *id.*) ; *Letter to Jane* (1972) ; *Grandeur et décadence d'un petit commerce de cinéma* (1986, TV) ; *King Lear* (1987) ; *Armide* (sketch de *Aria,* id.). *Histoire(s) du cinéma* (1989, T.V.) ; *Allemagne neuf zéro* (1991) ; *Les enfants jouent à la Russie* (DOC, *id.*) ; *Hélas pour moi* (1993) ; *2 ×50 ans de cinéma français* (DOC, 1995, co Anne-Marie Miéville). ▲

GODDARD *(Marion Levy,* dite *Paulette), actrice américaine (Great Neck, N. Y., 1905 - Rosco, Suisse, 1990).* Elle débute aux Ziegfeld Follies, se marie très jeune, divorce à Reno et arrive à Hollywood (1931), où elle redevient danseuse. Remarquée par Hal Roach qui l'engage, elle sera la vedette du film de Chaplin, *les Temps modernes* (1936), mais sa liaison avec le grand cinéaste sera remarquablement discrète, et sanctionnée par un mariage secret (1936) qui se dissoudra sans heurt (1942). Douée d'une beauté juvénile de sauvageonne, très spirituelle (jusqu'au goût du scandale), la pétulante actrice s'avère excellente comédienne, et l'on peut regretter qu'elle n'ait pas été engagée, comme elle le souhaitait, pour jouer Scarlett dans *Autant en emporte le vent.* Mariée à Burgess Meredith (1944-1950) et à E. M. Remarque (1958-1970), elle se retire en Europe après le décès de celui-ci. Sa carrière avait décliné dans les années 50, mais, très riche, elle n'est sortie de sa retraite que pour jouer dans un film italien, *Désirs pervers* (F. Maselli, 1964). G.L.

Films : *le Roi de l'arène* (L. McCarey, 1932) ; *les Temps modernes* (Ch. Chaplin, 1936) ; *Femmes* (G. Cukor, 1939) ; *le Dictateur* (Chaplin, 1940) ; *les Tuniques écarlates* (C. B. De Mille, *id.*) ; *Par la porte d'or* (M. Leisen, 1941) ; *les Naufrageurs des mers du Sud* (De Mille,

1942) ; *la Duchesse des bas-fonds* (Leisen, 1945) ; *le Journal d'une femme de chambre* (J. Renoir, 1946) ; *les Conquérants d'un Nouveau Monde* (De Mille, 1947) ; *la Folle Enquête* (K. Vidor, 1948) ; *la Vengeance des Borgia* (*Bride of Vengeance,* Leisen, 1949) ; *Anna Lucasta* (I. Rapper, *id.*) ; *les Mille et Une Filles de Bagdad* (E. G. Ulmer, 1952) ; *Sins of Jezebel* (Reginald Le Borg, 1953) ; *Investigations criminelles* (A. Laven, *id.*).

GOETZKE *(Bernhard), acteur allemand (Dantzig 1884 - Berlin 1964).* Il est déjà connu à la scène lorsqu'il débute à l'écran dans *Veritas vincit* (J. May, 1919). On voit encore sa haute taille et ses traits émaciés dans *Madame du Barry* (E. Lubitsch, *id.*), *les Frères Karamazov* (D. Buchowetzki et C. Froelich, 1921), *le Tombeau hindou* (May, *id.*) ou *la Femme du pharaon* (Lubitsch, 1922), mais c'est Fritz Lang qui va lui donner ses rôles les plus marquants : ceux de la Mort lasse (« der müde Tod ») dans *les Trois Lumières* (1921), puis de l'inspecteur von Wenck, l'adversaire acharné de Mabuse dans *Mabuse le Joueur* (1922) et du fidèle Volker dans les *Niebelungen* (1924). Il a la vedette dans un film d'Hitchcock tourné à Munich, *The Mountain Eagle* (1926), mais n'interprétera plus que des rôles secondaires, en particulier pour G. Lamprecht, R. Oswald et C. Froelich. On le voit dans *la Lutte héroïque* (H. Steinhoff, 1939), *le Juif Süss* (V. Harlan, 1940), *le Grand Roi* (id., 1942), *Paracelse* (G. W. Pabst, 1943) ou *les Aventures fantastiques du baron Munchhausen* (J. von Baky, 1943). Il se consacre à la scène après 1944 mais fait une dernière apparition dans *Das kalte Herz* (Paul Verhoeven, 1950). J.-P.B.

GOGOBERIDZE *(Lana Lebanova Gogoberidze, dite Lana), cinéaste soviétique (Tbilissi, Géorgie, 1928).* Diplômée du VGIK en 1960 (classe de Guérassimov), elle réalise plusieurs documentaires dès son retour à Tbilissi puis débute dans la fiction avec *Sous le même ciel* (*Pod odnim nebom,* 1962), *Je vois le soleil* (*Ja vižu solnce,* 1965), *Limites* (*Rubeži,* 1969). Elle s'impose par des comédies légères et bien enlevées : *Lorsque fleurit l'amandier / Premier Avril* (*Kogda zacvel mindal',* 1972) et *Branle-Bas / le Remue-Ménage* (*Perepoloh,* 1976). Mais elle doit sa réputation internationale à la sensibilité et à l'intelligence de *Plusieurs interviews sur des problèmes privés* (*Neskol'ko interv' ju po ličnym voprosam,* 1978), œuvre discrètement autobiographique où elle évoque avec émotion la figure de sa mère (déportée à l'époque stalinienne) tout en traitant de manière pénétrante les problèmes d'une femme (admirablement incarnée par Sofiko Tchiaoureli) dans la société actuelle. Elle a également brossé de beaux portraits de femmes dans *le Jour plus long que la nuit* (*Den'dlinneje noči,* 1983) et dans *le Tourbillon* (*Krugovorot,* 1986). Cofondatrice et première présidente en 1988 de KIWI (*Kino Women International,* Association internationale des femmes cinéastes). M.M.

GOLAN *(Menahem), cinéaste et producteur israélien (Tiberiade, 1929).* Après avoir réalisé de nombreuses mises en scène théâtrales en Israël, il part aux États-Unis en 1960 pour étudier le cinéma, rejoint un temps l'équipe de Roger Corman puis retourne en Israël où il fonde en 1962 la société Noah Films avec son indispensable complice et cousin Yoram Globus. Il réalise son premier film en 1963 *(El Dorado),* est responsable de quelques-uns des films les plus populaires du cinéma israélien (*Tevye and His Seven Daughters,* 1968), mais se consacre surtout à la production. De retour aux États-Unis, il acquiert en 1979 avec Yoram Globus le contrôle de la société Cannon, cherchant à rivaliser avec les plus grandes compagnies internationales. Pour ses projets, de plus en plus ambitieux, il fait appel à Kontchalovski, Cassavetes, Altman, Zeffirelli, Schatzberg et Godard. Son œuvre personnelle est moins marquée par les préoccupations artistiques, en dehors peut-être du *Magicien de Lublin* (*The Magician of Lublin,* 1979), d'après Isaac Singer. Des quelque 25 films qu'il a réalisés, on retiendra *Lepke le Caïd* (1975), *Delta Force* (1985), *le Bras de fer* (*Over the Top,* 1987), avec Sylvester Stallone, et *Hannah's War* (1988). Après quelques cuisants échecs commerciaux, Golan abandonne en 1989 la Cannon et fonde une nouvelle société la 21th Century. D.R.

GOLDBERG *(Caryn Johnson,* dite *Whoopi), actrice américaine (New York, N.Y., 1949).* Cette actrice, au tempérament comique explosif révélé à la télévision et au théâtre, a paradoxalement débuté à l'écran dans un contre-emploi : l'héroïne pathétique de *la Couleur pourpre* (S. Spielberg, 1985). Depuis, elle a vite imposé au cinéma sa personnalité clownesque et survitaminée dans des comédies trépidantes comme *Jumping Jack Flash* (P. Marshall, 1986). Son sens de la caricature lui permet de marquer un rôle même s'il est secondaire (la voyante extralucide de *Ghost* (*id.*, Jerry Zucker, 1990) ou marginal (le commissaire de police à la recherche de ses garnitures périodiques dans *The Player,* R. Altman, 1992). Le considérable succès de *Sister Act* (*id.*, Emile Ardolino, 1992) a fait d'elle une des actrices américaines les plus populaires dans le monde. Si une suite de ce film a pu faire penser qu'elle cherchait la facilité, sa création émouvante et tout en demi-teintes dans *Corinna, Corinna* (*id.*, Jessie Nelson, 1994), qu'elle a également produit, prouve que Whoopi Goldberg est une personnalité attachante, désormais indispensable au cinéma américain contemporain. C.V.

GOLDMAN *(Peter Emmanuel), cinéaste américain (New York, N. Y., 1939).* Après des études à la Brown University, il partage son temps entre New York (qu'il filme en 8 mm) et Paris. *Echoes of Silence* (1962-1965) présente en seize « chapitres », sans paroles, quelques moments de la vie, surtout nocturne, à Greenwich Village, marquée par la solitude et la recherche de la tendresse. En 1968-69, il tourne à Paris *Wheel of Ashes* avec Pierre Clémenti, film moins dépouillé, mais d'un égal romantisme froid. D.N.

GOLDMAN *(William), scénariste américain (Chicago, Ill. 1931).* Romancier à succès, habile constructeur d'intrigues, et pasticheur tout terrain, ses talents s'illustrent au cinéma dans des variations narquoises et nostalgiques sur les grands genres hollywoodiens : policier, western, film de cape et d'épée ou d'aviation. Il débute sa carrière d'écrivain en 1957 et, à partir de 1966, mène de front une double et fructueuse carrière littéraire et cinématographique. Après une brillante adaptation de *The Moving Target* de Ross McDonald, que réalise Jack Smight (*Détective privé,* 1966), il signe le plus célèbre western 'rétro' du cinéma américain : *Butch Cassidy et le Kid* (G.R. Hill, 1969), et entretient, pendant quelques années, une collaboration suivie avec Robert Redford : *les Quatre Malfrats* (Peter Yates, 1971), *la Kermesse des aigles* (G.R. Hill, 1975), *les Hommes du président* (A.J. Pakula, 1976). Il adapte aussi plusieurs de ses best-sellers, dont *Marathon Man* (J. Schlesinger, 1976), *Magic* (R. Attenborough, 1978) et *Princess Bride* (Rob Reiner, 1987).

On lui doit aussi deux pièces, en collaboration avec son frère, le scénariste-dramaturge James Goldman, et un essai sur le métier de scénariste : *Adventures in the Screen Trade.* O.E.

GOLDSCHMIDT *(Gilbert de), producteur français (Paris 1924).* Il a débuté à Hollywood, sous l'égide de la RKO, avant de coproduire, en 1950, avec Denise et Roland Tual, *Ce siècle a cinquante ans.* En 1951, il fonde sa maison de production, Madeleine Films. Depuis cette date, il a produit, avec des fortunes diverses, environ un film par an, parfois en association avec Mag Bodard (Parc Film) ou la Guéville : *Un amour de poche* (P. Kast, 1957) ; *les Parapluies de Cherbourg* (J. Demy, 1964) ; *le Grand Meaulnes* (J. G. Albicocco, 1967) ; *Hoa-Binh* (R. Coutard, 1970) ; *le Grand Blond avec une chaussure noire* (Y. Robert, 1972) ; *les Turlupins* (Bernard Revon, 1980), etc. Il se pose en ardent défenseur de la libre entreprise et en promoteur d'un cinéma qui se veut populaire sans renoncer à la qualité. C.B.

GOLDSMITH *(Jerry), musicien américain (Los Angeles, Ca., 1929).* Il accomplit ses études musicales avec Jacob Gimpel (University of Southern California) et Miklos Rozsa (L. A. City College). Dans près de 70 films (et d'importantes partitions pour la radio et la télévision), il se libère des conventions dramatiques avec une forte et séduisante personnalité. Les références classiques, folk ou modernes s'intègrent à une conception brillante et neuve correspondant à l'éclatement des genres, de *Freud, passions secrètes* (J. Huston, 1962) à *Sept Jours en mai* (J. Frankenheimer, 1964), *Justine* (G. Cukor, 1969), *les Cent Fusils* (T. Gries, *id.*), *Un nommé Cable Hogue* (S. Peckinpah, 1970), *Rio Lobo* (H. Hawks, *id.*), *Klute* (A. J. Pakula, 1971), *l'Autre* (R. Mulligan, 1972), *Chinatown* (R. Polanski, 1974). Ses choix plus récents sont moins heureux : *Alien* (Ridley Scott, 1979) ; *À armes égales* (Frankenheimer, 1982) ; *Legend* (R. Scott, 1985) ; *Rambo III* (Peter MacDonald, 1988). C.M.C.

GOLDWYN (*Samuel Goldfish,* dit *Samuel*), *producteur américain d'origine polonaise (Varsovie,*

Russie, 1882 - Los Angeles, Ca., 1974). Il s'enfuit de chez lui à l'âge de onze ans et s'embarque pour l'Angleterre, pour s'établir chez des parents à Manchester. À l'âge de quinze ans, il part pour les États-Unis. Il fait son apprentissage dans l'industrie vestimentaire, se met à son compte progressivement et fonde une entreprise de ganterie. En 1913, craignant pour son avenir, il préfère se reconvertir dans le cinéma et crée, avec Cecil B. De Mille et Jesse Lasky (son beau-frère), la Lasky Feature Plays, qui allait plus tard devenir la Paramount. En 1916, mécontent de l'évolution de l'affaire, il se joint aux frères Selwyn, des distributeurs, pour fonder la Goldwyn Picture Corp., ainsi nommée en fusionnant leurs deux noms. (Il adopta à partir de ce moment le nom de Goldwyn.) En 1918, la compagnie quitta New York pour Los Angeles, elle est donc une des premières à s'installer en Californie. Mais, en 1919, l'impatient Goldwyn désire à nouveau faire bande à part : il part, revient, puis part définitivement en 1922. L'année suivante, la Goldwyn Picture Corp. fusionne avec la Metro Pic. et la Loews Corp., pour devenir la MGM (Metro Goldwyn Mayer). Désormais producteur indépendant, Goldwyn produit tout au long des années 20 des grands films romantiques à succès que distribuent les Artistes associés. Notons surtout les films du couple Ronald Colman-Vilma Banky (*l'Ange des ténèbres,* George Fitzmaurice, 1925 ; *Barbara, fille du désert,* H. King, 1926) et le grand succès du *Sublime Sacrifice de Stella Dallas* (id., 1925). Dans les années 30, il opte pour un style plus fantaisiste et fait la carrière du comique Eddie Cantor et de Busby Berkeley, à qui il donne leur chance dans *Whoopee* (E. Sutherland, 1930), notamment en confiant à Berkeley la chorégraphie du film. Bientôt, Goldwyn se pique de culture et produit des adaptations littéraires et théâtrales de prestige, dont il confie souvent la mise en scène à William Wyler (*Dodsworth,* 1936 ; *Ils étaient trois,* id. ; *Rue sans issue,* 1937 ; *les Hauts de Hurlevent,* 1939). Parallèlement, il entreprend de nouvelles versions de ses grands succès (*l'Ange des ténèbres,* S. Franklin, 1935 ; *Stella Dallas,* K. Vidor, 1937). Au début des années 40, il signe un accord avec la RKO, qui devait distribuer désormais ses productions : elles furent plus rares, mais visèrent toujours à une politique de prestige. Parmi ses réussites, comptons *Boule de feu* (H. Hawks, 1942) et surtout *les Plus Belles Années de notre vie* (W. Wyler, 1946), son œuvre la plus forte et la plus imprégnée de l'air du temps. Parallèlement, il reprend plusieurs succès d'Eddie Cantor avec un nouveau comique populaire, Danny Kaye. Dans les annés 50, ses productions se raréfient encore mais deviennent plus coûteuses : ainsi les deux musicals spectaculaires, *Blanches Colombes et Vilains Messieurs* (J. L. Mankiewicz, 1955) et *Porgy and Bess* (O. Preminger, 1959).

Finalement, ses films sont plus amusants et plus originaux que sa réputation de sérieux et d'inculture pourrait le laisser croire. Il a donné leur chance à de nombreux talents et, comme chez beaucoup de grands producteurs, il y avait en lui une sorte d'intuition vague mais juste de ce qu'était le cinéma. C.V.

GOLOVNIA *(Anatoli) [Anatolij Dmitrievič Golovnja], chef opérateur soviétique (Simferinol 1900 - Moscou 1982).* Jouant un rôle comparable à celui d'Édouard Tissé pour Eisenstein, il est le collaborateur fidèle de Poudovkine pour la plupart de ses films (*la Mère,* 1926 ; *la Fin de Saint-Pétersbourg,* 1927 ; *Tempête sur l'Asie,* 1929 ; *le Déserteur,* 1933 ; *Minine et Pojarski,* 1939 ; *Souvorov,* 1941 ; *l'Amiral Nakhimov,* 1947 ; *Joukovski,* 1950). J.-L.P.

GOMES *(Paulo Emílio Salles), critique et historien brésilien (São Paulo 1916 -* id. *1977).* Il est un des fondateurs et responsables de la Cinemateca brasileira (São Paulo). À la suite de divers séjours en Europe, il rédige une monographie sur *Jean Vigo* (Paris, 1957), qui fait toujours autorité. Par son activité dans la presse et l'Université brésiliennes, il joue un rôle capital pour l'évolution d'une conscience cinématographique en rupture avec les modèles culturels dominants, processus qui débouche sur l'avènement du Cinema novo. Moins connus à l'extérieur que certains manifestes retentissants, ses écrits marquent néanmoins plusieurs générations de cinéastes : c'est le cas, notamment, d'*Une situation coloniale* (1960) et de *Cinéma : trajectoire dans le sous-développement* (1973). Son étude la plus fouillée reste *Humberto Mauro, Cataguases, Cinearte* (São Paulo, 1974). Il publie un panorama historique du cinéma national, sous le titre *70 Anos de Cinema Brasileiro* (Rio de Janeiro, 1966). Il collabore aux scénarios de *Capitu* (P. C. Saraceni, 1968) et *Memoria de Helena* (David E. Neves, 1969). Ses articles épars commencent à être rassemblés et édités à partir de 1980. P.A.P.

GÓMEZ *(Manuel Octavio), cinéaste cubain (La Havane 1934 - id. 1988).* Journaliste et sociologue de formation, il commence par réaliser des documentaires didactiques (*Historia de una batalla,* 1962). Après des tentatives ratées, il s'impose avec *la Première Charge à la machette* (*La primera carga al machete,* 1969), l'un des longs métrages cubains les plus réputés. Les luttes d'émancipation du XIXe siècle y sont évoquées à l'aide de techniques modernes, comme l'enquête, le son direct, la caméra à la main ; l'anachronisme est souligné volontairement par une photographie imitant les vieux daguerréotypes ou clichés en décomposition. *Les jours de l'eau* (*Los días del agua,* 1971) cherche les racines de la culture populaire durant les années 30. Alors que le cinéma cubain de fiction se tourne de plus en plus vers le passé, Gómez filme deux œuvres aux résonances contemporaines : *Ustedes tienen la palabra* (1973), reconstitution d'un procès pour sabotage, qui débouche sur la critique des responsabilités politiques au niveau des cadres moyens ; *Una mujer, un hombre, una ciudad* (1978), plus complexe, qui élargit une réflexion semblable, à propos de l'installation d'un complexe industriel ; l'autocritique ébauchée est cependant restreinte par un certain fatalisme (le caractère inévitable des erreurs). Il signe encore le musical *Patakin* (1982) et deux adaptations littéraires coproduites par les télévisions européennes : *Monsieur le Président* (*El Señor Presidente,* 1983, d'après Asturias, avec la S.F.P. et *Gallego* (1987, d'après Miguel Barnet). P.A.P.

GÓMEZ *(Sara,* dite aussi *Sarita), cinéaste cubaine (La Havane 1943 - id. 1974).* Assistante de Tomás Gutiérrez Alea et d'Agnès Varda sur *Salut les Cubains* (1963), Sarita Gómez imprime au documentaire un ton de confidence personnelle (*Iré a Santiago,* 1964 ; *Guanabacoa : Crónica de mi familia,* 1966). Elle est à l'écoute, sans préjugés, sans conformisme, comme le montre sa trilogie sur l'île de sa jeunesse : *En la otra isla* (1968), *Una isla para Miguel* (*id.*), *Isla del Tesoro* (1969). Voilà pourquoi elle dérange, au point que le remarquable *Mi aporte* (1969-1972) reste interdit, coupable d'avoir transgressé les limites du féminisme toléré par le « machisme-léninisme » cubain. *De cierta manera* (1974), œuvre presque posthume, achevée par Gutiérrez Alea, symbiose parfaite de documentaire et de fiction, aborde les dilemmes de la marginalité sociale avec une franchise qu'on ne verra plus pendant longtemps, avant qu'une nouvelle génération ne se réclame de Sara Gómez. P.A.P.

GONG LI, *actrice chinoise (Shenyang, 1965).* Elle est en troisième année d'étude à l'Institut d'art dramatique de Pékin quand Zhang Yimou lui offre le rôle principal dans son film *le Sorgho rouge* (1987), qui lui vaut une reconnaissance immédiate tant en Chine qu'à l'étranger. Devenue l'égérie de Zhang Yimou, elle a la vedette de tous ses films et, notamment, de *Judou* (1990), d'*Épouses et concubines* (1991), Lion d'argent à Venise, de *Qiu Ju femme chinoise* (1992), Lion d'or à Venise, de *Vivre* (1994), prix spécial du jury ex-aequo au festival de Cannes 1994, et de *Shanghai Triad,* 1995). Très appréciée pour le naturel et le large registre de son jeu, cette grande star est très demandée par ailleurs. Elle joue dans bon nombre de co-productions de Chine continentale avec Hong-kong et Taïwan, notamment *A Terracota warrior,* de Ching Siu-tung, aux côtés de Zhang Yimou, *Painted Soul,* de Huang Shujin, dans lequel elle interprète le rôle de Pan Yuliang, célèbre peintre des années 30 à Shanghai et Paris, et surtout *Adieu, ma concubine,* de Cheng Kaige, palme d'or à Cannes en 1993. M.-C.Q.

GONFLAGE (1). Opération de laboratoire consistant à agrandir les images d'un film sur un film de format (1) supérieur. (→ FORMAT, GRANULATION.)

GONFLAGE (2). *Gonflage de la gélatine,* traitement de rénovation des copies destiné à rendre les rayures moins visibles. (→ COPIES.)

GONFLER. Procéder à un gonflage (1).

GONZAGA *(Adhémar), producteur et cinéaste brésilien (Rio de Janeiro 1901 - id. 1978).* Personnalité clé des années 30, il fonde la revue *Cinearte* et la compagnie Cinédia (1930), dont les installations dans la banlieue de Rio imitent les studios hollywoodiens. Il met en scène *Barro Humano* (1928), expression d'une certaine maturité du muet brésilien, typique de ses conceptions mimétiques vis-à-vis du modèle américain. Il essaye d'entraîner Humberto Mauro sur cette voie et produit ses films *Lábios sem Beijos* (1930) et *Ganga Bruta* (1933). Ensemble, ils signent *A Voz do Carnaval* (1933), un des premiers films musicaux carnavalesques, précurseurs de la chanchada, où débute Carmen Miranda. Parmi la dizaine de mises en scène de Gonzaga, on compte encore *Alô, Alô Carnaval !* (1936), classique du genre qui fera la gloire d'Oscarito et Grande Otelo. Son rôle comme pionnier d'une production continue (une cinquantaine de titres) est plus important, même si la Cinedia survit péniblement malgré quelques succès (le mélodrame *O Ébrio,* Gilda de Abreu, 1946). Parmi ses productions plus ambitieuses se détachent *Mulher* (Octávio Gabus Mendes, 1931), la comédie *Bonequinha de Seda* (Oduvaldo Vianna, 1935), les adaptations littéraires *Pureza* (Chianca de Garcia, 1940) et *O Cortiço* (Luiz de Barroz, 1946). Son mélange de nationalisme et de fascination envers Hollywood caractérise toute une étape du cinéma brésilien. P.A.P.

GONZÁLEZ *(Cesáreo), producteur espagnol (Vigo 1905 - Madrid 1968).* La maison de production Suevia, qu'il fonde peu après la fin de la guerre civile, occupe pendant les années 50 la place centrale jusqu'alors détenue par Cifesa. Cesáreo González met à profit ses liens avec l'Amérique latine et réussit à lancer ses films (plus d'une centaine) sur le marché hispanophone, alors que l'hégémonie précédemment acquise par les industries argentine et mexicaine se trouve largement entamée. Il exploite tous les genres typiques du cinéma espagnol sous le franquisme : le film « impérial » (*Bambu,* J. L. Sáenz de Heredia, 1945), le film religieux (*Reina Santa,* R. Gil, 1947), les espagnolades interprétées par Carmen Sevilla et Lola Flores, les mélodrames joués par les vedettes enfantines Joselito et Marisol, les musicaux chantés par Sarita Montiel. P.A.P.

GOODRICH *(Frances), scénariste américaine (Belleville, N. J., 1891 - New York, N. Y., 1984).* Cette ancienne comédienne travaille le plus souvent en collaboration avec son mari, Albert Hackett. Active de 1930 à 1962, elle est toujours restée fidèle à une écriture classique et sans surprise ; mais, dans ces limites acceptées, elle a su faire preuve d'invention et de vivacité. C'est particulièrement le cas dans des comédies musicales comme *le Pirate* (V. Minnelli, 1948), *Belle Jeunesse* (R. Mamoulian, *id.*), *Parade de printemps* (Ch. Walters, *id.*), *Donnez-lui une chance* (S. Donen, 1953) et *les Sept Femmes de Barberousse* (id., 1954), où la verve de Hackett et Goodrich n'est pas éloignée de celle de Betty Comden et Adolph Green. C.V.

GOPALAKRISHNAN *(Adoor), cinéaste indien (Adoor, Kerala, 1941).* Très jeune, il est acteur de théâtre amateur et poursuit des études d'économie politique, tout en écrivant pour la scène et dirigeant de nombreux spectacles. Il abandonne un poste de fonctionnaire pour l'Institut du film de Poona, dont il est diplômé (1962-1965). La création de la Coopérative Chitralekha, dont il est le président, permet l'installation d'un studio et d'un laboratoire de développement à Trivandrum. Ses deux premiers films, *Swayamvaram* (id., 1972) et *'Ascension'* (*Kodiyettam,* 1977), sont réalisés dans ce cadre. Le troisième, *'le Piège à rats'* (*Elippathayam,* 1981), est une production indépendante. Ces films, à petit budget, décrivent avec un réalisme – inédit dans ce cinéma régional – les conflits psychologiques souvent insurmontables provoqués chez certains jeunes par l'Inde changeante d'aujourd'hui. Il est un des représentants les plus talentueux du renouveau des cinémas régionaux de l'Inde à la fin des années 70, ici le cinéma du Kerala, en langue malayālam. En 1983, il écrit *The World of Cinema* puis réalise *'Face à Face'* (*Mukha Mukham,* 1983), *'Monologue'* (*Anantaram,* 1988) et *'les Murs'* (*Mathilukal,* 1990), *'le Servile'* (*Vidheyan,* 1993). H.M.

GOPI *(V. Gopinathan Nair,* dit), *acteur et cinéaste indien (Chirayankil, près de Trivandrum,* 1937). Acteur de théâtre réputé, il débute au cinéma dans *Swayamvaram* (1972) et *'Ascension'* (1977), de A. Gopalakrishnan, et s'impose comme l'un des leaders malayalam de l'écran : *'le Chapiteau'* (G. Aravindan, 1978), *'l'Homme au-delà de la surface'* (M. Kaul, 1980), *Yavanikha* (K.G. George, 1982), *Adaminte Variyellu* (*id.,* 1983), *Kattathe Kilikoodu* (Bharothan, *id.*), *Chidambaram* (Aravindan, 1985). Il abandonne la carrière d'acteur à la fin des années 80 pour se consacrer à la mise en scène (*Yamanam,* 1991), puis revient devant la caméra en 1994 (*Swaham,* de Shaji N. Karun). J.-L.P.

GORA *(Emilio Giordana,* dit *Claudio), acteur et cinéaste italien (Gênes 1913).* Il débute comme interprète dans *Trappola d'amore* (R. Matarazzo, 1940) et joue ensuite dans de nombreux mélodrames et comédies. Son premier film comme metteur en scène, *Il cielo è rosso* (1950), est une intelligente adaptation du roman de Giuseppe Berto sur la jeunesse des lendemains de la guerre. Il revient au même thème dans sa deuxième réalisation, *Febbre di vivere* (1953). Il dirige encore sept films inégaux mais intéressants, dont *La grande ombra* (1958), *Tre straniere a Roma* (1959), *La contessa azzurra* (1960), *L'odio è il mio Dio* (1969). Dans sa riche carrière d'acteur, il perfectionne de film en film son personnage de malin viveur, souvent sadique ou très puissant : *la Grande Pagaille* (L. Comencini, 1960) ; *Une vie difficile* (D. Risi, 1961) ; *Danger Diabolik* (M. Bava, 1968) ; *la Femme du dimanche* (Comencini, 1975) ; *La belva col mitra* (Sergio Grieco, 1977). L.C.

GÖRBE *(János), acteur hongrois (Jászárokszállos 1912 - Budapest 1968).* Il est, avec Alice Szellay, le protagoniste principal des *Hommes de la Montagne* d'István Szóts en 1942. Il retrouve la même partenaire et le même metteur en scène cinq ans plus tard dans la *Chanson des champs de blé.* Acteur solide et expressif, il impose sa présence dans plusieurs films marquants comme *La mer se lève* (*Feltámadott a tenger,* K. Nádasdy, M. Szemes, L. Ranódy, 1953), *Quatorze Vies en danger* (*Életjel,* Z. Fabri, 1954), *la Maison au pied du roc* (K. Makk, 1958), *Vingt Heures* (Z. Fabri, 1964), *les Sans-Espoir* (M. Jancsó, 1965 ; où il interprète le rôle du traître tourmenté), *Jours de fête* (*Ünnepnapok,* Ferenc Kardos, 1967), *Dix Mille Soleils* (F. Kosa, *id.*) et *Devant Dieu et les hommes* (K. Makk, 1968). J.-L.P.

GORDINE *(Sacha), producteur français (Paris 1910 - id. 1968).* Après diverses activités et parallèlement à des compétitions d'automobiles et à la construction de voitures de courses, il fonde la Société des films Sacha Gordine en 1945 et produit quelques films de prestige : *l'Idiot* (G. Lampin, 1946), *Dédée d'Anvers* (Y. Allégret, 1948), *la Marie du port* (M. Carné, 1950), *la Ronde* (M. Ophuls, *id.*), *le Traqué* (Frank Tuttle et Borys Lewin, *id.*), *Juliette ou la Clé des songes* (M. Carné, 1951), *Les miracles n'ont lieu qu'une fois* (Y. Allégret, *id.*), *Orfeu Negro* (Marcel Camus, 1959). C.D.R.

GORDON *(Bert I.), cinéaste américain (Kenosha, Wis., 1922).* Formé à la télévision par la publicité et la supervision de feuilletons, il produit avec sa femme et met en scène, à partir de 1955 *(King Dinosaurs),* des films essentiellement fondés sur des trucages qu'il réalise lui-même. Quelques-uns relèvent du merveilleux, tel *l'Épée enchantée* (*The Magic Sword,* 1962), les meilleurs de la science-fiction : *le Fantastique Homme colosse* (*The Amazing Colossal Man,* 1957) ; *Soudain... les monstres* (*Food of the Gods,* 1976), dont l'esprit bon enfant ne nuit pas à la fable tirée de Wells. *Le Détraqué* (*The Mad Bomber,* 1972) permet aussi de lui attribuer un certain talent dans le genre du film policier. A.G.

GORDON *(Michael), cinéaste américain (Baltimore, Md., 1909 - Century City, Ca., 1993).* Ancien acteur qui a commencé dans la réalisation au début des années 40 dans de petits films policiers, Michael Gordon a été un instant touché par l'ambition. Mais il faut reconnaître que *Cyrano de Bergerac* (1950), avec José Ferrer dans le rôle-titre, soutient assez mal l'épreuve du temps. Il n'en est pas de même d'un bon et classique suspense comme *l'Araignée* (*Woman in Hiding,* 1950), réalisé la même année, où Ida Lupino était excellente. Placé sur la Liste noire, il dut interrompre pendant plusieurs années sa carrière, avant de revenir à Hollywood. On oubliera volontiers ses comédies avec Doris Day, sauf peut-être *Confidences sur l'oreiller* (*Pillow Talk,* 1959), et l'on regardera peut-être, d'un œil amusé, Lana Turner dans un bizarre mélange de policier et de mélo, *Meurtre sans faire-part* (*Portrait in Black,* 1960), ou Alain Delon face à Dean Martin à l'occasion d'un western sans éclat, *Texas, nous voilà !* (*Texas Across the River,* 1966). C.V.

GORDON *(Ruth Jones,* dite *Ruth), actrice et scénariste américaine (Wollaston, Mass., 1896 - Edgartown, Mass., 1985).* D'abord actrice, puis scénariste, puis à nouveau actrice, cette petite femme nerveuse et trapue a honoré beaucoup de bons films, grâce aux deux cordes de son arc. De la scénariste, on retiendra, avec le sourire, ses collaborations avec Garson Kanin, son mari, à une superbe série de comédies auxquelles Spencer Tracy, Katharine Hepburn et George Cukor donnèrent de leur talent (*Madame porte la culotte,* 1949 ; *Mademoiselle Gagne-Tout,* 1952). Continuant à travailler avec George Cukor, le couple fut l'artisan des grandes réussites de Judy Holiday (*Je retourne chez maman,* 1952 ; *Une femme qui s'affiche,* 1954). Qu'admirer le plus ? Les dialogues vifs et pointus, l'art du balancement entre le rire et les larmes, ou la subtile et ironique analyse de l'éternelle guerre des sexes, qui semble être l'apport personnel de Ruth Gordon à l'entreprise ? Seule, elle fournira à Cukor le scénario autobiographique de *The Actress* (1953), une merveille d'émotion et de justesse : Jean Simmons, radieuse, y incarnait la jeune et ambitieuse Ruth.

Par ailleurs, Ruth Gordon joua, à ses débuts d'actrice de cinéma, les quadragénaires compréhensives, un rien en retrait, auxquelles son physique la prédisposait : l'amie de Greta Garbo dans *la Femme aux deux visages* (Cukor, 1941) ou l'épouse de Lincoln (*Abe Lincoln in Illinois,* J. Cromwell, 1940). La consécration lui vint lorsque, plus que sexagénaire, Robert Mulligan fit d'elle la mère déboussolée de Natalie Wood dans *Daisy Clover* (1966) : quelques minutes suffisaient à Ruth Gordon pour planter son personnage avec un art consommé de la composition. Depuis, elle a été, dans un cocktail de charme et d'agacement très séduisant, la sorcière d'en face dans *Rosemary's Baby* (R. Polanski, 1968), la vieille, gâteuse et impossible, de *Where's Poppa ?* (C. Reiner, 1970) et l'octogénaire philosophe qui révélait l'amour à un adolescent blasé dans *Harold et Maude* (H. Ashby, 1971), sa création la plus populaire. Depuis, ses rôles ont été des variations de celui-là. C'est dommage, mais le talent et l'esprit de Ruth Gordon ne sont pas en cause. C.V.

GÖREN *(Şerif), cinéaste turc (Iskeçe 1944).* Il débute au cinéma comme monteur, puis assistant ; il travaille avec Atıf Yılmaz, Osman Seden et surtout Yılmaz Güney. Son premier film est d'ailleurs une œuvre que Güney n'a pu achever en 1974 : *'l'Inquiétude' (Endişe).* Malgré ce premier essai réussi, les nombreux films qu'il a réalisés par la suite dans le cadre du cinéma commercial, n'ont pas répondu aux espoirs placés en lui. Son plus grand succès fut une autre collaboration avec Yılmaz Güney, *Yol,* palme d'Or à Cannes en 1982. Depuis, ce réalisateur très prolifique n'a pas réussi à égaler, encore moins à surpasser sa performance d'alors. Parmi ses meilleurs films, on peut cependant citer *'Derman'* (1983), *l'Évasion* (*'Firar'*, 1984), *les Grenouilles* (*'Kurbağalar'*, 1985), *Dix femmes* (*'On Kadın'*, 1987), *'Polizei'* (1988), *1 film étrange* (*Abuk Sabuk 1 film,* 1990), *l'Américain* (*Amerikalı,* 1993). ME.B.

GORETTA *(Claude), cinéaste suisse (Genève 1929).* Après un premier court métrage coréalisé à Londres avec Alain Tanner, *Nice Time* (1957), il entre à la télévision suisse romande, pour laquelle il réalise de nombreux reportages, portraits, téléfilms et dramatiques. Son premier long métrage de cinéma, *le Fou* (1970), avec François Simon, annonçait la démarche d'entomologiste doux-amer développée dans le film suivant, *l'Invitation* (1972), avec Michel Robin, chronique d'une fête ratée au cours de laquelle les membres d'une petite collectivité, confrontés à l'ascension sociale de l'un des leurs, révèlent leurs ressentiments, leurs inhibitions, leurs rêves. Par la suite, tournant en France, Goretta reste fidèle à des personnages « ordinaires », des vaincus de la vie qui n'ont pas, selon sa formule lapidaire, « rendez-vous avec l'Histoire » : *Pas si méchant que ça* (1975) ; *la Dentellière* (1977) ; *la Provinciale* (1981) ; *la Mort de Mario Ricci* (1983). En 1985 il signe *Orfeo,* en 1987, *Si le soleil ne revenait pas,* d'après Ramuz et, en 1988, un documentaire : *les Ennemis de la mafia.* M.B.

GÖRING *(Helga), actrice allemande (Meissen 1922).* Membre du Théâtre de Dresde, elle devient à partir des années 50 et 60 l'une des actrices les plus renommées du cinéma de la RDA. Parmi ses films les plus représentatifs : *Un village divisé* (*Das verurteilte Dorf,* Martin Hellberg, 1952) ; *Plus fort que la nuit* (S. Dudow, 1954) ; *Quai nº 2* (*Das zweite Gleis,* Joachim Kunert, 1962) ; *Das Mädchen auf dem Brett* (K. Maetzig, 1967) ; *le Grand Voyage d'Agathe Schweigert* (*Die grosse Reise der A. S.,* J. Kunert, 1972) ; *les Cités et les années* (A. Zarkhi, URSS, 1973) ; *Wolz* (Günter

Reisch, 1974) ; *Jorg Ratgeb, le peintre* (J. R., Maler, Bernhard Stephan, 1978). On la retrouve en 1994 dans *'Cœur de pierre'* (*Herz aus Stein*), de Nicos Ligouris. J.-L.P.

GOSHO *(Heinosuke), cinéaste japonais (Tōkyō 1902 - Mishima 1981).* Fils d'une geisha renommée, il étudie l'économie à l'université Keio de Tōkyō, mais choisit bientôt de faire du cinéma. Entré à la Shochiku en 1923, il y devient assistant réalisateur, notamment de Yasujiro Shimazu, et passe à la réalisation en 1925 avec *'le Printemps des îles du Sud' (Nanto no haru).* Après avoir tourné de très nombreux mélodrames à l'atmosphère lyrique *'la Fiancée du Village'* (*Mura no hanayome,* 1928), il réalise dès 1931 le premier film reconnu pour être intégralement un parlant — et un chantant — japonais, *'Madame et voisine' / 'Mon amie et mon épouse' (Madamu to nyōbo),* qui devient un grand succès public. Pourtant, sa version de 1933 du roman de Yasunari Kawabata, plusieurs fois porté à l'écran, *'la Danseuse d'Izu' (Izu no odoriko),* avec la jeune Kinuyo Tanaka, est encore tournée en muet. Devenu l'un des meilleurs représentants du genre *shomin-geki,* avec des œuvres comme *'le Fardeau de la vie'* (*Jinsei no onimotsu,* 1935), Gosho doit ralentir son rythme de travail pendant la guerre, et aussi lutter contre la tuberculose. Mais, dès la fin des années 40, il refait surface avec plusieurs films typiques du shomin-geki, dont certains parviennent jusqu'en Europe, en particulier *Là d'où l'on voit les cheminées* (*Entotsu no mieru basho,* 1953) et *Une auberge à Osaka* (*Ōsaka no yado,* 1954), qui consacrent une vision humaniste du petit peuple japonais. C'est à cette époque qu'il signe ses films les plus personnels, parmi lesquels on doit retenir essentiellement *'Croissance'* (*Takekurabe,* 1955), histoire caractéristique des débuts d'une jeune geisha de l'époque Meiji, *'le Corbeau jaune'* (*Kiiroi Karasu,* 1957) et *'les Lucioles'* (*Hotarubi,* 1958). Par la suite, comme tant d'autres cinéastes de sa génération, Gosho s'adapta difficilement à l'évolution du cinéma japonais, s'orientant vers toujours plus de sexe et de violence, et ne réalisa qu'épisodiquement des films intéressants : *'le Banquet'/'Rébellion du Japon'* (*Utage,* 1967). Il était président de l'Association des cinéastes japonais. M.T.

GOSSEN → POSEMÈRES.

GOTHAR *(Péter), cinéaste hongrois (Pécs 1947).* Diplômé de l'Académie de théâtre et de cinéma de Budapest (1975), il travaille au théâtre, à la télévision et au cinéma. Après une comédie de mœurs, *Une journée bénie* (*Ajándék ez a nap,* 1980), il évoque l'adolescence de sa génération dans l'atmosphère étouffante des années 60 dans *le Temps suspendu* (*Megáll az idö* 1982) puis l'angoisse existentielle d'un homme de trente-cinq ans dans *le Temps* (*Idö van,* 1985) et l'errance d'un quadragénaire dans New York (*Just Like America* [*Tiszta Amerika*], 1987). Après *Mélodrame* (*Melodráma,* 1991), il réalise *Poste avancé* (*A részleg,* 1994). M.M.

GOUBENKO *(Nikolaï) [Nikolaj Nikolaevič, Gubenko], acteur et cinéaste soviétique (Odessa, Ukraine, 1941).* Diplômé de la faculté d'acteurs du VGIK en 1964 puis de la faculté de réalisation en 1969, il débute comme acteur, en particulier dans *le Président* de Saltykov (où il remplace Evgueni Ourbanski décédé accidentellement), puis dans *Je demande la parole* (1975) de Panfilov. Entre-temps, il passe à la réalisation (tout en se réservant un rôle dans ses propres films), inaugurant sa carrière par une forte et belle évocation de la dure période de l'immédiat après-guerre : *Un soldat revient du front* (*Prišel soldat s fronta,* 1971). Après *Si tu veux être heureux* (*Esli hočeš byt sčaslivym,* 1974), il donne toute sa mesure dans *les Orphelins* (*Podranki,* 1976), œuvre autobiographique pleine de tendresse et d'émotion. On retrouve ces qualités en mineur dans *De la vie des estivants* (*Iz jizni otdyhajuščih,* 1980), au ton tchékhovien et par moments presque fellinien, et dans *Et la vie, et les larmes et l'amour* (*I žizn', i slëzy i ljubov',* 1984) sur le thème de la vieillesse. Il tourne ensuite *Zone interdite* (*Zapretnaja zona,* 1988). En 1989 il est nommé ministre de la Culture d'URSS. M.M.

GOULD *(Elliott Goldstein,* dit *Elliott), acteur américain (New York, N. Y., 1938).* Il étudie le chant et la danse dès son enfance et débute en 1957 à Broadway dans une comédie musicale. Pendant une dizaine d'années, il poursuit son activité théâtrale parallèlement à une carrière cinématographique assez fragile à ses débuts (marié quelques années à Barbra Streisand, il vécut malgré lui dans l'ombre de cette dernière) et qui doit son soudain essor à Robert Altman : covedette de *M. A. S. H.* (1970), Gould se révèle dès lors l'un des meilleurs comiques mi-farfelus mi-satiriques de sa génération. On ne peut parler d'emploi, car il dispose d'une grande variété de mimiques et d'attitudes à l'intérieur du registre que définissent sa dégaine, sa physionomie. Son jeu est aussi personnel que sûr. Malgré une tentative dramatique (*le Lien,* I. Bergman, 1971) et un rôle curieux dans la parodie inavouée (*le Privé,* R. Altman, 1973), il semble « condamné » encore pour longtemps à incarner les coquins sympathiques et les victimes qui se rebiffent. Effectivement, après une éclipse assez longue pendant laquelle il besogne d'abord en Europe (*Une femme disparaît,* Anthony Page, 1979, en Grande-Bretagne) puis aux États-Unis (*Bons baisers d'Athènes,* George Pan-Cosmatos, *id.*), c'est dans cet emploi, désormais de complément, qu'on le retrouve avec plaisir. Il continue cependant à se partager entre l'Italie (*Scandale secret,* M. Vitti ; *Valse d'amour,* D. Risi, 1991) et les États-Unis (*Bugsy,* B. Levinson, *id.*). G.L.

Autres films : *The Night They Raided Minsky's* (W. Friedkin, 1968) ; *Bob et Carole et Ted et Alice* (P. Mazursky, 1969) ; *le Déménagement* (S. Rosenberg, 1970) ; *Petits Meurtres sans importance* (A. Arkin, 1971) ; *California Split* (R. Altman, 1974) ; *les S«pions» (S. P. Y. S.,* I. Kershner, *id.) ; Nashville* (Altman, 1975 ; caméo) ; *Un pont trop loin* (R. Attenborough, 1977) ; *l'Argent de la banque* (*The Silent Partner* [Daryl Duke], 1978) ; *Bons Baisers d'Athènes* (*Escape to Athens,* George Pan-Cosmatos, 1979) ; *The Naked Face* (B. Forbes, 1984) ; *Over the Brooklyn Bridge* (M. Golan, *id.*) ; *Gioco al massacro* (D. Damiani, 1990) ; *Scandale secret* (M. Vitti, *id.*) ; *Tolgo il disturbo* (D. Risi, *id.*).

GOULDING *(Edmund), cinéaste américain d'origine britannique (Londres 1891 - Los Angeles, Ca., 1959).* Acteur à Londres, il s'expatrie à la fin de la Première Guerre mondiale. À Hollywood, il est d'abord scénariste, écrivain, auteur de chansons, puis, devenu réalisateur, l'un des spécialistes du mélodrame. Son œuvre est beaucoup plus riche qu'on ne l'a cru, et certainement pas, comme l'ont dit certains (qui ne le connaissaient peut-être que par ouï-dire), ennuyeuse. En fait, Goulding s'est intéressé à tous les aspects du mélodrame. Une trame romanesque lui servait de prétexte à une observation sociopsychologique (*Poupées de théâtre* [*Sally, Irene and Mary*], 1925), à une stylisation esthétique et dramatique (*Anna Karenine* [*Love*], 1927), à un exercice de direction d'acteurs (*Grand Hôtel* [id.], 1932), à une exploration de l'inconscient (*la Femme errante* [*The Flame Within*], 1935). Tout se passait comme s'il avait décidé de passer systématiquement en revue tout ce qu'un mélodrame pouvait être. Aussi, dans son œuvre, alternent la truculence de *Blondie of the Follies* (1932), le dépouillement classique de *Riptide* (1934), le brillant cosmopolitisme du *Fil du rasoir* (*Razor's Edge,* 1946) ou le foisonnement noir du terrifiant *Charlatan* (*Nightmare Alley,* 1947). Dans une œuvre qui mérite la découverte et l'analyse, on fera un sort particulier aux films que Goulding consacra à Bette Davis, dont la personnalité complexe répondait aux exigences multiples du cinéaste. Tournant le dos au stéréotype de la garce, Goulding fit d'elle une victime et une prisonnière, dans une série de films dont l'aspect ouaté et la mise en scène au cordeau masquent bien mal le pessimisme. Commencée avec le conventionnel *Une certaine femme* (*That certain Woman,* 1937, remake de *The Trespasser,* 1929, de Goulding déjà), l'association prit son envol avec la trilogie *Victoire sur la nuit* (*Dark Victory,* 1939), *la Vieille Fille* (*The Old Maid,* id.) et *le Grand Mensonge* (*The Great Lie,* 1941), trois classiques d'un genre à tort décrié. D'une certaine manière, la raréfaction d'actrices de cette trempe marqua la fin de Goulding. Un instant, les émois d'adolescente l'inspirèrent (*Claudia,* 1943 ; *Tessa, la nymphe au cœur fidèle* [*The Constant Nymph*], id.), puis la trouble personnalité de Tyrone Power *(le Fil du rasoir ; le Charlatan).* Mais il dut bientôt se résoudre à n'être qu'un artisan charmant (*la Bonne Combine* [*Mister 880*], 1950), puis terne (*Mardi Gras,* 1958). Comment ne pas regretter les eaux-fortes de jadis ? C.V.

Autres films : *Sun Up* (1925) ; *Paris* (1926) ; *Women Love Diamonds* (1927) ; *The Devil's Holiday* (1930) ; *Paramount on Parade* (CORÉ, *id.*) ; *Reaching For the Moon* (1931) ; *The Night Angel* (id.) ; *The Dawn Patrol* (1938) ; *White Banners* (id.) ; *Nous ne sommes pas seuls* (*We Are not Alone,* 1939) ; *Voyage sans retour* (*'Til We Meet Again,* 1940) ; *Forever and a Day* (CORÉ, 1943) ; *Of Human Bondage* (1946) ; *Si ma moitié savait ça* (*Everybody Does it,* 1949) ; *Cinq Mariages à l'essai* (*We're not Married,* 1952) ; *Down Among the Sheltering Palms* (1953) ; *Teenage Rebel* (1956). ▲

GOUPIL *(Romain), cinéaste français (Paris 1951).* Fils d'un chef-opérateur auquel il a consacré en 1980 un de ses courts métrages, *le Père Goupil,* il s'est imposé avec *Mourir à trente ans* (1982), un film qui est aussi le portrait d'une génération militante née de mai 68. Fondé sur des épisodes de sa vie et de celle d'un ami d'enfance, c'est un récit émouvant construit à partir des films que l'auteur tournait en petit format dès l'âge de quinze ans, avec des reportages et des témoignages sur les années 1968-1975. Romain Goupil a en effet débuté très jeune, réalisant à moins de vingt ans deux films courts pour la télévision, *l'Exclu* (1963) et *Ibizarre* (1969). *La Java des ombres* (1983) est un thriller politique de gauche dont l'échec a retardé les autres projets de l'auteur jusqu'à *Maman* (1989), avec Anémone. En 1993, il réalise *Lettre pour L.,* où l'on retrouve un style mêlant implication personnelle et événements mondiaux (la Bosnie), drame individuel et violence collective. D.S.

GOURTCHENKO *(Lioudmila) [Ljudmila Markovna Gurčenko], actrice soviétique (Kharkov 1935).* Elle suit des cours de comédie au VGIK jusqu'en 1958, tourne plusieurs films au cours des années 60 mais ne s'impose réellement à l'attention du public soviétique qu'à partir de 1970 (*Une ombre* [*Ten'*], Nadejda Kocheverova, 1972 ; *les Enfants de Vaniouchine,* Evgueni Tachkov, 1973 ; *le Livre ouvert* [*Otkrytaja kniga*], Vladimir Fetine, 1973). Le public international la découvre dans *Vingt Jours sans guerre* (*Dvadsiat dnei bez vojny,* Alekseï Guerman, 1976), *Sibériade* (A. Mikhalkov-Kontchalovski, 1978), *Cinq Soirées* (N. Mikhalkov, 1978), où, face à l'acteur Stanislav Liouchine, elle compose un admirable personnage d'ouvrière recluse dans sa solitude et qu'une trop « brève rencontre » inattendue avec l'homme qu'elle a jadis aimé laissera plus désemparée encore, *Une gare pour deux* (*Vokzal dlja dvoih,* E. Riazanov) et *Ovation* (*Aplodismenty, aplodismenty,* Victor Boutourline, 1985). Son répertoire est très éclectique puisqu'elle peut indifféremment jouer le drame et la comédie (y compris la comédie musicale). J.-L.P.

GOUT *(Alberto), cinéaste mexicain d'origine espagnole (Chiapas 1908 - Mexico, Mexique, 1966).* Artisan habile de la phase dorée de l'industrie mexicaine, il débute dans la mise en scène à la veille de la Seconde Guerre mondiale, mais doit sa réputation aux meilleurs films interprétés par Ninón Sevilla : *Aventurera* (1949), *Femmes interdites* (*Sensualidad,* 1950), *la Professionnelle* (*No niego mi pasado,* 1951). Le film des « rues chaudes » y trouve son apogée, les poncifs s'accumulent avec tant de frénésie qu'ils débouchent sur un humour involontaire et la prostituée y tient le rôle de révélateur des mères faussement vertueuses. Le scénariste Álvaro Custodio (d'origine espagnole aussi) collabore à ces trois films qui lui doivent peut-être leur relative originalité. En effet, certains autres films tournés par Gout avec sa vedette préférée (*Revancha,* 1948 ; *Maison de plaisir* [*Mujeres sacrificadas*], 1951 ; *Aventura en Río,* 1952), ou sans elle (*La bien pagada,* 1947, avec l'exubérante Cubaine Maria Antonieta Pons ; *Cortesana,* id. ; *Adán y Eva,* 1956 ; *Estrategia matrimonio,* 1966), n'offrent qu'un intérêt très relatif. P.A.P.

GOUZE-RÉNAL *(Christine Gouze, dite), productrice française (Mouchard 1914).* De 1953 à 1955, elle est administratrice de films. En 1956, elle crée la société Progefi (Production générale de films), qui produit plusieurs films interprétés par Brigitte Bardot : *La mariée est trop belle* (Pierre Gaspard-Huit, 1956), *la Femme et le Pantin* (J. Duvivier, 1958), *Vie privée* (L. Malle, 1962) ou par Roger Hanin, son époux : *la Sentence* (Jean Valère, 1959), *l'Affaire d'une nuit* (H. Verneuil, 1960), *Le tigre aime la chair fraîche* (1964) et *Le tigre se parfume à la dynamite* (1965), tous deux de Claude Chabrol. Également à son actif de productrice soucieuse de qualité : *Vingt-quatre heures de la vie d'une femme* (Dominique Delouche, 1968), *les Aveux les plus doux* (É. Molinaro, 1971), *Une chambre en ville* (J. Demy, 1983), et les films réalisés par Roger Hanin : *le Protecteur* (1974), *le Faux-cul* (1975), *Train d'enfer* (1985), *la Rumba* (1987). À partir de 1976, elle a également une activité très suivie à la télévision, où elle produit, entre autres : *la Pitié dangereuse* (Molinaro), *Une page d'amour* (Élie Chouraqui), *Au bon beurre* (Molinaro), *la Veuve rouge* (id.), *le Secret de la princesse de Cadignan* (J. Deray), *l'Ordre* (Étienne Périer), *la Confusion des sentiments* (id.), *le Dernier Civil* (Laurent Heynemann), *Tout est dans la fin* (J. Delannoy), *Un métier de seigneur* (Molinaro). J.-C.S.

GOYA *(Simone Marchand,* dite *Mona), actrice française (Mexico, Mexique, 1912 - Paris 1961).* Quand elle paraît sur l'écran, elle apporte une bouffée de bonne humeur et un air de belle santé. Très demandée dans les années 30, elle fait circuler dans les studios d'Hollywood et de Berlin un parfum parisien (*les Époux célibataires,* Jean Boyer et A. Robison, 1935 ; *Jonny haute couture,* S. de Poligny, 1936). Elle donne la réplique à Fernandel dans les films suivants de Christian-Jaque : *Josette* (1936) ; *François Ier* (1937) ; *Ernest le rebelle* (1938). Elle se glisse dans ceux de Guitry (*Donne-moi tes yeux,* 1943 ; *la Malibran,* id.) et campe les coquettes avec Gance (*le Capitaine Fracasse,* id.). Son jeu se durcit dans *les Amants de Bras-Mort* (M. Pagliero, 1951), mais, jusqu'à sa fin prématurée, elle incarne dans des films moyens un certain bonheur de vivre. R.C.

G.P. Abrév. de *gros plan.*

GPO, sigle du General Post Office (ministère des Postes) qui accueille l'école documentariste anglaise des années 30 animée par John Grierson, organisateur de l'Empire Marketing Board-Film Unit (1929-1933), devenue ensuite GPO-Film Unit (1934-1941), puis, après le départ de Grierson pour le Canada (1939), la Crown-Film Unit (1941-1951). En 1929, Grierson réalise un documentaire muet de 50 minutes sur la pêche au hareng, *Drifters,* qui est la première manifestation du nouveau courant, où, selon Georges Sadoul, « se croisent les tendances avancées de 1930 : les montages *symphoniques* de Ruttmann, les divers courants de l'avant-garde française, les théories de Vertov, Eisenstein, Poudovkine, Dovjenko, les réalisations récentes de Joris Ivens, enfin la leçon de Flaherty ». Grierson définit ainsi son propos : « L'idée documentaire ne demande rien de plus que de porter à l'écran (...) les préoccupations de notre temps (...). Cette vision peut être du reportage à un certain niveau, de la poésie à un autre ; à un autre enfin, sa qualité esthétique réside dans la lucidité de son exposé. »

Grierson réunit autour de lui un groupe de débutants et va impulser pendant une décennie une production abondante et féconde. Lui-même réalise (avec Flaherty à la caméra) l'un des films les plus marquants du mouvement : *Industrial Britain* (1933), démonstration de montage « symphoni que », comme *Voice of the World* d'Arthur Elton (1932) et *Song of Ceylon* de Basil Wright (1935). Le chef-d'œuvre du courant *poétique* sera *Night Mail* de Wright et Harry Watt (1936), reportage sur la course nocturne d'un train postal. L'influence de Flaherty (qui tourne *l'Homme d'Aran* en 1934) va délivrer, selon Grierson, les documentaristes « de la tyrannie de la méthode impressionniste », porter leur attention sur « l'observation directe » plutôt que sur « l'orchestration de ses aspects esthéti ques ». Ainsi naissent *Housing Problems* d'Edgar Anstey (1935), *Coal Face* d'Alberto Cavalcanti *(id.), North Sea* de Harry Watt (1938). Puis le groupe témoigne sur la bataille d'Angleterre : *London can Take It* de Watt et Humphrey Jennings (1940) ; *Target for Tonight* de Watt (1941) ; *Fires were started* de Jennings (1943). Son influence se fera sentir (même dans le film de fiction) jusque dans les années 50 et sera particulièrement décisive dans le développement du Free Cinema. M.M.

G.P.P. (PROCÉDÉ) → GAUMONT-PETERSEN-POULSEN.

GRABLE *(Elizabeth Ruth Grable,* dite *Betty), actrice américaine (Saint Louis, Mo, 1916 - Santa Monica, Ca., 1973).* Danseuse dès l'âge de treize ans, précocement engagée dans les « chorus girls » de Samuel Goldwyn, elle travaille alternativement à Broadway et à Hollywood (à partir de 1930) jusqu'en 1940. Cette année-là, elle remplace au pied levé, à la scène, Alice Faye qui, tombée malade, doit aussi renoncer au rôle principal du film *Sous le ciel d'Argentine (Down Argentine Way)* que dirigera Irving Cummings. Définitivement lancée au cinéma, Betty Grable exhibe des jambes parfaites assurées pour un million de dollars par la Lloyds of London, un buste « maternel » et un sourire de blonde enjôleuse, qui assurent sa carrière aussi longtemps que durera l'âge d'or de la comédie musicale à la Fox, où elle est sous contrat. Actrice médiocre mais sans prétention, elle fixera en 1944, dans le film homonyme, le type de la *pin-up girl* dont rêvent les GI'S, et aux versions dessinées de laquelle sa silhouette a généreusement servi de modèle. Ses tout derniers rôles furent, chose curieuse, les moins fades, mais elle était devenue depuis longtemps une composante de la mythologie hollywoodienne. G.L.

Films : *Whoopee !* (Thornton Freeland, 1930) ; *la Joyeuse Divorcée* (M. Sandrich, 1934) ; *College Swing* (R. Walsh, 1938) ; *Million Dollar Legs* (Nick Grinde, 1939) ; *Tin Pan Alley* (W. Lang, 1940) ; *Rosie l'endiablée (Sweet Rosie O'Grady,* I. Cummings, 1943) ; *Pin Up Girl* (Bruce Humberstone, 1944) ; *les Dolly Sisters (The Dolly Sisters,* I. Cummings, 1945) ; *Maman était new-look (Mother Wore Tights,* W. Lang, 1947) ; *la Dame au manteau d'hermine* (E. Lubitsch et O. Preminger, 1948) ; *Mam'zelle Mitraillette* (P. Sturges, 1949) ; *la Rue de la Gaîté* (*Wabash Avenue,* H. Koster, 1950) ; *Comment épouser un millionnaire* (J. Negulesco, 1953) ; *Tout le plaisir est pour moi* (H. C. Potter, 1955) ; *la Blonde fantôme (How to be Very, Very Popular,* N. Johnson, *id.).*

GRADING. Mot anglais pour *étalonnage.* (*Grader,* étalonneur.)

GRAETZ *(Paul), producteur français (Leipzig 1899 - Neuilly-sur-Seine 1966).* Il est tout d'abord acteur dans les années 30, en Allemagne. En 1933, il fonde Transcontinental Films, maison de production ayant des bureaux à Paris, Londres, Rome, New York et Hollywood. À son palmarès : *la Charrette fantôme* (J. Duvivier, 1940), *Untel père et fils* (*id.,* 1945 [RE 1940]), *le Diable au corps* (C. Autant-Lara, 1947), *Dieu a besoin des hommes* (J. Delannoy, 1950), *Monsieur Ripois* (R. Clément, 1954), *Amère Victoire* (Nicholas Ray, 1957), *Faibles Femmes* (M. Boisrond, 1959), *Vu du pont* (Sidney Lumet, 1962), *l'Appartement des filles* (M. Deville, 1963), *Paris brûle-t-il ?* (R. Clément, 1966). C.D.R.

GRÄF *(Roland), (cinéaste allemand (Meuselbach, 1934).* Après des études à la Faculté des Ouvriers et des Paysans d'Iéna, il suit de 1954 à 1959 des cours de prises de vues à l'Institut d'Art Cinématographique de Potsdam-Babelsberg. En 1960, il est caméraman au studio de la DEFA pour les actualités et les documentaires puis, à partir de 1961, au studio des longs métrages (il travaillera comme chef opérateur avec Stranka, Zschoche, Warneke, Simon notamment). Son premier film, *'Mon cher Robinson'* (*Mein lieber Robinson,* 1971), sera suivi de *Bankett für Achilles* (1975), de *'la Fuite'* (*Die Flucht*, 1977), de *'Post scriptum'* (P.S.), et de *Märkische Forschungen* (1983), de *Fariaho* (1985), de*'la Maison au bord du fleuve'* (*Das Haus am Fluss,* 1986) de *Fallada - Dernier Chapitre* (*Fallada - Letztes Kapitel,* 1988), *du Joueur de tango* (*Der Tangospieler,* 1990). Dans le nouveau contexte allemand, il tourne, en 1992, un scénario policier aux nombreuses références, *'le Mystère de la chambre d'ambre'* (*Die Spur des Bernsteinzimmers*). Il est l'un des meilleurs représentants de la « troisième génération » parmi les cinéastes de la R.D.A.

J.-L.P.

GRAHAME *(Gloria Grahame Hallward,* dite *Gloria), actrice américaine (Pasadena, Ca., 1925 - New York, N. Y., 1981).* Ayant pratiqué le théâtre dès l'enfance, elle débute assez brillamment à Hollywood (1944) puis piétine jusqu'à ce que son rôle dans *Feux croisés* (E. Dmytryk, 1947) la sacre vedette. Sensuelle et pleine d'humour (sa voix est des plus provocantes), blonde et vouée au film noir, elle renouvelle le type de la *good bad girl* en lui apportant une note énigmatique et de remarquables capacités dramatiques, qui ne seront guère exploitées que par Nicholas Ray et Fritz Lang. Sa carrière a tourné court et c'est grand dommage. Elle reçut un Oscar pour *les Ensorcelés* (« Best supporting actress »). G.L.

Films : *Blonde Fever* (Richard Whorf, 1944) ; *La vie est belle* (F. Capra, 1947) ; *Feux croisés* (E. Dmytryk, 1947) ; *le Violent* (N. Ray, 1950) ; *Sous le plus grand chapiteau du monde* (C. B. De Mille, 1952) ; *Macao* (J. von Sternberg, *id.*) ; *le Masque arraché* (D. Miller, *id.*) ; *les Ensorcelés* (V. Minnelli, *id.*) ; *les Frontières de la vie* ([*The Glass Wall*], Maxwell Shane, 1953) ; *Règlement de comptes* (F. Lang, *id.*) ; *Désirs humains* (F. Lang, 1954) ; *Les bons meurent jeunes* (id., Lewis Gilbert, *id.*) ; *la Toile de l'araignée* (V. Minnelli, *id.*) ; *Pour que vivent les hommes* (S. Kramer, *id.*) ; *Oklahoma* (F. Zinnemann, *id*) ; *l'Homme qui n'a jamais existé* (R. Neame, 1956) ; *le Coup de l'escalier* (R. Wise, 1959) ; *Marqué au fer rouge* (*Ride Beyond Vengeance,* Bernard McEveety, 1966).

GRAIN. Syn. usuel de *granulation : film à grain fin, révélateur grain fin.* (→ GRANULATION.)

GRAMATICA *(Emma), actrice italienne de théâtre et de cinéma (Borgo San Donnino* [*auj. Fidenza*] *1875 - Ostie 1965).* Figure notable du théâtre des dernières années du XIXe siècle, elle fonde sa propre compagnie en 1916. Elle apparaît à l'écran la même année, mais ne fera ses vrais débuts qu'en 1932, dans *la Vecchia signora* (A. Palermi). Très remarquée dans *Miracle à Milan* (V. De Sica, 1951), elle a notamment joué dans *Napoli d'altri tempi* (A. Palermi, 1938), *la Vedova* (G. Alessandrini, 1939), *Don Camillo Monseigneur* (C. Gallone, 1961), *la Monaca di Monza* (id., 1962). Sa sœur, *Irma* **Gramatica** *(Fiume, Autriche-Hongrie, 1873 - Florence 1962),* a également mené, parallèlement à une belle carrière théâtrale, une activité cinématographique inégale. Débutant en 1934 dans *Porto* (A. Palermi), mis à part *Incantesimo tragico* (Mario Sequi, 1951), où elle fait preuve d'une grande force dramatique, elle ne tiendra le plus souvent que de petits rôles dans des films secondaires. F.LAB.

GRAMOPHONE → PROCÉDÉS DE CINÉMA SONORE.

GRANDAIS *(Suzanne Gueudret,* dite *Suzanne), actrice française (Paris 1893 - Vaudoy-en-Brie 1920).* Elle meurt dans un accident pendant qu'elle tourne *l'Essor* (Ch. Burguet, 1920) et il ne reste plus d'elle que le souvenir d'une ingénue fraîche, souriante, reposante et dont le succès est venu de la quiétude qu'elle dispense aux spectateurs pendant une dizaine d'années (au cours desquelles elle travaille notamment avec Feuillade, Perret, Fescourt et Marcel Robert, le beau-frère d'Émile Cohl). Les titres que Delluc cite à son propos donnent le ton à des bandes enjouées que réalisent entre 1916 et 1920 Louis Mercanton et René Hervil, et où elle se prodigue : *Suzanne ; Midinettes ; Oh ! ce baiser ; la Petite du sixième ; le Tablier blanc.* Citons encore : *le Siège des trois* (J. de Baroncelli, 1919) ; *Gosse de riche* (Burguet, 1920) ; on l'avait surnommée la Mary Pickford française. R.C.

GRANDE-BRETAGNE. Le cinéma britannique a donné au cinéma mondial de très grands noms de metteurs en scène, de techniciens et de comédiens. Pourtant, dans l'image culturelle que la Grande-Bretagne se fait d'elle-même, il n'occupe qu'une place modeste derrière le roman et le théâtre. Ce n'est qu'à des périodes exceptionnelles (durant la Seconde Guerre mondiale, au début des années 60 par exemple), ou encore autour de quelques personnalités particulièrement actives et brillantes que la nation britannique s'est reconnue dans son cinéma.

Bien avant l'apparition de la télévision, de l'automobile et de la société dite « de consommation », l'histoire du cinéma britannique est celle d'une série de crises ponctuées de brillantes réussites commerciales et artistiques.

Dans son livre de souvenirs, le producteur Michael Balcon raconte que lorsqu'il se lança dans l'aventure cinématographique, en 1921, il eut l'occasion de se rendre à une réunion de professionnels du cinéma, durant laquelle le pionnier William Friese-Greene prit la parole pour dénoncer — déjà ! — la domination hollywoodienne sur les écrans britanniques. Après son discours, le vétéran s'effondra et rendit le dernier soupir. Et, nous dit Balcon, on trouva dans sa poche toute sa fortune : 1 shilling et 10 pence...

Au cours de sa carrière, Balcon eut sans doute souvent l'occasion de songer à cette scène, et à l'interminable état critique de la production britannique : crise que la plupart des autres cinématographies européennes n'affronteront que beaucoup plus tard. Certains historiens humoristes — il en existe — résument l'histoire du cinéma britannique en ces termes : « Avant la Première Guerre mondiale, nous fûmes colonisés par les Français ; après par les Américains... » Si la domination française fut momentanée, celle d'Hollywood persiste...

L'expression *crise du cinéma* est d'ailleurs ambiguë. Qu'entend-on par là ? Crise de public ? de production ? ou crise de talent ?

En observant les statistiques, on constate que la crise « de public » est un phénomène qui n'apparaît pas avant la fin des années 50. Jusque-là, la consommation cinématographique en Grande-Bretagne est parmi les plus élevées du monde. Exploitation et distribution sont prospères, d'autant que la situation de monopole des principaux circuits (ABPC et Rank) n'est jamais sérieusement menacée.

Crise de production ? Presque toujours. Dès les années 20, les films britanniques sont rarissimes sur les écrans de Grande-Bretagne. D'où la loi de 1927, le *Quota Act,* protectionniste dans ses effets, qui permit de relancer l'industrie et les studios — sinon de produire des films de qualité — en exigeant, dans les salles, la présence d'un nombre minimum de films britanniques. Renouvelé et étendu, ce Quota Act sauve la production nationale. La guerre et l'après-guerre sont des périodes d'extraordinaire prospérité : Arthur Rank se croira même assez fort pour affronter Hollywood ! Il déchantera vite. Dernier feu de paille de la production britannique : les années 60. Mais, alors, le financement est essentiellement américain...

On a parlé aussi de « crise de talent » : comme si le « tempérament britannique » était par nature étranger au cinéma. (« Comme à la musique », ne manque-t-on pas d'ajouter !) Ce genre d'affirmation ne tient pas. Tout au plus pourrait-on parler d'une « crise de confiance », qui oriente les talents dramatiques vers la télévision et le théâtre. Les gouvernements britanniques successifs donnent eux-mêmes l'exemple dans ce domaine : ils ne cessent de s'interroger sur le cinéma. Interrogation qui hésite entre l'interventionnisme intéressé (dont le plus net exemple est la période 1940-1945) et l'hyprocrisie du laisser-faire, dont la fin des années 70 donne un bon exemple.

On peut penser que pour l'*establishment* (la « bonne société »), le cinéma reste un monde et une carrière peu recommandables, où il est normal que des étrangers (d'Alexandre Korda à Mamoun Hassan, en passant par Del Giudice pour parler des producteurs, et René Clair, Cavalcanti, Truffaut, Polanski, Losey ou Kubrick pour parler de réalisateurs) se fassent à l'occasion plus britanniques que les Britanniques eux-mêmes.

Il est donc vrai que la domination hollywoodienne sur le marché de la Grande-Bretagne n'explique pas tout de l'histoire du cinéma dans ce pays. On peut même penser que certains aspects de cette domination sont relativement positifs : par compagnies britanniques interposées, nombre de productions américaines sont tournées dans les studios britanniques ; on ne manquera pas également d'insister sur le nombre de talents britanniques – metteurs en scène, écrivains, comédiens – qui ont, à leur tour, « colonisé » Hollywood... Faut-il rappeler que nombre de succès américains des années 70 et 80, *Alien* de Ridley Scott, *Macadam Cow-boy, Yanks* de Schlesinger, *Midnight Express* et *Fame* de Alan Parker, *le Point de non-retour* et *Delivrance* de Boorman, sans compter *la Tour de l'enfer* de John Guillermin et plusieurs films-catastrophes, sont le fait de cinéastes britanniques ? On ne peut guère comprendre l'histoire du 7e art outre-Manche si l'on ne pousse pas le regard outre-Atlantique...

Il est toujours hasardeux de vouloir résumer les caractéristiques d'une cinématographie. Dans le cas britannique, quelques traits dominants apparaissent suffisamment pour qu'on puisse les retenir, non sans faire remarquer qu'ils peuvent fonctionner tantôt en concurrence et tantôt à l'unisson.

Le premier trait qui retient l'attention, c'est l'importance de la *veine littéraire :* les films britanniques sont très souvent des adaptations de romans, de pièces de théâtre et même, récemment, de dramatiques télévisées ou de bandes dessinées.

Cette pratique est aussi ancienne que l'industrie du cinéma. En Grande-Bretagne, Thomas Bentley tourne un *Oliver Twist* dès 1912, et le comédien John Forbes-Robertson produit un *Hamlet* dès 1913, pour ne citer que des entreprises ambitieuses. Trente ans plus tard, *Hamlet* (1948) est repris par Laurence Olivier et *Oliver Twist* (1948) par David Lean. Parfois, l'adaptation est quasiment inexistante et l'on se contente de mettre en images un texte théâtral : *The Importance of Being Earnest* d'Oscar Wilde filmé par Anthony Asquith (1952) ou... *Look Back in Anger* de John Osborne filmé par Tony Richardson (*les Corps sauvages,* 1959). Il n'est pas question de mettre en cause le principe de l'adaptation. Mais l'on peut penser que la méfiance à l'égard du scénario original – et plus encore à l'égard du réalisateur, auteur de son propre scénario – doit être rattachée à la crise de confiance évoquée plus haut.

L'adaptation semble tourner, outre-Manche, à une manière de surexploitation. « The film from the play from the book » : le film d'après la pièce d'après le livre. Plaisanterie ? Pas du tout : c'est le cas du *Oliver !* (toujours Dickens) filmé par Carol Reed en 1968 d'après une comédie musicale tirée du roman de Dickens ! Et combien de cinéphiles français savent que le célèbre *Family Life* de Ken Loach est adapté d'une dramatique télévisée, *In Two Minds,* de David Mercer ?

Cette veine littéraire est dans une large mesure corrigée par une *veine réaliste* issue du documentaire. On fait traditionnellement remonter cette veine à ce que l'on nomme « l'école de Brighton ». En effet, dès la fin du siècle dernier, George Albert Smith, natif de Brighton, et l'Écossais James Williamson tournent des films en plein air, inventant le « décor naturel ».

Mais on ne peut guère parler de volonté réaliste au cinéma, avant John Grierson et son film *Drifters* (1929), dont le succès va permettre la mise en place de l' « École documentaire britannique ». C'est grâce à Grierson que l'Américain Robert Flaherty viendra travailler en Grande-Bretagne et tournera *Industrial Britain* (pour Grierson en 1933) et *l'Homme d'Aran* (pour Balcon, en 1934). (→ GPO.)

Ce climat réaliste que la production de guerre mettra à profit va marquer une large part de la production britannique de fiction. C'est avec raison qu'Henri Langlois a pu parler de l'« École documentaire » comme de l'« Atelier » du cinéma britannique. Il est vrai que le train de *Night Mail* (1936), d'Harry Watt et Basil Wright, roule encore dans *Brève Rencontre* (D. Lean, 1945). Même les productions les plus fantaisistes des studios Ealing sont marquées par cette volonté de réalisme : *À cor et à cri* (1947) de Crichton ou *Tueurs de dames* (1955) de Mackendrick sont aussi, à leur manière, des témoignages sur le Londres de l'après-guerre.

Plus tard encore, c'est au nom du réalisme que les « jeunes gens en colère » du Free Cinema, armés de leurs caméras 16 mm, vont se regrouper autour de Lindsay Anderson et de Tony Richardson : des courts métrages documentaires d'abord, puis des longs métrages de fiction, comme *Samedi soir, dimanche matin* de Karel Reisz (1960), vont renouveler le cinéma britannique.

Aujourd'hui, c'est à la télévision britannique (école où se formèrent Peter Watkins, John Schlesinger, John Boorman, Ken Russell et Kenneth Loach pour ne citer qu'eux) et dans ses « docu-dramas » que s'exprime cette veine réaliste, ou encore dans les productions indépendantes à petits budgets aidées par la RFI Production Board.

Autre caractéristique du cinéma britannique, et non la moindre : l'attachement de la production traditionnelle au *cinéma de studio* et à un *cinéma de genre.* « Cinéma de studio » (contre lequel vitupérait John Grierson) est presque toujours synonyme de cinéma de divertissement ; avec des décors, des maquettes, des effets spéciaux, on peut en mettre « plein la vue » du spectateur : ainsi la série des James Bond ; *2001 : Odyssée de l'espace ; Oliver ! ; Superman.*

Films policiers, d'espionnage, films de guerre, films de science-fiction ou films fantastiques (n'ayons garde d'oublier les œuvres de Terence Fisher et les productions des studios Hammer !), avec ou sans variante exotique, sont presque une spécialité britannique, au point que Hollywood se voit parfois battu sur son propre terrain. Pour le policier, faut-il rappeler le nom d'Alfred Hitchcock ? Pour *le Pont de la rivière Kwaï ou Lawrence d'Arabie,* celui de David Lean ? Pour *la Bataille d'Angleterre,* celui de Guy Hamilton ? Pour *Un pont trop loin,* celui de Richard Attenborough ? D'une manière générale, cette production, qui réunit souvent de gros budgets, vise d'abord le marché américain et international, avant le marché proprement britannique.

La prédominance des « gros films internationaux » vide le cinéma d'outre-Manche de toute spécificité britannique. Il fut un temps où l'art cinématographique, le studio et les gros budgets faisaient bon ménage : les films de Powell et Pressburger (par exemple, en 1946, *Une question de vie ou de mort,* où se concentrent réalité historique, humour, sens du fantastique et du spectaculaire) sont là pour en témoigner.

Plus tard, il n'en sera pas de même. Le cinéma britannique, plus encore que celui des autres pays d'Europe, ne domine pas les exigences de son propre marché du loisir et de la culture, où la production nord-américaine dicte sa loi.

L'industrie du cinéma (studios, laboratoires, publicité) reste active. Mais le cinéma en tant qu'art ?

Le cinéma britannique proprement dit subsiste dans une production de films de court métrage, notamment dans le domaine de l'animation (où des cinéastes comme Hallas et Batchelor, Bob Godfrey, Geoff Dunbar, Alison de Vere ont atteint une réputation internationale) et dans de rares productions indépendantes de longs métrages, aidées par le BFI Production Board, NFFC et parfois les télévisions indépendantes.

Ignorés ou refusés par les circuits de distribution, des films, qui sont sans doute les plus marquants de la décennie des années 70 et 80, n'ont guère été présentés que dans des salles londoniennes, au NFT (National Film Theatre) ou à l'ICA (Institute of Contemporary Arts). C'est le cas, par exemple, de *Bronco Bullfrog* (B. Platt-Mills, 1969), *My Childhood* (B. Douglas, 1972), *Juvenile Liaison* (Broomfield et Churchill, 1975), *Requiem for a Village* (David Gladwell, 1975) ; *Winstanley* (Brownlow et Mollo, 1975), *Night Hawks* (Ron Peck et Paul Hallam, 1978), et de bien d'autres. On parle beaucoup depuis 1982 d'une « renaissance » ou d'un « renouveau » du cinéma britannique. Les lauriers et les succès commerciaux de films produits par David Puttnam (*Chariots de feu, Mission*), *Gandhi* de Richard Attenborough, *Greystoke* de Hugh Hudson, les films de James Ivory, ont en effet attiré l'attention sur la production d'un pays où semblaient dominer les films américains tournés en Angleterre (et les films tournés aux États-Unis par des Britanniques). Ce terme de renaissance est d'autant plus contesté en Grande-Bretagne qu'il s'appuie en partie sur l'œuvre de vétérans comme Attenborough ou David Lean, et que la production du pays s'est bien souvent contentée de retrouver des thèmes traditionnels (empruntés à l'ancien Empire par exemple) et des genres connus. Les années 80 ont permis de faire plus ample connaissance avec des metteurs en scène comme Loach, Frears, Mike Leigh, Hugh Hudson, Ridley Scott, Terry Gilliam, et de découvrir Chris Bernard, David Leland, Andrew Grieve, Ian Sellar, David Hare, Mike Ockrent, Kenneth Branagh, Bill Forsyth, Neil Jordan, Michael Radford, Pat O'Connor, Mike Newell, Derek Jarman. Terence Davies, Paul Greengrass, Chris Petit, sans oublier Peter Greenaway, Roland Joffé et Alex Cox. P.P.

Les années 90, elles, vont permettre à un véritable cinéma d'auteur de s'affermir malgré sa faible diffusion en salles. Sa production est soutenue par la chaîne TV Channel Four, imitée ensuite par la B.B.C. Ken Loach a pu réaliser coup sur coup quelques-uns de ses films les plus importants (*Riff Raff,* 1991, *Raining Stones,* 1993, *Ladybird,* 1994), et des cinéastes expérimentés comme Ken Russel sont revenus au cinéma, de même que Stephen Frears, qui, grâce à ses films des années 1980, a travaillé aux États-Unis sans pour autant (un peu comme Alan Parker) couper les liens avec les îles Britanniques (*The Snapper,* 1993), ou encore Mike Leigh et Terence Davies, qui comptent avec Loach parmi les cinéastes les plus exigeants.

Peter Greenaway et Derek Jarman ont poursuivi leur itinéraire très personnel (ce dernier ayant signé quatre longs métrages dans les trois dernières années ayant précédé sa mort, en 1994), tandis que la volonté de pénétrer sur le marché américain animait beaucoup d'autres cinéastes. Les producteurs montent des projets tournés en Amérique du Nord, ou tournent en Grande-Bretagne en association avec des partenaires américains et avec le concours d'acteurs d'outre-Atlantique (films de Kenneth Branagh, Mike Newell, Peter Medak et même Karel Reisz et James Ivory). L'acteur-réalisateur Kenneth Branagh est de ce point de vue très représentatif par son habileté à passer de l'adaptation de Shakespeare au film de genre américanisé (*Dead again,* 1991) puis à la reprise d'un thème éternel (*Mary Shelley's Frankenstein,* 1994). D'autres acteurs sont passés à la réalisation, comme Bob Hoskins ou Simon Callow, qui a tourné *The Ballad of the Sad Café* (1991) avec le concours de Vanessa Redgrave, dont c'était le retour sur les écrans. Avec près de cinquante films réalisés chaque année, le cinéma britannique ne manque pas de diversité, même s'il cultive avec constance ses propres traditions thématiques. Représentatifs de ces constantes, parfois un peu américanisées (films de Beeban Kidron), parfois répétitives (reprise de romans classiques, remakes), quelques films se sont taillés un succès hors des frontières nationales : *Quatre mariages et un enterrement* (*Four Weddings and a Funeral,* Mike Newell, 1994), *Petits Meurtres entre amis* (Shallow Grave, *id.*). Du côté des personnalités d'auteurs plus affirmées, après Alex Cox, Chris Petit, Terry Gilliam, David Leland, Mike Ockrent, Bill Forsyth et l'Irlandais Neil Jordan, on peut ajouter notamment Isaac Julien, Chris Newby, Elaine Proctor, Antonia Bird, Michael Winterbottom.

Dates de l'histoire de l'industrie cinématographique britannique.

– 1895 : premiers reportages de Birt Acres.
– 1896 : projections Lumière à Londres.
– Robert-William Paul filme le derby et projette ses films en public (première : le 25 mars).

— 1897 : George Albert Smith tourne des actualités à Brighton.
— 1898 : création de la Gaumont Company. — L'Américain Charles Urban fonde (pour Edison) The Warwick Trading C°.
— 1899 : Joe Rosenthal tourne en Afrique un «reportage» sur la guerre des Boers pour Charles Urban.
— 1901 : Charles Pathé ouvre une succursale à Londres.
— 1902 : Will Barker tourne des films à Ealing.
— 1903 : Cecil Hepworth construit un studio à Walton-on-Thames.
— 1904 : création de la Clarendon Film C° à Croydon.
— 1905 : ouverture du cinéma Biograph à Londres.
— 1906 : premier cinéma «Bijou». — Smith et Urban lancent le Kinemacolor.
— 1907 : William Haggar, également réalisateur et producteur, ouvre un cinéma au pays de Galles. — Parution du journal *Kinematograph Weekly*.
— 1908 : création de deux circuits de distribution : Electric Theatres et Biograph.
— 1909 : vote du *Cinematograph Act* (sur les conditions de sécurité pour la projection publique des films). Devenu loi en 1910, cet *Act* sera complété en 1952. — Les films américains et français dominent le marché britannique.
— 1912 : création du British Board of Film Censors et de la Cinematograph Exhibitors'Association.
— 1913 : création des Twickenham Film Studios pour la London Film C° sous la direction du Dr Ralph Jupp.
— 1914 : création de Worton Hall Studios, pour G. B. Samuelson, où tourne George Pearson. — Création d'une section Cinéma à la Société des auteurs britanniques. — 13 circuits de distribution contrôlent chacun au moins 10 salles.
— 1915 : pour financer l'effort de guerre, le Chancelier McKenna propose une taxe sur les produits de luxe et importés. Le *McKenna duty,* ou *Entertainment duty,* mis en place en 1916, sera maintenu jusqu'en 1960. — Création de la Kinematograph Renters Society, groupant une centaine de salles. Construction du studio Gaumont à Sheperd's Bush.
— 1916 : premier grand documentaire de guerre, *la Bataille de la Somme (The Battle of the Somme)* de Geoffroy Malins. En même temps, succès des films à épisodes et des films de Chaplin. — Domination américaine. Le film de Cecil Hepworth *Comin'Thro' the Rye* est projeté au Marlborough House devant la reine Alexandra.
— 1917 : création d'un service cinéma au ministère de l'Information.
— 1918 : arrêt presque total de la production des studios britanniques.
— 1919 : création de la Hepworth Pictures Plays (capital : 100 000 £).
— 1920 : Bruce Woolfe crée la British Instructional Films à Elstree. — Premiers succès publics de la radio.
— 1921 : création de la British National Film League.
— 1922 : ouverture des studios de Beaconsfield. — Michael Balcon crée sa première société avec Victor Saville et John Freedman à Islington.
— 1924 : faillite de Cecil Hepworth. — Balcon crée Gainsborough Pict. — Novembre 1924 : aucun film britannique en production.
— 1925 : fondation du ciné-club London Film Society. — Oscar Deutsch se lance dans la distribution : circuit Odeon. — Le cinéma américain domine à 95 p. 100 en Grande-Bretagne. Un débat public et politique s'engage.
— 1927 : le Dr Lee de Forest montre des films sonores à Londres. — Vote du *Cinematograph Film Act,* ou *Quota Act,* qui oblige distributeurs et exploitants à présenter des films britanniques. — Création de la British Broadcasting Corporation, de la Gaumont British Picture Corporation, de British International Pictures (BIP), de la Film Artists' Guild et de British Lion Corporation.
— 1928 : création de Associated British Cinema (ABC) par John Maxwell : trust vertical (production, distribution, exploitation).
— 1929 : création de Associated Talking Pictures dirigée par Basil Dean. — Création de l'Empire Marketing Board-Film Unit par John Grierson après le succès de *Drifters.* — Publication du rapport *Film in National Life* rédigé par une commission désignée par le gouvernement. — Hitchcock tourne *Blackmail,* premier LM sonore pour BIP.
— 1930 : ATPC ouvre les nouveaux studios «sonores» d'Ealing. — Ouverture du premier

cinéma Odeon (Oscar Deutsch) à Birmingham.
– 1931 : Alexander Korda fonde le London Film.
– 1932 : création du British Film Institute (BFI), financé par une part du « Entertainment duty » récoltée sur les séances du dimanche. La mise en place du BFI se fera l'année suivante. Le BFI publiera la revue *Sight Sound.*
– Korda ouvre un studio à Denham.
– 1933 : ouverture des studios de Shepperton. – Grierson crée le General Post Office-Film Unit. – Alexander Korda tourne *la Vie privée d'Henry VIII,* dont le succès le place au tout premier plan de la production britannique, qui grimpe à près de 200 LM par an.
– 1934 : Arthur Rank crée British International Film.
– 1935 : ouverture des studios Pinewood sous la direction de Rank, qui, par ailleurs, crée le circuit General Film Distributors avec C. M. Woolf. – Korda s'associe à United Artists créée par Chaplin, Fairbanks et Pickford. – Inauguration de la National Film Library, qui deviendra plus tard National Film Archive. – Warner s'installe à Teddington.
– 1936 : sous la direction de lord Moyne, un comité officiel publie un rapport sur le cinéma qui recommande le maintien du *Quota Act* de 1927 et prône la défense du cinéma britannique de qualité. – Michael Balcon signe avec MGM. – BBC/TV commence ses diffusions régulières. – Installation de laboratoires Technicolor à Londres.
– 1937 : Gaumont British ferme les studios à Shepherd's Bush. – Les documentaristes font campagne pour l'extension du *Quota Act* aux courts métrages. – Grierson crée le Film Centre avec Arthur Elton et Basil Wright.
– 1938 : Balcon quitte MGM et s'installe à Ealing.
– Le *Cinematograph Films Act* est renouvelé : il lutte contre le « blind booking » (location bloquée) et étend le Quota. – Voyage de Grierson au Canada.
– 1939 : Del Giudice crée Two Cities Films. – Rank entre dans le conseil d'administration du circuit Odeon, qui intègre Paramount. – À la déclaration de guerre, l'ouverture des cinémas est réglementée et certains studios sont réquisitionnés. – Création d'un ministère de l'Information avec une section cinéma. – Le Film Centre publie *Documentary News Letter,* qui aura une grosse influence sur la politique de propagande.
– 1940 : création du Crown-Film Unit (CFU) qui va, sous la direction de Ian Dalrymple, produire des documentaires et des films de propagande antinazie (dont ceux de Humphrey Jennings).– Les exploitants de salles acceptent de passer de courts films de propagande.
– 1941 : Arthur Rank est président des circuits Odeon et Gaumont British (près de 600 salles).– Création du syndicat patronal BFPA (British Film Producers'Association).
– 1942 : forte baisse de la production britannique. 11 studios (sur 22) sont fermés. – Production : 46 films. – Réduction de l'importation des films américains (limitée à 400 par an).– Création du Army Film Unit.
– 1943 : Alexander Korda dirige MGM British. – Le circuit Odeon ouvre un ciné-club pour enfants. – Les studios de Pinewood regroupent les films de propagande. – Le Crown-Film Unit est à Beaconsfield et collabore avec Ealing.
– 1944 : une commission d'enquête (Palachee Committee) est nommée pour étudier la question des monopoles dans l'industrie cinématographique : ses travaux dénoncent l'emprise des circuits Rank/ABC. – Rank crée un département « films pour enfants » dirigé par Mary Field.
– 1945 : rapport de la commission Hankey sur le développement de la télévision. – Quelque 330 salles de cinéma (sur plus de 4 500) ont été détruites par les bombardements.
– 1946 : création de la British Film Academy. – John Davies devient directeur de l'organisation Rank. – Première « Royal film performance ». – BBC/Télévision reprend ses diffusions interrompues depuis 1940. – Débuts de la revue *Sequence* à Oxford qui, animée par Lindsay Anderson, paraîtra jusqu'en 1952.
– 1947 : premier festival du film à Édimbourg. – Korda achète les studios de Shepperton. – Le chancelier Hugh Dalton impose une taxe à l'importation des films américains. – Les « Majors » répondent par un embargo. – Rank se lance dans une politique de production intensive pour combler le vide.
– 1948 : Harold Wilson, ministre du Commerce, fait renouveler et renforcer le *Quota Act* dans un nouveau *Cinematograph Films Act.* –

Les Américains obtiennent un accord qui permet à leurs films de revenir sur le marché ; débâcle de la production britannique notamment chez Rank. – Création de Hammer Films. En conflit avec Arthur Rank, Del Giudice quitte la Grande-Bretagne.
– 1949 : création de la National Film Finance Corporation (NFFC), qui, par des prêts, doit aider la production et la distribution de films britanniques. La fréquentation des salles fléchit. – Rank vend ses studios de Shepherd's Bush à BBC. – Fermeture des studios d'Islington.
– 1950 : à l'instigation de sir Wilfrid Eady, une taxe parafiscale (« Eady levy ») institue un fonds d'aide automatique, proportionnelle à la recette des films, et dont bénéficieront les productions britanniques : c'est le British Film Production Fund.
– 1951 : année du Festival of Britain. – Fermeture des studios de Denham. – Création de la Children's Film Foundation, financée par le « Eady levy ». – Grierson crée le Group 3. – Campagne pour une chaîne de télévision commerciale. – Création de l'Experimental Film Fund.
– 1952 : le Crown-Film Unit est supprimé. – Publication d'un Livre blanc sur la télévison, admettant le principe d'une télévision commerciale.
– 1953 : premières projections en CinémaScope à Londres. – Le couronnement de la reine Élisabeth marque un succès pour la télévision.
– 1954 : vote du *Television Act,* qui crée l'Independent Television Authority et autorise la télévision privée. – La production britannique (et NFFC) au bord de la faillite. – Investissements américains en Grande-Bretagne.
– 1955 : création d'une commission pour l'abolition des taxes sur les spectacles. – Balcon vend Ealing à BBC/TV. – La télévision commerciale commence ses diffusions. – Échec du Group 3 de Grierson.
– 1956 : Rank ferme près de 80 salles. – Les frères Dancigers achètent les studios d'Elstree. – Au National Theatre : en février, premiers programmes du Free Cinema. – La télévision commerciale touche plus de la moitié de la population.
– 1957 : vote d'un nouveau *Cinematograph Act* qui rend légal le « Eady levy », crée le British Film Fund Agency et proroge la NFFC. – ABPC ferme 65 salles. – Le National Film Theatre s'installe à Waterloo Bridge et accueille le premier festival du film de Londres. – Création de la Federation of British Film Makers.
– 1958 : création d'une Organisation de défense du cinéma (FIDO). – Intégration des circuits Odeon et Gaumont.
– 1959 : Michael Balcon crée Bryanston Films. – Les studios de cinéma tournent pour la télévision. – John Terry, directeur de NFFC, annonce plus de 200 000 £ de perte.
– 1960 : le nombre des salles en Grande-Bretagne n'atteint plus 3 000. Suppression de la taxe Entertainment duty.
– 1961 : fermeture des studios de Walton. – Succès des indépendants issus du Free Cinema : la Woodfall (T. Richardson) annonce un ambitieux programme de production. – Le « duopole » ABC/Rank plus fort que jamais.
– 1962 : Arthur Rank part en retraite. – Woodfall annonce la production de *Tom Jones* pour United Artists. – NFFC annonce un gain de 50 000 £.
– 1963 : débat sur la création d'un troisième circuit pour concurrencer ABC/Rank. – Chômage dans les studios.
– 1964 : MGM et Paramount annoncent de forts investissements en Grande-Bretagne. – Balcon prend la direction de British Lion. – Le gouvernement décide de soumettre la question de la distribution des films à la Commission des monopoles. – Ouverture des premières multisalles à Londres. – Début de BBC/TV2.
– 1965 : United Artists annonce une recette record grâce à des films britanniques. – Balcon quitte British Lion. – NFFC annonce une perte de plus de 250 000 £. – Universal lance un plan de production en Grande-Bretagne. – Les télévisions commerciales (ITV) couvrent 95 p. 100 de la Grande-Bretagne.
– 1966 : production de 61 LM. – En raison de ses pertes, NFFC doit suspendre ses prêts en septembre. – La Commission des monopoles publie son rapport : elle reconnaît la situation abusive mais ne propose pas de solution de remplacement.
– 1967 : production de 65 longs métrages. – Fusion EMI/Grade Organization. – Lancement de la télévision en couleurs (sytème

PAL).– Le contrat ITV est renouvelé. – La télévision est bien installée dans la vie britannique : remous créés dans l'opinion par le téléfilm de K. Loach, *Cathy Come Home.*
– 1968 : production de 76 longs métrages (dont 60 dépendent des investissements américains).– EMI prend le contrôle de ABPC. – NFFC annonce une perte de « seulement » 200 000 £. Les investissements américains en Grande-Bretagne fléchissent.
– 1969 : Bryan Forbes dirige la production de ABPC.
– 1970 : production de 70 longs métrages. – Sur la recommandation du Rapport Lloyd, le gouvernement accorde un prêt de 5 millions de livres à NFFC. – Création du BFI/ Production Board, confié à Mamoun Hassan. Il occupera ce poste jusqu'en 1976. – EMI et MGM s'associent pour gérer les studios d'Elstree. Développement et régionalisation du National Film Theatre.
– 1971 : Bryan Forbes quitte la direction de la production EMI/MGM. – Le gouvernement conservateur et son sous-secrétaire au Commerce Nicholas Ridley se lancent dans la chasse aux « canards boiteux ». Réduction du prêt à NFFC. – Un accord prévoit un financement mi-public mi-privé. Le retrait américain s'accélère. – Création de la National Film School, sous la direction de Colin Young.
– 1972 : la Grande-Bretagne entre dans la Communauté européenne, dont les films, désormais, bénéficient du Quota. – Rank annonce de gros profits.
– 1973 : une loi *(Cinematograph and indecent displays Act)* réglemente la pornographie, notamment au cinéma.
– 1974 : création de l'Independent Film-Maker's Association (IFA), qui regroupe les cinéastes indépendants et « engagés ». – Retrait des capitaux américains.
– 1975 : Harold Wilson désigne une commission, présidée par John Terry, pour étudier l'avenir du cinéma. Le Cinematograph Film Act institue le National Film Development Fund, financé par le Eady Fund, pour aider à l'écriture de scénarios de qualité.
– 1976 : création d'un comité, présidé par lord Annam, pour étudier l'avenir de la télévision en Grande-Bretagne. – Création de l'Association of Independent Producers (AIP), qui va prôner une intervention des pouvoirs publics dans la production cinématographique.
– 1978 : le rapport du Interim Action Committee créé par H. Wilson paraît : il recommande la création d'une British Film Authority (BFA), regroupant et coordonnant les efforts en faveur du cinéma britannique.
– 1979 : le gouvernement conservateur, nouvellement élu, ne donne pas suite au projet BFA. – Mamoun Hassan quitte le BFI-Production Board pour NFFC. – Publication des comptes du Eady Fund : on découvre qu'il aide surtout les gros films (dont des films américains) et même des... films pornographiques !
– 1980 : le règlement du « Eady Fund » est « moralisé ». – La loi instituant une quatrième chaîne de télévision indépendante est votée. – Rank annonce son retrait de la production.
– 1981 : Jeremy Isaacs, ancien président du BFI Production Board prend la direction de Channel 4. – L'audience cinématographique annuelle est évaluée à 90 millions d'entrées.
– 1982 : *les Chariots de feu* de Hugh Hudson reçoit l'Oscar du meilleur film. – La célèbre revue de cinéma *Sight & Sound* fête son 50e anniversaire. – Vidéo-boom : l'audience cinématographique annuelle évaluée à 60 millions d'entrées. Fléchissement de l'audience à la télévision. Les programmes de Channel 4 lancés en novembre rencontrent un accueil réservé. – Création du London Multi Media Market, dirigé par Karol Kulik. – Création de la Director's Guild of Great-Britain, regroupant réalisateurs de cinéma et de télévision. – Suppression du Quota.
– 1983 (mai) : la Commission sur les monopoles dépose un rapport dénonçant l'effet pernicieux de la concentration en matière de distribution cinématographique. – Le ministre Iain Sproat avance l'idée de la suppression du « Eady Levy » et de NFFC. – Les réalisateurs et producteurs indépendants demandent au contraire l'extension du « Eady Levy » à la télévision et à la vidéo. –*Gandhi* (R. Attenborough) reçoit 7 oscars. – Le nombre de films produits en Grande-Bretagne remonte grâce aux commandes de Channel 4.
– 1984 : en juillet paraît le Livre blanc sur l'industrie cinématographique, présenté par Kenneth Baker, ministre de l'Industrie. Ce Livre blanc confirme les orientations du gouvernement de Mme Thatcher : suppression

du « Eady Levy » et de NFFC, remplacé par un consortium composé de Thorn EMI, Rank et Channel 4, auxquels se joint Videogram Association. Ce consortium doit créer et gérer, sur trois ans, un fonds analogue à NFFC. – Les associations professionnelles, notamment Association of Independent Producers (AIP) et la Guild of Directors dénoncent ces mesures. – Annoncée tout d'abord à Cannes, la « British Film Year » est lancée à Londres le 18 octobre par le ministre chargé du cinéma, Norman Lamont. À cette occasion, les grands circuits (ABC, Odeon, Cannon Classic) annoncent la modernisation de leurs salles.
– 1985 : mise en vente de Thorn-EMI ; Cannon se porte acquéreur. 50è anniversaire de la National Film Archive. Succès de la « British Film Year ». Le film *A Passage to India* de David Lean est présenté à la Royal Performance.
– 1986 : fermeture des « Academy Cinemas » à Londres. Cannon achète le réseau ABC et le studio d'Elstree. David Puttnam quitte la Grande-Bretagne pour diriger la production de Columbia à Los Angeles. Le film de Roland Joffé, *Mission,* reçoit la Palme d'Or à Cannes. 30è anniversaire du London Film Festival. L'échec du film *Revolution* (Hugh Hudson) déstabilise la Goldcrest.
– 1987 : à la tête de Channel 4, Jeremy Isaacs cède la place à Michael Grade, tandis qu'à BBC Michael Checkland remplace Alasdair Milne. S'appuyant sur le rapport Peacock, les producteurs indépendants réclament la gestion de 25 p. 100 des programmes de BBC et de ITV. Le film de James Ivory *Chambre avec vue* reçoit le BAFTA Award et trois Oscars.
– 1988 : ouverture à Londres du Museum of the Moving Image (MOMI). Après son échec à la Columbia, Puttnam regagne la Grande-Bretagne. Le gouvernement de Mme Thatcher produit un « Livre Blanc » réclamant la dérégulation de la télévision en Grande-Bretagne.
– 1989 : guerre des quotas TV en Europe. Fusion des groupes Time-Warner. Sony rachète Columbia. Bataille entre Sky TV et BSB (British Satellite Broadcasting). Ouverture du premier « multiplex » (ou complexe multisalles géant), réalisé par une société britannique, Odeon-Rank. Les sociétés américaines ont inauguré cette politique en 1985.
– 1990 : dérégulation de la télévision. Vente des franchises attribuées aux chaînes TV.
– 1990-1991-1992-1993 : la production est en moyenne de 51 films par an. Elle va monter à 73 films en 1994, coproductions comprises (dont 25 en coproduction avec les États-Unis).
– 1994 : la fréquentation des salles atteint 124 millions d'entrées au terme d'une rapide remontée (66 millions en 1984). Les nouveaux « multiplex » (68 en 1994) réalisent plus de la moitié des entrées. Pour la première fois depuis quinze ans, une film britannique, *Quatre mariages et un enterrement,* est à la première place du box-office.

GRANDEUR (PROCÉDÉ) → FORMAT.

GRANGER *(Farley), acteur américain (San Jose, Ca., 1925).* Il débute à 18 ans dans le film prosoviétique *l'Étoile du Nord* (1943) de Milestone, lequel lui confie un premier rôle l'année suivante dans un autre film de propagande : *Prisonniers de Satan.* Ses meilleures interprétations, toujours fondées sur un charme trouble et un peu veule, sont : l'étudiant meurtrier de *la Corde* (A. Hitchcock, 1948), le jeune gangster des *Amants de la nuit* (N. Ray, *id.*), le petit employé indélicat de *la Rue de la mort* (A. Mann, 1950), le joueur de tennis à l'innocence magistralement ambiguë de *l'Inconnu du Nord-Express* (Hitchcock, 1951). Il a encore des rôles importants dans *la Sarabande des pantins* (H. King, 1952), *Hans Christian Andersen et la danseuse* (Ch. Vidor, *id.*), *Histoire de trois amours* (V. Minnelli, 1953) et surtout *Senso* (L. Visconti, 1954) et *la Fille sur la balançoire* (R. Fleischer, 1955). Sa carrière cinématographique connaît alors une éclipse de près de quinze ans et c'est en Europe qu'il réapparaît dans les années 70 : *On m'appelle Trinita* (*Lo chiamavano Trinità...*, Enzo Barboni Clucher, 1971), *le Serpent* (H. Verneuil, 1973).
J.-P.B.

GRANGER *(James Stewart,* dit *Stewart), acteur américain d'origine britannique (Londres 1913 - Santa Monica, Ca., 1993).* Acteur secondaire du cinéma britannique dans les années 30 (il apparaît dans *Mademoiselle Docteur,* la version anglaise dirigée par E. T. Gréville, du film de Pabst *Salonique, nid d'espions,* 1937), il eut l'intelligence de suivre des cours d'art dramatique et devint vedette avec des films comme *l'Homme fatal* (A. Asquith, 1944) ou *Jusqu'à ce que mort s'ensuive* (M. Allégret, 1947). Son élégance athlétique le voua, à Hollywood, à des rôles d'aventuriers nobles, plus rarement cyniques : *les Mines du roi Salomon* (C. Bennett et A. Marton, 1950) ; *Scaramouche* (G. Sidney, 1952) ; *le Prisonnier de Zenda* (R. Thorpe, *id.*) ; *la Reine vierge* (G. Sidney, 1953) ; *Salomé* (W. Dieterle, *id.*). *Beau Brummel* (C. Bernhardt, 1954) ; *l'Émeraude tragique* (A. Marton, *id.*) ; *les Contrebandiers de Moonfleet* (F. Lang, 1955) ; *Des pas dans le brouillard* (A. Lubin, *id.*) ; *la Dernière Chasse* (R. Brooks, 1956) ; *la Croisée des destins* (G. Cukor, *id.*) ; *Harry Black et le Tigre* (H. Fregonese, 1958) ; *le Grand Sam* (H. Hathaway, 1960) ; *Sodome et Gomorrhe* (R. Aldrich, 1962). Devenu en 1956 citoyen américain, il s'est perdu au fil des années 60 dans des productions « européennes » (*Héros sans retour,* Frank Wisbar, 1962), où son talent ne trouve plus guère à se manifester que lors d'un « retour aux sources » (*le Dernier Safari,* H. Hathaway, 1967). Et, comme tant d'autres, il se consacre surtout à la TV depuis 1971. G.L.

GRANGIER *(Gilles), cinéaste français (Paris 1911).* Il a été figurant, régisseur, puis assistant avant de réaliser en 1942 *Adémaï bandit d'honneur,* son premier film. Pendant plus de 30 ans, il a consciencieusement mis en scène, en bon artisan de son métier, une cinquantaine de films dont beaucoup ont connu un succès commercial. Grangier restera dans la mémoire du cinéma français pour avoir dirigé douze fois Jean Gabin entre 1953 *(la Vierge du Rhin)* et 1969 *(Sous le signe du taureau).* C'est lui qui a réalisé en 1964 *l'Âge ingrat* pour la Gafer, cette éphémère société de production montée par Jean Gabin et Fernandel. J.-P.J.

Films : *Adémaï bandit d'honneur* (1944 [RÉ 1942]) ; *le Cavalier noir* (1945) ; *Rendez-Vous à Paris* (1947) ; *Danger de mort* (id.) ; *l'Amant de paille* (1951) ; *les Petites Cardinal* (id.) ; *Douze Heures de bonheur* (1952) ; *la Vierge du Rhin* (1953) ; *Gas-oil* (1955) ; *le Sang à la tête* (1956) ; *Reproduction interdite* (1957) ; *Le rouge est mis* (id.) ; *Trois Jours à vivre* (id.) ; *le Désordre et la Nuit* (1958) ; *Archimède le clochard* (id.) ; *125, rue Montmartre* (1959) ; *les Vieux de la vieille* (1960) ; *Le cave se rebiffe* (1961) ; *le Gentleman d'Epsom* (1962) ; *Maigret voit rouge* (1963) ; *l'Âge ingrat* (1964) ; *Train d'enfer* (1965) ; *les Bons Vivants* (id.) ; *l'Homme à la Buick* (1968) ; *Sous le signe du taureau* (1969) ; *Un cave* (1972) ; *Gross Paris* (1974).

GRANIER-DEFERRE *(Pierre), cinéaste français (Paris 1927).* Longtemps assistant (de Berthomieu, Carné, Le Chanois, Lampin notamment), il aborde la carrière de réalisateur à la faveur du grand bouleversement du cinéma français contemporain de la Nouvelle Vague. Cinéaste parfois impersonnel mais bon artisan, il a su se mettre au service des comédiens populaires des années 60 et 70 (Jean Gabin, Simone Signoret, Lino Ventura, Romy Schneider, Alain Delon surtout), et confectionner pour eux des films commerciaux honnêtes, presque toujours adaptés de romans (de Simenon notamment pour *le Chat, la Veuve Couderc* et *le Train*). En 1981, *Une étrange affaire,* avec Michel Piccoli et Gérard Lanvin, reçoit le prix Louis-Delluc, et Granier-Deferre, le César du meilleur réalisateur. Son fils Denys (Paris 1949) fut son assistant avant de devenir lui-même cinéaste. J.-P.J.

Films ▲ : *le Petit Garçon de l'ascenseur* (1962) ; *les Aventures de Salavin* (1963) ; *la Métamorphose des cloportes* (1965) ; *Paris au mois d'août* (1966) ; *le Grand Dadais* (1967) ; *la Horse* (1970) ; *le Chat* (1971) ; *la Veuve Couderc* (id.) ; *le Fils* (1973) ; *le Train* (id.) ; *la Race des seigneurs* (1974) ; *la Cage* (1975) ; *Adieu poulet* (id.) ; *Une femme à sa fenêtre* (1976) ; *le Toubib* (1979) ; *Une étrange affaire* (1981) ; *l'Étoile du Nord* (1982) ; *l'Ami de Vincent* (1983) ; *l'Homme aux yeux d'argent* (1986) ; *Cours privé* (id.) ; *Noyade interdite* (1987) ; *la Couleur du vent* (1988) ; *l'Autrichienne* (1989) ; *la Voix* (1992) ; *l'Archipel* (1993) ; *le Petit Garçon* (1994).

GRANOWSKY *(Alexis) [Aleksandr Granovskij], cinéaste d'origine russe (Moscou 1890 - Paris 1937).* Directeur du Théâtre juif de Moscou, collaborateur de Tairov et de Meyerhold, il réalise à Kiev *le Bonheur juif* (*Evrejskoe sčast'e,* 1925) d'après Cholem Aleichem avec Édouard Tissé comme opérateur. En 1930, on le retrouve en Allemagne, où il dirige *le Chant de la vie (Das Lied vom Leben)* et *les Malles de Monsieur O. F.* (*Die Koffer des Herrn O. F.,* 1931), puis en France à partir de 1932 ; il y signe une adaptation de Pierre Louÿs, *les Aventures du roi Pausole* (1933), puis deux films avec Harry Baur, où il se souvient de ses origines russes : *Nuits moscovites* (1934) et *Tarass Boulba* (1936). J.-L.P.

GRANT *(Archibald Alexander Leach,* dit *Cary), acteur américain d'origine britannique (Bristol 1904 - Davenport, Iowa, 1986).* Il est le seul acteur de comédie qui soit presque un mythe. Pendant trente ans, il a symbolisé l'élégance, le charme et une forme d'éternité de la jeunesse. Enfant de la balle, né dans une famille désunie, il la quitta très jeune pour tenter sa chance sur une scène, ce qu'il fit avec des succès discrets. En 1920, une tournée l'amène aux États-Unis : il décide d'y rester. Mais, en 1923, il revient cependant en Angleterre, déçu de n'avoir pas encore eu sa chance. Là, enfin remarqué par un producteur de théâtre américain, il repart aussitôt, de manière définitive. Il joue, il chante et il danse, mais la scène ne semble pas être son élément naturel. Il accepte un cachet pour donner la réplique à une actrice dans un bout d'essai : elle ne fut pas retenue, lui si. Le reste est une des carrières les plus régulières et les plus harmonieuses, avec plus de bonnes partenaires, de bons cinéastes et de bons films qu'un acteur n'en puisse rêver.

Dès 1932, on le remarque dans *Belle Nuit* (F. Tuttle). Cary Grant n'a pas connu la figuration intelligente, mais tout de suite les rôles importants. La même année, il est le partenaire de Marlene Dietrich dans *Blonde Vénus* (J. von Sternberg). Enfin, en 1933, Mae West, rapidement devenue star, l'impose comme partenaire dans *Lady Lou* (L. Sherman) et dans *Je ne suis pas un ange* (W. Ruggles) : sa prestance physique, qui avait frappé Mae West, lui vaut très vite la faveur du public. Dès lors, les grands rôles de jeune premier vont se succéder. Même s'il valait mieux que ce stéréotype, il est charmant, souriant, élégant, un peu gêné aux entournures, dans *Madame Butterfly* (Marion Gering, 1932), ou dans *Born to Be Bad* (Sherman, 1934). Même si le matériau qu'on lui donne sort de l'ordinaire, Cary Grant est déjà ce qu'il sera : le jeune officier de *The Eagle and the Hawk* (Stuart Walker, 1933). Et si le scénario est assez léger pour lui permettre de ne pas se prendre au sérieux dans les films avec Mae West ou dans *Enter Madame* (E. Nugent, 1935), il a une manière unique de faire un sort à une réplique de sa voix à la fois chaude et tranchante. En 1936, George Cukor lui confie la composition d'un escroc cockney dans *Sylvia Scarlett,* aux côtés de Katharine Hepburn, qui sera souvent sa partenaire. Le film est un échec commercial, mais Cary Grant s'y révèle en pleine possession de son talent. Les producteurs mettront encore un certain temps à s'en rendre compte et ce n'est que dans des productions de série B comme *Empreintes digitales* (R. Walsh, 1936) qu'il trouve sa mesure, la série A le limitant à donner la réplique aux stars en renom (Jean Harlow dans *Suzy* [G. Fitzmaurice, 1936]). Mais 1937 est son année : les succès conjugués de *Cette sacrée vérité* (L. McCarey) et du *Couple invisible* (N. Z. McLeod) le propulsent au rang de star et de vedette populaire, dont il ne va plus déchoir.

Dès lors, dans une série de comédies dont presque toutes sont des classiques, il va composer son image ; un charmeur qui s'ignore, un élégant sans le savoir, un naïf un peu amidonné qu'une belle excentrique poussera à se remettre en question. C'est peu, diront certains, mais le fait que Cary Grant a réussi à ne jamais fatiguer et à renouveler constamment son charme montre la pleine mesure de son talent et de son savoir-faire. Cette image, parfaite dans tous les détails, elle s'impose avec éclat dans *l'Impossible Monsieur Bébé* (H. Hawks, 1938), où son paléontologue, ahuri et lunetté, en proie aux assiduités de Katharine Hepburn et d'un léopard, fait date. *Vacances* (G. Cukor, 1938), tout aussi réussi, nous le montre plus subtil et plus sensible. Il est prêt pour toutes les nuances de la comédie. *Mon épouse favorite* (G. Kanin, 1940), *Indiscrétions* (Cukor, 1941), *Lune de miel mouvementée* (McCarey, 1942), *Arsenic et Vieilles Dentelles* (F. Capra, 1944), *Chérie, je me sens rajeunir* (Hawks, 1952), *Embrasse-la pour moi* (S. Donen, 1957), *Indiscret* (id., 1958) perpétueront son mythe souriant et enjôleur et lui donneront une patine c lassique. Ses tempes, que le temps argentera peu à peu, lui seront une séduction supplémentaire.

Parallèlement, Cary Grant, derrière cette séduction irrésistible, peut aussi projeter une certaine inquiétude, voire un certain trouble. Des rôles purement dramatiques, comme *Rien qu'un cœur solitaire* (C. Odets, 1944), *Cas de conscience* (R. Brooks, 1950) ou *Orgueil et Passion* (S. Kramer, 1957), ne lui conviennent pas, bien qu'il ait été remarquable en clochard fugitif et pathétique dans l'excellent *Justice des hommes* (G. Stevens, 1942), et en leader énergique dans *Seuls les anges ont des ailes* (Hawks, 1939), peut-être son meilleur rôle dramatique. En revanche, des personnages qui obscurcissent certains aspects de son image jusqu'à provoquer une relative ambiguïté, seront de grandes réussites. *L'Autre* (J. Cromwell, 1939) nous le révélait sous les traits d'un homme-enfant inconscient et manipulé, tout à fait attachant. *La Chanson du passé* (Stevens, 1941) approfondissait encore le personnage, et le méconnu *Mister Lucky* (H. C. Potter, 1943) l'assombrissait jusqu'à la noirceur. Mais c'est Alfred Hitchcock qui a tiré merveille de la séduction de Cary Grant. Assassin (peut-être...) souriant et charmant dans *Soupçons* (1941) ; agent secret endurci et cynique dans *les Enchaînés ;* rat d'hôtel dans *la Main au collet* et, enfin, publiciste en proie à un réseau d'espionnage dans *la Mort aux trousses* (1959), qui mêle adroitement son comportement comique à un univers trouble. Si Donen se contentera de le réutiliser avec la même clé dans *Charade* (1963), c'est Leo McCarey qui lui offrira l'occasion d'une de ses compositions les plus riches, celle de l'adolescent attardé aux cheveux grisonnants de *Elle et Lui* (1957), piégé par les sentiments et le drame. Enfin Joseph L. Mankiewicz tracera de Cary Grant un portrait en forme de puzzle : le charlatan guérisseur (qui n'en est peut-être pas un) dans le méconnu *On murmure dans la ville* (1951).

Les années 60 seront ses années de déclin. Blake Edwards (*Opération jupons,* 1959), Stanley Donen (*Ailleurs, l'herbe est plus verte,* 1961), Charles Walters (*Rien ne sert de courir,* 1966) et d'autres moins talentueux ne feront que perpétuer son image, sans la renouveler. Mais l'étoile de Cary Grant a brillé d'un tel éclat, de *Sylvia Scarlett* à *la Mort aux trousses,* en passant par *Gunga Din* (Stevens, 1939) ou *la Dame du vendredi* (Hawks, 1940) et *Allez coucher ailleurs* (id., 1949), que nous en sommes éblouis encore. On lui décerna un Oscar honorifique en 1970 (pour faire oublier qu'il n'en avait jamais eu) pour l'ensemble de sa carrière. Sa technique, immense et totalement invisible, fait de lui un comédien dont on peut revoir les prestations comme des modèles du genre, et les étudier en détail, sans pour autant saisir cette petite parcelle d'électricité qui, à l'écran, le rend exceptionnel. (Marié plusieurs fois, il eut notamment pour partenaires dans la vie Virginia Cherrill, Barbara Hutton, Betsy Drake et Dyan Cannon.) C.V.

Films ▲ : *Singapore Sue* (Casey Robinson, 1932) ; *Belle Nuit* (*This Is the Night,* F. Tuttle, *id.*) ; *Sinners in the Sun* (A. Hall, *id.*) ; *Merrily We Go to Hell* (D. Arzner, *id.*) ; *le Démon du sous-marin (The Devil and the Deep,* Marion Gering, *id.) ; Madame Butterfly* (id., *id.*) ; *Blonde Vénus* (J. von Sternberg, *id.*) ; *Hot Saturday* (W. Seiter, *id.*) ; *Lady Lou* (L. Sherman, 1933) ; *The Woman Accused* (Paul Sloane, *id.*) ; *The Eagle and the Hawk* (Stuart Walker, *id.*) ; *Gambling Ship* (L. Gasnier [co : Max Marcin], *id.*) ; *Je ne suis pas un ange* (W. Ruggles, *id.*) ; *Alice au pays des merveilles* (N. McLeod, *id.*) ; *Thirty-Day Princess* (Marion Gering, 1934) ; *Born to Be Bad* (Sherman, *id.*) ; *Kiss and Make-Up* (Harlan Thompson, *id.*) ; *Ladies Should Listen* (Tuttle, *id.*) ; *Enter Madame* (E. Nugent, 1935) ; *Wings in the Dark* (James Flood, *id.*) ; *The Last outpost* (Charles Barton [co : L. Gasnier], *id.*) ; *Sylvia Scarlett* (G. Cukor, *id.*) ; *Empreintes digitales* (R. Walsh, 1936) ; *Suzy* (G. Fitzmaurice, *id.*) ; *Wedding Present* (R. Walker, *id.*) ; *Romance and Riches / The Amazing Quest of Ernest Bliss* (Alfred Zeisler, *id.*) ; *When You're in Love* (R. Riskin, 1937) ; *le Couple invisible* (Topper, McLeod, *id.*) : *The Toast of New York* (Rowland V. Lee, *id.*) ; *Cette sacrée vérité* (L. Mc Carey, *id.*) ; *l'Impossible Monsieur Bébé* (H. Hawks, 1938) ; *Vacances* (Cukor, *id.*) ; *Gunga Din* (G. Stevens, 1939) ; *Seuls les anges ont des ailes* (Hawks, *id.*) ; *l'Autre* (J. Cromwell, *id.*) ; *la Dame du vendredi* (Hawks, 1940) ; *Mon épouse favorite* (G. Kanin, *id.*) ; *The Howards of Virginia* (F. Lloyd, *id.*) ; *Indiscrétions* (Cukor, *id.*) ; *la Chanson du passé* (G. Stevens, 1941) ; *Soupçons* (A. Hitchcock, *id.*) ; *la Justice des hommes* (Stevens, 1942) ; *Lune de miel mouvementée* (MacCarey, *id.*) ; *Mister Lucky* (H. C. Potter, 1943) ; *Destination Tokyo* (D. Daves, 1944) ; *Once Upon a Time* (A. Hall, *id.*) ; *Rien qu'un cœur solitaire* (C. Odets, *id.*) ; *Arsenic et Vieilles Dentelles* (F. Capra, *id.*) ; *Without Reservations* (M. LeRoy, 1946 ; caméo) ; *Nuit et Jour* (M. Curtiz, *id.*) ; *les Enchaînés* (Hitchcock, *id.*) ; *Deux sœurs vivaient en paix* (*The Bachelor and the Bobby-Soxer,* I. Reis, 1947) ; *Honni soit qui mal y pense* (*The Bishop's Wife,* H. Koster, *id.*) ; *Un million clés en main*

(*Mr. Blandings Builds His Dream House,* Potter, 1948) ; *la Course au mari* (*Every Girl Should be Married,* Don Hartman, *id.*) ; *Allez coucher ailleurs* (Hawks, 1949) ; *Cas de conscience* (R. Brooks, 1950) ; *On murmure dans la ville* (J. Mankiewicz, 1951) ; *Cette sacrée famille* (*Room for One More,* N. Taurog, 1952) ; *Chérie, je me sens rajeunir* (Hawks, *id.*) ; *la Femme rêvée* (*Dream Wife,* Sidney Sheldon, 1953) ; *la Main au collet* (Hitchcock, 1955) ; *Orgueil et Passion* (S. Kramer, 1957) ; *Elle et lui* (MacCarey, *id.*) ; *Embrasse-la pour moi* (S. Donen, *id.*) ; *Indiscret* (id., 1958) ; *la Péniche du bonheur* (*Houseboat,* M. Shavelson, *id.*) ; *la Mort aux trousses* (Hitchcock, 1959) ; *Opération jupons* (B. Edwards, *id.*) ; *Ailleurs l'herbe est plus verte* (Donen, 1960) ; *Un soupçon de vison* (Delbert Mann, 1962) ; *Charade* (Donen, 1963) ; *Grand Méchant Loup appelle* (*Father Goose,* R. Nelson, 1964) ; *Rien ne sert de courir* (*Walk, don't Run,* Ch. Walters, 1966).

GRANT *(Hugh), acteur britannique (Londres 1962).* La diction bien articulée, un rien pincée, une mèche brune et romantique (il a joué Frédéric Chopin dans *Impromptu, id.,* James Lapine, 1991), un visage grave parfois éclairé d'un lumineux sourire, Hugh Grant a séduit de nombreuses spectatrices qui n'étaient pas préparées au choc avec sa prestation dans la jolie comédie à succès *Quatre mariages et un enterrement* (M. Newell, 1994). Les cinéphiles l'avaient déjà remarqué, homosexuel complexé et apeuré qui se précipite hâtivement dans le mariage dans *Maurice* (J. Ivory, 1987), ou jeune marié coincé dévoyé par un couple infernal dans *Lune de fiel* (R. Polanski, 1993). Sa filmographie est encore peu fournie, mais son impact ne fait pas de doute. En 1995, il est le héros de *Nine Month* de Chris Columbus. C.V.

GRANT *(James Edward), scénariste et cinéaste américain (? 1902 - Burbank, Ca., 1966).* Grand écrivain de western, James Edward Grant était un romantique dans l'âme. C'est donc auprès de cinéastes de la même sensibilité qu'il trouva ses meilleurs illustrateurs : Dwan (*Surrender,* 1950), Daves (*la Dernière Caravane,* 1956) ou John Farrow (*Hondo l'Homme du désert,* 1953), et, dans le registre de la comédie, Ford (*la Taverne de l'Irlandais,* 1963). Il réalisa d'après ses scénarios *les Géants du cirque* (*Ring of Fear,* 1954), un policier agréable et, surtout, *l'Ange et le mauvais garçon* (*Angel and the Badman,* 1947), western limpide qui se prenait au piège du film d'amour. C.V.

GRANULATION. Structure microscopique d'une image photographique ou cinématographique, liée au fait que cette image est formée de petits granules d'argent ou de petites taches colorées issues du développement des cristaux de la couche sensible. (→ aussi FORMAT, RAPIDITÉ, LATENSIFICATION, BRUIT DE FOND.)

La granulation en cinéma noir et blanc. L'image noir et blanc est formée par les granules d'argent métallique apparus, lors du développement, là où les cristaux de la couche sensible ont été touchés par la lumière. (→ COUCHE SENSIBLE.) Lorsque l'image est observée sous fort grossissement, les granules deviennent visibles sous forme de petites taches noires : cette structure en taches constitue la *granulation* de l'image. (On emploie souvent « grain » pour granulation : film à faible grain, révélateur grain fin. La granulation, perception visuelle des granules, est à distinguer de la *granulométrie,* qui mesure l'influence des granules sur la texture de l'image.)

La granulation est imperceptible dans les noirs de l'image (toutes les taches se recouvrent) et dans les blancs (pas de tache) : on conçoit qu'elle soit surtout perceptible dans les gris moyens, c'est-à-dire dans les zones où la taille des taches est similaire à celle des espaces blancs entre les taches.

Au cinéma, l'image est très agrandie. (La surface de l'image cinématographique standard n'excède guère le tiers de la surface d'une image photographique 24 × 36 !) Heureusement, le cinéma est une *succession* rapide d'images, l'emplacement des granules variant de façon aléatoire d'une image à l'autre. Ce phénomène objectif réduit considérablement la granulation apparente, comme le prouvent a contrario les plans (cf. *la Jetée* de Chris Marker) où, en laboratoire, l'on a répété un certain nombre de fois la même image, devenue de la sorte une image fixe. (Cf. aussi les *photogrammes,* photographies obtenues par agrandissement d'une image isolée d'un film.) De surcroît, l'attention de l'œil est attirée, au cinéma, par les éléments mobiles de l'image, et par l'action en général. Ce phénomène subjectif réduit la perception de la granulation.

L'image cinématographique n'en demeure pas moins énormément agrandie sur l'écran. Malgré les facteurs favorables évoqués ci-dessus, le risque existe donc que la granulation devienne perceptible, particulièrement dans les grandes plages grises uniformes (ciels, éléments de décor) où aucun détail de l'image ne vient « accrocher » l'œil, et que les chefs opérateurs et les décorateurs du noir et blanc s'efforçaient d'ailleurs d'éviter. À ce risque de gêne visuelle due à la granulation s'ajoute le risque d'une limitation de la finesse de l'image : le film ne peut pas, en effet, enregistrer lisiblement des détails plus fins que le grain.

La granulation dépend évidemment et de la couche sensible et du développement. En fait, ces facteurs interviennent dans le même sens. Peu importe si l'on fait jouer la nature de la couche sensible, ou la composition du révélateur, ou sa température, ou la durée du développement : l'accroissement de la sensibilité à la lumière (c'est-à-dire la production d'une quantité accrue d'argent pour une même quantité de lumière) se traduit, de façon générale, par l'apparition de granules d'argent plus gros. Bien que fabricants de films et laboratoires s'efforcent de limiter ce grossissement des granules, on peut retenir que la granulation croît avec la rapidité, nominale ou pratique, du film. Rapidité nominale : en développement standardisé (le seul praticable en cinéma), les films les plus sensibles donnent une granulation plus forte. Rapidité pratique : un film de rapidité nominale donnée peut être utilisé comme ayant une rapidité double (par ex.) si l'on procède à un développement poussé ; mais il donne alors une granulation plus forte. (Il existe des révélateurs « grain fin », donnant moins de granulation que d'autres. Mais, plus ils diminuent le grain, plus ils diminuent aussi la rapidité pratique du film, et l'on retombe sur la règle générale énoncée plus haut. Compte tenu de l'énorme agrandissement que connaîtra l'image, on utilise en cinéma des révélateurs donnant le moins de grain possible tout en conservant une bonne rapidité du film.)

Cette corrélation rapidité/granulation a plusieurs conséquences.

Les films positifs de copie peuvent être de faible rapidité. (Il suffit d'augmenter la lumière de la tireuse.) Ils donnent donc une très faible granulation : la granulation visible sur l'écran est toujours celle du film de prise de vues.

À la prise de vues, si l'on tourne en extérieurs ensoleillés ou en studio bien éclairé, on peut choisir un film de rapidité moyenne, donnant une granulation à peine perceptible. Si l'on veut par contre filmer le soir sans éclairage d'appoint, il faut un film de grande rapidité, et souvent il faut encore demander un développement poussé : il y a risque réel de granulation. (L'apparition d'objectifs ultra-lumineux, permettant de travailler avec une rapidité pratique moindre, est ici un atout évident.)

La granulation, enfin, constitue un obstacle important au gonflage des films (→ FORMAT), notamment au gonflage en 35 mm d'originaux 16 mm. (À même rapidité, les films inversibles [→ COUCHE SENSIBLE] donnent nettement moins de grain que les films négatifs. L'image y est formée en effet à partir des cristaux non transformés en argent lors d'un premier développement, similaire au développement d'un négatif ; l'expérience montre que ces cristaux donnent des granules plus fins que ceux obtenus lors du premier développement. Les films inversibles sont malheureusement [→ CONTRASTE] assez peu souples d'emploi.)

L'histoire des couches sensibles peut être en bonne partie regardée comme une histoire des techniques physico-chimiques permettant de gagner en rapidité sans que la granulation devienne excessive.

La granulation dans le cinéma en couleurs. Bien que l'argent métallique en soit finalement éliminé, l'image en couleurs est elle aussi de structure discontinue, puisque les colorants sont formés uniquement à l'endroit des cristaux transformés en argent. (→ COUCHE SENSIBLE.) La granulation de cette image est cependant moins perceptible – toutes choses égales par ailleurs – que celle de l'image noir et blanc. D'une part, les « granules » de colorant donnent sur l'écran des taches moins opaques, et au contour moins net, que les granules d'argent. D'autre part, l'image en couleurs comporte (→ COULEUR) plusieurs couches superposées, dont les taches, en se superposant de façon aléatoire, se compensent visuellement.

À ces remarques près, le problème de la granulation se pose fondamentalement dans les mêmes termes qu'en noir et blanc, et il appelle les mêmes grandes observations, en particulier la relation rapidité/granulation. Il est intéressant ici de noter que les nouveaux négatifs couleurs apparus au début des années 80 se caractérisent notamment par un doublement de la sensibilité sans accroissement appréciable de la granulation.

La *granularité* est une mesure objective des variations locales de densité qui provoquent la sensation de granulation. Cette mesure nécessite l'exploration par un microdensitomètre, d'un échantillon uniformément exposé. J.-P.F./J.-M.G.

GRANULOMÉTRIE. Mesure de l'importance visuelle de la granulation.

GRANVAL *(Charles Gribauval,* dit *Charles), acteur français (Rouen 1882 - Paris 1943).* Comédien-français notoire et premier mari de Madeleine Renaud, il excelle à tracer des silhouettes pittoresques, que l'on retrouve dans bon nombre de films de Julien Duvivier (*Golgotha,* 1935 ; *la Bandera,* id. ; *la Belle Équipe,* 1936 ; *Pépé le Moko,* 1937 ; *l'Homme du jour,* id. ; *la Fin du jour,* 1939). On remarque dans d'autres films son ironie fine et son indéniable présence : *Boudu sauvé des eaux* (J. Renoir, 1932) ; *la Duchesse de Langeais* (J. de Baroncelli, 1942) ; *Pontcarral, colonel d'Empire* (J. Delannoy, *id.*) ; *la Nuit fantastique* (M. L'Herbier, *id.*) et *l'Honorable Catherine* (1943). Une de ses premières apparitions remonte à 1920 (*Mademoiselle de La Seiglière,* A. Antoine). R.C.

GRAPHITE. Variété de carbone, constituant principal des électrodes utilisées dans les arcs à charbons.

GRAS *(Enrico), cinéaste italien (Gênes 1919 - Rome 1981).* Il débute en 1941 en dirigeant une série de documentaires de court métrage sur l'art et l'histoire, dont : *Racconto di un affresco ; Il cantico delle creature ; Bianchi pascoli* (1946) ; *Sulla via di Damasco* (1946). En 1946, il collabore au scénario de *Inquietudine* (V. Carpignano, E. Cordero). En collaboration avec Leonardo Bonzi, Mario Craveri et Giorgio Moser, il dirige en 1955 un très spectaculaire long métrage sur l'Indonésie, *Continent perdu (Continente perduto).* L'année suivante, avec M. Craveri, il explore les beautés du Pérou dans son deuxième long métrage : *l'Empire du Soleil (L'impero del Sole).* Avec Craveri toujours, il dirige *Soledad* (1959), film de fiction tourné en Espagne ; puis, avec Craveri et Indro Montanelli, un drame sur l'invasion soviétique de la Hongrie, *I sogni muoiono all'alba* (1961). Il ne travaille plus qu'à des enquêtes ethnographiques et sociales pour la TV. L.C.

GRAU *(Jordi,* dit *Jorge), cinéaste espagnol catalan (Barcelone 1930).* D'abord journaliste, il réalise en 1962 son premier long métrage, *Nuit d'été (Noche de verano),* où il s'affirme comme un des espoirs du nouveau cinéma espagnol. Il tourne ensuite : *El espontáneo* (1964), *Acteón* (1965) et *Una historia de amor* (1966). Ultérieurement, il deviendra plus connu comme auteur de cinéma fantastique : *Cérémonie sanglante* (*Ceremonia sangrianta,* 1972), sur le thème du vampirisme, renouvelle le genre. D'abord suggérée, l'horreur devient visuelle, et avec *No profanar el sueño de los muertos* (1974), il produit un film de fiction particulièrement angoissant. Depuis cette œuvre, très inspirée de *la Nuit des morts-vivants* de Romero, il a notamment tourné *La trastienda* (1975), *La siesta* (1976), *La leyenda del tambor* (1981), *Coto de caza* (1983), *Muñecas de trapo* (1984), *La puñalada* (1988). F.LAB.

GRAVES *(Ralph), acteur américain (Cleveland, Ohio, 1900 - Santa Barbara, Ca., 1977).* Il est découvert par D.W. Griffith, qui le dirige, notamment, dans *le Calvaire d'une mère* (1919) et *la Rue des rêves* (1921), et s'impose au cours des années 20 comme l'un des « leading men » de l'écran : *la Bruyère blanche* (M. Tourneur, 1919), *Le cœur se trompe* (D.W. Griffith, *id.*), *The Extra Girl* (F. Richard Jones, 1923), *Yolanda* (R.G. Vignola, 1924), *Bitter Sweets* (Charles Hutchinson, 1928), *The Song of Love* (E.C. Kenton, 1929). Il fut également scénariste et se mit lui-même en scène dans quelques films (*Rich Men's Sons,* 1927 ; *A Reno Divorce, id.* ; *The Swell-Head, id.*). J.-L.P.

GRAVEY *(Fernand Mertens,* dit *Fernand), acteur français (Bruxelles 1904 - Paris 1970).* Issu d'un milieu théâtral, il joue tout jeune la comédie et figure à ce titre dans des films d'Alfred

Machin tournés en 1913. Pendant la Grande Guerre, il poursuit ses études à Londres pour amorcer ensuite à Paris une belle carrière boulevardière. Brun, sympathique et moqueur, il cède à la tentation de tourner en vedette dans les productions de la Paramount française. Il met de la fantaisie dans ses rôles (*Coiffeur pour dames,* René Guissart, 1932), chante plaisamment et accède vite au vedettariat grâce à Ludwig Berger (*À moi le jour, à toi la nuit,* id. ; *la Guerre des valses,* 1933) et à Richard Pottier (*Si j'étais le patron,* 1934 ; *Fanfare d'amour,* 1935). Son succès personnel dans *Mister Flow* (R. Siodmak, 1936) lui ouvre les portes d'Hollywood, où il joue avec Joan Blondell (*le Roi et la Figurante* [*The King and the Chorus Girl*], M. LeRoy, 1937) et tourne avec Duvivier *Toute la ville danse* (1938). À son retour, il aborde le registre dramatique (*le Dernier Tournant,* P. Chenal, 1939) mais revient vite à la comédie légère (*Histoire de rire,* M. L'Herbier, 1941). Il se meut avec aisance dans les songes de *la Nuit fantastique* (L'Herbier, 1942), ferraille sourire aux lèvres dans *le Capitaine Fracasse* (A. Gance, 1943). À partir d'un *Du Guesclin* (B. de La Tour, 1949) au médiocre succès, sa verve s'assagit et, l'âge aidant, malgré certains succès populaires (*Ma femme est formidable* [A. Hunebelle] 1951 ; *Mon mari est merveilleux,* id., 1953) son jeu s'ankylose (*la Ronde,* Max Ophuls, 1950 ; *Courte Tête,* N. Carbonnaux, 1956 ; *Mitsou,* J. Audry, *id.*). Jusqu'à sa mort, il reste fidèle à une certaine conception un peu vieillie du cinéma de boulevard.
R.C.

GRAVINA *(Carla), actrice italienne (Gemona, Udine, 1941).* Lattuada la découvre alors qu'elle fréquente l'école et lui donne un rôle important dans *Guendalina* (1957). Son physique longiligne et son visage d'ingénue trouvent de beaux rôles dans *Amore e chiacchiere* (A. Blasetti, 1957), *le Pigeon* (M. Monicelli, 1958), *Primo amore* (M. Camerini, 1959), et surtout dans *Esterina* (C. Lizzani, *id.*), où elle joue le personnage d'une fille à la dérive dans le milieu inattendu des camionneurs. Elle a des rôles importants dans *Cinq Femmes marquées* (M. Ritt, 1960), *la Grande Pagaille* (L. Comencini, *id.*), *Un giorne da leoni* (N. Loy, 1961), *El Chuncho* (D. Damiani, 1967), *Bandits à Milan* (C. Lizzani, 1968), *Cuore di mamma* (S. Samperi, 1969), *Alfredo, Alfredo* (P. Germi, 1972), *Il caso Pisciotta* (E. Visconti, *id.*), *l'Héritier* (Ph. Labro, *id.*), *Salut l'artiste !* (Y. Robert, 1973), *Toute une vie* (C. Lelouch, 1974). Elle a créé avec humour le personnage de la journaliste de TV dans *la Terrasse* (E. Scola, 1980). Elle a été élue au Parlement pour le parti communiste. Elle revient à l'écran en 1993 pour tourner *Il lungo silenzio,* de M. von Trotta.
L.C.

GRAY *(Maria Luisa Mangini,* dite *Dorian), actrice italienne (Milan 1934).* Soubrette très populaire du théâtre de variétés, elle débute en 1951 dans une comédie de M. Mattoli, *Accidenti alle tasse.* Après des comédies de Mario Mattoli (*Anema e core,* 1952), Camillo Mastrocinque (*Totò lascia o raddopia ?,* 1956) et d'autres, elle a un rôle dans *les Nuits de Cabiria* (F. Fellini, 1957) et crée l'inoubliable personnage de la pompiste dans *le Cri* (M. Antonioni, *id.*). Pour son interprétation dans la comédie amère de Comencini *Mogli pericolose* (1958), elle reçoit le prix du Nastro d'Argento. Elle joue encore dans quelques comédies, dont *Chacun son alibi* (M. Camerini, 1960), *l'Homme aux cent visages* (D. Risi, *id.*), *En pleine bagarre* (*Mani in alto,* Giorgio Bianchi, 1961), *Gli attendenti* (id., *id.*), *Peccati d'estate* (id., 1962), *Thrilling* (épisode *Il vittimista* [E. Scola], 1965). Sa figure attachante et malicieuse a trop tôt disparu de l'écran.
L.C.

GRAY *(Nadja Kujnir-Herescu,* dite *Nadia), actrice roumaine (Bucarest 1923 - New York 1994).* Après des études en France, elle débute au théâtre à Bucarest et revient en France pour ses premiers films : *l'Inconnu d'un soir* (M. Neufeld, 1948) ; *Monseigneur* (R. Richebé, 1949). Elle joue dans quelques comédies en Grande-Bretagne, dont *The Spider and the Fly* (R. Hamer, *id.*), *Ultrasecret* (M. Zampi, 1952), mais s'affirme surtout en Italie dans les rôles de séductrice provocante que lui fournissent de nombreux mélodrames et films d'aventures, comme *Une femme pour une nuit* (*Moglie per una notte,* M. Camerini, 1952), *Puccini* (C. Gallone, 1953), *À toi toujours* (id., 1955), *Il cardinale Lambertini* (Giorgio Pastina, *id.*). Elle continue à interpréter des films en France, mais aussi en Autriche, en Allemagne et en Grande-Bretagne. Fellini exalte sa beauté plantureuse dans la célèbre scène du strip-tease de *La dolce vita* (1960).
L.C.

GRAYSON *(Zelma Kathryn Hedrick,* dite *Kathryn), actrice américaine (Winston Salem, N. C., 1922).* À la MGM de 1941 à 1952, cette jolie soprano colorature un peu froide a rempli des rôles de jeunes filles de bonne famille, souvent cantatrices : *The Vanishing Virginian* (F. Borzage, 1942) ; *Sept Amoureuses* (id., *id.*) ; *Parade aux étoiles* (G. Sidney, 1943) ; *Escale à Hollywood* (id., 1945) ; *Ziegfeld Follies* (collectif, 1946) ; *Du burlesque à l'Opéra* (H. Koster, *id.*) ; *la Pluie qui chante (Till the Clouds Roll by,* Richard Whorf, *id.) ; Tout le monde chante* (*It Happened in Brooklyn,* id., 1947) ; *le Brigand amoureux* (L. Benedek, 1948) ; *le Baiser de minuit* (*That Midnight Kiss,* N. Taurog, 1949) ; *The Toast of New Orleans* (id., 1950) ; *Show Boat* (Sidney, 1951) ; *les Rois de la couture* (*Lovely to Look at,* M. LeRoy, 1952) ; *Embrasse-moi chérie* (Sidney, 1953) et *le Roi des vagabonds* (M. Curtiz, 1956). A.M.

GRÈCE. Si l'on excepte les noms d'Angelopoulos*, de Cacoyannis*, de Papatakis*, de Jules Dassin* et surtout de Melina Mercouri*, le cinéma grec reste méconnu au-delà de ses frontières. Divertissement populaire privilégié pendant plus de trente ans, il n'en a pas moins connu le sort des productions culturelles des petits pays de la périphérie de l'Europe, dont la notoriété se limite généralement à de brèves incursions dans les festivals européens.

Au tournant du siècle, la Grèce est une nation modeste qui cherche sa voie entre le poids trop lourd d'un passé antique et byzantin illustre et les vicissitudes de toutes sortes auxquelles elle est confrontée en tant qu'État nouvellement créé et encore fragile. Le cinéma n'y connaît pas un développement aussi rapide que dans d'autres pays européens voisins. Les premières projections ont lieu à Athènes dès 1897, mais ce n'est qu'en 1914 qu'est tourné le premier film de long métrage répertorié (malheureusement perdu aujourd'hui) : *Golfo,* du Smyrniote Kostas Bahatoris, d'après le drame bucolique bien connu en Grèce de Spyros Peressiadis. Toutefois, entre ces deux dates, il faut noter l'apport essentiel des frères Manakia. Ils furent de réels pionniers et développèrent avec une mobilité vertigineuse leur activité d'opérateurs d'actualités tout en enregistrant, à partir de 1906, des scènes de la vie quotidienne un peu partout dans les Balkans : à Monastir (l'actuelle Bitola), à Thessalonique, dans les villages du mont Pinde, en Yougoslavie et ailleurs. En 1910, le comique burlesque Spiros Dimitrakopoulos, plus connu sous le nom de Spyridion, fonde la première maison de production, Athina Films, et l'opérateur Pathé Joseph Hepp* s'installe en Grèce, où il se spécialisera dans les films d'actualités.

En fait, à cause de l'instabilité politique du pays, surtout après la débâcle militaire en Turquie (1919-1922), et de la situation économique précaire, la production a du mal à démarrer ; elle balbutie jusqu'à la fin des années 30, se limitant à quelques comédies (la série des « Vilar » et des « Michaïl »), à des mélodrames — réalisés principalement par Dimitris Gaziadis* et produits par sa société, Dag Film (*Amours et vagues / Eros kai kimata,* 1927, *le Port des larmes / To limani ton dakrion,* 1929) — et aux idylles pastorales appelées « fustanella » comme *Astero,* de Dimitris Gaziadis (1929), *Maria Pentayotissa,* d'Achilleas Madras (1929), ou *l'Amoureux de la bergère (O agapitikos tis voscopoulas,* 1932), de Dimitris Tsakiris, premier film parlant tourné en Grèce. Deux exceptions sont à retenir de toute cette période : *Daphnis et Chloé* (1931), réalisé par Orestis Laskos, drame pastoral naïf et pétillant qui ne manquait pas d'audace pour l'époque, et *Corruption sociale (Kinoniki Sapila,* 1932), de Stelios Tatassopoulos, tentative inédite d'un cinéma réaliste et socialement engagé.

Puis vient le temps de la maturation avec la création d'un véritable studio de production, la Finos Film, œuvre d'un artisan de génie, Filopimène Finos*, qui va dominer la production cinématographique grecque pendant trois décennies. D'une dizaine de films produits dans les années 40, il passe à une trentaine dans les années 50 et à une centaine dans les années 60. Des réalisateurs chevronnés aux talents multiples, issus principalement du théâtre comme Nikos Tsiforos, Alekos Sakellarios et Dinos Dimopoulos — sans oublier Yorgos Tzavellas*, qui constitue un cas à part par ses ambitions plus éclectiques —, signent les comédies les plus pittoresques de ce qu'on a appelé « l'âge d'or » du cinéma populaire grec et certains mélos au succès retentissant : *Les Allemands reviennent* (*I Germani xanarchontai,* 1948), *Pain,* *amour et chansonnette* (*Lanterna, ftochia kai filotimo,* 1955), de Sakellarios ; *Viens voir le tonton* (*Ela sto thio,* 1950), *la Belle d'Athènes* (*I orea ton Athinon,* 1954), de Tsiforos ; *le Petit Fiacre* (*To amaxaki,* 1957), de Dimopoulos ; *l'Ivrogne* (*O methistakas,* 1950) et *le Petit Chauffeur* (*To soferaki,* 1953), de Tzavellas. Durant toute cette période, le cinéma grec reste fortement tributaire du théâtre et principalement des revues de variétés satiriques (*epitheorissi*), qui lui fournissent, outre des sujets puisés dans une réalité trop souvent anecdotique (la censure est alors très vigilante), une pléiade d'acteurs comiques très populaires (Vassilis Avlonitis, Mimis Fotopoulos, Nicos Stavridis, Georgia Vassiliadou, Orestis Makris, Dinos Iliopoulos, etc.) dont le génie pallie fréquemment l'absence de mise en scène.

Dès le début des années 50, la production amorce donc sa structuration jusqu'à afficher dix ans plus tard une prospérité économique insolente, plafonnant dans la saison 66-67 à son record historique de 117 films. Il s'agit pour l'essentiel de comédies légères ou de farces, de sombres mélodrames et de quelques *musicals made in Greece,* totalisant cette année-là, dans la seule région d'Athènes et du Pirée, près de 20 millions d'entrées. Dans ce même temps et jusqu'au début des années 60, la participation de l'État est absente alors que la censure, elle, est omniprésente, bannissant ainsi de l'écran toute préoccupation d'ordre politique ou social et confinant la production à un niveau anecdotique somme toute caricatural et sans réelle consistance. Pourtant, dans ce contexte hostile, apparaissent les prémices d'une approche différente de la réalité et d'une indépendance par rapport au système : Grigoris Grigoriou ouvre une brèche avec *Pain amer (Pikro psomi,* 1951), fortement teinté de néoréalisme ; mais les deux meilleurs réalisateurs de cette période demeurent incontestablement Michael Cacoyannis et Nikos Koundouros*, qui signent respectivement deux œuvres clefs de l'histoire du cinéma grec : *Stella* (1955), qui révèle la fracassante Melina Mercouri, et *l'Ogre d'Athènes* (1956), plongée vertigineuse dans l'univers des marginaux. D'autres films importants voient également le jour : *la Fausse Livre d'or* (*I Kalpiki lira,* 1955), de Yorgos Tzavellas, *le Bataillon des va-nu-pieds* (*To Xypolito tagma,* 1954), de Gregg Tallas, *Fin de crédit* (1958), de Cacoyannis, *les Petites Aphrodites* (1963), de Koundouros, *Ciel* (*Ouranos,* 1962), de Takis Kanellopoulos, sans oublier *Jamais le dimanche* (1959), de Jules Dassin, au succès international incontesté. L'autre axe dramaturgique traditionnel du cinéma grec, la tragédie antique, connaît à cette époque ses lettres de noblesse avec *l'Antigone* (1961) de Tzavellas et surtout *Électre* (1962), transposée avec une puissance visuelle saisissante par Cacoyannis, toutes deux interprétées par une tragédienne authentique, Irène Papas*. Déterminante est également la contribution de deux grands compositeurs, Mikis Theodorakis* et Manos Hadjidakis*, qui révèlent l'importance du *rebetiko*, musique jusqu'alors méconnue, marginale et interdite, expression poétique des exclus sociaux d'une urbanisation précoce.

Les années 64-67, qui précèdent la dictature des colonels, sont des années d'effervescence démocratique, où une nouvelle génération de réalisateurs aborde des thèmes encore inexplorés en accord avec les contradictions d'une société en mutation, déchirée entre les traumatismes du passé et les hantises du présent. Certains, comme Pandelis Voulgaris*, Lambros Liaropoulos, Dimitris Kollatos, Lakis Papastathis ou Dimos Theos, font leurs premiers pas dans des courts métrages remarquables ; d'autres, comme Alexis Damianos (*Jusqu'au bateau / Mehri to plio,* 1968), Ado Kyrou* (*Bloko,* 1965) ou Robert Manthoulis (*Face à face / Prossopo me prossopo,* 1966), déploient au Festival de Thessalonique les signes précurseurs de la naissance d'un cinéma national. Mais la junte militaire freine le mouvement et dissipe les illusions. Le silence remplace l'euphorie. C'est pourtant dans ce climat d'appauvrissement intellectuel apparent que naît le Nouveau Cinéma grec avec, comme figure de proue, Théo Angelopoulos, qui s'impose avec deux films essentiels : *Reconstitution* (1970) et *Jours de 36* (1972). Dans une perspective différente, Damianos tourne son second film : *Evdokia* (1972), et Pandelis Voulgaris confirme les espoirs placés en lui avec *les Fiançailles d'Anna* (1972). Si de plus en plus de films grecs passent les frontières et sont primés dans des festivals internationaux, le Nouveau Cinéma grec n'en poursuit pas moins, après la chute de la dictature, un chemin douloureux, semé d'obstacles et marqué par toutes sortes d'influences.

Entre-temps, la télévision connaît un essor fulgurant, et les salles obscures vivent le début d'une crise fatale. La fréquentation passe de 137 millions de spectateurs en 1968 à 39 millions en 1977 et à moins de 10 millions en 1995, soit une baisse globale de plus de 90 %. C'est donc bien un paysage de crise que le cinéma grec offre depuis vingt ans. Le cinéma commercial est mort et l'État, par l'intermédiaire du Centre du cinéma grec, prend la relève en 1980 pour soutenir financièrement la production nationale sinistrée ; les conditions économiques sont dramatiques pour les rares producteurs et les nombreux auteurs, et le lien est coupé avec le public, qui ne se déplace massivement que pour les films américains. Pourtant, à part Angelopoulos, qui, du *Voyage des comédiens* (1975) au *Regard d'Ulysse* (1995), poursuit, en solitaire et grâce aux coproductions internationales, une œuvre créatrice sans équivalent, des auteurs comme Nicos Panayotopoulos (*les Fainéants de la vallée fertile / I tebelides tis eforis kiladas,* 1978), Nico Papatakis (*la Photo,* 1986), Pandelis Voulgaris (*Happy Day,* 1976), Costas Feris (*Rebetiko,* 1983), Tonia Marketaki (*le Prix de l'amour / I timi tis agapis,* 1984), Yorgos Panoussopoulos (*Lune de miel / Taxidi tou melitos,* 1979), Stavros Tsiolis (*Une aussi longue absence / Mia tosso makrini apoussia,* 1985), Stavros Tornès (*Balamos,* 1982, *Karkalou,* 1984) et d'autres ont réussi à affirmer un pluralisme aussi bien thématique qu'esthétique.

Recroquevillé sur le passé, le politique et le social, lieu de réflexion expressive et idéologique sur la représentation de l'histoire ou la mémoire de la tradition, regard cinéphilique, approche réaliste ou révélation politique, le Nouveau Cinéma grec qui compte, dans les années 70 et 80, est un cinéma éclaté, polymorphe. Il donne l'impression d'un mouvement qui se cherche à travers de multiples expériences et qui finit parfois par trouver une voie originale ou une vision de la Grèce propre à son auteur, sans pour autant renoncer à l'affirmation d'une identité culturelle. Ainsi peut-on parler de la Grèce d'Angelopoulos, de Damianos ou de Tornès.

Quelques signes tout récents laissent espérer qu'une nouvelle génération de cinéastes, moins bloquée dans une problématique du passé, moins introvertie, refusant de céder aux mirages des télévisions privées, persiste à vouloir faire du cinéma et s'efforce de répondre à l'attente d'un public radicalement nouveau, lui aussi. M.D.

GRECO *(Cesarina Rossi,* dite *Cosetta), actrice italienne (Trente 1930).* En 1951, Pietro Germi la lance dans *Traqué dans la ville.* Elle crée un personnage de fille faible et sans protection qu'elle reprend dans de nombreux films populaires, dont : *les Fiancés de Rome* (L. Emmer, 1952) ; *la Tanière des brigands* (P. Germi, *id.*) ; *La nemica* (G. Bianchi, *id.*) ; *Viale della speranza* (D. Risi, *id.*) ; *Scampolo 53* (Bianchi, 1953) ; *Chronique des pauvres amants* (C. Lizzani, 1954) ; *Je suis un sentimental* (J. Berry, 1955) ; *Napoléon* (S. Guitry, *id.*) ; *les Amoureux* (M. Bolognini, *id.*) ; *I sogni nel cassetto* (R. Castellani, 1957) ; *Plagio* (S. Capogna, 1969). L.C.

GRÉCO *(Juliette), actrice française (Montpellier 1926).* Elle est avant tout une chanteuse et ses aventures cinématographiques n'ont été qu'épisodiques : présence purement symbolique dans *Orphée* (Cocteau, 1950) ou *Éléna et les hommes* (J. Renoir, 1956). Les tentatives de Darryl F. Zanuck pour en faire une vedette de cinéma à part entière se sont soldées par des échecs cuisants. Actrice compétente (*Quand tu liras cette lettre,* J. -P. Melville, 1953), elle ne peut user du champ de la caméra comme elle use de la scène : *Le soleil se lève aussi* (H. King, 1957) ou *les Racines du ciel* (J. Huston, 1958) passent totalement à côté de son charme si spécial. Depuis, Juliette Gréco se contente d'apparaître, comme à ses débuts. C.V.

GREDE *(Kjell), cinéaste suédois (Tystberga 1936).* Appartenant à la nouvelle génération des réalisateurs suédois, il se fait connaître à la fin des années 60 par un film brillant sur l'enfance, *Hugo et Joséphine* (*Hugo och Josefin,* 1967). Son œuvre suivante, *Harry Munter* (1969), atteste un talent dans la lignée de celui de Keaton, à ceci près qu'il s'avère teinté d'une touche de mysticisme qui va progressivement dominer tous ses films : *Klara Lust* (1972), *Une mélodie simple* (*En enkel melodi,* 1974) et *Ma chérie* (*Min alskade,* 1978). La plus grande réussite de Grede, à ce jour, reste sa version télévisée du *Plaidoyer d'un fou* de Strindberg, en 1976, avec son ancienne épouse, Bibi Andersson. En 1987, il tourne *Hip, Hip, Houra !* qui évoque la vie d'une petite communauté de peintres scandinaves connue sous le nom de groupe de Skågen, et en 1990, *Good Morning Mr Wallenberg (God afton, Herr Wallenberg)* qui évoque la mémoire du célèbre diplomate suédois et de son rôle pendant la Seconde Guerre mondiale à l'égard de la communauté juive hongroise. P.CO.

GREEN *(Guy), chef opérateur et cinéaste britannique (Somerset 1913).* Remarquable photographe (*les Grandes Espérances,* D. Lean, 1946 ; *l'Opéra des gueux,* P. Brook, 1953), Guy Green est devenu réalisateur en 1954. Sentimentaux et sensibles dans les meilleurs cas (*le Silence de la colère* [*The Angry Silence*], 1960 ; *la Marque* [*The Mark*], 1961), ses films anglais ne sont pas très personnels mais il y a un certain sens du mélodrame dans *Lumière sur la Piazza* (*Light in the Piazza,* 1962) et *Un coin de ciel bleu* (*A Patch of Blue,* 1965), réalisés aux États-Unis. Après s'être perdu dans un sujet de John Fowles dont la complexité le dépassait (*Jeux pervers* [*The Magus*], 1968), Guy Green s'est cantonné dans des mélodrames assez vulgaires comme *Une fois ne suffit pas* (*Once Is not Enough,* 1975). C.V.

GREENAWAY *(Peter), cinéaste britannique (Newport, pays de Galles, 1942).* Sans doute la personnalité la plus excentrique du nouveau cinéma anglais. Il ne se reconnaît d'ailleurs pas dans les artistes de sa génération. Il vient de la peinture (nombreuses expositions et illustrations de livres) mais aussi du cinéma expérimental (*Train,* 1966 ; *Tree,* id. ; *Intervals,* 1969 ; *Erosion,* 1971 ; *Windows,* 1975 ; *Dear Phone,* 1977) où il fait montre à la fois d'humour et d'une fascination pour les combinaisons structurelles. Avec l'aide du British Film Institute, il réalise en 1980 un long métrage, *The Falls,* qui aligne la biographie imaginaire de quatre-vingt-douze personnes dont le nom commence par Fall..., avant deux documentaires, *Act of God* (1981), sur des gens frappés par la foudre. Puis c'est le succès mondial avec *Meurtre dans un jardin anglais* (*The Draughtsman's Contract,* 1982), à la fois intrigue policière, marivaudage libertin, jeu de l'esprit et réflexion sur la perspective. Œuvre unique, ce film conjugue les qualités de Peter Greenaway : esprit caustique, goût de l'expérimentation, jeu avec la culture. Il signe successivement *Z. O. O.* (*A Zed and Two Noughts,* 1985), *le Ventre de l'architecte* (*The Belly of An Architect,* 1987), *Drowning by Numbers* (id., 1988), *le Cuisinier, le voleur, sa femme et son amant* (*The Cook, the Thief, His Wife and Her Lover,* 1989), *les Morts de la Seine* (*Death in The Seine, DOC, id.*), *Prospero's Books* (1991), insolite et superbe adaptation de *la Tempête* de Shakespeare, *The Baby of Mâcon* (1993), œuvres déconcertantes qui se placent souvent sous le signe du morbide, de l'humour noir et de la provocation et se caractérisent également par une étrange obsession de l'arithmétique (cf. *Drowning by Numbers*) et par une recherche originale dans la géométrie et la composition plastique des images. M.C.

GREENSTREET *(Sidney), acteur britannique (Sandwich 1879 - Los Angeles, Ca., US, 1954).* Après d'infructeux essais comme planteur à Ceylan, il débute en 1902 au théâtre à Londres, puis gagne New York deux ans plus tard. *Le Faucon maltais* de John Huston (1941), où il incarne, poids lourd du couple qu'il forme avec Peter Lorre, un placide et redoutable malfrat, lui ouvre la porte d'une carrière sans éclat mais remarquable par sa qualité et sa fidélité au film noir. Il y meut avec des souplesses de reptile une impressionnante stature de quelque 120 kilogrammes, aux réactions inattendues, au jeu économe mais subtilement gradué. Il faut citer, parmi les films où l'on continue d'épier avec délectation sa silhouette familière : *la Charge fantastique* (R. Walsh, 1941) ; *Griffes jaunes* (J. Huston, 1942) ; *Casablanca* (M. Curtiz, 1943) ; *le Masque de Dimitrios* (J. Negulesco, 1944) ; *La mort n'était pas au rendez-vous* (C. Bernhardt, 1945) ; *The Verdict* (D. Siegel, 1946) ; *le Boulevard des passions* (Curtiz, 1949) ; *Malaya* (R. Thorpe, 1950) ; *l'Énigme du Chicago Express* (R. Fleischer, 1952). Il a cessé de tourner quatre ans avant sa mort, laissant le souvenir d'une des figures les plus attachantes des « badmen » en costume de toile (ou de soie) blanche. C.M.C.

GREENWOOD *(Joan), actrice britannique (Londres 1921 - id. 1987).* Elle débute au théâtre en 1938 et au cinéma en 1940. Ses premiers films importants datent de 1948 : *Whisky à gogo* (A. Mackendrick) et *Sarabande* (B. Dearden). Mais c'est avec *Noblesse oblige* de Robert Hamer (1949), où elle tient le rôle de Sibella, qu'elle s'impose à l'écran. Un charme piquant, parfois inquiétant, une diction mordante et une voix de gorge font son succès. On se souviendra particulièrement de ses prestations dans *l'Homme au complet blanc* (A. Mackendrick, 1951), *Il importe d'être constant* (A. Asquith, 1952), *Détective du bon Dieu* (R. Hamer, 1954), *Tom Jones* (T. Richardson, 1963). Joan Greenwood a également été dirigée par des cinéastes non britanniques, dans *Garou-Garou le Passe-Muraille* avec Bourvil (Jean Boyer, 1951), *Stage struck* (S. Lumet, 1958), *Barbarella* (R. Vadim, 1968) et, surtout, dans *Monsieur Ripois* (R. Clément, 1954), sans oublier *les Contrebandiers de Moonfleet* (F. Lang, 1955). P.P.

GREER *(Bettejane Greer,* dite *Jane), actrice américaine (Washington, D. C., 1924).* D'abord chanteuse d'orchestre, puis cover-girl attitrée du magazine *Life,* elle débute avec éclat dans *Panamericana,* de John H. Auer (1945). Jolie brune au regard de velours, elle peut incarner aussi bien une étrange aventurière psychopathe (dans *la Griffe du passé* [*Out of the Past*], J. Tourneur, 1947) qu'une trépidante héroïne de comédie (la partenaire de Peter Lawford dans *Toi pour moi* [*You for Me*], Don Weis, 1952) ou une maîtresse femme en atours d'époque (Antoinette de Mauban dans *le Prisonnier de Zenda,* R. Thorpe, 1952). D'une carrière brève mais assez fulgurante, qui malheureusement ne lui permit jamais d'accéder au statut de star, on retiendra encore *Ça commence à Vera Cruz* (*The Big Steal,* D. Siegel, 1949), *la Course au soleil* (*Run for the Sun,* remake des *Chasses du comte Zaroff,* R. Boulting, 1956) et la biographie de Lon Chaney : *l'Homme aux mille visages* (J. Pevney, 1957). On la voit encore en 1964 dans *Rivalités* (*Where Love Has Gone,* E. Dmytryk), aux côtés de Bette Davis et de Susan Hayward. C.B.

GREGORETTI *(Ugo), cinéaste italien (Rome 1930).* Il s'affirme à la TV au début des années 60 avec des émissions polémiques et anticonformistes. Son style de reportage sans voiles se retrouve dans son premier film, *I nuovi angeli* (1961), enquête de fiction sur la jeunesse en Italie. Après un épisode satirique (*Il pollo ruspante,* dans *Rogopag,* 1963), il crée un étrange pamphlet de science-fiction, *Omicron* (id.), puis un autre épisode grotesque (*Il foglio di via,* dans *les Plus Belles Escroqueries du monde,* 1964), et une médiocre comédie à épisodes (*Ah ! les belles familles* [*Le belle famiglie*], 1965). Après quelques apparitions comme acteur, il se lance dans une carrière de réalisateur politique, avec deux documentaires sur une usine en grève (*Apollon ; Contratto,* 1970), et une enquête sur la guerre du Viêt-nam (*Vietnam scene del dopoguerra,* 1976 ; CO Romano Ledda). Il travaille ensuite beaucoup pour la TV et le théâtre. L.C.

GRÉMILLON *(Jean), cinéaste français (Bayeux 1901 - Paris 1959).* Sa carrière en dents de scie, entièrement imputable aux structures de la production, autorise qu'on le tienne pour un cinéaste « maudit ». Passé le baccalauréat, malgré son père, chef de section aux chemins de fer, qui voudrait qu'il soit ingénieur, il décide de se consacrer à la musique (il l'étudie depuis l'enfance). Venu à Paris en 1920, il suit les cours de Vincent d'Indy à la Schola cantorum, se lie avec Roger Désormière, Roland Manuel, Charles Dullin. Il gagne sa vie en jouant du violon dans des orchestres de cinéma. 1923 : son service militaire est terminé ; Georges Périnal, projectionniste et bientôt opérateur de premier plan, l'introduit dans les studios. Il est titreur, monteur puis réalisateur de films documentaires (photographiés par Périnal). Les seize documentaires qu'il tourne entre 1923 et 1926 traitent tous de l'homme et de ses travaux. Avec *Photogénie mécanique* (1924) et *Tour au large* (1926), il s'insère dans le mouvement de la première avant-garde. *Photogénie mécanique* est un montage musical, audiovisuel déjà, de fragments puisés dans les films techniques antérieurs ; *Tour au large,* une composition impressionniste, abstraite, ramenée d'une campagne de pêche sur un thonier. Ainsi, dès le départ, Grémillon définit son style : un réalisme à la croisée du document et du poème.

L'amitié de Charles Dullin lui permet de réaliser son premier long métrage, *Maldonne* (1928), qui s'établit, comme *la Fille de l'eau* de Jean Renoir, dans la tradition du plein air naturaliste du cinéma français et collectionne toutes les recherches expressives de l'avant-garde contemporaine. Jacques Feyder, avec lequel Grémillon n'est pas sans affinités, lui confie la réalisation de *Gardiens de phare* (1929), dont il a élaboré le scénario et le découpage. Dans ce très rare exemple de

Kammerspiel français, Grémillon, d'un drame emprunté au répertoire du grand-guignol, tire une tragédie puissamment humaine. Cette fois encore – et la plupart de ses films renouvelleront cette aventure –, il donne à une fiction le poids du documentaire, il développe un romanesque sans romantisme, il anime des personnages tout déterminés par leur milieu social, il subordonne leur destin à leur métier, il fait naître le tragique du sein du quotidien. 1930, Grémillon rencontre Louis Page, peintre et opérateur, qui l'accompagnera jusqu'à son dernier film ; il se lie d'amitié avec André Masson et les surréalistes.

L'arrivée du parlant lui impose un long tunnel. Après l'échec de *la Petite Lise* (1930), il est condamné à des besognes, à des films dont il se sent dépossédé : bandes commerciales, courts métrages comiques, version française d'une opérette allemande. C'est Raoul Ploquin, producteur français près de la UFA, que lui présente son ami René Clair en 1935, qui le tire de cette impasse. Dans les studios de Berlin, paradoxalement, Grémillon produit deux de ses œuvres les plus remarquables : avec *Gueule d'amour* (1937), il humanise, « banalise », en même temps que Renoir, avant Carné, le mythe de Jean Gabin ; dans *l'Étrange Monsieur Victor* (1938), faisant fond sur l'énorme don de sympathie de Raimu, il oppose en son héros l'homme simple et le bourgeois. La guerre perturbe la réalisation de *Remorques,* qu'il tourne entre 1939 et 1941, et oblige le cinéaste à user de maquettes pour ses tempêtes. La mer n'en demeure pas moins un protagoniste majeur du film, comme presque toujours chez Grémillon. Plus qu'un lieu dramatique, elle est l'expression physique – lors même qu'elle n'apparaît pas – de la continuité matérielle du monde réel, un argument réaliste. Viennent la défaite, l'occupation allemande, la collaboration pétainiste. Alors que le cinéma français, pour préserver son intégrité, s'évade, Grémillon se fait un cinéaste *du présent* (même s'il semble s'évader lui aussi). *Lumière d'été* (1943), à travers un franc baroquisme que l'auteur d'ordinaire s'impose de domestiquer ou de refouler, réaffirme ouvertement la lutte des classes ; *Le ciel est à vous* (1944), qui annonce un néoréalisme à la française, parle en claire parabole du Front populaire défunt et d'un Front populaire plus beau d'être encore à venir, avec la Victoire et la Libération. La Libération, pourtant, fut ingrate envers Grémillon. Cinéaste engagé, président du Syndicat des techniciens du film, président de la Cinémathèque française, militant de la culture cinématographique et du mouvement ciné-club, après avoir réalisé à chaud *le Six Juin à l'aube* (1946) sur les désastres de la guerre en Normandie, Grémillon voit tous ses projets refusés, enterrés ou sabotés : *la Commune de Paris* (1945), *le Massacre des innocents* (1947), *le Printemps de la liberté* (1947-48). Ce dernier, commandité par l'Éducation nationale, est annulé brutalement au bout d'un an. Grémillon retourne au documentaire. Dans *les Charmes de l'existence* (1949), *Au cœur de l'Île-de-France* (1954), *la Maison aux images* (1955), *Haute Lisse* (1956) et surtout *André Masson et les quatre éléments* (1959), il exalte le travail, la conscience, la lucidité, le dévouement, la patience de ces créateurs et artisans, ses frères, sur qui repose une culture, et qu'on ne l'a guère autorisé à égaler. Entre-temps, avec *l'Amour d'une femme* (1954), dont le féminisme est d'avant-garde, il avait pu aborder une réalité toujours aiguë : la difficulté pour une femme de trouver sa place dans un monde fait par/pour les hommes. Son héroïne sacrifiait son amour à son métier, finalement persuadée, mais sans oser se l'avouer, que le couple et le mariage traditionnels sont des structures dépassées. B.A.

Films ▲ (sauf CM documentaires) : *la Vie des travailleurs italiens en France* (DOC , 1926) ; *Tour au large* (MM, DOC, *id.*) ; *Maldonne* (1928) ; *Gardiens de phare* (1929) ; *la Petite Lise* (1930) ; *Dainah la Métisse* (1931) ; *Pour un sou d'amour* (1932) ; *le Petit Babouin* (CM, *id.*) ; *Gonzague ou l'Accordeur* (MM, 1933) ; *la Dolorosa* (1934, en Esp.) ; *Centinella alerta* (1935, en Esp. ; CO L. Buñuel – incertain –) ; *Valse royale* (id.) ; *Pattes de mouche* (1936) ; *Gueule d'amour* (1937) ; *l'Étrange Monsieur Victor* (1938) ; *Remorques* (1941) ; *Lumière d'été* (1943) ; *Le ciel est à vous* (1944) ; *le Six Juin à l'aube* (MM, DOC, 1946) ; *Pattes blanches* (1949) ; *l'Étrange Madame X* (1951) ; *l'Amour d'une femme* (1954).

GRÉVILLE *(Edmond Greville Thonger,* dit *Edmond T.), cinéaste français (Nice 1906 - id. 1966).* Fils d'un pasteur protestant d'origine anglaise, il est d'abord journaliste puis réalise des courts métrages publicitaires tout en apprenant son métier avec Dupont, Gance et Genina. On le voit acteur dans *Sous les toits de Paris* (R. Clair, 1930). Il écrit des pièces et des romans et se lance dans la mise en scène de cinéma en 1931 *(le Train des suicidés).* Sa carrière est cosmopolite : il ira filmer en Allemagne, en Grande-Bretagne et même aux Pays-Bas (il gagne un Grand Prix à Venise pour son documentaire *«Quarante Ans»* [*Veertig Jaren,* 1938] qui commémore l'anniversaire de la reine Wilhelmine). Mais c'est dans ses films français qu'il est le plus à l'aise pour communiquer sa vision du monde, étrange, trouble, baignée d'érotisme, équivoque et suffisamment insolite en tout cas pour lui conférer une place à part dans le groupe des marginaux du cinéma français. Parmi ses quelque trente films, on retiendra : *Remous* (1935) ; *Marchand d'amour* (id.) ; *Brief Ecstasy* (1937 ; GB) ; *Menaces* (1940) ; *Le diable souffle* (1947) ; *le Port du désir* (1955) ; *l'Île du bout du monde* (1959) ; *les Mains d'Orlac* (1961 ; VF et ANGL) ; *les Menteurs* (1961) ; *l'Accident* (1963). J.-L.P.

GREY *(Denise), actrice française (Turin, Italie, 1896).* Effervescente, volubile, fantasque et fofolle, elle brûle les planches et crève l'écran. Boulevardière dans le meilleur sens du mot et en dépit de deux incursions à la Comédie-Française, elle tourne sans arrêt de 1938 à nos jours des rôles taillés pour elle sur un patron immuable. Seul Autant-Lara lui réserve un contre-emploi dans *le Diable au corps* (1947). Parmi une poussière de titres, elle est particulièrement succulente dans *Boléro* (J. Boyer, 1942), *Romance à trois* (Roger Richebé, *id.*), *Adieu Léonard* (P. Prévert, 1943), *le Couple idéal* (Bernard-Roland, 1946), *Dortoir des grandes* (H. Decoin, 1953), *la Boum* (C. Pinoteau, 1980). R.C.

GRGIĆ *(Zlatko), cinéaste yougoslave (Zagreb 1931).* Après des études de journalisme et de droit, il se tourne en 1951 vers le cinéma d'animation et travaille comme dessinateur sur des films de Nikola Kostelac (*Opening Night,* 1957), Dušan Vukotić (*la Grande Peur,* 1958), Ivo Vrbanić et Vlado Kristl (*la Peau de chagrin,* 1960). Puis il conçoit et dirige ses propres films : la série des *Inspecteur Mask* (1962 ; 9 films) ; *Voyage dans l'espace* (*Posjet iz svezira,* 1964) ; *le Travail du diable* (*Djavolja posla,* 1965) ; *le Cochon musical* (*Muzikalno prase,* id.) ; *le Petit et le Grand* (*Mali i veliki,* 1966), *l'Inventeur des chaussures* (*Izumitelj cipela,* 1967), qui servira de pilote à la série (11 films) des *Professeur Balthazar* (1969) ; *la Gale* (*Svrab,* 1970) ; *la Porte* (*Vrata,* 1972) ; *Trio* (1975) ; *Dream Doll* (avec P. Godfrey, 1979). Son graphisme est dynamique et synthétique ; sans trop s'écarter du réalisme, ses gags sont à la fois délirants et poétiques. Très prolifique, le Chuck Jones de l'école de Zagreb écrit aussi des scénarios pour d'autres confrères. M.M.

GRIECO *(Sergio), cinéaste italien (Codevigo, Padoue, 1917 - Rome 1982).* Il débute comme assistant en 1940 dans *Le sorprese del vagone letto* (G. P. Rosmino). En 1952, il signe son premier film : *Il sentiero dell'odio,* un drame populaire. Il dirige ensuite (souvent sous le pseudonyme de Terence Hathaway) 35 films de tous les genres en vogue, de la comédie (*Primo premio Mariarosa,* 1953), aux aventures de cape et d'épée (*Lo spadaccino misterioso,* 1956), en passant par les péplums (*l'Esclave de Rome* [*La schiava di Roma*], 1961), les films d'espionnage (*Agente 077 Missione Bloody Mary,* 1965), les westerns (*Tutti fratelli nel West... per parte di padre,* 1972) et les policiers violents (*La belva col mitra,* 1977). L.C.

GRIERSON *(John), producteur et cinéaste britannique (Deanston, Écosse, 1898 - Bath 1972).* Né dans une famille d'instituteurs presbytériens et socialisants, Grierson, après avoir fait la guerre dans la Navy, gagne les États-Unis en 1925, avec une bourse de la Fondation Rockefeller. Il va y étudier presse, radio et cinéma durant deux années. Il rédige de nombreux articles critiques, et c'est à propos du *Moana* de Flaherty qu'il lance le mot de «documentaire», en 1926. À son retour en Grande-Bretagne, Grierson obtient de Stephen Tallents, alors directeur de l'Empire Marketing Board (ministère du Commerce extérieur de l'empire), la création d'un service cinématographique pour la propagande des produits britanniques : en 1929, Grierson tourne *Drifters,* documentaire sur la pêche aux harengs en mer du Nord. Dans un cinéma britannique anémié et coupé des réalités sociales, ce film a un retentissement considérable. Grâce à ce succès, l'EMB-Film Unit (et plus tard le GPO-Film Unit, quand Tallents sera nommé directeur au ministère des Postes) se développe et devient l'un des lieux les plus créatifs du cinéma britannique des années 30. Désormais, Grierson se consacre entièrement à des tâches de production. Il fait appel à des réalisateurs confirmés : l'Américain Robert Flaherty (qui tourne *Industrial Britain* en 1933 pour l'EMB/FU ; puis, présenté à Balcon par Grierson, il signera *l'Homme d'Aran*) et, surtout, le Franco-Brésilien Alberto Cavalcanti. Grierson et Cavalcanti vont former de jeunes cinéastes : Edgar Anstey, Arthur Elton, Stuart Legg, Harry Watt, Paul Rotha, Basil Wright. Parmi les films les plus importants de cette période, citons : *Coal Face* (A. Cavalcanti, 1935), sur les mines de charbon ; *Night Mail* (H. Watt et B. Wright, 1936), sur le train postal de nuit Londres-Glasgow, avec un médiocre poème de W. H. Auden et une musique de Benjamin Britten. Cette école documentaire déborde vite les productions initiales de l'EMB-FU et du GPO-FU par la création de services cinématographiques dans de grandes sociétés industrielles et commerciales : Compagnie du gaz, Shell, BP, etc. Ainsi, dans les années 1934-35, Wright tourne-t-il *Song of Ceylon* pour faire la propagande du thé, et Anstey et Elton *Housing problems,* pour la Compagnie du gaz. Si le documentaire reste le genre le plus sollicité, on trouve aussi des films de fiction ou des films d'animation et de recherche visuelle et sonore (tels ceux de Len Lye, le « maître » de Norman McLaren). À la suite d'un voyage d'étude en 1938-39, Grierson établit pour le gouvernement canadien un rapport qui aboutira à la création de l'Office national du film du Canada (ONF), dont Grierson sera le premier directeur. Durant la Seconde Guerre mondiale, tandis que son exemple se poursuit en Grande-Bretagne avec le Crown Film Unit (dont le cinéaste le plus marquant est Humphrey Jennings), Grierson lance au Canada des séries de films et de magazines (*World in Action,* par exemple) au service de la propagande antinazie. L'un de ces films, *Churchill's Island,* recevra un Oscar en 1942. En 1945, Grierson quitte l'ONF. On le retrouve en 1947, dirigeant, à l'appel de Julian Huxley, le Service des communications de masse de l'Unesco. En 1950, de retour en Grande-Bretagne, il fonde Group 3, une société de production subventionnée, présidée par Michael Balcon, et dont la vocation est de tourner des films de fiction à base réaliste : *The Brave Don't Cry* (Ph. Leacock, 1952), sur un accident dans une mine de charbon, résume ce projet. Cette tentative se heurte à l'hostilité des distributeurs et tourne court en 1955. En 1957, Grierson lance la série *This Wonderful World* pour la télévision écossaise. En 1959, il produit et collabore à un court métrage de Hilary Harris, *Seawards the Great Ships,* qui recevra un Oscar en 1962. Nommé Commander of the British Empire en 1961, Grierson continuera, jusqu'à la fin de ses jours, à voyager, à donner des conférences et à intervenir comme expert audiovisuel : aux États-Unis, au Canada, aux Indes. Organisateur infatigable, redoutable polémiste, caractère indépendant, Grierson a lutté toute sa vie pour un « cinéma du réel », par opposition au cinéma de « l'usine à rêves ». Il a bataillé aussi bien contre les puissances d'argent que contre les abus de pouvoir politiques. Son influence directe et indirecte sur le monde anglo-saxon est considérable : on la retrouve dans une conception sociale du cinéma qui passe par le Free Cinema des années 50, le cinéma-vérité nord-américain, et jusqu'aux films réalistes des années 70, ceux d'un Kenneth Loach, par exemple. P.P.

GRIES *(Thomas,* dit *Tom), cinéaste américain (Chicago, Ill., 1922 - Los Angeles, Ca., 1977).* Venu tard à la réalisation (1968) après s'être occupé de production depuis 1947, il est aussi très actif à la TV. Son premier film, un western hors du commun achevé grâce à l'amicale obstination de Charlton Heston, lui vaut le succès critique. Le suivant, quoique moins coté, n'est pas inférieur. Resté fidèle à l'image du « héros central », Gries gaspille quelque peu son talent après 1970. Cependant *la Corruption, l'Ordre et la Violence,* étude haletante tournée pour la TV, sur l'univers carcéral américain, prouva qu'en dehors de l'univers du western il savait être un réalisateur au punch efficace et un habile directeur d'acteurs. Il meurt pendant le montage de sa biographie du boxeur Muhammad Ali, alias Cassius Clay. G.L.

Films ▲ : *Will Penny le solitaire* (*Will Penny,* 1968) ; *les Cent Fusils* (*Hundred Rifles,* 1969) ; *Number One* (id.) ; *le Maître des îles* (*The Hawaiians,* 1970) ; *Fools* (id.) ; *Journey Through Rosebud* (1972) ; *la Corruption, l'Ordre et la Violence* (*The Glass House,* id.) ; *Lady Ice*

(1973) ; *l'Évadé* (*Breakout,* 1975) ; *The Migrants* (id.) ; *le Solitaire de Fort Humboldt* (*Breakheart Pass,* 1976) ; *The Greatest* (1977).

GRIFFE. Pièce en acier pénétrant dans les perforations, employée sur les caméras et sur certains projecteurs pour l'avance intermittente du film. (→ CAMÉRA, PROJECTION.)

GRIFFITH *(Corinne Scott,* dite *Corinne), actrice américaine (Texarkana, Ark., 1894 - Santa Monica, Ca., 1979).* Cette actrice très belle, mais un peu apprêtée et froide, surnommée « la femme-orchidée » (*The Orchid Lady*) à cause de sa beauté très classique, a malheureusement laissé fort peu de traces dans l'histoire du cinéma. Les mélodrames qu'elle interprétait et qui étaient imaginés entièrement en fonction d'elle n'ont jamais eu l'honneur d'un cinéaste original. Mentionnons, pour mémoire, *Black Oxen* (F. Lloyd, 1924), *Mademoiselle Modiste* (R. Z. Leonard, 1926), *The Lady in Ermine* (J. Flood, 1927), *le Jardin de l'Éden* (L. Milestone, 1928), et les deux versions de *Lilies of the Fields,* l'une muette (John Francis Dillon, 1924), l'autre parlante (A. Korda, 1930). Trahie par le cinéma « sonore », elle se retire en 1932 et se reconvertit dans la littérature tout en gérant sa fortune (assez coquette).
C.V.

GRIFFITH *(David Wark), cinéaste américain (Floydsfork, Ky., 1875 - Los Angeles, Ca., 1948).* Né d'un père qui fut officier sudiste pendant la guerre de Sécession et un fidèle compagnon de Jefferson Davis, il débute au théâtre, après avoir été garçon d'ascenseur et vendeur dans une librairie. Pendant une dizaine d'années, il se produit ainsi sur les planches à San Francisco, New York, Los Angeles et Louisville. Sur les conseils de son ami Max Davidson, il décide de vendre des sujets de films à des producteurs de cinéma. Il contacte ainsi Edwin S. Porter, qui l'engage comme principal acteur de *Rescued From an Eagle's Nest* (1907). Devenu l'un des collaborateurs de l'American Mutoscope and Biograph Company, il participe à la production de plusieurs films de court métrage, soit comme auteur, soit comme acteur. En juin 1908, il réalise son premier film, *The Adventures of Dollie,* et, deux mois plus tard, il signe son premier contrat avec la Biograph.

En six ans, de 1908 à 1914, Griffith tourne plus de 450 films de court métrage, passant de la comédie burlesque au western, de la parabole sociale à la reconstitution historique et adaptant aussi bien Jack London que Guy de Maupassant, Edgar Poe, Shakespeare, Stevenson ou Dickens. Il s'attache à l'éclairage (*Edgar Allan Poe,* 1909), à la profondeur de champ et au gros plan (*The Musketeers of Pig Alley,* 1912) et porte à la perfection, dans *The Lonely Villa* (1909) et *The Lonedale Operator* (1912), la technique du montage parallèle et de la montée du suspense. Gêné par le mauvais temps qui sévit à New York, où se trouve le studio de la Biograph, il n'hésite pas à aller tourner en Californie, créant autour de lui une véritable équipe à laquelle appartiennent le chef opérateur Billy Bitzer et des acteurs tels que Mary Pickford, Lillian et Dorothy Gish, Lionel Barrymore, Harry Carey, Mae Marsh, Henry B. Walthall et Blanche Sweet.

Dès 1910, Griffith souffre de ne pas pouvoir réaliser des films plus longs et, en 1913, il quitte la Biograph pour la Mutual Film Company de Harry Aitken. Le génie de Griffith – déjà évident dans la plupart de ses films de court métrage – éclate alors dans *la Naissance d'une nation* (1915), qui décrit la guerre de Sécession, l'assassinat d'Abraham Lincoln et la naissance du Ku Klux Klan. À l'intimisme des scènes amoureuses répondent de splendides séquences spectaculaires telles que la charge du « petit colonel » (Henry B. Walthall) à la tête de ses hommes ou celle des cavaliers du Ku Klux Klan. Tourné pour 110 000 dollars, *la Naissance d'une nation* est tout à la fois un triomphe commercial sans précédent – plus de 825 000 personnes verront le film à New York – et le premier chef-d'œuvre épique du cinéma américain. Accusé par certains de partialité envers les États du Sud (et même de racisme), Griffith répond en mettant en scène *Intolérance* (1916), qui mélange en une éblouissante osmose technique une histoire réaliste et contemporaine, la vie du Christ, l'évocation de la Saint-Barthélemy et la chute de Babylone. Célèbre pour ses décors, *Intolérance,* dont les assistants réalisateurs se nomment Allan Dwan, Erich von Stroheim, W. S. Van Dyke, Tod Browning, Victor Fleming et Jack Conway, ne remporte pourtant pas le succès escompté par Griffith. Ce dernier décrit dans *les Cœurs du monde* (1918) les horreurs de la guerre puis délaisse les fresques spectaculaires au profit d'œuvres intimistes, parmi lesquelles *le Lys brisé* (1919), avec Lillian Gish et Richard Barthelmess, et *le Pauvre Amour* (1919), avec Robert Harron et Lillian Gish. Il retrouve dans ces paraboles sociales ou amoureuses la tendresse et la simplicité de ses courts métrages, ce style qui fera, d'*À travers l'orage* (1920) et de *la Rue des rêves* (1921), deux nouveaux chefs-d'œuvre.

Auteur consacré, Griffith participe en 1919, avec Charlie Chaplin, Mary Pickford et Douglas Fairbanks, à la fondation de United Artists Corporation, mais ses difficultés financières s'accroissent. Bien qu'il porte à l'écran, en 1921, *les Deux Orphelines,* avec Lillian et Dorothy Gish, il se sent déjà isolé dans cet Hollywood resplendissant du cinéma muet où se créent des firmes puissantes et qui consacre des cinéastes prestigieux. Distribué en 1924, *Pour l'indépendance* s'attache à la lutte des patriotes américains contre l'armée du roi d'Angleterre. Cependant, le génie de Griffith se retrouve beaucoup moins dans cette fresque trop inégale que dans *Isn't Life Wonderful* (1924), bouleversante description d'un couple allemand confronté à la pauvreté.

En 1924, Griffith signe avec la Paramount et tourne par la suite deux films avec W. C. Fields. Trois ans plus tard, il quitte la Paramount pour United Artists mais la plupart de ses nombreux projets (*The Peace of the World* sur un scénario de H. G. Wells ; *An American Tragedy,* d'après Theodore Dreiser ; *The Birth of the Empire,* portant sur l'histoire de la Grande-Bretagne ; une vie de George Washington, etc.) n'aboutissent pas.

La Révolte des esclaves (1930), le premier film parlant de Griffith, est une très belle et très sensible évocation de la vie d'Abraham Lincoln (que joue Walter Huston) mais un échec financier. En 1931, Griffith tourne son dernier film, *The Struggle,* histoire d'un alcoolique. Comme pour prouver à quel point Hollywood a oublié Griffith, le film ne bénéficie que d'une distribution confidentielle. Griffith, dont le divorce est prononcé en 1936 – il était en fait séparé de sa femme Linda Arvidson depuis 1911 –, se retire à Louisville, dans le Kentucky. Appelé à Hollywood en 1939 pour y réaliser (du moins, à ce qu'il croit) *Tumak, fils de la jungle* (*One Million B. C.,* 1940), il découvre qu'il n'en est en réalité qu'un vague conseiller technique, la mise en scène étant assurée par Hal Roach et Hal Roach Jr.

Lorsque Griffith meurt, en 1948, il n'est plus pour Hollywood qu'un vestige du passé. Plus lucide, James Agee, l'un des meilleurs critiques de cinéma américains, dira de lui : « Ce qu'il a réussi à faire, personne ne l'avait réalisé avant lui. Quand on se penche attentivement sur son œuvre, on a l'impression d'assister à la genèse d'un chant ou à la première utilisation consciente du levier ou de la roue, d'être témoin de l'apparition, de l'organisation et des débuts du langage et de la naissance d'un art. »

Pionnier, précurseur toujours plus exigeant, Griffith est en même temps un auteur dont le style atteint, dès ses premiers courts métrages, la perfection. Son lyrisme, son sens de la nature, sa tendresse pour les êtres isolés et en marge de la société et la beauté de sa direction d'acteurs rendent son œuvre inoubliable. Une œuvre à propos de laquelle Eisenstein s'exclamera : « Griffith a tout créé, tout inventé. Il n'y a pas un cinéaste au monde qui ne lui doive quelque chose. Le meilleur du cinéma soviétique est sorti d'*Intolérance.* Quant à moi, je lui dois tout. » P.B.

Films CM. – En 1908 : *The Adventures of Dollie ; A Calamitous Elopement ; The Red Girl ; The Barbarian, Ingomar ; The Call of the Wild ; A Woman's Way ; The Reckoning.* – En 1909 : *The Sacrifice ; Edgar Allan Poe ; Tragic Love ; At the Altar ; The Voice of the Violin ; A Drunkard's Reformation ; Twin Brothers ; The Suicide Club ; Resurrection ; Two Memories ; The Violin Maker of Cremona ; The Lonely Villa ; The Faded Lilies ; The Way of a Man ; The Message ; A Strange Meeting ; The Mended Lute ; The Sealed Room ; The Broken Locket ; In Old Kentucky ; The Awakening ; Pippa passes ; The Restoration ; The Light That Came ; Throught the Breakers ; A Corner in Wheat.* – En 1910 : *The Rocky Road ; Her Terrible Ordeal ; The Thread of Destiny ; In Old California ; As It Is in Life ; A Romance of the Western Hills ; The Way of the World ; Ramona ; What the Daisy Said ; A Flash of Light ; The House With Closed Shutters ; The Sorrows of the Unfaithful ; Wilful Peggy ; Rose o'Salem Town ; Examination Day at School ; The Message of the Violin ; The Fugitive ; Sunshine Sue ; A Plain Song.* – En 1911 : *The Two Paths ; His Trust ;*

His Trust Fulfilled ; Fate's Turning ; Three Sisters ; His Daughter ; The Lily of the Tenements ; The Lonedale Operator ; Enoch Arden ; The Primal Call ; Her Sacrifice ; The Last Drop of Water ; Her Awakening ; The Adventures of Billy ; The Battle ; The Miser's Heart ; A Woman Scorned ; A Terrible Discovery. – En 1912 : *Under Burning Skies ; Iola's Promise ; The Goddess of Sagebrush Gulch ; The Girl and her Trust ; Fate's Interception ; The Female of the Species ; A Beast at Bay ; Home Folks ; Man's Genesis ; The Sands of Dee ; An Unseen Enemy ; Two Daughters of Eve ; Friends ; The Musketeers of Pig Alley ; The Informer ; The New York Hat.* – En 1913 : *The Massacre ; Broken Ways, The Little Tease, The Wanderer ; The House of Darkness ; Her Mother's Oath.* – En 1914 : *The Battle at Elderbush Gulch ; Judith de Béthulie (Judith of Bethulia).*

LM ▲ : *The Battle of the Sexes* (1914) ; *The Escape* (id.) ; *Home, Sweet Home* (id.) ; *la Conscience vengeresse* (*The Avenging Conscience,* id.) ; *la Naissance d'une nation* (*The Birth of a Nation,* 1915) ; *Intolérance* (*Intolerance,* 1916) ; *les Cœurs du monde* (*Hearts of the World,* 1918) ; *À côté du bonheur* (*The Great Love,* id.) ; *Une fleur dans les ruines* (*The Greatest Thing in Life,* id.) ; *le Roman de la Vallée heureuse* (*A Romance of Happy Valley,* 1919) ; *Dans la tourmente* (*The Girl Who Stayed at Home,* id.) ; *le Lys brisé* (*Broken Blossoms,* id.) ; *le Pauvre Amour* (*True Heart Susie,* id.) ; *le Calvaire d'une mère* (*Scarlet Days,* id.) ; *Le cœur se trompe* (*The Greatest Question,* id.) ; *la Danseuse idole* (*The Idol Dancer,* 1920) ; *la Fleur d'amour* (*The Love Flower,* id.) ; *À travers l'orage* (*Way Down East,* id.) ; *la Rue des rêves* (*Dream Street,* 1921) ; *les Deux Orphelines* (*Orphans of the Storm,* 1922) ; *Une nuit mystérieuse* (*One Exciting Night,* id.) ; *la Rose blanche* (*The White Rose,* 1923) ; *Pour l'indépendance* (*America,* 1924) ; *Isn't Life Wonderful* (id.) ; *Sally, fille de cirque* (*Sally of the Sawdust,* 1925) ; *Détresse* (*That Royle Girl,* 1926) ; *les Chagrins de Satan* (*The Sorrows of Satan,* id.) ; *Jeunesse triomphante* (*Drums of Love,* 1928) ; *l'Éternel Problème* (*The Battle of the Sexes,* id.) ; *le Lys du faubourg* (*Lady of the Pavements,* 1929) ; *la Révolte des esclaves* (*Abraham Lincoln,* 1930) ; *The Struggle* (1931).

GRIFFITH *(Hugh), acteur britannique (Marian Glas, île d'Anglesey, pays de Galles, 1912 - Londres 1980).* Celui qui fut un extraordinaire Falstaff sur la scène shakespearienne de Stratford-upon-Avon débuta au cinéma en 1940 (*Neutral Port* de Marcel Varnel). Il a tourné dans une soixantaine de films, dont *Noblesse oblige* (R. Hamer, 1949), *la Renarde* (M. Powell et E. Pressburger, 1950), *Tortillard pour Titfield* (Ch. Crichton, 1953), *l'Opéra des gueux* (P. Brook, *id.*), *La bête s'éveille* (J. Losey, 1954), *les Contes de Canterbury* (P. P. Pasolini, 1972). Il reste inoubliable en libertin rubicond dans *Tom Jones* (T. Richardson, 1963) et en patriarche jouisseur dans *Quoi ?* (R. Polanski, 1973). R.L.

GRIFFITH *(Melanie), actrice américaine (New York, N.Y., 1957).* Fille de l'actrice Tippi Hedren, elle a débuté très jeune en adolescente aguicheuse dans *la Fugue* (A. Penn, 1975), où il était impossible de ne pas la remarquer. Presque dix ans plus tard, on la retrouve, très sexy, dans *Body Double* (1984, B. De Palma). Mais c'est surtout dans sa prestation remarquable, tantôt agressive, tantôt fragile, mi-Louise Brooks, mi-Grace Kelly, de *Dangereuse sous tout rapport* (J. Demme, 1987) que la critique l'adopte. Le public, quant à lui, lui fait un très grand succès personnel dans *Working Girl* (M. Nichols, 1989). Mal avisée, elle a joué dans beaucoup de films qui ne la méritaient pas. Elle dépend de son metteur en scène et demande à être dirigée avec soin: ainsi, elle est excessivement hystérique dans *le Bûcher des vanités* (1990, B. De Palma), mais admirablement nuancée dans *Une étrangère parmi nous* (S. Lumet, 1992). La sympathie du public et de la critique lui semble pourtant acquise. C.V.

GRIFFITH *(Raymond), acteur, scénariste et producteur américain (Boston, Mass., 1890 - Los Angeles, Ca., 1957).* Excellent acteur de comédies et parfois de films dramatiques entre 1914 et 1930, il tient la vedette dans un classique méconnu *Hands Up* (C. Badger, 1926) et interprète le rôle du soldat français qui meurt dans une tranchée dans *À l'Ouest rien de nouveau* (L. Milestone, 1930). Mais il se voit obligé de renoncer à jouer par suite d'une affection vocale. Il seconde alors son ami, le jeune Darryl F. Zanuck. D'abord à la Warner Bros, il est associé à la production des *Chercheuses d'or de 1933* (M. LeRoy, 1933) puis à la Twentieth Century Fox, il est attaché aux grandes productions de Zanuck pour ce studio, jusqu'en 1940, mettant parfois la main au scénario, sans être mentionné au générique. C.V.

GRIGNON *(Marcel), chef opérateur français (Paris 1914-1990).* D'abord cameraman, il débute comme codirecteur de la photographie, aux côtés de Georges Stilly, dans *Frères corses,* de Géo Kelber (1938). Après la guerre, on le retrouve au générique de plus d'une centaine de films, de *la Tentation de Barbizon* (Jean Stelli, 1946) à *Salut, j'arrive* (Gérard Poteau, 1982), en passant par *la Septième Porte* (A. Zwobada, 1946), *Un grand patron* (Y. Ciampi, 1951), *Rue de l'Estrapade* (J. Becker, 1953), *Une Parisienne* (M. Boisrond, 1957), *Rafles sur la ville* (P. Chenal, 1958), *les Liaisons dangereuses 1960* (R. Vadim, 1959), *la Proie pour l'ombre* (A. Astruc, 1961), etc. C'est un des bons artisans de la « qualité française » des années 50 et au-delà. C.B.

GRIGORIOU *(Grigoris), cinéaste grec (Athènes 1919).* Après des études de droit, puis d'art dramatique, il décide de se consacrer au cinéma et adapte un roman de G. Xenopoulos, *Rocher rouge* (*Fotini Santri,* 1949), avec un succès encourageant. Mais la Grèce se relève difficilement des années de guerre. Après *' Tempête au phare '* (*Thiella sto faro,* 1950), les conditions techniques de réalisation et de distribution font un échec de *Pain amer* (*Pikro psomi,* 1951), qui marque pourtant l'origine d'un courant néoréaliste auquel Grigoriou veut être fidèle, même dans le ton de la comédie villageoise avec *'l'Enlèvement de Perséphone'* (*I Arpagi tis Persefonis,* 1956), et même lorsqu'il aborde des thèmes plus légers – *'Bonjour Athènes'* (*Kalimera Athinai,* 1960) – et le musical : *'201 canaris'* (*Ta 201 kanarinia,* 1964), sur une partition et des lyrics de Georges Katsaros. Dans ces années dominées par la vulgarité et les films « fustanelle », il représente la veine tantôt douce-amère, tantôt mélodramatique de ce qu'on appelle, à tort ou à raison, l'École athénienne. Défenseur du réalisme grec à l'École supérieure du cinéma, il a tourné plus d'une trentaine de films en application et dans les limites de son enseignement. C.M.C.

GRIMALDI *(Alberto), producteur italien (Naples 1925).* En 1962, il fonde la PEA (Produzioni Europee Associate), pour laquelle il produit un des tout premiers westerns italiens, *I tre implacabili* (J. R. Marchent, 1963). Il donne à Sergio Leone les grands moyens pour créer ses sagas de l'Ouest : *... Et pour quelques dollars de plus* (1965) ; *le Bon, la Brute et le Truand* (1966). Il produit ensuite des films d'auteur ambitieux et spectaculaires, dont *Queimada* (G. Pontecorvo, 1969), *le Dernier Tango à Paris* (B. Bertolucci, 1972), *1900* (id., 1976), *Casanova* (F. Fellini, *id.*) et les quatre derniers films de Pasolini (*le Décaméron,* 1971 ; *les Contes de Canterbury,* 1972 ; *les Mille et Une Nuits,* 1974 ; *Salò,* 1976). Malgré la crise économique qui le force à réduire ses budgets, il continue à produire des œuvres qui se veulent originales : *Voyage avec Anita* (M. Monicelli, 1979) ; *Rosy la Bourrasque* (id., 1980). L.C.

GRIMAULT *(Paul), cinéaste d'animation français (Neuilly - sur - Seine 1905 - Mesnil - Saint - Denis 1994).* Après des études à l'École Germain-Pilon (future École des arts appliqués), il s'initie à la décoration et se retrouve dessinateur de meubles. En 1930, Grimault entre à l'agence de publicité Damour, où il conçoit des stands et des étalages. Il y a pour compagnons René Zuber, Jean Anouilh, Jean Aurenche et y rencontre Jacques Prévert. Curieux, plein de ressources, émerveillé par le théâtre et par le cinéma, Grimault participe aux travaux du groupe Octobre (1931-1936), assure quelques doublages et interprète des petits rôles, notamment dans *l'Atalante* et *le Crime de Monsieur Lange.* Exécutant par nécessité, depuis 1922, des travaux d'importance variable, souvent modestes, Grimault ne cesse de cultiver ses dons innés de dessinateur et de décorateur, de se familiariser avec la chimie des couleurs. Il trouve, en 1932, une première occasion d'aborder le cinéma, réalisant avec Jean Aurenche une bande publicitaire, *la Table tournante,* d'une drôlerie surréaliste dans sa brièveté. En 1936, il rencontre André Sarrut, avec qui il fonde la société Les Gémeaux. L'un s'occupera de création artistique, l'autre de tâches administratives. Grimault passe très vite du dessin au cinéma publicitaire. Un premier essai inachevé, *Monsieur Pipe fait de la peinture* (1936), lui permet de se lancer dans le dessin animé, dont il apprend et maîtrise progressivement la technique. Pour *Phénomènes électriques* (1937), commande pour l'Exposition internationale de Paris, Grimault utilise l'hypergonar du professeur Chrétien et, pour la première fois en France, le procédé Technicolor, qu'il a étudié à Londres. Les signes + et – sont les personnages clés de ce film projeté sur un écran panoramique de 60 mètres de large par trois appareils synchronisés, munis d'anamorphoseurs. La guerre interrompt la réalisation de *Go chez les oiseaux* (1939), mais Grimault peut entreprendre, en Agfacolor, *les Passagers de la Grande Ourse* (1941), *le Marchand de notes* (1943), fantaisie surréalisante où apparaît, pour la première fois, le personnage de Niglo, *l'Épouvantail,* ingénu et facétieux, ami des oiseaux, qui reçoit le prix Émile-Reynaud en 1943. Grimault a la sagesse de tourner ce film en prévision d'un tirage en Technicolor, et les copies présentées après la Libération révèlent, avec leurs fraîches couleurs, ses dons de poète aquarelliste du cinéma. Avec *l'Épouvantail,* le cinéaste affine son efficacité, ce que confirment bientôt, sur un registre souriant, *le Voleur de paratonnerres* (1944), où l'on retrouve Niglo, qui sera encore le héros de *la Flûte magique* (1946), et dans un domaine purement dramatique, *le Petit Soldat* (1947), première et décisive collaboration avec Jacques Prévert. Dans ce film sans paroles, Grimault atteint l'émotion et la poésie par l'étincelle de vie qu'il fait jaillir d'un regard échangé entre deux jouets. En pleine possession de ses moyens, il peut mettre en chantier *la Bergère et le Ramoneur,* premier dessin animé français de long métrage, avec le concours de Jacques Prévert pour le scénario et d'une centaine de collaborateurs. Commencé dans l'enthousiasme en 1947, le film, en partie bâclé, mutilé et désavoué par ses auteurs, sort en 1953. Grimault décide alors de fonder sa propre maison de production (en 1951) et travaille avec Yannick Bellon, Chris Marker, Frédéric Rossif et, comme décorateur, Pierre Prévert (*le Petit Claus et le Grand Claus,* 1965). Puis il revient au dessin animé avec *le Diamant* (1969), œuvre de transition, et surtout avec *le Chien mélomane* (1973), où, toujours avec la complicité de Prévert, il renouvelle son inspiration et son style. Mais il n'a pas oublié sa grande œuvre inachevée. Il rachète en 1963 le négatif de *la Bergère et le Ramoneur,* et commence à y travailler avec Jacques Prévert à partir de 1967. Reprenant près de la moitié de la première version et sensiblement modifié quant à l'intrigue, le film voit le jour sous le titre *le Roi et l'Oiseau* en 1980. Exemple rare de persévérance dans la création cinématographique, car il a fallu, pour le mener à bien, harmoniser et tisser des images conçues à près de trente ans de distance et retrouver des procédés oubliés de fabrication de couleurs. *Le Roi et l'Oiseau* est une fable où se conjuguent, dans une durée proche du rêve, des temps imaginaires, un jeu dramatique entre deux figures emblématiques représentant la tyrannie et l'esprit libertaire. Mais c'est avant tout une œuvre poétique avec son oiseau qui parle, ironique et railleur, ses tableaux qui s'animent et libèrent des personnages à la faveur de la nuit, une fabrique où des esclaves reproduisent à l'infini les images d'un tyran. Le film est tour à tour sarcastique, tendre, violent et chargé d'émotion. Premier cinéaste français à réinventer le dessin animé depuis Reynaud et Cohl, et comme eux artisan et expérimentateur, Paul Grimault est un poète par la grâce déliée de son trait, par son sens dramatique de l'image colorée, par l'émotion qu'il sait faire naître. Il est aussi un catalyseur de talents qui a formé les premiers cadres de l'animation française (H. Lacam, L. Dupont, G. Juillet, J. Vinemat, G. Allignet, P. Watrin, J. Vausseur, J. Leroux, A. Ruiz...) et qui a su, plus récemment, encourager activement certains de leurs cadets les plus doués (J. Colombat, J.-F. Laguionie, R. Bourget, I. Shaker). Dans *la Table tournante,* son dernier film (CORÉ Jacques Demy, pour les séquences réelles), Paul Grimault revivifie images, couleurs et sons de ses courts métrages pour relater avec humour, mais à mi-voix, son long voyage dans l'animation cinématographique. P.H.

Autres films : *le Messager de la lumière* (1938) ; *Pierres oubliées* (co Serge de Boissac, 1952) ; *Enrico cuisinier* (1956) ; *la Faim dans le monde* (1957) ; *la Table tournante* (1988). ▲

GRIMOIN-SANSON *(Raoul), pionnier français du cinéma (Elbeuf 1860 - Oissel 1941).* Collaborateur de Marey, il met au point en 1896 un projecteur dont le mécanisme d'avance intermittente préfigure directement la croix de Malte. Il inventa également le *Cinéorama,* où dix projecteurs synchronisés couvraient sur 360° un écran cylindrique entourant le public. (→ CINÉRAMA.) J.-P.F.

GRLIĆ *(Rajko), cinéaste yougoslave (Zagreb 1947).* Diplômé de la FAMU de Prague en 1971, il travaille d'abord pour la télévision et réalise de nombreux documentaires et courts métrages de fiction. En 1974, il signe son premier long métrage de cinéma, *Coûte que coûte (Kud puklo da puklo).* Quatre ans plus tard il connaît un succès national avec *Bravo maestro* (id.), qui remporte le grand Prix de Pula, le festival annuel du cinéma yougoslave. Il a réalisé depuis *On n'aime qu'une seule fois* (*Samo jednom se ljubi,* 1981), *les Dents de la vie* (*U raljama zivota,* 1984), *l'Été des roses blanches* (*Djavolji raj,* 1989) d'après l'œuvre de Borislav Pekic, et *Tcharouga* (*Čaruga,* 1990). F.LAB.

GROS PLAN. Voir PLAN (2).

GROT *(Antoncz Franziszek Groswewski,* dit *Anton), décorateur américain d'origine polonaise (Kelbasin, Pologne, 1884 - Los Angeles, 1974).* Après avoir étudié les beaux-arts à Cracovie puis à Koenigsberg, en Allemagne, Anton Grot émigra aux États-Unis en 1909 et commença à travailler pour le cinéma en 1913. Il se retirera en 1950 pour se consacrer à la peinture. Entre-temps, au début de sa carrière, il a fait immédiatement preuve d'un talent peu commun en dessinant des décors massifs, ingénieux et toujours très dramatiques pour des personnalités prépondérantes comme Mary Pickford (*Dorothy Vernon of Haddon Hall,* M. Neilan, 1924), Douglas Fairbanks (*le Voleur de Bagdad,* R. Walsh, 1924 ; *Don X, fils de Zorro,* D. Crisp, 1925) ou Cecil B. De Mille (*The Road to Yesterday, id.* ; *les Bateliers de la Volga,* 1926 ; *le Roi des rois,* 1927). Il est entré à la Warner Bros pour le prestigieux *Arche de Noé* (1929), où il entamera une longue collaboration avec Michael Curtiz : *Docteur X* (1931), *20 000 ans sous les verrous* (1932), *Masques de cire* (1933), *Capitaine Blood* (1935), *la Vie privée d'Elizabeth d'Angleterre* (1939), *l'Aigle des mers* (1940), *le Loup des mers* (1941), *le Roman de Mildred Pierce* (1945). Il collaborera aussi avec William Dieterle : *le Songe d'une nuit d'été* (coréal., Max Reinhardt, 1935), *la Vie d'Émile Zola* (1937), *Juarez* (1939). D'une manière générale, on retrouve toujours son nom au générique des productions de prestige du studio : comédies musicales comme *Chercheuses d'or de 1933* (M. LeRoy, 1933), grands drames historiques comme *Anthony Adverse* (*id.,* 1936), mélodrames criminels comme *l'Amant sans visage* (V. Sherman, 1947) ou *la Possédée* (C. Bernhardt, 1947). Son habitude de dessins précis, circonstanciés, tenant compte des angles de prise de vues et des grandeurs de plan le rapprochait d'une technique de story-board et influençait peut-être jusqu'aux cinéastes, qui suivaient souvent ses instructions à la lettre. Il fut cinq fois cité à l'Oscar et le reçut pour *l'Aigle des mers,* grâce à son invention d'un procédé lumineux simulant à merveille les moments de tempête. C.V.

GROULX *(Gilles), cinéaste canadien (Montréal, Québec, 1931-1994).* Étudiant aux Beaux-Arts, il commence une carrière de peintre puis réalise des films en amateur ; il entre à l'ONF en 1958 comme réalisateur-monteur et débute dans le documentaire avec *les Raquetteurs* (co Michel Brault ; 1958), première manifestation québécoise du *candid eye* (cinéma-vérité). *Un jeu si simple* (1964), brillant essai sur le sport national, le hockey sur glace, obtient le Grand Prix au festival de Tours. Il passe au long métrage en style direct avec *le Chat dans le sac* (1964), vibrant portrait de deux adolescents mal dans leur peau de « minorité colonisée », puis approfondit cette même veine de témoignage social dans *Entre tu et vous* (1970), *Vingt-Quatre Heures ou plus* (1973) et *Première Question sur le bonheur* (MEX ; 1979). Après son opéra filmé, *Au pays de Zom* (1982), un très grave accident de la route l'a obligé à interrompre tout travail pour de longues années. M.M.

GROUPE. Abrév. fam. de *groupe électrogène.*

GROUPISTE. Technicien ayant la charge du groupe électrogène.

GRUAULT *(Jean), scénariste français* (né en 1924). Venu du théâtre, il travaille avec Rossellini (*Vanina Vanini,* 1961 ; *la Prise du pouvoir par Louis XIV,* 1966), mais se fait tout particulièrement connaître pour sa collaboration avec Rivette (*Paris nous appartient,* 1961 ; *la Religieuse,* 1962) et avec Truffaut (*Jules et Jim,* 1962). Il retrouvera ce dernier pour trois films importants : *l'Enfant sauvage* (1970), *Deux Anglaises et le continent* (1971), inspiré, comme *Jules et Jim,* d'un livre de Henri-Pierre Roché, et *l'Histoire d'Adèle H* (1975). Il devient ensuite un proche collaborateur d'Alain Resnais : *Mon oncle d'Amérique* (1988), *La vie est un roman* (1983) et *l'Amour à mort* (1984), trois films dont il signe scénario original et dialogues. D.S.

GRUE. Appareil permettant un déplacement vertical important de la caméra pendant la prise de vues. (Pour les mouvements verticaux de faible amplitude, on emploie des appareils de type Dolly.) [→ MOUVEMENTS D'APPAREIL, SYNTAXE.]

GRUEL *(Henri), cinéaste français (Paris 1923).* Il débute comme animateur dans l'équipe d'Arcady (1946) puis se signale à l'attention par des dessins animés fondés sur la technique du papier découpé où il anime des dessins d'enfants sans rien leur enlever de leur charme ni de leur spontanéité : *Martin et Gaston* (1953) ; *Gitanos et papillons* (1954) ; *le Voyage de Badabou* (1955 ; prix Émile-Cohl). Il s'en prend avec une verve sarcastique au tableau de Vinci dans *la Joconde* (1958) et travaille sur les compositions plastiques de Laure Garcin inspirées par Apollinaire (*le Voyageur,* 1957), Rimbaud (*Métropolitain,* 1958) et Saint-John Perse (*Étroits sont les vaisseaux,* 1962), tout en montrant autant de virtuosité dans la vulgarisation scientifique (*Un atome qui vous veut du bien,* 1959). Après avoir cosigné *Monsieur Tête* en 1959 (en fait essentiellement réalisé par Jan Lenica), il passe avec moins de succès au long métrage traditionnel pour célébrer la vedette de cabaret Henri Tisot (*le Roi du village,* 1963). Puis il entre dans l'équipe de René Goscinny, qui réalise des longs métrages d'animation : *Astérix et Cléopâtre* (1968), *Lucky Luke* (1970), *la Ballade des Dalton* (1978). M.M.

GRÜNDGENS *(Gustaf), acteur allemand (Düsseldorf 1899 - Manille, Philippines, 1963).* Acteur depuis 1918, metteur en scène de théâtre depuis 1924, il est sollicité par le cinéma qui lui offre une quinzaine de rôles importants de 1930 à 1933, dont celui du chef de la pègre dans *M le maudit* (F. Lang, 1931) et celui du baron jaloux dans *Liebelei* (Max Ophuls, 1933). En 1932, il produit et réalise une version cinématographique du *Revizor* de Gogol : *Eine Stadt steht Kopf.* Homme de théâtre renommé, grand serviteur de la culture classique, il est honoré par les nazis. Directeur du Théâtre d'État de Berlin, il apparaît aussi dans treize films de cette époque, sans toujours éviter les œuvres marquées politiquement, telles que *Hundert Tage* (Franz Wenzler, 1935, d'après une pièce de Mussolini qu'il avait interprétée en 1934) et *le Président Krüger* (H. Steinhoff, 1941). Il a signé la mise en scène de quelques films purement distrayants : *les Finances du grand-duc* (*Die Finanzen des Grossherzogs,* 1934), dont Murnau avait tourné une première version en 1924 ; *Pirouette* (*Capriolen,* 1938) ; *Liebe im Gleitflug* (id.) ; *Deux Générations* (*Zwei Welten,* 1940) ; et l'adaptation d'*Effi Briest,* d'après Fontane (*Der Schritt vom Wege,* 1939). Après la guerre, il se consacre entièrement au théâtre. Il reviendra toutefois au cinéma peu avant sa mort : tout d'abord dans une adaptation de la pièce de Scribe qu'il avait souvent mise en scène, *Das Glass Wasser* (H. Käutner, 1960) ; et surtout, la même année, sous la direction de son fils adoptif Peter Gorski, avec le film tiré de sa fameuse version de *Faust,* dans lequel il reprend son rôle favori, celui de Méphisto. C'est de Gründgens (dont la première femme était Erika Mann, la fille de Thomas Mann) que s'est inspiré Klaus Mann pour son livre *Méphisto,* ultérieurement porté à l'écran par le Hongrois István Szabo. D.S.

GRUNE *(Karl), acteur et cinéaste allemand (Vienne, Autriche-Hongrie, 1890 -Bournemouth, GB, 1962).* Disciple et collaborateur de Max Reinhardt, Grune signe son meilleur film en 1923 à partir d'un scénario de Carl Mayer : *la Rue (Die Strasse) ;* il y conjugue à merveille un certain naturalisme littéraire et un expressionnisme sans outrance, réalisant ainsi l'une des meilleures réussites du Kammerspiel. Auparavant, son esthétique avait été moins rigoureuse (*Menschen in Ketten,* CO Friedrich Zelnik, 1920) et, plus tard, elle évolua du mélodrame au freudisme, puis au film à costumes. Sa carrière se termine pratiquement à l'arrivée du parlant, bien qu'il eût encore signé trois films entre 1934 et 1936. F.B.

Autres films : *Frauenopfer* (1922) ; *Schlagende Wetter* (1923) ; *Arabella* (1924) ; *Eifersucht* (1925) ; *les Frères Schellenberg* (*Die Brüder Schellenberg,* 1926) ; *la Reine Louise* (*Königin Luise,* 1927) ; *Am Rande der Welt* (id.) ; *le Marquis d'Éon* (*Marquis d'Éon, der Spion der Pompadour,* 1928) ; *Waterloo* (id.) ; *The Marriage of Corbal* (1935) ; *Pagliacci* (1936).

GRUNENWALD *(Jean-Jacques), compositeur français (Cran-Gevrier 1911 - Paris 1982).* Grand Prix de Rome de musique, il a fréquemment travaillé pour le cinéma, apportant des tonalités originales dans l'atmosphère des œuvres auxquelles il collabore. Il a ainsi composé la musique de certains films de Robert Bresson (*les Anges du péché,* 1943 ; *les Dames du bois de Boulogne,* 1945 ; *Journal d'un curé de campagne,* 1951), Jacques Becker (*Falbalas,* 1945 ; *Antoine et Antoinette,* 1947 ; *Édouard et Caroline,* 1951), Henri Decoin (*la Vérité sur Bébé Donge,* 1952 ; *les Amants de Tolède,* 1953), Maurice Cloche (*Monsieur Vincent,* 1947), Ralph Habib (*la Rage au corps,* 1954) ou Michel Deville (*Ce soir ou jamais,* 1961 ; *Adorable Menteuse,* 1962 ; *À cause, à cause d'une femme,* 1963 ; *l'Appartement des filles, id.*). Il a souvent signé sous le pseudonyme de Jean Dalve. F.LAB.

GUARNIERI *(Ennio), chef opérateur italien (Rome 1930).* Après avoir travaillé comme assistant opérateur — d'Anchise Brizzi et d'Otello Martelli —, il dirige la photo des *Jours comptés* (E. Petri, 1962), qui donne une vision hallucinante de Rome. Il réussit des expériences originales en noir et blanc dans *Il mare* (G. Patroni Griffi, *id.*) et dans *le Lit conjugal* (M. Ferreri, 1963). Il crée la photo brillante et hyperréaliste de *Sept Hommes en or* (*Sette uomini d'oro,* M. Vicario, 1965) et collabore avec des cinéastes comme Gian Vittorio Baldi (*Luciano una vita bruciata,* 1967 ; RÉ 1963), Vancini (*Un'estate in quattro,* 1969), Pasolini (*Médée,* 1970), Comencini (*le Grand Embouteillage,* 1979), Fellini (*Ginger et Fred,* co T. Delli Colli, 1985), Ferreri (*La carne,* 1991). C'est surtout pour Mauro Bolognini qu'il crée des images tamisées ou chatoyantes directement inspirées par les grands peintres (*Arabella,* 1967 ; *L'assoluto naturale,* 1969 ; *Metello,* 1970 ; *Vertiges,* 1975 ; *l'Héritage,* 1976 ; *la Dame aux camélias,* 1981 ; *Mosca, addio,* 1987). L.C.

GUATEMALA. La première projection publique du cinématographe Lumière a lieu dans la capitale le 26 septembre 1896. On y tourne des actualités vers 1910 et un court métrage de fiction en 1912 (*Agente nº 13,* Alberto de la Riva). Parmi les tentatives épisodiques du muet, on compte celle du dictateur Estrada Cabrera, sinistre inspirateur de divers écrivains latino-américains (son successeur, le général Ubico, mise aussi sur le cinéma, mais à des fins de propagande). Cependant, le premier film sonore ne date que de 1942 (*Ritmo y danza,* Eduardo Fleischmann, Ramón Aguirre et Justo Gavarrete) et le premier long métrage, de 1950 (*El Sombrerón,* E. Fleischmann et Guillermo Andreu). Les efforts déployés (notamment durant l'intermède démocratique interrompu en 1954) n'ont guère abouti. Sur ce plan, le Guatemala reste une succursale de la production mexicaine, et sa contribution occasionnelle est limitée (le plus souvent, paysages et figuration). Marcel Reichenbach tourne des films scientifiques primés à Cannes (*Ángeles con hambre,* 1959). Une production à caractère social ou expérimental essaye de se frayer une voie modeste, depuis quelques années, autour du pôle culturel constitué par l'université San Carlos, dont dépend la Cinémathèque universitaire Enrique-Torres (créée en 1970). Mais l'ambiance particulièrement répressive du pays n'est pas de nature à favoriser les entreprises intellectuelles ou artistiques. Cependant, la démocratisation à peine entamée, *El silencio de Neto* (Luis Argueta, 1993) soulève le voile du passé et suscite des vocations. P.A.P.

GUAZZONI *(Enrico), cinéaste italien (Rome 1876 - id. 1949).* Après avoir suivi les cours des Beaux-Arts (il y étudie la peinture), Enrico Guazzoni commence à travailler pour la Cines en 1907 comme conseiller artistique. Il semble que, dès cette année, il réalise son premier film, *Un invito a pranzo.* Après avoir essayé de créer sa propre société de production et tenté vainement de collaborer avec l'Ambrosio Film de Turin, Guazzoni est engagé définitivement par la Cines en 1909 : il tourne immédiatement *La nuova mammina* et, l'année suivante, quatre films historiques dont *Aggripina,* une œuvre dans laquelle il innove en faisant appel à un très grand nombre de figurants. Guazzoni se spécialise dans les grandes reconstitutions historiques inspirées principalement de l'Antiquité. Après un *San Francesco* (1911) interprété par Emilio Ghione, il réalise son premier chef-d'œuvre : *Quo Vadis ?* (1912). Le film jette les principes d'un genre — le film historique — qui vaudra à la cinématographie italienne une vaste réputation internationale. Avant *Cabiria* (1914) de Giovanni Pastrone, *Quo Vadis ?* marque le triomphe d'un courant dans lequel convergent le goût du spectacle, le sens du récit et l'affirmation d'une italianité à la recherche de son identité. Le film est projeté avec un égal succès à Rome, à Paris, à Berlin, à Londres, à New York... Guazzoni tourne alors successivement quelques-unes des œuvres les plus marquantes de l'histoire du cinéma muet italien : *La Gerusalemme liberata* (1911) ; *Marcantonio e Cleopatra* (1913) ; *Cajus Julius Caesar* (1914) ; *Madame Tallien* (1916) ; *Fabiola* (1917) ; *La Gerusalemme liberata* (2e version, 1918). Tous ces films témoignent d'une maîtrise exceptionnelle non seulement dans la direction des acteurs (Guazzoni travaille avec des comédiens attitrés comme Amleto Novelli ou Gianna Terribili Gonzales) mais encore dans le maniement des masses, le sens du récit, la composition de l'image (le cinéaste se sert admirablement aussi bien du clair-obscur que de l'opposition tranchée entre le blanc et le noir). Au-delà de la valeur spectaculaire des films, Guazzoni trouve des accents d'une grande force pour exalter la mort de César *(Cajus Julius Caesar),* évoquer le martyre des premiers chrétiens *(Quo Vadis ?, Fabiola)* ou magnifier la geste des croisés *(La Gerusalemme liberata).* Après la constitution en 1919 de l'Union cinématographique italienne et la création de la Guazzoni Film, le cinéaste tourne encore en 1923 deux films historiques, *Il sacco di Roma* et *Messalina,* deux œuvres qui commencent à exprimer une certaine fatigue créatrice. À l'inverse d'autres metteurs en scène, Guazzoni reste en Italie malgré la crise consécutive à la faillite de l'UCI. S'il tourne deux films en 1928, ce n'est qu'en 1932 qu'il pourra reprendre une activité régulière. Malheureusement, il n'est plus alors qu'un modeste confectionneur qui ne retrouve à aucun moment le génie qui caractérisait ses mises en scène des années 10. Dans cette période finale encore fort abondante, citons : *Re burlone* (1935) ; *les Deux Sergents* (*I due sergenti,* 1936) ; *Il dottor Antonio* (1937) ; *Antonio Meucci* (1940). Il y a quelque tristesse à constater que l'auteur de *Quo Vadis ?* termine sa carrière en signant des films comme *La figlia del Corsaro Verde* (1941) ou *I pirati della Malesia* (id.). J.-A.G.

GUERASSIMOV *(Serguei)* [*Sergej Apollinarievič Gerasimov*], *cinéaste et acteur soviétique (Tchéliabinsk 1906 - Moscou 1985).* Élève à l'École des beaux-arts de Leningrad, puis à l'Institut d'art scénique, il débute comme acteur dans la troupe de la FEKS, d'abord sur scène puis dans le second film de Kozintsev et Trauberg : *Michka contre Youdenitch,* avec lesquels il travaillera comme acteur et assistant jusqu'en 1930. Son physique (carrure puissante, crâne rasé, visage dur, yeux perçants) le spécialise dans les rôles de « méchant » : un espion dans *Michka,* un bureaucrate envieux dans *le Manteau,* un aventurier dans *S. V. D.,* un journaliste cynique dans *la Nouvelle Babylone,* un complice des koulaks dans *Seule ;* il figure aussi dans *Un débris de l'Empire* d'Ermler et dans *le Déserteur* de Poudovkine.

Il passe à la réalisation au studio Lenfilm au début du parlant, tout en menant de pair une carrière de professeur d'art dramatique à Leningrad puis à Moscou (VGIK). Après un début peu marquant, il est révélé par son premier film parlant, *les Sept Braves* (*Semero smelyh,* 1936) et surtout par *Komsomolsk* (1938), où il pratique un style délibérément réaliste et exalte le nouvel homme soviétique dans des épisodes héroïques de la construction de la nouvelle société. Dès cette époque, ses films sont la parfaite incarnation du réalisme socialiste. Mais, si les films précédemment cités, ainsi que *l'Instituteur* (*Učitel,* 1939), sont animés par un enthousiasme civique convaincant et par un certain souffle dramatique, ceux qu'il réalisera durant la période jdanovienne seront beaucoup moins inspirés : c'est le cas de *la Jeune Garde* (*Molodaja gvardija,* 1948) et surtout du *Don paisible* (*Tihij Don,* 1957-58), qui sont souvent considérés, en dehors d'URSS, comme les parangons de la sclérose artistique stalinienne. Auparavant, il aura donné une belle adaptation de Lermontov, *Mascarade* (*Maskarad,* 1941) et plusieurs contributions aux *Ciné-Recueils de guerre.*

Contrairement à ceux de certains de ses contemporains (Romm, Raïzman, Donskoï), ses films de la période du *dégel* ne portent guère la marque d'une profonde révolution thématique et plastique : *Hommes et Bêtes* (*Ljudi i zveri,* 1962), *le Journaliste* (*Žurnalist,* 1967), *Au bord du lac Baïkal* (*U ozera,* 1969), *Aimer les hommes* (*Ljubit' čeloveka,* 1972) témoignent cependant, au fil des années, d'une volonté de modernité et d'ouverture qui culmine avec la belle réussite de *Mères et Filles* (*Dočki-materi,* 1974), étude de mœurs contemporaines d'une vivacité et d'une justesse étonnantes. Plus récemment, il s'est tourné vers la littérature (*le Rouge et le Noir,* film en 5 parties pour la TV) ; *Léon Tolstoï* (*Lev Tolstoj,*

1985, où il interprète lui-même le rôle-titre) et l'histoire (*la Jeunesse de Pierre le Grand* [*Junost' Petra,* en 2 parties, 1981]). M.M.

GUERMAN *(Alekseï)* [*Aleksej Georgievič German*], *cinéaste soviétique (Leningrad, 1938).* Il est l'un des auteurs les plus talentueux des années 70 et 80. Connu hors de son pays par *Vingt Jours sans guerre* (*Dvadsiat dnei bez vojny,* 1976), il est également le signataire de *'la Vérification'* (*Proverka na dorogah,* 1973) et de *Mon ami Ivan Lapchine* (*Moj drug Ivan Lapšin,* 1985). En 1995, après avoir connu beaucoup de difficultés de production, il achève *Khroustaliov, la voiture !* (*Hrustalëv, mašinou !*). J.-L.P.

GUERRA *(Ruy), cinéaste brésilien d'origine portugaise (Lourenço Marques, Mozambique, 1931).* L'itinéraire mouvementé de Ruy Guerra est représentatif de certaines carrières cosmopolites du cinéma contemporain et explique le brassage de cultures dont témoigne son œuvre riche et inventive. Fils de colons portugais, il est élevé en Afrique, fait des études à Lisbonne puis entre à l'IDHEC (1952-1954) et devient l'assistant de Jean Delannoy et de Georges Rouquier. Il part pour le Brésil, commence deux films qu'il n'achève pas, *Orós* (1960 ; CM) et *O cavalo de Oxumaré* (1961), puis participe à la fondation du Cinema novo avec deux œuvres explosives, *la Plage du désir* (*Os Cafajestes,* 1962), peinture aiguë des jeunes oisifs de la bonne société carioca et de leurs jeux érotiques, et *les Fusils* (*Os Fuzis,* 1964), dont l'action se situe dans le nord-est du pays et confronte un sergent et quatre soldats chargés par le maire d'acheminer une récolte que convoitent les paysans affamés. Film rigoureux et violent, *les Fusils* analysent avec détachement l'exploitation d'un peuple.

Treize ans plus tard, Ruy Guerra coréalisera avec Nelson Xavier *la Chute* (*A Queda,* 1977), qui se présente comme une suite aux *Fusils* et raconte la destinée de ses personnages de retour à la ville. *Tendres Chasseurs* (*Sweet Hunters,* 1969), tourné en France et en langue anglaise (avec Sterling Hayden), est un récit poétique sur un ornithologue enfermé dans une île avec sa femme et sa belle-sœur. Obsessions et désirs frustrés forment la trame de cette œuvre envoûtante à laquelle succédera au Brésil un « opéra » tropicaliste, *les Dieux et les Morts* (*Os Deuses e os Mortos,* 1970), mêlant la magie et le mythe sur les rivalités entre grands propriétaires terriens du Nord-Est.

Pendant les années 70, Ruy Guerra aide à la fondation du cinéma mozambiquais et y tourne des documentaires, dont *Mueda, mémoire et massacre* (*Mueda, Memória e Massacre,* 1979). Il adapte des œuvres de Gabriel García Márquez : *Erendira* (id., 1983), qui offre un nouvel exemple de ce réalisme magique où la lucidité critique va de pair avec le sens du fantastique et de l'imaginaire, *Fable de la Colombine* (*A Fábula de bella palomera,* 1987) et *Me aquilo para soñar* (1992). Il signe en 1986 *Opera do Malandro,* comédie musicale d'après une pièce de Chico Buarque de Hollanda. En 1989, il retrouve avec *Kuarup* l'inspiration tropicaliste du Cinema Novo. Auteur de tous ses scénarios (sauf celui d'*Erendira*), Ruy Guerra est également comédien (on l'a vu dans *Benito Cereno* de Serge Roullet, 1969, et dans *Aguirre, la colère de Dieu* de Werner Herzog, 1972) et compositeur de chansons populaires. M.C.

GUERRA *(Antonio,* dit *Tonino), scénariste italien (Santarcangelo di Romagna 1920).* Il écrit différents romans, récits et poèmes en dialecte. En collaboration avec Elio Petri et Giuseppe De Santis, il signe en 1957 son premier sujet : *Hommes et Loups* (G. De Santis). Dès *l'Avventura* (1960), il collabore régulièrement avec Antonioni, et il est bien difficile de distinguer quels sont les apports de l'écrivain au cinéaste, tant sont proches leurs visions du monde — d'un monde aliéné et aux sentiments raréfiés (*la Nuit,* 1961 ; *l'Éclipse,* 1962 ; *le Désert rouge,* 1964 ; *Blow-Up,* 1967 ; *Zabriskie Point,* 1970 ; *Identification d'une femme,* 1982). Depuis *la Belle et le Cavalier* (1967), il collabore étroitement avec Francesco Rosi, dont les analyses politiques lucides, et les dialogues percutants doivent beaucoup aux recherches stylistiques de l'écrivain (*les Hommes contre,* 1970 ; *l'Affaire Mattei,* 1972 ; *Lucky Luciano,* 1973 ; *Cadavres exquis,* 1976 ; *Eboli,* 1979 ; *Trois Frères,* 1981 ; *Chronique d'une mort annoncée,* 1987). Sa « griffe » émerge dans beaucoup d'autres films dirigés par des cinéastes comme G. Puccini (*Il carro armato dell'8 septembre,* 1960), Elio Petri (*L'assassino,* 1961 ; *les Jours comptés,* 1962 ; *Un coin tranquille à la campagne,* 1968), Damiano Damiani (*l'Ennui,* 1963),

Mario Monicelli (*Casanova 70,* 1965 ; *Caro Michele,* 1976), Vittorio De Sica (*Mariage à l'italienne,* 1964 ; *le Temps des amants,* 1968 ; *les Fleurs du soleil,* 1970), Franco Indovina (*Lo scatenato,* 1967 ; *Giochi particolari,* 1970 ; *Tre nel mille,* 1971), Vittorio de Seta (*l'Invitée,* 1970), Franco Giraldi (*Supertémoin,* 1971 ; *Les ordres sont les ordres,* 1972), Alberto Lattuada (*Une bonne planque,* 1972), Jacques Deray (*Un papillon sur l'épaule,* 1978), les frères Taviani (*la Nuit de San Lorenzo,* 1981 ; *Kaos,* 1984 ; *Good Morning Babilonia,* 1987 ; *le Soleil même la nuit,* 1990), Giuseppe Tornatore (*Ils vont tous bien* [*Tutti stanno bene*], 1990 et surtout Fellini (*Amarcord,* 1973 ; *Et vogue le navire,* 1983 ; *Ginger et Fred,* 1985), Andreï Tarkovski (*Nostalghia,* 1983), Theo Angelopoulos (*le Voyage à Cythère,* 1984 ; *l'Apiculteur,* 1986 ; *Paysage dans le brouillard,* 1988 ; *le Pas suspendu de la cigogne,* 1991) et Gianfranco Mingozzi (*la Femme de mes amours,* id.). Dans son scénario pour *Amarcord,* il évoque les souvenirs de sa Romagne, qui est également la terre natale de Fellini, et crée une exceptionnelle analyse des mythes populaires de toute une nation pendant le fascisme. L.C.

GUERRE DES BREVETS → BREVETS (GUERRE DES).

GUEST *(Val), cinéaste britannique (Londres 1911).* Journaliste de cinéma, scénariste, au milieu des années 30, dans son pays et, brièvement, à Hollywood, de comédies un peu oubliées, il tourne, de 1943 à 1955, comédies, films musicaux et policiers. Après 1955, il se distingue, par sa sobriété, dans la science-fiction, avec *le Monstre* (*The Quatermass Experiment,* 1955), dont *Terre contre satellite* (*Quatermass Two,* 1957) est un digne prolongement ; dans le genre noir, par la tension, avec *Un homme pour le bagne* (*Hell is a City,* 1960) ; dans le film préhistorique, par l'humour, avec *Quand les dinosaures dominaient le monde* (*When Dinosaurs Ruled the World,* 1969) ; dans l'aventure, par son classicisme, dans *les Mercenaires* (*Killer Force / The Diamond Mercenaries,* 1975). C.D.R.

GUFFEY *(Burnett), chef opérateur américain (Del Rio, Tenn., 1905 - Golita, Ca., 1983).* Assistant cameraman depuis 1923, il collabore à la photographie du *Cheval de fer* (J. Ford, 1924). Mais ce n'est que dans les années 40 qu'il abandonne l'assistanat et passe à la direction de la photo proprement dite. Curieusement, il n'a jamais atteint dans cette capacité la notoriété de certains, mais son talent est grand, en noir et blanc (*Tant qu'il y aura des hommes,* de F. Zinnemann, qui lui vaut un Oscar en 1953) mais aussi en couleurs (*Bonnie and Clyde,* A. Penn, 1967 : nouvel Oscar). C.V.

GUIGUET *(Jean-Claude), cinéaste français (La Tour du Pin 1943).* Critique de cinéma dans plusieurs revues, il est l'assistant de Paul Vecchiali pour *Femmes, femmes* (1974). En 1978, il écrit et réalise *les Belles Manières,* où s'exprime une réelle sensibilité d'auteur, proche parfois de la grâce viscontienne. Il signe en 1982 un épisode de *l'Archipel des amours,* avant de réaliser, en 1986, *Faubourg Saint-Martin,* tragédie réaliste et poétique qui reçoit le prix Georges-Sadoul, et, en 1992, *le Mirage,* sensible adaptation du roman de Thomas Mann *la Mystifiée.* Les personnages féminins jouent toujours un rôle fondamental dans les films de Guiguet : Hélène Surgère dans *les Belles Manières,* Patachou et Françoise Fabian dans *Faubourg Saint-Martin,* Louise Marleau dans *le Mirage.* Mûres, marquées par la vie, ces femmes semblent avoir acquis à travers les épreuves de la vie une générosité sereine qui donne un autre sens au drame. J.-L.P.

GUILLERMIN *(John), cinéaste britannique (Londres 1925).* Il est l'homme à tout faire du cinéma d'outre-Manche. Il a abordé les genres les plus divers avant la consécration hollywoodienne que lui valurent les réussites commerciales de *la Tour infernale* (→ FILMS-CATASTROPHE) et du remake de *King Kong.* R.L.

Films : *Traqué par Scotland Yard* (*Town on Trial,* 1956) ; *la Plus Grande Aventure de Tarzan* (*Tarzan's Greatest Adventure,* 1959) ; *le Jour où l'on dévalisa la banque d'Angleterre* (*The Day They Robbed the Bank of England,* 1960) ; *les Femmes du général* (*The Waltz of the Toreadors,* 1961) ; *Tarzan aux Indes* (*Tarzan Goes to India,* 1962) ; *les Canons de Batasi* (*Guns at Batasi,* 1964) ; *la Fleur de l'âge* (*Rapture,* 1965) ; *le Crépuscule des aigles* (*The Blue Max,* 1966) ; *Syndicat du meurtre* (*P. J.,* 1968) ; *le Pont de Remagen* (*The Bridge at Remagen,* 1969) ; *Alerte à la bombe* (*Skyjacked,* 1972) ; *la Tour infernale*

(*The Towering Inferno,* 1974) ; *King Kong* (1976) ; *Mort sur le Nil* (*Death on the Nile,* 1978) ; *King Kong II* (*King Kong Lives !,* 1986) ; *Dead or Alive* (1988).

GUINGAND *(Octave Pierre Deguingand,* dit *Pierre de), acteur français (Paris 1885 - Versailles 1964).* Il est avant tout Aramis dans les deux versions, muette et parlante, des *Trois Mousquetaires* (H. Diamant-Berger, 1921 et 1932) et dans *Vingt Ans après* (id., 1922). Élégant, distingué, un peu précieux, on le retrouve dans des cinéromans comme *le Vert-Galant* (René Leprince, 1924) ou *Fanfan la Tulipe* (id., 1925). Il montre de l'émotion dans *l'Équipage* (M. Tourneur, 1928), mais ses rôles s'amenuisent vite (*le Bal,* W. Thiele, 1931 ; *le Grand Jeu,* J. Feyder, 1934). Dans sa dernière apparition (*Remontons les Champs-Élysées,* S. Guitry, 1938), il évolue encore en costume Louis XIII.
R.C.

GUINNESS (sir *Alec*), *acteur britannique (Londres 1914).* Après avoir étudié au cours d'art dramatique de Martita Hunt, cet ancien rédacteur d'une agence de publicité débute au théâtre dans le répertoire classique sous la direction de John Gielgud, puis il entre à l'Old Vic. Ses possibilités d'acteur comique éclatent au cours d'une représentation mémorable de *la Nuit des rois* de Shakespeare. Il débute à l'écran en 1946 dans le rôle d'Herbert Pockett, le jeune dandy des *Grandes Espérances* (D. Lean). L'année suivante, Lean lui demande d'incarner Fagin dans son adaptation d'*Oliver Twist* (1948). Robert Hamer, qui a remarqué sa passion pour le maquillage, fera de lui le héros aux huit visages de *Noblesse oblige* (1949). Dès lors, il devient l'acteur privilégié de toute une série de films d'humour. Il interprète avec drôlerie l'employé de banque-gangster dans *De l'or en barres* (Ch. Crichton, 1951), l'inventeur du tissu inusable dans *l'Homme au complet blanc* (A. Mackendrick, *id.*), le clergyman-policier dans *Détective du bon Dieu* (Hamer, 1954) et le truand satanique de *Tueurs de dames* (Mackendrick, 1955). Pressentant l'usure d'une spécialisation trop poussée, Guinness change radicalement de style en devenant le colonel Nicholson dans *le Pont de la rivière Kwaï* (Lean, 1957). Ses grandes qualités d'acteur de composition lui permettent de varier les personnages historiques ou les héros de fiction dans les superproductions britanniques ou américaines. On le voit en roi Fayṣal dans *Lawrence d'Arabie* (Lean, 1962), en général de la révolution russe dans *Docteur Jivago* (Lean, 1965), en roi Charles Ier dans *Cromwell* (K. Hughes, 1970), et même en Hitler dans *les Dix Derniers Jours d'Hitler* (Ennio De Concini, 1973). Il accepte des rôles plus modestes dans des films d'aventures intersidérales (*la Guerre des étoiles,* G. Lucas, 1977 ; *L'empire contre-attaque,* I. Kerschner, 1980).
R.L.

Autres films : *De la coupe aux lèvres* (C. Frend, 1949) ; *Trois Dames et un as* (R. Neame, 1952) ; *Capitaine Paradis* (*Captain Paradise,* Anthony Kimmins, 1954) ; *l'Emprisonné* (P. Glenville, 1955) ; *le Cygne* (Ch. Vidor, *id.*) ; *Il était un petit navire* (*All at Sea,* Ch. Frend, 1957) ; *De la bouche du cheval* (R. Neame, 1959) ; *le Bouc émissaire* (R. Hamer, *id.*) ; *Notre agent à La Havane* (C. Reed, *id.*) ; *les Fanfares de la gloire* (R. Neame, 1960) ; *A Majority of One* (M. LeRoy, 1962) ; *la Chute de l'Empire romain* (A. Mann, 1964) ; *Situation désespérée... mais pas sérieuse* (G. Reinhardt, 1965) ; *Paradiso, hôtel du libre-échange* (P. Glenville, 1966) ; *le Secret du rapport Quiller* (M. Anderson, *id.*) ; *les Comédiens* (P. Glenville, 1967) ; *Scrooge* (R. Neame, 1970) ; *François et le chemin du soleil* (F. Zeffirelli, 1972) ; *Un cadavre au dessert* (*Murder by Death,* Robert Moore, 1976) ; *la Route des Indes* (D. Lean, 1984) ; *A Handful of Dust* (Charles Sturridge, 1988) ; *Little Dorrit* (Christine Edzard, *id.*) ; *Kafka* (S. Soderbergh, 1992).

GUIOMAR *(Julien), acteur français (Morlaix 1928).* Après des débuts au théâtre, au TNP de Jean Vilar, il entame une carrière cinématographique de grand « second rôle » en 1966. À côté de prestations à caractère commercial (où sa truculence fait souvent le seul intérêt du film), il apparaît dans des films de qualité : *le Voleur* (L. Malle, 1967) ; *Z* (Costa-Gavras, 1969) ; *la Voie lactée* (L. Buñuel, *id.*) ; *Mado* (C. Sautet, 1977) ; *Souvenirs d'en France* (A. Téchiné, *id.*) ; *les Ripoux* (C. Zidi, 1984) ; *Bahia de tous les saints* (N. Pereira Dos Santos, 1986) ; *Terre sacrée* (Emilio Pacull, 1988) ; *Léolo* (Jean-Claude Lauzon, 1992), *Je m'appelle Victor* (Guy Jacques, 1993).
B.G.

GUISOL *(Henri Bonhomme,* dit *Henri), acteur français (Aix-en-Provence 1904).* Il promène dans ses films une dégaine un peu lunaire mais dont la nonchalance cache parfois la cruauté. Il apparaît d'abord dans *la Chienne* (J. Renoir, 1931), *le Crime de monsieur Lange* (id., 1936), *Drôle de drame* (M. Carné, 1937). Amoureux transi dans *les Amants terribles* (M. Allégret, 1936), il vieillit en virtuose au cours des trois époques des *Trois Valses* (L. Berger, 1939), imprime sa fantaisie à *Tempête* (Bernard Deschamps, 1940), joue les mauvais garçons dans *Macao, l'enfer du jeu* (J. Delannoy, 1942). Ses rôles souffrent ensuite de redites, mais un Gance, un Daquin (*Madame et le Mort,* 1943), un Ophuls, un Autant-Lara savent distinguer ses mérites et Jeanson en fait le partenaire de *Lady Paname* (1950). R.C.

GUISSART *(René), cinéaste français (Nice 1888 - Menton 1960).* D'abord chef-opérateur, il devient réalisateur et dirige 26 films de 1931 à 1938. Son film *Primerose,* avec Madeleine Renaud (1933), est considéré comme un film prototype du cinéma français des années 30. C'est une comédie sentimentale et moralisante, adaptée d'une pièce de théâtre. Les films de Guissart emploient généralement les vedettes de l'époque : Noël-Noël dans *Mon chapeau* (1932), Albert Préjean dans *Dédé* (1934), les chanteurs Dranem dans *la Poule* (*id.*) et Pills et Tabet dans *Toi c'est moi* (1936), Elvire Popesco dans *Dora Nelson* (1935), Lucien Baroux et Meg Lemonnier dans *les Sœurs Hortensia* (*id.*). D.S.

GUITRY *(Alexandre,* dit *Sacha), scénariste, dialoguiste, acteur et cinéaste français (Saint-Pétersbourg, Russie, 1885 - Paris 1957).* Celui à qui la critique a souvent fait le reproche de ronronner, de monologuer sans fin et de réduire ses interlocuteurs à l'écouter dans ses longues périodes oratoires ne peut s'intéresser au cinéma muet. Bien au contraire, il n'a pour l'écran que sarcasmes et dérision ; pour lui, la vie s'inscrit entre cour et jardin et ce n'est pas le scénario qu'il écrit pour Hervil en 1917, *Un roman d'amour et d'aventures,* où il paraît avec Yvonne Printemps à l'occasion d'une histoire de sosies, qui le fait alors changer d'avis. Pourtant, il saisit l'importance de la caméra qui enregistre tout et restitue fidèlement les figures et les gestes des contemporains notoires. Il filme ainsi – en s'amusant – *Ceux de chez nous,* qu'il présente lui-même en 1916 et qui lui permet d'égrener quelques anecdotes. L'irruption du parlant ne le mobilise pas tout de suite, il ne tourne *Pasteur* qu'en 1935 et avec la collaboration technique de Fernand Rivers : c'est la reproduction fidèle et intégrale de la pièce où s'est illustré autrefois Lucien Guitry, son père. Mais, en complément de programme, une œuvrette nonchalante, souriante, détendue, démontre que Sacha vient de découvrir les possibilités d'un cinéma qui ne se borne plus à faire scintiller aux quatre coins de la France les facettes de son parisianisme aigu. De *Bonne Chance* vont découler un certain nombre de films de divertissement, colorés par la fantaisie que l'auteur faisait si bien briller dans sa production théâtrale d'avant-guerre. Une liberté primesautière, un ton dont l'ironie pincée arrive à s'extérioriser avec une allégresse euphorique, un style de commentaire qu'il fallait oser faire et qui réussit si bien qu'il va devenir un procédé, une sorte d'émerveillement devant la magie des images, un amoralisme désabusé mais toujours réjouissant, et c'est *le Roman d'un tricheur* (1936), adaptation aux résonances à la Lubitsch d'un roman que ce grand travailleur vient de faire paraître. Cette verve du dialogue qui défie toute imitation, cette joie de jouer, d'envoyer et de rattraper des répliques avec d'excellents partenaires, de livrer au public sa philosophie désinvolte de la vie et d'entraîner les acteurs à partir de cascades verbales dans un mouvement virevoltant abolissent tout à coup les conventions du rideau rouge et de la boîte du souffleur... *Le Nouveau Testament* (1936), *Mon père avait raison* (id.), *Faisons un rêve* (1937) et *Quadrille* (1938) : voilà autant de comédies peut-être moins fugitives qu'on ne l'aurait cru et qui gardent leur allure dansante grâce à l'entrain du dialogue et à la pétulance de l'interprétation. Auteur-acteur adulé et quasi officiel, il célèbre à sa manière l'avènement, en 1937, d'un nouveau roi d'Angleterre et, avec *les Perles de la couronne,* libère l'imagerie historique de tout empois. Alors que les nuages s'accumulent en Europe, il récidive avec une autre chronique, aussi malicieuse, aussi diverse : *Remontons les Champs-Élysées* (1938). Il ne lui reste plus, en 1939, qu'à donner un coup de pouce au film à sketches et à offrir à des artistes inspirés la possibilité de se surpasser en interprétant *Ils étaient neuf célibataires.* C'est aussi l'adieu à une époque facile, frivole et inquiétante. Arrivé au faîte des honneurs et de la gloire, il veut s'y maintenir pendant ses « quatre ans d'Occupation » (comme il intitule insolemment l'un de ses livres de souvenirs), durant lesquels, peut-être généreusement, à coup sûr imprudemment, il va jouer à cache-cache avec les Allemands. Sans délaisser le cinéma, il le traite moins bien que dans la décennie précédente. *Le Destin fabuleux de Désirée Clary* (1942) s'engonce un peu dans les discours ; *la Malibran* (1943) n'est qu'un prétexte pour utiliser une cantatrice. Quant à *Donne-moi tes yeux* (1943), c'est un mélo intelligent ainsi qu'il en écrivait parfois pour le théâtre. Emprisonné à la Libération, renié, calomnié, trahi, l'auteur tombe de son haut et ne se remettra jamais, ni physiquement ni moralement, de sa détention et de ses rancœurs. Il essaie de renouer avec les fantaisies historiques et *le Diable boiteux* (1948) constitue pour lui une performance de comédien. Il reprend des succès d'autrefois (*le Comédien,* 1948 ; *Deburau,* 1951 ; *Je l'ai été trois fois,* 1953) et crée encore quelques pièces (*Aux deux colombes,* 1949 ; *Toâ,* id.) : un vieillissement subit surprend et peine. Pourtant, la revanche n'est pas loin. La gloire officielle auréole de nouveau *Si Versailles m'était conté* (1954), *Napoléon* (1955), *Si Paris nous était conté* (1956), lourdes machines, cavalcades d'acteurs qui, parfois, frôlent l'ennui. Mais, surtout, fruits de l'amertume et des affronts, quatre films : *la Poison* (1951), *la Vie d'un honnête homme* (1953), *Assassins et Voleurs* (1957), *Les trois font la paire* (id.), révèlent avec des sourires crispés que l'amuseur de Paris n'est plus qu'un homme amer et désabusé. R.C.

Films comme RÉ ▲ : *Ceux de chez nous* (MM, 1915) ; *Pasteur* (co Fernand Rivers, 1935) ; *Bonne Chance* (id., *id.*) ; *le Roman d'un tricheur* (1936) ; *Mon père avait raison* (id.) ; *le Nouveau Testament* (id.) ; *Faisons un rêve* (1937) ; *le Mot de Cambronne* (MM, *id.*) ; *les Perles de la couronne* (co Christian-Jaque, *id.*) ; *Désiré* (id.) ; *Quadrille* (1938) ; *Remontons les Champs-Élysées* (co Robert Bibal, *id.*) ; *Ils étaient neuf célibataires* (1939) ; *le Destin fabuleux de Désirée Clary* (co René Le Hénaff, 1942) ; *la Loi du 21 juin 1907* (CM, *id.*) ; *Donne-moi tes yeux* (1943) ; *la Malibran* (id.) ; *le Comédien* (1948) ; *le Diable boiteux* (id.) ; *Aux deux colombes* (1949) ; *Toâ* (id.) ; *le Trésor de Cantenac* (1950) ; *Tu m'as sauvé la vie* (id.) ; *Deburau* (1951) ; *la Poison* (id.) ; *Je l'ai été trois fois* (1953) ; *la Vie d'un honnête homme* (id.) ; *Si Versailles m'était conté* (1954) ; *Napoléon* (co Eugène Lourié, 1955) ; *Si Paris nous était conté* (1956) ; *Assassins et Voleurs* (1957) ; *Les trois font la paire* (co : Clément Duhour, *id.*).

GUITTY *(Madeleine), actrice française (Corbeil 1871 - Paris 1936).* D'une laideur joviale et d'un talent cordial, elle est remarquée par Feuillade, qui l'emploie dans bon nombre de saynettes à partir de 1913. Son premier vrai succès date de *la Fille des chiffonniers* (Henri Desfontaines, 1922). Elle apparaît dans beaucoup de films muets, dont *la Souriante Madame Beudet* (G. Dulac, 1923) et *les Deux Timides* (R. Clair, 1929). Le parlant multiplie ses rôles de harengère, de concierge, de cuisinière et de servante au grand cœur (*Ciboulette,* C. Autant-Lara, 1933 ; *l'Ami Fritz,* J. de Baroncelli, *id. ; Sans famille,* M. Allégret, 1934 ; *Si j'étais le patron* et *Fanfare d'amour,* Richard Pottier, 1934 et 1935). R.C.

GÜNEY *(Yılmaz), cinéaste, scénariste et acteur turc (Adana 1937 - Paris 1984).* Fils d'ouvrier agricole et l'un des sept enfants d'une famille plus que modeste, il fait des études à Ankara et Istanbul et, après plusieurs métiers, il débute au cinéma comme acteur, coscénariste et assistant aux côtés du vétéran Atıf Yılmaz, en 1958. De 1958 à 1961, il est le premier assistant de Yılmaz, il tient quelques rôles, il écrit quelques nouvelles, dont l'une lui coûte dix-huit mois de prison pour « propagande communiste ». De 1963 à 1966, l'acteur qu'il est tourne au mythe populaire, sous la figure du « roi laid », comme on l'appelle. Il tourne alors dans une quarantaine de films plutôt médiocres, mais d'un réel impact sur le public, impact dû à son jeu sobre, efficace de héros opprimé par les classes dominantes et souffrant d'injustices sociales. À partir de 1966, ses premiers essais de réalisation aboutissent à *Seyyit Han* (1968), *Les loups ont faim* (1969) et surtout *l'Espoir* (1970), qui font preuve d'un tempérament de cinéaste engagé. Si le dessein de Güney est bien de faire œuvre politique, il ne se veut pourtant pas militant, car il tient compte du goût du public et de la part de « spectacle » nécessaire au cinéma. Les films qui suivent, dont il est dorénavant scénariste, réalisateur et acteur, montrent en effet une volonté de dénonciation, tout en sachant rester extrêmement visuels, riches en couleurs et en éléments culturels, à la recherche aussi du rythme exact, capable de soutenir le récit et son message : si *l'Espoir* est dans la plus pure tradition du néoréalisme italien, *l'Élégie* a un souffle épique, *le Père* et *les Pauvres* jouent avec les vieux clichés du mélodrame... Un cinéma qui puise dans les valeurs profondément enracinées dans la culture populaire et la conscience collective de son pays, mais qui aboutit toujours à une synthèse pour le moins progressiste. Dans le tumulte politique des années 1971-72 (la prise du pouvoir par les militaires et la « chasse aux sorcières » qui s'ensuit), Güney est arrêté. Après vingt-six mois de prison, il est libéré, et tourne l'*Ami/Camarade* (1974), film important qui met en question le rôle et la place des classes moyennes, des petits-bourgeois dans la vie politique actuelle du pays. C'est au cours du tournage d'un beau film sur les ouvriers saisonniers du coton qu'il se trouve malencontreusement mêlé à une affaire criminelle. Il est arrêté de nouveau et, cette fois, condamné à dix-huit ans de détention. C'est son assistant Şerif Gören qui termine ce film : *l'Inquiétude* (1975). Güney, dès lors, attendant d'être libéré à l'occasion d'une prochaine amnistie, n'arrête pas d'écrire : trois romans, des *Lettres de la prison,* et plusieurs scénarios, dont ceux, beaucoup plus accomplis et riches en matière humaine que ses précédents, du *Troupeau* (1978) et de *l'Ennemi* (1979), que son ami Zeki Ökten tourne sur ses indications minutieuses. *Yol,* film « téléguidé » de sa prison par Güney, remporte un succès considérable en 1982 dans le monde entier : son auteur parvient d'une part à s'échapper de sa geôle et, d'autre part, le film présenté au festival de Cannes y enlève une Palme d'Or surprenante mais méritée. Le cinéaste vit en clandestinité en France et en Suisse notamment, avant de se voir déchoir de sa nationalité turque par son gouvernement en janvier 1983. Il signe la même année une œuvre sur les prisons d'enfants en Turquie : *le Mur.* A.D.

Films ▲. En tant qu'auteur « complet », même s'il n'a pu assurer le tournage que partiellement ou pas du tout : *Seyyit Han* (1968) ; *Les loups ont faim* (*Aç Kurtlar,* 1969) ; *Un homme laid* (*Bir Çirkin Adam,* id.) ; *l'Espoir* (*Umut,* 1970) ; *les Fugitifs* (*Kaçaklar,* 1971) ; *Demain est le dernier jour* (*Yarın Son Gündür,* id.) ; *les Désespérés* (*Umutsuzlar,* id.) ; *la Douleur* (*Acı,* id.) ; *l'Élégie* (*Ağıt,* id.) ; *le Père* (*Baba,* id.) ; l'*Ami/Camarade* (*Arkadaş,* 1974) ; *les Pauvres* (*Zavallılar,* 1972-1975 ; film commencé par Güney et terminé par Atıf Yılmaz) ; *l'Inquiétude* (*Endişe,* 1975 ; réalisation de Şerif Gören) ; *le Troupeau* (*Sürü,* 1978 ; RÉ Zeki Ökten) ; *l'Ennemi* (*Düşman,* 1979 ; RÉ Z. Ökten) ; *Yol* (1982 ; RÉ Şerif Gören), *le Mur* (*Duvar,* 1983).

Comme acteur ▲ : *le Roi laid* (*Çirkin Kıral,* Y. Atadeniz, 1966) ; *Arif de Balat (Balatlı Arif,* A. Yılmaz, *id.) ; la Loi des frontières (Hudutların Kanunu,* L. Akad, *id.) ; la Légende du mouton noir* (*Kızılırmak-Karakoyun,* L. Akad, 1967) ; *Kozanoğlu* (A. Yılmaz, *id.*) ; *l'Assassin-Victime (Kurbanlık Katil,* L. Akad, *id.).*

GUNNLAUGSSON *(Hraf), cinéaste islandais (Reykjavík 1948).* Il étudie le théâtre et le cinéma à Stockholm et devient auteur et metteur en scène de théâtre à Reykjavík. Il réalise entre 1973 et 1978 plusieurs courts métrages pour la télévision. Il écrit et réalise son premier long métrage, peu avant la création du fonds cinématographique islandais, *' la Ferme paternelle '* (*Odal fedranna,* 1979), aussitôt suivie de *Inter nos* (*Okkar a milli,* 1980), soit deux films réalistes sur la désintégration de la famille et des structures traditionnelles. Il se fait connaître en Europe avec trois films de vikings : *' le Vol du corbeau '* (*Hrafninn flygur,* 1984), co-produit par la Suède, *' l'Ombre du corbeau '* (*I skugga hrafnsins,* 1988), lui aussi coproduit par la Suède, et *le Viking blanc* (*Hviti vikingurinn,* 1991), coproduit par la Norvège. En 1993, il réalise dans le décor de l'Islande rurale d'aujourd'hui un film d'une grande étrangeté, *le Tertre sacré* (*Hin helgu vé*). D.S.

GÜNTHER *(Egon), cinéaste allemand (Schneeberg 1927).* Scénariste à la DEFA dès 1958, il tourne ses deux premiers films en 1965 *(Lots Weib* et *Wenn du gross bist, lieber Adam)* et se fait connaître hors de son pays par deux adaptations de romans, l'un de Johannes R. Becher (*les Adieux* [Abschied], 1968), l'autre d'Arnold Zweig (*Junge Frau von 1914,* 1970). Après *Anlauf* (1971), il signe *le Troisième* (*Der Dritte,* 1972), *'la Clé'* (*Die Schlüssel,* 1974 ; RÉ 1972), *Erziehung von Verdun* (1973, d'après A. Zweig), *Lotte à Weimar* (*Lotte in Weimar,* 1975, d'après Thomas Mann), *les Souffrances du jeune Werther*

(*Die Leiden des jungen Werthers,* 1976, d'après Goethe). Passé en Allemagne de l'Ouest en 1978, il travaille essentiellement pour la télévision (une version courte de son téléfilm *Morenga* en 1984 sera néanmoins diffusée dans les salles) jusqu'à *Rosamunde* (1989). Après la chute du mur de Berlin, il réalise *Stein* (1991), où il règle quelques comptes avec la défunte RDA et la situation des hommes de sa génération. J.-L.P.

GUTIÉRREZ ALEA *(Tomás), cinéaste cubain (La Havane 1928).* Il tourne des films amateurs alors qu'il a à peine vingt ans, puis étudie au Centro sperimentale de Rome, collabore à *El Mégano* (J. García Espinosa, 1955) et développe une activité semi-professionnelle. Après la chute de Batista, il participe à la création de l'Institut cubain de l'art et de l'industrie cinématographiques (ICAIC) et accomplit le passage obligatoire par le documentaire (*Esta tierra nuestra,* 1959). Il met en scène les trois épisodes de *Historias de la revolución* (1960), une reconstitution sobre, à l'affût des cheminements psychologiques plutôt que d'envolées lyriques sur l'épopée révolutionnaire encore fraîche. Nous retrouvons cette retenue dans *Cumbite* (1964), drame de la sécheresse et des rivalités ancestrales, situé en Haïti. Cependant, l'originalité de celui qu'on surnomme « Titón » transparaît plus clairement dans deux autres films, dont l'action a pour cadre la société cubaine contemporaine : *Las doce sillas* (1962) est une chasse au trésor burlesque ; *La muerte de un burócrata* (1966), surtout, est une satire féroce des bureaucrates en herbe et du réalisme socialiste. Son humour macabre en fait un héritier de Buñuel et des comiques du muet. Avec *Mémoires du sous-développement* (*Memorias del subdesarrollo,* 1968), Gutiérrez Alea propose une courageuse et efficace interrogation sur l'actualité de la révolution, grâce à une assimilation maîtrisée des recherches sur l'expression filmique. Le protagoniste, dont les parents ont choisi Miami, promène sur la capitale un regard à la fois désabusé et lucide, autoironique et réfléchi, traitant avec franchise les contradictions des intellectuels et d'une société marquée par le sous-développement. Sa liberté de ton reste inégalée à Cuba. Les films suivants s'en prennent autrement au dogmatisme : *Una pelea cubana contra los demonios* (1971) évoque l'Inquisition dans l'île, au XVIIe siècle ; *la Dernière Cène* (*La última cena,* 1977) revient aussi à la période coloniale, par la confrontation de l'idéologie catholique et de l'esclavage ; et *Los sobrevivientes* (1978) est une lourde allégorie buñuélienne sur la bourgeoisie aux prises avec la révolution. *Jusqu'à un certain point* (*Hasta cierto punto,* 1984) s'impose par son originalité dramaturgique en mêlant l'approche documentaire à la fiction sentimentale sur le thème du machisme. Dans *Cartas del parque* (1988), sur un scénario de Gabriel García Márquez, il raconte en images raffinées une romanesque histoire d'amour. En collaboration avec Juan Carlos Tabío, il signe ensuite *Fraise et chocolat* (*Fresa y chocolate,* 1993), son plus grand succès international, plaidoyer pour la tolérance qui met face à face un homosexuel passionné de culture cubaine et un jeune communiste étriqué et mal dans sa peau. *Guantanamera* (1995), toujours avec Tabío, revient à l'inspiration première de *la Mort d'un bureaucrate.* Titón symbolise parfaitement l'indépendance d'esprit, l'exigence artistique et l'humanisme du cinéma cubain. P.A.P.

GUTIÉRREZ ARAGÓN *(Manuel), cinéaste espagnol (Torrelavega, Santander, 1942).* Son premier long métrage révèle d'emblée une personnalité et une maîtrise indéniables : *Habla mudita* (1973), confrontation entre l'intellectuel et une petite paysanne, entre des mentalités et des univers dissemblables, entraîne une interrogation sur la culture. *Camada negra* (1977), plat et schématique, met en scène une initiation au fascisme. *Sonámbulos* (1978) intègre l'imaginaire dans la construction des personnages et du récit, articule une structure métaphorique audacieuse et un propos anticonformiste sur le monde politique de gauche. *El corazón del bosque* (id.) s'attache à un tardif maquis antifranquiste au sein d'une nature envahissante, rappelant celle de son premier film. *Maravillas* (1980) inscrit les découvertes de l'adolescence dans un contexte juif (habituellement refoulé en Espagne), jouant de connotations magiques. Il réussit encore *Démons dans le jardin* (*Demonios en el jardín,* 1982), chronique d'une éducation sentimentale sous le régime franquiste, et *l'Autre Moitié du ciel* (*La mitad del cielo,* 1986). Moins convaincant avec *Feroz* (1984), *La noche* *más hermosa* (1985) et *Malaventura* (1988), il se consacre au théâtre et à la télévision (*El Quijote,* 1991), puis revient au cinéma avec *El rey del río* (1994). « Manolo » Gutiérrez est aussi le scénariste d'œuvres significatives, notamment *Furtivos* (J.-L. Borau, 1975) et *Las truchas* (J.-L. García Sánchez, 1977). P.A.P.

GUY ou **GUY-BLACHÉ** *(Alice), cinéaste française (Saint-Mandé 1873 - Mahwah, N. J., US, 1968).* Première femme cinéaste au monde, elle est, aussi, probablement l'inventeur du film de fiction, avant Méliès. Entrée comme secrétaire aux établissements Gaumont, Alice Guy y réalise dès 1896 – selon elle et quelques historiens ; plus tard, vers 1900, d'après d'autres sources – *la Fée aux choux,* une « féerie » conçue d'après l'esthétique des cartes postales de l'époque. Elle assure, jusqu'en 1906, la quasi-totalité des créations de la firme : environ deux cents bandes longues de une à 40 minutes. Elle y aborde des genres très variés : le merveilleux *(Faust et Méphisto),* le comique *(le Cake-Walk de la pendule),* le mélodrame *(Rapt d'enfants par les romanichels)...* Alice Guy élabore, en 1906, une centaine d'essais de petits films sonores de une minute chacun : technique à laquelle Gaumont croit beaucoup.

À cette époque, lors du tournage de *Mireille* (sur un scénario de Louis Feuillade), elle s'éprend de l'opérateur du groupe, Herbert Blaché, qu'elle épouse en 1907. Cette même année, le couple part pour New York : Blaché doit y mettre sur pied une succursale Gaumont. De 1907 à 1910, Alice Guy interrompt ses activités. En 1910, elle contribue à la fondation de la Solax Company, dont elle assume la présidence. De 1910 à 1920, elle réalise, sur le sol américain, près de 70 moyens et longs métrages. Son registre est, là aussi, très étendu. De l'opéra filmé *(Fra Diavolo)* au policier *(The Million Dollars Robbery)* en passant par le fantastique *(The Pit and the Pendulum),* tous les genres y sont représentés. En 1913, son époux, libéré de Gaumont, crée la Blaché Features Inc., qui succède à la Solax Company, puis, en 1914, la US Amusement Corporation. Mais, dès le milieu des années 10, il n'y a plus de place pour les indépendants. De 1916 à 1920, Alice Guy loue ses services à divers producteurs avant de mettre en scène son dernier film, *Tarnished Reputation.* L'action des mouvements féministes des années 70 et le travail patient d'historiens comme Francis Lacassin sortent cette pionnière de l'oubli. On a publié ses souvenirs : *Autobiographie d'une pionnière du cinéma* (1976). R.BA.

GUZMÁN *(Patricio), cinéaste chilien (Santiago du Chili, 1941).* Après des études de cinéma dans sa ville natale et à Madrid, et quelques incursions dans la fiction littéraire, il devient le principal documentariste de l'Unité populaire (*El Primer Año,* 1971 ; *La Respuesta de Octubre,* 1972), et s'essaie à découvrir une géographie humaine jusqu'alors méconnue. Il penche plus franchement vers l'analyse avec la trilogie montée à Cuba, après le renversement du gouvernement Allende, *la Bataille du Chili* (*La Batalla de Chile* [RE 1973-1976] : *La Insurrección de la Burguesía,* 1975 ; *El Golpe de Estado,* 1976 ; *El Poder Popular,* 1979). Les plans-séquences essayent d'y appréhender la réalité dans sa durée, optant pour une réflexion du spectateur plutôt que pour un montage rapide, démonstratif ou racoleur. Sa caméra – très mobile – n'hésite pourtant pas à interpréter, jouant sur les oppositions, ainsi que sur les juxtapositions de détails. Après un détour par la fiction (*La rosa de los vientos,* 1983), il tourne les documentaires *En nombre de Dios* (1987) et *La Cruz del Sur* (1992). P.A.P.

GWENN *(Edmund), acteur britannique (Glamorgan, pays de Galles, 1875 - Los Angeles, Ca., 1959).* Prestigieux acteur de théâtre, Edmund Gwenn fut aussi un prestigieux acteur de composition cinématographique. Sa bonhomie lui valut de nombreux emplois de papa-gâteau et de doux-dingue, depuis le père Noël en personne (*le Miracle de la 34e rue,* G. Seaton, 1947) jusqu'au philosophe de *Calabuig* (Luis G. Berlanga, 1956), en passant par le combinard de *la Bonne Combine* (E. Goulding, 1950). Mais Alfred Hitchcock, avec un certain machiavélisme, fit de lui un assassin tranquille dans *Correspondant 17* (1940) avant d'en faire le vieux capitaine de *Mais qui a tué Harry ?* (1955). C.V.

GYARMATHY *(Livia), cinéaste hongroise (Budapest 1932).* Diplômée de l'Académie de théâtre et de cinéma (1964), elle travaille souvent en collaboration avec son mari Géza Böszörményi et alterne fiction : *Connaissez-vous Sunday-Monday ? (Ismeri a szandi-mandit ?,* 1969), *Arrêtez la musique ! (Álljon meg a menet !,* 1973), *Tous les mercredis (Minden szerdán,* 1979) et documentaire, comme *Koportos* (1979, sur les tziganes) et *Coexistence (Együttélés,* 1982, sur la minorité allemande). Après des témoignages sociaux, *Un peu toi, un peu moi (Egy kicsit én, egy kicsit te,* 1984) et *À l'aveuglette (Vakvilagban,* 1987), elle est revenue au documentaire (coréalisé avec son mari) pour *Recsk 1950-53-Histoire d'un camp de travail (Recsk 1950-53-Egy titkos kényszermunkatábor története,* 1989) et *Où règne la tyrannie (Hol zsarnokság van,* 1990). En 1992, elle tourne *le Plaisir de tromper* (A csalas gyönyöre) et, en 1994, *les escaliers* (A lépcső, DOC). M.M.

GYÖNGYÖSSY *(Imre), cinéaste hongrois (Pecs 1930 - Budapest 1994).* Il débute par quelques courts métrages : *Un portrait d'homme (Férfiarckép,* 1964) ; *Variations sur une ville (Változatok egy várasról,* 1965). Il participe au scénario de *Remous* (I. Gaál, 1963) et de *Dix Mille Soleils* (F. Kosa, 1967) et réalise son premier long métrage, *Pâques fleuries (Virágvasárnap,* 1969), qui se situe en 1919 à l'époque de la république des Conseils. Il évolue vers des thèmes plus symbolistes dans *Légende tzigane / Légende de la mort et de la résurrection de deux jeunes gens (Meztelen vagy,* 1971) puis vers un lyrisme flamboyant à la limite du maniérisme dans *Fils du feu (Szarvassa vált fiúk,* 1974) et *l'Attente (Várakozók,* 1975). En 1977, il s'associe avec Barna Kabay pour réaliser un film d'une émotion pleine de retenue qui hésite entre le documentaire et la fiction : *Une vie toute ordinaire (Két elhatározás).* Toujours en collaboration avec Kabay, il signe divers documentaires (*Fragments de vie [Töredék az électröl],* 1980 ; *le Docteur [Orvos vagyok],* id. ; *Gens de la puszta [Pusztai emberek],* 1982) et revient à la fiction avec *la Révolte de Job (Jób lazadása,* 1983) et *Yerma* (1985). Installé par la suite en RFA, il a réalisé avec sa femme Katalin Petényi et Barna Kabay des reportages au Brésil (sur les enfants abandonnés), en Asie (sur les boat people), en Roumanie (sur les minorités) et en URSS (sur les Allemands de la Volga et sur les exilés lituaniens) ainsi qu'un long métrage au Sri Lanka, *le Cirque sur la lune* (1988). Après *Mort en eaux basses (Halál a Sekély vízben,* 1993), une fiction qu'il cosigne avec K. Petényi et B. Kabay, il écrit le scénario de *l'Europe que c'est loin ! (Európa messze van,* 1994) qui sera tourné par ses deux amis. J.-L.P.

GYRO. Abrév. fam. de *gyroscope* ou de *gyroscopique.*

GYROSCOPIQUE. *Tête gyroscopique,* tête de pied de prise de vues dont les mouvements sont stabilisés grâce à des gyroscopes incorporés. (→ MOUVEMENTS D'APPAREIL.)

GYS *(Giselda Lombardi,* dite *Leda), actrice italienne (Rome 1892 - id. 1957).* Remarquée par le poète Trilussa, qui la présente à l'avocat Giuseppe Mecheri de la Celio Film, Leda Gys commence à tourner en 1913 et accède rapidement à la célébrité. Elle interprète de très nombreux films pour la Celio Film, la Caserini Film, la Lombardo Film (elle épouse Gustavo Lombardo en 1919). De toutes les divas du cinéma muet italien, Leda Gys est celle dont le talent est le plus souple : l'actrice est également à l'aise dans les genres les plus divers et fait étalage de ses qualités en sachant être tour à tour pathétique, romantique ou délurée. Parmi ses principaux films se détachent des titres comme *Histoire d'un Pierrot* (1913) de Baldassare Negroni, *Leda innamorata* (1915) de Ivo Illuminati, *Christus* (1916) de Giulio Antamoro — où elle interprète de manière sublime le rôle de la Vierge Marie —, *L'amor tuo li redime* (1915) de Mario Caserini avec Mario Bonnard (elle constitue avec ce dernier un des « couples » les plus célèbres du cinéma italien de l'époque), *I figli di nessuno* (1920) de Ubaldo Maria Del Colle. En 1929, Leda Gys met un terme à sa carrière avec *Rondine* de Eugenio Perego. J.-A.G.

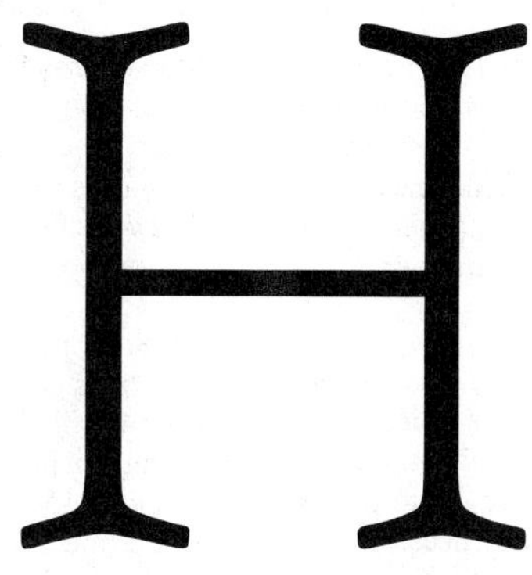

HAANSTRA *(Bert), cinéaste néerlandais (Holten 1916).* Peintre puis photographe de presse, il devient dans les années 50 aussi célèbre dans son pays que le fut avant la guerre Joris Ivens. Documentariste inspiré, il tourne notamment *Miroirs de Hollande (Spiegel van Holland,* 1950) et *Panta Rhei* (1952), fondé sur l'axiome d'Héraclite («tout s'écoule»), deux courts métrages poétiques d'une inspiration très personnelle. Après quelques films de commande pour la Shell, il signe un étonnant portrait filmé du peintre Rembrandt (*Rembrandt, peintre de l'homme,* CM, 1956) et remporte plus de vingt récompenses internationales avec *Glas* (CM, 1958). Il passe ensuite à la fiction avec moins de bonheur. Si *la Fanfare* (*Fanfara,* 1958) rappelle certaines comédies britanniques des studios d'Ealing, *l'Affaire M. P.* (*De Zaak M. P.,* 1960) verse dans un humour très appuyé. On retrouve Haanstra dans ses documentaires de long métrage, *le Hollandais* (*Alleman,* 1963) et *la Voix de l'eau* (*De stem van het water,* 1967). Il collabore avec Jacques Tati lorsque ce dernier vient tourner aux Pays-Bas des séquences de *Trafic* (1971).
P.CO.

Autres films ▲ : *Sculpture néerlandaise du Moyen Âge (Nederlandse Beeldhouwkunst tijdens de late middeleeuwen,* CM, DOC, 1951) ; *le Monde rival* (CM, DOC, 1954) ; *Et la mer n'était plus... (En de zee was niet meer,* CM, DOC, 1956) ; *Zoo* (CM, DOC, 1962) ; *Delta phase 1* (1963) ; *les Ponts de Hollande* (CM, DOC, 1968) ; *'Singe et supersinge'* (*Bij de beesten af,* 1973 ; LM, DOC, 1973) ; *'Quand refleuriront les coquelicots ?'* (*Dokter Pulder zaait papavers,* 1975); *'le Jubilé de M. Slotter'* (*Een pak slaag,* 1980).

HAAS *(Charles), cinéaste américain (Chicago, Ill., 1913).* Figurant puis assistant à l'Universal (1935), il y devient réalisateur de documentaires et scénariste (notamment pour *le Fils du pendu* de Borzage en 1948). Il s'occupe aussi de cinéma industriel et dirige des programmes TV. En 1956, il passe à la réalisation de quelques films à petit budget, passablement survoltés, où règne çà et là l'atmosphère trouble chère au producteur Albert Zugsmith : *La corde est prête* (*Star in the Dust,* 1956) ; *les Dernières Heures d'un bandit* (*Showdown at Abilene,* 1956) ; *Summer Love* (1958) ; *Sur la piste de la mort* (*Wild Heritage,* id.) ; *les Beatnicks* (*The Beat Generation,* 1959) ; *Girls Town* (id.) ; *Le témoin doit être assassiné* (*The Big Operator,* id.) ; *Platinum High School* (1960). Puis il retourne à la TV.
G.L.

HAAS *(Hugo), acteur, réalisateur et producteur américain d'origine autrichienne (Brünn, Autriche-Hongrie* [auj. *Brno, Tchécoslovaquie*], *1901 -Los Angeles, Ca., 1968).* Célèbre vedette comique dans son pays natal, il s'exile aux États-Unis en 1943. Après quelques rôles de composition (*Days of Glory,* J. Tourneur, 1944; *l'Aveu,* D. Sirk, *id.; la Fière Créole,* J. H. Stahl, 1947), il écrit, interprète, réalise et produit en indépendant une douzaine de mélodrames naturalistes à tout petit budget. De *la Racoleuse* (*Pickup,* 1951) à *Paradise Alley* (1962), il brode inlassablement sur le thème de *l'Ange bleu* en recensant les affres de vieillards taraudés par le démon de midi et humiliés par de blondes sirènes enivrées de perversité. Seule exception à la règle : *le Dernier Damier (Night of the Quarter Moon,* 1959), plaidoyer mélodramatique contre le racisme. M.H.

HAAS *(Max de), cinéaste néerlandais (Amsterdam 1898 - La Haye 1983).* Le pionnier (méconnu) de l'avant-garde néerlandaise, avec Joris Ivens. Il a créé, en 1932, le groupe Visie (Vision), aux préoccupations militantes affirmées. Il s'y tourne des documentaires pleins de réalisme sur les luttes syndicales, les coopératives, etc. De Haas aborde la fiction avec *'la Retraite aux flambeaux' (Fakkelgang),* film dénonçant les lobbies de l'alcool qui sera suivi, en 1936, de *la Ballade du chapeau haut de forme (De Ballade van de hoge Hoed),* alerte comédie satirique qui se ressent de l'influence de Brecht. Réfugié en Nouvelle-Zélande pendant la guerre, il y dirige une œuvre de propagande antinazie, *L'ennemi vous guette,* puis, de retour aux Pays-Bas, un curieux film sur les masques du musée de Leyde, *Maskerage,* soutenu par une musique concrète de Pierre Schaeffer. C.B.

HACKMAN *(Gene), acteur américain (San Bernardino, Ca., 1931).* Ancien marine, ancien vendeur de chaussures, ancien journaliste, ancien dessinateur, ancien assistant de télévision, Gene Hackman a le physique d'un Monsieur Tout-le-Monde qui aurait une carrure d'athlète. Cette apparence presque anonyme peut expliquer qu'il ne débuta au cinéma qu'en 1964, dans *Lilith* (R. Rossen), par une scène brève mais parfaitement indicative de son considérable talent. La confirmation vint avec *Bonnie and Clyde* (A. Penn, 1967) et l'Oscar avec *French Connection* (W. Friedkin, 1971). Indiscutablement, son faux air de normalité placide joint à l'entêtement maladif du personnage du policier Popeye Doyle n'est pas étranger à l'impact de sa création. Il l'étoffa encore dans *French Connection II* (J. Frankenheimer, 1975), dont les spectateurs français ne connaissent pas généralement un détail qui contribuait à l'excellence de Gene Hackman : il était le seul à parler anglais dans une distribution parlant presque exclusivement français, un point capital escamoté au doublage.

On a essayé de lui donner des rôles de composition en suscitant en lui une manière de truculence qui, en réalité, n'existe pas : qu'il s'agisse de films médiocres comme *les Charognards* (*The Hunting Party,* Don Medford, 1971) ou bons comme *la Chevauchée sauvage* (R. Brooks, 1975) ou *les Aventuriers du Lucky Lady* (S. Donen, *id.*), Hackman fait ce qu'on lui dit, mais ce n'est pas ce qu'il fait le mieux.

Même s'il a eu son plus grand succès populaire en héros salvateur dans *l'Aventure du Poséidon* (R. Neame, 1972) et si sa composition de méchant de bande dessinée dans *Superman* (R. Donner, 1978) n'est pas du tout désagréable, Gene Hackman excelle dans les rôles de chien battu. Il est splendide en détective maladroit, cocu et dépassé par les événements dans *la Fugue* (A. Penn, 1975). Il semble touché par la grâce en clochard magnifique et pathétique dans *l'Épouvantail* (J. Schatzberg, 1973). Et, surtout, il est inoubliable en «plombier» solitaire, piégé par une machination monstrueuse, dans *Conversation secrète* (F. F. Coppola, 1974) : son imperméable fripé, ses lunettes tristes, ses moustaches pendantes composent avec une hallucinante vérité un des plus beaux personnages du cinéma américain des années 70. Les années 80 continuent à lui offrir de beaux rôles : le journaliste d'*Under Fire* (Roger Spottiswoode, 1984) et le père qui comprend mal son fils de *Besoin d'amour* Schatzberg, *id.*). Il apparaît dans des films d'action comme *Retour vers l'enfer* (T. Kotcheff, 1983), *Target* (Penn, 1985) et *Power , les Coulisses du pouvoir* (S. Lumet, 1986), et *Sens unique* (*No Way out,* Roger Donaldson, 1987) avec une efficacité d'autant plus originale qu'elle reste toujours très sobre. À la fin des années 80, il apparaît au générique de nombreux films dans des rôles parfois originaux : *Soleil d'automne* (B. Yorkin, 1985), *Mississippi Burning* (A. Parker, 1988), *Une autre femme* (W. Allen, 1989), parfois stéréotypés : *le Grand Défi* (*Hoosiers,* David Anspaugh, 1986), *Superman IV* (S. Furie, 1987), *No Way Out* (Roger Donaldson, *id.*), *Bat 21* (Peter Markle, 1988), *Fool Moon in Blue Water* (Peter Masterson, *id.*), *Split Decisions* (David Drury, *id.*), *The Packadge* (Andrew Davis, 1989), *Loose Cannons* (Bob Clark, 1990), *Dinosaurs* (Nicholas Meyer, *id.*), *le Seul Témoin* (*Narrow Margin,* Peter Hyams, *id.*), *Class Action* (M. Apted, *id.*), *Bons Baisers d'Hollywood* (M. Nichols, 1991). Insensiblement, il est passé des premiers rôles aux rôles de composition, où sa large carrure et son masque expressif font merveille. Il excelle autant dans les rôles négatifs (*Impitoyable,* C. Eastwood, 1992) que dans les figures emblématiques (le pater familias de *Wyatt Earp,* L. Kasdan,1994). Mais c'est entre le bien et le mal qu'il trouve un de ses plus grands rôles, celui de l'avocat à la fois trouble et pathétique de *la Firme* (S. Pollack, 1993). C.V.

HADJIDAKIS *(Manos), musicien grec (Xanthi 1925 - Athènes 1994).* De formation classique, il s'intéresse au fonds vernaculaire dont il utilise avec du charme et de l'habileté mélodies et instrumentation dans ses chansons, ses œuvres scéniques, ou les films dont il sait rendre l'atmosphère de réalisme poétique qui marque le renouveau du cinéma grec des années 50 : *la Cité morte* (*Nekri politia,* Frixos Illiadis, 1951) ; *la Cité magique* (N. Kondouros, 1954) ; *Stella* (M. Cacoyannis, 1955) ; *le Petit Fiacre* (D. Dimopoulos, 1957). L'engouement international pour l'air populaire du film de Dassin, *Jamais le dimanche* — qu'interprète Melina Mercouri —, lui vaut l'Oscar en 1961. Sa carrière se poursuit avec *America America* (E. Kazan, 1963), *Topkapi* (J. Dassin, 1964), parallèlement à ses compositions lyriques ou chorégraphiques. En 1964, il fonde l'Orchestre expérimental d'Athènes. De 1967 à 1972, il séjourne aux États-Unis, écrit la musique de *Sweet Movie* (D. Makavejev, 1974) et de retour en Grèce dirige l'Opéra national d'Athènes (1974), puis en 1976 l'Orchestre national. Pandelis Voulgaris lui a consacré un film, *le Grand Erotikos* (*To Mega Erotikos,* 1973). C.M.C.

HAESAERTS *(Paul), cinéaste belge (Boom, province d'Anvers, 1901 - Bruxelles 1974).* Il étudie le droit et la philosophie à Louvain et il acquiert une formation artistique à l'académie d'Anvers.

Lorsque Henri Storck le sollicite pour collaborer au film *Rubens* (1947-48), Paul Haesaerts est déjà architecte, peintre, critique, historien d'art. Il voit dans le cinéma le moyen de développer ses conceptions sur les beaux-arts et il met au point une technique de critique comparative consistant à subdiviser l'écran et à recourir à divers graphismes animés. Cela permet de juxtaposer des œuvres et d'en souligner les oppositions et les ressemblances de style tout en rendant accessibles au public des épisodes entiers de l'histoire de l'art. Originale au début (*De Renoir à Picasso,* 1949 ; *Un siècle d'or,* 1953), cette méthode didactique frise parfois le système (*Humanisme, victoire de l'esprit,* 1955). Paul Haesaerts, fidèle toute sa vie durant au film sur l'art, expérimenta aussi de nouvelles approches du sujet, notamment dans *Visite à Picasso* (1949), film pour lequel le plasticien peint directement derrière une plaque transparente (Henri-Georges Clouzot utilisera longuement ce procédé dans *le Mystère Picasso,* en 1956). R.BA.

HAINES *(William), acteur américain (Staunton Va., 1900 - Santa Monica, Ca., 1973).* Vainqueur en 1922 (comme Eleanor Boardman) d'un concours mettant en concurrence les « acteurs de demain », il est engagé à Hollywood, tourne son premier film en 1923 (*la Sagesse de trois vieux fous,* K. Vidor), est le partenaire de Mary Pickford dans *Little Annie Rooney* (W. Beaudine, 1925), de Norma Shearer dans *la Tour des mensonges* (V. Sjöström, *id.*), et d'Eleanor Boardman dans *Tell it to the Marines* (G. Hill, 1926). Il est également à l'affiche de *Slide, Kelly, Slide* (E. Sedgwick, 1927), *West Point* (*id.,* 1928), *Show People* (K. Vidor, *id.*), *Alias Jimmy Valentine* (J. Conway, 1929), *Free and Easy* (Sedgwick, 1930). J.-L.P.

HAÏTI. Ce petit pays, encore dépourvu de toute structure de production, de matériel et de studio, accède à peine à la création cinématographique. À l'étranger existe un cinéma militant, antiduvaliériste, illustré surtout par Arnold Antonin (*Haïti les chemins de la liberté,* 1975 ; *les Duvalier condamnés,* id. ; *Un Tonton Macoute peut-il être un poète ?,* 1980). En Haïti même, après quelques tentatives dont *Olivia* (1977) de Bob Lemoine, premier long métrage de fiction, le moyen métrage de Rassoul Labuchin, *Anita* (1980), réalisé avec l'aide de techniciens étrangers, fait figure de première œuvre haïtienne réussie. À travers la description d'une petite ville de province, ce film relie la question de la domesticité enfantine à celle des travailleurs exploités, sans oublier l'impact du vaudou. Il témoigne, non sans subtilité, de l'aspiration de l'auteur à chercher, par-delà ces différents types d'oppression, la voie d'une libération possible. Ce film a été montré avec succès en Haïti. En Europe, Raoul Peck* réussit à entamer une carrière, sans pour autant renier ses racines haïtiennes. H.M.

HAKIM *(Raymond) [Alexandrie 1909 - Deauville 1980]* et **HAKIM** *(Robert) [Alexandrie 1907], producteurs français.* Ils apparaissent dans le cinéma dès 1927 puis créent Paris Film Production en 1934. Plusieurs des films qu'ils ont produits sont devenus des classiques : *Samson* (M. Tourneur, 1936), *Pépé le Moko* (J. Duvivier, 1937), *Marthe Richard* (R. Bernard, *id.*), *Naples au baiser de feu* (A. Genina, *id.*), *la Bête humaine* (J. Renoir, 1938). Durant la guerre, à Hollywood, on leur doit un remake de *Battement de cœur* d'Henri Decoin : *Heartbeat* (S. Wood, 1946) et du film de Marcel Carné, *Le jour se lève : The Long Night* (A. Litvak, 1947). Après la guerre, ils produisent encore *Casque d'or* (J. Becker, 1952), *Thérèse Raquin* (Carné, 1953), *Notre-Dame de Paris* (J. Delannoy, 1956), *Pot-Bouille* (Duvivier, 1957), *À double tour* (C. Chabrol, 1959), *Plein Soleil* (R. Clément, 1960), *les Bonnes Femmes* (Chabrol, id.), *l'Éclipse* (M. Antonioni, 1962), *Eva* (J. Losey, *id.*), *Belle de Jour* (L. Buñuel, 1967). J.- C.S.

HALAS *(John), producteur et cinéaste d'animation britannique (Budapest, Hongrie, 1912 - Londres 1995).* Ancien collaborateur du cinéaste d'animation hongrois George Pal, Halas s'installe en Grande-Bretagne en 1936. Associé à Joy Batchelor, sa femme, il fonde en 1940 la Halas and Batchelor Cartoon Films et devient un important et prolifique producteur de films d'animation pour le cinéma puis la télévision. Parmi des centaines de films de tout genre et de tout style, films de divertissement, d'information, de propagande, de publicité, séries télévisées (sur les dessins de G. Hoffnung par exemple) : *Poubelle Parade* (*Dustbin Parade,* 1942) ; *Handling Ships* (1945) ; *Robinson Charley* (1948) ; *la Toile magique* (*Magic Canvas,* 1951) ; *le Chat et le Hibou* (*The Owl and the PussyCat,* 1953) ; *l'Histoire du cinéma* (*History of the Cinema,* 1956) ; *Automania 2000* (1963) ; *Qu'est-ce qu'un ordinateur ?* (*What Is a Computer ?* , 1970), etc. Leur œuvre la plus ambitieuse comme réalisateurs reste le long métrage *Animal Farm* (1954), d'après le roman de « politique-fiction » antifasciste de George Orwell, et dont l'animation fut dirigée par John Reed. P.P.

HALE *(Barbara), actrice américaine (DeKalb, Ill., 1921).* Elle débuta en 1943, à la RKO qui essaya de faire d'elle une ingénue. Effectivement, ses attraits sereins et simples lui permirent de remplir cet emploi avec popularité. Même dans quelques films originaux comme *le Garçon aux cheveux verts* (J. Losey, 1948) ou *Une incroyable histoire* (T. Tetzlaff, 1949), elle est efficace, sans qu'on la remarque particulièrement. Elle resta active au cinéma jusqu'au milieu des années 50 : à ce moment-là, la télévision lui offrit le rôle de sa vie : Della Street, la secrétaire discrète de Perry Mason dans la série en 271 épisodes du même nom (1957-1966) qui lui permet de remporter un Emmy. Depuis, ses apparitions cinématographiques ont été sporadiques. Elle est la mère de l'acteur William Katt. C.V.

HALE *(Patrick Fitzgerald,* dit *Creighton), acteur américain d'origine irlandaise (Cork, Irlande, 1882 - Pasadena, Ca., 1965).* Débarqué aux États-Unis avec une tournée théâtrale, il débuta comme élégant et valeureux jeune premier dans des serials, dès 1914. Au cours des années 20, il fut un acteur de renom sinon de premier plan, et on le trouve dans des films comme *Wine of Youth* (K. Vidor, 1924). En 1927, son rôle de jeune premier comique dans *la Volonté du mort* (P. Leni) l'orienta vers les compositions qu'il tint jusqu'en 1949, dans *la Garce* (K. Vidor). C.V.

HALE *(Georgia), actrice américaine (Saint Joseph, Mont., 1906 - Hollywood 1985).* Cette jolie brune rêveuse aux grâces de danseuse eut une carrière trop brève. Elle fut inoubliable en fille des rues dans *The Salvation Hunters* (J. von Sternberg, 1925), en fille de saloon dans *la Ruée vers l'or* (Ch. Chaplin, *id.*) ou en fille facile et tragique dans *The Great Gatsby* (H. Brenon, 1926). En 1928, elle se retirait. C.V.

HALL *(Alexander), cinéaste américain (Boston, Mass., 1894 - San Francisco, Ca., 1968).* Acteur de serials dès 1914 *(The Million Dollar Mystery),* monteur et assistant, il devient réalisateur en 1932. Il a dirigé jusqu'en 1956 quelque cinquante films, surtout des comédies pour la plupart médiocres, à l'exception de : *This Thing Called Love* (1941) ; *J'épouse ma femme* (*Bedtime Story,* id.) ; *Ma sœur est capricieuse* (*My Sister Eileen,* 1942, première version à l'écran de la délicieuse comédie dont Richard Quine fera un chef-d'œuvre musical) ; *Corps céleste* (*The Heavenly Body,* 1944) ; *l'Étoile des étoiles* (*Down to Earth,* 1947) avec Rita Hayworth. Quant à son film le plus connu, *le Défunt récalcitrant* (*Here Comes Mr. Jordan,* 1941), sans doute ne tient-il pas le rythme nécessaire à une idée de départ très forte et totalement fantaisiste. G.L.

HALL *(Conrad), chef opérateur américain (Tahiti, Polynésie française, 1926).* Élève de Slavko Vorkapich, très actif à la télévision et dans le film publicitaire, Conrad Hall s'est affirmé depuis le milieu des années 60 comme l'opérateur fétiche d'un Hollywood qui changeait de visage. Si son noir et blanc, assez sec, est parfois sensible (*Morituri,* B. Wicki, 1965 ; *De sang froid,* R. Brooks, 1967), son maniement sensuel de la couleur, qui privilégie souvent le bleu et l'or, est sa marque de fabrique (*Duel dans le Pacifique,* J. Boorman, 1968 ; *Butch Cassidy et le Kid,* G. Roy Hill, 1969 ; *Willie Boy,* A. Polonsky, 1970 ; *Fat City,* J. Huston, 1972 ; *Marathon Man,* J. Schlesinger, 1976). Un homme de goût et de talent, aussi rare que sûr. C.V.

HALL (sir *Peter*), *cinéaste britannique (Bury St. Edmunds, Suffolk, 1930).* Directeur de la Royal Shakespeare Company, Peter Hall était un homme de théâtre révéré quand il débuta au cinéma en 1968. Paradoxalement, ses réalisations ne témoignent pas d'une grande envergure et sont plutôt anonymes. Ce sont des comédies dramatiques, comme *Auto-Stop Girl* (*Three Into Two Won't Go,* 1969), ou policières comme *l'Arnaqueuse* (*Perfect Friday,* 1970), oubliées aussitôt que consommées puis en 1989, il tourne *She's Been Away.* Peter Hall a été marié à l'actrice Leslie Caron. C.V.

HALLDOFF *(Jan), cinéaste suédois (Stockholm 1939).* Auteur le plus prolifique de la génération des metteurs en scène suédois qui firent leurs débuts dans les années 60, Halldoff, dont le premier long métrage, *le Mythe (Myten),* est réalisé en 1966, a su comprendre et traduire à l'écran l'état d'esprit de ses jeunes compatriotes dans des films pop comme *La vie est marrante comme tout* (*Livet är stenkul,* 1967) et *Ola et Julia* (id.). Mais il a prouvé que, à côté de certaines comédies de mœurs en forme de farces, il était également capable d'œuvres plus ambitieuses à l'occasion, comme *les Couloirs* (*Korridoren,* 1968), qui analyse les vicissitudes d'un jeune médecin dans une situation critique, *Rêve de liberté* (*En dröm om Frihet,* 1969), ou deux jours de la vie de deux jeunes délinquants, et *la Dernière Aventure* (*Det sista äventyret,* 1973), calvaire d'un jeune homme séduisant sombrant dans la folie. P.CO.

HALLER *(Ernest), chef opérateur américain (Los Angeles, Ca., 1896 - 1970).* Un des grands maîtres de la Warner Bros, il obtint de magnifiques résultats comme opérateur attitré de Bette Davis (*l'Insoumise,* W. Wyler, 1938 ; *Victoire sur la nuit,* E. Goulding, 1939). Il reçut un Oscar pour son travail (en collaboration) sur *Autant en emporte le vent* (V. Fleming, 1939). Son sens de la couleur fut parfois remarquable (*la Fureur de vivre,* N. Ray, 1955). Il termina sa carrière en photographiant Bette Davis dans *La mort frappe trois fois* (Paul Henreid, 1964). C.V.

HALLSTRÖM *(Lasse), cinéaste suédois (Stockholm 1946).* Producteur et réalisateur à la télévision suédoise, il tourne son premier long métrage cinématographique en 1975. Il fait ensuite un film musical *Abba – The Movie* (1977) et une série de comédies, puis, *Ma vie de chien* (*Mitt liv som hund,* 1985), où il introduit des éléments autobiographiques comme dans certains films antérieurs qui traitaient de l'adolescence. Ce film, le plus rigoureux qu'il ait tourné, est devenu en deux années un succès international. Après deux films pour enfants inspirés par Astrid Lindgren, il tente sa chance aux États-Unis, où il réalise *Once Around* (1991) *et Gilbert Grape* (*What's Eating Gilbert Grape,* 1993). D.S.

HALLYDAY *(Jean-Philippe Smet,* dit *Johnny), chanteur et acteur français (Paris 1943).* « Idole des jeunes » à dix-huit ans, le rocker du temps des yéyés est très vite courtisé par des réalisateurs de cinéma qui se soucient peu de ses talents de comédien. Dès 1961, il apparaît dans quelques films, parmi lesquels *D'où viens-tu Johnny ?* (Noël Howard, 1963), *Cherchez l'idole* (M. Boisrond, 1964) ou *L'aventure, c'est l'aventure* (C. Lelouch, 1972). Désirant rompre avec cette période de sa vie d'acteur, il attend des propositions plus intéressantes. C'est Jean-Luc Godard qui lui donne son premier rôle consistant en 1985 dans *Détective,* puis Costa-Gavras avec *Conseil de famille* (1986). *Terminus* (P.-W. Glenn, 1987) lui permet de camper un personnage de Mad Max à la française. E.K.

HALOGÈNES. Famille de corps (brome, chlore, fluor, iode) ayant des propriétés chimiques voisines. (→ COUCHE SENSIBLE.)

HALOGÉNURES. *Halogénures d'argent,* composés chimiques à base d'halogènes et d'argent (chlorure, bromure, iodure d'argent), qui sont les principaux constituants actifs de la couche sensible. (→ COUCHE SENSIBLE.) *Halogénures métalliques,* composés chimiques à base d'halogènes et de métaux, employés dans certaines lampes à décharge. (→ SOURCES DE LUMIÈRE, ÉCLAIRAGE, TEMPÉRATURE DE COULEUR.)

ḤAMĀMA *(Fātin), actrice égyptienne (al-Mansūrah 1931).* Elle a huit ans, non pas six, lors de sa première apparition à l'écran, sous la direction de Muḥammad Karīm (*Yūm Sa'īd,* 1939). Suite à ce *'Jour heureux',* elle tourne deux autres fois avec le même cinéaste et on lui prédit une carrière à la Shirley Temple. Mais les habiles mélos de Ḥasan al-Imān, puis *'l'Ange de miséricorde'* (*Malāk al-raḥma,* 1947), interprété et dirigé par Yūsuf Wahbī, son premier grand succès, font de Fātin Ḥamāma la Lillian Gish égyptienne, victime du sort, orpheline ravissante et pauvre. Vedette consacrée, elle est la Nādiyā du premier film de 'Abd al-Wahhāb (1948), l'actrice préférée de 'Izz al-Dīn Zulfiqār jusqu'en 1959 : *'Entre les ruines' (Bayn al-aṭlāl).* À partir de 1950 *('Papa Amine'),* elle participe aux débuts du jeune Chāhīn aux côtés de Shukrī Sarḥān *('le Fils du Nil'),* puis d'Omar Sharif, dans des mélodrames intéressants (*Ciel d'enfer,* 1954 ; *les Eaux noires,* 1956). Son extraordinaire popularité coïncide avec l'évolution du cinéma du Caire vers le réalisme et un notable changement dans le jeu des acteurs, libéré de la déclamation et des cadrages statiques. Avec Chāhīn, avec Abū-Sayf, dont elle joue une Thérèse Raquin dans l'adaptation de Nagīb Maḥfūz (*'Ton jour viendra',* 1951), puis *'Nuit sans sommeil'* (1957), *'l'Impasse'* (1958) – une de ses belles créations – et *'N'éteins pas le soleil'* (1961) ; avec Barakāt, dans un musical (*'Chant immortel',* 1952) puis dans ses deux meilleurs films au succès éclatant, *l'Appel du courlis* (1959), *le Péché* (1965), la gloire de Fātin Ḥamāma, portée par un extraordinaire engouement pour le cinéma égyptien, du Maroc à l'Inde, devient immense. Cette aura était le fruit non seulement d'une présence lumineuse à l'écran, mais aussi de l'intelligence et de la sensibilité ; sa retenue, son refus des tics à la mode, son intériorité la rendent capable de ne pas trahir son personnage : étudiante, telle Layla dans *la Porte ouverte* (Barakāt, 1963), ou paysanne, fille-mère, ou servante se laissant aimer par vengeance. Elle a conscience de l'enjeu fragile que représentent les films de Abū-Sayf, Chāhīn ou Barakāt (à ce moment trop bref de son œuvre). Et, si elle reste fidèle à la comédie sentimentale dans laquelle elle excelle – citons, de Barakāt : *'le Grand Amour'* (*al-Ḥubb al-kabīr,* 1968) ; *'le Fil fin'* (*al-Khayṭ al-rafī',* 1971) ; *'Pas de condoléances pour les femmes'* (*Lā 'azā' lil-sayyidāt,* 1978) –, elle sait jouer la carte de jeunes auteurs avec Ḥusayn Kamāl (*'l'Empire de M.',* 1972), ou Sa'īd Marzūq, dont *Je veux une solution* (1974), film sur le divorce, est comme l'écho dans la carrière de Fātin Ḥamāma de *la Porte ouverte,* une défense, dix ans plus tôt, de l'émancipation de la femme dans la société islamique. Espaçant ses rôles sans que sa gloire s'obscurcisse, elle demeure notamment une figure archétypale essentielle, celle du *Péché,* mais ses autres remarquables compositions justifient la place, unique en vérité, qui lui est reconnue. Fātin Ḥamāma, qui avait épousé 'Izz al-Dīn Zulfiqār, puis Omar Sharif, s'est remariée en 1979. Après une longue absence, Fātin Ḥamāma marque son retour au cinéma avec le film du jeune metteur en scène Khaïri Bichara *Jours doux, jours amers* (*Youm Hilw, Youm Mur,* 1988). C.M.C.

HAMER *(Robert), cinéaste britannique (Kidderminster 1911 - Londres 1963).* Après des études à Cambridge, il travaille pour divers studios, avant d'entrer comme monteur à Ealing : il signe par exemple le montage de *Vessel of Wrath* (1938) d'Erich Pommer, et celui de *Le contremaître vient en France* (1942) de Charles Frend. En 1943 il écrit le scénario – et, dit-on, dirige quelques scènes finales – de *San Demetrio, London,* réalisé par Charles Frend. La première réalisation vraiment personnelle de Hamer est le sketch du *Miroir hanté* de *Au cœur de la nuit* (*Dead of Night,* 1945). En quelques minutes, il fait naître l'angoisse, dans un décor contemporain. Puis, toujours avec l'actrice Googie Withers dans le rôle principal,

Hamer dirige *Pink String and Sealing Wax* (1945) et *Il pleut toujours le dimanche* (*It Always Rains on Sunday,* 1947) ; ce dernier film – l'évasion fatale d'un repris de justice – évoque à la fois le film noir français et une sorte de néoréalisme à l'anglaise. Mais l'œuvre qui installe Hamer au tout premier plan (à la fois comme scénariste et metteur en scène) est sans conteste *Noblesse oblige* (*Kind Hearts and Coronets,* 1949) avec Dennis Price, Valerie Hobson et Joan Greenwood, et où Alec Guinness ne compose pas moins de huit personnages. Modèle de l'humour britannique pour les Français, et de l'humour à la française pour les Britanniques (le ton est en effet assez proche du *Roman d'un tricheur* de Sacha Guitry), ce film décrit avec une agressive allégresse l'irrésistible et criminelle ascension d'un ambitieux jeune homme, dans la Grande-Bretagne victorienne. Hamer ne retrouvera jamais ce bonheur cinématographique. Il tourne : *The Spider and the Fly* (1949) ; *His Excellency* (1952) ; *The Long Memory* (id.) ; *Détective du bon Dieu* (*Father Brown,* 1954) ; *Deux Anglais à Paris* (*To Paris With Love,* 1955) ; *le Bouc émissaire* (*The Scapegoat,* 1959) ; *l'Académie des coquins* (*School for Scoundrels,* 1960). Son dernier scénario, *A Jolly Bad Fellow,* sera réalisé en 1963 par Don Chaffey. ▲ P.P.

HAMILTON *(Guy), cinéaste britannique (Paris, France, 1922).* Cet ancien assistant de Julien Duvivier, fixé en Grande-Bretagne dès 1940, s'est spécialisé dans les films d'aventures à grand spectacle, notamment dans la série des James Bond. Il eut le privilège de diriger les plus grands acteurs britanniques dans *la Bataille d'Angleterre,* présenté comme le film le plus coûteux de la production d'outre-Manche. Parmi ses œuvres de quelque relief, citons : *L'assassin a de l'humour* (*The Ringer,* 1952) ; *le Visiteur nocturne* (*The Intruder,* 1953) ; *Un inspecteur vous demande* (*An Inspector Calls,* 1954) ; *Au fil de l'épée* (*The Devil's Disciple,* 1959) ; *Mes funérailles à Berlin* (*Funeral in Berlin,* 1966) ; *la Bataille d'Angleterre* (*Battle of Britain,* 1969) ; *L'ouragan vient de Navarone* (*Force Ten From Navarone,* 1978) ; *le Miroir se brisa* (*The Mirror Crack'd,* 1980) ; *Meurtre au soleil* (*Evil Under the Sun,* 1982) ; *Remo sans arme et dangereux* (*Remo, Unarmed and Dangerous,* 1985). Il s'est également illustré dans quatre films de la série des James Bond : *Goldfinger* (1964) ; *les Diamants sont éternels* (*Diamonds are Forever,* 1971) ; *Vivre et laisser mourir* (*Live and Let Die,* 1973) ; *l'Homme au pistolet d'or* (*The Man With the Golden Gun,* 1974). R.L.

HAMILTON *(Lloyd), acteur américain (Oakland, Ca., 1891 - Hollywood, id., 1935).* Engagé à la Kalem en 1914, il tourne près de deux cents courts métrages comiques avec son partenaire Albert Duncan jusqu'en 1917 (les *Ham and Bud*), puis poursuit sa carrière en solitaire dans les Sunshine Comedies de la Fox, puis dans sa propre compagnie, qu'il crée en 1924. Parmi ses meilleurs films, on peut citer *Ham in the Harem* (Chance E. Ward, 1915), *Ham at the Garbage Gentleman's Ball (id., id.), A Twilight Baby* (Jack White, 1918), *The Mischief Man* (*id.,* 1920), *His Darker Self* (John W. Noble, 1924), *The Rainmaker* (C. Badger, 1926). J.-L.P

HAMILTON *(Margaret), actrice américaine (Cleveland, Ohio, 1902 - Salisbury, Conn., 1985).* Venue de l'enseignement, elle débute à Hollywood avec *Zoo in Budapest* (Rowland V. Lee, 1933) et dessine de nombreuses silhouettes de vieilles filles acariâtres sous la direction de William Wyler (*Ils étaient trois,* 1936), Henry Hathaway (*la Fille du bois maudit,* 1936), Fritz Lang (*J'ai le droit de vivre,* 1937) et William A. Wellman (*la Joyeuse Suicidée,* 1937) avant de s'immortaliser sous les traits de la méchante sorcière du *Magicien d'Oz* (V. Fleming, 1939). Cette composition marque la suite de son abondante carrière, où l'on distingue des films comme : *Place au rythme* (B. Berkeley, 1939) ; *Mon petit poussin chéri* (E. Cline, 1940) ; *l'Étrange Incident* (W. A. Wellman, 1943) ; *l'Enjeu* (F. Capra, 1948) ; *On murmure dans la ville* (J. L. Mankiewicz, 1951) ; *Brewster McCloud* (R. Altman, 1970) ; *le Gang Anderson* (S. Lumet, 1971) et le long métrage d'animation *Journey Back to Oz* (Hal Sutherland, 1964, distribué en 1974 ; voix seulement). O.E.

HAMILTON *(James Neil Hamilton,* dit *Neil), acteur américain (Lynn, Mass., 1899 - Escondido, Ca., 1984).* Jeune premier solide et athlétique, jamais il n'a pu devenir une vraie star (contrairement à Richard Barthelmess), bien qu'il ait été l'un des acteurs de la Paramount les plus en vue à la fin des années 20. Il a eu cependant une longue carrière (1918-1970) et d'excellentes et prestigieuses partenaires comme Mae Marsh et Carol Dempster (*la Rose blanche,* D. W. Griffith, 1923), Carol Dempster encore (*Pour l'Indépendance, id.,* 1924), Norma Shearer (*Strangers May Kiss,* G. Fitzmaurice, 1931) ou Constance Bennett (*What Price Hollywood ?,* G. Cukor, 1932). Dans les années 60, on l'a remarqué dans plusieurs films de Jerry Lewis, notamment *Jerry souffre-douleur* (1964). C.V.

HAMMAN *(Jean Hamman,* dit *Joe), acteur français (Paris 1885* - id. *1974).* Influencé par le séjour qu'il fait au début du siècle aux États-Unis, il tente d'acclimater le western en France à partir de 1908. Il participe ainsi aux bandes que Jean Durand tourne en Camargue sous des titres évocateurs : *le Desperado ; Cent Dollars mort ou vif ; les Aventures d'un cow-boy à Paris ; Une pendaison à Jefferson City ; le Cheval vertueux* (1909-1911). L'adaptation à l'écran de *Mireille* (Ernest Servaes, 1922) le requiert plus tard ; puis, ce courant s'étant tari, il participe à des films historiques (*l'Enfant-Roi,* Jean Kenn, 1923), dramatiques (*le Stigmate,* L. Feuillade, 1925), comiques (*le Capitaine Rascasse,* Henri Desfontaines, 1927) ou à des essais plus littéraires (*le Roi des Aulnes,* Iribe, 1929). Il avait assumé comme réalisateur la confection de certains westerns ; de même, il dirige quelques versions françaises tournées en Allemagne (*Monts en flammes,* 1931) et devient un actif directeur de production. De temps en temps il apparaît, fugitif, comme acteur (*Napoléon,* S. Guitry, 1955) ou revient en Camargue comme réalisateur : *Au pays des étangs clairs* (1950). R.C.

HAMMER FILMS, compagnie de production britannique. En 1934, William Hammer a créé la Hammer Productions Ltd., mais ce n'est qu'en 1948 que la Hammer Films se met en marche pour lentement devenir la plus forte des compagnies de production que le cinéma britannique a connues. Vers le milieu des années 50, avec le succès populaire du *Monstre* (*The Quatermass Experiment,* V. Guest, 1955) et de *Frankenstein s'est échappé* (*The Curse of Frankenstein,* T. Fisher, 1957), la Hammer acquiert une réelle existence artistique, qui durera jusqu'au début des années 70. *Le Monstre* avait révélé qu'il se trouvait une excellente place à prendre pour le film fantastique. Le fabuleux succès de *Frankenstein s'est échappé* confirmait l'intuition et affirmait les caractéristiques de la Hammer. Presque exclusivement sous l'impulsion de Terence Fisher, la compagnie va revivifier les classiques du cinéma et de la littérature fantastique gothique (Frankenstein, Dracula, la momie, le loup-garou) en accentuant la composante violente et érotique, jusqu'alors jouée en sourdine, grâce souvent à une saisissante utilisation d'un chromatisme violent. L'âme de ce renouveau est Fisher, dont l'acuité visuelle et l'invention décorative dépassent les trucages parfois pauvres ou les anecdotes répétitives : il ne faut pas oublier que le principe de la Hammer était d'obtenir un bénéfice maximum pour un investissement minimum. D'où les décors réutilisés et les tournages brefs (25 jours en moyenne). Autour de Fisher, on trouve une belle équipe d'artisans : Jack Asher, chef opérateur ; James Bernard, musicien ; Philip Martell, orchestrateur ; Bernard Robinson, décorateur ; John Elder / Henry Younger (pseudonymes du producteur Anthony Hinds) et Jimmy Sangster, scénaristes. D'autres cinéastes emboîtent le pas à Fisher et signent eux aussi, dans une atmosphère de création effervescente, des réussites comme *le Monstre, la Marque* (*Quatermass II,* V. Guest, 1957) et surtout *les Monstres de l'espace* (*Quatermass and the Pit,* Roy W. Baker, 1967). Ces films élargissent les ambitions de la Hammer à la science-fiction, avec un retentissement non négligeable.

La baisse de succès de la compagnie s'explique de plusieurs manières. Une évidente saturation d'abord : talonnée par les imitations, la Hammer en est réduite à recourir systématiquement à une redondance dans la violence (*le Retour de Frankenstein / Frankenstein Must Be Destroyed,* Fisher, 1969) qui verse parfois dans le grotesque (*les Cicatrices de Dracula / Scars of Dracula,* R. W. Baker, 1970). De nouvelles compagnies puisent à de nouvelles sources d'inspiration (Amicus et ses films à épisodes) et, partant, accusent le caractère répétitif des productions Hammer. Enfin et surtout, la technologie grandissante, que dédaigne la Hammer, artisanale, fait accéder le genre horrifique et fantastique au rang des gros budgets (*l'Exorciste / The Exorcist,* W. Friedkin, 1973 ; *la Malédiction / The Omen,* R. Donner, 1976) : contre cela, la Hammer et son système sont impuissants, même si d'intéressantes tentatives soutiennent encore la qualité de la compagnie (*la Fille de Jack l'éventreur / Hands of the Ripper,* Peter Sasdy, 1972).

La Hammer est un îlot créatif qui a beaucoup fait pour dorer le blason d'un genre négligé en lui reconquérant un public et, à la longue, en lui suscitant la reconnaissance critique. C.V.

HAMMERSTEIN *(Oscar II), parolier américain (New York, N. Y., 1895 - Doylestown, Pa., 1960).* Il est un des grands noms du monde musical de Broadway, plus encore que d'Hollywood. Parolier de *Show Boat* (porté à l'écran en 1929 par Harry Pollard, en 1936 par James Whale et en 1951 par George Sidney), de *Oklahoma* (F. Zinnemann, 1955), du *Roi et moi* (W. Lang, 1956) ou de *la Mélodie du bonheur* (R. Wise, 1965), il écrivit directement pour l'écran les lyrics des chansons de *la Furie de l'or noir* (R. Mamoulian, 1937) et de *State Fair* (W. Lang, 1945). L'auteur de la fameuse chanson *Ol'Man River* a fait équipe avec des compositeurs comme George Gershwin, Jerome Kern et Richard Rodgers. C.V.

HAMMETT *(Dashiell), écrivain et scénariste américain (St. Mary's County, Md., 1894 - New York, N. Y., 1961).* Détective, puis illustre romancier qui donna ses lettres de noblesse au policier américain, Dashiell Hammett a vécu à Hollywood avec une certaine paresse. Il s'est contenté d'autoriser les adaptations de ses romans, en surveillant le travail du plus loin possible. Son style de dialogue est si cinématographique, dans sa concision et sa musicalité sèche, qu'il passe généralement l'écran tel quel, de sorte que des films comme *le Faucon maltais* (R. del Ruth, 1931 ; J. Huston, 1941) ou *la Clé de verre* (F. Tuttle, 1935 ; S. Heisler, 1942), de qualités si disparates, portent tous la marque de Dashiell Hammett. Seul *l'Introuvable* (W. S. Van Dyke, 1934) trahit son univers en l'édulcorant. Ses seules contributions directes au cinéma, le scénario original des *Carrefours de la ville* (R. Mamoulian, 1931) et son adaptation de la pièce de Lillian Hellman *Watch on the Rhine* (*Quand le jour viendra,* H. Shumlin, 1943), sont assez peu typiques de sa manière, et la réussite du premier film est à imputer sans doute à Mamoulian seul. Cela dit, ne serait-ce que par l'influence considérable qu'il a exercée sur le cinéma policier américain, Dashiell Hammett est l'un des écrivains importants dont Hollywood a pu inscrire le nom sur ses tablettes (en 1977, Jason Robards Jr. joue le rôle d'Hammett dans le film de Fred Zinnemann : *Julia*). C.V.

HAMMOND *(Dorothy Katherine Standing,* dite *Kay), actrice britannique (Londres 1909 - Brighton 1980).* Fille de l'acteur sir Guy Standing, elle débute à Hollywood, où elle joue avec Gloria Swanson dans *The Trespasser* (E. Goulding, 1929) et sous la direction de Griffith dans *Abraham Lincoln* (1930). Un retour en Angleterre et quelques rôles cinématographiques sans importance l'orientent vers la scène. Forte de cette expérience, elle fait une création délicieuse de fantôme élégant dans *L'esprit s'amuse* (D. Lean, 1945), son meilleur film. Depuis lors, et jusqu'en 1961, et, sauf son apparition dans la *Fille à la balançoire* (R. Fleischer, 1955), sa carrière perd tout intérêt. C.V.

HAN Fei (*Han Youzhi,* dit), *acteur chinois (Ningbo, prov. du Zhejiang, 1919 - Shanghai, 1984).* Acteur de théâtre à partir de 1933, Zhang Shichuan lui offre son premier rôle au cinéma dans son film *'la Nuit close' / 'Dans les ténèbres de la nuit'* (*Ye shenchen,* 1941). La même année, il interprète *'Scènes d'une époque troublée'* (*Luanshi fengguang,* Wu Renzhi) avec Shi Hui, mais ne devient acteur professionnel qu'après la guerre et pour plusieurs studios : Zhongdian, pour lequel il joue dans *'la Grande Affaire du mariage'* (*Zhongsheng dashi,* Wu Yonggang, 1947) ; Wenhua, où il participe à plusieurs films notables, en particulier *'Vive ma femme' (Taitai wansui,* Sang Hu, *id.), 'Soleil radieux'* (*Yanyang tian,* Cao Yu, 1948), *'Tristesse et Joie de l'âge mûr'* (*Ai le zhongnian,* Sang Hu, 1949). Parti pour Hongkong en 1949, il y joue dans près d'une vingtaine de films, dont : *'la Ruelle aux fleurs'* (*Huajie,* Yue Feng, 1949) ; *'l'Horrible Vérité'* (*Shuohuang shijie,* Li Pingqian, 1950) ; *'Mariage reporté'* (*Wu jiaqi,* Zhu Shilin, 1951) ; *'la Fille' (Hua guniang,* id., *id.) ; 'la Chambre à la cloison de bois'* (*Yiban zhi ge,* id., 1952) ; *'le Festival de la mi-automne' (Zhongqiu jie,* id., 1953). Il retourne ensuite en Chine et poursuit une carrière d'acteur aux multiples facettes, qui privilégie pourtant les rôles comiques : *'Bonheur'* (*Xingfu,* Tian Ran et Fu Chaowu, 1957) ; *'Lin Zexu'* (Zheng Junli et Cen Fan, 1959) ; *'Le seigneur Qiao se cache dans la chaise à porteur'* (*Qiaolaoye shang jiao,* Liu

Qiong, *id.)* ; *'la Coiffeuse'* (*Nü lifashi,* Ding Ran, 1962) ; *'Des fleurs sur un brocart' 'De mieux en mieux* (*Jinshang tian hua,* Xie Tian et Chen Fangqian, *id.)* ; *'les Aventures d'un magicien'* (*Muoshushi de qiyu,* Sang Hu, *id.).* Après la Révolution culturelle, il devient un acteur très recherché et apprécié. Il est particulièrement remarqué dans *'Rêve de richesse'* (*Jinqian meng,* Feng Xiao, 1981) et *'Minuit'* (*Ziye,* Sang Hu, 1982). C.D.R.

HANÁK *(Dušan), cinéaste slovaque (Bratislava 1938).* Il sort diplômé de la FAMU en 1965 et se signale à l'attention par plusieurs courts métrages dont *l'Appel au silence* (*Výzva do ticha,* 1965) et *la Messe* (*Omša,* 1967). Il réalise en 1969 son premier long métrage *322* suivi par *les Images d'un vieux monde* (*Obrazy starého,* MM, 1972) inspiré par les valeurs profondes du monde paysan de la Slovaquie et bloqué par la censure jusqu'en 1988. Il tente ensuite de changer de registre, signe une comédie mélancolique *Rêves en rose* (*Ružové sny,* 1976) puis *J'aime, tu aimes* (*Ja milujem, ty miluješ,* 1980), à nouveau interdit pour « esthétisation de la laideur » et présenté finalement au festival de Berlin en 1989 où il obtient l'Ours d'argent de la mise en scène. *La Joie silencieuse* (*Tichá radosť,* 1985) confirme l'intérêt du cinéaste pour les personnages féminins qui cherchent à s'émanciper intérieurement tout comme *Vies privées* (*Sùkromne životy,* 1990). Cinéaste peu prolifique mais exigeant et obstiné - il prépare depuis 1991 un long métrage documentaire historique *'les Têtes de papier' (Papírové hlavy)* -, il se distingue par sa cohérence morale et esthétique. E.Z.

HANDKE *(Peter), écrivain, scénariste et cinéaste autrichien (Griffen-Altenmark 1942).* Auteur théâtral à scandale, écrivain résolument moderne, très tôt reconnu, c'est un passionné de cinéma qui réalise, en 1970, une *Chronique des événements les plus courants* (*Chronik der laufenden Ereignisse,* diffusé par la télévision allemande). Il collabore avec Wim Wenders qui adapte un de ses livres, *l'Angoisse du gardien de but au moment du penalty,* et pour qui il écrit *Faux Mouvement* en 1974-1975. C'est Wenders qui produit son film *la Femme gauchère* (*Die linkshändige Frau, 1977)* — Peter Handke retrouvera son ami pour les dialogues des *Ailes du désir* (1987). Dans l'intervalle, il a réalisé *la Maladie de la mort* (*Des Mal des Todes,* 1985), qui sera suivie de *l'Absence* (*Die Abwesenheit,* 1992). D'autres cinéastes se sont inspirés de ses écrits (Herbert Vesely, Didier Goldschmidt), mais c'est avec Wenders, sur lequel il a exercé une certaine influence dans la période 1970-1977, qu'il a eu des rapports privilégiés, celui-ci ayant mis en scène une de ses pièces de théâtre lors de sa création en 1982 (année où il entreprit d'écrire un scénario d'après quatre livres de Handke). D.S.

HANEKE *(Michael), scénariste et cinéaste autrichien d'origine allemande (Munich 1942).* Il a fait des études de philosophie et a été critique de cinéma et metteur en scène de théâtre. À partir de 1970, il est scénariste et réalisateur indépendant pour la télévision autrichienne et il se fait remarquer, notamment, en 1980, avec un ambitieux téléfilm d'une durée totale de quatre heures, consacré aux jeunes nés dans les années 50 : *Les Lemmings (Lemminge).* C'est en 1988 qu'il écrit et réalise *le Septième Continent (Der siebente Kontinent),* où il décrit froidement la marche vers le suicide d'une famille de trois personnes. *Benny's Video* (1992), dont le jeune héros devient assassin par pur hasard, est la deuxième partie d'une trilogie sur les apparences arbitraires de la violence et de la mort, qui se conclut par *71 Fragments d'une chronologie du hasard* (*71 Fragmente einer Chronologie des Zufalls,* 1994). Il est l'auteur de plusieurs scénarios relevant d'une implacable critique de la société contemporaine, dont *la Tête du Maure* (*Der Kopf der Mohren*), tourné par Paulus Manker en 1994. D.S.

HANI *(Susumu), cinéaste japonais (Tōkyō 1928).* Fils du philosophe et écrivain Goro Hani, Susumu est d'abord journaliste à l'agence Kyōdo, mais quitte ce métier en 1950 pour devenir documentariste à l'École Iwanami. Il y réalise, de 1952 à 1960, une série de courts métrages dont certains lui assurent déjà une grande notoriété : *'les Enfants dans la classe'* (*Kyoshitsu no kodomotachi,* 1955), *'les Enfants qui dessinent'* (*E o kaku kodomotachi,* 1956 ; prix R. Flaherty en 1957), ou encore *'le Temple Horyûji'* (*Horyû-Ji,* 1958), tous films dont on remarque alors la grande spontanéité, la liberté de ton et l'utilisation du « direct ». Passant au long métrage en 1961 avec *les Mauvais Garçons (Furyō shōnen),* Hani y met en scène des jeunes délinquants non professionnels, inadaptés à une société dont la prospérité économique ne fait alors que commencer. Il poursuit ensuite son exploration des contradictions du Japon contemporain dans *'Une vie bien remplie'* (*Mitasareta seikatsu,* 1962), *'Elle et Lui'* (*Kanojo to kare,* 1963) et *les Enfants main dans la main* (*Te o tsunagu kora,* 1963), avant d'observer avec ironie l'attitude des Japonais outre-mer dans ses deux films les plus originaux : *la Chanson de Bwana Toshi* (*Bwana Toshi no uta,* 1965) et *la Fiancée des Andes* (*Andesu no hananyome,* 1966), ce dernier avec l'actrice Sachiko Hidari, qu'il avait épousée à l'époque de *Elle et Lui.* Sa croyance en l'innocence fondamentale de l'être humain se mêle à un sens de l'humour assez personnel dans ces œuvres au ton neuf. Pourtant, après avoir abordé de nouveau les problèmes d'une adolescence inhibée dans *Premier Amour, version infernale* (*Hatsukoi jigokuhen,* 1968 ; scénario de Shuji Terayama), il déçoit beaucoup avec ses films suivants (*Aido,* 1969 ; *'la Chanson de la fée'* [*Yosei no uta*], 1971) et se tourne ensuite vers la télévision, jusqu'en 1980. Il revient alors au cinéma avec *Un conte d'Afrique (Afurika monogatari).* Il partage ensuite ses activités entre la télévision et le documentaire cinéma : *'Prophétie'* (Yôgen, MM, 1982), *l'Histoire : l'ère de la folie nucléaire* (*Rekishi : kaku kyôran no jidai,* 1983), tous deux sur le traumatisme atomique. Malgré une carrière inégale, Hani demeure une des figures clés du mouvement indépendant dans le cinéma japonais des années 60, auquel il a notamment révélé l'usage des nouvelles techniques « légères ». M.T.

HANIN *(Roger), acteur français (Alger* [auj. *al-Djazā'ir*], *Algérie, 1925).* Comédien venu du théâtre, il s'imposa vite au cinéma dans des rôles de dur : le « Gorille » (*la Valse du gorille,* Bernard Borderie, 1959 ; *Le gorille a mordu l'archevêque,* Maurice Labro, 1962) ou le « Tigre » (*Le tigre aime la chair fraîche,* 1964, et *Le tigre se parfume à la dynamite,* 1965), tous deux de Claude Chabrol, qui lui demanda de se parodier encore plus avec *Marie-Chantal contre le docteur Kha* (1965). Dans une carrière vouée aux films populaires, on relève peu de rôles ambitieux : sa composition dans *Rocco et ses frères* (1960) de Luchino Visconti le fait regretter. Il a réalisé deux premiers films dominés par un humour très pied-noir, *le Protecteur* (1974) et *le Faux-Cul* (1975), dont le succès fut médiocre. Après un retour au théâtre, il a pris la direction du festival de Pau. On le retrouve au cinéma en vedette dans *Coup de sirocco* (1979), *le Grand Pardon* (1982), *le Grand Carnaval* (1983), *Dernier été à Tanger* (1987) d'Alexandre Arcady et dans certains rôles de composition : l'aubergiste des *Misérables* (R. Hossein, 1983) ou le général Berzine de *l'Orchestre rouge* (J. Rouffio, 1989). Il réalise en 1985 *Train d'enfer* et en 1987 *la Rumba.* Mari de la productrice Christine Gouze-Renal, il est le beau-frère de François Mitterrand. D.R.

HANKS *(Tom), acteur américain (Concord, Ca., 1956).* Très tôt orienté vers le théâtre amateur, Tom Hanks s'est imposé comme acteur de comédie dans *Splash* (R. Howard, 1984), puis dans *Big* (P. Marshall, 1988), où il interprétait un enfant incarné dans le corps d'un adulte et qui lui valut une première nomination aux Oscar. Sa maîtrise de la comédie et sa finesse à suggérer l'enfant derrière l'adulte le placent dans la lignée de Cary Grant ou de James Stewart. À l'image de ce dernier, il est capable d'être très émouvant, comme il le montre dans *Punchline* (*id.,* David Seltzer, 1988) ou *Nuits blanches à Seattle* (*Sleepless in Seattle,* Nora Ephron, 1992). Il obtint la consécration méritée de l'Oscar pour sa digne interprétation du jeune avocat mourant du sida dans *Philadelphia* (J. Demme, 1993). Le succès phénoménal qu'il remporte pour son rôle de candide dans *Forrest Gump* (R. Zemeckis, 1994) achève de le placer fermement parmi les meilleurs acteurs de sa génération. En 1995, il interprète avec conviction, sous la direction de Ron Howard, le rôle principal d'*Apollo 13.* C.V.

HANNA *(William), producteur et cinéaste d'animation américain (Melrose, N. Mex., 1910)* → BARBERA JOSEPH.

HANOUN *(Marcel), cinéaste français (Tunis, Tunisie, 1929).* Il est d'abord photographe et journaliste, puis réalisateur de courts métrages (*Gérard de la nuit,* 1955). Dans son premier long métrage, *Une simple histoire* (1958), il anticipe certaines recherches de la Nouvelle Vague en gestation en racontant un fait divers dans une perspective néoréaliste mais dans un style rigoureux. Avec *le Huitième Jour* (1960), il revient à une forme d'expression plus conventionnelle. D'un séjour en Espagne, il rapporte plusieurs courts sujets documentaires et un long métrage de création, *Octobre à Madrid* (1965), « œuvre ouverte » en forme de chronique d'un film en train de se faire. Dans *l'Authentique Procès de Carl-Emmanuel Jung* (1967), son film le plus accompli, il met en scène, de manière distanciée, le jugement d'un ancien nazi. *L'Été* (1968), *l'Hiver* (1969), *le Printemps* (1970), *l'Automne* (1973) témoignent de l'approfondissement de son expérimentation filmique : subversion des conventions du récit et du regard par le refus de la « transparence » et de l'« impression de réalité ». Ses films sont le lieu d'une *ascèse* qui l'apparente à Bresson et d'une *musicalité* qui le rapproche de Marguerite Duras. Cinéaste « maudit » par excellence, il est marginalisé à la fois par l'industrie et par la critique. Dans *la Vérité sur l'imaginaire passion d'un inconnu* (1974), il raconte l'histoire du Christ de manière résolument antisulpicienne ; dans *la Nuit claire* (1979), il fait mourir Eurydice « pour s'être retournée trop souvent sur l'œil-piège de la caméra ». *Un Film (autoportrait)* [1985] se présente comme une synthèse de son œuvre et de ses expériences, mêlant documents bruts, entretiens, souvenirs. L'essentiel de sa recherche, obstinée et solitaire, est symbolisé par le titre de son film *le Regard* (1977), un regard à la fois voyeur et visionnaire. M.M.

HÄNSEL *(Marion), cinéaste belge (Marseille, France, 1949).* Venue s'établir très jeune avec sa famille à Anvers, elle souhaite devenir actrice, suit des cours d'art dramatique, à Bruxelles, puis à New York, à l'Actor's Studio de Lee Strasberg. Au cours des années 70, elle travaille un temps avec le cirque Fratellini et apparaît comme comédienne dans quelques films (*L'une chante, l'autre pas,* A. Varda, 1976 ; *Ressac,* Juan Luis Buñuel, 1977). Elle crée sa propre société Man's Films en 1977, afin de produire son premier court métrage *Équilibres.* Après avoir tourné quelques documentaires, elle signe *le Lit* en 1982, premier essai fictionnel de long métrage. Suivront *Dust* (1985), *les Noces barbares* (1987), *Il maestro* (1989), *Sur la terre comme au ciel* (1991) et *Between the Devil and the Deep Blue Sea* (1995). C.O.

HANSON *(Einar), acteur suédois (Stockholm 1899 - Santa Monica, Ca., US, 1927).* Vétéran du cinéma muet suédois, interprète notamment du *Vieux Manoir* (M. Stiller, 1923), *Johan Ulfstjerna* (J. B. Brunius, *id.*) et *'les Pirates du lac Mälar' (Mälarpirater,* G. Molander, *id.),* ce beau ténébreux connut la gloire sous les traits de l'officier qui sauve Greta Garbo dans *la Rue sans joie* (G. W. Pabst, 1925). Très populaire à Hollywood, où il tint des rôles de premier plan dans des films de Frank Lloyd (*les Enfants du divorce* [*Children of Divorce*], 1927), Dorothy Arzner (*Fashions for Women,* id.) et Rowland V. Lee (*Barbed Wire,* id.), ainsi que dans ceux de son ami Mauritz Stiller (*Confession,* id.), il devait trouver la mort dans un accident de voiture. P.CO.

HANSON *(Lars), acteur suédois (Göteborg 1886 - Stockholm 1965).* De haute taille, séduisant, blond, c'est probablement le plus doué des acteurs de genre du cinéma muet suédois. Au cours de sa carrière, il a joué dans plusieurs centaines de pièces et tourné 25 films en Suède. Cet interprète de premier plan, au regard ardent et à la mâchoire carrée, considérait comme plus facile de tenir un rôle au cinéma que sur scène. « L'acteur doit être capable de vivre son personnage de l'intérieur tout en l'observant du dehors avec un regard critique », disait-il. Il suivit Victor Sjöström et Mauritz Stiller à Hollywood et joua aux côtés de Lillian Gish (*la Lettre rouge,* 1926, et *le Vent,* 1928, tous deux de Sjöström) et de Greta Garbo (*la Chair et le Diable,* C. Brown, 1927, et *la Divine,* V. Sjöström, 1928). Les rôles les plus marquants de sa carrière suédoise datent aussi de l'époque du muet : *Ingeborg Holm* (V. Sjöström, 1913) ; *la Fille de la tourbière* (id., 1917) et *le Chant de la fleur écarlate* (M. Stiller, 1919) ; *Vers le bonheur* (id., 1920) ; *la Légende de Gösta Berling* (id., 1924, avec Greta Garbo). Revenu dans son pays natal à la fin de sa carrière, il devait conférer une autorité toute paternelle à de nombreux rôles. P.CO.

HARA *(Setsuko), actrice japonaise (Yokohama 1920).* Après ses débuts à la Nikkatsu en 1935, elle tient des emplois typiques de « jeune fille pure » (*Kochiyama Soshun,* Sadao Yamanaka, 1936). Elle trouve son premier rôle important dans *'la Nouvelle Terre',* coproduction germano-nippone de Arnold Fanck et Mansaku Itami (1937), puis, à cause de son visage relativement « européen », joue dans des adaptations littéraires occidentales comme *'la Symphonie pastorale',* d'après Gide (S. Yamamoto, 1938). Pendant la guerre sino-japonaise, Imai ou Shimizu lui font tenir des rôles de jeune épouse fidèle et patriote, mais c'est au lendemain de la guerre que son talent remarquable va s'épanouir, et d'abord dans *Je ne regrette rien de ma jeunesse* (A. Kurosawa, 1946), où elle incarne une épouse d'intellectuel découvrant l'amour dans le sacrifice de soi. Quittant la compagnie Tōhō pour gagner son indépendance, elle symbolise le nouvel «idéal démocratique» des jeunes femmes d'après-guerre dans des films tels que *'le Bal de la famille Anjo'* (Yoshimura, 1947), *'Bonjour, mademoiselle !'* (K. Kinoshita, 1949), *les Montagnes vertes* (T. Imai, *id.*). Sa carrière est ensuite jalonnée de rôles et films de premier plan, dirigés par Ozu (*Printemps tardif*, 1949 ; *'Début d'été'*, 1951 ; *Voyage à Tōkyō*, 1953 ; *'Crépuscule à Tōkyō'*, 1957 ; *Fin d'automne*, 1960 ; *'l'Automne de la famille Kohayagawa' /Dernier Caprice*, 1961), Kurosawa (*l'Idiot*, 1951) ou Naruse (*'le Repas'*, id. ; *'le Grondement de la montagne'*, 1954 ; *'Jeune Fille, épouse et mère'*, 1960). Pourtant, à 42 ans, elle se retire du monde du cinéma, laissant derrière elle le souvenir d'une grande actrice et le mythe de la «vraie jeune femme japonaise». M.T.

HARBOU *(Thea von), scénariste allemande (Tauperlitz 1888 - Berlin 1954).* Archéologue, puis auteur de romans d'aventures et d'anticipation, elle écrit pour les studios de Berlin dès 1916. Parallèlement à sa carrière de romancière à succès, elle devient célèbre dans les années 20 avec les scénarios de films réalisés par Joe May, F. W. Murnau et Fritz Lang — dont elle sera l'épouse de 1924 à 1934. Elle apporte au cinéma allemand de l'époque son goût pour les mythes fantastiques, un imaginaire à la fois romantique et populaire, et un sens prononcé du feuilleton. C'est en 1921 que Joe May tourne *le Tombeau hindou* sur un texte qu'elle écrit avec Fritz Lang (et dont elle va tirer un roman qui donnera lieu à de nouvelles adaptations cinématographiques). La même année, elle est la scénariste des *Trois Lumières* de Fritz Lang, puis de quelques-uns des plus grands films du même cinéaste : *Mabuse le joueur* (1922) ; *les Nibelungen* (1924) ; *Metropolis* (1927) ; *les Espions* (1928) ; *la Femme sur la Lune* (1929) ; *M le Maudit* (1931) ; *le Testament du docteur Mabuse* (1933). Pour Murnau, elle collabore au scénario de *la Terre qui flambe* (1922) et adapte *Phantom* (id.), *l'Expulsion* (1923) et *les Finances du grand-duc* (1924). À cette liste brillante s'ajoute, entre autres, sa collaboration à un film de Dreyer tourné en Allemagne, *Michaël* (1924), et l'adaptation de *la Chronique de Grieshuus* (A. von Gerlach, 1925). Favorable au nouveau régime, elle collabore tout aussi activement au cinéma allemand de l'ère nazie : comédies, drames, films historiques... Elle travaille en particulier sur des films caractéristiques du cinéma selon Goebbels : *les Deux Rois* (H. Steinhoff, 1935) ; *Crépuscule* (V. Harlan, 1937) ; *Via Mala* (J. von Baky, 1945). Elle réalise elle-même deux films, en 1933 et 1934 : *Elisabeth und der Narr* et *Hanneles Himmelfahrt.* Après la guerre, elle ne revient au cinéma que pour trois scénarios tournés en 1950-1953, dont *Dr Holl* (Rolf Hansen, 1951). D.S.

HARDING *(Dorothy Walton Gatley,* dite *Ann), actrice américaine (San Antonio, Tex., 1902 - Sherman Oaks, Ca., 1981).* La blonde Ann Harding, à la douceur britannique, fut l'un des piliers du mélodrame féminin tel que Hollywood le concevait. Sa présence raffinée a illuminé *Holiday* (E. H. Griffith, 1930) et *Peter Ibbetson* (H. Hathaway, 1935), mais aussi les moins connus *When Ladies Meet* (H. Beaumont, 1933), *Femme d'honneur* (*Gallant Lady*, G. La Cava, *id.*), *Fontaine* (J. Cromwell, 1934) ou *la Femme errante* (E. Goulding, 1935). Elle apporte à son jeu un romantisme authentique et intransigeant, proche des origines anglaises du genre. Pendant les années 40 et 50, se succèdent seconds rôles cinématographiques et créations théâtrales. C.V.

HARDWICKE (sir *Cedric*), *acteur britannique (Lye 1893 - New York, N. Y., 1964).* Remarquable et prestigieux acteur de théâtre, sir Cedric Hardwicke, dont la carrière s'est à la fois déroulée à Hollywood et en Angleterre, a laissé quelques belles mais brèves créations cinématographiques. En fait, il a beaucoup tourné, mais dans des films médiocres qui n'ont pas toujours mérité son talent. On retiendra parmi ses rôles la Mort coincée dans le pommier d'*Étrange Sursis* (H. S. Bucquet, 1939), le docteur Livingstone dans *Stanley et Livingstone* (H. King, *id.*), Nostradamus dans *Diane de Poitiers* (D. Miller, 1955) et un redoutable gangster dans *l'Ennemi public* (D. Siegel, 1957). Son dernier film est *le Mangeur de citrouille* (J. Clayton, 1964). C.V.

HARDY *(Oliver)* → LAUREL *(Stan).*

HARLAN *(Russell), chef opérateur américain (Los Angeles, Ca., 1903 - Newport Beach,* id., *1974).* Ancien cascadeur, il obtient son premier crédit photographique en 1935. Efficace et discret, il a été un collaborateur exceptionnel pour Howard Hawks. En noir et blanc (*la Rivière rouge,* 1948) ou en couleurs (*Terre des pharaons,* 1955 ; *Rio Bravo,* 1959), il sut à merveille trouver cet équilibre de sobriété et de noblesse propre au grand cinéaste. Non moins remarquable, et presque expérimentale, fut sa reconstitution de l'univers bariolé de Van Gogh dans *la Vie passionnée de Vincent Van Gogh* (V. Minnelli, 1956) ou de la nature sauvage du western dans *la Dernière Chasse* (R. Brooks, *id.*). C.V.

HARLAN *(Veit), acteur et cinéaste allemand (Berlin 1899 - Capri, Italie, 1964).* Son nom reste lié au plus célèbre, sinon au plus odieux film antisémite jamais réalisé, *le Juif Süss* (1940), présenté en France sous l'Occupation et qui y connut un certain succès. Mais la carrière de Veit Harlan avait commencé beaucoup plus tôt, en 1924. Né dans une famille d'artistes (son père est romancier, deux de ses frères deviendront musiciens), il fréquente l'intelligentsia berlinoise : Friedrich Kayssler, Max Reinhardt, Erwin Piscator. Il débute comme acteur au Volkstheater et épouse en premier mariage... une israélite. Au cinéma, il apparaît pour la première fois dans un petit rôle de *Der Meister von Nürnberg,* de Ludwig Berger (1927), que suivront une vingtaine de films, signés Kurt Bernhardt, Gustav Ucicky, Richard Eichberg, Robert Wiene. Le dernier, en 1935, est *Stradivari* de Geza von Bolvary. Dès 1933, il se rallie au régime hitlérien et sera, avec Karl Ritter, Hans Steinhoff, Herbert Maisch et Gustav Ucicky, l'un des cinéastes les plus proches de l'idéologie du IIIe Reich. La même année, il signe sa première réalisation : *Die Pompadour* (co : W. Schmidt-Gentler et H. Helbig) avec Käthe von Nagy. Jusqu'à sa mort, il ne cessera plus de tourner, à l'exception d'une courte interruption, pour les raisons que l'on devine entre 1945 et 1950. Son retour déclenchera d'ailleurs de violentes protestations dans les partis de gauche en Allemagne. Il a évolué avec une certaine aisance de l'idylle romantique (*la Sonate à Kreutzer* [*Die Kreutzersonate,* 1937] ; *le Voyage à Tilsit* [*Die Reise nach Tilsit,* 1939], remake de *l'Aurore* de Murnau) au drame propagandiste et idéologique (*Crépuscule* [*Der Herrscher,* 1937] d'après Gerhart Hauptmann, qui a pu influencer *les Damnés* de Visconti), de la peinture acide de la jeunesse (*Jeunesse* [*Jugend*], 1938) à la fresque historique (*Cœur immortel* [*Das unsterbliche Herz,* 1939] ; *le Grand Roi* [*Der grosse König,* 1942] ; *Kolberg* [1945]). En 1942, il entreprend de donner à l'Europe son grand film en couleurs (procédé Agfa) : *la Ville dorée (Die goldene Stadt).* Après quoi il se plonge avec délices dans *le Lac aux chimères* (*Immensee,* 1943) et *Offrande au bien-aimé* (*Opfergang,* 1944), deux mélos échevelés, qu'un certain lyrisme sauve du ridicule. Presque partout, la propagande nazie apparaît en filigrane. Goebbels ne s'y est pas trompé, qui sacra Harlan cinéaste officiel du régime. Par la suite, celui-ci cherche à se disculper dans une autobiographie publiée en 1966 (*Im Schatten meiner Filme* [*le Cinéma selon Goebbels*]) qui est un chef-d'œuvre de mauvaise foi. Rien à retenir de la fin de carrière d'Harlan, hormis un film d'aventures à l'exotisme bien éventé, *le Tigre de Colombo* (en 2 parties : *Sterne uber Colombo,* 1953 ; *Die Gefangene des Maharadscha,* 1954) et une peinture ambiguë de l'homosexualité, *le Troisième Sexe* (*Anders als Du und Ich,* 1957). L'un de ses derniers films, en 1958, est une bluette : *Ich werde dich auf Händen tragen.* Il est interprété, comme presque tous les autres, par celle qui fut son égérie et troisième épouse, la plantureuse Kristina Söderbaum. Il est le père du cinéaste *Thomas Harlan (Berlin 1929),* auteur de *Torre Bela* (1980), *Wundkanal* (1984), *Souvenance* (1990). C.B.

HARLOW *(Harlean Carpenter,* dite *Jean), actrice américaine (Kansas City, Mo., 1911 - Los Angeles, Ca., 1937).* Elle est l'une des plus célèbres stars hollywoodiennes et aussi l'une des plus mal connues. Journaux à scandale, biographies croustillantes, films plus ou moins romanesques nous ont appris ses malheurs familiaux avec une mère envahissante et un beau-père intéressé, ses démêlés conjugaux et son instabilité affective. Et tout cela a réussi à créer ce prodige : une star célèbre dont presque personne n'a vu les films, dont les titres sont le plus souvent oubliés.

D'abord figurante (notamment dans des films de Chaplin et de Lubitsch), Jean Harlow se trouve catapultée vedette par l'encombrant

Howard Hughes, qui, en remplacement de Greta Nissen, lui confie le rôle incongru d'une jeune aristocrate britannique dans *les Anges de l'Enfer* (L. Milestone, James Whale, Hughes, 1930). Sa célébrité était faite, et on se demande bien pourquoi : ses cheveux platinés, son maquillage un peu lourd, ses manières cavalières et surtout son accent bien « yankee » ne la prédestinaient aucunement à ce rôle. De plus, son érotisme facile, assez grossièrement exploité par Hughes, ne suffit plus aujourd'hui à pimenter son interprétation morne et sans talent. Elle doit son surnom célèbre à *la Blonde platine* (1931) de Frank Capra, où elle a le second rôle féminin et où Loretta Young l'éclipse facilement. Elle devient populaire malgré une suite d'interprétations plutôt désastreuses *(l'Ennemi public,* W. A. Wellman, 1931 ; *The Iron Man,* T. Browning, *id.).* Alors, faut-il souscrire à la légende de la star sans talent ? Certainement pas.

À force de travail et de volonté, elle se métamorphose en quelques mois en une excellente comédienne, au registre limité, mais à l'abattage certain. En 1932, elle passe du quelconque *Three Wise Girls* (W. Beaudine), à un rôle honorable dans *la Bête de la cité* (*The Beast of the City,* Ch. Brabin) et à ce triomphe personnel que fut *la Belle aux cheveux roux* (J. Conway). Paradoxe encore, c'est en rousse que la blonde platine s'assura une place importante dans la mythologie hollywoodienne. Ce film la situait avec justesse entre Clara Bow, dont elle avait l'innocence souriante et amorale, et Mae West, dont elle avait l'esprit de repartie : petite femme entretenue au cœur sec, Jean Harlow y était, pour la première fois, irréprochable. Ses autres rôles furent des variations de celui-ci. Elle fut la *floozie* au cœur d'or, la *gold digger* confortable ou, quand la morale hollywoodienne devint plus stricte, et ses cheveux plus foncés, *la* secrétaire un peu vulgaire qui séduit son patron. Immédiatement après *la Belle aux cheveux roux,* elle fut meilleure encore dans *la Belle de Saigon* (1932), avec Clark Gable ; Fleming y dégage son vrai sex-appeal que les autres cinéastes n'ont que grossièrement ou maladroitement souligné. Fleming, encore, lui permit une étourdissante autoparodie dans *Bombshell* (1933), que l'on peut considérer comme le film définitif de l'actrice, alors que Cukor aiguisait ses subtilités de comédienne, en épouse vulgaire, paresseuse, gavée de chocolat, mais pas si sotte, dans *les Invités de huit heures* (id.). Cette création lui ouvre la voie vers des personnages plus fins, moins criards, qui reposaient beaucoup sur ses qualités d'actrice. *La Malle de Singapour* (T. Garnett, 1935), *Riffraff* (J. Walter Ruben, 1936) continuèrent sur la lancée de *la Belle aux cheveux roux.* Mais *Une fine mouche* (J. Conway, *id.*), *Sa femme et sa dactylo* (C. Brown, *id.*) ou *Valet de cœur* (W. S. Van Dyke, 1937) révélèrent une jeune femme allurée et sensible. Son dernier film, *Saratoga* (J. Conway, *id.*), fut terminé après sa mort, un montage maladroit n'empêchant pas un énorme succès.

Pas vraiment jolie, mais piquante et vive, Jean Harlow était la partenaire idéale de Clark Gable, qui lui fut opposé cinq fois. En somme, elle valait beaucoup mieux que la réputation et la légende sordide qu'on lui a faites. C.V.

Autres films : *The Saturday Night Kid* (E. Sutherland, 1929) ; *The Secret Six* (G. Hill, 1931) ; *Goldie* (Benjamin Stoloff, *id.*) ; *Dans tes bras* (*Hold Your Man,* S. Wood, 1933) ; *Une étrange aventure* (*The Girl From Missouri,* J. Conway, 1934) ; *Imprudente Jeunesse* (*Reckless,* V. Fleming, 1935) ; *Suzy* (G. Fitzmaurice, 1936). ▲

HARMONIQUE → SON.

HARRINGTON *(Curtis), cinéaste américain (Los Angeles, Ca., 1928).* À quatorze ans, il tourne une *Chute de la maison Usher* en 8 mm, puis *Crescendo* (1942) et *Renascence* (1944). Étudiant de cinéma à l'University of Southern California, il participe à l'essor du cinéma expérimental de la côte Ouest avec ses amis Anger et Markopoulos. Après *Fragment of Seeking* (1946), aveu symbolique d'une « difficulté d'être » sexuelle, viennent *Picnic* (1948), *On the Edge* (1949), *Dangerous Houses* (1952) ou *The Assignation* (1953). Après *Night Tide* (1963), il travaille avec Roger Corman, participe à des séries télévisées et se spécialise dans les films d'horreur ou de suspense (*le Diable à trois* [*Games*], 1967 ; *Qui a tué tante Roo ?* [*Whoever Slew Auntie Roo ?,* 1971], *What's the Matter with Helen ?,* id. ; *The Killing Kind,* 1973). Son *Mata-Hari* (1985) prouve qu'il semble avoir délaissé peu à peu toute ambition d'avant-garde pour s'intégrer au cinéma ouvertement « commercial ». D.N.

HARRIS *(André)* et **SÉDOUY** *(Alain Le Chartier de,* dit *Alain de), journalistes et cinéastes français (Nevers 1933* et *Paris 1929).* Après des débuts dans la presse écrite, ils ont tous deux participé aux journaux télévisés de l'ORTF au début des années 60, puis à divers magazines produits par la télévision nationale.

En 1969, ils collaborent avec Marcel Ophuls pour *le Chagrin et la Pitié.* En 1972, ils réalisent à leur tour *Français, si vous saviez,* une vaste fresque qui, en confrontant documents et témoignages, tente de mettre à plat les contradictions de l'histoire nationale de ce siècle. Leur film a été un moment de la grande remise en question de l'histoire contemporaine qui a suivi 1968.

Depuis 1973, Harris et Sédouy ont réalisé deux autres films fondés sur une démarche analogue, publié plusieurs livres, et joué un rôle important et controversé dans la mise en place des nouveaux réseaux de communication audiovisuelle. J.-P.J.

Films ▲ : *Français, si vous saviez* (1972 ; 3 épisodes : *En passant par la Lorraine, Général, nous voilà* et *Je vous ai compris*) ; *le Pont de singe* (1976) ; *les Enracinés* (1981).

HARRIS *(Sandra Markowitz,* dite *Barbara), actrice américaine (Evanston, Ill., 1937).* Grande vedette de la scène, elle n'a pas réussi à atteindre la même popularité au cinéma. En optant pour des films de grande qualité et de bons rôles, sans concession au commerce, elle n'a pas choisi la voie facile. Nous retiendrons spécialement la chanteuse arriviste de *Nashville* (R. Altman, 1975) qui prend en main une salle immense après l'assassinat de la vedette. Mais, c'est la drôlerie de Barbara Harris qui est la composante essentielle du personnage de fausse voyante dans *Complot de famille* (A. Hitchcock, 1976). Son rôle le plus complet semble avoir été celui de la femme du politicien dans *The Seduction of Joe Tynan* (J. Schatzberg, 1979). On la retrouve avec plaisir dans *Peggy Sue s'est mariée* (F.F. Coppola, 1986). C.V.

HARRIS *(James B.), producteur et cinéaste américain (New York, N. Y., 1928).* Associé à Stanley Kubrick dont il partage la sensibilité gothique et le goût des puzzles, il produit *Ultime Razzia, les Sentiers de la gloire* et *Lolita.* Après avoir préparé *Docteur Folamour,* il aborde à son tour la politique-fiction et les fantasmes de la guerre nucléaire avec *Aux postes de combat* (*The Bedford Incident,* 1965). Conte de fées pervers, élaboré en toute indépendance, *Sleeping Beauty* (*Some Call It Loving,* 1973) nous livre un portrait de l'artiste en voyeur nécrophile. Le réel et le virtuel s'y confondent dans une mise en scène raffinée du désir puritain. Depuis, le cinéaste a réalisé *Fast-Walking* (1981) sur l'univers carcéral, un film policier de belle facture *Cop* (*id.,* 1988), et *Extrême Limite* (*Boiling point,* 1993). M.H.

HARRIS *(Julia Ann,* dite *Julie), actrice américaine (Grosse Pointe, Mich., 1925).* Essentiellement vouée au théâtre (depuis 1945), elle a apporté à l'écran une sensibilité et une intelligence également subtiles, mais elle a fort peu tourné. Rappelons : *À l'est d'Éden* (E. Kazan, 1955), qui, face à James Dean, la révèle ; *Une fille comme ça* (H. Cornelius, *id.*) ; *Requiem pour un champion* (R. Nelson, 1962) ; *la Maison du diable* (R. Wise, 1963) ; *Détective privé* (J. Smight, 1966) ; *Big Boy* (F. F. Coppola, 1967) ; *Reflets dans un œil d'or* (J. Huston, *id.*) ; *le Voyage des damnés* (S. Rosenberg, 1976) ; *Brontë* (Delbert Mann, 1984) ; *Gorilles dans la brume* (M. Apted, 1988). G.L.

HARRIS *(Richard), acteur et cinéaste britannique (Limerick, Irlande, 1932).* Il obtient le prix d'interprétation au festival de Cannes 1963 grâce à son rôle de rugbyman dans *le Prix d'un homme* de Lindsay Anderson. Aussitôt, Antonioni l'utilise à contre-emploi dans *le Désert rouge* (1964). Huston en fait le Caïn de sa *Bible* (1966), et, après avoir incarné le roi Arthur dans *Camelot* (J. Logan, 1967), il assume le rôle-titre du *Cromwell* de Ken Hughes, face à Alec Guinness (1970). Son interprétation du captif dans *Un homme nommé Cheval* (E. Silverstein, 1970) est un sommet de performance d'acteur. En 1969, Richard Harris s'essaye à la réalisation avec *Bloomfield* (1971), filmé en Israël. R.L.

Autres films : *l'Épopée dans l'ombre* (M. Anderson, 1959) ; *Cargaison dangereuse* (id., *id.*) ; *les Combattants de la nuit* (T. Garnett, 1960) ; *les Canons de Navarone* (J. L. Thompson, 1961) ; *les Révoltés du Bounty* (L. Milestone, 1962) ; *All Night long* (B. Dearden, *id.*) ; *Major Dundee* (S. Peckinpah, 1965) ; *les Héros de Télémark* (A. Mann, *id.*) ; *Hawaii* (G. R. Hill, 1966) ; *Opération Caprice* (F. Tashlin, 1967) ;

Traître sur commande (M. Ritt, 1970) ; *Terreur sur le Britannic* (R. Lester, 1974) ; *la Rose et la Flèche* (id., 1976) ; *la Revanche d'un homme nommé Cheval* (I. Kershner, *id.*) ; *le Pont de Cassandra* (G. Pan Cosmatos, 1977) ; *Orca* (M. Anderson, *id.*) ; *les Oies sauvages* (A. McLaglen, 1978) ; *Tarzan, l'homme singe* (J. Derek, 1981) ; *Triumphs of a Man Called Horse* (John Hough, 1984) ; *Martin's Day* (Alan Gibson, 1985) ; *King of the Wind* (Peter J. Duffel, 1990) ; *The Field* (Jim Sheridan, *id.*).

HARRISON *(Reginald Carey Harrison,* dit *Rex), acteur britannique (Huyton 1908 - New York, Us, 1990).* Ce comédien très britannique, rejeton d'une famille d'ecclésiastiques anglicans, a semblé trouver plus d'audience auprès du public et des cinéastes à mesure qu'il vieillissait et que son visage s'adoucissait de rides et de poches charmeuses. Il y a peu à retenir du jeune et maigre Rex Harrison (*la Citadelle,* K. Vidor, 1938 ; *St. Martin's Lane,* Tim Whelan, 1939). Même dans un bon film comme *Major Barbara* (Gabriel Pascal, 1941), il ne joue que les faire-valoir de Wendy Hiller. En revanche, dès que son âge lui permet de composer ses personnages *(L'esprit s'amuse,* D. Lean, 1945 ; *l'Honorable Monsieur Sans-Gêne,* S. Gilliat, *id.)* et même de se vieillir, ses dons immenses s'affirment. Il semble exactement limité : la tragédie ou le cabotinage flamboyant ne lui conviennent pas toujours, comme en témoigne sa création de coiffeur homosexuel vieillissant dans *l'Escalier* (S. Donen, 1969). Mais il est en général assez intelligent pour ne pas s'aventurer dans des domaines hostiles. Dans la mesure où il peut jouer de son humour et de son charme bougon, il peut être excellent et mieux encore.

Dès son arrivée à Hollywood, en 1946, cela était évident dans son interprétation à la fois savoureuse et pleine de retenue d'*Anna et le roi de Siam* (J. Cromwell), que l'on peut préférer à celle, plus chamarrée, de Yul Brynner. Cette manière de faire passer l'émotion à travers l'humour et l'ironie allait vite devenir sa caractéristique. Si Preston Sturges, plus physique, ne put guère que mettre en marche la mécanique de Rex Harrison (*Infidèlement vôtre,* 1948, pourtant remarquable), Joseph L. Mankiewicz, plus cérébral, tira de lui des créations magistrales : le fantôme capricieux du loup de mer coléreux et sentimental (*l'Aventure de Madame Muir,* 1947), le César malicieux et, au fond de lui, douloureux (*Cléopâtre,* 1963), le meneur de jeu cynique, nouveau Volpone (*Guêpier pour trois abeilles,* 1967). Aux mains d'un cinéaste élégant et délicat, aux prises avec un scénario brillant, Rex Harrison est d'une décontraction infaillible. Le lord dépassé par l'énergie de sa femme (*Qu'est-ce que maman comprend à l'amour ?,* V. Minnelli, 1958), le pape Jules II, sournois et hypocrite (*l'Extase et l'Agonie,* C. Reed, 1965), sont pleins de sève et de finesse. Quant au professeur Higgins de *My Fair Lady* (G. Cukor, 1964), qu'il avait longtemps rodé au théâtre, il l'a joué, littéralement, les mains dans les poches ; cette aisance souveraine servait de plus la psychologie profonde du personnage. Il a remporté l'Oscar pour ce dernier film. Il a été l'époux de Marjorie Thomas, Lilli Palmer, Kay Kendall, Rachel Roberts, Elisabeth Harris et Mercia Tinker. C.V.

HARRON *(Robert), acteur américain (New York, N. Y., 1893* - id. *1920).* Garçon de courses à la Biograph, il fut pris en protection et amitié par D. W. Griffith, qui en fit vite l'un de ses grands jeunes premiers. Spontané et sans apprêt, timide, « Bobby » Harron avait en lui certaines qualités traditionnelles qui devaient plaire au grand cinéaste. Il fut parfait, opposé à Mae Marsh ou Lillian Gish, notamment dans *Naissance d'une nation* (1915). Mais on pourra être plus sensible à sa délicatesse dans *Intolérance* (1916), *les Cœurs du monde* (1918) ou dans *le Pauvre cœur* (1919). Il avait toutes les chances de suivre les traces de Richard Barthelmess si un accident d'arme à feu n'avait brusquement mis fin à sa carrière. (Il était le frère de l'acteur Johnnie Harron [1903-1939].) C.V.

HARRYHAUSEN *(Ray), animateur américain (Los Angeles, Ca., 1920).* Tout en poursuivant des études de sculpture, il réalise ses premiers films d'animation en amateur. Il travaille avec George Pal, puis avec Willis O'Brien (*Monsieur Joe,* E. B. Schoedsack, 1949). Ensuite, il conçoit et met en scène toute la part de trucages qui entre dans les films de science-fiction (*le Monstre des temps perdus* [*The Beast From Twenty Thousand Fathoms,* Eugène Lourié, 1953]) ou de merveilleux, inspiré par *les Mille et Une Nuits* (*le Septième Voyage de Sinbad,* Nathan Juran, 1959) ou la mythologie grecque (*Jason et les Argonautes,* D. Chaffey, 1963 ; *le Choc des Titans,* D. Davis, 1980), les peuplant de créatures extraordinaires et perfectionnant chaque fois l'animation. A.G.

HART *(Harvey), cinéaste canadien (Toronto, Ontario, 1928 -* id. *1989).* Formé à la télévision au Canada, en Angleterre et aux États-Unis, il débute au cinéma, en 1965, par un film original : *Fièvre sur la ville (Bus Riley's Back in Town),* d'après William Inge. Tout y retient : le sujet, les personnages, le ton et un style libre, intimiste, perspicace. Les mêmes qualités soutiennent un film policier, plus commercial : *Fureur sur la plage* (*The Sweet Ride,* 1968). Dans *Des prisons et des hommes* (*Fortune and Men's Eyes,* 1971), si la finesse du portrait subsiste, une froideur gagne, créée en partie par un style très classique. Hart poursuit sa carrière à la télévision, moindrement au cinéma (*The Pyx,* 1973 ; *Shoot,* 1976 ; *Goldenrod,* 1977 ; *The Mad Trapper,* 1979), et de façon plus anonyme. C.D.R.

HART *(William Surrey,* dit *William S.), acteur et cinéaste américain (Newburgh, N. Y., 1862 - Los Angeles, Ca., 1946).* Une partie de sa jeunesse se passe dans les Dakotas (il y apprend la langue des Sioux) et le Kansas (où il est cow-boy). Acteur de théâtre à New York, puis en tournées, il sollicite Ince à Hollywood. Ce qui lui vaut un petit rôle dans le premier film de De Mille, *le Mari de l'Indienne* (*The Squaw Man,* 1914) et de s'affirmer avec éclat dans *la Capture* (ou *le Serment*)*de Rio Jim,* dont il est aussi coscénariste avec C. Gardner Sullivan (*The Bargain,* de Reginald Barker). La même année (1914), il dirige *son* héros dans un « deux bobines », *Rio Jim, le fléau du désert (The Passing of Two Gun Hicks).* Variant ses compositions sur un même fond de fureur et d'intégrité, il est prêtre dans *The Disciple* de Barker (1915), « badman » nettoyant la cité, par le feu, du mal et de la veulerie dans l'étonnant *Justicier* (*Hell's Hinges,* 1916) codirigé par Clifford Smith. Pour beaucoup, son jeu et sa direction y égalent les films contemporains de Tourneur et de Griffith. Avec ce classique, Hart dépasse le cadre du western et rend légendaire son personnage, « l'homme aux yeux clairs », le « two-gun-man » capable de mettre la loi même à l'épreuve du vrai, précurseur d'un Gary Cooper ou d'un Montgomery Clift, d'une veine violente et lyrique aboutissant aux *Affameurs* (A. Mann), à *Jeremiah Johnson* (S. Pollack). Déçu par la manière dont Hollywood travestit la réalité de l'Ouest, il suit pourtant Ince, son producteur de la Triangle, à la Paramount Artcraft de Zukor, après un film avec Bessie Love, *Pour sauver sa race* (*The Aryan,* 1916). Il est toujours supervisé par Ince sans qu'on sache ce que recouvre ce rôle, sinon d'émarger au budget. Le premier film qu'il tourne pour Zukor, *la Révélation (The Narrow Trail),* puis *le Droit d'asile (The Silent Man),* en 1917, comme la presque totalité des 27 titres Paramount de Hart (souvent signés par Lambert Hillyer à partir de 1919) rencontrent moins d'enthousiasme, le public se lassant d'un genre et d'un héros que le goût de l'authenticité ne préserva pas toujours du moralisme. Mais son regard, son profil de Sioux, son ascèse de jeu (il y aura comme un reflet de Hart chez Randolph Scott) marquent le célèbre *Blue Blazes Rawden* (*l'Homme aux yeux clairs,* 1918 ; avec Jackie Hoxie), *l'Étincelle* (*Selfish Yates,* id.), *Riddle Gawne* (id.) avec Lon Chaney... S'il dirige et joue à New York, séparé de Ince, *Branding Broadway* (1920), comédie réussie dans le genre de *Manhattan Madness* de Fairbanks, il sent sa carrière compromise. En 1923, il incarne le fameux shérif dans *Sa dernière chevauchée (Wild Bill Hickock)* de King Baggott, puis dirige son dernier film, *le Fils de la Prairie* (*Tumbleweeds,* 1925), superproduction de United Artists pour la réédition sonorisée de laquelle il enregistrera un prologue, occasionnelle contribution au parlant, en 1939. Retiré dans son ranch de Newhall (devenu musée) au nord de Hollywood, il publia ses souvenirs avec un succès considérable, sous le titre de *My Life East and West* (1929). C.M.C.

HARTL *(Karl), cinéaste allemand (Vienne, Autriche-Hongrie, 1899 -* id. *1978).* Opérateur à l'âge de dix-sept ans il devient monteur, puis scénariste à Berlin et directeur de production dans les studios de Vienne. Il réalise son premier film en 1930 puis, en collaboration avec Luis Trenker, *Monts en flammes* (*Berge in Flammen,* 1931). En 1932, il tourne *IF1 ne répond plus (FP1 antwortet nicht),* suivi de nombreux autres succès : *l'Or* (*Gold,* 1934) ; *Baron tzigane* (*Zigeunerbaron,* 1935) ; *On a arrêté Sherlock Holmes* (*Der Mann, der Sherlock Holmes war,* 1937) ; *Mozart* (*Wenn die Götter lieben,* 1942)... Après la guerre, il réalise *l'Ange à la* *trompette* (*Der Engel mit der Posaune,* 1948) et, au cours des années 50, quelques films allemands ou autrichiens peu connus. D.S.

HARTLEY *(Hal), cinéaste américain (Long Island, N.Y., 1959).* Après ses études cinématographiques à New York, il réalise trois courts métrages, puis un premier long métrage *The Unbelievable Truth* (1989), qui étonne par son originalité, malgré une apparente placidité et le rôle ambigu des dialogues dans le récit. Les personnages en rupture de *Trust me (Trust,* 1991) prennent eux aussi le contrepied du cinéma courant sans toutefois le contester, tandis que dans *Simple Men* (1992), un humour pessimiste l'emporte sur toute autre donnée. Il revient au court métrage en 1991 avec *Ambition, Theory of Achievement* et *Surviving Desire,* réalisés pour la télévision. *Amateur* (1994), avec Isabelle Huppert aux côtés de Martin Donovan (son acteur fétiche), a surpris et fasciné par l'aisance avec laquelle il soumet des personnages habituels à des situations inhabituelles et des personnages inhabituels aux situations habituelles du cinéma. En 1995, il signe *Flirt.* D.S.

HARTMANN *(Paul), acteur allemand (Fürth 1899 - Munich 1977).* Il apparaît dans les studios en 1917 et atteint la notoriété avec *le Roman de Christine de Herre* (L. Berger, 1921) et *Vanina* (A. von Gerlach, 1922), suivis notamment de la *Chronique de Grieshuus* (id., 1925). Sa popularité est encore plus grande à l'époque du parlant et du nazisme : *IF1 ne répond plus* (K. Hartl, 1932), *Manoir en Flandre* (von Bolvary, 1936), *Bal paré* (K. Ritter, 1940), *Bismarck* (W. Liebeneiner, *id.*), *Suis-je un criminel ?* (id., 1941). En 1935, il devient membre du conseil d'administration de la UFA. Après la guerre, il se consacre essentiellement au théâtre et ne retrouve qu'exceptionnellement un grand rôle à l'écran (*Die Barrings,* R. Thiele, 1955). D.S.

HARVEY *(Anthony), cinéaste britannique (Londres 1931).* D'abord acteur, il se tourne vers le montage en 1949, atteignant son apogée en collaborant avec Stanley Kubrick pour *Lolita* (1962) et *Docteur Folamour* (1963). Peu après, il passe à la réalisation avec un moyen métrage, *Dutchman* (1967), adapté de la pièce de LeRoi Jones, *le Métro fantôme :* film éminemment théâtral, mais brillamment mené, il laissait augurer une bonne carrière. Mais Harvey est un cinéaste des plus inégaux, qui se perd dans des superproductions historiques comme *Un lion en hiver* (*The Lion in Winter,* 1968) ou *The Abdication* (1974), et donne le meilleur de lui-même en filmant fidèlement de bonnes pièces de théâtre comme *le Rivage oublié* (*They Might Be Giants,* 1971), son plus joli film, qui faisait honneur à une pièce élégamment farfelue de James Goldman. Il a également signé *Player* (1979), *Eagle's Wing* (id.), *Richard's Things* (1981), *Grace Quigley* (*The Ultimate Solution of Grace Quigley,* 1984). C.V.

HARVEY *(Larushka Mischa Skikne,* dit *Laurence), acteur et cinéaste britannique d'origine lituanienne (Joniškis 1928 - Londres 1973).* Après avoir passé sa jeunesse en Afrique du Sud, il s'installe à Londres au lendemain de la Seconde Guerre mondiale. Il s'inscrit à l'Académie royale d'art dramatique et devient un talentueux acteur shakespearien. Il débute au cinéma en 1948 dans *House of Darkness* (Oswald Mitchell) et trouve quelques rôles plutôt modestes dans *la Rose noire* (H. Hathaway, 1950) ou *Les bons meurent jeunes* (*The Good Die Young,* L. Gilbert, 1954). Il est Roméo dans le *Roméo et Juliette* de Castellani *(id.),* s'étoffe dans *Une fille comme ça* (H. Cornelius, 1955) et *Trois Hommes dans un bateau* (*Three Men in a Boat,* K. Annakin, 1956). Son personnage d'arriviste cynique des *Chemins de la haute ville* (J. Clayton, 1958) lui assure une promotion soudaine, d'autant plus que ce film annonce le courant novateur du Free Cinema. On le voit ensuite personnifier le colonel William Travis dans *Alamo* (J. Wayne, 1960) et tenir les premiers rôles dans *la Vénus au vison* (D. Mann, *id.*), *la Patrouille égarée* (L. Norman, 1961), *Été et Fumées* (P. Glenville, 1962), *la Rue chaude* (E. Dmytryk, *id.*), *Un crime dans la tête* (J. Frankenheimer, *id.*), *Citoyen de nulle part* (J. Sturges, 1963), *le Deuxième Homme* (C. Reed, *id.*), *l'Ange pervers* (K. Hughes, 1964), *Darling* (J. Schlesinger, 1965), *Maldonne pour un espion* (A. Mann, 1968 ; film complété par Harvey lui-même), *Wusa* (S. Rosenberg, 1970). L. Harvey joue également dans deux films qu'il signe en tant que réalisateur : *la Cérémonie* (*The Ceremony,* 1963) et *Welcome to Arrow Beach* (1974). R.L.

HARVEY *(Helene Lilian Muriel Pape,* dite *Lilian), actrice allemande (Edmonton, G.-B., 1906 -*

Cap d'Antibes 1968). Née de père allemand et de mère anglaise, elle habite dès 1914 à Berlin, où elle suit des cours de danse. À dix-huit ans, elle se produit avec une troupe dans les théâtres de variétés en tournée, à Budapest, à Vienne. Richard Eichberg la remarque : elle est engagée pour le cinéma. Rapidement, elle s'impose devant les caméras par sa vitalité, ses qualités acrobatiques. Elle parlait aussi bien l'allemand que l'anglais et apprit, très tôt, le français. L'avènement du parlant fut donc une aubaine pour elle, car les responsables de la UFA, qui cherchaient à gagner le marché international, comprirent le parti que l'on pouvait tirer de cette interprète polyglotte, reine de l'opérette viennoise, capable d'être présente comme vedette unique des versions multiples. Après *Prinzessin Trulala* (R. Eichberg, 1926), *la Chaste Suzanne (Die keusche Suzanne,* id., *id.)* ou *Adieu Mascotte / le Modèle de Montparnasse* (W. Thiele, 1929), et autres comédies du muet, elle est «das süsseste Mädel der Welt», triomphe avec ses partenaires Willy Fritsch et Henri Garat dans les films de Wilhelm Thiele : *Die Drei von der Tankstelle* (1930, vers. franç. : *le Chemin du paradis*) et d'Erik Charell : *Der Kongress tanzt* (1931, vers. angl. : *The Congress Dances* ; vers. franç. : *le Congrès s'amuse*) puis devient «un rêve blond», d'après un film (*Ein blonder Traum,* 1932) de Paul Martin. En 1933, elle part pour Hollywood mais sans obtenir les grands rôles auxquels elle semblait prédestinée. Elle tourne quatre films aux États-Unis en 1933-34, puis *Invitation to the Waltz* (Paul Merzbach, 1935) en Angleterre. De retour en Allemagne jusqu'en 1939, elle passe en France *(Sérénade,* Jean Boyer, 1940 ; *Miquette et sa mère,* id., *id.),* puis se rend en Suisse, aux États-Unis. Elle rentre à Paris en 1947, tente de renouer avec le succès. En vain. F.B.

Autres films : *Hokuspokus* (G. Ucicky, 1930, et vers. angl. [*Temporary Widow*]) ; *Liebeswalzer* (id., *id.*) ; *Nie wieder Liebe* (A. Litvak, 1931 ; avec Harry Liedke, VF intitulée *Calais-Douvres,* avec André Roanne) ; *Quick* (R. Siodmak, 1932, vers. franç. et allem.) ; *Ich und die Kaiserin* (F. Holländer, 1933 ; vers. angl. *The Only Girl / Heart Song ;* vers. franç. *Moi et l'impératrice*).

HAS *(Wojciech Jerzy), cinéaste polonais (Cracovie 1925).* Il étudie la peinture à l'Académie des beaux-arts et parallèlement le cinéma à l'Institut cinématographique de Cracovie. De 1947 à 1955, il tourne de nombreux courts métrages (documentaires et films de vulgarisation scientifique) et s'impose à l'attention dès son premier film de fiction : *le Nœud coulant* (*Pętla,* 1958) d'après Marek Hlasko. Bien qu'il appartienne à la première génération de l'après-guerre (Wajda, Munk, Kawalerowicz, Kutz, Konwicki) et que certains de ses scénarios baignent dans «l'air du temps», Has ne semble se rattacher à aucun mouvement esthétique ou idéologique précis. Son style est souple, évocateur, aux confins de la nostalgie : *les Adieux* (*Pozegnania,* 1958) ; *Chambre commune* (*Wspólny pokój,* 1960) ; *Adieu jeunesse* (*Rozstanie,* 1961) ; *l'Or de mes rêves* (*Zloto,* 1962) ; *l'Art d'être aimée* (*Jak byc kochana,* 1963). Son adaptation du roman picaresque du comte Potocki *le Manuscrit trouvé à Saragosse* (*Rekopis znaleziony w Saragosie,* 1965), avec Zbigniew Cybulski, prouve qu'il est à l'aise dans l'étrange et le surprenant, ce que confirmera, huit ans plus tard, une autre adaptation plus fantastique encore : *la Clepsydre* (*Sanatorium pod Klepsydra,* d'après Bruno Schultz, le «Kafka» polonais). Entretemps, il réalise *les Codes* (*Szyfry,* 1966) et *la Poupée* (*Lalka,* 1968, d'après Bolesław Prus). Après un long silence, il revient à la réalisation en signant *Une histoire banale* (*Niecekawa historia,* d'après Tchekhov, 1982), *' l'Écrivain '* (*Pismak,* d'après Lech Terlecki, 1985), *'Journal d'un pécheur'* (*Grzesnik,* 1986, d'après James Hogg) et *les Tribulations de Balthazar Kober* (*Niezwykła podróż Baltazara Kobera,* 1988, d'après Frédérick Tristan). J.-L.P.

HASEGAWA *(Kazuo), acteur japonais (Kyōto 1908 - Tōkyō 1984).* Après avoir appris la technique du Kabuki, il débute au cinéma en 1926-27 à la Shōchiku de Kyōto, où il se spécialise rapidement dans des films historiques, souvent dirigés par Kinugasa. Son charme typique de jeune premier lui permet de devenir une des grandes stars masculines de la Shōchiku : en onze ans (de 1926 à 1937), sous le nom de Nagamaru ou Chojiro Hayashi, il joue dans près de 120 films, dont 23 avec Kinugasa, dans des adaptations de romans très populaires, et parfois à« progressistes», comme *'Avant l'aube'* (1931), *Nezumi Kozo Jirokichi* (1932), *'les 47 Rônin'* (id.) et, surtout, *'la Vengeance d'un acteur'* (1935-36), où il tient un double rôle qu'il reprendra 28 ans plus tard dans la version en Scope-couleurs de Kon Ichikawa (1963), et qui reste son rôle le plus célèbre. En 1937, ayant brusquement quitté la Shōchiku pour la Tōhō, il est victime d'un attentat au rasoir, et poursuit sa carrière sous le nom de Kazuo Hasegawa. Après un grand film historique de Kinugasa, *'la Bataille d'été à Ōsaka'* (1937), il retrouve son personnage de jeune premier dans *'Un amour de Tojuro'* (K. Yamamoto, 1938) et dans divers films de Makino pendant la guerre. Kinugasa l'utilise à nouveau dans sa comédie satirique *'Seigneur d'un soir'* (1946), mais, après la faillite de sa propre compagnie à la fin des années 40, il entre définitivement à la Daiei (1952), où il tournera la plupart des films qui lui vaudront une certaine notoriété en Occident et de nombreuses récompenses au Japon : *la Légende du grand Bouddha* (Kinugasa, 1952) ; *'la Danse du lion'* (Ito, 1953) ; surtout, *la Porte de l'enfer* (Kinugasa, *id.*) et *les Amants crucifiés* (Mizoguchi, 1954). Après son 300e film officiel (*la Vengeance d'un acteur,* de Ichikawa, 1963), Hasegawa est retourné au théâtre. M.T.

HASKIN *(Byron), cinéaste américain (Portland, Orég., 1899 - Santa Barbara, Ca., 1984).* Caricaturiste, cameraman dès 1918, il réalise quatre films en 1927-28, puis redevient directeur de la photo et se forme aux effets spéciaux. Sa carrière de cinéaste reprend en 1947 : il signe deux films noirs, *l'Homme aux abois* (*I Walk Alone,* 1948) et *la Tigresse* (*Too Late for Tears,* 1949), puis poursuit dans le western et la science-fiction, qui le rend célèbre (*la Guerre des mondes* [*The War of the Worlds,* 1953]), et dans le film d'aventures : *Quand la marabunta gronde* (*The Naked Jungle,* 1954). Il se retire après une œuvre originale et moderne, en ce domaine : *la Guerre des cerveaux* (*The Power,* 1968). C.D.R.

HASSE *(Hannjo), acteur allemand (Bonn 1921).* Il joue, après la guerre à Nordhausen, puis notamment à Berlin, Burg et Schwerin. À l'écran, on le voit dans de nombreux films : *le Sujet* (W. Staudte, 1951) ; *Ernst Thälmann* (K. Maetzig, 1954-55) ; *Plus fort que la nuit* (S. Dudow, 1954) ; *le Capitaine de Cologne* (id., 1956) ; *Étoiles* (K. Wolf, 1959) ; *l'Affaire Gleiwitz* (*Der Fall Gleiwitz,* Gerhard Klein, 1961) ; *Beethoven* (Horst Seeman, 1976). Il a également interprété des films en Tchécoslovaquie sous la direction de Jiři Krejčik (*Monsieur Principe Supérieur,* 1960). P.H.

HASSE *(Otto Eduard), acteur allemand (Obersitzka 1903 - Berlin, R. F. A., 1978).* Acteur de théâtre depuis 1927, il a fait une grande carrière dans le répertoire traditionnel. Si on peut le voir à l'écran dès 1932, il n'obtient des rôles importants qu'à partir de 1948, avec *Ballade berlinoise* (R. A. Stemmle) et *Lettre anonyme* (*Anonyme Briefe,* A. M. Rabenalt, 1949). Il tourne dans quelques films d'inspiration antifasciste, dont *le Traître* (1951) d'Anatole Litvak, et se fait une spécialité des personnages d'officiers antihitlériens dans une série de films ambigus, tels *Amiral Canaris* (A. Weidenmann, 1954) et les deuxième et troisième épisodes de *08/15* (Paul May, 1955). Vingt ans plus tard, Peter Zadek lui confie le rôle complexe de l'écrivain Knut Hamsun dans *le Temps des glaces* (d'après Tankred Dorst, 1975), qui évoque ses rapports avec le nazisme. Malgré les figures stéréotypées qui caractérisent une partie de sa carrière cinématographique, Hasse disposait d'un registre très varié, ainsi que le prouvent ses interprétations dans *le Médecin de Stalingrad* (Geza Radvanyi, 1957), *les Aventures d'Arsène Lupin* (J. Becker, *id.*), *le Mariage de M. Mississippi* (*Die Ehe des Herrn Mississippi,* K. Hoffmann, 1961) et *Lulu* (R. Thiele, 1962). D.S.

HASSELQUIST *(Jenny), actrice suédoise (Stockholm 1894 - id. 1978).* Elle connaît la célébrité comme danseuse de ballet au Kunglige Theater de Stockholm, où elle devient l'ambassadrice de Fokine, puis dans la troupe des Ballets suédois de Rolf de Maré et Jean Börlin. Parallèlement, elle s'impose au cinéma tout d'abord dans un film de circonstance, *l'Étoile du ballet* (M. Stiller, 1916), puis dans certains films phares du cinéma suédois : *Vers le bonheur* (id., 1920) ; *À travers les rapides* (id., 1921) ; *l'Épreuve du feu* (V. Sjöström, *id.*) ; *le Vaisseau tragique* (id., 1923) et *la Légende de Gösta Berling* (M. Stiller, 1924), où sa présence romanesque et mélancolique épouse parfaitement les intentions des deux grands cinéastes. Elle tourne aussi occasionnellement en Allemagne : *Sumurun* (E. Lubitsch, 1920), *Das brennende Geheimnis* (R. Gliese, 1924). Elle tient encore quelques rôles sous la direction de Molander (*Vers l'Orient,* 1926 ; *Elle, la seule,* id.). P.CO.

HASSO *(Signe Larsson,* dite *Signe), actrice américaine d'origine suédoise (Stockholm 1915).* Elle débute à la scène en Suède à l'âge de treize ans, y paraît dans son premier film en 1933. Son premier film hollywoodien date de 1942. Les producteurs espéraient faire d'elle une Garbo ou une Ingrid Bergman. Actrice très capable, au métier solide, il manquait à Signe Hasso un certain éclat physique ; elle est toujours restée une actrice de composition qui a donné le meilleur d'elle-même à la scène, aussi bien aux États-Unis qu'en Suède. Si elle était saisissante en espionne nazie dans *la Maison de la 92ᵉ Rue* (H. Hathaway, 1945), des rôles d'ingénue comme ceux qu'elle tint dans *A Scandal in Paris* (D. Sirk, 1946) ou dans *Othello* (G. Cukor, 1947) ne la montraient pas à son avantage. C.V.

HATHAWAY *(Henri Leopold de Fiennes,* dit *Henry), cinéaste américain (Sacramento, Ca., 1898 - Los Angeles, Ca., 1985).* Dès son enfance, il est acteur de western, puis il devient l'assistant de Victor Fleming et William K. Howard, avant de diriger lui-même huit films tirés de Zane Grey, avec Randolph Scott (1932-1934). *Les Trois Lanciers du Bengale* lui valent son premier succès, et il gardera la confiance des producteurs, qui lui assigneront volontiers des tâches délicates. Il débute à la Paramount, mais l'essentiel de sa carrière se déroule à la Fox (1940-1960).

Amoureux de l'aventure, qui lui fournit ses meilleurs sujets, Hathaway voue la même passion à l'innovation. Il relève donc les défis : *l'Attaque de la malle-poste* est un western en espace clos ; *la Maison de la 92ᵉ Rue* introduit le réalisme des extérieurs dans le film policier ; *Peter Ibbetson* brave la vraisemblance dans ses procédés de narration ; *Nevada Smith* entend affronter les westerns italiens. Ce goût des gageures, plutôt qu'un esprit d'employé fidèle, explique la variété des arguments dans l'œuvre de Hathaway. Cela n'empêche pas certains thèmes et certains traits de style de s'y manifester avec insistance. La violence, depuis longtemps, s'y laisse regarder d'une manière troublante *(l'Impasse tragique),* et la plupart des méchants y sont plus complexes *(Niagara)* ou plus pittoresques *(le Grand Sam)* que les héros. De la sorte, même si les personnages obéissent à des mobiles aussi simples que la vengeance *(Nevada Smith)* ou l'appât du gain *(le Jardin du diable),* un ténébreux réseau finit par matérialiser la présence du Mal. Ces aspects moraux ne sont pourtant l'objet d'aucune réflexion. Quoiqu'elle rejette avec vigueur toute civilité, la mise en scène de Hathaway n'est pas naïve : sa vitalité repose sur une solide documentation et une observation sobre, ses inventions de détail multiplient les emblèmes, accentuant, parfois crûment, la valeur propre de l'image. Les cercles de *Prince Vaillant,* comme les effets de lumière de *Peter Ibbetson* ou les ombres de *l'Impasse tragique,* deviennent des formes iconographiques. Le comique du *Grand Sam* révèle avec éclat cette volonté d'organiser les gestes et les choses selon un sens. A.M.

Films ▲ : *Heritage of the Desert* (1932) ; *Wild Horse Mesa* (id.) ; *Under the Tonto Rim* (1933) ; *Sunset Pass* (id.) ; *Man of the Forest* (id.) ; *To the Last Man* (id.) ; *The Thundering Herd* (id.) ; *The Last Round-Up* (1934) ; *Come On Marines !* (id.), *The Witching Hour* (id.) ; *C'est pour toujours* (*Now and Forever,* id.) ; *les Trois Lanciers du Bengale* (*The Lives of a Bengal Lancer,* 1935) ; *Peter Ibbetson* (id.) ; *la Fille du bois maudit* (*The Trail of the Lonesome Pine,* 1936) ; *Go West Young Man* (id.) ; *Âmes à la mer* (*Souls at Sea,* 1937) ; *Spawn of the North* (1938) ; *la Glorieuse Aventure* (*The Real Glory,* 1939) ; *Johnny Apollo* (1940) ; *Brigham Young Frontiers-man* (id.) ; *The Shepherd of the Hills* (1941) ; *le Crépuscule* (*Sundown,* id.) ; *Ten Gentlemen From West Point* (1942) ; *la Pagode en flammes* (*China Girl,* 1943) ; *le Jockey de l'amour* (*Home in Indiana,* 1944) ; *Wing and a Prayer* (id.) ; *Nob Hill* (1945) ; *la Maison de la 92ᵉ Rue* (*The House on 92nd Street* (id.) ; *l'Impasse tragique* (*The Dark Corner,* 1946) ; *13 Rue Madeleine* (id., 1947) ; *le Carrefour de la mort* (*Kiss of Death,* id.) ; *Appelez Nord 777* (*Call Northside 777,* 1948) ; *les Marins de l'Orgueilleux* (*Down to the Sea in Ships,* 1949) ; *la Rose noire* (*The Black Rose,* 1950) ; *l'Attaque de la malle-poste* (*Rawhide,* 1951) ; *le Renard du désert* (*The Desert Fox,* id.) ; *Quatorze Heures* (*Fourteen Hours,* id.) ; *La marine est dans le lac* (*You're in the Navy Now/USS Teakettle,* id.) ; *Red Skies of Montana* (dirige quelques scènes, non crédité, J. M. Newman, 1952) ; *Courrier diplomatique* (*Diplomatic Courier,* id.) ; *la Sarabande des pantins* (*O'Henry's Full House,* épisode : *The Clarion Call,* id.) ; *Niagara* (id., 1953) ; *la Sorcière blanche* (*White Witch Doctor,* id.) ; *Prince Vaillant* (*Prince Va-*

liant, 1954) ; *le Jardin du diable* (*Garden of Evil,* id.) ; *le Cercle infernal* (*The Racers,* 1955) ; *le Fond de la bouteille* (*The Bottom of the Bottle,* 1956) ; *À vingt-trois pas du mystère* (*23 Places to Baker Street,* id.) ; *The Wayward Bus* (dirige quelques scènes, non crédité, 1957) ; *la Cité disparue* (*Legend of the Lost,* id.) ; *la Fureur des hommes* (*From Hell to Texas,* 1958) ; *la Ferme des hommes brûlés* (*Woman Obsessed,* 1959) ; *les Sept Voleurs* (*Seven Thieves,* 1960) ; *le Grand Sam* (*North to Alaska,* id.) ; *la Conquête de l'Ouest* (*How the West Was Won,* trois épisodes, 1962) ; *Rampage* (dirige quelques scènes, non crédité, 1963) ; *Of Human Bondage* (début, non crédité, 1964) ; *le Plus Grand Cirque du monde* (*Circus World,* id.) ; *les Quatre Fils de Katie Elder* (*The Sons of Katie Elder,* 1965) ; *Nevada Smith* (id., 1966) ; *le Dernier Safari* (*The Last Safari,* 1967) ; *Cinq Cartes à abattre* (*Five Cards Stud, 1968*) ; *Cent Dollars pour un shérif* (*True Grit,* 1969) ; *Airport* (temporairement remplacé par George Seaton, non crédité, 1970) ; *le Cinquième Commando* (*Raid on Rommel,* 1971) ; *Quand siffle la dernière balle* (*Shootout,* id.) ; *Hangup* (1974).

HATHEYER *(Heidemarie), actrice autrichienne (Villach 1918 - Zollikon, Suisse, 1990).* Incarnant dans ses premiers films des personnages de montagnarde, de jeune fille sauvage (*l'Appel de la montagne,* L. Trenker, 1937), elle est une grande vedette du cinéma nazi ; son grand succès est *la Fille au vautour* (H. Steinhoff, 1940), remake d'un film muet d'E. A. Dupont. Elle joue dans *Suis-je un criminel ?* (W. Liebeneiner, 1941), resté célèbre pour son fameux plaidoyer en faveur de l'euthanasie. Elle connaît une éclipse après la guerre malgré *Begegnung mit Werther* (Karl Heinz Stroux, 1949) et ne trouve plus que des rôles secondaires. Kai Wessel lui offre un rôle plus intéressant en 1989 dans *Martha Jellneck.* D.S.

HATTON *(Raymond), acteur américain (Red Oak, Iowa, 1987 - Palmdale, Ca., 1971).* Il apparaît à l'écran vers 1912 et devient l'un des acteurs favoris de Cecil B. De Mille (*The Warrens of Virginia,* 1915 ; *Jeanne d'Arc,* 1917 ; *l'Admirable Crichton,* 1919). Vers la fin des années 20, il joue avec Wallace Beery comme partenaire dans plusieurs comédies de la Paramount. Parmi ses films les plus notables, citons *Nan of the Music Mountain* (G. Melford, 1917), *Arizona* (Albert Parker, 1918), *Officer 666* (H. Beaumont, 1920), *Peck's Bad Boy* (S. Wood, 1921), *The Hunchback of Notre-Dame* (Wallace Worsley, 1923), *Behind the Front* (A. E. Sutherland, 1926), *Fashions for Women* (D. Arzner, 1927). Il poursuit sa carrière dans des rôles plus modestes jusqu'à la fin des années 60 : *G-Men* (W. Keighley, 1935), *Steamboat 'Round the Bend* (J. Ford, *id.*), *Femmes marquées* (L. Bacon, 1937), *Kit Carson* (G.B. Seitz, 1940), *Requiem for a Gunfighter* (Spencer G. Bennett, 1965), *De sang-froid* (R. Brooks, 1967). J.-L.P.

HAUER *(Rutger), acteur américain d'origine néerlandaise (Breukelen 1944).* Véritable coqueluche de la jeunesse dès son premier film hollandais (*Turkish delices,* P. Verhoeven, 1973), Rutger Hauer, avec sa grande taille, ses yeux d'acier et sa blondeur trouble, ne pouvait manquer sa carrière cinématographique. Parti aux États-Unis dans le sillage de Verhoeven, qui, au fil des années, lui sera périodiquement fidèle, Hauer laissa exploser son charisme dans *Blade Runner* (R. Scott, 1982): l'androïde insensible qu'il y interprétait et qui s'opposait à Harrison Ford en duel à mort zébré par le vol des colombes était une véritable image luciférienne. Depuis, plus d'une fois, il a joué les anges de la mort ou les anges déchus : *Ostermann Week-end* (S. Peckinpah, 1985), *Hitcher* (*The Hitcher,* Robert Harmon, 1986). Il sortit cependant avec un certain panache de son emploi pour jouer un sombre héros médiéval dans le curieux *Ladyhawke, reine de la nuit* (R. Donner, 1985) et, surtout, l'ivrogne magnifique de *la Légende du saint buveur* (Ermanno Olmi, 1987) C.V.

HAUFF *(Reinhard), cinéaste allemand (Marburg 1939).* D'abord assistant réalisateur pour le cinéma et la télévision, il dirige de nombreux shows télévisés et se consacre au documentaire. En 1971, il réalise *Mathias Kneissl,* qui est un des principaux films du courant « anti-Heimatfilm ». Il précise ses orientations dans trois titres réalisés avec la participation du scénariste Burkhard Driest : *la Déchéance de Franz Blum* (*Die Verrohung des Franz Blum,* 1973), qui se passe dans le milieu des prisons, *'Mèches'* (*Zundschnüre,* 1974), sur des enfants d'ouvriers au début du IIIe Reich, et *Paule Pauländer* (1975), consacré à une famille paysanne engluée dans des difficultés économiques et psychologiques. Il a tourné deux autres films majeurs, *la Vedette* (*Der Hauptdarsteller,* 1977), inspiré de son expérience avec les acteurs non professionnels qui avaient joué leur propre rôle dans *Paule Pauländer,* et *le Couteau dans la tête* (*Messer im Kopf,* 1978), un film courageux et humain sur l'hystérie anti-gauchiste, les pressions policières et les manipulations de la grande presse. En 1980, il retrouve Burkhard Driest pour *Terminus liberté (Endstation Freiheit),* qui, comme *la Déchéance de Franz Blum,* est inspiré de la vie du scénariste. En 1982, il tourne *l'Homme sur le mur (Der Mann auf dem Mauer),* en 1984 un reportage sur le cinéaste indien Mrinal Sen *(10 Tage in Calcutta)* et en 1986 un film sur le procès Baader-Meinhof : *Stammheim.* Il réalise en 1987 une comédie musicale «alternative» : *Ligne 1 (Linie Eins)* puis en 1989 *les Yeux bleus (Blauäugig)* sur le thème des disparus sous la terreur argentine. Reinhard Hauff a réalisé plusieurs films de fiction pour la télévision de 1969 à 1974, et il est associé à Volker Schlöndorff dans la société de production Bioskop Film depuis 1973. Il est l'époux de Christel Buschmann, scénariste *(la Vedette)* et cinéaste.

Sa sympathie va à des personnages qui sont le plus souvent des victimes de la société, des faibles, des oubliés de la prospérité allemande. Le spectateur n'est jamais conduit à s'identifier à ces héros au détriment de sa propre prise de conscience : en cela, Hauff, cinéaste d'une grande probité, va plus loin que la simple fiction de gauche. Il est devenu en 1993 directeur de l'École supérieure de cinéma et de télévision de Berlin (DFFB). D.S.

HAUTE FIDÉLITÉ. Tout système d'enregistrement et de reproduction des sons est une chaîne d'éléments, partant du microphone, qui capte des sons, pour aboutir au haut-parleur, qui restitue des sons.

On pourrait penser que l'idéal consiste à fournir un son restitué identique au son original. En fait, il est généralement impossible (toutes considérations techniques mises à part) d'envisager cette identité. Cela impliquerait en effet l'identité des niveaux sonores. Or, on ne peut manifestement pas restituer dans un appartement tout l'éventail des niveaux sonores d'un concert... sauf à faire participer tout l'immeuble à l'écoute de l'œuvre. D'une façon générale, on est conduit à comprimer l'éventail des niveaux sonores. (→ DYNAMIQUE.) Si elle demeure raisonnable, cette compression n'est pas, en elle-même, incompatible avec la fidélité du son restitué puisque, dans la réalité, notre sens de l'audition s'adapte lui aussi aux niveaux sonores : au cours d'une discussion, tel interlocuteur nous paraît parler beaucoup trop fort alors qu'en fait le niveau sonore de sa voix est inférieur au niveau sonore – jugé normal – des forte d'un concert.

Indépendamment de cette question du respect des niveaux, l'idéal évoqué plus haut n'est jamais atteint : d'une part, certains sons originaux ne sont pas restitués ; d'autre part, la fraction des sons restitués ne l'est pas sans déformations. La fidélité d'un système d'enregistrement et de reproduction se détermine donc essentiellement à partir des deux critères suivants :

– l'étendue de la *bande passante,* c'est-à-dire de la plage des fréquences restituées (→ BANDE PASSANTE et BRUIT DE FOND) ;

– à l'intérieur de cette plage, l'importance des déformations subies par le son restitué comparativement au son original.

Les plus notables de ces déformations sont la distorsion harmonique et la distorsion de phase.

Tout son, quelle que soit sa fréquence *f,* peut être considéré (→ SON) comme la somme de «sons simples» – appelés *harmoniques* – de fréquence *f, 2f, 3f, 4f,* etc., la répartition de la puissance sonore entre les divers harmoniques dépendant du son considéré. (C'est cette répartition qui donne leur *timbre* aux instruments de musique ou à la voix.) Idéalement, chaque harmonique devrait être restitué par un «son simple». En pratique, il est toujours un peu déformé, c'est-à-dire décomposable à son tour en harmoniques. En sortie de chaîne, on retrouve donc les harmoniques du son original, plus une certaine quantité d'« har moniques». La *distorsion harmonique* exprime le pourcentage d'harmoniques «parasites» ainsi introduits par la chaîne.

Par ailleurs, quelle que soit leur fréquence, tous les sons qui parviennent en même temps au micro d'enregistrement devraient, idéalement, être restitués en même temps par le haut-parleur. En pratique, ils sont restitués un peu décalés dans le temps, ce décalage pouvant s'interpréter comme un déphasage.

(→ SON.) La *distorsion de phase* mesure ce phénomène, qui provoque la « coloration » du son restitué.

En général, la distorsion harmonique – qui affecte le timbre des sons restitués – est plus critique, pour la fidélité, que la distorsion de phase. La fidélité d'une chaîne (ou d'un élément d'une chaîne) peut donc se définir, en première approche, à partir de trois critères fondamentaux : l'étendue de la *bande passante ;* le *rapport signal/bruit,* qui repère l'importance du bruit de fond ; la *distorsion harmonique.*

Un système d'enregistrement et de reproduction des sons atteint la « haute fidélité » lorsque le son restitué est jugé suffisamment ressemblant au son original pour que l'on puisse avoir l'impression d'entendre le son original. (Il est heureusement exceptionnel que nous ayons l'occasion de comparer directement le son original et le son restitué.) La notion de « haute fidélité » renferme donc une part de subjectivité : elle varie selon les individus, et elle évolue avec le progrès technique.

Dans la pratique, pour pouvoir juger la qualité des matériels, il fallait bien se donner des critères objectifs : des normes internationales définissent les performances minimales correspondant au qualificatif « haute fidélité ». Bien entendu, pour qu'une chaîne mérite ce qualificatif, il convient que *chacun* de ses maillons respecte la norme qui le concerne.

Cinéma et haute fidélité. Au cinéma, comme dans toute chaîne sonore, c'est le maillon le moins performant qui limite les performances de l'ensemble. Cela conduit à considérer successivement les différents stades de la bande sonore.

Les microphones et les magnétophones employés au tournage fournissent d'excellents résultats. Pour le montage, le son est reporté sur bande magnétique perforée (→ REPIQUAGE), un nouveau report intervenant lors du *mixage.* Ces reports dégradent un peu la qualité du son, mais la bande magnétique finale demeure de très bonne qualité.

Il faut ensuite reporter le son sur les copies d'exploitation, ce qui s'opère traditionnellement dans la majorité des cas par inscription d'une piste photographique, où le son est traduit par la variation de la largeur d'une trace transparente sur fond noir, creux et bosses de cette trace étant d'autant plus rapprochés que la fréquence est plus élevée. (→ CINÉMA SONORE.) Les limitations de ce « son optique » sont liées en bonne partie aux opérations nécessaires à ce report.

Dans un premier temps, partant de la bande magnétique issue du mixage, on enregistre, dans un appareil appelé « caméra », un négatif son. La *granulation* limite la finesse des détails de ce négatif, et donc la fréquence maximale que l'on peut y enregistrer. (Cette limitation dans les fréquences élevées est également due aux limitations de la caméra.)

Dans un deuxième temps, on recopie ce négatif sur les copies d'exploitation. Malgré les précautions prises, on ne peut éviter un certain bougé entre négatif et film de copie, à quoi s'ajoute la perte de finesse inévitable dans toute copie (par diffusion des rayons lumineux).

Tout cela se traduit finalement par une limitation de la fréquence maximale portée par les copies, et par une certaine distorsion harmonique due aux dispersions qui affectent l'établissement du négatif, le tirage, le développement, et due également aux déformations subies par le contour de la trace lors des surexpositions du négatif puis de la piste sonore de la copie (→ CINÉMA SONORE).

D'autres limitations apparaissent au moment de la projection du film. D'une part, la fente du dispositif de lecture n'est pas infiniment fine, ce qui entraîne à nouveau une limitation dans les fréquences élevées. D'autre part, l'éclairement de la fente n'est jamais parfaitement régulier tout le long de celle-ci : le courant électrique recueilli en sortie du dispositif de lecture n'est pas parfaitement proportionnel à la largeur de la trace, ce qui correspond à une déformation du son, mesurable en termes de distorsion harmonique. (Cette distorsion provient également du fait que la fente n'est jamais orientée – comme elle devrait l'être idéalement – de façon parfaitement perpendiculaire à l'axe de la piste.)

En aval du projecteur, la chaîne électronique d'amplification a normalement des performances nettement supérieures à celles de la copie.

Reste enfin l'ensemble constitué par le *haut-parleur* et l'*acoustique* de la salle. Le premier, même de bonne qualité, peine – dans le grand volume des salles de cinéma –

à reproduire les fréquences élevées au même niveau que les fréquences moyennes ou basses, d'autant qu'il est presque toujours implanté derrière l'écran, dont la « transparence » sonore est réduite dans les aiguës. À l'autre extrémité de l'échelle, en dessous de quelques dizaines de Hz, haut-parleur et acoustique de la salle « ne suivent plus ». L'acoustique de la salle intervient par ailleurs pour renforcer (ou affaiblir) localement certaines fréquences.

Globalement, l'ensemble de la chaîne d'enregistrement et de reproduction des sons donne lieu, en son optique traditionnel, aux valeurs typiques suivantes en copies 35 mm : bande passante limitée vers 8 000 Hz (les raisons de cette limitation étant d'ailleurs plus historiques que techniques, → BANDE PASSANTE) ; rapport signal/bruit de l'ordre de 45 dB sur copie neuve ; distorsion harmonique n'excédant pas 3 à 4 p. 100. En procédé Dolby Stéréo, procédé qui inclut la réduction du bruit de fond, le rapport signal/bruit s'élève jusque vers 55 à 60 dB sur copie neuve, et la bande passante en étendue jusqu'aux 12 000 Hz, qui constituent la limite pratique du son optique sur copies 35 mm. En 16 mm (il n'existe pas de copies 16 mm Dolby Stéréo), la bande passante est limitée à 6 000 Hz environ, le rapport signal/bruit tombe à 35 ou 40 dB sur copie neuve, et la distorsion harmonique n'excède pas 5 p. 100.

Ces performances peuvent paraître assez médiocres, si on les compare aux performances couramment annoncées pour les éléments des chaînes « haute fidélité » domestiques. En réalité, deux points importants doivent être ici pris en compte.

D'une part, le son vient, au cinéma, en complément de l'image. L'oreille est, de ce fait, moins sensible à ses éventuelles imperfections qu'elle ne l'est dans les cas (écoute du disque, par exemple), où le spectacle est uniquement sonore. Voilà pourquoi, en particulier, la limitation de la bande passante en son optique traditionnel n'est pas perçue au cinéma comme gênante, sauf parfois en 16 mm.

D'autre part, les valeurs indiquées plus haut sont des valeurs typiques des performances *effectives* de la chaîne sonore du cinéma *prise dans son ensemble.* Il serait inéquitable de les comparer aux performances d'un élément *isolé* d'une chaîne domestique, et notamment aux performances (facilement excellentes) des seuls éléments électroniques. Par exemple, la distorsion harmonique *globale* du disque 33 tours n'est pas tellement éloignée de celle du son optique 35 mm.

Ajoutons que l'acoustique des cinémas modernes n'a souvent rien à envier à celle de bien des appartements : finalement, le son optique, malgré ses limitations, est capable d'offrir — au moins en copies 35 mm — une qualité sonore qui demeure tout à fait acceptable même dans le contexte actuel de progrès technique constant des matériels d'enregistrement et de reproduction des sons.

Les copies à piste magnétique. A priori, en reportant directement sur pistes magnétiques le son issu du mixage, on devrait aboutir à des performances nettement supérieures à celles du son optique. En fait, compte tenu notamment de l'étroitesse des pistes portées par les copies, le gain est moins important qu'on ne pourrait l'imaginer, puisque l'on obtient les valeurs typiques suivantes :

— 35 mm à 4 pistes (copies type CinémaScope) : bande passante jusqu'à 12 000 Hz ; rapport signal/bruit de l'ordre de 50 dB ;

— 16 mm : bande passante jusqu'à 8 000 Hz ; rapport signal/bruit de l'ordre de 45 dB ;

— 70 mm (6 pistes) : bande passante jusqu'à 15 000 Hz ; rapport signal/bruit de l'ordre de 60 dB.

(Dans tous les cas, la distorsion harmonique n'excède pas 3 p. 100.)

En 16 mm, le son magnétique est meilleur que le son optique. En 35 mm, il était nettement meilleur que le son optique traditionnel : s'il ne l'emporta pas (au contraire, les films Cinéma-Scope furent rapidement proposés aussi en copies à son optique), c'est essentiellement pour des raisons économiques : coût des copies, coût de l'équipement des salles, nécessité d'une maintenance suivie de l'équipement de lecture (→ CINÉMA SONORE). Le procédé Dolby Stéréo, qui offre des performances similaires tout en conservant les avantages économiques du son optique, risque de ruiner définitivement les chances du son magnétique 35 mm. On notera enfin que le 70 mm, où ne fut jamais employé que le son magnétique, présente des performances nettement supérieures à celles du 35 mm, optique ou magnétique.

Après bien des recherches, il est apparu possible de diffuser le son dans les salles à partir d'informations numériques. Cette diffusion numérique a pu se faire grâce aux techniques de compression des informations qui permettent de réduire la densité des informations à enregistrer dans un rapport voisin de 10 pour le domaine du cinéma.

Deux principes sont mis en œuvre : soit le son est enregistré en numérique sous forme photographique directement sur la copie d'exploitation, soit le son numérique est enregistré sur un disque audio synchronisé avec le défilement du film grâce à un code temporel inscrit sur la copie du film. Dans les deux cas, la piste audio standard (analogique) est maintenue pour conserver une compatibilité aux copies ou continuer la projection en cas de problème de reproduction de la piste numérique. Dans le premier cas, la ou les pistes numériques sont inscrites sur les copies dans les zones encore non utilisées. Dans le procédé Dolby SRD, les informations sont enregistrées entre les perforations (côté piste sonore). La lecture se fait séquentiellement avec une petite caméra vidéo CCD. Sony propose un procédé pour lequel le son numérique est enregistré sur deux pistes situées de part et d'autre du film entre les perforations et le bord du film (manchettes). Dans le second cas, un code temporel est enregistré sur le film (entre la piste audio et les images dans le procédé DTS) et un micro-ordinateur gère les coupures éventuelles de films sans créer de rupture du son. Tous ces procédés sont incompatibles les uns avec les autres, et l'implantation des différents lecteurs sur le projecteur n'est pas toujours aisée. Dans tous ces systèmes, la diffusion se fait par 3 ou 5 voies d'écran (procédé SDDS) et une ambiance stéréophonique. J.-P.F. / M.BA.

HAUT-PARLEUR. Appareil qui transforme en sons le courant électrique variable fourni par un amplificateur.

Le *haut-parleur* est le dernier élément de la chaîne de reproduction du son, si on limite cette chaîne aux *matériels* de reproduction. Pour l'auditeur, c'est en fait l'avant-dernier maillon de la chaîne, puisque le son perçu dépend encore de l'*acoustique* du local d'écoute.

En pratique, ce que l'on appelle *haut-parleur* se décompose en deux éléments : le haut-parleur propement dit, où l'énergie électrique fournie par l'amplificateur est transformée en énergie sonore ; l'enceinte acoustique, dans laquelle est incorporé le haut-parleur et dont le rôle est à la fois d'accroître le rendement du haut-parleur et d'améliorer la restitution des sons graves.

Le haut-parleur. Le principe de presque tous les haut-parleurs consiste à mettre en mouvement une membrane. Lorsque la membrane avance, elle comprime l'air devant elle, la compression se propageant ensuite de proche en proche (il en est de même pour la dépression créée lorsque la membrane recule) : les vibrations de la membrane font bien de cette dernière une source sonore. (Les haut-parleurs *ioniques,* que l'on voit régulièrement apparaître sur le marché, font vibrer directement les molécules de l'air par *ionisation,* sans passer par l'intermédiaire mécanique d'une membrane. Ils restituent uniquement, sous une faible puissance, les fréquences élevées.)

Selon le procédé employé pour mettre la membrane en mouvement, il existe (outre les appareils ioniques) deux grandes familles de haut-parleurs.

Dans les haut-parleurs *électrodynamiques,* la membrane est solidaire d'une bobine, parcourue par le courant provenant de l'amplificateur, placée dans l'entrefer d'un aimant permanent. Les haut-parleurs électrodynamiques *à membrane,* où la membrane est en forme de cône très ouvert (généralement circulaire, parfois elliptique sur les modèles grand public) sont susceptibles — selon les modèles — de reproduire avec une forte puissance l'ensemble des fréquences audibles. De ce fait, ils constituent la famille de haut-parleurs de loin la plus répandue. Les haut-parleurs électrodynamiques à *ruban* (qui ne diffèrent des précédents, dans le principe, que par la forme de la membrane) reproduisent uniquement les fréquences élevées, avec une puissance assez faible.

Les haut-parleurs *électrostatiques,* où la membrane constitue un des deux éléments d'un condensateur, donnent d'excellents résultats aux fréquences élevées mais, là encore, sous une faible puissance.

On ne sait pas concevoir actuellement un haut-parleur unique capable de restituer correctement l'ensemble des fréquences audibles. Lorsque l'on désire une restitution de qualité, on emploie plusieurs haut-parleurs, chacun spécialisé dans la restitution d'une tranche de fréquences. Un filtre électronique, placé entre l'amplificateur et les haut-parleurs, permet d'envoyer à chaque haut-parleur uniquement les fréquences qui lui sont destinées. Dans la combinaison la plus courante, un ou deux petits haut-parleurs (les « tweeters ») restituent les aigus cependant qu'un haut-parleur de grand diamètre restitue les fréquences moyennes et graves. Il existe aussi des combinaisons à trois haut-parleurs, voire plus.

L'enceinte. La membrane émet deux ondes sonores, l'une vers l'avant, l'autre vers l'arrière. Ces deux ondes sont en opposition de phase (→ PHÉNOMÈNES PÉRIODIQUES) : tout déplacement de la membrane provoque d'un côté une compression de l'air, de l'autre côté une dépression.

Pour les sons de fréquence élevée, le phénomène n'est pas très gênant : ces sons se propagent à peu près en ligne droite, et il y a donc peu de risque que l'onde arrière, contournant le haut-parleur, vienne se combiner à l'onde avant.

Plus on descend en fréquence, plus l'onde arrière tend à contourner le haut-parleur et à venir se combiner à l'onde avant : compression et dépression se détruisant mutuellement, le risque est grand d'un étouffement du son.

La solution du *baffle* (terme souvent employé, improprement, pour enceinte) consiste à placer le haut-parleur au centre d'une grande plaque rigide : obligée de contourner la plaque, l'onde arrière perd, en route, beaucoup de son intensité initiale. Difficilement praticable en appartement, cette solution a été parfois utilisée dans les cinémas, le baffle ayant la dimension de l'écran.

La solution quasi universellement retenue consiste à enfermer le haut-parleur dans une *enceinte* emplie de matériau absorbant (laine de verre, par ex.). Dans les enceintes *closes,* on s'efforce d'absorber entièrement l'onde arrière. Les enceintes *à évent* comportent une ouverture, généralement située en bas de l'enceinte, qui met l'intérieur de l'enceinte en communication avec l'extérieur. Cette conception conduit à un meilleur rendement que l'enceinte close ; par ailleurs, si l'évent est bien calculé, on peut étendre la restitution des fréquences basses jusqu'à la fréquence de résonance du haut-parleur (30 à 50 Hz pour les haut-parleurs de qualité), fréquence au-dessous de laquelle il est de toute façon illusoire d'espérer un résultat correct.

Les haut-parleurs dans les salles de cinéma. Le problème de la restitution des sons semble se poser en termes similaires dans un appartement et dans un cinéma, et l'on ne voit pas, a priori, pourquoi de puissantes enceintes d'appartement ne feraient pas l'affaire.

En réalité, le volume à sonoriser est incomparablement plus grand dans un cinéma. En outre, jusqu'à une époque assez récente, les amplificateurs de forte puissance étaient vite onéreux. (Pendant longtemps, la puissance des amplificateurs des cinémas dépassa rarement une trentaine de watts.) Tout ceci poussait évidemment à rechercher un rendement élevé.

En fait, la question se pose surtout dans les aigus, puisque les enceintes à évent offrent un bon rendement pour les fréquences basses ou moyennes. (La puissance des enceintes d'appartement est limitée par la puissance des haut-parleurs d'aigus.) Pour la restitution des aigus, on a donc recours, dans les cinémas, au *haut-parleur à chambre de compression,* où la membrane excite l'air d'une petite « chambre » placée à l'embouchure d'un pavillon (également appelé « trompe ») similaire au pavillon d'un instrument à vent, à la forme près puisque la trompe est généralement de section carrée et non pas ronde. Encombrant, ce dispositif offre en revanche l'avantage d'améliorer nettement le rendement sonore. Comme c'est le cas pour les haut-parleurs d'aigus dans nombre d'enceintes d'appartement contemporaines, le haut-parleur à chambre de compression et sa trompe sont implantés au-dessus de l'enceinte.

Système THX. Pour bénéficier de toute la qualité des enregistrements sonores récents, un constructeur américain a proposé, afin d'améliorer le rendement des enceintes acoustiques aux fréquences basses, de les encastrer dans un mur acoustique construit immédiatement derrière l'écran. Les caractéristiques de ce mur ainsi que celles du volume situé entre ce mur « acoustique » et le mur de salle sont calculées en fonction des enceintes employées. Chacun des hauts-parleurs (grave, aigu) est attaqué par un amplificateur distinct (système dit bi-amplification), les deux amplificateurs étant eux-mêmes alimentés par un filtre actif adapté aux hauts-parleurs et permettant d'en compenser électroniquement le déphasage. Cet ensemble de matériels de marque, sélectionnés et installés sous contrôle, porte le label THX. Chaque salle installée fait l'objet d'un contrôle de qualité, chaque année, pour conserver son label, symbole de la qualité de la reproduction sonore.

Dans la quasi-totalité des salles, le *haut-parleur* est placé derrière l'écran, lequel doit être alors transsonore. (→ ÉCRAN.) Il y a toutefois des cas (projection par transparence, par ex.) où cette disposition est impraticable : le haut-parleur est alors disposé en dehors de l'écran, généralement au-dessus de ce dernier. Pour la projection des films stéréophoniques, il faut évidemment autant de haut-parleurs que de « canaux » sonores. (→ STÉRÉOPHONIE.)

J.-P.F. / M.BA.

HAVER *(Phyllis O'Haver,* dite *Phyllis), actrice américaine (Douglas, Kans., 1899 - Falls Village, Conn., 1960).* Ancienne pianiste, ancienne « bathing beauty », elle est l'une des plus mystérieuses et des plus oubliées des déesses de l'amour hollywoodiennes. Blonde piquante, à la sexualité franche, elle connaît un indéniable succès dans *Quand la chair succombe* (*The Way of All Flesh,* V. Fleming, 1927), *Chicago* (Frank Urson, *id.*) ou dans *l'Éternel Problème* (D. W. Griffith, 1928). Elle se retire en 1929 pour épouser un millionnaire, dont elle divorce seize ans plus tard. Elle se suicide en 1960.

C.V.

HAWKINS *(John Edward Hawkins,* dit *Jack), acteur britannique (Londres 1910 - id. 1973).* Après des débuts fort remarqués au théâtre, il interprète son premier rôle cinématographique dans *Birds of Prey* (B. Dean, 1930). Il devient rapidement l'un des acteurs les plus sollicités de Grande-Bretagne, car sa stature carrée et décidée le voue aux personnages volontaires, actifs, souvent sanglés dans leur uniforme. Il perd sa voix en 1966 après une opération du larynx mais continue à jouer (avec une voix d'emprunt). Parmi ses films les plus significatifs : *Première Désillusion* (C. Reed, 1948) ; *la Rose noire* (H. Hathaway, 1950), *Mandy* (A. Mackendrick, 1952) ; *la Femme du planteur* (K. Annakin, *id.*) ; *la Mer cruelle* (Ch. Frend, 1953) ; *l'Emprisonné* (P. Glenville, 1955) ; *la Terre des Pharaons* (H. Hawks, *id.*) ; *le Pont de la rivière Kwaï* (D. Lean, 1957) ; *Inspecteur de service* (J. Ford, 1959) ; *Ben-Hur* (W. Wyler, *id.*) ; *Hold-Up à Londres* (B. Dearden, 1960) ; *Lawrence d'Arabie* (D. Lean, 1962) ; *Zoulou* (C. R. Endfield, 1964) ; *les Canons de Batasi* (J. Guillermin, *id.*) ; *Lord Jim* (R. Brooks, 1965) ; *Judith* (D. Mann, 1966) ; *le Dernier Safari* (H. Hathaway, 1967) ; *Shalako* (E. Dmytryk, 1968) ; *Ah ! Dieu, que la guerre est jolie !* (R. Attenborough, 1969) ; *The Adventures of Gerard* (J. Skolimowski, 1970) ; *Waterloo* (S. Bondartchouk, *id.*) ; *Nicholas et Alexandra* (F. Shaffner, 1971) ; *les Griffes du lion* (R. Attenborough, 1972) ; *Théâtre de sang* (*Theatre of Blood,* Douglas Hickox, 1973) ; *Tales That Witness Madness* (F. Francis, *id.*).

R.L.

HAWKS *(Howard), cinéaste américain (Goshen, Ind., 1896 - Los Angeles, Ca., 1977).* Il passe son enfance en Californie, avant d'acquérir à Cornell un diplôme d'ingénieur en mécanique industrielle. Ses vacances lui permettent de travailler au service des accessoires de la Famous Players Lasky. En même temps, il s'initie à la course automobile et au pilotage des avions. Pendant la Première Guerre mondiale, il servira dans la chasse. À son retour, il construit des avions et des bolides. En 1936, une de ses voitures gagnera à Indianapolis. Mais le cinéma garde sa préférence : on dit qu'il a dirigé quelques séquences de *The Little Princess* (M. Neilan, 1917), mais il excerce après la guerre les fonctions de monteur, d'assistant, de responsable du service des scénarios à la Paramount, de scénariste et de producteur. En 1926 enfin, il met en scène une histoire qu'il a écrite. Il sera désormais le producteur de presque tous ses films et collaborera, que le générique le mentionne ou non, à leurs scénarios.

Ses ouvrages muets ne laissent guère prévoir son originalité : le premier est perdu ; *Sa Majesté la femme,* avec beaucoup de verve, esquisse le motif de la guerre à l'intérieur du couple, mais *Si nos maris s'amusent,* en partie détruit, est une œuvre de commande quoique Hawks soit resté fier de son rythme vif ; *Prince sans amour* subit l'influence de Murnau, tandis que *Poings de fer, cœur d'or* met en place l'argument de l'amitié masculine troublée par une rencontre féminine ; *l'Insoumise,* fantaisie orientale qui doit au style de Sternberg, est reniée par son auteur, comme *les Rois de l'air,* film perdu ; *Trent's Last Case,* enfin, n'a guère été montré qu'en Angleterre et laisse Hawks insatisfait.

L'œuvre parlante, par contraste, possède une étonnante unité. Le génie de Hawks a besoin du langage, et il restera attentif aux accents *(la Captive aux yeux clairs),* au mélange de la parole et du cri *(l'Impossible Monsieur Bébé),* à la voix *(Les hommes préfèrent les blondes),* au point de faire de l'un de ses héros un linguiste *(Boule de feu).* Nul n'a mieux compris que l'expression du personnage doit venir du personnage lui-même ; nul ne s'est plus défié des possibilités suggestives de l'image. Le style de Hawks repose sur des cadrages particulièrement sobres, horizontaux, le plus souvent bien équilibrés ; la caméra n'a pas de mouvements autonomes ; les gros plans sont singulièrement rares. De plus, le parti pris conscient du conteur étant de traiter tous les sujets par la comédie, il ne pouvait guère se passer de la vivacité d'un dialogue, sauf à se limiter à des sujets en eux-mêmes burlesques.

Si *la Patrouille de l'aube* joue déjà sur l'alternance des séquences d'action pure, traitées dans le mouvement, et des scènes de rencontre, plus statiques, le modèle esthétique de l'œuvre ne sera complet qu'avec *Seuls les anges ont des ailes,* qui résume définitivement une formule que les autres films reprendront plus ou moins. La motivation narrative souligne le jeu du combat et de la rivalité : un groupe d'hommes (ou de femmes : *Les hommes préfèrent les blondes*) affronte un danger anonyme et indéterminé, le plus souvent naturel ; au sein de ce groupe, un lien d'amitié, que le dialogue suit avec beaucoup de délicatesse et de pudeur, va unir deux hommes d'âge différent ; une étrangère, cependant, cristallise leur émulation et accroît involontairement le péril qu'ils courent. La femme, dans la relation amoureuse, prend l'initiative, tandis que l'homme résiste au sentiment ; elle introduit un désordre dans la règle que les héros se sont fixée pour la réussite de leur entreprise. Ce dispositif a donné lieu à beaucoup de psychanalyse sauvage : on l'a cru misogyne, on y a vu une apologie implicite de la pédérastie, virile fraternité de l'éphèbe et du briscard. Ces interprétations sont inutiles ; l'armature de la fable possède d'abord une vertu esthétique, et les paradoxes qu'elle met en œuvre ont pour fonction première de souligner plaisamment sa clarté. Esprit moderne, Hawks admet sans peine la nécessité rafraîchissante du désordre, et que ses protagonistes masculins perdent leur dignité du fait de ses héroïnes n'ajoute qu'un charme supplémentaire à celles-ci. Au reste, si les hommes sont souvent prisonniers d'un code, les femmes apparaissent d'autant plus libres dans leur fantaisie. Avant tout, les perturbations qu'elles introduisent sont drôles, et les spectateurs auraient tort, devant le ridicule de ces mésaventures, de faire preuve de moins d'humour que les personnages qui en sont les victimes *(Allez coucher ailleurs).* Les comédies présentent d'ailleurs le procédé sous sa forme la plus pure : dédaignant toute nuance, elles se contentent d'énumérer à grande vitesse les humiliations désopilantes d'un monsieur grave, confit en compétence : le paléontologiste de *l'Impossible Monsieur Bébé,* à cause d'une femme, finira par savoir affronter un animal vivant, et c'est cela qui donne toute sa signification à l'écroulement d'un squelette de brontosaure, épilogue du film.

L'organisation méthodique ne saurait exclure définitivement la vie. Cette maxime devient aussi le principe de la mise en scène de Hawks. S'il définit avec précision ses personnages par des gestes, des costumes, des allures, si l'espace cinématographique peut se découper avec tant de netteté selon les fonctions de lieux divers, c'est bien parce que cette clarification ne saurait nuire au sentiment du vécu. L'intelligence de Hawks ne l'entraîne pas à dominer l'action, mais à la suivre avec la plus grande précision, l'effet de surprise ou de comique provenant toujours de ce que cette démarche n'atteint pas tout à fait son but : il y a un supplément, et l'ours ne renverse pas seulement le cycliste, il prend sa place *(le Sport favori de l'homme).* Bien loin que le récit exagère les actes, comme le veut une figure de l'épopée, il laisse les actes différer, et le surprendre ; la violence échappe *(Rio Bravo),* le stratagème tarde à se révéler *(Rio Lobo),* le pittoresque dissimule la souffrance physique *(la Captive aux yeux clairs),* comme le laconisme insolent cache la douleur morale *(Seuls les anges ont des ailes)*.

Ainsi l'action n'est-elle exaltée, selon une figure qui n'est pas moins épique, que dans ses aspects techniques les plus minutieux. Elle n'a pour mission que de manifester la maîtrise spirituelle, qui n'exclut pas le sentiment, mais est incompatible avec tout sentimentalisme. La vision que Hawks donne de l'humanité n'obéit donc à aucun réalisme. Elle définit un style éthique. Si l'amitié y joue un rôle fondamental, c'est précisément parce qu'elle interdit toute complaisance.

Revenant inlassablement sur les mêmes motifs, voire sur les mêmes prétextes (la chasse, la course automobile, les savants, l'instauration du droit), cette œuvre n'est pourtant pas dépourvue de diversité. L'image, d'abord, y est plus ou moins simple, plus ou moins riche : *le Port de l'angoisse* et *le Grand Sommeil* possèdent une densité concrète qu'on chercherait en vain dans *la Rivière rouge*. Quant à ses westerns, les premiers sont plus méditatifs que les derniers. L'accent tragique de *Scarface* et le tour mélancolique de *la Terre des Pharaons* leur sont bien propres. En revanche, Hawks a également bien réussi dans tous les genres, sauf la comédie musicale, peu propice à son ironie. A.M.

Films ▲ : *l'Ombre qui descend* (*The Road to Glory,* 1926) ; *Sa Majesté la femme* (*Fig Leaves,* id.) ; *Si nos maris s'amusent* (*The Cradle Snatchers,* 1927) ; *Prince sans amour* (*Paid to Love,* id.) ; *Une fille dans chaque port/ Poings de fer, cœur d'or* (*A Girl in Every Port,* 1928) ; *l'Insoumise (Fazil,* id.*) ; les Rois de l'air* (*The Air Circus,* id., terminé et cosigné par Lewis Seiler, responsable des scènes parlantes) ; *Trent's Last Case* (1929) ; *le Code criminel* (*The Criminal Code,* 1931) ; *La foule hurle* (*The Crowd Roars,* 1932) [il existe une version française, *La foule hurle,* dirigée par Jean Daumery, avec Jean Gabin] ; *Scarface* (id., *id.*) ; *le Harpon rouge* (*Tiger Shark,* id.) ; *Après nous le déluge* (*Today We Live,* 1933) ; *Viva Villa !* (1934, achevé par Jack Conway et signé par lui seul) ; *Train de luxe* (*Twentieth Century,* id.) ; *Ville sans loi* (*Barbary Coast,* 1935) ; *Brumes* (*Ceiling Zero,* id.) ; *les Chemins de la gloire* (*The Road to Glory,* id.) ; *le Vandale* (*Come and Get it,* id., terminé et cosigné par W. Wyler) ; *l'Impossible Monsieur Bébé* (*Bringing Up Baby,* 1938) ; *Seuls les anges ont des ailes* (*Only Angels Have Wings,* 1939) ; *la Dame du vendredi* (*His Girl Friday,* 1940) ; *le Banni* (*The Outlaw, RÉ* 1941) [repris par le producteur H. Hughes, le film sortira sous sa seule signature en 1950] ; *Sergent York* (*Sergeant York,* 1941) ; *Boule de feu* (*Ball of Fire,* 1942) ; *Air Force* (1943) ; *Corvette K 225* (id., PR seulement, Hawks a revu le scénario, choisi les acteurs et supervisé la réalisation, confiée à Richard Rosson) ; *le Port de l'angoisse* (*To Have and Have Not,* 1944) ; *le Grand Sommeil* (*The Big Sleep,* 1946) ; *la Rivière Rouge* (*Red River,* 1948) ; *Si bémol et fa dièse* (*A Song is Born,* id.) ; *Allez coucher ailleurs* (*I Was a Male War Bride,* 1949) ; *la Chose d'un autre monde* (*The Thing from Another World / The Thing,* 1951 [Hawks a travaillé au scénario et contrôlé de près la mise en scène, signée Christian Nyby]) ; *la Captive aux yeux clairs* (*The Big Sky,* 1952) ; *O. Henry's Full House* (id.), l'histoire intitulée *The Ransom of Red Chief,* coupée du film montré en France, *la Sarabande des pantins*) ; *Chérie, je me sens rajeunir* (*Monkey Business,* id.) ; *Les hommes préfèrent les blondes* (*Gentlemen Prefer Blondes,* 1953) ; *la Terre des Pharaons* (*Land of the Pharaohs,* 1955) ; *Rio Bravo* (id., 1959) ; *Hatari !* (1962) ; *le Sport favori de l'homme* (*Man's Favourite Sport,* 1964) ; *Ligne rouge 7000* (*Red Line 7000,* 1965) ; *El Dorado* (1967) ; *Rio Lobo* (1970).

HAWN *(Goldie), actrice américaine (Washington, D. C., 1945).* Issue d'une famille de musiciens, elle débute très tôt dans le monde du spectacle (danse, chant, comédie) et se révèle à la télévision dans l'émission *Laugh-In*. À l'écran, elle perpétue avec brio le personnage classique de la « blonde évaporée » (Oscar du meilleur second rôle pour *Fleur de cactus,* G. Saks, 1969 ; *Dollars,* R. Brooks, 1971), avant de trouver son premier emploi dramatique dans *Sugarland Express* (S. Spielberg, 1974). Sur sa lancée, elle crée dans *Shampoo* (H. Ashby, 1975) un personnage de starlette naïve, qui révèle une surprenante vulnérabilité, puis renoue avec les effets convenus de la comédie burlesque et sentimentale : *Drôle d'embrouille* (*Foul Play,* Colin Higgings, 1978) ; *Voyage avec Anita* (M. Monicelli, 1979) ; *la Bidasse* (*Private Benjamin,* Howard Zieff, 1980 – dont elle est également productrice) ; *les Meilleurs Amis* (*Best Friends,* N. Jewison, 1982) ; *Protocol* (H. Ross, 1985). *Wildcats* (M. Ritchie, 1986) ; *Overboard* (Garry Marshall, 1987) ; *Comme un oiseau sur la branche* (*Bird on a Wire* (John Badham, 1990) ; *Criss Cross* (Chris Menges, 1992) ; *La mort vous va si bien* (R. Zemeckis, *id.*). O.E.

HAYAKAWA (*Kintaro,* dit *Sesshū* [parfois orthographié incorrectement *Sessue*]), *acteur japonais (Naaura, Chiba 1889 - Tōkyō 1973).* C'est au cours d'un séjour d'études aux États-Unis qu'il débute au cinéma, dans *The Wrath of Gods* (T. H. Ince, 1914), *The Typhoon* (R. Barker, *id.*) : son succès est immédiat, et il tient alors les premiers rôles « asiatiques » dans des dizaines de films tournés à Hollywood, dont le plus célèbre reste évidemment *Forfaiture* (C. B. De Mille, 1915), dont Marcel L'Herbier réalisera un remake en 1937, toujours avec Hayakawa. Après ce succès qui fait de lui la « coqueluche asiatique » des spectatrices américaines, il joue dans une vingtaine de films, dont *Tentation* (C. B. De Mille, 1916), *Hara-Kiri* (*Hashimura Togo,* De Mille, 1917) ; *The Bottle Imp* (M. Neilan, *id.*) ; *Forbidden Paths* (R. Thornby, *id.*). En 1918, avec sa femme, l'actrice Tsuru Aoki, il fonde une compagnie indépendante (Haworth Pictures corporation), qui produira 22 films en quatre ans. Il se rend ensuite en Europe, où il tourne entre autres l'adaptation filmée de la pièce tirée par Pierre Frondaie (1921) du roman de Claude Farrère, *la Bataille* (Édouard É. Violet, 1923). Il devient « le plus international des acteurs japonais » et joue dans d'innombrables productions aux États-Unis, en Europe et au Japon. Retenons entre autres : *la Nouvelle Terre/ la Fille du Samouraï* (A. Fanck et M. Itami, 1937) ; *Yoshiwara* (Max Ophuls, 1937) ; *Tempête sur l'Asie* (R. Oswald, 1938) ; *Macao, l'enfer du jeu* (J. Delannoy, 1942 [RE : 1939]). Et, après la guerre : *Tokyo Joe* (S. Heisler, 1949) ; *les Misérables* (D. Ito, 1950, d'après V. Hugo ; il y tient le rôle de Jean Valjean) ; *la Maison de bambou* (S. Fuller, 1955) et, surtout, *le Pont de la rivière Kwaï* (D. Lean, 1957), dans le rôle du colonel Saito, face à Alec Guinness. Par la suite, il ne joua que de petits rôles de composition dans des films de second ordre. Sesshū Hayakawa demeure l'archétype fatidique du Japonais vu de l'étranger, et il aura sans doute contribué à fixer certains clichés ambigus. M.T.

HAYASAKA *(Fumio), musicien japonais (Sendaï 1914 - ? 1955).* Il commence à composer pour le cinéma dès 1940 (*le Cheval* de Kajiro Yamamoto). Mais c'est par sa collaboration aux films d'Akira Kurosawa qu'il acquiert une réputation internationale, en mélangeant habilement des thèmes classiques, japonais ou étrangers, et des rythmes modernes : *l'Ange ivre* (1948) ; *Chien enragé* (1949) ; *Scandale* (1950) et, surtout, *Rashômon* (id.) où ses thèmes alternent avec le crescendo du *Boléro* de Ravel. Tout en poursuivant son travail avec Kurosawa (*l'Idiot,* 1951 ; *Vivre,* 1952 ; *les Sept Samouraïs,* 1954 ; *'Chronique d'un être vivant' /'Si les oiseaux savaient',* 1955), il compose également pour de nombreux autres films, dont plusieurs de Mizoguchi, auxquels il donne une ambiance musicale très « authentique » : *'le Destin de Madame Yuki'* (1950) ; *'la Dame de Musashino'* (1951) ; *les Contes de la lune vague après la pluie* (1953) ; *l'Intendant Sansho* et *les Amants crucifiés* (1954) ; *l'Impératrice Yang-Kwei-Fei ; le Héros sacrilège* (1955). Seule la mort interrompt sa carrière, fructueuse et originale. M.T.

HAYASHI *(Hikaru), musicien japonais (Tōkyō 1931).* Après ses débuts pour le cinéma en 1956, le succès viendra rapidement avec sa célèbre partition pour *l'Île nue* (K. Shindō, 1960), dont l'agréable mélodie et les rythmes folkloriques font avec le film le tour du monde. Par la suite, il continue sa collaboration avec Shindō (*Onibaba,* 1965 ; *Kuroneko,* 1968), mais compose aussi pour d'autres réalisateurs connus, comme Nagisa Ōshima (*la Pendaison,* 1968 ; *le Petit Garçon,* 1969), Yasuzō Masumura (*la Bête aveugle* et *'Nuée d'oiseaux blancs',* id.) ou Susumu Hani (*la Fiancée des Andes,* 1966). Il est également compositeur de musique orchestrale. M.T.

HAYDEN *(John Hamilton,* dit *Sterling), acteur américain (Montclair, N. J., 1916 - Sausalito, Ca., 1986).* À 21 ans, il s'embarque comme marin et fait le tour du monde. À 23, il est capitaine de vaisseau. Il débute au cinéma en 1941 en tenant le rôle principal dans *Virginia,* d'Edward H. Griffith. Il fera la guerre dans la marine, ne reprenant sa carrière d'acteur qu'en 1947 avec *Blaze of Noon,* de John Farrow. C'est son rôle dans *Quand la ville dort* (*Asphalt Jungle,* 1950), de John Huston, qui fera de lui une vedette, bien que ses opinions politiques (ultralibérales), son idéalisme bourru et son mode de vie le tiennent en marge des mondanités d'Hollywood. Ses meilleurs rôles sont d'ailleurs le reflet de sa personnalité d'anarchiste bourlingueur : *The City Is Dark* (A. de Toth, 1954) ; *Johnny Guitar* (N. Ray, *id.*) ; *Ultime Razzia* (S. Kubrick, 1956) ; *Infamie (The Come On,* Russell Birdwell, *id.*) ; *Docteur Folamour* (S. Kubrick, 1963) ; *Tendres Chasseurs* (R. Guerra, 1969) ; *1900* (B. Bertolucci, 1976). Il a quitté Hollywood, de nombreuses années durant, sillonnant le monde, se fixant quelque temps en France à bord d'une péniche. Il a publié en 1963 ses Mémoires *(Wanderer)* et écrit un roman *(Voyage : A Novel of 1896).* M.B.

HAYER *(Lucien Nicolas,* dit *Nicolas), chef opérateur français (Paris 1898 - Vence 1978).* Il filme des actualités en Sibérie après la Première Guerre mondiale, puis en Indochine de 1924 à 1928. Son premier long métrage est *le Bidon d'or* (Christian-Jaque, 1932), que suivent *Cartouche* (Jacques Daroy, 1934), *Tamara la complaisante* (Félix Gandera, 1937), *la Vénus de l'or* (J. Delannoy, 1938), *Menaces* (E. T. Gréville, 1940) et surtout *Macao, l'enfer du jeu* (Delannoy, 1942 [RE : 1939]). La guerre impose son talent qui s'exprimera pleinement dans les films de Clouzot ou Melville : *Dernier Atout* (J. Becker, 1942) ; *le Capitaine Fracasse* (A. Gance, 1943) ; *le Corbeau* (H. -G. Clouzot, *id.*) ; *Patrie* (L. Daquin, 1946) ; *la Chartreuse de Parme* (Christian-Jaque, 1948) ; *Orphée* (J. Cocteau, 1950) ; *Un homme marche dans la ville* (M. Pagliero, *id.*) ; *Bel-Ami* (Daquin, 1955) ; *Deux Hommes dans Manhattan* (J. -P. Melville, 1959) ; *Leviathan* (Leonard Keigel, 1962) ; *le Doulos* (Melville, 1963) ; *le Puits et le Pendule* (A. Astruc, 1963) ; *la Métamorphose des cloportes* (P. Granier-Deferre, 1965). J.-P.B.

HAYES *(Helen Hayes Brown,* dite *Helen), actrice américaine (Washington, D. C., 1900 - Nyack, N. Y., 1993).* Cette petite femme est la grande dame du théâtre américain. Au cinéma, ses interventions sont demeurées rares et insatisfaisantes bien qu'elle fût l'épouse de Charles MacArthur, un très grand scénariste. Sans doute, son physique anodin n'était pas celui d'une star conventionnelle. Sa présence assura pourtant le succès de l'inénarrable *Faute de Madelon Claudet* (*The Sin of Madelon Claudet,* Edgar Selwyn, 1931) qui lui valut même un Oscar. Sa création touchante de *l'Adieu au drapeau* (F. Borzage, 1932) nous donne à penser que les cinéastes n'ont pas su déceler ses qualités spécifiques. De médiocres mélodrames eurent raison de sa patience, et après *Anastasia* (A. Litvak, 1956) elle quitta le cinéma. Mais sa composition, pourtant facile, de vieille dame fofolle dans *Airport* (G. Seaton, 1970) lui a assuré un retour triomphal et un nouvel Oscar («Best Supporting Actress»). C.V.

HAYS *(William H.), homme politique américain (Sullivan, Ind., 1879 -* id. *1954).* Coauteur d'un code de moralité cinématographique qui porte son nom. Employé de banque militant au parti républicain, son soutien actif à l'élection de Harding lui rapporte le ministère des Postes. Postmaster General dans le cabinet du président Harding, il est sollicité dans les années 20 par les producteurs et distributeurs pour devenir le «tsar du cinéma», c'est-à-dire le président de la MPPDA (Motion Picture Producers and Distributors of America) chargé notamment de l'élaboration d'un code de production. Par ses prudes excès (en 1930, la MPPDA crée le Motion Picture Production Code qui restera en vigueur jusqu'en 1966 pour imposer une stricte réglementation de la «nouvelle morale» de l'écran), son code marquera longtemps et profondément le cinéma américain. P.C.

HAYWARD *(Seafield Grant,* dit *Louis), acteur américain (Johannesburg, Afrique du Sud, 1909 - Palm Springs, Ca., 1985).* Élevé à Londres, où il débute à la scène et à l'écran, il gagne Hollywood en 1935. Voué aux films de cape et d'épée, il incarne tour à tour l'homme au masque de fer, le comte de Monte-Cristo, le capitaine Blood ou d'Artagnan. C'est pourtant le mélodrame criminel qui lui réserve ses rôles les plus attachants, celui du psychopathe de *Ladies in Retirement* (Ch. Vidor, 1941) ou de l'écrivain névrosé de *House by the River* (F. Lang, 1950). Il s'intégra parfaitement dans l'univers noir et schizophrénique d'Edgar Ulmer (*le Démon de la chair,* 1946 ; *l'Implacable,* 1948 ; *les Pirates de Capri,* 1949). Il fut de 1939 à 1945 le mari d'Ida Lupino. M.H.

HAYWARD *(Edythe Marrener,* dite *Susan), actrice américaine (Brooklyn, N. Y., 1918 - Beverly Hills, Ca., 1975).* Elle a à son palmarès une brochette de metteurs en scène prestigieux, de Wellman à Mankiewicz, de Jacques Tourneur à Nicholas Ray. Et pourtant, c'est un pesant mélodrame de Daniel Mann, *Une femme en enfer* (*I'll Cry Tomorrow,* 1955), qui lui vaut un prix d'interprétation à Cannes, et le racoleur *Je veux vivre* de Robert Wise (*I Want to Live,* 1958), un Oscar : deux rôles (d'alcoolique et de délinquante) où elle cabotine à plaisir. Il est vrai qu'elle fut longtemps cantonnée dans le registre (mélo)dramatique, par exemple dans *Une vie perdue* (S. Heisler, 1947), *Tête folle* (M. Robson, 1950) ou *Sa seule passion* (H. Levin, 1953). Plutôt que de ces monstres échevelés, mieux vaut se souvenir de l'exquise mante religieuse de *Guêpier pour trois abeilles* (1967) de Mankiewicz, de l'épouse passionnée des *Indomptables* (1952) de Nicholas Ray, de l'Helen Stanley – assurément très hemingwayienne – des *Neiges du Kilimandjaro* (id.) d'Henry King, de la royale Bethsabée de *David et Bethsabée* (1951) du même cinéaste, de l'étrange jeune femme de *The Lost Moment* (1947) de Martin Gabel, voire de la partenaire déjà très délurée de Gary Cooper dans *Beau Geste* (1939) de William Wellman, l'un de ses tout premiers films. D'abord modèle publicitaire, elle fut pressentie pour tenir le rôle de Scarlett dans *Autant en emporte le vent.* On peut encore prélever, dans son abondante filmographie : *les Naufrageurs des mers du Sud* (1942) de Cecil B. De Mille ; *Ma femme est une sorcière* (id.) de René Clair ; *le Passage du canyon* (1946) de Jacques Tourneur ; *la Maison des étrangers* (1949) de Mankiewicz ; *Tulsa* (id.) de Stuart Heisler... Elle sut admirablement s'adapter à la sauvagerie du western, notamment sous la direction de Henry Hathaway. Il faut la voir dans *le Jardin du diable* (1954), pistolet au flanc et mains sur les hanches, caracoler toutes griffes dehors. « On l'a frappée dans un bloc d'argile, cette femme-là », dit son partenaire Richard Widmark. Belle oraison funèbre pour la petite rousse de Brooklyn, devenue grande star à force d'énergie et de sensibilité. C.B.

Autres films : *la Famille Stoddard* (*Adam Had Four Sons,* G. Ratoff, 1941) ; *la Fille de la forêt* (*Forest Rangers,* G. Marshall, 1942) ; *l'Attaque de la malle-poste* (H. Hathaway, 1951) ; *la Sorcière blanche* (*White Witch Doctor,* Hathaway, 1953) ; *les Gladiateurs* (D. Daves, 1954) ; *Quand soufflera la tempête* (*Untamed,* H. King, 1955) ; *la Ferme des hommes brûlés* (*Woman Obsessed,* Hathaway, 1959) ; *la Poursuite sauvage* (*The Revengers,* Daniel Mann, 1972).

HAYWORTH *(Margarita Carmen Cansino,* dite *Rita), actrice américaine (New York, N. Y., 1918 - id. 1987).* Danseuse professionnelle à douze ans, remarquée par un producteur de la Fox, elle débute à l'écran en 1935 mais ne trouve des rôles importants qu'après son mariage avec le milliardaire Edward Judson et son engagement à la Columbia (1937). La beauté « exotique » (elle était d'ascendance espagnole par son père) se transforme en une rousse auburn plus sophistiquée, et elle abandonne les emplois de danseuse pour des films d'aventures ou des policiers. Grande et très belle quoique bâtie « en force », il lui faudra longtemps pour se dépouiller d'une flagrante timidité. Les années 40, après un rôle prometteur dans *Seuls les anges ont des ailes* (H. Hawks, 1939), voient son ascension s'accélérer : elle revient triomphalement aux films dansés (*L'amour vient en dansant,* 1941, et *Ô toi, ma charmante,* 1942, avec Fred Astaire ; *la Reine de Broadway,* 1944, avec Gene Kelly) ; son effigie est l'une des pin-up les plus réclamées par les G. I., et elle « ornera » la bombe atomique de Bikini dans sa légendaire robe de soirée de *Gilda* (1946), le film qui la rend célèbre, notamment grâce à une scène d'anthologie où on la voit susurrer un érotique *Put the Blame on Mame* en enlevant langoureusement une paire de longs gants de satin noir. Promue star, elle ne joue plus les tentatrices maléfiques, mais les femmes trop splendides que vient sauver un héros d'abord incompréhensif. C'est le mythe (le mot n'est pas trop fort) qu'Orson Welles entreprend d'immortaliser dans *la Dame de Shanghai :* en fait, mariés en 1943, le « génie » et la « star » étaient déjà en instance de divorce lors du tournage du film. La suite constitue l'une des plus pénibles histoires d'Hollywood : mariée à 'Alī Khān (1949-1951), Rita Hayworth avait rompu avec la Columbia ; Harry Cohn, qui avait passablement contribué à son lancement, accepta de la réengager, mais ne lui donna que des emplois médiocres, dont un remake de *Gilda : l'Affaire de Trinidad.* Un quatrième mariage avec le chanteur Dick Haymes, puis un cinquième n'ont pas apporté à l'actrice le bonheur sentimental auquel, de son propre aveu, elle avait tenu plus qu'à tout. Ses rôles ultérieurs, sporadiques, firent apparaître la grande comédienne douée d'énergie et d'humour qu'elle avait été chaque fois qu'on lui en donnait l'occasion. Mais, après 1966, elle n'apparaît plus que dans des films fort médiocres, à l'exception peut-être de *la Route de Salina* (1970), film-hommage de Georges Lautner. Peu après cette prestation tragique, un vieillissement orageux et plusieurs dépressions (dues peut-être à l'abus d'alcool) sont venus éloigner sans doute définitivement des studios celle qui se vantait trop fort de « n'avoir pas un caillou sous le sein gauche ».

G.L.

Films ▲ : Sous le nom de Rita Cansino : *Under the Pampas Moon* (James Tinling, 1935) ; *Charlie Chan en Égypte (Charlie Chan in Egypt,* Louis King, *id.) ; l'Enfer (Dante's Inferno,* Harry Lachman, *id.) ; Paddy O'Day* (L. Seiler, *id.) ; Human Cargo* (A. Dwan, 1936) ; *Meet Nero Wolfe* (H. Biberman, *id.*) ; *Rebellion* (Lynn Shores, *id.*) ; *Trouble in Texas* (R. N. Bradbury, 1937) ; *Old Louisiana* (Irvin Willat, *id.*) ; *Hit the Saddle* (Mack V. Wright, *id.*) ; – sous le nom de Rita Hayworth : *Girls Can Play* (Lambert Hillyer, *id.*) ; *The Game That Kills* (D. R. Lederman, *id.*) ; *Criminals of the Air* (C. C. Coleman Jr., *id.) ; Paid to Dance* (Charles Coleman, *id.*) ; *le Fantôme du cirque (The Shadow,* C. C. Coleman Jr., *id.) ; Who Killed Gail Preston ?* (Leon Barsha, 1938) ; *Miss Catastrophe (There's Always a Woman,* A. Hall, *id.) ; Convicted* (L. Barsha, *id.*) ; *Juvenile Court* (D. R. Lederman, *id.*) ; *Homicide Bureau* (C. C. Coleman Jr., 1939) ; *The Renegade Ranger* (David Howard, *id.*) ; *The Lone Wolf Spy Hunt* (Peter Godfrey, *id.*) ; *Seuls les anges ont des ailes* (H. Hawks, *id.*) ; *Special Inspector* (L. Barsha, *id.*) ; *Music in My Heart* (Joseph Santley, 1940) ; *Blondie on a Budget* (Frank R. Strayer, *id.*) ; *Suzanne et ses idées* (G. Cukor, *id.*) ; *The Lady in Question* (Ch. Vidor, *id.*) ; *Angels Over Broadway* (Ben Hecht et Lee Garmes, *id.*) ; *The Strawberry Blonde* (R. Walsh, 1941) ; *Affectionately Yours* (L. Bacon, *id.*) ; *Arènes sanglantes* (R. Mamoulian, *id.*) ; *L'amour vient en dansant (You'll Never Get Rich,* Sidney Lanfield, *id.) ; Mon amie Sally (My Gal Sal,* I. Cummings, 1942) ; *Six Destins* (J. Duvivier, *id.*) ; *Ô toi, ma charmante* (W. Seiter, *id.) ; la Reine de Broadway* (Ch. Vidor, 1944) ; *Cette nuit et toujours (Tonight and Every Night,* V. Saville, 1945) ; *Gilda* (Ch. Vidor, 1946) ; *l'Étoile des étoiles (Down to Earth,* A. Hall, 1947) ; *la Dame de Shanghai* (O. Welles, 1948) ; *les Amours de Carmen (The Loves of Carmen,* Ch. Vidor, *id.) ; Champagne Safari* (Jackson Leighter, 1952, DOC) ; *l'Affaire de Trinidad* (V. Sherman, *id.*) ; *Salomé* (W. Dieterle, 1953) ; *la Belle du Pacifique* (C. Bernhardt, *id.*) ; *l'Enfer des tropiques* (R. Parrish, 1957) ; *la Blonde ou la Rousse ?* (G. Sidney, *id.*) ; *Tables séparées* (Delbert Mann, 1958) ; *Ceux de Cordura* (R. Rossen, 1959) ; *Du sang en première page* (C. Odets, *id.*) ; *les Joyeux Voleurs (The Happy Thieves,* G. Marshall, 1962) ; *le Plus Grand Cirque du monde (Circus World,* H. Hathaway, 1964) ; *Piège au grisbi* (B. Kennedy, 1966) ; *Opération opium (The Poppy is Also a Flower,* T. Young, 1966) ; *Peyrol le boucanier (L'Aventuriero / The Rover,* T. Young, 1967) ; *le Bâtard* (D. Tessari, 1968) ; *la Route de Salina* (G. Lautner, 1970) ; *The Naked Zoo* (William Grefe, 1971) ; *la Colère de Dieu* (R. Nelson, 1972).

HEAD *(Edith), costumière américaine (Los Angeles, Ca., 1907 – id., 1981).* Reine du costume hollywoodien, Edith Head est entrée à la Paramount, qui restera sa maison mère pendant longtemps, en 1932, avec *Aimez-moi ce soir* (R. Mamoulian). Son dernier travail, posthume, sera *Les cadavres ne portent pas de costard* (C. Reiner, 1982). Entre-temps, elle sera devenue le symbole même du costume hollywoodien. La taille de guêpe et les hanches d'amphore romaine de Mae West (*Lady Lou,* L. Sherman, 1933), l'élégance impeccable de Barbara Stanwyck dans *Un cœur pris au piège* (P. Sturges, 1941), ou encore des suggestifs déshabillés dans *Lady of Burlesque* (W. Wellman, 1943), le fourreau pailleté de Marlene Dietrich dans *la Scandaleuse de Berlin* (B. Wilder, 1948), les corsages boutonnés jusqu'au menton d'Olivia de Havilland dans *l'Héritière* (W. Wyler, 1949), les gants de fauve de Gloria Swanson dans *Sunset Boulevard* (B. Wilder, 1950), la robe de cocktail aux bretelles rebelles de Bette Davis dans *Ève* (Joseph L. Mankiewicz, *id.*), la robe de dentelle d'Elizabeth Taylor dans *Une place au soleil* (G. Stevens, 1951), les pantalons cigarette et les ballerines d'Audrey Hepburn dans *Sabrina* (B. Wilder, 1954), c'est elle. Puis vient la collaboration avec Hitchcock, et son déferlement de tailleurs faussement stricts, de chapeaux tambourin et de talons aiguilles (une dizaine de films, dont on retient sans peine la virevoltante robe de cocktail de Grace Kelly dans *Fenêtre sur cour,* 1954, et la garde-robe exclusivement blanche, noire et grise de Kim Novak dans *Vertigo,* 1958). Paradoxalement, Head est aussi à l'aise dans l'univers masculin, tel son apport remarquable à *l'Homme qui tua Liberty Valance* (J. Ford, 1962), *El Dorado* (H. Hawks, 1967), *l'Arnaque* (G. R. Hill, 1973), ou *l'Homme qui voulut être roi* (J. Huston, 1975). C.V.

HEARST *(William Randolph), producteur américain (San Francisco, Ca., 1863 - Los Angeles,* id., *1951).* Phénomène journalistique considérable, W. R. Hearst n'est entré dans l'histoire du cinéma que par le biais. On sait surtout qu'Orson Welles s'inspira de son personnage de magnat de la presse pour créer son *Citizen Kane* (1941) et que le milliardaire n'apprécia guère le geste. Mais on sait moins comment Hearst en vint à produire des films. Amoureux fou (alors qu'il était marié et père d'une nombreuse famille) de la belle actrice Marion Davies, il décida de faire d'elle une superstar. Il produisit ses films dès 1917 en créant la Cosmopolitan Pictures, ne regardait jamais à la dépense et n'aimait rien tant que les grands drames romantiques et historiques. Toutefois, il ne rencontra que rarement le succès, et la pauvre Marion, étouffée par cet amour excessif, n'eut presque jamais l'opportunité de laisser libre cours à sa verve de comédienne. La plupart du temps, elle s'ennuyait dans le mythique château de San Simeón, où Hearst lui organisait de somptueuses réceptions, souvent très rébarbatives. Néanmoins, Marion lui demeura fidèle et n'accepta de se marier qu'à la mort de son bienfaiteur, dont la jalousie aurait, par méprise, causé la mort de T. H. Ince à bord du yacht *Oneida* en 1924. C.V.

HECHT *(Ben), scénariste et cinéaste américain (New York, N. Y., 1894 -* id. *1964).* Homme de théâtre *(Spéciale dernière)* et littérateur *(Un juif amoureux, Je hais les acteurs),* scénariste prolifique et souvent inspiré, réalisateur occasionnel et marginal, le cinéma ne constitue qu'une part de sa considérable production. Son actif s'y élève à près de quarante scripts homologués, dont : *Scarface* (H. Hawks, 1932) ; *Sérénade à trois* (E. Lubitsch, 1933) ; *Viva Villa !* (H. Hawks et J. Conway, 1934) ; *Gunga Din* (G. Stevens, 1939) ; *la Maison du Dr Edwardes* (A. Hitchcock, 1945) ; *les Enchaînés* (id., 1946) ; *le Carrefour de la mort* (H. Hathaway, 1947) ; *le Mystérieux Dr Korvo* (O. Preminger, 1950) ; *Mark Dixon, détective* (id., 1950) ; *Chérie, je me sens rajeunir* (H. Hawks, 1952) ; *la Cité disparue* (H. Hathaway, 1957) – outre 25 collaborations officieuses.

Reporter à Chicago à l'âge de seize ans, Ben Hecht couvre des faits divers crapuleux, sanglants, pittoresques ou dérisoires, dont il tire également ses premières nouvelles. Le journalisme restera, tout au long de ses « vies » successives, une source essentielle d'inspiration, tant pour le scénariste, passionné par les contrastes de la vie urbaine, que pour l'auteur de comédies, le polémiste et le mémorialiste.

Un séjour à Berlin, en 1918, lui fait découvrir Georg Grosz et l'expressionnisme. Hecht traverse alors une période bohème, puis trouve son vrai registre dans une étrange forme de sophistication alliant cynisme et sentimentalité. De 1921 à 1926, il signe sept romans, trois recueils de nouvelles et autant de pièces. Après le succès historique de *Spéciale dernière,* il entame sa carrière cinématographique. Son professionnalisme, sa prodigieuse capacité de travail, sa personnalité flamboyante et iconoclaste font de lui, très vite, un scénariste vedette. Son goût pour l'excès et la dérision, ses élans contradictoires – lyrisme et froide ironie –, sa passion pour les histrions, les mystificateurs et les barbares, clairement repérables dans ses romans et son théâtre, passent aussi, plus timidement, dans ses films. Jaloux de son indépendance, mais capable de travailler à la commande, son actif déconcerte, mêlant indifféremment les projets les plus personnels et les plus alimentaires. Homme multiple, brillant et inégal, Hecht s'essayera à la réalisation, qui lui vaudra une célébrité éphémère. Il signera avec son collaborateur le plus proche, Charles MacArthur, deux films d'inspiration expressionniste, *Crime sans passion* (*Crime Without Passion,* 1934) et *le Goujat* (*The Scoundrel,* 1935), ainsi que *Once in a Blue Moon* (id.) et *Soak the Rich* (1936), puis, en collaboration avec Lee Garmes, *Angels Over Broadway* (1940) et *Specter of the Rose* (1946). En 1952, il réalisera, seul, *Actors and Sin,* interprété par sa fille Jenny. Deux ans plus tard, il livrera avec *A Child of the Century* un des meilleurs livres de souvenirs jamais écrits par un scénariste hollywoodien. O.E.

HECHT LUCARI *(Gianni), producteur italien (Vienne, Autriche, 1922).* Après des études d'économie à Trieste, en 1948 il dirige à Rome la Europeo Film, et fonde ensuite la Documento Film, pour laquelle il produit tous ses films jusqu'à aujourd'hui. Il débute avec deux comédies de M. Mattoli (*Cinque poveri in automobile,* 1952 ; *Siamo tutti inquilini,* 1953), et produit ensuite des films ambitieux comme *Du sang dans le soleil* (M. Monicelli, 1955), des comédies populaires comme *Bravissimo* (L. F. D'Amico, *id.*), ou des mélodrames comme *La schiava del peccato* (R. Matarazzo, 1954). Dans les années 60 – mis à part quelques films risqués comme *l'Imprévu* (A. Lattuada, 1961) ou *Moderato cantabile* (P. Brooks, 1960) – il produit presque uniquement des comédies et il lance la vague des comédies à épisodes ; parmi ses meilleurs films : *La parmigiana* (A. Pietrangeli, 1963), *les Poupées* (D. Risi, L. Comencini, F. Rossi, M. Bolognini, 1965), *Le coppie* (M. Monicelli, A. Sordi, V. De Sica, 1970), *Bello, onesto, emigrato Australia sposerebbe compaesana illibata* (L. Zampa, 1971). L.C.

HECKART *(Eileen), actrice américaine (Columbus, Ohio, 1919).* Grande actrice de théâtre, elle ne vint au cinéma qu'en 1956. Elle a tourné sporadiquement mais a toujours marqué fortement ses rôles de son talent explosif. Elle était très sobre dans *l'Escalier interdit* (R. Mulligan, 1967), en professeur vieillissant, mais très excessive (et drôle) en mère abusive du *Refroidisseur de dames* (J. Smight, 1968). Mais sa grande prestation cinématographique reste l'actrice vieillissante qui ne veut pas dire son âge et qui traverse le Far West au milieu de périls insensés dans *la Diablesse en collant rose* (G. Cukor, 1960), où sa fille, Margaret O'Brien, lui donnait bien du souci. Elle reçut l'Oscar («Best Supporting Actress») pour *Butterflies Are Free* (Milton Katselas, 1972). C.V.

HEDQVIST *(Ivan), cinéaste et acteur suédois (Göttröra 1880 - Stockholm 1935).* Acteur réputé, il a marqué de sa personnalité la scène du Théâtre Royal de Stockholm de 1901 à 1932 et s'est illustré à l'écran notamment dans le rôle de Maître Anton, l'artiste de *l'Épreuve du feu* (1921) de Sjöström. Après une première tentative de mise en scène avec *' les Transporteurs de fer '* (*Jernbäraren,* 1910), il revient à la réalisation de 1919 à 1924, le temps de faire quatre films dont *'le Pèlerinage à Kevlaar'* (*Vallfarten till Kevlaar,* 1921). Mais s'il laisse un souvenir, ce sera surtout comme interprète de certains des meilleurs films de Molander : *'l'Héritage d'Ingmar'* (*Ingmarsarvet,* 1925), *'Vers l'Orient'* (*Till Österland,* 1926), *'Elle, la seule'* (*Hon, den enda,* id.) et *le Péché* (*Synd,* 1928). P.C.

HEFFRON *(Richard T.), cinéaste américain (Chicago, Ill., 1930).* À la télévision, il travaille sur des feuilletons réputés (*Banacek,* 1972-73 ; *The Rockford Files,* 1975) ou tourne des œuvres plus ambitieuses, d'action toujours. C'est par l'action qu'il se fait connaître au cinéma : *la Grande Traque* (*Trackdown,* 1975) traite de la légitime défense ; *les Rescapés du futur* (*Futureworld,* 1976) est une suite savante de *Mondwest* (M. Crichton, 1973) ; *Un couple en fuite* (*Outlaw Blues,* 1977), une comédie animée de poursuites. *J'aurai ta peau* (*I, the Jury,* 1982) confirme son talent, et ses limites, qui sont celles d'une époque trop attachée à la virtuosité. Il est choisi en 1989 pour réaliser la deuxième partie *(les Années terribles)* du film «officiel» du Bicentenaire : *la Révolution française.* A.G.

HEFLIN *(Emmet Evan Heflin,* dit *Van), acteur américain (Walters, Okla., 1910 - Los Angeles, Ca., 1971).* Il débute à Broadway en 1928 et, remarqué par Katharine Hepburn dans la pièce *End of Summer,* est engagé par la RKO tout en faisant surtout du théâtre, jusqu'à ce qu'il remporte l'Oscar du second rôle masculin en 1942 pour *Johnny, roi des gangsters* de Mervyn LeRoy, où il incarnait un intellectuel alcoolique. Personnalité indépendante, quelque peu vagabonde, desservie (ou servie) par un physique puissant mais échappant aux critères hollywoodiens, il déploya un réel talent dramatique dans plusieurs bons films dont *3 heures 10 pour Yuma* (D. Daves, 1957). Un peu oublié dans les années 60, il mourut accidentellement après avoir joué le rôle d'un dément dans *Airport* (G. Seaton, 1970). G.L.

Autres films : *la Rebelle (A Woman Rebels,* M. Sandrich, 1936) ; *la Piste de Santa Fe* (M. Curtiz, 1940) ; *l'Emprise du crime* (L. Milestone, 1946) ; *le Pays du dauphin vert* (V. Saville, 1947) ; *les Trois Mousquetaires* (G. Sidney, 1948), où il fut un admirable Athos ; *le Sang de la terre (Tap Roots,* G. Marshall, *id.) ; Madame Bovary* (V. Minnelli, 1949) ; *le Rôdeur* (J. Losey, 1951) ; *l'Homme des vallées perdues* (G. Stevens, 1953) ; *le Cri de la victoire* (R. Walsh, 1955) ; *Patterns* (Fielder Cook, 1956) ; *3 heures 10 pour Yuma* (D. Daves, 1957) ; *le Salaire de la violence*

(*Gunman's Walk,* Ph. Karlson, 1958) ; *la Tempête* (A. Lattuada, *id.*) ; *Ceux de Cordura* (R. Rossen, 1959) ; *Sous dix drapeaux* (*Sotto dieci bandiere / Under Ten Flags,* Duilio Coletti, 1960) ; *la Plus Grande Histoire jamais contée* (G. Stevens, 1965).

HEIMATFILM (terme qu'on ne traduit qu'imparfaitement par « film de terroir »). Genre cinématographique propre à l'Allemagne, où il a obtenu des succès considérables jusque vers 1960. Nés de romans sentimentaux d'inspiration régionaliste et conservatrice, les premiers Heimatfilm ont été tournés en Bavière en 1918 par Peter Ostermayr d'après les livres de Ludwig Ganghofer, le romancier préféré de Guillaume II. Très populaire à l'époque de Hitler (on parlait alors de *Blut und Boden Film* [*Sang et Sol*]), c'est aussi le genre le plus répandu dans l'Allemagne des années 50 (films de F. Antel, G. von Bolvary, L. Trenker, E. von Borsody, Harald Reinl, Hans Deppe, Rudolf Schündler). À la suite du fameux *Scènes de chasse en Bavière* de Peter Fleischmann (1969), quelques jeunes cinéastes ont développé ce qu'on a appelé le « kritischer Heimatfilm », ou anti-Heimatfilm. Postérieurement à la grande réussite d'Edgar Reitz précisément intitulée *Heimat* (1984), on a assisté à l'émergence d'une série de films allemands attentifs aux problèmes humains et sociaux des campagnes allemandes, généralement situés dans les années trente à cinquante, et dont l'approche est aux antipodes du vieux Heimatfilm, devenu l'obget de parodies (*Geierwally,* W. Bockmayer, 1987). D.S.

HEISLER *(Stuart), cinéaste américain (Los Angeles, Ca., 1894* - id. *1979).* Après avoir exercé divers métiers, il apparaît dans les studios comme accessoiriste en 1913, puis travaille comme assistant chez Mack Sennett, à la Fox, et auprès de Mary Pickford et Samuel Goldwyn. Passé monteur en 1924, il collabore pendant une douzaine d'années à des films comme *le Sublime Sacrifice de Stella Dallas* (H. King, 1925), *Whoopee !* (Thornton Freeland, 1930), *le Roi de l'arène* (L. McCarey, 1932) et *Peter Ibbetson* (H. Hathaway, 1935).

Sa carrière de réalisateur, peu abondante mais régulière (23 LM entre 1936 et 1962), se situe à la frontière de la série B et couvre pratiquement tout l'éventail des genres, en un cheminement original qui mène du film pour jeunes (*The Biscuit Eater,* 1940) à la biographie « psychanalytique » (*la Vie privée d'Hitler* [*Hitler*], 1962), en passant par le thriller (*The Monster and the Girl,* 1941 ; *Among the Living,* id.), le policier (*la Clé de verre* [*The Glass Key,* 1942] ; *la Peur au ventre* [*I Died a Thousand Times,* 1955]), le mélodrame (*Une vie perdue* [*Smash up : The Story of a Woman*], 1947 ; *The Star,* 1952), le film de guerre (*la Patrouille infernale* [*Beachhead*], 1954) et le western (*le Grand Bill* [*Along Came Jones*], 1945 ; *le Justicier solitaire* [*The Lone Ranger*], 1956 ; *Collines brûlantes* [*The Burning Hills*], id.). Cet itinéraire accompli avec probité, en marge des grands studios, révèle des centres d'intérêt cohérents, des sensibilités variées, et finalement convergentes : un mélange attachant de candeur et de gravité, de sécheresse et de lyrisme, une prédilection soutenue pour les atmosphères « noires » (la remarquable séquence d'ouverture de *Storm Warning,* 1951 ; la poursuite de *Among the Living)* et une sympathie manifeste pour les femmes « maudites » qui vaudra quelques beaux succès à Susan Hayward *(Among the Living ; Une vie perdue),* Ginger Rogers *(Storm Warning),* Linda Darnell (*l'Île du désir* [*Island of Desire*], 1952) et Bette Davis *(The Star).* O.E.

Autres films : *Straight From the Shoulder* (1936) ; *The Hurricane* (1937 ; directeur de la 2e équipe du film de Ford) ; *The Remarkable Andrew* (1942) ; *The Negro Soldier* (CM, 1944) ; *la Mélodie du bonheur* (*Blue Skies,* 1946) ; *Tulsa* (id., 1949) ; *Tokyo Joe* (id., *id.*) ; *Pilote du Diable* (*Chain Lightning,* 1950) ; *Dallas ville frontière* (*Dallas,* id.) ; *Journey into Light* (1951) ; *This Is My Love* (1954). ▲

HELBLING *(Jeanne), actrice française (Thann 1903).* D'un souple talent et d'une beauté un peu froide, elle est pendant les dix dernières années du cinéma muet la vedette des films d'Henri Fescourt (*Mandrin,* 1923 ; *les Grands,* 1924), de Luitz-Morat (*le Juif errant,* 1926), d'Epstein (*la Glace à trois faces,* 1927), de Cavalcanti (*la Jalousie du barbouillé,* 1929), et Jean Renoir lui confie l'un des trois rôles féminins de *Tire-au-flanc* (1928). À partir du parlant, ses apparitions s'espacent et tendent à devenir de la figuration intelligente, après toutefois un passage à Hollywood pour quelques versions françaises. R.C.

HÉLÉVISION. Nom de marque d'un dispositif français permettant la prise de vues depuis un hélicoptère.

HELLER *(Otto), chef opérateur britannique d'origine tchèque (Prague, Autriche-Hongrie, 1896 - Middlesex 1970).* À partir de 1918, il éclaire divers films en Tchécoslovaquie puis, après 1928, en Allemagne, et souvent pour le Tchèque Carl Lamač. Il fuit l'Allemagne en 1933 et s'installe en Angleterre en 1940 : *la Reine des cartes* (T. Dickinson, 1949) ; *le Corsaire rouge* (R. Siodmak, 1952) ; *Tueurs de dames* (A. Mackendrick, 1955) ; *Richard III* (L. Olivier, *id.*) ; *le Voyeur* (M. Powell, 1960) ; *le Cavalier noir* (R. W. Baker, 1961) ; *Ipcress, danger immédiat* (S. J. Furie, 1965) ; *Duffy, le renard de Tanger* (R. Parrish, 1968) ; *À la recherche de Gregory* (*In Search of Gregory,* Peter Wood, 1971). J.-P.B.

HELLINGER *(Mark), producteur et scénariste américain (New York, N. Y., 1903 - Los Angeles, Ca., 1947).* Reporter et éditorialiste de renom, il écrivit les sujets originaux de *la Course de Broadway Bill* (F. Capra, 1934) et de *The Roaring Twenties* (R. Walsh, 1939) avant de devenir, sous la férule d'Hal Wallis, l'un des producteurs les plus dynamiques de la Warner Bros. Exemplaire fut sa collaboration avec Raoul Walsh (*Une femme dangereuse,* 1940 ; *la Grande Évasion, The Strawberry Blonde, l'Entraîneuse fatale,* 1941). Avec *les Tueurs* (R. Siodmak, 1946), *les Démons de la liberté* (J. Dassin, 1947) et *la Cité sans voiles* (id., 1948) produits pour la Universal, il orienta le film noir vers un réalisme implacable, quasi documentaire. Il est le protagoniste de *The Producer* (1951), un roman à clefs de R. Brooks. M.H.

HELLMAN *(Lillian), scénariste et dramaturge américaine (La Nouvelle-Orléans, La., 1905 - Oak Bluffs, Mass., 1984).* Indiscutablement, malgré ses qualités de rigueur et de structure, le théâtre de Lillian Hellman, théâtre d'idées, d'époque et de société, est daté. Ses contributions cinématographiques étant le plus souvent des adaptations de ses pièces, elles ont elles-mêmes vieilli. Elle a rarement rencontré un cinéaste qui ait osé bousculer un peu ses ouvrages : ce qui explique la théâtralisation assez pesante de *Ils étaient trois* (W. Wyler, 1936), surtout de *Rue sans issue* (Wyler, 1937) et de *Quand le jour viendra* (H. Shumlin, 1943). Par contre, Wyler, en exaspérant le côté étouffant, a obtenu dans *la Vipère* (1941) et *la Rumeur* (1962) une ambiance lourde qui a aiguisé et étoffé la psychologie un peu manichéenne de Lillian Hellman. Mais l'auteur n'a guère apprécié les libertés qu'Arthur Penn (*la Poursuite impitoyable,* 1966) et Fred Zinnemann (*Julia,* 1977, tourné d'après ses Mémoires [*Pentimento*] et où Jane Fonda incarnait la scénariste elle-même) ont prises avec son travail, ce qui est dommage car ce sont probablement les deux meilleurs films auxquels elle a été mêlée. C.V.

HELLMAN *(Monte), monteur et cinéaste américain (New York, N. Y., 1932).* Ses études universitaires en Californie, qui l'orientent d'abord vers l'art dramatique, puis vers le cinéma, débouchent, en 1961, sur l'assistanat et la coréalisation, ensuite sur le montage auprès de Roger Corman, Harvey Hart, Phil Karlson et Sam Peckinpah. C'est Corman qui l'aide à tourner ses premiers films : *The Beast From Haunted Cave* (1959) ; *Back Door to Hell* – sur la reconquête des Philippines, tourné dans l'archipel – (1965) ; *Flight to Fury* (1966). Dans le renouveau qui se fait jour à Hollywood, Hellman signe en 1967 deux westerns à petit budget, qu'interprète Jack Nicholson, encore peu connu. Curieusement, ces deux films, serrés sur leur scénario impeccablement épuré, rejoignent une tradition : celle de William S. Hart ou, plus proche, de Boetticher, avec une touche de fatalité et d'inquiétude saisissante et vraie : *The Shooting* (1966, exploité parfois sous le titre *la Mort tragique de Leland Drums*) et *l'Ouragan de la vengeance* (*Ride in the Whirlwind,* id.). Cinéaste qui demeure marginal, Hellman marginalise alors également ses sujets : *Macadam à deux voies* (*Two-Lane Blacktop,* 1971) est une course de bagnoles trafiquées conduites par des ringards ; *Cockfighter* (1974), l'errance d'un fanatique de combats de coqs. Ni documents ni fiction, sans structure, ces films à l'image pauvre ne firent l'affaire de personne, sinon de deux ou trois exégètes inventifs. *China 9, Liberty 37* (ou *Clayton and Catharine*) est une espèce de western parodique tourné en Italie en 1978, probablement grâce à la participation de Peckinpah. L'insuccès commercial de ces dernières œuvres obligera Monte Hellman à se tenir éloigné des studios pendant une dizaine d'années. On le retrouve en 1988 comme réalisateur d'*Iguana,* film dédié à la mémoire de son acteur favori Warren Oates. Il signe en 1989 : *Silent Night, Deadly Night III : Better Watch Out.* ▲ C.M.C.

HELM *(Gisele Eve Schittenhelm, dite Brigitte), actrice allemande (Berlin 1906).* Bien qu'elle n'ait aucune expérience de la scène ni de l'écran, elle a la chance d'être choisie par Fritz Lang — qui cherchait une non-professionnelle — pour le double rôle de la pure jeune fille et du robot femelle de *Metropolis* (1927). Son beau visage sculptural, ses yeux d'aveugle se prêtaient assez bien à cette composition. Du jour au lendemain, cette inconnue de vingt ans est célèbre. La chance continue à lui sourire, avec des rôles presque aussi «irradiants» chez Henrik Galeen (*la Mandragore,* 1928), G. W. Pabst (*l'Amour de Jeanne Ney,* 1927 ; *Crise,* 1928) et, en France, Marcel L'Herbier (*l'Argent,* 1929 ; elle y incarne l'implacable baronne Sandorf). Le passage du muet au parlant s'accomplit pour elle sans heurt : elle est la partenaire de Mosjoukine dans *Manolesco, roi des voleurs* (V. Tourjanski, 1930), d'Albert Basserman dans un remake de *la Mandragore,* que tourne Richard Oswald (1930), de Jan Kiepura dans *Die singende Stadt* (C. Gallone, *id.*), de Jean Gabin dans les versions françaises de *Gloria* (H. Behrendt, 1931) et de *l'Étoile de Valencia* (S. de Poligny, 1933). Elle retrouve Pabst pour un autre rôle à sa mesure : la mystérieuse Antinéa dans la première version parlante de *l'Atlantide* (1932). Sa carrière se partage à ce moment-là entre l'Allemagne, la France et l'Angleterre (*The Blue Danube,* H. Wilcox, 1932). Elle tourne dans un dernier film important en 1934 : *l'Or,* réalisé en deux versions, allemande (*Gold,* K. Hartl) et française (S. de Poligny). Brigitte Helm épouse, en secondes noces, l'industriel Hugo Kunheim et, après un dernier film, signé Gustav Ucicky (*Savoy Hotel 217,* 1936), abandonne brusquement le cinéma. Elle n'est jamais sortie de sa retraite, même quand le festival de Berlin lui décerna, il y a quelques années, son Ruban d'or : c'est son fils qui se présenta à sa place. C.B.

HEMINGWAY *(Ernest), écrivain américain (Oak Park, Ill., 1899 - Ketchum, Idaho, 1961).* Si l'on excepte deux courts métrages sur la guerre d'Espagne, de l'un desquels (*Terre d'Espagne,* J. Ivens, 1938) il écrivit le commentaire, Hemingway a affiché un certain mépris pour le cinéma et s'est déclaré le plus souvent peu satisfait des adaptations (nombreuses) de ses œuvres. Il n'a aimé ni *l'Adieu au drapeau* (F. Borzage, 1932) ni surtout *Pour qui sonne le glas* (S. Wood, 1943), qui édulcorait d'une façon éhontée le fond politique de son œuvre. Cependant, il fut un grand ami de Gary Cooper et de Howard Hawks, le seul cinéaste pour lequel il a semblé manifester un certain respect et dont il prétendait que *le Port de l'angoisse* (1944) était meilleur que la nouvelle d'origine. Effectivement, de nombreuses adaptations de ses œuvres ont été catastrophiques. Mais *Trafic en haute mer* (M. Curtiz, 1950) était une œuvre superbe, plus proche d'Hemingway que le film de Hawks précédemment évoqué. *Les Neiges du Kilimandjaro* (H. King, 1952) était un excellent concentré de son univers. Enfin, *l'Île des adieux* (F. Schaffner, 1977) lui rendit un émouvant hommage posthume. C.V.

HÉMISPHÉRIQUE (projection). Procédé de projection où, grâce à un objectif de type «fish eye» à champ d'environ 180°, l'image est projetée sur la presque totalité de la surface interne d'un hémisphère, les spectateurs prenant place à l'intérieur de cet hémisphère. Les films, bien entendu, doivent être tournés avec un objectif de même type. Le procédé français *Panrama* (1958) utilise le film 35 mm. Le procédé canadien *Omnimax* (1973) utilise le film 70 mm, sur lequel est enregistrée une image longitudinale d'environ 7 × 5 cm et non plus une image transversale d'environ 2 × 5 cm comme dans le 70 mm classique (FORMAT), ce qui conduit à une consommation de pellicule dépassant les 100 m par minute. La projection hémisphérique se situe dans la lignée des procédés, tels le *Cinéorama* ou le *Cinérama,* qui visent à placer le spectateur «au cœur de l'action». J.-P.F.

HEMMINGS *(David), acteur et cinéaste britannique (Guilford 1941).* Du jour au lendemain, il devient célèbre lorsque Antonioni lui confie le rôle du photographe de *Blow-Up* (1967). Il trouve ensuite ses meilleurs emplois dans *Camelot* (J. Logan, *id.*), *Barbarella* (R. Vadim, 1968), *la Charge de la brigade légère* (T. Richardson, *id.*), *Alfred le Grand, vainqueur des Vikings* (C. Donner, 1969), *Mort d'un prof* (*Unman, Wittering and Zingo,* J. Mackenzie,

1971), *Terreur sur le Britannic* (R. Lester, 1974), *Meurtre par décret* (*Murder by Decree,* Bob Clark, 1978), *Man, Woman and Childs* (Dick Richards, 1983), *The Rainbow* (K. Russell, 1989). Sa carrière de réalisateur est beaucoup moins connue : *Running Scared* (1972) ; *The Fourteen* (1973) ; *Just a Gigolo* (1978) ; *le Survivant d'un monde parallèle (The Survivor, 1980).* R.L.

HENIE *(Sonja), actrice norvégienne (Christiania* [auj. *Oslo*] *1910* - id. *1969).* Hollywood accueillit cette championne mondiale (à 15 ans) de patinage artistique dans *le Prince X* (*Thin Ice,* Sidney Lanfield, 1937). Son succès entraîna une suite de musicals inconséquents où, entre deux circonvolutions de l'intrigue, elle s'élançait sur la glace et virevoltait. Son meilleur film reste l'amusant *Fleur d'hiver* (*Wintertime,* J. Brahm, 1943). Elle s'est retirée en 1948. C.V.

HENNING-JENSEN *(Astrid Smahl,* dite *Astrid), cinéaste danoise (Copenhague 1914)* et *(Bjarne) cinéaste danois (Copenhague 1908).* Ce couple de cinéastes a écrit et réalisé d'innombrables documentaires et plusieurs films de long métrage. Au cours de la Seconde Guerre mondiale, ils ont rendu divers hommages au courage et à la résistance du peuple danois face à l'invasion nazie mais c'est avant tout leurs comédies enlevées et leurs études sensibles et intelligentes de l'adolescence comme *Ditte, fille de l'homme* (*Ditte Menneskebarn,* 1946), *Ces sacrés gosses* (*De Pokkers unger,* 1947), *'Palle seul au monde'* (*Palle alene i verden,* 1949) et *'Paw, le garçon entre deux mondes'* (*Paw,* 1959) qui retiennent l'intérêt. En 1962, Bjarne confia à Bibi Andersson et Jarl Kulle les rôles principaux de *'l'Amour sous le soleil de minuit'/ 'l'Été est court' (Kort är sommaren),* adaptation cinématographique du roman de Knut Hamsun, *Pan.* Quant à Astrid Henning-Jensen, après une huitaine de films réalisés par elle seule à partir de 1947, elle fait en 1978 un brillant retour à l'écran avec *'les Enfants de l'hiver' (Vinterboern),* qui conte l'histoire d'un groupe de femmes enceintes dans une maternité. Sa réputation devait sortir encore grandie d'un nouveau film : *'Un moment'* (*Øjeblikket,* 1980), dans lequel elle réussit l'exploit de faire de la mort tragique d'une jeune femme atteinte d'un cancer une expérience réconfortante et dans une certaine mesure optimiste. En 1986, elle tourne une œuvre délicate et nostalgique, *les Rues de mon enfance (Barndommens gade).* P.CO.

HENREID *(Paul Georg Julius von Henreid,* dit *Paul), acteur et cinéaste américain d'origine autrichienne (Trieste 1908 - Santa Monica, Ca., 1992).* Découvert par Preminger et Max Reinhardt, il débute auprès de ce dernier comme acteur de théâtre à Vienne (1933) puis à Londres. Il émigre et devient citoyen américain en 1940. Il incarnera les séducteurs aristocratiques, légèrement blasés ou inquiétants, parfois aussi généreux jusqu'à l'imprudence *(Casablanca).* Un jeu en demi-teinte parfaitement contrôlé lui assure une longue carrière, qu'il double dans les années 50 et 60 en dirigeant quelques films à l'ambiance généralement trouble ou mélodramatique. G.L.

Films (comme acteur) : *Goodbye Mr. Chips* (S. Wood, 1939) ; *Une femme cherche son destin* (I. Rapper, 1942) ; *Casablanca* (M. Curtiz, 1943) ; *Pavillon noir* (F. Borzage, 1945) ; *la Corde de sable* (W. Dieterle, 1949) ; *Jean Laffitte, dernier des corsaires* (*Last of the Buccaneers,* Lew Landers, 1950) ; *Au fond de mon cœur* (S. Donen, 1954) ; *les Quatre Cavaliers de l'Apocalypse* (V. Minnelli, 1962) ; *la Folle de Chaillot* (B. Forbes, 1969) ; *l'Hérétique* (John Boorman, 1977) ; — (comme acteur et RÉ) ▲ : *For Men Only* (1952) ; *Acapulco* (*A Woman's Devotion,* 1956) ; — (comme RÉ seulement) ▲ : *le Gang des filles* (*Girls on the Loose,* 1958) ; *Live Fast, Die Young* (id.) ; *La mort frappe trois fois* (*Dead Ringer,* 1964) ; *Ballad in Blue / Blues for Lovers* (1965). Par ailleurs, il a dirigé à la TV nombre d'épisodes de la série *Hitchcock presents.*

HEPBURN *(Audrey Hepburn-Ruston,* dite *Audrey), actrice américaine (Bruxelles, Belgique, 1929 - Tolochenaz, Suisse, 1993).* D'origine anglo-hollandaise, elle gagne Londres après la guerre pour devenir danseuse et joue de petits rôles dans les films britanniques. En 1951, alors qu'elle tourne sur la Côte d'Azur *Nous irons à Monte-Carlo* dirigé par Jean Boyer, elle rencontre Colette ; celle-ci suggère avec insistance qu'elle incarne *Gigi* dans la version scénique du roman prévue à Broadway. C'est un triomphe, et il lui ouvre les portes d'Hollywood. La jeune Hepburn apporte au cinéma un charme tout nouveau de « garçonnet manqué » mais très féminin par sa grâce, ses yeux immenses et ses longues jambes. Elle y apporte aussi une volonté de fer sous les apparences de la fragilité. Dès 1953, elle remporte l'Oscar pour *Vacances romaines* (W. Wyler), où elle exprime la sensibilité du temps, sans tics ni affectation. Actrice intelligente et consciencieuse, également douée pour le drame et la comédie, elle a su longtemps maintenir le rayonnement si précaire de la juvénilité. Elle a été mariée (1954-1968) à Mel Ferrer, qui fut parfois son producteur et l'a dirigée, si l'on peut dire, dans un de ses rares films médiocres. Ayant paru abandonner l'écran après 1967, elle y est revenue en 1976. Quoi qu'il en soit, Audrey Hepburn a fait don à Hollywood d'une grâce que Donen, Cukor, Edwards ou Quine ont su chérir, avec aussi la touche d'anticonformisme ou d'humour que le métier de l'actrice savait rendre étincelante. Tempérée, adoucie, mais vive comme vif-argent, acide ou rêveuse, elle demeure dans notre mémoire l'Eliza de *My Fair Lady,* l'héroïne délicieuse de *Charade,* la libre Holly Golightly de *Diamants sur canapé,* aiguë et radieuse. Nous ne l'entendons pas comme un banal compliment. C.M.C.

Films ▲ : *One Wild Oat* (Charles Saunders, 1951) ; *Rires au paradis* (M. Zampi, *id.*) ; *De l'or en barres* (Ch. Crichton, *id.*) ; *Nous irons à Monte-Carlo* (J. Boyer, *id.*) ; *Young Wives' Tale* (Henry Cass, *id.*) ; *The Secret People* (T. Dickinson, 1952) ; *Vacances romaines* (W. Wyler, 1953) ; *Sabrina* (B. Wilder, 1954) ; *Guerre et Paix* (K. Vidor, 1956) ; *Drôle de frimousse* (S. Donen, 1957) ; *Ariane* (Wilder, *id.*) ; *Vertes Demeures* (M. Ferrer, 1959) ; *Au risque de se perdre* (F. Zinnemann, *id.*) ; *le Vent de la plaine* (J. Huston, 1960) ; *Diamants sur canapé* (B. Edwards, 1961) ; *la Rumeur* (Wyler, 1962) ; *Charade* (Donen, 1963) ; *Deux Têtes folles* (R. Quine, 1964) ; *My Fair Lady* (G. Cukor, *id.*) ; *Comment voler un million de dollars* (Wyler, 1966) ; *Voyage à deux* (Donen, 1967) ; *Seule dans la nuit* (*Wait until Dark,* T. Young, *id.*) ; *la Rose et la Flèche* (R. Lester, 1976) ; *Liés par le sang* (*Bloodline,* Young, 1979) ; *Et tout le monde riait* (P. Bogdanovich, 1981) ; *Always* (S. Spielberg, 1989).

HEPBURN *(Katharine), actrice américaine (Hartford, Conn., 1907).* Née dans une riche famille bourgeoise et fille d'une suffragette, Katharine Hepburn fait ses débuts à l'âge de trois ans dans des spectacles féministes organisés par sa mère. Secrète, volontaire, brusque, Katharine décide d'être actrice. Mais son caractère entêté et impétueux n'arrange pas les choses. Entre 1928 et 1931, elle va d'échec en échec. Il était donc assez audacieux de la part de la RKO de lui confier le rôle principal d'*Héritage,* en 1932, face à John Barrymore ; avec la fierté et le courage qui allaient toujours la caractériser, elle lui tint bravement tête et fit de ce film un triomphe personnel et une revanche éclatante sur ses insuccès de théâtre. De plus, ce film lui fait rencontrer George Cukor, qui va être son ami et son metteur en scène de toujours. Elle avait d'emblée imposé sa figure de jeune fille rebelle et généreuse dont le prénom masculin, Sidney, était en lui-même symbolique. La RKO décide alors de faire d'elle une star à part entière et lui donne très vite la vedette, dans *la Phalène d'argent,* prévue pour Ann Harding (D. Arzner, 1933) : ce rôle d'aviatrice indépendante qui, enceinte d'un lord, se suicide en lançant son avion dans les airs, dégoûtée par les préjugés, lui convenait à merveille. Dans les années 30, Katharine Hepburn va être un peu la jeune fille symbolique, alternant les héroïnes volontaires et modernes et les délicates créations style « Bibliothèque rose » qu'elle fut la seule à tenir.

À une époque de féminité rebondie, elle a imposé une androgynie irrespectueuse. Le public, dérouté par la nouveauté, ne la suivra pas toujours. Mais le temps lui a donné raison : on est maintenant frappé à la fois par le modernisme de sa démarche et de son jeu, et par la nouveauté totale de sa beauté d'elfe farceur, tout en aspérités et en angles. Pour Cukor, elle est l'inoubliable Jo des *Quatre Filles du docteur March,* garçon manqué plus femme que ses coquettes de sœurs. Pour Lowell Sherman, elle dessine le saisissant portrait d'une jeune actrice arriviste dans *Morning Glory* (1933) : un rôle qui doit beaucoup à son expérience personnelle et qui lui vaut son premier Oscar.

1935 est pour elle une année cruciale, à cause d'un échec et d'un succès. Le succès, c'est *Alice Adams* (G. Stevens), où elle incarne une jeune provinciale modeste prise au piège cruel du jeu social : création minutieuse et exacte, un des personnages les plus révélateurs de la décennie. L'échec, ce fut celui, injustifié, du chef-d'œuvre de Cukor, *Sylvia Scarlett,* magnifique hybride où la comédie américaine se croise avec l'Angleterre de Charles Dickens. Au sommet de son art et de son rayonnement, Katharine Hepburn, délicieusement travestie en jeune homme, le chapeau sur l'œil et le cheveu court, puis en pierrot lunaire, menait un marivaudage subtil entre le rire et les larmes. Après cela, sa carrière se mit à battre de l'aile : l'échec de la grande production de *Marie Stuart* (J. Ford, 1936), dont elle interprétait le rôle-titre avec éclat, vint confirmer celui de *Sylvia Scarlett.* Mais en 1937, elle trouvait un nouveau rôle superbe et un autre cinéaste complice : dans *Pension d'artistes* de Gregory La Cava, elle affinait encore sa création de comédienne arriviste, appuyée par un dialogue scintillant et par une réalisation d'une vivacité rare. 1938 lui offre encore deux chefs-d'œuvre de comédie : le doux-amer *Vacances,* de George Cukor, et le loufoque *Impossible Monsieur Bébé,* d'Howard Hawks. Mais, hélas ! elle était une star qui ne rapportait pas d'argent et elle dut aller reconquérir sa gloire à la scène.

Elle revint à Hollywood en 1940, avec son grand succès théâtral, *Indiscrétions,* dont elle s'était, judicieusement, réservé les droits d'adaptation. Katharine Hepburn, dirigée par un cinéaste (George Cukor) qui la connaissait mieux que personne, reprit sans le moindre effort son personnage d'héritière capricieuse qui se laisse séduire par son ancien mari la veille de son remariage : le triomphe était inévitable. Il marqua le commencement de son règne de superstar de la MGM. Brillante, sophistiquée, la voix haut perchée, nerveuse et sèche, mais les yeux vulnérables et pleins d'émotion, elle donnait à son féminisme élégant et souriant allure et glamour. C'est à ce moment qu'on eut l'idée de lui donner comme partenaire Spencer Tracy, dans *la Femme de l'année* (G. Stevens, 1942) : rencontre privilégiée, à la ville comme à l'écran, qui créa un des plus beaux couples du cinéma. Dès ce premier film, l'équilibre était évident et radieux : les nerfs, les éclats et les excès de Katharine Hepburn venant se briser comme des vagues sur la solidité, le calme olympien et la sérénité de Spencer Tracy. Ensemble, on les vit encore dans *la Flamme sacrée* (G. Cukor, 1943), film d'atmosphère et de mystère, révélateur de l'antifascisme de toute une fraction d'Hollywood ; dans *Sans amour* (H. S. Bucquet, 1945), comédie un peu molle à la recherche d'un cinéaste ; dans *le Maître de la Prairie* (E. Kazan, 1947), mélodrame un peu pesant qui n'était pas dans les cordes du metteur en scène. C'était la comédie qui convenait au couple. Il y eut, heureusement, trois grands crus : *l'Enjeu* (F. Capra, 1948), satire incisive des manigances électorales, où Katharine Hepburn jouait quelque peu en retrait, et surtout *Madame porte la culotte* (1949), puis *Mademoiselle Gagne-Tout* (1952), écrits par Garson Kanin et Ruth Gordon, et réalisés par George Cukor. S'affrontant d'égal à égal, et pour rire, jouant vaillamment le jeu de la guerre des sexes, Tracy et Hepburn y trouvèrent l'apogée de leur couple cinématographique. Ni le morne *Une femme de tête* (W. Lang, 1957) ni le larmoyant *Devine qui vient dîner* (S. Kramer, 1967) ne leur rendirent justice.

Entre-temps, seule, Katharine Hepburn eut plus d'une occasion de prouver son talent. Par exemple dans des mélodrames comme *Lame de fond* (V. Minnelli, 1946) et surtout *Passion immortelle* (C. Brown, 1947), où elle était Clara Schumann. Ses grands rôles des années 50 exploitèrent son côté un peu revêche et firent d'elle, souvent, une vieille fille gagnée tardivement à l'amour. Manque d'imagination de la part des cinéastes que l'on pardonne aisément devant une réussite mineure comme *le Faiseur de pluie* (J. Anthony, 1956) ou majeure comme *The African Queen* (J. Huston, 1951), où elle est sublime d'humour et d'émotion en missionnaire amoureuse d'un Humphrey Bogart hirsute, narquois et rogue, ou encore *Vacances à Venise* (D. Lean, 1955), une composition tout aussi excellente dans un registre plus dramatique. Il s'agit même d'un de ses films les plus méconnus et les meilleurs. Elle termina la décennie par une création magistrale et terrifiante : la possessive et vénéneuse Madame Venable dans *Soudain l'été dernier* (J. L. Mankiewicz, 1959).

Depuis, Katharine Hepburn a beaucoup vécu sur son acquis, ayant amplement démontré ses qualités et trouvant de grandes joies au théâtre. Sa personnalité est toujours fascinante, mais des metteurs en scène médiocres (*Une bible et un fusil,* S. Millar, 1975) et des rôles artificiels ne lui rendent guère justice. On retrouve bien son éclat unique dans certains instants du *Lion en hiver* (A. Harvey, 1968) ou de *Delicate Balance* (T. Richardson, 1973). Mais c'est avec une joie immense qu'on la voit, réellement comprise et appréciée, dans *Comme la neige au printemps* (1977), que George Cukor tourna pour la télévision : sa malicieuse interprétation d'aristocrate rouée et fière, jouant des sentiments d'un vieil avocat comme une jeune coquette, nous montre l'étendue riche et colorée de son art. C.V.

Films ▲ : *Héritage* (G. Cukor, 1932) ; *la Phalène d'argent* (D. Arzner, 1933) ; *Morning Glory* (Lowell Sherman, *id.*) ; *les Quatre Filles du docteur March* (Cukor, *id.*) ; *Mademoiselle Hicks* (J. Cromwell, 1934) ; *The Little Minister* (Richard Wallace, *id.*) ; *Cœurs brisés (Break of Hearts,* (Phillip Moeller, 1935) ; *Alice Adams* (G. Stevens, *id.*) ; *Sylvia Scarlett* (Cukor, *id.*) ; *Marie Stuart* (J. Ford, 1936) ; *la Rebelle* (*A Woman Rebels,* M. Sandrich, *id.*) ; *Pour un baiser* (G. Stevens, 1937) ; *Pension d'artistes* (G. La Cava, *id.*) ; *l'Impossible Monsieur Bébé* (H. Hawks, 1938) ; *Vacances* (Cukor, *id.*) ; *Indiscrétions* (Cukor, 1940) ; *la Femme de l'année* (G. Stevens, 1942) ; *la Flamme sacrée* (Cukor, 1943) ; *le Cabaret des étoiles* (F. Borzage, *id.*) ; *le Fils du Dragon* (J. Conway, H. S. Bucquet, 1944) ; *Sans amour* (Bucquet, 1945) ; *Lame de fond* (V. Minnelli, 1946) ; *le Maître de la prairie* (E. Kazan, 1947) ; *Passion immortelle* (C. Brown, *id.*) ; *l'Enjeu* (F. Capra, 1948) ; *Madame porte la culotte* (Cukor, 1949) ; *The African Queen* (J. Huston, 1952) ; *Mademoiselle Gagne-Tout* (Cukor, *id.*) ; *Vacances à Venise* (D. Lean, 1955) ; *le Faiseur de pluie* (J. Anthony, 1956) ; *Whisky, Vodka et Jupon de fer (The Iron Petticoat,* R. Thomas, *id.) ; Une femme de tête* (W. Lang, 1957) ; *Soudain l'été dernier* (J. L. Mankiewicz, 1959) ; *Long Day's Journey into Night* (S. Lumet, 1962) ; *Devine qui vient dîner* (S. Kramer, 1967) ; *Un lion en hiver* (A. Harvey, 1968) ; *la Folle de Chaillot* (B. Forbes, 1969) ; *les Troyennes* (M. Cacoyannis, 1971) ; *A Delicate Balance* (T. Richardson, 1973) ; *Love Among the Ruins* (Cukor, TV, 1975) ; *Une bible et un fusil (Rooster Cogburn,* Stuart Millar, *id.) ; Olly Olly Oxen Free* (Richard A. Colla, TV, 1978) ; *The Corn is Green* (Cukor, TV, 1979) ; *la Maison du lac* (M. Rydell, 1981) ; *Grace Quigley* (Harvey, 1984) ; *Mrs Delafield Wants to Marry* (TV, 1986) ; *Love Affair* (Glenn Gordon Caron, 1994).

HEPP *(Joseph), chef opérateur grec d'origine hongroise (Budapest 1897 - Athènes [?]1968).* Ingénieur de formation, il devient opérateur pour Pathé en Grèce, où il assure les projections de l'une des trois premières salles d'Athènes, le Panellinion. Lié à la société influente, il réalise de petits films plus ou moins officiels avant de participer, comme cameraman, à la guerre d'Asie Mineure (1919-1922) ; il suit de même la guerre contre l'Italie puis la guerre civile au lendemain de la libération de la Grèce. Il fonde, en 1915, avec Dimos Vratsanos, la société Asty Films et forme les premiers techniciens du pays, de même qu'il assure, de fait, la mise en scène des films censés être dirigés par les acteurs des théâtres grecs qui s'y taillent des rôles et un complément rentable de popularité. Il invente, au moment de l'irruption du parlant, le procédé Vitaphone et ne cesse de tourner ou de produire des bandes d'actualités. Assistant de Leni Riefensthal pour *les Dieux du stade* (1938) et chef opérateur sur quelque 150 films, dont *Pain amer* de Grigoriou (1951), il joue un rôle très écouté de conseiller auprès de deux générations de techniciens. C.M.C.

HEPWORTH *(Cecil), producteur et cinéaste britannique (Londres 1874 - Greenford, Middlesex, 1953).* Cecil Hepworth, dont le père était un expert en lanterne magique, est l'un des pionniers du cinéma (*Express Train,* 1899 ; *Funeral of Queen Victoria,* 1901 ; *Coronation of King Edward VII,* id. ; *Alice in Wonderland,* 1903 ; *Rescued by Rover,* 1905). Assistant de William Paul, auteur de *Animated Photography* (1897), l'un des premiers essais jamais publiés sur le nouvel art, il met au point de nombreuses inventions, dont, dès 1910, un Vivaphone qui synchronise film et son. Il écrit de nombreux livres sur une technique alors rudimentaire. En 1903, il construit ses propres studios. À partir de 1914, il se contente de produire et de réaliser ses propres films (*The American Heiress,* 1917 ; *Sheba,* 1919), souvent sans grand succès. Après avoir fait faillite, il subsiste en réalisant des films publicitaires. En 1951, il publie un livre de souvenirs, *Came the Dawn.* C.V.

HERBST *(Helmut), cinéaste allemand (Escherhof 1934).* Après des études de peinture, d'histoire de l'art, d'archéologie, il crée son propre studio d'animation en 1962, collabore à la télévision de Hambourg et participe aux activités de la célèbre coopérative de cinéastes constituée dans cette même ville. Il a réalisé depuis 1962 des courts métrages (films expérimentaux, films d'animation, films de fiction) et quatre longs métrages. Parmi ces derniers, un film de science-fiction, *le Monde fantastique de Mathew Madson* (*Die phantastische Welt des Mathew Madson,* 1971-1974), et des documentaires : *Allemagne dada* (*Deutschland dada,* 1968-69) ; *John Heartfield, photomonteur* (*John Heartfield, Fotomonteur,* 1976-77) ; un « film didactique » sur les trucages de *King Kong* (1975) et un film sur Guido Seeber, le pionnier du cinéma allemand (1979). Il présente en 1982 un film important : *Une révolution allemande (Eine deutsche Revolution),* consacré à la vie et à l'œuvre de Georg Büchner, puis se tourne vers le film d'animation jusqu'en 1992, date à laquelle il présente un nouveau film de fiction coproduit avec la Hongrie : *Die Serpentintänzerin.* D.S.

HERLTH *(Robert), décorateur allemand (Wriezen 1893 - Munich 1962).* Pendant la Première Guerre mondiale, il a travaillé comme décorateur avec Hermann Warm pour un théâtre aux armées. Il va marquer profondément de son influence l'expressionnisme et le Kammerspiel, travaillant parallèlement au théâtre et au cinéma. De 1920 à 1936, souvent en collaboration avec Walter Röhrig, il dessine les décors d'une cinquantaine de films, dont : *Das lachende Grauen* (Lulu Pick, 1920) ; *les Trois Lumières* (F. Lang, 1921) ; *le Trésor* (G. W. Pabst, 1923) ; *le Dernier des hommes, Tartuffe* et *Faust* (F. W. Murnau, 1924, 1925 et 1926). En 1936, il écrit, décore et réalise avec Röhrig *Hans im Glück.* Désormais seul, il conçoit les décors, entre autres, du film de Veit Harlan *Crépuscule* (1937) et assure la préparation technique du double reportage de Leni Riefenstahl sur les jeux Olympiques de 1936, *les Dieux du stade.* Après la guerre, il collabore avec des réalisateurs commerciaux comme Kurt Hoffmann (*Felix Krull,* 1957 ; *l'Auberge du Spessart* [*Wirtshaus im Spessart*], 1958) et Wolfgang Liebeneiner (la série des *Famille Trapp,* 1956-1958). M.M.

HERMAN *(Jean), scénariste et cinéaste français (Pagny-sur-Moselle 1933).* Formé par la réalisation de nombreux courts métrages, il commence sa carrière en 1963, et pour son deuxième film, réalise une des meilleures adaptations de R. Queneau, *la Dimanche de la vie* (1967), dont la sensibilité et l'élégance annoncent un véritable auteur. Avec *Adieu l'ami* (1968), il entre, porté par un Delon qui trouvait lui aussi ses marques d'acteur de genre, dans un cinéma plus grand public, celui du récit policier. Curieusement, il va se désintéresser de la réalisation (son dernier film, *l'Œuf,* date de 1971), au profit de l'écriture scénaristique et surtout d'une carrière littéraire qu'il mène sous le nom de Jean Vautrin. Autant ses romans noirs renouvellent le genre, autant ses scénarios, de l'ouvrage sur mesure, restent en deçà de ce qu'il est capable de faire : *le Grand Escogriffe* (C. Pinoteau, 1976), *Flic ou Voyou* (G. Lautner, 1979), *Pile ou Face* (R. Enrico, 1980), *l'Entourloupe* (G. Pirès, *id.*), *Garde à vue* (C. Miller, 1981), *le Marginal* (J. Deray, 1983), *Rue Barbare* (G. Béhat, *id.*), *Canicule* (Y. Boisset, 1984), *Urgence* (Béhat, 1985). C.D.R.

Autres films comme RÉ ▲ : *Voyage en Boscavie* (CM, 1958) ; *Actua-tilt* (CM, 1960) ; *la Quille* (CM, 1961) ; *les Fusils* (CM, *id.*) ; *Twist parade* (CM, 1962) ; *la Cinémathèque française* (CM, *id.*) ; *le Chemin de la mauvaise route* (1963) ; *Jeff* (1969) ; *Popsy pop* (1971).

HERMANN *(Villi), cinéaste suisse (Lucerne 1941).* C'est un des rares cinéastes suisses dont les films ont été tournés en langue italienne bien qu'il ait eu des liens avec ses collègues alémaniques : il a travaillé pour la télévision suisse-germanophone et a coréalisé avec Niklaus Meienberg et Hans Stürm *Maurice Bavaud, l'homme qui a voulu tuer Hitler* (*Es ist kalt in Brandenburg,* 1980), un film dont la méthode rappelle celle de Richard Dindo. Après quelques courts métrages et des documentaires réalisés à Lugano, en particulier *San Gottardo* (1977), sur le percement du tunnel du Saint-Gothard, il a réalisé plusieurs films de fiction : *Matlosa* (1982), *Innocenza* (1986), *Bankomatt* (1988), qui seront suivis du documentaire *En voyage avec Jean Mohr* (1992), portrait d'un photographe genevois, et de *Tamaro* (1995). D.S.

HERMOSILLO *(Jaime Humberto), cinéaste mexicain (Aguascalientes 1942).* Formé au Centre universitaire d'études cinématographiques de Mexico, il débute professionnellement avec *La verdadera vocación de Magdalena* (1971). Depuis *El cumpleaños del perro* (1974), il fait des variations autour de l'hypocrisie et de la mesquinerie des classes moyennes (plus particulièrement celles de province), autour de la misère affective des couples et des illusions et tromperies familiales, dissimulées par les conventions : *Las apariencias engañan* (1977) s'intitule justement un de ses films. Il porte un regard ironique et sans préjugés sur les rôles et les mentalités sexuelles des Mexicains, sans pour autant négliger les jeux sur les normes narratives souvent transgressées. *La pasíon según Berenice* (1976) révèle une sensibilité notable envers la sexualité et la psychologie féminines, tout comme *Naufragio* (1977). *María de mi corazón* (1979), d'après une idée de Gabriel García Márquez, expose la fragilité de la protagoniste, qu'un abandon involontaire et le malentendu social poussent vers la folie. Hermosillo est aussi convaincant lorsqu'il truffe de connotations homosexuelles et de suggestions libertaires un film d'aventures, *Matinée* (1976), avec personnages d'enfants, courses poursuites et autres ingrédients habituels. Le même humour et la même décontraction enlèvent toute pédanterie démonstrative au message de tolérance de *Doña Herlinda y su hijo* (1984), film *gay* sans inhibitions, qui mérite d'être vu aussi comme une reformulation très personnelle du traditionnel archétype de la mère, qui hante les écrans mexicains. La crise lui inspire des expériences minimalistes, commencées dans sa retraite de Guadalajara, en support vidéo, avec peu de comédiens et un seul décor. Les limites imposées à la production redoublent l'intensité de sa mise en scène et la chaleur du regard, car le cinéaste adopte explicitement le point de vue du spectateur-voyeur. *Le Devoir* (*La tarea,* 1990) décortique les pièges de la séduction, en reprenant le défi hitchcockien de la prise unique et du temps réel. *Intimidades en un cuarto de baño* (1989) utilise un seul angle, puisque la caméra, immobile, occupe la place du miroir d'une salle de bains et dévoile les dramatiques déchirures d'une famille. *La tarea prohibida* (1992) suppose un tour d'écrou supplémentaire à cette problématique : l'inceste. Réalisateur cinéphile, exerçant son métier de manière ludique, stimulant pour ses interprètes (et notamment pour María Rojo), Hermosillo a également signé *Homesick* (CM, 1965), *S. S. Glencairn* (CM, 1967), *Los nuestros* (MM, 1969), *El señor de Osanto* (d'après Robert Louis Stevenson, 1972), *Idilio* (CM, d'après Maupassant, 1978), *Amor libre (id.)*, *Confidencias* (1982), *El corazón de la noche* (1983), *Clandestino destino* (1987), *El verano de la señora Forbes* (à Cuba, d'après García Márquez, pour la télévision espagnole, 1988), *Un momento de ira* (CM, vidéo, 1989), *El aprendiz de pornógrafo* (vidéo, *id.*), *Encuentro inesperado* (1991). P.A.P.

HERNÁDI *(Gyula), écrivain et scénariste hongrois (Oroszvár 1926).* Publiant régulièrement récits, nouvelles, romans, pièces de théâtre, il travaille parallèlement pour le cinéma. S'il a collaboré avec Tamás Rényi (*la Vallée* [*A völgy*], 1968), Marta Meszarös (*Adoption,* 1975) et Ferenc Grunwalsky (*Requiem pour un révolutionnaire* [*Vörös rekviem*], 1976), Hernádi est avant tout le coéquipier de Miklos Jancsó, de *Cantate* (non crédité, 1963) à *Rhapsodie hongroise* (1979). Ensemble, ils ne cessent d'explorer et d'interroger leur histoire, de dévoiler les mécanismes du pouvoir et de la répression, mais aussi de mettre en évidence les aspirations à la liberté et au changement qui, sous forme de révolutions, ont périodiquement embrasé la Hongrie. Sans jamais en freiner l'élan, la phrase sèche et laconique de Hernadi a contribué à l'épanouissement du style quasi chorégraphique, purement visuel de Jancsó. En 1988 il signe les dialogues de l'adaptation de son propre roman *les Cris* (Z. Kezdi-Kovacs) et retrouve Jancsó en 1991 pour *Dieu marche à reculons.* P.H.

HERNÁNDEZ *(Teo), cinéaste expérimental mexicain (Ciudad Hidalgo 1939 - Paris 1992).* Après des études d'architecture à Mexico, il s'installe à Paris en 1966. Avec sans doute Stéphane Marti Michel Nedjar et le tandem Maria Klonaris-Katerina Thomadaki, il y devient le maître en France du super 8 artistique conçu comme mise en scène cérémoniale du corps, mais aussi, comme parfois chez Morder ou Courant*, captation des moments et des lieux de grâce de la vie – particulièrement dans les villes, qu'il explore inlassablement, vivement, poétiquement (série des *Souvenirs,* 1980-...). Passant de l'hiératisme lent (*Salomé,* 1976) à la profusion saccadée (*Corps aboli,* 1978, *Parvis Beaubourg,* 1982) puis au rapide-ralenti (*le Déjeuner,* 1988), ou de l'œuvre-somme (*le Corps de la passion,* 1977-79, *Maya,* 1979) au haiku (*30 films brefs,* 1977-1984), il réalise plus de cent films en trente ans. Dans les années 90, il poursuit en France, où son grand talent tarde à être reconnu d'un large public, une œuvre de cinéartiste personnelle et lyrique. D.N.

HERRAND *(Marcel), acteur français (Paris 1897 - Montfort-l'Amaury 1953).* Homme de théâtre coté, il n'aborde que tardivement le cinéma avec le film de Jacques de Baroncelli : *Le pavillon brûle* (1941). C'est avec deux œuvres de Marcel Carné qu'il fournit la dimension de sa personnalité et de son talent : *les Visiteurs du soir* (1942) et surtout *les Enfants du paradis* (1943-1945), où il campe avec une hautaine désinvolture la figure de Lacenaire, le dandy du crime. On a ensuite l'impression que le cinéma l'ennuie un peu et qu'il met dans ses apparitions assez nombreuses une condescendance, affectée ou non. Aussi bien ne travaille-t-il qu'avec des réalisateurs de second rang. Ni Georges Lacombe (*Martin Roumagnac,* 1946), ni Maurice Tourneur (*Impasse des Deux Anges,* 1948), ni Marcel L'Herbier (*les Derniers Jours de Pompéi,* 1950), ni Louis Daquin (*le Parfum de la dame en noir,* 1949), ni même ses compositions de *Fantômas* (Jean Sacha, 1947) ou de Louis XV (*Fanfan la Tulipe,* Christian-Jaque, 1951) ne lui font retrouver l'éclat de ses premiers rôles. R.C.

HERRMANN *(Bernard), musicien américain (New York, N. Y., 1911 - Hollywood, Ca., 1975).* Issu de la Juillard School of Music, il compose dès 1933 la musique de milliers de programmes radio, dont le célèbre *Guerre des mondes* (1938) d'Orson Welles. C'est pour ce dernier qu'il signe sa première partition de film, *Citizen Kane* (1940), puis *la Splendeur des Amberson* (1942). Ce sont ensuite *Jane Eyre* (R. Stevenson, 1944), *l'Aventure de Mme Muir* (J. L. Mankiewicz, 1947), *la Maison dans l'ombre* (N. Ray, 1951), *le Jour où la terre s'arrêta* (R. Wise, 1951) et *l'Affaire Cicéron* (Mankiewicz, 1952). *Mais qui a tué Harry ?* (1955) inaugure une longue et fructueuse collaboration avec Hitchcock, qui se poursuit avec *l'Homme qui en savait trop* (1956), *le Faux Coupable* (1957), *Sueurs froides* (1958), *la Mort aux trousses* (1959), *Psychose* (1960), *les Oiseaux* (1963) et *Pas de printemps pour Marnie* (1964) ; on peut y rattacher quelques partitions pour deux disciples du maître, François Truffaut (*Fahrenheit 451,* 1966, et *La mariée était en noir,* 1967) et Brian de Palma (*Sœurs de sang,* 1972, et *Obsessions,* 1974). Herrmann écrit aussi des partitions aussi inventives qu'évocatrices pour les films animés par Ray Harryhausen : *le Septième Voyage de Sinbad* (N. Juran, 1959) ; *les Voyages de Gulliver* (Jack Sher, 1960) ; *l'Île mystérieuse* (C. Enfield, 1961) ; *Jason et les Argonautes* (D. Chaffey, 1964). *Taxi Driver* (1975), le dernier film qu'il ait écrit, lui a été dédié par Martin Scorcese. J.-P.B.

HERSHEY *(Barbara Herztein,* dite *Barbara), actrice américaine (Hollywood, Ca., 1948).* Après avoir tenu, à dix-huit ans, la vedette du feuilleton westernien «The Monroes», elle révèle une personnalité et un instinct dramatique prometteurs dans *Dernier été* (F. Perry, 1969). Sa sensualité gracile et un reste, émouvant, de gaucherie adolescente contribuent à la réussite de *Bertha Boxcar* (M. Scorcese, 1972) mais l'actrice éprouve d'évidentes difficultés à aborder des emplois adultes. Fuyant Hollywood, elle tourne dans des productions indépendantes sous le pseudonyme de Barbara Seagull, que lui a inspiré son admiration pour le roman-culte *Jonathan Livingston le goéland.* Elle trouve enfin des rôles à sa mesure dans *le Diable en boîte* (R. Rush, 1980), *l'Emprise* (S. J. Furie, 1982) et *le Meilleur* (B. Levinson, 1984), et s'impose parmi les grandes actrices dramatiques de sa génération avec *Hannah et ses sœurs* (W. Allen, 1986), *Tin Men* (B. Levinson, 1987), *le Bayou* (A. Kontchalovsky, *id.*), *Un monde à part* (Chris Menges, 1988), *Tante Julia et le scribouillard (Aunt Julia and the Scriptwriter* (Jon Amiel, 1990), *Defenseless* (Martin Campbell, *id.*), *Paris Trout* (Stephen Gyllenhaal, 1991), *A Dangerous Woman* (Stephen Gyllenhaal, 1993). O.E.

HERSHOLT *(Jean), acteur américain d'origine danoise (Copenhague 1886 - Los Angeles, Ca., 1956).* Enfant de la balle, il vient aux États-Unis en 1914. Homme corpulent, d'apparence truculente, il donne, dès le muet, de remarquables interprétations réalistes comme celle du cousin de Zasu Pitts dans *les Rapaces* (E. von Stroheim, 1923). Au parlant, il compose alternativement des hommes frustes et violents (*Courtisane,* R. Z. Leonard, 1932) ou des hommes pleins d'humanité et de bonté (*Une femme survint,* J. Ford, 1932 ; *The Country Doctor,* Henry King, 1936). Célèbre pour ses activités de bienfaisance, un Oscar spécial, pour services humanitaires, fut instauré quand il mourut du cancer en 1956. Il est distribué chaque année sous le titre de Jean Hersholt Humanitarian Award. C.V.

HERSKO *(János), cinéaste hongrois (Budapest 1926).* Diplômé en 1949 de l'École supérieure d'art dramatique de Budapest, il suit pendant deux ans des cours de cinéma à Moscou. Ses premiers longs métrages, *'Sous la ville'* (*A város alatt,* 1953), *Fleur de fer* (*Vasvirág,* 1957), *'Deux Étages de bonheur'* (*Két emelet boldogság,* 1960), annoncent un réalisateur habile et fin psychologue qui confirme ses dons dans *Dialogue* (*Párbeszéd,* 1963) et surtout dans le sensible *À propos de Vera* (*Szevasz Vera,* 1967). Il émigre en Suède après avoir tourné *'Requiem à la hongroise'* (*N. N. a hálal angyála,* 1970), puis revient en Hongrie en 1989 pour réaliser *Rencontres* (*Találkozások,* DOC). J.-L.P.

HERTZ. Unité de mesure des fréquences. (→ PHÉNOMÈNES PÉRIODIQUES, SON.)

HERTZ *(Aleksander), cinéaste et producteur polonais (Varsovie 1879 - id. 1928).* Pionnier de l'industrie cinématographique polonaise, il fonde la première société de production nationale la Sfinks (1911) et réalise lui-même plusieurs films, dont *Meir Ezofowicz,* d'après le roman d'Eliza Orzeszkowa, qui traitait de la vie misérable des juifs dans le ghetto. Ses thèmes principaux sont liés à un certain nationalisme antitsariste (*la Police secrète de Varsovie et ses mystères* [*Ochrana Warszawska i Jej tajemnice*], 1916 ; *l'Affaire Barteniewa* [*Sprawa Barteniewa*], 1917 ; *la Favorite du tsar* [*Carska faworyta*], id.) et se plaisent à démêler des intrigues où l'amour, la haine et la jalousie se partagent les principaux rôles : *Amour de saison* (*Sezonowa milość,* 1916), *le Tsarévitch* (*Carewicz,* 1918). Il a été également un grand « découvreur » d'actrices : Apollonia Chalupiec, dite Pola Negri (*Bestia,* 1915 ; *le Livre noir / le Passeport jaune* [*Zolty paszport*], id. ; *Arabella,* 1917 ; *Sa dernière action* [*Jego ostatni cznyn*], id.) ; Halina Bruczowna, Lya [Mia] Mara ; et, au cours des années 20, Jadwiga Smosarska (*Coup de feu* [*Strzol*], 1922 ; *Yvonne* [*Iwonka*], id. ; *la Lépreuse* [*Tredowata*], 1926). J.-L.P.

HERVIL *(René), cinéaste français (1883-1960).* Sa formation d'acteur et de technicien se fait dans quelques serials, puis dans les milieux du Film d'Art. Blessé de guerre, il se consacre alors à la mise en scène et signe plusieurs bandes avec Louis Mercanton : notamment, en 1917, le patriotique *Mères françaises* qu'interprète Sarah Bernhardt et *le Torrent,* d'après le premier scénario de L'Herbier. Ce sont aussi les débuts de la carrière du jeune Catelain. Le discernement... commercial d'Hervil, ou son génie relatif suscitent, ou autorisent, de prompts remakes de la plupart de ses films. Il suffit de mentionner – si *Knock* (1925) avec Saturnin Fabre a attendu un quart de siècle pour être repris avec Jouvet et Guy Lefranc – *la Petite Chocolatière* (1927), que Marc Allégret adapte dès 1931. C'est à Hervil qu'Arletty, aux côtés de Victor Boucher, également nouveau venu à l'écran, doit son bout de rôle initial au cinéma, dans *la Douceur d'aimer* (1930) : « C'était très bien pour faire un test. Pour me voir, j'ai vu : j'étais hideuse. » (On retrouve d'ailleurs Boucher en 1932 dans le rôle qu'il a créé au théâtre dans *les Vignes du Seigneur.*) Signalons enfin que *les Deux Gamines* (1936) est un remake d'après le scénario original du film homonyme de Feuillade (1920). C.M.C.

HERZ *(Juraj), cinéaste tchèque (Kežmarok,* 1934). Metteur en scène au Théâtre Semafor à Prague, acteur, il devient l'assistant de Zbyněk Brynych sur le film *Transport au paradis* (1962) et débute comme réalisateur en 1965 avec *'Brutalités récupérées'* (*Sběrne surovosti,* MM), suivi du *Signe du Cancer* (*Znameni raka,* 1966) et de la comédie musicale *'le Diable boiteux'* (*Kulhavý dábel,* 1968). Son adaptation du roman de Ladislav Fuks, *l'Incinérateur de cadavres* (*Spalovač mrtvol,* 1969), baigne dans un curieux climat, inquiétant et expressionniste. Il signe ensuite notamment *les Lampes à pétrole* (*Petrolejové lampy,* 1971), *Morgiana* (1972), quelques comédies et des contes de fées visités par l'ange du bizarre et du fantastique : *la Belle et la Bête* (*Panna a netvor,* 1978) ; *'le Vampire de Ferat'* (*Upír z Feratu,* 1982) ; *'Vous me la baillez bonne'* (*Straka v hrsti,* 1983 ; sortie en 1989) ; *' Doux soucis'* (*Sladké starosti,* 1984) ; *'Je fus surprise par la nuit'* (*Zastihla mě noc, id.*) ; *' les Galoches du bonheur'* (*Galoše stastia,* 1986) ; *'L'amour est plus fort que la mort'* (*Liebe ist stärker als der Tod,* 1988) ; *'le Roi des grenouilles'* (*Froschkönig,* 1990) ; *'le Funiculaire'* (*Die Drahtseilbahn,* 1991), *'la Femme du clown'* (*Die Dumme Augustine,* 1992) ; *Lara* (DOC. sur la vie et les amours de Pasternak et d'Olga Ivinskaia, 1994). À la fin des années 80, Herz s'est fixé en Allemagne, à Munich. J.-L.P.

HERZOG (*Werner Stipetic,* dit *Werner*), *cinéaste allemand (Sachrang, Bavière, 1942).* Autodidacte du cinéma, il est encore adolescent lorsqu'il décide de créer sa propre société de production et il n'a qu'une vingtaine d'années lorsqu'il réalise ses premiers courts métrages, *Herakles* (1962, achevé en 1965) et *Spiel im Sand* (1964, inédit). Dès son premier long métrage *Signes de vie* (*Lebenszeichen,* 1967), quelques constantes de son œuvre sont posées : tentation de l'absurde, goût pour les situations extrêmes et certaines formes de la folie, imagerie visionnaire et références à la tradition du romantisme allemand. En 1968, il commence à tourner des documentaires destinés à la télévision, tout en réunissant patiemment des prises de vues qui, assemblées, constituent *Fata Morgana* (1970), film expérimental aux qualités poétiques incontestables. Ses documentaires sont comme régis par les règles de ses films de fiction, et leur réalisme est transformé par l'insertion de séquences oniriques. C'est le cas en particulier du *Pays du silence et de l'obscurité* (*Land des Schweigens und der Dunkelheit* 1970-71), long métrage sur une femme, Fini Straubinger, aveugle et sourde. *Les nains aussi ont commencé petits* (*Auch Zwerge haben klein angefangen,* 1970), dont les héros sont tous des nains, inaugure une série de films où s'exprime une originale « poésie du sous-homme » – série qui va alterner avec quelques portraits d'aventuriers utopiques et mégalomanes. *Aguirre, la colère de Dieu* (*Aguirre, der Zorn Gottes,* 1972) en est l'exemple le plus fameux. Tourné au cœur de l'Amazonie péruvienne, c'est le film qui apporte à Werner Herzog la consécration internationale. En 1974, *l'Énigme de Kaspar Hauser (Jeder für sich und Gott gegen alle)* est sa confrontation avec le mythe de Gaspard Hauser, qu'il présente comme un individu « naïf » au sens originel du terme, dont le regard révèle les illusions de la société qui l'accueille. Le rôle est tenu par Bruno S. (Bruno Schlenstein), un « inadapté », une victime des diverses oppressions qu'il dut affronter depuis l'enfance. Musicien des rues, personnalité hors du commun découverte en 1970 par le cinéaste berlinois Lutz Eisholz, Bruno S. s'est totalement identifié à Gaspard Hauser, et Herzog tirera de sa vie la matière d'un autre film, *la Balade de Bruno* (*Stroszek,* 1977), interprété bien sûr par Bruno S. Entre plusieurs documentaires, il tourne *Cœur de verre* (*Herz aus Glas,* 1976), d'après un scénario d'Herbert Achternbusch. *Nosferatu, fantôme de la nuit* (*Nosferatu, Phantom der Nacht,* 1979) est une nouvelle version, hommage et recréation tout à la fois, du célèbre film de Murnau. Aussitôt après *Nosferatu,* il adapte le drame de Büchner *Woyzeck* (1979). *Fitzcarraldo* (1982) est une nouvelle variation sur le thème de l'aventurier mégalomane et *le Pays où rêvent les fourmis vertes* (*Where The Green Ants Dream,* 1984) défend la civilisation des aborigènes en Australie. Il réalise de nombreux documentaires à partir de 1984 destinés essentiellement à la télévision, puis *Cobra verde* (1987) où il retrouve son acteur fétiche Klaus Kinski, pour un film qui s'inscrit dans la veine de ses aventures exotico-historiques teintées de nietzschéisme. En 1990, *Échos d'un sombre Empire* (*Echos aus einem düsteren Reich*) évoque l'aventure du dictateur mégalomane Bokassa, l'« Empereur » de la République centrafricaine tandis que *Cerro Torre, le Cri de la roche* (*Schrei aus Stein*), tourné en 1991 en Patagonie, s'apparente par son thème central (le film de montagne) aux œuvres de maîtres du genre (Frank, Trenker, Riefenstahl). D.S.

Autres films ▲ : *Die beispiellose Verteidigung dei Festung Deutschkreutz* (CM, 1966) ; *Letze Worte* (CM, 1967) ; *Massnahmen gegen Fanatiker* (CM, 1968) ; *Die fliegenden Ärtze von Ostafrika* (DOC, TV, 1969) ; *Die grosse Ekstage des Bildschnitzers Steiner* (DOC, TV, 1975) ; *How Much Wood Would a Woodchuck chuck...* (DOC, 1976) ; *Mit mir will keiner spielen* (DOC, *id.*) ; *la Soufrière* (DOC, *id.*) ; *Huie's Predigt* (DOC, TV, 1980) ; *Glaube und Wahrung* (DOC, TV, *id.*) ; *Ballade vom kleinen Soldaten* (DOC, CO Denis Reichle, 1984) ; *Gasherbrum, der leuchtende Berg* (DOC, *id.*) ; *les Gaulois* (TV, 1988) ; *Woodabe-Hirten der Sonne* (DOC, 1989) ; *Jag Mandir-Das exzentrische Privattheater des Maharadjah von Udaipur* (DOC, TV, 1991) ; *Bells From the Deep-Faith and Superstition in Russia* (DOC, 1993).

HESPERIA *(Olga Mambelli,* dite) *actrice italienne (Bertinoro 1885 - Rome 1959).* Souriante et dynamique, dotée d'un charme délicat qui en fait une diva moins exubérante que certaines actrices italiennes les plus en vue de la période, Hesperia connaît le succès, d'abord dans le théâtre de variétés (1907-1912). Repérée par le baron Fassini, qui dirige la Cines, elle fait ses débuts au cinéma, en 1913, dans deux films de

G. Antamoro*, *Sfumatura* et *Dopo la morte*. Séduit par sa beauté, le comte Baldassare Negroni, metteur en scène vedette de la Cines, la dirige la même année dans *Zuma :* entre le cinéaste et la comédienne commence une collaboration qui durera jusqu'à la fin de la carrière d'Hesperia, en 1923 (si l'on exclut un bref retour, en 1938, dans *Orgoglio* de Marco Elter) et qui se poursuivra par un mariage célébré en décembre 1923. Negroni met en scène la diva dans une trentaine de films parmi lesquels on peut citer *L'agguato* (1915), *Marcella (id.), La signora dalle camelie (id.), l'Aigrette* (1916), *Jou Jou* (*id.*), *La donna abbandonata* (1917), *Il volto del passato* (1918), *Vertigine* (1919), *Chimere (id.), Madame Sans-Gêne* (1921), *La locanda delle ombre* (1923). Hesperia a également tourné sous la direction de A. Genina **(Dopo il veglione,* 1914) et de E. Ghione * (*Anime buie,* 1915 ; *La morsa,* 1916). J.-A.G.

HESSLING *(Andrée Madeleine Heuchling,* dite *Catherine), actrice française (Morionilliers 1899-1979).* Elle fut remarquée par Auguste Renoir, qui en fit l'un de ses derniers modèles. Jean Renoir tombe amoureux d'elle et l'épouse. Elle lui donnera un fils, Alain. Passionnée de danse et de cinéma, elle sera l'interprète rêvée de ses premiers films : *Catherine,* qui lui vaut son pseudonyme (1924 [sorti en 1927 sous le titre *Une vie sans joie*], SC et PR : Jean Renoir ; RE : Albert Dieudonné) ; *la Fille de l'eau* (id.) ; *Nana* (1926), où elle est étonnante, dans un rôle a priori peu fait pour elle ; *Charleston* (1927) ; *la Petite Marchande d'allumettes* (1928). Elle tourne aussi avec Cavalcanti (*Yvette,* 1927 ; *la P'tite Lili,* 1928 ; *le Petit Chaperon rouge,* 1929). La presse voit en elle un « Charlot en jupons ». Mais Renoir se lasse bientôt de ses caprices d'enfant gâtée et choisit de nouvelles muses... Une séparation, puis un divorce s'ensuivent, qui laisseront des traces indélébiles sur sa sensibilité hérissée. Elle ne fera plus, au parlant, que de brèves apparitions (son dernier film est *Crime et Châtiment,* de Pierre Chenal, en 1935). C.B.

HESTON *(Charles Carter,* dit *Charlton), acteur américain (Evanston, Ill., 1923).* Durant ses études à la Northwestern University, il tourne un film en 16 mm, *Peer Gynt,* où il tient le rôle principal (1942) ; il apparaîtra à nouveau en 1949 dans un autre film amateur, *Jules César,* d'après Shakespeare (il y interprète Marc Antoine). Speaker à la radio de Chicago, il débute à Broadway en 1947 et s'affirme grand comédien de théâtre et de TV. C'est seulement en 1950 qu'il aborde le cinéma professionnel, où il apporte un métier sûr. Il passe bientôt des rôles dramatiques mais frustes de ses débuts à la composition de personnages historiques « colossaux » (Moïse [*les Dix Commandements,* C. B. De Mille, 1956] ; Ben-Hur [*id.,* W. Wyler, 1959] ; le Cid [*El Cid,* A. Mann, 1961] ; Jean-Baptiste [*la Plus Grande Histoire jamais contée,* G. Stevens, 1965], Michel-Ange [*l'Extase et l'Agonie,* C. Reed, *id.*], etc.), qu'il impose par la générosité de son jeu, parfois nuancé de quelque humour. Mais cet emploi se sclérose assez vite : Heston « sauve le monde » dans des films de science-fiction ou des films catastrophes au dénouement trop prévisible. Oscar du premier rôle en 1959 pour *Ben-Hur,* l'acteur déploie d'ailleurs une activité croissante hors de l'écran : plusieurs fois président de la Screen Actors Guild, il est chairman de l'American Film Institute. Si l'« évidence » de son apparition s'est quelque peu dissipée, il demeure une personnalité sympathique, notamment par l'appui qu'il a souvent apporté à des cinéastes « maudits » (O. Welles, Tom Gries, S. Peckinpah). Si sa présence est désormais rare, elle reste forte, ainsi son rôle de méphistophélique éditeur tout-puissant dans *l'Antre de la folie* (J. Carpenter, 1994). Il est le réalisateur et l'un des deux interprètes principaux des films *Anthony and Cleopatra* (1972) et *Mother Lode* (1981). G.L.

Autres films ▲ : *la Main qui venge* (*Dark City,* W. Dieterle, 1950) ; *Sous le plus grand chapiteau du monde* (C. B. De Mille, 1952) ; *le Fils de Geronimo (The Savage,* G. Marshall, *id.) ; la Furie du désir* (K. Vidor, *id.*) ; *Sa seule passion* (H. Levin, 1953) ; *le Triomphe de Buffalo Bill* (J. Hopper, *id.*) ; *le Sorcier du Rio Grande* (Ch. Marquis Warren, *id.*) ; *Bad for Each Other* (I. Rapper, 1954) ; *Quand la marabunta gronde* (B. Haskin, *id.*) ; *le Secret des Incas (Secret of the Incas,* J. Hopper, *id.) ; les Horizons lointains* (*The Far Horizons,* R. Mate, 1955) ; *la Guerre privée du Major Benson (The Private War of Major Benson,* J. Hopper, *id.) ; Une femme extraordinaire* (R. Parrish, *id.*) ; *Terre sans pardon* (*Three Violent People,* R. Mate, 1957) ; *la Soif du mal* (O. Welles, 1958) ; *les Grands Espaces* (W. Wyler, *id.*) ; *les Boucaniers* (A. Quinn, *id.*) ; *Cargaison dangereuse* (*The Wreck of the Mary Deare,*

M. Anderson, 1959) ; *le Pigeon qui sauva Rome* (*The Pigeon That Took Rome,* M. Shavelson, 1962) ; *le Seigneur d'Hawaii* (*Diamond Head,* Guy Green, 1963) ; *les 55 Jours de Pékin* (N. Ray, *id.*) ; *Major Dundee* (S. Peckinpah, 1965) ; *le Seigneur de la guerre* (F. Schaffner, *id.*) ; *Khartoum* (B. Dearden, 1966) ; *la Symphonie des héros* (*Counterpoint,* R. Nelson, 1968) ; *la Planète des singes* (Schaffner, *id.*) ; *Will Penny le solitaire* (T. Gries, *id.*) ; *Number One* (Gries, 1969) ; *Julius Caesar* (Stuart Burge, 1970) ; *le Secret de la planète des singes* (Ted Post, *id.*) ; *le Maître des îles* (Gries, *id.*) ; *le Survivant* (*The Omega Man,* Boris Sagal, 1971) ; *l'Appel de la forêt* (*Call of the Wild,* K. Annakin, 1972) ; *Alerte à la bombe* (J. Guillermin, *id.*) ; *Soleil vert* (R. Fleischer, 1973) ; *les Trois Mousquetaires* (R. Lester, GB, 1974) ; *747 en péril* (J. Smight, *id.*) ; *Tremblement de terre* (M. Robson, *id.*) ; *On l'appelait Milady* (Lester, 1975) ; *la Loi de la haine* (*The Last Hard Men,* A. McLaglen, 1976) ; *la Bataille de Midway* (*Midway,* J. Smight, *id.*) ; *Un tueur dans la foule* (L. Peerce, *id.*) ; *The Prince and the Pauper* (Fleischer, 1977) ; *Sauvez le Neptune* (*Gray Lady Down,* David Greene, 1978) ; *la Fureur sauvage* (*The Mountain Men,* Richard Lang, 1979) ; *la Malédiction de la Vallée des Rois* (*The Awakening,* Mike Newell, 1980) ; *Treasure Island* (Fraser Heston, 1990) ; *Solar Crisis* (R. Sarafian, *id.*) ; *Almost an Angel* (John Cornell, *id.*) ; *Wayne's World II* (Stephen Surjik, 1993) ; *Tombstone* (George Pan Cosmatos, *id.*).

HEUSCH *(Luc de), cinéaste et ethnologue belge (Bruxelles 1927).* Il fait ses études à l'Université libre de Belgique (1944-1949) et à la Sorbonne (1951-52), puis séjourne, en tant qu'ethnologue, en Afrique centrale (1952-1954). En 1947, il a été, sous le pseudonyme de Luc Zangrie, l'assistant d'Henri Storck sur *Rubens.* Peu de temps après, il participe à la fondation du groupe artistique d'avant-garde, Cobra. Dans cette mouvance, il réalise, sous son nom d'emprunt, un court métrage symbolique, *Perséphone* (1951), proche du surréalisme et de l'esthétique d'un Jean Cocteau. Par la suite, le cinéma de Luc de Heusch traduira toujours des préoccupations documentaires et/ou sociales.

Il rapporte du Congo belge deux œuvres : *Fête chez les Hamba* (1955) et *Ruanda* (1955). Le second film, par le recours à la fiction, lui permet d'atteindre une vérité dans le traitement du sujet qui dépasse le simple point de vue descriptif. Ce regard d'ethnologue, Luc de Heusch le porte sur ses compatriotes dans *les Gestes du repas* (1958) et *les Amis du plaisir* (1961). Dans son unique long métrage de fiction, *Jeudi on chantera comme dimanche* (1967), évoquant les problèmes affectifs et sociaux de l'ouvrier contemporain, le cinéaste demeure fidèle à sa vision paradocumentaire. Il donne, enfin, une contribution importante au film d'art avec *Magritte ou la Leçon de choses* (1960). Ses derniers films sont des hommages à ses amis de Cobra : *Alechinsky d'après nature* (1970), *Dotremont-les-logogrammes* (1972). R.BA.

HEUSCH *(Paolo), cinéaste italien (Rome 1924).* Il débute en 1945 comme assistant et réalise ensuite plusieurs documentaires touristiques. En 1958, il réalise son premier long métrage : *La morte viene dallo spazio,* un récit de science-fiction. Il fait ensuite le portrait d'un boxeur : *Un uomo facile* (1959). Après un retour au fantastique avec *Lycanthropus* (1962, signé Richard Benson), il dirige avec Brunello Rondi une adaptation d'un roman de Pasolini : *Una vita violenta* (1962). Avec *Il comandante* (1964), il essaye de donner un rôle sérieux à Totò. Ses films suivants sont sans grand intérêt (*Un colpo da mille miliardi,* 1966 ; *Una raffica di piombo,* 1967 [RÉ 1965] ; *El « Che » Guevara,* 1968). L.C.

HEUZÉ *(André), cinéaste français (Saint-Arnoult-en-Yvelines 1880 - Paris 1942).* Pionnier du cinéma, il a réalisé un très grand nombre de films, souvent en décors naturels. Spécialiste du film poursuite, il travaille pour Pathé à partir de 1905 et tourne des bandes essentiellement burlesques : *le Voleur de bicyclettes* (1905) ; *Toto gâte-sauce* (id.) ; *la Course à la perruque* (1906) ; *les Chiens contrebandiers* (id.) ; *le Déserteur* (id.), ainsi que sa célèbre série des *Boireau* (1907-08). Avant de quitter Pathé pour se consacrer à des œuvres plus ambitieuses, il tourne encore jusqu'en 1911 près d'un sujet par jour, dont quelques-uns de caractère « sentimental », tel *l'Âge du cœur* (1906). On lui doit également *les Aventures de Lagardère* (1911), *le Bossu* (1912), *Paris pendant la guerre* (1916) et un film patriotique, *Debout les morts* (1917). F.LAB.

HEYMANN *(Claude), cinéaste français (Paris 1907 - id. 1994).* Un de ces hommes qui ont tout fait et tout connu dans le cinéma français. Il est à vingt ans l'assistant de Renoir pour *Charleston* et *la Petite Marchande d'allumettes,* adapte avec lui *Tire-au-flanc* en 1928, l'assiste à nouveau pour *On purge Bébé* et *la Chienne* (1931). Assistant de Buñuel pour *l'Âge d'or* (1930), il met en scène *l'Amour à l'américaine* en 1931, que supervise Paul Fejos, écrit poèmes et chansons, fréquente l'avant-garde. Réalisateur de versions françaises de films UFA à Berlin, il porte à l'écran *les Jumeaux de Brighton* (de T. Bernard) en 1936 ; il signe, avec Georges Lacombe, *Paris-New York* à la veille de la guerre, où figurent quantité de vedettes. Scénariste de *Jéricho* (H. Calef, 1946), il réalise *la Belle Image* (1951) d'après Marcel Aymé, tourne *Victor* (id., avec Gabin). Claude Heymann a écrit avec Guillaume Hanoteau un livre de souvenirs romancés (*le Producteur,* 1977). O.B.

HEYNEMANN *(Laurent), cinéaste français (Paris 1948).* Son premier film, *la Question* (1976), sur la torture pendant la guerre d'Algérie, l'oriente vers les grands sujets politiques et sociaux, qui lui permettent de mettre à jour des mécanismes cachés, que ce soit dans les actes des collaborateurs de 1944 (*Stella,* 1984), les manipulations des services secrets (*Il faut tuer Birgit Haas,* 1981) ou les dessous des courses hippiques (*le Mors aux dents,* 1979). Cette attitude le conduit à un film policier original *Les mois d'avril sont meurtriers* (1987) et à une fiction inspirée de la mystification littéraire Émile Ajar / Romain Gary : *Faux et usage de faux* (1990). Il élargit son domaine d'intervention dans son travail de télévision et dans des films plus récents comme *la Vieille qui marchait dans la mer* (1991), d'après Frédéric Dard. D.S.

HEYNOWSKI *(Walter), cinéaste allemand (Ingolstadt 1927).* Journaliste en Allemagne de l'Ouest, il passe en RDA en 1948 et poursuit sa carrière dans le journalisme de presse puis de TV. À partir de 1956, il réalise pour la DEFA des sujets d'actualités et des documentaires. Depuis 1965, il y travaille en équipe avec Gerhard Scheumann, avec qui il fonde en 1969 le Studio H S. De 1958 à 1965, il écrit et réalise une vingtaine de documentaires ; après quoi il en fait une quarantaine d'autres en forme de reportages sociaux et de pamphlets politiques, dont les longs métrages *l'Homme qui rit* (*Der lachende Mann,* sur le mercenaire Kongo-Müller, 1966) ; *Pilotes en pyjama* (*Piloten im Pyjama,* interviews de pilotes américains prisonniers au Viêt-nam, 1968) ; *le Premier Riz après* (*Der erste Reis danach,* sur la reconstruction du Viêt-nam, 1976). Rappelons surtout quatre films percutants sur le Chili avant et après le putsch : *la Guerre des momies* (*Der Krieg der Mumien,* 1974) ; *J'étais, je suis, je serai* (*Ich war, ich bin, ich werde sein,* 1974) ; *le Putsch blanc* (*Der weisse Putsch,* 1975) et *Une minute d'obscurité ne nous rend pas aveugles* (*Eine Minute Dunkel macht uns nicht blind,* 1975). Ces montages de documents et d'interviews se caractérisent par leur vigoureux engagement politique, par leur forme filmique très élaborée et par l'habileté avec laquelle les interlocuteurs sont parfois acculés aux aveux. Peut-être discutable dans certaines de ses méthodes, leur constante volonté de *dramatiser* l'Histoire vaut par un impact visuel et une forte efficacité polémique. Heynowski et Scheumann ont réalisé plusieurs longs métrages pour la télévision dont *Kamerad Krüger* (1988) et *Die Dritte Haut* (1989). Au début de 1990 ils ont fait savoir qu'ils ne travailleraient désormais plus ensemble. M.M.

HEYWOOD *(Violet Pretty,* dite *Anne), actrice britannique (Handsworth 1932).* Elle reste surtout connue pour son rôle de lesbienne narcissique dans *le Renard* (M. Rydell, 1968). Depuis, le cinéma italien l'a utilisée à deux reprises pour rendre crédible l'érotisme des couvents dans *la Religieuse de Monza* (*La monaca di Monza,* Eriprando Visconti, 1969) et dans *les Religieuses du Saint-Archange* (*Le monache di Sant'Arcangelo,* Domenico Paolella [sous le pseud. de P. Dominici], 1973). On l'a vue également dans *À tombeau ouvert* (*Check point,* R. Thomas, 1956), *Carthage en flammes* (C. Gallone, 1959), *Trader Horn, l'aventurier* (Reza S. Badiyi, 1973). R.L.

HIBBS *(Jesse), cinéaste américain (Normal, Ill., 1906 - Ojai, Ca.,* 1985). Longtemps assistant, il n'accède à la réalisation qu'en 1953 et devient le metteur en scène des westerns d'Audie Murphy. C'est dans quelques autres westerns (*Black Horse Canyon,* 1954 ; *Seul contre tous* [*Rails into Laramie*], id., et surtout *les Forbans* [*The Spoilers*], 1955) qu'il montrera, malgré la médiocrité des scripts et des budgets, un certain talent. Mais, après la laborieuse « japonaiserie » *Joe Butterfly* (1957), il ne tarde pas à se vouer exclusivement à la TV. G.L.

HICKOX *(Sidney* ou *Sid), directeur de la photographie américain (New York, N. Y., 1895).* Cet ancien cameraman de la Biograph fut l'un des artisans essentiels du style photographique de la Warner Bros. Son travail n'est pas vraiment personnel, mais il est toujours d'une grande perfection, exemple parfait de l'esthétique du studio pour lequel il travailla jusqu'en 1955. D'une énorme filmographie, on notera l'attention qu'il mettait à photographier de jolies femmes, comme Kay Francis (*Sur le velours,* 1935, ou *Bureau des épaves,* id., Borzage) ou à créer l'ambiance grise, blême ou noire du film policier (*le Port de l'angoisse,* 1944, ou *le Grand Sommeil,* 1946, H. Hawks ; *L'enfer est à lui,* R. Walsh, 1949). Sa collaboration avec Walsh fut la plus fructueuse : en noir et blanc (*la Rivière d'argent,* 1948 ; *la Fille du désert,* 1949) ou dans la couleur (*les Aventures du capitaine Wyatt,* 1951), il s'accorda au style clair et efficace du cinéaste. C.V.

HIDARI *(Sachiko), actrice japonaise (Toyama, 1930).* Après avoir été professeur de musique et de gymnastique, elle apparaît à l'écran en 1952, à la Shintōhō, dans une série de petits rôles de femme « dynamique ». Elle joue ensuite les seconds plans dans des films de Gosho (*Une auberge à Ōsaka*), 1954, ou Ichikawa (*Un milliardaire,* 1954), mais c'est à la Nikkatsu que son image de femme opiniâtre se précise, dans des films tels que : *'L'enfant de la servante'* (Tasaka, 1955) ; *'le Crime de Shiro Kamisaka'* (*Kamisaka Shiro no hanzai,* Seiji Hisamatsu, 1956) ; *Ombres en plein jour* (T. Imai, 1956) ; *'Courant chaud'* (Y. Masumura, 1957) ; *'la Chanson de la charrette'* (S. Yamamoto, 1959). C'est ensuite la rencontre avec le cinéaste Susumu Hani, avec qui elle tournera *'Elle et Lui'* (1963) et *'la Fiancée des Andes'* (1966), et dont elle deviendra un temps l'épouse. Mais ses rôles les plus remarquables sont ceux de *la Femme-Insecte* (S. Imamura, 1963) et de la prostituée dans *'le Détroit de la faim'* (T. Uchida, 1964) : elle obtient le prix d'interprétation féminine à Berlin en 1964 pour le premier. Elle tourne ensuite à la télévision (films familiaux) plus qu'au cinéma, mais elle s'est signalée en 1977 par un film indépendant qu'elle a mis en scène et interprété : *'Un chemin lointain' (Toi ippon no michi).* M.T.

HIGH KEY (locution anglaise, de *high,* élevé, et *key,* abrév. de *key-light,* lumière de base). Se dit de l'éclairage d'un plan lorsque la construction des lumières de base conduit à la prédominance des zones claires. (→ ÉCLAIRAGE.)

HILL *(George Roy), cinéaste américain (Minneapolis, Minn., 1922).* Cet ancien journaliste et acteur est venu de la TV au cinéma avec *l'École des jeunes mariés* (*Period of Adjustement,* 1962) et *le Tumulte* (*Toys in the Attic,* 1963). À la lumière de ces deux films, il y avait peu à espérer de lui : mollesse d'une mise en scène théâtrale, peu d'autorité dans la direction d'acteurs, approximation de l'image. Mais *Deux copines... un séducteur* (*The World of Henry Orient,* 1964) révélait à la fois ses réelles possibilités et ses limites : George Roy Hill est un cinéaste à l'ancienne mode dont le meilleur consiste à tirer le maximum d'un bon acteur ou d'une bonne histoire. Là, il rendait pleinement justice à un scénario mordant, plein de répliques aiguisées, et à un Peter Sellers royal. Il a rarement manqué son coup quand il s'est retrouvé dans les mêmes conditions. *Butch Cassidy et le Kid* (*Butch Cassidy and the Sundance Kid,* 1969) ; *l'Arnaque* (*The Sting,* 1973) et *la Kermesse des aigles* (*The Great Waldo Pepper,* 1975) sont sûrement parmi ses films les plus indiscutables, œuvres brillantes d'un excellent artisan des années 70. On ne sait s'il faut d'abord admirer la conduite sûre du récit, la légèreté aérienne du montage ou la perception sensible des personnalités de Paul Newman et de Robert Redford. *La Castagne* (*Slap Shot,* 1977) est presque aussi réussi, malgré un scénario plus conventionnel et une légère complaisance dans l'univers de star de Paul Newman.

Confronté à un matériau plus complexe, George Roy Hill se révèle assez instable. La réussite certaine et originale d'*Abattoir 5* (*Slaughterhouse Five,* 1972), d'après un roman de Kurt Vonnegut presque inadaptable, surprend d'autant par rapport à la virtuosité stérile et presque bêtifiante de *I love You, je t'aime* (*A Little Romance,* 1979). La charpente d'un scénario solide et la stature d'un acteur qui soit une star lui sont indispensables. Et c'est peut-être la star qui manquait dans *le Monde selon Garp* (*The World According to Garp,* 1982). C.V.

Autres films : *Hawaii* (id., 1966) ; *Millie* (*Thoroughly Modern Millie,* 1967) ; *la Petite Fille au tambour* (*The Little Drummer Girl,* 1984) ; *Funny Farm* (1988). ▲

HILL (*George* W[*illiam*]), *cinéaste américain (Douglas, Kans., 1895 - Los Angeles, Ca., 1934).* Accessoiriste à la Biograph pour D. W. Griffith, opérateur, puis écrivain, George W. Hill est finalement devenu réalisateur. Il a peu tourné et sa carrière s'est prématurément terminée quand il se donna la mort pendant la préparation de *Visages d'Orient* (S. Franklin, 1937). Vers la fin des années 20, sa personnalité s'était affermie : un style à la fois rugueux et fin, agressif et sentimental, dans des œuvres comme *les Cosaques* (*The Cossacks,* 1928) et plus tard le puissant *The Big House* (1930), consacré au milieu carcéral, le contrasté *Min and Bill* (id.) et l'impitoyable *The Secret Six* (1931), tous trois avec son acteur de prédilection Wallace Beery. Il était marié à la scénariste Frances Marion. C.V.

HILL *(James), cinéaste britannique (1919).* Il débute comme réalisateur dans le long métrage en 1947, après avoir fait son apprentissage dans le court métrage. Il s'est beaucoup intéressé au public familial anglo-saxon auquel il a donné l'archétypique *Vivre libre* (*Born Free,* 1965), belle histoire d'animaux, qu'il fit suivre en 1970 de *An Elephant Called Slowly.* On préférera peut-être le méticuleux *Sherlock Holmes contre Jack l'Éventreur* (*A Study in Terror,* 1965), exercice de style captivant. C.V.

HILL *(Jerome), artiste, collectionneur et cinéaste expérimental américain (Saint Paul, Minn., 1905 - Cassis, France, 1972).* Petit-fils du constructeur du Great Northern Railroad, ce milliardaire formé à Yale mais peu tenté par les affaires collectionne les toiles et fait en dilettante de la musique, de la peinture et du cinéma. Il s'amuse à peindre directement sur la pellicule de facétieux films expérimentaux (*Anticorrida or Who's Afraid of Ernest Hemingway,* 1934-1967) dont son autobiographie (*Film Portrait,* 1972). Auteur d'un *Albert Schweitzer* (1957), de *The Sand Castle* (1961) ou d'*Open the Door and See All the People* (1964), il s'est toujours senti solidaire des autres cinéastes indépendants américains des années 60 qu'il a aidés par la création d'une fondation. D.N.

HILL *(Terence),* pseudonyme de *Mario* Girotti*, choisi en 1967 pour incarner un rôle de western spaghetti et devenu assez populaire pour se confondre avec l'acteur, quel que soit le héros. C.D.R.

HILL *(Walter), cinéaste américain (Long Beach, Ca., 1942).* Il signe en 1972 son premier scénario : *Hickey and Boggs,* réalisé par Robert Culp. Avec *le Guet-Apens* (*The Getaway,* 1972), écrit pour Sam Peckinpah d'après le roman de Jim Thompson, il montre ce goût pour une violence sèche et quasi chorégraphique que l'on retrouve dans ses propres films. Il collabore également aux scripts du *Piège* (*The Mackintosh Man,* J. Huston, 1973), de *la Toile d'araignée* (*The Drowning Pool,* S. Rosenberg, 1975) et d'*Alien* (Ridley Scott, 1979). Il passe à la mise en scène en 1975 avec *le Bagarreur (Hard Times),* puis signe *Driver* (*The Driver,* 1978), *les Guerriers de la nuit* (*The Warriors,* 1979), *le Gang des frères James* (*The Long Riders,* 1980) avec les frères Carradine, *Sans retour* (*Southern Comfort,* 1981), *48 Heures* (*48 Hours,* 1982), *les Rues de feu* (*Streets of Fire,* 1984), *Comment claquer un million de dollars par jour* (*Brewster's Millions,* 1985), *Crossroads* (1986), *Extrême Préjudice* (*Extreme Prejudice,* 1987), *Double Détente* (*Red Heat,* 1988), *Johnny Belle gueule* (*Johnny Handsome,* 1989) ; *48 heures de plus* (*Another 48 Hours,* 1990) ; *les Pilleurs* (*Trespass,* 1992) ; *Geronimo* (*Geronimo : an American Legend,* 1993) ; *Wild Bill* (1995). ▲ M.B.

HILLER *(Arthur), cinéaste américain d'origine canadienne (Edmonton, Alb., Canada, 1923).* D'abord réalisateur de télévision, Arthur Hiller est responsable de deux des plus grands succès commerciaux des années 70 : *Love Story* (1970) et *Transamerica Express* (*Silver Streak,* 1976). Artisan peu personnel, il a cependant rendu justice à un scénario original et acéré de Paddy Chayefsky dans l'excellent *les Jeux de l'amour et de la guerre* (*The Americanization of Emily,* 1964). On peut citer encore *Tobrouk, commando pour l'enfer* (*Tobruk,* 1967), *Plaza Suite* (1971), *l'Hôpital* (*The Hospital,* id.), *W. C. Fields et moi* (*W. C. Fields and Me,* 1976), *Making Love* (1982), *Avec les compliments de* *l'auteur* (id.), *The Lonely Guy* (1984), *Teachers* (id.), *Une chance pas croyable* (*Outrageous Fortune,* 1987), *Pas nous, pas nous* (*See No Evil, Hear No Evil*, 1989), *Taking Care of Business* (1990), *Married to It* (1991), *The Babe* (1992). C.V.

HILLER *(Dame Wendy), actrice britannique (Bramshall, Cheshire, 1912).* Excellente comédienne de théâtre, elle est réputée pour la perfection de sa diction. Elle fut sur scène une remarquable Eliza Doolittle dans le *Pygmalion de* George Bernard Shaw, à tel point qu'elle reprit ce personnage face à Leslie Howard dans l'adaptation cinématographique tournée par Anthony Asquith (*Pygmalion,* 1938). Elle trouve ensuite ses meilleurs rôles dans les films suivants : *Major Barbara* (Gabriel Pascal et H. French, 1941) ; *Je sais où je vais* (M. Powell et E. Pressburger, 1945) ; *le Banni des îles* (C. Reed, 1951) ; *le Carnaval des dieux* (R. Brooks, 1957) ; *Tables séparées* (Delbert Mann, 1958) ; *Amants et Fils* (J. Cardiff, 1960) ; *le Crime de l'Orient-Express* (S. Lumet, 1974). R.L.

HILLYER *(Lambert), cinéaste américain (South Bend, Ind., 1889 - [?] 1969).* Ancien journaliste, il réalise, dès 1917, des westerns à la demande, interprétés par William S. Hart, Tom Mix, Buck Jones et bien d'autres encore. On lui doit aussi un bon mélodrame criminel comme *The Shock* (1923), avec Lon Chaney, un film d'épouvante acceptable (*la Fille de Dracula* [*Dracula's Daughter*], 1936) et un serial amusant *Batman* (1943). Il s'est retiré en 1949 en signant un dernier western au titre symbolique *la Dernière Piste (Trail's End).* C.V.

HINZ *(Werner), acteur allemand (Berlin 1903 - Hambourg 1985).* Formé à l'école d'acteurs du Deutsches Theater de Berlin, il travaille notamment comme acteur de théâtre à Francfort, Berlin, Hambourg, Oldenbourg, Darmstadt, Zurich, Munich et interprète de nombreux films, parmi lesquels : *les Deux Rois* (H. Steinhoff, 1935) ; *Jugend* (V. Harlan, 1938) ; *Bismarck* (W. Liebeneiner, 1940) ; *le Président Krüger* (Steinhoff, 1941) ; *Die Entlassung* (W. Liebeneiner, 1942) ; *In jenen Tagen* (H. Kaütner, 1947) ; *Die Buntkarierten* (K. Maetzig, 1949) ; *Der 20. Juli* (Folk Harnack, 1955) ; *Die Bekenntnisse des Hochstaplers Felix Krull* (K. Hoffmann, 1957) ; *Der letzte Zeuge* (W. Staudte, 1960) ; *Tonio Kröger* (R. Thiele, 1964). P.H.

HIRSCH *(Robert), acteur français (L'Isle-Adam 1925).* Après le Conservatoire, il entre à la Comédie-Française, dont il devient rapidement sociétaire (en 1952), excellant à des compositions inattendues et fouillées. À l'écran, on le voit également dans des registres très variés : *le Dindon* (Claude Barma, 1952) ; *Si Versailles m'était conté* (S. Guitry, 1954) ; *En effeuillant la marguerite* (M. Allégret, 1956) ; *Notre-Dame de Paris* (J. Delannoy, 1956) ; *125, rue Montmartre* (G. Grangier, 1959) ; *Traitement de choc* (A. Jessua, 1973) ; *la Crime* (P. Labro, 1983) ; *Hiver 54* (Denis Amar, 1989). Il a notamment tenu des rôles multiples dans la comédie *Pas question le samedi* (A. Joffé, 1965). F.LAB.

HIRSZMAN *(Leon), cinéaste brésilien (Rio de Janeiro 1937 - id. 1987).* Un des initiateurs du Cinema Novo. Après des études d'ingénieur, il se consacre à la diffusion des ciné-clubs. *Pedreira de São Diogo,* son épisode de *Cinco Vezes Favela* (1962), est un exercice eisensteinien, à propos d'un conflit dans un bidonville. Le documentaire *Maioria Absoluta* (1964) attire l'attention sur la misère et l'analphabétisme du Nordeste. *A Falecida* (1965) est le portrait quasi clinique de la petite-bourgeoisie de la banlieue de Rio. La grisaille, la morbidité, la désagrégation sont parfaitement suggérées par la mise en scène et par l'interprétation. Et il est intéressant de noter que le sacro-saint football y apparaît comme un exutoire. *Garota de Ipanema* (1967) essaie de poursuivre cette exploration psychosociale du côté de la classe moyenne plus sophistiquée de Rio ; le résultat est moins convaincant. Hirszman doit attendre quelques années pour mettre en scène son meilleur film à ce jour : *São Bernardo* (RÉ : 1971), qui est tout à fait digne de l'œuvre de Graciliano Ramos. La sortie en fut retardée par la censure (1973). Film à la première personne, il constitue une autoanalyse de Paulo Honório, devenu un latifundiste à force de volonté et de marginalisation des autres, y compris de ses proches. Son originalité, c'est de réussir à la fois une œuvre introspective et un aperçu nuancé des conditions sociales du Nordeste. Posé, distancié, remarquablement interprété, *São Bernardo* allie une rigueur quasi brechtienne à l'expression d'une passion toute charnelle. Producteur malheureux, réalisateur de courts métrages, animateur de la Coopérative brésilienne de cinéma, fondée par des vétérans du Cinema Novo (1980), Hirszman tourne ensuite un documentaire sur les grèves ouvrières (*ABC da Greve,* 1979-1990, montage posthume) et l'adaptation d'une pièce pionnière au Brésil dans la description de la condition prolétarienne et de ses contradictions internes, primée à Venise : *Ils ne portent pas de smoking* (*Eles não usam Black-Tie,* 1981). Il tourne en 1986 un documentaire en trois parties : *Imagens do Inconsciente.* P.A.P.

HITCHCOCK *(Alfred), cinéaste britannique (Londres 1899 - Los Angeles, Ca., 1980).* Élève du collège de jésuites St. Ignatius à Londres, le jeune Hitchcock débute comme ingénieur à la Compagnie télégraphique Hanley, puis entre à la succursale londonienne de la firme hollywoodienne Famous Players Lasky. Il y dessine des sous-titres pour les films muets (1920-1922). Il s'initie vite à la plupart des professions du cinéma : assistant, producteur, scénariste et même décorateur, dans diverses firmes anglaises. Un bref séjour à la UFA (1925-26) lui fait découvrir l'œuvre de Paul Leni et de Fritz Lang (dont il niera contre l'évidence qu'elle l'ait influencé). Après un essai infructueux (1922), il signe en 1925 son premier film comme réalisateur. Metteur en scène de produits de routine et d'adaptations littéraires (mélodrames, comédies mondaines ou policières...), il affine son style dès *The Lodger* (1926) et surtout *Blackmail* (1929), puis connaît une « récession », avant de participer davantage à l'élaboration de chaque phase de ses films à la fin des années 30. Célèbre à la veille de la guerre, il est invité par Selznick aux USA et s'y fixe (1940). En 1948, il devient son propre producteur. Dans les années 50, il produit, « présente » et anime la série de télévision *Alfred Hitchcock Presents,* dont il dirige personnellement plus de cent « courts sujets » ; son label couvre également un magazine et des jouets. Gagné progressivement par la paralysie, il meurt pendant la préparation d'un ultime film qui devait s'intituler *The Short Night.* Ayant conservé la nationalité britannique, il venait d'être fait chevalier par la reine et de recevoir un « Oscar spécial » (le premier de sa carrière).

La trajectoire de Hitchcock est assez simple à dessiner : cinéaste inégal avant 1940, il trouvera sa vraie personnalité créatrice à travers des recherches formelles variées, dont il utilisera ensuite les réussites pour transmettre une véritable Weltanschauung, non par ses thèmes, encore moins par des messages idéologiques, mais par la structure et l'accomplissement même de ses films américains (du moins les meilleurs). Il offre le cas rare d'un cinéaste imposé par la critique (surtout française) alors que ses films se présentent avec ostentation comme de purs divertissements ; puis il se démasque, mais avec prudence, se protégeant par tout un jeu de dénégations qui ravale l'importance de certains films (*la Mort aux trousses,* par exemple) avant de « se confesser » (à Truffaut, de manière décisive). On s'aperçoit alors que les exégèses les plus délirantes sur son œuvre sont légitimes, dès lors qu'elles traduisent les signes de fables d'une croissante liberté d'allure, où l'intrigue n'est évidemment plus qu'un prétexte. Et pourtant Hitchcock ne triche jamais avec le spectateur : au niveau de l'intrigue, le « maître du suspense » n'a pas de mots trop durs pour les tenants du film policier traditionnel (le « who did it ? » où il ne s'agit platement que de découvrir un coupable arbitraire) et pour les escamotages qui provoquent l'angoisse ou la surprise à peu de frais. La suite de ses meilleurs films (ou des meilleurs morceaux de presque tous ses films après 1943) reconstitue un monde *dramatique* (« Le drame, c'est la vie débarrassée de ses moments ennuyeux ») où le romantisme même disparaît après une dernière flambée (dans *Sueurs froides*), au profit d'une autoaffirmation du cinéma comme *excitateur* intellectuel. Par là, le Hitchcock des déclarations à l'emporte-pièce (« Un film n'est pas une tranche de vie, c'est une tranche de gâteau... Je m'intéresse a priori fort peu à l'histoire que je raconte, mais uniquement à la manière de la raconter ») ne fait qu'un avec le Hitchcock qu'on découvre hanté par le problème du Mal et certaines idées abstraites, telle l'aisance perverse avec laquelle on peut renverser des valeurs.

Non que l'individu Hitchcock s'exhibe ou se « défoule » à travers ses films : ce qu'il avoue à cet égard (sa longue immaturité sexuelle) ne se laisse guère plus déceler qu'un complexe d'Œdipe moins liquidé que transposé au fil des années (au prix d'un certain pessimisme) ou que les limites flagrantes de son goût esthétique (marquées, par exemple, par le cauchemar de *Sueurs froides,* les couleurs du *Crime était presque parfait,* le recours çà et là à des procédés expressionnistes). Il n'est pas le seul homme plein d'humour qui échoue à faire un film entièrement basé sur l'humour (*Mais qui a tué Harry ?* n'en finit plus) et longtemps, dans sa période britannique, l'humour faisait un mélange mal lié avec les autres ingrédients de son succès (on s'en aperçoit même dans *les Trente-Neuf Marches*).

Cela dit, reste le Hitchcock toujours à redécouvrir, donc classique (après avoir paru « d'avant-garde » dans les années 50), chez qui la stylistique et la thématique ne font qu'un. Sa pratique du montage (plans souvent très nombreux mais s'additionnant au lieu de se contredire) n'est qu'un des éléments de sa géométrie : moraliste, métaphysicien, et aussi gastronome, ce « commerçant » est un perfectionniste de la consommation visuelle. Il a créé et revendiqué un regard cinématographique spécifique, celui du *point de vue,* qui n'est ni l'effacement « complet » du cinéaste face à la narration objective (Hawks) ni le recul despotique du démiurge (Lang), mais qui suppose chez le spectateur une adhésion partielle, lucide, à un personnage (au moins le temps d'une séquence). Peintre de notre époque, de ses symboles vulgaires de « réussite sociale » comme de ses obsessions (l'espionnage) jusqu'à la pensée de *l'Étau,* il était logique qu'il choisisse le « temps libre » (vacances, immobilité forcée de Stewart dans *Fenêtre sur cour*) et l'espace mal défini des « agents internationaux » pour installer ses machines de précision. Ses héroïnes (déchues ou faussement frigides) relèvent moins du puritanisme que des magazines mélodramatiques « de luxe » : l'un des cinéastes les plus méfiants qui soient à l'égard du fantastique (le film d'épouvante contemporain le parodie en croyant exploiter sans vergogne quelques « trucs » hitchcockiens) rejoint ainsi l'indépendance ambiguë du rêve. Mais au sein de cette indépendance resurgissent bien entendu les matériaux de l'analyse freudienne, pris de plus en plus pour la matière même du film (ouvertement dans la conférence qui termine *Psychose ;* secrètement dans quantité d'autres films) : le cinéma de Hitchcock, fondé qu'il est sur une vision proche de celle de Kafka autant que de Chesterton, se redouble dans *les Enchaînés,* dans *les Amants du Capricorne* (scène de la vitre), dans *Fenêtre sur cour,* dans *Sueurs froides,* dans *Pas de printemps pour Marnie* (et même dans *les Oiseaux* ou *Complot de famille*) d'un discours sur la mise en scène et la signifiance « transcendante » de celle-ci. Cette transcendance rêvée (surtout) par la peur peut se révéler vide *(la Mort aux trousses) :* le cinéma demeure. G.L.

Films ▲ : *Number Thirteen* (CORÉ, inachevé ; 1922) ; *The Pleasure Garden* (1925) ; *The Mountain Eagle* (1926) ; *The Lodger* (id.) ; *Downhill When Boy Leave Home* (1927) ; *Easy Virtue* (id.) ; *The Ring* (id.) ; *The Farmer's Wife* (1928) ; *À l'américaine* (*Champagne,* id.) ; *Harmony Heaven* (CORÉ : Eddie Pola et Edward Brandt, 1929) ; *The Manxman* (id.) ; *Chantage* (*Blackmail,* id.) ; *Elstree Calling* (1930 ; CORÉ : A. Charlot, J. Hulbert et P. Murray. Supervision d'Adrian Brunel) ; *Junon et le paon* (*Juno and the Peacock,* id.) ; *Murder* (id.) ; *The Skin Game* (1931) ; *Rich and Strange* (1932) ; *Number Seventeen* (id.) ; *Waltzes From Vienna* (1933) ; *l'Homme qui en savait trop* (*The Man Who Knew Too Much,* 1934) ; *les Trente-Neuf Marches* (*The Thirty-Nine Steps,* 1935) ; *Quatre de l'espionnage* (*The Secret Agent,* 1936) ; *Agent secret* (*Sabotage,* 1937) ; *Young and Innocent* (id.) ; *Une femme disparaît* (*The Lady Vanishes,* 1938) ; *l'Auberge de la Jamaïque* (*Jamaica Inn,* 1939) ; *Rebecca* (id., 1940) ; *Correspondant 17* (*Foreign Correspondent,* id.) ; *Joies matrimoniales* (*Mr. and Mrs. Smith,* 1941) ; *Soupçons* (*Suspicion,* id.) ; *Cinquième Colonne* (*Saboteur,* 1942) ; *l'Ombre d'un doute* (*Shadow of a Doubt,* 1943) ; *Lifeboat* (1944) ; *Bon Voyage* (CM, *id.*) ; *Adventure Malagache* (CM, *id.*) ; *la Maison du Dr Edwardes* (*Spellbound,* 1945) ; *les Enchaînés* (*Notorious,* 1946) ; *le Procès Paradine* (*The Paradine Case,* 1948) ; *la Corde* (*Rope,* id.) ; *les Amants du Capricorne* (*Under Capricorn,* 1949 ; GB) ; *le Grand Alibi* (*Stage Fright,* 1950) ; *l'Inconnu du Nord-Express* (*Strangers on a Train,* 1951) ; *la Loi du silence* (*I Confess,* 1953) ; *Le crime était presque parfait* (*Dial M for Murder,* 1954) ; *Fenêtre sur cour* (*Rear Window,* id.) ; *la Main au collet* (*To Catch a Thief,* 1955) ; *Mais qui a tué Harry ?* (*The Trouble With Harry,* id.) ; *l'Homme qui en savait trop* (1956, remake très différent du film de 1934) ; *le Faux Coupable* (*The Wrong Man,* 1957) ; *Sueurs froides* (*Vertigo,*

1958) ; *la Mort aux trousses* (*North by Northwest,* 1959) ; *Psychose* (*Psycho,* 1960) ; *les Oiseaux* (*The Birds,* 1963) ; *Pas de printemps pour Marnie* (*Marnie,* 1964) ; *le Rideau déchiré* (*Torn Curtain,* 1966) ; *l'Étau* (*Topaz,* 1969) ; *Frenzy* (id., 1972, GB) ; *Complot de famille* (*Family Plot,* 1976).

HLADNIK *(Boštjan), cinéaste yougoslave (Kranj 1929).* Après des études à l'Académie théâtrale de Ljubljana, puis à l'IDHEC (1957-1960), il est assistant de Chabrol, De Broca, Duvivier. Il se situe d'emblée parmi les pionniers de la Nouvelle Vague nationale avec *la Danse sous la pluie* (*Ples v dežju / Ples na Kiši,* 1961), sur un couple en crise, et *le Château de sable* (*Peščeni grad,* 1962), portrait d'une adolescente traumatisée par la guerre. Après avoir dû travailler en Allemagne, en Suède et aux États-Unis, il réaffirme ses dons d'analyste du cœur humain dans *le Cri du soleil* (*Sunčani krik,* 1968) ; *Quand vient le lion* (*Kad dodje lav,* 1971) et *Tue-moi doucement* (*Ubij me nežno,* 1979) ; *Mascarade* (*Maskarada,* 1983). M.M.

H.M.I. Nom de marque de lampes aux halogénures métalliques de la firme *Osram,* devenu terme générique pour désigner ce type de lampes. (→ SOURCES DE LUMIÈRE, ÉCLAIRAGE.)

HOBSON *(Valerie), actrice britannique (Larne, Irlande, 1917).* Après quelques films en Angleterre dès 1933, cette élégante brune, très gracieuse, inaugure une courte carrière américaine avec *la Fiancée de Frankenstein* (J. Whale, 1935). Revenue en Angleterre en 1936, elle y trouva vite des emplois à sa mesure où sa distinction fit merveille. Elle a été une excellente Estella dans *les Grandes Espérances* (D. Lean, 1946) et a donné la réplique à Alec Guinness dans le mémorable *Noblesse oblige* (R. Hamer, 1949). Elle se retire en 1954, après un de ses meilleurs rôles dans *Monsieur Ripois* (R. Clément, 1954), pour épouser le politicien John Profumo qui devait, quelques années plus tard, être mêlé à un scandale de mœurs qui défraya la chronique. C.V.

HOELLERING *(George), cinéaste d'origine autrichienne (Baden, Allemagne, 1900 - Londres, G.-B., 1980).* Coproducteur de *Ventres glacés* (*Kühle Wampe,* 1932) de Slatan Dudow, Hoellering s'assure le concours de l'opérateur L. Schäffer pour porter à l'écran une nouvelle du prosateur hongrois Z. Sigmond Móricz sous le titre *Hortobágy* (1936). Entièrement tourné en extérieurs, et interprété par des non-professionnels, bergers et gardiens de chevaux, ce film évoque la vie des habitants de la grande plaine, les conflits de génération qui opposent certains d'entre eux, la pénétration du machinisme dans une très ancienne société pastorale. Film de fiction enraciné dans une réalité dont il tire tout son suc, *Hortobágy* est d'une invention visuelle sans équivalent dans le cinéma hongrois de l'époque, la force poétique de certaines séquences n'étant pas sans évoquer Flaherty et Dovjenko. Après une tentative moins heureuse, l'adaptation de *Murder in the Cathedral* (1951) de T. S. Eliot, Hoellering devint directeur des cinémas « Academy » de Londres. P.H.

HOFFMAN *(Dustin), acteur américain (Los Angeles, Ca., 1937).* Ses parents sont de fervents cinéphiles : son père, décorateur de plateau, se ruine en se lançant dans la production ; sa mère lui choisit son prénom en hommage à l'acteur Dustin Farnum. Après des études musicales au conservatoire de sa ville natale, il travaille l'art dramatique à la Pasadena Community Playhouse, avant de suivre à New York les cours de Lee Strasberg et de débuter à Broadway, en 1964, dans *En attendant Godot* de Samuel Beckett, et surtout *Harry Noon and Nights,* pièce dans laquelle il tient le rôle d'un officier nazi bossu et homosexuel. Mike Nichols le remarque et lui donne la vedette du *Lauréat* (1967), film qui le consacre et lui vaut une première nomination aux Oscars (deux autres suivront, en 1969 pour *Macadam cowboy* et en 1975 pour *Lenny,* avant qu'il ne l'obtienne enfin pour *Kramer contre Kramer,* en 1979). Sa carrière se partage entre des cinéastes au talent consacré (Arthur Penn, Sam Peckinpah, Franklin Schaffner, Pietro Germi) et des « jeunes » qu'il contribue à révéler (Ulu Grosbard, Michael Apted, Robert Benton). Il n'abandonne pas pour autant le théâtre, allant même jusqu'à un essai de mise en scène pour *All Over Town,* de son ami Murray Schisgal. Son registre de comédien est étendu : il peut être un joli garçon titillé par un œdipe sournois *(le Lauréat),* un intellectuel poltron retiré dans sa province et qui se transforme en chien enragé *(les Chiens de paille),* un centenaire à la voix râpeuse ruminant ses souvenirs de la guerre de Sécession *(Little Big Man),* un poète rebelle raillant l'« American Way of Life » *(Lenny)* ou enfin un père attentionné chaperonnant sa progéniture *(Kramer contre Kramer).* Loin de le desservir, sa petite taille (qui le fait parfois confondre avec un acteur du même gabarit, Al Pacino) confère un charme supplémentaire à ses interprétations. Il y a de l'Arlequin, mâtiné de Puck, chez cet acteur que Didier Sandre tient pour « le plus populaire et le plus doué de sa génération, comme Marlon Brando le fut de la sienne ». Ajoutons qu'il créa (avec Paul Newman, Sidney Poitier et Barbra Streisand) une compagnie de production indépendante, la First Artists, qui se solda malheureusement par deux échecs (*Straight Time* de Grosbard et *Agatha* d'Apted). Après avoir joué les travestis malgré lui dans *Tootsie,* il succède en 1985 avec un certain panache à Fredric March dans le rôle de Willy Loman, héros pathétique de la pièce d'Arthur Miller *Mort d'un commis voyageur.* Il remporte en 1989 l'Oscar pour son rôle d'autiste doué d'une étonnante mémoire et calculateur prodige dans *Rain Man* de Barry Levinson. C.B.

Films ▲ : *The Tiger Makes Out* (A. Hiller, 1967) ; *le Lauréat (*M. Nichols, *id.) ; Madigan's Millions* (Stanley Prayer, 1968) ; *Macadam cowboy* (J. Schlesinger, 1969) ; *John et Mary* (P. Yates, *id.*) ; *les Extravagantes Aventures d'un visage pâle* (A. Penn, 1970) ; *Qui est Harry Kellerman et pourquoi dit-il des choses horribles à mon sujet ?* (*Who Is H. K. and Why Is He Saying Those Terrible Things About Me ?,* Ulu Grosbard, 1971) ; *les Chiens de paille* (Sam Peckinpah, *id.,* GB) ; *Alfredo Alfredo* (P. Germi, 1972 ; ITAL) ; *Papillon* (F. Schaffner, 1973) ; *Lenny* (B. Fosse, 1974) ; *les Hommes du président* (A. J. Pakula, 1976) ; *Marathon Man* (Schlesinger, *id.*) ; *le Récidiviste* (*Straight Time,* Grosbard, 1978) ; *Agatha* (M. Apted, 1979) ; *Kramer contre Kramer* (R. Benton, 1979) ; *Tootsie* (S. Pollack, 1982) ; *Mort d'un commis voyageur* (V. Schlöndorff, 1985) ; *Ishtar* (Elaine May, 1987) ; *Rain Man* (B. Levinson, 1989) ; *Family Business* (id., S. Lumet, *id.*) ; *Dick Tracy* (W. Beatty, 1990) ; *Billy Bathgate* (R. Benton, 1991) ; *Hook* (S. Spielberg, *id.*) ; *Héros malgré lui* (*Hero*, S. Frears, 1992) ; *Alerte* (W. Petersen, 1995).

HOFFMAN *(Jerzy), cinéaste polonais (Cracovie 1932).* Diplômé de l'Institut du cinéma de Moscou (1954), il fait équipe avec Edward Skórzewski comme réalisateur de documentaires : *Es-tu parmi eux ?* (*Czy jesteś wśród nich ?,* 1954) ; *Attention, houligans !* (*Uwaga, chuligani !,* 1955) ; *Les enfants accusent* (*Dzieci oskarzaja,* 1956), entre autres, figurent parmi les retentissants témoignages sociaux de la fameuse « Série noire ». Après une incursion dans la fiction : *Gangsters et Philanthropes* (*Gangsterzy i filantropi,* 1963), il revient, toujours avec Skórzewski, au documentaire, puis se consacre (seul désormais) à des superproductions historiques adaptées de Sienkiewicz : *Messire Wolodyjowski* (*Pan Wolodyjowski,* 1969) ; *le Déluge* (*Potop,* 1974). Il réalise ensuite *la Lépreuse* (*Trędowata,* 1976), *Jusqu'au dernier sang* (*Do krwi ostatniej,* 1978), *le Guérisseur* (*Znachor,* 1981), *Selon tes jugements* (*Wedle wyrokow twoich,* 1983), *Blutiger Schnee* (Pol/RFA, 1984). M.M.

HOFFMANN *(Carl), chef opérateur et cinéaste allemand (Neisse an der Wobert 1881 - Minden 1947).* Pionnier des techniques de prise de vues, en activité dès 1908, il participe à d'innombrables films, et collabore notamment à ceux d'Otto Rippert, dont *Homonculus* (1916), *la Peste à Florence* (1919), *la Femme à l'orchidée* (id.). Il est connu pour sa contribution à plusieurs films de Fritz Lang, dont *le Docteur Mabuse* (1922) et *les Nibelungen* (1924), et au *Faust* (1926) de Murnau. Technicien réputé, il est sollicité pour la mise au point de techniques nouvelles au cours des années 20 et 30. Entre 1929 et 1944, il dirige notamment la photographie des films suivants : *Hokuspokus* (G. Ucicky, 1930) ; *Le congrès s'amuse* (E. Charell, 1931) ; *le Tunnel* (K. Bernhardt, 1933) ; *la Guerre des valses* (L. Berger, *id.*) ; *l'Aube* (Ucicky, *id.*) ; *Peer Gynt* (Fritz Wendhausen, 1934). Entre 1935 et 1938, il est le réalisateur de cinq films, dont *Viktoria* (1935) et *les Joyeuses Commères* (*Die lustigen Weiber,* id.). Il est le père de Kurt Hoffmann. D.S.

HOFFMANN *(Jutta), actrice allemande (Halle 1941).* Élève de la Deutsche Hochschule für Filmkunst (1959-1962), elle joue au Maxim Gorki Theater, au Deutsches Theater, puis au Berliner Ensemble à partir de 1973. Une vingtaine de films depuis 1961, dont *le Troisième* d'Egon Günther (1972), l'imposent définitivement comme l'une des meilleures comédiennes de sa génération et lui valent le prix national de la RDA et la coupe Volpi à Venise. Elle paraît également en vedette dans *la Clé* (1974), *Lotte à Weimar* (1975) et *Ursula* (1978, TV), également de Günther, et dans *Das Versteck* (1977) et *Geschlossene Gesellschaft* (1978) de Frank Beyer. Installée en RFA depuis les années 1980, elle a surtout joué au théâtre mais aussi dans *l'Attaque du présent sur le temps qui reste* (A. Kluge, 1985). M.M.

HOFFMANN *(Kurt), cinéaste allemand (Fribourg-en-Brisgau 1910).* Fils de Carl Hoffmann, il débute dans la mise en scène en 1939 et réalise une série de films dont la vedette est Heinz Rühmann. Il est un des cinéastes les plus prolifiques de l'Allemagne d'après-guerre, avec 39 titres réalisés de 1948 à 1971. Cette œuvre abondante comprend de nombreux remakes et une série de films à succès dont l'interprète principale est Liselotte Pulver. Ses films les plus ambitieux sont *Ich denke oft an Piroschka/Piroschka* (1955), *Die Bekenntnisse des Hochstaplers Felix Krull* (1957) et *Wir, Wunderkinder* (1958). D.S.

HÖGER *(Karel), acteur tchèque (Brünn* [auj. Brno], *Autriche-Hongrie, 1909 - Prague 1977).* Il est sur scène et à l'écran un des meilleurs interprètes de son pays depuis 1940, s'imposant notamment dans des rôles d'intellectuels contemporains : *Krakatit* (O. Vávra, 1948) ; *Retour à la maison* (*Návrat domů,* M. Frič, 1949) ; *Mikoláš Aleš* (V. Krška, 1951) ; *Hic sunt leones* (*Zde jsou lvi,* id., 1958) ; *le Citoyen Brych* (*Občan Brych,* Vávra, *id.*) ; *la Reinette d'or* (*Zlatá reneta,* id., 1965) ; *Moi, la justice* (Z. Brynych, 1967) ; *l'Honneur et la Gloire* (*Čest a sláva,* Hynek Bočan, 1968). J.-L.P.

HOLDEN *(William Franklin Beedle,* dit *William), acteur américain (O'Fallon, Ill., 1918 - Santa Monica, Ca., 1981).* William Holden fait ses débuts de comédien au Pasadena Junior College, à vingt ans. Il part pour Hollywood sur la lancée d'une brève carrière théâtrale et, après deux apparitions mineures à l'écran, donne la réplique à Barbara Stanwyck dans *l'Esclave aux mains d'or* (R. Mamoulian, 1939). Ce film, pesamment théâtral, s'avère un échec, entraînant pour l'acteur de sérieuses répercussions : pendant près de dix ans, Holden est systématiquement écarté des rôles dramatiques – pour lesquels il semble n'avoir pas la « carrure » nécessaire –, et distribué dans des emplois légers n'exigeant qu'un physique avenant et un charme superficiel.

Appelé sous les drapeaux en 1943, il retourne à la vie civile en 1945. Après un redémarrage difficile, sa carrière adopte un cours régulier, au prix de sacrifices répétés à la routine. Holden s'essaie avec persévérance aux genres les plus divers (western, film noir, comédie), mais ne parvient pas à trouver un emploi marquant. C'est alors qu'en 1950 Billy Wilder (se souvenant peut-être de ses réussites antérieures avec des acteurs également « incolores » comme Fred MacMurray et Ray Milland) lui propose le rôle du scénariste déchu de *Sunset Boulevard.* À la grandiloquence expressionniste de Gloria Swanson, le réalisateur va opposer, magistralement, la réserve ambiguë de Holden (et confronter ainsi l'extravagance des années 20 au cynisme des années 50). Holden émerge à la fois comme le vainqueur et le perdant de cet étrange match. Il y trouve aussi son image. Il sera désormais, le plus souvent, un témoin (cf. *Stalag 17,* B. Wilder, 1953 ; Oscar du meilleur acteur), un spectateur narquois de la comédie humaine. Ses rôles les plus « engagés » feront de lui un journaliste (*le Cran d'arrêt,* W. Dieterle, 1952), un policier (*Midi, gare centrale,* R. Mate, 1950) ou un jeune cadre (*la Tour des ambitieux,* R. Wise, 1954), mais, sous ces diverses identités, Holden incarnera toujours l'image classique de l'« Homo americanus » des années 50 : un homme de confiance et d'expérience, bien inséré dans la société et n'aspirant plus qu'à la stabilité professionnelle et au bonheur privé...

Après une remarquable série de succès commerciaux : *La lune était bleue* (O. Preminger, 1953) ; *Sabrina* (B. Wilder, 1954) ; *Picnic* (J. Logan, 1956), Holden franchit une nouvelle étape avec *le Pont de la rivière Kwaï* (D. Lean, 1957). Le triomphe international de cette production lui assure une entière indépendance à l'égard d'Hollywood et lui permet de ralentir le rythme de ses apparitions à l'écran pour se consacrer à diverses activités commerciales, notamment en Afrique. Son actif s'en ressent, en quantité comme en qualité : pendant près de dix ans, Holden participe, sans conviction, à une série de productions routinières, dont se détachent seulement *les Cavaliers* (J. Ford, 1959).

En 1968, il retrouve un rôle à sa mesure avec *la Horde sauvage* (S. Peckinpah), qui résume parfaitement toutes les composantes de ses personnages antérieurs. Désormais, on le verra le plus souvent sous les traits d'un homme intègre, sceptique, usé par le temps, luttant contre la lassitude physique et morale. C'est dans ce registre qu'il donnera certaines des interprétations les plus nuancées et les plus émouvantes de sa carrière, sous la direction de Blake Edwards (*Deux Hommes dans l'Ouest,* 1971), Clint Eastwood (*Breezy,* 1973), Sidney Lumet (*Network,* 1976) et Billy Wilder (*Fedora,* 1979). O.E.

Films ▲ : *Million Dollar Legs* (Nick Grinde, 1939) ; *l'Esclave aux mains d'or* (R. Mamoulian, *id.*) ; *Invisible Stripes* (L. Bacon, 1940) ; *Those Were the Days* (Theodore Reed, *id.*) ; *Une petite ville sans histoire* (S. Wood, *id.*) ; *Arizona* (W. Ruggles, *id.*) ; *I Wanted Wings* (M. Leisen, 1941) ; *Texas* (G. Marshall, *id.*) ; *The Remarkable Andrew* (S. Heisler, 1942) ; *l'Escadre est au port (The Fleet's in,* V. Schertzinger, *id.) ; Meet the Stewarts* (A. E. Green, *id.*) ; *Young and Willing* (E. H. Griffith, 1943) ; *le Fiancé de ma fiancée* (*Dear Ruth,* W. D. Russell, 1947) ; *Blaze of Noon* (J. Farrow, *id.*) ; *Hollywood en folie* (*Variety Girl,* G. Marshall, *id.*) ; *Rachel and the Stranger* (N. Foster, 1948) ; *l'Amour sous les toits* (*Apartment for Peggy,* G. Seaton, *id.*) ; *la Peine du talion (The Man From Colorado,* H. Levin, *id.) ; la Fin d'un tueur* (R. Mate, 1949) ; *la Chevauchée de l'honneur (Streets of Laredo,* L. Fenton, *id.) ; Miss Grain de sel* (L. Bacon, *id.*) ; *le Démon du logis (Dear Wife,* R. Haydn, *id.) ; Father Is a Bachelor* (N. Foster et A. Berlin, 1950) ; *Boulevard du crépuscule* (B. Wilder, *id.*) ; *Midi, Gare centrale (Union Station,* R. Mate, *id.) ; Comment l'esprit vient aux femmes* (G. Cukor, *id.*) ; *les Amants de l'enfer* (M. Curtiz, 1951) ; *Duel sous la mer (Submarine Command,* J. Farrow, *id.) ; Vocation secrète* (*Boots Malone,* W. Dieterle, 1952) ; *le Cran d'arrêt* (*The Turning Point,* id.) ; *Stalag 17* (B. Wilder, 1953) ; *La lune était bleue* (Otto Preminger, *id.*) ; *Die Jungfrau auf dem Dach* (vers. all. du précédent ; caméo) ; *Fort Bravo* (J. Sturges, *id.*) ; *la Tour des ambitieux* (R. Wise, 1954) ; *l'Éternel Féminin (Forever Female,* I. Rapper, *id.) ; Sabrina* (B. Wilder, *id.*) ; *Une fille de la province (The Country Girl,* G. Seaton, *id.) ; les Ponts de Toko-Ri* (*The Bridges at Toko-Ri,* M. Robson, 1955) ; *la Colline de l'adieu (Love Is a Many Splendored Thing,* H. King, *id.) ; Picnic* (J. Logan, 1956) ; *Un magnifique salaud (The Proud and Profane,* G. Seaton, *id.) ; Je reviens de l'enfer* (*Toward the Unknown,* M. LeRoy, *id.* ; PRO) ; *le Pont de la rivière Kwaï* (D. Lean, 1957, GB) ; *la Clé* (C. Reed, 1958) ; *les Cavaliers* (J. Ford, 1959) ; *le Monde de Suzie Wong* (R. Quine, 1960) ; *Trahison sur commande (The Counterfeit Traitor,* G. Seaton, *id.) ; Une histoire de Chine* (*Satan Never Sleeps,* L. McCarey, 1962) ; *le Lion* (*The Lion,* J. Cardiff, *id.* ; GB) ; *Deux Têtes folles* (*Paris When It Sizzles,* R. Quine, 1964) ; *la Septième Aube (The Seventh Dawn,* L. Gilbert, *id.) ; Alvarez Kelly* (E. Dmytryk, 1966) ; *Casino Royale* (J. Huston, K. Hughes, V. Guest, R. Parrish, J. McGrath, 1967 ; GB) ; *la Brigade du diable* (*The Devil's Brigade,* A. V. McLaglen, 1968) ; *la Horde sauvage* (S. Peckinpah, 1969) ; *l'Arbre de Noël* (T. Young, *id.*) ; *Deux Hommes dans l'Ouest* (B. Edwards, 1971) ; *la Poursuite sauvage* (*The Revengers,* Daniel Mann, 1972) ; *Breezy* (C. Eastwood, 1973) ; *la Tour infernale* (J. Guillermin, 1974) ; *Open Season* (P. Collinson, *id.*) ; *Network* (S. Lumet, 1976) ; *les 21 Heures de Munich* (*21 Hours at Munich,* W. A. Graham, 1977) ; *Damien – la Malédiction II* (*Damien – Omen II,* Don Taylor, 1978) ; *Fedora* (B. Wilder, *id.*) ; *Ashanti* (R. Fleischer, 1979) ; *Bons Baisers d'Athènes (Escape to Athens,* G. P. Cosmatos, *id.,* caméo) ; *le Jour de la fin du monde* (*The Day the World Ended,* J. Goldstone, 1980) ; *S. O. B.* (B. Edwards, 1981) ; *The Earthling* (P. Collinson, *id.*).

HOLGER-MADSEN *(Forest), cinéaste danois (Copenhague 1878 -* id. *1943).* Acteur à la Nordisk Film Kompagni, il débute comme réalisateur dans une firme concurrente, la Biorama (*'Rien qu'un mendiant'* [*Kun en Tigger*], 1912), puis revient à la Nordisk, où son talent multiforme, ses innovations techniques audacieuses, son aisance à filmer des œuvrettes de pur divertissement mais également des drames « décadents », des films à message pacifiste, des œuvres curieuses d'anticipation en font l'un des phares du cinéma danois des années 10. Parmi ses meilleurs titres : *'Rêve d'opium' (Opiumsdr'ommen,* 1914), *'À bas les armes' (Ned med våbnene,* id.), *l'Évangéliste* (*Evangelie-mandens Liv,* id.), *les Spirites* (*Spiritisten,* 1915), *la Paix éternelle* (*Pax aeterna,* 1916), *le Vaisseau du ciel / À 400 millions de lieues de la terre* (*Himmelskibet,* 1917), *'Vers la lumière'*

(*Mod Lyset,* 1918). À partir de 1920, il travaille en Allemagne. Au début des années 30, il tourne encore deux films parlants au Danemark. On lui doit la découverte de plusieurs acteurs : la danseuse espagnole Rita Sachetto, l'ex-modèle Betty Nansen, Olaf Fønss et plus tard Elisabeth Bergner. J.-L.P.

HOLLAND *(Agnieszka), cinéaste polonaise (Varsovie 1948).* Diplômée de la faculté du cinéma et de la télévision (FAMU) de Prague, elle est d'abord assistante de Zanussi pour *Illumination* (1973), puis coscénariste de Wajda pour *Sans anesthésie* (1978). En même temps, elle fait de la mise en scène de théâtre et tourne plusieurs films de TV avant de réaliser au cinéma un épisode *(Cos za cos)* du film *Bouts d'essai* (*Zdjęcia Próbne,* 1977), coréalisé par Pawel Kędzierski et Jerzy Domaradzki. Son talent éclate dans *Acteurs provinciaux* (*Aktorzy prowincjonalni,* 1979), chronique lucide et amère des désillusions d'une génération perdue. Autre temps, autre style, mais la même observation percutante dans *la Fièvre* (*Goraczka,* 1980), qui évoque la vaine agitation clandestine et terroriste des révolutionnaires, vers 1905, dans la Pologne encore sous la botte russe. *Une femme seule* (*Kobieta samotna,* 1981) est interdit après l'instauration de l'état de siège. En 1982, elle apparaît comme actrice dans *l'Interrogatoire* (*Przesłuchanie,* Ryszard Bugajski). Installée à Paris depuis cette date, elle a réalisé *Amère récolte* (*Bittere Ernte,* RFA, 1985), *le Complot* (*To Kill a Priest,* 1988) qui évoque l'assassinat du Père Popieluszko, à l'époque de la répression contre les militants de Solidarnosc et *Europa, Europa* (1990), troublant itinéraire d'un jeune Juif contraint, pour survivre, d'endosser l'uniforme nazi et ballotté par les vicissitudes absurdes de l'Histoire. En 1991, elle signe avec Wajda le scénario de *Korczak,* puis réalise *Olivier, Olivier* (1992), *le Jardin secret* (*The Secret Garden,* 1993) et *Total Eclipse* (1995). M.M.

HOLLÄNDER *(Friedrich,* ou *Frederick Hollander), musicien allemand (Londres, G.-B., 1896 - Munich 1976).* Il étudie à la Hochshule für Musik de Berlin, avec Humperdinck, et s'oriente très tôt vers la chanson, le cabaret, puis le cinéma dès 1929. Il connaît le succès grâce à ses chansons, interprétées par Marlene Dietrich dans *l'Ange bleu* (J. von Sternberg, 1930) : *Nihm dich in Acht vor blonden Frauen ; Ich bin die fesche Lola ; Kinder, heut 'abend such' ich mir was aus ; Ich bin von Kopf zu Fuss auf Liebe eingestellt...* En 1933, il coréalise une comédie musicale, *Moi et l'impératrice (Ich und die Kaiserin),* avec Paul Martin. L'arrivée au pouvoir des nazis le contraint à l'exil, et il retrouve Lang, Lubitsch, Kurt Weill aux États-Unis. Chansons ou musique, il en fait le contrepoint ou l'apport souvent brillant, suggestif, ou nostalgique – et inquiétant dans *Berlin Express* de J. Tourneur (1948) – du film considéré comme un spectacle où chacun tient, à sa place, sa partie. Hollander (dont le nom est le plus souvent anglicisé) retourne en Allemagne vers la fin des années 50, écrivant à la fois pour le cinéma et le cabaret. Il a collaboré à quelque 150 films, dont : *Tumultes* (R. Siodmak, 1932) ; *Cantique d'amour* (R. Mamoulian, 1933) ; *Désir* (F. Borzage, 1936) ; *Ange* (E. Lubitsch, 1937) ; *Casier judiciaire,* avec K. Weill (F. Lang, 1938) ; *la Huitième Femme de Barbe-Bleue* (E. Lubitsch, *id.*) ; *Zaza* (G. Cukor, *id.*) ; *la Maison des sept péchés* (T. Garnett, 1940) ; *la Justice des hommes* (G. Stevens, 1942) ; *Comment l'esprit vient aux femmes* (G. Cukor, 1950) ; *la Cuisine des anges* (M. Curtiz, 1955). Il est revenu en Allemagne en 1956, composant pour un seul film (*Das Spukschloss im Spessart,* Kurt Hoffman, 1960) et apparaissant comme acteur dans *Un, deux, trois* (1961) de Billy Wilder. C.M.C.

HOLLIDAY *(Judith Turin,* dite *Judy), actrice américaine (New York, N. Y., 1921 - id. 1965).* Elle débute durant la guerre au cabaret, associée à Betty Comden et Adolph Green, et tient en 1944 quelques rôles secondaires à Hollywood dans *Greenwich Village* (W. Lang), *Something for the Boys* (L. Seiler) et *Winged Victory* (G. Cukor). Déçue de cette expérience, elle revient à Broadway où son interprétation dans *Born Yesterday* (1946) révèle un tempérament comique neuf, fait de rouerie naïve et d'enthousiasme exubérant. George Cukor et l'auteur Garson Kanin, qui veulent lui faire reprendre la pièce à l'écran en dépit de l'opposition du patron de Columbia Pictures, Harry Cohn, lui confient d'abord dans *Madame porte la culotte* (1949) quelques scènes d'une drôlerie irrésistible face à Spencer Tracy et Katharine Hepburn. Comme il le voulait, Cukor la dirige ensuite dans *Comment l'esprit vient aux femmes* (1950), puis dans *Je retourne* *chez maman* (1952), où il mêle avec audace le tragique quotidien à la comédie, et dans *Une femme qui s'affiche* (1954), où elle incarne une bécasse au grand cœur avide de célébrité. Elle interprète encore *Phffft* (M. Robson, 1954) et deux comédies gentiment anodines de Richard Quine (*Une Cadillac en or massif,* 1956, et *Pleine de vie,* 1957) avant de trouver le dernier grand rôle d'une trop brève carrière cinématographique dans *Un numéro du tonnerre* (V. Minnelli, 1960), où elle reprend le rôle écrit pour elle par Comden et Green et qu'elle avait créé à Broadway. J.-P.B.

HOLLOWAY *(Stanley), acteur britannique (Eastham, Sussex, 1890 - Littlehampton 1982).* Vétéran du music-hall londonien, il a commencé sa carrière cinématographique en 1919. Mais c'est après 1945 que sa trogne joviale et son savoureux accent cockney nous devinrent familiers dans nombre de comédies (*Passeport pour Pimlico,* H. Cornelius, 1949 ; *De l'or en barres,* Ch. Crichton, 1951). Il atteint le sommet de sa carrière quand il tient, à la scène et à l'écran, le rôle du pittoresque père de l'héroïne de *My Fair Lady* (G. Cukor, 1964). Il laisse aussi une impression sympathique en fossoyeur dans *la Vie privée de Sherlock Holmes* (B. Wilder, 1970). C.V.

HOLLÝ *(Martin), cinéaste slovaque (Košice 1931).* Diplômé de la FAMU (1951-1953), il débute aux studios de Bratislava avec un long métrage de fiction *'le Chemin du corbeau' (Havrania cesta).* Après un polar psychologique, *'Un cas pour la défense'* (*Prípad pre obhájcu,* 1964), et une comédie, *'Un jour pour la vieille dame'* (*Jedeň den pre starú paniu,* 1966), il collabore à la version slovaque de *l'Homme qui ment* (*Muž ktorý luže,* 1968) d'Alain Robbe-Grillet, réalisé en coproduction franco-tchécoslovaque. Il devient populaire grâce aux films *'la Tour de cuivre'* (*Medená veža,* 1970) et *'la Plume d'aigle'* (*Orlie pierko,* 1971), situés dans la montagne des Tatras. Suivent trois films psychologiques aux thèmes politiques : *'le Péché de Katarina Padychova'* (*Hriech Kataríny Padychovej,* 1973), *'Celui qui part sous la pluie'* (*Kto odchádzá v daždi...,* 1973), et *'la Fièvre'* (*Horúčka,* 1976). Son meilleur film est pourtant *'Signum laudis'* (*id.,* 1980), un drame antimilitariste qui obtient, en 1980, le grand prix du Jury à Karlovy Vary. Son réalisme robuste et ses recherches d'un renouvellement esthétique lui gagnent les sympathies de la critique, tandis que le public apprécie plutôt ses films d'action, dont *'les Cavaliers de la nuit'* (*Nočni jezdci,* 1981) ou *'... ou être tué'* (*... nebo být zabit,* 1983). Il travaille beaucoup pour la télévision. E.Z.

Autres films ▲ : *'Une guerre privée'* (*Súkromná vojna,* 1977), *'la Mort sur mesure'* (*Smrt šitá na míru,* 1979), *'Le sel est plus cher que l'or'* (*Sol nad zlarto,* 1983), *'Les morts instruisent les vivants'* (*Mrtví učia živých,* 1983), *'le Reporter enragé'* (*Zuřivy reportér,* 1987), *'le Chasseur de scoops'* (*Lovec senzací,* 1988), *'le Droit au passé'* (*Právo na minulost',* 1989), *'Une douleur muette'* (*Ticha bolest,* 1990), *'Hasardeurs' (Hazardéři).*

HOLLYWOOD. La capitale du cinéma fut d'abord un village indien : Cahuenga, découvert par les Espagnols en 1779, douze ans avant la création de Los Angeles (Pueblo de Nuestra Señora la Reina de Los Angeles). Après la conquête de la Californie (1849), les Américains développent dans cette région de nombreuses cultures subtropicales. Le nom d'Hollywood apparaît pour la première fois au cadastre en 1886, pour désigner le ranch d'un certain Harvey Wilcox, situé sur l'actuel Sunset Boulevard. Boutiques, hôtels et journaux s'y installent en nombre croissant dans les dernières années du XIXe siècle. En 1903, Hollywood acquiert le statut de ville ; sept ans plus tard, elle est annexée par Los Angeles.

En 1907, Francis Boggs, de la Selig Polyscope Company, tourne en Californie les extérieurs de *The Count of Monte Cristo.* Deux ans plus tard, il s'établit à Los Angeles et y crée un studio où il réalise le premier film entièrement californien : *The Heart of a Race Tout.* William Selig, conscient du climat exceptionnel de cette région et de l'étonnante variété de ses paysages, installe un studio boulevard Edendale (auj. Glendale). Une demi-douzaine de compagnies suivent bientôt son exemple, dans l'espoir d'échapper aux poursuites de la Motion Pictures Patent Company. En 1911, la Nestor Film C° fonde le premier studio hollywoodien dans l'ancienne taverne Blondeau et l'inaugure avec un western : *The Law of the Range.* Deux ans plus tard, Cecil B. De Mille tourne, dans une grange de Vine

Street, *le Mari de l'Indienne [The Squaw Man]* (que la plupart des histoires du cinéma retiendront, à tort, comme le premier film hollywoodien).

Les dix années qui suivent voient l'établissement à Hollywood des studios Vitagraph (1911), Universal (1912), Lubin (1912), Fox (1914), Triangle (1915), Famous Players Lasky (1916), Warner (1918), Chaplin (1919) et Pickford Fairbanks (1922). Le cinéma suscite une intense spéculation immobilière et un considérable accroissement de la population : 700 habitants en 1903, 7 500 en 1913, 200 000 de nos jours.

La Dépression, loin de freiner cet élan, l'accélère. À cause du chômage et du prix modique des places, le taux de fréquentation des salles double, en effet, de 1927 à 1930, provoquant un afflux considérable de capitaux et un contrôle accru des banques sur l'industrie cinématographique. Le marché est dominé dès lors par cinq grandes compagnies (« Majors ») : Paramount, Fox, MGM, Warner Bros et RKO, qui s'efforcent de « rationaliser » les méthodes de production et s'assureront, jusqu'en 1948, un contrôle étroit de la distribution.

À l'avènement du nazisme, Hollywood accueille des réalisateurs comme Fritz Lang, Otto Preminger, Robert Siodmak, Douglas Sirk et Billy Wilder, qui contribuent à la rapide maturation du cinéma américain. Hollywood devient ainsi un important terrain d'échanges culturels, propice à l'expression des idéaux démocratiques. La guerre polarise tous les efforts : un quart du personnel est mobilisé ; un quart de la production est consacré à la propagande.

À la fin de la guerre, une vision réformiste s'exprime largement dans le cinéma américain. En 1946, Hollywood réalise des profits sans précédents, mais l'euphorie est de courte durée. La crise est proche et se jouera sur trois fronts : en mai 1948, la loi antitrust contraint les Majors à se séparer de leurs salles ; la même année, les « purges » anticommunistes commencent : elles se poursuivront jusqu'en 1952, brisant la carrière de plus de 300 réalisateurs, acteurs et scénaristes ; la télévision, enfin – qui avait installé son premier studio expérimental à Hollywood en 1931 –, s'implante solidement sur la côte ouest à partir de 1949.

Le développement de ce nouveau mode de loisir et l'évolution des goûts du public entraînent pour le cinéma une baisse brutale d'audience. Le marché étranger représente dès lors un enjeu capital. Or, l'Europe des années 50 limite ses sorties en dollars. Pour compenser le gel de leurs recettes, les studios envoient des équipes tourner en Angleterre, en France et en Italie. On recourt aux « extérieurs naturels » (garants d'authenticité), on s'adonne au naturalisme, ou l'on s'efforce de se faire « plus grand » (CinémaScope) et plus « proche » (relief) que la télévision.

Ces efforts n'enrayent cependant pas la crise. Les studios mettent fin au système des contrats longue durée. Des producteurs indépendants (Sam Spiegel) et de nombreux auteurs-réalisateurs (Billy Wilder, Joseph L. Mankiewicz, John Huston, Samuel Fuller, Delmer Daves) s'affirment. La production new-yorkaise renaît lentement, tandis que se multiplient les tournages hors Hollywood (« runaway productions »). Après une nouvelle crise du gigantisme (sanctionné par le fiasco de *Cléopâtre* de Mankiewicz en 1963), les grands studios entrent dans une période de déclin qui culminera en 1971 (50 p. 100 de techniciens au chômage). Le système de production traditionnel éclate alors en une multitude d'opérations. Les Majors sont absorbées, l'une après l'autre (à l'exception de la Fox), par des conglomérats (édition, maisons de disques, circuits hôteliers), pour lesquels l'exploitation cinématographique ne représente qu'une part très restreinte des bénéfices. Les imprésarios, acteurs et producteurs indépendants jouent désormais, dans le nouvel Hollywood, un rôle moteur, sous l'arbitrage d'une nouvelle génération de dirigeants, issue des milieux financiers...

Les grandes compagnies ont déserté Hollywood, qui est devenue, en revanche, un centre important pour l'industrie du disque. Pour le cinéma, « Hollywood », terme générique et flou, représente plus une période historique révolue, un « état d'esprit », qu'une réalité géographique. Ce terme représente aussi une mythologie, abondamment entretenue par la littérature (F. Scott Fitzgerald, Nathanael West, Horace McCoy, Gavin Lambert) et le 7e art lui-même (*Chantons sous la pluie ; les Ensorcelés ; Une étoile est née ; Frances,* etc.). O.E.

HOLM *(Celeste), actrice américaine (New York, N. Y., 1919).* Adulée à la scène, Celeste Holm, à cause d'un physique de femme mûre, n'a été au cinéma qu'une actrice de composition et de second plan. Ce qui ne signifie pas qu'elle est une actrice de second ordre, loin de là. En bourgeoise chic, à la repartie tranchante et au cœur d'or, elle a laissé de très bons souvenirs dans *le Mur invisible* (E. Kazan, 1947), *Ève* (J. L. Mankiewicz, 1950) ou dans *le Tendre Piège* (Ch. Walters, 1955). Elle symbolise une certaine image de la new-yorkaise. Elle fut aussi la voix sinueuse et sensuelle qui contait avec intelligence l'intrigue de *Chaînes conjugales* (J. L. Mankiewicz, 1949). C.V.

HOLMES *(Phillips), acteur américain (Grand Rapids, Mich., 1907 - près d'Armstrong, Ont., Canada, 1942).* Fils de l'acteur Taylor Holmes, il commence sa carrière cinématographique à dix-neuf ans. En 1930, à cause de son talent très sensible, de son séduisant physique mince et romantique, il est l'un des grands espoirs du cinéma américain. Il tourne dans d'excellents films comme *Son homme* (T. Garnett, 1930), *Une tragédie américaine* (J. von Sternberg, 1931), *Code criminel* (H. Hawks, *id.*) ou *l'Homme que j'ai tué* (E. Lubitsch, 1932). Bientôt, il s'impose aussi en Europe, où il était apprécié (*Casta diva,* C. Gallone, 1935). Il semblait faire peu cas de sa carrière lorsqu'il mourut en service commandé dans un accident d'avion. C.V.

HOLOGRAMME (du gr. *holos,* entier, et *gramma,* inscription). Image en trois dimensions d'un objet immobile. Conçu par Dennis Gabor en 1947 à Londres et expérimenté en 1965 par Emmeth N. Leith et Juris Upatnieks aux États-Unis avec un rayon laser, il résulte de l'enregistrement, sur plaque photographique (ou film), de l'interférence formée par deux faisceaux d'un même rayon laser — l'un envoyé directement sur la plaque, l'autre dirigé vers l'objet à reproduire et réfléchi sur cette plaque. Un rayon laser du même type envoyé sur l'hologramme ainsi obtenu permet de faire apparaître à volonté l'image en relief de l'objet. À Malibu (Ca.), en 1969, Alex Jacobson et Victor Evtuhov réalisent, à l'aide d'une série d'hologrammes, selon le procédé de l'animation, un film de 30 secondes, sur pellicule de 70 mm. En dépit d'obstacles nombreux (le mouvement perturbe en principe les interférences ; la lumière « cohérente » du laser donne des images monochromes), malgré surtout le volume et le coût des installations nécessaires, des recherches se poursuivent, surtout en URSS et aux États-Unis, mais aussi en France pour rendre possible la production d'hologrammes mobiles, en couleurs, grandeur nature et d'une longue durée. D.N.

HOLOUBEK *(Gustaw), acteur polonais (Cracovie 1923).* Acteur de théâtre depuis 1947 et directeur du Theatre Dramatyczny de Varsovie depuis 1972, il est l'une des grandes personnalités de la scène (et également du petit écran) de son pays. Au cinéma, il est l'un des acteurs favoris de Wojciech Has (*le Nœud coulant,* 1958 ; *les Adieux,* id. ; *Chambre commune,* 1960 ; *Adieu jeunesse,* 1961 ; *le Manuscrit trouvé à Saragosse,* 1965 ; *la Clepsydre,* 1973) et de Tadeusz Konwicki (*Salto,* 1965 ; *Si loin si près,* 1972). Parmi ses autres rôles marquants, il convient de citer celui du professeur dans *Gangsters et Philanthropes* (J. Hoffman et E. Skórzewski, 1963), de Napoléon dans *Marie et Napoléon* (Marysia i Napoleon, Leonard Buczkowski, 1966) et du mari dans *le Jeu* (J. Kawalerowicz, 1969). J.-L.P.

HOLT *(Ekaterina-Ruxandra Vlădescu-Olt,* dite *Jany), actrice française d'origine roumaine (Bucarest 1912).* Avec son visage aux pommettes saillantes, dévoré par la fièvre de ses yeux, elle introduit dans le conformisme des jeunes premières un climat de passion et un état de crise. Ainsi la jeune fille à caprices d'*Un grand amour de Beethoven* (A. Gance, 1936), l'épouse malheureuse de *Courrier Sud* (P. Billon, 1937), la Russe névrosée des *Bas-Fonds* (J. Renoir, *id.*), l'entraîneuse, jouet des événements de*l'Alibi* (P. Chenal, *id.*) ou la nonne démente de *la Tragédie impériale* (M. L'Herbier, 1938). Son talent original s'exprime de façon plus émouvante encore dans *le Baron fantôme* (S. de Poligny, 1943), *les Anges du péché* (R. Bresson, *id.*), *la Fiancée des ténèbres* (de Poligny, 1945). Elle donne par la suite une réplique attachante à Michel Simon (*Non coupable,* H. Decoin, 1947) et campe une troublante *Mademoiselle de La Ferté* (R. Dallier, 1949). Puis elle entre dans une semi-retraite, hormis de fugitives apparitions dans *Gervaise* (R. Clément, 1956) ou *la Femme gauchère* (*Die linkshändige Frau,* Peter Handke, 1978). R.C.

HOLT *(Seth), monteur et cinéaste britannique (Palestine 1923* - id. *1971).* Acteur, puis monteur réputé aux studios d'Ealing (et en 1960, encore, pour*Samedi soir et dimanche matin* de Karel Reisz), Seth Holt, qui était le beau-frère de Robert Hamer, n'a tourné que cinq films entre 1958 et 1971. *Hurler de peur* (*Scream of Fear / Taste of Fear,* 1961) doit son originalité au montage, mais aussi au sujet et à son atmosphère morbide, que l'on retrouve dans *Confession à un cadavre* (*The Nanny,* 1965), peinture froide d'un monstre peu commun. La personnalité de Holt s'efface dans *la Blonde de la station 6* (*Station 6 Sahara,* 1964) et dans *le Coup du lapin* (*Danger Route,* 1967). *Blood From the Mummy's Tomb* (1971) fut presque entièrement réalisé par le producteur Michael Carreras. A.G.

HOLT *(Charles John Holt,* dit *Tim), acteur américain (Beverly Hills, Ca., 1918 - Shawnee, Okla., 1973).* Fils de l'acteur Jack Holt, il débuta enfant en 1928, puis reprit sa vraie carrière en 1937. Il s'est souvent cantonné dans des rôles de jeune inconscient au comportement irréfléchi ou involontairement blessant. C'est ainsi qu'il apparaissait en militaire dans *la Chevauchée fantastique* (J. Ford, 1939), en fils de Charles Boyer dans *Back Street* (R. Stevenson, 1941) ou en héritier gâté de *la Splendeur des Amberson* (O. Welles, 1942). Il tourna aussi beaucoup de westerns et trouva son meilleur rôle en incarnant l'un des aventuriers du *Trésor de la sierra Madre* (J. Huston, 1948). Il a tourné son dernier film en 1957. C.V.

HOME KINETOSCOP → FORMAT.

HOMOLKA *(Oskar,* dit *Oscar), acteur autrichien (Vienne 1898 - Sussex, G. -B., 1978).* Acteur de théâtre, participant aux expériences de Brecht dès 1924, il débute au cinéma en 1926 avec *les Aventures d'un billet de dix marks (Die Abenteuer eines Zehnmarkscheines)* de Berthold Viertel (et Béla Balász). Sa réputation s'affirme avec le cinéma parlant, dans des films à contenu politique (*Dreyfus,* R. Oswald, 1930) et dans des comédies (*Hokuspokus,* G. Ucicky, *id.*). Il quitte l'Allemagne en 1934 pour la Grande-Bretagne (*Agent secret,* A. Hitchcock, 1936), puis pour les États-Unis, où Hollywood lui confie généralement des rôles stéréotypés : d'Allemand jovial, de psychiatre, et parfois de personnage violent, *Boule de feu* (H. Hawks, 1942), *Tendresse* (G. Stevens, 1948), *Anna Lucasta* (I. Rapper, 1949), *Sept Ans de réflexion* (B. Wilder, 1955). D.S.

HONDA (*Inoshirō* [*ou Ishirō*]), *cinéaste japonais (Yamagata 1911 - Tokyo, 1993).* Il débute au cinéma en 1933 aux studios PCL (d'où naîtra la Tōhō) ; il y est assistant réalisateur, notamment de Kajiro Yamamoto et Mikio Naruse. Après avoir réalisé des films pédagogiques, il devient réalisateur à la Tōhō dès 1951 *(la Perle bleue)* et collabore avec le directeur des effets spéciaux Eiji Tsuburaya, pour *'l'Aigle du Pacifique'* (*Taiheiyo no washi,* 1953, avec Toshiro Mifune). C'est en 1954 que le tandem réalisera le premier grand film de SF japonais, *Gojira,* internationalement connu sous le titre *Godzilla,* nom du monstre préhistorique réveillé par les effets des tests nucléaires. Le succès énorme du film aux États-Unis et dans le monde entier est à l'origine d'un nouveau genre au Japon, dit « kaiju-eiga » (films de monstres), dont Honda et Tsuburaya se feront les spécialistes dans d'innombrables films de série, *l'Homme H* (*Bijo to Ekitai Ningen,* 1939), *l'Homme vapeur* (*Gasu Ningen daiichigo,* 1960), *King-Kong contre Godzilla* (*Kin-Kon tai Gojira,* 1962), *Ataragon* (1963), *la Grande Guerre des monstres* (*Kaiju Daisenso,* 1965), ou encore *Détruisez tous les monstres !* (*Kaiju soshingeki,* 1968), tous produits par la Tōhō. Il travaille également dans l'équipe de production et de réalisation des films récents de Kurosawa *(Kagemusha, Ran, Rêves).* M.T.

HONDO *(Abid Mohamed Medoun,* dit *Med), cinéaste mauritanien (Aïn Ouled Beni Mathar, Adrar, AOF, 1936).* Sa formation initiale (école hôtelière à Rabat) lui fait exercer le métier de cuisinier en France ; mais il étudie l'art dramatique avec Françoise Rosay (1959-1963), joue au théâtre avec Serreau, Bourseiller, avant de réaliser lentement dans des conditions précaires son premier long métrage, *Soleil Ô,* sorti en 1970. L'analyse en forme de parabole des rapports avec l'Occident, de la situation de l'émigré, est reprise dans *les « Bicots-Nègres », vos voisins* (1973). Il tourne en Algérie un documentaire sur les combattants et les réfugiés sahraouis (*Nous aurons toute la mort pour dormir,* 1977). Dans *West Indies* (1979), dont il est le producteur,

il réalise un musical, fable politique sur «les nègres marrons de la liberté» qui reste fidèle à sa thématique et à sa conception démonstrative jouant sur toutes les ressources du mélange des genres. En 1984, il tourne *Sarraounia,* d'après un livre du Nigérien Abdoulaye Mamani et, en 1994, *Lumière noire.*
C.M.C.

HONDURAS. L'activité cinématographique est quasi inexistante dans cette république au marché dominé par la production américaine. Samy Kafati, homme à tout faire, réalise quelques films à partir de 1962. Un département de cinéma est créé au ministère de la Culture, du Tourisme et de l'Information (1977), mais sa modeste production répond à des besoins de propagande. Fosi Bendeck tourne un long métrage expérimental, *El Reyecito o el mero mero* (1979), tentative isolée.
P.A.P.

HONEGGER *(Arthur), musicien suisse (Le Havre 1892 - Paris 1955).* Il est, au Conservatoire de Paris, l'élève d'André Gédalge, Charles-Marie Widor, Vincent d'Indy, puis fait partie du groupe des Six, dont l'esthétique s'oppose à l'impressionnisme. Il a travaillé pour une quarantaine de films parallèlement à son œuvre («la musique de film est la musique qu'on oublie») et ses illustrations sont élaborées avec le souci d'un apport réel et spécifique – attitude de recherche proche de celle de Grémillon. D'autres compositions ont été reprises pour le concert : *les Misérables* (R. Bernard, 1934) ; *la Traversée des Andes* et *le Vol sur l'Atlantique* (*Mermoz,* Louis Cuny, 1943). Citons : *la Roue* (A. Gance, 1923) ; *Napoléon* (id., 1927) ; *l'Idée* (B. Bartosch, 1932 ; MM ; gravures animées) ; *Mayerling* (A. Litvak, 1936) ; *les Mutinés de l'Elseneur* (P. Chenal, *id.*) ; *Mademoiselle Docteur* (G. W. Pabst, 1937) ; *la Citadelle du silence* (M. L'Herbier, *id.*) ; *les Bâtisseurs* (J. Epstein, 1938) ; en collaboration avec Arthur Hoérée : *le Capitaine Fracasse* (A. Gance, 1943) et *les Démons de l'aube* (Y. Allégret, 1946) ; *Un revenant* (Christian-Jaque, *id.*).
C.M.C.

HONG SHEN, *dramaturge, scénariste, cinéaste et critique chinois (Changzhou, Jiangsu, 1894 - Pékin 1955).* Diplômé de l'université Qinhua de Pékin, en 1946, il part aux États-Unis, où il étudie la céramique à l'université d'Ohio, puis le théâtre et la littérature à Harvard. De retour en Chine, il se passionne pour le théâtre et le cinéma. À partir de 1925, il travaille pour la Mingxing, écrivant chaque année jusqu'à la guerre un ou deux scénarios dont il assure souvent la réalisation parallèlement à son importante activité de critique du cinéma chinois et étranger. En 1931, il écrit *'la Cantatrice Pivoine-Rouge' (Genü Hong mudan),* premier film sonore chinois réalisé par la Mingxing avec la collaboration de Pathé. Ensuite, il est envoyé aux États-Unis pour un voyage éclair : il en rapporte du matériel et quinze techniciens pour la réalisation d'un film parlant, *'la Splendeur de l'ancien Pékin'* (*Jiushi jinhua,* 1931), de Zhang Shichuan. En 1933, il adapte et réalise *'Larmes de sang' (Tieban honglei lu),* considéré comme son chef-d'œuvre. En 1936, il écrit le scénario de *'Shanghai d'hier et d'aujourd'hui' (Xinjiu Shanghai),* de Shi Dongshan. Il se replie en 1937 sur Hankou puis sur Chongqing et se consacre principalement au théâtre. Après 1945, il enseigne le théâtre et le cinéma à Shanghai. En 1948, il réalise, avec Zheng Xiaoqiu, *'Fragilité, ton nom est femme' (Ruozhe ni de mingzi shi nüren)* et *'le Chant du coq au petit matin' (Jiming zao kan tian).* Après 1949, Hong Shen exerce des responsabilités à la direction des Affaires culturelles. On le reconnaît comme un pionnier du cinéma et du théâtre modernes en Chine, très influencé à ses débuts par l'œuvre de Lubitsch.
C.D.R.

HONGKONG. Colonie de la Couronne britannique, qui reviendra à la Chine en 1997. Le cinéma s'y développe très tôt, puisque, dès 1909, la compagnie Asia Film de Benjamin Brodsky y produit deux films mis en scène par Liang Shaobo, que l'on retrouve aux côtés de Li Mingwei* lorsque celui-ci fonde avec ses deux frères la compagnie Huamei (sino-américaine) et réalise *Zhuangzi met son épouse à l'épreuve* (*Zhuangzi shi qi,* Li Mingwei, 1913). En 1923, Li Mingwei fonde la compagnie Minxin (Peuple nouveau) et réalise à Canton une série de films d'actualité sur les activités du Kuomintang et de son président Sun Yat-sen. La Minxin réalise un film de fiction à Hongkong : *Rouge* (*Yanzhi,* Li Beihai, Li Mingwei, 1925), avant de déménager à Shanghai en 1926. En 1930, Luo Mingyou, jeune capitaliste né à Hongkong, à la tête d'un réseau de salles de cinéma en Chine du Nord, s'associe avec Li Mingwei pour fonder à Shanghai la compagnie Lianhua, dont la filiale de Hongkong doit servir de tête de ligne pour la diffusion des films en Asie du Sud-Est. C'est l'époque où le cinéma de Hongkong prend son essor. Son succès est fondé sur une importante production de films de divertissement en cantonais et autres dialectes du sud de la Chine *(Hakka, Chaozhou, Minnan).* En 1937, on compte 80 films, produits par les compagnies locales ou par les filiales de compagnies de Shanghai comme la Lianhua et la Tianyi, dont le P-DG Shao Zuiweng réalise *White Gold Dragon* (*Bai Jinlong,* 1933), d'après un opéra cantonais. C'est l'immense succès de ce film qui le pousse à s'installer à Hongkong en 1934 pour y produire des films cantonais. En 1936, la compagnie est réorganisée par son frère cadet Shao Cunren (Runde Shaw), rappelé de Singapour, et prend le nom de Nanyang. Après une interruption due à la guerre, elle redémarre en 1950 sous le nom de Shaws and Sons et devient, douze ans plus tard, les Shaw Brothers. À partir d'août 1937, la colonie sert de refuge à de célèbres personnalités du cinéma de Shanghai, comme Xia Yan*, Cai Chusheng*, Situ Huimin*, etc. Ces cinéastes « progressistes » dénoncent le « bas » niveau des productions locales et prônent un cinéma engagé. Mais, avant même que la guerre soit officiellement déclarée, dès 1936, le cinéma de Hongkong s'était mobilisé pour dénoncer l'agression japonaise en réalisant *L'heure est grave* (*Zuihou guantou,* 1937), œuvre collective des grands studios de la colonie. L'arrivée des émigrés renforce l'esprit de résistance, avec des films comme *Le sang éclabousse la ville de Baoshan* (*Xue qian Baoshan cheng,* Situ Huimin, 1938) ; *le Paradis de l'île orpheline* (*Gudao tiantang,* Cai Chusheng, 1938) ; *la Marche des partisans* (*Youji jinxing qu,* Situ Huimin, 1938) ; *le Pays natal dans les nuages* (*Baiyun guxiang, id.,* 1940). Après l'attaque de Pearl Harbor, en décembre 1941, Hongkong est occupée pendant trois ans et huit mois par les Japonais. Dès la victoire de 1945, le cinéma redémarre rapidement. Il est revitalisé par l'arrivée de nombreux cinéastes de Shanghai, qui établissent deux importantes compagnies spécialisées dans la production de films en mandarin : en 1946, la Da Zhonghua de Jiang Boying et, en 1948, la Yonghua de Zhang Shankun. Elles produisent de nombreux chefs-d'œuvre signés par des réalisateurs, qui, pour la plupart, étaient déjà célèbres dans les années 30 : Zhu Shilin*, Li Pingqian*, Yue Feng, Cheng Bugao*, Bu Wancang* et d'autres, plus jeunes, comme Wu Zuguang, Cen Fan, etc. En 1949, Zhang Shankun fonde la Great Wall, qu'il abandonne en 1950 pour établir la Xinhua (Hongkong) perpétuant pendant encore quelques années le style qui avait fait le succès de cette compagnie à Shanghai, tandis que la Great Wall devient la principale compagnie « de gauche » de Hongkong. Au fil des années, un certain nombre d'émigrés retournent sur le continent et, petit à petit, le cinéma de Hongkong retrouve son goût pour les films de divertissement, en mandarin comme en cantonais. Un nouveau tournant est pris au début des années 60, lorsque les Shaw Brothers établissent leurs nouveaux studios à Clear Water Bay. Incapables de soutenir la concurrence, de nombreuses compagnies sont alors obligées de fermer, tandis que le cinéma de Hongkong perd la diversité qui le caractérisait et devient plus ouvertement commercial. En même temps, les goûts changent : les comédies musicales remplacent les mélodrames des années 50, puis c'est la vogue des films de cape et d'épée *(wuxia pian),* à leur tour détrônés, dans les années 70, par les films de kung-fu (gongfu), dont la mode a été lancée par Bruce Lee*. Pourtant, le succès du cinéma commercial n'exclut pas que subsistent de véritables auteurs, dont les vétérans se nomment Chu Yuan, Zhang Che (Chang Cheh), Li Hanxiang* ou King Hu*, ces trois derniers réalisateurs ayant aussi très fortement influencé le développement du cinéma de Taïwan*, étroitement lié à celui de Hongkong à des moments cruciaux de son histoire. Parmi les cinéastes de la génération suivante, il faut citer Allen Fong*, Ann Hui*, Wong Kar-Wai*, Stanley Kwan*, Jackie Chan*, Clara Law*, Yim He, Tsui Hark*, Jacob Cheung*, Michael Hui, Laurence Ah Moon, Kirk Wong et, bien sûr, John Woo. Aujourd'hui, le cinéma de Hongkong continue à produire plus d'une centaine de films par an, y compris quelques-uns réalisés par des cinéastes de Chine continentale, avec laquelle les échanges sont de plus en plus fréquents. Dans les années 90, la force du cinéma de Hongkong c'est d'être à l'avant-garde de la modernité grâce à la rapidité de son rythme et à son extraordinaire virtuosité technique, notamment en ce qui concerne les effets spéciaux. Cela lui permet à l'occasion de faire la nique au cinéma américain lui-même, au moins sur son propre territoire, en Asie du Sud-Est, à Taïwan et au Japon, en attendant d'être mieux connu ailleurs. Le prochain retour de Hongkong à la Chine continentale, en 1997, s'accompagne de nombreuses incertitudes, mais, en ce qui concerne le cinéma, c'est la promesse d'accéder à un immense marché, jusque-là obstinément fermé, extrêmement prometteur. M.-C.Q.

HONGRIE *(cinéma).* En juin 1896, un premier spectacle cinématographique est offert aux habitants de Budapest par un commerçant avisé, Arnold Sziklai, qui, lors d'un voyage à Paris, avait assisté à la projection des films tournés par les opérateurs Lumière et n'avait eu de cesse de rapporter dans ses bagages un appareil semblable à celui qui étonnait les promeneurs du boulevard des Capucines. Bientôt, à Budapest, le cinématographe fit partie des « attractions » de certains cafés qui jusqu'alors proposaient surtout à leurs clients des récitals de musique ou des causeries littéraires. En 1898, la première société cinématographique hongroise, la Projectograph, est fondée par Mór Ungerleider, directeur du café Velence, et son associé, Jószef Neumann. Parallèlement à certaines tentatives artisanales, d'autres initiatives voient le jour : en 1901, Béla Zsitkovszki réalise *la Danse (A tánc)* pour le compte d'une association culturelle et scientifique, la société Urania. Cependant, l'organisation d'une véritable industrie du film est longue à s'implanter. Le premier studio (Hunnia) n'est construit qu'à la fin de 1911, et l'un des premiers longs métrages, *les Sœurs (Növérek)* d'Ödön Uher, n'est présenté au public qu'en 1912. L'année 1912 marque d'ailleurs la véritable naissance du film hongrois. Quand la Première Guerre mondiale éclate deux ans plus tard, le cinéma a définitivement oublié sa difficile période d'apprentissage. Des compagnies ambitieuses sont nées à Budapest et à Kolozsvár (auj. Cluj) en Transylvanie ; les journaux ouvrent leurs colonnes aux chroniqueurs cinématographiques ; 55 films seront tournés en trois ans. Le cinéma est certes entièrement tributaire de la littérature, mais déjà certains metteurs en scène s'imposent, comme Mihály Kertész (qui sera plus tard connu sous le nom de Michael Curtiz*) ou comme l'ex-journaliste Sándor Korda* (qui deviendra le célèbre producteur Alexander Korda, responsable de la renaissance de l'industrie du cinéma en Grande-Bretagne). Sándor Korda est non seulement un habile réalisateur, mais un organisateur-né. En 1918, la firme Phonix de Mihály Kertész et la Corvin de Sándor Korda dominent la production du pays. Certains théoriciens comme Jenö Török annoncent Béla Balázs* en cherchant une définition esthétique du cinéma. La guerre et les désordres qui vont suivre la défaite allemande entraînent cependant la Hongrie dans une instabilité politique peu propice à l'épanouissement du cinéma. Quand Béla Kun prend le pouvoir et impose la république des Conseils, l'industrie du cinéma, paradoxalement, réagit très favorablement au nouveau régime et à la nationalisation (historiquement, il s'agit de la première nationalisation, puisque ce n'est qu'en août 1919 que le décret de Lénine promulguera la nationalisation du cinéma soviétique). Les producteurs virent dans la nationalisation une possibilité de défendre leurs droits vis-à-vis des distributeurs, qui imposaient depuis quelque temps leur loi. Ils s'entraidèrent du mieux qu'ils purent pour établir divers organismes, dont un département central créé spécialement pour l'étude des scénarios.

Avec un enthousiasme fébrile, on décida de réaliser de nombreux films adaptés des grandes œuvres de la littérature mondiale progressiste. Les « 133 jours » furent trop courts pour mener à bien ces projets ambitieux. Néanmoins, 31 longs métrages furent réalisés par Sándor Korda, Béla Balogh, Márton Garas, Oszkár Damó, Alfréd Deésy, Pál Aczél, Ödön Uher, Károly Lajthay, Pál Sugár, Möric Miklós Pásztory, Cornelius Hintner, Joseph Stein, Béla Geröffy, Gyula Szöreghy, Sándor Pallos et Dezsö Orbán. Seul le film de ce dernier, *Hier,* a pu être retrouvé. Tous les autres ont disparu. La Terreur blanche qui suivit la chute de Béla Kun ruina l'industrie du cinéma. Fuyant arrestations et persécutions, la plupart des réalisateurs, qui avaient été actifs durant la république des Conseils, gagnèrent l'étranger. Les distributeurs réintégrés dans leurs privilèges tentèrent de sauver les apparences. On réalisa de 1919 à 1922 près de 86 films d'un assez médiocre niveau artistique. En 1923, la crise éclate, et ses conséquences sont immédiates. Les distributeurs se désintéressent peu à peu du film hongrois, préférant acheter des films étrangers, loués à haut prix aux exploitants. Béla Balogh, auteur de *Blanche Colombe dans la cité noire* (*Fehér galambok a fekete városban,* 1923), émigre après avoir cherché douze mois durant un exploitant pour son film *les Enfants de la rue Pál (Pál utcaï fiúk).* Le plus prometteur des réalisateurs hongrois de l'époque, Pál Fejós* (Paul Fejos), suit la même voie et part pour les États-Unis après avoir laissé inachevées *les Étoiles d'Eger.* La banqueroute est grande. Les firmes ferment leurs portes les unes après les autres. En 1929, le cinéma hongrois n'existe pratiquement plus. L'année suivante, aucun film n'est mis en chantier. La production ne reprend que modestement à partir de 1931. Pál Fejós revient dans son pays tourner pour le compte d'une compagnie française *Marie, légende hongroise* (1932), mais le film, pourtant remarquable à bien des égards, ne remporte guère de succès. Après un nouvel échec (*Tempêtes,* id.), Fejós se décourage et émigre définitivement, laissant les écrans hongrois à des artisans sans génie qui s'évertuent à imiter le style d'Ernst Lubitsch. István Székely* et Béla Gaal remportent de confortables succès avec des comédies légères. Quand la Seconde Guerre mondiale éclate, les « films limonade » (opérettes tziganes, drames mondains) submergent le marché. Aussi est-ce avec un certain étonnement qu'on note en 1942 l'apparition d'une œuvre plus originale, *les Hommes de la montagne (Emberek a havason),* d'un jeune metteur en scène, István Szöts*. Aujourd'hui, Szöts, qui n'a pu bâtir l'œuvre qu'il portait en lui à cause des vicissitudes politiques de son époque, est considéré à juste titre comme le véritable père du cinéma hongrois moderne. En 1945, la production tombe à trois films. Les studios sont détruits. Pendant trois années, les films seront produits par quatre partis de la coalition gouvernementale. Ce n'est qu'en 1947 que se situent certains changements profonds, dont la fin du financement des films par des entreprises privées. La même année, un film de Géza Radványi*, *Quelque part en Europe,* attire l'attention internationale sur le cinéma hongrois. La nationalisation intervient le 21 mars 1948, année qui sera marquée par la réalisation d'*Un lopin de terre (Talpalatnyi föld),* de Frigyes Bán*.

L'étincelle, si l'on se place du moins au niveau strictement artistique, sera de courte durée. De 1949 à 1953, la Hongrie se stalinise à outrance : c'est l'époque des procès politiques, de la guerre froide. L'art sera réaliste-socialiste ou ne sera pas. Le Jdanov hongrois se nomme Jószef Révai. Le schématisme idéologique est absolu. Seul le héros positif a droit de cité sur les écrans. Le réveil n'a lieu qu'un an après la mort de Staline et la mise à l'écart de Révai. *Liliomfi* (1955), de Károly Makk*, *Printemps à Budapest* (id.) de Felix Máriássy* et surtout *Un petit carrousel de fête* (id.) et *Professeur Hannibal* (1956) de Zoltán Fábri*, annoncent une véritable renaissance du cinéma en Hongrie. Renaissance du cinéma mais aussi naissance de véritables auteurs, comme Makk, Fábri, Máriássy et plus modestement László Ranódy*, Imre Fehér*, György Revesz*, János Herskó*, qui viennent épauler les « vétérans » Viktor Gertler, Frigyes Bán ou Marton Keleti. Les événements de 1956 ne vont pas entièrement réduire à néant les tentatives entreprises pour créer un cinéma résolument moderne, engagé et responsable. Mais la crise morale a des répercussions indéniables sur les cinéastes, et les œuvres tournées entre 1957 et 1962 reflètent d'une manière plus ou moins voilée les angoisses de la « génération moyenne », dont la vie a suivi les méandres tragiques de l'histoire. Favorisé par un contexte politique plus libéral, le « nouveau cinéma hongrois » commence à s'imposer dès 1962. La création du studio Béla Balázs, en 1960, permet aux jeunes réalisateurs d'éprouver leur talent en tournant des courts métrages selon une formule qui se révélera particulièrement heureuse (décision prise en commun des scénarios à tourner, gestion financière de l'entreprise – les fonds leur étant confiés par l'État – assurée par les membres du studio). À partir de 1960 et surtout de 1962, une plus grande liberté dans le choix des thèmes annonce un renouvellement, dont vont bénéficier les jeunes cinéastes qui sortent du studio Béla Balász. Peu à peu, les films hongrois remportent des succès dans les festivals internationaux et on peut parler d'une Nouvelle Vague hongroise, qui suit de près l'éclosion du jeune cinéma tchécoslovaque. István Gaál* (*Remous,* 1963 ; *les Vertes Années,* 1965 ; *les Faucons,* 1970), Ferenc Kardos et János Rózsa (*Grimaces,* 1965), István Szabó* (*l'Âge des illusions,* 1964 ; *Père,* 1966), Ferenc Kósa* (*Dix Mille Soleils,* 1967), András Kovács* (*Jours glacés,* 1966 ; *les Murs,* 1967), Tamás Rényi (*Impasse,* 1966), Pal Zolnay* (*le Sac,* id.), l'ex-opérateur Sándor Sára* (*la Pierre lancée,* 1969), Péter Bacsó* (*le Témoin,* 1969) sont les nouveaux metteurs en scène les plus talentueux. Bénéficiant du courant favorable, caractérisé généralement par une grande franchise dans les thèmes les plus divers (affrontement des destins individuels dans un contexte politique troublé, évocation de l'évolution des communautés paysannes au XXe s., description de la vie des étudiants, des ouvriers, etc.), certains auteurs, János Kerskó (*Dialogue,* 1963) ou Zoltán Fábri (*Vingt Heures,* 1964), tournent leurs œuvres les plus significatives. Un nouveau cinéaste, Miklós Jancsó*, déjà réalisateur de plusieurs longs métrages (*Cantate,* 1963 ; *Mon chemin,* 1964), met en scène, en 1965, *les Sans-Espoir* et, en 1967, *Rouges et Blancs* ainsi que *Silence et Cri,* et s'impose comme l'un des grands cinéastes contemporains d'envergure internationale. La production est effectuée par un organisme d'État nommé *Mafilm.* Dans le cadre de cette entreprise travaillent quatre groupes de production consacrés au long métrage. Chaque groupe de production dispose d'un budget accordé annuellement par l'État, dont ils peuvent disposer à leur guise. La distribution des films à l'étranger est assurée par Hungarofilm. (Il n'est pas indifférent de noter que deux personnes – István Dosai à la direction et Klará Kristóf pour les relations internationales et la vente à l'étranger – assureront pendant une vingtaine d'années avec un talent certain la défense du cinéma hongrois dans le monde à travers cet organisme.)

Le « nouveau cinéma » hongrois, qui est donc né en deux vagues successives (la première en 1954, la seconde en 1963-64), consolide petit à petit son audience internationale. Limitée à une vingtaine de films par an, la production se signale par plusieurs œuvres de grande valeur. Si Zoltán Fábri n'a pu, dans ses derniers films (*la Famille Tot,* 1969 ; *la Fourmilière,* 1971 ; *À un jour près,* 1972 ; *le Cinquième Sceau,* 1976 ; *les Hongrois,* 1977), faire oublier la réussite de *Vingt Heures,* Károly Makk, en revanche, après *Devant Dieu et les hommes* (1968), a tourné en 1970 une œuvre poignante, *Amour,* en 1974 *Jeux de chats* et en 1982 *Un autre regard.*

Au cours des années 70 et 80, Gaál signe un film important (*Paysage mort,* 1972), Jancsó approfondit ses thèmes de prédilection (*Psaume rouge,* 1972 ; *Rhapsodie hongroise,* 1979), Szabó s'impose sur le plan international avec *Mephisto* (1981). Des noms nouveaux, qui ont fait leurs premiers essais à la fin des années 60, apparaissent et consolident dans la plupart des festivals du monde la place privilégiée que la Hongrie a conquise en une dizaine d'années : Zoltán Huszárik* (*Sindbad,* 1971), Gyula Maar (*la Fin du chemin,* 1973), Zsolt Kezdi-Kovacs* (*Quand Joseph revient,* 1975), Márta Mészáros* (*Adoption,* id. ; *Neuf Mois,* 1976), Imre Gyöngyössy* (*Une vie tout ordinaire,* co : Barna Kabay, 1977), Pál Gábor* (*l'Éducation de Vera,* 1978), Judit Elek* (*Peut-être demain,* 1979), Peter Gothar (*le Temps suspendu,* 1982), Pál Sándor* (*Daniel prend le train,* 1982), Ferenc András ou Laszló Lugassy. Les thèmes dominants (interrogations sur l'histoire et, à travers elle, sur les vicissitudes politiques ; répercussions sur la jeune génération des traumatismes de la Grande Guerre puis des événements de 1956 ; déracinement des villageois appelés à travailler dans les grandes villes) semblent peu à peu s'effacer devant une veine « sociographique » qui est un recensement implacable des problèmes quotidiens, une chronique passionnée de la vie « ordinaire » qui privilégie l'individu par rapport à la communauté et se rapproche bien davantage du « croquis en direct » que des grandes fresques. Documentairesfictions, moins construits, moins géométriques, les films de l'« école de Budapest » n'en rendent pas moins compte de la Hongrie d'aujourd'hui en évitant le recours à l'allégorie ou à la parabole. De nouveaux metteurs en images (plutôt que metteurs en scène) apparaissent : Pál Schiffer*, Gábor Body*, István Darday, Béla Tarr, Gyula Gazdág, Pál Erdöss*, Moldován Domokos. À partir de 1980, alors que le documentaire se maintient toujours à un très haut niveau international, on note un essoufflement notable chez les tenants de la fiction. Seules exceptions majeures, certaines œuvres signées Ferenc Téglásy, Péter Timár, Ildiko Enyedi, Peter Gardos, Arpad Sopsits, György Feher. La fin de la décennie accuse le bouleversement politique et économique qui a secoué l'Europe centrale. Années libératrices mais aussi années d'incertitude et d'inquiétude. Les structures cinématographiques changent et dans cette période particulièrement mouvementée, la production marque le pas en attendant de retrouver ses marques. La Hongrie s'honore également d'une école d'animation très inventive (Ottó Foky, György Kovásznai, Gyula Macskássy, Jószef Nepp, Marcell Jankovics, Sándor Reisenbüchler, Béla Vajda). J.-L.P.

HOOPER *(Tobe), cinéaste américain (Austin, Tex., 1943).* Des études de cinéma, quelques courts métrages et documentaires le conduisent à réaliser *Massacre à la tronçonneuse* (*The Texas Chainsaw Massacre,* 1974). Faisant de pauvreté style, il y exprime, avec maîtrise, un goût pour le macabre que l'humour tempère. Le succès donne naissance au courant moderne du « gore ». *Le Crocodile de la mort* (*Deathtrap / Eaten Alive,* 1977) et *les Vampires de Salem* (*Salem's Lot,* 1979, pour la télévision) prouvent des qualités de technicien. *Massacres dans le train fantôme* (*The Funhouse,* 1981), méconnu, joue subtilement sur les poncifs qu'il a lui-même créés. Après le succès de *Poltergeist* (id., 1982), produit par Steven Spielberg, et l'échec de *Lifeforce* (id., 1985), Hooper, sans quitter science-fiction ou horreur, semble s'abandonner à un comique enfantin dans *L'invasion vient de Mars* (*Invaders From Mars,* 1985), *Massacre à la tronçonneuse 2* (*The Texas Chainsaw Massacre 2,* 1986) et *The Mangler* (1995). A.G.

HOPE *(Leslie Townes, dit Bob), acteur américain d'origine britannique (Eltham, G.-B., 1903).* Enfant d'immigrant, il exerce les métiers les plus divers tout en cultivant son don précoce pour la parodie et la comédie. Acteur de music-hall, il accède à Broadway (*Roberta,* 1933), mais sa vraie chance lui vient de la radio, et surtout du film « radiophonique » *The Big Broadcast of 1938,* où il chante son célèbre *Thanks for the Memory.* Après avoir tourné le populaire *Mystère de la maison Norman (The Cat and the Canary,* E. Nugent, 1939), il inaugure en 1940 la série des *Road to...* (7 titres d'*En route pour Singapour* [*Road to Singapore,* V. Schertzinger, 1940) à *Astronautes malgré eux* [*The Road to Hong Kong,* N. Panama, 1962]), où il sert le plus souvent de faire-valoir à Bing Crosby et Dorothy Lamour. Amuseur le plus coté des États-Unis, il a l'intelligence de mettre au point un répertoire de mimiques sur lesquelles viennent se greffer des gags pas toujours neufs, mais rajeunis par un dialogue qui touche au nonsense. Cette industrieuse fantaisie atteint ses sommets cinématographiques dans *Visage pâle* (N. Z. McLeod, 1948) et *le Fils de Visage pâle* (F. Tashlin, 1952), mais il serait injuste d'oublier *la Princesse et le Pirate* (D. Butler, 1944), *le Joyeux Barbier* (*Monsieur Beaucaire,* G. Marshall, 1946), *la Grande Nuit de Casanova* (N. Z. McLeod, 1954), voire (dans la série *Road to*) au moins *Bal à Bali* (*Road to Bali,* Hal Walker, 1953). En 1958, Bob Hope et Fernandel se sont « affrontés » dans un film languissant écrit et produit par Hope : *À nous deux Paris* (*Paris Holiday,* Gerd Oswald). Après l'excellent *Ne tirez pas sur le bandit* (N. Z. McLeod, 1959) et le nostalgique *Astronautes malgré eux,* sa carrière perd tout intérêt à force de redites. Dans les années 60, il a ajouté la TV à ses multiples activités : tenu pour le plus riche des comiques de toute l'histoire du show-business, Bob Hope (qui a tourné au total dans 60 longs métrages) a abandonné l'écran en 1972 après avoir reçu cinq Oscars spéciaux (1940, 1944, 1952, 1959 et 1965), pour lesquels ses gestes philanthropiques assez ostentatoires ont autant joué que sa « contribution à l'industrie du cinéma ». En 1977, il a publié une autobiographie, *Road to Hollywood,* et il continue à présider fréquemment la cérémonie de remise des Oscars. G.L.

HOPKINS *(Anthony), acteur britannique (Port Talbot, pays de Galles, 1937).* Beaucoup ont découvert Anthony Hopkins dans les années 90, à travers sa création terrifiante d'Hannibal le cannibale dans *le Silence des agneaux* (J. Demme, 1991) et celles, plus délicates, dans les deux films de James Ivory, homme d'affaires au cœur sec dans *Retour à Howards End* (1992) et majordome stylé mûré dans le secret, dans *les Vestiges du jour* (1993). Depuis le milieu des années 60, Hopkins avait été extrêmement actif au théâtre, à la télévision et au cinéma, tant aux États-Unis qu'en Grande-Bretagne. Les amateurs l'avaient remarqué en jeune et malléable Richard Cœur de Lion dans *le Lion en hiver* (A. Harvey, 1968) et connaissaient déjà le ventriloque possédé par son pantin dans *Magic* (R. Attenborough, 1978). Il excelle dans les emplois d'intellectuel scrupuleux et secrètement déchiré : le libraire passionné et modeste de *84 Charing Cross Road* (David Jones, 1986) et, bien sûr, le médecin très humain, mentor et ami de *Elephant man* (*id.,* D. Lynch, 1983). Quel que soit le rôle qu'il incarne, Hopkins s'acharne à défendre en lui la plus infime parcelle d'humanité ; d'où l'impact de son rôle d'Hannibal le cannibale et, bien avant, la plus touchante interprétation du capitaine Bligh dans *le Bounty* (*The Bounty,* Roger Donaldson, 1984). En 1995, il tourne *August,* son premier essai de metteur en scène. C.V.

HOPKINS *(Ellen Miriam), actrice américaine (Bainbridge, Ga., 1902 - New York, N. Y., 1972).* D'abord chorus-girl, Miriam Hopkins s'orienta vers le théâtre en 1926, associant très vite les acclamations et les contrats par sa personnalité brillante, sa diction nette et précise et son physique alluré. Même après qu'Hollywood l'eut attirée en Californie, elle resta fidèle au théâtre, où elle fut toujours un « nom » important. Pour que son jeu cinématographique se départît quelque peu de son origine scénique, elle avait besoin d'une main ferme pour la contrôler. À ses débuts, elle eut la chance d'être dirigée par Lubitsch et Mamoulian. Ils sont les seuls à avoir mis en lumière son humour et sa vitalité (*le Lieutenant souriant,* 1931, *Haute Pègre,* 1932, et surtout *Sérénade à trois,* 1933, où son charme et son abattage sont irrésistibles ; tous trois de Lubitsch), sa sensualité (*Dr Jekyll et Mr. Hyde,* 1932, où elle est une troublante prostituée), ou à avoir judicieusement employé sa théâtralité (*Becky Sharp,* 1935 ; tous deux de Mamoulian). Howard Hawks l'exploita de même, avec bonheur, mais moins d'éclat, dans *Ville sans loi* (1935). Les autres films qu'elle tourna dans les années 30, mélodrames souvent ampoulés, n'invitent guère à l'indulgence. En revanche, vers la fin de la décennie, une Miriam Hopkins mûre et vipérine se révéla face à Bette Davis dans *la Vieille Fille* (E. Goulding, 1939), puis quelques années plus tard dans *l'Impossible Amour* (V. Sherman, 1943), où elle était très amusante. William Wyler, qui la dirigea souvent, ne sut pas toujours la débarrasser de ses tics et de ses afféteries de grande dame (*Ils étaient trois,* 1936 ; *l'Héritière,* 1949 ; *la Rumeur,* 1962), mais il fit d'elle l'inoubliable épouse cupide de Laurence Olivier dans *Un amour désespéré* (1952). Le cinéma est probablement passé à côté d'une personnalité que le théâtre avait su exalter. C.V.

HOPPE *(Marianne), actrice allemande (Rostock 1909).* Actrice dans les théâtres berlinois depuis 1928, elle débute au cinéma en 1933 et devient une vedette avec *le Cavalier blanc* (*Der Schimmelreiter* [C. Oertel et H. Deppe], 1933) et *Jäger Johanna* (Johannes Meyer, 1934). Collaboratrice au théâtre de Gustav Gründgens (dont elle est l'épouse de 1936 à 1945), elle participe à quelques-uns des films les plus célèbres de l'Allemagne nazie, notamment : *Crépuscule* (V. Harlan, 1937) ; *Der Schritt vom Wege* (Gründgens, 1939) ; *Lumière dans la nuit* (H. Käutner, 1943). Après la guerre, elle fait surtout du théâtre, mais on la voit dans quelques films de Käutner, Staudte, Hans Deppe, Erich Engel, etc., ainsi que dans *Faux Mouvement* de Wim Wenders (1975), *Marianne und Sophie* (Rainer Söhnlein, 1984) et *Schloss Königswald* de Peter Schamoni (1986). D.S.

HOPPER *(Dennis), acteur et cinéaste américain (Dodge City, Kans., 1936).* À dix-huit ans, sous contrat à la Warner, il se lie d'amitié avec James Dean, auprès duquel il joue dans *la Fureur de vivre* (N. Ray, 1955) et *Géant* (G. Stevens, 1956). Après s'être distingué notamment dans *Règlements de comptes à O. K. Corral* (J. Sturges, 1957), *la Fureur des hommes* (H. Hathaway, 1958), *Luke la main froide* (S. Rosenberg, 1967), *Cent Dollars pour un shérif* (H. Hathaway, 1969), il passe à la réalisation avec *Easy Rider* (1969) : une errance américaine, un « road movie » qui ouvre les années 70 comme un manifeste à forte odeur d'« herbe » et aux stridences de rock, film emblématique de toute une génération qui connaît un énorme retentissement. Il n'obtient pas le même succès critique et public pour ses autres longs métrages, *The Last Movie* (1971) et *Out of the Blue* (1980). En 1988, il réalise *Colors* sur la guerre des gangs à Los

Angeles, en 1990, *Hot Spot*, en 1991, *Catchfire* et, en 1994, *Chasers*. Parallèlement, il poursuit sa carrière d'acteur : *Mad Dog* (Philippe Mora, 1976 ; AUST) ; *Tracks* (H. Jaglom, *id.*) ; *l'Ami américain* (W. Wenders, 1977) ; *Apocalypse Now* (F. F. Coppola, 1979) ; *The Osterman Weekend* (S. Peckinpah, 1983) ; *Blue Velvet* (D. Lynch, 1986) ; *Hoosiers* (David Anspaugh, *id.*) ; *la Veuve noire* (B. Rafelson, 1987) ; *River's Edge* (Tim Hunter, *id.*) ; *Blood Red* (Peter Masterson, 1989) ; *Flashback* (Franco Amurri, 1990) ; *Paris Trout* (Stephen Gyllenhaal, 1991) ; *Extrême Limite* (J. B. Harris, 1993) ; *True Romance* (T. Scott, *id.*) ; *Speed* (Jan de Bont, 1994) ; *Search and Destroy* (David Salle, 1995), *Waterworld* (K. Reynolds, *id.*). M.B.

HOPPER *(Jerry), cinéaste américain (Guthrie, Okla., 1907 - San Clemente, Ca., 1988).* Artisan sans grande originalité, il a réalisé de nombreux films, souvent ennuyeux et routiniers. À ses westerns (*le Triomphe de Buffalo Bill* [*Pony Express*], 1953 ; *le Fleuve de la dernière chance* [*Smoke Signal*], 1955) ou à ses policiers (*l'Alibi meurtrier* [*Naked Alibi*], 1954), on préférera ses mélodrames (comme, par exemple, *Ne dites jamais adieu* [*Never Say Goodbye*], 1956), auxquels, il est vrai, Douglas Sirk s'était un moment intéressé. C.V.

HÖRBIGER *(Pál János Hörbiger,* dit *Paul), acteur autrichien d'origine hongroise (Budapest 1894 - Vienne 1981).* Frère du comédien Attila Hörbiger (né à Budapest en 1896), Paul se donne comme modèle une grande vedette de l'opérette viennoise, Alexander Girardi ; il joue d'abord au théâtre et devient, dès le sonore, l'un des acteurs de cinéma les plus prestigieux d'Autriche. Il tient des rôles de fantaisiste ou de composition dans plus de 200 productions de son pays, de Hongrie, puis de l'Allemagne hitlérienne. Pour marquer ses distances à l'égard du régime nazi, son choix se portera sans cesse sur des rôles privés de toute signification politique. Le meilleur de sa carrière se situe avant la guerre ; après 1945, il apparaît surtout dans des divertissements sans importance. Retenons, au nombre de ses meilleurs films : *les Espions* (F. Lang, 1928) ; *Deux Cœurs, une valse* (G. von Bolvary, 1930) ; *Le congrès s'amuse* (E. Charell, 1931) ; *la Guerre des valses* (L. Berger, 1933) ; *Liebelei* (Max Ophuls, *id.*) ; *Princesse Czardas* (*Die Czardasfürstin,* G. Jacoby, 1934). F.B.

HORN *(Camilla), actrice allemande (Francfort-sur-le-Main 1903).* Ancienne danseuse, cette blonde diaphane est choisie par F. W. Murnau pour être la Marguerite de son *Faust* (1926). Sa beauté impressionne fort les producteurs hollywoodiens, qui lui offrent d'être la partenaire de John Barrymore dans *Tempest* (Sam Taylor, 1928) et dans *l'Abîme* (E. Lubitsch, 1929). Après avoir tourné quelques versions allemandes de films américains parlants, elle repartit pour son pays d'origine, après un détour par l'Angleterre. En Allemagne, elle ne rencontra pas les grandes chances de ses débuts et, tout en gardant une certaine notoriété, elle ne fut plus qu'une actrice parmi d'autres du cinéma nazi. Depuis 1944, elle tourne rarement, cependant on la retrouve en 1986 dans *Schloss Königswald* (P. Schamoni). C.V.

HORNBECK *(William), monteur américain (Los Angeles, Ca., 1901).* Il travaille très jeune pour Mack Sennett ; il est monteur dès 1921. En Grande-Bretagne de 1935 à 1942, il compte parmi les collaborateurs réguliers des Korda et de Michael Powell. Il monte pour Capra la série documentaire *Why We Fight,* puis *La vie est belle* (1947). La suavité de ses fondus enchaînés concourt puissamment au romantisme d'*Une place au soleil* (George Stevens 1951). Pour le même réalisateur, il monte *l'Homme des vallées perdues* (1953) et *Géant* (1956), œuvres à l'architecture majestueuse et aux efficaces séquences d'action. Virtuose tant du montage « invisible » que des figures de rhétorique, il est considéré par ses pairs comme le plus grand des monteurs hollywoodiens. J.-L.B

HORNER *(Harry), décorateur et cinéaste américain d'origine austro-hongroise (Holic, Autriche Hongrie [auj. Slovaquie], 1910 - Pacific Palisades Ca., 1994).* Assistant de Max Reinhardt, venu à Hollywood avec lui, il débute comm directeur artistique sur *Notre petite ville* (S Wood, 1940). Il obtiendra des Oscars (en cc pour son travail sur *l'Héritière* (W. Wyler 1949) et *l'Arnaqueur* (R. Rossen, 1961), mai il a su aussi appliquer son sens de la stylisatio à *Menaces dans la nuit* (J. Berry, 1951) et *l'Aventurier du Rio Grande* (R. Parrish, 1959 Plus récemment, on lui doit le magnifiqu décor unique d'*On achève bien les chevau* (S. Pollack, 1969). Réalisateur, Horner a sign quelques films plus ou moins intéressants, dont se détachent pourtant *Beware My Lovely* (1952), produit et interprété par Ida Lupino, *Vicki* (1953), curieux thriller visiblement influencé par *Laura* de Preminger, et *la Nuit bestiale* (*The Wild Party*, 1956). Depuis 1960, il est aussi producteur-réalisateur à la TV. G.L.

HORNER *(William George), mathématicien britannique (Bristol 1786 - Bath 1837),* inventeur du *Daedalum* (1834), plus connu sous le nom ultérieur de *Zootrope.* Amélioration du *Phénakistiscope* de Plateau, le Zootrope fut un jouet très en vogue tout au long du XIXe siècle. J.-P.F.

HORNEY *(Brigitte), actrice allemande (Berlin 1911 - Hambourg 1988).* Jeune première du cinéma allemand à l'orée du parlant, elle devient l'une des actrices les plus populaires du IIIe Reich. Parmi ses succès : *Abschied* (R. Siodmak, 1930) ; *le Roi du mont Blanc* (*Der ewige Traum,* A. Fanck, 1934) ; *Ein Mann will nach Deutschland* (P. Wegener, *id.*) ; *Savoy-Hotel 217* (G. Ucicky, 1936) ; *la Passerelle aux chats* (*Der Katzensteg,* Fritz Peter Buch, 1937) ; *les Mains libres* (*Befreite Hände,* Hans Schweikart, 1939) ; *la Tempête* (*Das Mädchen von Fanö,* id., 1940) ; *les Frontaliers* (*Feinde,* V. Tourjansky, 1940) ; *les Aventures fantastiques du baron de Münchhausen* (J. von Baky, 1943). Elle poursuit avec moins d'éclat sa carrière de la fin de la guerre au début des années 80 (apparaissant en 1983 dans *Bella Donna* de Peter Keglevic). J.-L.P.

HORS CHAMP. Hors du champ de la caméra. Expression préconisée en remplacement de voix ou de son off.

HORTON *(Edward Everett), acteur américain (New York, N. Y., 1886 - Encino, Ca., 1970).* Il débute au théâtre en 1908 et vient au cinéma en 1922, incarnant les hommes du monde légèrement ridicules dans quelque 150 films. On le connaît surtout grâce aux trois films réalisés par Mark Sandrich qu'il interprète aux côtés de Fred Astaire (*la Joyeuse Divorcée,* 1934 ; *le Danseur du dessus,* 1935 ; *l'Entreprenant M. Petrov,* 1937) ou aux cinq autres dans lesquels il a joué sous la direction d'Ernst Lubitsch, de *Haute Pègre* (1932) à *la Huitième Femme de Barbe-Bleue* (1938). Il faut citer aussi : *l'Admirable M. Ruggles* (J. Cruze, 1923) ; *la Bohème* (K. Vidor, 1926) ; *la Femme et le Pantin* (J. von Sternberg, 1935) ; *les Horizons perdus* (F. Capra, 1937) ; *le Défunt récalcitrant* (A. Hall, 1941) ; *Arsenic et vieilles dentelles* (Capra, 1944) ; *l'Aveu* (D. Sirk, *id.*) ; *Milliardaire pour un jour* (Capra, 1961) ; *Une vierge sur canapé* (R. Quine, 1964). Il demeure actif à la scène comme à l'écran jusqu'à sa mort. J.-P.B.

HORTSON → PROJECTION.

HOSKINS *(Bob), acteur et réalisateur britannique (Bury St. Edmunds, Suffolk, 1942).* Petit, rondouillard, trapu, très habile à lancer d'un ton vif, souvent avec un accent cockney, une réplique qui fait mouche, cet ancien travailleur manuel s'est d'abord orienté vers l'écriture et les arts plastiques avant de débuter de manière fortuite au cinéma en 1973. Ce fut surtout son interprétation de malfrat dynamique dans *The Long Good Friday* (1980, John MacKenzie) qui le mit en vedette. Quatre ans plus tard, il s'affirmait à Hollywood dans une mémorable silhouette de gangster inquiet (*Cotton Club,* F. Ford Coppola). Depuis, gangster *(Mona Lisa,* 1986, N. Jordan), détective *(Qui veut la peau de Roger Rabbit ?,* 1988, R. Zemeckis) ou pirate (*Hook,* 1991, S. Spielberg), il est devenu un acteur indispensable et toujours réjouissant. Il a également réalisé et coécrit *Raggedy Rawney* (1989), étrange film d'anticipation aux ambitions certaines. C.V.

HOSSEIN *(Robert Hosseinoff,* dit *Robert), acteur et cinéaste français (Paris 1927).* Fils du compositeur André Hossein et comédien venu du théâtre, il fait en 1955 des débuts très controversés au cinéma : il est l'auteur (avec Frédéric Dard), le metteur en scène et le principal interprète (avec son épouse d'alors, Marina Vlady) d'un film qui a au moins le mérite de la nouveauté, *Les salauds vont en enfer.* De film en film, Hossein devait rechercher par la suite le même climat étrange, violent, érotique et le même malaise, souvent accentués par la musique de son père : *Pardonnez nos offenses* (1956) ; *Toi le venin* (1959) ; *la Nuit des espions* (id.) ; *les Scélérats* (1960) ; *le Goût de la violence* (1961) ; *le Jeu de la vérité* (id.) ; *la Mort d'un tueur* (1963) ; *les Yeux cernés* (1964) ; *le Vampire de Düsseldorf* (id.), un des rares à recevoir un bon accueil critique ; *J'ai tué Raspoutine* (1967) ; *Une corde... un colt* (1969) ; *Point de chute* (1970).

En dehors de ses propres films, c'est un comédien très actif. On le voit ainsi dans plusieurs films de Roger Vadim *(Sait-on jamais ?,* 1957 ; *le Vice et la Vertu,* 1963 ; *Barbarella,* 1968 ; *Don Juan 73,* 1973). La série des *Angélique* réalisée par Bernard Borderie l'a rendu très populaire dans un rôle de plus en plus parodique avec les années.

Depuis le début des années 70, il s'est surtout consacré au théâtre, où il semble être devenu le spécialiste des mises en scène populaires à grand spectacle. En 1981, il a fait un retour remarqué au cinéma dans *les Uns et les Autres,* de Claude Lelouch, puis a signé la réalisation d'une nouvelle version des *Misérables* (1982) avec Lino Ventura. En 1986, il réalise *le Caviar rouge* , adapté du roman qu'il a écrit avec Frédéric Dard et en 1989 interprète dans *les Enfants du désordre* (Y. Bellon) le rôle d'un metteur en scène... de théâtre. D.R.

HOU HSIAO-HSIEN, *cinéaste taiwanais (Meixian, prov. du Gangdong, Chine, 1947).* Sa famille s'établit en 1948 à Hualien, sur la côte est de Taïwan. Il perd ses parents alors qu'il est encore adolescent. En 1969, après son service militaire, il entre à l'Académie nationale d'art dramatique, à Taipei, d'où il sort diplômé en 1972. À partir de 1973, il travaille avec des metteurs en scène de cinéma (Li Xing*, Lai Chengying et Chen Kunhou) comme assistant et scénariste. Il signe son premier long métrage en 1980 : *'Charmante demoiselle'* (*Jiu shi liuliude ta,* 1980). Peu à peu, il s'impose comme l'un des réalisateurs les plus doués de Taïwan, réalisant successivement : *'Vent folâtre'* (*Feng'er titacai,* 1981), *l'Herbe verte de chez nous* (*Zai na heban qingcao qing,* 1982), *'l'Homme-sandwich'* (*Erzi de da wan'ou,* 1983, co Ceng Zhuangxiang et Wan Ren), *les Garçons de Feng-kuei* (*Fengkui laide ren,* id.), *Un été chez grand-père (Dongdong de jiaqi,* 1984), *le Temps de vivre et le temps de mourir* (*Tongnian wangshi,* 1985), *Poussière dans le vent* (*Lianlia fengchen,* 1986), *la Fille du Nil* (*Ni-lo-ho nu'erh,* 1987). Il obtient en 1989 le Lion d'or du Festival de Venise avec *la Cité des douleurs (Beiqing chengshi).* En 1993, il achève *le Maître de marionnettes (Ximong rensheng), inspiré par la vie du marionnettiste Li Tianlu, prix du jury au Festival de Cannes 1993 et, en 1994, Good Men, Good Women (Haonan haonü).* C.O.

HOUSEMAN *(Jacques Haussmann,* dit *Joh producteur américain d'origine anglo-alsacien (Bucarest, Roumanie, 1902 - Malibu, Ca., 198* Associé durant plusieurs années à Ors Welles et cofondateur du Mercury Theat son nom est lié à certains des films les pl accomplis de Joseph L. Mankiewicz, Nichol Ray, Max Ophuls, Vincente Minnelli et Fri Lang. Au terme d'une carrière théâtrale cinématographique prestigieuse, il s'est f connaître comme acteur, et remporta nota ment l'Oscar (« best supporting actor ») po *la Chasse au diplôme* (J. Bridges, 1973).

Il débute en adaptant des pièces européé nes pour Broadway, et signe en 1934 première mise en scène : *Four Saints in Thr Acts.* L'année suivante, il entame une fert mais orageuse association avec Welles, po lequel il produit trois pièces : *Panic, Macbe* et *Dr. Faustus.* En 1937, il fonde avec Wel le Mercury Theatre. Durant les années 19 1939, Houseman est producteur associé programme radiophonique *Mercury Theatre the Air* (où sera diffusée, le 30 octobre 193 *la Guerre des mondes*). Après avoir travail comme conseiller au scénario sur *Citizen Kar* il tient, pendant une courte période, le pos de vice-président des Studios Selznick (où met en chantier *Cinquième Colonne* [A. Hitc cock, 1942] et écrit le scénario de *Jane E* [R. Stevenson, 1944]). Après l'entrée guerre des États-Unis, il supervise penda trois ans le programme radiophonique *la Vc de l'Amérique.*

Il renoue avec le cinéma en 1945. La Par mount l'engage comme producteur assoc sur *l'Invisible Meurtrier* (L. Allen, 1945), pu comme producteur sur *le Dahlia bleu* (G. Mar hall, 1946), deux films écrits par Raymor Chandler. Sa carrière prend son vrai départ 1948 avec *Lettre d'une inconnue* de Max Ophul Elle s'étendra sur près de vingt ans et se marquée par un constant souci de qualité une étroite connivence avec des réalisateu comme Nicholas Ray (*les Amants de la nu* 1949 ; *la Maison dans l'ombre,* 1952), Vincen Minnelli (*les Ensorcelés,* id. ; *la Toile de l'araigné* 1955 ; *la Vie passionnée de Vincent Van Gog* 1956 ; *Quinze Jours ailleurs,* 1962), Josep L. Mankiewicz (*Jules César,* 1953), Robe Wise (*la Tour des ambitieux,* 1954), John Fra kenheimer (*l'Ange de la violence,* 1962) et Sy ney Pollack (*Propriété interdite,* 1966).

Professeur d'art dramatique influent de la Juilliard School, acteur « dilettante », mais d'une imposante présence, on l'a notamment vu dans *Sept Jours en mai* (J. Frankenheimer, 1964), *la Chasse aux diplômes* (J. Bridges, 1973), *Rollerball* (N. Jewison, 1975), *le Privé de ces dames* (*The Cheap Detective,* Robert Moore, 1978), *The Fog* (J. Carpenter, 1980), *le Fantôme de Milburn* (*Ghost Story,* John Irvin, 1981) et dans diverses séries et miniséries TV. Il a écrit une remarquable trilogie autobiographique : *Run Through* (1972), *Front and Center* (1979), *Final Dress* (1983). O.E.

HOWARD *(Leslie Stainer,* dit *Leslie), acteur et cinéaste britannique (Londres 1893 - Golfe de Biscaye 1943).* Leslie Howard était une sorte d'affectueuse caricature d'Anglais. Osseux, blond, la mèche tortillée et en bataille, les lunettes de myope, la pipe de l'homme tranquille, le livre ouvert à proximité de la main, la diction calme et la repartie tranchante, il est, comme l'a dit Jeffrey Richards, l'intellectuel britannique devenu héros cinématographique.

Il paraît à l'écran en 1917, mais il tourne peu et ce n'est qu'à la faveur d'une tournée américaine qu'il va vraiment débuter dans *Outward Bound* en 1930 (Robert Milton). Peu de cinéastes américains ont su faire honneur à sa personnalité si spéciale. Trop souvent, ils l'ont utilisé sans imagination en le faisant paraître fade. Si sa sensibilité vibre assez fort dans *Outward Bound* et s'il suggère d'une manière impressionnante l'attachement obsessionnel dans *Chagrins d'amour* (S. Franklin, 1932), Frank Lloyd (*Berkeley Square,* 1933) ou Archie Mayo (*la Forêt pétrifiée,* 1936), qui firent de lui un jeune premier, n'ont réussi à lui arracher que des créations molles et stéréotypées. Même un directeur d'acteurs aussi fin que Clarence Brown s'est laissé prendre à ses dehors en lui donnant le rôle du terne fiancé de Norma Shearer dans *Âmes libres* (1931). En même temps, en Angleterre, où il revenait périodiquement, des cinéastes moins prestigieux comme Harold Young faisaient honneur à son humour malicieux et à son sens de la composition comique, par exemple dans la superproduction *le Mouron rouge* (*The Scarlet Pimpernel,* 1935). D'une manière générale, l'humour a mieux réussi à Leslie Howard que le drame : il est éblouissant de verve en cabotin fat dans*l'Aventure de minuit* (*It's Love I'm After,* A. Mayo, 1937), et Tay Garnett a découvert chez lui un côté Harold Lloyd, inattendu mais irrésistible (*Monsieur Dodd part pour Hollywood,* id.). Bette Davis fut pour Howard une excellente partenaire, son abattage et ses tendances à l'excès réveillant les fibres les plus secrètes du comédien : ainsi sa composition d'étudiant en médecine maladif et boiteux dans *l'Emprise* (J. Cromwell, 1934) est-elle saisissante et finalement plus attachante que celle, trop apprêtée, de sa partenaire.

Ce film prouvait que le grand talent de Leslie Howard pouvait aisément surmonter les pires handicaps : il était trop âgé pour le rôle, comme il le fut pour *Roméo et Juliette* (G. Cukor, 1936), ce qui ne l'empêcha pas de conférer à son jeu une émotion juvénile qui, la surprise des premiers instants passée, balaye tout.

Il accepta son personnage le plus célèbre, Ashley Wilkes dans *Autant en emporte le vent* (V. Fleming, 1939), pour que David O. Selznick lui laisse tourner *Intermezzo* (G. Ratoff, *id.*). Malgré une réalisation sans envergure, sa finesse et celle d'Ingrid Bergman suffirent à donner au film l'émotion nécessaire.

Sa meilleure création est celle du professeur Higgins dans *Pygmalion* (A. Asquith, 1938), qu'il coréalisa. Très différente de celle de Rex Harrison dans le *My Fair Lady* de Cukor, plus rentrée, plus secrète, son interprétation cerne admirablement le personnage : un intellectuel pudique qui dissimule sa sensibilité sous le sarcasme et l'ironie. Pendant la guerre, en Angleterre, il interpréta l'intéressant *49e Parallèle* (M. Powell, 1941), réalisa trois films (*Pimpernel Smith,* id. ; *The First of the Few,* 1942 ; *The Gentle Sex ;* co : M. Elvey, 1943) et prêta sa voix à la propagande antinazie à la radio. En 1943, il s'embarqua pour une série de conférences en faveur des Alliés. Son avion fut abattu. L'Angleterre perdait un de ses plus grands comédiens. C.V.

HOWARD *(Ronnie,* dit *Ron), acteur et cinéaste américain (Duncan, Ok., 1953).* Acteur enfant doué (il était le petit rouquin de *Il faut marier papa,* V. Minnelli, 1963), acteur adolescent attachant *(American Graffiti,* G. Lucas, 1973), puis idole de la télévision (la série à succès *Happy Days*). Ron Howard aurait pu se laisser porter par le succès facile. Mais il voulait être réalisateur. Ce qu'il fait très modestement depuis 1977. Il a maintenant abandonné sa carrière d'acteur pour devenir l'un des cinéastes les plus fiables et les moins prétentieux du cinéma commercial. Sa modestie sympathique ne le met pas à l'abri d'une certaine mièvrerie (*Splash, id.,* 1984), pourtant souvent drôle (*Cocoon, id.,* 1985), voire d'une certaine platitude : *Horizons lointains* (*Far and Away,* 1992). Il a cependant le sens de la fable (*Willow, id.,* 1988) et du spectaculaire (l'impressionnant *Backdraft, id.,* 1991). C'est aussi, comme l'annonçait ce dernier film, un excellent directeur d'acteur capable de réussir de bonnes comédies vivement enlevées : *Portrait d'une famille modèle (Parenthood,* 1989) ; *le Journal* (*The Paper,* 1993). C.V.

HOWARD *(Sidney), scénariste américain (Oakland, Ca., 1891-Los Angeles, id., 1939).* Sa renommée est due à un crédit posthume : il est le seul scénariste mentionné au générique d'*Autant en emporte le vent* (V. Fleming, 1939). Il semblerait qu'il soit responsable surtout de la première moitié du film, ce qui ne diminue en rien la difficulté de la tâche et le panache du scénariste. Sa pièce, *They Knew What They Wanted,* fit l'objet de nombreuses versions filmées : *The Secret Hour* (Rowland V. Lee, 1928), *A Lady to Love* (V. D. Sjöström, 1930) et *Drôle de mariage* (G. Kanin, 1940), sans compter des remakes non officiels ou partiels. D'autres de ses pièces furent filmées tandis qu'il était l'un des piliers des productions Samuel Goldwyn, ce qui noya quelque peu sa vigueur derrière une élégance parfois compassée (*Arrowsmith,* J. Ford, 1931 ; *Dodsworth,* W. Wyler, 1936). Par contre, son scénario débridé, amoral et loufoque pour *The Greeks Had a Word for Them* (L. Sherman, 1932) est une pure merveille que la postérité, encore une fois, pillera allègrement. C.V.

HOWARD *(Trevor), acteur britannique (Cliftonville 1916 - Londres 1988).* Cet ancien élève de l'Académie royale d'art dramatique s'est tout de suite rendu célèbre en incarnant le médecin amoureux de *Brève Rencontre* (D. Lean, 1945). Le succès de ce film, devenu l'un des grands classiques du cinéma réaliste anglais, marque le départ d'une carrière importante. On le voit dans des films de guerre, où il semble se spécialiser dans les personnages d'officiers : *le Chemin des étoiles* (A. Asquith, 1945) ; *Commando sur Saint-Nazaire* (*The Gift Horse,* C. Bennett, 1953) ; *Commando dans la Gironde* (*The Cockleshell Heroes,* J. Ferrer, 1956) ; *la Clé* (C. Reed, 1958).

Son talent reste intact dans quelques mélodrames médiocres comme *le Fond du problème* (*The Heart of the Matter,* G. M. O'Ferrall, 1953), *les Amants du Tage* (H. Verneuil, 1955) ou dans certains films d'action comme *Odette, agent secret* (H. Wilcox, 1950), *la Salamandre d'or* (R. Neame, 1950), *la Course au soleil* (R. Boulting, 1956), *les Révoltés du Bounty* (L. Milestone, 1962). Après avoir donné la réplique à Joseph Cotten dans *le Troisième Homme* (C. Reed, 1949), il s'impose comme grand acteur de composition dans le rôle de l'aventurier déchu du *Banni des îles* (C. Reed, 1951). On peut citer parmi d'autres performances notables : l'ami des éléphants dans *les Racines du ciel* (J. Huston, 1958) ; le mineur père de famille d'*Amants et Fils* (J. Cardiff, 1960) ; le vice-maréchal Keith Park dans *la Bataille d'Angleterre* (G. Hamilton, 1969) ; le curé de campagne dans *la Fille de Ryan* (D. Lean, 1970) ; Wagner dans *Ludwig* (L. Visconti, 1972) ; le garagiste visionnaire des *Années Lumière* (A. Tanner, 1981) ; le fermier assassiné dans *Dust* (Marion Hänsel, 1985). T. Howard figure aussi au générique de *Superman* (R. Donner, 1978), dans le rôle de « l'Ancien ». Sa fin de carrière est marquée par d'excellents rôles secondaires dans *Foreign Body* (R. Neame, 1986), *The Unholy* (Camilo Vilo, 1987), *Sur la route de Nairobi* (*White Mischief,* M. Radford, *id.*), et *The Dawning* (Robert Knights, 1988). R.L.

HOWARD *(William K.), cinéaste américain (St. Mary's, Ohio, 1899 - Los Angeles, Ca., 1954).* Ses films sont si difficiles à voir qu'on a oublié qu'il fut considéré en son temps comme un cinéaste audacieux et intelligent. Il commence au début des années 20 dans le western de série, mais affirme très vite ses ambitions dans un western symbolique et esthétisant, *la Toison d'or* (*White Gold,* 1927), ou dans des études psychologiques originales comme *Gigolo* (1926). On est séduit par un mélodrame sentimental comme *Transatlantic* (1931) ou intrigué par *Thomas Garner* (*The Power and the Glory,* 1933), avec Spencer Tracy dans le rôle-titre et dont le sujet et la narration éclatée préfigurent *Citizen Kane* de Welles. Mais c'est peut-être un film plus modeste comme *le Témoin imprévu* (*Evelyn Prentice,* 1934), scintillant d'adresse et d'intelligence, qui nous fait mesurer ce que nous perdons. Après avoir tourné *l'Invincible Armada* (*Fire Over England,* 1937) en Angleterre, William K. Howard fut confiné aux films de série et se retira en 1946. C.V.

Autres films : *Volcano* (1926) ; *Sherlock Holmes* (1932) ; *Mary Burns, fugitive* (1935) ; *The Princess Comes Across* (1936) ; *England* (1937 ; GB) ; *Back Door to Heaven* (1939).

HOWE *(Wong Tung Jim,* dit *James Wong), chef opérateur et cinéaste américain d'origine chinoise (Canton 1899 - Los Angeles, Ca., 1976).* Arrivé aux États-Unis à cinq ans, il travaille dans les studios dès 1917 et, passionné de photographie, devient chef opérateur en 1922 (*Drums of Fate* de C. Maigne). Bientôt remarqué pour son goût des innovations, il éclaire de 1923 à 1928 la plupart des films d'Herbert Brenon. Dès les débuts du parlant, il expérimente, dans *Transatlantic* (William K. Howard, 1931), la profondeur de champ. Suivent notamment *Code criminel* (H. Hawks, 1931), *Thomas Garner* (W. K. Howard, 1933), *Viva Villa !* (J. Conway, 1934), *l'Introuvable* (W. S. Van Dyke, 1934), *la Marque du vampire* (T. Browning, 1935), *le Prisonnier de Zenda* (J. Cromwell, 1937), *Casbah* (id., 1938), *Je suis un criminel* (B. Berkeley, 1939), *Strawberry Blonde* (R. Walsh, 1941), *Les bourreaux meurent aussi* (F. Lang, 1943), *Passage to Marseille* (M. Curtiz, 1944), *la Vallée de la peur* (R. Walsh, 1947), *Sang et Or* (R. Rossen, *id.*), *Menaces dans la nuit* (J. Berry, 1951), *la Rose tatouée* (Daniel Mann, 1955, Oscar), *Picnic* (J. Logan, 1956), *Adorable Voisine* (R. Quine, 1958), *le Plus Sauvage d'entre tous* (M. Ritt, 1963 ; Oscar), *l'Opération diabolique* (J. Frankenheimer, 1966), *Propriété interdite* (S. Pollack, *id.*), *Traître sur commande* (M. Ritt, 1970) ou *Funny Lady* (H. Ross, 1975). Tous les films où il a collaboré portent sa griffe : accusation des contrastes allant parfois jusqu'à l'irréalité dans ses films en noir et blanc, composition très travaillée avec des mariages de teintes inattendus dans ses films en couleurs. Howe a également réalisé *Go, Man, Go* (1954) et, en collaboration avec John Sledge, *The Invisible Avenger* (1958), ainsi qu'un court métrage sur un peintre chinois : *The World of Dong Kingman* (1953). J.-P.B.

HRABAL *(Bohumil), écrivain et scénariste tchèque (près de Brünn* [auj. *Brno*] *1914).* Ses proses poétiques et « délirantes », sortes de lyriques d'un humour à la fois presque fantastique et très cru, marquées par la connaissance que l'auteur, pendant ses années d'apprentissage, a faite de nombreux métiers, milieux et types humains, ont longtemps attendu d'être publiées. Quand elles ont enfin pu triompher de la censure – encore que dans des versions plus ou moins tronquées –, on a vite reconnu en Hrabal un des plus grands écrivains tchèques vivants. Sa vision du monde, très « Europe centrale », insistant sur le *concret* de la réalité sensible et de l'expérience quotidienne (à la différence de tout discours idéologique), a naturellement rejoint celle des jeunes cinéastes de la Nouvelle Vague tchèque, dont plusieurs lui ont rendu hommage dans le film à épisodes *les Petites Perles au fond de l'eau* (*Perličky na dně,* 1965). Une chute de ce film, le moyen métrage *Un fade après-midi* (1965), constitue par ailleurs la première réalisation d'Ivan Passer. Hrabal inspira notamment Jiři Menzel : *Trains étroitement surveillés* (1966), *les Alouettes sur le fil / Alouettes, un fil à la patte* (1969, distribué en 1989), *Retailles / Une blonde émoustillante* (1981) ; Petr Koliha (*'Tendre Barbare' [Něžny barbar],* 1990) ; Dušan Klein (*'les Yeux d'ange' [Andělské oči],* 1994) ; Vera Cais (*'Une trop bruyante solitude' [Příliš hlučná samota],* 1995). P.K.

HRISTOV *(Hristo), cinéaste bulgare (Plovdiv 1926).* Après avoir étudié la médecine et dirigé de nombreuses troupes théâtrales d'amateurs, il est élève de l'Institut supérieur d'art théâtral de Sofia puis metteur en scène au théâtre N. O. Masalitinov de Plovdiv. Il fait un stage dans les studios Mosfilm de Moscou, travaille notamment avec Alov, Naoumov et Khoutsiev, revient dans son pays et s'associe avec le cinéaste d'animation Todor Dinov pour réaliser sa première mise en scène de cinéma *Iconostase* (*Ikonostasat,* 1969), admirable fresque lyrique consacrée – comme *Andreï Roublev* de Tarkovski – à la fonction de l'artiste dans la société. Habile à jouer des interférences entre le monde réel et le monde de l'imaginaire (*le Dernier Été* [*Posledno ljato*], 1973 ; *Arbre sans racines* [*Darvo bez koren*], 1974 ; *'le Cyclope'* [*Ziklopat*], 1976), il aborde dans *'la Barrière'* (*Barierata,* 1979) les rivages de l'univers psychotique et surréel et revient à un récit plus naturaliste dans *'le Camion'* (*Kamionat,* 1980). Il a également tourné *l'Enclume et le Marteau* (*Nakovalna ili cuk,* 1972), *Une femme de trente-trois ans* (*Edna žena na triiset i tri,* 1982), *l'Interlocuteur de votre choix* (*Sabesednik po želanije,* 1984), *'le Certificat'* (*Harakteristika,* 1985) et *Test 88* (id., 1988). Il est l'un des réalisateurs les plus originaux du cinéma bulgare des années 70. J.-L.P.

HRUŠÍNSKÝ *(Rudolf), acteur tchèque (Novÿ Etynk 1920 - Prague 1994).* Fils d'un acteur connu, il débute très tôt au théâtre et au cinéma, d'abord dans des rôles romantiques, puis dramatiques et parfois même comiques. Son registre lui permet de composer des personnages drolatiques (dans les films de Jiři Menzel : *Un été capricieux,* 1967 ; *Ces merveilleux hommes à la manivelle,* 1978 ; *Retailles,* 1981), franchement inquiétants comme son Karel Kopfrkingl, l'homme qui aimait trop les crématoriums (*l'Incinérateur de cadavres,* J. Herz, 1969) ou donquichottesques (*l'Honneur et la Gloire,* Hynek Bočan, 1968). Parmi ses autres films, citons notamment : *Věra Lukášova* (E. F. Burian, 1939) ; *' la Turbine '* (*Turbina,* O. Vavra, 1941) ; *'le Rapt'* (*Únos,* J. Kadar et E. Klos, 1953) ; *le Brave Soldat Švejk* (*Dobrÿ voják Švejk,* Karel Stekly, 1957) ; *Monsieur Principe supérieur* (J. Krejčik, 1960) ; *les Alouettes sur le fil / Alouettes, un fil à la patte* (J. Menzel, 1969, distribué en 1989) ; *la Fumée des fanes de pommes de terre* (F. Vlačil, 1977) ; *Retailles / Une blonde émoustillante* (Menzel, 1981) ; *'Attention, la visite'* (K. Kachyña, *id.*) ; *'Festivités des perce-neiges'* (Menzel, 1983) ; *'les Trois Vétérans'* (*Tři veteráni,* Oldřich Lipsky, *id.*), *Mon cher petit village* (Menzel, 1986) ; *la Mort des beaux chevreuils* (K. Kachyña, 1987) ; *la Fin du bon vieux temps* (Menzel, 1988) ; *'le Début d'un long automne'* (*Začatek dlouhého podzimu,* Peter Hledik, 1989) ; *'Tendre Barbare'* (*Něžný barbar,* Petr Koliha, 1990) ; *'Chers Amis, oui'* (*Vážení přátelé, ano,* Dušan Klein, *id.*) ; *'l'École élémentaire'* (*Obecná škola,* Jan Sverak, 1991) ; *l'Opéra des gueux* (J. Menzel, *id.*). J.-L.P.

HU DIE (*Butterfly Wu,* dite), *actrice chinoise (Shanghai 1907).* À l'âge de seize ans, elle s'inscrit à l'École chinoise de cinéma animée par Hong Shen. Bientôt vedette de *'Regret automnal'* (*Qiushan yuan,* Chen Kengran), produit par le studio Youlian en 1925, e[illegible] entre dès l'année suivante au studio Tian[illegible] où, en trois ans, elle joue dans une vingta[illegible] de films. En 1928, la Mingxing l'engage [illegible] vedette sur plus de trente films. En particul[illegible] elle joue avec Ruan Linyu dans *'la Pagode [illegible] nuages blancs'* (*Baiyun ta,* Zhang Shichuan [illegible] Zheng Zhengqiu, 1928), puis elle tient [illegible] célèbre rôle de *la Chanteuse Pivoine-Ro[illegible]* (*Ge'nü Hongmudan,* Zhang Shichuan, 193[illegible] ensuite *le Torrent sauvage* (*Kuangliu,* Ch[illegible] Bugao, 1933), *'le Marché de la tendresse' (Zhi[illegible] shichang,* Zhang Shichuan, *id.)* et surtout [illegible] *Deux Sœurs (Zimei hua,* Zheng Zhengqiu, *i[illegible]* où elle a un double rôle grâce à des truca[illegible] qui paraissaient extraordinaires à l'époq[illegible] Suivent, en 1934, *'Une bible pour les fil[illegible]* (*Nü'er jing* de Zhang Shichuan) et, en 19[illegible] *'Fleurs de pêchers après la tourmente'* (*Jieh[illegible] taohua,* id.). En 1936, elle est la vedette d'[illegible] film de Zhang Shichuan, *'Une féministe'* (*N[illegible] quan).* À la déclaration de la guerre, elle s'ex[illegible] à Hongkong. Pendant la période dite « de l'[illegible] orpheline », on la voit en particulier dans [illegible] *Fard et les Larmes'* (*Yanzhi lei,* Wu Yonggar[illegible] 1938), *'Sacrifice suprême'* (*Juedai jiaren,* Wa[illegible] Cilong, 1940), *'Famille'* (*Jia,* Bu Wancar[illegible] 1941), et *'Le paon s'envole vers le sud-[illegible] (Kongque dongnan fei,* Wang Cilong, *id.).* Lo[illegible] que Hongkong est occupée par les Japona[illegible] elle gagne Chongqing. Après la guerre, e[illegible] tourne deux films pour la compagnie [illegible] Hongkong « la Grande Chine » : *'Une gran[illegible] dame'* (*Mou furen,* He Feiguang, 1946) et *'R[illegible] de printemps' (Chun zhi meng,* Zhu Shilin, *id.* puis elle se retire jusqu'en 1958 : elle tie[illegible] alors le rôle principal dans quatre films d[illegible] Shaw Brothers Productions, dont *'Deux [illegible]nérations de femmes'* (*Liangdai nüxing,* Bu Wa[illegible]cang, 1960) et *'l'Enfant de la rue'/ 'Gamin d[illegible] rues'* (*Jietong,* Yue Feng, *id.*). La même anné[illegible] elle est encore la vedette du *Petit Vagabo[illegible]* (*Ku'er liulang ji,* id., Bu Wancang), produit p[illegible] le studio Guofeng, un film qui eut un gra[illegible] succès à Hongkong et en Asie du Sud-Est, [illegible] tient beaucoup d'autres rôles très appréciés [illegible] public. Mais, finalement, celle qui fut la pl[illegible] grande star du cinéma chinois des années 3[illegible] la vedette de tant de films célèbres, termine [illegible] vie dans une complète obscurité. C.D.

HU *(King)* → **KING HU.**

HUANG JIANXIN, *cinéaste chinois (Xi'an 1954).* À l'âge de 16 ans, en pleine révolution culturelle, il s'engage dans l'armée. À 22 ans, il devient photographe, puis entre aux Studios de Xi'an, où il se forme sur le tas. Ensuite, il étudie la mise en scène pendant un an à l'Institut de cinéma de Pékin. De retour aux Studios de Xi'an, son premier film, *l'Incident du canon noir* (*Hei pao shijian,* 1986), est remarqué pour l'originalité de son propos et pour son humour. Il est suivi par *le Double* (*Cuo wei,* 1987), dans la même veine. En 1988, Huang réalise *Samsara (Lun hui),* d'après un roman de l'écrivain à la mode Wang Shuo. Après une année en Australie, à la Sydney Film and Television School, il entreprend une trilogie satirique sur la vie urbaine contemporaine. Le premier volet, *Debout, ne te laisse pas abattre !* (*Zhan zhe luo, bie pa xia !,* 1992), qui décrit les changements des rapports sociaux dans un immeuble de Pékin, remporte un immense succès public en Chine. Succès également pour le deuxième : *Rivaux, mais solidaires* (*Back to Back, Face to Face - Bei kao bei, lian dui lian,* 1994), qui traite de la corruption des cadres et de la protection des droits de l'individu. Le troisième sera consacré aux intellectuels qui se lancent dans les affaires (on dit qu'ils se «jettent à la mer»). M.-C.Q.

HUANG JIANZHONG, *cinéaste chinois (Indonésie 1941).* Il rentre en Chine à l'âge de huit ans, après la mort de sa mère et grandit à la campagne dans la province du Fujian. À dix-neuf ans il écrit un scénario sur les jeunes paysans qui lui vaut d'être accepté pour un stage artistique aux studios de Pékin où il a Cui Wei et Chen Huai'ai comme maîtres. À la fin de la Révolution culturelle, il est assistant réalisateur de Li Wenhua puis de Zhang Zheng pour *Xiaohua* (*Xiaohua,* 1979). Trois ans plus tard, il réalise seul *le Talisman (Ruyi),* d'après une nouvelle de Liu Xinwu : un film qui, au lieu d'exalter des héros, montre les souffrances des gens sans importance au cours des mouvements politiques qui ont ponctué l'histoire de la Chine nouvelle. Il signe ensuite *Vingt-six jeunes filles* (*Ershiliu ge guniang,* 1984), sur les inondations au Sichuan, *Une femme honnête* (*Liangjia funü,* 1985), sur les mariages d'enfants, *Questions d'un mort aux vivants* (*Sizhi dui shengzhi de fangwen,* 1987), *Deux femmes vertueuses* (*Zhen nü,* 1988), d'après une nouvelle de Guhua. Après un film de commande : *le Policier de l'année du Dragon* (*Longnian jinguan,* 1990), il réalise une comédie amère, *le Nouvel An* (*Guonian,* 1991), suivie de *l'Esprit de la montagne* (*Shan shen,* 1992). A.M.Q.

HUANG *(Shaofen), chef opérateur chinois (Zhongshan, prov. du Guangdong, 1911).* Entré à la Minxin à l'âge de 14 ans comme apprenti, il est cameraman cinq ans plus tard et photographie les deux premiers films de la Lianhua : *Rêve de printemps dans l'antique capitale* (*Gudu chunmeng,* Sun Yu, 1930) et *Herbes folles et fleurs sauvages (Yecao xianhua,* id., *id.).* Chef opérateur à la Lianhua, il filme en particulier *Amour et Devoir* (*Lian'ai yu yiwu,* Bu Wancang, 1931) et *Les Fleurs de pêcher pleurent des larmes de sang* (*Taohua qixue ji,* id.). Après une quinzaine de films importants comme *Trois Femmes modernes* (*Sange modeng nüxing,* Bu Wancang, 1933), *Une mer de neige parfumée* (*Xiang xuehai,* Fei Mu, 1934), *Piété filiale* (*Tianlun,* Fei Mu et Luo Mingyou, 1935), *Retour à la nature* (*Dao Ziran qu,* Sun Yu, 1936), il entre en 1937 à la Xinhua et travaille pour ce studio durant la période de l'«île orpheline», puis il passe à la Wenhua. À la suite de *Regrets éternels* (1948), premier film chinois en couleurs de Fei Mu qu'interprète Mei Lanfang, il devient spécialiste de la couleur et signe la lumière de plusieurs opéras célèbres : *Liang Shanbo et Zhu Yingtai* (*Liang Shanbo yu Zhu Yingtai,* Sang Hu, 1953) ; *Quinze Colliers de sapèques* (*Shiwu guan,* Tao Jin, 1956), *Song Shijie (Song Shijie,* Ying Yunwei et Liu Qiong, *id.).* En 1957, il filme *la Basketteuse nº 5* (*Nülan wuhao,* Xie Jin) ; en 1959, *Lin Zexu* (*Lin Zexu,* Zheng Junli) ; en 1961, *L'arbre mort prend vie* (*Kumu feng chun,* id.) et, en 1964, *les Sentinelles sous les néons* (*Nihongdeng xia de shaobing,* Wang Ping). Puis c'est *le Serpent blanc* (*Baishe zhuan,* Fu Chaowu, 1980). Au début des années 80, il est responsable du bureau technique aux studios de Shanghai. C.D.R.

HUBERT *(Roger), chef opérateur français (Montreuil-sous-Bois 1903 - Paris 1964).* Il débute en 1923 et devient rapidement un des meilleurs chefs opérateurs français, en particulier pour Gance (*Napoléon,* 1927), dont il éclaire huit films dans les années 30, et Carné, avec qui il signe *Jenny* (1936), *les Visiteurs du* *soir* (1942) et *les Enfants du paradis* (1945). On lui doit entre autres : *le Blanc et le Noir* (R. Florey, 1931) ; *On purge Bébé* et *la Chienne* (J. Renoir, *id.*) ; *Fantômas* (P. Fejos, 1932) ; *Fanny* (M. Allégret, *id.*) ; *Mater Dolorosa* (A. Gance, *id.*) ; *Pension Mimosas* (J. Feyder, 1935) ; *Remous* (E. T. Gréville, *id.*) ; *Quadrille d'amour* (R. Eichberg, *id.*) ; *Lucrèce Borgia* (Gance, *id.*) ; *Divine* (Max Ophuls, *id.*) ; *l'Homme du jour* (J. Duvivier, 1937) ; *J'accuse* (Gance, 1938) ; *Volpone* (M. Tourneur, 1941) ; *la Loi du Nord* (Feyder, 1942, RE 1939) ; *le Baron fantôme* (S. de Poligny, 1943) ; *l'Éternel Retour* (J. Delannoy, *id.*) ; *l'Affaire du collier de la reine* (M. L'Herbier, 1946) ; *Martin Roumagnac* (G. Lacombe, *id.*) ; *les Derniers Jours de Pompéi* (L'Herbier, 1950) ; *Nez de cuir* (Y. Allégret, 1952) ; *la Fête à Henriette* (J. Duvivier, *id.*) ; *Thérèse Raquin* (M. Carné, 1953) ; *l'Air de Paris* (id., 1954) ; *La Fayette* (J. Dréville, 1961). J.P.B.

HUBLEY *(John), cinéaste d'animation américain (Marinette, Wisc., 1914 - New Haven, Conn., 1977).* D'abord employé de Walt Disney (pour *Blanche-Neige, Pinocchio* et *Fantasia* notamment), il trouve sa pleine mesure après 1945, à l'UPA, où il contribue à créer le personnage de *Mister Magoo* (d'après son propre oncle). Ses dessins sont stylisés, mais souvent très drôles ; leur simplification, opposée à la technique de Walt Disney, a pu faire croire un moment que Hubley était porteur d'une véritable révolution dans le dessin animé (*Moonbird,* 1960 ; *The Hole,* 1962 ; *The Hat,* 1964). Fondateur de la Storyboard Productions (1955), il travaille beaucoup pour la télévision et la publicité. Il avait signé, en 1952, les séquences d'animation du *Ciel de lit* (*The Four Poster,* Irving Reis). Sa femme, Faith, était sa collaboratrice. C.V.

HUDSON *(Hugh), cinéaste britannique (Londres 1936).* Son premier film *les Chariots de feu* (*Chariots of Fire,* 1981), Oscar à Hollywood, sanctionnait par un immense succès commercial le renouveau du cinéma anglais. D'autant que l'entreprise était purement britannique : le metteur en scène, les comédiens, le sujet (le sport dans les public schools d'abord, sur le stade ensuite) et enfin le producteur David Puttnam qui avait déjà découvert d'autres jeunes débutants prêts au succès (Ridley Scott, Alan Parker).À travers deux athlètes, l'un juif victime de l'antisémitisme, l'aut chrétien et profondément croyant, le fi critique l'establishment mais exalte aussi l valeurs de l'effort. Message ambigu qui conv nait aux années Thatcher, et présenté dans style plein de joliesses et de ralentis où l' sentait l'influence de la télévision. *Greystoke, légende de Tarzan* (*Greystoke,* 1984) confirme talent de Hudson. En revenant aux sourc littéraires, le cinéaste propose un Tarz inhabituel, alternant les séquences en Euro et en Afrique, dans un style classique illustratif qui rend justice à la beauté d paysages et à la puissance du mythe. Il tour ensuite un film ambitieux sur la révolutic américaine : *Révolution* (id., 1985) qui est u échec commercial puis *Lost Angels* (1989) *The Road Home* (1990). M.

HUDSON *(Roy Scherer Jr.,* puis *Roy Fitzgera* dit *Rock), acteur américain (Winnetka, Ill., 192 Beverly Hills, Ca., 1985).* Il est découvert p Raoul Walsh qui lui donne en 1948 un pet rôle dans ses *Géants du ciel* et le prend so contrat personnel. Il est l'un des plus granc et des plus athlétiques comédiens américain On le voit d'abord dans toute une série c rôles secondaires dans les films produits p la Universal, le plus souvent des films d'actic et des westerns, parfois signés Anthony Man (*Winchester 73,* 1950 ; *les Affameurs,* 1952). S rôles s'étoffent petit à petit. En 1952, il est vedette à part entière d'*Une fille à bagarr* (*Scarlet Angel,* Sidney Salkow), avec Yvonr de Carlo, et, en 1953, de *Victime du destin* c Raoul Walsh, qu'il retrouvera la même anné pour deux autres films : *la Belle Espionne,* u film d'aventures maritimes avec Yvonne d Carlo, et *Bataille sans merci,* un western.

Douglas Sirk, qui lui avait donné à se débuts un de ses rares rôles de comédie (dar *Qui donc a vu ma belle ?,* 1952) va lui permettr de prouver qu'il n'a pas seulement une « bel gueule », mais qu'il est capable d'être u acteur convaincant, et parfois même émo vant. De leur longue collaboration, on retier dra particulièrement : *le Secret magnifique,* ave Jane Wyman (1954), qui fait pleurer tout l'Amérique et le catapulte au sommet d box-office ; *Capitaine Mystère* (1955), un filr d'aventures ; *Tout ce que le ciel permet* (1956 encore avec Jane Wyman) ; *Écrit sur du ver* (1957), un mélodrame flamboyant, et *la Rond de l'aube* (1958) d'après *Pylone,* un roman de Faulkner.

Au sommet de sa carrière, Rock Hudson ne trouvera malheureusement plus de metteur en scène capable, comme Sirk, de l'utiliser aussi bien sur ses défauts. On relève dans sa filmographie des œuvres très honorables comme *Géant* (G. Stevens, 1956), *le Carnaval des dieux* (R. Brooks, 1957), *Cette terre qui est mienne* (*This Earth Is Mine,* H. King, 1959), *El Perdido* (R. Aldrich, 1961), *le Sport favori de l'homme* (H. Hawks, 1964). Mais on y relève également beaucoup de comédies insipides, mais à succès, parfois avec Doris Day (*Confidences sur l'oreiller,* M. Gordon, 1959). Après l'échec commercial de *l'Opération diabolique* (J. Frankenheimer, 1966), il tourne moins, et la suite de sa carrière ne lui permet pa de retrouver un rôle d'envergure. Atteint du Sida, il meurt en 1985. D.R.

HUGHES *(Howard), industriel, producteur et cinéaste américain (Houston, Tex., 1905 - en avion 1976),* neveu de l'écrivain et cinéaste Rupert Hughes. Il fut l'un des hommes les plus riches du monde, ayant hérité à dix-huit ans la Hughes Tool Company, qui gère la majeure partie du pétrole texan. Un passionné d'aviation, qui vend force prototypes et bat lui-même maints records. Un des magnats de la RKO, dont il devient directeur en 1948 avant de la mener à la faillite. Un «fabricant» de stars, particulièrement attiré par les beautés plantureuses (Jean Harlow, Jane Russell), qu'il lançait à grand renfort de publicité. Un mécène extravagant, qui réalisa le rêve surréaliste de la salle de cinéma aménagée au fond d'une piscine (pour la première d'*Underwater,* 1954, de John Sturges). L'un des modèles, non crédités, du *Citizen Kane* de Welles. Et, à la fin de sa vie, un maniaque de la propreté et du secret, fuyant le fisc et les microbes dans des forteresses inexpugnables, et se laissant pousser les ongles et la barbe comme un mandarin chinois, tel Howard Hughes qui serait devenu fou et se serait pris pour Howard Hughes !

Mais il fut aussi un producteur avisé, courageux, presque d'avant-garde. On lui doit la production du film de Lewis Milestone *The Front Page* (1931), la genèse de deux des plus étonnants Howard Hawks (*Scarface,* 1932, et *la Captive aux yeux clairs,* 1952), le tripatouillage (moins glorieux) de deux films de Sternberg, *Jet Pilot* (1957, RE 1950) et *Macao* (1952), enfin, la réalisation d'un western aux audaces réelles, *le Banni* (*The Outlaw,* 1950, RE 1941, avec la «bombe» Jane Russell). Le reste, y compris quelques prouesses aéronautico-cinématographiques, à la réalisation desquelles il collabora (*Hell's Angels,* 1930 ; *Sky Devils,* 1932), est plus inégal, même si quelques flambées y témoignent d'une sorte de génie du spectacle. C.B.

HUGHES *(Ken), cinéaste britannique (Liverpool 1922).* Après avoir réalisé de nombreux courts métrages documentaires et des moyens métrages policiers, il signe son premier long métrage en 1952 *(Wide Boy)* et affirme son goût pour les films de gangsters : *Piège pour une canaille* (*Confession,* 1953) ; *Joe Macbeth* (1955), libre adaptation de la pièce de Shakespeare ; *les Trafiquants de la nuit* (*The Long Haul,* 1957). Ce sont des films comme *le Procès d'Oscar Wilde* (*The Trials of Oscar Wilde,* 1960), *l'Ange pervers* (*Of Human Bondage,* 1964) ou *Casino Royale* (1967 ; CO V. Guest, J. Huston, R. Parrish) qui lui apportent une notoriété confirmée par *Cromwell* (1970). En 1979, il dirige Mae West (86 ans) dans *Sextette* et s'essaye dans le film d'horreur (*les Yeux de la terreur* [*Terror Eyes*], 1980). R.L.

HUGO *(Hugh P. Guiler,* dit *Ian), cinéaste expérimental américain (Boston, Mass., 1898 - New York, N.Y., 1985).* Diplômé de Columbia, il épouse Anaïs Nin et devient banquier pour assurer leur ordinaire. En 1924, il s'installe avec elle à Paris, où il est en contact avec les surréalistes. Rentré à New York quand la guerre éclate, il travaille la gravure sur cuivre puis se met en 1948 au cinéma. En résultent : *Ai-Yé* (1950), *les Cloches d'Atlantis* (*Bells of Atlantis,* 1952 ; ASS Len Lye), qui adapte *la Maison de l'inceste* d'Anaïs Nin ; *Jazz of Lights* (1954) ; *Melodic Inversion* (1958) ; *Venice Étude nº 1* (1962) ; *The Gondola Eye* (1963). La mort de sa femme n'a pas interrompu l'activité de cet artiste fin et discret : à 82 ans, dans leur appartement de Greenwich Village, il préparait un nouveau film, *Renaître (Reborn).* D.N.

HUI *(Xu Anhua,* dite *Ann), cinéaste chinoise (province du Liaoning, 1947).* Diplômée de l'université de Hongkong, en littérature anglaise, et de la London Film School. En 1975, elle débute dans le cinéma comme assistante de King Hu. Ensuite, elle est réalisatrice de documentaires et de dramatiques pour les deux chaînes de télévision de Hongkong : TVB, puis, à partir de 1978, RTHK, où elle réalise, dans la série *Below the Lion Rock, Boy from Vietnam* (*Lai ke,* 1978), sorte de manifeste de la « nouvelle vague » de Hongkong. Son premier film de fiction est *le Secret* (*Feng jie,* 1979), suivi de *The Pooky Bunch* (*Zhuang dao zheng,* 1980). Deux ans plus tard, *Boat People* (*Tou ben nu hai,* 1982) fait sensation. Après *Love in a Fallen City* (*Gu cheng zhe lian,* 1984), elle réalise un superbe film d'aventures, *la Romance du livre et du sabre* (*Shujian enchou lu,* 1987), en deux parties, suivi de l'intimiste et subtil *Chant de l'exil* (1990) et de *Mon petit-fils américain* (*Shanghai jiaqi,* 1991) - deux films sur le tiraillement des cultures dont le scénario est écrit par le Taïwanais Wu Nianzhen - et, enfin, *Neige d'été* (*Nüren sishi,* 1995). M.-C.Q.

HUMBERSTONE *(H. Bruce), cinéaste américain (Buffalo, N. Y., 1903 - Woodland Hills, Ca., 1984).* Ce spécialiste des effets spéciaux et des secondes équipes est aussi un artisan modeste et efficace. On voit avec plaisir un musical nostalgique comme *Hello, Frisco, Hello* (1943) ou un western classique comme *Massacre à Furnace Creek* (*Fury at Furnace Creek,* 1948) ou encore une aventure exotique comme *le Bistrot du péché* (*South Sea Sinner,* 1950). Son dernier film date de 1962 *(Madison Avenue).* C.V.

HUMIDE. *Tirage humide,* tirage où le négatif est immergé, au niveau de la fenêtre de l'exposition de la tireuse, dans un liquide de même indice de réfaction que le support, ce qui rend à peu près invisibles les défauts de surface du support (→ LABORATOIRE.)

HUNEBELLE *(André), cinéaste français (Meudon 1896 - Nice 1985).* On l'a accusé de flirter davantage avec le commerce qu'avec l'art, ce qui n'est pas faux, mais son cinéma a des vertus populaires qu'il serait sot de nier à tout prix. Hunebelle a puisé son inspiration dans le fonds du mélodrame français (Dumas, Eugène Sue, Zévaco, Féval), dans des ersatz de la Série noire et dans des parodies du film d'espionnage. On se souvient de ses *Trois Mousquetaires* (1953), de son *Bossu* (1959), de son *Capitan* (1960), de ses *Mystères de Paris* (1962) et surtout de sa série des *Fantôm* (*Fantômas,* 1964 ; *Fantômas se déchaîne,* 196 *Fantômas contre Scotland Yard,* 1966) avec Je Marais et Louis de Funès (dans le rôle commissaire Juve). J.-L

HUNNICUTT *(Arthur), acteur américain (G velly, Ark., 1911 - Woodland Hills, Ca., 197* Après quelques apparitions remarquées Broadway *(Green Grow the Lilacs, Toba Road),* il fait ses débuts à l'écran dans *Wild* (Frank McDonald, 1942), premier titre d'u abondante série de westerns où figure notamment *la Flèche brisée* (D. Daves, 195 *les Aventures du Capitaine Wyatt* (R. Wals 1951), *la Captive aux yeux clairs* (H. Hawk 1952 ; nomination à l'Oscar), *les Indomptab* (N. Ray, 1952), *Cat Ballou* (E. Silverste 1965) et *El Dorado* (H. Hawks, 1967). Hors ce genre, son allure incorrigiblement rustiq et son accent du terroir font de lui savoureux spécialiste des rôles de paysa (*l'Héritage de la chair,* E. Kazan, 1949 ; *Stars My Crown,* J. Tourneur, 1950 ; *la Char victorieuse,* J. Huston, 1951 ; *le Cardinal,* O. Pr minger, 1963). O

HUNT *(Martita), actrice britannique (Buen Aires, Argentine, 1900 - Londres 1969).* Cet grande dame du théâtre anglais fit u création cinématographique inoubliable da le rôle de Miss Hawisham des *Grand Espérances* (D. Lean, 1946 ; d'après Dickens Elle est une inquiétante et excentrique b ronne Meinsteir, la mère possessive d'u vampire blondinet dans *les Maîtresses de D cula* (T. Fisher, 1960). Elle fait également remarquables compositions dans *Bonjour Tr tesse* (O. Preminger, 1958), *Moi et le Colon (Me and the Colonel,* P. Glenville, *id.), les Noc vénitiennes* (A. Cavalcanti, 1959), *Becket* (Gle ville, 1964), *Bunny Lake a disparu* (O. Premi ger, 1965). R.

HUNT *(Peter Roger), cinéaste britannique (Lo dres 1926).* Après avoir travaillé comm réalisateur en second dans les premiers film de la série des James Bond, il accède à direction du tournage d'*Au service de S Majesté* (*On Her Majesty's Secret Service,* 1969 avec George Lazenby dans le rôle de 007. signe ensuite deux films d'aventures d'u intérêt limité, *Gold* (1974) et *Parole d'homm* (*Shout at the Devil,* 1976), un film m fictionnel mi-animé, *les Voyages de Gulliver* (*Gulliver's Travels,* 1977), deux films d'action avec Charles Bronson : *Chasse à mort* (*Death Hunt,* 1980) et *Protection rapprochée* (*Assassination,* 1987). R.L.

HUNTE *(Otto), décorateur allemand (Hambourg 1881 - Berlin 1960).* Technicien de talent à l'époque expressionniste, il collabore à plusieurs films importants de cette période et transpose très bien à l'écran fantastique et théâtralité. Il a notamment dessiné les décors de certains films de Fritz Lang : *les Araignées* (1920) ; *le Docteur Mabuse* (1922) ; *les Nibelungen* (1924) ; *Metropolis* (1927) ; *la Femme sur la Lune* (1929). Il a également travaillé pour Josef von Sternberg (*l'Ange bleu,* 1930) et, durant la Seconde Guerre mondiale, pour des films de propagande nazie, dont *le Juif Süss* (V. Harlan, 1940). Plus tard, il collabore à un film antinazi, *Les assassins sont parmi nous* (W. Staudte, 1946). On lui doit aussi les décors de *l'Amour de Jeanne Ney* (G. W. Pabst, 1927), *Gold* (K. Hartl, 1934), *la Sonate à Kreutzer* (Harlan, 1937). F.LAB.

HUNTER *(Holly), actrice américaine (Conyers, Ga., 1958).* Petite, enfantine, Holly Hunter cache derrière ses faux airs de fillette sage une obstination remarquable à laquelle ses meilleurs rôles ne manquent pas de faire appel. Elle était drôle en femme-flic dans *Arizona junior* (J. Coen, 1987). Par contre, sa personnalité inhabituelle était gâchée dans son emploi de jeune première conventionnelle dans *Always* (S. Spielberg, 1979). Heureusement, son interprétation silencieuse de *la Leçon de piano* (J. Campion, 1992), couronnée à Cannes, puis par un Oscar, nous montre assez la véritable étendue de ses possibilités et l'extraordinaire énergie qu'elle recèle. Par ailleurs, son statut récent d'actrice de prestige ne l'empêche pas de donner le meilleur d'elle-même pour une courte apparition pittoresque dans *la Firme* (S. Pollack, 1993). C.V.

HUNTER *(Ian), acteur américain (Le Cap, Afrique du Sud, 1900 - Northwood, Middlesex, G.-B., 1975).* Après son service militaire, il débute sur les scènes anglaises en 1919 et aborde le cinéma en 1924. Il tourne entre autres *The Ring* (1927) et *Easy Virtue* (1927), avec Alfred Hitchcock. En 1935, il émigre aux États-Unis. Son physique solide et son allure calme lui valurent d'interpréter nombres d'amants et de maris compréhensifs qui, à la fin du film, perdaient l'actrice principale parce qu'elle leur préférait la vedette masculine : *la Femme traquée* (M. LeRoy, 1935), avec Kay Francis ; *Une certaine femme* (E. Goulding, 1937), avec Bette Davis. Certains personnages sortirent heureusement de ce stéréotype, telle la figure christique qui guide Clark Gable et Joan Crawford dans *le Cargo maudit* (F. Borzage, 1940). Après la guerre, il se partage entre les écrans anglais et américains et continue à tourner jusqu'en 1962, totalisant une filmographie d'une centaine de titres. C.V.

HUNTER *(Henry Herman McKinnies,* dit *Jeffrey), acteur américain (New Orleans, La., 1925 - Van Nuys, Ca., 1969).* Il débute à l'écran après avoir fait un peu de théâtre universitaire (1951) et s'impose comme un jeune premier charmeur, point trop fade, dans des comédies et des films d'aventures (*Prisonniers du marais,* J. Negulesco, 1952 ; *Princess of the Nile,* Harmon Jones, 1954), son meilleur film restant *la Prisonnière du désert* de John Ford (1956) ; ses rôles croissent en portée dramatique avec *le Brigand bien-aimé* (N. Ray, 1957) et *le Sergent noir* (J. Ford, 1960). Appelé à interpréter le Christ dans *le Roi des rois* (1961), il obéit à l'intention ambiguë de Nicholas Ray et compose un personnage non-violent jusqu'à la neutralité, ce qui nuit à sa carrière : *l'Or des Césars* (A. de Toth et R. Freda, 1963) le montre menacé par les coproductions « européennes ». Il tourna en Espagne autant qu'à Hollywood, et sa mort accidentelle passa presque inaperçue. G.L.

HUNTER *(Arthur Gelien,* dit *Tab), acteur américain (New York, N. Y., 1931).* Il se lance à dix-huit ans et obtient bientôt un rôle notable dans *Saturday Island* (1952), tourné en Angleterre par Stuart Heisler. Très vite, Tab Hunter, blond et athlétique, mais inconsistant, devient une des vedettes préférées des teenagers américains, notamment aux côtés de Natalie Wood (*Collines brûlantes,* S. Heisler, 1956). Il y a quelques titres intéressants dans sa courte carrière comme *Escadrille Lafayette* (W. Wellman, 1958). Mais, très vite, il accepte de tourner n'importe quoi et descend très bas dans les génériques. On le voit pourtant encore dans *Cher Disparu* (T. Richardson,

1965) et *Juge et Hors-la-loi* (J. Huston, 1972). Il réapparaît curieusement comme partenaire du travesti obèse Divine dans *Polyester* (John Waters, 1981) et dans *Lust in the Dust* (Paul Bartel, 1985). C.V.

HUPPERT *(Isabelle), actrice française (Paris 1953).* Après des études au Conservatoire de Versailles puis de Paris, elle travaille au théâtre avec Antoine Vitez et Robert Hossein. Au cinéma, après de petits rôles parfois remarqués, elle obtient le prix Suzanne-Bianchetti (décerné à la meilleure révélation de l'année) pour sa prestation dans *le Juge et l'Assassin* (B. Tavernier, 1976). Elle conquiert la notoriété avec *la Dentellière* (C. Goretta, 1977) et *Violette Nozière* (C. Chabrol, 1978), qui lui vaut le prix d'interprétation à Cannes : elle a désormais fait la preuve d'un talent à multiples facettes qui lui permet d'incarner, avec autant de grâce que de force, les personnages les plus divers. Elle s'impose à nouveau dans *la Porte du paradis* (M. Cimino, 1980), *Loulou* (M. Pialat, *id.*), *Sauve qui peut (la vie)* [J.-L. Godard, *id.*], *Coup de torchon* (B. Tavernier, 1981), *Passion* (J. -L. Godard, 1982), *la Truite* (J. Losey, *id.*), *Coup de foudre* (Diane Kurys, 1983), *l'Histoire de Piera* (M. Ferreri, *id.*) et *la Garce* (Christine Pascal, 1984), montrant dans toutes ses créations de l'intelligence et de la ferveur. En 1986, elle tourne en Australie *Cactus,* de Paul Cox, et, aux États-Unis, *The Bedroom Window,* de Curtis Hanson. De retour en France, on la retrouve dans *Milan noir* (Ronald Chammah, 1988), mais surtout dans *les Possédés* (A. Wajda, *id.*) où elle interprète le rôle de Marie Chatov, *Une affaire de femmes* (Chabrol, *id.*) où plus anti-star que jamais, elle incarne une jeune mère, à la fois naïve et révoltée, condamnée en tant que femme par une époque rigoriste et réactionnaire, celle du Maréchal Pétain, *la Vengeance d'une femme* (J. Doillon, 1989) où elle affronte avec brio sa partenaire Béatrice Dalle et la grande fresque d'Aleksandar Petrović *Migrations* (1989 [1994]). En 1991, elle est la *Madame Bovary* de Claude Chabrol et la *Malina* de Werner Schroeter. Elle interprète ensuite *Après l'amour* (D. Kurys, 1992), *la Séparation* (Ch. Vincent, 1994), *l'Inondation* (Igor Minaiev, *id.*), *Amateur* (A. Hartley, *id.*), *la Cérémonie* (C. Chabrol, 1995). M.M.

HURT *(John), acteur britannique (Shirebro[...] Derbyshire, 1940).* Il apparaît pour la premiè[...] fois à l'écran en 1962 mais se fera surto[...] remarquer à la télévision dans le rôle [...] Caligula de *J. Claudius* d'après le livre [...] Robert Graves. Ses prestations dans *Un hom[...] pour l'éternité* (F. Zinneman, 1966), *le Marin [...] Gibraltar* (T. Richardson, 1967), *À la recher[...] de Grégory* (*In Search of Gregory,* P. Woo[...] 1968), *Davey des grands chemins* (J. Husto[...] 1969), *l'Étrangleur de Rillington Place* (R. Fle[...]cher, 1970), *le Joueur de flûte de Hame[...]* (J. Demy, 1971), *The Ghoul* (F. Francis, 197[...] *le Cri du sorcier* (J. Skolimowski, 197[...] *Midnight Express* (A. Parker, *id.*), *Al[...]* (R. Scott, 1979), *la Porte du paradis* (M. [...]mino, 1980), si brillantes aient-elles été, [...] l'avaient guère imposé aux yeux du publ[...] Paradoxalement, c'est sous le masque d'[...] monstre (*The Elephant Man,* David Lynch, *i[...]* que ce fils de clergyman accède à la gloire. S[...] interprétation bouleverse les foules, et dés[...] mais chaque nouveau rôle est l'objet d'u[...] attention de plus en plus soutenue. S[...] physique le voue à l'insolite, à la violen[...] voire à l'épouvante, mais il sait s'évader d[...] stéréotypes avec beaucoup d'aisance : *Ost[...]man Week-End* (S. Peckinpah, 1983), *le Suc[...] à tout prix* (J. Skolimowski, *id.*), *The H[...]* (S. Frears, *id.*), *1984* (M. Radford, 1984[...] *Rocinante* (Ann et Eduardo Guedes, 1986), *S[...] la route de Nairobi* (id., 1988), *la Nuit beng[...]* (Nicolas Klotz, *id.*), *Scandal* (id., Micha[...] Caton-Jones, 1989), *Frankenstein Unbou[...]* (R. Corman, 1990), *The Field* (J. Sheridan, *id.*[...] Memory (Patrick Dewolf, 1991), *I Drea[...] I Woke up* (J. Boorman, *id.*) *L'œil qui me[...]* (R. Ruiz, 1992), *la Peste* (L. Puenzo, *id.*), *W[...] Bill* (W. Hill, 1995), *Rob Roy* (Michael Cato[...] Jones, *id.*), *Two Nudes Bathing* (Boorman, *id.*[...] J.-L.[...]

HURT *(William), acteur américain (Washingto[...] D. C., 1950).* Beau-fils de Henry Luce [...] (fondateur du groupe Time-Life), il étudie [...] théologie à Boston et à Londres avant [...] devenir acteur de théâtre classique (son r[...]pertoire s'étend de Shakespeare à O'Neill). [...] passe au cinéma sous la direction de metteu[...] en scène britanniques : Ken Russell (*Au-delà [...] réel,* 1979), Peter Yates (*l'Œil du témoin,* 198[...] et Michael Apted (*Gorky Park,* 1983). [...] apparaît aussi dans les deux films réalisés p[...]

Lawrence Kasdan, *la Fièvre au corps* (1981) et *les Copains d'abord* (1983). Jeune premier non conventionnel à l'inquiétante blondeur, il est remarquable dans des rôles très intériorisés. Il remporte en 1985 l'Oscar et le prix d'interprétation masculine au Festival de Cannes pour son rôle d'homosexuel emprisonné dans *le Baiser de la Femme-araignée* (H. Babenco, 1985). Il continue sa galerie des personnages dans des situations marginales avec *les Enfants du silence* (*Children of a Lesser God,* Randa Haines, 1986), où il incarne un éducateur tentant d'extraire de son silence une jeune femme sourde-muette dont il est amoureux. Il tient un rôle de premier plan dans *Broadcast News* (James L. Brooks, 1987), *le Temps du destin* (*A Time of Destiny,* Gregory Nava, 1988), *Voyageur malgré lui* (L. Kasdan, *id.*), *Alice* (W. Allen, 1990), *Jusqu'à la fin du monde* (W. Wenders, 1991), *The Doctor* (R. Haines, *id.*), *Smoke* (W. Wang, 1994), *Brooklyn Boogie* (W. Wang et P. Auster, *id.*), *Un divan à New York* (Ch. Akerman, 1995). A.-M.B.

HURWITZ *(Leo), cinéaste américain (New York, N. Y., 1909* - id. *1991).* Diplômé de Harvard (philosophie et psychologie) en 1930, il fréquente les milieux artistiques et politiques de la gauche, travaille comme photographe et cinéaste à la Film and Photo League, pour laquelle il tourne des reportages politiques (*Hunger,* 1932 ; *Scottsboro,* 1934) et signe la photo du beau film de Pare Lorentz, *The Plow That Broke the Plains* (1936). La même année, avec plusieurs membres de la League (Paul Strand, Sydney Meyers, Irving Lerner, Ralph Steiner, Willard Van Dyke, Jay Leyda), il fonde le collectif de production Frontier Films qui va diriger de façon décisive le documentaire dans une perspective progressiste. Avec Paul Strand, il monte *Heart of Spain,* tourné par Herbert Kline en 1937, pour populariser la résistance de l'Espagne républicaine, puis réalise, toujours avec Strand, *Native Land* (1938-1942), pour dénoncer la répression menée par le capitalisme et l'extrême droite contre les ouvriers et les paysans. Dans la même ligne, *Strange Victory* (1948) montre que la victoire sur le fascisme n'empêche pas la réaction et le racisme de continuer à sévir aux États-Unis.

Hurwitz s'intéresse à la fois à l'actualité (*The Young Fighter,* 1953 ; pour tourner ce reportage, il anticipe sur les méthodes du cinéma-vérité), à l'histoire récente (*The Museum and the Fury,* 1956 ; sur le système concentrationnaire nazi), à la nature (*Here at the Water's Edge,* 1960) et aux arts (série *The Art of Seeing,* 1968-1970). Couronnant cette œuvre riche et diverse, tour à tour polémique et poétique, *Dialogue With a Woman Departed* (1972-1980) est un très long film de montage (comportant des extraits de ses précédents films), vaste poème lyrique et épique qui est une sorte de bilan de sa vie et de son œuvre, dédié à son épouse et collaboratrice Peggy Lawson, disparue en 1971. M.M.

HUSSENOT *(Olivier), acteur français (Paris 1913* - id. *1978).* Il débute au théâtre en 1931 et fonde en 1946 avec Jean-Pierre Grenier une célèbre troupe qu'ils dirigent ensemble jusqu'en 1957. Il apparaît à l'écran en 1949 et devient un des seconds rôles les plus sollicités du cinéma français des années 50 et du début des années 60 (*Fanfan la Tulipe,* 1952 ; *les Hommes en blanc,* 1955 ; *les Grandes Manœuvres,* id.). Écrivain à ses heures (il a publié un savoureux livre de souvenirs (*Ma vie publique en six tableaux,* 1978), ami et admirateur de Queneau, il adapte *le Dimanche de la vie,* qui est réalisé en 1966 par Jean Herman. D.S.

HUSTER *(Francis), acteur français (Neuilly-sur-Seine 1947).* Après le Conservatoire (sous la direction d'Antoine Vitez), il entre à la Comédie-Française, où il se fait remarquer par son romantisme de 1971 à 1981 *(Lorenzaccio, Dom Juan, le Cid).* Il paraît au cinéma en 1970 (*la Faute de l'abbé Mouret,* G. Franju), mais ne trouve pas de rôle à la mesure de son tempérament ténébreux et passionné, ni dans les films de Jeanne Moreau (*Lumière,* 1976 ; *l'Adolescente,* 1979) ni dans ceux de Lelouch (*Un autre homme, une autre chance,* 1977 ; *les Uns et les Autres,* 1981 ; *Édith et Marcel,* 1982). Pulawski lui donne la vedette avec le personnage du metteur en scène excentrique de *la Femme publique* (1984), accentuant encore son côté paroxystique dans *l'Amour braque* (1985). Jacques Demy lui offre le rôle principal de *Parking* (id.) où il est un Orphée du XXe siècle. Dans un registre plus léger, il est le partenaire de Carole Laure dans *Drôle de samedi* (Bay OKan, *id.*). Hanté par les références cinéphiliques, il réalise en 1986 un premier film peu convaincant, *On a volé Charlie Spencer.* M.M.

HUSTON *(Angelica), actrice américaine (Los Angeles, Ca., 1951).* Petite-fille de Walter Huston, fille de John Huston, elle débute très jeune à l'écran dans le rôle principal d'un film de son père *Promenade avec l'amour et la mort* (1959). Elle s'oriente toutefois vers une carrière de mannequin et ne revient au cinéma qu'en 1976, dans *le Dernier Nabab* d'Elia Kazan. Sa personnalité d'actrice s'affirmera dans des rôles importants : celui de la journaliste des *Jardins de Pierre* de Coppola (1987), ou dans *les Gens de Dublin,* dernier film de John Huston. On la voit ensuite dans *Mr. North* (1988) de son demi-frère Danny Huston, *Crimes et délits* (W. Allen, 1989), *Ennemies - une histoire d'amour* (P. Mazursky, *id.*), *les Arnaqueurs* (S. Frears, 1990), *Meurtre mystérieux à Manhattan* (W. Allen, 1993), *The Perez Family* (Mira Nair, 1995), *The Crossing Guard* (Sean Penn, *id.*). D.S.

HUSTON *(John), cinéaste américain (Nevada, Mo., 1906 - Middleton, Ri., 1987).* Que de malentendus ont masqué, trop longtemps, la maîtrise impressionnante de Huston ! Qualifié d'amateur par deux générations de critiques qui ne lui pardonnaient pas son évident plaisir de créateur et qui, confondant son œuvre avec le contenu de certains récits privilégiés, lui ont attribué une exaltation de l'échec, quand il n'avait de vénération que pour l'entreprise humaine dans ce qu'elle a d'extrême... Excentrique éminemment professionnel et enthousiaste permanent, il a certes trouvé le moyen de cumuler les professions : militaire, boxeur, journaliste, dramaturge, nouvelliste, peintre, cavalier, joueur, toréador, chroniqueur judiciaire, scénariste, mais c'est pour mieux servir son véritable amour du cinéma.

Fils du grand comédien Walter Huston et d'une journaliste (Thea Gore), il est d'abord un enfant chétif, peut-être condamné pour « souffle au cœur », quand il décide de se prendre lui-même en main et se métamorphose en athlète éprouvé : champion de boxe, puis cavalier émérite, qui par passion pour le Mexique s'engagea dans la cavalerie révolutionnaire aux côtés de Pancho Villa. Revenu aux États-Unis, il entre dans la carrière littéraire, écrivant des nouvelles pour l' *American Mercury,* rencontre O'Neill et Hemingway, monte sur les planches, enfin aborde l'art du scénario auprès d'un ami de son père, réalisateur William Wyler, écrivant d'ailleu plusieurs rôles pour Walter Huston. À Warner, on l'emploie dans un peu n'impor quoi : des westerns, des policiers, notamme dans le *High Sierra* de Raoul Walsh. C'est alo que le producteur Henry Blanke le pousse diriger son premier film, *le Faucon malta* d'après un roman de Dashiell Hammett dé porté deux fois au cinéma, qu'il se conten de découper chapitre par chapitre avec l'i telligence de la fidélité.

C'est un départ en tout point foudroyan Dans les aventures de Sam Spade le détectiv marron, il donne une nouvelle image Humphrey Bogart, et déploie autour de lui, e une galerie inoubliable, Sydney Greenstree Peter Lorre, Mary Astor, Elisha Cook. Auto d'une fabuleuse statuette de bronze, il détail une intrigue exotique, sordide, magnétiqu devenue d'emblée un modèle du genre. I Warner, ravie de sa nouvelle recrue, lui fa tourner un mélo sentimental pour Bet Davis, puis, en 1942, *les Griffes jaunes,* aven ture d'espionnage où Bogart s'oppose une fo encore à l'énorme Greenstreet. Mais la guer ne lui permet pas de terminer ce film, qu'u autre achève non sans mal. Huston dé engagé dans l'aviation devient un cinéas militaire et réalise coup sur coup trois doc mentaires dont on a pu écrire qu'à eux seu ils constituaient le plus beau film de guerre d deuxième conflit mondial. Ce sont *Missic dans les Aléoutiennes, la Bataille de San Pietro,* e surtout, *Que la lumière soit,* film sur le trait ment psychiatrique des blessés de guerre pou lequel il s'initie aux techniques de l'hypnos

À son retour, promu et décoré, il adapte l roman d'un écrivain légendaire et invisible, l mystérieux Bruno Traven. C'est *le Trésor de l sierra Madre* (1948) qu'il tourne au Mexiqu en extérieurs avec son complice Bogart et so père, auquel il offre le rôle d'un vieu prospecteur. Le film remportera trois Oscar L'aventure des chercheurs de pépites se te mine par la perte de leur magot, dispersé pa les vents d'une tempête de sable, tandis qu les survivants éclatent du rire désespéré de l dérision. Cet épisode porte la marque d l'humour tonique de Huston et montre qu pour lui l'aventure collective et la connai sance vitale priment sur l'idée de réussite. C sera son thème central, souvent épique.

Après une bataille menée contre le comité McCarthy des affaires « antiaméricaines » qui le mène jusqu'à Washington, il réalise *Key Largo,* parabole sur le New Deal et le retour des vétérans qui affrontent après la guerre la corruption et le banditisme. Humphrey Bogart, cette fois aux côtés de Lauren Bacall, y fait face sous les rafales d'un typhon à l'archétype du gangster, qu'incarne Edward G. Robinson. Dans *les Insurgés* (1949), il se passionne pour la croisade de quelques révolutionnaires cubains contre un dictateur et, dans *Quand la ville dort* (1950), pour le hold-up raté d'un groupe de malfrats, chez qui il voit se manifester « une forme gauchie de l'effort humain ». Il y révèle une inconnue : Marilyn Monroe. C'est alors la défaite la plus prestigieuse de sa carrière. Il veut tourner *la Charge victorieuse* (1951), d'après un roman pacifiste de Stephen Crane, avec le soldat le plus décoré de la guerre, Audie Murphy : c'est une étude magistrale sur les limites du courage, que les pontes de la MGM vont mutiler, saboter, puis étouffer. En vain : même sous la forme fragmentaire que l'on connaît, c'est un film étonnant.

Aventurier de toutes les causes perdues, Huston se venge de cet échec en courant les jungles africaines pour y tourner en 1951 *African Queen,* équipée bouleversante d'une vieille fille et d'un ivrogne bravant les Allemands sur un fleuve congolais et qui oppose en un duel affectueux Humphrey Bogart et Katharine Hepburn. Après une parenthèse artistique tournée en France, en 1952, *Moulin-Rouge,* biographie impressionniste de Toulouse-Lautrec surtout remarquable par l'utilisation habile de la couleur, Huston s'expatrie en Irlande, où il habitera pendant vingt ans. Il devient un paria de Hollywood et réalise en Italie, encore avec Humphrey Bogart, un film insolite et burlesque, *Plus fort que le diable* (1954), puis se lance dans l'énorme *Moby Dick* (1956), film intournable qu'il transforme en blasphème noir : son héros, le capitaine Achab (Gregory Peck maquillé comme Abraham Lincoln), brave Dieu sous la forme de l'increvable Baleine blanche. Huston poursuit ses expériences sur la couleur en obtenant un équivalent visuel de l'eau-forte.

Suivent alors *Dieu seul le sait* (1957), idylle impossible entre un marin et une nonne (Robert Mitchum, Deborah Kerr) sur un îlot du Pacifique, et deux échecs artistiques : *le Barbare et la Geisha* (1958), où il entre en conflit avec sa vedette John Wayne, et l'adaptation d'un roman de Romain Gary, *les Racines du ciel* (id.), projet très hustonien qu'une erreur de distribution (Trevor Howard dans le rôle principal) et une production aberrante de Darryl Zanuck font échouer. Après un western attachant, *le Vent de la plaine* (1960), aux consonances melvilliennes, et qui amorce le retour de John sur sa terre natale, c'est la réussite incontestée des *Misfits* (1961), d'après Arthur Miller, qui réunit de manière inspirée la fragile Marilyn Monroe, le douloureux Montgomery Clift et une idole mourante : Clark Gable, dans la ville-divorce Reno. Ce film poignant illustre le don qu'a Huston de provoquer l'événement et de réunir des protagonistes à la croisée de leurs destins. Il le prouvera encore avec *la Nuit de l'iguane* trois ans plus tard.

La longue pratique freudienne de Huston le vouait à réaliser, d'après un projet de Sartre finalement très remanié, une vie du père de la psychanalyse : *Freud, passions secrètes* (1962), avec Montgomery Clift ; c'est sans doute l'un des rares exemples d'un film tout entier consacré à une aventure idéologique. Après un divertissement, *le Dernier de la liste* (1963), que Huston tourne chez lui à St. Clerans, il consacre à Tennessee Williams *la Nuit de l'iguane* (1964), dont le tournage à Puerto Vallarta est un délire mythologique : Richard Burton, Ava Gardner et leurs partenaires respectifs contribuant à un vrai happening. Autre entreprise gigantesque, *la Bible* (1966), produite par Dino De Laurentis, évoque la Genèse, Sodome et Gomorrhe, la tour de Babel, le Déluge et constitue un exploit aussi spectaculaire qu'ambitieux. Respectant une alternance qui paraît lui réussir entre projets frivoles et gageures de haute école, John participe à un James Bond collectif, *Casino Royale* (1967), puis accomplit un miracle impossible en visualisant *Reflets dans un œil d'or* de Carson McCullers, avec Marlon Brando et Elizabeth Taylor, conte gothique cruel et poétique, dans un clair-obscur doré du plus baroque effet. De même, après *Davey des grands chemins* (1969), fable picaresque à la Hogarth, il tourne *Promenade avec l'amour et la mort* (id.), évocation d'un Mai-68 médiéval qu'il tourne bizarrement en Allemagne, et qui est peut-être un de ses films les plus incompris. Après *la Lettre du Kremlin* (1970), fantaisie d'espionnage assez folâtre, c'est *Fat City* (1972), puissante recréation des milieux sordides de la boxe en Californie, retour brutal de Huston sur son passé de pugiliste. Après une vie fantomatique du juge Roy Bean, *Juge et Hors-la-loi,* western désenchanté, et *le Piège* (1973), thriller mouvementé qui est son adieu à l'Irlande, il part pour le Maroc y tourner l'un de ses plus chers projets, *l'Homme qui voulut être roi* (1975), équipée prodigieuse de deux soldats de fortune qui veulent s'approprier le trésor d'Alexandre, et qui y perdent tout simplement leur âme ; il y place Sean Connery et Michael Caine dans des rôles qu'il avait destinés à Humphrey Bogart et Clark Gable, sur un sujet de Kipling.

Enfin, après *Indépendance* (1976), un film historique de commande, il brosse dans *le Malin* (1979), d'après un conte de Flannery O'Connor, le portrait insoutenable d'un prédicateur halluciné du grand Sud.

Le schéma se poursuit : au Canada, c'est un suspense mineur, *Phobia* (1980), et un film de commande sur un camp de prisonniers, *À nous la victoire* (id.). Mais Huston, toujours vert et qui habite une île mexicaine inaccessible, tourne un grand succès de Broadway, *Annie* (1981), avec Albert Finney. En 1983, avec le même acteur dans le rôle principal, il entreprend l'adaptation d'un livre réputé « intournable », *Au-dessous du volcan* de Malcolm Lowry. Pendant tout ce temps, il n'a jamais cessé de jouer dans des films souvent prestigieux tournés par Preminger *(le Cardinal),* Polanski *(Chinatown),* John Milius *(le Lion et le Vent)* ou Orson Welles, son vieil ami (*The Other Side of the Wind,* 1979, inachevé), dont le rapproche cette activité délirante de mercenaire et de franc-tireur. Ce conteur-né finit par écrire ses Mémoires, *An Open Book :* il n'a jamais cessé de se raconter, de cette voix prenante de narrateur public et de bonimenteur qui est la sienne. Sa vie, spectaculaire, n'est-elle pas faite, comme sa carrière, de recommencements perpétuels ? R.B.

Films ▲ : *le Faucon maltais* (*The Maltese Falcon,* 1941) ; *Is This Our Life* (1942) ; *les Griffes jaunes* (*Across the Pacific,* id.) ; *Report From the Aleutians* (DOC, 1943) ; *The Battle of San Pietro* (DOC, 1945) ; *Let There Be Light* (DOC, 1946) ; *le Trésor de la sierra Madre* (*The Treasure of Sierra Madre,* 1948) ; *Key Largo* (id., *id.*) ; *les Insurgés* (*We Were Strangers,* 1949) ; *Quand la ville dort* (*The Asphalt Jungle,* 1950) ; *la Charge victorieuse* (*The Red Badge of Courage,* 1951) ; *African Queen* (id., 1952) ; *Moulin-Rouge* (id., 1953) ; *Plus fort que le Diable* (*Beat the Devil,* 1954) ; *Moby Dick* (id., 1956) ; *Dieu seul le sait* (*Heaven Knows Mr. Allison,* 1957) ; *le Barbare et la Geisha* (*The Barbarian and the Geisha,* 1958) ; *les Racines du ciel* (*The Roots of Heaven,* id.) ; *le Vent de la plaine* (*The Unforgiven,* 1960) ; *The Misfits* (id., 1961) ; *Freud, passions secrètes* (*Freud,* 1962) ; *le Dernier de la liste* (*The List of Adrian Messenger,* 1963) ; *la Nuit de l'iguane* (*The Night of the Iguana,* 1964) ; *la Bible* (*The Bible,* 1966) ; *Casino Royale* (id., un épisode ; CO K. Hughes, V. Guest, R. Parrish, J. McGrath, 1967) ; *Reflets dans un œil d'or* (*Reflections in a Golden Eye,* id.) ; *Davey des grands chemins* (*Sinful Davey,* 1969) ; *Promenade avec l'amour et la mort* (*A Walk With Love and Death,* id.) ; *la Lettre du Kremlin* (*The Kremlin Letter,* 1970) ; *Fat City* (id., 1972) ; *Juge et Hors-la-loi* (*The Life and Times of Judge Roy Bean,* id.) ; *le Piège* (*The MacKintosh Man,* 1973) ; *l'Homme qui voulut être roi* (*The Man Who Would Be King,* 1975) ; *Independence* (CM, 1976) ; *le Malin* (*Wise Blood,* 1979) ; *Phobia* (id., 1980) ; *À nous la victoire* (*Escape to Victory,* 1981) ; *Annie* (id., 1982) ; *Au-dessous du volcan* (*Under the Volcano,* 1984) ; *l'Honneur des Prizzi* (*Prizzi's Honor,* 1985) ; *Gens de Dublin* (*The Dead,* 1987).

HUSTON *(Walter), acteur américain d'origine canadienne (Toronto, Ontario, Canada, 1884 - Los Angeles, Ca., 1950).* En un début de carrière indécis, Walter Huston fut tenté successivement par l'hydraulique, l'électricité et le music-hall. Ce n'est que peu à peu qu'il opte définitivement pour la scène, et en 1924 il est définitivement sûr de ses dons de comédien, remportant un immense succès dans *le Désir sous les ormes* d'Eugène O'Neill. Quand il vient à Hollywood en 1929, il a la quarantaine passée et un physique qui est l'antithèse des stars de cinéma : grand, anguleux, et surtout très, très sévère, ce qui, chez cet amoureux de la vie, était soit de l'humour, soit de la pudeur. C'est sans doute à sa silhouette qu'il doit de jouer le rôle d'*Abraham Lincoln* (D. W. Griffith, 1930). Mais il ne sera jamais une vedette, simplement un des plus grands acteurs de sa génération : riche, généreux, inépuisable et, en même temps, discret, juste et *jamais* théâtral. Que de films médiocres doivent être tirés de l'oubli pour sa simple présence ! Mais quel éblouissement quand il rencontrait un cinéaste à sa mesure, ou simplement capable de s'entendre avec lui. Capra (*American Madness,* 1932), La Cava (*Gabriel Over the White House,* 1933), Cromwell (*Ann Vickers,* 1933), Brown (*Of Human Hearts,* 1938) ou Dieterle (*All That Money Can Buy,* 1941) ont fourni les perles de sa prestigieuse couronne. Sa figure paternelle dans *Of Human Hearts* ou son Diable rigolard et inquiétant de *All That Money Can Buy,* ou encore un rôle qui l'avait déjà rendu célèbre sur les planches, celui de l'homme d'affaires trompé de *Dodsworth* (W. Wyler, 1936) sont autant de créations mémorables. Quand son fils John vient à la réalisation, Walter Huston ralentit son activité cinématographique, retournant occasionnellement à la scène. Il revient à Hollywood en 1947, terminant sa carrière en une foulée splendide : le père de Mickey Rooney dans le délicieux musical *Belle Jeunesse* (R. Mamoulian, 1948), celui, violent et tourmenté, de Barbara Stanwyck dans *les Furies* (A. Mann, 1950) et, surtout, l'aventurier du *Trésor de la sierra Madre* (J. Huston, 1948), où son fils a fixé à jamais sa gouaille, sa truculence et son humanité riche et complexe. C.V.

HUSZÁRIK *(Zoltán), cinéaste hongrois (Domony 1931 - Budapest 1981),* diplômé de l'Académie des arts du théâtre et du cinéma en 1962. Son premier court métrage, *Élégie* (*Elégia,* 1965), est la révélation d'un talent exceptionnel par le lyrisme de son inspiration et le baroquisme de son traitement visuel et sonore sur le thème de la destruction de la qualité de la vie par la civilisation moderne. L'originalité de son expression est confirmée par ses courts métrages *Amerigo Tot* (1969), *Capriccio* (id.), *Angelus* (1972), *A piacere* (1976), ainsi que par ses longs métrages (*Sindbad* [*Szindbád*], 1971, et surtout *Csontvarÿ,* 1980), émouvante évocation de la vie du grand peintre naïf hongrois. M.M.

HUTTON *(Betty June Thornburg,* dite *Betty), actrice américaine (Battle Creek, Mich., 1921).* Chanteuse professionnelle dès l'adolescence, elle arrive à Broadway en 1940, où son exubérante vitalité lui vaut le surnom de « Bombe blonde ». Appelée à Hollywood, elle chante et joue dans une dizaine de films dont les plus connus restent *Au pays du rythme* (G. Marshall, 1942), *Miracle au village* (Preston Sturges, 1944), *la Blonde incendiaire* (G. Marshall, 1945), *Annie reine du cirque* (G. Sidney, 1950) et *Sous le plus grand chapiteau du monde* (Cecil B. De Mille, 1952). En 1947, elle interprète le rôle de Pearl White dans *The Perils of Pauline* (G. Marshall). Ayant rompu son contrat avec la Paramount en 1953, elle ne réussira jamais à se relancer à l'écran, ni à la scène, malgré plusieurs tentatives. On retrouve en 1974 la vedette déchue, devenue cuisinière et concierge d'une paroisse de Rhode Island. G.L.

HUTTON *(Brian G.), cinéaste américain (New York, N. Y., 1935).* Il y avait dans les premiers films (*Graine sauvage* [*Wild Seed*], 1965 ; *The Pad,* 1966 ; *les Corrupteurs* [*Sol Madrid*], 1968) de cet ancien acteur un heureux mélange de cynisme et de sentiment qui a quelque peu disparu dès qu'il s'est attelé à des productions d'envergure (*Quand les aigles attaquent* [*Where Eagles Dare*], 1969 et *De l'or pour les braves* [*Kelly's Heroes*], 1970) mais il n'y a rien qui puisse sauver *Une belle tigresse* (*Zee and Co,* 1971), où Elizabeth Taylor était au plus bas. Il réalise ensuite *Terreur dans la nuit* (*Night Watch,* 1973), *De plein fouet* (*The First Deadly Sin,* 1980) et *les Aventuriers du bout du monde* (*High Road to China,* 1983). C.V.

HYATT *(John W.), inventeur américain (Starkey, N.-Y., 1837 - Millburn, N. J., 1920).* Il découvrit (brevet : 1869) une substance cellulosique qui reçut en 1872 le nom de marque de *Celluloïd* et qui permit plus tard la fabrication des films souples sans lesquels le cinéma n'aurait pu apparaître. J.-P.F.

HYER *(Martha), actrice américaine (Fort Worth, Tex., 1924).* Bonne actrice un peu froide dans sa blondeur distinguée, elle n'est jamais parvenue à s'imposer malgré une nomination pour l'Oscar du second rôle de *Comme un torrent* (V. Minnelli, 1959). Citons aussi *Haines* (J. Losey, 1950), *Deux Nigauds chez Vénus* (*Abbott and Costello Go to Mars,* Charles Lamont, 1953), *Mon grand* (R. Wise, 1953), *Sabrina* (B. Wilder, 1955), *l'Extravagant*

Mr. Cory (B. Edwards, 1957), *Rien n'est trop beau* (*The Best of Everything,* J. Negulesco, 1959)... Sans doute est-ce la rançon de voir généralement le héros lui préférer « l'autre fille ». Elle reparaît mûrie dans *les Quatre Fils de Katie Elder* (H. Hathaway, 1965), *la Poursuite impitoyable* (A. Penn, 1966), *la Nuit du Grizzly* (J. Pevney, 1966). Mariée en 1966 au producteur Hal Wallis, elle abandonne l'écran peu d'années après. G.L.

HYPERCARDIOÏDE. *Micro hypercardioïde* → PRISE DE SON.

HYPERFOCALE. Distance de mise au point telle que, compte tenu de la profondeur de champ, la zone de netteté s'étend de la moitié de cette distance jusqu'à l'infini.

HYPERGONAR. Nom de marque du dispositif anamorphoseur dû à H. Chrétien. (→ ANAMORPHOSE.)

HYPERGONAR, nom sous lequel a été diffusé l'objectif à la base du procédé CinémaScope. Inventé par le Français Henri Chrétien et expérimenté en France sur plusieurs courts métrages et un long métrage vers la fin des années 20 par Claude Autant-Lara, le procédé est repris par les États-Unis et exploité sous nom de CinémaScope. Le premier long m trage, *la Tunique* (*The Robe,* H. Koster), date 1953. Il s'agit d'un objectif anamorphose qui, placé sous la caméra, réduit l'image à prise de vues et, sur le projecteur, la restit dans ses proportions d'origine. On peut ain créer une impression d'espace sem panoramique avec des matériels de prise vues et de projection traditionnels (de form 35 mm), puisque l'hypergonar n'est qu'u objectif additionnel. L'image obtenue e environ deux fois plus large que l'ima standard (rapport de 2, 35 : 1 contre 1, 37 1). L'addition de ce système de lentilles au objectifs traditionnels entraînait une certair perte de définition. De plus, le format allon de l'image compliquait les cadrages, même s permettait certains « effets ». Le format 70 m donnera davantage de satisfaction sur ce deux points. M.

HYPERSENSIBILISATION. Traitement, pra tiqué avant la prise de vues, visant à augmen ter la sensibilité à la lumière de la couch sensible. (→ LATENSIFICATION.)

HZ. Symbole du hertz.

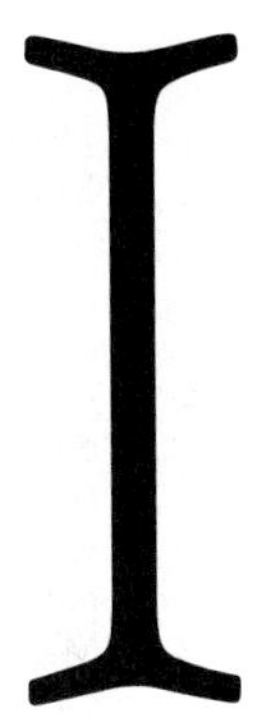

IBERT *(Jacques), musicien français (Paris 1890 - id. 1962).* Élève (au Conservatoire de Paris) d'André Gédalge, premier grand prix de Rome, la notoriété lui vient tôt, et avec elle les charges officielles. Attiré par le cinéma, il compose des partitions architecturées, brillantes et dont la marque demeure personnelle. Il *colore* avec un goût très sûr les ambiances étranges de Duvivier (*les Cinq Gentlemen maudits,* 1931 ; *Golgotha,* 1935 ; *la Charrette fantôme,* 1940) ; de G. W. Pabst (*Don Quichotte,* 1933) ; de Maurice Tourneur (*les Deux Orphelines,* 1933 ; *Kœnigsmark,* 1935) ; de Chenal (*l'Homme de nulle part,* 1937 ; *la Maison du Maltais,* 1938). Citons encore l'une de ses dernières musiques de film, celle du *Macbeth* de Welles (1948). C.M.C.

ICHAC *(Marcel), cinéaste français (Rueil-Malmaison 1906 - Paris 1994).* Alpiniste et journaliste, il participe à une expédition dans l'Himālaya, dont il rapporte le court métrage *Karakoram* (1936). Il réalise des documentaires, dont *À l'assaut des aiguilles du Diable* (1942), un des premiers récits d'ascension en haute montagne intégralement authentiques. La même démarche caractérise son célèbre long métrage *les Étoiles de midi* (1960), alors que *Victoire sur l'Annapūrna* (1953) restait dans la tradition plus classique du film d'expédition. Son œuvre comprend quelques documentaires de commande, mais surtout des reportages sur la montagne, les expéditions polaires, la spéléologie. C'est une des figures les plus marquantes du cinéma de montagne. Précédé, en France, par Georges Tairraz, il a compté parmi ses collaborateurs des hommes comme Jean-Jacques Languepin et Jacques Ertaud. D.S.

Autres films ▲ : *Pèlerinage à La Mecque* (1940) ; *Sondeurs d'abîmes* (1943) ; *Padirac* (1948) ; *Rivière de la nuit* (id.) ; *Groenland* (id.) ; *Himālaya* (1950) ; *Nouveaux Horizons* (1953) ; *les Danses de Tani* (1956).

ICHIKAWA *(Kon), cinéaste japonais (Uji Yamada [auj. Ise] - 1915).* Après des études dans une école commerciale d'Ōsaka, il entre aux studios JO (Jenkins-Ōsawa) de Kyōto en 1933, comme créateur de dessins animés. Il devient assistant réalisateur en 1937 à la Tōhō (après la fusion JO/PCL), entre autres de Tamizo Ishida et Yutaka Abe. Son premier film, *'la Fille du temple Dōjō'* (*Musume Dōjōti,* 1944-45), animation de marionnettes adaptée du Kabuki, est interdit par la censure américaine pour « esprit féodal ». Il participe ensuite à la réalisation d'un film publicitaire pour la Tōhō, *'Mille et Une Nuits avec la Tōhō'* (*Tōhō sen-ichi-ya,* 1947), puis réalise son premier film de fiction en 1948, *'la Fleur éclose' (Hana hiraku),* avec la star Hideko Takamine. À la fin des années 40 et au début des années 50, Ichikawa tourne un grand nombre de mélodrames délirants comme *365 Nuits* (*Sanbyaku rokujogo-ya,* 1948), *'Passion éternelle'* (*Hateshinaki jonetsu,* 1949) ou *Coule la rivière Solo* (*Bungawansolo,* 1951). Puis il se spécialise dans les comédies satiriques vives, au rythme rapide, comme *'la Marche nuptiale'* (*Kekkon Koshinkyoku,* 1951), *'la Femme qui toucha les jambes'* (*Ashi ni sawa onna,* 1952, remake d'une comédie muette de Yutaka Abe), ou encore *M. Lucky* (*Rāky-San,* id.) ou *M. Pou* (*Pu-San,* 1953), adaptations désopilantes de bandes dessinées populaires, avec l'acteur Unosuke Ito. Dans le même style, *la Révolution bleue* (*Aoiiro kakumei,* id.), *Un milliardaire* (*Okuman Choja,* 1954) et surtout *le Train bondé* (*Manín densha,* 1957) achevèrent d'imposer son image de marque de « Frank Capra japonais » auprès du public et de la critique. Pourtant, à partir de 1955, il se tourne vers la mode alors florissante des adaptations littéraires de prestige, avec *le Cœur / le Pauvre Cœur des hommes* (*Kokoro),* d'après le roman de Natsume Soseki, où se distingue le talent raffiné de Masayuki Mori. À partir de cette époque, Ichikawa adapte les auteurs les plus divers dans des styles souvent différents, ce qui le fera traiter de « cinéaste-mannequin » par la critique. Outre ses deux chroniques de guerre *la Harpe de Birmanie* (*Biruma no tategoto,* 1956 ; d'après Michio Takeyama) et surtout *Feux dans la plaine* (*Nobi,* 1959, d'après Shōhei Ōoka), impitoyable description des derniers jours des rescapés de l'armée impériale aux Philippines, qui choqua par ses scènes « osées » de cannibalisme, il faut signaler, parmi d'innombrables adaptations littéraires, celles de *la Chambre de punition* (*Shokei no heya,* 1956 ; d'après Shintaro Ishihara, qui fit scandale au Japon), *Nihonbashi* (1956, d'après Kyoka Izumi), et surtout *le Brasier* (*Enjo,* 1958), d'après *le Pavillon d'or* de Yukio Mishima, et *l'Étrange Obsession* (*Kagi,* 1959, d'après Junichiro Tanizaki), relation d'une étrange jalousie sexuelle – ce dernier film ayant obtenu le prix spécial du jury à Cannes en 1960. Ce sont ces films aux ambiguïtés psychologiques nouvelles et d'un grand raffinement esthétique, dans le noir et blanc comme dans la couleur, qui ont valu à Ichikawa sa réputation en Europe et aux États-Unis, sans qu'on le considère pour autant comme un auteur à part entière, au même titre que ses confrères Kurosawa, Mizoguchi ou Ozu. On y retrouve, ainsi que dans *Bonchi* (1960), *le Frère cadet / Tendre et Folle Adolescence* (*Otōto,* 1960) ou *le Paria* (*Hakai,* 1962), ce sens de l'humour caustique et ce souci de stylisation plastique qui triompheront dans le dernier grand film de cette période, *la Vengeance d'un acteur* (*Yuki Henge,* 1963), remake somptueux du film Kinugasa (1935), interprété par le même teur Kazuo Hasegawa. Ichikawa prouv encore sa grande maîtrise technique au serv d'une distanciation ironique dans *Seul l'océan Pacifique* (*Taiheiyō hitoribochi,* 1964, p duit et interprété par la star Yujirō Ishihara surtout dans *Tōkyō Olympiades* (*Tōkyō Ol pikku,* 1964-65), le film officiel des jeux Oly piques, et le plus brillant de cette catégo. Mais ensuite, victime de l'évolution négat du système de production nippon, il ne d nera plus que des œuvres secondaires et compromis (série des best-sellers policiers Yokomizo après le succès de *la Famille Inug [Inugami-ke no ichizoku,* 1976], tous produ par l'éditeur Kadokawa), en dehors de qu ques rares films plus personnels, par exem *'Errances'* (*Matatabi,* 1973) ou *'les Quatre Sœ Makioka'* (*Sasame Yuki,* 1983). En 1985, réalise le remake de *la Harpe de Birmanie,* 1986, une biographie de Kinuyo Tanal *l'Actrice (Eiga joyu)* et en 1987 une superp duction fantastique pour la Tōhō, *la Légende la princesse de la lune (Taketori monogatari),* m aucun de ces films ne se hisse au niveau de s œuvres marquantes. En 1994, il réalise u nouvelle version des *47 Ronins* (*Shiju-shichi no shikaku,*).

M

ICHMOUKHAMEDOV *(Elier)* [*El'er Muhi novič Išmuhamedov*], *cinéaste soviétique (Tachke Ouzbékistan, 1942).* Diplômé du VGIK 1965, c'est au cours même de ses études qu réalise son premier film : *'la Rencontre'* (*Svi nie,* 1963). Mais c'est par ses deux premie longs métrages qu'il se signale à l'attentio *Tendresse* (*'Nežnost'* 1966) et *les Amoureux* (*Vl blënnye,* 1969) révèlent un talent qui s'exprin à la fois par la délicatesse enjouée de description psychologique et par la fraîche de l'approche réaliste de la vie quotidienn bien soutenues par une vibrante et lumineu photographie. Le réalisateur s'impose dès lc comme l'un des chefs de file du renouveau la production d'Ouzbékistan : *'Rencontres Séparations'* (*Vstreči i rasstavanija,* 1974) ; *' Oiseaux de nos espérances'* (*Pticy našich nadež* 1976) ; *'Devant nous l'avenir'* (*Kakie naši gody* 1980) ; *'la Jeunesse d'un génie'* (*Junost' geni* 1983) ; *'Adieu la verdure de l'été'* (*Proščoj, len' leta,* 1985) ; *'le Choc'* (*Šok,* 1988).

M.

IDHEC → ENSEIGNEMENT DU CINÉMA.

IIMURA *(Takahiko), cinéaste expérimental et vidéographe japonais (Tōkyō 1937).* Après des études à l'université Keio à Tōkyō, il fonde un groupe de cinéastes indépendants japonais et réalise plusieurs films en 8 mm : *Dada 62* (1962), *De Sade* (id.) et surtout le très beau *'Amour'* (*Ai,* 1962-63), pour lequel Yoko Ono fera une musique et qui célèbre en très gros plans presque abstraits l'étreinte de deux amants. Mainte œuvre réalisée avant (*Onan,* 1963) ou après son arrivée aux États-Unis (1966) doit aussi sa célébrité à l'érotisme, mais de plus en plus subverti (*A Dance Party in the Kingdom of Lilliput N° 1,* 1964 ; *Flowers,* 1968 ; *Virgin Conception,* id., etc.). Car un désir de dépouillement travaille très tôt son œuvre jusqu'à *Shutter* (1970), où l'abstraction totale est atteinte. Parallèlement à *Models* (1972), *One Frame Duration* (1977) ou *Ma* (1978), purs jeux structurels abstraits, il se consacre à des «installations», avec des projecteurs et leur pellicule utilisés comme des sculptures (*Dead Movie,* 1968 ; *A Loop Seen as a Line,* 1973), ou à la vidéo qu'il utilise pour d'austères jeux sémiotico-grammaticaux sur la communication — *Self Identity* (1972-1974) ; *Talking to Myself : Phenomenological Operation* (1978) —, mais aussi, depuis 1983, pour des séries de portraits. D.N.

IKEBE *(Ryō), acteur japonais (Tōkyō 1918).* Il débute à la Cie Tōhō en 1941 dans *'le Poisson lutteur',* de Yasujirō Shimazu, où il est un élégant jeune premier. C'est après la guerre qu'il devient un comédien de premier plan, dans des films comme *'la Guerre et la Paix'* (S. Yamamoto et F. Kamei, 1947), et surtout *'les Montagnes vertes'* (T. Imai, 1949), qui remporte un grand succès populaire. Il joue aussi bien dans les comédies mélodramatiques d'Ichikawa (*l'Amant,* 1951 ; *'la Femme qui toucha les jambes',* 1952) que dans des films plus dramatiques, comme *'les Contemporains'* (Minoru Shibuya, *id.*) ou *Printemps précoce* (Y. Ozu, 1956), où il tient le rôle d'un employé désabusé ayant une aventure avec une secrétaire (Keiko Kishi). Il retrouve cette dernière dans *'Pays de neige'* (Toyoda, 1957, d'après Kawabata) et offre un nouveau visage d'homme mûr dans *'la Fleur séchée' / 'la Fleur pâle'* de Shinoda (1964), aux côtés de Mariko Kaga. Depuis, on l'a vu dans de nombreux films de série *(Shōwa zankyoden)* de la Tōei, comme partenaire de Ken Takakura, et dans *'le Chemin des bêtes'* (*Kemonomichi,* de Eizo Sugawa, 1965). M.T.

ILIENKO *(Youri) [Jurij Il'enko], chef opérateur et cinéaste soviétique (Dniepropetrovsk 1936).* Il sort du VGIK avec un diplôme d'opérateur en 1960, travaille comme opérateur au studio de Yalta (*Adieu colombes* [*Proščajte, golubi !*], de Y. Seguel, 1961), puis, à partir de 1965, au studio de Kiev, où il s'assure une réputation mondiale par les admirables images des *Chevaux de feu* de Paradjanov, dont le style baroque et expressionniste lui doit beaucoup. Il passe à la réalisation avec des films poétiques où l'on retrouve son style haut en couleur : *Une source pour les assoiffés* (*Rodnik dlja žažduščih,* 1965, distribué en 1987), *la Nuit de la veille de la Saint-Jean* (*Večer nakanune Ivana Kupala,* 1968) et surtout *l'Oiseau blanc marqué de noir* (*Belaja ptica s černoj otmetinoj,* 1970), animé d'un puissant souffle lyrique sur un thème révolutionnaire. Autres films : *Malgré tout* (*Naperekor vsemu,* 1972) ; *Vivre et rêver* (*Mečtat' i žit',* 1974) ; *la Fête des pommes de terre cuites à la braise* (*Prazdnik pečënoj kartoški,* 1977) ; *Une rangée de fleurs sauvages non coupées* (*Poloska neskošennyh dikih cvetov,* 1979) ; *le Chant de la forêt. Mavka* (*Lesnaja pesnja. Mavka,* 1981) ; *la Légende de la princesse Olga* (*Legenda o Knjagine Olge,* 1984) ; *Une source pour les assoiffés* (*Rodnik dlja žaždajuših,* 1986) ; *les Cloches de paille* (*Solomennye kolokola,* 1988). En 1990, il signe le scénario (avec Paradjanov), la photographie et la mise en scène d'un film insolite et contestataire *le Lac des cygnes – la Zone (Lebedyne ozero – Zona).* M.M.

ILINSKI *(Igor) [Igor' Vladimirovic Il'inski], acteur soviétique (Moscou 1901 - id., 1987).* Célèbre acteur de théâtre formé à l'école de Komissarjevski puis de Meyerhold, il débute au cinéma dans le rôle du détective privé Krivtssov (*Aelita,* Protazanov, 1924). Ses interprétations «excentriques» l'imposent dans des rôles de bouffons, de bourgeois ridicules. Son comique quelque peu mécanique et clownesque lui confère une place particulière dans le cinéma soviétique muet : *la Vendeuse de cigarettes du Mosselprom* (Y. Jeliaboujski, 1925) ; *le Tailleur de Torjok* (Y. Protazanov, *id.*) ; *le Procès des trois millions* (*id.,* 1926) ; *Miss Mend* (F. Ozep et B. Barnet, 1926) ; *la Fête de*

Saint-Jorgen (Y. Protazanov, 1930). Il en va de même lorsque le cinéma devient parlant (*Volga Volga,* G. Aleksandrov, 1938). J.-L.P.

ILLERY *(Paula Illescu,* dite *Pola), actrice française d'origine roumaine (Corabia 1908).* Elle débuta à la fin du muet : un rôle de gitane dans *le Capitaine Fracasse* (A. Cavalcanti, 1929). Mais c'est surtout le parlant qui la révèle (quoique son français soit très approximatif). René Clair fait d'elle la partenaire – volage – d'Albert Préjean dans *Sous les toits de Paris* (1930), puis la maîtresse de Georges Rigaud dans *Quatorze-Juillet* (1933), deux films où son air de « petite poule » (comme on la désigne dans une autre bande de l'époque, *Au pays du soleil*) retient l'attention. On la reverra dans *la Rue sans nom* (P. Chenal, 1933) et dans la version française du diptyque *le Tigre du Bengale / le Tombeau hindou* de Richard Eichberg (1937). Après quoi elle disparaît des écrans, aussi subitement qu'elle y était apparue. C.B.

ILLÉS *(György), chef-opérateur hongrois (Eger 1914).* Compagnon de route de Zoltán Fábri pour la plupart de ses films (d'*Orage,* 1952, à *la Rencontre de Fabian Balint avec Dieu,* 1980), il travaille également avec Frigyes Bán, Marton Keleti, Károly Makk (*la Maison au pied du roc,* 1958), Felix Máriássy (*Printemps à Budapest,* 1955 ; *Imposteurs,* 1969), György Revesz, László Ranódy (*l'Alouette,* 1963), András Kovács (*les Murs,* 1967) et István Gaál (*Legato,* 1977) et s'impose comme un directeur de la photographie précis, méticuleux, d'une parfaite conscience professionnelle, capable de trouvailles visuelles sans jamais tomber dans la virtuosité pure ou le maniérisme. J.-L.P.

IMAGE *(Imre Hajdu,* dit *Jean), cinéaste français d'animation d'origine hongroise (Budapest 1911 - Paris 1989).* Peintre et décorateur fixé à Paris en 1932, il devient réalisateur et producteur de films publicitaires en 1937, puis de dessins animés en 1939, avec *le Loup et l'Agneau,* petit film allégorique antinazi dont une seconde version verra le jour en 1955. Après plusieurs courts métrages relativement personnels, il réalise un long métrage dans la tradition disneyenne, *Jeannot l'intrépide* (1951). Il alterne films de commande et œuvres personnelles qui respectent les règles graphiques classiques – mais *Magie moderne* (1958) et *la Petite Reine* (1958) présentent toutefois des caractères plus modernes. À partir de 1960, il se consacre essentiellement à des séries télévisées, mais n'en réalise pas moins plusieurs longs métrages cinématographiques destinés aux enfants dont le graphisme frôle, parfois hélas !, l'académisme et la mièvrerie : *Aladin et la lampe merveilleuse* (1969), *les Fabuleuses Aventures du baron de Münchhausen* (1979), *le Secret des Sélénites* (1984). D.S.

IMAGES DE SYNTHÈSE → SYNTHÈSE *(Images de).*

IMAI *(Tadashi), cinéaste japonais (Tōkyō 1912 - id. 1991).* Fils d'un bonze, il sympathise avec le mouvement communiste japonais pendant ses années d'études à l'université de Tōkyō, qu'il abandonne en 1935 pour entrer aux studios JO (Jenkins-Ōsawa) de Kyōto, où il devient assistant de Tamizo Ishida, puis de Nobuo Nakagawa. Il passe à la réalisation en 1937 avec *'l'École militaire de Numazu' (Numazu Heigakko),* qui ne sera terminé qu'en 1939, à cause de la mobilisation de la plupart des acteurs. Ses films réalisés pendant la guerre (pour la Tōhō) sont pour la plupart des contributions à l'effort national et militaire du Japon (*'le Général'* [*Kakka*], 1940 ; *'les Kamikazes de la tour de guet'* [*Boro no kesshitai*], 1943). Après 1945, il entre de nouveau au parti communiste et signe des films s'inscrivant dans une ligne plus démocratique : *'l'Ennemi du peuple'* (*Minshu no teki,* 1946). C'est avec *'les Montagnes vertes' / 'les Montagnes bleues'* (*Aoi sanmyaku,* 1949), où il brosse un portrait humoristique de lycéens de province tentant de se « déféodaliser », qu'on commence à le remarquer, et il s'impose avec *'Jusqu'au jour où nous nous reverrons ' / ' Jusqu'à notre prochaine rencontre'* (*Mata au hi made,* 1950), histoire d'amour romantique librement inspirée du *Pierre et Luce* de Romain Rolland, où se révèle le talent du jeune Eiji Ōkada. Imai quitte ensuite la Tōhō, après les « purges » consécutives aux grèves de 1947-48, et, comme plusieurs de ses confrères, se tourne vers la production indépendante progressiste. Produit par souscription nationale et décrivant le sort cruel d'une famille de chômeurs au lendemain de la guerre, *'Nous sommes vivants'* (*Dokkoi ikiteru,* 1951) fait date dans ce mouvement. Poursuivant dans cette voie, il donne alors ses meilleures œuvres. Ainsi : *l'École des échos* (*Yamabiko gakko,* 1952) ; *'la Tour des lys' / 'les Lys d'Okinawa '* (*Himeyuri no to,* 1953), sur le sort des infirmières qui se suicidèrent à la fin de la violente bataille d'Okinawa. Quant à *'Eaux troubles' / 'Tableaux troubles'* (*Nigorie,* 1953), il est adapté de trois œuvres de la nouvelliste Ichiyo Higuchi, et il consiste en trois portraits de femmes malheureuses de l'ère Meiji. À quoi il faut ajouter *'Voici une fontaine'* (*Koko ni izumiari,* 1955), et, entre autres, le célèbre *Ombres en plein jour* (*Mahiru no ankoku,* 1956), traitant d'une affaire judiciaire qui défraya la chronique en 1951 et qui n'était pas encore close en 1956 : sur un scénario de Shinobu Hashimoto, adapté d'un roman de Hiroshi Masaki, lui-même tiré du fait divers, Imai prenait fait et cause, dans un style néo-réaliste, pour les accusés condamnés sans preuve. Devant le succès de ces films, la Cie Tōei, cherchant des films de prestige, produit les deux titres suivants du cinéaste : *'le Riz'* (*Kome,* 1957 ; sur la vie difficile des paysans) et *'Histoire d'un amour pur'* (*Jun ai monogatari,* id., traitant du cas d'une jeune fille condamnée par les radiations atomiques). *'Les Tambours de la nuit'* (*Yoru no tsuzumi,* 1958), film historique, critique féodale, et *Histoire cruelle du Bushidō / le Serment d'obéissance* (*Bushidō zankoku monogatari,* 1963, Ours d'argent à Berlin) forment une sorte de diptyque historique critiquant les rigueurs de la société féodale et ses prolongements contemporains. Par la suite, Imai ne tourne plus d'œuvre de cette importance, mais plusieurs films offrent encore un intérêt certain : *'Une histoire d'Echigo'* (*Echigo tsutsuishi Oyashirazu,* 1964) ; *'Vengeance'* (*Adauchi,* id.) ; *la Rivière sans pont* (*Hashi no nai kawa,* 1969). Il tourne son dernier film, *Guerre et jeunesse (Senso to seishin),* en 1991. Son œuvre, inégale mais attachante, est souvent soumise à ses prises de position idéologiques. M.T.

IMAMURA *(Shōhei), cinéaste japonais (Tōkyō 1926).* Malgré une jeunesse difficile dans le Tōkyō d'après-guerre, livré au marché noir, au gangstérisme et à la prostitution, il suit six années d'études à la prestigieuse université de Waseda, puis fait un peu tous les métiers, avant d'entrer à la Shōchiku en 1951 comme assistant réalisateur, notamment d'Ozu (trois films), Masaki Kobayashi, Yoshitaro Nomura et Yuzo Kawashima. Il passe à la Nikkatsu en 1954 et écrit alors plusieurs scénarios pour Kawashima, dont celui de *'Chronique du soleil à la fin du shogunat'/ 'Edo canaille'* (*Bakumatsu taiyōden,* 1957). Même après avoir réalisé des films lui-même, il poursuivra cette carrière de scénariste avec ses collègues et amis de la Nikkatsu, comme Kiriro Urayama, avec *'la Ville des coupoles'* (*Kyupora no aru machi,* 1962). Ses premiers films, *Désir volé (Nusumareta yokujo), 'Devant la gare de Nishi-Ginza' (Nishi-Ginza eki mae)* et *'Désir inassouvi' (Hateshinaki yokubo),* tous de 1958, témoignent d'une volonté de renouvellement des genres au sein de la Nikkatsu, et aussi de traiter des personnages et situations du « bas peuple » dans une tonalité très réaliste, à la limite du naturalisme, mais sans aucun de ses aspects morbides. Après un film de commande sur la vie misérable des mineurs de Kyūshū, *le Grand Frère / les Enfants du charbonnage* (*Nianchan,* 1959), Imamura tourne *Cochons et Cuirassés / Filles et Gangsters* (*Buta to gunkan,* 1961), un film « à scandale » où il met violemment en cause le rôle néfaste des bases américaines, tout en donnant une image mi-réelle et mi-symbolique du Japon d'après-guerre, à l'aube de la prospérité économique. On y trouve déjà un personnage de femme volontaire et forte qui rompt avec une certaine tradition, et qui sera approfondi dans *'Chronique entomologique du Japon' / la Femme insecte* (*Nippon konchūki,* 1963), où Sachiko Hidari joue le rôle d'une prostituée luttant pour garder son indépendance, même contre sa fille. Il poursuit dans cette voie avec *'Désir de meurtre en rouge' / 'Désirs meurtriers'* (*Akai satsui,* 1964) et *Introduction à l'anthropologie / le Pornographe* (*Jinruigaku nyumon,* 1965 ; d'après le roman de Akiyuki Nozaka), où se fait jour une invocation à la libération sexuelle, dans un style de plus en plus personnel, avec des échappées oniriques et baroques. Ayant fondé sa propre compagnie (Imamura Pro) en 1965, il poursuit son analyse sociale et sexuelle du Japon à travers des situations et des personnages assez exceptionnels, en recherchant, selon ses propres termes, « les origines du peuple japonais » : ainsi *'Évaporation de l'homme'* (*Ningen johatsu,* 1967) traite d'un cas typique de « disparition », dans un style d'enquête documentaire, et *'Profonds Désirs des dieux'* (*Kamigami no fukaki yokubo,* 1968), tourné dans les îles du Sud, confronte un Japon encore primitif à un représentant du boom industriel. Mais, après une nouvelle enquête documentaire de « contre-histoire », *'Histoire du Japon par une* hôtesse de bar' (Nippon sengoshi : Madamu Onboro no seikatsu, 1970), les échecs commerciaux de ces films le contraignent à tourner pour la télévision, 'Ces dames qui vont au loin' (Karayuki-San, 1975), tandis qu'il fonde une école de cinéma privée à Yokohama. Il effectue un retour remarqué avec 'La vengeance est à moi' (Fukushu suru wa ware ni ari, 1979), puis 'Pourquoi pas ?' (Eijanaika, 1981), fresque ambitieuse de la période troublée précédant l'ouverture de l'ère Meiji, mais qui souffre d'une certaine confusion narrative. En 1983, *la Ballade de Narayama (Narayama bushi-kō)* remporte la palme d'or du festival de Cannes et donne à son auteur une audience internationale pour la première fois. Tout en dirigeant son école de cinéma aux environs de Tōkyō, Imamura réussit encore à tourner *Zegen* (ou *le Seigneur des bordels,* 1987), une parabole sexuelle sur l'impérialisme nippon en Asie du Sud-Est, et *Pluie noire* (*Kuroi ame,* 1989), une adaptation très sobre d'un roman de Masuji Ibuse sur les séquelles de l'explosion d'Hiroshima. À la suite de ce film, Imamura n'a pas réussi à concrétiser ses projets par manque de financement. Un documentaire lui a été consacré en 1995 par le cinéaste portugais Paulo Rocha *(Shōhei Imamura, le libre penseur).* M.T.

IMBIBITION. Absorption de colorants par la gélatine : l'imbibition était à la base du procédé Technicolor de tirage de copies en couleurs. (→ PROCÉDÉS DE CINÉMA EN COULEURS.)

IMHOOF *(Markus), cinéaste suisse (Winterthur 1941).* Ses premiers documentaires, *Rondo* (1968), sur les prisons, et *Ormenis 199 + 99* (1969), sur l'armée, ont été interdits. Après quelques années consacrées au documentaire, il accède au long métrage de fiction en 1979 avec *Fluchtgefahr* et se fait connaître à l'étranger avec *la Barque est pleine* (*Das Boot ist voll,* 1981), un film impitoyable sur le sort que la Suisse a réservé aux Juifs fuyant les nazis pendant la guerre. *Le Voyage* (*Die Reise,* 1986) est un film sur la vie de Bernward Vesper, qui a tenté de fuir l'éducation reçue de son père, poète nazi officiel, puis le terrorisme dans lequel s'est engouffré sa compagne Gudrun Ensslin (également sujet du film de M. von Trotta *les Années de plomb*). En 1991, *la Montagne* (*Der Berg*) se réfère, en plus réaliste, au film de montagne traditionnel. Il a également réalisé *les Petites Illusions* pour *le Film du cinéma suisse,* de Freddy Buache (1991). D.S

IM KWON-TAEK, *cinéaste coréen (Changsŏng 1936).* Dès 1957 il travaille pour la société de production Chung Chang-Hwa et signe son premier long métrage en 1961 : *Adieu à la rivière Duman (Dumangany-a-jal iskova).* Sa carrière se place d'emblée sous le signe de l'éclectisme : il tourne en effet des drames historiques, à contenu social, des films de guerre, des adaptations littéraires, des films tendres sur la condition féminine. Sa filmographie est impressionnante (près de 90 films en 1990). Parmi ses œuvres les plus significatives, on peut citer *'le Témoignage' (Chungŏn,* 1973), *'l'Arbre généalogique' (Chokpo,* 1978), *'le Porte-drapeau sans drapeau'* (*Kippal ŏmnŭn kisu,* 1979), *Mandala* (*id.,* 1981), *'le Village des brumes' (Angae maŭl,* 1982), *'Kilsottŭm' (1984), 'Ticket' (Tik'et,* 1985), *'la Mère porteuse' (Sibaji,* 1986), *'Chroniques de Yonsan' (Yŏnsan ilgi,* 1987), *'Adada' (Packch'i Adada,* 1988), *'Plus haut, encore plus haut'* (*Aje, aje, para aje,* 1988), *la Chanteuse de pansori* (*Sŏp'yongje,* 1993), qui connaît un succès phénoménal en Corée et conforte internationalement la réputation du cinéaste, et, en 1994, *'les Monts Taebaek'* (*Taebaek Sanmaek*). C.O.

IMMERSION. *Tirage par immersion* → TIRAGE HUMIDE.

IMP (Independent Motion Picture Company, ou parfois : Independent Moving Pictures Company), société de production fondée en 1909 par Carl Laemmle en réaction contre la MPPC (le « trust » Edison). Petite compagnie prospère, la IMP s'imposa par des coups publicitaires. Laemmle ravit à la Biograph sa vedette Florence Lawrence, qu'il rebaptisa la « Imp Girl », et récidiva avec Mary Pickford, recruta plusieurs metteurs en scène (dont Thomas Ince) et envoya ce dernier tourner des films à Cuba — avec Mary Pickford — dans un territoire non contrôlé par la MPPC. En 1912, la IMP fut absorbée par la compagnie Universal. J.-L.P.

IMPRESSIONNÉ. Se dit d'un film passé dans la caméra ou la tireuse (et donc porteur d'une image latente) mais non encore développé.

IMPRESSIONNISME. En peinture, le terme *impressionnisme,* utilisé pour la première fois par dérision, en 1874, par un journaliste du

Charivari pour qualifier un tableau de Claude Monet, caractérise assez bien les grands principes picturaux de ce que l'on a appelé «l'école de Barbizon» : division des tons, scintillement des couleurs, traduction fidèle des «impressions» de l'artiste devant la nature. Selon Georges Rivière, l'impressionnisme vaut surtout par son refus des thèmes figés de la peinture académique et son abandon du «sujet» au profit du «ton». La forme prime le fond ou, comme on disait naguère, le signifiant l'emporte sur le signifié.

C'est de façon plus respectueuse, par référence impropre à ces illustres modèles, qu'Henri Langlois et, après lui, Georges Sadoul ont appliqué le vocable à un groupe de cinéastes français des années 20 constitué (informellement, chacun ayant œuvré pour son propre compte) par Abel Gance, Marcel L'Herbier, Germaine Dulac, Jean Epstein, Louis Delluc et quelques autres (dont le bien oublié Henri Chomette, frère aîné de René Clair). S'il leur manquait l'appoint essentiel de la couleur, du moins eurent-ils souci de rompre avec un certain conformisme narratif : celui des films à épisodes (à la Feuillade) et des mélodrames patriotiques, truffés de rebondissements rocambolesques et de sous-titres puérils. L'image, pensaient-ils, doit pouvoir se suffire à elle-même. Le sujet d'un film, dira Marcel L'Herbier, ne doit être rien de plus qu'une «base chiffrée permettant de construire des harmonies plastiques» ; un mince fil conducteur, renchérit Jean Epstein, procédant «d'associations d'images, d'analogies de sentiment». Ces jeunes cinéastes (ou mieux, *cinégraphistes*), animés d'un «esprit nouveau», entendent arracher le cinéma aux servitudes de la «réalité photographique» et instaurer un art autonome. Ils ne cachent pas leur admiration pour le cinéma allemand, dit «expressionniste», et souhaitent lui trouver un équivalent français. Le théoricien italien Ricciotto Canudo les y pousse, en préconisant l'avènement d'un «5e art», qui perdra deux points pour devenir peu de temps après le 7e art.

Abel Gance avait donné le ton avec *la Folie du docteur Tube* (1915), sorte de Caligari burlesque avant la lettre, dont pourtant l'audience fut restreinte. Au-delà d'une pochade futuriste, on pouvait y lire les prémices d'un véritable «cinéma subjectif». Puis vint *Rose France* de L'Herbier, qui voit «l'entrée en lice d'une certaine poésie dans le cinéma français» (selon Henri Langlois). Poésie encore très imprégnée de littérature, certes, et pas de la meilleure, qui suscita d'ailleurs les huées du public — mais l'admiration de Delluc. Ce dernier répéta, dans ses écrits, que le cinéma était enfin apte à restituer «des impressions de beauté fugace et éternelle», une «impression aiguë de vérité et d'étude humaine», qu'il devait devenir «cette peinture vivante dont, consciemment ou instinctivement, nous faisons tous notre but». Jean Epstein cite (dans la revue *Cinéma* de Delluc) quelques exemples caractéristiques de ces nouvelles tendances : le décor-personnage de *Fièvre,* le flou de la danse d'*El Dorado* (qui «arrive à photographier littéralement un rythme»), les martèlements lyriques de *la Roue,* la «subtilité affectueuse» de *la Belle Dame sans merci,* et jusqu'à... «une bien jolie moto dans *l'Homme qui vendit son âme au diable,* de M. Pierre Caron» ! Lui-même réalise ce que l'on peut considérer comme un archétype avec la fête foraine de *Cœur fidèle,* toute en accélération et en miroitements. «C'est là, écrit-il, l'ébauche d'une dramaturgie nouvelle vers laquelle les images maintenant s'efforcent : délestées de toute technique, elles ne signifient vraiment que l'une par l'autre, comme doivent le faire les mots simples et riches de sens.»

Malheureusement, le public ne suivit pas, et les auteurs durent bientôt en rabattre de leurs ambitions : Gance se tourna vers la grande fresque historique, L'Herbier vers le mélodrame «psychologique», Epstein vers l'adaptation des classiques de la littérature (Balzac, Daudet). C'est le retour en force du scénario, naguère tant honni. La mort de Delluc, survenue en 1924, acheva de dérouter les esprits. Et c'est très arbitrairement que l'on pourra déceler des séquelles d'«impressionnisme» chez le jeune Renoir *(la Fille de l'eau)* ou le jeune Grémillon *(Tour au large, Maldone).*

La «deuxième avant-garde», celle des Man Ray et des Buñuel, jugera assez sévèrement ces tentatives, suspectes il est vrai de philosophie fumeuse et empreintes de pas mal de naïveté. Pourtant «la naïveté ici a son prix», comme le note Léon Moussinac à propos de Gance. Quant à l'esthétisme sophistiqué de L'Herbier, il a produit au moins un chef-d'œuvre (anachronique : il fut tourné à la veille du parlant et n'obtint aucun succès) :

l'Argent. Appliqués à un sujet fort, un sens aigu de la photogénie, un découpage spatio-temporel minutieux, une grande maîtrise décorative feront enfin merveille. Au point que, quelque quarante ans plus tard, deux critiques français, Noël Burch et Jean-André Fieschi, réévaluant l'« école impressionniste » et la confrontant aux œuvres de Bresson ou de Resnais, y verront une « mise en phase, surprenante mais logique, avec certaines des recherches les plus vivifiantes du cinéma d'aujourd'hui ». C.B.

INAGAKI *(Hiroshi), cinéaste japonais (Tōkyō 1905* - id. *1980).* Fils d'un acteur ambulant, il monte très jeune sur la scène et mène une enfance errante et malheureuse (il perd sa mère à l'âge de neuf ans). Autodidacte, il découvre le cinéma en présentant des séquences filmées pendant les pièces et commence à jouer des petits rôles au cinéma dès 1914. Il entre à la Nikkatsu comme acteur à l'âge de dix-sept ans et joue dans des films de Kenji Mizoguchi (*'la Nuit'* [*Yoru,* 1923]). Devenu assistant réalisateur en 1927, il travaille avec Kinugasa pour *Carrefour* (1928), mais ce dernier part pour l'Europe. Inagaki est alors désigné metteur en scène par Daisuke Itō dans la compagnie de production fondée par l'acteur Chiezo Kataoka. Il tourne son premier film, *'le Règne de la paix' (Tenka taihei),* en 1928, sur un scénario de Mansaku Itami. Dès cette époque, Inagaki tourne sans arrêt et se spécialise dans le « jidai-geki », de même qu'Itō ou Itami, avec des films de série populaires (*Chuji Kunisada,* 1933, en trois parties ; *Shinsengumi,* 1934), ou des adaptations littéraires historiques, dont la plus connue est *'le Col du grand Bouddha'* (*Daibosatsu Tōge,* 1935-36, en trois parties), d'après le roman de Nakazato. Pendant la guerre, il réalise, entre autres, *'la Vie de Muhomatsu'* (*Muhomatsu no issho,* 1943, avec Bantsuma), dont il fera un remake célèbre en 1958, avec T. Mifune, connu sous le titre *le Pousse-pousse* (Lion d'or à Venise, 1958). Parmi ses films les plus populaires, retenons sa version en trois parties de *Miyamoto Musashi,* avec Toshirō Mifune, dont la première obtint l'Oscar du meilleur film étranger à Hollywood en 1954 sous le titre *Samurai,* et son remake des *47 Rônin* (*Chushingura,* 1962, en deux parties). Réalisateur on ne peut plus prolifique, Inagaki, vétéran de la Cie Tōhō, a tourné plus de cent films, dont un très grand nombre avec la vedette maison, Toshirō Mifune : un de ses derniers fut *Furin Kazan* (ou *'Samurai Banners',* 1970), médiocre superproduction historique traitant du personnage de Shingen Takeda. Avant sa mort, il avait travaillé encore sur le scénario d'un sujet d'avant-guerre intitulé *'les Insectes de l'enfer' (Jigoku no mushi),* qui fut réalisé en 1979 par Tatsuo Yamada en version muette. Inagaki symbolise l'artisan du cinéma japonais, sans génie, mais fidèle à une forme de spectacle qui avait depuis longtemps fait ses preuves. M.T.

INCE *(Thomas Harper), cinéaste, scénariste, acteur et producteur américain (Newport, R. I., 1882 - Beverly Hills, Ca., 1924).* John, Ralph et Thomas, les trois enfants d'un couple d'acteurs, sont tous trois devenus des pionniers du cinéma. Thomas, lui-même, ayant débuté à six ans à la scène, et trouvant difficilement du travail, commence à arrondir ses fins de mois en tournant dans des films. En 1910, sans un sou, il décide que son avenir est dans le cinéma. Il débute comme acteur à la Biograph. Puis, Carl Laemmle le prend sous contrat comme réalisateur pour Mary Pickford. En 1911, il est engagé par une nouvelle compagnie, la NYMP. Il s'installe à Los Angeles et très vite se fait une réputation grâce à de nombreux westerns historiques. Méticuleux et rigoureux, organisé, il obtient une qualité naturellement supérieure au tout-venant d'une industrie encore en proie à l'improvisation et au désordre. À cause de ces méthodes de travail et du fait qu'il s'assure les services d'un cirque entier et qu'il acquiert 200 000 arpents de terre pour ses tournages, il est évident que, si Griffith est le premier artiste du cinéma américain, Ince en est le premier « homme de spectacle ». Producteur intransigeant, exigeant sur le *fini* technique, découvreur de talents, Ince est un peu l'ancêtre de ces producteurs créatifs qui permettront à Hollywood d'arriver à son apogée : sans lui, peut-être que Thalberg, Selznick ou Goldwyn n'auraient pas été ce qu'ils furent.

Dès 1912, en fait, Ince est fatigué de la réalisation. Il se fait alors assister par Francis Ford (frère de John), en insistant pour que celui-ci suive à la lettre ses indications techniques, ses découpages et ses scénarios. Dès lors, Ince va devenir essentiellement un producteur incomparable et un administrateur. À partir de 1916, il ne dirige plus rien et se plaît au contraire à superviser le travail de ses talents. Il contribua très certainement aux grandes qualités techniques qui frappent encore maintenant dans les films interprétés par William S. Hart, sa plus grande vedette, et par Charles Ray. Il permet aussi à des cinéastes comme Jack Conway, Fred Niblo ou Frank Borzage de faire, brillamment, leurs premières armes. Cependant, pour le plus grand malheur des historiens du cinéma, un nombre important des productions qu'il supervisa sans les diriger portent au générique le nom de Thomas H. Ince comme auteur complet. À partir de là, certains lui ont attribué la réalisation de plusieurs films, entraînant des confusions interminables pour les chercheurs venus plus tard.

Son entreprise la plus ambitieuse est certainement *Civilization* (1916), sans doute sa dernière réalisation effective quoique partielle. Par ce film, Ince comptait mettre un terme, en sa faveur, à la rivalité artistique qui l'opposa longtemps à D. W. Griffith. Ince répondait alors directement à *Intolérance,* que Griffith tournait à ce moment-là. Les deux films semblent avoir été des échecs financiers qui laissèrent en suspens la concurrence entre les deux cinéastes.

La carrière de Ince, sa personnalité volontaire aidant, ne fut pas des plus simples et il s'opposa à bon nombre de ses employeurs. Si bien qu'en 1919 il fonda, avec (entre autres) Allan Dwan, Mack Sennett, Marshall Neilan et Maurice Tourneur, l'Associated Producers Inc., qui en 1922 fusionna avec la First National et finit par donner naissance à la Warner Bros. Malgré ses querelles et ses ennemis, Ince continuait, à tour de bras, à mettre des films en chantier. Il était en pleine activité quand, en 1924, il trouva la mort à bord du yacht de W. R. Hearst. On conclut à une mort naturelle, mais les rumeurs disaient que Hearst n'avait pas supporté de le voir flirter avec sa protégée, Marion Davies.

Bien que toutes les histoires du cinéma parlent de lui, il est maintenant extrêmement difficile de voir les films associés à Thomas H. Ince. Si son nom reste toujours entouré de respect, on est cependant très peu informé de la véritable qualité de son travail. Vu maintenant, *Civilization* paraît lourd et maladroit, malgré une incontestable qualité technique. Sur la foi de ce film, on ne trouve pas chez Ince l'inspiration d'un Griffith, ni cette direction d'acteurs sensible et sobre. Jusqu'à nouvel ordre, c'est Griffith qui l'a emporté pour la postérité. Cependant, sur la foi de *Human Wreckage* (John Griffith Wray, 1923) et d'*Anna Christie* (Wray, 1923), il semble que les productions de Ince recèlent quelques trésors dont la découverte serait passionnante. C.V.

Films : On croit que Thomas H. Ince fut responsable officiellement de la réalisation des films suivants : *Little Nell's Tobacco* (1910) ; *Their First Misunderstanding* (co : George Loane Tucker, 1911) ; *The Dream* (co : Tucker, *id.*) ; *Artful Kate* (id.) ; Behind the Stockade (co : Tucker, *id.*) ; *Her Darkest Hour* (id.) ; *A Manly Man* (id.) ; *In Old Madrid* (id.) ; *Sweet Memories* (id.) ; *The Agressor* (co : Tucker ; *id.*) ; *The Indian Massacre* (1912) ; *The Deserter* (id.) ; *The War on the Plains* (id.) ; *The Crisis* (id.) ; *The Hidden Trail* (id.) ; *On the Firing Line* (id.) ; *Custer's Last Raid* (id.) ; *The Colonel's Ward* (id.) ; *The Battle of the Redmen* (id.) ; *When Lee Surrenders* (id.) ; *The Invaders* (id., co : Francis Ford, comme probablement tous les films de l'année suivante) ; *The Law of the West* (id.) ; *A Double Reward* (id.) ; *A Shadow of the Past* (1913) ; *The Mosaic Law* (id.) ; *With Lee in Virginia* (id.) ; *Bread Cast Upon Waters* (id.) ; *The Drummer of the Eighth* (id.) ; *The Boomerang* (id.) ; *The Seal of Silence* (id.) ; *Days of '49* (id.) ; *The Battle of Gettysburg* (co : Charles Giblyn, 1914) ; *Love's Sacrifice* (co : William Clifford, *id.*) ; *A Relic of Old Japan* (id.) ; *The Golden Goose* (co : Clifford, *id.*) ; *One of the Discard* (co : C. Gardner Sullivan ; *id.*) ; *The Last of the Line* (1915) ; *The Devil* (id.) ; *The Alien* (id.) ; *Civilization* (1916).

INCIDENT. *Rayon incident,* rayon lumineux qui pénètre dans un dispositif optique. (→ OPTIQUE GÉOMÉTRIQUE.) *Lumière incidente,* lumière qui éclaire le sujet, par opposition à *lumière réfléchie,* renvoyée par le sujet en direction de la caméra. (→ POSEMÈTRES.)

INCRUSTATION. Truquage vidéo, équivalent du cache-contre-cache.

INDE. À l'hôtel Watson de Bombay, le 7 juillet 1896, a lieu la première représentation du cinématographe Lumière. Une longue aventure commence, qui allait faire de l'Inde d'aujourd'hui le premier pays producteur de films du monde, avec plus de 700 films par an (800 en 1983).

Dès janvier 1897, des films sont importés régulièrement d'Europe. L'année suivante, des Anglais prennent des vues de Bombay et de Calcutta. En 1899 est tourné le premier film indien : H. S. Bhatvadekar filme le combat de deux lutteurs, puis le dressage d'un singe. Plusieurs pionniers s'illustrent pendant cette période : F. B. Thanawalla, J. F. Madan, R. G. Torney. Mais c'est D. G. Phalke* qui, en 1913, avec *'le Roi Harishchandra' (Rājā Harishchandra)* réalise le premier film de fiction (quatre bobines), marquant ainsi les vrais débuts du cinéma indien.

Significativement, il s'agit d'un film mythologique. Ce genre, qui se développe aussi à Calcutta à partir de 1917, à Madras à partir de 1919, va caractériser tout un courant du cinéma indien qui, aujourd'hui encore, n'a rien perdu de sa popularité. Les deux épopées nationales, le *Rāmāyaṇa* et le *Mahābhārata* fournissent une mine de scénarios pour de nombreux films destinés à satisfaire un public épris de ses divinités ; la production du sud de l'Inde en fait progressivement sa spécialité. De façon similaire, des films sont consacrés à la vie des saints, et même à celle du Bouddha (*' Lumière d'Asie'* [*Light of Asia / Prem sanyas*], 1925), de Franz Osten et Himansu Rai, coproduction germano-indienne.

Dès l'époque du muet, le cinéma indien s'essaie à des genres différents, le film historique, le film contemporain, et s'attache à des thèmes comme ceux de la famille, des castes, de l'opposition ville/village, qui resteront des genres et des thèmes de première importance.

Outre Phalke, plusieurs cinéastes majeurs émergent à cette époque : Dhirendranath Ganguly*, Debaki Bose*, Chandulal J. Shah, tous encore pratiquement inconnus en dehors de l'Inde.

Environ 1 280 films sont réalisés pendant l'ère du muet, dont treize seulement ont pu jusqu'ici être préservés. La cinémathèque indienne de Poona, qui ne désespère pas d'en découvrir d'autres, en assure le dépôt.

Le premier film parlant est *'la Lumière du monde'* (*Ālam Ārā,* 1931), en langue hindī, réalisé par Ardeshir Irani (œuvre aujourd'hui perdue). La soudaine apparition du parlant a pour le cinéma indien deux conséquences capitales : l'introduction des chansons et des danses dans les films et la fragmentation du marché en fonction des zones linguistiques.

Ālam Ārā, le tout premier « talkie », comprend, selon les sources, sept ou douze chansons. Le son, en effet, autorise le cinéma à renouer avec les anciennes traditions, toujours vivantes, du drame populaire chanté et dansé et même du théâtre sanscrit, lequel, lyrique avant tout, ne pouvait se passer de musique et coupait le texte de chants destinés à maintenir l'intensité émotionnelle. Dès qu'il le peut, le cinéma revient, pour s'y consacrer en totalité, à l'esthétique du drame populaire et cet usage aussitôt prend force de loi.

La musique de film, si elle garde quelque chose de traditionnel, s'européanise aussi quant à l'instrumentation et aux rythmes. En dépit d'un abâtardissement certain, elle connaît un succès prodigieux et durable : si les films contemporains comportent toujours des chansons, celles des films anciens, notamment celles d'*Ālam Ārā,* continuent à être écoutées avec ravissement. L'industrie du cinéma travaille ici en étroite collaboration avec l'industrie du disque.

L'apport des chansons et, dans une moindre mesure, des danses a un double effet : il permet au cinéma de devenir un art immensément populaire en Inde même, alors qu'il compromet, et pour longtemps, le succès de ce même cinéma en Occident.

Le nombre des chansons par film a pu varier dans de grandes proportions (il est de 20 à 40, et même 60 chansons au début du parlant, de 4 ou 5 seulement aujourd'hui), mais leur présence reste aussi nécessaire qu'attendue par le public. Significativement, le nom du compositeur apparaît toujours sur les affiches en aussi grosses lettres que celui des vedettes du film, et bien souvent en plus grosses lettres que celui du réalisateur. Dans toute l'histoire du cinéma indien, à l'exception des films de Satyājit Ray* et de ceux de plusieurs cinéastes de la Nouvelle Vague, on compte sur les doigts d'une main les films qui ont osé se passer de chansons et de danses.

Paradoxalement, en même temps qu'il permet un large consensus, le son provoque l'éclatement du cinéma indien. Au temps du muet, il existe un cinéma indien unique qui s'adresse à un marché de plusieurs centaines de millions d'individus. Le parlant, qui connaît certes un succès foudroyant (27 films en 1931, 83 en 1932, 102 en 1933, 164 en 1934, 233 en 1935), crée du même coup *les* cinémas indiens qui, s'adressant désormais à des publics beaucoup plus limités, devront se livrer à une compétition sans merci.

Si, de 1931 à aujourd'hui, plus de 15 000 films ont été réalisés, ils l'ont été en onze langues principales différentes et une vingtaine de langues et dialectes secondaires. Ce babélisme étonnant explique que nul, sans doute, ne peut prétendre à une connaissance exhaustive des cinémas indiens !

L'examen de la carte linguistique de l'Inde explique comment chacun des trois grands centres de production s'est spécialisé en fonction des langues parlées dans sa zone géographique.

C'est ainsi que Bombay réalise des films en marāṭhī, en gujarātī, en punjābī ; Calcutta en bengalī, assamais, oriyā ; Madras en tamil, telugu, malayālam, kannara (pour ne citer que les langues principales).

À cette liste il manque la langue la plus importante, le hindī, celle qui s'étend sur la zone géographique la plus vaste, au centre et au nord de l'Inde. C'est qu'aucun des trois centres de production ne se trouve dans cette zone. La population parlant hindī étant la plus nombreuse, la conquête du marché du film hindī devient une priorité. Si le cinéma bengalī, depuis longtemps très minoritaire, avec une quarantaine de films par an, conserve un prestige culturel certain, si les cinémas du sud de l'Inde, devenus très majoritaires, restent malgré tout confinés dans cette partie du pays, le cinéma hindī, avec environ 150 films par an, a acquis une suprématie de fait.

Le fait que le film hindī bénéficie de moyens inégalés et que le hindī, de plus en plus, s'affirme la seule langue indienne à peu près comprise partout explique que ce cinéma soit le seul à bénéficier d'une distribution à l'échelle du sous-continent. C'est ce qu'on appelle aujourd'hui le « All India Film », le film pour toute l'Inde.

Si Bombay a gagné la bataille du « All India Film », il ne faut pas oublier que beaucoup de producteurs de cette ville utilisent volontiers les studios de Madras, nombreux et bien équipés, et que les centres de Madras et de Calcutta rêvent toujours d'accéder à un statut majoritaire. D'où la pratique assez répandue du film en double version et celle qui consiste à tenter de gagner sur les deux tableaux en refaisant en hindī un succès régional ou inversement.

Bien entendu, le « All India Film » est aussi celui qui est le plus largement exporté et le seul qui accède aujourd'hui au nouveau marché de la vidéo, en Grande-Bretagne et dans les pays du golfe Persique. L'hégémonie de fait du film hindī, qu'accompagne la popularité incroyable de ses vedettes, n'empêche pourtant pas les cinémas régionaux de vivre ni de se développer, car ils répondent à des besoins spécifiques. Si Hyderābād est depuis longtemps un centre de production, plus récemment des centres ont été instaurés dans les États de l'Assam, du Karnātaka, du Kerala, du Gujarat et du Punjab.

Mais il est nécessaire de revenir aux débuts du parlant pour suivre les grandes étapes de cet étonnant développement.

Les années 30, qui voient la floraison de nombreux films de bonne qualité, sont marquées par la prééminence de quelques prestigieuses grandes compagnies de production. Celles-ci, disposant de moyens importants et d'une réelle stabilité, sont en mesure de poursuivre, à l'instar des grandes compagnies américaines, une politique cohérente de production. Elles disposent de leur propre matériel, leur studio, leur laboratoire de développement, leurs salles de visionnage. Elles disposent également d'un personnel nombreux, des techniciens aux comédiens, engagé à l'année. Elles ont compris que de la qualité des équipes ainsi constituées dépend la qualité des films. Ces entreprises, qui se veulent de grandes familles, fonctionnent sans doute de manière paternaliste mais constituent de merveilleuses écoles pour ceux qui veulent apprendre les métiers du cinéma. Trois d'entre elles dominent la scène indienne pendant une bonne dizaine d'années.

La New Theatres Ltd est fondée à Calcutta en 1930 par Birendra Nath Sircar, qui, producteur intelligent et avisé, sut très vite s'entourer de talents sûrs et contribua grandement à assurer le prestige du cinéma bengalī. Il s'attacha en effet non seulement Dhiren Ganguly, qui réalisa pour lui plusieurs comédies, dont un très grand succès (*' Excusez-moi, monsieur'* [*Excuse Me, Sir*, 1934]), mais aussi Debaki Bose, qui mit en scène sous cette bannière ses meilleurs films religieux, dont *Seeta* (1934), le premier film indien montré au festival de Venise ; mais encore P. C. Barua*, qui, avec *Devdas* (1935), réalisa l'un des films les plus populaires de tout le cinéma indien.

La Prabhat Film Company, lancée dès 1929 à Kolhāpur, s'installe à Poona, non loin de Bombay, en 1933. Elle est fondée par un autodidacte, V. Shantaram*, et quatre associés. Implantée en territoire marathī, cette compagnie se consacre à des films en marathī et éventuellement en hindī. Shantaram connaît lui-même le succès avec des films mythologiques comme *'Lumière éternelle'* (*Amar-Jyoti,* 1936) et surtout des films à caractère social comme *'l'Inattendu'* (*Duniya Na Mane,* 1937). Ses associés V. Damle et S. Fathelal, avec *Saint Tukaram* (*Sant Tukaram,* 1936), film sur un saint poète du XVIIe siècle, reçurent une récompense à Venise, la première décernée à un film indien.

La Bombay Talkies, enfin, est fondée par Himansu Rai et Devika Rani en 1934, après l'échec en Inde des coproductions germano-indiennes que Rai avait montées du temps du muet. Il réunit autour de lui un nombre impressionnant de jeunes talents qui trouveront à s'épanouir : les acteurs Ashok Kumar, Rāj Kapoor* (futur cinéaste) et Dilip Kumar*, le scénariste Khwaja Ahmad Abbas* (futur cinéaste aussi). La production, plusieurs films par an, se partage entre films mythologiques comme *Savitri* (id., F. Osten, 1937) et films sociaux comme *'l'Intouchable'* (*Achhut Kanya,* id., 1936), destinés particulièrement à faire prendre conscience des abus créés par les tabous de caste.

La solidité de ces compagnies proches de l'autosuffisance était pourtant illusoire. Dès 1940, année de la mort d'Himansu Rai, les capitaux qu'a mis en circulation le développement des industries militaires donnent lieu à l'édification de fortunes rapides et permettent l'émergence de producteurs indépendants qui montent des films au coup par coup, louant studios et laboratoires, engageant au cachet scénaristes, musiciens et vedettes.

Les années 40 voient ainsi la disparition progressive des grandes compagnies et leur remplacement par un nombre de plus en plus important de producteurs indépendants : changement qui entraîne des conséquences de poids, qui se font encore sentir aujourd'hui.

À des politiques cohérentes suivies pendant des années succède le film « coup de poker ». La compétition entre les producteurs les conduit à augmenter démesurément le budget des films, à donner aux vedettes des cachets de plus en plus élevés, ce qui les incite à maintenir très bas ceux des auteurs et des scénaristes. Compétition qui se fait plus âpre encore du fait des difficultés des années de guerre puis, après 1947, date de l'indépendance de l'Inde, à cause des taxes très élevées que le gouvernement indien impose à l'industrie du cinéma.

À la fin des années 40, l'Inde produit près de 300 films par an. Cette prospérité apparente masque une situation profondément viciée : l'usage de l'argent « noir » (provenant de profits illicites) se généralise ; les vedettes, véritables objets de culte, sensibles à l'appât de cette manne, se mettent à travailler simultanément pour plusieurs films ; faute d'histoires originales, on imite de plus en plus Hollywood ; les distributeurs, que l'abondance de films rend plus puissants, interviennent par des prêts au niveau de la production ; nombre de producteurs, ainsi affaiblis, disparaissent aussi vite qu'ils étaient apparus.

Pourtant, dans les années 50, ce type de production accède à une suprématie absolue. Bombay, devenue capitale du film hindī (le plus vaste marché indien), impose une formule imparable : dans chaque film, une ou deux vedettes de première importance, six chansons et trois danses. Le scénario, presque laissé pour compte, racontera une quelconque romance. La popularité des vedettes et le lancement des chansons à la radio doivent assurer le succès du produit. Cette formule réussit au-delà de toute espérance au niveau du box-office mais la médiocrité et la vulgarité envahissent de plus en plus ce cinéma qui s'écarte complètement de la peinture des réalités indiennes. Quelques hommes cependant, dans ce système débilitant, tentent de lutter pour un cinéma de meilleure qualité. K. A. Abbas, critique et écrivain de cinéma, s'illustre par des films à caractère social et progressiste, dont *'les Enfants de la terre'* (*Dharti Ke Lal,* 1946), premier film indien à être montré à Moscou comme à Londres et Paris, et *'l'Enfant perdu'* (*Munna,* 1954), premier film sans chansons ni danses. Rāj Kapoor, sur des scénarios écrits par Abbas, réalise des films à grand succès qui suivent les impératifs de la formule, mais touchent à des thèmes sociaux : *'le Vagabond'* (*Awara,* 1951), *'Mr 420'* (*Shri 420,* 1955).

Il est difficile, d'autre part, de mesurer l'impact réel des sujets tournés par l'Indian Documentary Film (fondé en 1947) et qui se veulent didactiques notamment pour l'évolution de l'hygiène, l'alphabétisation, etc.

Deux cinéastes de grand talent essaient au même moment de créer une œuvre personnelle dans ce contexte hostile. Bimal Roy*, Bengalī venu à Bombay, réalise *Deux Hectares de terre* (*Do Bigha Zamin,* 1953), une œuvre à caractère réaliste qui obtient un prix international à Cannes en 1954, puis *'Sujata'* (id., 1959), qui traite de la question toujours épineuse des intouchables. Guru Dutt* réussit à transcender les conventions du cinéma hindī et bâtit une œuvre forte et sensible, imposant dans ses meilleurs films l'image d'un antihéros victime de la société : *l'Assoiffé* (*Pyaasa,* 1957), *Fleurs de papier* (*Kaagaz Ke Phool,* 1959).

Pendant ce temps, le Sud (Madras) se lance dans de coûteuses productions spectaculaires destinées à concurrencer Bombay sur son propre terrain. Ainsi, *Chandralekha* (id., 1948), de S. S. Vasan, parvient à triompher sur le marché du film hindī. Quant au Bengale, amputé de la moitié ou presque de son territoire par la création du Pākistān-Oriental (devenu depuis le Bangladesh*), de nombreuses personnalités du cinéma l'abandonnent pour Bombay et le cinéma bengalī fait face aux plus graves difficultés de son histoire. C'est pourtant au Bengale que l'avenir du cinéma indien va se jouer. 1955 demeure une date clé dans l'histoire de ce cinéma. Le jeune Satyājit Ray, avec *la Complainte du sentier (Pāther Panchali,* 1955), place définitivement l'Inde sur la carte cinématographique mondiale. Le cinéma indien, jusqu'alors, même chez ses meilleurs représentants et en dépit des genres différents qu'il a abordés, s'en est toujours tenu, au niveau du scénario et du traitement, aux structures convenues du mélodrame et à un jeu d'acteur très appuyé. Pour la première fois, un film solidement structuré s'attache vraiment à la réalité indienne quotidienne, raconte une histoire simple de manière sobre, avec des comédiens justes et retenus. Pas de chansons ni de danses bien entendu, mais une émotion, une poésie, une chaleur humaine telles que ce film, après le prix qu'il reçut à Cannes en 1956, fut montré avec succès dans les ciné-clubs du monde entier avant de devenir un classique du cinéma. C'était une sorte de révolution esthétique.

L'important, c'est que, pour Ray, ce film a raisonnablement marché à Calcutta, lui permettant de poursuivre une longue et brillante carrière qui, à travers une succession d'œuvres remarquables, a fait de lui un des plus grands cinéastes du monde. L'essentiel, pour l'Inde, c'est que ce film a démontré qu'il y avait place pour autre chose que le cinéma commercial de série, et même pour un cinéma d'auteur, exigeant et sans compromis. Au Bengale même, d'autres cinéastes se lancent dans cette voie, Tapan Sinha et surtout Ritwik Ghatak*, dont la *'Pathétique illusion' / l'Homme-Auto* (*Ajantrik,* 1957) et *l'Étoile cachée / l'Étoile voilée de nuages* (*Meghe Dakha Tara,* 1960) sont des œuvres majeures. Pendant près de dix ans pourtant, les efforts de Satyājit Ray resteront à peu près solitaires. La grosse machinerie du cinéma commercial tient solidement ses positions. Les ciné-clubs indiens, qui se développent considérablement dans les années 60, effectuent cependant un important travail de formation du public et constituent une pépinière de futurs cinéastes, dont beaucoup prendront le chemin du Film Institute of India, créé en 1961.

Une nouvelle génération de cinéastes se formait. Mais l'industrie du cinéma veillait à ce que les portes des studios leur restent fermées. La Film Finance Corporation, organisme de financement créé en 1960, décide en 1968 d'adopter une nouvelle politique exclusive de prêts à des films de jeunes auteurs, ambitieux mais à petit budget, ce qui allait provoquer l'irruption rapide de la Nouvelle Vague indienne, et changer le paysage du cinéma de ce pays.

De nombreux cinéastes, ainsi libérés des contraintes commerciales et formelles du cinéma dominant, s'affirment avec éclat. Citons : Basu Chatterjee, spécialiste de comédies légères comme *'le Ciel entier'* (*Sara Akash,* 1969) ou *'la Maison du mari'* (*Piya Ka Ghar,* 1971) ; Basu Bhattacharya, auteur de *'Expérience'* (*Anubhav,* 1971), analyse de la crise d'un couple ; Chidananda Das Gupta, attiré par le comique dans *'Ceux qui reviennent de l'étranger'* (*Bilet Pherat,* 1972) ; Avtar Kaul, qui montre les difficultés de la jeunesse dans *'le Train de Bénarès'* (*27 Down,* 1973) ; M. S. Sathyu, analyste des effets de la partition de l'Inde dans *'Vent chaud'* (*Garam Hawā,* id.).

Certains s'imposent assez vite : Pattabhi Rama Reddy, qui critique les brahmanes dans *Rites funéraires* (*Samskara,* 1970) ; Girish Karnad, qui peint la lutte entre deux villages dans *la Forêt* (*Kaadu,* 1973) ; Shyam Benegal*, avec *la Graine (Ankur, id.)* sur les abus commis par les propriétaires ruraux ; Kumar Shahani*, qui analyse l'oppression quotidienne dans *le Miroir de l'illusion* (*Māyā Darpan,* 1972) ; Mani Kaul*, qui montre la rigueur de la condition féminine dans *le Pain d'un jour* (*Uski Roti,* 1969), et Mrinal Sen*, cinéaste déjà confirmé mais qui, avec *Monsieur Shome* (*Bhuvan Shome,* 1969), commence une seconde carrière qui va s'épanouir dans ses films engagés consacrés aux problèmes sociaux de Calcutta et faire de lui un cinéaste de tout premier plan.

Faute de moyens, la Film Finance Corporation n'a pu assurer la distribution normale de ces films. Beaucoup ont été peu et mal montrés. Le mouvement semble être en difficulté. Les cinéastes piétinent. Heureusement, plusieurs États régionaux, le Karnātaka, le Kerala, entreprennent une politique d'aide au cinéma de qualité. Cela permet à nombre de cinéastes de tourner et à ces cinémas régionaux de connaître un renouveau remarquable, surtout dans le Sud. De nouveaux cinéastes émergent : B. V. Karanth avec *' l'Arbre familial '* (*Vamsha Vriksha,* 1971) ; M. T. Vasudevan Nair avec *'Pureté'* (*Nirmalyam,* 1973) ; G. Aravindan* avec *Uttarayanam* (1974) et *Kanchana Seeta* (1977) ; Adoor Gopalakrishnan* avec *'l'Ascension'* (1977).

Le cinéma d'auteur, qu'on appelle aussi « le cinéma parallèle », prend une importance de plus en plus grande à la fin des années 70 et au début des années 80. Sans concurrencer sérieusement le cinéma commercial, il trouve plus souvent le chemin des écrans indiens, participe aux festivals en Inde et à l'étranger, attire l'attention des critiques. L'œuvre entreprise par Satyājit Ray s'épanouit enfin. Les difficultés restent grandes, certains cinéastes ne tournent que rarement, mais le monopole de fait du cinéma de divertissement est brisé. De nouveaux talents ne cessent d'apparaître, confirmant la vitalité du mouvement : Girish Kasaravalli avec *'la Conquête'* (*Akramana,* 1980), Govind Nihalani avec *'le Cri du blessé'* (*Aakrosh,* 1980), Saeed Mirza avec *'Pourquoi Albert Pinto se met en colère'* (*Albert Pinto Ko Gussa Kyon Aata Hai,* 1980), Rabindra Dharmaraj avec *Cercle vicieux* (*Chakra,* 1980) ; Buddhadeb Dasgupta* avec *la Croisée des chemins* (*Grihajuddha,* 1982) et *l'Homme-tigre* (*Bagh Bahadur,* 1989) ; Gautam Ghose avec *la Traversée* (*Paar,* 1984), Ketan Mehta avec *'la Fête du feu'* (*Holi,* 1983), Mira Nair avec *Salaam Bombay* (id., 1988), Jahnu Barua avec *'la Catastrophe'* (*Halodiya Choraye Baodhan Khaye,* id.), Shaji Karun avec *'Piravi'* (id., 1988), Aparna Sen, Utpalendu Chakraborty, Mani Rathnam, Bhabendranath Saikia, Prakash Jha, Aribam Syam Sharma. La disparition d'Aravindan, en 1991, celle de Satyājit Ray, en 1992, ont été ressenties comme des moments funestes pour le cinéma indien dont la survie, notamment dans les festivals internationaux, est assurée par Mrinal Sen, Adoor Gopalakri-shan, Buddhadeb Dasgupta, Goutam Ghose, Ketan Mehta, Mani Kaul, Kumar Shahani, Nabyendu, Chatterjee, Girish Kasaravalli... Les années 90 paraissent plus timides que les deux décennies précédentes pour l'éclosion des nouveaux talents parmi lesquels il faut, néanmoins, citer Anand Patwardhan — qui a débuté dans les années 70 comme documentaliste —, Sai Paranjpye, T. V. Chandran et Sandip Ray, le fils de Satyājit Ray. Le cinéma continue à constituer la distraction unique et bon marché de millions d'Indiens des classes moyennes ou inférieures. La demande en matière de films reste très supérieure à l'offre : le parc de salles est notoirement insuffisant et celles-ci sont prises d'assaut, les spectateurs prêts, si cela s'avère nécessaire, à payer les billets d'entrée au marché noir. La télévision n'a en effet atteint jusqu'ici qu'un public très restreint, de niveau social élevé, mais le commerce des vidéocassettes a connu au cours des années 80 un développement considérable. Quant au cinéma d'auteur, il a su, encore modestement, créer son audience. Satyājit Ray, Mrinal Sen sont des gloires nationales et internationales.

La longue inertie et le réveil du cinéma indien s'expliquent peut-être par le fait que ce cinéma a subi tout au long de son histoire une emprise de l'État particulièrement pesante. Les autorités indiennes, méfiantes devant l'étonnant succès du 7e art, ont exercé une vigilance qui ne s'est jamais relâchée et qui a donné lieu en particulier à deux comités d'études très poussés, en 1927 et en 1951.

La censure a toujours été pratiquée de façon impitoyable pour tout ce qui touche le sexe, la religion et la politique. Aujourd'hui encore, le baiser est pratiquement interdit sur les écrans indiens. Une satire récente des mœurs politiques, *'Histoire d'un fauteuil'* (*Kissa Kursi Ka,* 1975) de Shivendra Sinha, a été interdite et le négatif détruit, il est vrai, pendant l'état d'urgence décrété par Indira Gāndhī.

Le gouvernement indien a toujours retiré du cinéma de colossaux bénéfices par un système très lourd d'imposition qui ne pouvait qu'inciter les producteurs à rechercher par tous les moyens les profits rapides.

D'un autre côté, le désir sincère du gouvernement indien de lutter contre la médiocrité avilissante d'un certain cinéma commercial a donné lieu à la création de plusieurs institutions qui ont été et restent largement bénéfiques.

Il faut citer la Films Division, créée en 1948, chargée de la réalisation de films documentaires et d'actualités (dont le passage est obligatoire dans les salles), qui a aujourd'hui à son catalogue plusieurs milliers de films sur les sujets les plus divers et qui a suscité une école de documentaristes parmi lesquels figurent Sukhdev Ritwik Ghatak et Satyājit Ray ; la Children's Film Society, fondée en 1955, spécialisée dans la production de films pour enfants, de court comme de long métrage, ainsi *'Charandas le voleur'* (*Charandas Chor,* 1975), de Shyam Benegal ; et surtout les deux organismes déjà mentionnés : d'une part, le Film Institute of India, devenu en 1964 le Film and Television Institute of India, qui, installé dans les locaux de l'ancienne compagnie Prabhat, fait œuvre d'enseignement et héberge la cinémathèque indienne ; d'autre part, la Film Finance Corporation, devenue la National Film Development Corporation, qui reprend sa politique d'aide au cinéma de qualité et se penche sur les problèmes spécifiques posés par la distribution de ce cinéma.

L'administration indienne, qui peut être un carcan, a permis, dans une large mesure, l'émergence d'un cinéma d'auteur. Si le phénomène s'est généralisé, il n'est pas nouveau : le tournage de *Pāther Panchali,* de Satyājit Ray, longuement interrompu par manque de fonds, n'avait pu être terminé que grâce à une subvention du gouvernement du Bengale de l'Ouest. H.M.

INDICE. *Indice de réfraction* → OPTIQUE GÉOMÉTRIQUE. *Indice de rapidité* → RAPIDITÉ.

INDONÉSIE. Le plus grand archipel du monde, situé sur l'équateur, entre l'Asie du Sud-Est et l'Australasie, regroupe quelque 145 millions d'habitants (1980). Si le groupe javano-malais reste dominant, notamment dans l'Ouest, et le centre surpeuplé, des ethnies d'origine locale, nombreuses et différenciées, cohabitent avec les descendants de peuplements indien, arabe ou chinois souvent anciens. Depuis longtemps très affaiblie, la thalassocratie javano-malaise laisse les Hollandais implanter des comptoirs dès le XVIIe siècle. L'archipel presque tout entier devient peu à peu la plus riche colonie de la Couronne batave, jusqu'à l'invasion japonaise de 1942. Après trois ans d'occupation et de mise à sac, le mouvement nationaliste que dirige Sukarno milite pour l'indépendance de l'Indonésie, obtenue en 1949.

Ces données se reflètent dans le développement du cinéma, évidemment importé vers 1910 par des Européens. Mais ce sont deux Hollandais natifs de Bandung (Java), G. Krueger et F. Carli, qui tournent le premier long métrage de la colonie, *Lutung Kasarung,* en 1926, d'après une légende de l'île. Trois ans plus tard, la production, encore artisanale, est dominée par les Chinois, dont les frères Wong, originaires de Shanghai, Tan Khoen Hian (qui fonde la Tan's Film en 1929) et Teng Chun. Ce dernier crée en 1931 la Cino Motion Pictures Corp. et dirige la même année ce qui est sans doute le premier film sonore des Indes néerlandaises : *'la Rose de Java' (Cikenbang Rose).* En 1933, Bakhtiar Effendi ouvre la voie à l'influence du cinéma indien avec *Njai Dasimah.* Les salles, rudimentaires, et les studios sont limités aux grands centres urbains de Java : Batavia (auj. Jakarta), la capitale ; Surabaya ; Bandung (la capitale « d'été »)... En 1936, Teng Chun fait passer sa compagnie du stade artisanal à un niveau plus compétitif : Java Industrial Film (JIF) – qui produit et exploite. La comédie et l'imitation du film américain, comme alors à Shanghai, prévalent à la JIF. Les tentatives de réalisme, peu appréciées des autorités coloniales, tournent court, sauf un mélo d'Alfred Balink sur fond social, dû à la collaboration du documentariste Mannus Franken, *'le Chant de la rizière' (Pareh, het lied van de rijst),* tourné en 1934 pour les frères Wong. Le succès n'amortit pas le budget. Balink crée alors l'Algameen Nederlands Indische Film Syndicaat (ANIF), qui produit des courts métrages documentaires. En 1937, il dirige un autre long métrage pour les Wong, *'Clair de lune' (Terang Boelan),* dont le scénario et les dialogues sont dus à un journaliste indigène, Saeroen. La musique, d'inspiration vernaculaire (« keroncong »), l'interprétation de Rukiah, une actrice très populaire, et une dramaturgie traditionnelle assurent au film une large et rentable audience. Pourtant, Balink ne travaillera plus pour l'ANIF, le public et les sociétés hollandaises.

Le parlant pose un problème de langue que le néerlandais, inégalement adopté en Insulinde, ne résout pas. Le malais se modernise et devient ici le bahasia indonesia, dont se réclament la presse et les écrivains : l'influente revue *'le Nouvel Intellectuel'* (*Pudjangga Baru,* 1933-1942) et *'l'Étendard littéraire' (Pandji Pustaka)* enracinent le besoin d'un langage unificateur, dont on pressent qu'il va servir de vecteur au nationalisme et au renouveau artistique et littéraire. Et l'indépendance, en développant bourgeoisie et classes moyennes, apporterait au cinéma un public de plus en plus vaste, qui se détournerait des formes théâtrales importées (le « toneel » néerlandais) ou des films de propagande de la Nippon Eiga Sha ou de la Nampo Hoso Film. De toute évidence, la guerre marque une coupure. Notons, pour schématiser, qu'en 1941, à part les sujets adaptés du répertoire occidental, la plupart des films sont construits sur le modèle arabo-indien. Production, réalisation et exploitation sont dans les mains des Chinois et des Hollandais. Balayés ou ruinés par l'occupation japonaise, les seconds sauront pourtant, avant l'indépendance, découvrir un cinéaste dans le jeune poète et journaliste Ismaïl Usmar* ; les premiers, quant à eux, se sont rassemblés et ont fondé la Tan and Wong Brothers Cy, d'une part ; Teng Chun et Fred Young (auteur d'origine chinoise de l'est de Java) créent d'autre part la Bintang Surabaya.

Mais ce sont Djamaluddin Malik avec la Persari, où affluent les rescapés du théâtre, et surtout Ismaïl Usmar avec la Perfini qui fondent un cinéma plus réellement national. Les buts de la Perfini sont plus ambitieux, tendant à définir et à exprimer une identité indonésienne, dans une voie à la fois réaliste et artistique : *'la Faute inexpiable'* (*Dosa Tak Berampum,* I. Usmar, 1951) ; *Si Pinkang* (Kotot Sukardi, *id.*) ; *'Entre ciel et terre' (Antara Bumi Dan Langit,* Huyung et Basuki Effendi, *id.) ; 'le Retour'* (*Pulang,* B. Effendi, 1952) ; *le Tigre de Tjampa* (*Harimau Tjampa,* D. Jajakusuma, 1953)... Mais les problèmes techniques et financiers harcèlent la Perfini qui n'exporte pas et doit affronter la concurrence locale et étrangère, celle surtout de l'Inde, de la Malaysia (bientôt diminuée) et des Philippines. En dépit de quelques succès, comme *'Crise' (Krisis),* de Usmar, la production ne peut faire face et les essais, timides, de protectionnisme ne sauvent pas les studios : en 1957, l'Association des producteurs de films annonce l'arrêt des tournages, la poursuite des licenciements, voire la faillite. Elle regroupe Perfini et Persari sous le sigle PPFI ; c'est la part la plus importante de la production.

Le gouvernement, dès le début, avait été saisi des problèmes économiques vitaux que l'industrie du film ne parvenait pas à résoudre, mais ne se montra pas favorable à une intervention. Ce n'est qu'en 1964 qu'un ministère du Cinéma est créé. Pendant cette période de vie politique troublée par la tentative armée de prise de pouvoir des communistes, la féroce répression de 1965 et les questions territoriales (« récupération » de l'Irian Barat), la production tombe encore, avec une seule remontée à 38 longs métrages en 1960. Usmar, qui s'est allié avec Djamaluddin Malik (PPFI), alterne comédies légères et films nationalistes. Les cinéastes et les producteurs sont d'ailleurs ou alliés ou accusés au gré des variations de la politique. Engagés à gauche comme Bachtiar Siagan (*Violetta,* 1962), ou humanistes, comme l'écrivain et cinéaste Asrul Sani, auteur de *'Derrière les barbelés'* (*Pagar Kawat Berduri,* 1961) — film attaqué pour sa sympathie vis-à-vis des Néerlandais et retiré de l'affiche... —, ils travaillent dans des conditions précaires. Citons encore *'Un chapeau coupé en sept' (Titian Serambut Dibelah Tujuh),* également de Asrul Sani (1962), ou le mystique *Tigre de Kemajoran (Macan Temajoran)* de Wim Umboh (1965), puis son *Mariage d'adolescents* (*Pegantin Remaja,* 1971).

Les mesures protectionnistes (1967) sont lentes à agir ; la libéralisation de la censure, pourtant, et des essais personnels d'écriture, de la part d'Asrul Sani (*'Que cherche Palupi ?'* [*Apa Yang Tjari Palupi ?*], 1969), de Ami Prijono (*Jakarta, Jakarta,* 1977), sauvent le cinéma d'une tendance naturelle à battre la concurrence sur son propre terrain : la médiocrité, la facilité des genres, des codes et des effets, qu'on s'adresse au public malais, indien ou chinois. La création du Conseil national pour le cinéma (DFN), en 1979, permet aux professionnels de participer à l'élaboration des décisions : quota d'importation ; aide à la production ; rénovation du parc des salles, réduit à 400...

Les années 70, 80 et 90 ont vu s'affirmer Asrul Sani (*'la Lutte pour la vie'* [*Kemelut Hidup*], 1977), ainsi que Teguh Karya, l'auteur de *'Ballade pour un homme'* (*Wajah Seorang Laki-laki,* 1971), de *'Noces'* (*Ranjang Pengantiu,* 1974), de *'Quand l'orage a passé'* (*Badai Pasti Berlalu,* 1977), de *November 1828* (1979), qui a été remarqué pour sa qualité et pour la beauté de sa partition, due à Franky Raden de *Usia 18* (1981) et de *Café amer* (*Secangkir Kopi Pahit,* 1985). Franky Rorimpandeny s'en prend à la corruption de la police avec *'la Fille du village'* (*Perawan Desa,* 1980) ; Ismaïl Soebardjo, à la mentalité étroite et patriarcale avec *'la Femme captive'* (*Perempuan Dalan Pasungan,* 1981), et la critique fait valoir l'originalité de Slamet Rahardjo : *'le Soleil et la Lune'* (*Rembulan Dan Matahari,* 1981), *Ponirah* (1983), *'Le ciel est mon toit'* (*Langitku Rumahku,* 1990) ; et de Garin Nugroho : *'Lettre à un ange'* (*Surat Untuk Bidadari,* 1994). La prééminence, logique, des thèmes et des auteurs d'origine malaise semble préserver, à travers une couleur nationale, la diversité des approches et des styles.

La Cinémathèque indonésienne est fondée en été 1971 à Jakarta. C.M.C.

INDUSTRIES TECHNIQUES. Pour réaliser puis pour diffuser un film, il faut faire appel à de multiples entreprises techniques : entreprises industrielles (fabricants de caméras, de projecteurs, d'objectifs, de films, de matériels d'éclairage, de tireuses, d'installations de développement, etc.) ; entreprises prestataires de services (studios de prise de vues, laboratoires de développement et de tirage, salles de montage, ateliers de repiquage, auditoriums de mixage et de doublage, laboratoires d'effets spéciaux, etc.). L'ensemble de ces entreprises constitue le secteur des *industries techniques.*

Studios français de prise de vues

	nombre de plateaux	*superficie totale*	*coefficient* d'occupation*
1958	46	22 430 m²	86,3 %
1964	37	18 574 m²	59,8 %
1973	17	10 096 m²	58,4 %
1980	12	9 696 m²	70 %
1983	–	–	70,5 %
1988	–	9 653 m²	71,6 %

* Journées de tournage, plus journées de montage et démontage des décors, rapportées au nombre de journées possibles.

Source : CNC

*Des subventions, prélevées sur le compte de soutien**, sont accordées à ces industries en vue de concourir à leur équipement et à leur modernisation. Depuis 1977 sont habilités à recevoir de telles subventions, outre les studios et les laboratoires de développement et de tirage (déjà bénéficiaires), les ateliers de trucages, les constructeurs de matériels ainsi que les entreprises qui effectuent des opérations portant sur la recherche, le perfectionnement ou la mise en œuvre de techniques propres à améliorer la qualité ou à réduire le coût de la production française.

Accordées sous forme sélective après avis d'une commission, ces subventions sont calculées en fonction du montant des travaux, travaux et fournitures d'entretien n'étant pas susceptibles d'être pris en compte.

Les industries techniques peuvent par ailleurs se voir octroyer, dans le cadre du « pool industries techniques », des crédits bancaires garantis par le*compte de soutien**. (→ CRÉDIT BANCAIRE.)

L'évolution du cinéma depuis une vingtaine d'années (→ ÉCONOMIE DU CINÉMA) n'a pas manqué de se répercuter sur l'activité des industries techniques. (Par ex., le noir et blanc est aujourd'hui exceptionnel alors qu'autrefois la couleur était un luxe.) Une des répercussions les plus marquantes est la nette régression des tournages en studio (voir tableau), due à la fois au coût de ces tournages et aux progrès des techniques – notamment la sensibilité des films – permettant le tournage en décors naturels. On note toutefois, depuis quelque temps, une tendance pour certains films au retour vers le studio, qui offre des conditions de travail difficilement égalables dans le tournage en extérieurs. (Une partie croissante de l'occupation des studios – 34, 5 p. 100 en 1988 – provient de la télévision ; le cinéma représente près de 30 p. 100 et le cinéma publicitaire 9 p. 100.) Il n'y a pas eu, par contre, réduction de l'activité des laboratoires, le nombre de films tournés étant plutôt en augmentation et le nombre des copies d'exploitation s'étant énormément accru.

Bien que ce ne soit évidemment pas leur raison d'être, les industries techniques, lorsqu'elles accordent du crédit au producteur (→ PRODUCTION), jouent aussi un rôle dans le financement des films. J.G.

INFANTE *(Pedro), acteur mexicain (Guamúchil, Sinaloa, 1917 - Mérida 1957).* Vedette de la phase la plus prospère de l'industrie mexicaine, il joue avec une aisance et une convention égales la comédie ou les rôles dramatiques, les aristocrates ou les personnages populaires. Il est l'interprète de nombreux films d'Ismael Rodríguez : *Los tres García* (1946), sa consécration ; *Vuelven los García* (id.) ; *Nosotros los pobres* (1947) ; *Ustedes los ricos* (1948) ; *Los tres huastecos* (id.) ; *La oveja negra* (1949) ; *No desearás la mujer de tu hijo* (id.) ; *Las mujeres de mi general* (1950) ; *¿ Qué te ha dado esa mujer ?* (1951) ; *Dos tipos de cuidado* (1952). Il domine aussi l'affiche de *Si me han de matar mañana* (Miguel Zacarías, 1946), *Las islas Marías* (E. Fernandez, 1950), *Los hijos de María Morales* (F. de Fuentes, 1952), *La vida no vale nada* (Rogélio A. González, 1954). P.A.P.

INFINI. Terme conventionnel en optique pour désigner l'ensemble des distances du sujet pour lesquelles tout se passe, du point de vue de la mise au point, comme si le sujet était infiniment éloigné.

INFRASON. Son de fréquence trop faible pour être audible mais qui peut être perçu par l'ensemble du corps s'il est suffisamment puissant. Le procédé *Sensurround* repose sur l'emploi d'infrasons.

INGE *(William), scénariste américain (Independence, Kans., 1913 - Los Angeles, Ca., 1973).* Dramaturge de la veine torturée et sudiste dont Tennessee Williams est la tête de file, William Inge est un scénariste délicat et sensible, et peut-être un jour découvrira-t-on que ses contributions cinématographiques sont supérieures à ses pièces. Celles-ci sont d'ailleurs passées avec bonheur à l'écran, comme *Reviens, petite Sheba* (Daniel Mann, 1952), *Picnic* (1956) et *Arrêt d'autobus* (id.), de Joshua Logan, ou *le Loup et l'Agneau* (F. Schaffner, 1963). Mais ses trois scénarios originaux sont très émouvants, d'une écriture fluide et simple, admirablement adaptée au cinéma : *la Fièvre dans le sang* (E. Kazan, 1961) ; *l'Ange de la violence* (J. Frankenheimer, 1962) ; *Fureur sur la ville* (H. Hart, 1965 ; SCÉ écrit sous le pseudonyme de Walter Gage). C.V.

INGÉNIEUR DU SON. Ancienne dénomination, encore couramment employée, du chef opérateur du son. (→ GÉNÉRIQUE, PRISE DE SON.)

INGRAM *(Reginald Ingram Montgomery Hitchcock,* dit *Rex), cinéaste américain (Dublin, Irlande, 1893 - Los Angeles, Ca., 1950).* Émigré aux États-Unis en 1911, il étudie la sculpture et entre en 1913 à l'Edison Company comme directeur artistique, scénariste et... acteur, le cas échéant. Metteur en scène pour diverses firmes à partir de 1916, il doit sa chance à son entrée à la Metro, où, grâce à l'influence de la scénariste June Mathis, il dirige en 1921 *les Quatre Cavaliers de l'Apocalypse (The Four Horsemen of the Apocalypse)* avec Rudolph Valentino. Le succès commercial et critique du film lui vaut l'admiration générale, et il réalise à son gré *Eugénie Grandet* (*The Conquering Power,* 1921) et *le Chemin de l'honneur* (*Turn to the Right,* 1922) notamment, *le Prisonnier de Zenda* (*The Prisoner of Zenda,* id.) et *Scaramouche* (id., 1923), films populaires qu'il emplit de ses inventions visuelles, fort audacieuses parfois pour l'époque. Dépité de n'avoir pu diriger *Ben-Hur,* il abandonne, après le tournage de *The Arab* (1924), Hollywood, en compagnie de son épouse – et vedette – Alice Terry et fonde la même année sur la Côte d'Azur, plus précisément là où s'édifiera la Victorine, son propre studio : il y dirige plusieurs films toujours coproduits et distribués par la Metro : *Mare Nostrum* (1926) ; *le Magicien* (*The Magician,* id.) ; *le Jardin d'Allah* (*The Garden of Allah,* 1927)... Mais l'avènement du parlant porte un coup fatal à ses ambitions d'auteur complet. En 1933, il dirige au Maroc un unique film parlant, *Baroud / Love in Morocco,* et ne tarde pas à se retirer en Amérique. Demeuré jusqu'au bout fidèle à ses conceptions plastiques (prédominance de l'« ambiance » sur l'intrigue), Rex Ingram, par ailleurs médiocre directeur d'interprètes redoutables, est peut-être à redécouvrir. Il ne doit pas être confondu avec son homonyme, l'acteur noir Rex Ingram (1895-1969), qui est surtout connu pour ses rôles dans *les Verts Pâturages* (W. Keighley et Marc Connelly, 1936), *The Adventures of Huckleberry Finn* (R. Thorpe, 1939), *le Voleur de Bagdad* (L. Berger, T. Whelan, M. Powell, 1940) et *Un petit coin aux cieux* (V. Minnelli, 1943). G.L.

ININFLAMMABLE. Se dit des supports ou des films dont la combustion ne donne pas lieu à flamme. (→ FILM.)

INKIJINOFF *(Valéry)* [*Valerian Ivanovič Inkižinov*], *acteur d'origine russe établi en France (Irkoutsk, Sibérie, 1895 - Brunoy 1973).* Après ses études à l'École polytechnique de Saint-Pétersbourg, il débute au théâtre dans la troupe de Meyerhold, en 1919. Le cinéma l'attire (il est engagé comme doublure pour des scènes de cascade), mais il entend perfectionner son jeu et entre à l'atelier Koulechov. Après quelques rôles assez obscurs, c'est l'inoubliable interprétation du descendant de Gengis Khān dans *Tempête sur l'Asie* (1929), de Vsevolod Poudovkine, qui assure sa renommée. Il est nommé directeur de l'École de théâtre et de cinéma de Kiev. Il réalise et produit lui-même un film, *Kometa* (1930), qui ne semble pas avoir eu grande audience (il s'était déjà essayé à la mise en scène avec *Rasplata,* 1926, et *Vor,* 1928). En 1931, à la suite du décès tragique de sa fille, âgée de sept ans, il quitte la Russie pour n'y plus revenir. Il tourne un film en Allemagne *(le Typhon),* puis se fixe en France, où son faciès de Mongol, sa carrure athlétique, ses yeux perçants le désignent pour des emplois de traître ou de rebelle, dans des films d'ambiance slave ou orientale : *la Bataille* (N. Farkas, 1934) ; *Amok* (F. Ozep, *id.*) ; *Volga en flammes* (V. Tourjansky, *id.*) ; *les Bateliers de la Volga* (Vladimir Strijevsky, 1936) ; *les Pirates du rail* (Christian-Jaque, 1938) ; *le Drame de Shanghai* (G. W. Pabst, 1938). Après une longue éclipse, il reparaît après guerre dans des rôles non moins conventionnels : *Maya* (R. Bernard, 1949) ; *la Fille de Mata-Hari* (C. Gallone et R. Merusi, en Italie, 1955) ; *Michel Strogoff* (C. Gallone, 1956). Son chant du cygne, il le devra à Fritz Lang, qui lui confie le rôle du grand prêtre au crâne rasé de son diptyque *le Tigre du Bengale / le Tombeau hindou* (1959). Deux ultimes apparitions dans *la Blonde de Pékin* (Nicolas Gessner, 1968) et *les Pétroleuses* (Christian-Jaque, 1971). C.B.

INSERT. Gros plan ou très gros plan, généralement bref, inséré au montage pour mettre en valeur un élément ou un détail nécessaire à la compréhension de l'action : titre de journal, lettre, gros plan d'un objet, etc. (→ SYNTAXE.)

INT. Abrév. de *intérieur.*

INTENSITÉ LUMINEUSE → PHOTOMÉTRIE.

INTER. Abrév. fam. de *intermédiaire.*

INTÉRIEUR. Sur les documents de préparation du film ou sur les rapports destinés à l'étalonneur (et parfois sur la claquette), indication spécifiant que l'atmosphère visuelle recherchée est celle d'une scène d'intérieur.

INTERLENGHI *(Franco), acteur italien (Rome 1930).* Vittorio De Sica le lance dans le rôle d'un des pauvres cireurs de chaussures de *Sciuscià* (1946). Il crée un personnage de garçon sympathique et fainéant dans plusieurs films populaires, dont *Un dimanche d'août* (L. Emmer, 1950), *Parigi è sempre Parigi* (L. Emmer, 1951), *le Petit Monde de Don Camillo* (J. Duvivier, 1952), *Gli eroi della domenica* (M. Camerini, 1953), *la Marchande d'amour* (M. Soldati, 1953), *Canzoni canzoni canzoni* (D. Paolella, *id.*). Dans *les Vitelloni* (F. Fellini, *id.*), il crée le personnage du naïf Moraldo. Ses rôles sont des variations sur le même personnage dans les films suivants, au nombre desquels il faut compter : *la Comtesse aux pieds nus* (J. L. Mankiewicz, 1954) ; *I giorni più belli* (M. Mattoli, 1956) ; *Pères et Fils* (M. Monicelli, 1957) ; *Jeunes Maris* (M. Bolognini, 1958) ; *En cas de malheur* (C. Autant-Lara, *id.*) ; *le Général Della Rovere* (R. Rossellini, 1959) ; *Viva l'Italia !* (R. Rossellini, 1961). Il est marié à l'actrice Antonella Lualdi. L.C.

INTERLOCK → PRISE DE SON.

INTERMÉDIAIRE. *Copie intermédiaire,* ou *intermédiaire,* contretype (négatif ou positif) du négatif original. (→ COPIES, TIRAGE.) *Film intermédiaire,* film conçu pour la confection de tels contretypes.

INTERNÉGATIF. Syn. de *négatif intermédiaire.* (→ COPIES, ÉTALONNAGE.)

INTERPOSITIF. Syn. de *positif intermédiaire.* (→ COPIE.)

INTERTITRE ou **TITRE.** Plan ne comportant que du texte, généralement en blanc sur fond noir, intercalé à des fins explicatives entre deux scènes. (Très courants dans le cinéma muet, les intertitres ne sont presque plus utilisés.)

« IN THE CASE ». Expression anglaise équivalent de *dans la boîte.*

INTRODUCING. Équivalent anglais de *pour la première fois à l'écran.* (→ GÉNÉRIQUE.)

INVENTION DU CINÉMA. Le cinéma est né lorsque se sont enfin rejointes deux voies de recherche explorées au cours du XIXe siècle, la première visant à créer l'illusion du mouvement, la seconde visant à analyser les mouvements.

L'illusion du mouvement. Le phénomène de la persistance rétinienne, apparemment connu depuis l'Antiquité, fit l'objet vers 1820 de diverses expériences. L'une d'elles conduisit un médecin londonien, le Dr Paris, à inventer un jouet, le *Thaumatrope* (1826), où la rotation rapide d'un disque en carton tendu entre deux fils provoque la superposition visuelle des dessins portés par les deux faces du disque (par ex. l'oiseau d'un côté, la cage de l'autre).

Auteur de la première théorie de la persistance rétinienne, Joseph Plateau imagina en 1832 le *Phénakistiscope* (ou *Phénakisticope*), disque de carton percé sur son pourtour de fines fentes radiales équidistantes et comportant, plus proche du centre, une couronne de dessins représentant les phases successives d'un mouvement cyclique. Faisant tourner rapidement le disque, on observe les dessins par réflexion dans un miroir en plaçant l'œil au niveau des fentes : celles-ci ne permettant la vision que pendant un instant très bref, les dessins sont « immobilisés au vol » et leur vision successive crée l'illusion du mouvement. Commercialisé sous le nom de *Fantascope,* cet appareil connut un très grand succès. Inventé par Simon Stampfer presque en même temps, le *Stroboscope* n'en diffère que par la séparation des fentes et des dessins, portés par deux disques distincts tournant en sens contraire. Mais c'est le *Zootrope,* conçu par William George Horner en 1834, qui connut la plus grande vogue, tout au long du XIXe siècle : les fentes y sont pratiquées à la partie supérieure d'un cylindre noir, les dessins étant portés par une bande amovible placée à l'intérieur du cylindre.

Si les appareils précédents demeurèrent des jouets, le principe de l'« immobilisation au vol » fut exploité par de nombreux inventeurs du XIXe siècle : placées à la périphérie d'un disque, les vues transparentes à animer étaient démasquées, à leur passage devant une fenêtre éclairée, par une découpe pratiquée dans un disque obturateur tournant en synchronisme en sens inverse. (Dérivés de l'appareil de Stampfer, ces appareils peuvent être regroupés sous le terme général de « stroboscopes ». Le *Tachyscope* d'Ottomar Anschütz, où les vues étaient « immobilisées » par de très brefs éclairs lumineux, appartient à cette famille.) Dès les années 1850, on réalisa ainsi des projections animées, malheureusement très peu lumineuses en raison de l'extrême brièveté du temps pendant lequel les vues étaient démasquées. (On verra qu'Edison lui-même eut recours, dans son Kinetoscope, au principe de l'immobilisation au vol.)

• *Reynaud.* Certains appareils améliorèrent la luminosité de l'image grâce à un mécanisme d'avance intermittente des vues, celles-ci s'immobilisant un instant devant la fenêtre. Bien qu'il s'agisse là du *principe* même de la *projection cinématographique,* l'innovation ne marqua pas les esprits : outre la qualité médiocre du résultat, ces appareils ne pouvaient, comme leurs prédécesseurs, que montrer indéfiniment le même mouvement cyclique.

C'est le Français Émile Reynaud qui parvint le premier, non seulement à projeter des images animées dans de bonnes conditions, mais encore à projeter des mouvements non cycliques.

Dans un premier temps (1877-1880), il réalise le *Praxinoscope,* Zootrope amélioré où les dessins sont observés par réflexion sur une couronne de miroirs plans placés à mi-distance entre l'axe et la périphérie du cylindre, l'image des dessins dans les miroirs se trouvant ainsi visuellement au centre du cylindre. En raison de la rotation de l'appareil, cette image tourne un peu autour de son axe vertical mais le phénomène n'est guère gênant car elle est rapidement remplacée, en une sorte de fondu enchaîné, par l'image du dessin suivant dans le miroir suivant. Alors que, dans le Stroboscope et le Zootrope, le mouvement des dessins est «arrêté» par l'extrême brièveté du temps de vision, il y a ici *compensation optique* de ce mouvement.

Remplaçant les dessins opaques par une couronne de vues transparentes, Reynaud réalisa ensuite le *Praxinoscope de projection,* qui assurait enfin des projections animées lumineuses puisqu'il n'y avait plus aucune obturation du faisceau lumineux. Dans une dernière étape (1888), il eut l'idée de monter ces vues les unes à la suite des autres en les fixant sur deux longs rubans d'acier souple, la bande ainsi obtenue défilant contre un tambour cylindrique ajouré entraîné par la bande elle-même grâce à un système d'œillets. De 1892 à 1900, Reynaud assura lui-même, avec ce «Théâtre optique», plus de 10 000 représentations de diverses saynètes, comportant chacune plusieurs centaines de dessins qu'il peignait lui-même et dont la durée variait entre 5 et 15 minutes environ. (La projection s'effectuait par transparence, les personnages peints sur fond noir évoluant au milieu d'un décor projeté par une lanterne fixe indépendante.)

S'il n'inventa ni la caméra ni le projecteur (encore que plusieurs appareils aient repris par la suite le principe du défilement continu et de la compensation optique [→ PROJECTION]), c'est à Émile Reynaud qu'il revient : d'avoir assuré quotidiennement, en public, trois ans avant le cinématographe Lumière, des projections animées de mouvements non cycliques ; d'avoir, dix ans avant Émile Cohl et Stuart Blackton (→ ANIMATION), réalisé les premiers *dessins animés,* dont il ne nous reste malheureusement qu'un modeste échantillon. (Détrôné par le cinéma, Émile Reynaud sombra dans l'oubli et la misère. En 1910, il jeta dans la Seine la plupart de ses bandes, et il mourut à l'hospice d'Ivry dans une extrême pauvreté.)

L'analyse du mouvement. Inventée par Nicéphore Niepce, la photographie entra dans les mœurs avec le *daguerréotype* (1839). Diverses améliorations, notamment le procédé au collodion humide, accrurent considérablement la sensibilité des plaques photographiques. Cette sensibilité demeurait toutefois insuffisante pour permettre les instantanés rapides nécessaires à l'analyse photographique des mouvements, ce qu'on appellerait plus tard *chronophotographie.* C'est seulement à la fin de la décennie 1870 que le *gélatino-bromure* (→ COUCHE SENSIBLE) offrit enfin cette possibilité.

• *Muybridge.* L'histoire de la chronophotographie s'ouvre sur une réalisation retentissante. Tout commença avec les travaux du physiologiste français Étienne-Jules Marey, qui étudiait les allures du cheval grâce à des capteurs de pression placés sous les sabots de l'animal et reliés à un cylindre enregistreur tenu par le cavalier. Marey établit ainsi notamment que c'est au moment où les quatre pattes sont repliées sous l'animal (et non allongées, comme le croyaient jusqu'alors les peintres) que le cheval au galop n'a aucun contact avec le sol. Des dessins réalisés à partir de ces indications seraient parvenus jusqu'à un riche Californien, amateur de chevaux, Stanford, qui aurait refusé d'y croire. (Selon d'autres sources, c'est à un médiocre instantané de cheval au galop réalisé par le photographe Eadweard Muybridge que Stanford aurait refusé de croire.) Stanford demanda à Muybridge de lever le doute.

En 1878, Muybridge installa, face à un long mur blanc, une série de 24 appareils photographiques déclenchés lorsque le cheval, dans sa course, brisait les fils tendus en travers de la piste. Les silhouettes obtenues sur les clichés ne confirmèrent pas seulement les résultats de Marey ; Muybridge put aussi, en montant ses clichés sur un Stroboscope, réaliser, vers 1880, aux États-Unis et à l'étranger (notamment à Paris), les *premières projections animées* reconstituant un mouvement à partir d'*instantanés successifs* de ce mouvement. (Des reconstitutions de mouvements humains avaient été effectuées auparavant, mais à partir de photographies *posées* des différentes phases du mouvement.)

• *Marey.* Dans les années 1880 et même 1890, de nombreux chercheurs – outre Muybridge – pratiquèrent la chronophotographie, tel l'Allemand Anschütz ou le Français Albert Londe, lequel employait un appareil à neuf (puis douze) objectifs qui enregistraient côte à côte, sur la même plaque, autant d'instantanés successifs du mouvement. C'est toutefois le nom de Marey qui s'impose ici.

Marey réalisa d'abord, en 1882, son *fusil photographique :* contenu dans une large « culasse » cylindrique montée sur une crosse de fusil, un disque rotatif portait à sa périphérie douze petites plaques sensibles s'immobilisant tous les 1/12 de tour derrière le tube porte-objectif qui faisait figure de « canon », la plaque étant alors démasquée par une étroite fenêtre découpée dans un second disque animé d'un mouvement continu. L'ensemble, actionné par un mécanisme d'horlogerie déclenché par la détente, fournissait en une seconde douze instantanés au 1/720 de seconde. (Cet appareil était inspiré du *revolver astronomique,* conçu par Janssen pour enregistrer en 1874 douze poses successives du passage de Vénus devant le Soleil. Janssen avait pressenti qu'un tel dispositif portait en germe l'enregistrement des mouvements, mais il n'existait pas alors de plaques suffisamment sensibles.)

Grâce à ce « fusil », Marey obtint des vues de vol d'oiseau qui constituent *les premiers documents* enregistrés selon le principe de *la prise de vues cinématographique.*

En raison de la limitation à douze vues et de la médiocre qualité de ces dernières, Marey se tourna ensuite vers d'autres procédés qui ne préfigurent pas le cinéma. Certes, l'apparition des pellicules en Celluloïd permit à Marey de réaliser en 1887 son *Chronophotographe à bande souple,* où la pellicule, tirée de façon continue par la bobine réceptrice, était immobilisée à intervalles de temps réguliers grâce à un presseur, commandé par une came, qui la plaquait contre la fenêtre d'exposition. Mais ce dispositif, assez brutal, était incapable d'assurer l'équidistance des images, ce qui n'était d'ailleurs pas le but recherché par Marey, puisqu'il s'intéressait à l'analyse des mouvements, non à leur restitution.

Georges Demenÿ, jusqu'alors collaborateur de Marey, conçut en 1893 un mécanisme d'avance intermittente plus élaboré. Dans son *Biographe,* la pellicule contournait, en sortie du couloir de prise de vues, un doigt porté par une came tournante et qui « tirait » à chaque tour une certaine longueur de film. Mais la came Demenÿ n'assurait pas, elle non plus, l'équidistance des images. (Pour restituer le mouvement, il fallait reporter les vues sur le *Bioscope,* une des innombrables variantes du *Stroboscope.*)

La naissance du cinéma. À la fin des années 1880, les deux principes de base étant désormais acquis (créer l'illusion du mouvement, analyser le mouvement), l'idée du cinéma était tout naturellement dans l'air.

• *Edison.* Les premiers à réussir furent l'Américain Thomas Alva Edison et son collaborateur William Kennedy Laurie Dickson. Inventeur du phonographe (1877), Edison entreprit vers 1887 de réaliser pour le mouvement ce qu'il avait réalisé pour le son. (Un premier dispositif de Dickson ressemblait d'ailleurs beaucoup à un phonographe : de petites photographies, inscrites autour d'un cylindre, étaient « immobilisées au vol » par de brefs éclairs lumineux.) Edison et Dickson eurent recours, comme Marey, à la pellicule Celluloïd. Mais ils introduisirent un perfectionnement décisif : des encoches régulièrement espacées, abandonnées en 1889 au profit de perforations, permettaient d'assurer *l'équidistance des images.* Pour obtenir le mouvement intermittent du tambour denté qui entraînait le film, Edison et Dickson essayèrent d'abord des mécanismes issus de l'horlogerie (échappement à ancre, puis croix de Genève) avant de retenir un mécanisme d'échappement à disques perpendiculaires : tournant de façon continue, un disque percé d'une fente libérait une fois par tour la rotation d'un second disque qui revenait buter par une excroissance, après une rotation rapide, contre le premier disque, etc. En 1890-91 naissait ainsi le *Kinetograph,* qui était la première véritable caméra de l'histoire du cinéma. Et il est assez extraordinaire que les spécifications définies dès cette époque par Edison – pour la largeur du film, la disposition et l'engagement des perforations, le nombre de perforations par image – soient aujourd'hui encore, à quelques détails près, *celles du standard.*

En projetant ses films avec un dispositif d'avance intermittente, Edison aurait complètement inventé le cinéma. Curieusement, cet homme d'affaires avisé ne crut pas en l'avenir commercial du projecteur. Il conçut une machine à sous, le *Kinetoscope,* où une boucle sans fin d'environ vingt mètres de film défilait de façon continue derrière un oculaire individuel, les images étant « immobilisées au vol », devant une petite ampoule électrique, par un disque obturateur à fente. Fabriqué en série à partir de 1893, le Kinétoscope constitua une attraction foraine prisée, y compris en France.

• *Le Cinématographe.* En répandant le film, le Kinetoscope hâta la naissance du cinéma. Seul manquait encore le projecteur. De nombreux chercheurs s'attaquèrent au problème, tout particulièrement aux États-Unis, où Acmé-John Le Roy, Woodville Latham, Thomas Armat et Charles Francis Jenkins réalisèrent des modèles qui donnèrent lieu, en 1894-95, à un certain nombre de démonstrations, voire des représentations publiques.

En 1895, on était donc, ici et là, près du but lorsque les frères Louis et Auguste Lumière, inspirés par le Kinetoscope mais repensant le problème, firent véritablement naître le cinéma. Reprenant l'idée des perforations, ils conçurent un mécanisme original d'avance intermittente – la *griffe* (→ CAMÉRA) – qui demeure le mécanisme de *toutes les caméras actuelles* professionnelles ou d'amateur. L'appareil Lumière, boîte carrée d'environ 20 cm de long sur 12 de large, était en outre *universel :* muni d'une boîte porte-négatif, il était *caméra ;* il devenait ensuite *tireuse,* le négatif développé et le positif vierge défilant en superposition ; placé devant une lanterne et muni d'un objectif de projection en place de l'objectif de prise de vues, il était enfin *projecteur.* Mis au point en 1894, ce *Cinématographe* (un nom de marque déjà employé par Léon Bouly) fut présenté en 1895 dans diverses réunions scientifiques.

Les premières représentations publiques et payantes commencèrent à Paris le 28 décembre 1895 dans le Salon indien, au sous-sol du Grand Café. La séance durait environ vingt minutes, et l'on y projetait dix bandes, dont *la Sortie de l'usine Lumière à Lyon* et *le Jardinier* (aujourd'hui connu comme *l'Arroseur arrosé*). Le succès fut immédiat. Dès 1896, l'exploitation commençait à Lyon ; en février, elle commençait à Londres ; en mai-juin, à New York. Le cinéma était né.

• *Après le Cinématographe.* Le cinéma, avec le Cinématographe, sortit de l'ère des chercheurs pour entrer dans l'ère industrielle. (En 1895, dix brevets français avaient été pris dans ce domaine, dont ceux des frères Lumière ; l'année suivante, il y en eut 129.) Dès 1896, les appareils surgirent un peu partout : pris de court, Edison faisait acquisition des droits du projecteur Armat-Jenkins, présenté au public en avril sous le nom de *Vitascope Edison ;* le Britannique Robert William Paul sortait son projecteur *Theatograph,* et Birt Acres une caméra ; en Allemagne, Oskar Messter sortait son projecteur ; en Italie, Filoteo Alberini présentait son *Cinetografo,* etc. En France même, de nombreux appareils voyaient le jour, notamment le *Cinématographe* Joly, les appareils Pathé (dérivés de l'appareil Lumière), le *Chronophotographe* de Demenÿ et Gaumont, etc.

Dans ce déferlement d'inventions, toutes sortes de dispositifs furent imaginés, dont il faut surtout retenir les débiteurs et la croix de Malte, qui sont aujourd'hui encore fondamentaux.

Dans le Cinématographe Lumière, le film était entraîné par les seules griffes, qui avaient à tirer toute la bobine débitrice : il en résultait une certaine trépidation de l'image, et les perforations subissaient un effort important, peu compatible avec une utilisation prolongée du film. En faisant tirer le film, avant le couloir, par un *débiteur* denté tournant à vitesse constante, le mécanisme d'avance intermittente n'avait plus à entraîner qu'une courte longueur de film. En France, l'invention du débiteur est attribuée à Joly. Mais le débiteur se trouve aussi sur les projecteurs de Latham puis d'Armat, et la boucle (« loop ») qui s'allonge et se reforme à chaque image entre débiteur et couloir est d'ailleurs appelée aux États-Unis « Latham loop ». (Une longue querelle de brevet opposa, à ce sujet, Latham et Armat.) Un second débiteur, placé à la suite du mécanisme d'avance intermittente, permit de réaliser l'enroulement du film sur une bobine réceptrice entraînée par friction. (Dans le projecteur Lumière, le film se dévidait dans un sac situé sous l'appareil.)

Si la griffe s'avéra idéale pour la prise de vues, la projection appelait un mécanisme d'avance intermittente qui sollicite moins les perforations et qui accepte... les perforations un peu usées. La solution consistait à entraîner le film par un tambour denté tournant de façon intermittente, l'effort de traction étant alors réparti sur plusieurs perforations. Pour obtenir cette rotation intermittente, le dispositif qui s'imposa fut la *croix de Malte* (→ PROJECTION), dérivée de l'ancienne croix de Genève des horlogers, employée sur certains stroboscopes et essayée par Edison. À qui faut-il attribuer l'invention – revendiquée un moment par Raoul Grimoin-Sanson – de la croix de Malte ? On en trouve des modèles à 12 branches sur un Tachyscope d'Anschütz en 1894, à 7 branches sur le projecteur Paul, à 5 branches sur les premiers modèles Continsouza et Messter... Il semble que la formule définitive à 4 branches, qui est encore celle des projecteurs professionnels, soit à porter au crédit de Continsouza et de Messter. (L'avance intermittente par came Demenÿ, qui était à la base du projecteur Armat, fut employée pendant quelques années, notamment sur les premiers chronophotographes Gaumont. Incapable d'assurer l'équidistance des images sur film non perforé, cette came donne des résultats acceptables lorsqu'un débiteur régularise le débit du film.)

Dès les premières années du XXe siècle, les appareils de cinéma ont pris leur allure définitive. La caméra, à entraînement par griffe, est désormais complètement distincte du projecteur, à entraînement par croix de Malte. Tous les apports ultérieurs (et notamment le remplacement de la manivelle par un moteur) ne seront qu'amélioration progressive de ces dessins de base. Les premiers studios existent. Les premières machines à développer en continu, les premières tireuses modernes vont apparaître avant 1910. Vers 1910, la création des usines Agfa à Wolfen (Allemagne) et Pathé à Joinville briseront le monopole Eastman pour la fabrication des films. C'est également vers 1910 que les producteurs américains, à la recherche de cieux cléments, commenceront à s'installer, près de Los Angeles, aux alentours d'un hameau inconnu du nom de Hollywood...

Quinze ans à peine après le Cinématographe, voici venu le temps de la légende.

• *Une invention collective.* Si quelques grandes figures comme Plateau, Stampfer, Muybridge, Marey, Edison, Dickson, Lumière, sans oublier Reynaud, émergent inévitablement lorsque l'on évoque l'invention du cinéma, nombreux furent les chercheurs qui apportèrent leur contribution à cette invention. À tous les noms cités au cours des paragraphes précédents, il faudrait ajouter bien d'autres noms : les Américains Eugene Lauste ou Edward H. Amet ; les Britanniques Birt Acres, Louis Aimé Le Prince, William Friese Greene, Wordswoth Donisthorpe ; en Allemagne, les frères Max et Emil Skladanowsky ; en France, Jules Dubosc, Auguste Baron, etc.

Par ailleurs, plusieurs pays peuvent faire état de démonstrations ou de projections publiques (Le Roy, Latham, Armat-Jenkins, Skladanowsky, etc.) antérieures aux premières séances publiques du cinématographe Lumière. Ces séances n'en constituèrent pas moins un événement capital, en raison de leur retentissement mondial. Si l'on veut « dater » la naissance du cinéma, on peut donc légitimement retenir le 28 décembre 1895. Encore faut-il être conscient que, si le Cinématographe fit sortir le cinéma de l'ère des pionniers, Edison ne joua pas un rôle moins important que les frères Lumière dans l'éclosion du 7e art. J.-P.F.

INVERSIBLE. *Développement inversible,* syn. de *développement par inversion. Film inversible,* film conçu pour le développement inversible. (→ COUCHE SENSIBLE, CONTRASTE.)

INVERSION (1). Mode particulier de développement permettant d'obtenir directement une image positive (ou une image négative si le film à copier est un négatif). [→ COUCHE SENSIBLE.]

INVERSION (2). *Inversion droite-gauche,* truquage de laboratoire consistant à retourner l'image autour de son axe vertical. *Inversion du mouvement,* truquage de laboratoire ou de prise de vues créant l'impression que, sur l'écran, les mouvements se déroulent à l'envers. (→ EFFETS SPÉCIAUX.)

IODURE. *Iodure d'argent,* composé chimique sensible à la lumière et qui est un des composants actifs de la couche sensible. (→ COUCHE SENSIBLE.)

IOSSELIANI *(Otar), cinéaste soviétique (Tbilissi, Géorgie, 1934).* Il interrompt ses études musicales au conservatoire local, ainsi que sa formation scientifique à Moscou, pour entrer au VGIK, où il obtient son diplôme de réalisateur avec un court métrage, *Avril* (*Aprel',* 1961), qui ne sera pas distribué : il le qualifie de « conte moderne » et Jeanne Vronskaya écrit qu'on y voit deux personnes dont l'amour est détruit par le fait qu'elles deviennent esclaves des choses, parce que la routine quotidienne ruine les sentiments. Si le sens du film est conforme à cette appréciation, on peut déjà y lire, sous forme de parabole, l'une des constantes de la position intellectuelle du cinéaste, son souci de la qualité de la vie et des rapports humains : « S'asseoir autour d'une table, dire aux gens des choses agréables, boire et chanter ensemble, c'est ça, la culture », a-t-il déclaré. Cette volonté de sauvegarder et de pratiquer un certain art de vivre est caractéristique de son credo humaniste.

Après ce contretemps, il quitte provisoirement le cinéma puis y revient avec un court métrage, *la Fonte* (*Čugun,* 1965), tourné dans une fonderie et qui révèle un sens aigu de l'observation et une approche chaleureuse des individus : Georges Sadoul a été frappé à l'époque par « le ton personnel et neuf » qui « met l'accent sur les hommes (...) guettés par une *caméra-œil* attentive et pleine d'amour vrai ». On peut caractériser de la même façon les trois longs métrages de ce cinéaste qui considère Dovjenko comme son maître, filme la vie « sur le vif » comme Vertov et déclare que « tout est vrai » chez Vigo.

La Chute des feuilles (*Listopad,* 1967) marque sa révélation internationale : à travers les heurs et malheurs d'un timide employé de coopérative vinicole, il se livre à une mordante satire de la bureaucratie et du carriérisme et célèbre, avec tendresse et humour, les vertus de la vraie vie. Sa désinvolture et son refus de délivrer un « message » lui valent quelques ennuis avec les autorités mais il récidive avec *Il était une fois un merle chanteur* (*Žil pevčij drozd,* 1971), qui présente un « héros négatif » en la personne d'un musicien qui vit comme l'oiseau sur la branche et ne parvient pas à respecter les normes de la vie sociale. Ce *conte moral,* jugé trop peu édifiant en haut lieu, est interdit à l'exportation pendant plusieurs années, tout comme *Pastorale* (*Pastoral',* 1976), qui poursuit dans la même veine réaliste et familière et pousse encore plus loin la dédramatisation en montrant des aspects de la vie quotidienne dans un village où séjournent des musiciens de la ville : le cadre social apparaît peu « positif » et le film ne propose rien d'exemplaire au spectateur, sinon ce qui ressemble à l'éducation sentimentale (et artistique) d'une jeune fille qui fréquente ces musiciens.

Il faut apprécier cette ferveur discrète dans l'approche des êtres (« Si on aime les gens, on les enrichit »), ce naturel dans la description du quotidien (« Mon art doit être comme la vie »), cette rafraîchissante simplicité dans les images (du noir et blanc qui est comme une harmonie de gris). Il alterne documentaires : *Euskadi* (1982, sur le pays basque), *Un petit monastère en Toscane* (1988) et films de fiction : *les Favoris de la lune,* réalisé en France en 1984, un exercice de style plein d'humour, puis *Et la lumière fut,* parabole écologico-sociale, tourné en Afrique noire en 1989. En 1992, il signe *la Chasse aux papillons* et, en 1994, un documentaire sur son pays natal : *Seule, Géorgie.* Il y a dans les films de Iosseliani, cinéaste faussement nonchalant, une « petite musique » très séduisante, une drôlerie discrète, mais aussi une gravité profonde, quelque chose de juste et de vrai. M.M.

IOUSSOV *(Vadim)* → YOUSSOV.

IOUTKEVITCH → YOUTKEVITCH.

IQUINO *(Ignacio F.), cinéaste et producteur espagnol (Valls, Tarragone, 1910).* Débutant en 1935, avec la reconstitution d'un fait divers spectaculaire *(Al margen de la ley),* il devient l'un des plus prolifiques réalisateurs et producteurs de l'après-guerre, avec des intérêts dans la distribution. Il tourne vite, avec peu de moyens et sans ambition, fréquentant tous les genres susceptibles de plaire au public péninsulaire : la comédie (*El difunto es un vivo,* 1941), le film policier (*les Tueurs de Madrid* [*Brigada criminal*], 1950), l'exaltation patriotique (*El tambor del Bruch,* 1948), le film religieux (*El Judas,* 1952), le film à protagoniste enfantin (*El golfo que vió una estrella,* 1953), l'espagnolade (*Fuego en la sangre,* 1953), puis ces sous-genres envahissants que sont les westerns spaghetti et les ersatz érotiques. Sa filmographie dépasse 75 mises en scène et comprend une cinquantaine de productions. P.A.P.

IRAN. Sans doute est-ce inattendu : le premier film « persan » est tourné le 18 août 1900 sur la plage... d'Ostende, en Belgique, par le photographe du chāh Moẓaffar al-Din. Le shah, qui vient d'acquérir en France un appareil de prise de vues, a chargé Mirzâ Ibrâhîm Khân d'enregistrer sur pellicules les scènes qui l'amusent ou qui jalonnent la vie de la Cour. Cette lubie gagne naturellement les notabilités, et le cinéma amateur contamine bientôt la haute société du pays, phénomène à rebours de ce qui se passe alors dans presque tous les pays du monde – excepté le Siam. Le Kinetoscope Edison fait son apparition (en 1905, dit-on) grâce à Sahâf Bâshi, qui ouvre une première salle à Téhéran, bientôt suivi (en 1907) par Russi Khân, qui se dote d'une salle affichant 600 places, programme les films Pathé, Max Linder, les séries de *Rigadin.* Les troubles qui conduisent à la chute de la dynastie Quâdjâr entraînent le pillage des films et du matériel. Le successeur à l'initiation semble avoir été l'Arménien Ardashes Badgramian (Ardachir Khân pour les Persans), qui a fréquenté à Paris les studios Pathé et ouvre une salle à Téhéran vers 1912. D'autres salles popularisent peu à peu le 7e art, héritier des ombres magiques – que d'ailleurs on ne pratique plus –, au gré de séances qui sont réservées tantôt aux hommes, tantôt aux femmes. La Seconde Guerre mondiale fera adopter la mixité, sous l'œil ou bien complice ou bien furieux du clergé. En 1932, on dénombre huit salles dans la capitale et quelques-unes en province : Tabriz, Iṣpahān...

En 1924, Shoedsack et Cooper tournent leur grand film documentaire, *Grass,* sur la transhumance. Mais c'est une production étrangère. La Perse ne produit encore que des actualités : *'le Couronnement de Rezâ Châh'* en 1926. Les essais de comédies inaugurent les années 30, copiant les succès publics de Doublepatte et Patachon dont les aventures viennent du Danemark ! Ces petits films à trucages et à poursuites sont dus encore à un Arménien, Ohanian, formé en URSS, et fondateur, dès 1931, d'une école de cinéma à Téhéran. Les élèves de cette école, dirigés par un nommé Ibrāhīm Morādi, interprètent un moyen métrage mi-comédie, mi-mélo : *'le Capricieux'* (*Bolhavas,* 1932). Mais le parlant, avec *'la Fille de la tribu Lor'* (*Dokhtar Lor,* id.), tourné en Inde par Abol Husayn Sepenta (1907-1969), puis *'les Yeux noirs'* (*Tchechmâne Châh,* 1934), consacré à la conquête de l'Inde par Nâder Châh, réalisé dans les mêmes conditions, sont des triomphes. Sepenta, véritablement le premier cinéaste iranien à part entière, signera également la même année une biographie romancée d'un célèbre poète national, *Ferdowsi,* et deux légendes lyriques : *'Chirin et Farhad'* (id.) ; *'Layli et Majnun'* (1935). Le coup d'arrêt vient, selon Sepenta, des compagnies américaines, inquiètes de voir se développer une production indépendante et concurrentielle. La première phase du cinéma en Iran – qui est encore la Perse – s'achève comme elle a commencé, par de banales actualités sur la vie de la Cour ou des bandes vaguement documentaires sur les trésors, les palais ou les paysages, dues pour la plupart au représentant de la Fox à Téhéran, Stefan Naymân.

La plus ancienne société de production, Mitrafilm (devenue en 1947 la Parsfilm), est fondée, pour le tournage du *'Tourbillon de la vie'* (*Ṭufâne Zendegi,* Muḥammad Ali Daryâbegi, 1947), par Ismâil Kuchân. Les mélodrames se suivent : 49 films en sept ans ; on peut surtout en retenir une œuvre picaresque et drôle, *Amir Arsalân,* de Châpur Yâsemi (1954). En 1950, on compte 80 salles, dont vingt saisonnières. En 1957, il y a 22 compagnies de production. Chanteurs et gens de théâtre s'intéressent alors au cinéma. On recopie ou on « s'inspire » des films chantés hindī... L'acteur Majid Moḥseni réalise *'le Truand chevaleresque'* (*Lât-e Javanmard,* 1957) d'après *Dach Akol,* nouvelle de Ṣâdeq Hedâyat. C'est l'arrivée sur l'écran des truands, souvent au grand cœur. Ils apportent une « anarchie » que Farrogh Ghaffari se voit interdire par la censure (*'le Sud de la ville'* [*Jonube Charhr,* 1958]) parce que son propos est par trop réaliste. Il tourne ensuite un conte adapté des *Mille et Une Nuits : 'la Nuit du bossu'* (*Chab-e Quzi,* 1963), puis un conte comique, *'le Canon en marche'* (*Zanburak,* 1973). Né, comme Ghaffari, en 1922, Ibrâhim Golestân signe des films aigus et personnels – sans succès public : *'la Brique et le Miroir'* (*Khecht va Âyeneh,* 1965) ; *'le Trésor'* (*Gandj,* 1973). La fin des années 60 marque un divorce évident entre les essais les plus intéressants de cinéma d'auteur et le grand public – dont la nouvelle bourgeoisie – qui ne s'intéresse qu'aux films étrangers (américains, français, toujours doublés en farsi) ou aux médiocres mélos nationaux. Le marché accueille 76 films iraniens en 1971-72. Il y a 440 salles en Iran, dont 128 dans la capitale. Le ministère de la Culture et des Arts gère la profession et la censure. L'enseignement est dispensé par l'École supérieure de la télévision et du cinéma et les Beaux-Arts (Téhéran). L'exportation trouve des débouchés dans les pays limitrophes, et la première session d'un festival international très conventionnel se tient en 1972 à Téhéran.

Des œuvres émergent régulièrement qui témoignent surtout d'une vague créatrice pratiquement née avec les années 70, tandis que sur les campus on réalise en super-8 des courts métrages souvent saisissants comme l'art brut – c'est le « cinéma Âzâd » (libre) ; mais ces témoignages sans négatif de sauvegarde sont peu à peu détériorés et disparaissent. Les cinéastes qui se révèlent d'autre part ne constituent pas une école, ils œuvrent au contraire dans les directions les plus différentes : les chroniques paysannes avec *'la Vache' (Gâv)* de Dariush Mehrjui* (1969) ou *Balutch* de Mas'ud Kimyâ'i* (1972), ou héroïques avec *Dach Akol,* meilleure adaptation du récit de Hedâyat (Kimyâ'i, 1971) ; l'intimisme avec *'l'Averse'* (1972), premier film de Bahrâm Beyzâ'i* ; *'Nature morte' (Tabi'at-e bi Djân),* derniers jours de travail d'un vieux garde-barrière, un très beau film de Sohrâb Shahid-Saless* (1974). Citons d'autre part Amîr Nâderi* (*Tangsir,* 1973), et Parviz Kimiâvi* ; Bahman Farmânârâ, ou le prolixe Alī Ḥatemi. De la vie paysanne au lyrisme des légendes, à l'enfer aussi de Téhéran, dont *le Cycle* révèle avec un talent brutal les trafics (D. Mehrjui, 1974), un cinéma national se lève, que la révolution islamique anéantit soudain. Pendant le règne de l'Ayatollah Khomeyni l'industrie cinématographique demeure en veilleuse et le nombre de films tournés n'excède pas deux ou trois par an. Le cinéma souffre d'une campagne contre son « immoralité » et d'une censure qui va du contrôle préalable des productions à la surveillance de tous les détails faisant l'objet d'interdits religieux. Pourtant, l'industrie du cinéma reprend son développement, dépassant les cinquante longs métrages annuels dans les années 90 et attirant l'attention sur de nombreux cinéastes présents dans les festivals du monde entier. La Fondation Farabi, émanation du ministère de la Culture et de l'Orientation islamique, soutient la production, la diffusion et l'exportation. L'Institut pour le développement intellectuel des enfants et des jeunes adultes, institution héritée du régime du Shah, soutient de nombreux cinéastes dans leur travail avec des enfants, parmi lesquels Abbas Kiarostami*, qui a obtenu le plus de récompenses en Iran et à l'étranger. Mohsen Makhmalbaf* (né en 1957), prisonnier politique à l'époque du Shah, écrivain et militant islamiste, qui fut considéré quelque temps comme un cinéaste officiel du régime, a réalisé onze longs métrages depuis 1982, souvent très libres, voire dérangeants, comme *le Cycliste* (*Bicycleran,* 1989). Les meilleurs cinéastes savent évoquer avec indépendance les déshérités, la corruption, la situation des femmes, les effets de la guerre contre l'Iraq et, parfois, les grandes traditions culturelles persanes et les minorités régionales. Certains observateurs ont pu s'étonner de trouver parmi ces travaux des œuvres réalisées par des femmes : Rakhstan Bani Etemad, avec, notamment, *la Banlieue* (*Kharedj az mahdodeh,* 1989) et *Nargess* (*id.,* 1992), Tahminek Milani, avec *la Légende de Ah* (*Afsane-yé Ah,* 1991), Pouran Darakhsandeh, avec *le Petit Oiseau du bonheur* (*Parendeh-yé koutchaké khoshbakhti,* 1988). Parfois connus à l'étranger grâce aux festivals et à la politique de la Fondation Farabi, quelques noms s'imposent : Massoud Jafari Jozani, réalisateur, après des études en Californie, de plusieurs films, dont *le Lion de pierre* (*Shir é sangi,* 1987) ; Nasser Taghvaï, avec, notamment, *Capitaine Khorshid* (*Nakhoda Khorshid,* 1987) ; *Ô Iran* (1990) ; Ali Hatami, avec *la Mère* (*Madar,* 1990) ; Kiyânush Ayyâri, avec *'l'Homme d'Abadan* (*Abadani-Ha,* 1993) ; Saïd Ebrahimifar, avec *Nar-o-Ney* (1989), ou encore Alireza Raiessian, dont le premier film, *Reyhaneh* (1990), traite de l'oppression des femmes, et Ebrahim Mokhtari, qui, dans *Zinat* (1994), évoque la lutte entre la tradition et la modernité à travers la vie d'une jeune infirmière revenue dans son village.

Les films pour enfants constituent une spécificité iranienne, expliquant notamment une partie de la carrière de Kiarostami. De bons réalisateurs travaillent sur ce terrain : Ebrahim Forouzesh, qui a fait *la Clé* (*Kelid,* 1986) et *la Jarre* (*Khomreh,* 1992), Amir Naderi, qui, après sa fameuse enquête a posteriori sur le massacre de septembre 1978 par la police du Shah, a tourné plusieurs films pour les jeunes, Bahrâm Beyzaï, qui a réalisé *Bashu, le petit étranger* (*Bashu, garibe kotchek,* 1986), retenu quelques années par la censure, Kambuzia Partovi, auteur du *Poisson* (*Mahi,* 1989), et Mohammad Ali Talebi, avec *la Petite Botte* (*Chakmeh,* 1992) et *Tic tac* (*Tiktak,* 1994). D.S.

IRAQ. La première salle, le Bloky, est ouverte en 1909 dans la capitale. En 1948, équipé de matériel moderne, le Studio de Bagdad permet des coproductions avec l'Égypte et le Liban (*Layla wa Irāq* de A. Kāmil Mursī*, 1949) et est utilisé par les cinéastes turcs. On situe en 1955 la naissance du cinéma irakien avec *Saīd Effendi,* réalisé par Qamirān Ḥusnī. Ce portrait de la petite bourgeoisie citadine de l'après-guerre, interprété par l'acteur de théâtre Yūsuf al-Aynī, avait des qualités de psychologie qu'on retrouvera dans *'le Veilleur de nuit' (al-Ḥāris)* interprété et dirigé par un autre acteur de théâtre, Khalīl Shawqī (1968), peinture intimiste d'un milieu populaire. Mais Shawqī, qu'on voit dans les rares et médiocres longs métrages irakiens de l'époque, renonce, comme Qamirān Ḥusnī, au cinéma. La création, en 1959, d'un Organisme du cinéma et du théâtre ne résout pas les problèmes de structures et de production, et les films du secteur privé sont encore plus mauvais que les autres : citons seulement l'inénarrable *Nabuchodonosor,* film en costumes et en couleurs de Kamāl Azzāwī, qui ruina ses producteurs (1957). Les meilleurs techniciens sont alors formés par l'Iraq Petroleum Company, tel Muḥammad Shukrī* Jamīl, et certains parachèvent leur formation à l'école de Grierson en Grande-Bretagne ; d'autres, issus de la section cinéma des Beaux-Arts de Bagdad, comme Ḍiyā' al-Bayātī, reçoivent des bourses pour l'URSS (Abd al Hādī al-Rāwī) ou la RDA (Qays al-Zubaydī, Abd al-Salām al-Adhamī). Ils ont réalisé quelques documentaires intéressants avant, pour certains, de s'orienter vers le long métrage. En 1969, le parti Baas au pouvoir opère une refonte provisoire des structures et pratique une prudente politique de production, parallèlement à l'affaiblissement du secteur privé. Il faut retenir essentiellement *les Assoiffés* de Shukrī Jamīl (1972), *les Murs* (1978) du même auteur, *'les Maisons de l'impasse'* (*Buyūt fī dhālika al-Zuqāq,* 1978) de Qāsim Ḥawal, *Mutawā wa Bahiyya* (1982) de Ṣāhib Haddās, et noter en 1980 la sortie de films confiés à des cinéastes égyptiens : *'les Longues Journées' (al-Ayyām al-ṭawīla)* de Tawfīq Sālaḥ ; *'la Tentative' (al-Tajruba)* de Fu'ād ; une superproduction historique, *al-Qadisiyya* (1981), dirigée par Salāh' Abū Sayf*. L'Iraq, autrefois tributaire des laboratoires de Beyrouth, dispose maintenant d'un complexe cinématographique près de Bagdad, et la centaine de salles (soit 120 000 fauteuils) plus ou moins bien équipées s'avèrent insuffisantes, même avec l'apport de la TV. La production du secteur public est assurée par la nouvelle société Babel Films. C.M.C.

IRELAND *(John), acteur américain d'origine canadienne (Vancouver, B. C., 1914 - Santa Barbara, Ca., 1992).* Il abandonne après la guerre Broadway pour Hollywood, où il excelle dans des seconds rôles, le plus souvent de méchants, fréquemment dans des westerns : *la Poursuite infernale* (J. Ford, 1946) ; *la Rivière rouge* (H. Hawks, 1948) ; *J'ai tué Jesse James* (S. Fuller, 1949) ; *les Fous du roi* (R. Rossen, id.) ; *Règlements de comptes à OK Corral* (J. Sturges, 1957) ; *Traquenard* (N. Ray, 1958) ; *Spartacus* (S. Kubrick, 1960) ; *la Chute de l'Empire romain* (A. Mann, 1964) ; *Adieu ma jolie* (Dick Richards, 1975) ; *Guyana, la secte de l'enfer* (*Crime of the Century,* René Cardona Jr., 1979). Il coréalise en 1953 avec Lee Garmes *Outlaw Territory.* J.-P.B.

IRENE (*Irene Lentz,* dite), *costumière américaine (Brookings, S. D., 1901 - Los Angeles, Ca., 1962).* À la fin des années 20, elle ouvrit à Los Angeles, avec son mari, une boutique de mode qui attira l'attention de nombreuses vedettes et fit ainsi sa réputation. De fil en aiguille, quand elle se retrouva veuve, elle s'orienta définitivement vers le cinéma, où elle fit une splendide carrière, navigant d'abord d'un studio à l'autre puis, à partir de 1942, presque exclusivement à la MGM. D'une imagination moins flamboyante que certains de ses collègues, elle se caractérise par une certaine sobriété et, dans les nombreux films d'époque auxquels elle participa, par sa précision et son goût du détail. Elle travailla beaucoup pour Vincente Minnelli (*Un petit coin aux cieux,* 1942 ; *le Chant du Missouri,* 1944 ; *Yolanda et le voleur,* 1945 ; *le Pirate,* 1947) et pour Judy Garland (*les Demoiselles Harvey,* G. Sidney, 1946 ; *Parade de printemps,* C. Walters, 1948). Mais on lui doit des réussites également dans les films noirs (*Le facteur sonne toujours deux fois,* T. Garnett, 1946, avec le bain-de-soleil immaculé de Lana Turner ; *la Dame du lac,* R. Montgomery, *id.*), dans les chroniques rurales (*Jody et le faon,* C. Brown, *id.* ; *The Romance of Rosie Ridge,* R. Rowland, 1947), urbaines (*Éternel Tourment,* G. Sidney, *id.*), historiques (*le Pays du dauphin vert,* V. Saville, *id.*) ou dans le glamour scintillant (*Piège à minuit,* D. Miller, 1960). Son nom a été souvent associé à d'autres costumiers comme Valles (spécialiste des vêtements pour homme), Walter Plunckett (spécialiste des recherches historiques) ou Irene Sharaff, à l'imagination plus fiévreuse, avec qui on la confond souvent. C.V.

IRIBE (*Marie-Louise Lavoisot,* dite *Marie-Louise*), *actrice et cinéaste française (1900 - 1930).* Actrice en vue dans les années 20, elle incarne Tanit dans *l'Atlantide* (J. Feyder, 1921). Elle a le rôle principal dans six films, notamment *Un fils d'Amérique* (H. Fescourt, 1925) et *Marquitta* (J. Renoir, 1927). Elle est amenée, en cours de tournage, à remplacer Henri Debain à la mise en scène d'un film dont elle est la vedette, *Hara-kiri* (1928). Elle réalisera enfin, en 1930, *le Roi des aulnes,* dont elle dirige également la version allemande *(Der Erlkönig).* D.S.

IRIBE *(Paul), artiste et décorateur français (Angoulême 1883 - Roquebrune-Cap-Martin 1935).* Celui qui fut l'un des grands représentants de l'Art déco, créateur d'objets, de bijoux, de tissus et de mobiliers, illustrateur de mode et caricaturiste au *Rire* et à *l'Assiette au beurre,* apporta un tribut non négligeable au cinéma. Mais c'est paradoxalement l'Amérique qui lui offrit la possibilité de s'exprimer dans ce domaine. Jesse Lasky, l'un des patrons de la Paramount, fait appel à lui en 1919 et le présente à Cecil B. De Mille. Il travaille sur les décors d'une dizaine de films de ce cinéaste, créant une robe en perles pour Gloria Swanson dans *l'Admirable Crichton* (1919), concevant les toilettes de Bebe Daniels pour *Le cœur nous trompe* (1921), imaginant la forêt somptueuse de *la Rançon d'un trône* (1923). Son travail le plus important est sans doute pour *le Roi des rois* (1927), en collaboration avec Mitchell Leisen. On lui doit aussi la coréalisation (avec Frank Urson) de trois films pour le comique Raymond Griffith : *Changing Husbands* (1924), *Forty Winks* (1925) et *The Night Club* (id.), qui semblent perdus. M.C.

IRIE *(Takako), actrice japonaise (Tōkyō 1911 - id., 1995).* Entrée à la Nikkatsu dès 1927, son type aristocratique lui permet d'exceller dans des rôles de femmes traditionnelles ou fatales, par exemple dans les films de Tomu Uchida : *'la Poupée vivante'* (1929) ou *'Miss Nippon'* (1931). Mais elle joue surtout dans les films de Mizoguchi de cette époque : *'la Marche de Tōkyō'* (1929) ; *'la Symphonie de la capitale'* (id.) ; *'le Fil blanc de la cascade'* (1933) ou encore *' l'Aube de la fondation de la Mandchourie'* (1932), dont elle est coproductrice. Son passage au parlant sera difficile, et elle ne jouera plus que des rôles secondaires, notamment dans des films de Mikio Naruse (*'la Tristesse des femmes',* 1936 ; *'Malheurs et Bonheurs',* 1937 ; *'le Cœur sincère',* 1939). M.T.

IRIS. Truquage de prise de vues ou de laboratoire où l'image apparaît à partir du noir, ou disparaît jusqu'au noir, à l'intérieur d'un cercle de rayon croissant ou décroissant. (→ SYNTAXE, EFFETS SPÉCIAUX.)

IRONS *(Jeremy), acteur britannique (Cowes, île de Wight, 1948).* Engagé à dix-huit ans à l'Old Vic Theater de Bristol, il se fait d'abord remarquer comme un interprète brillant des pièces de Shakespeare, Gogol et Harold Pinter. À la télévision, il remporte un succès très vif dans le feuilleton *The Brideshead Revisited,* avant d'apparaître pour la première fois au cinéma dans *Nijinsky* (H. Ross, 1979). Son élégante minceur, sa pâleur romantique lui permettent de composer, face à Meryl Streep, une silhouette mémorable dans *la Maîtresse du lieutenant français* de Karel Reisz en 1981, film adapté et « distancié » par H. Pinter. Ultérieurement, il s'impose dans *Travail au noir* (J. Skolimowski, 1982), *Trahisons conjugales* (*Betrayal,* David Jones, *id.*), *Un amour de Swann* (V. Schlöndorff, 1984), *Mission* (R. Joffé, 1986), *Faux-semblants* (D. Cronenberg, 1989), *Australia* (J. J. Andrien, *id.*), *A Chorus of Disapproval* (M. Winner, *id.*), *le Mystère Von Bulow* (B. Schroeder, 1990), *Kafka* (S. Soderbergh, 1991), *Fatale* (L. Malle, 1992), *M. Butterfly* (D. Cronenberg, 1993), *la Maison aux esprits* (B. August, *id.*). J.-L.P.

ISAAC *(Alberto), cinéaste mexicain (Colima 1925).* Critique lié au groupe de la revue Nuevo Cine, il débute avec *En este pueblo no hay ladrones* (1964), placé en deuxième position au concours de cinéma expérimental qui ouvre la profession à la nouvelle génération. Chronique d'un village paisible, bouleversé par le vol des boules de l'unique billard disponible, basée sur un récit de García Márquez (qu'on aperçoit à la caisse du cinéma), le film est une anthologie de personnalités employées en caméo, à commencer par Buñuel en curé. Par la suite, Isaac réussit à décrire une éducation sentimentale (*Los días del amor,* 1971) et les frasques d'un guérisseur populaire (*El rincón de las vírgenes,* 1972). Il est moins convaincant en évoquant le théâtre de variétés (*Tívoli,* 1974) ou les rivalités des caudillos révolutionnaires (*Cuartelazo,* 1976). Sa terre natale l'inspire mieux (*Tiempo de lobos,* 1981 ; *Maten a Chinto,* 1989, avec un Pedro Armendáriz Jr. plus truculent que son père). Ses affinités sportives l'ont amené à filmer les grands événements (*Olimpíada en México,* 1968 ; *Fútbol México 70,* 1970). Il a été le premier directeur de l'Institut mexicain du cinéma, IMCINE (1983-1985). P.A.P.

ISBERT (*José Ysbert,* dit *José*), *acteur espagnol (Madrid 1885* - id. *1966).* Il débute au théâtre en 1902 et se fait une réputation de comique. Malgré quelques incursions sur les écrans durant le muet et le début du parlant, sa carrière cinématographique ne s'épanouit qu'après-guerre, alors qu'il a atteint l'âge de la retraite. Il devient un acteur de second rôle à la solide popularité. Ce tout petit vieillard, reconnaissable à sa voix rauque et à sa tête disproportionnée et burinée, franquiste par conviction, obtient ses meilleurs rôles grâce à l'opposant Berlanga : il interprète le maire de *Bienvenue Mr. Marshall* (1952), dont l'allocution rappelle les discours du Caudillo, joue dans *Calabuig* (1956) et *Los jueves milagro* (1957) et, surtout, dans *le Bourreau* (1963), où il incarne un exécuteur des hautes œuvres retraité qui passe le flambeau à son gendre. « Pepe » Isbert est le protagoniste pathétique de *El cochecito* (M. Ferreri, 1960), qui s'obstine à acquérir une voiture de handicapé, juste pour s'intégrer au cercle de ses infortunés compagnons en solitude. Il est l'auteur d'un livre de Mémoires posthume (*Mi vida artística,* 1969). P.A.P.

ISHERWOOD *(Christopher), écrivain et scénariste britannique (Disley, Cheshire, 1904 - Santa Monica, Ca., US, 1986).* Isherwood s'est peu exprimé dans le domaine cinématographique. Attiré à Hollywood vers la fin des années 30, comme beaucoup d'autres écrivains britanniques, il se voit confier par la MGM des adaptations de prestige, dont il s'acquitte avec compétence, mais sans rien exprimer de son originalité de romancier. Néanmoins, des matériaux aussi bâtards que *Passion fatale* (R. Siodmak, 1949) ou *Diane de Poitiers* (D. Miller, 1955) lui doivent de l'élégance et de l'intelligence. Mais rien qui révèle l'auteur si personnel des *Intimités berlinoises,* dont Bob Fosse tira *Cabaret* (1972), encore un film où l'art d'Isherwood, si vif et savoureux, se perd quelque peu dans la volonté démonstrative. C.V.

ISHIDA *(Tamizo), cinéaste japonais (préf. d'Akita 1901 - Kyōto 1972).* Il débute comme acteur de théâtre moderne, puis entre à la Tōa Kinema en 1924, en tant que comédien. Il passe à la réalisation en 1926 avec *'Blessure d'amour' (Aikizu)* et tourne 33 films entre 1927 et 1930. Sa réputation au Japon repose surtout sur un film, *'les Fleurs tombées'* (*Hana chirinu,* 1938), un huis clos dans une maison de geisha à la veille de la Restauration de Meiji, où les seuls personnages sont des femmes, dont il étudie les réactions à l'approche de la guerre civile au-dehors. Il abandonne de bonne heure le cinéma, en 1947, après avoir tourné *'La relation est étrange' (En wa inamono) :* ayant épousé une authentique geisha, il termine sa carrière en dirigeant les fêtes traditionnelles des geishas de Kyōto. M.T.

ISLANDE. La production islandaise est récente, le pays n'étant indépendant que depuis 1944. Les films produits sont peu nombreux, car le pays est petit (260 000 habitants en 1993). C'est toutefois une des cinématographies les plus intéressantes d'Europe depuis les années 80, avec ses propres caractéristiques culturelles, un cadre et une lumière spécifiques et quelques éléments communs aux pays scandinaves.

Entre les deux guerres, les pionniers du cinéma islandais n'ont réalisé que quelques films, avec le concours de techniciens venus du Danemark, le pays dont l'Islande dépendait. Le cinéma islandais se limitait alors à des documentaires et aux films de l'écrivain Gudmundur Kamban (1888-1945), qui a adapté certains de ses livres. L'indépendance provoque un sursaut national, mais les films restent rares. Oskar Gùslason est le principal cinéaste, tandis que Loftur Gudmundsson, qui avait réalisé en 1923 *les Aventures de Jon et Gvendur* (*Aevintyri Jons og Gvendur*), reprend du service et tourne, en 1948, le premier film islandais en couleurs : *Entre la montagne et la plage* (*Milli fjalls og fjöru*). L'Islande s'engage dans des coproductions : le Suédois Arne

Mattson* réalise *Salka Valka* (1954), Gabriel Axel* vient tourner *la Mante rouge* (1968). On découvre Reynir Oddsson et son *Histoire de meurtre* (*Mordsaga*, 1977), mais il part faire carrière à la télévision américaine.

1979 est une année décisive, avec la création d'un fonds d'aide au cinéma. Cette intervention de l'État repose plus sur une volonté d'expression culturelle nationale que sur des objectifs de marché ; pourtant, chaque année, un ou deux films islandais se glissent au premier rang des recettes des salles de Reykjavík, dominées par le cinéma américain. Les cinéastes ont généralement fait leurs études à l'étranger (A. Gudmundsson en Allemagne, Kristin Johanesdottir en France, etc.). Hraf Gunnlavgsson*, dont le premier long métrage est contemporain de la réforme, s'est fait connaître ensuite à l'étranger avec ses films de Vikings. Thorstein Jonsson, dont les téléfilms avaient déclenché bien des polémiques, réalise *Station atomique* (*Atomstödin,* 1984), d'après un roman d'Halldór, Laxness. Premier film islandais présenté à Cannes, mais échec financier, ce film a empêché son auteur de tourner jusqu'en 1994, où il réalise un film pour enfants, *le Palais céleste (Skyjahöllin).* Agust Gudmundsson, auteur de *la Terre et ses fils (Land og synir)* et de *la Saga de Gisli (Utlaginn),* deux films de 1980, a tourné ensuite des comédies. Thrainn Bertelsson est le plus prolifique de tous, avec six films réalisés entre 1980 et 1994, sans compter les téléfilms.

Avec *Sous le glacier* (*Kristnihald undir jökli,* 1989), Gudny Halldorsdottir a réussi à adapter le difficile roman de Laxness *les Chrétiens du glacier.* Également scénariste et productrice, elle est l'auteur d'un film remarqué dans tous les pays scandinaves, *Hekla* (*Karlakorinn Hekla,* 1992). Kristin Palsdottir a réalisé *Message à Sandra* (*Skilabod til Söndru,* 1983) et Kristin Johanesdottir *Sur la terre comme au ciel* (*Svo a jordu sem a kimmi,* 1992). Dans un pays où les femmes occupent de hautes fonctions, les réalisatrices sont donc nombreuses ; aux trois précédentes, on ajoutera, notamment, Asdis Thoroddsen et Ragnildur Oskardottir. Dans la même génération se distinguent Larus Ymir Oskarsson, qui a réalisé deux films en Suède avant *la Rouille* (*Ryd,* 1990), et Fridrik Thor Fridriksson. Ce dernier, autodidacte, a reçu plusieurs distinctions dans les festivals étrangers avec *les Baleines blanches* (*Skytturnar,* 1987), *les Enfants de la nature* (*Böm natturunnar,* 1991) et un film pour enfants, *Jours de cinéma* (*Biogadar,* 1994).

L'Islande tente de développer les coproductions avec d'autres pays, plus spécialement les pays nordiques, sans se limiter à des thématiques traditionnelles, et malgré l'étroitesse de son propre marché. À signaler, en 1992, une collaboration avec d'autres pays de l'Atlantique nord : *Légendes du Nord* (*Aevintyri fra Nordurslodum*), film composé de trois épisodes, produits et réalisés au Groenland (par Maariu Olsen), aux îles Féroé (par Katrin Ottarsdottir) et en Islande (par Kristin Palsdottir). D.S.

ISO (abrév. de *International Organization for Standardization,* Organisation internationale de normalisation). Échelle de rapidité des films, adoptée comme standard international en remplacement des échelles ASA et DIN. (Un film de 100 ASA ou 21 DIN devient un film de 100/21 ISO.) [→ RAPIDITÉ.]

ISOU *(Jean-Isidore Goldstein,* dit *Isidore), écrivain et cinéaste français d'origine roumaine (Botoşani 1925).* Arrivé à Paris en 1945, il y fonde le mouvement lettriste. Après la poésie, le cinéma l'occupe en 1951. Il réalise un film de trois heures, *Traité de bave et d'éternité,* qui a l'originalité de ne chercher aucune synchronisation entre image et son. La bande son est constituée par des poèmes lettristes et par un long monologue. Sur la bande image, parfois volontairement rayée, certains plans de Cocteau ou de Saint-Germain-des-Prés gardent une fraîcheur touchante. En 1952, il écrit une *Esthétique du cinéma.* D.N.

ISRAËL. Si les premières prises de vue en Terre sainte sont tournées par les opérateurs des frères Lumière en 1897, les premières tentatives d'activité cinématographique se situent vers 1911. Elles sont le fait de pionniers intéressés à fixer en images le retour du peuple juif dans son ancienne patrie. Le tout premier film s'intitule d'ailleurs *le Premier Film dans le pays d'Israël.* Ainsi, parmi ces pionniers, Nathan Axelrod, à partir de 1926, amasse nombre de documents, base des actuelles archives nationales.

Le premier long métrage hébreu (*'Oded le Vagabond'* [*Oded Hanoded*], Haim Halakhmi) se situe vers 1933 ; le premier film parlant, produit par Axelrod et réalisé par lui-même et

Ari Wolf, date de 1938 : *'Au-dessus des ruines' (Me'ever Hakhoravoth).* D'autres longs métrages sont tournés par des réalisateurs étrangers comme le Polonais Aleksander Ford (*Tsabar,* 1933), le Suisse Helmer Larski (*Travail* [*Avoda*], 1935, et *Terre* [*Adama*], 1947) ou l'Américain Herbert Klein (*la Maison de mon père* [*Beit avi*], 1947). Mais ce n'est qu'après la déclaration d'indépendance de l'État d'Israël (1948) qu'apparaissent les premières traces d'une industrie organisée. En 1950, Mordechai Navon inaugure les studios Geva ; un an plus tard, Pargot Klausner ouvre les studios Herzlyia. Ces deux entreprises, dotées de leurs laboratoires propres, bénéficient petit à petit d'un équipement très moderne. En 1980, longtemps après la mort de Navon et de Klausner, elles fusionnent sous une direction unique ; sous le nom de United Studios, elles contrôlent presque totalement la production du pays, encore qu'elles ne participent que rarement au financement des films. Quant aux studios de Globus Group, à Newe Ilan, près de Jérusalem, qui fonctionnent depuis le début des années 90, ils ne disposent pas encore d'un laboratoire « film » et sont plutôt spécialisés dans la vidéo.

Jusqu'à la fin des années 50, l'activité principale de Geva et de Herzlyia est surtout liée à la préparation hebdomadaire d'un journal filmé, ainsi qu'à la production de documentaires de commande. Parmi les rares longs métrages entrepris, il faut citer *'Colline 24 ne répond plus'* (*Giváh 24 Eiyna onad,* 1955), réalisé par l'Anglais T. Dickinson* et qui évoque certains épisodes de la guerre d'indépendance, ou bien *'Ils étaient dix' (Hem Hayu Assarah)* de Baruch Dinar, dédié aux colons venus de Russie à la fin du XIXe siècle.

L'État définit dès 1954 l'identité des films israéliens, et propose un système de subventions proportionnelles aux entrées. Cette politique détermine, pour une longue période, le caractère purement commercial de la production ; lorsque la décision sera prise d'instituer un Centre du cinéma, celui-ci sera tout naturellement confié au ministère de l'Industrie et du Commerce, ce qui n'encourage pas, de toute évidence, une vocation culturelle.

Ce n'est que vers les années 60 que la production cinématographique israélienne prend son élan (elle passera de 2 ou 3 films par an à une moyenne de 10 ou 15 et même, exceptionnellement, 20). Le producteur-cinéaste Menahem Golan (né en 1929 à Tibériade), après une courte carrière théâtrale, s'attaque à tous les genres, du thriller (*El Dorado,* 1963) à la comédie musicale *'Dalia et les Marins'* (*Dalia vehamalakhim,* 1964), du film d'espionnage *'Opération Caire'* (*Mivtsa Kahir,* 1966) au mélodrame social (*Fortuna,* id.), des films d'enfants (*'Huit suivent un'* [*Shmona be'ikvot ekhad*], 1964) aux comédies loufoques (*Aliza Mizrahi,* 1967). Quoique boudé par les critiques et pas toujours soutenu par le public, Golan décide de passer outre et d'aller de l'avant. Il rencontre le succès avec l'adaptation de la pièce musicale *Kazablan* (1973), basée d'ailleurs sur son premier film, *El Dorado,* et *Opération Jonathan* (*Mivtza Yonatan,* 1977), une reconstitution dramatique approximative de l'opération militaire qui permit la libération de plusieurs otages prisonniers d'un groupe terroriste à l'aéroport d'Entebbe en Ouganda. Ses efforts pour pénétrer le marché international seront finalement couronnés de succès, au moins temporairement, par l'achat de la Cannon, une compagnie américaine en faillite, qu'il ressuscite avec son cousin et partenaire Yoram Globus, et transforme pendant quelques années en une entreprise ambitieuse et dynamique, mais en même temps quelque peu fragilisée par une certaine mégalomanie. L'aventure ne durera qu'un temps et s'achèvera sur une faillite, suivie de la séparation des deux partenaires et de leur retour à des activités plus modestes.

En 1964, Golan produit *Sallah Shabbati* de Efraim Kishon, une comédie ethnique sur la confrontation des juifs ashkénazes et sépharades dans un pays d'immigrants, qui reste, jusqu'à ce jour, un des plus grands succès commerciaux du cinéma israélien (plus d'un million d'entrées pour une population qui ne comptait à ce moment que 3 millions d'habitants). Par la suite, ce succès inaugura une série d'imitations, pour la plupart vulgaires et balourdes, et le film fut identifié comme le premier d'un genre purement israélien (les films « bourekas »).

Le plus authentique auteur de comédies est sans doute alors Uri Zohar. Comédien adulé des foules, il se lance dans le cinéma avec aisance et impertinence. Son premier film, *'Un trou dans la Lune'* (*Khor Ba'levana,* 1965), une satire délirante, anarchique et presque d'avant-garde (par l'abondance des ellipses), critique d'un ton persifleur toutes les tares de la nouvelle société israélienne. Mais le public et les producteurs sont décontenancés par ce film inclassable, qui est un échec commercial. La carrière de Zohar alterne dès lors les films intimes, et personnels, comme *'Trois Jours et un enfant'* (*Shlosha Yamin Ve'Yeleó,* 1967) et les films bâclés *'Notre quartier'* (*Ha'Shekuna Shelanu,* 1968). Ses meilleures œuvres restent *'les Voyeurs'* (*Metzitzim,* 1972) et *'Grands Yeux'* (*Eynaim gedoloth,* 1974), deux comédies amères sur le refus de la maturité, centrées sur un personnage interprété par le cinéaste lui-même. Sa carrière s'arrête brusquement en 1977, lorsqu'il quitte le monde du spectacle pour entrer dans un séminaire religieux et se faire rabbin.

La fin des années 60 marque une tendance vers un cinéma plus aventureux, plus conscient de son langage et de son style et animé par de jeunes cinéphiles ambitieux, inspirés, dans la plupart des cas, par l'Europe cinématographique et l'irruption de la Nouvelle Vague. Si *'la Femme dans la chambre à côté'* (*Isha Ba'kheder Ha'sheni,* 1967) de Itzhak Yeshurun manque encore de personnalité, *'la Robe'* (*Ha'simla,* 1970) de Yehuda « Judd » Ne'eman, *'le Rêveur'* (*Ha'timhoni, id.*) de Dan Wolman, et *'Où est donc Daniel Wax ?'* (*Le'an Ne'elam Daniel Wax ?,* 1972) de Avraham Heffner amorcent un tournant : un ton sobre et le courage d'affronter les problèmes de la première véritable génération, sans emprunter le ton roublard des comédies à la mode, ni le ton accrocheur des aspirants au cinéma international. Malheureusement, le public accueillera avec réticence la plupart de ces films ; et du fait du système de subvention en vigueur, les efforts de ces réalisateurs restent sans suite immédiate.

Le seul cinéaste qui, en cette période, trouve le moyen de plaire au public et de rester fidèle à sa personnalité est Moshe Mizrahi. Avec le soutien de la société Golan-Globus, il tourne *'Rosa, je t'aime'* (*Ani Ohev Otakh, Rosa,* 1972) et *'la Maison de la rue Chelouche'* (*Ha Bayit Be Rekhov Chelouche,* 1973), deux films nostalgiques et touchants, axés sur des chroniques de sa famille. En 1975, Mizrahi quitte Israël pour retourner à Paris, où il a fait ses débuts ; il reçoit l'Oscar du meilleur film étranger en 1977 pour *la Vie devant soi.* Ce n'est qu'en 1994 qu'il revient tourner en Israël.

Un autre genre autochtone est inauguré par le champion absolu des recettes en Israël, *Lemon Popsicle* (*Eskimo limon,* 1978), inspiré par la vague de nostalgie pour les années 60. Réalisée par Boaz Davidson pour la Golan-Globus, c'est une comédie sur les aventures amoureuses de trois adolescents ; ses effets faciles séduisent non seulement sur le marché local, mais aussi le marché international.

S'il y a un appel au cinéma de qualité en Israël, c'est en 1979 qu'il se situe. Une Fondation pour la promotion du cinéma est instituée par le ministère de l'Éducation et de la Culture qui, sans pour autant offrir de larges moyens aux jeunes réalisateurs, leur assure une aide sans laquelle, au début des années 90, il sera difficile d'envisager une production israélienne. Une nouvelle vague de cinéastes apparaît, plus politisée et plus exigeante. Le style peut être cassant, brutal, réaliste, comme c'est le cas de Yaki Yosha (*'le Vautour'* [*Ha'ayt*], 1981 ; *Dead End Street,* 1982), ou percutant avec Daniel Wachsman (*Hamsin,* 1982). Grâce à l'aide de cette fondation, des réalisateurs qui jusqu'alors n'avaient pu, faute de moyens, donner leur pleine mesure comme Dan Wolman (*Cache-cache,* 1981), Michal Bat-Adam, Mira Recanati et Itzhak « Zeppel » Yeshurun (*'Noa, 17 ans' ; 'Un couple marié'* [Zug Nassoui]) et des vétérans qui s'étaient recyclés dans d'autres domaines, tel Yehuda Ne'eman (responsable du département de cinéma à l'université de Tel Aviv et auteur en 1983 de *Magash Hakessef*), reviennent en force, pour retrouver les thèmes qui les préoccupent. Des hommes comme Uri Barbash (*Au-delà des murs,* 1984), Nissim Dayan (*Un pont très étroit,* 1985), Shimon Dotan (*le Sourire de l'agneau,* 1986), Rafi Boukai (*Avanti Popolo,* 1986) ou Elie Cohen (*Ricochets* [*Shtei etzba'oth me-Tzidon*], 1986) expriment la déception des Israéliens face à la politique nationale, en particulier l'intervention au Liban (1982-1984). L'énorme succès de ce dernier film en Israël traduit l'adhésion du grand public aux critiques du cinéaste.

Même quand ils ne traitent pas directement des rapports avec les populations arabes en Israël et dans les pays voisins, les cinéastes israéliens sont préoccupés par les effets et les répercutions de ces rapports au niveau national, sur la population juive. Ainsi, le cinéma israélien traite-t-il divers thèmes : le mythe de l'héroïsme, mythe annoncé déjà dans *les Parachutistes* (*Massa alounkoth,* 1977) de Yehuda « Judd » Ne'eman et repris dans *le Soldat de la nuit* de Dan Wolman (*Ayal halayla,* 1984) ; le mythe des victimes de guerre, dans *le Vautour* (*Ha'ayit,* 1981) de Yaki Yosha ; l'angoisse d'un avenir incertain, en particulier pour les lycéens qui s'apprêtent à faire leur service militaire, dans *Blues de fin d'été* (*Blues la'hofesh hagadol,* 1987) de Renen Schorr, ou, presque dans le même registre, *Cache-cache* (*Miskh'kei makhbu'im,* 1981) de Dan Wolman, sur l'esprit étroit de ceux qui sont trop occupés à fonder un pays pour se permettre le libéralisme, ou *Noa, 17 ans* (*Noa bath 17,* 1982) de Itzhak « Zeppel » Yeshurun, film sur la rupture qui a eu lieu dans le mouvement travailliste israélien après la mort de Staline et ses répercussions sur le comportement des adolescents.

L'irruption de l'Intifada (la révolte populaire des populations arabes dans les territoires occupés) et la radicalisation du conflit israélo-arabe en 1988 brouillent les positions politiques des cinéastes qui ne trouvent pas les moyens pour les maîtriser artistiquement, comme on peut l'observer dans la description de la violence exacerbée des *Champs verts (Sadoth yerukim)* d'Itzhak « Zeppel » Yeshurun ou dans la naïveté bien intentionnée de *Cup Final (Gmar gavia,* Eran Riklis, 1991). L'explosion furieuse de *la Vie selon Agfa (Ha'hayim lefi Agfa,* 1992) d'Assi Dayan, film dans lequel les personnages qui se rencontrent dans un bar de Tel-Aviv représentent en fait la nation tout entière, vouée à l'autodestruction, reflète probablement mieux que toute autre œuvre les angoisses profondes qui perturbent les Israéliens dans cette période difficile.

C'est pourtant une exception, car le militantisme politique est remplacé au fur et à mesure par des films intimistes, voire introspectifs, réalisés par des cinéastes qui ont toujours douté de l'efficacité du cinéma pour trouver une solution aux problèmes politiques, comme Avraham Heffner : *le Dernier Amour de Laura Adler (Ahavata ha'acharona shel Laura Adler,* 1990) ou Eitan Green : *Un citoyen américain (Ezrakh amerikai,* 1992). Les films autobiographiques gagnent du terrain et reflètent non seulement les expériences du personnage principal, mais les difficultés pratiques et psychologiques de toute une période où les effets et les souvenirs de la Shoah pesaient encore lourdement sur un jeune pays en train de naître. C'est le cas de la réalisatrice et actrice Michal Bat Adam qui boucle les deux premiers volets de sa trilogie *Sur un fil tendu (Al Khevel Dak,* 1981) et *Jeux d'enfants (Ben Lokeakh Bat,* 1982) par un dernier épisode *Aya, une autobiographie imaginée (Aya, autobiografia dimionit,* 1994). C'est aussi celui de la première dame de l'écran israélien, l'actrice Gila Almagor, devenue à l'occasion productrice, qui fait réaliser par Elie Cohen l'émouvant *l'Eté d'Avyia (Hakaitz shel Avyia,* 1989) et sa suite : *Sous l'arbre de Domin (Etz hadomim tafus,* 1995). L'immigration de 500 000 Juifs venus des anciennes républiques soviétiques, l'éventualité d'une paix stable dans la région, les sentiments d'incertitude et les angoisses qui en résultent, la résurgence de l'antisémitisme en Europe qui avive le souvenir de l'Holocauste, voilà quelques-uns des sujets qui préoccupent le public israélien à la fin du XXe siècle, mais le cinéma de fiction n'a pas encore véritablement trouvé le ton juste pour évoquer tous ces problèmes. À noter, dans les années 90, l'importance croissante des courts métrages produits par l'université de Tel-Aviv et l'École de cinéma de Jérusalem, qui remportent un grand nombre de prix internationaux. Plus remarquable encore est la résurgence du documentaire, largement ignoré pendant de longues années ou classé comme « film de service », et qui assume tout à coup sa pleine responsabilité, que ce soit pour observer les plaies ouvertes de la deuxième génération des survivants des camps dans *À cause de cette guerre* d'Orma Ben Dor-Niv (1988), ou la difficulté d'être et de rester israélien dans *1966 était une bonne année pour le tourisme* d'Amit Goren (1992). Il faut aussi mentionner l'œuvre imposante de David Perlov, *Journal* (*Yoman,* 1988), six heures de réflexions intimes commencées lors de la guerre du Kippour en 1973 et couvrant une période de dix ans, réflexions tout à fait personnelles mais représentant aussi le dépaysement d'un grand intellectuel de formation latino-américaine et européenne face à la tour de Babel d'une nouvelle culture en train de se définir. Sans doute faut-il aussi reconnaître l'importance d'Amos Gitai, célèbre pour ses essais documentaires politiques, mais ce cinéaste est néanmoins, autant par ses tendances personnelles que par sa manière de financer ses films, beaucoup plus proche du cinéma d'avant-garde européen que du cinéma israélien ; Gitai est souvent considéré comme un contestataire qui remet en question les idées acquises du sionisme dans des documentaires comme *la Vallée* (*Hawadi,* 1981-1991) et dans des films de fiction comme *Berlin-Jérusalem* (1989). Les changements politiques en Israël et les traités de paix ont conduit Gitai à tourner en 1985 son premier film de fiction entièrement israélien *(Esther)*.

La fin des années 80 et le début des années 90 ont marqué un changement visible dans la structure même du cinéma israélien. D'un côté, le cinéma commercial s'affaiblit, victime de la concurrence de la télévision commerciale. Pour survivre, la production israélienne devra s'appuyer à l'avenir sur les subventions publiques, l'investissement des chaînes télévisées, qui se montrent cependant peu enthousiastes (acheter des films israéliens financés par d'autres sources est en effet beaucoup plus lucratif), ainsi que sur les ventes à l'étranger qui ne constituent encore qu'un modeste apport budgétaire.

D.F./C.D.R.

ITALIE. Traditionnellement considéré comme un des cinémas les plus importants du monde, le cinéma italien a focalisé l'intérêt des historiens autour de deux moments clés, l'âge d'or du muet, l'explosion du néoréalisme. En fait, des origines à nos jours, il y a plus continuité que rupture et, si le cinéma italien connaît un grand rayonnement international, rayonnement confirmé par d'innombrables récompenses dans tous les festivals du monde et par le prestige dont jouissent ses plus célèbres représentants (Rossellini*, De Sica*, Visconti*, Pasolini*, Fellini*, Antonioni*, Rosi*), il le doit à son profond enracinement dans la vie sociale et culturelle du pays.

• *Historique.* Les débuts du cinéma en Italie se font, comme dans la plupart des pays européens, sous le signe du cinématographe Lumière. En novembre 1895, Filoteo Alberini* a bien fait breveter un appareil pour l'enregistrement, le tirage et la projection des images, le Kinetographe (Cinetografo), mais cet appareil restera à l'état de plan et ne sera même pas réalisé sous forme de prototype. En Italie, c'est à l'initiative de photographes qu'ont lieu les premières projections, d'abord le 13 mars 1896 à Rome puis, dans les semaines suivantes, à Naples, Milan, Turin et dans toutes les grandes villes de la péninsule. Les opérateurs Vittorio Calcina et Giuseppe Filippi enregistrent les premières bandes pour le compte de la société Lumière. De son côté, Italo Pacchioni réalise une sorte de copie du Cinématographe et tourne des films, qu'il présente probablement à la foire de Milan en 1898. Ainsi, très vite, le cinéma quitte les projections expérimentales pour toucher un public très large, un public qui découvre les images animées dans les baraques foraines et les cafés-concerts. En 1898, le transformiste Fregoli filme ses propres numéros et intègre les projections à ses spectacles sur scène sous le nom de Fregoligraph. Des salles fixes qui se consacrent exclusivement aux projections cinématographiques commencent à apparaître : le phénomène se manifeste dès 1897 à Rome, Naples, Venise. Parmi les premiers entrepreneurs réapparaît Alberini : en 1899, il inaugure une salle de projections fixes et animées à Florence. Parti pour Rome, il ouvre dans cette ville le cinéma Moderno en janvier 1904. Conscient de la nécessité de lier l'exploitation, la distribution et la production, il s'associe avec Dante Santoni pour créer en 1905 une société de production, l'Alberini Santoni, pour laquelle il met en scène *la Prise de Rome* (1905), un film qui marque un tournant dans l'histoire du cinéma italien car il s'agit de la première bande à scénario sortie des studios transalpins. Entre 1896 et 1905, la production était en effet presque exclusivement composée de vues d'actualités, vues enregistrées par des opérateurs comme Rodolfo Remondini à Florence, Leonardo Ruggeri à Naples, Francesco Felicetti à Rome puis, un peu plus tard, par des opérateurs fameux comme Luca Comerio, Vittorio Calcina, Roberto Omegna*, Giovanni Vitrotti* ou Luigi Fiorio.

À partir de 1905, la production italienne entre dans une phase ascendante qui va durer jusqu'en 1918. Le développement du cinéma correspond à un moment d'expansion de l'économie italienne, à une période où des capitaux sont à la recherche d'investissements rémunérateurs. Pendant quelques années vont cohabiter des structures productives artisanales et des structures industrielles dans lesquelles interviennent des groupes financiers et des banques. On assiste ainsi à la naissance de nombreuses maisons de production, notamment à Rome et à Turin. À Rome, l'Alberini Santoni devient en avril 1906, avec l'appui du Banco di Roma, la Cines. La société se développe rapidement, elle fait appel au Français Gaston Velle pour améliorer le niveau technique de la production. Le succès est si net que dès 1907 la Cines ouvre une succursale à New York, amorçant ainsi la conquête du marché américain par les films italiens. À Turin, Arturo Ambrosio*, qui s'est intéressé très tôt aux actualités réalisées par Omegna et Vitrotti, crée à la fin de 1905 la société Arturo Ambrosio et Cie. L'entreprise grandit très vite : en avril 1907, elle se transforme en société par actions avec l'appui du Banco commerciale de Turin. Dans cette même ville, Carlo Rossi fonde à la même époque la société Carlo Rossi et Cie ; il engage l'ancien directeur général des établissements Pathé, Charles Lépine. Parmi les premiers employés de la société, on trouve un comptable appelé à un grand avenir, Giovanni Pastrone*. En 1907, une trentaine de films sont produits et distribués en Italie et à l'étranger par la Carlo Rossi et Cie. Des difficultés financières conduisent à la liquidation de l'entreprise et à son rachat par l'ingénieur Sciamengo et par Pastrone : les deux hommes débaptisent la société et lancent en mars 1908 l'Itala Film. La nouvelle firme s'impose très vite aux côtés de l'Ambrosio et de la Cines comme la troisième société de production, se spécialisant dans les films de fiction de caractère dramatique (les films documentaires ont plutôt le label Ambrosio, les comiques le label Cines ou Itala).À côté des grands centres que sont Turin et Rome, des maisons de production apparaissent également dans d'autres villes. Au début de 1908, on peut dénombrer une dizaine de sociétés de notable importance : l'Ambrosio, l'Itala, l'Aquila Film à Turin ; la Cines, la Pineschi à Rome ; la Luca Comerio à Milan ; la société des frères Roatto à Venise ; la société des frères Troncone (créée en 1905), les Manufactures cinématographiques réunies à Naples. Par la suite naissent encore de nouvelles maisons importantes. À Milan, en 1909, après s'être associé avec la SAFFI, Comerio est écarté de sa propre société par un groupe d'aristocrates lombards qui transforment la SAFFI-Comerio en Milano Films. La même année, la succursale Pathé de Rome devient la Film d'arte italiana. À Rome toujours, le comte Baldassare Negroni* et l'avocat Giovacchino Mecheri créent en 1912 la Celio Film, tandis qu'à Naples Giuseppe Di Luggo fonde en 1913 la Napoli Film. En 1914, Nino Martoglio* lance à Rome la Morgana Film, société éphémère qui produira *Perdus dans les ténèbres* (1914). Au total, à la veille de la guerre de 1914-1918, on compte en Italie un grand nombre de sociétés de production installées dans les villes citées et aussi à Florence, Catane, Velletri, Albano.

Au cours de ces années, la production augmente régulièrement, ainsi que la durée moyenne des films (le passage au long métrage se fait progressivement à partir de 1909-10). Le développement productif est rendu possible par la distribution des films en Italie et à l'étranger. Dans la péninsule, on dénombre plusieurs centaines de salles qui se consacrent partiellement ou totalement au cinéma. Mais c'est surtout le succès international qui conditionne la puissance industrielle du cinéma italien. Ayant eu très tôt recours au film historique et mesuré la puissance d'impact sur le public de ce type d'œuvre, les producteurs italiens se spécialisent dans un genre qui va valoir à la cinématographie italienne une renommée considérable. Après quelques tentatives encourageantes, nées du souci, à partir de 1908, d'améliorer la qualité des films et des sujets (l'Ambrosio, par ex., produit en 1908 la première version des *Derniers Jours de Pompéi* et en 1909 *Nerone,* deux films de Luigi Maggi*), un grand succès international accueille *l'Enfer* de Francesco Bertolini et Adolfo Padovan d'après le poème de Dante (1911 ; PRO Milano Films) ; *la Jérusalem délivrée* d'Enrico Guazzoni* (1911 ; PRO Cines) ; *la Chute de Troie* de Giovanni Pastrone et Romano Borgnetto (1910 ; PRO Itala). La conquête du marché américain est le fait le plus spectaculaire. Si, dès 1907, comme on l'a vu, la Cines ouvre une succursale à New York, en 1908 les films Ambrosio, Rossi et Aquila sont également distribués aux États-Unis (principalement par la Biograph). Au début des années 10, l'engouement du public pour les productions italiennes conduit les distributeurs américains, et notamment George Kleine, à consentir d'importantes avances sur recettes aux sociétés italiennes. Ainsi se trouve résolu le problème du financement de films historiques de plus en plus coûteux : autour de 1912-13 sont alors réalisés les films les plus célèbres, ceux qui imposeront définitivement le long métrage et influenceront même les cinéastes américains, des œuvres comme *Quo Vadis ?* (Guazzoni, 1912) ; *les Derniers Jours de Pompéi* (versions de Caserini* en 1913 et de Enrico Vidali en 1913) ; *Cabiria* (Pastrone, 1914). En 1912-1914, le cinéma italien est à son apogée : les films italiens, généralement plus longs et réalisés avec de plus gros moyens que ceux des autres cinématographies, sont vendus dans le monde entier et principalement aux États-Unis, en Europe, au Brésil, en Argentine. Pendant quelques années, le cinéma italien continue sur sa lancée. Toutefois, dès août 1914, sous l'effet de l'annonce de la guerre, des sociétés de production ferment leurs portes avant de les rouvrir précautionneusement ; en 1915, les difficultés deviennent plus sensibles, d'autant qu'aux problèmes spécifiques de la situation européenne viennent s'ajouter les efforts des producteurs américains pour reconquérir le terrain perdu et entamer une concurrence très dure avec les Italiens. La révolution d'Octobre porte un nouveau coup à l'industrie italienne, qui réalisait des ventes très importantes dans la Russie des tsars. Au lendemain de la guerre de 1915-1918, pour faire face aux difficultés nouvelles issues du conflit, les principales sociétés se regroupent à l'initiative des producteurs Mecheri et Barattolo* et fondent en 1919 l'Union cinématographique italienne. Toutefois, les effets bénéfiques de cet organisme fédérateur ne se font guère sentir. Le déclin est inévitable.

Du point de vue stylistique, les années 10 sont marquées par le « peplum »* et le film historique. Après *Quo Vadis ?* et *Cabiria,* d'autres œuvres très importantes sortent des studios italiens, des films comme *Jules César* (Guazzoni, 1914), *Christus* (G. Antamoro, 1916), *Madame Tallien* (Guazzoni et M. Caserini, *id.*), *Fedora* (De Liguoro*, *id.*), *la Jérusalem délivrée* (Guazzoni, 1918), *Fabiola* (Guazzoni, 1917), *Theodora* (Leopoldo Carlucci, 1919). La période est également marquée par l'affirmation d'autres genres. Le succès en 1913 de Lyda Borelli* dans *Ma l'amor mio no muore* de Mario Caserini lance la vogue des divas. Francesca Bertini*, Soava Gallone, Diana Karenne, Leda Gys*, Hesperia, Maria Jacobini*, Pina Menichelli* et, bien sûr, Lyda Borelli embrasent l'écran de leurs mouvements alanguis et de leurs passions dévorantes : les drames mondains constituent un genre qui tire sa force d'un star-system naissant. Dans ces années de grosse production, le cinéma italien se diversifie de plus en plus et couvre un champ culturel qui va des films comiques interprétés par André Deed* (Cretinetti) ou Ferdinand Guillaume (Tontonini puis Polidor) — films dont le succès atteignit son point culminant en 1912 — jusqu'à l'appel aux monstres sacrés de la scène convoqués pour ennoblir le nouvel art (le meilleur exemple est fourni par *Cenere,* un film de 1916 mis en scène par Febo Mari et interprété par Eleonora Duse*). Le film d'aventures et le serial trouvent également leur épanouissement avec des personnages comme Maciste (Bartolomeo Pagano*) ou Za la Mort (Emilio Ghione*). Maciste triomphe de tous les périls dans un grand nombre de films : *Maciste chasseur alpin* (G. Pastrone, 1916), *Maciste médium et Maciste athlète* (id., 1918), *Maciste policier* (Roberto Leone Roberti, 1918), *Maciste amoureux* (R. L. Borgnetto, 1919). Quant à Za la Mort, il inaugure en 1915 avec *la Bande des chiffres (La banda delle cifre)* une mode qui atteindra son point culminant en 1918 avec les huit épisodes des *Souris grises.* Enfin, ce bref panorama ne serait pas complet sans l'évocation du film réaliste. Bien que limité à quelques titres, ce filon porte en lui les prémisses d'un mouvement qui fera la gloire du cinéma italien à partir de 1945. Des films comme *Perdus dans les ténèbres* d'après Roberto Bracco (Martoglio, 1914) ou *Assunta Spina* d'après Salvatore di Giacomo (Serena*, 1915) jettent les bases d'une attention à des personnages et des lieux (les quartiers populaires de Naples) appelés à exprimer l'âme profonde d'un peuple.

La faillite en 1923 de l'Union cinématographique italienne marque de façon évidente la fin de l'âge d'or du cinéma muet italien. Désorganisation industrielle, perte des marchés étrangers, concurrence américaine, blocage des crédits bancaires, absence d'aide gouvernementale sont les principales causes du déclin. La crise n'est pas seulement économique : en profondeur, le cinéma italien connaît une crise d'identité. L'Italie d'après-guerre est un pays traversé par des courants contradictoires. Les luttes politiques et économiques conduisent à la victoire du fascisme en 1922 : dans ce contexte fortement contrasté, le cinéma fait figure de bel indifférent. Il ne parvient à suivre ni son temps ni les goûts du public ; il ressasse, quelque peu alangui, de vieilles formules. Le manque de culture, le provincialisme de bon nombre de ses cadres ne favorisent guère un renouvellement nécessaire, et les meilleurs artistes (comédiens, cinéastes, techniciens) n'hésitent pas à aller chercher ailleurs, à Berlin ou à Paris, des conditions de travail plus stimulantes. Enfin, du point de vue de la production cinématographique, l'arrivée du fascisme au pouvoir n'apporte aucune modification substantielle : le nouveau régime s'intéresse rapidement aux journaux d'actualités et ne se préoccupe des films de long métrage que dans une perspective d'alourdissement de la censure – loin donc d'une politique susceptible de provoquer une reprise d'activité. Du point de vue formel, la production italienne des années 20 apparaît d'abord comme la continuatrice de la période précédente. Les genres traditionnels (drames sentimentaux servant de support aux divas, films historiques, serials et films acrobatiques) fleurissent avec plus ou moins de bonheur, le trait dominant étant le caractère répétitif de la plupart des films et leur absence d'invention ou de souci de renouvellement. Seul peut-être le film historique réussit encore à être représenté par des produits ayant une certaine allure. Les quelques entreprises qui ont réussi à surmonter des difficultés économiques grandissantes – le film historique est coûteux – témoignent d'un niveau qualitatif encore remarquable. Trois films au moins méritent d'être mentionnés, *Messaline* (1923) d'Enrico Guazzoni, *Quo Vadis ?* (1924) de Gabriellino D'Annunzio et Georg Jacoby*, et surtout *les Derniers Jours de Pompéi* (1926) d'Amleto Palermi* et Carmine Gallone*. Au total, les années 20 constituent une période charnière à partir de laquelle se mettent en place certaines des caractéristiques du cinéma italien à venir : déjà s'affrontent un cinéma d'évasion tournant le dos à la réalité et de timides tentatives pour porter à l'écran une Italie plus authentique. Il n'est pas indifférent de constater que les deux meilleurs cinéastes des années 30, Alessandro Blasetti* et Mario Camerini*, tournent en 1928 et 1929 deux œuvres clefs du cinéma italien, *Sole* et *Rails*. En cette même année, signe d'une prochaine reprise productive, Stefano Pittaluga fait équiper pour le sonore les vieux studios romains de la Cines : en 1930 sort dans les salles le premier film parlant italien, *La canzone dell'amore* de Gennaro Righelli*.

Pendant les années 30, la production entre progressivement dans une phase de reprise, reprise qui atteindra son point culminant en 1942 avec 120 films (premier rang européen). Cette période se caractérise non pas tant par les films de propagande, à vrai dire très peu nombreux (*Camicia nera,* Giovacchino Forzano, 1933 ; *Vecchia guardia,* Blasetti, 1935 ; *Redenzione,* Marcello Albani, 1942), que par les films d'évasion : comédies sophistiquées, mélodrames mondains, films musicaux, films d'aventures, films historiques situés dans un passé plus ou moins lointain. Ce sont ces films qui constituent ce que l'on a appelé de façon plutôt péjorative le cinéma des « téléphones blancs ». Ces films, encouragés par des lois d'aide efficace (surtout à partir de 1938 avec une législation qui prévoit des primes proportionnelles aux recettes), véhiculent une idéologie implicite qui propose une vision rassurante de l'Italie fasciste. À regarder l'écran, ce pays n'a aucun problème politique, économique ou social. L'absence de conflit de classes définit un univers homogène dans lequel l'individu trouve son bonheur. Le cinéma de l'époque fasciste est pour l'essentiel un cinéma d'ordre moral : l'adultère, le suicide, la criminalité, la prostitution, la délinquance juvénile sont occultés ou traités de manière très allusive. La répression sexuelle est sous-jacente à la plupart des œuvres. On se trouve en présence d'un cinéma d'abord destiné à un public petit-bourgeois et qui, dans la plus pure tradition hollywoodienne, fonctionne comme une « usine à rêves ».

Parmi les cinéastes les plus représentatifs de la période émerge la figure de Mario Camerini, sans doute le cinéaste le plus talentueux de la période et celui dont les œuvres revues aujourd'hui semblent les moins datées. Au cours des années 30, il tourne toute une série de comédies douces-amères et de mélodrames sentimentaux qui posent un regard critique sur la société italienne. *Les hommes, quels mufles !* (1932), *Je t'aimerai toujours* (1933), *Come le foglie* (1934), *Je donnerai un million* (1935), *Mais ça n'est pas une chose sérieuse* (1936), *Monsieur Max* (1937), *Battement de cœur* (1938), *Grands Magasins* (1939) constituent le tableau le plus fidèle et le plus complet que l'on puisse trouver d'une société partagée entre son souci de respectabilité, ses contraintes économiques, l'étroitesse de son horizon culturel et ses aspirations au bonheur. Dans un registre moins homogène, on peut également citer Goffredo Alessandrini*, cinéaste des évocations nostalgiques et des entreprises héroïques (*Seconda B,* 1934 ; *Don Bosco,* id. ; *la Cavalerie héroïque* [*Cavalleria*], 1936 ; *Luciano Serra pilota,* 1938 ; *l'Apôtre du désert* [*Abuna Messias*], 1939), ou Alessandro Blasetti, dont les films historiques profitent des vastes studios de Cinecittà inaugurés en 1937 (*Ettore Fieramosca,* 1938 ; *Une aventure de Salvator Rosa,* 1940 ; *la Couronne de fer,* 1941).

Au début des années 40 se font jour de nouveaux courants marqués soit par la fuite dans un formalisme qui nie les réalités de l'heure – c'est le mouvement « calligraphique » dans lequel s'illustrent des cinéastes comme Mario Soldati (*Piccolo mondo antico,* 1941 ; *Malombra,* 1942), Ferdinando Maria Poggioli* (*Adieu jeunesse,* 1940 ; *Jalousie,* 1942 ; *Il cappello da prete,* 1944), Renato Castellani* (*Un coup de pistolet,* 1942 ; *Zazà,* id.), Alberto Lattuada* (*Giacomo l'idealista,* 1943), Luigi Chiarini* (*Via delle cinque lune, La bella addormentata,* 1942) –, soit au contraire par une volonté de retour au concret. Dans ce creuset se forgent les prémisses du néoréalisme*, avec des films comme *Quatre Pas dans les nuages* (Blasetti, 1942), *Sissignora* (Poggioli, *id.*), *Les enfants nous regardent* (De Sica, 1944) et, surtout, véritable manifeste des temps nouveaux, *Ossessione* (Visconti*, 1943). Ainsi, avant même que la guerre ne vienne provoquer l'effondrement fasciste, une entreprise de subversion – sensible aussi dans l'atmosphère frondeuse des Cinegufs et du Centre expérimental de cinématographie (Centro sperimentale) créé en 1935 et dans le travail critique de revues comme *Cinema, Bianco e Nero, Corrente* – s'était insinuée dans le cinéma italien. Tout était en place avant 1945 pour que, avec la libération de l'Italie, les cinéastes, enfin mis dans la situation de pouvoir aborder les problèmes concrets du pays, puissent commencer à tourner des œuvres profondément novatrices. Par là s'explique l'explosion néoréaliste, une explosion qui n'est en rien une génération spontanée.

Préparé à la fois par une expérience théorique et pratique, le néoréalisme donne sa première œuvre avec *Rome ville ouverte* (1945) de Roberto Rossellini*. Le mouvement se développe très vite et, sans qu'il y ait eu de concertation véritable, presque tous les grands cinéastes du moment s'engagent dans une recherche anxieuse de la réalité. Après le caractère intemporel des « téléphones blancs », les films de l'après-guerre veulent avant tout porter témoignage sur le moment présent et le proche passé, la guerre et les difficultés de la reconstruction. Ce mouvement novateur sera de courte durée. Face à l'hostilité des producteurs et des pouvoirs publics et en présence d'une désaffection du public (au demeurant, les spectateurs n'ont jamais beaucoup apprécié des films qui proposaient l'image des misères de l'Italie), les cinéastes se détournent progressivement des canons du genre : en 1953, des œuvres comme *Onze heures sonnaient* (De Santis*) ou *l'Amour à la ville* (film coordonné par Zavattini* et réalisé par Antonioni*, Fellini*, Lattuada, Lizzani*, Maselli*, Dino Risi*) marquent la fin d'une époque et le début d'une autre.

Quatre auteurs dominent « l'école italienne de la Libération », selon la définition d'André Bazin : Roberto Rossellini, Vittorio De Sica, Luchino Visconti et Giuseppe De Santis. Avec sa trilogie de la guerre – *Rome ville ouverte* (1945) ; *Paisà* (1946) ; *Allemagne année zéro* (1947) –, Rossellini montre une Italie qui se dresse contre l'oppression nazie et fasciste et met en scène une Allemagne qui sombre dans le désastre matériel et moral consécutif à la chute du IIIe Reich. Toutefois, dès *Amore* (1948), le cinéaste s'oriente vers des préoccupations plus intimes. Associé à Cesare Zavattini, qui écrit les scénarios, De Sica tourne successivement *Sciuscià* (1946) ; *le Voleur de bicyclette* (1948) ; *Miracle à Milan* (1951) ; *Umberto D.* (1952). Ces quatre films constituent le portrait le plus complet de l'Italie d'après-guerre avec sa délinquance juvénile, ses chômeurs, ses sous-prolétaires et ses retraités faméliques. Visconti ne donne qu'un film proprement néoréaliste mais il s'agit d'un des chefs-d'œuvre du genre, *La terre tremble* (1948). Renouant avec la tradition méridionaliste de Verga et des écrivains siciliens, Visconti est attentif à la misère des hommes – ici, les pêcheurs d'un petit port proche de Catane – et montre leur volonté de changer le monde dans une prise de conscience qui ne peut être que collective. De Santis, le plus conscient des responsabilités de l'artiste par rapport à l'action politique, décrit, avec *Chasse tragique* (1948), *Riz amer* (1949), *Pâques sanglantes* (1950), *Onze heures sonnaient* (1952), un milieu populaire dont il perçoit à la fois la revendication révolutionnaire et la soumission à l'idéologie dominante. D'autres cinéastes encore ont illustré le mouvement néoréaliste. Lattuada (*le Bandit,* 1946 ; *Sans pitié,* 1948), Vergano* (*Le soleil se lève encore,* 1946), Castellani (*Sous le soleil de Rome,* 1948 ; *Printemps,* 1949 ; *Deux Sous d'espoir,* 1952), Germi* (*le Témoin,* 1947 ; *Jeunesse perdue,* 1948 ; *le Chemin de l'espérance,* 1950), Comencini* (*De nouveaux hommes sont nés,* 1949), Zampa* (*Vivre en paix,* 1946 ; *l'Honorable Angelina,* 1947 ; *les Années difficiles,* 1948), Emmer* (*Dimanche d'août,* 1950) ont chacun à sa manière contribué à la richesse et à la diversité du néoréalisme.

Au total, il faut saisir le phénomène comme un épisode fondamental de la culture italienne, un épisode étroitement lié à la fin de la guerre, à l'expérience de la Résistance et de l'antifascisme. Cela dit, il ne faudrait pas se représenter le néoréalisme comme une école homogène, comme un mouvement dans lequel tous les cinéastes se seraient alignés sur des positions communes. Le recul permet de mieux cerner les contradictions du néoréalisme : l'évolution ultérieure des metteurs en scène et des scénaristes confirme à quel point l'unité n'était qu'apparente et indique clairement que le sens de la réalité était chargé de significations diverses d'un cinéaste à l'autre. Rien de commun en effet, malgré les apparences, entre le formalisme de Visconti, l'humanisme de De Sica et de Zavattini, le spiritualisme de Rossellini ou le matérialisme dialectique de De Santis. Le néoréalisme constitue au total un chapitre essentiel de l'histoire du cinéma italien. Sa mort prématurée au début des années 50 ne signifie en rien qu'il n'ait pas laissé de traces. D'une certaine manière, on peut même penser qu'il meurt parce qu'il a accompli sa fonction : ramener les cinéastes au contact de la réalité après l'intemporalité qui caractérisait les entreprises de la période fasciste. En fait, dans les années 50, le développement des genres populaires comme le mélodrame (notamment la série des films interprétés par Amedeo Nazzari* et Yvonne Sanson sous la direction de Matarazzo) et la comédie de mœurs (*Dimanche d'août,* Emmer, 1950 ; *Gendarmes et Voleurs,* Steno* et Monicelli*, 1951 ; *le Manteau,* Lattuada, 1952 ; *Pain, Amour et Fantaisie,* Comencini, 1953 ; *Pauvres mais beaux,* D. Risi, 1956 ; *le Pigeon,* Monicelli, 1958) tout indique la transformation du rapport à la réalité plus que sa disparition. Par ailleurs, de manière souterraine, l'expérience néoréaliste continue : on ne comprendrait rien à l'épanouissement du cinéma italien au début des années 60 sans référence à l'expérience décisive accomplie à partir de 1945.

Le climat des années 50 (aux lignes stylistiques moins nettes que celles de la période précédente) est favorable à des tentatives diverses et à l'éclosion de talents dont l'originalité ne tarde pas à s'épanouir. C'est en effet dans ces années que font leurs débuts et que s'affirment les deux cinéastes qui ont le plus marqué leur époque, Michelangelo Antonioni (*Chronique d'un amour,* 1950 ; *I vinti,* 1952 ; *la Dame sans camélias,* 1953 ; *Femmes entre elles,* 1955 ; *le Cri,* 1957) et Federico Fellini (*les Feux du music-hall, CO* Lattuada, 1950 ; *Courrier du cœur,* 1952 ; *les Vitelloni,* 1953 ; *La strada,* 1954 ; *Il bidone,* 1955 ; *les Nuits de Cabiria,* 1957). Ainsi, dans une période caractérisée aussi par la puissance industrielle (environ 150 films par an), cohabitent les tendances et les genres dans une exubérance expressive qui confirme la richesse du cinéma italien.

Autour de 1960 se situe une nouvelle charnière, sans doute, en prenant du recul, au moins aussi importante que celle de 1945. Dans une sorte d'euphorie créatrice, des cinéastes confirmés donnent leurs œuvres les plus significatives tandis qu'une nouvelle génération de metteurs en scène révèle la continuité de l'engagement social et politique du cinéma italien. Ainsi, en quelques années, sortent sur les écrans des films aussi importants que *le Général Della Rovere* (1959) et *les Évadés de la nuit* (1960) de Rossellini, *La dolce vita* (1960) et *Huit et demi* (1963) de Fellini, *L'avventura* (1960), *la Nuit* (1961), *l'Éclipse* (1962) d'Antonioni, *Rocco et ses frères* (1960) et *le Guépard* (1963) de Visconti, *les Garçons* (1959) et *Quand la chair succombe* (1962) de Bolognini*, *la Fille à la valise* (1961) et *Journal intime* (1962) de Zurlini*, *La ragazza* (1963) de Comencini. Dans le registre de la comédie s'affirme définitivement un ton à mi-chemin entre la gravité et l'humour avec des films comme *la Grande Guerre* (Monicelli, 1959), *la Grande Pagaille* (Comencini, 1960), *Une vie difficile* (Risi, 1961), *À cheval sur le tigre* (Comencini, *id.*), *le Fanfaron* (Risi, 1962), *la Marche sur Rome* (id., *id.*), *Mafioso* (Lattuada, *id.*), *les Camarades* (Monicelli, 1963). Ces années voient aussi les débuts de Francesco Rosi* (*le Défi,* 1958 ; *Salvatore Giuliano,* 1962), Ermanno Olmi* (*Le temps s'est arrêté,* 1960 ; *Il posto,* 1961), Elio Petri* (*L'assassino,* id. ; *I giorni contati,* 1962), Pier Paolo Pasolini* (*Accatone,* 1961 ; *Mamma Roma,* 1962), Bernardo Bertolucci* (*La commare secca,* id. ; *Prima della rivoluzione,* 1964), Paolo et Vittorio Taviani* (*Un homme à brûler,* 1963), Marco Ferreri* (après 3 films en Espagne, il tourne en Italie *le Lit conjugal,* 1963). Si on ajoute à cette liste Ettore Scola*, qui fait ses débuts en 1964 *(Parlons femmes),* et Marco Bellocchio*, dont *les Poings dans les poches* datent de 1966, on a un panorama quasi complet du cinéma italien contemporain.

Soutenu par une infrastructure industrielle puissante (plus de 200 films par an jusqu'en 1976), le cinéma italien connaît jusque vers la fin des années 70 une période de rayonnement culturel intense : *l'Affaire Mattei* de Francesco Rosi et *La classe ouvrière va au paradis* d'Elio Petri en 1972, *Padre padrone* de Paolo et Vittorio Taviani en 1977, *l'Arbre aux sabots* d'Ermanno Olmi en 1978 obtiennent la palme d'or au festival de Cannes ; Ettore Scola la manque de peu avec *Une journée particulière* en 1977. Étroitement mêlé à la vie du pays, le cinéma donne de l'Italie une image sans complaisance et participe à l'effort des milieux intellectuels et artistiques pour tenter de cerner les contradictions d'une société en crise.

Avec les années 80 commence une période d'incertitude stylistique et de difficulté productive. Le vieillissement de nombreux cinéastes et le manque de renouvellement créatif (un seul début vraiment prometteur, celui de Nanni Moretti en 1976) conduisent le cinéma italien dans une impasse grandissante. Des lois d'aide inadaptées ne favorisent pas les projets de qualité, l'omniprésence des télévisions publiques (les trois chaînes de la Rai) et privées (les trois chaînes du groupe Fininvest de Silvio Berlusconi) entraîne la désertification des salles, la concurrence du cinéma américain détourne peu à peu le public des films italiens (les films en provenance des États-Unis monopolisent 70 %, puis, au cours de ces dernières années, 80 % du marché). La perte des débouchés étrangers – on voit en France de moins en moins de films italiens et ceux-ci occupent une part de marché négligeable – accroît encore le déficit économique. De nombreux jeunes cinéastes tournent des premiers films sans intérêt ou dont les qualités ne se retrouvent pas dans les films suivants. Rares sont les auteurs qui surnagent ou qui supportent la comparaison avec leurs aînés, aussi bien dans le domaine des œuvres dramatiques que dans celui de la comédie ou du film de genre. Ainsi, paradoxalement, le cinéma italien vit un peu sur la réputation des anciens (Fellini, Monicelli, Comencini, Scola, les frères Taviani, Olmi, Rosi, Ferreri, Avati, Bellocchio et, même, Bertolucci, qui travaille surtout à l'étranger). Seul de la nouvelle génération, Moretti connaît un succès grandissant (*La messe est finie,* 1985 ; *Palombella rossa,* 1989 ; *Journal intime,* 1994).

Dans un bilan globalement négatif – lorsque meurt Fellini, en 1993, les médias donnent l'impression d'enterrer l'ensemble du cinéma italien –, il faut introduire des nuances et souligner que depuis le début des années 90 la situation a cessé de se dégrader et que, même, par certains aspects, des signes encourageants de reprise se sont manifestés. La production s'est stabilisée à environ une centaine de films par an. La télévision, qui finance une bonne partie du cinéma, exerce un pouvoir moins normatif et moins bureaucratique. L'hémorragie de spectateurs dans les salles est jugulée. De nouveaux auteurs de comédies (Maurizio Nichetti, Roberto Benigni, Francesco Nuti, Carlo Verdone, Alessandro Benvenuti, Massimo Troisi - hélas décédé en 1994) ont revivifié un genre en le conduisant moins vers l'observation des phénomènes de société ou vers la critique de mœurs que vers une analyse des comportements individuels. Des cinéastes retrouvent le goût de parler de l'Italie contemporaine (Mario Brenta, Salvatore Piscicelli, Marco Risi, Ricky Tognazzi, Giuseppe Bertolucci, Gianni Amelio, Marco Tullio Giordana, Luigi Faccini, Luciano Manuzzi) ; une nouvelle génération de réalisateurs (Daniele Luchetti, Carlo Mazzacurati, Silvio Soldini, Felice Farina, Giacomo Campiotti, Maurizio Zaccaro, Alessandro D'Alatri, Cristina Comencini, Francesca Archibugi et la dernière révélation, Mario Martone) explore de nouvelles voies. Giuseppe Tornatore *(Cinéma Paradiso)* et Gabriele Salvatores *(Mediterraneo)* ont obtenu l'Oscar du meilleur film étranger en 1990 et 1992. Ainsi, dans un panorama qui s'est fortement enrichi au cours de ces dernières années, le cinéma italien d'aujourd'hui n'apparaît plus comme un secteur sinistré mais, au contraire, comme un lieu créatif en plein renouveau.

• *Les genres.* Dès l'époque muette, le cinéma italien a fonctionné selon le principe des genres. L'affirmation précoce du film historique (dès 1908) et du mélodrame mondain (dès 1913) a ouvert la voie à une codification thématique et stylistique très nette. Ainsi, pour prendre l'exemple du film historique, après l'épanouissement des années 10 et le triomphe de nombreux films, le genre connaît encore pendant les années 20, pourtant en pleine période de crise, un incontestable succès. Le passage au sonore le relègue un peu au second plan et, en particulier, il est curieux de constater que les responsables politiques n'ont pas du tout utilisé le thème de la romanité pour appuyer la propagande fasciste : à vrai dire, *Scipion l'Africain* de Carmine Gallone est en 1937 une exception sans antécédents ni descendance immédiats. En fait, il faut attendre les années 50 pour voir refleurir le péplum : dans cette période, le genre a retrouvé de nouveaux créateurs de talent, des cinéastes comme Riccardo Freda* (*Spartacus,* 1953 ; *Théodora impératrice de Byzance,* 1954, etc.) ou Vittorio Cottafavi* (*la Révolte des gladiateurs,* 1958 ; *les Légions de Cléopâtre, Messaline,* 1960, etc.). Cela dit, en dehors d'un enracinement dans une Antiquité revisitée, le film historique constitue un genre récurrent de la cinématographie italienne, genre qui s'est particulièrement épanoui — au moins quantitativement — au début des années 40 et qui a donné plus près de nous quelques-unes des grandes œuvres de l'histoire du cinéma comme *Senso* ou *le Guépard* de Luchino Visconti.

Autre genre né du muet, le mélodrame s'est appuyé sur certaines traditions populaires, notamment la « sceneggiata » napolitaine, pour se diversifier en un double courant : d'une part, mélodrame mondain qui trouve son affirmation majeure avec le cinéma des divas pendant les années 10 et au début des années 20 ; d'autre part, mélodrame populaire qui voit généralement la femme sous les apparences de la victime désignée. Même dans une période aussi opposée à la création que la période fasciste, le mélodrame connaît au moins une œuvre de premier plan : *La peccatrice* (1940) d'Amleto Palermi. Ce film met en scène un personnage de fille mère qui, repoussée de tous, sombre dans la prostitution et ne doit qu'à l'amour de deux hommes la possibilité d'échapper à la fatalité sociale qui pèse sur elle. Avec ses contrastes et sa nécessaire insertion dans une réalité cruelle, le mélodrame fait partie des matrices du néoréalisme : *Sissignora* (Poggioli, 1942) ; *Ossessione* (Visconti, 1943) et *Les enfants nous regardent* (De Sica, 1944) contiennent, à bien y regarder, une dimension mélodramatique fondamentale. Après 1945, le mélodrame sous-tend l'univers de la plupart des cinéastes, le néoréalisme ayant rarement emprunté la voie de la comédie. L'œuvre de Matarazzo*, qui se développe dans les années 50, n'est en un certain sens que l'exaspération de courants déjà présents chez d'autres auteurs : le fait que ces films ont eu un succès considérable dit bien à quel point ils correspondaient à la sensibilité d'un public qui se reconnaissait dans des histoires révélatrices d'une société faisant à la femme un sort injuste. Le sens du mélodrame fortement enraciné dans la tradition spectaculaire italienne resurgit d'ailleurs dans des œuvres récentes : *Immacolata e Concetta* (1979) et *Le occasioni di Rosa* (1981) du Napolitain Salvatore Piscicelli sont là pour montrer la pérennité d'un genre.

À l'opposé, la comédie italienne correspond à une notion de genre si précise qu'elle a même reçu l'appellation de comédie « à l'italienne ». Sous cette appellation se cache une forme très élaborée de comédie de mœurs, comédie dans laquelle le dosage de drôlerie et de sérieux repose sur une subtilité d'agencement qui fait cohabiter l'humour le plus efficace et l'engagement politique le plus déterminé. Cette cohabitation a été rendue possible grâce à un long processus de mûrissement qui commence dans les années 30 et qui prend d'abord appui sur des comédiens venant généralement du théâtre dialectal, tels les Napolitains Raffaele Viviani, Eduardo et Peppino De Filippo*, Totò* — le plus célèbre d'entre tous —, le Sicilien Angelo Musco, le Génois Gilberto Govi, les Piémontais Carlo Campanini et Macario, les Romains Petrolini, Aldo Fabrizi*,

Renato Rascel. Au lendemain de la guerre, le néoréalisme submerge un peu la veine comique (présente toutefois chez des auteurs comme Castellani ou Zampa), mais, dans les années 50, grâce à des cinéastes comme Steno* et Monicelli, Emmer, Comencini, Risi et même Lattuada, des scénaristes comme Age* et Scarpelli*, Amidei*, Sonego, Maccari et Scola, des comédiens comme Sordi*, Tognazzi*, Gassman*, Manfredi*, le genre s'affirme et trouve sa véritable assise. Au tournant du début des années 60, des films comme *Une vie difficile* (Risi) et *la Grande Pagaille* (Comencini) constituent le commentaire le plus pénétrant que l'on ait fait sur la société italienne à un moment crucial de son devenir historique. Cette façon d'aborder les problèmes les plus graves de l'Italie dans une perspective divertissante ne s'est plus jamais démentie depuis vingt ans et il est certain, pour ne citer que des œuvres récentes, que des films comme *Dernier Amour* ou *Cher Papa* de Risi, *Un bourgeois tout petit petit* de Monicelli (1977), *le Grand Embouteillage* de Comencini, *la Terrasse* de Scola, *les Nouveaux Monstres* de Risi, Scola et Monicelli sont autant d'œuvres qui énoncent avec beaucoup de force le degré de traumatisme auquel est parvenue une société malmenée par vingt ans de faux progrès et de destruction morale.

Certes, tout dans le système des genres ne relève pas d'orientations aussi précises, aussi engagées à révéler les structures profondes d'une société. Le cinéma en tant que production étroitement dépendante des lois du marché est également soumis aux aléas supposés des goûts du public : la partie visible de l'iceberg laisse dans l'ombre les sous-produits d'une industrie qui s'empresse de suivre les modes ; par là s'expliquent des flambées de genres qui trouvent en Italie pendant quelques années un humus favorable. Exemplaire à cet égard, l'apparition du western spaghetti, dont la vogue, brutalement lancée en 1964 par Sergio Leone* (qui signait alors Bob Robertson) avec *Pour une poignée de dollars,* connut un grand succès pendant une dizaine d'années avant d'être relayé par le film d'épouvante (Mario Bava* et surtout Dario Argento*), le policier ou la comédie érotique. Cela dit, la fréquente qualité de ces films exprimait la bonne santé d'un cinéma reposant, comme le cinéma hollywoodien, sur une série B de valeur. Ce n'est donc pas un des aspects les moins préoccupants de la crise actuelle du cinéma italien que la dégénérescence des films du second ordre. J.-A.G.

ITAMI *(Juzô), acteur et cinéaste japonais (Kyōto 1933).* Fils du réalisateur Mansaku Itami, il commença sa carrière comme acteur dès 1960, dans de nombreux films japonais : *Traité des chansons paillardes japonaises* (N. Oshima, 1967), *Je suis un chat* (K. Ichikawa, 1975) ou étrangers : *les 55 jours de Pékin* (N. Ray, 1963), *Lord Jim* (R. Brooks, 1964). Mais sa réputation tient surtout à son talent de satiriste de la société nippone contemporaine, dans les quelques films qu'il a lui-même mis en scène : *Funérailles* (*O-Sôshiki,* 1985), *Tampopo* (1986), *l'Inspectrice des impôts* (*Marusa no onna,* en deux parties, 1987-88), qu'interprète sa propre épouse, Nobuko Miyamoto, *A-Ge-Man* (1990) *'l'Avocate'* (*Mimbo no onna,* 1992), *'le Grand Malade'* (*Bai byonin,* 1993), *la Dernière danse* (*Daibyomim,* 1995). Il est aussi essayiste et auteur de plusieurs livres. M.T.

ITAMI *(Mansaku), cinéaste japonais (Matsuyama 1900 - Kyōto 1946).* Camarade d'école et collègue de Daisuke Itō, Itami exerce divers métiers jusqu'à 26 ans, puis écrit des scénarios, devient acteur et participe à la production fondée par l'acteur Chiezo Kataoka à la fin du muet. Il passe à la réalisation avec *'les Vicissitudes de la vengeance'* (*Adauchi ruten,* 1928), suivi de très nombreux films historiques dont le plus fameux demeure *('Kakita Akanishi')* [*Akanishi Kakita*], 1936, avec C. Kataoka, une parodie des films de samouraïs de l'époque qui obtient un grand succès. Il collabore ensuite avec le Dr Arnold Fanck pour la réalisation de la coproduction germano-nippone *'la Nouvelle Terre'* (*Atarashiki tsuchi,* 1937), connue aussi sous le titre *la Fille du Samouraï.* Souffrant de tuberculose, il continue cependant d'écrire les scénarios de ses films, et pour des confrères : notamment pour Inagaki (*'le Pousse-pousse',* 1943, et *'Les enfants se tiennent par la main'* [*Te o tsunagu kora*], 1948, ce dernier film réalisé après sa mort en 1946). Son fils, Juzo Itami, est un acteur et essayiste réputé qui a débuté au cinéma en 1960. M.T.

ITŌ *(Daisuke), cinéaste japonais (préf. de Ehime 1898 - Kyōto 1981).* Il exerce d'abord diverses professions, dont celle d'écrivain pour enfants. Soutenu par le dramaturge Kaoru Osanai, il entre à l'Institut du cinéma de la Shōchiku en 1920, et écrit des scénarios, dont celui de *'la Nouvelle Naissance'* (*Shinsei,* 1920), réalisé par Henry Kotani. De 1921 à 1923, il écrit plus de cinquante scénarios divers et réalise son premier film en 1924 : *'Journal d'un alcoolique' (Shuchu nikki).* Après l'échec d'une compagnie indépendante, il entre à la Nikkatsu en 1926 et y devient spécialiste des «jidai-geki» à tendance anarchisante et nihiliste ; avec la vedette Denjiro Okochi, il tourne certains des plus célèbres muets, comme *'Journal de voyage de Chuji'* (*Chuji tabi nikki,* 1927), *'le Sabre pourfendeur d'hommes et de chevaux'* (*Zanjin zambaken,* 1929), ou la fameuse série de *Tange Sazen,* sous des titres divers, et le plus souvent en épisodes. Il impose un style nouveau et dynamique où la caméra ultramobile traque les personnages dans les scènes violentes de «chambara». Il tourne entre autres *'le Serviteur'* (*Gero,* 1927), critique sociale typique du film à tendance, dit «keiko-eiga», puis, au début du parlant, une des innombrables versions des *'47 ronin'* (*Chushingura,* 1934). Après une période moins brillante, il retrouve son souffle après la guerre avec *'le Joueur d'échecs'* (*Osho,* 1948), dont il fait deux remakes (1955 et 1962), une adaptation des *'Misérables'* de Victor Hugo (1950) avec Sessue Hayakawa et divers films d'époque jusqu'en 1970, où il cesse ses activités. Itō a tourné près d'une centaine de films. M.T.

IVANOV BARKOV *(Evgueni)* [*Evgenij Aleksandrovič Ivanov-Barkov*], *cinéaste soviétique (Kostroma 1892 - Moscou 1965).* Il tourne dès 1925 *'Moroka'* (co Y. Taritch) et en 1926 *'l'Inondation' (Mabul),* d'après le récit de Sholom Aleichem. En 1929, il réalise un film violemment antireligieux, *'Judas' (Iuda),* et aide le cinéma turkmène à s'épanouir à partir des années 30. C'est dans les studios de Turkménistan qu'il met en scène *'Doursoun'* (1940), *'le Procureur'* (*Prokuror,* 1941 ; co Boris Kazatchkov), *'la Fiancée lointaine'* (*Dalekaja nevesta,* 1948), *'Une mission particulière'* (*Osoboe poručenie,* 1957 ; co Alty Karliev). J.-L.P.

IVANOV-VANO *(Ivan)* [*Ivan Petrović Ivanov-Vano*], *cinéaste d'animation soviétique (Moscou 1900 - id. 1987).* Pionnier du dessin animé en URSS (sa première œuvre, *'Senka l'Africain'* [*Seňka Afrikanec,* co D. Čerkes et Y. Merkulov], date de 1928), il impose pendant plus d'un demi-siècle son style académique et quelque peu moralisateur mais emprunt d'une grâce naïve qui n'est pas sans charme. Il adapte de nombreux contes folkloriques russes et étrangers pour le public enfantin et a formé plusieurs générations d'animateurs. Parmi ses œuvres les plus connues : *'le Conte du tsar Durandaï'* (*Skazka o care Durandae,* 1934) ; *'la Cigale et la Fourmi'* (*Strekoza i Muravej, 1935*) ; *'les Trois Mousquetaires'* (*Tri Mušketera,* 1938) ; *'le Petit Cheval bossu'* (*Konekgorbunok,* 1947) ; *'Blanche-Neige'* (*Sneguročka,* 1952) ; *'les Aventures de Pinocchio'* (*Priključenija Buratino,* 1959). J.-L.P.

IVENS *(Joris), cinéaste néerlandais (Nimègue 1898 - Paris, France, 1989).* Formé à la fin des années 20 dans le creuset qui a vu naître un Vertov ou un Ruttmann, Ivens est «né au cinéma» en partageant l'enthousiasme d'une avant-garde fébrile. Son père s'occupe d'une importante société de vente d'appareils et produits photographiques (la CAPI). Joris Ivens complète sa formation technique en Allemagne, devient en 1926 directeur technique de la CAPI (et ouvre une section consacrée au cinéma). Il filme ses premiers essais (*Étude sur le Zeedijk* [*Zeedijk-Filmstudie*], CM, 1927 ; *Études de mouvements,* CM, 1928 ; et surtout *le Pont* [*De Brug,* CM, *id.*], ciné-essai sur le rythme et le mouvement, et *la Pluie* [*Regen,* CM, 1929], ciné-poème). Invité en 1930 en URSS, il délaisse l'expérimentation pour le réalisme et s'oriente sur la voie de l'engagement idéologique et politique. À l'orée des années 30, il tourne plusieurs petits documentaires dans son pays, notamment *Zuyderzee* (MM, 1930), *Symphonie industrielle* (*Philips-Radio,* CM, 1931) et *Créosote* (*Creosoot,* id.) ; il revient en URSS réaliser un film sur un chantier de hauts fourneaux à Magnitogorsk (*Komsomol / le Chant des héros* [*Pesn'o gerojah*], MM, 1932). Il signe en 1933 un film avec Henri Storck, *Borinage* (CM), document accusateur sur la condition des mineurs du sud-ouest de la Belgique. Enfin, il reprend les images de *Zuyderzee* en modifiant le montage du film et en le sonorisant : *Nouvelle Terre* (*Nieuwe Gronden,* CM , 1934). Joris Ivens comprend désormais que sa vocation est celle d'un «homme à la caméra», d'un témoin attentif et enthousiaste des transformations sociales, politiques et économiques de son siècle. Il se métamorphose en globe-trotter impénitent et sera désormais celui qui épouse tous les soubresauts de son époque afin de les transmettre à ses contemporains par la voie de l'image. Partout où l'homme brise ses liens d'esclavage, partout où l'homme cherche à construire son avenir, Ivens accourt, plante sa caméra et dialogue avec tous ceux qu'emporte le vent nouveau de l'espérance. Plutôt que de filmer l'homme dans son individualisme et sa solitude, il préfère filmer l'homme communautaire, le peuple, la « base » de la pyramide. Il est présent en Espagne (*Terre d'Espagne* [*Spanish Earth*], 1938), en Chine (*les 400 Millions* [*The 400 Millions*], 1938), aux États-Unis (*l'Électrification et la Terre* [*Power and the Land*], CM, 1940), en Indonésie (*L'Indonésie appelle* [*Indonesia Calling*], CM, 1946), dans les pays d'Europe centrale, où il célèbre l'espoir des « lendemains qui vont chanter » (*les Premières Années* [*Pierwsze Lata*], 1947 ; *La paix vaincra* [*Pokoj zwyciezy swiat*], co J. Bossak, 1951 ; *L'amitié vaincra* [*Naprozod mlodziezy*], 1951-52 ; *le Chant des fleuves* [*Das Lied der Ströme*], 1954). Il supervise ou, plutôt, codirige avec Gérard Philipe une production financée par l'Allemagne de l'Est et la France : *les Aventures de Till l'Espiègle* (1954) et s'établit en France à partir de 1957, lieu d'ancrage d'un voyageur-né qui devait très vite reprendre ses valises et sa caméra pour assouvir sa soif d'humanisme fraternel. Après une pause poétique à Paris (*La Seine a rencontré Paris,* CM, 1957), on le retrouve en Chine (*Lettres de Chine* [*Before Spring*], CM, 1958), en Italie (*L'Italie n'est pas un pays pauvre* [*L'Italia non è un paese povero*], 1959), au Mali (*Demain à Nanguila,* MM, 1960), à Cuba (*Carnet de voyage* [*Carnet de viaje*], CM, 1961 ; *Peuple armé* [*Pueblo en armas*], CM, *id.*), au Chili (*... À Valparaíso,* CM, 1962), en France à nouveau (*le Mistral,* CM, 1965), au Viêt-nam (*le Ciel, la Terre ; le 17e Parallèle,* 1967, co Marceline Loridan ; *le Peuple et ses fusils* [film collectif sur le Laos], 1969), en Chine encore (*Comment Yu Kong déplaça les montagnes,* 1976 (RÉ [1971-1975], en 6 parties ; co M. Loridan).

Originaire d'un pays terraqué, Ivens a toujours placé ses films sous le signe des quatre éléments (la Terre, l'Eau, l'Air et le Feu). Il a su harmonieusement faire coexister en lui le poète et le militant. Pédagogue chaleureux, il a formé dans tous les pays des élèves, amis plutôt que disciples. Il les a associés à son travail et il leur a communiqué son opiniâtreté et sa soif de justice sociale. Ivens n'est sans doute pas un documentariste « analytique » ; il faut voir en lui le témoin de l'espoir révolutionnaire et non l'hagiographe servile d'idéologies « progressistes » sujettes à tous les déviationnismes, pour ne pas dire à tous les parjures. Ses films (qui baignent parfois dans un climat de générosité idéologique proche de l'utopie) restent des documents de première main sur l'histoire de notre siècle.

À 90 ans il part en Chine avec Marceline Loridan tourner *Une histoire de vent* qui sera son dernier film et dont il sera également l'interprète : l'histoire d'un vieil homme qui veut filmer le vent. Cette œuvre lyrique et onirique est également un hommage émouvant à toutes les possibilités du cinéma pour filmer l'infilmable. Il est l'auteur d'une autobiographie (*la Caméra et moi,* 1969). J.-L.P.

Autres films : *la Flèche ardente / la Hutte* (*Brandende Straal / De Wigwam,* Pays-Bas, CM, 1911) ; *les Brisants* (*Branding,* PB, CM, 1929) ; *les Patineurs (Schaatsen rijden,* PB, CM ; *id.) ; Moi Film (Ik-Film,* PB, CM , *id.) ; Nous bâtissons (Wij Bouwen,* PB, 1929-30) ; *Congrès du N. V. V. (N. V. V. Congres,* PB, *id.) ; Journée de la jeunesse (Jeug ádag,* PB, CM, *id.) ; Arm Drenthe* (CM, PB, *id.) ; V. V. V. C. Journal* (CM, PB, 1930-31) ; *De Tribune Film (Breken en Bouwen,* PB, *id.) ; Notre front russe* (*Our Russian Front,* US, CM, 1941) ; *Alarme ! branle-bas de combat* (*Action Stations !,* CAN, MM, 1943) ; *la Course de la paix Varsovie-Berlin-Prague* (*Wyscig Pokoju Warszawa-Berlin-Praga,* POL-RDA, MM, 1952) ; *600 Millions avec vous* (CM, Chine, 1958) ; *le Petit Chapiteau* (CM, Chili-FR, 1963) ; *le Train de la victoire* (CM, Chili, 1964) ; *Rotterdam-Europort* (CM, PB, 1966) ; *Loin du Viêt-nam* (co A. Resnais, J. L. Godard, W. Klein, C. Lelouch, A. Varda, 1967) ; *Rencontre avec le président Ho-Chi-Minh* (CM, Viêtnam, 1970) ; *les Kazaks – minorité nationale – Sin Kiang* (MM, Chine-FR ; co M. Loridan, 1973-1977) ; *les Ouigours – minorité nationale – Sin Kiang* (CM, Chine-FR ; co M. Loridan, *id.*). ▲

IVES *(Burle Icle Ivanhoe,* dit *Burl), acteur américain (Hunt, Ill., 1909 - Anacortes, Wash., 1995).* Joueur de football professionnel, puis guitariste ambulant (il fait autorité en matière de country music), ce géant barbu n'est apparu à l'écran qu'en 1946 dans *Smoky,* de Louis King, mais a marqué de sa tonitruante présence plusieurs excellents rôles, dans *À l'est d'Éden* (E. Kazan, 1955), *la Forêt interdite*

(N. Ray, 1958), *la Chatte sur un toit brûlant* (R. Brooks, *id.*), *la Chevauchée des bannis* (A. de Toth, 1959). Oscar du « second rôle » pour *les Grands Espaces* (W. Wyler, 1958), son activité cinématographique s'est beaucoup ralentie à partir des années 60. Il tourne son dernier film de cinéma en 1988 (*Two Moon Junction* de Zalman King). G.L.

IVORY *(James), cinéaste américain (Berkeley, Ca., 1928).* Pendant un certain temps, James Ivory a été une curiosité : un Américain très britannique qui faisait des films en Inde. Les qualités mêmes de son cinéma découlaient de cette particularité : étranger partout, il semblait contempler d'autres mondes avec respect, émerveillement et humour. Cette distance pudique et complice était un facteur déterminant de la réussite totale de *Shakespeare Wallah* (1965), qui reste encore maintenant son meilleur film, marqué d'une sorte de détachement mais aussi de tendresse et de sensualité.

La distance étant chez lui essentielle, il a toujours été gêné par des productions de type traditionnel (*le Gourou* [*The Guru*], 1969 ; *The Wild Party,* 1975) qui brimaient son dilettantisme. Mais, après quelques productions indépendantes comme *Bombay Talkie* (1970) ou *Autobiographie d'une princesse* (*Autobiography of a Princess,* 1975), et une production américaine que l'ambition tiraillait (*Savages,* 1972), il a trouvé un équilibre précaire. Il ne réussit pas tous ses films et la nonchalance de l'approche risque quelquefois de devenir froideur : *les Européens* (*The Europeans,* 1979). Mais il reste original et sans concession : *Jane Austen in Manhattan* (1980) est un film étrange, qui ne ressemble à rien si ce n'est à un *Shakespeare Wallah* transposé dans un monde moderne ausi dépaysant que l'Inde. *Quartet* (1981), en revanche, est plus personnel et secret dans sa peinture des intellectuels anglo-saxons perdus dans le Paris de 1927 ; tout comme *Chaleur et Poussière* (*Heat and Dust,* 1983), nouvelle variation sur le thème de la confrontation entre l'Orient et l'Occident à travers la vie de deux jeunes Anglaises que l'Inde envoûte également, totalement, avec six décennies d'écart. Son œuvre la plus méconnue est *Roseland* (1977) : Ivory y trouvait sa dimension véritable dans le format de la nouvelle cinématographique. La concision y affûtait ses qualités : direction d'acteurs souple, mélange de cruauté et d'émotion, imagerie finement ciselée. Poursuivant ses études de caractères, attentif aux mésalliances dues aux conventions sociales (*Chambre avec vue [A Room With a View],* 1985), aux tourments de l'homosexualité face aux interdits de la société victorienne (*Maurice* [id.], 1987), à la peinture des milieux artistiques de Manhattan (*Esclaves de New York [Slaves of New York],* 1989) ou à celle de l'Amérique « profonde » des années 30 (*Mr. and Mrs Bridge,* 1990), Ivory s'impose comme un cinéaste original, imprégné de culture européenne et indienne mais capable d'analyser également au plus tranchant les mœurs de ses compatriotes. Son succès quitte la confidentalité avec *Retour à Howards End* (*Howards End,* 1992) et les *Vestiges du jour* (*Remains of the Day,* 1993) et le couple populaire formé par Anthony Hopkins et Emma Thompson. Ces films ne sont pourtant que le prolongement de ses œuvres antérieures. Il faut impérativement lui associer ses fidèles collaborateurs : le producteur Ismail Merchant et la scénariste Ruth Prawer-Jhabvala (la romancière de *Chaleur et Poussière*). C.V.

Autres films : *Four in the Morning* (CM, 1953) ; *Venice, Theme and Variations* (CM, 1957) ; *The Sword and the Flute* (CM, 1959) ; *The Householder,* 1963 ; *The Delhi Way* (MM, 1964) ; *Adventures of a Brown Man in Search of Civilization* (MM, 1971) ; *Helen, Queen of the Nautch Girls* (1973) ; *Mahatma and the Bad Boy* (id.) ; *Sweet Sounds* (1976) ; *Hullabaloo Over Georgie and Bonnie's Pictures* (1978) ; *The 5:48* (1980) ; *The Bostonians* (1984) ; *Jefferson à Paris* (*Jefferson in Paris,* 1995). ▲

IWERKS *(Ubbe Ert,* dit *Ub), cinéaste d'animation américain (Kansas City, Mo., 1901 - Burbank, Ca - 1971).* Ami de jeunesse de Walt Disney, il est à ses côtés lorsque celui-ci crée son studio en 1922. Il le suit en 1924 en Californie, où ils inventent ensemble Mickey Mouse. De 1930 à 1940, il dirige son propre studio et anime des personnages comme Flip the Frog ou Willie Whopper. Il revient chez Disney en 1940 et s'y consacre essentiellement aux effets spéciaux, en particulier à ceux qui exigent de mêler animation et prise de vues réelles, comme dans *Mary Poppins* (R. Stevenson, 1964). On lui doit aussi les trucages des *Oiseaux* (A. Hitchcock, 1963). J.-P.B.

JABOR *(Arnaldo), cinéaste brésilien (Rio de Janeiro 1940).* Venant du théâtre, il aborde le cinéma par le biais du documentaire, comme d'autres réalisateurs du Cinema Novo. Mais les thèmes de ses films révèlent d'emblée des préoccupations personnelles. Le court métrage *O Circo* (1965) recherche les origines d'une tradition populaire dans le cirque, en voie de disparition. Dans le long métrage *Opinião Pública* (1967), la sociologie rejoint la « psychologie des foules ». Avec *Pindorama* (1970), il passe à la fiction et réalise l'une des œuvres les plus échevelées de l'apogée du « tropicalisme ». Dans un décor entièrement fabriqué, il relie le passé colonial et la projection utopique par l'allégorie. C'est avec métier, parfois même avec brio, que Jabor porte à l'écran une pièce de Nelson Rodrigues (le Tennessee Williams carioca), *Toute nudité sera châtiée* (*Toda Nudez Será Castigada,* 1973), comédie pourfendant l'hypocrisie morale et sexuelle de la bourgeoisie. La tentative de rééditer ce succès à partir d'un roman du même auteur n'aboutit qu'à un film peu convaincant (*O Casamento,* 1975). C'est sur un scénario original qu'il réussit son œuvre la plus ambitieuse (*Tudo Bem,* 1978), film décapant, confrontant mysticisme populaire et aliénations bourgeoises, frustrations d'hier et rêves d'aujourd'hui, non sans alacrité. Sur un ton plus intime et dans le huis clos d'un lieu presque unique, il signe, avec *Eu Te Amo* (1980), une comédie au ton pourtant parodique, où un homme et une femme s'adonnent aux jeux de l'amour et à celui de la vérité. Émotion et distance, ironie et lucidité sont au rendez-vous de ces films d'un cinéaste imbu de culture théâtrale et psychanalytique qui persiste avec *Eu Sei Que Vou Te Amar* (1985). Ensuite, en attendant que le cinéma brésilien surmonte sa crise, Jabor se consacre au journalisme avec une verve remarquable. P.A.P.

JACKSON *(Glenda), actrice britannique (Birkenhead 1936).* Ancienne élève de l'Académie royale d'art dramatique, elle entre, en 1964, à la Royal Shakespeare Company et attire l'attention par sa manière toute personnelle d'interpréter le personnage d'Ophélie dans *Hamlet,* sur la scène de Stratford-upon-Avon. Peter Brook l'engage au sein du groupe expérimental qu'il a créé sous le nom de Theatre of Cruelty. Sa performance, dans le rôle de Charlotte Corday de *The Persecution and Assassination of Jean-Paul Marat as Performed by the Inmates of the Asylum of Charenton Under the Direction of the Marquis De Sade,* fait sensation aussi bien en Grande-Bretagne qu'aux États-Unis, où elle reçoit le Variety Poll (qui distingue l'actrice débutante la plus douée). Elle paraît à l'écran dans une transposition de cette pièce. En 1970, elle obtient un Oscar pour sa remarquable interprétation de Gudrun dans *Love.* Trois ans plus tard, la même distinction lui est attribuée pour *Une maîtresse dans les bras... une femme sur le dos.* Son personnage d'Antonina Milyukova dans

Music Lovers, biographie de Tchaïkovski librement filmée par Ken Russell, lui apporte une éblouissante consécration. Glenda Jackson est alors devenue l'une des plus grandes actrices britanniques, aussi bien au théâtre qu'au cinéma. Très à l'aise pour jouer les grandes dames historiques (la reine Élisabeth dans *Marie Stuart, reine d'Écosse,* lady Hamilton dans *Bequest to the Nation,* ou Sarah Bernhardt dans *Incroyable Sarah*), elle a pourtant trouvé ses meilleurs rôles dans des contextes plus réalistes *(Un dimanche comme les autres, Triple Écho, Une Anglaise romantique),* où peut jouer son tempérament mobile, servi par une féminité sans mièvrerie, parfois, au contraire, âpre et animale, presque toujours émouvante. R.L.

Films ▲ : *le Prix d'un homme* (L. Anderson, 1963) ; *Marat-Sade* (P. Brook, 1967) ; *Tell Me Lies* (id., 1968) ; *Negatives* (Peter Medak, *id.*) ; *Love* (K. Russell, 1969) ; *Music Lovers / la Symphonie pathétique* (K. Russell, 1971) ; *Un dimanche comme les autres* (J. Schlesinger, *id.*) ; *Marie Stuart, reine d'Écosse* (Ch. Jarrott, *id.*) ; *The Boy Friend* (K. Russell, *id.*) ; *Bury Me in My Boots* (M. Zetterling, *id.*) ; *Triple Écho* (M. Apted, 1973) ; *Une maîtresse dans les bras... une femme sur le dos* (M. Frank, *id.*) ; *Bequest to the Nation* (James Cellan Jones, *id.*) ; *Il sorriso del grande tentatore* (D. Damiani, 1974) ; *les Bonnes* (Ch. Miles, 1975) ; *Une Anglaise romantique* (J. Losey, *id.*) ; *Hedda* (Trevor Nunn, *id.*) ; *Drôles de manières* (*Nasty Habits,* Michael Lindsay-Hogg, 1976) ; *Incroyable Sarah* (R. Fleischer, *id.*) ; *The Class of Miss MacMichael* (S. Narizzano, 1978) ; *Stevie* (Robert Enders, *id.*) ; *House Calls* (H. Zieff, *id.*) ; *Lost and Found* (M. Frank, 1979) ; *Health* (R. Altman, *id.*) ; *Jeux d'espions* (R. Neame, 1980) ; *le Retour du soldat* (A. Bridges, 1982) ; *Sakharov* (Jack Gold, 1984) ; *Turtle* (*Turtle Diary,* John Irvin, 1985) ; *Beyond Therapy* (id., R. Altman, 1987) ; *Salome's Last Dance* (K. Russell, 1988) ; *Business as Usual* (Lezli-An Barrett, *id.*) ; *Doombeach* (Colin Finbow, 1990) ; *King of the Wind* (Peter Duffell, *id.*).

JACKSON *(Pat), cinéaste britannique (Londres 1916).* Fortement influencé par les options esthétiques de John Grierson, chef de file de l'école documentariste anglaise, il se rend célèbre par *Western Approaches* (1944), long métrage semi-documentaire en Technicolor. Il tourne ensuite : *The Shadow on the Wall* (1948 ; US) ; *Encore* (1951 ; co : H. French et Anthony Pelissier) ; *White Corridors* (1951) ; *Something Money Can't Buy* (1952) ; *The Feminine Touch* (1956) ; *The Birthday Present* (1957) ; *Virgin Island* (1958) ; *Snowball* (1960) ; *What a Carve Up !* (1961) ; *Seven Keys* (1962) ; *Don't Talk to Strange Men* (id.) ; *Seventy Deadly Pills* (1964) ; *Dead End Creek* (id.). R.L.

JACOB *(Irène), actrice française.* Révélée par *la Double Vie de Véronique,* de Kieslowski (1991), elle tournera avec le même cinéaste la troisième partie de sa trilogie de 1994-1995 : *Trois couleurs : rouge.* On l'a vue dans l'intervalle dans *la Prédiction* (E. Riazanov, 1993) et deux films de Samy Pavel, *la Passion Van Gogh* (1992) et *le Moulin de Daudet* (1994). D.S.

JACOBINI *(Maria), actrice italienne (Rome 1890 -* id. *1944).* À l'âge de vingt ans, alors qu'elle vient à peine de faire ses débuts au théâtre dans la compagnie Dondini, Maria Jacobini est engagée par la Film d'arte italiana (filiale italienne de Pathé). Dans ses deux premiers films (*Lucrezia Borgia, Beatrice Cenci,* 1910), le metteur en scène Gerolamo Lo Savio met en valeur un jeu mesuré assez éloigné des interprétations « convulsives » des autres divas du cinéma muet. La carrière de Maria Jacobini se développe au sein des principales sociétés de production de l'époque. Dans les années 20, la crise du cinéma italien la conduit à travailler en Allemagne, en Autriche, en France (*Maman Colibri,* J. Duvivier, 1930). Rentrée en Italie au début du parlant, elle poursuit à partir de 1931 – dans des rôles qui ne sont plus ceux de protagoniste – une carrière qui dure jusqu'en 1943. Dans une filmographie abondante (environ 90 films), on peut retenir des œuvres tournées sous la direction de Nino Oxila (*Giovanna d'Arco,* 1913), Ivo Illuminati (*La raffica,* 1915), Gennaro Righelli (*Come le foglie,* 1916 ; *La regina del carbone,* 1918), Mario Caserini (*Sfinge,* 1917), Augusto Genina (*Addio, giovinezza !* 1918), Fedor Ozep (*le Corps vivant,* 1928). Dans les années 30, elle doit surtout à Righelli ses apparitions les plus convaincantes (*La scala,* 1931 ; *Patatrac,* 1931 ; *Le educande di Saint Cyr,* 1941 [RE : 1939] ; *Tempesta sul golfo,* 1943). J.-A.G.

JACOBS *(Ken), cinéaste expérimental américain (New York, N. Y., 1933).* Né dans le quartier juif de Brooklyn, il voit *Entr'acte* à 17 ans et se met à écrire des scénarios. En 1957, il filme Jack Smith en danseuse espagnole dans *Saturday Afternoon Blood Sacrifice : TV Plug : Little Cobra Dance.* Dans *Little Stabs at Happiness* (1959-1963), et surtout dans *Blonde Cobra* (id.) triomphent un esprit « baudelairien » (Mekas) et un climat bouffonnant qu'on ne retrouvera que chez Carmelo Bene. Il tourne *The Winter Footage* (1964) ou *The Sky Socialist* (1965) en 8 mm et fonde en 1966 le cinéma-atelier Millennium. Avec *Soft Rain* (1968) et surtout *Tom, Tom, the Piper's Son* (1969), il donne sa marque au renouveau esthétique (dit « structurel ») du cinéma expérimental des années 70 : refilmage d'un film de 1905, ces deux heures de *variations* cinématographiques sur un thème sont un exemple d'analyse du cinéma par lui-même. Depuis 1965, année où il crée le New York Apparition Theatre, il fait aussi beaucoup de cinéma « élargi », utilisant surtout l'ombre chinoise et les effets de relief : *A Good Night for the Movies* (1975), *The Doctor's Dream* (1978). D.N.

JACOBS *(Lewis), historien, critique et cinéaste expérimental américain (Philadelphie, Pa., 1909).* Plasticien de formation, il devient très tôt un homme de cinéma complet : tout en travaillant à Hollywood comme scénariste, opérateur, monteur et producteur, il fait des films expérimentaux : *Commercial Medley* (1931), *Sunday Beach* ou *Synchronization* (1934), film abstrait fait avec J. Schillinger et M. E. Bute. En même temps, il crée avec D. Platt *Experimental Cinema,* première revue américaine consacrée à l'avant-garde internationale (1930-1934). En 1950, installé à New York, il réalise des films liés à l'art (*A Sculptor Speaks,* 1952 ; *The Rise of Greek Art,* 1960, etc.) et poursuit une double carrière d'enseignant (à l'université de New York) et d'historien-théoricien du cinéma. D.N.

JACOBSSON *(Ulla), actrice suédoise (Göteborg 1929 - Vienne, Autriche, 1982).* Fraîche et innocemment érotique, elle fait sensation dans un film assez anodin qu'elle porte au succès (*Elle n'a dansé qu'un seul été,* A. Mattson, 1951). Mais elle est bien plus exceptionnelle en jeune épouse bizarrement perverse dans *Sourires d'une nuit d'été* (I. Bergman, 1955). À partir de quoi on l'a vue en France, en Allemagne, en Grande-Bretagne ou aux États-Unis, sans que réellement elle puisse retrouver un rôle qui lui convienne. Elle eut néanmoins quelques courts instants dans *les Héros de Télémark* (A. Mann, 1965) et dans *le Droit du plus fort* (R. W. Fassbinder, 1975). C.V.

JACOBY *(Georg), cinéaste allemand (Mayence 1882 - Wiesbaden 1964).* Il débute dans le cinéma en 1914 et réalise quelques films destinés à soutenir l'effort de guerre de l'Allemagne. Son œuvre, abondante, comprend tout d'abord 45 films muets, dont *l'Homme sans nom* (*Der Mann ohne Namen,* film à épisodes, 1921), *Quo vadis ?* (CO : Gabriellino D'Annunzio, 1924), *Mutterliebe* (1929) et plus généralement des œuvres destinées à mettre en valeur les acteurs populaires de l'époque. Il continue dans cette voie dans les années 30, dirigeant notamment des films musicaux dont la vedette est le plus souvent Marika Rökk, son épouse. En 1940, c'est lui qui est choisi pour réaliser le premier film allemand en couleurs, *Les femmes sont bien les meilleurs diplomates / la Belle Diplomate* (*Frauen sind doch bessere Diplomate,* 1941), lequel, jugé inesthétique par Goebbels, ne sera jamais distribué... Après la guerre, il tourne encore quelques films, dont certains exploitent la popularité encore vivace de Marika Rökk. D.S.

JACOPETTI *(Gualtiero), cinéaste et scénariste italien (Barga 1919).* Journaliste et directeur d'actualités cinématographiques, il écrit le commentaire pour *Nuits d'Europe* (A. Blasetti, 1959) et collabore au scénario de *Quelle joie de vivre !* (R. Clément, 1961). En collaboration avec Paolo Cavara et Franco Prosperi, il dirige en 1962 un documentaire retentissant : *Mondo cane,* astucieux collage de scènes à scandale qui obtient un succès mondial. En 1963, il signe *La donna nel mondo,* opération du même genre sur les femmes vues comme des monstres. Après *Mondo cane n° 2* (1963 ; CO : F. Prosperi, comme tous les titres qui suivent), il crée un hymne mystificateur à l'Afrique coloniale : *Africa addio* (1966), suivi par un faux documentaire sur l'esclavage, *Addio zio Tom* (1972). Il essaye d'exploiter encore la même formule usée dans *Mondo candido* (1975). Il a été marié à l'actrice Belinda Lee. L.C.

JACQUOT *(Benoît), cinéaste français (Paris 1947).* Assistant (notamment de Marguerite Duras) et réalisateur pour l'INA (*Télévision,* sur Jacques Lacan), ce cinéaste exigeant, difficile, très axé sur l'approche analytique, réalise *l'Assassin musicien* (1976) puis *les Enfants du placard* (1977), œuvres dépouillées, austères, assez bressonniennes. En 1981, bénéficiant d'un budget important, il tente de rallier un plus large public avec les charmes secrets et sous-entendus d'un mélodrame « vénitien », *les Ailes de la colombe,* adapté d'Henry James. En 1982, il travaille de nouveau pour l'INA *(Une villa aux environs de New York)* et adapte, en 1986, un roman noir de James Gunn, *Corps et Biens,* puis signe successivement *Elvire Jouvet 40* (DOC, 1986), *la Bête dans la jungle* (DOC, 1988), *Voyage au bout de la nuit* (DOC, *id.*), *les Mendiants* (id.), d'après le roman de Louis René des Forêts, et *la Désenchantée* (1991). A.T.

JAENZON *(Julius), chef opérateur suédois (Göteborg 1881 - Stockholm 1961).* Il est incontestablement le plus grand directeur de la photographie du cinéma muet suédois. Il a travaillé notamment avec Victor Sjöström (*Terje vigen,* 1916 ; *la Voix des ancêtres,* 1918) et Mauritz Stiller (*le Chant de la fleur écarlate,* 1919 ; *le Trésor d'Arne,* id. ; *le Vieux Manoir,* 1922 ; *la Légende de Gösta Berling,* 1924). Il a réalisé plusieurs films sous le pseudonyme de J. Julius. Son frère Henryk Jaenzon a été également un chef opérateur de talent. J.-L.P.

JAFFE *(Sam), acteur américain (New York, N. Y., 1891 - Beverly Hills, Ca., 1984).* Il se consacre plus à la scène qu'au cinéma, mais ses apparitions sont toujours mémorables, qu'il joue le grand-duc demi-fou de *l'Impératrice rouge* (J. von Sternberg, 1934), le grand lama des *Horizons perdus* (F. Capra, 1937), le rôle-titre de *Gunga Din* (G. Stevens, 1939), Doc Riedenschneider de *Quand la ville dort* (J. Huston, 1950), un comparse bizarre des *Espions* (H.-G. Clouzot, 1957), l'interprète du *Barbare et la geisha* (J. Huston, 1958), le vieux Whateley de *The Dunwich Horror* (D. Haller, 1970) ou le libraire de *l'Apprentie sorcière* (*Bedknobs and Broomsticks,* R. Stevenson, 1971). Sa petite silhouette sautillante, ses mines de hibou surpris par le jour sont inséparables d'un cinéma de caractères qui s'enrichit de chaque second rôle. J.-P.B.

JAGGER *(Dean), acteur américain (Columbus Grove, Ohio, 1903 - Los Angeles, Ca., 1991).* Sa haute taille, son physique « typé » par une calvitie précoce, une gamme discrètement très étendue de mimiques et de regards font de lui l'un de ces acteurs « secondaires » à l'aise dans tous leurs rôles mais que l'on remarque pour leur personnalité. Acteur de théâtre dès les années 20, il a débuté à Hollywood en 1929, mais n'a été vedette qu'en 1940 (*Brigham Young Frontiersman,* H. Hathaway). Oscar (« Best Supporting Actor ») pour *Un homme de fer* (H. King, 1949), on se souvient de sa robustesse et de sa véhémence contenue dans *la Vallée de la peur* (R. Walsh, 1947), *l'Attaque de la malle-poste* (H. Hathaway, 1951), *la Tour des ambitieux* (R. Wise, 1954), *Cet homme est un requin* (J. Pevney, 1960) et surtout de ses deux grandes compositions dans *Elmer Gantry* (R. Brooks, 1960) et dans *Quarante Tueurs* (S. Fuller, 1957). Il est apparu ensuite, l'œil toujours aussi vif, dans d'amusantes silhouettes (*la Lettre du Kremlin,* J. Huston, 1970). G.L.

JAGLOM *(Henry), cinéaste américain (Londres, G.-B., 1938).* Henry Jaglom a beaucoup d'amis, beaucoup d'idées et de bonnes intentions. Ce qui explique que le confus *A Safe Place* (1971) puisse conjuguer les talents de Jack Nicholson, Orson Welles et Tuesday Weld. Bâti sur un scénario potentiellement intéressant, *Tracks* (1976) ne bénéficie pas d'une mise en scène plus réussie. Mais *Sitting Ducks* (1980) a du rythme et de la drôlerie, et *Can She Bake a Cherry Pie ?* (1983) de l'impertinence et de l'excentricité. Il tourne ensuite *Always* (1985), à la fois comme acteur et réalisateur, puis *Someone To Love* (1988), *New Year's Day* (1989), *Eating* (1990) et *Venice/Venice* (1992). C.V.

JAKUBISKO *(Juraj), cinéaste slovaque (Kojšov, Slovaquie, 1938).* Il sort diplômé de la faculté de cinéma et de TV de Prague (FAMU) avec un film inspiré de *En attendant Godot (Čekání na Godota,* 1965), il se signale, après quelques courts métrages, à l'attention par *l'Âge du Christ (Kristove roky,* 1967), film d'un langage visuel très percutant et d'un esprit très libre (peinture des désillusions de deux frères au seuil de l'âge mûr). Mais ses caractéristiques proprement slovaques s'épanouissent dans *Déserteurs et Nomades (Zběhovia a putnici,* 1969), parabole assez frénétique sur la vie et la mort, où foisonnent d'étonnantes images baroques. Jakubisko poursuit dans la même veine esthétisante et allégorique avec *les Oiseaux, les Orphelins et les Fous* (*Ptăckové, sirotci a blázni,* 1969), coproduction avec la France où paraît Philippe Avron et qui est encore une fable délirante marquée du sceau de la folie et de la mort et traitée en un style quasi surréaliste. Le goût du cinéaste pour l'excentricité thématique et plastique s'est encore manifesté dans *Au revoir en enfer, les amis (Nashledanou v pekle, přvătelé,* 1970) : un policier parodique qui a eu des difficultés avec la censure et ne sera distribué que vingt ans plus tard. Après la « normalisation » politique et artistique de la Tchécoslovaquie, Jakubisko doit se confiner dans le documentaire (*'la Construction du siècle'* [*Stavba storočia*], 1973), le court métrage (*'le Petit Tambour'* [*Bubenik*], 1977), jusqu'à son retour au long métrage avec une œuvre mineure (*'Construis ta maison et plante un arbre'* [*Postav dom zasad strom,* 1979]) et une comédie légère : *'Infidélité à la slovaque'* (*Nevera po slovensky,* 1981). Avec *'l'Abeille millénaire' (Tisí cročna včela,* 1983), *Frau Holle* (d'après un conte des frères Grimm, RFA, 1985), *Je suis assis sur la branche et je me sens bien* (*Sedim na konári a je mi dobre,* 1989), présentés avec succès au festival de Venise, et *'Mieux vaut être riche et en bonne santé que pauvre et malade'* (*Lepšie byt' bohatý a zdravý ako chudobný a chorý,* 1992), il semble avoir retrouvé son inspiration. En 1985, il avait également tourné *Frankensteins Tante.* M.M.

JAKUBOWSKA *(Wanda), cinéaste polonaise (Varsovie 1907).* Après avoir étudié l'histoire de l'art à l'université de Varsovie, elle débute au cinéma en 1929 et devient l'un des membres les plus actifs du groupe Start, tournant divers courts métrages, collaborant avec Aleksander Ford sur *'le Réveil'* (*Przebudzenie,* 1934) et signant en 1939 un long métrage dans le cadre de la Coopérative des auteurs de films (dont elle est cofondatrice), *'Sur les rives du Niémen'* (*Nad Niemnem;* CO : Karol Szolowski). Résistante, elle est arrêtée par les Allemands puis déportée. Elle mettra en scène les souvenirs de sa détention à Auschwitz et Ravensbrück dans *la Dernière Étape* (*Ostatni etap,* 1948), qui est l'un des premiers films polonais de l'après-guerre et l'un des premiers témoignages sur les camps de concentration. Le film fait le tour du monde et reste un document pathétique sur les horreurs nazies. À la suite de cette œuvre clef, la réalisatrice tourne notamment *'le Soldat de la victoire'* (*Zolnierz zwycięstwa,* 1953), *'Confidences'* (*Opowieść atlantycka,* 1955), *'Adieu au diable'* (*Pożegnanie z diablem,* 1957), *'Rencontre dans les ténèbres'* (*Spotkania w mroku,* 1960), *'C'est arrivé hier'* (*Historia współczesna,* 1961), *'la Fin de notre monde'* (*Koniec naszego świata,* 1964), *'la Mine ardente' (Gorąca linia,* 1965), *'Danse en chaîne' (Biały mazur,* 1979), *'Invitation'* (*Zaproszenie,* 1985), *'les Couleurs de l'amour'* (*Koroly kochania,* 1988). Directrice de l'ensemble de production Start (1955-1968), elle a été de 1949 à 1974 professeur à l'École de cinéma de Łódź. J.-L.P.

JALAKIAVICIUS *(Vitautas)* [*Vitautas Žalakjavičjus*], *cinéaste soviétique (Kaunas, Lituanie, 1930).* Il termine en 1956 le VGIK de Moscou, où il avait été l'élève de Grigori Aleksandrov. Son premier film, un moyen métrage intitulé *'le Noyé' (Utoplennik,* 1957), est suivi d'un film cosigné par Youli Fogelman : *'Avant qu'il ne soit trop tard'* (*Poka ne pozdno,* 1958). Il réalise seul en 1960 *'Adam veut être un homme' (Adam hočet byt' čelovekom),* puis un épisode des *'Héros vivants' (Živye geroi)* et en 1964 *'Chronique d'un jour' (Hronika adnogo dnja).* C'est son film suivant, *Personne ne voulait mourir* (*Nikto ne hotel umitat',* 1965), qui l'impose à l'attention et le désigne comme le leader du cinéma lituanien. Parmi ses autres films, il faut citer : *'Ce doux mot : Liberté' (Eto sladkoe slove « Svoboda »,* 1973); *'l'Accident'* (*Avarija,* 1974, T. V.); *'les Centaures'* (*Kentavry,* 1978); *'Récit d'un inconnu'* (*Rasskaz o neisvestnom čeloveke,* 1980); *'Je vous prie de m'excuser'* (*Izvinite požalujsta,* 1984); *Confession d'une épouse* (*Ispoved ego ženy,* 1985), *Un week-end en enfer* (*Voskresnyi den adu,* 1987); *la Bête qui sortait de la mer* (1992), d'après *l'Inondation* de Zamiatine. J.-L.P.

JAMAÏQUE. L'ancienne colonie britannique prête ses paysages à plusieurs productions internationales, parmi lesquelles le premier *James Bond et Docteur No* (T. Young, 1962), *Cyclone à la Jamaïque* (A. Mackendrick, 1965) et *Papillon* (F. Schaffner, 1973). Peu après l'indépendance (1962), une agence gouvernementale tourne des documentaires de propagande et fait quelques incursions isolées dans la fiction, toujours avec le souci d'illustrer la politique officielle. *Tout, tout de suite* (*The Harder They Come,* Perry Henzell, 1971), premier long métrage jamaïquain, financé par une compagnie de disques, remporte un succès appréciable dans plusieurs pays. Il s'attache à situer la mystique rastafari et la musique reggae dans un contexte social, comme expression culturelle des classes opprimées ; Jimmy Cliff en est l'un des interprètes. Depuis, divers films exploitent le filon de la musique jamaïquaine à la mode : *Rockers* (Theodoros Bafaloukos, 1979) ; *Third World, prisonnier de la rue* (*Third World : Prisoner in the Street,* Jérôme Laperrousaz, 1980) ; *Babylon* (Franco Rosso, *id.*), entre autres. P.A.P.

JAMES BOND, personnage de romans policiers d'espionnage créé par Ian Fleming au lendemain de la Seconde Guerre mondiale. Héros traditionnel de nombreuses aventures dans lesquelles violence, humour et sexe aseptisé font bon ménage, l'agent 007 évolue dans un monde où le manichéisme le plus primaire est de rigueur. Doté des moyens techniques à la pointe du progrès et des gadgets les plus sophistiqués pour vaincre les forces du mal, il a été à l'origine de grands succès populaires au cinéma. La série des James Bond doit beaucoup à ses principaux producteurs Albert R. («Cubby») Broccoli, Harry Saltzman et tout autant, semble-t-il, à l'imagination du décorateur Ken Adam. Le héros a été incarné principalement par deux comédiens, chez qui l'humour teinté de machisme du premier contraste avec la désinvolture plus fade du second : Sean Connery dans *James Bond 007 contre Dr No* (T. Young, 1962), *Bons Baisers de Russie* (id., 1963), *Goldfinger* (G. Hamilton, 1964), *Opération Tonnerre* (Young, 1965), *On ne vit que deux fois* (L. Gilbert, 1967), *Les diamants sont éternels* (Hamilton, 1971), ainsi que dans *Jamais plus jamais* (I. Kershner, 1983), et Roger Moore dans *Vivre et laisser mourir* (Hamilton, 1973), *l'Homme au pistolet d'or* (id., 1974), *l'Espion qui m'aimait* (Gilbert, 1977), *Moonraker* (*id.,* 1979), *Rien que pour vos yeux (For Your Eyes Only,* John Glen, 1981), *Octopussy* (id., *id.,* 1983), *Dangereusement vôtre* (*A View to a Kill,* id., 1985). D'autres comédiens se glissèrent dans la peau du rôle : l'Australien George Lazenby, qui apparut dans un unique film, *Au Service de Sa Majesté* (P. Hunt, 1969), Timothy Dalton dans *Tuer n'est pas jouer* (*The Living Daylights,* John Glen, 1987) et *Permis de tuer* (*Licence to Kill,* id., 1989), et l'Irlandais Pierce Brosnan (*Golden Eye,* Martin Campbell, 1995). F.LAB.

JANCSÓ *(Miklós), cinéaste hongrois* (*Vác 1921).* Marxiste de formation, il n'a fait que des films d'histoire, de l'histoire hongroise pour commencer, les vicissitudes politiques passées devant aider et éclairer la politique d'aujourd'hui. Son œuvre constitue une méditation passionnée — monotone et toujours diverse — sur le Pouvoir. Une sorte de péché originel pèse sur elle (et la féconde) : l'auteur a été stalinien, complice de mensonges, d'excès, d'injustices, dans la plus intègre, la plus enthousiaste bonne foi. Filmer apparaît comme une revanche philosophico-esthétique sur ce passé. Le pouvoir stalinien se voulait religion, culte et rite ; c'est à sa dénonciation que Jancsó donne un style religieux et cérémoniel. Le système ordonnait des fêtes truquées ; Janscó en organise de vraies. Passé 1968, le cinéaste ira jusqu'à se donner le malin plaisir de souligner, dans les films eux-mêmes, une analogie entre tyrannie politique et dictature de metteur en scène.

Ses parents — mère roumaine, père hongrois — étaient originaires de Transylvanie, terre mi-hongroise mi-roumaine elle-même. Les problèmes de minorités, de nationalités, de frontières arbitraires, d'occupation étrangère, de domination traversent ainsi la chair même de sa famille et la sienne. L'histoire de la Hongrie n'est pas moins compliquée d'incohérences et d'absurdes contradictions que ne seront les intrigues des films de Jancsó. Après ses études secondaires dans une institution religieuse, Jancsó s'inscrit à la faculté de droit de Kolzstva (Cluj) en Transylvanie. Il est docteur en droit en 1944. Entre-temps, il a parallèlement suivi des cours d'histoire de l'art et, surtout, d'ethnographie, lesquels l'influenceront durablement (de là, son amour du folklore, sa connaissance en profondeur de la culture nationale).

Il a fait partie d'une «patrouille d'éclaireurs» spécialisés dans les chants villageois. Il ruse autant qu'il le peut avec l'appel sous les drapeaux, finit par être mobilisé et, à la fin de 1944, après quelques mois de guerre, est capturé par les Russes. Prisonnier, il se politise, s'intéresse au marxisme. 1946-47 : l'élan révolutionnaire s'incarne notamment dans les « collèges populaires », sorte d'universités populaires et de gardes rouges ou gardes du peuple, sectaires parce que convaincus, manichéens parce qu'enthousiastes, qui s'activent à l'agitation politico-culturelle. Jancsó dirige l'un de ces collèges (ils seront confisqués, en 1948, par la bureaucratie stalinienne et bientôt supprimés). Il entre à l'École supérieure d'art dramatique et de cinéma en 1947. Il obtient son diplôme en 1951. Encore élève de l'école, il a réalisé des courts métrages pour le Studio de l'actualité et des documentaires. Il persévère jusqu'en 1962. Au total, une trentaine de documentaires (dont 4 rapportés de Chine en 1956), que ceux qui les ont vus disent impersonnels et conformistes à l'exception de trois films de recherche : *Aux abords de la ville* (*A Város Peremén,* 1958) ; *Derkovits (id.) ; Immortalité (Halhatatlanság,* 1959). En 1957, le Studio est habilité à produire des films de fiction. Jancsó tourne son premier long métrage, *Les cloches sont parties pour Rome* (1959), puis le premier épisode (les deux autres sont signés par Zoltán Vorkony et Károly Wiedermann) de *Trois Étoiles* (1960). Ces débuts portent la marque du réalisme socialiste, tel que les cinéastes polonais commencent alors à le dépasser, et d'un symbolisme appuyé. La crise intellectuelle et morale ouverte par l'insurrection de Budapest (1956), la « déstalinisation » et par le libéralisme prudent de János Kádár, Jancsó la surmonte en tournant *Cantate,* film antonionien dans son esprit comme dans son écriture. Jancsó rencontre le romancier Gyula Hernadi, également un « ancien » des collèges populaires, qui sera de tous ses films (à de rares exceptions près). Commence alors le moment le plus fort, le plus inspiré de l'œuvre de Jancsó, qui, de *Mon chemin* (1965) à *Ah, ça ira !* (1969), avec ses trois films-phares : *les Sans-Espoir* (1966), *Rouges et Blancs* (1967) et *Silence et Cri* (1968), hors de toute psychologie, de toute intrigue clairement articulée, dans un refus très moderne du sens immédiat, confère une dimension violemment épique et fantastique à l'histoire de la Hongrie, traumatisant le spectateur, le provoquant à l'analyse, et ce sans s'écarter du réalisme cinématographique. Lui succède « la tétralogie fasciste ». *Sirocco d'hiver* est une coproduction française, *La pacifista, la Technique et le Rite* sont produits par la radiotélévision italienne, seul *Agnus Dei* (1971) est hongrois. Ce cosmopolitisme justifie une approche plus universelle, plus abstraite, voire mythologique, du phénomène fasciste. (*La pacifista* fait exception qui est une rocambolesque histoire de luttes entre brigades rouges et terroristes d'extrême droite dans l'Italie d'aujourd'hui.) Métaphores du fascisme et du stalinisme bien plus qu'explication ou analyse, ces films, dans lesquels l'anachronisme est de règle et où les morts ressuscitent, s'attachent à illustrer le processus constant, transhistorique, de l'accession au pouvoir par un tyran, les techniques et les rites qui lui permettent d'obtenir par l'avilissement de quelques-uns la soumission absolue de tous. Selon une esthétique inaugurée avec *Ah, ça ira !,* Jancsó installe ses thèmes sans souci de réalisme sur une sorte de superthéâtre qu'il anime de chorégraphies, de chœurs dansés et de tableaux vivants, somptueux, étranges ou terrifiants. Du musical à la manière d'un Busby Berkeley, il a tiré un langage politique étonnamment original. *Psaume rouge* (1972), *Pour Électre* (1975), *Rhapsodie hongroise* (1979) relèvent encore de la métaphore fasciste pour déboucher toutefois, et très vite, sur un cinéma de célébration le plus souvent admirable mais au triomphalisme injustifié. Depuis *Agnus Dei,* en fait, Jancsó ne croit plus en l'Histoire : « L'histoire n'existe pas. » Ses derniers films exigent d'être abordés comme spectacles avoués, « mystères » (au sens médiéval du mot) socialistes. Soucieux d'atteindre la plus large audience, Jancsó a écrit un western *(le Miracle de l'Ouest)* qui n'a pas trouvé de producteur et un film modérément pornographique, fidèle cependant à son allégorisme politique, *Vices privés, vertus publiques,* qui fut un échec.

L'apport le plus révolutionnaire du cinéaste hongrois est incontestablement son écriture. Jancsó procède par longs plans-séquences en permanent devenir (*Psaume rouge* en compte 27, *Sirocco d'hiver,* 12 !), qui conjuguent, dans la profondeur de champ, le travelling, le zoom et parfois la grue. Il instaure et maîtrise ainsi un montage dans le cadre et une dialectique sans précédents entre l'espace et le temps, chacun pouvant exalter la continuité/contiguïté de l'autre ou la détruire. Dans tel cadre d'*Électre,* le jour s'est levé entre le début et la fin du plan. Dans tel plan de *Rouges et Blancs,* entre son début et sa fin, la durée s'est contractée (ellipse) et l'espace prodigieusement dilaté. Ces jeux entre l'espace et le temps culminent dans *l'Horoscope de Jésus-Christ* (1989), où le réalisateur utilise avec malice et ambiguïté le «temps» des écrans vidéo comme l'une des nouvelles dimensions d'une sorte de thriller métaphysique et poétique. B.A.

Films ▲ : *Les cloches sont parties pour Rome* (*A harangok Rómába mentek,* 1959) ; *Trois Étoiles* (*Háron Csillag,* Ier épisode, 1960) ; *Cantate* (*Oldás és kötes,* 1963) ; *Mon chemin* (*Igy jöttem,* 1965) ; *les Sans-Espoir* (*Szegénylegények,* 1966) ; *Rouges et Blancs* (*Csillagosok, Katonák,* 1967) ; *Silence et Cri* (*Csend és kiáltás,* 1968) ; *Ah, ça ira ! / Vents brillants* (*Fényes szelek,* 1969) ; *Sirocco d'hiver* (*Sirokkó,* id.) ; *Agnus Dei* (*Égi bárány,* 1971) ; *La pacifista* (IT, *id.*) ; *La tecnica e il rito* (1971, IT) ; *Psaume rouge* (*Még kér a nép,* 1972) ; *Roma rivuole Cesare,* 1973, IT) ; *Pour Électre* (*Szerelmen Elektra,* 1975) ; *Vices privés, vertus publiques* (*Vizi privati, pubbliche virtù,* 1976, IT-YOUG) ; *Rhapsodie hongroise* (*Magyar Rapszodia,* 1979 ; *Allegro Barbaro,* id. ; 2 films) ; *le Cœur du tyran* (*Il cuore del tiranno / A zsarnok szive,* 1981) ; *Budapest* (*Budapesti muzski, MMTV,* 1982) ; *Faustus doktor boldogsagos pokoljarasa* (série TV, 1983) ; *Omega, omega* (DOC, 1984) ; *l'Aube* (1986, FR-ISR) ; *la Saison des monstres* (*Sjörnyek évadja,* 1987) ; *l'Horoscope de Jésus-Christ* (*Jézus Krisztus horoszkópja,* 1988) ; *Dieu marche à reculons* (*Isten hátrafelé megy,* 1990); *la Valse du Danube bleu* (*Kék Duna keringő,* 1991 ; *les Restes* (*Maradékok,* DOC, 1993) ; *le Message des pierres* (*A kövek üzenete) : I-III* (*Hegyalia, Móldova, Máramaros,* DOC, 1993-94), IV (*Budapest,* DOC, 1995).

JANCZAR *(Tadeusz), acteur polonais (Varsovie 1926).* Il étudie au Conservatoire de Varsovie et deviendra l'un des grands noms du théâtre dans la Pologne de l'après-guerre. Au cinéma, il obtient des rôles de premier plan dans *les Cinq de la rue Barska* (A. Ford, 1954), *Génération /Une fille a parlé* (A. Wajda, *id.), Kanal* (*id.,* 1957) ; *Eroïca* (A. Munk, 1958) ; *les Adieux* (W. Has, *id.*), De la veine à revendre (A. Munk, 1960), *Paysage après la bataille* (A. Wajda, 1970), *les Paysans (Chłopi,* Jan Rybkowski, 1973), *Récit en rouge* (Henrik Kluba, 1974). J.-L.P.

JANDA *(Krystina), actrice polonaise (Starachowice 1952).* Après des études à l'Académie du théâtre de Varsovie, elle débute à la télévision dans *les Trois Sœurs* de Tchekhov mais s'impose surtout au cinéma dans quatre films clés d'Andrzej Wajda, tournés à l'époque des «années Solidarité» (*l'Homme de marbre,* 1977 ; *Sans anesthésie,* 1978 ; *le Chef d'orchestre,* 1980 ; *l'Homme de fer,* 1981). Elle est sollicitée ensuite dans diverses productions, notamment en Allemagne (*Mephisto,* I. Szabo, 1981 ; *Bella Donna,* Peter Keglevic, 1983 ; *Laputa,* H. Sanders - Brahms, 1986), en Suisse (*Cœur de braises* [*Glut*], Thomas Koerfer, 1983) et en France (*Vertiges,* Christine Laurent, 1985). Mais c'est en Pologne qu'elle semble donner le meilleur d'elle-même : *l'Interrogatoire* (Richard Bugajski, 1989 [RÉ 1981]), *le Décalogue* (K. Kiesłowski, *id.*), *Inventaire* (K. Zanussi, *id.*), *Fausse sortie* (*Zwolnïeni z zycia,* Waldemar Krzystek, 1992). J.-L.P.

JANNINGS *(Theodor Friedrich Emil Janenz,* dit *Emil), acteur allemand (Rorschach, Suisse, 1884 - Strobl, Wolfgangsee, Autriche, 1950).* Après des études à Zurich, puis en Allemagne, il joue au théâtre avec une troupe de jeunes. Werner Krauss le remarque et Max Reinhardt l'engage, n'hésitant pas à lui confier d'emblée des rôles difficiles du répertoire classique. Le comédien se sent à l'aise sur la scène et il n'accepte de s'approcher du cinéma que par besoin d'argent. Il tourne, dès 1914, d'abord de brefs rôles et gagne vite une grande notoriété grâce à son fort tempérament. Jannings ne raffine pas la nuance, mais intuitivement il sait exprimer un sentiment par une attitude, un geste lent, un regard appuyé. Son registre est celui de l'acteur expressionniste. Dès 1919, il compose des personnages historiques avec un sens précis de la psychologie, sous la direction de Lubitsch et de Buchowetzky, mais sa force expressive ne gagnera sa véritable mesure qu'avec Murnau et dans *Variété* de Dupont, où il joue avec son dos comme on le dira plus tard d'un illustre représentant de «la méthode» chère à l'Actors Studio : Marlon Brando. Sa lourde stature, son allure pesante, son visage de cabotin malin capable soudain d'une truculence (Danton), d'une cautèle

(Tartuffe) ou d'un désespoir nu *(le Dernier des hommes)* ont permis à Jannings de tenir plusieurs des rôles les plus intéressants du cinéma allemand des années 20. La Paramount l'appelle ensuite à Hollywood. Il y reste de 1927 à 1930, y travaille avec Lubitsch et avec Josef von Sternberg, qui lui confie, en face de Marlene Dietrich, le rôle principal de l'*Ange bleu.* Lié dès lors, par contrat, à la UFA, il tourne peu, se répète, heureux d'être couvert d'honneurs par le IIIe Reich, puis se retire chez lui, en Autriche. Il a publié une autobiographie qui débute par une assertion, depuis longtemps controuvée, selon laquelle il était natif de New York... F.B.

Films : *Im Banne der Leidenschaft* (W. Schmidt-Hässler, 1914) ; *Arme Eva* (R. Wiene, co A. Berger, *id.*) ; *Nächte des Grauens* (A. Robison, 1916) ; *Rose Bernd* (Alfred Halm, 1919) ; *Köhlhiesels Töchter* (Lubitsch, 1920) ; *Anne Boleyn* (id. *id.*) ; *Danton* (D. Buchowetzki, 1921) ; *les Frères Karamazov* (C. Froelich et Buchowetzki, *id.*) ; *la Femme du pharaon* (Lubitsch, 1922) ; *Othello* (Buchowetzki, *id.*) ; *Pierre le Grand* (id. *id.*) ; *À qui la faute ?* (P. Czinner, 1924) ; *le Cabinet des figures de cire* (P. Leni, *id*). ; *Quo Vadis ?* (G. Jacoby, *id.*) ; *le Dernier des hommes* (Murnau, *id.*) ; *Variétés* (E. A. Dupont, 1925) ; *Tartuffe* (Murnau, 1926); *Faust* (id. *id.*); *Quand la chair succombe* (*The Way of All Flesh,* V. Fleming, 1927) ; *le Roi de Soho* (M. Stiller, 1928) ; *Crépuscule de gloire* (J. von Sternberg, *id.*); *Sins of the Fathers* (L. Berger, *id.*); *le Patriote* (Lubitsch, *id.*) ; *Mensonges* (L. Milestone, 1929) ; *l'Ange bleu* (Sternberg, 1930) ; *Stürme der Leidenschaft* (R. Siodmak, 1931) ; *les Aventures du roi Pausole* (A. Granowski, 1933) ; *les Deux Rois* (H. Steinhoff, 1935) ; *Crépuscule* (V. Harlan, 1937) ; *la Cruche cassée (Der zerbrochene Krug,* G. Ucicky, *id.) ; la Lutte héroïque* (Steinhoff, 1939) ; *le Président Krüger* (H. Steinhoff, 1941) ; *Wo ist Herr Belling ?* (E. Engel, 1945, non achevé).

JANSSEN *(Pierre-Jules-César), astronome français (Meudon 1824 - Paris 1907).* Pour étudier le passage de Vénus devant le Soleil, il réalisa en 1874 son *revolver astronomique* (ou *photographique*), dont Marey s'inspira pour son *fusil photographique.* J.-P.F.

JAPON. *Historique.* L'art cinématographique pénètre au Japon sous la forme du Kinetoscope d'Edison, probablement le 21 novembre 1896 à Kōbe, puis dans toutes les grandes villes. Un importateur de phonographes à Ōsaka, nommé Araki, achète ensuite le procédé Vitascope d'Edison, qui devance ainsi le Cinématographe des frères Lumière. C'est entre 1897 et 1899 que les premiers essais ont lieu dans les rues de Tōkyō et Kyōto (*Gion Geisha,* 1898), avec une caméra Gaumont, tandis que les opérateurs Lumière tournent eux-mêmes des scènes de rue. Le public japonais put voir ces films, comme *Ginzagai,* dès 1899, et les premières actualités nationales en 1900. Le premier film de fiction – en fait l'enregistrement visuel d'une pièce de kabuki –, *'Promenade sous les feuillages d'érables'* (*Momijigari,* avec Kikugorō V et Danjurō IX), date de 1902, et les premiers documentaires d'actualités (sur la guerre russo-japonaise et la guerre des Boxers), de 1904-05, tandis que la première salle de cinéma ouvre à Tōkyō en 1903. 1908 voit la construction d'un premier studio dans le quartier Meguro de la capitale, bientôt suivi de plusieurs autres, nationaux ou étrangers (Pathé, 1910), et 1910 l'ouverture du Saifukan, le premier cinéma permanent de Tōkyō. Le documentaire acquiert ses lettres de noblesse en 1911, avec *'le Lieutenant Shirase',* sur la première expédition japonaise dans l'Antarctique.

Alors que le cinéma japonais de fiction était indiscutablement issu du théâtre kabuki, c'est à cause de ce dernier qu'il faillit disparaître à l'aube de son existence : en effet, dès 1910, le syndicat des acteurs de kabuki leur interdit de paraître à l'écran, ce qui a pour conséquence une première invasion du marché japonais par les films étrangers. Mais cela n'eut guère de suite et, dès 1912, la première compagnie importante vit le jour grâce à la fusion de quatre studios : la Nihon katsudō shashin, ou Nikkatsu (c'est-à-dire la « Compagnie des images animées »), qui fonde deux studios différents, l'un à Mukojima (près de Tōkyō), l'autre à Kyōto, créant ainsi la double image du cinéma japonais, contemporaine et historique. À cette époque, sous l'influence du kabuki, tous les rôles, sans exception, étaient tenus par des acteurs masculins ; aucune actrice n'avait le droit de jouer au cinéma et on appelait « oyama » ou encore « onna-gata » ces acteurs jouant des rôles féminins. L'un des plus célèbres était alors Teinosuke Kinugasa, le futur metteur en scène de *la Porte de l'enfer* (1953), vedette du *'Cadavre vivant'* (*Shikabane*, Gizo Tanaka, 1917). Mais le théâtre kabuki ou les actualités n'étaient plus les seuls sujets prisés du public. Sous l'influence du Shimpa («Nouvelle École») ou école du kabuki occidentalisé, et du Shingeki («Nouveau Théâtre»), dont le principal représentant était le dramaturge Kaoru Ōsanai, on se mit à adapter des pièces et romans étrangers, dont un certain nombre de Léon Tolstoï (*Katyusha'*, 1914, d'après *Résurrection*). Mais, très vite, vint la «révolution» des actrices, toujours sous l'influence occidentale, et, malgré la vive opposition des «onna-gata», la première vedette féminine, Harumi Hanayagi, tourna *la Fille du fond de la montagne* (*Shinzan no otome*, de Norimasa Kaeriyama, 1919), et Yaeko Mizutani *'le Camélia d'hiver'* (*Kantsubaki*, de Masao Inoue, 1920).

Autre particularité du cinéma japonais primitif, la présence de benshi* (littéral. «hommes parlants»), commentateurs professionnels des films muets, qui infléchit considérablement le cinéma vers l'attraction foraine : le public populaire, souvent analphabète, ne pouvant lire les sous-titres, venait parfois plus pour écouter le benshi que pour voir le film, et certains benshi célèbres, comme Musei Tokuguwa, constituaient la véritable attraction du spectacle (on les appelait aussi «katsuben», c'est-à-dire : orateurs des images qui marchent). Mais, toujours sous l'influence des intellectuels et dramaturges ouverts à l'occidentalisation, une opposition au rôle des benshi se forma au début des années 20, afin d'évoluer radicalement vers une sorte de cinéma d'art. Malgré une vive résistance des benshi, on commença à réaliser des films devant plus à la littérature ou au théâtre occidental *(shingeki)* qu'à la tradition purement japonaise. C'est alors que deux anciens marchands de gâteaux de théâtre, et qui avaient réussi à bâtir un empire du kabuki à Kyōto, Takejiro (*Take* = bambou) et Matsujiro Shirai (*Matsu* = pin), fondèrent une nouvelle compagnie de cinéma, la Shōchiku («Compagnie du Pin et du Bambou», selon la lecture chinoise de leurs prénoms). Le premier film de la compagnie fut *'Âmes sur la route' (Rojo no reikon)*, tourné en 1921 par Kaoru Ōsanai et Minoru Murata, un des premiers exemples de film d'atmosphère dans le cinéma japonais. Pendant ce temps, de nouveaux réalisateurs ayant fait leurs premières armes à Hollywood dans les années 10 rentraient au Japon et tournaient des films américanisés, comme *le Club des amateurs* (Thomas Kurihara, 1920) ou *'Femmes des îles'* (*Shima no onna*, Henry Kotani, 1920).

Alors que le cinéma purement japonais ou occidentalisé était en plein essor et que le public populaire se passionnait pour un divertissement encore plus fascinant que le kabuki, se produisit un événement qui allait avoir des conséquences décisives sur son évolution : le 1er septembre 1923, à midi, Tōkyō et toute sa région furent secoués par ce qu'on appela «le grand tremblement de terre du Kantō», qui fit plus de 100 000 victimes. La plupart des studios, des salles et des stocks de films furent détruits, et des acteurs et techniciens disparurent dans le séisme. Cette catastrophe naturelle entraîna un exode de tous les moyens de production vers Kyōto, où l'on commença à tourner un nombre extravagant de «chambara» et «jidai-geki» (par ex., 875 films en 1924), d'une qualité fort médiocre. Ce qui eut pour résultat de détourner les intellectuels et même une partie du public moyen vers les films étrangers, essentiellement américains, dès lors massivement importés. C'est pourtant à cette époque que débutèrent dans l'anonymat quelques-uns des plus grands cinéastes japonais : Kenji Mizoguchi (débuts en 1922), Teinosuke Kinugasa (1922, après sa carrière d'acteur), Daisuke Itō (1924), Heinosuke Gosho (1925), Yasujiro Ozu (1927), Tomu Uchida (1927), et, plus tard, Mikio Naruse (1930), succédant aux grands pionniers comme Minoru Murata, Shozo Makino, ou Eizō Tanaka. Ce sont ces réalisateurs qui, avec leur style propre, contribuèrent à former du cinéma japonais une image qui subsistera jusque dans les années 50. Tandis que Mizoguchi et Ozu, encore influencés par le cinéma américain, signaient leurs premiers films personnels, Makino, Itō et Kinugasa jetaient les bases du «jidai-geki» moderne, avec des films à tendance politique, parfois jugés nihilistes. Les vedettes de ces films populaires, où toutes les audaces techniques étaient permises, étaient Tsumasaburo Bando — dit «Bantsuma» — chez Shozo Makino, Denjiro Okochi chez Itō et Chojuro Hayashi (qui changea trois fois de nom et termina sa carrière sous celui de Kazuo Hasegawa) chez Kinugasa. Peu de grands films du muet subsistent aujourd'hui, sinon les premières œuvres d'Ozu et Mizoguchi, et, entre autres, deux films-jalons de Kinugasa : *Une page folle* (1926, film «néo-sensationniste», sur un scénario de Yasunari Kawabata, et *'Carrefour' / 'Routes en croix'* (1928), film que son auteur emporta avec lui dans un long voyage en Europe, de Moscou à Paris. On y décelait d'évidentes références à l'expressionnisme germanique de l'époque.

Malgré des tentatives de cinéma sonore faites très tôt (dès 1914, ainsi que des expériences de films en couleurs), le «cent pour cent» parlant japonais ne vit le jour qu'en 1931, stimulé par le triomphe des films parlants américains. Ce fut Heinosuke Gosho qui l'inaugura avec une comédie satirique, *'Mon amie et mon épouse' / 'Madame et voisine'*, où l'on retrouvait son interprète favorite, Kinuyo Tanaka, une des plus grandes vedettes féminines avec Isuzu Yamada.

Malgré l'opposition évidente des benshi, qui se manifesta par des grèves et de violents incidents, le parlant gagna la partie, grâce aux films psychologiques plus que par les «jidai-geki». Comme partout, certains cinéastes tentèrent de repousser cette échéance, à commencer par Ozu, qui, après quelques essais sonores, finit par sacrifier à la nouveauté en 1936, avec *'Un fils unique'*. 1936 est une année capitale qui marque la transition entre les tendances libérales et progressistes des années 20 et 30, et l'ascension rapide d'un militarisme renforcé après la tentative manquée de putsch des officiers loyalistes cette même année. Mizoguchi tourna coup sur coup deux films considérés comme ses œuvres les plus marquantes d'avant-guerre, tous deux centrés autour de portraits de femmes brimées, ou prostituées : *'Élégie d'Ōsaka'*, et surtout *les Sœurs de Gion,* où se révèle le talent de l'actrice Isuzu Yamada. C'est aussi l'époque où s'affirment des cinéastes comme Yasujiro Shimazu, avec *'Okoto et Sasuke'* (1935), Hiroshi Shimizu, avec *'Des enfants dans le vent'* (1937), Tamizo Ishida, avec *'les Fleurs tombées'* (*Hana chirinu,* 1938), et Sadao Yamanaka (qui mourra bientôt au front), avec *'Pauvres Humains et ballons de papier'* (1937). Dès 1937, après «l'incident sino-japonais» et l'invasion de la Chine par le Japon, le contrôle gouvernemental et militaire de la production cinématographique est renforcé et il se dessine une «politique nationale» à laquelle doivent se soumettre compagnies et réalisateurs. Les premiers films militaires fleurissent alors, même si certains gardent encore un semblant d'objectivité comme les œuvres de Tomoka Tasaka : *'les Cinq de la patrouille'* (*Gonin no sekkōhei,* 1938) et surtout *'Terre et Soldats'* (*Tsuchi to heitai,* 1939), deux chroniques quasi documentaires de la guerre en Chine.

L'esprit national à son apogée est sans doute le mieux représenté dans *'la Guerre navale de Hawaii à la Malaisie'* (1942) de Kajiro Yamamoto, auteur en 1941 de l'une des meilleures chroniques paysannes avec *'le Cheval',* dont certaines séquences avaient été réalisées par son assistant, Akira Kurosawa. Celui-ci fait ses débuts officiels à la Tōhō (créée en 1936), en 1943, avec *la Légende du grand judo* illustrant les origines du vrai judo, tandis qu'un de ses confrères de la Shōchiku, Keisuke Kinoshita, débute aussi la même année avec une comédie satirique, *le Port en fleurs.* Pourtant, la plupart des cinéastes connus parviennent à esquiver leur «devoir national obligatoire» en se réfugiant dans des sujets historiques pas trop compromettants : ainsi des *Contes des chrysanthèmes tardifs* (*Zangiku monogatari,* 1939) ou *les 47 Rônin (Genroku chushingura)* en deux parties (1941-42) de Kenji Mizoguchi ou du *Pousse-pousse* (*Muhomatsu no issho,* 1943) de Hiroshi Inagaki, sujets repris maintes fois dans le cinéma japonais, comme tant d'autres. Dans le même temps, les dix compagnies productrices existantes furent regroupées par le gouvernement (par le biais du Bureau d'information publique) en trois sociétés principales : Shōchiku, Tōhō et la nouvelle Daiei, dirigée par Masaichi Nagata, le futur producteur de *la Porte de l'enfer* (T. Kinugasa) et des derniers films de Mizoguchi.

Au sortir de la guerre, malgré bombardements et destructions, la production, réduite à quelques films, ne fut cependant pas arrêtée totalement et reprit rapidement son essor. Les luttes politiques et syndicales firent rage et la Tōhō fut la plus touchée par les grèves de 1947-48 : ce fut en 1947, en effet, que plusieurs cinéastes, acteurs et techniciens, firent sécession et fondèrent la Shin-Tōhō

(« Nouvelle Tōhō ») qui produisit un nombre croissant de films commerciaux exploitant les modes du moment, jusqu'à sa faillite en 1961. Malgré les lois antitrusts édictées par les autorités américaines d'occupation, plusieurs nouvelles sociétés se créèrent, dont la Tōei (« Films de l'Est ») en 1951, et la Nikkatsu reprit ses activités en 1953. C'est dans les années 50 que le cinéma japonais connut sa période la plus glorieuse depuis le muet, symbolisée par le Lion d'or remporté à la Mostra de Venise en 1951 par le *Rashōmon* d'Akira Kurosawa qui facilita l'introduction de nombreux films japonais en Occident. Parallèlement, le Japon adoptait les nouvelles techniques importées, et Kinoshita tourna en 1951 le premier film japonais en couleurs (Fuji) *'le Retour de Carmen' (Karumen kokyo ni kaeru),* une comédie satirique sur le Japon d'après-guerre qui remporta un immense succès et fut suivie de *'le Pur Amour de Carmen' (Karumen junjo su,* 1952). C'est aussi au cours de ces années fertiles que s'imposèrent dans les festivals occidentaux les chefs-d'œuvre, vrais ou faux, des plus grands maîtres japonais : que ce soit Kenji Mizoguchi (*la Vie de Oharu, femme galante,* 1952 ; *les Contes de la lune vague après la pluie,* 1953 ; *l'Intendant Sansho,* 1954 ; *les Amants crucifiés,* id. ; *l'Impératrice Yang Kwei Fei,* 1955 ; *le Héros sacrilège,* id. ; enfin, *la Rue de la honte,* 1956, son dernier film) ou Akira Kurosawa (*l'Idiot,* 1951 ; *Vivre,* 1952 ; *les Sept Samouraïs,* 1954 ; *le Château de l'araignée,* 1957 ; *les Bas-Fonds,* id.), Teinosuke Kinugasa (*la Porte de l'enfer,* 1953, premier film en Eastmancolor), ou Kon Ichikawa (*la Harpe de Birmanie,* 1956 ; *le Brasier,* 1958 ; *l'Étrange Obsession,* 1959, et *Feux dans la plaine,* id.). Presque tous ces films remportèrent des prix à Cannes, Venise ou Berlin. Mais le revers de la médaille fut que les cinéastes dont les films n'avaient pas été envoyés dans les festivals par les compagnies restèrent relativement dans l'ombre, sauf à de rares exceptions : ainsi fallut-il attendre de nombreuses années pour « découvrir » plusieurs réalisateurs de premier plan, qui tournaient alors des œuvres majeures, tels : Ozu, avec *Voyage à Tōkyō* (1953); Naruse, avec *Okāsan* (1952) et *'Nuages flottants'* (1955); Gosho, avec *Là d'où l'on voit les cheminées* (1953) et *'Croissance '* (1955); Shiro Toyoda, avec *'les Oies sauvages'* (1953) et *'Relations matrimoniales'* (1955), ou Kimisaburo Yoshimura, avec *'Sous des parures de soie'* (1951), pour n'en citer que quelques-uns.

Cependant, grâce à l'action des ciné-clubs et des cinémathèques, on découvrait que le cinéma japonais n'était pas composé que de films de prestige (en particulier de séduisants films à costumes), et on put voir bien des œuvres laissées en marge. Ainsi la production indépendante, généralement progressiste, put-elle accéder à nos écrans. Citons des films de Tadashi Imai (*Nous sommes vivants,* 1951 ; *Ombres en plein jour,* 1956), de Satsuo Yamamoto (*Zone de vide,* 1952; *Quartier sans soleil,* 1954), de l'acteur Sō Yamamura (*Pêcheurs de crabe / les Bateaux de l'enfer,* 1953) ou de Kaneto Shindō (*les Enfants d'Hiroshima,* 1952; *l'Île nue,* 1960, le plus grand succès international d'un film indépendant [grand prix de Moscou, 1961]).

Dès 1953, la télévision avait été inaugurée au Japon : elle se révéla le plus grand concurrent du cinéma et, à partir des années 60, le déclin commença à se faire sentir dans une industrie pourtant prospère, où, grâce au succès commercial de séries populaires (citons le *Godzilla* de Inoshirō Honda et Eiji Tsubaraya, maître des effets spéciaux de la Tōhō, 1954), les « auteurs » pouvaient s'exprimer à peu près librement. Comme dans tous les pays, le cinéma riposta par une surenchère du spectacle, d'abord avec le CinémaScope, inauguré par la Tōei en 1957 et qu'expérimentèrent rapidement les grands cinéastes (*la Forteresse cachée* de Kurosawa, 1958, en TōhōScope), et la généralisation de la couleur, puis par le 70 mm et des productions de plus en plus monumentales (*'le Grand Bouddha'* [*Shaka* de Kenji Misumi, 1961, Daiei]). Ce fut ensuite l'escalade de l'érotisme et de la violence avec les films à scandale des années 60, dits « éroductions » (films indépendants de Tetsuji Takechi, Koji Wakamatsu, etc., distribués par les compagnies). Une autre manière de regagner les faveurs du public consista à produire des « films de jeunes » souvent tirés de best-sellers scandaleux ou suscités par de nouveaux mouvements littéraires comme le « Taiyozoku » lancé par Shintarō Ishihara vers 1955 : *'la Salle du châtiment' (Shokei no heya)* de Kon Ichikawa (1956) ; *Passions juvéniles (Kurutta Kajitsu)* de Yasushi (Ko) Nakahira (id.). C'est à cette époque que les « jeunes turcs » secouèrent le cerisier des compagnies et tournèrent des films violents et dynamiques qui rompaient avec le classicisme ambiant : Nagisa Ōshima, Yoshishige (Kiju) Yoshida et Masahiro Shinoda à la Shōchiku, ou Shōhei Imamura et Kiriro Urayama à la Nikkatsu, qui fondèrent tous leur propre compagnie, sans compter les indépendants économiquement autonomes – Susumu Hani, Hiroshi Teshigahara – ou les écrivains originaux, acteurs ou réalisateurs occasionnels (tel l'écrivain Yukio Mishima). Tandis que les cinéastes des générations précédentes jetaient leurs derniers feux dans les années 60 (*Barberousse* de Kurosawa, 1965 ; *Harakiri,* 1963, et *Kwaidan,* 1964, de Masaki Kobayashi) et que les compagnies faisaient faillite (Shintōhō, 1961 ; Daiei, 1971) ou s'accrochaient à des formules de plus en plus commerciales, les cinéastes de la Nouvelle Vague vivaient une gloire éphémère, avant de succomber eux aussi, au début des années 70. Malgré l'apparition de quelques nouveaux indépendants de talent, issus du théâtre (Shuji Terayama), de l'underground (Toshio Matsumoto) ou du documentaire (Shinsuke Ogawa, Noriaki Tsuchimoto), et l'œuvre de certains cinéastes intéressants demeurés dans les compagnies (Yasuzo Masumura à la Daiei, Seijun Suzuki à la Nikkatsu, Kihachi Okamoto à la Tōhō, Kinji Fukasaku à la Tōei), la décadence était consommée. Et, bien que les compagnies eussent signé dès 1963 un accord avec la télévision pour programmer leurs films anciens, ce fut cette dernière qui l'emporta : il y avait en 1980 plus de 25 millions de récepteurs couleurs au Japon, soit un par famille en moyenne.

Au cours des dernières années 70, le cinéma japonais, dont la situation économique reste précaire (→ PARAGR. CI-DESSOUS), se survit artistiquement par quelques films audacieux ou de prestige, souvent cofinancés par des producteurs étrangers : *l'Empire des sens* (1976) et *l'Empire de la passion* (1978) de Nagisa Ōshima en coproduction française, ou *Dersou Ouzala* (film soviétique de Kurosawa, 1975), *Kagemusha* (Kurosawa, 1980, avec participation américaine) et *Ran* (*id.,* 1985, en coproduction franco-nippone). Le tout-venant de la production est composé de films de série à petit budget, comme les « romans-pornos » de la Nikkatsu (depuis 1972, films de Tatsumi Kumashiro, Noboru Tanaka), de films de Yakua (vers 1968, films de Kinji Fukasaku à la Tōei), de comédies populaires (série *Tora-san* de Yoji Yamada à la Shōchiku depuis 1969) ou encore de best-sellers policiers assez grossiers produits par l'éditeur Haruki Kadokawa (le premier succès étant *'la Famille Inugami'* de Kon Ichikawa, 1976). La plupart des cinéastes de valeur ont cessé toute activité ou se sont reconvertis à la télévision. Seuls quelques indépendants farouches (Mitsuo Yanagimachi, Kohei Oguri, Kaizō Hayashi, Juzō Itami, Kei Kumai, Kiju Yoshida, Shōhei Imamura, etc.) se battent encore pour un cinéma d'auteur de qualité. En 1983, la palme d'or obtenue par *la Ballade de Narayama* a enfin attiré l'attention internationale sur l'œuvre d'Imamura, qui restait confidentielle à l'étranger, tandis qu'Oshima se tournait vers les productions étrangères (*Furyo*, 1983 ; *Max, mon amour* 1986). Et les derniers films de Kurosawa sont aussi produits avec des capitaux étrangers : *Ran* (FR - JAP, 1985), *Rêves* (US, 1990). Les années 90 ne voient guère d'évolution majeure : tandis que les grands trusts japonais (Sony, Matsushita) investissent massivement à Hollywood, avec plus ou moins de bonheur, les majors ont du mal à tenir le cap et ne prennent plus de risques dans la production de films d'auteur. La Nikkatsu fait faillite en 1994, ne conservant une partie de ses studios que pour les louer à la télévision ou aux publicitaires, et les autres compagnies s'occupent essentiellement de distribution dans leurs circuits. Si Akira Kurosawa parvient encore à tourner deux films, *Rhapsodie en août* (1991) et *Maadadayo* (1993), sorte de testament spirituel, ni Oshima, ni Imamura, ni Yoshida, ni Suzuki ne parviennent plus à monter leurs projets, en dehors de quelques documentaires télévisuels de commande (Oshima). Seul Shinoda parvient à tourner des films d'une certaine qualité, comme *Sharaku,* produit par Herald Ace (1995). La plupart des jeunes cinéastes ne réussissent à tourner que des films à très petit budget, parfois même en 16 mm, de caractère intimiste et sans réelle originalité. Parmi les noms qui émergent, néanmois, il convient de citer ceux de Shinji Somai*, Takeshi Kitano*, Kiju Yoshida, Totsuke Sato, Takehiro Nakajima, Sogo Ishii, Shinya Tsukamoto... Par ailleurs, la fréquentation continue de chuter

(123 millions de spectateurs seulement en 1994), pour un marché saturé de films américains, avec quelques exceptions européennes, et une moyenne de 250 films japonais par an (érotiques compris), tandis que le prix moyen du billet est l'un des plus chers du monde. À l'instar de la plupart des pays, le spectateur nippon consomme les films d'abord en vidéo ou en laser-disc. Malgré les efforts renouvelés de plusieurs producteurs indépendants, le cinéma japonais est à la recherche d'un nouveau souffle.

• *Économie.* Autant, sinon plus, que tout autre, le cinéma japonais est soumis à des contingences économiques. Sa crise actuelle est loin d'être surmontée et ce n'est que par l'apport massif d'argent extérieur qu'il peut encore survivre. Entre 1955 et 1960, années records de production et de fréquentation, le prix moyen du billet était d'environ 70 yens et le nombre des entrées s'élevait à plus d'un milliard (1956 : 1 127 452 000 spectateurs allaient voir plus de 500 films nationaux ; 1958 : 516 ; 1959 : 500 ; 1960 : 555), rapportant plus de 72 milliards de yens (1958 : 72 346 000 000) essentiellement aux compagnies, qui pouvaient ainsi distribuer de généreux dividendes à leurs actionnaires. Cette prospérité retrouvée, alors que le cinéma japonais était moribond en 1945, fut pourtant éphémère et la plupart des grandes compagnies ne doivent d'avoir survécu qu'au fait qu'elles tirent des ressources d'autres activités plus rentables (théâtre, music-halls strip-tease, bowling, et aujourd'hui le golf et les hôtels) : il est symptomatique que la Daiei, qui fit faillite en 1971, ne faisait pas partie d'un trust «vertical». Aujourd'hui, plusieurs compagnies jadis prestigieuses (Nikkatsu, Shōchiku) sont constamment menacées de banqueroute et souvent la production d'un seul film important est un pari engageant quasiment l'existence de la société (*Kagemusha* pour la Tōhō-Towa en 1980, *Eijanaika* d'Imamura pour la Shōchiku en 1981). L'augmentation régulière des recettes (160 milliards de yens en 1978) est un trompe-l'œil résultant de la hausse immodérée du prix moyen du billet, qui coûte actuellement environ 1 400 yens (plus de 40 FF en 1984). Cela compense artificiellement la chute de la fréquentation et la fermeture de nombreuses salles (2 364 en 1980 contre 4 649 en 1965). Les coûts de production ont vertigineusement augmenté et le nombre de films produits par les compagnies a baissé de façon inversement proportionnelle : à peine une vingtaine par compagnie en 1978. Ainsi, la plupart des «grosses productions» sont financées grâce à des sources extérieures au cinéma, soit par des producteurs issus d'autres formes de business (l'éditeur Haruki Kadokawa, qui a révolutionné le marché nippon depuis 1976), soit par des sociétés privées (la Sokagakkai pour *Hakkoda-san / les Monts Hakkoda,* en 1977) ou des firmes connues (les cosmétiques Shiseido, les magasins Mitsukoshi, etc.), soit par des financements étrangers évoqués plus haut.

Depuis ces dernières années, d'autres sociétés se sont lancées dans la production de films de qualité : Seiyu, JVC, CBS, Sony Group, entre autres, tandis que la Cie Daiei, sous l'impulsion de son président M. Tokuma, se spécialisait dans les coproductions avec la Chine (*Dun Huang,* 1989 ; *Jū-Dōu,* 1990). Une nouvelle ère de production est née.

• *Genres.* Depuis ses origines, et surtout depuis les années 20, le cinéma japonais est subdivisé en genres précis et étiquetés, dont les deux plus importants sont les *jidai-geki* (films d'époque) et les *gendai-geki* (films contemporains) avec le genre tampon, dit *Meiji mono* (films de l'époque Meiji se situant entre 1868 et 1912) [→ CES NOMS]. À l'intérieur de ces genres, qui ont leurs spécialistes, se situent certains types de films strictement codifiés — au moins jusque dans les années 60 : le *chambara* (film-sabre), les *yakuza-eiga* (films de gangsters, mettant en scène des personnages réels ou mythiques de l'underground nippon), le *shomin-geki* (films traitant du petit peuple, qui ont beaucoup évolué avec les effets de la croissance économique) et ses compartiments, les *haha-mono* (films de mères), les *tsuma-mono* (films d'épouses) ou encore les *kaiju-eiga* (films de monstres, depuis *Godzilla*), les *seishun-eiga* (films de jeunes) et les *kayo-eiga* (films avec des chanteurs populaires) souvent mélangés, et, depuis les années 60, les *éroductions,* dont la série dite *roman-porno* (films roman [tico]-porno [graphiques]) produite par la Nikkatsu. Sans compter les genres transposés du cinéma américain, comme les films musicaux, ou même les westerns (parfois tournés en Australie). Aujourd'hui, les plus anciens de ces genres sont repris à la télévision, notamment dans ce que les Japonais appellent eux-mêmes des *home-dramas* et où se produisent les meilleurs interprètes tandis que tout ce qui a trait à l'érotisme et à la violence reste du domaine du cinéma, avec aussi, récemment, une certaine reprise des films historiques (succès de *Kagemusha*) et de tentatives d'explication, ou de justification de la Seconde Guerre mondiale.

• *Lieux.* Il est à noter que, traditionnellement, le cinéma japonais a vu sa production articulée sur deux pôles géographiques essentiels, correspondant à une réalité socioculturelle encore vivante : Tōkyō, la capitale moderne, où sont produits les films contemporains, et Kyōto, l'ancienne capitale, où sont réalisés les films historiques à costumes se déroulant dans le Japon ancien. En annexe, les films se déroulant à Ōsaka (proche de Kyōto), capitale du*kansai,* aux coutumes et au parler différents, ville du commerce et de l'arrivisme social. Les films situés à Ōsaka, comme *l'Étrange Obsession* d'Ichikawa, ont une coloration particulière pour les spectateurs japonais et se reconnaissent aussi à l'intonation du *kansai-ben* (équivalent du marseillais en France). Quant aux autres films, situés dans des provinces aussi différentes que Hokkaidō, la grande île septentrionale, ou Kyu-Shu, l'île la plus méridionale en dehors de Ōkinawa, ils présentent aussi des particularités souvent opposées, témoignant d'une diversité géographique, ethnique et socioculturelle très accusée. Enfin, chaque studio a ses traditions et tente de garder sa coloration propre : le plus « japonais » est sans doute celui de la Shōchiku à Ofuna (près de Tōkyō), au sujet duquel les critiques parlèrent de « parfum d'Ofuna » (« Ofuna flavour », selon la formule anglo-saxonne), à propos des films d'Ozu ou de Kinoshita. Malgré la décadence actuelle des studios, certains demeurent très actifs – grâce, aussi, au tournage de films de télévision –, tels ceux de la Tōei à Kyōto, que le public peut visiter comme un jardin d'attractions. Les studios de la Nikkatsu à Chofu ne sont plus guère consacrés qu'aux films érotiques, tandis que ceux de la Tōhō à Seijo se partagent entre les grosses productions et la télévision. Enfin, la Daiei a presque entièrement vendu ses studios à Kyōto pour surmonter sa faillite de 1971 et, comme les autres, les loue à des productions indépendantes *(l'Empire de la passion).* M.T.

JAQUE-CATELAIN *(Jacques Guerin-Castelain,* dit), *acteur français (Saint-Germain-en-Laye 1897 - Paris 1965).* D'une joliesse un peu accablante, il personnifie un certain type d'adolescent fortuné, évoluant avec nonchalance dans le climat des années 20. L'Herbier le choisit comme acteur principal de sa « cantilène » : *Rose France* (1917). Il s'y fait remarquer et c'est le début d'une carrière sans grand éclat mais qui va fournir cependant au jeune homme l'occasion d'écrire et de tourner lui-même deux films : *le Marchand de plaisir* (1923), *la Galerie des monstres* (1924), reflets adoucis de l'avant-garde de l'époque. L'Herbier s'occupe de leur supervision et continue à offrir des rôles à son interprète favori dans des films promis à la notoriété : *le Carnaval des vérités* (1920), *l'Homme du large* (1920), *El Dorado* (1921), *Don Juan et Faust* (1922), *l'Inhumaine* (1924). Le talent de l'acteur, sa beauté le mettent en vedette dans d'autres productions comme *Kœnigsmark* (L. Perret, 1923) ou *le Chevalier à la rose* (R. Wiene, 1925). Au début du parlant, L'Herbier lui fait jouer le personnage central de *l'Enfant de l'amour* (1930) puis des rôles moyens dans *le Bonheur* (1935), *la Route impériale* (id.), *Adrienne Lecouvreur* (1938), *Entente cordiale* (1939). La guerre passée, il va le retrouver encore dans *la Révoltée* (1948) et *les Derniers Jours de Pompéi* (1950). Reconnaissant d'une aussi constante fidélité, Jaque-Catelain a consacré en 1950 un livre à celui qui fut son ami et son metteur en scène. Tenté par le théâtre, il y réussit plutôt mieux que dans des films tels *la Garçonne* (Jean de Limur, 1936) ou *l'Escadrille de la chance* (Max de Vaucorbeil, 1938). Son exil aux États-Unis entre 1940 et 1944 lui fait perdre le contact avec la scène et les studios parisiens. Aussi, hormis les films de L'Herbier, on ne l'aperçoit plus – fugitivement – que dans *Éléna et les hommes* (J. Renoir, 1956). R.C.

JARMAN *(Derek), cinéaste britannique (Northwood, Middlesex, 1942 - Londres 1994).* Il étudie la peinture à la Slade School of Fine Arts (1963-67) et devient décorateur pour le Royal Ballet et le film de Ken Russell, *les Diables* (1970). Auteur de courts métrages et de clips publicitaires en Super 8 et vidéo, il tourne *simultanément* des longs métrages et fait sensation avec *Sebastiane* (CO Paul Humfress, 1975), originale évocation de la vie du saint et hymne fervent au corps masculin, avec des dialogues en latin. La composante homosexuelle de son inspiration réapparaît dans *Jubilee* (1977), *The Tempest* (d'après Shakespeare, 1979), *Angelic Conversation* (sur les sonnets de Shakespeare, 1985) et le somptueux *Caravaggio* (1986). Son épisode (*Louise*, d'après l'opéra de Gustave Charpentier) du film collectif *Aria* (1987), montre une tendresse inattendue pour le personnage de la petite couturière. Son goût constant de l'insolite volontiers provocant, souvent manifesté par un style visuel de type « underground », éclate dans *The Last of England* (1987), pamphlet grinçant et convulsif sur la fin de l'Empire britannique, mais son écriture est plus apaisée dans le grandiose *War Requiem* (1989), inspiré et magnifié par la puissante partition de Benjamin Britten. Après *The Garden* (1990) et un *Edward II* esthétique et volontairement anachronique, Jarman réalise entièrement en studio *Wittgenstein* (1992), évocation à la fois ironique et dramatique du philosophe autrichien établi à Cambridge. Atteint par le sida, il tourne *Blue* (1993), un film-limite où des voix off relatent des fragments de sa vie quotidienne sur une image uniformément bleue. C'est à la fois un testament sur l'attente de la mort et l'aboutissement forcé de ses recherches sur l'image. M.M

Autres films : *In the Shadow of the Sun* (MM, 1980); *The Dream Machine* (1983); *Glitterbug* (co David Lewis, compilation par Jarman lui-même , juste avant sa mort, de ses oeuvres en super-8 des années 1971 à 1986). ▲

JARMUSCH *(Jim), cinéaste américain (Akron, Ohio, 1953).* Avec deux films, *Stranger Than Paradise* (1984) et *Down by Law* (1985), Jim Jarmusch est devenu un réalisateur fétiche pour toute une génération. La pratique de son cinéma comme celle de quelques confrères parfois proches de lui (Eric Mitchell, Amos Poe, Sara Driver, Mark Rappaport) le rapproche de la première vague du cinéma indépendant new-yorkais du début des années 60 : esthétique minimaliste, noir et blanc, acteurs peu connus. Il avait signé auparavant un film de diplôme, *Permanent Vacation* (1980), errance dans Manhattan d'un jeune adolescent pendant un mois d'été. Héritier à la fois de la Nouvelle Vague française, du cinéma tchèque des années 60 et de Wim Wenders, qui l'a soutenu, Jarmusch a su toucher une sensibilité contemporaine faite de désœuvrement, d'humour, de vagabondage et de dérision. Dans *Down by Law,* il a même su intégrer à son univers l'acteur comique italien Roberto Benigni. Ses films, contemplatifs et cool, de structure musicale, établissent un pont entre la sensibilité américaine et la culture européenne. En 1989, il signa *Mystery Train,* troisième volet d'une trilogie sur l'Amérique contemporaine où l'on retrouve son goût des dérives désenchantées, musicales et humoristiques, puis un court métrage, *Coffee and Cigarettes* (id., *id.*). M.C.

JAROV *(Mikhaïl) [Mihail Ivanovič Zarov], acteur soviétique (Moscou 1899 -* id. *1981).* Après des études théâtrales, il joue au Théâtre Kamerny à partir de 1931, puis, dès 1938, au Maly. Ses débuts au cinéma datent de 1924 dans *Aelita* (Y. Protazanov). On le voit ensuite dans *la Fièvre des échecs* (V. Poudovkine, 1925) et *Miss Mend* (B. Barnet et F. Ozep, 1926). Mais, son prestige et sa popularité considérables, il les doit à son interprétation du chef des voyous dans *le Chemin de la vie* (N. Ekk, 1931), où il s'impose par sa rondeur et sa faconde, par son cynisme et sa truculence. Souvent confiné dans les personnages négatifs, il incarne des figures peu sympathiques dans *le Retour de Maxime* et *le Quartier de Vyborg* (G. Kozintsev et L. Trauberg, 1937 et 1939). Mais il tient la vedette avec beaucoup d'abattage et d'humour aux côtés du tsar dans les deux époques de *Pierre le Grand* (V. Petrov, 1937-1939), puis il interprète avec un satanisme saisissant l'âme damnée d'un autre tsar dans *Ivan le Terrible* (S. M. Eisenstein, 1942-1946). On le verra encore dans *Mitchourine* (A. Dovjenko, 1948), *Vassa* (G. Panfilov, 1982), toujours avec la même étonnante présence. M.M.

JARRE *(Maurice), musicien français (Lyon 1924).* Après le Conservatoire de Paris, il se fait connaître par ses musiques de scène pour le Théâtre national populaire. C'est Georges Franju qui lui demande la partition de son premier court métrage (*Hôtel des Invalides,* 1952) puis de *la Tête contre les murs* (1959). On découvre alors un musicien original, affectionnant les petits ensembles insolites, les sonorités un peu précieuses, les mélodies égrenées délicatement, et c'est dans sa longue collaboration avec Franju que s'épanouit pleinement cet aspect de son talent (*les Yeux sans visage,* 1960 ; *Pleins Feux sur l'assassin,* 1961 ; *Thérèse Desqueyroux,* 1962 ; *Judex,* 1964), ainsi que dans des titres comme *les Dimanches de Ville-d'Avray* (S. Bourguignon, 1962) ou *Un roi sans divertissement* (F. Leterrier, 1963). Il signe en 1962 les partitions de deux superproductions internationales : *le Jour le plus long* (→ PRO : D. Zanuck) et *Lawrence d'Arabie* (D. Lean), qui décident du nouveau cours de sa carrière. Il y opte pour le principe d'un thème unique, aisé à retenir et à fredonner, orchestré avec plus d'emphase que de subtilité, et le succès de la formule le condamne à la répéter. D'autres titres : *Docteur Jivago* (D. Lean, 1965) ; *Paris brûle-t-il ?* (R. Clément, 1966) ; *les Professionnels* (R. Brooks, 1966) ; *Isadora* (K. Reisz, 1969) ; *les Damnés* (L. Visconti, id.) ; *l'Étau* (A. Hitchcock, *id.*) ; *l'Homme qui voulut être roi* (J. Huston, 1975) ; *le Dernier Nabab* (E. Kazan, 1976) ; *le Tambour* (V. Schlöndorff, 1979) ; *la Route des Indes* (D. Lean, 1984) ; *Julia et Julia* (P. del Monte, 1987) ; *Gorilles dans la brume* (M. Apted, 1989) ; *le Cercle des poètes disparus* (P. Weir, *id.*) ; *Ghost* (Jerry Zucker, 1990). J.-P.B.

JARROTT *(Charles), réalisateur britannique (Londres 1927).* Après avoir débuté dans la reconstitution historique (*Anne des Mille Jours* [*Anne of the Thousand Days*], 1969 ; *Marie Stuart, reine d'Écosse* [*Mary, Queen of Scots,* 1971), cet homme à tout faire a réalisé indifféremment un catastrophique pseudo-musical (*Horizons perdus* [*Lost Horizon*], 1973), un incroyable mélodrame (*De l'autre côté de minuit* [*The Other Side of Midnight*], 1977) destiné, croyait-on, à faire de Marie-France Pisier une star américaine, et un ersatz de James Bond (*Condorman,* id., 1981). C.V.

JARVA *(Risto), cinéaste finlandais (Helsinki 1934 - id. 1977).* Sa mort tragique, dans un accident de voiture juste après la première de son plus beau film *(l'Année du lièvre),* interrompt prématurément une brillante carrière commencée alors même qu'il était encore étudiant. Ses films valent à Jarva plus de récompenses dans son propre pays qu'à tout autre, et les cinéastes de sa génération ont un profond respect pour sa volonté arrêtée de mettre le cinéma au service de la réforme sociale. Comme Zanussi, ce Polonais dont l'œuvre est parfois assez proche de la sienne, il se passionne pour les sciences. S'il doit beaucoup à la Nouvelle Vague, *'le Jeu de la chance'* (*Onnenpeli,* 1965), le meilleur film de ses débuts, est déjà une analyse mordante des rapports humains en même temps qu'une réflexion sur les conflits surgis de la soif de liberté et du besoin d'un certain confort bourgeois.

Jarva se livre à une première approche didactique des problèmes socio-économiques dans *le Journal d'un ouvrier* (*Työmiehen päiväkirja,* 1967) : cherchant à améliorer son sort, un jeune ouvrier d'usine s'y trouve à la fois victime des préjugés sociaux et de sa propre faiblesse morale. *'Le Temps des roses'* (*Ruusujen aika,* 1969) tente de faire passer un message social par le biais de la science-fiction, tandis que *'Rallye'* (*Bensaa suonissa,* 1970) narre sur le mode humoristique l'histoire extravagante d'un pilote de rallye aux ambitions matérialistes. Jarva a fait la preuve de la portée de son talent dans *'Quand le ciel tombera'* (*Kun taivas pütoaa,* 1972), qui évoque la presse à sensation. *'La Guerre d'un homme'* (*Yhden Miehen sota,* 1973), œuvre pessimiste, d'une grande beauté plastique, met en scène un ouvrier du bâtiment qui s'efforce de monter sa propre affaire dans une société régie par l'opportunisme économique. Jarva devait témoigner également de son habileté à l'occasion de comédies dramatiques teintées de satire, telle *l'Année du lièvre* (*Jäniksen vuosi,* 1978). Cette épopée d'un homme d'affaires, qui abandonne tout pour courir la campagne en compagnie d'un lièvre blessé trouvé le long de la route, demeure à la fois le plus percutant et le plus subtil des films de cette veine, avec une délicatesse de style qui faisait souvent défaut dans ses documentaires critiques plus directs. P.CO.

JARVET *(Jüri) [Jurij Evgenevič Jarvet], acteur soviétique estonien (Tallinn 1919).* Diplômé de l'Institut théâtral de Tallinn, il est surtout connu des spectateurs de théâtre et des téléspectateurs (pour avoir été l'animateur avec Woldemar Panso d'une émission populaire de sketches comiques), quand il se voit – à l'âge de 40 ans – proposer de petits rôles au cinéma. On le voit dans *'le Laitier de Mäekula'* (*Moločnik iz Mjaekjula,* Leïda Laïus, 1966), *'le Timbre-poste viennois'* (*Venskaja počtovaja marka,* Velie Kasper, 1967), *'Morte-Saison'* (*Mërtvyj sezon,* Savva Kulich, 1968), *Démence* (K. Kiisk, *id.*), mais il ne devient célèbre qu'au début des années 70 grâce à ses deux interprétations du rôle-titre dans *le Roi Lear* (G. Kozintsev, 1971) et de Snaut, le savant sceptique dans *Solaris* (A. Tarkovski, 1973). Il apparaît ensuite notamment dans *'le Violon rouge' (Krasnaja skripka,* K. Kiisk, 1974).

J.-L.P.

JASNÝ *(Vojtěch), cinéaste tchécoslovaque (Kelc u Vsetina, Moravie orientale, 1925).* Il débute au début des années 50 en signant plusieurs scénarios et mises en scène avec Karel Kachyňa, notamment *'Le temps n'est pas toujours couvert'* (*Není stále zamračeno,* 1950) et les *'Années exceptionnelles'* (*Neobyčejná léta,* 1952). En 1957, il dirige seul *les Nuits de septembre (Zářijové noci)* d'après la comédie de Pavel Kohout et remporte un succès international avec *Désir* (*Touha,* 1958). Après *'la Procession à la Vierge' (Procesi k Panence,* 1961) d'après un récit satirique de M. Stehlík, il s'impose avec *Un jour, un chat* (*Až přijde kocour,* 1963), fable-satire poétique à l'humour malicieux où triomphe l'acteur Jan Werich. Il ne renouvelle pas cette réussite avec *les Pipes* (*Dymky,* 1965) ni même avec *Chronique morave/Mes bons compatriotes* (*Vsichni dobri rodaci,* 1968) qui tombera sous le couperet de la censure. En effet, les événements de 1968 ont une répercussion sur sa carrière. Jasný quitte son pays natal, travaille pour la télévision en Allemagne et en Autriche, et son retour au cinéma n'a lieu qu'en 1976 avec l'adaptation d'un roman de Heinrich Böll : *'le Clown' (Ansichten eines Clowns).* Ses œuvres suivantes, *Fluchtversuch* (id.), *Ruckkehr* (1977), *'le Suicidaire'* (*Bis später, Ich muss mich erschiessen / Eläköön itsemurhaaja,* RFA-FINL, 1983), ne parviennent pas à renouer avec le ton d'*Un jour, un chat.* Jasny quittera au cours des années 80 l'Europe pour les États-Unis, réalisera un film pour enfants : *la Grande terre des Nains* (*The Great Land of Small,* 1987) et enseignera à l'Université de Columbia. Après la « révolution de velours », il rentre à Prague et tourne *Pourquoi Havel* ? (*Why Havel* ?, 1991).

J.-L.P.

JASSET *(Victorin Hippolyte), cinéaste français (Fumay 1862 - Paris 1913).* D'abord décorateur et costumier de théâtre, il règle les pantomimes à grand spectacle de l'Hippodrome, salle qui deviendra plus tard le Gaumont-Palace. Il tourne ses premiers films, des documentaires et des « vues comiques », pour la jeune compagnie l'Éclair, avec Georges Hatot. En 1908, ils ont l'idée de porter à l'écran les exploits de *Nick Carter,* d'après les célèbres récits populaires des éditions Eichler. Le succès est immédiat : « Narration simple, poursuites, crimes, arrestations, guet-apens : tout cela convient à merveille au cinéma », peut-on lire dans *Ciné-Journal* (15 septembre 1908). Jasset et Hatot continuèrent sur cette lancée avec, notamment, *Riffle Bill* (« le roi de la prairie »), *Morgan le pirate, le Vautour de la Sierra* et de *Nouveaux Exploits de Nick Carter.* En 1909, Jasset tourne — seul — *Docteur Phantom* (en 6 épisodes), sorte de Caligari bienfaisant, puis un « grand film artistique », *Hérodiade,* et en 1911 *la Fin de Don Juan,* dans l'esprit du Film d'Art. Il revient à son inspiration favorite avec *Zigomar,* « le maître du crime », d'après le roman du Français Léon Sazie, interprété par Arquillère, dont le succès fut considérable et l'influence sur le *Fantômas* de Feuillade évidente. Cette « saga du crime » oppose l'infernale « bande des Z » au vaillant détective Paulin Broquet. Il y aura deux suites : *Zigomar contre Nick Carter* et *Zigomar, peau d'anguille.* De la même veine sera *Protéa* (1913), qui met en scène une belle espionne patriote, incarnée par Josette Andriot : la série sera poursuivie, après la mort de Jasset, par Gérard Bourgeois et Jean-Joseph Renaud. Jasset a réalisé ou produit de nombreux autres films : comiques, historiques, adaptations littéraires *(les Mystères de Paris, le Capitaine Fracasse),* « grands drames sociaux » *(Au pays des ténèbres, Rédemption, les Batailles de la vie, le Chemin du cœur),* films d'aventures (*Meskal le contrebandier, Tom Butler, Balaoo* d'après le roman de Gaston Leroux), et on lui en attribue plus encore, par exemple la célèbre série des *Bandits en automobile* (1912), inspirée des exploits de la bande à Bonnot, dont toutes les copies ont disparu comme la plupart des films précités. Ce qui subsiste de son œuvre permet d'affirmer qu'il fut l'un des plus « artistes » parmi les pionniers du cinéma : son sens du paysage, la fluidité de sa mise en scène, sa direction d'acteurs très

sobre pour l'époque le font regarder parfois comme le précurseur du « réalisme poétique ».
C.B.

JAUBERT *(Maurice), musicien français (Nice 1900 - Azerailles 1940).* Il commence par faire des études classiques, puis du droit. Avant de se consacrer entièrement à la musique (à l'incitation, entre autres, d'Arthur Honegger et de Marcel Delannoy), il est le plus jeune avocat de France. Mais il joue du piano depuis l'âge de cinq ans (il interprétera parfois ses œuvres en concert) et commence à composer dès 1920. Son œuvre se développe dès lors régulièrement : musique de chambre, mélodies, musiques de scène (notamment pour Jouvet)...

Son premier contact avec le cinéma date de 1926. Jean Renoir, son ami d'enfance, lui demande de réaliser la sélection musicale accompagnant les projections de *Nana.* En 1929, il compose sa véritable première partition pour le cinéma en écrivant la musique d'accompagnement pour l'exclusivité parisienne du *Mensonge de Nina Petrovna (Die wunderbare Lüge der Nina Petrowna)* de Hanns Schwarz, avec Brigitte Helm. Il travaille ensuite sur des courts métrages de Jean Painlevé *(le Hyas ; Caprelles et Pantopodes ; le Bernard-l'ermite).* En 1931, il écrit la musique du *Petit Chaperon rouge,* d'Alberto Cavalcanti. Certaines rencontres vont être déterminantes et Jaubert signe les partitions de *Zéro de conduite* et de *l'Atalante,* pour Vigo ; celle de *L'affaire est dans le sac* (1932), *Drôle de drame* (1937), *Hôtel du Nord, Quai des brumes* (1938), *Le jour se lève* (1939) pour Jacques Prévert et Marcel Carné ; celle de *14 Juillet* (1933) et du *Dernier Milliardaire* (1934) pour René Clair. Pour Julien Duvivier, c'est *Un carnet de bal* (1937) et *la Fin du jour* (1939). C'est aussi *Violons d'Ingres,* pour J. B. Brunius, et de nombreuses partitions pour les films d'Henri Stork et Alberto Cavalcanti. La mort le surprend à la guerre, le 19 juin 1940. François Truffaut a utilisé des compositions de Maurice Jaubert dans *l'Histoire d'Adèle H.* (1975) et *la Chambre verte* (1978).
D.R.

JCC (Journées cinématographiques de Carthage) → TUNISIE.

JEANMAIRE *(Renée Jeanmaire,* dite *Zizi), actrice française (Paris 1924).* Ballerine depuis l'âge de neuf ans, Zizi Jeanmaire manie avec la même aisance la danse classique, la danse moderne, la gouaille faubourienne et l'élégance huppée. Ayant fortement plu au public de théâtre américain au début des années 50, il était inévitable qu'elle paraisse à l'écran : c'est, en 1952, dans *Hans Christian Andersen et la danseuse* (Ch. Vidor), assez charmant musical qui la met bien en valeur. Depuis, ses prestations cinématographiques ont été des plus sporadiques. N'était-elle pas intéressée ? On peut le regretter, car son abattage dans des musicals français comme *Folies-Bergère* (H. Decoin, 1957) ou *Charmants Garçons* (*id.,* 1958) avait de quoi séduire.
C.V.

JEANSON *(Henri), scénariste, dialoguiste et cinéaste français (Paris 1900 - Équemauville 1970).* Il faut s'en tenir à son aventure cinématographique, laisser dans l'ombre sa carrière tumultueuse de journaliste où son talent s'éparpille dans des dizaines de feuilles avec une mention pour *le Canard enchaîné.* Il y tient la critique de radio et de cinéma sous le pseudonyme de « Huguette ex micro » et ses jugements sont redoutables et lapidaires. On ne peut s'attarder non plus sur sa situation de directeur de journal pendant l'Occupation. Épisode tragi-comique qui lui vaut d'être pourchassé par les Allemands et de disparaître dans la clandestinité. Il continue pourtant à écrire et des oreilles exercées peuvent reconnaître l'auteur en écoutant les répliques anonymes de *Carmen* (Christian-Jaque, 1945) ou de *Farandole* (A. Zwobada, *id*). Très jeune, il est attiré par le cinéma et paraît brièvement dans *le Coupable* (Antoine, 1917) tandis qu'il pose pour des cartes postales naïves et attendries. Sa verve de polémiste va attirer l'attention d'Alfred Savoir, qui le fait entrer comme dialoguiste à la Paramount. Il y trouve son chemin de Damas et, dès lors, va effeuiller au gré des productions ses répliques percutantes et ses monologues mélancoliques. Il écrit en même temps une demi-douzaine de comédies. Sa recette : un tiers de mots à l'emporte-pièce, un tiers de sentimentalité à fleur de peau, un tiers de nostalgie tendre, car ce féroce a le cœur fondant mais craint d'en être dupe. Il douche ses élans, mais il a beau faire, sa petite musique arrive à se faire entendre. L'auteur s'écoute alors un peu parler, mais ce qu'il dit a un charme profond qui avive encore la verdeur de son jeu de massacre. Ainsi vont tous ses films, y compris *Lady Paname,* qu'il réalise lui-même en 1949. Une simple énumération fait alors se lever les souvenirs : *Mister Flow* (R. Siodmak, 1936), *Pépé le Moko* et *Un carnet de bal* (J. Duvivier, 1937), *Hôtel du Nord* (M. Carné, 1938), *Prison sans barreaux* (L. Moguy, *id.*), *Entrée des artistes* (M. Allégret, *id.*), *la Nuit fantastique* et *l'Honorable Catherine* (M. L'Herbier, 1942 et 1943), *Boule de suif* et *Un revenant* (Christian-Jaque, 1945 et 1946), *la Vie en rose* (Jean Faurez, 1948), *Les amoureux sont seuls au monde* (H. Decoin, *id.*), *Au royaume des cieux* (Duvivier, 1949), *Fanfan la Tulipe* (Christian-Jaque, 1952), *la Fête à Henriette* (Duvivier, *id.*), et tant d'autres encore. R.C.

JÉLIABOUJSKI *(Youri) [Jurij Andreevič Željabužskij], cinéaste soviétique (Tiflis [auj. Tbilissi, Géorgie] 1888 - Moscou 1955).* Élevé dans un milieu intellectuel et artistique (sa mère, Maria Fédorovna Andréiéva, célèbre actrice du Théâtre d'art, est l'amie intime de Gorki), il fréquente très jeune les leaders révolutionnaires. Il débute au cinéma en 1916 comme assistant d'Alexandre Volkov. Il filme des actualités durant la révolution de février 1917 et travaille ensuite dans diverses firmes privées comme scénariste et surtout comme opérateur. En 1918, il dirige le Collectif ouvrier et la production du studio Rouss avant même la nationalisation du cinéma. Après avoir collaboré à plus de vingt films, il est auteur complet en 1919, avec *'la Petite Fille aux allumettes' (Devočka so spičkami). Polikouchka* (*Polikuška,* 1922 ; RÉ : 1919) de Sanine, dont Jéliaboujski signe les prises de vues tout en participant à la réalisation, salué par Lounatcharski, premier film soviétique vendu à l'étranger, est un gros succès. En 1919-20, Jéliaboujski tourne des *agit-films* d'éducation politique ou sociale, de vulgarisation scientifique ou technique. Il donne le meilleur de son œuvre de fiction entre 1924 et 1929, selon la « ligne tempérée », traditionaliste, « mi-soviétique mi-bourgeoise », du Mejrabpom-Rouss, également illustrée par Yakov Protazanov. Le mérite essentiel de Jéliaboujski est d'avoir introduit au cinéma le réalisme méthodique et introspectif du Théâtre d'art de Stanislavski. Dans *Polikouchka,* dans *le Maître de poste,* les créations d'Ivan Moskvine sont magistrales d'émotion et de vérité. En 1927, Jéliaboujski dirige les premiers dessins animés soviétiques. À l'arrivée du parlant, il retourne au documentaire. Il tourne pour l'armée pendant la Seconde Guerre mondiale et, la paix revenue, consacre ses films aux grands peintres soviétiques : Répine, Sourikov, Sérov. Il enseignait au VGIK depuis les années 30. B.A.

Films : *la Cigarière du Mosselprom* (*Papirosnica ot Mossel'prom,* 1924) ; *le Maître de poste* (*Kolležokij registrator,* 1925) ; *'la Victoire de la femme'* (*Pobeda ženščiny,* 1927) ; *'Un homme est né'* (*Čelovek rodilsja,* 1928) ; *'Défense d'entrer dans la ville'* (*V gorod vhodit'nel'zja,* 1929).

JELIAZKOVA *(Binka)* → ŽELJAZKOVA (Binka).

JENKINS *(Charles Francis), pionnier américain du cinéma (Dayton, Ohio, 1867 - Washington, D. C., 1934).* Intéressé dès le début des années 1890 par la synthèse du mouvement, il met au point en 1894-95, en association avec Armat, un des premiers projecteurs présentés en public. (→ ARMAT.) Plus tard, Jenkins s'intéresse à la télévision. Auteur de nombreux brevets dans le domaine de l'image animée, il est à l'origine de la fondation de la SMPTE, dont il devient le premier président. J.-P.F.

JENNINGS *(Humphrey), cinéaste britannique (Walberswick 1907 - île de Poros, Grèce, 1950).* Diplômé de Cambridge en 1929, ce fils d'architecte se révèle très tôt une des figures les plus riches, les plus brillantes de son milieu universitaire et du groupe d'écrivains et d'intellectuels qui écrivent dans *Experiment.* Le titre même de cette revue est comme une incitation : poète, peintre, décorateur de théâtre, Jennings prouve qu'il est curieux de tout, et bientôt du film en tant que matériau plastique ; il s'intéresse ainsi aux travaux du General Post Office Film Unit dès 1934, et John Grierson lui demande sa collaboration pour les effets de couleurs de *Birth of a Robot* (1936). Il est, avec David Gascoyne, l'un des introducteurs du surréalisme outre-Manche et subit en même temps l'infuence du mouvement idéologique Mass Observation. Le marxisme, moins comme théorie que comme révélateur des contradictions économiques et sociales, l'importance de l'ethnologie, la crise d'où l'Occident croit émerger contribuent à renforcer l'intérêt de Jennings pour le cinéma en tant que moyen d'observation, d'expression et d'analyse du monde, qu'il s'agisse du « temps libre » *(Spare Time)* ou d'une sorte de « portrait mosaïque » de l'âme anglaise, tel *Family Portrait.* L'ensemble de son œuvre (tournée entre 1939 et 1949), courts et moyens métrages, est consacré à la Grande-Bretagne en guerre, ou aux séquelles de celle-ci (en 1946, *A Defeated People* porte sur l'Allemagne détruite un regard d'où toute haine est absente, et bien près d'être fraternel). Le refus des conformismes, des idées générales, du documentaire comme illustration, caractérisent ces films qui, presque toujours, parviennent à renverser les principes du film de propagande : ils convainquent par l'expression lyrique ou tragique d'un matériau sélectionné, organisé, rythmé. Le plan est composé, l'ensemble soumis à une dynamique expressive. Jamais Jennings n'oublie qu'il est, d'abord, et peut-être avant tout, un peintre : c'est d'ailleurs ainsi que le ressentent plusieurs de ceux qui furent ses familiers. Encore qu'il n'ait pu tourner de longs métrages, le documentarisme britannique atteint avec Jennings à un niveau capable d'égaler Ruttmann, Flaherty ou Leni Riefensthal. Il meurt d'une chute du haut des falaises de Poros, en laissant une sorte de patchwork littéraire inachevé, qu'il avait intitulé *Pandemonium.* Ses amis gardent le souvenir fervent de « l'esprit le plus remarquable que nous ayons jamais rencontré » (Kathleen Raine). On regrette qu'il n'y ait plus de distribution de ses œuvres, d'autant que son influence n'est pas absente des films d'un Ken Loach, d'un Kevin Brownlow ou d'un Mike Leigh, voire de Bill Douglas. C.M.C.

Films ▲ : *Post Haste* (1934) ; *Locomotives* (id.) ; *The Birth of a Robot* (1936) ; *Penny Journey* (1938) ; *Spare Time* (1939) ; *Speaking From America* (id.) ; *The First Days / A City Prepares* (co : Harry Watt, Pat Jackson, *id.*) ; *Her Last Trip / S. S. Ionian* (id.) ; *London Can Take It* (co : H. Watt, 1940) ; *An Unrecorded Victory / Spring Offensive* (id.) ; *Welfare of the Workers* (id.) ; *The Heart of Britain* (1941) ; *Words For Battle* (id.) ; *Listen To Britain* (co : Stewart McAllister, *id.*) ; *The Silent Village* (1943) ; *Fires Were Started / I Was a Fireman* (id.) ; *The True Story of Lilli Marlene* (1944) ; *The 80 Days* (1945) ; *A Diary For Timothy* (id.) ; *A Defeated People* (1946) ; *The Cumberland Story* (1947) ; *Dim Little Island* (1949) ; *Family Portrait* (1950). N. B. Seul *Fires Were Started* atteint 60 min.

JESSNER *(Leopold), cinéaste et acteur allemand (Königsberg 1878 - Los Angeles, Ca., US, 1945).* Sa carrière est surtout celle d'un metteur en scène de théâtre, mais il est également acteur et mérite d'être signalé parmi les cinéastes occasionnels pour deux tentatives intéressantes : *Escalier de service* (*Hintertreppe,* avec Henny Porten et Fritz Kortner ; co Paul Leni, 1921) et pour une adaptation de l'œuvre de Wedekind *Loulou* (*Der Erdgeist,* 1923). Il a également tourné *Reigen* (1922) et collaboré à la *Maria Stuart* de Friedrich Feher en 1927. Il part pour les Pays-Bas en 1933, puis pour la Grande-Bretagne, enfin pour les États-Unis à l'avènement du nazisme et subsistera, à Hollywood, de tâches mineures et anonymes. F.B.

JESSUA *(Alain), cinéaste français (Paris 1932).* Formé par l'assistanat auprès de réalisateurs tels que Jacques Becker, Max Ophuls, Marcel Carné et Yves Allégret, Alain Jessua obtient le prix Jean-Vigo en 1957 pour son court métrage *Léon la Lune,* coréalisé par Robert Giraud, peinture d'un de ces marginaux dans tous les sens du terme (ici un clochard) qui peupleront ses films ultérieurs. Peu copieuse, l'œuvre de Jessua est à la fois originale et inachevée. Auteur de ses propres scripts, qu'il s'agisse de scénarios originaux ou d'adaptations, Jessua va à l'épure, à l'essentiel, sans fioritures, sans « mise en scène », au sens de mise en valeur du sujet, de l'anecdote ou du jeu de l'acteur — un peu à la manière d'un Buñuel, mais sans la richesse de l'imaginaire. Ses plus belles réussites sont celles qui bénéficient de l'argument le mieux charpenté, la mise en scène se limitant à mettre au jour la folie des personnages et des systèmes dans lesquels ils sont pris. L'hyperréalisme de la forme contribue à la crédibilité de récits basculant généralement dans le fantastique brut de *Traitement de choc* (1973), qui modernise le thème des vampires, ou *Frankenstein 90* (1984), le fantastique social d'*Armaguedon* (1977), *les Chiens* (1979), *Paradis pour tous* (1982) ou encore le fantastique psychologique (*la Vie à l'envers,* 1963 ; *Jeu de massacre,* 1967). On peut déplorer chez ce cinéaste à part, très attachant au demeurant, un défaut fréquent d'élaboration qui empêche l'œuvre de s'épanouir dans ses développements possibles (ce sera notamment le cas pour *En toute innocence,* 1988, exercice de style à la manière d'Hitchcock, malheureusement inabouti). ▲ M.S.

JEWISON *(Norman), cinéaste américain d'origine canadienne (Toronto, Ontario, Canada, 1926).* Étrange carrière que celle de cet homme de télévision qui passe de comédies poussives avec Doris Day à la superproduction ambitieuse... Appelé en catastrophe pour remplacer Sam Peckinpah sur *le Kid de Cincinnati* (*The Cincinnati Kid,* 1965), il saisit l'occasion de faire un film accrocheur sur le monde du poker. Dès l'année suivante, on décèle dans la comédie *Les Russes arrivent* (*The Russians Are Coming,* 1966) une volonté rageuse tout à fait nouvelle. Couronné de lauriers pour *Dans la chaleur de la nuit* (*In the Heat of the Night,* 1967), bon policier sur thèse antiraciste, Jewison devient un réalisateur de prestige. Ce qui ne signifie pas que tout est bon dans sa filmographie. *L'Affaire Thomas Crown* (*The Thomas Crown Affair,* 1968) se perd dans les méandres d'un scénario chantourné et d'un montage à la virtuosité fatigante. *Jésus-Christ Superstar* (*id.,* 1973) étouffe sous le gigantisme. *Rollerball* (*id.,* 1975) montre qu'on ne peut imiter impunément Stanley Kubrick. Mais il y a aussi une grande fluidité dans le musical *Un violon sur le toit* (*Fiddler on the Roof,* 1971). Et on peut se passionner pour la vigoureuse saga du syndicalisme de *F. I. S. T.* (*id.,* 1978) ou pour le démontage un peu simpliste de *Justice pour tous* (*And Justice for All,* 1979). Bilan modeste, certes, mais suffisant pour faire de Jewison un bon artisan : *les Meilleurs amis* (*Best Friends,* 1982), *Soldier's Story,* (1985) ; *Agnès de Dieu* (*Agnes of God,* id.) ; *Éclair de lune* (*Moonstruck,* 1987) ; *Un héros comme tant d'autres* [*In Country,* 1989]) ; *Eclair de lune* (*Moonstruck,* 1987) ; *Un héros comme tant d'autres* (*In Country*), 1989 ; *Larry le liquidateur* (*Other People's Money,* 1991) ; *Only You* (*id.,*1994). C.V.

JIANG *(Wen), acteur et cinéaste chinois (Tangshan 1963).* À 17 ans, il est admis à l'Institut d'art dramatique de Pékin et, à peine deux ans après son diplôme, il commence déjà à jouer dans des films. Il fait ses débuts en interprétant avec beaucoup de classe le rôle complexe de l'empereur Pu Yi dans *la Dernière Impératrice* (*Modai huanghou,* Chen Jialin et Sun Jinguo, 1985). Dans le film suivant, *Hibiscus'* (*Furong zhen,* Xie Jin, 1986), il joue, face à Liu Xiaoqing, le rôle d'un paysan condamné comme « droitier ». L'année 1987 est faste pour lui puisque, après un rôle dans *le Palanquin des larmes,* il a la vedette, avec Gong Li, du *Sorgho rouge,* ours d'or au 38e festival de Berlin, puis celle de *Chun Tao* (*id.,* Ling Zifeng, 1987), avec Liu Xiaoqing. En 1989, c'est encore lui que l'on trouve dans *l'Année de tous les malheurs* de Xie Fei – ours d'argent au 41e festival de Berlin –, adaptation d'un roman de Liu Heng qui décrit le mal de vivre des jeunes de la capitale. En 1991, c'est, à nouveau, l'évocation de la cour mandchoue avec *Li Lianying, eunuque impérial* (*Da Taijian, Li Lianying,* Tian Zhuangzhuang), où éclate, plus que jamais, sa complicité avec Liu Xiaoqing, ici dans le rôle de Tseu-Hsi. Peu après, Jiang Wen, que beaucoup considèrent comme le meilleur acteur de sa génération, décide de passer à la réalisation. En 1994, il achève *Des jours radieux (Yangguang canlan de rizi),* d'après un roman (à la fois cynique et racoleur) de Wang Shuo : *Comme des bêtes sauvages,* qui oppose le Pékin d'aujourd'hui aux souvenirs de la révolution culturelle, quand le malheur de certains ne semblait pas affecter le bonheur des autres. Xia Yu, le jeune acteur qui a la vedette du film, obtient le prix d'interprétation à Venise en 1994. M.-C.Q.

JIDAI-GEKI (littéral. « film d'époque »). Terme désignant, au Japon, les films (ou pièces) se déroulant pendant l'époque « médiévale » précédant l'ère Meiji (1868). *La Porte de l'enfer* (T. Kinugasa, 1953), *Harakiri* (M. Kobayashi, 1963), *les Sept Samouraïs* (A. Kurosawa, 1954) ou *Kagemusha* (*id.,* 1980) sont des jidai-geki. M.T.

JIN SHAN (*Zhao Mo,* dit), *acteur et réalisateur chinois (Yuanling, prov. du Hunan, 1911-Pékin [Beijing] 1982).* Passionné de théâtre, il rejoint la ligue de gauche, entre au parti communiste et fait du théâtre militant. Sa carrière cinématographique commence en 1935 avec *'Folle Nuit'* (*Hunkuang,* Ren Pengnian, 1935). Puis, à la Xinhua, il est la vedette de deux films de Shi Dongshan : *'Chant d'éternel regret'* (*Changhen ge,* 1936) et *'Nuit de liesse'* (*Kuanghuan zhi ye,* 1936). Ensuite, c'est *'Chant de minuit'* (*Yeban gesheng,* 1937) de Ma Xu Weibang, où l'on trouve des réminiscences du personnage du *Fantôme de l'opéra* et de *Frankenstein.* En 1938, il tourne encore *'Diao Chan'* (*id.,* Bu Wancang), puis se consacre pendant toute la guerre au théâtre. Il revient au cinéma en 1947 en réalisant *'Sur la Soungari' (Songhuajiang shang).* Après 1949, il fait principalement du théâtre. Mais, en 1956, il réalise *'le Mont Huanghua' (Huanghua ling);* en 1958, *'la Ballade du réservoir des 13 tombeaux des Ming' (Shisanling shuiku changxiangqu),* d'après une pièce de Tian Han qu'il venait de mettre en scène au Théâtre de la Jeunesse; en 1959, *'la Tempête' (Fengbao)* sur la grève des cheminots de Pékin-Hankou du 7 février 1923, film dont il est également la vedette. Ensuite, Jin Shan abandonne le cinéma. En 1967, il est arrêté et emprisonné pendant sept ans. Après la révolution culturelle, il reprend ses activités théâtrales. C.D.R.

JIN YAN (*Jin Delin,* dit), *acteur chinois d'origine coréenne (Séoul 1910 - Canton 1983).* À dix-sept ans, il débute à la Minxin comme acteur stagiaire puis entre à la Compagnie théâtrale de la Chine du Sud, dirigée par Tian Han, dont il devient le disciple. Sun Yu lui donne le rôle principal dans *'le Beau Mousquetaire'* (*Fengliu jianke,* Sun Yu, 1929) et, à partir de 1930, il devient l'acteur vedette de la Lianhua. En 1932, un sondage lui attribue le titre de « Roi du cinéma ». Pour la Lianhua, il tourne seize films importants, le plus souvent avec Ruan Lingyu, dont *'Herbes folles et Fleurs sauvages'* (*Yecao xianhua,* Sun Yu, 1930), *'Amour et Devoir'* (*Lian'ai yu yiwu,* Bu Wancang, 1931), *'Les fleurs de pêcher pleurent des larmes de sang'* (*Taohua qixue ji,* Bu Wancang, *id.*), *'Lumière maternelle'* (*Muxing zhi guang,* Bu Wancang, 1933), *'Trois Femmes modernes'* (*Sange modeng nüxing,* Bu Wancang, 1933), *'la Route'* (*Dalu,* Sun Yu, 1934), *'Retour à la nature'* (*Dao Ziran qu,* Sun Yu, 1936). Il travaille aussi pour d'autres studios : à la Yihua, c'est *'l'Âge d'or'* (*Huangjin shidai,* Bu Wancang, 1934) ; à la Xinhua, *'Un idéal grandiose'* (*Zhuangzhi lingyun,* Wu Yonggang, 1936). Très lié avec Tian Han, Zheng Junli, Nie Er, comme eux il est particulièrement mal vu par le Kuomintang. Après 1937, il tourne moins. Notons *'Dix Mille Lis de ciel'* (*Changkong wanli,* Sun Yu, 1940). Après la guerre, il joue dans trois films, mais, après 1949, ses apparitions se font de plus en plus rares et sa santé se détériore. On peut mentionner *'Retour à la lumière'* (*Dadi chuongguang,* Xu Tao, 1950) et *'la Mère'* (*Muqin,* Ling Zifeng, 1955). Néanmoins, le public ne l'a jamais oublié et lui est resté très attaché jusqu'à sa mort, en décembre 1983. C.D.R.

JIREŠ (*Jaromil*), *cinéaste tchécoslovaque (Bratislava 1935).* Au terme d'études entreprises à la faculté de cinéma de Prague, il obtient les diplômes d'opérateur et de réalisateur. De 1960 à 1963, il travaille à la Lanterna Magika et au Polyekran. Son court métrage *('la Salle des pas perdus')* (*Sál ztracených kroků,* 1961), qui fait référence à l'occupation nazie, aux traces qu'elle a laissées dans la mémoire, frappe par son style juvénile. Prolongeant cette tentative, *le Premier Cri* (*Křik,* 1964), premier long métrage de Jireš, annonce, avec quelques autres, un renouvellement du cinéma tchèque. Lyrique, précieux, *le Premier Cri* témoigne d'une vision résolument non conformiste des individus et de la société d'aujourd'hui ; il traduit de manière hardie (et convaincante) le bouillonnement des souvenirs, des préoccupations et des angoisses d'un jeune couple, le jour de la naissance d'un premier enfant. Dans *Romance,* sketch du film collectif *les Petites Perles au fond de l'eau* (*Perličky na dně,* 1965), il confronte ensuite avec ironie les modes de vie sédentaire et tzigane. Mais il lui faut attendre plusieurs années avant de pouvoir donner la mesure de son talent avec *la Plaisanterie* (*Žert,* 1968), adaptation d'un roman de Milan Kundera. C'est une œuvre mûre, dense, d'un humour corrosif, qui retrace le chemin d'un jeune communiste enthousiaste, chassé de l'Université et du Parti pour une peccadille... L'amertume qui domine ce bilan des années staliniennes fait place à une euphorie lyrique dans *Valérie et la semaine des miracles* (*Valérie a týden divů,* 1969), où le spectateur bascule dans une sorte de rêve éveillé sans pouvoir démêler les fantasmes d'une adolescente d'avec une réalité des plus troublantes. Comme... *Et je salue les hirondelles* (*A pozdravuji vlaštovky,* 1972), évocation d'une belle figure de la résistance antinazie, *Valérie et la semaine des miracles* atteste, en des temps d'épreuves, un attachement profond à la terre natale. Les films que Jireš tourne ensuite, de 1974 à 1978 (*les Gens du métro* [*Lidé z metra*],

1974 ; *l'Île des hérons d'argent* [*Ostrov stříbrných volavek*], 1977 ; *Des assiettes volantes au-dessus de notre bourgade* [*Taliře nad Velkym Malíkovem*], 1977 ; *le Jeune Homme et la Baleine blanche* [*Mladý muž a bílá velryba*]), ne présentent pas le même intérêt. En 1979, cependant, le modeste *Cas lapin (Causa králík),* excellente comédie de mœurs contemporaine qui est aussi un acte de foi civique, montre que le talent de Jireš demeure entier. Il signe ensuite *Fugues à la maison* (*Útěky domů,* 1980); *Un opéra dans la vigne* (*Opera ve vinici,* 1981) ; *Éclipse partielle* (*Neúplné zatmění,* 1982) ; *la Catapulte* (*Katapult,* 1984) ; *Temps prolongé* (*Prodlouženy čas, id.*) ; *le Lion à la crinière blanche* (*Lev s bílou hřivou,* 1986) ; *Antonín Dvořak* (TV,1990) ; *'Mimétisme'* (*Mimikry,* TV, 1991); *'Description d'une lutte éternelle'* (*Popis věčného zápasu,* TV, *id.); ' Et si les anges sont là'* (*A jsou-li tu andelé,* TV, 1992); *'le Monde spirituel d'Anton Dvořak' (Duchovni svět Antonína Dvořáka,* TV, *id.); 'Rencontre avec Jaroslav Havliček (Setkáni s Jaroslavem Havlíčkem,* TV, *id.) ; Helimadoe* (*id.,* 1993) ; *'le Maître de danse'* (*Učitel tance,* 1994).
P.H.

JOANNON *(Léon,* dit *Léo), cinéaste et scénariste français (Aix-en-Provence 1904 - Neuilly-sur-Seine 1969).* Comme beaucoup d'autres, il gravit de nombreux échelons – régie, assistanat – avant d'accéder en 1930 avec *Adieu les copains* et *Douaumont* au rang de réalisateur. Jusqu'à la guerre, son métier se gaspille dans des adaptations de vaudeville avec, parfois, une réussite comique (*Quelle drôle de gosse,* 1935). Il rêve à des films plus ambitieux et obtient en 1938 le grand prix du Cinéma français avec *Alerte en Méditerranée,* qui prêche le pacifisme et la collaboration internationale. Pendant l'Occupation, il réussit un amusant film d'aventures, *le Camion blanc* (1943), et donne du mouvement et de la vigueur à un scénario entaché de paternalisme et faisant l'apologie du chef (*le Carrefour des enfants perdus,* 1944). Après un temps de silence, il essaie sans grand succès de retrouver le ton de la comédie gaie (*Le 84 prend des vacances,* 1950) ou laborieuse : il donne le coup de grâce au couple usé de Laurel et Hardy avec *Atoll K* (1951) ; puis il se tourne résolument du côté des sujets religieux, qu'il traite en mélos, sans fuir ni l'emphase ni la complaisance (*le Défroqué,* 1954, avec Pierre Fresnay ; *le Secret de sœur Angèle,* 1956 ; *le Désert de Pigalle,* 1958). Ses dernières productions gardent jusqu'à la fin un redoutable ton moralisateur et larmoyant (*l'Homme aux clés d'or,* 1956 ; *Tant d'amour perdu,* 1958 ; *Trois Enfants dans le désordre,* 1966 ; *les Arnaud,* 1967). Il a écrit de nombreux scénarios et interprété quelques-uns de ses films : *le Défroqué* ou *l'Homme aux clés d'or,* ainsi que *les Aristocrates* (D. de La Patellière, 1955).
R.C.

JOBERT *(Marlène), actrice française (Alger 1943).* Elle suit des cours d'art dramatique à Dijon, puis au Conservatoire de Paris, dans la classe de Georges Chamarat. Elle débute au théâtre en 1963 et Jean-Luc Godard lui propose son premier rôle à l'écran, dans *Masculin Féminin,* en 1965. Très vite remarquée (notamment dans *le Voleur* de Louis Malle, en 1967), elle aborde les premiers rôles avec *l'Astragale* de Guy Casaril, adapté en 1968 du best-seller d'Albertine Sarrazin, et surtout dans *le Passager de la pluie* de René Clément (1969, avec Charles Bronson). Comédienne nuancée, fine, au petit visage tacheté facilement chiffonné et émouvant, elle est à l'aise dans les situations dramatiques (*Nous ne vieillirons pas ensemble,* M. Pialat, 1972 ; *Folle à tuer,* Y. Boisset, 1975), voire pathétiques (*l'Amour nu,* Y. Bellon, 1981), comme dans la comédie (*les Mariés de l'an II,* J.-P. Rappeneau, 1970 ; *Julie Pot-de-Colle,* Ph. de Broca, 1977). Sa société M. J. Productions a coproduit le film franco-suisse de Claude Goretta, *Pas si méchant que ça* (1975), qu'elle interprète aux côtés de Gérard Depardieu.
J.-P.J.

Autres films : *Dernier Domicile connu* (J. Giovanni, 1969) ; *le Secret* (R. Enrico, 1974) ; *le Bon et les Méchants* (C. Lelouch, 1975) ; *l'Imprécateur* (J.-L. Bertucelli, 1977) ; *la Guerre des polices* (Robin Davis, 1979) ; *Une sale affaire* (Alain Bonnot, 1980) ; *les Cavaliers de l'orage* (Gérard Vergez, 1983) ; *Souvenirs, souvenirs* (Ariel Zeitoun, 1984) ; *les Cigognes n'en font qu'à leur tête* (Didier Kaminka, 1989).

JODOROWSKY *(Alejandro), écrivain et cinéaste chilien établi au Mexique (Iquique 1930).* Il débute au cinéma avec *Fando y Lis* (1968), d'après Arrabal, auquel le relient certaines préoccupations puisqu'il fonde avec ce dernier et Roland Topor le mouvement Panique. Il tourne ensuite un western métaphysique

(*El Topo,* 1970) et une superproduction où il peut enfin donner libre cours à son goût pour l'ésotérisme et la quête initiatique (*la Montagne sacrée* [*La montaña sagrada*], 1973). Partisan d'un cinéma fantasmatique et se voulant philosophique, il est passé maître dans la violence gratuite et dans la rhétorique moderniste, pour retomber dans l'imagerie simpliste avec *Tusk* (1979), film qu'il désavouera. En 1989, il revient à son inspiration première avec *Santa Sangre* et réalise en 1990 *le Voleur d'arc-en-ciel* (*A Rainbow Thief*). Il est l'auteur d'un roman : *le Paradis des perroquets* (1984).
P.A.P.

JOFFÉ *(Alexandre,* dit *Alex), scénariste et cinéaste français (Paris 1918).* Un apprentissage sérieux auprès de chefs opérateurs tels que Schüfftan, Kelber et Alekan, et de scénaristes comme Aurenche, un don indéniable de l'écriture font d'abord de lui un « nègre » puis un scénariste apprécié : *Ne le criez pas sur les toits* (J. Daniel-Norman, 1943) ; *Florence est folle* (G. Lacombe, 1945) ; *Millionnaires d'un jour* (A. Hunebelle, 1950) ; *Le 84 prend des vacances* (L. Joannon, *id*) ; *Sans laisser d'adresse* (J.-P. Le Chanois, 1951). Devenu réalisateur en 1946 (*Six Heures à perdre,* co : Jean Lévitte), il s'impose avec *les Hussards* (1955) et *les Assassins du dimanche* (1956) ; il connaît un très gros succès grâce à un mélodrame, *Fortunat* (1960), avec Bourvil, Michèle Morgan, Gaby Morlay. À l'aise dans la comédie dramatique (*le Tracassin,* 1961 ; *les Culottes rouges,* 1962), Joffé sait diriger les comédiens (Robert Hirsch dans *les Cracks,* 1968) et montrer une verve qui fait parfois de lui un véritable auteur.
O.B.

JOFFÉ *(Roland), cinéaste britannique (Londres 1945).* Comme son maître et compatriote David Lean, Joffé s'intéresse à l'Histoire pour ses vertus de fable et d'épopée, et n'hésite pas à se servir des « sujets nobles » comme alibi du spectacle ; d'où la controverse que suscite son œuvre. Son premier film, *la Déchirure* (*The Killing Fields,* 1984), décrivait, avec un réalisme à la limite du soutenable, l'horreur qui avait suivi la chute de Phnom Penh. Palme d'Or très contestée au Festival de Cannes 1986, son deuxième film, *Mission (The Mission),* dénonçait la manière dont la politique pervertit la religion, et ce à travers l'évocation du génocide des Indiens Guaranis au XVIIIe siècle. *Les Maîtres de l'ombre* (*Shadow Makers,* 1990) a fait l'objet aux États-Unis d'une polémique sans précédent : militant antinucléaire, Joffé y démontre comment la science avait été prise en otage par les militaires, à l'époque de la fabrication de la première bombe atomique américaine en 1942. En 1992, il signe *la Cité de la joie* (*City of Joy*) et en 1995 *Scarlett Letter.*
A.F.

JOHNS *(Glynis), actrice britannique (Pretoria, Union sud-africaine* [*Transvaal*], *1923).* L'exquise sirène de *Miranda* (K. Annakin, 1948) débute dans une production Korda, *À travers le Sud* (V. Saville, 1938), et poursuit sa carrière dans des films britanniques comme *The Prime Minister* (T. Dickinson, 1941), *49e Parallèle* (M. Powell et E. Pressburger, *id.*), *l'Auberge fantôme* (*The Halfway House,* B. Dearden, 1944), *Frieda* (*id.,* 1947), *la Boîte magique* (J. Boulting, 1951), *Trois Dames et un as* (R. Neame, 1952). On l'a vue aussi dans des productions américaines comme *le Tour du monde en 80 jours* (M. Anderson, 1956), l'excellent *Cabinet du Dr Caligari* (*The Cabinet of Dr. Caligari,* Roger Kay, 1962) ou *les Liaisons coupables* (G. Cukor, *id.*)., Elle réapparaît à l'écran en 1988 dans *Zelly and Me* de Tina Rathbone.
R.L.

JOHNSON *(Ben), acteur américain (Furnace, Okla., 1918).* Fils d'un champion de rodéo, il débute comme cascadeur dans *le Banni* (H. Hughes, 1943) et se partage entre le cinéma et l'élevage des chevaux jusqu'en 1948. John Ford le prend alors sous contrat, lui confie de brèves apparitions dans *le Fils du désert* (1949) et *la Charge héroïque* (1949), puis la vedette du *Convoi des braves* (1950). Durant les vingt années qui suivent, sa carrière est exclusivement consacrée au western et jalonnée par *l'Homme des vallées perdues* (G. Stevens, 1953), *la Vengeance aux deux visages* (M. Brando, 1961), *les Cheyennes* (J. Ford, 1964), *Major Dundee* (S. Pe-ckinpah, 1965), *Will Penny, le solitaire* (T. Gries, 1968) et *la Horde sauvage* (Peckinpah, 1969). Peter Bogdanovich lui offre, en 1971, un rôle chargé de réminiscences fordiennes dans *la Dernière Séance,* où il remporte l'Oscar (« Best Supporting Actor »). Il tient son premier rôle de « méchant » dans *le Guet-apens* (Peckinpah, 1972) et bifurque vers le genre policier, auquel il consacre maintenant le principal de son activité (*Dillinger,* John Milius, 1973 ; *la Cité des dangers,* R. Aldrich, 1975 ; *le Chasseur,* B. Kulik, 1980). O.E.

JOHNSON *(Celia), actrice britannique (Richmond, Surrey, 1908 - Nettlebed 1982).* Ancienne élève de l'École royale d'art dramatique, elle fait des débuts très remarqués au théâtre. Noël Coward, ayant apprécié son talent dans un court métrage de propagande *(Letter From Home),* lui propose aussitôt le rôle de la femme du commandant dans *Ceux qui servent en mer* (1942). David Lean, qui coréalise ce film, propose alors à Celia Johnson de tenir le rôle principal dans *Heureux Mortels* (1944) puis dans *Brève Rencontre* (1945), d'après une pièce à succès et un scénario original de Coward. *Brève Rencontre* marque une date essentielle dans l'histoire du cinéma britannique et assure à sa vedette une fulgurante consécration internationale. Celia Johnson paraît ensuite notamment dans *Égarement* (T. Fisher et A. Darnborough, 1950), *I Believe in You* (B. Dearden, 1951), *The Holly and the Ivy* (G. More O'Ferrall, 1952), *Capitaine Paradis* (A. Kimmins, 1954), *l'Enfant à la licorne* (C. Reed, 1955), *The Good Companions* (J. Lee Thompson, 1957). Dès lors son activité est surtout consacrée au théâtre, et ce n'est qu'en 1969 qu'elle revient au cinéma pour incarner l'acariâtre et conservatrice directrice du collège dans *les Belles Années de Miss Brodie* (R. Neame). R.L.

JOHNSON *(Astrid Maria Carlsson,* dite *Mary), actrice suédoise (Ekilstuna 1895-1975).* Elle entre en 1916 à la Hasselblad, société de production de Göteborg qui s'attache les services de Georg af Klercker. Avec ce metteur en scène, elle va tourner pendant trois ans une quinzaine de films. En 1918, elle joue *le Chat botté* (*Mästerkatten i stövlar,* John W. Brunius), aux côtés de Gösta Ekman, puis tourne *le Trésor d'Arne* (1919) sous la direction de Mauritz Stiller, qui lui offre son plus beau rôle. On la nommera la « Lilian Gish suédoise » ou la « Bessie Love scandinave ». Suivront : *les Traditions de la famille* (R. Carlsen, 1920), *le Chevalier errant* (J.W. Brunius, 1921), *le Vieux manoir* (Stiller, 1923), *Vox populi* (Brunius, 1923) et quelques films en Allemagne, notamment *le Canard sauvage* (Lupu-Pick, 1926), *Attractions* (Manège, Max Reichmann, 1928) et *Chaînes / les Sexes enchaînés* (W. Dieterle, 1928). Elle abandonne le cinéma en 1931. J.-L.P.

JOHNSON *(Nunnally), scénariste, producteur et cinéaste américain (Columbus, Ga., 1897 - Los Angeles, Ca., 1977).* Journaliste, auteur de nouvelles, appelé à Hollywood en 1932, il fournit des sujets à diverses firmes, puis à la Fox, où il devient non seulement scénariste mais producteur associé. Sa collaboration avec John Ford (*Je n'ai pas tué Lincoln,* 1936 ; *les Raisins de la colère,* 1940 ; *la Route du tabac,* 1941) le rend célèbre. Il travaille aussi avec Henry King (*le Brigand bien-aimé,* 1939), Fritz Lang (*la Femme au portrait,* 1944) ou John Stahl (*les Clés du royaume,* 1945). Fondateur en 1943 de l'International Pictures (bientôt absorbé par Universal), il s'oriente de plus en plus vers la production à la Fox dans les années 50, et se risque dans la réalisation : *la Veuve noire* (*Black Widow,* 1954) est un policier languissant ; *l'Homme au complet gris (The Man in the Gray Flannel Suit,* 1956), un feuilleton inexplicablement célébré pour son « réalisme » ; *les Trois Visages d'Ève* (*The Three Faces of Eve,* 1957), un sujet audacieux mais ramené aux normes de la Fox. Après quelques comédies peu comiques et une médiocre évocation de la guerre d'Espagne, *l'Ange pourpre* (*The Angel Wore Red,* 1960), Johnson s'est reconverti dans les scénarios, le dernier ayant été celui des *Douze Salopards* de Robert Aldrich (1967). Mais rarement l'écart entre le talent de l'écriture et la spécificité de la mise en scène aura été aussi cruellement accusé que par la dizaine de films où il voulut être auteur complet (et homme d'affaires par surcroît). G.L.

JOHNSON *(Richard), acteur britannique (Upminster 1927).* Assez connu au théâtre, attaché un temps à la compagnie de John Gielgud, il aborde le cinéma par de petits emplois et se fait remarquer dans *Capitaine sans peur* (R. Walsh, 1951). Voué aux rôles d'action, il devient une « seconde vedette » avec des films comme *Saadia* (A. Lewin, 1953) et plus tard *Moll Flanders* (T. Young, 1964) ou *les Amours de Lady Hamilton* (Christian-Jaque, 1969), où il interprète l'amiral Nelson. Carrière typiquement internationale qui glisse ensuite dans le tout-venant des films d'aventures ou d'espionnage. On est surpris d'apprendre que cet acteur sans grand relief à l'écran a été plus d'une fois « l'invité » sur scène et à la TV de la Royal Shakespeare Company. Il fut pour peu de temps le mari de Kim Novak (1965). G.L.

JOHNSON *(Charles Van Johnson,* dit *Van), acteur américain (Newport, R. I., 1916).* Ce grand garçon rouquin à la bonne santé quelque peu artificielle provoque, au lendemain de la Seconde Guerre mondiale, l'engouement d'une Amérique qui ressent le besoin d'aimer l'image de sa propre innocence. Le pays est alors tiraillé entre John Garfield, celui qui n'a rien, et Van Johnson, celui qui a tout. À cause de cet aspect unidimensionnel, on a vite fait le tour de ce personnage superficiel. Van Johnson a un certain talent d'acteur, limité mais réel, qui peut même suggérer assez habilement l'ambiguïté : ainsi en est-il du héros tourmenté de *Vivre un grand amour* (E. Dmytryk, 1955), et du gigolo sentimental d'*Invitation* (Gottfried Reinhardt, 1952), ses deux meilleurs rôles. Ou, à l'étage au-dessous, de l'aveugle détective de *À 23 pas du mystère* et de l'homme traqué du *Fond de la bouteille,* deux films tournés en 1956 par Henry Hathaway. Mais, le plus souvent, on lui demande de sourire et d'étaler ses taches de rousseur et ses yeux bleus avec le maximum de charme dans d'inoffensifs véhicules pour Esther Williams ou June Allyson. On peut encore se souvenir de lui dans *Bastogne* (W. Wellman, 1949), *Drôle de meurtre* (D. Weis, 1953), *Ouragan sur le Caine* (Dmytryk, 1954) ou *la Dernière Fois que j'ai vu Paris* (R. Brooks, *id.*). Une certaine image de l'Amérique ? Plutôt un stéréotype. C.V.

JOLSON *(Asa Yoelson,* dit *Al), acteur et chanteur américain (Saint-Pétersbourg, Russie, 1886 - San Francisco, Ca., 1950).* Plus que sa carrière théâtrale, c'est sa gloire radiophonique qui a fait de lui *le Chanteur de jazz* (A. Crosland, 1927) : son sens de la communication verbale (« Vous n'avez encore rien entendu », lançait-il pour introduire un couplet) contraste efficacement avec ses mimiques véhémentes. Après *le Fou chantant* (L. Bacon, 1928), ses interprétations déçoivent, en dépit de la silhouette pittoresque de *Hallelujah I'm a Bum* (L. Milestone, 1933). Jolson se bornera bientôt à quelques apparitions et à cautionner sa biographie deux fois filmée : *le Roman d'Al Jolson* (*The Jolson Story,* Alfred E. Green, 1946) et *Je chante pour vous* (H. Levin, 1949). A.M.

JOLY *(Henri), pionnier français du cinéma (Vioménil 1866 - Paris 1945).* Il est surtout connu pour avoir réalisé en 1895, à la demande de Pathé (qui importait alors le Kinetoscope), le premier appareil français pourvu d'un *débiteur.* (→ INVENTION DU CINÉMA.) J.-P.F.

JONES *(Charles Frederick Gebhart,* dit *Buck), acteur américain (Vincennes, Ind., 1889 - Boston, Mass., 1942).* Une des vedettes les plus populaires et les plus rafraîchissantes des premiers westerns. Cet ancien cascadeur, qui avait servi dans la cavalerie et qui était un habitué des Wild West Shows et des exhibitions sur piste de cirque, possède dans son jeu une spontanéité qui le rapproche d'un Richard Barthelmess. Il tourne une moyenne de huit films par an tout au long des années 20 et prouve occasionnellement sa véritable envergure dans une simple pastorale comme *Notre héros* (F. Borzage, 1925). Mais le plus souvent, monté sur son cheval Silver, il apparaît dans des westerns de série, comme par exemple *Desert Outlaw* (Edmund Mortimer, 1924). Vers la fin des années 30, sa popularité diminue et les films dans lesquels il joue deviennent de plus en plus modestes. Il mourut dans l'incendie d'une boîte de nuit en 1942. C.V.

JONES *(Charles,* dit *« Chuck »), cinéaste d'animation américain (Spokane, Wash., 1912).* Avec Tex Avery et Friz Freleng, il a régné pendant trente ans sur la production des studios Warner Bros, qui distribuaient les séries *Merrie Melodies* et *Looney Tunes.* Avec le premier d'entre eux, il est sans conteste le représentant le plus prolixe et le plus original de l'école d'animation dite « du gag paroxystique ». Son nom est passé à l'histoire comme l'un des inventeurs de la star Bugs Bunny. Sorti de la Franklin High School et du Chouinard Art Institute, il commence au bas de l'échelle comme gouacheur, intervalliste, puis animateur chez Ub Iwerks, Hugh Harman et Rudolph Ising à la Warner (où naît en 1933 le studio dirigé par Léon Schlesinger). On associe son nom au premier film de la UPA qu'il dirigea (*Hell Bent for Election,* 1944) et à Walt Disney, chez lequel il travailla avant de rompre avec éclat. À la Warner, sous Eddie

Selzer puis John Burton, il est d'abord l'assistant de Tex Avery, puis vole de ses propres ailes en créant (avec le grand Tex, Friz Freleng, Bob Clampett et Ben Hardaway) le personnage de Bugs Bunny, le lièvre frondeur et sarcastique, dont le mot fameux « What's up, doc ? » est devenu légendaire. Il est aussi le créateur d'Elmer Fudd, le crétin bègue, de Daffy Duck, le canard colérique et postillonneur, de Yosemite Sam, le pirate furibard, du Monstre de Tasmanie hurleur et bafouilleur, du chat Sylvestre et du cochon Porky, et surtout du Coyote et de l'Oiseau-Mimi, devenus avec Bugs les héros du populaire *Bugs Bunny-Roadrunner Show* à la télévision. Jones partageait le personnage de Bugs avec Freleng et Bob McKimpson ; il est aussi l'auteur de sujets libres comme *The Dot and the Line* et a signé des longs métrages comme *Gay Pur-ree* (1962) et *The Phantom Tollbooth* (1971). En 1963, il a quitté la Warner pour la MGM, où il a dirigé une série avec Tom et Jerry de Hanna-Barbera. Il enseigne l'animation, parle et écrit éloquemment de cet art difficile, et, comédien-né comme beaucoup d'animateurs, montre un humour totalement télégénique. Depuis la mort de Tex Avery, il est l'historien attitré de cette phase inégalable du dessin animé. R.BN.

JONES *(Henry), acteur américain (Philadelphie, Pa., 1912).* Figure familière des acteurs de second plan, Henry Jones peut, à loisir, inquiéter ou provoquer le rire, ou mélanger les deux. On gardera cependant un souvenir ému de ses prestations d'homme d'affaires dépressif et dépassé par les événements que lui confia Frank Tashlin dans *la Blonde et moi* (1956) et dans *la Blonde explosive* (1957). Plus sinistre était le maître chanteur concupiscent du *Buisson ardent* (*The Bramble Bush,* Daniel Petrie, 1960). Ses apparitions se réduisent souvent à une simple silhouette. C.V.

JONES *(James Earl), acteur américain (Arkabutla, Miss., 1931).* Incroyablement corpulent, d'une présence peu commune, c'est sans doute le grand acteur noir de la scène américaine contemporaine. Au cinéma, il a repris son succès scénique dans *l'Insurgé* (M. Ritt, 1970), où il était un champion de boxe. Délicieuse était sa création d'éboueur au grand cœur dans *Claudine* (J. Berry, 1974). Mais il s'est aussi amusé à jouer les très méchants et l'on n'oubliera pas de sitôt le démon Pazuzu dans *l'Hérétique* (J. Boorman, 1977) ou la voix caverneuse qu'il prêtait à Darth Vader, le traître de *la Guerre des étoiles* (G. Lucas, *id.*). C.V.

JONES *(Phillys Isley,* dite *Jennifer), actrice américaine (Tulsa, Okla., 1919).* Actrice ambulante dès l'enfance, elle rencontre en 1939 à New York Robert Walker, et ils partent pour Hollywood après leur mariage. Elle débute obscurément à l'écran sous son vrai nom. David Selznick la remarque et va la « fabriquer » publicitairement pendant trois ans avant de la lancer en vedette dans *le Chant de Bernadette* (H. King, 1943) : film religieux destiné à faire pardonner d'avance le scandale d'un divorce (1945) et d'un mariage attendu avec son Pygmalion (1949). Pour ce rôle, Jennifer Jones remporte un Oscar. Douée de plus de tempérament que de métier, elle utilise avec un instinct infaillible un répertoire de mimiques et de tics qui mettent en valeur les passions les plus exacerbées : ce qui subsiste longtemps d'enfantin dans un visage très photogénique et les courbes d'un corps juvénile, quelque arrogance aussi, ajoutent à cette fascination que de grands cinéastes ont su exalter : *Depuis ton départ* (J. Cromwell, 1944) ; *la Folle Ingénue* (E. Lubitsch, 1946 : incursion réussie dans la comédie) ; *Duel au soleil* (K. Vidor, 1947 : son apothéose en sauvageonne indomptable) ; *le Portrait de Jennie* (W. Dieterle, 1949) ; *Madame Bovary* (V. Minnelli, *id.*) ; *la Renarde* (M. Powell et E. Pressburger, 1950) ; *la Furie du désir* (K. Vidor, 1952) ; *Stazione termini* (V. De Sica, 1953) ; *Plus fort que le Diable* (J. Huston, *id.*) ; *la Colline de l'adieu* (H. King, 1955) ; *l'Adieu aux armes* (Ch. Vidor, 1957) ; *Tendre est la nuit* (H. King, 1962). Après quelques autres films de moindre renom, elle n'est plus apparue que dans *la Tour infernale* (J. Guillermin, 1974). G.L.

JONES *(Quincy), musicien américain (Chicago, Ill., 1933).* Sa connaissance du blues, de la musique latino-américaine et, plus généralement, d'une grande variété de musiques ethniques a fait de Quincy Jones un compositeur particulièrement recherché lorsque le cinéma américain s'est épris de sons différents au début des années 60. Arrangeur, compositeur et interprète, il a contribué à la création d'atmosphères urbaines comme dans *le Prêteur sur gages* (S. Lumet, 1965), ou *M 15* *demande protection* (id., 1967). C'est en 1967 également qu'il signe deux de ses partitions les plus remarquables, pour *De sang froid* de Richard Brooks, où il incorpore des effets de percussion inhabituels, et pour *Dans la chaleur de la nuit* de Norman Jewison, où son utilisation du bluegrass convient à l'atmosphère sudiste du film. Sa connaissance des thèmes mélodiques populaires est manifeste dans de nombreux films des années 70, bien qu'il se soit progressivement éloigné du milieu du cinéma. Il a joué néanmoins un rôle de coordinateur musical dans *la Couleur pourpre* (S. Spielberg, 1985), dont il a été également un des coproducteurs. M.C.

JONES *(Shirley), actrice américaine (Smithton, Pa., 1934).* Blonde, jeune et assez fade, elle fut catapultée vedette de musicals : *Oklahoma* (F. Zinnemann, 1955) ou *Carrousel* (H. King, 1956), ou partenaire de chanteurs à la mode comme Pat Boone (*April Love,* H. Levin, 1957). Cependant, elle étonne tout le monde dans le rôle annexe de la prostituée d'*Elmer Gantry, le charlatan* (R. Brooks, 1960), où sa sensualité et sa fragilité sont inoubliables (Oscar [« Best Supporting Actress »]). Elle a ensuite encore quelques bons rôles, comme celui de la jeune voisine de Glenn Ford dans *Il faut marier papa* (V. Minnelli, 1963), puis elle se laisse peu à peu absorber par la télévision. C.V.

JONES *(Tommy Lee), acteur américain (San Saba, Tex., 1946).* Actif au cinéma depuis 1970, jeune premier souvent effacé, au mieux inquiétant (*les Yeux de Laura Mars,* I. Kershner, 1978), il a dû attendre la maturité et les rides pour trouver la consécration dans les compositions. Oliver Stone n'y fut pas pour rien quand il lui donna des rôles troublants, au bord de la folie (*J.F.K.,* 1991, le G.I. suicidaire de *Entre ciel et terre,* 1993, le directeur de prison survolté de *Tueurs nés,* 1994). Il a laissé une impression plus mémorable en policier intègre, poursuivant inlassablement Harrison Ford dans *le Fugitif* (*The Fugitive,* Andrew Davis, 1993) qu'en héros abâtardi du *Batman forever* (1995) de Joel Schumacher. C.V.

JORDAN *(Larry), cinéaste expérimental américain (Denver, Colo., 1934).* Après un séjour dans la marine marchande, il sert, comme son labadens Brakhage, d'opérateur et de monteur à Joseph Cornell, auquel il consacrera un hommage (*Cornell 1965,* 1979). Des divers genres qu'il pratique depuis 1952 (psychodrame, journal, film-poème, etc.), c'est l'animation qui lui va le mieux. Héritier, comme Harry Smith, du Max Ernst d'*Une semaine de bonté,* il anime de façon rêveuse et soudain fulgurante des figures (hommes, papillons, étoiles, etc.) découpées dans des gravures du XIXe siècle. Les plus intéressants de ces collages féeriques sont *Duo Concertantes* (1961-1964), *Hamfat Asar* (1965), *Gymnopédies* (1966), *Our Lady of the Sphere* (1969), *Orb* (1973), *Carabosse* (1980) et *Masquerade* (1981). D.N.

JORDAN *(Neil), cinéaste irlandais (Sligo 1950).* Jeune écrivain en vogue, il attira l'attention de John Boorman quand celui-ci lui demanda de collaborer au scénario d'*Excalibur* (1981). Neil Jordan fit un documentaire sur le tournage du film et c'est Boorman qui lui permit de réaliser son premier long métrage de fiction, *Angel* (*id.,* 1982), bon thriller haletant et halluciné, tourné en Irlande. Depuis, Neil Jordan continue une carrière en dents de scie, entre la Grande-Bretagne et les États-Unis. Ses films britanniques sont souvent plus inspirés, mêlant une imagerie raffinée à une thématique parfois perverse, ainsi le curieux décriptage des contes de fées de *la Compagnie des loups* (*The company of Wolves,* 1984), avec ses baroquismes somptueux, ou l'excellent thriller passionnel *Mona Lisa* (*id.,* 1986) et bien sûr le bizarre *The Crying Game* (*id.,* 1992), qui mélangeait curieusement le film engagé et le suspense hitchcockien. Depuis *Angel,* son acteur fétiche est l'excellent Stephen Rea, qu'il impose dans presque tous ses films et qu'il a mené à l'Oscar pour sa création troublante dans *The Crying Game.* En Amérique, l'Irlandais Neil Jordan est comme coupé de ses racines et peut sombrer dans une platitude réellement embarrassante (*Nous ne sommes pas des anges, We're no Angels,* 1989, effarante adaptation de « la Cuisine des anges » d'Albert Husson). Heureusement, la réussite de *Entretien avec un Vampire* (*Interview with a vampire,* 1994), l'un de ses meilleurs films et l'une des plus intéressantes variations du cinéma fantastique sur le thème vampirique, vient à point confirmer que Neil Jordan est parfaitement capable de réaliser de bons films loin de chez lui. C.V.

JORY *(Victor), acteur américain (Dawson City, Alaska, 1902 - Santa Monica, Ca., 1982).* Victor Jory a joué (généralement les « vilains ») dans tant de films modestes et tant de westerns de routine que son nom est peu connu et qu'on ignore souvent l'acteur remarquable qu'il peut être. Ce fut très vite évident quand Max Reinhardt et William Dieterle le sortirent de la production courante pour faire de lui l'imposant et majestueux Oberon du *Songe d'une nuit d'été* (1935). En fait, ses meilleurs rôles lui sont proposés à partir de 1960 : le mari infirme et sadique d'Anna Magnani dans *l'Homme à la peau de serpent* (S. Lumet, 1960), le père douloureux et honnête de *Miracle en Alabama* (A. Penn, 1962), le chef indien agonisant des *Cheyennes* (J. Ford, 1964) et surtout le terrifiant juge Roy Bean dans *Qui tire le premier ?* (B. Boetticher, 1971 [RÉ : 1969]).

C.V.

JOSELITO (*José Jimenez Fernandez,* dit), acteur espagnol *(Jaén 1946).* Le plus populaire des enfants prodiges apparus dans le sillon de Pablito Calvo, sur les écrans hispanophones (une cinquantaine de films espagnols en l'espace de quelques années). Joselito, lui, chante, au lieu de prier et de s'extasier aux pieds du Christ ; mais la concurrence en matière de bons sentiments reste serrée. Révélé avec *El pequeño ruiseñor* (A. del Amo, 1956), il tourne ensuite une douzaine de titres en neuf ans, dont deux au Mexique. Bâtard abandonné, au sang aristocratique, Joselito transmet dans ses films mélodramatiques une grande dévotion à la mère et le vieux poncif conformiste selon lequel l'argent ne fait pas le bonheur.

P.A.P.

JOSEPHSON *(Erland), acteur et cinéaste suédois (Stockholm 1923).* Il débute sur scène en 1939 dans une compagnie théâtrale d'amateurs dirigée par Ingmar Bergman. Ainsi s'ébauche une longue collaboration amicale entre celui qui va devenir un grand cinéaste et celui qui va devenir l'un des plus célèbres acteurs de la scène et de l'écran suédois. Bergman lui demandera en effet de participer à plusieurs de ses films : *Il pleut sur notre amour* (1946), *Vers la joie* (1950), *Au seuil de la vie* (1958), *le Visage* (*id.* ; il est Abraham Egerman), *l'Heure du loup* (1968 ; rôle du baron von Merkens), *Une passion* (1969 ; rôle d'Elie Vergerus), *Cris et Chuchotements* (1972 ; rôle du docteur), *Scènes de la vie conjugale* (1973 ; rôle du mari), *Face à face* (1976), *Sonate d'automne* (1978) ; *Après la répétition* (1984). Il apparaît également dans *Eva* (G. Molander, 1948), *les Filles* (M. Zetterling, 1968), *Au-delà du bien et du mal* (L. Cavani, 1977 ; rôle de Nietzsche), *Un juge en danger* (D. Damiani, *id.*), *Oublier Venise* (F. Brusati, 1979), *Monténégro / les Fantasmes de Mme Jordan* (D. Makavejev, 1981), *Bella Donna* (Peter Keglevic, 1983) ; *Nostalghia* (A. Tarkovski, *id.*); *'Derrière les jalousies'* (*Bakom jalusin,* Stig Bjorkman, 1985); *'Une sale histoire'* (J. Donner, *id.*), *Amorosa* (Zetterling, *id.*), *le Sacrifice* (A. Tarkovski, 1986), *le Testament d'un poète juif assassiné* (Frank Cassenti, 1988), *Hanussen* (I. Szabo, *id.*), *Good Morning Mr Wallenberg* (K. Grede, 1990) ; *Prospero's Book* (P. Greenaway, 1991) ; *la Tentation de Venus* (Szabo, *id.*) ; *Oxen* (S. Nykvist, *id.*) ; *Sofie* (L. Ullmann, 1992) ; *le Regard d'Ulysse* (T. Angelopoulos, 1995) ; *Kristin Lavransdatter* (Ullmann, *id.*). Intendant général du Théâtre royal de Stockholm de 1966 à 1975, Erland Josephson s'est laissé tenter par la mise en scène de cinéma en cosignant avec Sven Nykvist et Ingrid Thulin : *Un et un* (*En och en,* 1978) et *la Révolution des confitures* (*Marmeladu proret,* 1980), où son humour prend pour cible les relations ambiguës et orageuses entre l'homme et la femme.

J.-L.P.

JOST *(Jon), cinéaste américain (Chicago, Ill., 1943).* Ce cinéaste indépendant est également un farouche représentant de la notion d'auteur : il réalise, produit, écrit et photographie tous ses films et même décore, met en musique et monte certains. Engagé, il a fait deux ans de prison plutôt que d'aller au Viêt Nam. Cette intransigeance artistique et idéologique s'exprime dans ses films depuis 1973. D'une production régulière et abondante (une quinzaine de longs métrages et une vingtaine de courts) qui mêle films de fiction et documentaires, on ne connaît en France qu'une partie infime : *Sure Fire* (*id.,* 1990) fit partie d'un programme consacré au cinéma américain indépendant. Il s'agissait du second volet d'une grande saga à laquelle l'interprète principal, Tom Blair, sert de fil conducteur. Elle comprend également *Last Chants for a Slow Dance (Dead End)* [1977] et *The Bed You Sleep in* (1993). Révéré aux États-Unis, l'ensemble de son œuvre a été couronné par le prix John Cassavetes en 1992. En 1995, il réalise en Autriche *les Ailes d'Albrecht* (*Albrechts Flügel*). C.V.

JOUBE *(Romuald), acteur français (Mazères 1876 - Gisors 1949).* Sur la scène, il connaît une période glorieuse à l'Odéon sous la direction d'Antoine, qui, passé occasionnellement, un peu plus tard, à la mise en scène de cinéma, lui confie des premiers rôles dans *les Travailleurs de la mer* (1918) ou *Mademoiselle de La Seiglière* (1920). Acteur de tradition romantique, il paraît dès le début du Film d'Art dans de très nombreuses productions, mais aussi après la guerre dans des œuvres intéressantes de Fescourt (*Mathias Sandorf,* 1920 ; *Rouletabille chez les Bohémiens,* 1922), de Gance (*J'accuse,* 1919), de Raymond Bernard (*le Miracle des loups,* 1924). Le parlant l'oublie vite et à peu près totalement ; à peine l'aperçoit-on dans *les Perles de la couronne* (S. Guitry, 1937) et ses dernières apparitions dans *Andorra ou les Hommes d'airain* (Émile Couzinet, 1942) et dans *le Chant de l'exilé* (André Hugon, 1943) sont des plus mélancoliques. R.C.

JOUR. Sur les documents de préparation du film ou sur les rapports destinés à l'étalonneur (et parfois sur la claquette), indication spécifiant que l'atmosphère visuelle recherchée est celle d'une scène éclairée par la lumière du jour.

JOURDAN *(Louis Gendre,* dit *Louis), acteur français (Marseille 1919).* Ancien élève de René Simon, il débute au cinéma en 1939. Il est un jeune premier romantique dans des films comme *la Comédie du bonheur* (M. L'Herbier, 1942 ; RÉ : 1939), *l'Arlésienne* (id.), *les Petites du quai aux fleurs* (1944), *la Vie de bohème* (L'Herbier, 1945 ; RÉ : 1943), *Félicie Nanteuil* (1945 ; RÉ : 1942) ; ces trois films sous la direction de Marc Allégret, avant de partir faire carrière aux États-Unis pour y tenir l'emploi classique de séducteur français. Il tourne quelques films importants et réussis : *le Procès Paradine* (A. Hitchcock, 1948 ; avec Charles Laughton et Alida Valli) ; *Lettre d'une inconnue* (Max Ophuls, *id.*) ; *Madame Bovary* (V. Minnelli, 1949) ; *l'Oiseau de paradis* (D. Daves, 1951) ; *la Flibustière des Antilles* (J. Tourneur, *id.*) . Un retour en France, en 1952, lui permet de travailler avec Jacques Becker *(Rue de l'Estrapade).* La suite de sa carrière alterne entre des films américains (*Gigi,* V. Minnelli, 1958 ; *Can-Can,* W. Lang, 1960, deux « musicals ») et français (*le Comte de Monte Cristo,* C. Autant-Lara, 1961 ; *Léviathan,* L. Keigel, *1962 ; Mathias Sandorf,* G. Lampin, *id.*) qui annonçaient une reconversion intéressante. Mais Louis Jourdan est reparti faire du théâtre et de la télévision aux États-Unis, délaissant le cinéma à de rares exceptions près (*Silver Bears,* I. Passer, 1977). D.R.

JOURNÉES CINÉMATOGRAPHIQUES DE CARTHAGE (JCC) → TUNISIE.

JOUVET *(Louis), acteur français (Crozon 1887 - Paris 1951).* Quand on aborde le palmarès cinématographique de celui qui s'est placé haut dans les manifestations théâtrales de son époque, il faut faire abstraction de tout ce qui est justement contexte scénique. Oublier le directeur, le metteur en scène, l'ambassadeur de l'art français, pour ne se souvenir plus que de son image sur l'écran. Les rapports de Jouvet avec le cinéma étaient dépourvus de tendresse, on l'a suffisamment répété, et pourtant le cinéma l'a honoré et respecté, a multiplié ses rôles (20 personnages de 1935 à 1940) et les a taillés à ses mesures afin que, s'y sentant à l'aise, il y fasse montre de qualités uniques qui eussent pu devenir des défauts irréparables. L'homme possède une personnalité peu commune, une autorité sans réplique et sa haute taille, sa minceur élégante, la fascination d'un visage aux yeux glauques et à la bouche sarcastique, sa diction célèbre souvent imitée, jamais retrouvée, concourent à une image de marque qu'il entretient jusqu'à son dernier film. On peut distinguer en gros quatre catégories de personnages entre lesquels il va sans arrêt zigzaguer : les dévoyés, les policiers, les grands seigneurs et les originaux à tous crins. Dans la première catégorie, on trouve le baron russe des *Bas-Fonds* (J. Renoir, 1937), le tenancier sentimental d'*Un carnet de bal* (J. Duvivier, *id.*), le marlou de *Hôtel du Nord* (M. Carné, 1938), les trafiquants plus ou moins louches mais qui gardent dans leur déchéance de l'allure et du détachement (*Forfaiture,* M. L'Herbier, 1937 ; *la Maison du Maltais,* P. Chenal, 1938 ; *le Drame de Shanghai,* G. W. Pabst, *id.*), enfin le misérable charretier de la mort condamné à errer dans l'au-delà (*la Charrette fantôme,*

Duvivier, 1940). Les rôles de policier mettent en valeur son sens aigu de l'observation qui lui permet de camper en traits simples et définitifs des êtres qui traînent, bien cachés, des soucis quotidiens, un passé amer et un cœur qui s'ignore. C'est l'inspecteur de *l'Alibi* (Chenal, 1937), le commissaire perplexe de *Entre 11 heures et minuit* (H. Decoin, 1949), le policier fatigué de *Une histoire d'amour* (Guy Lefranc, 1951) et l'inoubliable Antoine (*Quai des Orfèvres,* H.-G. Clouzot, 1947), qui demeure sans doute sa création la plus humaine et la plus sensible. Citons pour mémoire le chef de la police de *Sérénade* (Jean Boyer, 1940), où il aborde à ses risques et périls les franfreluches du film viennois. Les mots de grand seigneur recouvrent un certain nombre de personnages qui n'appartiennent pas tous à la noblesse mais se différencient du commun par leur distinction, leur désinvolture hautaine, le coupant de leurs affirmations, leur ton incisif, leur coup d'œil narquois. Nous y trouvons le moine délégué par la Sainte Inquisition (*la Kermesse héroïque,* J. Feyder, 1935), M. de Rœderer s'inclinant devant la reine de France à l'aube de la Révolution (*la Marseillaise,* Renoir, 1938), Cercleur, précepteur si parisien d'une altesse balkanique (*Éducation de prince,* Alexandre Esway, 1937), le compositeur célèbre qui se heurte au démon de midi (*Les amoureux sont seuls au monde,* Decoin, 1948) et quatre figures de premier ordre : le professeur d'*Entrée des artistes* (M. Allégret, 1938), le Don Juan vieilli et machiavélique de *la Fin du jour* (Duvivier, 1939), le meneur de jeu qui sait tirer les marrons du feu dans *Volpone* (M. Tourneur, 1941) et l'ex-bourgeois lyonnais qui se prépare à savourer une vengeance froide (*Un revenant,* Christian-Jaque, 1946). C'est parmi ses rôles de composition qu'on trouve le plus de déchets. L'amusement ou l'agacement qu'il éprouve à animer tel ou tel fantoche le conduit facilement à l'outrance et à la caricature (*Topaze,* L. Gasnier, 1932 ; *Mister Flow,* R. Siodmak, 1936 ; *Untel père et fils,* Duvivier, 1945 ; *Copie conforme,* J. Dréville, 1947 ; *Miquette et sa mère,* H.-G. Clouzot, 1950 ; *Lady Paname,* Henri Jeanson, *id.*). Il y a heureusement d'éblouissantes exceptions : *Knock,* qu'il réalise lui-même avec R. Goupillières en 1933 ; l'évêque de Bedford dans *Drôle de drame* (Carné, 1937) ; l'espion marchand de pastèques dans *Mademoiselle Docteur* (G. W. Pabst, id.) ; le déporté qui ne veut surtout pas oublier, dans *Retour de Jean,* épisode de *Retour à la vie* (H.-G. Clouzot, 1949). Exception aussi, le contrebandier de *Ramuntcho* (René Barberi, 1938), mais cette fois par manque de couleur et de relief. Louange suprême, on continue de dire un film de Jouvet comme on dit un film de Gabin. ▲

R.C.

JOY *(Leatrice Joy Zeidler,* dite *Leatrice), actrice américaine (Shuteston, La., 1893 - Riverdale, N. Y., 1985).* Elle débute en 1915, joue les « leading ladies » dans des comédies de Billy West à la fin des années 10 et devient vedette dans les années 20. Sa beauté élégante, sophistiquée et altière plaît à Cecil B. De Mille (*le Réquisitoire,* 1922 ; *les Dix Commandements,* 1923). Parmi ses autres films, on peut citer *A Tale of Two Worlds* (F. Lloyd, 1921), *Java Head* (G. Melford, 1923), *Eve's Leaves* (P. Sloane, 1926) et *The Blue Danube* (*id.,* 1928). Elle se retire au début du parlant et ne tient plus qu'occasionnellement des rôles de complément. Elle a été de 1922 à 1924 l'épouse de John Gilbert.

C.V.

JOYCE *(Alice) actrice américaine (Kansas city, Mo., 1890 - Hollywood, Ca., 1955).* Heroïne de nombreux petits films de la Kalem dès 1910, elle épouse son partenaire, Tom Moore, puis est engagée par la Vitagraph. Au cours des années 20, elle passe assez rapidement des rôles d'ingénue à ceux de femme mûre (dans *Dancing Mothers,* de Herbert Brenon, en 1926, elle joue même la mère de Clara Bow, de quinze ans seulement sa cadette). Parmi ses films les plus significatifs, citons *The Little French Girl* (H. Brenon, 1925), *Stella Dallas* (H. King, *id.*), *Sorrell and Son* (Brenon, 1927). Elle apparaît aussi dans deux versions de *The Green Goddess,* l'une muette (S. Olcott, 1923), l'autre parlante (A.E. Green, 1930), avec le même partenaire : George Arliss.

J.-L.P.

JOYEUX *(Odette), actrice, scénariste et dialoguiste française (Paris 1917).* Épouse de Pierre Brasseur, mère de Claude Brasseur, remariée au chef opérateur Philippe Agostini, Odette Joyeux, avant de se réfugier dans la littérature (roman : *Agathe de Nieul ;* comédie : *le Château du carrefour ;* souvenirs : *Côté jardin et le Beau Monde*), a marqué par la fraîcheur, l'acidité et le charme de ses interprétations toute une époque du cinéma français. Échappée de la classe de danse de l'Opéra de Paris, elle fait un tour chez Jouvet pour y jouer du Giraudoux et paraît furtivement à l'écran dans *le Chien jaune* (Jean Tarride, 1932), *Lac aux dames* (M. Allégret, 1934), *Hélène* (J. Benoît-Lévy et Marie Epstein, 1936), *Altitude 3 200* (*id.*, 1938). Marc Allégret lui propose le rôle de la capricieuse Cecilia dans *Entrée des artistes* (1938). Elle y déploie toutes les qualités qui vont faire d'elle, sous l'Occupation, une des actrices les plus en vue. Elle triomphe dans les films surannés d'Autant-Lara (*le Mariage de Chiffon,* 1942 ; *Lettres d'amour,* id. ; *Sylvie et le fantôme,* 1946 ; et, surtout, *Douce,* 1943), où elle réussit au mieux le portrait doux-amer d'une adolescente fin de siècle. Elle apparaît également sous son meilleur jour dans *le Lit à colonnes* (Roland Tual, 1942) ; *le Baron fantôme* (S. de Poligny, 1943) ; *les Petites du quai aux Fleurs* (M. Allégret, 1944). Elle s'éloigne assez rapidement dans les années qui suivent, mis à part ses deux bons rôles dans *Pour une nuit d'amour* (E. T. Gréville, 1947) et *la Ronde* (Max Ophuls, 1950). R.C.

JUGNOT *(Gérard), acteur et cinéaste français (Paris 1951).* Après des cours d'art dramatique, il fonde en 1974, avec Thierry Lhermitte et Christian Clavier, le café-théâtre du Splendid, et sera le coauteur des pièces à succès de la troupe. En même temps, au cinéma, il joue toute une série de petits rôles centrés sur les tares et avatars du Français moyen, à la fois vachard et sensible, jusqu'au film de Charles Nemes, *Les héros n'ont pas froid aux oreilles* (1979), qu'il cosigne. Les adaptations des pièces de café-théâtre à l'écran (*les Bronzés,* P. Leconte, 1978 ; *Le père Noël est une ordure,* Jean-Marie Poiré, 1982) font vite de lui une vedette ; il tourne notamment *Pour cent briques, t'as plus rien* (É. Molinaro, 1982) ; *le Quart d'heure américain* (Philippe Galland, *id.*) ; *Papy fait de la résistance* (J.-M. Poiré, 1983) ; *le Garde du corps* (F. Leterrier, 1984) ; *les Rois du gag* (C. Zidi, 1985), *le Beauf* (Yves Amoureux, 1987), *Tandem* (P. Leconte, *id.* , l'un de ses meilleurs rôles), *les Clés du Paradis* (Ph. de Broca, 1991). Il passe au statut de coproducteur et d'acteur réalisateur avec *Pinot simple flic* (1984) ; le film trouve un succès public que ne connaîtra ni sa deuxième réalisation, *Scout toujours* (1985), ni sa troisième, *Sans peur et sans reproche* (1988). En 1991, il signe *Une époque formidable,* puis en 1994 *Casque bleu.* A. T.

JUGO *(Eugenie Walter, dite Jenny), actrice autrichienne (Mürzzuschlag, Steiermark, 1905).* Après avoir épousé – à seize ans – l'acteur Emio Jugo, elle aborde le cinéma en 1924, interprétant plusieurs films muets, dont *Blitzzug der Liebe* (Johannes Gutes, 1925) et *Die Hose* (Hans Behrendt, 1927), mais c'est au cours des années 30 qu'elle rencontre la popularité : *Eine Stadt steht Kopf* (G. Gründgens, 1932), *Allotria* (W. Forst, 1936). Elle obtient ses succès les plus significatifs sous la direction d'Erich Engel, dont elle est vedette attitrée : *Wer nimmt die Liebe ernst* (1931), *Fünf von der Jazzband* (1932), *Pygmalion* (1935), *Mädchenjahre einer Königin* (1936). Elle joue son dernier rôle dans *Königskinder* (H. Käutner, 1949). C.O.

JUILLARD *(Robert), chef opérateur français (Joinville 1906).* Technicien de talent, il s'impose, dans les années 50, comme un des meilleurs opérateurs de sa génération. Il fait preuve d'une grande sensibilité et d'une maîtrise technique rare. Il a dirigé la photo de nombreux films, dont : *Allemagne année zéro* (R. Rossellini, 1947) ; *Amore* (*id.,* 1948) ; *le Journal d'un curé de campagne* (R. Bresson, 1951) ; *Jeux interdits* (R. Clément, 1952) ; *les Dents longues* (D. Gélin, 1953) ; *les Grandes Manœuvres* (R. Clair, 1955 [COPH : R. Le Febvre]) ; *les Diaboliques* (H.-G. Clouzot, *id.*) ; *Gervaise* (Clément, 1956) ; *Austerlitz* (A. Gance, 1960 [COPH : H. Alekan]) ; *le Rendez-vous* (J. Delannoy, 1961). F.LAB.

JULIA *(Raul), acteur américain d'origine portoricaine (San Juan, Porto Rico, 1940 - Long Island, NY, 1994).* Très respecté au théâtre, Raul Julia a remarquablement tiré parti de son physique, latin jusqu'à la caricature. Les plus graves se souviendront du prisonnier politique, touché par l'amitié d'un homosexuel dans *le Baiser de la femme araignée* (H. Babenco, 1985) ou poursuivi par l'amour d'une femme dans *Havana* (S. Pollack, 1990). Les plus pointilleux retiendront le gigolo qui fait rêver les midinettes dans *Coup de cœur* (F. Ford Coppola, 1982) ou le Caliban de *Tempest* (P. Mazursky, 1982). Plutôt que dans ses prestations de mafieux suave (*Tequila Sunrise, id.,* Robert Towne, 1989), le public lui fait un triomphe quand il incarne le chef de l'excentrique *Famille Addams* (*The Addams Family,* Barry Sonnenfeld, 1992), rôle loufoque et sinistre où son charme calamistré fait merveille. C.V.

JULIAN *(Rupert), cinéaste américain d'origine néo-zélandaise (Auckland 1889 - Los Angeles, Ca., 1943).* Ce réalisateur ennuyeux et terne a laissé un nom dans l'histoire du cinéma grâce à deux films qu'il signa et dont il ne fut que le demi-auteur. Il termina *Chevaux de bois* (*Merry-Go-Round,* 1923), qu'Irving Thalberg avait retiré à un Erich von Stroheim trop exigeant. Il réalisa *le Fantôme de l'Opéra* (*The Phantom of the Opera,* 1925), belle production de prestige qui porte surtout la marque du studio Universal et de l'acteur principal, Lon Chaney. Quant au reste, on pourrait chercher longtemps chez Rupert Julian la moindre trace de personnalité. C.V.

JUNGE *(Alfred), décorateur d'origine allemande (Görlitz 1886 - [?]1964),* établi en Grande-Bretagne à partir de 1929. Formé à l'école expressionniste : *Escalier de service* (P. Leni et P. Jessner, 1921), il accompagne le réalisateur allemand Ewald André Dupont en Angleterre pour construire les décors de *Piccadilly* (1929) et d'*Atlantic* (1929). Il travaille ensuite avec Victor Saville (*The Good Companions,* 1933), Hitchcock (*l'Homme qui en savait trop,* 1934), King Vidor (*la Citadelle,* 1938), Sam Wood (*Good Bye Mr. Chips,* 1939). À partir de 1943, les « Archers » (M. Powell et E. Pressburger) en font un de leurs collaborateurs les plus fidèles et lui commandent les décors de *Colonel Blimp* (1943) ; dans *les Contes de Canterbury* (1944), il reconstruit l'intérieur de la cathédrale dans les studios Denham ; il travaille aussi pour *Je sais où je vais* (1945), *Une question de vie et de mort* (1946), *le Narcisse noir* (1947 ; récompensé par un Oscar). Parmi les autres grandes réussites d'Alfred Junge : *Ivanhoe* (R. Thorpe, 1952) ; *Mogambo* (J. Ford, 1953) ; *l'Adieu aux armes* (Ch. Vidor, 1957). R.L.

JUNGHANS *(Carl), cinéaste allemand (Dresde 1897 - Munich 1984).* Il débute en 1925 comme monteur. Dans son premier film, *Deux Mondes* (*Zwei Welten,* 1925), il établit un parallèle entre le monde du travail et celui du plaisir. Avec bien des difficultés, il produit lui-même et tourne à Prague *Telle est la vie* (*So ist das Leben / Takovy je život,* 1929), œuvre naturaliste où l'on décèle l'influence conjointe du style des éclairages expressionnistes allemands et des théories soviétiques du montage. Deux grands comédiens, le Tchèque Theodor Pištěk et la Soviétique Vera Baranovskaïa, sont les protagonistes de cette chronique populiste efficacement valorisée par la puissance des images et des métaphores. Cette brillante réussite ne s'est pas renouvelée dans ses films suivants : *Ombres fuyantes* (*Frende Vogel über Afrika,* 1931) ; *Années décisives* (*Jahre der Entscheidung,* 1937, montage d'archives) ; *Un vieux cœur part en voyage* (*Altes Herz geht auf die Reise,* 1939 ; d'après Hans Fallada). Il se réfugie en Suisse et en France en 1939, puis en 1940 aux États-Unis, où il a travaillé jusqu'en 1963 comme documentariste et photographe. Il s'est alors fixé en RFA. M.M.

JURADO *(Maria Cristina Jurado García,* dite *Katy), actrice mexicaine (Guadalajara 1927).* Elle débute très jeune au Mexique (*Internado para señoritas,* Gilberto Martínez Solares, 1943) et se fait remarquer par un fort caractère (*Nosotros los pobres,* I. Rodriguez, 1947; *Hay lugar para... dos,* (A. Galindo, 1948). Ensuite à Hollywood, elle y devint quasi-vedette dans des emplois exotiques ou « sudistes », grâce à sa beauté et à une certaine vivacité d'expression (*la Dame et le Toréador* [*The Bullfighter and the Lady*], B. Boetticher, 1951 ; *Le train sifflera trois fois,* F. Zinnemann, 1952 ; *la Lance brisée,* E. Dmytryk, 1954 ; *Trapèze,* C. Reed, 1956 ; *la Vengeance aux deux visages,* M. Brando, 1961 ; *Barabbas,* R. Fleischer, *1962*). Après *Pat Garrett et Billy le Kid* (S. Peckinpah, 1973) et *Vive le Président* (M. Littin, 1978), sa carrière déclinante s'est poursuivie surtout dans la production de son pays natal. G.L.

JURAN *(Nathan Hertz), cinéaste américain (Autriche 1907).* Architecte, directeur artistique en 1937 (Oscar pour les décors de *Qu'elle était verte ma vallée* de John Ford en 1941), il aborde la réalisation par un film « gothique », *le Mystère du château noir* (*The Black Castle,* 1952), fournit des westerns pour Audie Murphy, s'illustre vraiment dans le merveilleux avec *le Septième Voyage de Sinbad* (*The Seventh Voyage of Sinbad,* 1959) et l'aide de Ray Harryhausen, ainsi que dans la science-fiction : *les Premiers Hommes dans la Lune* (*First Men in the Moon,*

1964), dont il fut coscénariste et producteur. Il a signé aussi de son nom : Nathan Hertz.
A.G.

JÜRGENS *(Curd [Curt]), acteur allemand (Munich 1915 - Vienne, Autriche, 1982).* Il passe du théâtre à l'écran dès 1935, mais ne se voit pas confier de grands rôles, à l'exception de *Salonwagen E 417* (Paul Verhoeven, 1939) ou *Operette* (W. Forst, 1940). Sans abandonner le théâtre, il joue dans une série de films autrichiens à partir de 1948 mais ne se fait véritablement connaître qu'avec *le Général du diable* (H. Käutner, 1955). Le cinéma français fait alors appel à lui : *Les héros sont fatigués* (Y. Ciampi, 1955) ; *Œil pour œil* (A. Cayatte, 1957) ; *Et Dieu créa la femme* (R. Vadim, 1956). Il devient une star internationale et tourne *Amère Victoire* (N. Ray, 1957) ; *Michel Strogoff* (C. Gallone, 1956) ; *Tamango* (J. Berry, 1958) ; *Moi et le colonel* (P. Glenville, *id.*) ; *l'Auberge du sixième bonheur* (M. Robson, *id.*) ; *l'Ange bleu* (E. Dmytryk, 1959). À partir des années 60 et 70, ses prestations (*Lord Jim,* R. Brooks, 1965 ; *la Bataille de la Neretva,* V. Bulajić, 1970 ; *Assassinats en tous genres,* B. Dearden, 1969 ; *la Bataille d'Angleterre,* G. Hamilton, *id.* ; *Nicolas et Alexandra,* F. Schaffner, 1971 ; *l'Espion qui m'aimait,* L. Gilbert, 1977) sont des plus stéréotypées (spécialité de rôles d'allemands, de militaires, d'aventuriers), de même que dans les productions médiocres dont il est la vedette en Allemagne, à l'exception peut-être de *l'Opéra de quat'sous* (W. Staudte, 1963) et *le Second Printemps* (Ulli Lommel, 1975). Il a lui-même réalisé trois films de genre : *Prämien auf den Tod* (1950, AU) ; *les Drogués* (*Ohne dich wird es Nacht,* 1956) et *Bankraub in der rue Latour* (1961).
D.S.

JUSID *(Juan José), cinéaste argentin (Buenos Aires 1941).* Après une expérience théâtrale, il débute, sur un ton plutôt intimiste, avec *Tute cabrero* (1967). Pourtant, c'est aux grands espaces de la pampa et aux multiples visages de l'épopée de l'immigration qu'il doit la consécration de *Los gauchos judíos* (1974), adaptation des récits d'Alberto Gerchunoff, sous les auspices de Torre Nilsson. Pendant la dictature militaire, il se réfugie dans la publicité, puis revient avec un nouveau succès, *Espérame mucho* (1983), également teinté de nostalgie. Après un film historique plus conventionnel, *Asesinato en el Senado de la Nación* (1984), il porte à l'écran, avec une remarquable intensité, une pièce qui exprime les dilemmes de tant d'Argentins face à l'expatriation (*Made in Argentina,* 1986). Il a signé encore *La fidelidad* (1970), *No toquen a la nena* (1976) et *¿ Dónde estás amor de mi vida que no te puedo encontrar ?* (1992).
P.A.P.

JUSTICE *(James Norval Harald Robertson Justice, dit James Robertson), acteur britannique (Wigtown, Écosse, 1905 - King's Somborne 1975).* Une des rondeurs les plus familières et l'une des barbes les plus malicieuses du cinéma anglais. Il semble n'avoir jamais été jeune et a toujours joué des personnages mûrs, truculents et bougons, comme le chirurgien de *Rendez-vous à Rio* (R. Thomas, 1955). Plus étonnante était la composition de l'architecte qui construit une pyramide pour prix de sa liberté dans *Terre des pharaons* (H. Hawks, 1955). Le cinéma français l'a utilisé quelquefois, mais de la manière la plus banale : dans *À cœur joie* (S. Bourguignon, 1967), il n'est qu'une silhouette, comme dans beaucoup de films de Roger Vadim (*le Repos du guerrier,* 1962).
C.V.

JUSTINIANO *(Gonzalo), cinéaste chilien (Santiago 1956).* Formé en France, il entame néanmoins sa carrière dans son propre pays avec *Los hijos de la guerra fría* (1985), portrait grinçant d'une petite bourgeoisie déboussolée. D'emblée, il se sert des stéréotypes populaires, puis remporte un appréciable succès avec *Sussi* (1987), portant plus loin la critique des comportements des classes moyennes sous la dictature. Il y décrit l'ascension d'une jeune fille d'origine paysanne, des cabarets minables aux campagnes de propagande orchestrées par les partisans du régime, en passant par la débrouillardise des publicitaires. Il n'hésite pas à reproduire les clichés des feuilletons télévisés à la mode, avec un zeste d'ironie, quitte à profiter des ambiguïtés vis-à-vis des spectateurs moins avertis. *Caluga o menta* (1990) s'écarte de cette option et embrasse un naturalisme davantage en phase avec certaines formules en vigueur sous d'autres horizons, pour évoquer une jeunesse marginalisée, désœuvrée, à la limite de la délinquance. *Amnesia* (1994) plonge dans l'héritage refoulé des militaires chiliens, qui n'en finissent pas de quitter la scène, sans reculer devant une mise en scène excessive et une interprétation volontiers grotesque. P.A.P.

JUTRA *(Claude), cinéaste canadien (Montréal, Québec, 1930 - dans le fleuve Saint-Laurent 1986).* Étudiant en médecine, il devient bientôt comédien (Théâtre du Nouveau Monde de Montréal). Après quelques courts métrages (co : Michel Brault), il entre à l'ONF en 1954 et collabore (également comme acteur) avec McLaren pour *Il était une chaise* (1957). Il travaille en France (*Anna la bonne,* 1959, avec Marianne Oswald) et au Niger (*Niger, jeune république,* 1961 ; co : Jean Rouch). Dans *Québec-USA* (1961) et *les Enfants du silence* (1963 ; co : M. Brault), il fait preuve d'un sens aigu de l'observation quotidienne, signe *Comment savoir* (1946), *Wow* (1969), et crée l'événement avec *À tout prendre* (1963), fiction autobiographique d'un grande justesse de ton. *Mon oncle Antoine* (1970), savoureux tableau de la vie au Québec dans les années 40, *Kamouraska* (1973, d'après le roman d'Anne Hébert) et *la Dame en couleurs* (1985) ont marqué son retour à la fiction et l'abandon du style direct. Atteint de la maladie d'Alzheimer, il disparaît en novembre 1986. Son corps a été retrouvé en avril 1987 dans le fleuve Saint-Laurent à la hauteur de Québec. M.M.

JUTZI (*Piel* [*Phil*]), *chef opérateur et cinéaste allemand (Alt-Leininge 1896 - Neustadt 1945).* Opérateur (1918), il passe à la réalisation tout en cadrant la plupart de ses films, et se révèle un des meilleurs représentants du courant réaliste-critique de la fin des années 20. *La Tragédie des enfants* (*Kindertragödie,* 1927) et *Notre pain quotidien* (*Unser tägliches Brot,* 1929) sont des documentaires sociaux engagés, tout comme ses reportages d'actualité, *le Premier Mai sanglant, 1929 (Blutmai 1929)* et *Cent Mille sous le drapeau rouge* (*Hunderttausend unter roten Fahnen,* 1930). Il reste fidèle au témoignage social dans un film prolétarien, tout à fait remarquable, *l'Enfer des pauvres* (*Mutter Krausens fährt ins Glück,* 1930), et dans *Sur le pavé de Berlin* (*Berlin, Alexanderplatz,* 1931) d'après le roman d'Alfred Döblin. Il signe, avec Anatoli Golovnia, la photo du *Cadavre vivant* de Fedor Ozep (1928). Réfugié en Autriche à l'avènement de Hitler, il y réalisera deux films avant de retravailler en Allemagne comme opérateur après l'Anschluss. M.M.

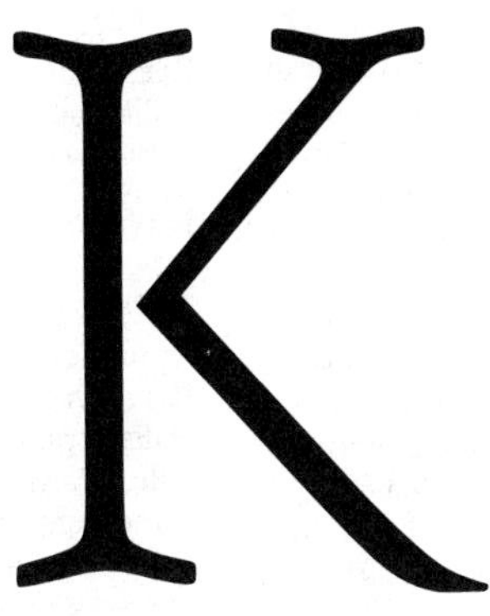

K. Symbole du kelvin.

KACHYŇA *(Karel), cinéaste tchèque (Vyškov 1924).* Diplômé de la faculté de cinéma de Prague (FAMU) en 1950, il débute comme documentariste, puis réalise des films d'aventures et d'espionnage. Il se tourne ensuite vers le monde de l'enfance, avec la collaboration de l'écrivain Jan Procházka, et se fait connaître (à Cannes et à Venise) avec *Tourments* (*Trápeni,* 1961), qui vaut par sa fantaisie poétique et son raffinement visuel. Des enfants et des adolescents vont désormais être les protagonistes de bon nombre de ses films, dont *'le Vertige'* (*Závrať,* 1962), *'l'Espérance'* (*Naděje,* 1964), *Vive la République* (*Ať žije republika,* 1965). La fin de la guerre et la Libération servent de toile de fond à ce dernier film, tout comme à *Carrosse pour Vienne* (*Kočár do Vídně,* 1966), l'un de ses meilleurs films, et plus tard au *'Train pour la station Ciel'* (*Vlak do stanice něbé,* 1972). Profitant de la libéralisation de la fin des années 60, il aborde aussi les problèmes sociaux dans *la Nuit de la nonne* (*Noc nevešty,* 1967), politiques dans *'Un homme ridicule'* (*Směšny pán,* 1969) et *'l'Oreille'* (*Ucho,* 1970, sorti en 1989). Cependant moins engagé que ses jeunes collègues de la Nouvelle Vague, il pourra poursuivre une carrière abondante. Parmi ses nombreux films : *Je sauterai encore par-dessus les flaques* (*Už zase skáču přes kaluže,* 1971), *'l'Amour'* (*Láska,* 1973), *'Mort d'une mouche'* (*Smrt mouchy,* 1976), *'la Baraque de sucre'* (*Cukrová bouda,* 1980), *'Attention, la visite'* (*Pozor, vizita,* 1981), *'les Bonnes Sœurs'* (*Sestřičky,* 1983), *la Mort des beaux chevreuils* (*Smrt krásnych srnců,* 1986), *'le Démon de midi'* (*Kam, pánové, kam jdete,* 1987), *'Veuillez prendre acte de notre amour'* (*Oznamuje se láskám vašim,* 1988), *'les Fous et les Jeunes Filles'* (*Blázni a děvčatká,* 1989), *le Cri du papillon* (*The Last Butterfly,* 1990), *'Santa Claus passe par la ville'* (*Městem chodí Mikuláš,* TV, 1992) ; *la Vache* (*Kráva,* 1993) ; *'Une saison parfaite'* (*Prima sezóna,* Série TV, 1994). M.M.

KADAR (*Jan*[*os*]), *cinéaste tchèque (Budapest, Hongrie, 1918 - Los Angeles, Ca., É.-U., 1979).* Il abandonne des études de droit pour se consacrer à la photographie à Bratislava à partir de 1939, travaille à Prague aux studios Barrandov dès 1947 comme assistant et documentariste, signe en 1950 son premier film, *Katka,* puis inaugure une longue et fructueuse collaboration avec le réalisateur tchèque Elmar Klos à partir de 1952. Après des débuts modestes, dont *'la Musique de Mars'* (*Hudba z Marsu,* 1954) et *'Trois Désirs'* (*Tři Přání,* 1958), ils attirent l'attention avec *La mort s'appelle Engelchen* (*Smrt si říká Engelchen,* 1963), dramatique récit d'un épisode de la résistance antinazie, et surtout avec *l'Accusé* (*Obžalovaný,* 1964), courageuse critique des abus de la période stalinienne à Prague. Ils sont définitivement consacrés par *la Boutique sur la grand'rue / le Miroir aux alouettes* (*Obchod na korze,* 1965), émouvante évocation de la répression antisémite pendant l'Occupation avec la grande actrice Ida Kaminska (Oscar du meilleur film étranger). À la suite de ce succès, Kadar et Klos se voient offrir par les Américains le financement d'une adaptation de *la Guerre des salamandres* de Karel Čapek mais les événements de 1968 empêchent la réalisation du projet. Ils adaptent alors un roman du Hongrois Lajos Zilahy, *Quelque chose dérive sur l'eau,* sous le titre *Touha zvaná Anada* (1969) ; mais, à cause du départ de Kadar pour les États-Unis, le film ne sortira qu'en 1971 à l'Ouest sous le titre *Adrift.* Aux États-Unis, Kadar réalise seul *Angel Levine* (1970), d'après un livre de Bernard Malamud, puis l'émouvant récit d'une enfance canadienne, *Lies My Father Told Me* (1975), et enfin une série de TV, *le Chemin de la liberté (Freedom Road)* avec le boxeur Muhamad Ali dans le rôle d'un homme politique noir. M.M.

KADOTCHNIKOV *(Pavel)* [*Pavel Petrovič Kadočnikov*], *acteur soviétique (Saint-Pétersbourg 1915 - Leningrad 1988).* Diplômé de l'Institut du théâtre de sa ville natale en 1935, il se produit dès lors régulièrement sur scène et simultanément au cinéma. Il se fait remarquer dans le rôle de Gorki, à quoi le prédestinait une certaine ressemblance, dans *Yakov Sverdlov* de Youtkevitch (1940), rôle qu'il reprendra dans *'le Poème pédagogique'* (*Pedagogičeskaja poema* [A. Maslioukov et M. Maevskaia], 1955) et *'Prologue'* (E. Dzigan, 1956). Sa forte personnalité et son visage « intéressant » semblent l'avoir voué aux rôles de composition de personnalités historiques dont le plus marquant est celui du prétendant Vladimir Staritski dans *Ivan le Terrible* (S. M. Eisenstein, 1942-1946), le demeuré que sa mère pousse à assassiner le tsar. Après cette création saisissante, il est encore en vedette dans le rôle d'un agent secret (*Personne ne le saura/l'Exploit de l'agent secret,* B. Barnet, 1947), puis d'un aviateur héroïque (*Histoire d'un homme véritable,* de Stolper, qui lui vaut un prix d'État en 1948). On l'a vu également dans *'Loin de Moscou'* (A. Stolper, 1950), *'Souvenir russe'* (G. Aleksandrov, 1960) et, plus récemment, dans *Partition inachevée pour piano mécanique* (N. Mikhalkov, 1976) ; *Sibériade* (A. Mikhalkov-Kontchalovski, 1978) et *Lénine à Paris* (S. Youtkevitch, 1980). Il a réalisé trois films, dont *'les Musiciens d'une seule polka'* (*Muzykanty odnogo polka,* 1965 ; co Guennadi Kazanski). Au moment de sa mort, il travaillait au tournage du film *les Cordes d'argent (Serebrianié strouni).* M.M.

KAGAN *(Jeremy Paul), cinéaste américain (Mt. Vernon, N.Y., 1945).* Après des débuts à la télévision où ses téléfilms ont bonne réputation, Jeremy Paul Kagan passe au grand écran avec la biographie de *Scott Joplin* (1977), réalisée pour le petit écran mais exploitée en salle. Dans une carrière discrète, des films demeurent, marqués par le savoir-faire et la sensibilité de ce cinéaste sobre. La suite de *l'Arnaque* (*The Sting II,* 1983), non exploité en France, a ses admirateurs. Mais on retiendra plus sûrement un excellent film noir tardif aux jolis relents soixante-huitards, *The Big Fix* (1978), une courageuse adaptation d'Isaac Bashevis Singer, *l'Élu* (*The Chosen,* 1982), un plaisant *road-movie* pour Walt Disney, totalement dépourvu de mièvrerie, *le Voyage de Natty Gan* (*The Journey of Natty Gan,* 1985), et un étrange film d'apprentissage sur le monde rarement traité de l'escrime, *Par l'épée* (*By the Sword,* 1993). Il est également très actif dans la réalisation de films destinés au câble. Au vu de quelques attachantes réussites, on peut regretter qu'il soit si difficile d'avoir une vue d'ensemble sur sa carrière. C.V.

KAHN *(Madeline), actrice américaine (Boston, Mass., 1942).* Issue du cabaret, elle perpétue à l'écran une longue tradition comique, fondée sur la caricature, la gaudriole et le mauvais goût calculé. À mi-chemin d'une Mae West et d'une Judy Holliday, elle peut incarner à volonté une chanteuse teutonne lubrique et une frigide héroïne hitchco ckienne. Elle a fréquemment mis ses capacités imitatives au service de Peter Bogdanovich (*On s'fait la valise, docteur,* 1972 ; *la Barbe à papa,* 1973 ; *Enfin l'amour,* 1975) et de Mel Brooks (*Le shérif est en prison,* 1974 ; *Frankenstein junior,* id. ; *le Grand Frisson,* 1977 ; *la Folle Histoire du monde,* 1981). Le renouveau de la comédie américaine lui a aussi valu de participer à des films comme *le Privé de ces dames* (Robert Moore, 1978), *Simon* (Marshall Brickman, 1979), *Sacré Moïse* (*Wholly Moses !,* Gary Weis, 1980), *Clue* (Jonathan Lynn, 1985) ou *Betsy's Wedding* (A. Alda, 1990). O.E.

KAIDANOVSKI *(Aleksandr)* [*Aleksandr Leonidovič Kajdanovskij*], *acteur soviétique (Rostov-sur-*

le-Don, 1946). En 1965, il achève ses études à la faculté des Acteurs de Rostov puis travaille à Moscou à l'École de théâtre Pouchkine. Il joue dans la capitale dans les théâtres Vakhtangov, Mkhat, Maly. Au cinéma, il apparaît notamment dans *'la Place Rouge'* (*Krasnaja ploščad',* Vassili Ordynski, 1970), *le Joueur* (1972), *les Enfants de Vaniouchine* (*Deti Vanjušina,* Evgueni Tachkov, 1974), *Ami chez les ennemis, ennemi chez les siens* (N. Mikhalkov, id.), *'Des diamants pour la dictature du prolétariat'* (*Brillianty deja diktatury proletariata,* Grigori Kromanov, 1976), *Stalker* (A. Tarkovski, 1979), *'Récit d'un inconnu'* (V. Jalakiavicius, 1980). En 1982, il entre au Cours supérieur de scénaristes et réalisateurs dans l'atelier de Tarkovski, puis dans celui de Soloviev, réalise deux courts métrages (*Jonas,* 1981, d'après Albert Camus ; *le Jardin,* 1983, d'après Borges), puis aborde avec succès le long métrage : *Une mort ordinaire / la Mort d'Ivan Illitch* (*Prostaja smert,* 1986, d'après Tolstoï), *l'Hôte* (*Gast,* 1988) et *la Femme du livreur de pétrole* (*Žena kerosinšika,* 1989).

J.-L.P.

KAIJU-EIGA (littéral. *film de monstres*). Terme désignant au Japon le genre de films mettant en scène des monstres mythiques, dont *Godzilla* (I. Honda, 1954) est le prototype.

M.T.

KALATOZOV *(Mikhaïl) [Mihail Konstantinovič Kalatozišvili (Kalatozov)], cinéaste soviétique d'origine géorgienne (Tiflis 1903 - Moscou 1973).* Il travaille dès 1923 comme technicien, monteur, opérateur. Après avoir tourné *'Ouvrez les yeux' (Ih carstvo,* 1928), il attire l'attention avec *le Sel de Svanétie (Sol'Svanetii,* 1930), documentaire sur une région écartée et arriérée et ses premiers contacts avec la nouvelle société socialiste : l'œuvre se rattache à l'avant-garde par sa poésie visuelle et son lyrisme dramaturgique. L'influence évidente des grands maîtres soviétiques contemporains n'y oblitère nullement l'originalité de l'auteur. On retrouve son goût du romantisme et son imagination fertile dans *'le Clou dans la botte'* (*Gvozd' v sapoge,* 1932), sur le thème de grandeur et servitude militaires.

Le cinéaste est pendant quelques années directeur des studios de Tbilissi (Tiflis), puis il gagne Leningrad pour réaliser *'le Courage' (Mužestvo,* 1939), exaltation des vertus morales des aviateurs, et *'Valéri Tchkalov' (Valerij Čkalov,* 1941), portrait de l'auteur d'un retentissant raid aérien intercontinental. En 1943, il signe (avec Guérassimov) *'les Invincibles' (Nepobedimye),* hommage aux défenseurs de Leningrad, et, en 1950, *'le Complot des condamnés' (Zagovor obrečennyh),* hymne à la victoire des forces progressistes dans les démocraties populaires. Puis il change de registre avec *'Trois Hommes sur un radeau'/'Amis fidèles'* (*Vernye druz'ja,* 1954), une comédie légère. Plus graves sont les thèmes qu'il traite dans *'le Premier Convoi' (Pervyyj ešelon,* 1956), sur le défrichement des terres vierges, et *'les Tourbillons hostiles' (Vihri vraždebnye* [RÉ 1953], 1956), sur Félix Dzerjinski, premier chef de la Tchéka.

C'est alors que commence dans sa carrière une nouvelle étape qui le ramène sur le devant de la scène. Dans *Quand passent les cigognes* (*Letjat žuravli,* 1957), il renoue avec le romantisme flamboyant du *Sel de Svanétie* et remporte la Palme d'or à Cannes l'année suivante : témoignage majeur du renouveau soviétique, ce beau film sentimental situe les péripéties d'un amour malheureux dans le cadre dramatique de la guerre et révèle deux comédiens de premier plan, Tatiana Samoïlova et Alekseï Batalov. Il révèle aussi un brillant opérateur, Serguei Ouroussevski, dont la virtuosité va marquer, par ses prouesses formalistes, les films suivants de Kalatozov : *la Lettre inachevée / la Lettre qui n'a jamais été envoyée* (*Neotpravlennoe pis'mo,* 1960), tragique aventure de quatre prospecteurs en Sibérie, et *Je suis Cuba* (*Ja-Kuba,* 1964), évocation des luttes du peuple cubain pour sa liberté, sur un scénario du poète Evtouchenko. Mais le cinéaste revient à un style beaucoup plus académique dans *la Tente rouge* (*Krasnaja palatka,* 1971), coproduction avec l'Italie sur la malheureuse expédition du général Nobile en dirigeable au pôle Nord en 1928.

M.M.

KALFON *(Jean-Pierre), acteur français (Paris 1938).* Spécialiste des rôles de tueur, de maniaque ou de dément, il est avant tout acteur de théâtre et ne s'impose à l'écran qu'à partir des années 70. Il tourne avec Jacques Rivette (*l'Amour fou,* 1968 ; *l'Amour par terre,* 1984), Barbet Schroeder (*la Vallée,* 1972), Claude Lelouch (*le Bon et les Méchants,* 1976).

La vogue du polar le rend indispensable à nombre de réalisateurs, parmi lesquels Robin Davis (*la Guerre des polices,* 1979), Yves Boisset (*la Femme flic,* 1980), Pierre Granier-Deferre (*Une étrange affaire,* 1981), Serge Gainsbourg (*Équateur,* 1983), François Truffaut (*Vivement dimanche,* id.), Gilles Béhat (*Rue barbare,* 1984), Bernard Stora (*Vent de panique,* 1987), Claude Chabrol (*le Cri du hibou,* id.). Il est également chanteur de rock. E. K.

KALIK (*Mikhaïl [Mojseï]*) [*Mojsej Naumovič Kalik*], *cinéaste soviétique (Arkhangelsk 1927).* En 1951, il est arrêté pour activités « sionistes » alors qu'il étudie le cinéma à Moscou sous la direction de Youtkevitch. Envoyé au goulag, il ne sera relâché et réhabilité qu'après la mort de Staline. Il reprend ses cours et sort, diplômé du VGIK en 1958. Il débute avec une adaptation de *la Débâcle* de Fadeiev, *'la Jeunesse de nos pères'* (*Junost' naših otcov,* 1958 ; co Boris Rytsarev), et avec *'l'Ataman Kodr'* (id., 1959 ; co B. Rytsarev et Olga Oulitskaia). Il réalise seul *'Berceuse'* (*Kolybel'naja,* 1960) puis se fait remarquer avec *'L'homme va vers le soleil'* (*Čelovek idët za solncem,* 1962), très joli essai visuel de style impressionniste sur la promenade citadine d'un gamin, vraisemblablement inspiré par *le Ballon rouge* de Lamorisse. On lui doit encore *'Au revoir, les garçons'* (*Do svidan'ja, mal'čiki,* 1965), évocation chaleureuse de la destinée de trois enfants d'Odessa, et *'Aimer'* (*Ljubit,* 1968). Il quitte l'Union soviétique pour émigrer en Israël en 1971 (où il tournera un long métrage *Three and One* en 1975, des courts métrages et des documentaires). En 1989, la perestroïka lui offre l'opportunité de retrouver sa terre natale. Il signe en 1992 *'le Retour du vent'* (*I vozvraščaetsja veter...*), film autobiographique qui évoque l'histoire de la vie d'un Juif sous le régime soviétique. M.M.

KALMUS *(Herbert T.), inventeur américain (Chelsea, Mass., 1881 - Los Angeles, Ca., 1963).* Professeur d'université, il se passionne très tôt pour les recherches de photographie en couleurs et, dès 1912, fonde la Technicolor Company (constituée en société en 1915). En 1917, il réalise un film en une bobine, *The Gulf Between,* où deux couleurs sont superposées sur l'écran. Le véritable Technicolor bichrome verra le jour en 1926 (*le Pirate Noir* d'Albert Parker) et le Technicolor trichrome en 1935 (*Becky Sharp* de Rouben Mamoulian). Kalmus avait associé à ses travaux sa première épouse, Nathalie née Dunfee (*Norfolk, Va., 1892 - Boston, Mass., 1965),* qui, malgré leur divorce (1933), s'imposa comme « color consultant » pour tous les films en Technicolor de 1935 à 1949 (date d'expiration légale de leur brevet) : les films d'après-guerre où apparaît sa signature à ce titre sont fréquemment caractérisés par une prédominance rouge-orangé assez criarde. La fonction de « color consultant » est passée à d'autres avec des résultats plus variés et n'a que récemment disparu des génériques hollywoodiens. G.L.

KAMĀL (*Ḥusayn), cinéaste égyptien (Le Caire 1932).* Il est diplômé de l'IDHEC en 1956, débute à la télévision égyptienne puis devient l'assistant de Chāhīn sur *Gare centrale.* Il tourne son premier long métrage : *'l'Impossible' (al-Mustahīl)* en 1964. *Le Facteur* (*al-Busṭ agī,* 1968, adapté d'un roman homonyme de Yahia Haqqi), étude des mœurs provinciales, impitoyable, rigoureusement mise en scène et interprétée (Salāh Mansūr, Shukrī Sarḥān), établit une réputation qui ne résistera pas aux attraits de la facilité : *'Mon père sur l'arbre perché' ('Abī fawqa al-shagara)* est un des gros succès commerciaux du cinéma égyptien (1969). Les dons de satiriste et l'élégance de ce cinéaste réapparaissent de temps à autre dans des films hélas inégaux : *'l'Empire de M'* (*Imbrāuriyyat mīn,* 1972) ; *'Rien n'a d'importance'* (*Lā shay'a yuhim,* 1973) ; *'Le monde est une fête' (Mawlid yā dunyā, 1975) ; S.V.P., ce médicament* (1984) ; *Oh ! quel beau pays* (1986) et *les Grilles du Harem* (id.). Il se dirige vers le théâtre de variétés où il obtient un franc succès. *'Pour tes beaux yeux'* (*'Alchān Ḥāir'Uyumik,* 1986) avec Shirihān et F. al-Muhandis occupe notamment l'affiche pendant de nombreuses années. C.M.C.

KAMĀL SALĪM *('Abd al-Ghanī), scénariste et cinéaste égyptien (Le Caire 1913 -* id. *1945).* Sa famille ruinée, il se cultive en autodidacte et entre en contact avec les milieux cinématographiques du Caire grâce au cinéaste Shukrī Maḍī. Il peut, comme alors la plupart des intellectuels, faire un bref séjour en Europe : Kamāl Salīm, qui a choisi la France, regagne Le Caire en 1935 et accomplit de petites besognes aux nouveaux studios Miṣr, qui lui proposent enfin un contrat de scénariste après qu'il a réalisé, pour la firme Odeon, son premier long métrage, *'Derrière le rideau'* (*Warā'a al-Sitār,* 1938). Il écrit alors *'le Docteur'* (*al-Ductūr,* 1939), tourné par Niyāzī Muṣṭafā et qui remporte un beau succès. Mais le projet suivant est repoussé (*'Au quartier'* [*Fī al-Ḥāra*]) car l'approche sociale et réaliste effarouche les studios et c'est un peu par hasard, avec l'accord d'un directeur intérimaire et sur la recommandation d'Aḥmad Badrakhān, que le film peut être mis en chantier. Rebaptisé *la Volonté (al-' Azima),* présenté le 6 novembre 1939, il remporte un succès considérable. Interprété notamment par les actrices Fātma Rushdī et Zakī Rustum, les comédiens Ḥusayn Sidqī, Anwar Wagdī, il fait vivre à travers un écheveau dramatique tout le peuple d'un quartier, dans une mise en scène vigoureuse. Le monteur, Salāḥ Abū Sayf, qui va découvrir le cinéma français du réalisme poétique en France, en reçoit une influence déterminante. *La Volonté* demeure une étape dans le cinéma égyptien : regard sur le quotidien, scénario élaboré, refus des artifices. On retrouve Fāṭma Rushdī dans *'Pour l'éternité'* (*Il'al abad,* 1940). La fin brutale de la carrière de Kamāl Salim, emporté par la maladie à 32 ans, ne lui a plus laissé le temps que de quelques œuvres alimentaires et de deux adaptations intéressantes : *les Misérables* (*al-Bu'asā',* 1943) ; *Roméo et Juliette* (*Shuhadā' al-Gharām,* 1944). Son projet *'Layla, fille des pauvres'* (*Layla Bint al-Fugarā',* 1946) a été repris, travesti, réalisé et interprété par Anwar Wagdī, avec Layla Mūrad, chanteuse peu réaliste... La leçon de Kamāl Salīm reste essentielle à l'évolution du film des pays arabes et a marqué, après Abū Sayf, Tawfīq Ṣāliḥ et les jeunes cinématographies de l'Algérie ou de l'Iraq. C.M.C.

KAMEI *(Fumio), cinéaste japonais (préf. de Fukushima 1908 - Tōkyō 1987).* Après trois ans d'études à l'Institut cinématographique de Leningrad, il travaille dans diverses sections du PCL (Photo Chemical Laboratories), puis réalise en 1937 un film commandité par l'armée, *Shanghai,* qui montre la guerre sous un jour critique. Ayant récidivé avec *'les Soldats au combat'* (*Tatakau heishi,* 1940), il est arrêté mais peut cependant tourner un documentaire sur l'écrivain Kobayashi Issa (1941). Après la guerre, Kamei s'impose comme un des meilleurs documentaristes nippons avec *'la Guerre et la Paix'* (*Senso to heiwa,* 1947 ; co : S. Yamamoto), dont il est contraint de couper une partie à cause de la censure américaine. Il poursuivra sa carrière avec des films sociaux « engagés », tels *'la Vie d'une femme'* (*Onna no issho,* 1949) ; *'Une femme marche seule sur la terre'* (*Onna hitori daichi o iku,* 1953) ou *'Tous les hommes sont des frères !'* (*Ningen mina kyōdai,* 1960). M.T.

KAMENKA *(Alexandre), producteur français d'origine russe (Odessa 1888 - Paris 1969).* D'abord associé à Ermoliev, il fonda en 1922 la célèbre compagnie Albatros, qui produisit la plupart des films des « Russes blancs de Paris », émigrés en Europe après la révolution d'Octobre. La fière devise de la firme, qui avait investi les studios de Montreuil, était « Debout dans la tempête ! ». C'est sous son sigle que furent tournés les films interprétés par Ivan Mosjoukine et Nathalie Lissenko *(le Brasier ardent ; Kean ; le Lion des Mogols),* mais aussi *Carmen* et *les Nouveaux Messieurs* de Jacques Feyder ; *Un chapeau de paille d'Italie* et *les Deux Timides* de René Clair, et jusqu'aux *Bas-Fonds* de Jean Renoir. Ces œuvres de prestige allaient de pair avec des produits ouvertement commerciaux. Après la guerre, Kamenka produisit encore quelques films, dont *les Frères Bouquinquant* (L. Daquin, 1947) et *Normandie-Niémen* (J. Dréville, 1960). Son fils Sacha (né à Saint-Pétersbourg en 1910) a repris le flambeau. C.B.

KĀMIL MURSĪ *(Aḥmad), cinéaste et critique égyptien (Le Caire 1909 -* id. *1989).* Auteur de nombreux documentaires, il réalise de 1939 à 1955 dix-sept longs métrages de fiction dont il faut retenir le premier, *'le Retour à la terre'* (*Al-'Awda ilā al-Rīf,* 1939), puis *'la Grande Maison'* (*al-Bayt al-kabīr,* 1948), mais surtout *'le Procureur général'* (*al-Nā'ib al-āmm,* 1946). Critique averti et pondéré, il est un des premiers à tenter une *Histoire du cinéma en Égypte* (trois volumes des origines à nos jours) sur des bases sérieuses, qui n'a jamais été éditée jusqu'à ce jour ; il a publié en collaboration avec Magdi Wahba un *Dictionnaire technique du cinéma trilingue* (*Mu'jam al-fann al-sīnimā'ī,* Le Caire, 1973) et des articles divers. C.M.C.

KAMLER *(Piotr), cinéaste français d'origine polonaise (Varsovie 1936).* Établi à Paris en 1959, il collabore au service des recherches de l'ORTF avec des musiciens comme Xenakis ou Ivo Malec et réalise plusieurs courts métrages expérimentaux. D'une invention insolite, épris de fantastique, de « géométrie musicale », il crée un monde très original et personnel dans ses œuvres d'animation (*Reflets,* 1962 ; *la Planète verte,* 1967 ; *l'Araignéléphant,* 1968 ; *Labyrinthe,* 1972 ; *Délicieuse catastrophe,* id ; *Cœur de secours,* 1973 ; *le Pas,* 1975). Son premier long métrage, *Chronopolis* (1983), est une synthèse particulièrement aboutie de ses recherches. J.-L.P.

KAMMERSPIEL (en allemand, *jeu de chambre* ou *théâtre de chambre,* par analogie avec *musique de chambre*). Cette expression, créée par Max Reinhardt pour désigner le théâtre intimiste valorisant la psychologie et l'atmosphère, a été appliquée par extension au courant du cinéma allemand apparu au début des années 20, parallèlement à l'expressionnisme, et dû à l'initiative du même homme, Carl Mayer, auteur des scénarios de la plupart des réussites du genre. Les caractéristiques essentielles du Kammerspiel sont l'importance donnée à l'analyse psychologique et à la critique sociale, l'intériorisation de l'action dans la violence des sentiments et des passions conduisant au meurtre ou au suicide, le petit nombre des personnages choisis parmi des types ordinaires et conçus comme des allégories, l'enfermement des personnages dans un huis clos souligné par l'utilisation de décors réalistes mais construits en studio, la valorisation de l'atmosphère *(Stimmung)* par le travail sur les lumières et les ombres, l'exploitation maximale de la sensibilité et de l'émotion *(Gemüt),* le respect rigoureux de la règle des trois unités (action, temps et lieu), la simplicité et la linéarité de l'action, dont le ressort essentiel est le Destin et qui permettent la limitation des intertitres. La première, et l'une des plus remarquables réalisations de ce courant, est *le Rail* de Lupu-Pick (1921), film qui comporte un seul intertitre : « Je suis un assassin ! » Lupu-Pick réussit en 1923 une autre gageure, *la Nuit de la Saint-Sylvestre,* dont l'action est ramassée en une heure. Autre maître du Kammerspiel, Leopold Jessner signe en 1921 *l'Escalier de service* (co P. Leni) et en 1923 *Loulou,* première version de la pièce de Frank Wedekind. La chronique de la vie des petites gens a également inspiré *la Rue* de Karl Grüne (1923) et *le Dernier des hommes* de Murnau (1924), ultime chef-d'œuvre de ce courant esthétique. Il est important de noter que le scénario de ces six films est de Carl Mayer. Parmi les épigones, il faut compter Paul Czinner (*À qui la faute ?,* 1924), Joe May (*la Tragédie de l'amour,* 1923 ; *Asphalte,* 1929), Bruna Rahn (*la Tragédie de la rue,* 1927) et E. A. Dupont (*Variétés,* 1925). M.M.

KAMPERS *(Friedrich Kampers,* dit *Fritz), acteur allemand (Munich 1891 - Garmisch-Partenkirchen 1950).* Il mène des activités régulières au théâtre et tient des rôles très divers au cinéma, n'obtenant une grande notoriété qu'avec le parlant. Son nom est lié à quelques films réputés de gauche : *Überflüssige Menschen* (Alexandr Rasumny, 1926), *Quatre de l'infanterie* (rôle du Bavarois) et *la Tragédie de la mine* (rôle de Kasper) de Pabst (1930 et 1931), et divers films de Richard Oswald. Il participe aux genres cinématographiques qui caractérisent l'époque nazie (films musicaux, drames paysans, films historiques), sous un régime qui le proclame « acteur d'État ». D.S.

KANE *(Carol), actrice américaine (Cleveland, Ohio, 1952).* Issue du théâtre underground, elle s'est distinguée particulièrement au cinéma dans des rôles d'aliénée ou d'hystérique : *Hester Street* (Joan Miklin Silver, 1975) ; *The Mafu Cage* (Karen Arthur, 1979) ; *les Jeux de la comtesse Dolingen de Gratz* (Catherine Binet, 1982). Dans le registre de l'étrange, elle a également joué dans : *Ce plaisir qu'on dit charnel* (M. Nichols, 1971) ; *la Dernière Corvée* (H. Ashby, 1973) ; *Un après-midi de chien* (S. Lumet, 1975) ; *Annie Hall* (W. Allen, 1977) ; *Terreur sur la ligne* (*When a Stranger Calls,* F. Walton, 1979) ; *Ishtar* (Elaine May, 1987) ; *Fantômes en fête* (*Scroged,* Richard Donner, 1988). F.LAB.

KANE *(Joseph,* dit *Joe), cinéaste américain (San Diego, Ca., 1894 - Santa Monica, Ca., 1975).* Ce vétéran du western de série B, fidèle pendant plus de vingt ans à la compagnie Republic, actif depuis 1935, fut un cinéaste anonyme jusqu'à la transparence. Ses chevauchées sont répétitives, ses scènes d'action monotones, ses effets attendus. Il filme un scénario intéressant comme *la Horde sauvage* (*The Maverick Queen,* 1956) avec le même métier étriqué qui lui faisait bâcler vingt ans plus tôt des scénarios médiocres. Son plus grand titre de gloire est d'avoir dirigé John Wayne dans ses films les plus oubliés (*Colorado Saloon* [*The Road to Denver*], 1955). Son meilleur film est *la Belle de San Francisco* (*Flame of the Barbary Coast,* 1945), sorte de réchauffé du grand film de W. S. Van Dyke (*San Francisco,* 1936), mais où John Wayne et Ann Dvorak formaient un couple intéressant. Il s'est orienté ensuite vers la télévision (série des *Laramie*). C.V.

KANEVSKI *(Vitali), cinéaste soviétique (Egercheld 1935).* Il étudie le cinéma au VGIK de Moscou sous la direction de Mikhaïl Romm. En 1966, accusé d'un forfait qu'il nie avoir commis, il est condamné à huit ans de prison. Libéré en 1974, il reprend ses études de cinéma, obtient son diplôme de réalisateur en 1977 et signe successivement un court métrage, *le Quatrième Secret (Po sekretu vsemu svetu,* TV, 1977) et un moyen métrage, *Une histoire campagnarde (Derevenskaja istorija,* 1981). Sa première œuvre de long métrage, *Bouge pas, meurs et ressuscite (Zamri - umri - voskresni,* 1989), obtient le prix de la Caméra d'Or au Festival de Cannes. Œuvre inspirée, cruelle, sans concessions, plus ou moins autobiographique, elle dénote chez son auteur un talent original que confirme en 1992 *Une vie indépendante* (*Samostojatel 'naja zizn'*). Kanevski signe ensuite *Nous les enfants du XX*e *siècle* (*Msy deti 20 veka,* 1993), un documentaire d'un réalisme cru sur les enfants des rues de Moscou et de Saint-Pétersbourg, déracinés, livrés à eux-mêmes, happés par le vol, voire le crime... constat amer sur l'héritage du communisme et l'incertitude anarchique de lendemains qui ne chantent toujours pas. J.-L.P.

KANIN *(Garson), cinéaste et scénariste américain (Rochester, N. Y., 1912).* Il réalise avant la guerre plusieurs comédies, dont *A Man to Remember* (1938), *Bachelor Mother* (1939), *Mon épouse favorite* (*My Favorite Wife,* 1940) et *Drôle de mariage* (*They Knew What They Wanted,* id.). Il dirige ensuite d'excellents documentaires de propagande, pour lesquels il collabore notamment avec Carol Reed pour *The True Glory* (1945) et Jean Renoir pour *Salut à la France* (1946). Il se consacre ensuite à l'écriture de pièces pour Broadway ou de scénarios pour George Cukor (souvent avec sa femme Ruth Gordon) : *Othello* (1948) ; *Madame porte la culotte* (1949) ; *Je retourne chez maman* et *Mademoiselle Gagne-Tout* (1952) ; *Une femme qui s'affiche* (1954). Il réalise encore deux films en 1969 : *Where It's At* et *Some Kind of a Nut.* Il est l'auteur d'un livre de Mémoires, *Tracy and Hepburn* (1971), et également de *It Takes a Long Time to Become Young* (1978). J.-P.B.

KAPER *(Bronislaw)* [*Bronislau*], *musicien américain d'origine polonaise (Varsovie, Russie, 1902 - Los Angeles, Ca., 1983).* Après avoir travaillé en Pologne, en Allemagne, en Autriche et en France, Bronislaw Kaper s'est établi à Hollywood dans les années 40. Ce musicien sous-estimé, auteur de la célèbre mélodie-thème de *Lili* (Ch. Walters, 1953), qui lui valut un Oscar, composa quelques partitions dont le caractère légèrement douceâtre n'était pas sans séduction. Il a privilégié les grands ensembles symphoniques et les orchestrations félines typiques de la MGM, où il travailla le plus souvent. On retiendra la musique obsédante et terrifiante que des sujets tourmentés inspirent à Kaper : *la Flamme sacrée* (G. Cukor, 1943) et *Hantise* (id., 1944). Mais un western comme *l'Appât* (A. Mann, 1953) lui suggère une partition violente et énergique. C'est néanmoins dans le néoromantisme proche de ses origines que Kaper s'épanche le mieux : *le Pays du dauphin vert* (V. Saville, 1947), *Invitation* (G. Reinhardt, 1955) et surtout *Celui par qui le scandale arrive* (V. Minnelli, 1960). C.V.

KAPLAN *(Jonathan), cinéaste américain (1947, Paris, France).* Comme beaucoup de jeunes cinéastes de sa génération, c'est auprès de Roger Corman que Jonathan Kaplan a appris à tourner vite, efficacement et à moindre frais. Ses premiers films, à cause de leur petit budget, n'ont guère été exploités chez nous. Cependant, *White Line Fever* (1975), dont il coécrivit le scénario, *Over the Edge* (1979) et *Heart like a Wheel* (1983) jouissent d'une bonne réputation. *Les Coupables* (*The Accused,* 1988) bénéficiaient de plus de moyens et des interprétations très sincères de Kelly McGillis et de Jodie Foster. Cette dernière obtint d'ailleurs un Oscar pour ce film qui racontait sans surprise, mais sans concession, une histoire de viol. L'interprétation de Michelle Pfeiffer, fausse Marilyn pathétique, était également l'un des points forts de *Love Field* (1992), bonne chronique d'une Amérique provinciale. Kaplan s'y affirmait le continuateur d'un cinéma traditionnel mais intègre. C.V.

KAPLAN *(Nelly), cinéaste française d'origine argentine (Buenos Aires 1934).* Correspondante en France de journaux argentins, elle travaille avec Abel Gance en 1954 et devient son assistante pour *Magirama* (CM, 1956), puis *Austerlitz* (1960). Son premier court métrage, *Gustave Moreau* (1961), est suivi de films consacrés à des peintres et graveurs, Bresdin, Masson, Picasso (*le Regard Picasso, MM,* 1967), à l'œuvre graphique de Victor Hugo et à Abel Gance, tandis qu'elle publie sous le nom de Belen des livres d'inspiration surréaliste. Après un premier long métrage plein d'insolence au féminisme provocateur, *la Fiancée du pirate* (1969), elle réalise *Papa les petits bateaux* (1971), *Néa* (1976), *Charles et Lucie* (1979), divers travaux pour la télévision puis *Plaisir d'amour* (1991). D.S.

KAPLER *(Aleksei) [Aleksej Jakovlevič Kapler], scénariste soviétique ukrainien (Kiev 1904 - Moscou 1979).* Acteur et metteur en scène de théâtre à Kiev, il part en 1920 pour Leningrad, où il travaille avec Kozintsev et Youtkevitch dans le groupe des FEKS (il joue dans *la Roue du diable* et *le Manteau*). Il devient l'assistant de Dovjenko en 1929 pour *Arsenal.* Scénariste depuis 1928, en particulier de *Lénine en octobre* (1937) et *Lénine en 1918* (1939) de Mikhaïl Romm, il y montre beaucoup de spontanéité et de simplicité dans l'approche du personnage (il obtiendra un prix d'État en 1941 pour ces deux films). Il poursuit dans le genre biographique avec *Kotovski* (A. Faïntsimmer, 1943), puis participe à la mobilisation patriotique du cinéma dans *Un jour de guerre en URSS* et *Camarade P. / Elle défend sa patrie* (F. Ermler, 1943). Une idylle avec la fille de Staline lui vaut plusieurs années d'internement. Au moment du dégel, il signe deux adaptations de Fedine, *'les Premières Joies'* (*Pervye radosti,* 1956) et *'Un été extraordinaire'* (*Neobyknovennoe Peto,* 1957), réalisées par Vladimir Bassov. En dernier lieu, il a collaboré à la coproduction américano-soviétique de George Cukor, *l'Oiseau bleu* (1976), au titre de conseiller artistique. M.M.

KAPOOR *(Prithvinath,* dit *Prithviraj), acteur indien (Peshawar* [auj. Pakistan] 1906-1972). Il apparaît dans le premier film parlant de l'Inde : *Alam Ara* (Ardeshir Irani, 1931) et s'impose à la fois sur les planches et à l'écran pendant une quarantaine d'années. Parmi ses films les plus renommés citons : *Rajrani Meera* (D. K. Bose, 1933), *Vidhyapati* (*id.,* 1937), *Pagal* (A. R. Kardar, 1940), *Sikandar* (Sohrab Modi, 1941), *Dahej* (R. V. Shantaram, 1950), *le Vagabond* (R. Kapoor, 1951), *Mughal-E-Azam* (K. Asif, 1960), *Nanak Naam Jahaz Hai* (Ram Maheshwari, 1969). Il est le père de Rāj, Shammi et Shashi Kapoor. J.-L.P.

KAPOOR *(Ranbirrāj,* dit *Rāj), cinéaste, acteur et producteur indien (Peshāwar, Province frontière* [auj. *Pākistān*] *1924 - New Delhi 1988).* Fils du célèbre acteur Prithviraj Kapoor, frère des acteurs Shashi Kapoor et Shammi Kapoor, il débute à la compagnie Bombay Talkies comme clapman, s'impose comme acteur avant de fonder sa maison de production après la guerre, la RK Films. Tout en poursuivant une carrière d'acteur très prisé des foules, il produit huit films, dont : *'Cireur de chaussures'* (*Bootpolish,* Prakash Arora, 1954) sur l'enfance misérable à Bombay ; *Dans l'ombre de la nuit* (*Jagte Raho,* Sombhu Mitra, 1957) sur l'univers nocturne de la pauvreté et du vol. Parmi les films qu'il a réalisés et dont il est l'interprète principal, il faut retenir surtout *le Vagabond* (*Awara,* 1951), histoire d'un pauvre tenté par le crime ; *'Monsieur 420'* (*Shri 420,* 1955), dont le titre vient d'un article du code qui punit le vol, traite un sujet similaire ; quant à *'Je m'appelle Joker'* (*Mera Naam Joker,* 1970), il est centré sur le personnage d'un clown dans un cirque. La plupart de ces titres ont été de très grands succès, Rāj Kapoor respectant les conventions du film hindī. Mais ils ont aussi une touche personnelle : l'utilisation d'un pathétique et de personnages qui trahissent l'influence de Chaplin et la volonté d'aborder, même par le biais du mélodrame, des thèmes sociaux (sur des scénarios de K. A. Abbas) que le cinéma indien évite généralement. Les films qu'il a dirigés au cours des années 1970-1980 sont beaucoup plus conventionnels (*Bobby,* 1973). H.M.

Autres films. – ACTEUR : *Neel Kamal* (Kidar Sharma, 1947), *Andaz* (Mehboob, 1949), *Dastaam* (A. R. Kardar, 1950), *Aah* (Raja Nawathe, 1953), *Chori Chori* (Anant Thakur, 1956), *Anari* (Hrishikesh Mukherjce, 1959), *Chhalia* (Manmohan Desai, 1960) *Naseeb* (*id.,* 1981). – ACTEUR ET RÉALISATEUR : *Aag* (1948), *Barsaat* (1949), *Sangam* (1964).

KAPOOR *(Shashi), acteur et cinéaste indien (Calcutta 1938).* Fils de Prithviraj Kapoor, frère de Rāj et Shammi Kapoor, il débute très jeune dans les films de Rāj Kapoor (*Aag,* 1948 ; *le Vagabond,* 1951), puis entame une carrière prolifique, tournant notamment avec Yash Chopra (*Waqt,* 1965 ; *Deewar,* 1975 ; *Kabhi Kabhie,* 1976 ; *Trishul,* 1978 ; *Silsila,* 1981), Prakash Mehra (*Hasina Maan Jayegi,* 1968), Shyam Benegal (*'Un vol de pigeons',* 1978 ; *Kalyug,* 1980), Aparna Sen (*36 Chowringhee Lane,* 1981), Girish Karnad (*Utsav,* 1984) ainsi que dans quelques films internationaux comme *Sammy et Rosie s'envoient en l'air* (S. Frears, 1987) et *In Custody* (Ismaïl Merchant, 1993). Il a réalisé un film coproduit avec la Russie : *Adjouba, le prince noir* (*Ajooba,* 1989) avec A. Bachhan dans le rôle principal. J.-L.P.

KARANOVIĆ *(Srdjan), cinéaste yougoslave (Belgrade 1945).* Il fait ses études de cinéma à la FAMU de Prague, où il obtient son diplôme de réalisateur en 1970. Auteur de nombreuses émissions pour la télévision, il réalise pour le cinéma *le Jeu de société* (*Društvena igra,* 1972), *l'Odeur des fleurs des champs* (*Miris poljkog cveća,* 1977), *la Couronne de Petria* (*Petrijin venac,* 1980), *Mi-figue mi-raisin (Něsto izmedju), Dur à avaler* (*Jagode u grlu,* 1985), *Un film sans nom* (*Za sada bez dobrog naslova,* 1989), *Virgina* (*Viržina,* 1991), ces derniers titres lui donnant une place privilégiée parmi les nouveaux réalisateurs yougoslaves des années 70. J.-L.P.

KARAS *(Anton), musicien autrichien (Vienne 1906 - id. 1985).* Spécialiste de la *Zither* dite « salzbourgeoise », une cithare sur table, traditionnelle en Autriche et en Bavière (proche de l'épinette pratiquée en France dans les Vosges), il devient célèbre grâce à la musique du *Troisième Homme,* tourné à Vienne par Carol Reed (1949). Son fameux *Harry Lime Theme* a fait le tour du monde, lui permettant de créer en 1953 à Sievering, un faubourg de Vienne, le cabaret dans lequel il s'est produit ensuite régulièrement. D.S.

KARATÉ. C'est au début des années 70 que le terme de « film-karaté » — c'est le mot japonais — (plus correctement dénommé « film de kung-fu » — c'est le mot chinois —) commence à se répandre dans le grand public. Le karaté, sport pratiqué dans l'enceinte discrète de clubs spécialisés, n'est bien connu que par quelques experts en arts martiaux. D'ailleurs, les films reposant sur les techniques orientales de combat ne doivent pas être considérés comme le seul apanage des films-karaté, où dominent de sanglantes bagarres opposant les héros du bien aux forces du mal : moins connus mais tout aussi fascinants pour les Occidentaux sont les films-sabres d'origine japonaise, œuvres guerrières à contenu nationaliste, dont certaines sont centrées sur les exploits des samouraïs, et les « wuxiapian » chinois (films de cape et d'épée). La diffusion par la télévision française d'un feuilleton de qualité moyenne *(Karatéka et Co.)* en 1973 marque le début du déferlement des films du genre sur les écrans français. À la même époque, un distributeur, René Château, contribue à lancer la vogue du cinéma karaté en France, en ouvrant une salle spécialisée à Paris. Le reste de l'Europe et l'Amérique connaissent le même phénomène. À partir de 1972, de nombreuses maisons de production d'Extrême-Orient, dont les deux firmes principales de Hongkong, Cathay Organization et surtout Shaw Brothers, entreprennent la conquête du marché mondial. L'exploitation du film-karaté prend alors son essor : dans les studios de Hongkong, où tout le personnel travaille selon les principes les plus contraignants de la fabrication à la chaîne, le rendement maximal est l'objectif principal. De cette masse de films aux invraisemblances irritantes, à la technique élémentaire, contant des histoires où domine un manichéisme primaire, émergent un certain nombre de productions, fleurons de cette gigantesque industrie qui est bien éloignée de toute préoccupation esthétique. Dominée depuis 1924 par les Shaw Brothers, la production du Sud-Est asiatique a trouvé, en la personne de Raymond Chow, patron de la Golden Harvest, un producteur inspiré : sa découverte de Bruce Lee, grand maître du kung-fu, va donner au genre karaté ses lettres de noblesse. En effet, c'est sans doute grâce aux interprétations époustouflantes du jeune acteur que le cinéma karaté est devenu aujourd'hui, au-delà d'une mode, un genre cinématographique à part entière. Bruce Lee, l'acteur athlète rejeté par Hollywood, trouve la consécration et la gloire à Hongkong, avec *Big Boss* (Lo Wei,

1972), son premier grand film, qui bénéficie des techniques les plus élaborées. Applaudi par tout l'Occident, il retrouve un rôle de justicier vengeur dans *la Fureur de vaincre* (Luo Wei, 1972). Le phénomène Bruce Lee prend de l'ampleur et, loin de s'éteindre après sa mort (1973), continue et le seul nom de l'acteur, usurpé de façon plus ou moins camouflée par un certain nombre de producteurs, suffit à conduire des foules vers des films de facture très grossière, massacrés par des distributeurs occidentaux peu scrupuleux (coupures, doublages fantaisistes, etc.). Quelques réalisateurs en mal d'inspiration pimentent leurs films aux arts martiaux (*Docteur Justice* de Christian-Jaque en 1975 ou *Yakuza* de Sydney Pollack la même année). La pratique des arts martiaux en Occident, qui a ici pour but la domination de l'autre, est à l'opposé de l'état d'esprit dans lequel ils sont pratiqués en Extrême-Orient. Il faut cependant remarquer que, même en Asie, le succès d'une production médiocre révèle une violence consentie. Il est vrai aussi que certains films-karaté se distinguent par des scénarios efficaces, crédibles et souvent riches en trouvailles.

Toutefois, peu à peu au cours des années 80, les films qui échappent à la banalité et à la pauvreté de moyens qui dominent le genre deviennent de plus en plus rares au sein d'une production qui perd du terrain sur les marchés occidentaux. Les principaux auteurs et acteurs s'orientent vers des styles plus classiques comme le policier (c'est le cas du producteur et réalisateur Tsui Hark), alors qu'un Jackie Chan, acteur et metteur en scène, se fait connaître par une forme de film de kung-fu attirée vers le comique.

Outre les films de Bruce Lee, citons : *le Boxeur chinois* (Wang Yu, 1970) ; *la Rage du tigre* (Chang Cheh, *id.*) ; *l'Homme aux mains d'acier* (Shaw Hao, 1972) ; *la Main de fer* (Cheng Chang Ho, 1973) ; *Dragon rouge contre dragon noir* (Hu Hsiao Tien, 1976) ; *les Démons du karaté* (Liu Chia Liang, 1982). F.LAB.

KARENNE *(Leucadia Konstantin,* dite *Diana* ou *Diane), actrice italienne d'origine russe (Dantzig 1888 - Aix-la-Chapelle, Allemagne, 1940).* De sa naissance, selon les sources, près de Dantzig ou en Ukraine, à sa mort en Allemagne pendant un bombardement, la vie de Diana Karenne comporte de nombreuses zones d'ombre. Arrivée en Italie vers le milieu des années 10 avec d'autres artistes d'origine slave, elle s'établit à Turin, où elle réussit à entrer dans le cinéma comme comédienne mais aussi comme auteur de sujets et metteur en scène (elle se dirige elle-même dans plusieurs films, par exemple *Lea,* 1916 ; *Ave Maria gracia plena,* 1919 ; *La veggente,* 1921). En 1917, elle fonde à Milan la Karenne Film. Dotée d'une forte personnalité, provocante et libérée, elle impose une image de femme fatale au visage souvent impénétrable. Elle tourne une vingtaine de films de 1915 à 1922 (*Anime solitarie,* 1916 ; *Maria di Magdala,* 1918 ; *La peccatrice casta,* 1919 ; *Miss Dorothy,* 1920 ; *L'Indiana,* 1921). En 1922, conséquence de la crise de production qui frappe les studios transalpins, elle quitte l'Italie pour interpréter quelques films en Allemagne (*Marie-Antoinette,* 1922, de Rudolf Meinert) et en France (*Casanova,* 1927, d'Alexandre Volkoff ; *Fécondité,* 1929, d'Henri Etiévant et Nicolas Evreinoff ; *l'Affaire du collier de la reine,* 1930, de Gaston Ravel et Tony Lekain), avant de cesser toute activité. J.-A.G.

KARĪM *(Muḥammad), cinéaste égyptien (Le Caire 1896 - id. 1972).* Il figure dans quelques deux-bobines tournés à Alexandrie dès 1918, puis part pour Rome (1920-1923) et l'Allemagne, où il parachève son apprentissage auprès de Fritz Lang. Son premier film (1930) est l'adaptation, au Caire, d'un roman alors en vogue de Muḥammad Ḥusayn Haykal, *Zaynab.* Karīm édulcore évidemment ce livre scandaleux au regard des religieux, et choquant pour la bourgeoisie, parce qu'il fait parler (en arabe populaire) une « fille », jeune paysanne contrainte d'épouser son maître. C'est le départ d'une veine, plus ou moins heureuse, du cinéma égyptien : l'adaptation littéraire... Dès le parlant, Karīm entame une décennie de collaboration fructueuse avec le chanteur (et producteur) célèbre Muḥammad 'Abd al-Wahhāb, de 1932 — *'la Rose blanche' (al-Warda al-bayḍā')* – à 1943 : *'Une balle dans le cœur' (Raṣāṣa fī al-qalb)* ; *'Je ne suis pas un ange'* (*Lastu malākan,* 1946). Après le musical, Karīm s'engage dans le mélodrame avec *'L'amour ne meurt pas'* (*al-Ḥubb lā yamūt,* 1948), puis avec un remake de *Zaynab* (1952), pour l'actrice Rāqiya 'Ibrāhīm. Il tourne ensuite

Dalīla (id., 1956), avec cette fois Shādiya, et *'Cœur d'or'* (*Qalb min dhahab,* 1958). Doyen de l'Institut du cinéma du Caire, il se consacre enfin à l'enseignement. S'il a exploité en pionnier les grands genres du film égyptien en y apportant, comme un Ahmad Badrakhān, un sens réel du professionnalisme, son maniérisme curieux et personnel, surtout imposé aux attitudes, est immédiatement identifiable. C.M.C.

KARINA *(Hanne Karin Blarke Bayer,* dite *Anna), actrice et cinéaste française d'origine danoise (Copenhague 1940).* Elle suit des cours de danse après ses études secondaires et pose comme cover-girl pour des magazines de mode. Ayant tourné dans des films publicitaires, elle interprète un court métrage *'la Fille aux chaussures'* (*Pingin og skoenne,* I. Smedes, 1959), primé à Cannes. La jeune femme décide de tenter sa chance à Paris. Après avoir refusé un rôle dans *À bout de souffle* (1959), elle joue dans le deuxième film de Jean-Luc Godard, *le Petit Soldat* (1960). Le metteur en scène épouse l'actrice en 1961 et, durant les six ans de leur mariage, ils réalisent sept films ensemble : *(le Petit Soldat ; Une femme est une femme* (1961) ; *Vivre sa vie* (1962) ; *Bande à part* (1964) ; *Alphaville* (1965) ; *Pierrot le Fou* (id.) ; *Made in USA* (1967), ainsi que le sketch *Anticipation* (1967). Anna Karina marque, comme peut-être aucune autre actrice dans ce genre de relations, les films de Godard dont elle est la vedette. Cette complicité trouve son accomplissement dans l'étonnant *Pierrot le Fou.* Hormis Godard, seuls Michel Deville (*Ce soir ou jamais,* 1961), Jacques Rivette (*la Religieuse,* 1966) et André Delvaux (*Rendez-vous à Bray,* 1971 ; *l'Œuvre au noir,* 1988) savent trouver des compositions adéquates pour elle. Elle est loufoque dans *Une femme est une femme* et tragique dans *Alphaville.* L'éclectisme semble donc être la marque de la carrière d'Anna Karina, oscillant entre le pire (*Shéhérazade,* Pierre Gaspart-Huit, 1962 ; *Lamiel,* Jean Aurel, 1967) et le meilleur (Godard, Rivette), en passant par d'honorables créations : *l'Étranger* (L. Visconti, 1967) ; *l'Alliance* (Ch. de Challonge, 1971) ; *Roulette chinoise* (R. W. Fassbinder, 1976) ; *Comme chez nous* (M. Meszaros, 1978), *l'Île au trésor* (R. Ruiz, 1986), *Haut, bas, fragile* (E. Rohmer, 1995). En 1973, Anna Karina s'essaie à la réalisation avec *Vivre ensemble,* film maladroit mais sincère sur les problèmes du couple moderne, dont elle est également l'interprète. R.BA.

KARL *(Roger Trouvé,* dit *Roger), acteur français (Bourges 1882 - Paris 1984).* Ce misanthrope, ami de Léautaud, cet écrivain sans indulgence qui publie son *Journal* sous le nom de Michel Balfort s'essaie au théâtre avant 1914, fait partie des comédiens de Copeau et apparaît dans des œuvres d'envergure comme *le Martyre de saint Sébastien* de Gabriele D'Annunzio. Grâce à Léon Poirier (*le Coffret de jade,* 1921 ; *l'Affaire du courrier de Lyon,* 1923), à L'Herbier (*l'Homme du large,* 1920) et à Delluc (*la Femme de nulle part,* 1922), il acquiert une notoriété certaine dans le cinéma muet, que confirme encore son rôle dans *Jocelyn* (Poirier, 1922). Toutefois, ses goûts littéraires et la tournure de son esprit lui font mal accepter les contraintes du cinéma parlant commercial, où on lui impose des rôles peu sympathiques (*Barcarolle,* G. Lamprecht, 1935), des personnages stéréotypés d'espion ou d'officier allemand (*l'Homme à abattre,* Léon Mathot, 1937 ; *Boule de suif,* Christian-Jaque, 1945 ; *Mission spéciale,* Maurice de Canonge, 1946) ou de traître (*le Golem,* J. Duvivier, 1936). Massif, de visage expressif, doté d'une belle voix, on devine à quelques rôles (*Maldonne,* J. Grémillon, 1928 ; *Lucrèce Borgia,* A. Gance, 1935 ; *Sous les yeux d'Occident,* M. Allégret, 1936) les créations qu'il aurait pu faire si la routine ne l'avait trop gâché dans des emplois insipides qu'il jouait avec dédain et détachement. R.C.

KARLOFF *(William Henry Pratt,* dit *Boris), acteur américain d'origine britannique (Dulwich, près de Londres, 1887 - Midhurst, Sussex, 1969).* La plus grande star du film fantastique a mis un certain temps à s'affirmer. Émigré au Canada, Karloff, ouvrier agricole, s'intéresse au théâtre. En 1916, il fait de la figuration au cinéma et, en 1919, entame sa carrière à l'écran. Mais il restera dans l'obscurité jusqu'en 1931, date à laquelle il se fait remarquer dans *The Criminal Code* de Howard Hawks. Cette année-là sera pour lui une année cruciale car c'est aussi celle où James Whale et le maquilleur Jack Pierce inventent le masque qui lui collera au visage toute sa vie durant : celui du monstre de *Frankenstein.* Boris Karloff n'est mentionné au générique que par un point d'interrogation. Mais il s'affirme comme une abomination tragique que le public adopte immédiatement. Son masque affreux possède une indéniable photogénie et le jeu de l'acteur, sobre et humain, l'anime de poésie. Il ne reprendra le rôle que deux fois (*la Fiancée de Frankenstein* de James Whale en 1935 et *le Fils de Frankenstein* de Rowland W. Lee en 1939) et, chaque fois, il rendra plus sensible la douloureuse humanité du monstre créé par Mary Shelley.

Karloff a laissé exploiter sa personnalité dans des entreprises bassement commerciales. Mais, dans une longue filmographie, il y a de nombreux morceaux d'anthologie à découvrir, surtout à l'âge d'or des années 30. Le meilleur ressortit à la dialectique traditionnelle Jeckyll/Hyde. Il est tantôt bon, tantôt méchant, tantôt les deux à la fois (*le Baron Gregor* [*The Black Room*], R. W. Neill, 1935). Inquiétant jusqu'au sadisme, il était un impressionnant ordonnateur de messes noires dans l'excellent *Chat noir* (E. Ulmer, 1934). Douloureux et humilié, il était *le Mort qui marche* (M. Curtiz, 1936), où un mémorable travelling venait saisir une larme qui coulait sur son visage de marbre. Quand Val Lewton l'a associé au renouveau du genre à la RKO, Karloff avait déjà ses grands films derrière lui. Néanmoins, il campait une superbe créature maléfique sortie de Hogarth dans *le Récupérateur de cadavres* (R. Wise, 1945) et dans *Bedlam* (M. Robson, 1946). Mais les choses empirèrent : Karloff en fut réduit à terrifier les pénibles deux nigauds, Abbott et Costello, et à galvauder son talent. Les années 60 lui valurent une reconnaissance méritée qu'il accepta avec humour, retrouvant son autorité et sa force avec Roger Corman (*le Corbeau,* 1963), Jacques Tourneur (*The Comedy of Terrors,* 1963), Michael Reeves (*The Sorcerers,* 1967) ou Peter Bogdanovich (*la Cible,* 1968). Dans ce dernier film, il s'identifie facilement au vieil acteur de films d'horreur qu'il joue et, opposé à la violence de la vie réelle, nous salue d'un bel adieu en forme de jeux de miroirs.

Plus d'une fois il a tenté de sortir du genre ; mais, s'il était sobre dans *les Rothschild* (A. Werker, 1934), il versait dans la grandiloquence dans *la Patrouille perdue* (J. Ford, *id.*). On se souviendra de lui grâce à l'éblouissant florilège que les années 30 lui ont composé : le monstre créé par Frankenstein, bien sûr et à jamais, mais aussi la pathétique *Momie* (K. Freund, 1932) au visage parcheminé, ou l'extravagant et cruel Fu Manchu (*le Masque d'or,* Ch. Brabin, 1932), icônes précieuses qui font désormais partie de l'inconscient de chacun. C.V.

KARLSON *(Philip N. Karlstein,* dit *Phil), cinéaste américain (Chicago, Ill., 1908 - Los Angeles, Ca., 1985).* Ayant gravi tous les échelons aux studios Universal, il aborde en 1944 le long métrage de série B mais ne s'y fait remarquer vraiment que dans les années 50, apportant à des sujets standards une touche d'insolite et de violence vraie : *l'Inexorable Enquête* (*Scandal Sheet,* 1952) ; *le Quatrième Homme (Kansas City Confidential,* id.*)* ; *l'Affaire de la 99e Rue* (*99 River Street,* 1953) ; *les Îles de l'Enfer* (*Hell's Island,* 1955) ; *les Frères Rico* (*The Brothers Rico,* 1957). En 1955, il tourne *The Phoenix City Story* en décors naturels tandis que se déroule le procès consécutif au meurtre raconté. Au thriller, Karlson ajoutera, avec moins de bonheur, le film d'aventures ou d'espionnage : *l'Épée de Monte Cristo* (*Mask of the Avenger,* 1951) ; *le Dernier Passage* (*Secret Ways,* 1961). L'interminable *Saipan* (*Hell to Eternity,* 1960), mélange des stock-shots de la guerre du Pacifique à des scènes d'érotisme assez échevelées pour l'époque, tandis que *Matt Helm, agent très spécial* (*The Silencers,* 1966) est une amusante ouverture à la série des « Matt Helm ». Le secret de la longue carrière de Karlson tient sans doute à sa pratique, sécurisante pour les studios, de chef monteur : c'est ainsi que, d'une vieille série TV *(les Intouchables),* il a extrait *Scarface Mob* (1962), film d'ailleurs réussi. En 1973, il est revenu au film criminel « réaliste » avec *Justice sauvage (Walking Tall),* qu'il a lui-même produit et qui a été un grand succès financier. Il a continué dans la même voie avec *La trahison se paie cash* (*Framed,* 1975). G.L.

KARMEN *(Roman)* [*Roman Lazarevič Karmen*], *cinéaste soviétique (Odessa 1906 - Moscou 1978).* À dix-sept ans, il est reporter-photographe du journal *Ogoniok*. Entré au VGIK, il achève ses études d'opérateur en 1932. Opérateur d'actualités, il filme les événements de la guerre civile espagnole. Ses documents (internationalement repris, souvent sans le nommer) alimentent 22 numéros des actualités soviétiques et le long métrage *Espagne (Ispanija),* monté par Esther Choub (1939), qui deviendra, remanié et augmenté par Karmen en 1968, *Grenade, ma Grenade (Grenada, Grenada moja).* En 1938-39, il tourne dans la Chine en lutte contre l'envahisseur japonais : *La Chine se défend (Kitaj v bor'be)* et en 1941 : *En Chine (V Kitae).* En 1940, réalisant une vieille idée de Gorki, 160 opérateurs sous la direction de Karmen filment à travers l'URSS une journée de vie soviétique, celle du 23 août ; ce sera *Un jour du monde nouveau (Den'novogo mira).* Selon la même formule unanimiste, Karmen filmera en 1959 *Un jour de notre vie (Den'našej žizni).* Sans cesser d'être opérateur, Karmen est documentariste à part entière depuis les années 40. Il semble plus doué pour le témoignage à chaud, le tournage héroïque en pleine action, le document frémissant d'humanité saisi au vol que pour l'épopée ou le lyrisme, et son regard politique ne laisse pas d'être parfois un peu court. Il a tourné le premier film pour le Kinopanorama : *Mon grand pays* (*Široka strana moja,* 1958). B.A.

Films. — OPÉRATEUR : *la Défaite allemande devant Moscou* (*Razgrom nemeckih vojsk pod Moskvoj,* 1942) ; *Leningrad en lutte* (*Leningrad v bor'be,* id.) ; *Stalingrad* (1943) ; *Berlin* (1945). — RÉAL. : *la Justice du peuple* (*Sud narodov,* 1947) ; *Viêt-nam,* (*V'etnam,* 1954) ; *Matin en Inde* (*Utro Indii,* 1959) ; *Cuba aujourd'hui* (*Kuba segodnja,* 1960) ; *Notre amie l'Indonésie* (*Naš drug Indonesija,* id.) ; *la Grande Guerre nationale* (*Velikaja otečestvennaja vojna,* 1965) ; *Camarade Berlin* (*Tovarišč Berlin,* 1969) ; *Continent en flammes* (*Pylajuščij kontinent,* 1973) ; *le Chili au combat* (*Chili v bor'be,* 1975) ; *Front Est, une guerre méconnue* (*Vostočnyj front : nepriznannaja vojna,* 1977).

KARMITZ *(Marin), cinéaste et producteur français d'origine roumaine (Bucarest, Roumanie, 1938).* Il étudie à l'IDHEC (1957-1959), puis devient assistant (Kast, Varda, Godard, Rozier). Après quelques essais (*les Idoles,* 1963, sur la jeunesse ; *Nuit noire Calcutta,* 1964, scénario de Marguerite Duras), il aborde le long métrage. Son premier film, *Sept Jours ailleurs* (1968), met en scène un personnage en plein désarroi existentiel. Après les événements de mai 68, Karmitz se tourne vers le militantisme politique avec *Camarades* (1970) et *Coup pour coup* (1972). Depuis 1973, il se consacre à la production et à la distribution en fondant la société MK2 et crée son propre circuit de salles. Homme d'affaires avisé et cinéphile averti, il est parvenu à prendre une place importante dans l'industrie cinématographique française. M.M.

KARNAD *(Girish Raghunath), acteur et cinéaste indien (Matheran, Maharashtra, 1938).* Après quelques années passées en Grande-Bretagne, à l'université d'Oxford, il commence à écrire des pièces de théâtre et est bientôt considéré comme l'un des dramaturges les plus talentueux de son temps. Parallèlement, il devient scénariste et acteur de cinéma dans *Rites funéraires* (*Samskara,* Pattabhi Rama Reddy, 1970) et signe avec B.V. Karanth son premier film de réalisateur (*Vamsha Vriksha,* 1971). Il tourne ensuite seul *'la Forêt'* (*Kaadu,* 1973), *'Il était une fois'* (*Ondanondu Kaladalli,* 1978), *Utsav* (1984) et *Cheluvi* (1992), tout en travaillant comme acteur sous la direction de Shyam Benegal (*'l'Aube',* 1975 ; *'le Barattage',* 1976), Basu Chatterjee (*Swami,* 1977) et Kumar Shahani (*Tarang,* 1984). J.-L.P.

KASDAN *(Lawrence), scénariste et cinéaste américain (Miami Beach, Fla., 1949).* Ancien étudiant de littérature anglaise à l'université du Michigan — haut lieu de la contestation étudiante des années 60 —, il se fait d'abord connaître comme auteur de nouvelles. Il tourne, sans enthousiasme, des spots publicitaires, pour des raisons strictement alimentaires. Sur des sujets de George Lucas, il signe les scénarios de *L'empire contre-attaque* (I. Kershner, 1980), avec Leigh Brackett, *les Aventuriers de l'arche perdue* (S. Spielberg, 1981) et *le Retour du Jedi* (R. Marquand, 1983). L'argent et le succès lui permettent de réaliser son rêve : écrire des histoires qu'il filmera lui-même. Sa première réalisation, *la Fièvre au corps (Body Heat,* 1981), renoue avec la tradition des films noirs des années 40. *Les Copains d'abord (The Big Chill,* 1983) est un film plus personnel (évoquant les désillusions des jeunes de sa génération), qui s'englue parfois dans l'apitoiement sur soi et la nostalgie mièvre. *Silverado* (1985) est un retour ingénieux vers le western. Il produit en 1987 *Cross My Heart* (Armyan Bernstein), tourne en 1988 *Voyageur malgré lui (The Accidental Tourist),* curieux portrait d'un indécis et d'un taciturne qui mêle l'humour et le drame, la satire et l'inattendu, puis signe en 1990 une œuvre mineure : *Je t'aime à te tuer (I Love You to Death)* et en 1991 *Grand Cañyon.* En 1994, il s'attaque à un western ambitieux aux proportions épiques, *Wyatt Earp (id.)* : la bonhomie qui faisait le charme de *Silverado* a disparu pour laisser la place à la grandiloquence. En 1995, il signe *French Kiss.* A.-M.B.

KASSILA *(Matti), cinéaste finlandais (Keuruu 1924).* Il domine le cinéma finnois des années 50 par plusieurs longs métrages très maîtrisés, baignant dans une atmosphère lumineuse et sensuelle. *'La Semaine bleue'* (*Sininen viikko,* 1954) met en scène les amours coupables d'un jeune homme et d'une femme mariée dans le cadre d'une station balnéaire et n'est pas sans évoquer le *Monika* de Bergman. Si *'le Temps des moissons'* (*Elokuu,* 1956), d'après l'œuvre de F. E. Sillanpää, fait une nouvelle fois du désir le mobile de tous les actes, les rapports intimes entre les êtres y sont dépeints avec une ampleur et une richesse proches d'un Renoir. Kassila, qui a réalisé près d'une trentaine de films, mérite encore une mention pour *'la Ligne rouge'* (*Punainen viiva,* 1959), œuvre engagée, analyse impitoyable de la vie dans les forêts finlandaises au début du siècle. Dans les années 80, il signe notamment *la Famille Niskavuori* (*Niskavuori,* 1985), *l'Adieu au président* (*Jäähyväiset presidentile,* 1987) et surtout *Splendeur et misère de la vie humaine* (*Ihmiselon ihanuus ja kurjuus,* 1988). En 1994, il présente un film policier situé dans les milieux du cinéma : *'Un gros jeu'* (*Kaiki pelissää*). Son fils, Taavi Kassila, est également cinéaste depuis 1982. P.CO.

KAST *(Pierre), cinéaste et écrivain français (Paris 1920 - meurt dans l'avion qui le ramène de Rome, 1984).* Il débute par la critique *(Cahiers du cinéma),* l'assistanat (Grémillon, Clément, P. Sturges, Renoir), puis le court métrage (*Robida, explorateur du temps,* 1953 ; *Claude-Nicolas Ledoux, l'architecte maudit,* 1954 ; *Le Corbusier, l'architecte du bonheur,* 1956) et aborde le long métrage en 1957. Grand lecteur de Stendhal et de Queneau, ami de Vian et de Vailland, fasciné par la science-fiction et l'utopie, il construit une œuvre de facture classique mais personnelle, qui, s'articulant sur quelques lieux privilégiés (les Salines de Chaux, de Ledoux ; le Portugal ; l'île de Pâques), s'attache à décrire avec une lucidité non dénuée d'ironie la relation qu'il établit entre culture et plaisir et la quête d'un bonheur dont l'amour ne saurait être absent, mais qui, excluant la convention bourgeoise, exige l'invention d'une nouvelle logique. Utilisant les acquis de l'analyse psychologique pour explorer le territoire d'une morale de l'avenir, réconciliant intelligence et sensibilité, établissant avec son spectateur des rapports de complicité fraternelle, Pierre Kast, qui a écrit par ailleurs plusieurs romans (*les Vampires de l'Alfama,* 1975 ; *le Bonheur ou le Pouvoir,* 1980), compte parmi les marginaux du cinéma français, plus à l'aise sans doute dans l'observation des jeux de miroirs intellectuels *(le Bel Âge ; la Morte-Saison des amours ; le Soleil en face)* que dans les récits artificiels d'aventures semi-picaresques *(la Guerillera).* H.M.

Films : *le Bel Âge* (1960), *la Morte-Saison des amours* (id.) ; *Vacances portugaises* (1963) ; *Drôle de jeu* (1968) ; *les Soleils de l'île de Pâques* (1972) ; *Un animal doué de déraison* (1976) ; *le Soleil en face* (1980) ; *la Guerillera* (1982) ; *l'Herbe rouge* (1985).

KASTLE *(Leonard), musicien et cinéaste américain (New York, N. Y., 1929).* C'est tout à fait fortuitement que ce compositeur et dramaturge lyrique *(Desirate ; The Parias),* sans formation cinématographique, est amené à tourner un film des plus curieux à partir d'un fait divers très fidèlement suivi, *les Tueurs de la lune de miel* (*Honeymoon Killers,* 1969). Un couple de racketteurs (Martha Bech, Raymond Fernandez) rafle les économies des femmes esseulées et naturellement en vient à les occire. Sans éclairage spécial, dans un noir et blanc impressionnant (PH : Oliver Wood), des acteurs de théâtre menés de main de maître font apparaître un univers de crédulité, de solitude, de frustration et de violence. Un film unique, comme l'est resté, par exemple, de Laughton, *la Nuit du chasseur.* C.M.C.

KASZNAR *(Kurt Serwischer,* dit *Kurt), acteur américain d'origine autrichienne (Vienne, Autriche, 1913 - Santa Monica, Ca., 1979).* Il vient aux États-Unis en 1937, avec une troupe de comédiens de Max Reinhardt mais n'aborde le cinéma que dans les années 50. Son physique brun et corpulent lui vaut de nombreux rôles de latins, de Mexicains et d'étrangers levantins, comme le padre dans *Vaquero* (J. Farrow, 1953). Il a participé avec entrain à de bonnes comédies musicales

(*Donnez-lui une chance,* S. Donen, 1953 ; *Ma sœur est du tonnerre,* R. Quine, 1955). Il s'est retiré en 1967. C.V.

KAUFMAN *(Boris), chef opérateur d'origine russe (Białystok 1906 - New York, N. Y., 1980).* Cadet d'une famille de bibliothécaires de Białystok (dans la Pologne occupée par les Russes), il se réfugie en 1915 à Moscou avec les siens pour fuir l'invasion allemande, puis retourne en Pologne vers 1919. À partir de 1925, ses frères Denis (Dziga Vertov) et Mikhaïl lui apprennent le cinéma par correspondance. Il s'installe en 1927 à Paris, où il se lie à Moussinac, Lods, etc. Il acquiert suffisamment d'expérience pour que Vigo lui propose en 1929 d'être l'opérateur d'*À propos de Nice* (1929-30), où l'on retrouvera, effectivement, à côté de l'humour anarchiste du Français, l'esprit du ciné-œil vertovien. Il est l'opérateur de tous les autres films de Vigo et aussi de cinéastes expérimentaux ou documentaristes comme Eugène Deslaw (*la Marche des machines,* 1928), Jean Lods (*Champs-Élysées,* 1929) ou Henri Storck (*les Travaux du tunnel sous l'Escaut,* 1932). En 1940, il émigre en Amérique, tourne des documentaires pour l'ONF au Canada, collabore aux films de propagande de l'US Office of War Information, puis est l'opérateur de quelques-uns des principaux films de Kazan (*Sur les quais,* 1954 ; *Baby Doll,* 1956 ; *la Fièvre dans le sang,* 1961) et de Sidney Lumet (*Douze Hommes en colère,* 1956 ; *l'Homme à la peau de serpent,* 1960 ; *le Prêteur sur gages,* 1965 ; *le Groupe,* 1966). D.N.

KAUFMAN *(Mikhaïl) [Mihail Abramovič Kaufman], opérateur et cinéaste soviétique (Białystok 1897 - Moscou 1980).* Frère de Dziga Vertov et de Boris Kaufman. En 1922, il forme avec Vertov et son épouse, E. Svilova, le Conseil des Trois qui deviendra le Groupe des Kinoki. Il est le principal opérateur des chroniques filmées de la série *Kinopravda* (1922-1925). Il filme et réalise lui-même par la suite de nombreux documentaires sur la vie quotidienne en URSS, dont : *Moscou* (*Moskva,* 1927), qui montre la vie de la cité de l'aube au crépuscule (idée en partie reprise dans *l'Homme à la caméra* de Vertov) et qui a probablement influencé Ruttmann pour sa *Symphonie d'une grande ville ; Au printemps* (*Vesnoj,* 1929), magnifique essai impressionniste sur le réveil de la nature ; *la Grande Victoire* (*Bol'šaja pobeda,* 1933) ; *Défilé aérien* (*Aviamarš,* 1936) ; *Notre Moscou* (*Naša Moskva,* 1939). À partir de 1941, il travaille au Studio des films de vulgarisation scientifique.

Mais c'est comme opérateur de Dziga Vertov qu'il est le plus réputé pour sa virtuosité technique et sa science de la composition de l'image, surtout dans certains longs métrages de celui-ci : *la Sixième Partie du monde, la Onzième Année* et, avant tout, *l'Homme à la caméra,* où s'épanouissent les théories de Vertov sur le ciné-œil capable de saisir « la vie à l'improviste », théories dont Kaufman, en tant qu'opérateur, peut avoir été l'initiateur dans la pratique. M.M.

KAUFMAN *(Philip), cinéaste américain (Chicago 1936).* Carrière inégale, toute en zigzag, que celle de cet indépendant, devenu un pilier du groupe de San Francisco avant de se voir confier des remakes et de s'épanouir soudain avec *l'Étoffe des héros* (*The Right Stuff,* 1983) qui conjugue les mythes de la conquête de l'Ouest et de l'espace avec un souffle épique et un sens intimiste des destinées individuelles. Sa première œuvre, *Goldstein* (1964), réalisée avec Benjamin Manaster, était une production artisanale que la critique apprécia pour son ton comique très personnel. Kaufman ensuite tourne des films de genre : *La Légende de Jesse James* (*The Great Northfield Minnesota Raid,* 1972), *l'Invasion des profanateurs* (*Invasion of the Body Snatchers,* 1978), remake du film homonyme de Don Siegel, et *les Seigneurs* (*The Wanderers,* 1979) sur les gangs de rue. Réalisations de bonne facture, mais sans personnalité véritable (son *The White Dawn,* 1974 est inédit en France), ils ne laissaient pas présager *l'Étoffe des héros,* œuvre singulièrement originale qui renouvelle le film d'aventures hollywoodien. Il confirme son talent en adaptant avec beaucoup d'habileté un livre de l'écrivain tchèque Milan Kundera *l'Insoutenable Légèreté de l'être* (*The Unbearable Lightness of Being,* 1988) puis évoque le Paris des années 30 dans *Henry and June* (1990) qui s'attache aux relations passionnelles de Henry Miller et d'Anaïs Nin. Cet échec ambitieux l'a mis dans une mauvaise position vis-à-vis de l'industrie cinématographique américaine. Kaufman décide donc de prouver qu'il est toujours capable d'enlever avec verve un film d'action pure : *Soleil levant* (*Rising Sun,* 1993), malgré ou à cause de la polémique qu'il engendre à propos d'un certain racisme antijaponais, le remet tout à fait en selle. M.C.

KAUL *(Mani), cinéaste indien (Jodhpur, Rājasthān, 1942).* Diplômé de l'université de Jaipur, ancien étudiant du Film and Television Institute de Poona, il représente avec éclat la Nouvelle Vague indienne. Loin des conventions du cinéma hindī, et sans souci de plaire, il pratique un cinéma intransigeant, moderne, voire d'avant-garde. Si ses maîtres se nomment Ozu et Bresson, ce qui explique le statisme et le dépouillement de son style, ses préoccupations propres manifestent son goût pour une certaine littérature occidentale, notamment l'œuvre de Dostoïevski *(Nazar, Idiot)* et pour la spéculation philosophique indienne, dont il est un adepte averti. La haute ambition de ses films et leur diffusion quasi confidentielle font qu'il n'a pu travailler jusqu'ici que de façon intermittente. *Le Pain d'un jour* (*Uski roti,* 1969) décrit en longs plans fixes l'attente d'une femme qui vient remettre son repas à son mari, conducteur d'autobus. *Un jour avant le mois des pluies* (*Ashad Ka Ek Din,* 1971) adapte avec rigueur, et comme en voix blanche, une pièce sur le poète Kalidas. *Indécision* (*Duvidha,* 1973), à partir d'un conte traditionnel rajasthanais, explore la notion de double d'une manière quasi structuraliste. *'L'homme au-delà de la surface'* (*Satah Se Uthata Aadmi,* 1980) utilise les textes de l'écrivain Muktibodh pour une réflexion sur les rapports entre langage et cinéma (langue : hindī). Il tourne en 1982-1983 un documentaire sur la musique des ragas *Dhrupad,* puis *Mati Manas* (1985), *Siddheshwari (1989),* dialogue avec la vie, la musique « thumri » et sa tradition, *Nazar* (id.), *l'Idiot* (*Idiot,* 1991), adaptation du roman de Dostoïevski et *Erotic Tales* (épisode *The Cloud Door,* 1994). H.M.

KAURISMÄKI *(Aki), cinéaste finlandais (Orimattila, 1957).* Frère cadet de Mika Kaurismäki avec lequel il crée la société de production *Villealfa,* la société de distribution Senso Film, de même qu'une coopérative cinématographique, Filmtotal (à la fondation de laquelle s'associe également Anssi Mänttäri). Assistant et scénariste de plusieurs films tournés par son frère, il cosigne avec lui en 1981 *'le Syndrome du lac Saimaa'* (*Saimaa-Ilmiö*). En 1986-1987, il tourne des « rock-videos » puis aborde le long métrage de fiction avec *Crime et châtiment* (*Rikos ja rangaistus,* 1983) suivi de *Calamari Union* (1985), *Shadows in Paradise* (*Varjoja paratiisissa,* 1986), *Hamlet Goes Business* (*Hamlet Liikemaailmassa,* 1987), *Ariel* (id., 1988), *Leningrad Cowboys Go America* (id., 1989), film qui a connu un prolongement dans *Total Balalaïka Show* (*id.,* TV, 1993) et dans *Leningrad Cowboys Meet Moses* (*id.,* 1994), *Dirty Hands* (*Likaiset kädet,* TV, *id.*), *la Fille aux allumettes* (*Tulitikkutehtaan tyttö,* id.), *J'ai engagé un tueur* (*I Hired a Contract Killer,* 1990), *la Vie de bohème* (*Boheemielämää,* 1991), *Prends ton foulard, Tatiana* (*Pida huivista kinnii, Tatjana,* 1994). Aki Kaurismäki, notamment dans ce qu'on a pu nommer sa « trilogie prolétarienne » (*Shadows in Paradise, Ariel, la Fille aux allumettes*) a su imprimer au film finlandais une nouvelle direction, stylisée, voire ascétique, cruelle, éloignée de toute sensiblerie, parfois ironique et souvent d'une lucidité impitoyable sur le « mirage » social et économique de son pays. Nourri de culture rock, portant un regard volontiers sarcastique sur les « valeurs » du monde occidental, il a réussi à s'imposer parmi les cinéastes importants des années 80. J.-L.P.

KAURISMÄKI *(Mika), cinéaste finlandais (Orimattila, 1955).* Il fait ses études à l'école supérieure de Cinéma de Munich, crée avec son frère Aki des sociétés de production et de distribution ainsi qu'une coopérative cinématographique, tourne en 1980 *le Menteur* (*Valehtejila,* CM) puis cosigne avec Aki Kaurismäki *'le Syndrome du lac Saimaa',* 1981). Après *'les Indignes'* (*Arvottomat,* 1982) portrait d'une jeune génération marginale et démunie, il tourne des films d'aventures et des comédies, affectionnant le style « road-movie » : *'le Clan - histoire de la famille des grenouilles'* (*Klaani - tarina sammakoitten suvusta,* 1984), *Rosso* (1985), *Helsinki-Napoli* (id., 1987), *Cha cha cha* (id., 1989), *Étoile de papier* (*Paperitähti,* id.), *Amazon* (1990), *Zombie et le train-fantôme* (*Zombie ja kummitusjuna,* 1991), *Amazon* (1992). En 1993, il réalise une sorte de western « arctique-écologique » : *la Dernière Frontière* (*The Last Border/Viimeisellä rajalla*), avant de revenir au Brésil – où il avait déjà filmé *Amazon* – pour tourner en compagnie de Sam Fuller et de Jim Jarmush *Tigrero* (*id.,* 1994), à la fois documentaire sur un projet avorté de Fuller en 1954 et *road-movie.* En 1995, il signe *Condition Red,* un film policier. J.-L.P.

KÄUTNER *(Helmut), scénariste et cinéaste allemand (Düsseldorf 1908 - Castellina in Chianti, Italie, 1980).* Après des études universitaires à Munich, il se produit dans des sketches de cabaret dont il est l'auteur, et ses débuts au cinéma, au moment de l'arrivée au pouvoir des nazis, sont également ceux d'un acteur (dont la carrière tourne court) et ceux d'un scénariste, qui travaille avec, entre autres, Harald Braun, Rodolf Jugert, Wolfgang Staudte, avant d'écrire ses propres sujets. Encore qu'il demeure fidèle à la scène (il signe de nombreuses scénographies à Hambourg après la guerre), Käutner privilégie le cinéma, qui ne le lui rend guère : condamné à des films de divertissement tout le temps du nazisme, il ne disposera jamais de moyens, et sera une des « victimes » des coproductions hétéroclites en faveur dès les années 50. Käutner a tenté un cinéma aux intentions louables dans un temps qui s'y montrait peu propice. En dépit de qualités certaines, *le Dernier Pont,* avec Maria Schell et Bernhard Wicki, souffre de son manque de rigueur. On y déchiffre pourtant la veine humaniste de Käutner, son souci de restituer les valeurs morales (non pas moralisatrices) et de rendre à l'individu une place qu'il souhaite inaliénable. On peut voir sous cet angle une évocation de Louis II de Bavière (qu'interprète Klaus Kinski), baroque mais sans génie particulier..., la biographie déguisée de l'aviateur Ernst Udet sous les traits malheureuse-ment mous de Curd Jurgens ou l'amour du couple malheureux de *Lumière dans la nuit.* Il avait réuni, dans une pochade *(Monpti),* Romy Schneider et Horst Buchholz. Une tentative américaine sans lendemain à Universal s'est soldée par deux films sans éclat : *The Wonderful Years* (1958) ; *Stranger in My Arms* (1959). C.M.C.

Films : *Kitty et la Conférence mondiale* (*Kitty und die Weltkonferenz,* 1939) ; *L'habit fait le moine* (*Kleider machen Leute,* 1940) ; *Adieu, Franciska* (*Auf Wiedersehen Franziska,* 1941) ; *Anuschka* (1942) ; *Wir machen Musik* (id.) ; *Lumière dans la nuit* (*Romanze in Moll,* 1943) ; *Unter den Brücken* (1945) ; *En ces jours-là* (*In jenen Tagen,* 1947) ; *Epilog* (1950) ; *le Dernier Pont* (*Die letzte Brücke,* 1954) ; *Louis II de Bavière* (*Ludwig II Glanze und Elend eines Königs,* 1955) ; *Ciel sans étoiles* (*Himmel ohne Sterne,* id.) ; *le Général du diable* (*Der Teufels General,* id.) ; *Monpti* (1957) ; *le Bandit au grand cœur* (*Der Schinderhaunes,* id.) ; *Das Glass Wasser* (1960) ; *Die Rote* (1962).

KAVUR *(Ömer), cinéaste turc (Ankara 1944).* Il fait ses études supérieures en France. Après l'École des hautes études sociales, il opte pour le cinéma. Il commence par tourner des films documentaires et publicitaires avant de réaliser son premier long métrage, *'Emine'* (*Yatık Emine,* 1974). Devenu producteur de ses propres films, Ömer Kavur est, avec son cinéma intimiste et personnel, le chef de file du « nouveau cinéma d'auteur turc » qui s'ouvre davantage à la vie citadine et se préoccupe plus des problèmes existentiels. Parmi ses films les plus originaux, notons *'les Gamins d'Istanbul'* (*Yusuf ile Kenan,* 1979), *'Hôtel de la mère patrie'* (*Anayurt Oteli,* 1987), *'le Voyage de nuit'* (*Gece Yolculuğu,* id.) et *'le Visage secret'* (*Gizli Yüz,* 1991), dont le scénario est cosigné par Orhan Pamuk, écrivain contemporain de premier plan.

Autres films : *'Ah la belle Istanbul'* (*Ah Güzel Istanbul,* 1981), *'Une histoire d'amour amer'* (*Kırık Bir Aşk Hikâyesi,* id.), *'le Lac'* (*Göl,* 1982), *'Colin maillard'* (*Körebe,* 1984), *'la Route désespérée'* (*Amansız Yol,* 1985). ME.B.

KAWAKITA *(Nagamasa), producteur japonais (Tōkyō 1903 - id. 1981).* Après des études faites en Allemagne, il fonde en 1928 la Cie Towa, qui deviendra la plus importante entreprise d'import-export du cinéma au Japon, jusqu'à sa fusion avec la Cie Tōhō en 1977. Pendant la guerre sino-japonaise et la Seconde Guerre mondiale, il est vice-président de la China Motion Picture Company, qui se charge des coproductions avec le Japon. Tout en important un grand nombre de films étrangers, dont beaucoup de films français devenus des classiques, Kawakita s'occupe de coproductions avec l'étranger (*'la Nouvelle Terre',* A. Franck et M. Itami, 1937). Après la brève éclipse qu'il subit pendant l'occupation américaine d'après-guerre, il reprend ses activités importatrices pour la Towa et coproduit des films comme *Fièvre sur Anatahan,* de Josef von Sternberg (1953). Sa femme, Kashiko Kawakita, décédée en 1993, fut directrice de la Japan Film Library de Tōkyō (devenue Kawakita Memorial Film Institute après la mort de Nagamasa en 1981). M.T.

KAWALEROWICZ *(Jerzy), cinéaste polonais (Gvozdets, Ukraine, 1922).* Il étudie la peinture et l'histoire de l'art et suit les cours de l'Institut du cinéma à Cracovie. Il assiste à partir de 1947 L. Buczkowski, S. Urbanowicz, W. Jakubowska ou T. Tanski et écrit en 1950 avec Kazimierz Sumerski un scénario original qui est primé et que les deux jeunes gens réalisent en 1952 : *la Commune (Gromada).* Inspiré d'un événement authentique, le film tente de concilier une approche néoréaliste et une soumission maladroite aux thèses politiques du moment. En 1954, Kawalerowicz adapte en deux parties un des plus célèbres romans polonais de l'après-guerre : dans *Une nuit de souvenirs (Celuloza)* et *Sous l'étoile phrygienne (Pod gwiazdą frygijską),* deux films rassemblés en France sous le titre *Cellulose,* adaptation de l'œuvre d'Igo Newerly, il décrit, à propos de la prise de conscience d'un travailleur avant la Seconde Guerre mondiale, la relation entre le destin individuel de son héros et l'évolution de toute une société. *L'Ombre* (*Cień,* 1956) fait revivre, sous le masque d'un film policier à tiroirs, plein d'ombres et de mystères, trois périodes de l'histoire polonaise entre 1943 et 1953 : l'occupation, l'après-guerre, les années du plan. Après *Tout n'est pas fini / la Vraie Fin de la guerre* (*Prawdziwy koniec wielkiej wojny,* 1957), Kawalerowicz connaît un premier succès international avec *Train de nuit* (*Pociąg,* 1959), où il mêle, à une réflexion quasi antonionienne sur la difficulté d'un rapport vrai entre les êtres, une description désabusée de la foule disparate que peut emporter un train de vacances et de ses réactions. La consécration vient en 1961 avec le prix obtenu à Cannes par *Mère Jeanne des Anges (Matka Joanna od Aniołów),* qui transpose dans une Pologne stylisée l'affaire des possédées de Loudun. Le cinéaste y évoque avec une superbe maîtrise l'antagonisme entre les diverses aliénations suscitées par le phénomène religieux et la revendication à exister pour lui-même ; il produit là son œuvre formellement la plus achevée. *Pharaon* (*Faraon,* 1966), belle superproduction ambitieuse tournée au Turkménistan, concilie avec une rare intelligence l'évocation minutieuse d'un passé lointain, la description des luttes pour le pouvoir politique, l'analyse psychologique individuelle et les exigences du spectacle populaire. Après *le Jeu* (*Gra,* 1969) et *Maddalena* (1971), coproduction italo-yougoslave qui reprend certaines préoccupations de *Mère Jeanne des Anges,* Kawalerowicz réaffirme sa place essentielle dans le cinéma polonais avec *la Mort du président* (*Śmierć Prezydenta,* 1977), qui évoque les problèmes politiques du monde contemporain au travers de la situation polonaise de 1922 et de l'assassinat du président libéral Narutowicz. *Rencontre sur l'Atlantique* (*Spotkanie na Atlantyku,* 1979) est une œuvre mineure, ce que ne saurait être son film suivant, *Austeria / l'Auberge du vieux Tag* (1982), évocation du microcosme tragique d'une communauté juive en Galicie à l'aube de la Première Guerre mondiale. Jerzy Kawalerowicz a dirigé de 1955 à 1968 l'équipe de réalisation Kadr ; il en est depuis 1972 le directeur artistique (sous sa nouvelle formule). Son épouse Lucyna Winnicka apparaît dans la plupart de ses films depuis *Sous l'étoile phrygienne.* En 1989, il réalise *l'Otage de l'Europe (Jeniec Europy),* qui évoque l'exil de Napoléon à Sainte-Hélène et, en 1990, *les Enfants Bronstein (Bronstein Kinder),* d'après le roman de Jurek Becker. ▲ J.-P.B.

KAYE *(David Daniel Kaminski,* dit *Danny), acteur américain (Brooklyn, N. Y., 1913 - Los Angeles 1987).* Après avoir rempli des emplois divers, Danny Kaye fait quelques films éducatifs puis débute à Broadway en 1939. En 1941, il fait sensation dans le musical de Kurt Weill et Moss Hart, *Lady in the Dark,* en chantant *Tchaïkovsky,* une chanson burlesque dont les paroles étaient constituées d'un catalogue de 54 compositeurs russes dont les noms étaient récités en une quarantaine de secondes. Danny Kaye et son humour sont entièrement contenus dans cette forme de pari : on peut aimer ou être totalement allergique, mais on ne reste pas indifférent à ce goût non-sensique...

Cette performance attire l'attention du producteur Samuel Goldwyn, qui, toujours à la recherche de nouveaux talents, l'engage avec l'idée de lui faire reprendre le personnage et les succès d'Eddie Cantor, comique naïf aux yeux écarquillés dont Danny Kaye se démarquera très vite. Il obtient en effet un succès immédiat dans *Un fou s'en va-t-en guerre*

(E. Nugent, 1944), film qui établit une fois pour toutes le patron des comédies jouées par Danny Kaye : une aventure compliquée, policière ou historique, dans laquelle débarque un comique roux et grimaçant, quelques acrobaties verbales, des chansons et des numéros musicaux, souvent chorégraphiés par Sylvia Fine, sa femme.

Malgré l'argent que Goldwyn dépensait avec largesse sur ces productions importantes, malgré les nombreux talents qui y furent associés et malgré Danny lui-même, qui se démène comme cent et dont le personnage lunaire est attachant, ces films laissent tous une impression de déséquilibre. Goldwyn s'est toujours adressé à de vieux routiers de la comédie pour mettre en scène Danny Kaye : Norman Z. McLeod (*le Laitier de Brooklyn,* 1946 ; *la Vie secrète de Walter Mitty,* 1947) ou même Howard Hawks (*Si bémol et fa dièse,* 1948) sont des cinéastes qui croient essentiellement à la préparation et au métier. Or Danny Kaye trouve sa pleine dimension sur scène quand sa loufoquerie est stimulée par l'improvisation. Sa prestation dans le rôle de Noé, dans une médiocre comédie musicale de Richard Rodgers *(Two by Two)* en 1970, dans laquelle, s'étant cassé la jambe, il se servait de cette infirmité pour imaginer des gags incroyables et surprendre ses malheureux partenaires, est restée dans les annales et définit bien l'essence éphémère et non répétitive de son art.

C'est pourquoi, si l'on peut prendre un certain plaisir à *Sur la Riviera* (W. Lang, 1951), à *Hans Christian Andersen et la danseuse* (Ch. Vidor, 1952) ou au *Bouffon du roi* (M. Frank et N. Panama, 1956), qui lestent son personnage d'émotion et d'humanité, on préférera *Un grain de folie* (Frank et Panama, 1954) ou *le Fou du cirque* (Michael Kidd, 1958), qui lui laissent résolument la bride sur le cou. Son rendez-vous avec le cinéma a peut-être été un rendez-vous manqué, et qu'il ne put masquer, même en abordant des rôles dramatiques comme dans *Moi et le colonel* (P. Glenville, *id.*) ou celui du chiffonnier de *la Folle de Chaillot* (B. Forbes, 1969). C.V.

Autres films : *le Joyeux Phénomène* (*Wonder Man,* H. B. Humberstone, 1945) ; *Vive Monsieur le Maire !* (*The Inspector General,* H. Koster, 1949) ; *Noël blanc* (M. Curtiz, 1954) ; *Millionnaire de cinq sous* (M. Shavelson, 1959) ; *la Doublure du général* (*On the Double,* id., 1961) ; *les Pieds dans le plat* (F. Tashlin, 1963). ▲

KAZAN *(Elia Kazanjoglou,* dit *Elia), cinéaste et écrivain américain (Constantinople* [auj. *Istanbul, Turquie*], *1909).* Arrivé à l'âge de quatre ans à New York, où son père, Grec de Turquie, venait d'immigrer pour installer un commerce de tapis, le jeune Elia Kazan est élevé au sein de la minorité hellène. Il étudie d'abord à New York, puis à la Mayfair School de New Rochelle, où emménagent ses parents, enfin au Williams College, dont il sort diplômé en 1930. Il reçoit sa formation décisive pendant deux ans au département théâtral de l'université de Yale. Sur cette lancée, il entre en 1932 au Group Theatre, fondé l'année précédente par Lee Strasberg et Harold Clurman. Cette troupe, fortement marquée par les idées progressistes de l'époque et le travail collectif, est, avec le Federal Theatre d'Orson Welles et John Houseman, un des deux pôles d'attraction de la vie théâtrale new-yorkaise des années 30. Elia Kazan y exerce tous les métiers : accessoiriste, acteur, assistant, puis metteur en scène. Il joue les héros prolétaires de Clifford Odets, dirige des pièces sociales ou d'agit-prop, s'inscrit au parti communiste, où il ne reste que quelques années. Après la fermeture du Group Theatre, il va à Hollywood et interprète deux films d'Anatole Litvak : *City for Conquest* (1940) et *Blues in the Night* (1941). De retour à New York, il devient pendant la guerre l'un des metteurs en scène les plus en vue de Broadway et crée des pièces d'auteurs réputés comme Thornton Wilder ou Samuel Nathaniel Behrman.

En 1945, la Fox, à la recherche de nouveaux talents, fait appel à lui. Le jeune Kazan avait déjà tâté du cinéma dans les années 30 en collaborant à un court métrage burlesque, *Pie in the Sky* (1934), et à un documentaire, *The People of the Cumberlands* (1937), signés Ralph Steiner ; mais il fait cette fois un apprentissage méthodique au sein d'une grande compagnie avec l'aide, en particulier, de Leon Shamroy, le chef opérateur de son premier film, *le Lys de Brooklyn (A Tree Grows in Brooklyn,* 1945). À ses débuts, Kazan excelle avant tout, bien entendu, dans la direction d'acteurs, mais l'histoire d'une famille d'immigrés irlandais le concerne directement et *le Lys de Brooklyn* est peut-être le film où il met le plus de lui-même pendant sa période Fox, marquée par les préoccupations sociales chères au producteur Darryl F. Zanuck. Ainsi *Boomerang* (id., 1947) traite d'une erreur judiciaire, *le Mur invisible* (*Gentleman's Agreement,* id.), film couvert d'Oscars, de l'antisémitisme, et *l'Héritage de la chair* (*Pinky,* 1949), commencé par John Ford, du racisme dans le Sud.

Mais c'est avec *Panique dans la rue* (*Panic in the Streets,* 1950), tourné dans les rues de La Nouvelle-Orléans, que Kazan pour la première fois s'accomplit comme metteur en scène. Totalement maîtrisé, ce film noir sur la contamination d'une ville par la peste, que propage un groupe de gangsters, n'évite pas le message libéral : le bon médecin militaire (Richard Widmark) fait triompher les valeurs saines. Mais Kazan excelle à décrire un milieu interlope et son style nerveux restitue les courses haletantes dans les rues du port. En 1951, pause dans sa carrière avant des œuvres plus personnelles, il signe sa seule pièce filmée, *Un tramway nommé Désir (A Streetcar Named Desire)* de Tennessee Williams, qu'il avait déjà créée à la scène en 1947 avec Marlon Brando et Kim Hunter. Car Kazan ne cesse, jusqu'en 1959, d'alterner son travail au théâtre et au cinéma, imposant les œuvres des deux plus grands dramaturges de l'époque, Arthur Miller et Tennessee Williams. Dans *Un tramway nommé Désir,* Marlon Brando retrouve son rôle face cette fois à Vivien Leigh. Il est issu de l'Actors* Studio, que Kazan avait créé en 1947 avec Cheryl Crawford et Robert Lewis, vivier où il puisera sans cesse pour trouver de nouveaux interprètes.

1952 est une date charnière dans la vie et l'œuvre de Kazan. Il témoigne devant la Commission des activités antiaméricaines, livre les noms d'anciens communistes et fait un serment d'allégeance patriotique. Les traces de cet acte marqueront désormais son œuvre tout en lui donnant une ambiguïté, une complexité qu'elle ne possédait pas jusque-là. La même année, en effet, Kazan réalise un film à partir d'une idée personnelle, le portrait du révolutionnaire mexicain Emiliano Zapata. Il demande à John Steinbeck d'en écrire pour lui le scénario. *Viva Zapata !* (id., 1952), influencé par le cinéma soviétique que Kazan admira tant dans sa jeunesse, est une réflexion sur le pouvoir qui finit toujours par corrompre et une incitation à la révolution permanente. Deux ans plus tard, *Sur les quais (On the Waterfront),* écrit par Budd Schulberg, tourné en décors naturels à New York, se souvient des films Warner des années 30 par le réalisme rigoureux de sa dénonciation sociale, tout en justifiant la conduite du mouchard. Brando y est aussi convaincant en docker fruste que, dans le film précédent, en paysan mexicain.

En 1955, Kazan découvre la couleur, le CinémaScope et James Dean et signe sa première œuvre lyrique, *À l'est d'Éden (East of Eden),* reprise du thème de Caïn et d'Abel et peinture déchirante d'un adolescent révolté. *La Poupée de chair* (*Baby Doll,* 1956), à partir de deux pièces de Tennessee Williams, est un film bouffon et sensuel, satirique et tendre, un concert de chambre au rythme allègre, la meilleure démonstration peut-être des vertus de la méthode pratiquée à l'Actors Studio (d'où sont d'ailleurs issus les trois comédiens principaux : Carroll Baker, Karl Malden et Eli Wallach). *Un homme dans la foule* (*A Face in the Crowd,* 1957), de nouveau écrit par Budd Schulberg, renoue avec le pamphlet social : Kazan y dénonce au vitriol le monde frelaté du show business et de la politique à travers l'ascension foudroyante d'un chanteur folk.

C'est au début des années 60 qu'il signe ses deux œuvres peut-être les plus achevées : *le Fleuve sauvage* (*Wild River,* 1960), sur le conflit de l'ancien et du nouveau, la confrontation d'un fonctionnaire de Washington (Montgomery Clift) chargé de construire un barrage à l'époque du New Deal et d'une vieille paysanne du Tennessee (Jo Van Fleet) qui veut rester sur ses terres, et *la Fièvre dans le sang* (*Splendor in the Grass,* 1961), sur l'amour impossible de deux jeunes (Natalie Wood et Warren Beatty), victimes de la société puritaine au moment de la Dépression. Le lyrisme apaisé du premier, digne de John Ford, contraste avec le style exacerbé, éclaté du second. Kazan parle ensuite de plus en plus ouvertement à la première personne. Il raconte l'histoire de sa famille en une vaste fresque, *America America* (id., 1963), une odyssée de l'émigration et son œuvre la plus riche et la plus ample. Il y mêle tous les mondes, toutes les atmosphères, tous les styles, réaliste, lyrique, épique. Après ce pèlerinage aux sources (le film fut tourné en Asie Mineure), Kazan poursuit sa quête introspective avec *l'Arrangement* (*The Arrange-*

ment, 1969), d'après son propre roman, réflexion fiévreuse sur les compromissions de la vie, l'ambiguïté de la réussite, où l'autobiographie se masque à peine. En 1972, il met en scène un scénario de son fils Chris qui anticipe de plusieurs années sur la vague des films sur le Viêt-nam. *Les Visiteurs (The Visitors)* est en effet un huis clos étouffant où deux anciens combattants de retour d'Extrême-Orient viennent se venger d'un camarade qui les a dénoncés. Tournée en super-16 mm dans la propre maison du cinéaste, c'est une œuvre d'une jeunesse étonnante, d'une vigueur qui dérange. Comme par contraste, après ce budget de misère, *le Dernier Nabab* (*The Last Tycoon,* 1976), que lui propose Sam Spiegel (son producteur de *Sur les quais*), d'après le roman de F. Scott Fitzgerald adapté par Harold Pinter, est son film le plus coûteux. Kazan apparemment s'efface, mais fait de cette « commande », avec l'aide du magistral Robert De Niro, une œuvre crépusculaire, feutrée, l'une des plus belles méditations sur Hollywood.

Prise dans sa totalité, l'œuvre de Kazan est à bien des égards exemplaire. Elle offre une vaste peinture de l'histoire de l'Amérique moderne, de l'immigration au Viêt-nam, en passant par la Dépression, le New Deal et les problèmes sociaux et politiques contemporains. En même temps, elle montre un homme à la recherche de lui-même et de ses racines, explorant ses doutes et ses conflits intérieurs. Parti du Marx de sa jeunesse, Kazan est arrivé à Freud pour finalement mener de front la peinture de la société et la plongée dans le psychisme. Tour à tour acteur, metteur en scène de théâtre puis de cinéma, écrivain (ses romans : *les Assassins, le Monstre sacré, Actes d'amour, l'Anatolien,* et son autobiographie, *Une vie* complètent ce portrait de l'artiste par lui-même), Kazan n'a cessé de se mettre en question. Ce faisant, il s'est éloigné de plus en plus des formules hollywoodiennes, introduisant un nouveau jeu dramatique, cherchant des thèmes audacieux, faisant appel à des écrivains réputés, se lançant dans la production indépendante sans guère rencontrer le succès commercial. Pour toutes ces raisons, son influence sur le nouveau cinéma américain ne saurait être négligée. Dès les années 50, il marque des réalisateurs comme Aldrich et Ray (qui fut son assistant), puis la génération issue de la télévision (Frankenheimer, Penn, Mulligan, Lumet). Des cinéastes plus jeunes, comme Coppola ou Scorsese, et bien sûr les nouveaux comédiens, tous plus ou moins issus de l'Actors Studio (Dustin Hoffman, Robert De Niro, Al Pacino, etc.), ont une dette à son égard et retrouvent dans son œuvre torturée, convulsive, leurs préoccupations d'artistes qui s'interrogent sur leur *différence.* En 1989, il prépare un nouveau film, *Au-delà de la mer Égée (Beyond the Aegeain Sea),* interrompu avant le tournage. M.C

Autres films : *It's Up to You* (DOC, 1941) ; *le Maître de la prairie* (*The Sea of Grass,* 1947) ; *Man on a Tightrope* (1953). ▲

K.D.B. (procédé). →COULEURS (Procédés de cinéma en).

KEACH *(Stacy), acteur américain (Savannah, Ga., 1941).* Fils de comédien, il débute à l'écran dans le personnage de Blount, le vagabond du *Cœur est un chasseur solitaire* (R. E. Miller, 1968). Il trouve ses meilleurs rôles dans *Au bout du chemin* (A. Avakian, *id.*), *Brewster McCloud* (R. Altman, 1970), *la Ballade du bourreau* (J. Smight, *id.*), *Doc Holliday* (F. Perry, 1971), *Fat City* (J. Huston, 1972), *Les flics ne dorment pas la nuit (The New Centurions,* R. Fleischer, *id.), Juge et Hors-la-Loi* (Huston, *id.*), *Luther* (Guy Green, 1973). Sa curieuse figure, dure, mobile, comme un masque capable de trahir ce qu'il cache ou ce qu'il protège, n'a malheureusement plus eu l'occasion de se faire valoir. Il joue en compagnie de son frère James Keach dans *le Gang des frères James* (W. Hill, 1980). Au cours des années 80, il apparaît davantage à la télévision qu'au cinéma. On le remarque néanmoins en 1990 dans *Milena* de Vera Belmont aux côtés de Valérie Kaprisky. J.-P.B.

KEATON *(Joseph Francis Keaton,* dit *Buster), acteur, scénariste et cinéaste américain (Piqua, Kans., 1895 - Woodland Hills, Ca., 1966).* Enfant de la balle, initié on ne peut plus tôt, puisqu'on le voit sur scène dès l'âge de trois ans, au vaudeville, aux variétés et à l'acrobatie, le jeune Keaton, surnommé Buster par Harry Houdini alors qu'il est encore au berceau, partage la vie itinérante de sa famille. En dépit de la dégradation progressive des spectacles et des talents paternels, il parvient à une notoriété certaine et décide, en 1917, de tenter sa chance de son côté. Le hasard lui fait connaître Roscoe « Fatty » Arbuckle. Il se joint à sa compagnie, dont le producteur est Joseph M. Schenck, participe à des pochades *(Fatty garçon boucher),* suit la Comique (ou Comicque) Film Corp. de New York à la côte Ouest. Mobilisé en juin 1918, il passe sept mois en France sans voir le front. En 1919, Keaton retrouve Comique Film après avoir décliné les offres de contrat de Jack Warner et de William Fox. C'est alors que « Fatty » Arbuckle passe à la Paramount, après leur dernier film commun : *Fatty et Malec mécanos ;* Schenck fonde aussitôt les Buster Keaton Comedies. Buster en prend la direction et tourne dix-neuf courts métrages en deux ans ; il joue également en premier rôle dans *Ce crétin de Malec* (*The Saphead,* Herbert Blache, 1920), qui le consacre l'égal de « Charlot », c'est-à-dire étoile de première grandeur. La même année, il réalise ses premiers shorts en deux bobines, dont *la Maison démontable,* qui est comme une préface à son œuvre étonnante. Soulignons qu'il est le seul des grands comiques de l'époque à n'être pas sorti de l'usine burlesque de Sennett.

Maître d'œuvre, Keaton acteur endosse dans ses courts métrages, sous les défroques de Malec ou de Frigo, son personnage futur, si proche dans le temps, oublieux déjà des fous rires et des farces (souvent assez vulgaires) de Fatty Arbuckle, et répugnant tout à fait aux gags éculés. Son apprentissage familial et mouvementé l'a rompu (pour un peu, aux deux sens du terme : il est arrivé à son père, Joe Keaton, de le jeter, comme un projectile naturel, à la tête d'un spectateur protestataire), non seulement à l'athlétisme, ou au mime, mais aux secrets de la comédie et de la vie sur le plateau. L'initiative du cinéma lui est donnée aux côtés d'Arbuckle, de Al St. John, Eddie Cline, Malcolm St. Clair, puis bientôt de Clyde Bruckman avec qui il collaborera étroitement pour plusieurs scénarios et qui sera après Ed Cline son coréalisateur préféré.

Ce qui est remarquable, dès le médiocre *Fatty garçon boucher,* c'est l'aisance avec laquelle l'acteur de théâtre devient acteur de cinéma. Sans hésitation ni transition, il joue déjà un autre jeu que celui de cette farce. La silhouette imperturbable est dessinée, le masque si subtilement animé par le seul regard est fixé. L'accoutrement, le couvre-chef peuvent à l'avenir être échangés à l'infini, le masque demeure pur de toute altération : Buster n'y apporte, sauf erreur, de trompeurs accessoires que dans *Frigo Fregoli* (1921). C'est seulement à partir des films frelatés de la MGM, où il convient d'abîmer son image, que barbe et postiches divers, binocles professoraux ou faux cils et perruque de travesti lui sont imposés. Mais l'œuvre personnelle, alors, en 1929, est achevée. Après les batailles d'arrière-garde de l'acteur-auteur dont deux réussites, *le Cameraman* et *le Figurant* (son dernier film muet), sortent à peu près indemnes, le coup de grâce à l'indépendance de Keaton est assené dès 1930 par le premier parlant des sept films de cette veine, celui dont le titre relève de l'humour : *Free and Easy.* La MGM, qui avait « acheté » une vedette au sommet de sa gloire (Keaton n'était ni propriétaire ni actionnaire majoritaire de sa compagnie) et dont elle distribuait les films depuis 1923, se défendit de lui avoir retiré sa liberté d'action. Quoi qu'il en soit, une fois son équipe dissoute, où l'amitié complice servait efficacement le travail, la mécanique et l'administration autoritaire du grand studio démolirent jusqu'à la caricature une des plus belles figures de l'écran. On ne sait pas très bien pour quelles raisons Joe Schenck fit « passer » Buster chez son frère à la MGM. Toujours est-il qu'il brisa une carrière qu'il avait su lancer et laisser jusqu'alors libre de toute ingérence.

C'est à ce moment que sa vie privée semble se briser elle-même comme verre sur le divorce d'avec Natalie Talmadge, qui le ruine et le sépare de ses deux fils (1932). Ses autres mariages, avec Mae Scribbens (1933 ; divorce : 1935), puis Eleanor Norris, qu'il épouse en 1940, ne lui rendent pas un équilibre perdu, que le recours à l'alcool achève de détruire, comme il avait détruit Joe Keaton, son père. Buster doit subir plusieurs cures de désintoxication. Les années 40 ne sont qu'une lente et pénible survie : spots publicitaires, cirque, travaux alimentaires (gagman). En 1957, il est conseiller pour le film de Sidney Shelton, *l'Homme qui n'a jamais ri (The Buster Keaton Story),* où il est incarné non sans peine par Donald O'Connor. Des nombreuses apparitions de l'acteur dans des films oubliés à juste titre, il n'y a rien à dire, rien à retenir. Mais on peut se souvenir de la brève partie de cartes dans *Boulevard du Crépuscule* (B. Wilder, 1950) ou de son « rôle » dans le pâle *Limelight* de Chaplin (1952). Son véritable adieu d'acteur, nous le voyons dans un court métrage, tourné par Alan Schneider sur un sujet muet de Samuel Beckett, *Film* (1965), et dans les deux titres tournés au Canada l'année précédente, *l'Homme du rail* (Gerald Potterton, CM) et le reportage de 60 min sur le même film et réalisé par John Spotton, *Buster Rides Again,* tous deux diffusés en 1965.

Après l'effacement des années 40, la gloire revient peu à peu nimber ce visage buriné par le temps, l'alcool et l'amertume. Buster publie en 1960 son autobiographie, *My Wonderful World of Slapstick.* Il meurt le 1er février 1966, reconnu l'égal des plus grands, devenu même l'enjeu d'une assez vaine tendance à la revanche comparative : est-il ou non plus « grand » que Charlot ? Tous deux mimes, scénaristes, acrobates et cinéastes, tout les rapproche, et tout – leur personnage, leur mise en scène, leur sens de l'espace, leur univers – les sépare et les fait différents. Ajoutons ici la totale inculture de Keaton, si paradoxale, alors que le déchiffrement de son art de comédien et de l'écriture de ses films révèle leur richesse, leur complexité, voire une sorte de prémonition inattendue, « sauvage » – une prescience innée, lunaire, divinatoire ? – des courants étranges de la sensibilité contemporaine ; du sens, si l'on peut dire, de l'absurde et des dérives de la réalité. La part de son œuvre dont on est assuré qu'il fut maître ne saurait être réductible à une exploitation de bonnes recettes de la *vis comica,* pas davantage à celle d'un burlesque alors triomphant. Si, de toutes les figures du comique, la plus proche de Buster demeure l'ambigu Harry Langdon, c'est sans commune mesure quant à l'invention, la gestuelle, l'étendue de l'imaginaire.

Une constante, qu'on décèle dès les courts métrages de Keaton, bateleur si paisiblement indifférent à toute culture (peinture, musique ou littérature), c'est que, plus l'œuvre est ludique, plus elle s'avère élaborée, composée et rythmée à chaque plan comme dans l'équilibre dynamique de l'ensemble, qu'il s'agisse de la préparation de l'éclosion et de l'exploitation d'un gag ou d'une situation, ou des cadrages et de la poursuite d'un mouvement. Il y a chez Keaton un art éblouissant de la composition du cadre sans équivalent dans l'œuvre des grands comiques – sinon dans celle de bien des cinéastes de premier rang...

Or, le refus de tout trucage, la volonté qu'a l'acteur d'assumer absolument sa présence à l'écran (ce qui lui vaut plusieurs accidents graves) achèvent de conférer aux plus extravagantes situations une qualité de réel également rare dans le domaine du comique : sensorialité des visages, des attitudes *(les Trois Âges),* du corps même ; poésie du temps qui passe saisie dans les séquences en couleurs qui ouvrent *Fiancées en folie* (la première utilisation, peut-être, du Technicolor dans un long métrage : 1925) ; le paysage intégré au récit, à sa dynamique dans les grands films de la période 1923-1929 : les fleuves et les bateaux, les forêts et les vallées *(Ma vache et moi)* et la passion de Keaton, aussi, pour le train, conquérant et révélateur de l'espace américain, instrument privilégié du jeu qui permet de jongler avec les rencontres, les distances, les délais, la balistique et la mort *(le Mécano de la « General »).*

Ainsi l'espace se révèle-t-il non seulement primordial, mais il se prouve comme élément, comme donnée agissante dont le cadre est plein, jusqu'à perturber sa nature, son identité, son intégrité (les cuirassés flottant dans la 5e Avenue, dans *le Cameraman*). La profondeur de champ renforce la logique, la vérité de l'irrationnel, la réalité tangible à laquelle le héros keatonien est affronté sans autre ressource que sa volonté, son intelligence des contraires et son adaptation aux éléments. L'enchevêtrement rythmique des horizontales et des courbes *(le Mécano...),* celui des courses se recoupant, des flots militaires de bonnes femmes et d'éboulis de caillasse *(les Fiancées...),* la lutte contre l'amoncellement des vieux papiers, des corps, des rubans de film dans *le Cameraman* sont portés à un degré de perfection symphonique sans égal.

Ces films font brusquement accéder le burlesque et le comique au rang des grands genres dramatiques. Le triomphe de Keaton – et le triomphe de Buster acteur et héros –, c'est aussi celui du 7e art, du 5e, comme on disait encore à l'époque.

L'univers keatonien est naturellement envahi par les calamités : tornades, femmes en folie, guerre civile..., dont est victime l'innocent. Mais dans quel monde l'innocent n'est-il pas d'abord la victime – sinon, pourquoi serait-il innocent ? Pourtant, dans sa progression vers une victoire méritée, Buster déploie toutes les ressources d'une volonté tenace. Du moins à partir du moment où il entrevoit enfin l'issue désirable. Le but entrevu, débarrassé des trompe-l'œil capables d'égarer le héros, celui-ci met alors en jeu une énergie exemplaire. La fin justifie les moyens par un optimisme réconfortant. L'animal doué de raison a trouvé sa voie, celle du *struggle for life,* étroite et âpre. Sa récompense est dans la beauté de l'action et dans la plénitude de la vie, qui, si elle n'a pas toujours débordé le cadre de l'œuvre, lui a conféré une place imprenable dans la seule immortalité que nous connaissions : la mémoire. C.M.C.

Films ▲ – COURTS MÉTRAGES 1917-1920 ; RÉ : Roscoe Arbuckle, *Fatty garçon boucher* (*The Butcher Boy,* 1917) ; *Fatty chez lui* (*The Rough House,* id.) ; *la Noce de Fatty* (*His Wedding Night,* id.) ; *Fatty Docteur* (*Oh, Doctor,* id.) ; *Fatty à la fête / Fatty à Coney Island* (*Coney Island,* id.) ; *Fatty m'assiste* (*A Country Hero,* id.) ; *Fatty bistro* (*Out West,* 1918) ; *Fatty groom* (*The Bell Boy,* id.) ; *la Mission de Fatty* (*Moonshine,* id.) ; *Fatty à la clinique* (*Goodnight Nurse,* id.) ; *Fatty cuisinier* (*The Cook,* id.) ; *Fatty cabotin* (*Backstage,* 1919) ; *Fatty au village* (*The Hayseed,* id.) ; *Fatty et Malec mécanos / Garagistes d'occasion* (*The Garage,* id.).

– 1920-1923 ; RÉ : B. Keaton et Eddie Cline, sauf exception, *Malec champion de tir* (*The High Sign,* 1920-21) ; *la Maison démontable* (*One Week,* 1920) ; *Malec champion de golf* (*Convict 13,* id.) ; *l'Épouvantail* (*The Scarecrow,* id.) ; *Voisins-Voisines* (*Neighbors,* 1921) ; *Malec chez les fantômes* (*The Haunted House,* id.) ; *la Guigne de Malec* (*The Hard Luck,* id.) ; *l'Insaisissable (The Goat, RÉ* : M. St. Clair, *id.) ; Frigo Fregoli* (*The Playhouse,* id.) ; *Frigo capitaine au long cours* (*The Boat,* id.) ; *Malec chez les Indiens* (*The Paleface,* id.) ; *Frigo déménageur* (*Cops,* 1922) ; *les Parents de ma femme* (*My Wife's Relations,* id.) ; *Malec forgeron (The Blacksmith, RÉ* : St. Clair, *id.) ; Frigo esquimau* (*The Frozen North,* id.) ; *Grandeur et décadence* (*Day Dreams,* id.) ; *Frigo à l'Electric Hôtel* (*The Electric House,* id.) ; *Malec aéronaute* (*The Balloonatic,* 1923) ; *The Love Nest* (id.).

– 1934-1937 ; RÉ : Charles Lamont sauf exceptions, *Shériff malgré lui* (*The Gold Ghost,* 1934) ; *l'Horloger amoureux* (*Allez Oop,* id.) ; *Palooka From Paducah* (1935) ; *les Rivaux de la pompe* (*One-Run Elmer,* id.) ; *Romance dans le foin* (*Hayseed Romance,* id.) ; *Héros de la marine* (*Tars and Stripes,* id.) ; *The E Flat Man* (id.) ; *The Timid Young Man* (RÉ : Mack Sennett, *id.*) ; *Trois Prétendants* (*Three on a Limb,* 1936) ; *Chef d'orchestre malgré lui* (*Grand Slam Opera,* id.) ; *l'As du feu (Blue Blazes, RÉ* : Raymond Kane, *id.) ; le Chimiste (The Chemist, RÉ* : Al Christie, *id.) ; le Magicien (Mixed Magic, RÉ* : Kane, *id.) ; Candidat à la prison* (*Jail Bait,* 1937) ; *Ditto* (id., *id.*) ; *la Roulotte d'amour* (*Love Nest on Wheels,* id.).

– 1939-1941 ; RÉ : Jules White sauf exceptions, *Pest from the West* (RÉ : Del Lord, 1939) ; *Mooching Through Georgia* (id.) ; *Nothing but Pleasure* (1940) ; *Pardon My Berth Marks* (id.) ; *The Taming of the Snood* (id.) ; *The Spook Speaks* (id.) ; *His Ex Marks the Spot* (id.) ; *So You Won't Squaw* (RÉ : D. Lord, 1941) ; *General Nuisance* (id.) ; *She's Oil Mine* (id.).

– DIVERS, avec Keaton en vedette, *la Fiesta de Santa Barbara* (Lewis Lewyn, 1936) ; *Un duel à mort* (Pierre Bondy, FR, 1950) ; *The Triumph of Lester Snapwill* (James Cahoun, 1964) ; *Film* (id., Alan Schneider, CAN, 1965) ; *l'Homme du rail (The Railroader,* Gerald Potterton, CAN, *id.) ; Buster Keaton Rides Again* (John Spotton, CAN, *id. ; REPORT.* sur le film précédent, 60 min) ; *The Scribe* (John Sebert, CAN, 1966).

– COURTS MÉTRAGES isolés, RÉ : Keaton, *Life in Sometown* (1938) ; *Hollywood Handicap* (id). ; *Streamlined Swing* (id.) ; B. K. ne tient pas de rôle dans ces trois films.

– LONGS MÉTRAGES, acteur, coproducteur et réalisateur, sauf mention : *les Trois Âges* (*The Three Ages, CORÉ* : E. Cline, 1923) ; *les Lois de l'hospitalité (Our Hospitality, CORÉ* : Jack Blystone, *id.) ; Sherlock Junior Detective* (*Sherlock Jr.,* 1924) ; *la Croisière du « Navigator »* (*The Navigator, CORÉ* : D. Crisp, *id.) ; les Fiancées en folie* (*Seven Chances,* 1925) ; *Ma vache et moi* (*Go West,* id.) ; *le Dernier Round* (*Battling Butler,* 1926) ; *le Mécano de la « General » (The General, CORÉ* : C. Bruckman, *id.) ; Sportif par amour* (*College, RÉ* : James W. Horne, 1927) ; *Cadet d'eau douce* (*Steamboat Bill Jr., RÉ* : Charles Reisner, 1928) ; *l'Opérateur / le Cameraman (The Cameraman, RÉ* : E. Sedgwick, *id.) ; le Figurant* (*Spite Marriage, RÉ* : *id.,* 1929) ; *The Hollywood Revue of 1929* (RÉ : Reisner, *id.*) ; *le Metteur en scène* (*Free and Easy, RÉ* : Sedgwick,

1930) ; *Buster s'en va-t-en guerre (Doughboys, RÉ* : *id.,* id.) ; *Parlor Bedroom and Bath* (RÉ : *id.,* 1931) ; *Buster se marie* (RÉ : C. Autant-Lara, US ; *id., VF* du précédent) ; *The Passionate Plumber* (RÉ : Sedgwick, 1932) ; *le Plombier amoureux* (RÉ : Autant-Lara, US ; *id., VF* du précédent) ; *le Professeur (Speak Easily, RÉ* : Sedgwick, *id.) ; le Roi de la bière* (*What ! No Beer ?, RÉ* : *id.,* 1933) ; *le Roi des Champs-Élysées* (RÉ : Max Nosseck, FR, 1935) ; *Un baiser S. V. P.* (*An Old Spanish Custom / The Invaders, RÉ* : Adrian Brunel, GB, *id.*).

— SECONDS RÔLES de 1932 à 1965, *The Slippery Pearls* (RÉ : ?, 1932) ; *Hollywood Cavalcade* (I. Cummings et St Clair, 1939) ; *The Villain Still Pursued Her* (Cline, 1940) ; *Li'l Abner* (Albert S. Rogell, *id.*) ; *Forever and a Day* (film à sketches, 1943) ; *San Diego I Love You* (Reginald Le Borg, 1944) ; *L'esprit fait du swing* (*That's the Spirit,* Ch. Lamont, 1945) ; *That Night with You* (W. A. Seiter, *id.*) ; *God's Country* (Robert E. Tansey, 1946) ; *Pan dans la Lune (El Moderno Barba Azul,* Jaime Salvador, MEX, *id.) ; The Lovable Cheat* (R. Oswald, 1949) ; *In the Good Old Summertime* (R. Z. Leonard, *id.*) ; *You're My Everything* (W. Lang, *id.*) ; *Boulevard du Crépuscule* (B. Wilder, 1950) ; *Limelight* (Ch. Chaplin, GB, 1952) ; *Pattes de velours (L'incantevole nemica,* C. Gora, ITAL, 1953) ; *le Tour du monde en quatre-vingts jours* (Michael Anderson, 1956) ; *les Aventuriers du fleuve* (M. Curtiz, 1960) ; *Un monde fou, fou, fou* (S. Kramer, 1963) ; *Pajama Party* (D. Weis, 1964) ; *Beach Blanket Bingo* (W. Asher, 1965) ; *How to Stuff a Wild Bikini* (id., *id.*) ; *Sergeant Deadhead* (N. Taurog, *id.*) ; *Due Marines e un Generale* (Luigi Scattini, ITAL, 1966) ; *le Forum en folie* (R. Lester, 1966).

KEATON *(Diane Hall,* dite *Diane), actrice américaine (Los Angeles, Ca., 1946).* Elle a le physique d'une jeune femme très peu remarquable. C'est sans doute pourquoi Francis Ford Coppola lui a fait symboliser une certaine norme dans les deux volets du *Parrain* (1972-1974). C'est aussi la raison pour laquelle elle faisait sensation en éducatrice dévouée qui recherchait l'aventure et le danger dans la drague solitaire (*À la recherche de Monsieur Goodbar,* R. Brooks, 1977). Woody Allen, dont elle partagea un moment la vie, sut lentement faire émerger d'elle le meilleur. Les trois versions qu'elle a données du même personnage d'intellectuelle new-yorkaise, à la fois libérée et bloquée, sont très réussies dans le comique (*Annie Hall,* 1977), le tragique (*Intérieurs,* 1978) et le tragi-comique (*Manhattan,* 1979). Là, son abattage de comédienne et sa sensibilité d'écorchée explosent en un cocktail inattendu. Dans *Reds* (W. Beatty, 1981), elle se taille la part du lion et compose une Louise Bryant sans faille, d'une grande vérité humaine. Si elle n'a pas le mystère qui fait les stars, elle a un tempérament rare, celui qui peut faire les très grandes actrices. Parmi ses autres films, citons *Guerre et Amour* (W. Allen, 1975) ; *Shoot the Moon* (A. Parker, 1982) ; *Comédie érotique d'une nuit d'été* (W. Allen, *id.*) ; *la Petite Fille au tambour* (G. Roy Hill, 1984) ; *Mrs. Soffel (Gilliam Armstrong,* 1985) ; *Crimes du cœur* (B. Beresford, 1986) ; *Radio Days* (W. Allen, 1987) ; *Baby Boom* (Charles Shyer, *id.*) ; *le Prix de la passion* (*The Good Mother,* Leonard Nimoy, 1988) ; *le Parrain III* (F.F. Coppola, 1991). Elle passe à la réalisation en 1987 avec *Heaven,* montage d'interviews et d'extraits de films sur le thème du paradis, et en 1995 avec *Unstrung Heroes.* En 1993, elle vole au secours de Woody Allen, harcelé par les déboires conjugaux, et elle remplace Mia Farrow dans *Meurtre mystérieux à Manhattan.* Épouse curieuse et bavarde de Woody, elle croit avoir découvert un crime et nous retrouvons intactes la drôlerie et la complicité du couple.
C.V.

KEATON *(Michael Douglas,* dit *Michael), acteur américain (Coraopolis, Pa., 1951).* Tim Burton plongea la profession dans la perplexité quand il confia le rôle de Batman, le surhomme, au doux, frêle et charmant Michael Keaton. Burton savait déjà que Keaton avait un sens du bizarre suffisamment développé pour mener à bien ce défi : en effet, il avait déjà fait de lui en 1988 le grimaçant et grinçant *Beetlejuice.* Il fallait toute l'imagination du cinéaste pour déceler le potentiel d'un acteur jusque-là discret et dont le plus grand titre de gloire était l'insignifiante comédie domestique *Mister Mum* (S. Dragoti, 1983). Michael Keaton se tira brillamment des embûches de *Batman* (1989) et de sa suite, *Batman, le défi* (1992), tout en acceptant crânement de jouer en retrait par rapport aux méchants, qui, on le sait, font tout l'intérêt de cette singulière série. Depuis, il a été très inquiétant dans *Fenêtre sur le Pacifique* (J. Schlesinger, 1990) et il est revenu, galvanisé, survolté, à la comédie avec *le Journal* (R. Howard, 1994). C.V.

KEDROVA *(Lila), actrice française d'origine russe (Petrograd* [auj. *Leningrad*] *1918).* Elle a joué et tourné partout où elle a pu justifier les « r » qu'elle roule si bien et si fort. Sa filmographie est des plus surprenantes : une « camée » dans un véhicule pour Jean Gabin (*Razzia sur la chnouff,* H. Decoin, 1955), une prostituée française dans un film gréco-britannique (*Zorba le Grec,* M. Cacoyannis, 1964), une comtesse russe pour Hitchcock (*le Rideau déchiré,* 1966), une vieille femme rongée par un cancer (*Rak,* Ch. Belmont, 1972), la mère d'Albert Spaggiari dans *les Égouts du paradis* (J. Giovanni, 1979) ou une révolutionnaire nostalgique devenue citoyenne américaine (*Tell Me a Riddle,* Lee Grant, 1981). On la vit également dans *Grand'Rue* (J. A. Bardem, 1956), *Cyclone à la Jamaïque* (A. Mackendrick, 1965), *la Lettre du Kremlin* (J. Huston, 1970), *le Locataire* (R. Polanski, 1976). C.V.

KEEL *(Harry Clifford Leek,* dit *Howard), acteur américain (Gillespie, Ill., 1917).* Après une brève carrière provinciale dans l'opérette et un film anglais, il émerge dans *Annie, reine du cirque* (G. Sidney, 1950). Sa prestance et son humour lui donnent une allure simple et libre, rare chez les chanteurs de ce style. Il sera fréquemment le partenaire de Kathryn Grayson (*Show Boat,* Sidney, 1951 ; *les Rois de la couture,* M. LeRoy, 1952 ; *Embrasse-moi, chérie,* Sidney, 1953), mais il s'exprime mieux dans la figure de pionnier des *Sept Femmes de Barberousse* (S. Donen, 1954). Commencée dès 1950, sa reconversion dans la comédie ou le western (*la Caravane de feu,* B. Kennedy, 1967) n'aura pas grand succès. A.M.

KEELER *(Ethel,* dite *Ruby), actrice américaine (Halifax, Nouvelle-Écosse, Canada, 1909 - Rancho Mirage, Ca., 1993).* Ancienne danseuse de Broadway, elle devient la plus vaillante des *Chercheuses d'or de 1933* (M. LeRoy) aussitôt après son succès de *42e Rue* (L. Bacon, 1933), aussi soudain que celui qu'indiquait le scénario. Son regard naïf, sa voix un peu enrouée, son corps menu rendent plus charmantes encore la clarté gauche de son jeu et l'énergie de ses claquettes. Dans *Prologues* (Bacon, *id.*), Berkeley fait d'elle sa Shanghai Lily, il la dirigera en tant que chorégraphe une quatrième et dernière fois dans *Dames* (R. Enright, 1934). Elle tourne aussi avec Borzage (*Mademoiselle Général,* 1934 ; *Shipmates Forever,* 1935) et son ultime bon numéro de danse se trouve dans *Ready, Willing and Able* (Enright, 1937). En 1970, alors qu'elle retrouve le succès à Broadway dans un nostalgique *No No Nanette,* elle réapparaît fugitivement à l'écran (caméo), après une interruption de près de trente ans, dans *The Phynx* de Lee H. Katzin. Elle avait été, un temps, l'épouse de Al Jolson. A.M.

KEEN *(Jeff), cinéaste expérimental britannique (né en 1923).* « Surréaliste de la deuxième génération », il commence à utiliser en 1960 le 8 mm dans des spectacles où interviennent aussi des sons, des diapositives, des objets (souvent des poupées, inéluctablement brûlées au chalumeau) et des acteurs (généralement sa femme et lui). Dès 1962, il crée et interprète le personnage du Dr Gaz, flegmatique et ravageur (*Marvo Movies,* 1967 ; *Raydayfilm,* 1970 ; *Kinogaz,* v. 1975 ; *The Return of Dr. Gaz,* 1976). Dans ce genre parodique, *White Dust* (1972) est sans doute sa meilleure œuvre. D.N.

KEIGEL *(Léonard), cinéaste français (Londres, GB, 1929).* Auteur d'œuvres ambitieuses et d'accès difficile, il ne connaît aucun succès commercial malgré un bon accueil de la critique. Outre *Qui ?* (1970), film policier plutôt complexe, on lui doit deux adaptations sensibles : *Léviathan* (1962), d'après Julien Green ; *la Dame de pique* (1965), d'après Pouchkine ; *Une femme, un jour* (1977), qui renoue avec les prédilections du réalisateur pour les atmosphères troubles, teintées d'émotion et souvent imprégnées de fantastique. F.LAB.

KEIGHLEY *(William), cinéaste américain (Philadelphie, Pa., 1889 - New York, N. Y., 1984).* Acteur et metteur en scène de théâtre, il arrive à Hollywood avec le parlant et, en 1932, commence à diriger, pour la Warner essentiellement. Réalisateur prolifique pendant une vingtaine d'années, on lui doit d'excellents films de gangsters (*G. Men,* 1935 ; *Guerre ou Crime* [*Bullets or Ballots*], 1936 ; *À chaque aube je meurs* [*Each Dawn I Die*], 1939 ; *la Dernière Rafale* [*The Street With No Name*], 1948) et une bonne moitié (à dire vrai, la plus impersonnelle) des *Aventures de Robin des Bois* (co M. Curtiz, 1938) ; il a aussi signé un curieux western, *la Révolte des dieux rouges* (*Rocky Mountain,* 1950). Mais il s'est plus d'une fois égaré dans le monde de la comédie (la meilleure étant sans doute *The Man Who Came to Dinner,* 1942) ou dans le mélo paternaliste (*les Verts Pâturages* [*Green Pastures*], co Marc Connelly, 1936). Son dernier film, *le Vagabond des mers* (*The Master of Ballantrae,* 1953), d'après Stevenson, doit tout à la photo de Jack Cardiff et à l'interprétation, Errol Flynn en tête. Après sa retraite, Keighley s'installe à Paris avec son épouse Geneviève Tobin, qui a joué dans plusieurs de ses films. G.L.

KEITEL *(Harvey), acteur américain (New York, N. Y., 1947).* Élève de l'Actors Studio, il tourne son premier film sous la direction de Martin Scorsese : *Who's That Knocking at My Door ?* (1968). Le même cinéaste lui confie encore des personnages tourmentés et violents dans *Mean Streets* (1973), *Alice n'est plus ici* (1975) et *Taxi Driver* (1976). Après *Ambulance tous risques* (P. Yates, 1976), *Buffalo Bill et les Indiens* (R. Altman, *id.*), *Welcome to L. A.* (A. Rudolph, 1977), *Duellistes* (R. Scott, 1977), on le voit en musicien doublé d'un extorqueur de fonds dans le curieux *Mélodie pour un tueur* (*Fingers,* J. Toback, 1978). Il trouve un de ses rôles les plus fouillés avec *Blue Collar* (P. Schrader, *id.*). On le voit encore dans *Saturne 3* (S. Donen, 1979), *Health* (R. Altman, *id.*), *la Mort en direct* (B. Tavernier, 1980), *Enquête sur une passion* (N. Roeg, *id.*), *Police Frontière* (T. Richardson, 1981), *Une pierre dans la bouche* (Jean-Louis Leconte, 1983), *Exposed* (James Toback, *id.*), *L'inchiesta* (D. Damiani, 1986). Il retrouve Scorsese en 1988 pour *la Dernière Tentation du Christ* où il incarne Judas puis tourne notamment *The January Man* (Pat O'Connor, 1989), *The Two Jakes* (J. Nicholson, 1990), *Thelma et Louise* (R. Scott, 1991), *Pensées mortelles* (A. Rudolph, *id.*), *Bugsy* (B. Levinson, *id.*). Après un succès auprès de Whoopi Goldberg dans *Sister Act* (Emile Ardolino), 1992 lui apporte une manière de consécration avec deux grands rôles dans des films ambitieux : il est l'un des gangsters de *Reservoir Dogs* (Q. Tarantino) et, surtout, le flic corrompu et halluciné de *Bad Lieutenant* (A. Ferrara). Décidément, il traverse un des grands moments de sa carrière puisqu'il enchaîne l'année suivante avec sa composition sombrement romantique de *la Leçon de piano* (J. Campion), une réussite toute en nuances, opposée aux débordements du cinéaste fiévreux de *Snake Eyes* (A. Ferrara). En pleine activité, il apparaît dans *Nom de code : Nina* (*Point of No Return,* J. Badham, 1993), *Soleil levant* (Ph. Kaufman, *id.*), *Clockers* (S. Lee, 1995) et s'impose dans trois films importants : *Smoke* (W. Wang, 1994), *Brooklyn Boogie* (Paul Auster et W. Wang, *id.*) et surtout *le Regard d'Ulysse* (T. Angelopoulos, 1995). J.-P.B.

KEITH *(Brian), acteur américain (Bayonne, N. J., 1921).* Fils de l'acteur Robert Keith, cet excellent comédien de films d'action est tantôt animé par la méchanceté noire (*le Souffle de la violence,* R. Maté, 1955), tantôt habité par la bonhomie (*Reflets dans un œil d'or,* J. Huston, 1967), voire par un mélange des deux (l'ami/traître de Robert Mitchum dans *Yakuza,* S. Pollack, 1975). Il a tourné dans de nombreux westerns, dans de nombreuses productions Walt Disney et des séries télévisées. C.V.

KEITH *(Robert), acteur américain (Fowler, Ind., 1896 - Los Angeles, Ca., 1966).* Un des grands acteurs de second plan d'Hollywood. Bien qu'ayant débuté au muet, ce n'est que dans les années 50 qu'il tourne ses meilleurs films. Vieilli, fatigué, il parvient alors à donner une incontestable vérité à des rôles de pères dépassés par les problèmes de leur progéniture (*Quatorze Heures,* H. Hathaway, 1951 ; *Écrit sur du vent,* D. Sirk, 1957) ou de représentants d'une génération qui disparaît (*l'Équipée sauvage,* L. Benedek, 1954). Il est le père de Brian Keith. C.V.

KELBER *(Michel), chef opérateur français d'origine russe (Kiev 1908).* Après les Beaux-Arts de Paris, il débute comme assistant opérateur en 1928 et devient directeur de la photographie avec *Incognito* de Kurt Gerron (1934), suivi de *Zouzou* (M. Allégret, *id.*), *l'Or dans la rue* (K. Bernhardt, *id.*) ; *Un carnet de bal* (J. Duvivier, 1937), *l'Affaire du courrier de Lyon* (C. Autant-Lara, *id.*). Il éclaire dans les années 40 plusieurs films en Espagne, où il s'est établi. À son retour en France, ce sont *le Diable au corps* (Autant-Lara, 1947), *les Parents terribles* (J. Cocteau, 1948), *la Beauté du diable* (R. Clair, 1950), *le Rouge et le Noir* (Autant-Lara, 1954) et *French Cancan* (J. Renoir, 1955). Associé au décorateur Max Douy, il stylise superbement les couleurs : *Notre-Dame de Paris* (J. Delannoy, 1956) ; *Amère Victoire* (N. Ray, 1957) ; *John Paul Jones, maître des mers* (J. Farrow, 1959) ; *À la française* (R. Parrish, 1963) ; *Docteur Justice* (Christian-Jaque, 1975). J.-P.B.

KELLAWAY *(Cecil), acteur américain, d'origine sud-africaine (Le Cap, Afrique du Sud, 1890 -Los Angeles, Ca., 1973).* Il est d'abord actif en Australie, avant d'arriver à Hollywood en 1939. Délicieux petit vieux, avançant à petits pas, avec un sourire angélique et coquin à la fois, Cecil Kellaway semble n'avoir jamais été jeune. Il est de ceux sur lesquels on peut toujours compter, aussi bon en sorcier facétieux dans *Ma femme est une sorcière* (R. Clair, 1942) qu'en mari inconscient de la trop belle Lana Turner dans *Le facteur sonne toujours deux fois* (T. Garnett, 1946). Il est un égrillard Thomas Gainsborough dans *la Duchesse des bas-fonds* (M. Leisen, 1945). Parmi les plus savoureuses de ses dernières créations, on n'oubliera pas l'inspecteur d'assurance finaud et nostalgique de *Chut, chut, chère Charlotte* (R. Aldrich, 1965), ni celle de Monseigneur Ryan, le vieil ami de la famille dans *Devine qui vient dîner* (S. Kramer, 1967). C.V.

KELLER *(Harry), cinéaste et producteur américain (Los Angeles, Ca., 1913 - id. 1987).* Chef monteur en 1936, il devient réalisateur dans les années 40 pour les firmes Republic puis Universal. Longtemps cantonné dans le western, il y signe dans les années 50 des films à petit budget, mais plus personnels, car il en souligne les aspects insolites : « huit clos » dans *Quantez, le dernier repaire* (*Quantez,* 1957) ; amitié d'un ranger et d'un hors-la-loi dans *les Sept Chemins du couchant* (*Seven Ways From Sundown,* 1960). Dans *Six Chevaux dans la plaine* (*Six Black Horses,* 1962) transparaît un humour glacé. Les meilleurs films de Keller demeurent cependant *Femmes devant le désir* (*The Female Animal,* 1958), étude assez prenante du monde des actrices, et surtout *l'Enquête de l'inspecteur Graham* (*The Unguarded Moment,* 1956), évocation d'un cas de psychopathie sexuelle parfaitement mis en scène. Mais, au lieu de persévérer ainsi hors du western (alors en décadence), le cinéaste se tourne dans les années 60 vers la production, ou la direction de programmes de TV. G.L.

KELLER *(Marthe), actrice française d'origine suisse (Bâle 1945).* Il faut que cette jolie Suissesse, dont l'apprentissage au théâtre est très poussé (à l'Opéra de Bâle puis en Allemagne), lumineuse et éclatante de santé, ait bien du talent pour parvenir à être émouvante en héritière maladive et agonisante, dans *Bobby Deerfield* (S. Pollack, 1977). Marthe Keller ne manque pas d'admirateurs pour s'émerveiller de son tour de force dans *Fedora* (B. Wilder, 1978) : il n'était pas à la portée de tout le monde d'humaniser une figure féminine mythique qui tenait de Greta Garbo et de Marlene Dietrich. Certes, elle obtient parfois des rôles faciles (de Philippe de Broca notamment) ou purement décoratifs, comme ceux de *Marathon Man* (J. Schlesinger, 1976) ou de *la Formule* (J. G. Avildsen, 1980). Mais peu importe, puisqu'*Elle court, elle court la banlieue* (G. Pirès, 1973) avait fait la preuve de sa fantaisie, *Vertiges* (M. Bolognini, 1975), *les Yeux noirs* (N. Mikhalkov, 1987) et *Mon amie Max* (M. Brault, 1994) de sa sobriété et de sa sensibilité. C.V.

KELLER-DORIAN (procédé) → COULEURS (Procédés de cinéma en).

KELLERMAN(N) *(Annette), actrice américaine (Sydney, N. S. W., Australie, 1887 - Southport, Queensland,* id., *1975).* Pionnière — à sa façon — du cinéma, cette championne de natation qu'on surnomme « the Diving Venus » (arrêtée en 1907 à Boston pour s'être exhibée en maillot de bain une-pièce assez largement échancré) apparaît à l'écran de 1909 à 1924 *(Venus of the South Seas)* dans une dizaine de films consacrés à ses exhibitions nautiques. En 1952, sa biographie romancée a donné lieu à l'un des agréables films d'Esther Williams : *la Première Sirène* (M. LeRoy) — un autre surnom d'Annette était the « Million Dollar Mermaid »... G.L.

KELLERMAN *(Sally), actrice américaine (Long Beach, Ca., 1936).* Après des débuts très longs et difficiles, le tempérament de Sally Kellerman explose enfin grâce à Robert Altman : le public fait un triomphe à « Lèvres en feu », l'infirmière à la fois pimbêche et passionnée de *M. A. S. H.* (1970). Sa création si poétique d'ange déchu aux ailes coupées dans le merveilleux *Brewster McCloud* (Altman, *id.*) subit hélas une retombée. Depuis, ayant compris, après l'échec d'*Horizons perdus* (Ch. Jarrott, 1973), qu'elle ne pourrait pas être une actrice comme les autres, Sally Kellerman se montre avare de sa personne. C'est cependant avec plaisir qu'on la voit dans *Welcome to L. A.* (A. Rudolph, 1977), dans le médiocre *I Love You, je t'aime* (G. Roy Hill, 1979) dans *Bullseye* (M. Winner, 1990) et dans *Prêt-à-porter* (Altman, 1994). C.V.

KELLY *(Eugene Joseph Curran,* dit *Gene), danseur, acteur, chorégraphe et cinéaste américain (Pittsburgh, Pa., 1912).* Passionné par la danse depuis l'enfance, il pratique divers métiers avant de débuter à Broadway en 1938. Son ambition est alors de devenir chorégraphe mais il rencontre le succès dans le rôle-titre de *Pal Joey* (1940). Pris sous contrat par David O. Selznick, il gagne alors Hollywood et entre en 1942 aux studios MGM, où il demeurera durant quinze ans.

Il s'intègre au groupe qui se constitue autour du producteur Arthur Freed et qui va révolutionner le film musical à la fin des années 40. Il y a là le musicien-producteur Roger Edens, les réalisateurs Vincente Minnelli, Busby Berkeley, Stanley Donen ou George Sidney, les chorégraphes Robert Alton et Charles Walters, les scénaristes Irving Brecher, Fred Finklehoffe, Betty Comden ou Adolph Green, les comédiens Judy Garland, Mickey Rooney, Fred Astaire, Cyd Charisse, Howard Keel ou Dan Dailey. À l'opposé des comédies musicales des années 30 et 40, dans lesquelles des numéros à ample figuration cohabitent sans lien organique avec une comédie ou un mélodrame commodément situés dans les milieux du spectacle, Arthur Freed impose un style nouveau de musical où la danse et les chansons se mêlent plus intimement au reste de l'action, où la couleur et la chorégraphie propre de la caméra jouent un rôle expressif, où la chorégraphie est conçue en termes cinématographiques mais demeure respectueuse des contraintes d'une vision « naturelle ».

Au sein de cette équipe, Gene Kelly affirme un style personnel, plus athlétique et canaille que celui de Fred Astaire, débordant d'énergie bondissante et d'humour. Souvent associé dans ses débuts à la vedette musicale MGM du moment, Judy Garland, il interprète avec elle un merveilleux hommage à la magie du spectacle : *le Pirate* (1948). Il est la même année un d'Artagnan plein de fantaisie dans l'excellent *les Trois Mousquetaires* de Sidney. Associé pour la réalisation à son ancien assistant chorégraphe Stanley Donen et pour le scénario à Betty Comden et Adolph Green, il réalise et interprète alors trois films qui feront date dans l'histoire du musical : *Un jour à New York* (1949), où la chorégraphie se transporte dans les rues mêmes de Manhattan ; *Chantons sous la pluie* (1952), tribut amusé aux débuts du cinéma parlant et qui demeure comme l'exemple le plus parfait peut-être de l'art d'Hollywood à son apogée, puis *Beau fixe sur New York* (1955), dont l'amertume nostalgique est une sorte d'adieu aux années heureuses que vient de connaître le musical. L'autre film majeur de Kelly durant cette période est le fameux *Un Américain à Paris* (1951), moins pour le réel enchantement du ballet final que pour la brillante création d'un Paris plus beau que nature, où tout devient chorégraphie.

Après l'expérience aussi ambitieuse que décevante d'*Invitation à la danse* (1953), Kelly semble renoncer au film musical pour se consacrer à la réalisation de comédies anodines. Il lui reviendra pourtant pour terminer en beauté son association avec la MGM, lors de la dernière grande production musicale du studio, *les Girls* (1957), puis dix ans plus tard pour reprendre en France dans *les Demoiselles de Rochefort* son personnage d'*Un Américain à Paris,* vieilli et émouvant ; en 1969, enfin, il réalise une version luxueuse et un peu empâtée d'un grand succès musical de Broadway, *Hello Dolly !* J.-P.B.

Films ▲. — RÉAL. : *Un jour à New York* (*On the Town,* 1949, co : S. Donen) ; *Chantons sous la pluie* (*Singin' in the Rain,* 1952, co : Donen) ; *Beau fixe sur New York* (*It's Always Fair Weather,* 1955, co : Donen) ; *Invitation à la danse* (*Invitation to the Dance,* 1956) ; *la Route joyeuse* (*The Happy Road,* 1957) ; *le Père malgré lui* (*Tunnel of Love,* 1958) ; *Gigot le clochard de Belleville* (*Gigot,* 1962) ; *Petit Guide pour mari volage* (*A Guide for the Married Man,* 1967) ; *Hello Dolly !* (id., 1969) ; *Attaque au Cheyenne Club* (*The Cheyenne Social Club,* 1970) ; *Hollywood... Hollywood* (*That's Entertainment Part II,* 1976).

— ACT. : *For Me and My Gal* (B. Berkeley, 1942) ; *Pilot N° 5* (G. Sidney, 1943) ; *La Du*

Barry était une dame (R. Del Ruth, *id.*) ; *Parade aux étoiles* (Sidney, *id.*) ; *The Cross of Lorraine* (T. Garnett, *id.*) ; *la Reine de Broadway* (Ch. Vidor, 1944) ; *Vacances de Noël* (R. Siodmak, *id.*) ; *Escale à Hollywood* (Sidney, 1945) ; *Ziegfeld Follies* (V. Minnelli, 1946) ; *Living in a Big Way* (G. La Cava, 1947) ; *le Pirate* (Minnelli, 1948) ; *les Trois Mousquetaires* (Sidney, *id.*) ; *Ma vie est une chanson* (N. Taurog, *id.*) ; *Match d'amour* (Berkeley, 1949) ; *Un jour à New York* (G. K. et Donen, *id.*) ; *la Main noire* (R. Thorpe, 1950) ; *la Vallée heureuse* (Ch. Walters, *id.*) ; *Un Américain à Paris* (Minnelli, 1951) ; *It's a Big Country* (Ch. Vidor, 1952) ; *Chantons sous la pluie* (G. K. et Donen, *id.*) ; *Le diable fait le troisième* (A. Marton, *id.*) ; *Love is Better than Ever* (Donen, *id.*) ; *Invitation à la danse* (G. K., 1953) ; *Brigadoon* (Minnelli, 1954) ; *l'Île du danger* (J. et R. Boulting, *id.*) ; *Au fond de mon cœur* (caméo, Donen, *id.*) ; *Beau fixe sur New York* (G. K. et Donen, 1955) ; *la Route joyeuse* (G. K., 1957) ; *les Girls* (G. Cukor, *id.*) ; *la Fureur d'aimer* (I. Rapper, 1958) ; *Procès de singe* (S. Kramer, 1960) ; *le Milliardaire* (caméo, G. Cukor, *id.*) ; *Madame croque-maris* (J. Lee Thompson, 1964) ; *les Demoiselles de Rochefort* (J. Demy, 1967) ; *40 Carats* (M. Katselas, 1973) ; *Il était une fois Hollywood* (J. Haley Jr., 1974) ; *Hollywood... Hollywood* (G. K., 1976) ; *le Casse-cou* (*Viva Knievel,* G. Douglas, 1977) ; *Xanadu* (R. Greenwald, 1980).

KELLY *(Grace), actrice américaine (Philadelphie, Pa., 1929 - Monte-Carlo 1982).* Issue de la haute bourgeoisie, Grace débute au théâtre à dix ans. En 1949, elle apparaît à la TV dans des publicités luxueuses. En 1951, elle tient un petit rôle dans *Quatorze Heures* (H. Hathaway). Vedette dès l'année suivante du western de Fred Zinnemann, *Le train sifflera trois fois,* elle paraît vouée aux films d'aventures où sa distinction déphasée semble offrir à la fois un piquant et une caution : *Mogambo* (J. Ford, 1953) ; *l'Émeraude tragique* (*Green Fire,* A. Marton, 1954) ; *les Ponts de Toko-Ri* (M. Robson, 1955). Mais, en 1954-55, elle est coup sur coup l'interprète de trois films d'Hitchcock, dont les deux derniers comptent parmi les réussites les plus brillantes de cet auteur. Ces films fixent son véritable emploi, à base d'érotisme glacé, dissimulé par le bon ton et relevé d'une subtile touche d'humour : *Le crime était presque parfait* (1954), *Fenêtre sur cour* (id.) et *la Main au collet* en 1955 (où elle réussit même à être émouvante). Elle reçoit en 1955 l'Oscar (*Une fille de la province,* E. G. Seaton) mais plus pour sa beauté et le prestige commercial des films de Hitchcock que pour son rôle dans ce pesant mélodrame. Après deux autres films (*le Cygne,* Ch. Vidor, 1956 ; *Haute Société,* Ch. Walters, 1956), sa carrière prend brusquement fin, par son mariage avec le prince Rainier III de Monaco, qu'on lui a fait rencontrer lors du tournage de *la Main au collet.* Ce « conte de fées » qui satisfait à la fois la jet society et les midinettes du monde entier (ignorantes des origines de Grace Kelly) a fait oublier les réelles qualités de l'actrice, que seul, à vrai dire, Hitchcock sut exploiter. La princesse est apparue en 1962 comme « hôtesse » dans un spectacle TV consacré à Monaco, mais tous les bruits concernant son éventuel retour à l'écran furent ensuite démentis. Elle devait trouver la mort à la suite d'un accident d'automobile. ▲ G.L.

KELVIN (anciennement *degré Kelvin*). Unité de mesure de la « température absolue ». (Cette température s'exprime en ajoutant 273 aux degrés Celsius usuels.) [→ TEMPÉRATURE DE COULEUR.]

KENDALL *(Justine McCarthy,* dite *Kay), actrice britannique (Hull 1927 - Londres 1959).* Mince, d'une rare élégance, mêlant la sophistication la plus élaborée à la drôlerie la plus clownesque, Kay Kendall, le nez le plus spirituellement retroussé de l'histoire du cinéma, laisse le souvenir d'une carrière aussi éblouissante que brève. Ayant débuté au cinéma enfant, avec sa sœur Kim, ce n'est qu'en 1946 qu'on commença de la remarquer, par exemple dans *London Follies* (W. Ruggles). Sa carrière anglaise, honorable et liée au renouveau comique du début des années 50, avait imposé son humour et son abattage dans des comédies assez réussies comme *Geneviève* (H. Cornelius, 1953), *Simon et Laura* (M. Box, 1955), *Abdullah le Grand* (G. Ratoff, 1956). Lors de son premier contact avec le cinéma américain (*Quentin Durward,* R. Thorpe, 1955), on pouvait craindre de voir négliger sa qualité la plus personnelle, l'humour, pour la confiner dans des rôles d'ingénue sans intérêt. Mais, dans l'enchantement des *Girls* (G. Cukor, 1957), Kay Kendall trouvait un cinéaste à sa mesure et donnait une des plus belles prestations comiques de la décennie : lady très altière, au passé de danseuse de cabaret, et au penchant coupable... pour la dive bouteille. L'année suivante, Minnelli lui donne comme partenaire son mari, Rex Harrison, dans un digne prolongement du film précédent, *Qu'est-ce que maman comprend à l'amour !* (1958), où elle nous ravit à nouveau en lady sophistiquée et superficielle. Mais la belle actrice était condamnée, et tous autour d'elle le savaient. Elle mourut d'une leucémie à la fin du tournage de *Chérie, recommençons* (S. Donen), laissant le regret de la star de première grandeur qu'elle aurait pu être. C.V.

KENDE *(Janos), opérateur hongrois (Marseille, France, 1941).* Son travail d'opérateur sur *la Présence* (CM de Miklós Jancsó) lui vaut de sortir diplômé de l'École supérieure de cinéma de Budapest en 1965. Il est d'ailleurs, à partir de *Silence et Cri* (1968), le collaborateur efficace de la plupart des films réalisés par Jancsó : *Sirocco d'hiver* (1969), *Agnus Dei* (1971), *la Technique et le Rite* (id.), *Psaume rouge* (1972), *Roma rivuole Cesare* (1973), *Pour Électre* (1975), *Rhapsodie hongroise* (1979), *le Cœur du tyran* (1981), *la Saison des monstres* (1987), *l'Horoscope de Jésus-Christ* (1989) *la Valse du Danube bleu* (1991). C'est qu'il sait satisfaire aux exigences de ce cinéaste par son habileté à accomplir les plus subtils mouvements de caméra et sa maîtrise à éviter le pittoresque décoratif dans le traitement des couleurs. Il a également collaboré avec le même bonheur à plusieurs films de Márta Meszáros (*Marie,* 1969 ; *Neuf Mois,* 1976 ; *Elles deux,* 1978), Zsolt Kézdi-Kovács (*Zone tempérée,* 1970 ; *Romantika,* 1972 ; *Quand Joseph revient,* 1975 ; *l'Absent,* 1986 ; *les Cris,* 1988), Imre Gyöngyössy (*Légende tzigane,* 1971 ; *les Fils du feu,* 1974 ; *l'Attente,* 1975), László Szabó (*David, Thomas et les autres,* 1985) et Pal Gabor (*La mariée était merveilleuse,* 1986). M.M.

KEN-GEKI (littéral. *film-sabre*). Terme désignant au Japon les films, ou pièces de théâtre, comportant des duels au sabre, ou ce genre de films, par opposition au populaire chambara. *Harakiri* (Kobayashi, 1963) est l'exemple même d'un ken-geki. M.T.

KENNEDY *(Arthur), acteur américain (Worcester, Mass., 1914 - Brandford, Conn., 1990).* Membre du Group Theater à vingt ans, il fait son apprentissage cinématographique à la Warner Bros, avec Anatole Litvak (*Ville conquise,* 1941), Raoul Walsh (*la Grande Évasion,* 1941 ; *la Charge fantastique,* id. ; *Sabotage à Berlin,* 1942) et Howard Hawks (*Air Force,* 1943). Il crée deux pièces d'Arthur Miller, *All My Sons* et *Mort d'un commis voyageur,* sous la direction d'Elia Kazan, et tient le rôle du frère de Kirk Douglas dans *le Champion* (M. Robson, 1949), pour lequel il remporte la première de quatre nominations à l'Oscar. Acteur de composition, excellant à peindre des personnages faibles et ambigus, c'est dans le domaine du western qu'il trouve, au début des années 50, ses rôles les plus fouillés. Il marque ainsi de sa personnalité quelques classiques du genre, tels *l'Ange des maudits* (F. Lang, 1952), *les Indomptables* (N. Ray, *id.*), *les Affameurs* (A. Mann, *id.*), *l'Homme de la plaine* (id., 1955) et *le Bandit* (E. G. Ulmer, *id.*). Depuis *Comme un torrent* (V. Minnelli, 1959) et *Elmer Gantry* (R. Brooks, 1960), où il dessinait un mémorable personnage de journaliste agnostique, il a mené une carrière internationale, qui connut son apogée avec *Lawrence d'Arabie* (D. Lean, 1962) et se poursuivit en Italie, dans des films d'horreur et des policiers de série B. O.E.

KENNEDY *(Burt), scénariste et cinéaste américain (Muskegon, Mich., 1922).* Écrivain fécond pour Gordon Douglas et Budd Boetticher (notamment) puis pour la TV, il se spécialise dans le western en passant à la réalisation, excepté un remarquable thriller en noir et blanc, délibérément anachronique, *Piège au grisbi* (*The Money Trap,* 1966). Ses films sont souvent empreints d'humour, mais leur inégalité est flagrante ; le western se meurt et c'est un peu au hasard que Kennedy l'exploite, après les bons débuts d'*À l'ouest du Montana* (*Mail Order Bride,* 1964) et du *Mors aux dents* (*The Rounders,* 1965). *Welcome to Hard Times* (1967) se veut symbolique, *le Retour des Sept* (*Return of the Seven,* 1966) et *la Caravane de feu* (*The War Wagon,* 1967) restent conventionnels ; la parodie de *Ne tirez pas sur le shérif* (*Support Your Local Sherif,* 1969) tourne court. Il y aura encore une « sauvagerie » estimable dans *Hannie Caulder* (1971) mais après *Un beau salaud* (*Dirty Dingus Maggee,* 1970), dont l'agréable gaillardise sombre dans le tout-venant, *les Dynamiteros* (*The Deserter,* IT-YU, 1971) ont signé cruellement la fin d'une ambition : c'est une collection d'effets grossiers soulignés par l'absence de cette direction d'acteurs qui séduisait beaucoup dans les premiers films de Kennedy. G.L.

KENNEDY *(Edgar), acteur américain (Monterey, Ca., 1890 - Los Angeles,* id., *1948).* Issu, comme Billy Gilbert et James Finlayson, des Keystone Cops de Mack Sennett, sa carrière à l'écran et à la scène s'étend de 1912 à sa mort. Il est « le » flic des mauvais coups de Laurel et Hardy, dont il a dirigé deux des dix bandes tournées avec les deux compères : *From Soup to Nuts* (1928), et la merveilleuse dépantalonnade de *Ton cor est à toi* (*You're Darn Tootin'* ; id.). Vedette des séries *Mr. Average Man* (1929-1934), sa haute silhouette, son autorité résignée — à affronter le pire — sont inséparables de Laurel et Hardy, mais il a joué avec les Marx dans *la Soupe au canard* (1933), avec W. C. Fields dans *Tillie and Gus,* et avec Harold Lloyd dans *Mad Wednesday* (P. Sturges, 1947). C.M.C.

KENNEDY *(George), acteur américain (New York, N. Y., 1925).* Militaire de carrière, il anime, produit et réalise de nombreuses émissions pour les services radiophoniques de l'armée. Appelé à Hollywood comme conseiller technique de la série *Sergent Bilko,* il y tourne, en 1961, son premier film sous la direction d'Andrew V. McLaglen : *The Little Shepherd of Kingdom Come.* Durant plusieurs années, il promène, de westerns en thrillers, de films de guerre en comédies, un solide personnage de brute, féroce ou débonnaire, de militaire ou de policier borné. Il tourne avec Stanley Donen (*Charade,* 1963), Robert Aldrich (*Chut... chut, chère Charlotte,* 1965), Henry Hathaway (*les Quatre Fils de Katie Elder,* id.) et à nouveau pour McLaglen (*les Prairies de l'honneur,* id. ; *le Ranch de l'injustice* [*The Ballad of Josie*], 1968 ; *Bandolero,* id. ; *les Cordes de potence,* 1973). Après une nomination à l'Oscar pour *Luke la Main froide* (S. Rosenberg, 1967), où il a Paul Newman pour partenaire, il passe progressivement aux rôles de premier plan, avec une image plus flatteuse de professionnel aguerri. Outre la série *Airport,* dont il est depuis 1969 un élément permanent, on le verra dans : *Tremblement de terre* (M. Robson, 1974), *le Canardeur* (M. Cimino, *id.*), *la Sanction* (C. Eastwood, 1975), *Mort sur le Nil* (J. Guillermin, 1978), *la Cible étoilée* (John Hough, *id.*), *le Bateau de la mort* (Alvin Rakoff, 1980) et *Survivance* (Jeff Lieberman, 1981). O.E.

KENNEDY *(Madge), actrice américaine (Chicago, Ill., 1891 - Woodland Hills, Ca., 1987).* Populaire « ingénue » à Broadway dès 1910, elle est engagée au cinéma en 1917 par Sam Goldwyn, sans pour autant abandonner sa carrière théâtrale (elle jouera *Poppy* en 1923 avec W.C. Fields). Parmi ses films muets, il faut citer *Baby Mine* (John S. Robertson et Hugo Ballin, 1917), *The Service Star* (Charles Miller, 1918), *The Girl With a Jazz Heart* (Lawrence C. Windom, 1921), *Three Miles Out* (Irvin Willat, 1924). Curieusement, elle disparaît de l'écran avant même l'arrivée du parlant, mais resurgit en 1952 dans *Je retourne chez maman* de George Cukor. Elle est au générique de *The Catered Affair* (R. Brooks, 1956), *la Vie passionnée de Vincent Van Gogh* (V. Minnelli, *id.*), *le Milliardaire* (G. Cukor, 1960), *On achève bien les chevaux* (S. Pollack, 1969), *The Baby Maker* (James Bridges, 1970), *le Jour du fléau* (J. Schlesinger, 1975) et *Marathon Man* (*id.,* 1976). J.-L.P.

KENT *(Barbara Klowtman,* dite *Barbara), actrice américaine d'origine canadienne (Gadsby, Alberta, Canada, 1906).* Elle débute en 1926 : cette année-là, elle était la rivale de Greta Garbo dans *la Chair et le Diable* (C. Brown). Il est difficile de survivre à un pareil début : Barbara Kent restera hélas une actrice de second plan, capable de donner aimablement la réplique à Harold Lloyd (*À la hauteur,* C. Bruckman, 1930 ; également dans *Quel phénomène* [*Welcome Danger*], id., 1929), à Gloria Swanson (*l'Indiscrète,* L. McCarey, 1931) ou à Marie Dressler (*Mes petits,* Brown, 1932), sans jamais s'imposer. Elle se retire en 1935, revient en 1941, puis se retire à nouveau, définitivement. C.V.

KENTON *(Erle Cawthorn), cinéaste américain (Norboro, Mont., 1896 - Glendale, Ca., 1980).* De 1919 à 1950, il tourna énormément et tout n'était pas de la meilleure qualité. Mais *l'Île du Dr Moreau* (*Island of Lost Souls,* 1932), adaptation du roman d'H. G. Wells, grâce à Charles Laughton, et en dépit de quelque schématisme dans la mise en scène, possède une grâce bizarre des plus réjouissantes. Peu d'autres films de Kenton sont de cette eau, mais il est certain que *la Maison de Frankenstein* (*House of Frankenstein,* 1945) et *la Maison de Dracula* (*House of Dracula,* id.), avec leurs rencontres de monstres de tous horizons, sont l'œuvre du même homme. C.V.

KERN *(Jerome), compositeur américain (New York, N. Y., 1885* - id. *1945).* Au théâtre, la comédie musicale lui doit l'existence, et Hollywood a adapté ses succès de 1920 (*Sally,* J. F. Dillon, 1929), de 1927 (*Show Boat :* trois versions cinématographiques, celle d'Harry Pollard en 1929, de James Whale en 1936 et de George Sidney en 1951), de 1929 (*Sweet Adeline,* de Mervin LeRoy, 1934) ou de 1931 (*Roberta* de W. A. Seiter, 1935 ; puis *les Rois de la couture* [*Lovely to Look at*] de LeRoy, 1952). Il écrit alors pour l'écran des partitions riches et équilibrées : *Sur les ailes de la danse* (G. Stevens, 1936) et *Ô toi, ma charmante !* (Seiter, 1942) pour Astaire, *la Furie de l'or noir* (R. Mamoulian, 1937) pour Irene Dunne, *la Reine de Broadway* (Ch. Vidor, 1944) pour Gene Kelly et Rita Hayworth, et enfin *Centennial Summer* (O. Preminger, 1946). Le film de Richard Whorf, *la Pluie qui chante* (*Till the Clouds Roll By,* 1946), raconte sa vie. A.M.

KERR *(Deborah J. Kerr-Trimmer,* dite *Deborah), actrice britannique (Helensburgh, Écosse, 1921).* D'abord danseuse, elle apparaît à l'écran dans *Major Barbara* (G. Pascal et H. French, 1941), puis interprète les trois personnages féminins qui jalonnent l'existence du *Colonel Blimp* (M. Powell et E. Pressburger, 1943). Après avoir été dirigée par Alexander Korda dans *Perfect Strangers* (1945), elle signe un contrat décevant avec la MGM, mais s'impose définitivement dans *l'Étrange Aventurière* (S. Gilliat et F. Launder, 1946) et surtout dans *le Narcisse noir* (Powell et Pressburger, 1947). Sa carrière américaine lui apporte en effet la notoriété : *les Mines du roi Salomon* (C. Bennett et A. Marton, 1950) ; *Quo vadis ?* (M. LeRoy, 1951) ; *le Prisonnier de Zenda* (R. Thorpe, 1952) ; *Jules César* (J. Mankiewicz, 1953) ; *la Reine vierge* (G. Sidney, *id.*) ; *Tant qu'il y aura des hommes* (F. Zinnemann, *id.*) ; *le Roi et moi* (W. Lang, 1956) ; *Thé et Sympathie* (V. Minnelli, *id.*) ; *Dieu seul le sait* (J. Huston, 1957) ; *Elle et lui* (L. McCarey, *id.*) ; *Bonjour tristesse* (O. Preminger, 1958) ; *Tables séparées* (Delbert Mann, *id.*) ; *Horizons sans frontières* (Zinnemann, 1960) . Elle est à l'apogée de son talent lorsqu'elle incarne superbement l'institutrice des *Innocents,* adaptation du *Tour d'écrou,* le roman de Henry James (J. Clayton, 1961). Avant de délaisser le cinéma pour mieux se consacrer au théâtre, elle avait joué encore dans *la Nuit de l'iguane* (J. Huston, 1964), *Casino royal* (collectif 1967), *Les parachutistes arrivent* (J. Frankenheimer, 1969) et *l'Arrangement* (E. Kazan, *id.*). En 1985, elle retrouve cependant à l'écran un rôle majeur dans *The Assam Garden* de Mary McMurray. R.L.

KERRIGAN *(J [ack] Warren), acteur américain (Louisville, Ky., 1879 - Balboa, Ca., 1947).* Héros fringant et dynamique, il commence à tourner dès 1909. Il est dans plus d'une centaine de films une des grandes vedettes des débuts du muet, touchant même à la réalisation (*The Widow's Secret,* 1915). En 1923, Kerrigan est au sommet de sa gloire dans *la Caravane vers l'Ouest* (J. Cruze). Après un autre grand succès, dans le rôle-titre de *Capitaine Blood* (David Smith, 1924), cet acteur solide et simple s'est retiré pour ne plus jamais revenir au cinéma. C.V.

KERSHNER *(Irvin), cinéaste américain (Philadelphie, Pa., 1923).* Il débute en 1958, après avoir fait ses classes dans le documentaire, à l'armée et à la télévision. Depuis, il tourne peu ; mais, occasionnellement, un film remarquable vient nous rappeler qu'il existe. Si certains d'entre eux sont assez négligeables, d'autres frappent par leur cocasserie tragique (*l'Homme à la tête fêlée* [*A Fine Madness*], 1966 ; *Une sacrée fripouille* [*The Flim Flam Man*], 1967), par leur élégance (*la Revanche d'un homme nommé Cheval* [*The Return of a Man Called Horse*], 1976 ; *L'Empire contre-attaque* [*The Empire Strikes Back*], 1980) ou par leur grande originalité : *Loving* (1970) et *Up the Sandbox* (1972), mal ou pas distribués en France, sont des films qui jettent un regard très neuf sur la classe moyenne américaine. Il est également le metteur en scène des *Yeux de Laura Mars* (*The Eyes of Laura Mars,* 1978), sur un scénario de John Carpenter, de *Jamais plus jamais* (*Never Say Never Again,* 1983), qui marque le retour de Sean Connery dans le rôle de James Bond, et de *Robocop II* (1990). Il apparaît comme acteur dans *la Dernière Tentation du Christ* (M. Scorsese, 1988 ; rôle de Zebedée). C.V.

KETTELHUT *(Erich), décorateur allemand (Berlin 1893).* Collaborateur de Otto Hunte et Karl Vollbrecht, il élabore notamment les décors de quelques films de Fritz Lang, dont *la Vengeance de Kriemhilde* (*Die Niebelungen,* 1924) et *Metropolis* (1927). Artiste habile, il a participé à plus de 80 films, et ce de façon régulière jusqu'au milieu des années 50. Son talent se précise lorsqu'il travaille seul à partir de 1927, en créant les décors de *Doña Juana* (1927) et *Fräulein Else* (1929) de Paul Czinner, ainsi que ceux d'*Asphalt* de Joe May (1929). On lui doit encore *le Tombeau hindou* (May, 1921) et il collabore à *Berlin, symphonie d'une grande ville* (W. Ruttmann, 1927). Sa femme, Anne Kettelhut-Willkomm, a participé comme costumière à certains films importants comme *le Dernier des hommes* (F. W. Murnau, 1924), *Mikaël* (C. Dreyer, *id.*), *Variétés* (E. A. Dupont, 1925), *la Chronique de Grieshuus* (A. von Gerlach, *id.*), *Metropolis* (Lang, 1927). F.LAB.

KEUSCH *(Erwin), cinéaste suisse (Zurich 1946).* Auteur d'une dizaine de titres (CM et DOC) depuis 1968, il devient collaborateur de la télévision allemande en 1973. Avec Christian Weisenborn et leur société de production Nanuk Film, il réalise alors des longs métrages documentaires, en particulier sur les milieux du football, ainsi que deux films sur le cinéaste Werner Herzog. En outre, Erwin Keusch a tourné deux longs métrages de fiction. Dans *le Pain du boulanger* (*Das Brot des Bäckers,* 1976), son approche de documentariste sert parfaitement une analyse précise mais humaine d'une situation économique banale. *À perte de vue* (*So weit das Auge reicht,* 1980) prolonge, au moyen d'un scénario très romanesque, son travail télévisé destiné aux malentendants. Il ne réalisera ensuite qu'un seul film de fiction, *l'Homme-volant* (*Der Flieger,* 1986). D.S.

KEY LIGHT. Locution anglaise pour *lumière de base.*

KEYES *(Evelyn), actrice américaine (Port Arthur, Tex., 1917).* Danseuse professionnelle, prise sous contrat par Cecil B. De Mille, elle faillit devenir grande vedette après avoir été choisie pour incarner Suellen, la sœur de Scarlett O'Hara dans *Autant en emporte le vent* (V. Fleming, 1939). Parmi les principaux films qu'elle a interprétés, citons : *les Flibustiers* (C. B. De Mille, 1938) ; *Pacific Express* (id., 1939) ; *le Défunt récalcitrant* (A. Hall, 1941) ; *Aladin et la lampe merveilleuse* (*A Thousand and One Nights,* Alfred Green, 1945) ; *le Roman d'Al Jolson* (*The Jolson Story,* id., 1946) ; *l'Heure du crime* (R. Rossen, 1947) ; *le Rôdeur* (J. Losey, 1951) ; *les Bas-Fonds d'Hawaii* (*Hell's Half Acre,* John H. Auer, 1954) ; *Sept Ans de réflexion* (B. Wilder, 1955). Beauté féline jusque dans le regard, et non dénuée d'humour, elle fut l'épouse de Charles Vidor (1943-1945), de John Huston (1946-1950), du chef d'orchestre Artie Shaw (à partir de 1957) et la compagne de Mike Todd (1953-1956). Elle se retire de l'écran après *le Tour du monde en 80 jours* (1956), publie un roman (*I am a Billboard,* 1971), puis une croustillante autobiographie (*Scarlett O'Hara's Younger Sister,* 1977). G.L.

KEYSTONE (Keystone Film Company), société de production américaine fondée en 1912 par Adam Kessel et Charles O. Bauman et placée sous la direction artistique de Mack Sennett. Dans ses studios californiens d'Edendale (auj. Glendale), cette compagnie se spécialise dans la comédie slapstick, avec des acteurs comme Mabel Normand, Fred Nace, Ford Sterling, Fatty, Minta Durfee, Chester Conklin, Hank Mann, Charlie Chase, Edgar Kennedy, sans oublier les Keystone Cops et les Bathing Beauties. Charlie Chaplin les rejoint en 1914. Après que Mack Sennett, à l'expiration de son contrat, fut passé à la Triangle, la Keystone perdit de son éclat. Elle devait végéter au cours des années 20 et ses activités cessèrent en 1933. J.-L.P.

KÉZDI-KOVÁCS *(Zsolt), cinéaste hongrois (Nagybecskerek 1936).* Il travaille dans une fabrique de téléphones puis s'inscrit à l'École supérieure d'art dramatique et cinématographique, où il obtient en 1961 son diplôme de réalisateur. Il est l'un des membres fondateurs du studio Béla Balázs et signe plusieurs courts métrages remarqués : *En congé* (*Szabadságon,* 1961) ; *Automne* (*Ösz,* id.) ; *les Halles* (*Vásárcsarnok,* 1962, DOC) ; *Histoire de ma lâcheté* (*Egy gyávaság története,* 1966) ; *J'aimerais un bonnet de papier* (*Szeretnék csákót csinálni,* 1968), tout en étant le fidèle assistant de Jancsó pour la plupart des œuvres essentielles de ce dernier. Il débute dans le long métrage avec *Zone tempérée* (*Mérsékelt égöv,* 1970), suivi de *Romantika* (1972) et de *l'Arroseuse orange* (*Aloc-*

solókocsi, 1974). Le premier film qui lui donne une audience internationale est *Quand Joseph revient* (*Ha megjön József,* 1975), récit psychologiquement très affiné des relations orageuses existant entre une jeune ouvrière délaissée par son mari et sa belle-mère, dont elle est contrainte de partager l'appartement. Il confirme brillamment la place qu'il a prise parmi les cinéastes les plus talentueux des années 70 et 80 avec *Cher Voisin* (*A Kedves szomszéd,* 1979), *le Droit à l'espoir* (*A remény-joga,* 1982), *les Récidivistes* (*Visszaesök,* 1983), qui aborde le problème de l'inceste, *l'Absent* (*A rejtözködö,* 1986), *les Cris* (*Kiáltás,* 1988), *Et pourtant...* (*Es megis,* 1991), *Lettre de Transylvanie* (*Levél Erdélyből,* DOC, TV, 1994). J.-L.P.

KHAMRAEV *(Ali)* [*Ali Hamraev*], *cinéaste soviétique (Tachkent, Ouzbékistan, 1937).* Il termine ses études au VGIK de Moscou en 1961 et signe la même année son premier long métrage : *'Petites Histoires des enfants qui...'* (*Malen'kie istorii o detjah, kotorye,* CO : M. Makhmoudov), suivi notamment par *'Où es-tu ma Zulfiya ?'* (*Gde ty, moja Zul'fija ?,* 1964), *'les Cigognes blanches, blanches'* (*Belye, belye aisty,* 1966), *'les Sables rouges'* (*Krasnye peski,* CO : Akmal Akbarkhodjaev, 1968), *'Dilorom'* (id.). Mais c'est au cours des années 70 qu'il s'impose comme l'un des leaders du cinéma ouzbek avec *'le Commissaire extraordinaire'* (*Črezvyčajnyj komissar,* 1970), *'Sans peur'* (*Bez straha,* 1971), *la Septième Balle* (*Sed'maja pulja,* 1972), *'l'Admirateur'* (*Poklonnik,* 1973), *'L'homme poursuit les oiseaux'* (*Čelovek uhodit za pticami,* 1975), *Triptyque* (*Triptih,* 1978), *' le Garde du corps'* (*Telohranitel',* 1980), *'les Portes rouges'* (*Krasnye vorota,* 1981), *'Un été chaud à Kaboul'* (*Žarkoe leto v Kabule,* 1983), *'la Fiancée de Vouadil'* (*Nevesta iz Vuadilja,* 1985), *'Je me souviens de toi'* (*Ia tebja pomnu,* 1986), *'le Jardin des désirs'* (*Sad želanij,* 1987). J.-L.P.

KHAN *(Mohammad), cinéaste égyptien (Le Caire 1942).* Il fait ses études de cinéma à la « London School » (1961). De 1962 à 63, il collabore avec Abū Sayf dans le cadre de l'organisme du Cinéma, puis il est assistant sur plusieurs films libanais. Il réalise son premier long métrage en 1978, *'le Coup de Chams' (Sharbat Chams),* et depuis tourne un film par an. Très observateur du comportement citadin, Khan donne de la grande ville du Caire des images nouvelles prises sur le vif ; ses personnages, proches de ceux de l'Allemand Wenders, sont dans une continuelle mobilité et répercutent les désillusions et les désespoirs. *'Les Rêves de Hind et Kamilia'* (1988) peut être considéré comme le film type des années 80 où A. Zaki, N. Fathi et A. Riadh incarnent des laissés-pour-compte. Il est l'auteur d'une histoire du cinéma égyptien publiée en anglais (1979). KH.KH.

Films : *'Désir'* (*al-Raghba,* 1979) ; *'Vengeance'* (*al-Thār,* 1980) ; *'le Professionnel des rues'* (*al-Harrif,* 1983) ; *'Porté disparu'* (*Kharaja wa lam Yaud,* 1984) ; *'la Ballade de Omar'* (*Mishwār Omar,* 1985) ; *'Youssef et Zeynab'* (id., 1986) ; *'le Retour du citoyen'* (*Awdat Mouwatin,* id.) ; *'la Femme d'un homme important'* (*Zawjat Rajul Muhim,* 1987) ; *'les Rêves de Hind et Kamilia'* (*Ahlam Hind wa Kamilia,* 1988) ; *'Supermarket'* (1990).

KHANJONKOV *(Aleksandr)* [*Aleksandr Alekseevič Hanžonkov*], *producteur soviétique (? 1877 - Yalta 1945).* Fils d'une famille de nobles ruinés, officier dans un régiment de cavalerie cosaque, il démissionne au bout de sept ans et, avec la prime reçue, investit dans le cinéma. D'abord importateur et distributeur de films étrangers et d'appareils (1906), il fonde sa propre firme en 1908, lui donnant un Pégase pour emblème. Dès 1911, il est le premier producteur russe, en concurrence avec Pathé et son compatriote Drankov. S'inspirant des Films d'art français qu'il a mis en circulation avec succès en 1909, il tourne des sujets historiques et « littéraires » mais sur des thèmes russes. En 1911 et 1912, il organise à Moscou studio et laboratoires, lance un journal d'actualités *(Pégase),* un magazine de cinéma à grand tirage *(le Messager cinématographique)* et des séries régulières de films documentaires, éducatifs et scientifiques. Avec Vladislav Starévitch, il inaugure l'animation russe (dessins animés et films de poupées). Son succès est relatif lorsqu'il s'efforce d'obtenir le concours d'écrivains contemporains. Il produit en 1911 le premier long métrage russe (2 000 m) : *la Défense de Sébastopol (Oborona Sevastopolja)* de Gontcharov, superproduction suivie, en 1912, de *l'Année 1812 (1812 God),* coproduit avec Pathé. Il crée, également en 1912, la société par actions A. A. Khanjonkov et Cie , la plus puissante de Russie (elle double son capital en

1914) et édifie un nouveau studio, le plus grand du pays. En 1918, il transfère l'essentiel de ses équipements à Yalta puis émigre en 1919. Il rentre quatre ans plus tard. Le Goskino l'invite à diriger les studios Rouss. 1925-26 : il est chef de production puis directeur du Proletkino. En 1934, malade, il se retire à Yalta, doté d'une pension personnelle d'État. Dans ses studios se sont formés des cinéastes (Evgueni Bauer, Vladislav Starévitch, Petr Tchardynine, Vassili Gontcharov, Aleksandr Ivanov-Gaï et, surtout, Lev Koulechov) et des acteurs : Ivan Mosjoukine, Véra Kholodnaïa, Véra Coralli, Natalia Lissenko. B.A.

KHEIFITS *(Iossif) [Iosif Efimovič Hejfic], cinéaste soviétique (Minsk 1905 - Saint-Pétersbourg, 1995).* Il termine ses études de cinéma à Leningrad en 1927, travaille au Sovkino — toujours à Leningrad —, participe (avec M. Chapiro, A. Zarkhi et V. Granatman) au film *'le Chant du métal'* (*Pesn' a metalle,* 1928), organise avec Zarkhi le premier groupe Komsomol de réalisation qui sera à l'origine du *'Vent dans le visage'* (*Veter v lico,* 1930) et de *'Midi'* (*Polden,* 1931). Ces deux œuvres sont cosignées par Kheifits et Zarkhi : leur collaboration durera plus de vingt ans. Après *'Ma patrie'/'le Pont'* (*Moja rodina,* 1933) et une comédie *'Chaudes Journées'* (*Gorjačie denečki,* 1935), où l'on remarque un jeune acteur nommé Nikolaï Tcherkassov, il met en scène l'un des films les plus célèbres des années 30, *le Député de la Baltique* (*Deputat Baltiki,* 1937), où Tcherkassov se vieillit avec adresse et conviction pour interpréter le rôle du professeur Polejaev, archétype de l'intellectuel progressiste (transposition transparente de son « modèle », le naturaliste Timiriazev par ailleurs député des cheminots moscovites en 1917). Trois années plus tard Kheifits et Zarkhi renouvellent cette réussite avec *Membre du gouvernement* (*Člen pravitel'stva),* qui évoque le destin d'une paysanne à demi illettrée promue député du Soviet suprême après avoir géré habilement un kolkhoze en difficulté, fait face à l'hostilité de son entourage et vaincu ses propres inhibitions. À l'« homme positif » se superpose la « femme positive » (remarquablement incarnée par Vera Maretskaia). Kheifits tourne pendant la guerre en Ouzbékistan *On l'appelle Soukhe-Bator* (*Ego zovut Suhe-Bator,* 1942) puis dans les studios géorgiens *le Tertre de Malakoff* (*Malahov kurgan,* 1944). Après un documentaire, *'la Défaite du Japon'* (*Razgrom Japonii,* 1946), il réalise encore *'Au nom de la vie'* (*Vo imja žizni,* 1947), *'Grains précieux'* (*Dragocennye zërna,* 1948) et un documentaire, *'les Feux de Bakou'* (*Ogni Baku,* co : R. Takhmasib), qui, filmé en 1950, ne sera diffusé que huit ans plus tard. Puis il se sépare de son alter ego : Aleksandr Zarkhi. Ainsi, à peu d'années près, les deux plus célèbres tandems du cinéma soviétique, Kozintsev-Trauberg et Kheifits-Zarkhi, interrompent une carrière commune pour suivre des chemins indépendants. Kheifits signe *Printemps à Moscou* (*Vesna v Moskve,* 1953), avec Nadejda Kocheverova, puis met en scène seul *Une grande famille* (*Bol'šaja sem'ja,* 1954), qui privilégie les problèmes des individus par rapport à la propagande de masse et apparaît déjà comme un film poststalinien qui ouvre la voie à la libéralisation de la fin des années 50. Après *'l'Affaire Roumiantsev'* (*Delo Rumjanceva,* 1955) et *'Très cher humain'* (*Dorogoj moj celovek,* 1958), il s'impose soudain hors des frontières soviétiques par une adaptation habile et charmeuse de Tchekhov : *la Dame au petit chien* (*Dama s sobačkoj,* 1960). Les vétérans du cinéma en URSS prouvent qu'ils sont encore « verts » (Kalatozov suit un chemin parallèle à celui de Kheifits avec *Quand passent les cigognes*). Kheifits ne retrouvera jamais la réussite de *la Dame au petit chien,* mais ses films ultérieurs, pour académiques qu'ils soient, ne manqueront pas de savoir-faire : *'l'Horizon'* (*Gorizont,* 1962) ; *'Un jour de bonheur'* (*Den'sčast'ja,* 1964) ; *'Dans la ville de S.'* (*V goroda S.,* d'après Tchekhov encore, 1966) ; *Salut Maria !* (*Saljut Marija,* 1970) ; *'Un bon méchant homme'* (*Plochoj chorošij čelovek,* 1973) ; *la Seule et unique* (*Edinstvennaja,* 1975) ; *Assia* (*Asja,* 1977) ; *Mariée pour la première fois* (*V pervye zamužem,* 1979) ; *Chourotchka* (*Šuročka,* 1983) ; *le Prévenu* (*Podsudimyj,* 1985) ; *Souvenons-nous, camarades* (*Vspomnim, Tovarišč,* 1986) ; *Et alors les vieux ?* (*Vy č'e starič'e ?,* 1988) ; *l'Autobus errant* (*Brodjačij avtobus,* 1990). ▲ J.-L.P.

KHITROUK *(Fédor) [Fëdor Savelievič Hitruk], cinéaste soviétique (Tver 1917).* Il travaille dans les studios Soyouzmoultfilm depuis les années 50 et s'est imposé comme l'un des maîtres de l'animation soviétique dès son *'Histoire d'un crime'* (*Istorija odnogo prestuplenija,*

1962), qu'il fait suivre d'autres réussites comme *'Toptytchka'* (*Toptyčka,* 1964), *'les Vacances de Boniface'* (*Kanikuly Bonifacija,* 1965), évocation du voyage d'un lion de cirque venu revoir sa mère en Afrique, le satirique *'Film, film, film'* (1968), ou *'l'Île'* (*Ostrov,* 1973). En 1970, il avait réalisé en RDA en collaboration avec Katia et Klaus Georgi un film ambitieux : *'le Jeune Friedrich Engels'* (*Junoša Fridrih Engels/ Ein junger Mann namens Engels).* Il signe ensuite notamment *'Je te fais cadeau d'une étoile'* (*Darju tebe zvezdu,* 1974), *'l'Équilibre de la peur'* (*Ravnovesie,* 1975), *'Icare et les Sages'* (*Ikar i mudrecy,* 1976). J.-L.P.

KHITTL *(Ferdinand), cinéaste allemand d'origine tchécoslovaque (Franzensbad* [auj. *Františkový Lózně*], *Tchécoslovaquie) 1924 - Bad Friedrichshall, 1976).* Ce sont ses documentaires qui l'ont fait connaître : *Auf Geht's* (1955), sur la fête de la bière à Munich ; *Ungarn in Flammen* (1956) ; *Grossmarkthalle* (1958) ; *Der Magische Band* (1959), film industriel sur les colorants synthétiques. En 1962, c'est le coup d'éclat de *Die Parallelstrasse (la Route parallèle),* long métrage expérimental composé à partir de vues du Machu Picchu, d'Angkor, du Fuji-Yama et de documents divers d'actualité, intercalés dans une sorte de procès kafkaïen. Canular ? Poème métaphysique ? Film « borgésien » si l'on veut, il fit en tout cas les délices des surréalistes... survivants. Khittl tourne en 1963 : *Ein Werk von hundert Jahren* et en 1965 *Der heisse Frieden,* deux documentaires. Sa trace se perd ensuite. C.B.

KHLEIFI *(Michel), cinéaste belge d'origine palestinienne (Nazareth, 1950).* Émigré en Belgique à vingt ans, il est tout d'abord reporter à la télévision, pour laquelle il réalise une série sur la Palestine en 1978-1981. Son pays natal inspire son œuvre : *la Mémoire fertile* (1980), documentaire-fiction sur des femmes palestiniennes, *Noces en Galilée* (1987), fiction attachée à décrire contradictions et compromis d'une société sous étroite surveillance, *Cantique des pierres* (1990), un film qui montre la violence quotidienne de l'Intifada – la révolte des pierres –, *le Conte des trois diamants* (1995), sur la situation et les rêves d'un enfant du territoire de Gaza. L'œuvre de Khleifi apparaît comme la création, sur une initiative et sous un regard venus de l'extérieur, d'une cinématographie palestinienne de l'intérieur. D.S.

KHLĪFĪ *('Umar), cinéaste tunisien (Soliman 1934).* Il reçoit un enseignement technique secondaire à Tunis puis à Nancy, mais ne suit pas d'études cinématographiques. Cet autodidacte, pionnier du cinéma tunisien, fonde le premier groupement de cinéastes amateurs en 1959. *L'Aube* (*al-Fajr,* 1966), considéré comme le début de la production nationale, est bien accueilli et couronné à Moscou. Ensuite, il tourne (et coproduit) *le Rebelle* (*al-Mutamarrid,* 1968), qui évoque, sur un mode westernien plaisant, la période ottomane ; *les Fellagas* (*Fallāga,* 1970) ; *Hurlements* (*Surākh,* 1972) ; *le Défi* (*al Tahaddi,* 1986). Il a aussi réalisé une douzaine de courts métrages et a publié la première *Histoire du cinéma en Tunisie (1896-1970).* C.M.C.

KHOKHLOVA *(Aleksandra Bokkina,* dite *Aleksandra)* [*Aleksandra Sergeevna Hohlova*], *actrice et cinéaste soviétique (Berlin, Allemagne, 1897 - Moscou 1985).* Épouse et collaboratrice de Lev Koulechov, Khokhlova (du nom de son premier mari Konstantin Khokhlov, acteur du Théâtre d'Art) est issue de la haute bourgeoisie : son père est professeur à l'Académie militaire de médecine de Saint-Pétersbourg ; son grand-père maternel a fondé et doté la galerie Trétiakov à Moscou. Elle fait de la figuration de 1916 à 1919 (on la remarque cependant dans *l'Ouragan* [*Uragan,* Chouskevitch, 1916]). Elle entre à l'Institut du cinéma en 1920 et s'intègre au collectif de Koulechov. Elle ne jouera pratiquement que dans les films de ce dernier, sa prétendue laideur l'ayant desservie auprès des studios. Sachant faire fonds de son extrême maigreur comme de l'étrangeté de son visage, également douée pour le burlesque et le tragique, elle s'est surpassée dans l'expressionnisme hystérico-excentrique si particulier de *Dura Lex* (1926), de *la Journaliste* (1927) et du *Grand Consolateur / Encre rose* (1933). Elle est le plus remarquable exemple d'interprète ayant édifié son jeu sur la méthode biomécanique, le montage constructiviste et la doctrine des « modèles vivants », théorisés et pratiqués par Koulechov. Elle a dirigé plusieurs films et, à partir de 1939, enseigné la mise en scène au VGIK. B.A.

Films. – ACT. ▲ : *Sur le front rouge* (1920) ; *les Aventures extraordinaires de Mister West au pays des Bolcheviks* (1924) ; *le Rayon de la mort* (1925) ; *Dura Lex* (1926) ; *la Journaliste*

(1927) ; *le Grand Consolateur/Encre rose* (1933) ; *les Sibériens* (1940) [tous ces films sont de Lev Koulechov] ; *la Perte des sensations* (*Gibel' sensatsii,* Aleksandr Andrievski, 1935). – RÉAL. ▲ : *le Dossier à fermoir* (*Delo s zastežkami,* 1929) ; *Sacha* (*Saša,* co : Koulechov, 1930) ; *Jouets* (*Igruški,* 1931) ; *Nous de l'Oural* (*My s Urala,* 1944 ; co : Koulechov).

KHOLODNAÏA *(Vera)* [*Vera Holodnaja*], *actrice russe (Poltava, Ukraine, 1893 - Odessa 1919).* Après des études de danse, cette jeune Ukrainienne se fait vite remarquer dans *le Chant de l'amour triomphant* de Bauer (1915), mélodrame flamboyant adapté de Tourgueniev, qui met en valeur sa beauté et lui vaut une popularité considérable. Elle joue encore, entre autres films, dans *Mirages* (A. Tchardynine, 1915), *Vie pour vie* (Bauer, 1916), *le Diable des flammes* (id., *id.*), *les Tourbillons de la vie* (*Šašmaty žizni,* Anatoli Ouralski, *id.*), *Devant la cheminée* (Tchardynine, *id.*), *Tais-toi, tristesse, tais-toi* (id., 1918), *le Cadavre vivant* (id., *id.*), *la Femme qui inventa l'amour* (*Ženščina, hotoraja izovrela Ljubov',* Viatcheslav Viskovski, *id.*). Aussi talentueuse et adulée qu'une Duse ou une Sarah Bernhardt, elle fut vraiment, malgré sa trop brève carrière, la « reine de l'écran », qu'elle incarnait dans l'un de ses derniers films, *la Route difficile vers la gloire (Tarnistyj Slavy put'),* sous la direction de Viskovski. M.M.

KHOURY *(Walter Hugo), cinéaste et producteur brésilien (São Paulo 1929).* Formé à l'époque de la Vera Cruz, il révèle assez vite un univers personnel. Son œuvre, maîtrisée – ce qui est alors assez rare – et dont il est l'auteur complet (parfois, il tient la caméra), constitue un objet de controverses, car les uns la jugent européanisée et formaliste, les autres la portent aux nues. Admirateur de Joseph von Sternberg et d'Ingmar Bergman, il ébauche une mythologie un peu métaphysique, tendant à faire de ses personnages des incarnations de concepts. L'érotisme, d'abord suggéré et sous-jacent, devient omniprésent avec *le Jeu de la nuit,* film de qualité, qui paraît à contre-courant du cinéma novo, alors en plein essor. L'évolution ultérieure dénote une psychologie sommaire et la mise en scène d'angoisses existentielles tournant à vide. Faillite sans doute d'un « cinéma d'auteur » auquel on rattachait jadis volontiers Rubem Biafora (*Ravina,* 1958) et Flavio Tambellini (*O Beijo,* 1964). P.A.P.

Films : *O Gigante de Pedra* (1953) ; *Estranho encontro* (1958) ; *Fronteiras do inferno* (1959) ; *Na Garganta do Diabo* (1960) ; *A Ilha* (1962) ; *le Jeu de la nuit* (*Noite Vazia,* 1964) ; *O Corpo Ardente* (1966) ; *As Amorosas* (1968) ; *O Palácio dos Anjos* (1970) ; *O Último Extase* (1973) ; *O Prisioneiro do sexo* (1978) ; *O Convite ao prazer* (1980) ; *Amor Voraz* (1984) ; *Eu, Marcelo* (1987) ; *For Ever* (1989) ; *les Sauvages* (*As Feras,* 1995). Producteur de *Pindorama* (A. Jabor, 1970).

KHOUTSIEV *(Marlen)* [*Marlen Martynovič Huciev*], *cinéaste soviétique (Tbilissi, Géorgie, 1925).* Dès 1944, il débute au studio de Tbilissi comme assistant décorateur ; en 1952, il est diplômé de la faculté de mise en scène du VGIK de Moscou. Après avoir été l'assistant de Barnet sur *Liana* (1955), il réalise au studio d'Odessa (avec Feliks Mironer), *le Printemps dans la rue Zaretchnaïa* (*Vesna na Zarečnoj Ulice,* 1956), excellente comédie de mœurs sur les relations orageuses entre une institutrice de cours du soir et un ouvrier : amoureux maladroit, ce dernier, d'abord repoussé et humilié dans sa dignité de travailleur par le ton cassant de cette « intellectuelle », finira par convaincre la cruelle de la sincérité de ses sentiments. Puis Khoutsiev signe seul *les Deux Fédor* (*Dva Fedora,* 1959), où l'on voit un soldat démobilisé adopter un gamin orphelin qui porte le même prénom que lui : il y a une grande justesse de ton et une vraie tendresse dans cette comédie dramatique, où débute un acteur qui s'imposera rapidement par son naturel et sa puissance, Vassili Choukchine.

C'est une œuvre autrement ambitieuse qu'il entreprend ensuite avec l'excellent scénariste Guennadi Chpalikov, figure importante du cinéma du « dégel » : sous le titre *la Porte Ilitch* (*Zastava Ilička,* 1963), du nom du quartier de Moscou où se situe l'action, c'est un portrait de la jeunesse tourmentée par des interrogations sur le sens et le but de la vie ; dans la scène clé, un adolescent voit en rêve son père tué à la guerre lui apparaître et se révéler – ce qui est significatif – incapable de lui donner le moindre conseil sur la manière de mener sa vie. Le film est attaqué par Khrouchtchev, qui estime « moralement infirmes » ces personnages désorientés, et il ne sortira qu'en 1965, sous le titre *J'ai vingt ans (Mne dvadcat'let),* dans une version légèrement remaniée. Le cinéaste poursuit cette méritoire entreprise de remise en question des clichés sécurisants dans *Pluie de juillet* (*Ijul'skij dožd',* 1967), où il développe ce même thème du mal de vivre avec des personnages un peu plus âgés qui en sont déjà à l'heure des premiers bilans et des choix définitifs.

L'audace idéologique de ces deux remarquables films n'est pas moins novatrice que le style de leur mise en scène (caméra mobile et plans-séquences). Malheureusement, Khoutsiev n'a pas renouvelé ces réussites avec *C'était le mois de mai* (*Byl mesjac maj,* 1970) et *la Voile rouge de Paris* (*Alvj parus Pariža,* 1971), célébration du centenaire de la Commune ; puis il a travaillé avec Klimov et Lavrov à la finition du film laissé inachevé par Romm à sa mort, *Et malgré tout, j'ai confiance* (1974). Après un long silence, il a tourné un essai psychologique sur le conflit des générations, *Postface* (*Posleslovie,* 1984), puis *'Infinitas'* (*Beskonečnost',* 1991). ▲ M.M.

KIAROSTAMI *(Abbas), cinéaste iranien (Téhéran 1940).* Diplômé de la faculté des beaux-arts de Téhéran, il s'introduit dans le monde du cinéma par son activité de graphiste et d'affichiste. Il travaille sur des génériques et des films publicitaires, et collabore à l'Institut pour le développement intellectuel des enfants, où il dirige le département cinéma. C'est dans ce cadre qu'il réalise son premier court métrage, *le Pain et la rue* (*Nan va koutcheh,* 1970), qui sera suivi, jusqu'en 1983, d'une quinzaine d'autres œuvres de moins d'une heure. L'Institut produira la quasi-totalité de ses films, dont il assure également le scénario et, le plus souvent, le montage. Ses longs métrages sont consacrés au monde de l'enfance : *le Passager* (1974), *les Élèves du cours préparatoire* (1985), *Où est la maison de mon ami ?* (1987), *Devoirs du soir* (1990). Il parvient dans ces films à un exceptionnel équilibre entre l'approche documentaire et la mise en place d'une véritable narration. Adepte d'un réalisme qui n'est jamais affecté par le spectaculaire ni infléchi par un discours imposé de l'extérieur, il pose un regard chaleureux sur les enfants – ce qui lui a parfois causé quelques ennuis avec les institutions (à cause, notamment, de *Devoirs du soir,* son film le plus directement documentaire, consacré à la pression du travail scolaire sur les enfants des milieux déshérités).

Doté d'une grande capacité d'improvisation et maître dans l'art de diriger des acteurs non-professionnels, enfants et adultes, il prouve avec *Close Up* (ou *Gros Plan,* 1990), écrit en quatre jours à partir de faits réels qu'il reconstitue avec la participation des protagonistes de la véritable intrigue, que son approche du réel peut aller très loin dans l'analyse du fonctionnement du cinéma lui-même. *Où est la maison de mon ami ?* avait été tourné dans le nord de l'Iran, dans la région victime en 1990, d'un grave tremblement de terre. Il revient immédiatement sur les lieux et tourne *Et la vie continue* (1992), qui décrit le périple d'un cinéaste revenu dans la zone dévastée pour savoir ce que sont devenus les protagonistes du film qu'il y a tourné précédemment. C'est une œuvre sur la difficulté d'enregistrer le réel et sur la nécessité d'organiser une sorte de fiction pour rendre compte de ce réel. Cette réflexion est prolongée dans le troisième film qu'il tourne dans la même région, *Au travers des oliviers* (1994), où il se livre à une méditation encore plus impressionnante sur l'articulation entre réalité et mise en scène, c'est-à-dire, selon ses propres termes, sur « des mensonges destinés à produire une vérité encore plus grande ».

Il a écrit plusieurs scénarios pour d'autres cinéastes, notamment celui de *la Clé* (*Kelid,* 1986) d'Ibrahim Forouzesh. D.S.

Films ▲ (LM) *le Passager* (*Mossafer,* 1974) ; *Rapport* (*Gozaresh,* 1977) ; *les Élèves du cours préparatoire* (*Avali ha,* 1984) ; *Où est la maison de mon ami ?* (*Khane-ye doust kojast ?,* 1987) ; *Devoirs du soir* (*Mashgh e Shab,* 1990) ; *Close Up/Gros Plan* (*Nema-ye Nazdik,* 1990) ; *Et la vie continue* (*Zendegi Edamé Dârad,* 1992) ; *Au travers des oliviers* (*Zir-e Darakhtan-é Zeyton,* 1994).

KIDD *(Milton Greenwald,* dit *Michael), danseur et chorégraphe américain (New York, N. Y., 1919).* Venu de Broadway, comme pratiquement tous les danseurs et les chorégraphes qui comptent à cette époque, il fait des débuts assez anodins à Hollywood avec une adaptation de la fameuse *Marraine de Charley* (*Where's Charley,* D. Butler, 1952). Mais dès l'année suivante, il se révèle comme l'un des créateurs les plus doués et les plus inventifs de sa génération avec *Tous en scène* (V. Minnelli), un des grands classiques du genre, qu'interprètent Fred Astaire et Cyd Charisse. En 1954, il met au point pour Stanley Donen les numéros explosifs des *Sept Femmes de Barberousse* et travaille avec Danny Kaye pour *Un grain de folie.* En 1955, on le retrouve acteur (mais chanteur et danseur, bien sûr) dans *Beau fixe sur New York,* de Gene Kelly et Stanley Donen, autre grand classique du musical américain, où il forme avec Gene Kelly et Dan Dailey un trio extrêmement dynamique. La même année, Joseph L. Mankiewicz lui demande la chorégraphie d'un autre musical singulièrement ambitieux, *Blanches Colombes et Vilains Messieurs.* C'est ainsi qu'il fait chanter et danser Marlon Brando et Frank Sinatra. Après cette période faste, Kidd est victime de la décadence du genre. On le retrouve réalisateur, en 1958, pour *le Fou du cirque* (*Merry Andrew,* avec Danny Kaye). Il a signé ensuite la chorégraphie de *Star* (R. Wise, 1968), *Hello Dolly !* (G. Kelly, 1969) puis est apparu comme acteur dans *Folie Folie* (S. Donen, 1978) et dans *l'Amour est une grande aventure* (B. Edwards, 1989). D.R.

KIEPURA *(Jan), chanteur et acteur d'origine polonaise (Sosnowiec, Russie, 1902 - Harrison, N. Y., É.-U., 1966).* Vedette de l'Opéra de Varsovie, puis de ceux de Vienne et de Milan, il aborde le cinéma dans une production allemande tournée à Naples en trois versions (allemande, française, anglaise), *la Ville qui chante* (*Die singende Stadt / The City of Song,* C. Gallone, 1930). Il se produit en concert dans divers pays d'Europe et devient la vedette de plusieurs films musicaux allemands : *la Chanson d'une nuit* (*Das Lied einer Nacht / Tell Me Tonight,* A. Litvak, 1932) ; *Une chanson pour toi / Ein Lied für dich / My Song for You,* J. May, 1933) ; *Mon cœur t'appelle* (*Mein Herz ruft nach dir / My Heart Is Calling,* Gallone, 1934 ; son premier duo avec Martha Eggerth) ; *J'aime toutes les femmes* (*Ich liebe alle Frauen,* C. Lamac, 1935). Établi en Autriche, il y tourne encore *Opernring / Im Sonnenschein* (Gallone, 1936) et *Zauber der Boheme* (G. von Bolvary, 1937), adaptation de *la Bohême* de Puccini dans laquelle il retrouve Martha Eggerth, devenue sa femme. Avec elle, il quitte l'Autriche au moment de l'Anschluss et débute à Broadway en 1940. Après la guerre, il tourne encore deux films en Europe, des opérettes : en France, *la Valse brillante* (Jean Boyer, 1950) et en Autriche *le Pays du sourire* (*Das Land des Lächelns,* Hans Deppe, 1952). Il a acquis la nationalité britannique après la Seconde Guerre mondiale. D.S.

KIEŚŁOWSKI *(Krzysztof), cinéaste polonais (Varsovie 1941).* Diplômé en 1969 de l'École supérieure de cinéma et de télévision de Łódź, il réalise une quinzaine de documentaires puis, à partir de 1973, des moyens métrages de fiction pour la TV (*Passage souterrain* [*Przejście podziemne*], 1973 ; *le Premier Amour* [*Pierwsza miłość*], id.). Il aborde le long métrage de fiction avec *le Personnel* (*Personel,* 1975), puis *le Calme / la Tranquillité* (*Spokoj,* 1976) et *la Cicatrice* (*Blizna,* id.) : ces films soumettent la société polonaise à une critique si cinglante qu'elle vaut au second (portant sur le monde du travail) d'être interdit pendant quatre ans. Le cinéaste conquiert une réputation internationale méritée avec *le Profane* (*Amator,* 1979 ; grand prix des festivals de Moscou et Gdańsk), parabole brillante et ironique sur le destin d'un cinéaste amateur face au conformisme social et politique. Entre-temps, deux documentaires, *l'Hôpital* (*Szpital,* 1977) et *le Point de vue du gardien de nuit* (*Z punktu widzenia nocnego portiera,* 1979), ont témoigné de l'acuité de regard porté par Kieślowski sur les individus et leurs activités.

Le Hasard (*Przypadek,* 1982) et *Sans fin* (*Bez konca,* 1984) confortent la position de Kieślowski comme l'un des leaders de sa génération en Pologne. Il atteint une renommée internationale avec *Tu ne tueras point* (*Krotki film o zabijaniu,* 1987) et *Brève histoire d'amour* (*Krotki film o milosci,* 1988), version cinématographique des épisodes 5 et 6 du *Décalogue (Dekalog),* série produite par et pour la télévision qui est à la fois une magistrale illustration des Dix Commandements et sans doute l'un des films les plus brillants et intelligents des années 80.

Le Décalogue connut une exploitation en salle de tous ses épisodes après le succès critique du cinéaste dans de nombreux pays. En 1991, le cinéaste poursuit un itinéraire particulièrement personnel et original dans une production française, *la Double Vie de Véronique.*

Une trilogie, *Trois Couleurs Bleu* (1993), *Trois Couleurs Blanc* (1993) et *Trois Couleurs Rouge* (1994), lui apporte la consécration internationale, et Kieślowski s'impose comme l'un des plus grands cinéastes des années 1980-1990. M.M.

KIISK *(Kalie) [Kal'ë Karpovič Kijsk], cinéaste soviétique (Vaïvina, Estonie, 1925).* Metteur en scène de théâtre à Tallinn, il débute au cinéma en signant *'Jours de juin' (Ijun'skie dni, CO* : V. Nevežin, 1958), puis fait équipe avec Juli Kun (*'les Tournants dangereux' [Opasnye povoroty]*, 1961). Il réalise seul ensuite plusieurs œuvres qui comptent parmi les films les plus notables tournés en Estonie : *'Dégel' (Ledohod,* 1963) ; *'Retourne-toi en chemin' (Ogljanis'v puti,* 1964) ; *'Ils avaient dix-huit ans' (Im bylo vocemnadcat'*, 1966) ; *le Bac de midi (Poludennyj parom,* 1967) ; *Démence (Bezoumie,* 1968) ; *'la Rive des vents' (Bereg vetrov,* 1971) ; *'Débarquer sur la terre' (Sojti na bereg,* 1974) ; *'le Violon rouge' (Krasnaja skripka,* id.) ; *'Demande aux morts le prix de la mort' (Cenu smerti sprosi u mërtvyh,* 1978) ; *'les Violettes des bois' (Lesnye fialki,* 1980) ; *Dans cent ans en mai (Čerez sto let v mae,* 1987); *Sufloor* (1993). J.-L.P.

KILAR *(Wojciech), compositeur polonais (Lvov 1932).* Sorti de l'École de musique de Katowice, il devient l'élève de Nadia Boulanger à Paris. C'est un compositeur fécond, à qui l'on doit en outre une centaine de partitions pour le cinéma et la télévision. Il est de tous les films de Krzysztof Zanussi depuis *la Structure du cristal* (1969), en particulier *Vie de famille* (1971), *Illumination* (1973), *Camouflage* (1977), *la Spirale* (1978), *la Constante* (1980), *le Contrat* (id.), *le Pouvoir du mal* (1985). Il a également écrit pour : *les Somnambules (Lunatycy,* B. Poręba, 1960) ; *le Maigre et les autres (Chudy i inni,* H. Kluba, 1967) ; *la Poupée* (W. J. Has, 1968) ; *la Jetée (Molo,* W. Solarz, 1969) ; *Lokis* (J. Majewski, 1970) ; *la Boule de cristal* (S. Roɛwicz, 1971) ; *la Perle de la couronne* (K. Kutz, 1972) ; *la Terre de la grande promesse* (A. Wajda, 1975) ; *la Ligne d'ombre* (id., 1976) ; *David* (P. Lilienthal, 1979) ; *le Roi et l'Oiseau* (P. Grimault, 1980) ; *le Hasard* (K. Kiesłowski, 1982) ; *Chronique des sentiments amoureux* (A. Wajda, 1987) ; *Korczak* (id., 1990). J.-P.B.

KILFITT → OBJECTIFS.

KILO, argot pour *kilowatt.* (→ ARGOT.)

KIMIAI *(Massoud [Kimyâ'i Mas'ud]), cinéaste iranien (Téhéran 1941).* Cet autodidacte réussit, dès son deuxième film, un beau succès : *Qaysar* (1969) permet en effet à l'acteur Behruz Vosughi (il a le premier rôle dans chaque film de Kimiai) de camper une figure de brigand avec truculence. Ce sens d'un cinéma populaire et ce réalisme lyrique, s'ils n'évitent pas toujours l'imagerie facile, sont les atouts majeurs de *Dach kol* (id., 1971 ; d'après une nouvelle de Hedâyat), aussi bien que de *Balutch* (id., 1972) et de *la Terre (Khâk,* 1973), films où l'homme est confronté à un environnement presque toujours hostile. Après l'avènement du pouvoir des « mollahs », Kimiai réalise plusieurs films dont *'la Ligne rouge' (Khatt-e Qermez,* 1982), *'les Dents du serpent' (Dandan-e Mar,* 1990), *'la Piste du loup' (Rod-e-Paye Gorg,* 1994) et *'le Commerce' (Tejarat,* 1995), où il traite des pouvoirs parallèles dans une ville livrée à elle-même. C.M.C.

KIMIAVI *(Parviz [Kimyâvî]), cinéaste iranien (Téhéran 1939).* Après ses études universitaires, il s'inscrit à Paris, d'abord à l'École de Vaugirard (1962), puis à l'IDHEC, dont il est diplômé (1965). Assistant monteur, puis assistant réalisateur à l'ORTF jusqu'en 1968, réalisateur à la télévision iranienne (NIRTV), il tourne plusieurs documentaires (CM et MM), dont *Ô Protecteur des gazelles (Yâ Ḍâmen Ahu,* 1971), sur les cérémonies chiites de la ville sainte de Mesched, ou *P comme Pélican (P methl-e pelican,* 1972). Son premier long métrage utilise les techniques documentaires pour traduire avec humour l'onirisme et l'incommunicabilité qui habitent et paralysent... un cinéaste : *les Mongols (Moghola,* 1973), dont il tient le rôle principal. Il tourne ensuite une fable métaphorique, *le Jardin de pierres (Bâgh-e sangi,* 1975), autre vision étrange. *O. K. Mystère* (1978) n'a pas été diffusé. Dix ans après l'installation de la « Révolution islamique » au pouvoir en Iran, Kimiavi entame son retour au pays natal avec un projet de film sur Karbala, événement constitutif du chiisme. Auparavant, il a réalisé plusieurs documentaires pour le compte de la télévision française. C.M.C.

KIMMINS *(Anthony), cinéaste et producteur britannique (Harrow 1901 - Hurstpierpoint, Sus-*

sex, 1964). Après avoir réalisé quelques films de peu d'importance, il entre à la London Films de Korda et adapte scrupuleusement le roman de Nigel Balchin, *Mon propre bourreau* (*Mine Own Executioner,* 1947). Il laisse le souvenir d'un cinéaste académique qui aborda avec plus ou moins de bonheur les genres traditionnels du cinéma britannique : *la Grande Révolte* (*Bonnie Prince Charlie,* 1948) ; *L'assassin revient toujours* (*Mr. Denning Drives North,* 1951) ; *le Capitaine Paradis* (*Captain Paradise,* 1954) ; *Perdus dans la brousse* (*Smiley,* 1956). R.L.

KINEMACOLOR, procédé de cinéma en couleurs par synthèse additive bichrome. Le Kinemacolor fut le premier procédé de cinéma en couleurs ayant donné lieu (avant la Première Guerre mondiale) à des projections publiques. (→[COULEURS] Procédés de cinéma en .) J.-P.F.

KINESCOPE, nom générique des caméras spéciales conçues pour enregistrer sur film 16 mm l'image d'un récepteur de télévision ; par extension, procédé consistant à enregistrer une émission de télévision grâce à ces caméras. Avant l'apparition des magnétoscopes, le Kinescope offrait la seule possibilité de conserver la trace des émissions de télévision en direct. Les imageurs sont une version plus moderne et de bien meilleure qualité, destinés au transfert d'images numériques sur film 16, 35 ou 70 mm. Il s'agit toujours d'enregistrer sur film cinématographique le déplacement d'un spot très fin sur un tube de télévision noir et blanc. Mais, dans ce cas, l'enregistrement se fait avec une définition de 2 000 à 4 000 lignes successives, et le temps d'impression d'une image est de plusieurs secondes (il est de 1/25 de seconde dans le kinescope). Pour les transferts en couleurs, l'enregistrement se fait en 3 passages sous filtres bleu, vert et rouge. C'est au moyen de tels imageurs que les effets spéciaux numériques sont transférés sur film. J.-P.F./M.BA.

KINETOGRAPH, appareil de prise de vues imaginé en 1890 par Edison et Dickson, et qui fut la première véritable caméra de l'histoire du cinéma. (→ INVENTION DU CINÉMA.) J.-P.F.

KINÉTOSCOPE. Appareil historique d'Edison. (→ aussi INVENTION DU CINÉMA.)

KINETOSCOPE, nom de marque de l'appareil forain, commercialisé par Edison, à partir de 1893, pour permettre l'examen individuel de films tournés avec le Kinetograph. (→ INVENTION DU CINÉMA.) J.-P.F.

KING *(Allan), cinéaste canadien (Vancouver, Colombie britannique, 1930).* Il pratique divers métiers en Europe puis entre en 1954 comme réalisateur à la chaîne de télévision CBC à Vancouver. Il s'affirme comme un précurseur du cinéma-vérité dans *Skid Row* (1956), reportage sur des clochards alcooliques, suivi d'une douzaine d'autres documentaires de la même veine. Il reste fidèle au style direct dans son long métrage, *Warrendale* (1967), sur des enfants émotionnellement perturbés, puis joue intelligemment sur les rapports entre réalité et fiction dans *Un couple marié* (*A Married Couple,* 1969). Il a ensuite évolué vers une expression plus traditionnelle dans *Who Has Seen the Wind* (1977) et *One Night Stand* (1979). M.M.

KING *(Henry), cinéaste américain (Christianburg, Va., 1886 - Los Angeles, Ca., 1982).* Henry King naît dans une famille sudiste et profondément religieuse (méthodiste) ; tenté par le théâtre, puis par le cinéma, il devient acteur et metteur en scène dès 1915 *(The Nemesis).* Il dirige notamment des westerns. Il trouve son premier grand succès avec *David le Tolérant* (*Tol'able David,* 1921), qu'il tourne en extérieurs dans sa Virginie natale, ajoutant un cachet d'authenticité au scénario de l'Anglais Edmund Goulding. *Tol'able David,* l'un des paradigmes du genre Americana – description nostalgique de l'Amérique traditionnelle, rurale –, frappe vivement, par ses effets de montage, les cinéastes soviétiques. À partir de cette époque, King figure parmi les plus importants réalisateurs d'Hollywood. Il signe une série de productions à gros budget : *la Sœur blanche* (*The White Sister,* 1923), mélodrame religieux tourné en Italie avec Lillian Gish et Ronald Colman, et le Vésuve en éruption à l'arrière-plan ; *Romola* (id., 1924), d'après George Eliot, également tourné en Italie, avec les sœurs Gish et Colman ; *le Sublime Sacrifice de Stella Dallas* (*Stella Dallas,* 1925), encore avec Colman – d'après le célèbre best-seller homonyme : c'est l'histoire très sentimentale d'une mère qui se dévoue pour assurer le bonheur et la promotion sociale de sa fille ; *Barbara, fille du désert* (*The Winning of Barbara Worth,* 1926), toujours avec Colman, Vilma Banky et un inconnu nommé Gary Cooper.

Pendant les années 30, King est l'un des principaux metteurs en scène de la Fox, sous la houlette, en particulier, de Zanuck. Il réalise notamment la première version de *la Foire aux illusions* (*State Fair,* 1933), avec Will Rogers, acteur typique du genre Americana ; il tourne, dans le même style, *À travers l'orage,* un remake de *Way Down East* de Griffith, qui date (1935), ainsi qu'un remake de *l'Heure suprême* de Borzage (*Seventh Heaven,* 1937). Il signe *l'Incendie de Chicago* (*In Old Chicago,* 1938) avec Tyrone Power en vedette, « réplique » de la Fox au *San Francisco* de la MGM et de Van Dyke, et plusieurs autres films à cadre historique romancé, comme *le Brigand bien-aimé* (*Jesse James,* 1939), dont la morale annonce le film du même nom de Nicholas Ray. Il filme *la Folle parade* (*Alexander's Ragtime Band,* 1938), *Stanley and Livingstone* (1939), *Little Old New York* (1940 ; biographie de l'inventeur Fulton), *Wilson* (1944 ; biographie du président des États-Unis). Pendant les années 40, il tourne beaucoup, avec éclectisme, et parfois une réussite éclatante. On citera *le Cygne noir* (*The Black Swan,* 1942), avec Tyrone Power et Maureen O'Hara, qui greffe sur une histoire de pirates tel élément emprunté à la légende de Tristan et Iseut, ou *Capitaine de Castille* (*Captain from Castile,* 1947), mise en images véritablement épique de la conquête du Mexique par Cortéz (et premier rôle de Jean Peters). Converti au catholicisme, King réalise, d'après Franz Werfel, *le Chant de Bernadette* (*The Song of Bernadette,* 1943), avec Jennifer Jones et toute une galerie de personnages, qui, gentiment caricaturaux, font revivre la France rurale de Napoléon III, rendue pareille au vieux Sud.

On lui doit aussi des films de guerre, avec *A Bell for Adano* (1945) ou *Un homme de fer* (*Twelve O'Clock High,* 1949), et l'un des premiers westerns « mélancoliques » (*la Cible humaine* [*The Gunfighter,* 1950], avec Gregory Peck). King revient à l'inspiration religieuse (*I'd Climb the Highest Mountain,* 1951 ; tourné en Géorgie, son film préféré) et biblique (*David et Bethsabée* [*David and Bathsheba,* id.], avec Gregory Peck et Susan Hayward). Les dix dernières années de sa carrière sont jalonnées de productions encore importantes eu égard aux moyens mis en œuvre, mais empesées par des sources littéraires prestigieuses (Hemingway, Scott Fitzgerald) et par des acteurs vieillissants (Tyrone Power, Errol Flynn, Jennifer Jones, Joan Fontaine) : *les Neiges du Kilimandjaro* (*The Snows of Kilimanjaro,* 1952) ; *Le soleil se lève aussi* (*The Sun Also Rises,* 1957) ; *Tendre est la nuit* (*Tender Is the Night,* 1962). Le meilleur film de cette période est sans conteste *Bravados* (*The Bravados,* 1958), western dominé par l'obsession sanguinaire de la vengeance, obsession que traduit admirablement Gregory Peck.

King a su exprimer de manière répétée sa prédilection pour la prairie sudiste, pour l'Amérique rurale en général, et en traduire la saveur par le recours au tournage en extérieurs. J.-L.B.

Autres films (▲ à partir de 1919) : *Should a Woman Forgive* (1915) ; *Little Mary Sunshine* (1916) ; *When Right is Right* (id.) ; *The Oath of Hate* (id.) ; *Shadows and Sunshine* (id.) ; *Joy and the Dragon* (id.) ; *Twin Kiddies* (1917) ; *Told at Twilight* (id.) ; *The Devil's Bait* (id.) ; *Sunshine and Gold* (id.) ; *Souls in Pawn* (id.) ; *The Mainspring* (id.) ; *The Bride's Silence* (id.) ; *The Climber* (id.) ; *Southern Pride* (id.) ; *A Game of Wits* (id.) ; *The Mate of Sally Ann* (id.) ; *Vengeance of the Dead* (id.) ; *Beauty and the Rogue* (1918) ; *When a Man Rides Alone* (id.) ; *Powers that Prey* (id.) ; *Hearts and Diamonds* (id.) ; *King Social Briars* (id.) ; *Up Romance Road* (id.) ; *The Locked Heart* (id.) ; *Hobbs in a Hurry* (id.) ; *All the World to Nothing* (id.) ; *Where the West begins* (1919) ; *Brass Buttons* (id.) ; *Some Liar* (id.) ; *A Sporting Chance* (id.) ; *This Hero Stuff* (id.) ; *Six Feet Four* (id.) ; *23 1/2 Hours Leave* (id.) ; *A Fugitive from Matrimony* (id.) ; *Haunting Shadows* (id.) ; *The White Dove* (1920) ; *Unchanted Channels* (id.) ; *One Hour Before Dawn* (id.) ; *Help Wanted Male* (id.) ; *Dice of Destiny* (id.) ; *When We Were 21* (1921) ; *The Mistress of Shenstone* (id.) ; *Salvage* (id.) ; *The Sting of the Lash* (id.) ; *The Seventh Day* (1922) ; *Sonny* (id.) ; *The Bond Boy* (id.) ; *Fury* (1923) ; *Any Woman* (1925) ; *Sackloth and Scarlet* (id.) ; *Partners Again* (1926) ; *The Magic Flame* (1927) ; *The Woman Disputed* (1928) ; *She Goes to War* (1929) ; *Sous le ciel des tropiques* (*Hell Harbor,* 1930) ; *The Eyes of the World* (id.) ; *Lightnin'* (id.) ; *Merely Mary Ann* (1931) ; *Over the Hill* (id.) ; *The Woman in Room 13* (1932) ;

I loved You Wednesday (1933) ; *Carolina* (1934) ; *Marie Galante* (id.) ; *One More Spring* (1935) ; *le Médecin de campagne* (*The Country Doctor,* 1936) ; *Ramona* (id., *id.*) ; *Lloyds of London* (id.) ; *Maryland* (1940) ; *la Belle Écuyère* (*Chad Hanna,* id.) ; *A Yank in the RAF* (1941) ; *Adieu jeunesse* (*Remember the Day ;* id.) ; *Margie* (id., 1946) ; *Deep Waters* (1948) ; *Échec à Borgia* (*Prince of Foxes,* 1949) ; *Wait Till the Sun Shines Nellie* (952) ; *la Sarabande des pantins* (*O Henry's Full House,* 1952, un épisode) ; *Capitaine King* (*King of the Khyber Rifles,* 1953) ; *Quand soufflera la tempête* (*Untamed,* 1955) ; *la Colline de l'adieu* (*Love Is a Many-Splendored Thing,* id.) ; *Carrousel* (*Carousel,* 1956) ; *Cette terre qui est mienne* (*This Earth Is Mine,* 1959) ; *Un matin comme les autres* (*Beloved Infidel,* id.).

KING HU *(Hu Chin-Ch'üan/Hu Jinquan,* dit*), cinéaste et acteur chinois (Pékin 1931).* Issu d'une famille de lettrés, il fait des études à Pékin, notamment à l'Institut national des beaux-arts. En 1949, il se fixe à Hongkong, où il exerce divers métiers avant de devenir assistant d'un vétéran du cinéma chinois, Yan Jun, et, parallèlement, pendant les années 50, acteur sous le nom de Chin Ch'üan (*'l'Impératrice Wu'* [*Wu Zetian*], Li Hanxiang, 1960). Également scénariste, il est engagé à ce titre et comme acteur par les frères Shaw, qui viennent d'implanter leurs nouveaux studios à Kowloon. En 1963, il coréalise avec Li Hanxiang un musical romantique, *'l'Amour éternel'(Liang Shanbo yu Zhu Yingtai).* Cinéaste à part entière, il est scénariste et acteur de *Sons of the Good Earth (Dadi ernü),* qui marque le début en 1964 de son œuvre personnelle. Ensuite, il se spécialise dans le genre traditionnel et populaire appelé « *Wu xia pian* » (films de chevaliers errants, comparables aux films de samouraïs au Japon et aux films de cape et d'épée en Occident). Chez lui, les combats d'arts martiaux sont brillamment réalisés, photographiés dans des décors très élaborés, avec une chorégraphie parfaite – comme dans l'opéra de Pékin, dont il est un grand connaisseur. Il prend part personnellement, et avec un soin extrême, à chaque aspect de la confection du film et s'attache aux moindres détails dans sa recherche d'authenticité historique, avec un perfectionnisme que l'on ne trouve chez aucun autre réalisateur chinois. Après avoir tourné pour les Shaw Brothers son premier *Wu xia pian* (*Come Drink With Me* [*Da zuixia*], 1965), il part à Taïwan, où il réalise : *Dragon Gate Inn* (*Long men kezhan,* 1966) ; *A Touch of Zen* (*Xia nü,* 1969) ; *The Fate of Lee Khan* (*Yingchunge zhi fengbo,* 1973) ; *'la Crise du pavillon du jasmin d'hiver'* (*Yang chun gezhi fengbo, id.*) ; *The Valiant Ones* (*Zhong lie tu,* 1974). Il a aussi tourné en Corée du Sud *'Pluie dans la montagne'* (*Kong shan ling yu,* 1978) et *'Légende de la montagne'* (*Shan zhong chuan qi,* 1979), et, de nouveau à Taïwan, *'Mariage'* (*Zhongshen da shi,* 1981) et *All the King's Men* (1983). En 1990, il signe *Swordsman* (*Xiao ao jang hu*). C.M.C.

KINGSLEY *(Krishna Bahji* dit *Ben), comédien britannique (Smaiton, Yorkshire, 1943).* D'origine anglo-indienne, il débute dans une troupe d'amateurs de Manchester. Il tient son premier rôle professionnel à Londres en 1966 et entre à la Royal Shakespeare Company, où il interprétera la plupart des classiques du répertoire élisabéthain. La fresque historique de Richard Attenborough *Gandhi* (1982) révèle chez lui un sens de la composition et des dons mimétiques exceptionnels, une aptitude rare à assimiler les traits physiques d'un personnage et à en restituer la lente évolution au fil d'une vie. Cette virtuosité, ce goût de la transformation digne d'un Alec Guinness transparaissent aussi dans *Harem* (Arthur Joffé, 1985), *Maurice* (J. Ivory, 1987), *l'Île de Pascali* (Pascali Island, James Dearden, 1988) et, à la télévision, dans ses interprétations scrupuleuses de Lénine, Chostakovitch et Simon Wiesenthal. C'est dans le même registre qu'il excelle, comptable juif auréolé de sainteté dans *la Liste de Schindler* (S. Spielberg, 1993) ou possible tortionnaire sud-américain dans *la Jeune fille et la mort* (R. Polanski, 1995). O.E.

Autres Films : *Trahisons conjugales* (*Betrayal,* David Jones, 1982) ; *Turtle Diary* (John Irvin, 1984) ; *Testimony* (Tony Palmer, 1987) ; *Maurice* (J. Ivory, *id.*) ; *Élémentaire, mon cher... lock Holmes* (*Without a clue,* Thom Eberhardt, 1988) ; *Una vita scellerata* (Giacomo Battiato, 1990) ; *The Children* (T. Palmer, *id.*) ; *Bugsy* (B. Levinson, 1991) ; *Species* (Roger Donaldson, 1995).

KINO. Abréviation fam. (vieillie) de *cinéma.*

KINOPANORAMA → CINÉRAMA.

KINOPTIC → OBJECTIFS.

KINOSHITA *(Keisuke), cinéaste japonais (Hamamatsu 1912).* Après avoir étudié la photographie, il entre à la Cie Shōchiku en 1933, d'abord comme assistant cameraman, puis comme assistant réalisateur, notamment de Yasujirō Shimazu. Il écrit ensuite des scénarios de mélodrames familiaux et travaille avec Kōzaburō Yoshimura, tout en voyant de nombreux films étrangers : l'influence de René Clair, par exemple, sera déterminante sur son œuvre. Il dirige son premier film en pleine guerre, *'le Port en fleurs'* (*Hanasaku minato,* 1943), comédie satirique s'attaquant à la mentalité « nouveau-riche » de l'époque, et qui lui vaudra le prix des Jeunes Cinéastes, ex aequo avec Kurosawa, qui débute la même année à la Tōhō. Après des contributions forcées au « cinéma national » (*'l'Armée'* [*Rikugun,* 1944] et *'la Rue de la jubilation'* [*Kanko no machi*], id.), il commence, dès la fin de la guerre, une série de films comiques et de satires ayant trait au nouveau mode de vie des Japonais : *'Bravo, mademoiselle'/'À votre santé mademoiselle'* (*Ojōsan kampai,* 1949), comédie à l'américaine d'un style très neuf. Mais c'est avec *'le Retour de Carmen'* (*Karumen kokyō ni kaeru,* 1951), premier film en couleurs *(Fuji)* japonais, qu'il s'impose vraiment : satire du « nouveau Japon » à travers les aventures de deux strip-teaseuses retournant à leur village (Hideko Takamine et Toshiko Kobayashi). Il sera suivi de *'Un amour pur de Carmen'* (*Karumen junjo-su,* 1952), comédie délirante et hommage conscient à René Clair. C'est pourtant par ses films dramatiques, ou mélodramatiques, que Kinoshita se fera connaître en Occident, dans un style pudique et sentimental assez caractéristique des studios Ofuna de la Shōchiku : *'le Matin de la famille Osone'* (*Osone-he no asa,* 1946), *la Tragédie du Japon* (*Nihon no higeki,* 1953), chronique semi-documentaire des dures années d'après-guerre, *le Jardin des femmes/Génération éternelle* (*Onna no sono,* 1954) et surtout *Vingt-Quatre Prunelles* (*Nijūshi no hitomi,* 1954), décrivant les relations entre une institutrice et ses élèves sur une petite île pendant plusieurs années, avec Hideko Takamine, et *Elle était comme une fleur des champs* (*Nogiku no gotoki kimi nariki,* 1955), souvenirs des amours bucoliques d'un vieillard incarné par Chishu Ryu. Longtemps Kinoshita restera fidèle à un style de cinéma simple et pudique, à la limite de la sensiblerie, et fortement empreint d'humanisme : retenons, entre vingt films, *'Jours de joie et de tristesse'/'le Phare'* (*Yorokobi mo kanashimi mo ikutoshitsuki,* 1957), décrivant la vie d'une famille de gardiens de phare, et peut-être son film le plus émouvant, *la Ballade de Narayama* (*Narayama bushikō,* 1958), adapté d'un roman de Shichiro Fukazawa décrivant la dure survie des paysans dans une technique stylisée inspirée de kabuki, de même que *'la Rivière Fuefuki',* (*Fuefuki gawa,* 1960). *'Un amour éternel'* (*Eien no hito,* 1961), chronique de la vie d'une femme étalée sur trente ans, fait culminer ce style et ces recherches plastiques ; mais déjà *'le Parfum de l'encens'* (*Kōge,* 1964), traitant des hauts et bas de la vie de trois générations de geishas, accuse une tendance à l'académisme et au sentimentalisme propres à la Shōchiku, et aggravés par le début de la décadence générale du cinéma japonais. Ayant quitté la Shōchiku en 1965, Kinoshita ne réalisera plus que des mélodrames très inférieurs à ses œuvres précédentes : *'Nostalgie des flûtes et des tambours'* (*Natsukashiki fue ya taiko,* 1967) ou encore *'Amour et rupture au Sri-Lanka'* (*Surilanka no ai to wakare,* 1976). Après une longue période à la télévision, il revient au cinéma en 1979 avec *'Crime par impulsion : c'est le fils !' (Shodo satsujin : musuko yo !)* et *les Enfants de Nagasaki* (*Kono ko o nokoshite,* 1983). M.T.

KINOTON → PROJECTION.

KINSKI *(Nikolaus Günther Nakszynski,* dit *Klaus), acteur allemand, d'origine polonaise (Zappot, territoire de Dantzig* [auj. *Sopot, Pologne*], *1926 - Lagunitas, Ca., 1991).* Acteur de théâtre au lendemain de la guerre, il trouve rarement des rôles au cinéma avant 1960, malgré quelques bonnes prestations en 1954-55 : entre autres *Louis II de Bavière* (H. Käutner) ou *Sarajevo* (Fritz Körtner). Il figure régulièrement dans la série d'adaptations de romans d'Edgar Wallace, sous la direction de Karl Anton, Alfred Vohrer, F. J. Gottlieb et quelques autres (1960-1964). À partir de 1965, il apparaît dans de nombreux westerns italiens et devient un des acteurs les plus originaux du genre (*El Chuncho,* D. Damiani, 1967 ; *le Grand Silence,* S. Corbucci, 1968 ; *Black Killer,* Carlo Croccolo, 1971). Ses apparitions déclenchent déjà la ferveur et quelques-uns n'hésitent pas à déceler des traces de génie dans son jeu. Il tourne beaucoup, et n'importe quoi, guerre, épouvante, thriller, érotisme... et parvient à sauver quelques séquences grâce à ses interprétations torturées, son cabotinage flamboyant, son adhésion aux personnages de tueurs, déments, sadiques, paranoïaques qu'on lui demande systématiquement d'incarner. Dans *Aguirre, la colère de Dieu* (1972), il trouve un équilibre étonnant entre ses tendances personnelles et l'univers du cinéaste Werner Herzog. Avec ce film et *L'important c'est d'aimer* (A. Żulawski, 1975), il obtient une large consécration, qui lui permet d'abandonner petits budgets et films de genre. Il fait des créations saisissantes dans des œuvres telles *Nuits d'or* (Serge Moati, 1977), ou *la Chanson de Roland* (Franck Cassenti, 1978) ; et de nouveau chez Herzog : *Nosferatu* (1979), *Woyzeck* (1979), *Fitzcarraldo* (1982) et *Cobra Verde* (1987). Capable d'un jeu plus sobre (*la Femme-Enfant,* Raphaële Billetdoux, 1980), il reste en danger permanent de ne produire que son numéro habituel. En 1990, il réalise *Paganini* en s'octroyant le rôle principal. D.S.

KINSKI *(Nastassja), actrice allemande (Berlin 1961).* Mannequin célèbre dès son plus jeune âge, elle fait ses débuts avec une composition qui retient par la sensibilité sous la direction de Wim Wenders dans *Faux Mouvements* (1975). Elle est remarquée dans *la Fille* (A. Lattuada, 1978) et surtout dans le rôle-titre de *Tess* (R. Polanski, 1979). Depuis, elle connaît une activité intense dans les studios européens et américains : *Coup de cœur* (F. F. Coppola, 1981) ; *la Féline* (P. Schrader, 1982) ; *la Lune dans le caniveau* (Jean-Jacques Beineix, 1983) ; *Frühlingssinfonia* (P. Schamoni, *id.*) ; *Surexposé (Exposed,* James Toback, *id.) ; Faut pas en faire un drame* (*Unfaithfully Yours,* Howard Zieff, 1984) ; *The Hotel New Hampshire* (T. Richardson, *id.*) ; *Maria's Lovers* (A. Mikhalkov-Kontchalovski, *id.*) ; *Paris Texas* (W. Wenders, *id.*) ; *Harem* (Arthur Joffé, 1985) ; *Révolution* (H. Hudson, *id.*) ; *Maladie d'amour* (J. Deray, 1987) ; *les Eaux printanières* (J. Skolimowski, 1989) ; *le Secret* (F. Maselli, 1990) ; *le Soleil même la nuit* (P. et V. Taviani, 1990) ; *L'alba* (F. Maselli, 1991) ; *Si loin si proche* (W. Wenders, 1993); *La bionda* (Sergio Rubini, 1994). Elle est la fille de Klaus Kinski . F.LAB.

KINUGASA *(Teinosuke), cinéaste japonais (préf. de Mie 1896 - Kyōto 1982).* Un des plus notables vétérans du cinéma japonais, Kinugasa a débuté comme « onnagata » (travesti féminin) au kabuki, puis, dès 1917, au cinéma : en un an, il joue dans 44 films de la Cie Nikkatsu ! En 1920, il écrit et réalise son premier film, *'la Mort de la sœur' (Imōto no shi),* tourné en trois jours, et où il tient lui-même le rôle de la sœur. Mais, devant le succès de « la révolution des actrices », qui supplantent les « onnagata », il devient réalisateur à part entière à la Cie créée par Shōzō Makino : dès 1922, il tourne *'Ah ! le policier Konishi'* (*Aa ! Konishi junsa, CO* Tomu Uchida) et *'Étincelle' (Hibana).* Suit une quantité incroyable de films (de cinq à douze par an), le plus souvent des mélodrames célèbres refaits plusieurs fois, comme *'le Démon doré'* (*Konjiki yasha,* 1923), ou *'le Village triste'* (*Sabishiki mura,* 1924), mais aussi des films d'époque ressortissant au genre chambara, tels *'l'Amour et le guerrier'* (*Koi to bushi,* 1925), *'Tenichibo et la secte Iga'* (*Tenichibo to Igatū,* 1926). Quittant alors la Cie Makino, Kinugasa collabore au mouvement littéraire dit « néo-sensationniste », en produisant et réalisant *'Une page folle'* (*Kurutta ippeiji,* 1926), sur une idée de Yasunari Kawabata et de Riichi Yokomitsu : film expérimental audacieux, s'inspirant des techniques expressionnistes alors à l'honneur, et se déroulant dans un asile d'aliénés, *'Une page folle'* est un jalon essentiel du cinéma muet japonais considéré comme art. Entre dix films de commande à la Cie Shōchiku, il récidive en 1928, avec *Carrefours/ Routes en croix (Jūjiro),* mélodrame typiquement expressionniste, influencé par le Kammerspiel allemand et le montage soviétique, avant de faire un long voyage en URSS (où il rencontre Eisenstein et Poudovkine) et en Europe occidentale, présentant *Carrefours* partout où il passe, notamment à Berlin et à Paris. De retour au Japon, il tourne *'Avant l'aube'* (*Reimei izen,* 1931), qui a des difficultés avec la censure, et passe au parlant avec une version remarquable des *47 Rōnin* (*Chūshingura,* 1932), dont la copie est perdue, comme la plupart des films de cette époque. Il tourne alors de nombreux jidai-geki, entre autres le célèbre *'la Vengeance d'un acteur'* (*Yukinojo Henge,* 1935-36, en 3 parties), dont Kon Ichikawa réalisera un remake en 1963, avec le même acteur Kazuo Hasegawa (alors appelé Chojirō Hayashi). Ses superproductions historiques comme *'la Bataille d'été à Ōsaka'* (*Ōsaka natsu no jin,* 1937) ou *'la Bataille de Kawanakajima'* (*Kawanakajima gassen,* 1941) sont nettement moins réussies, mais on fait un succès à *'la Princesse-serpent'* (*Hebihime-sama,* 1940, en deux parties). Après des films de commande « nationaux » tournés pendant la guerre, il se retrouve en 1946 avec *'Seigneur d'un soir' (Aru yo no tonosama),* une très amusante comédie satirique se déroulant pendant l'époque Meiji, et moquant les nouveaux riches, quoique avec distance. *'L'Actrice'* (*Joyū,* 1947) et *'le Rémora'* (*Kobanzame,* 1948) sont moins importants, mais Kinugasa se spécialise bientôt dans les films historiques à la Daiei, où il réalisera entre autres *'la Légende du Grand Bouddha'* (*Daibutsu Kaigen,* 1952) et surtout le fameux *la Porte de l'enfer* (*Jigoku-Mon,* 1953), qui lui vaudra la Palme d'or à Cannes en 1954, surtout pour ses qualités plastiques (il s'agissait du premier film en Eastmancolor au Japon). Par la suite, il ne tournera plus d'œuvres de premier plan, mais un certain nombre de mélodrames comme *Contes de la ville basse près de la rivière/la Zone près de la rivière* (*Kawa no aru shitamachi no hanashi,* 1955, d'après Kawabata) ou des films plus chatoyants comme *'le Héron blanc'* (*Shirasagi,* 1958) et *'la Lanterne'* (*Uta-andon,* 1960) – tous deux d'après Kyoka Izumi –, se déroulant dans les décors de la période Meiji. Après une coproduction avec l'URSS, *'le Petit Fuyard'* (*Chiisana tobosha,* 1966 ; co : Kandorovich), Kinugasa cesse ses activités cinématographiques, tout en envisageant constamment de nouveaux projets et en voyageant à l'étranger, où il fait alors connaître *Une page folle,* dont il a retrouvé une copie dans son grenier ! M.T.

KIRAL *(Erden), cinéaste turc (Gölcük 1942).* Après des études à l'académie des beaux-arts d'Istanbul, il débute au cinéma comme assistant, notamment pour Lüfti Akad et Osman Seden. Il réalise de nombreux films publicitaires et deux courts métrages avant de se faire remarquer par *'le Canal'* (*Kanal,* 1978) et *'Sur les terres fertiles'* (*Bereketli Topraklar Üzerinde,* 1980). Ces films, où l'on dénonce avec didactisme l'injustice qui règne dans les milieux ruraux, sont deux bons exemples de la vague longtemps dominante : le réalisme social. Il continue dans cette voie avec *'Une saison à Hakkâri'* (*Hakkâri de Bir Mevsim,* 1982), *'le Miroir'* (*Ayna,* 1984) et *'Dilan'* (id., 1987), tout en cherchant à développer un langage cinématographique propre pour innover ce genre. Ni cette recherche, ni sa tentative d'élargir le champ de ses sujets avec *'Période de chasse'* (*Av Zamanı,* 1988) n'ayant abouti à des résultats vraiment convaincants, il lui a fallu attendre cinq ans pour réaliser une œuvre de maturité : *'l'Exil bleu'* (*Mavi Sürgün,* 1993). ME.B.

KIRIENKO *(Zinaïda), actrice soviétique (Makhatch Kaka, Ukraine, 1933).* Elle est diplômée de la faculté d'acteurs du VGIK en 1958. Encore étudiante, elle est engagée par son professeur, Sergueï Guerassimov, pour interpréter l'un des rôles principaux du *Don paisible,* où elle affirme déjà une personnalité remarquable. Puis Youlia Solntseva la fait jouer dans son *Poème de la mer* (1958) et plus tard dans *Récit des années de feu* (1961) et *la Desna enchantée* (1964). Mais c'est sa participation en vedette au *Destin d'un homme* (1959) de Bondartchouk qui lui vaut consécration et popularité du fait de sa beauté sombre et racée, de la sobre sincérité de son jeu et de sa présence dramatique. Elle n'est apparue par la suite que dans des films de moindre importance : *l'Amour de la terre* (E. Matveev, 1974), *le Destin* (*id.,* 1977) et *Ils étaient acteurs* (*Oni byli aktiorami,* Gueorgui Natanson, 1981). M.M.

KIRKWOOD *(James), acteur et cinéaste américain (Grand Rapids, Mich., 1875 - Woodland Hills, Ca., 1963).* Il débute à l'écran en 1909 à la Biograph et joue des rôles majeurs dans les premiers films de D. W. Griffith. En 1912, il passe à la mise en scène, dirigeant notamment Mary Pickford dans neuf films (et s'octroyant le principal rôle masculin dans trois d'entre eux). On le voit également aux côtés de Lillian Gish et de Blanche Sweet. Il abandonne la réalisation à la fin des années 10, mais poursuit une longue carrière d'acteur jusqu'à sa mort : *Home, Sweet Home* (D. W. Griffith, 1914), *The Luck of the Irish* (A. Dwan, 1920), *Bob Hampton of Placer* (M. Neilan, 1921), *Human Wreckage* (John

Griffith Wray, 1923), *That Royle Girl* (D.W. Griffith, 1925), *Butterflies in the Rain* (Edward Sloman, 1926), *Over the Hill* (H. King, 1931), *Hired Wife* (George Melford, 1934), *The Last Posse* (A. Werker, 1953). J.-L.P.

KIRSANOFF *(David Kaplan* dit *Dimitri), cinéaste français d'origine estonienne (Dorpat 1899 - Paris 1957).* Arrivé à vingt ans à Paris pour étudier le violoncelle au Conservatoire, il y reste jusqu'à sa mort, réalisant, le plus souvent seul et méconnu, une vingtaine de films, dont les premiers figurent parmi les plus belles œuvres du cinéma indépendant de tous les temps : *l'Ironie du destin* (1922) n'existe plus, mais *Ménilmontant* (1926) et *Brumes d'automne* (id.) prouvent à l'envi le génie de ce cinéaste qui s'est formé lui-même tout en jouant un moment, comme Grémillon, dans l'orchestre du ciné Max Linder. Refusant les intertitres et misant tout sur l'image, il rend périmée la fameuse opposition de Bazin : comme Epstein, il est autant un cinéaste du montage (fait dans la caméra, même dans la scène ultrarapide du meurtre de *Ménilmontant*) qu'un cinéaste du réel (qui tourne en extérieurs, la caméra à la main).

Dans *Brumes d'automne,* aussitôt imité aux États-Unis, il élabore autour de son héroïne, Nadia Sibirskaia, son épouse, vedette de ses premiers films — grâce à la surimpression, aux subtiles gradations lumineuses, aux reflets, aux fondus —, un climat poétique de nostalgie qui annonce les films « subjectifs » les plus modernes (de Brakhage à J.-P. Dupuis). De ses autres films, souvent des besognes alimentaires comme *Quartier sans soleil* (1945 ; RÉ : 1939) ou *le Crâneur* (1955), il ne retenait lui-même en 1955 que *Deux Amis* (1946), *Arrière-Saison* (1950) et *Mort d'un cerf / Une chasse à courre* (1951). Pourtant *Rapt* (1934), tourné en Suisse d'après Ramuz et où l'image est subtilement synchronisée à une musique semi-bruitiste de Honegger et Arthur Hoérée (avec recours aux ondes Martenot), ne manque pas d'intérêt. D.N.

KISHI *(Keiko), actrice japonaise (Yokohama 1932).* En 1951, l'année de ses débuts à la Shōchiku, elle ne tourne pas moins de treize films, dont la plupart sont des mélodrames. Elle devient célèbre dès 1953 avec un des plus grands succès du cinéma japonais *'Quel est ton nom ?' (Kimi no na wa)* de Hideo Ooba, en trois parties, repris d'un feuilleton radiophonique très populaire. Elle joue alors des rôles de jeune femme vive et sensible, comme dans *'le Jardin des femmes'* (K. Kinoshita, 1954), ou *'Voici une fontaine'* (T. Imai, 1955). Après un film pour Ozu, *Printemps précoce* (1956), elle entame une carrière internationale avec *Typhon sur Nagasaki,* d'Yves Ciampi (1957), réalisateur qu'elle épousera. On l'a vue depuis dans des films très divers, souvent dirigés par Masaki Kobayashi (*'Je t'achèterai',* 1956 ; *'l'Héritage',* 1962 ; *Kwaidan,* épisode *la Femme des neiges,* 1964), Ichikawa (*Tendre et Folle Adolescence,* 1960), Toyoda (*'Pays de neige',* 1957), Kinoshita (*'Rafale de neige'* [*Kazana*], 1959), Koichi Saito (*'le Rendez-vous'* [*Yakusoku*], 1972) ou Kumaï (*les Passions du Mont Aso,* 1990). Elle a également joué dans des productions étrangères comme *les Pianos mécaniques* (J. A. Bardem, 1965) ou *Yakuza* (S. Pollack, 1975). M.T.

KISHIDA *(Kyōko), actrice japonaise (Tōkyō 1930).* Fille d'un célèbre dramaturge, Kunio Kishida, elle étudie l'art dramatique au Bungaku-Za, et joue d'abord sur scène. Après un rôle de figuration dans *'Eaux troubles'* (T. Imai, 1953), elle fait ses véritables débuts au cinéma dans *la Condition de l'homme* (3e partie, M. Kobayashi, 1961). Suivent ensuite des interprétations très diverses, en général de femmes sensuelles ou de prostituées (à cause de son physique marqué), en particulier dans *Histoire cruelle du Bushido* (Imai, 1963), *'le Paria'* (K. Ichikawa, 1962), *le Goût du saké* (Y. Ozu, 1962), ou encore *Manji* (Y. Masumura, 1964). Mais c'est surtout son rôle de *la Femme des sables* (H. Teshigahara, 1964), face à Eiji Okada, qui, grâce à son talent, fait accepter pleinement à l'écran l'impact érotique de Kyōko Kishida. Dans les années 70-80, elle a encore interprété un grand nombre de films, dont *la Mer et le Poison* (K. Kumai, 1986). M.T.

KITANO *(Takeshi,* dit *« Beat » Takeshi), cinéaste et acteur japonais (Tōkyō, 1947).* D'abord comédien de *« manzai »* (comique verbal) avec son complice « Beat » Kiyoshi dans le duo « Two beats », il devient rapidement célèbre à la télévision, où il anime de nombreuses émissions satiriques. Oshima le remarque et l'engage pour le rôle du sergent Hara dans

Furyo (1983). Il passe à la mise en scène en remplaçant un réalisateur en 1989 sur le tournage de *Prenez garde : cet homme est dangereux / Violent Cop (Sono otoko kyobo nitsuki),* qui révèle un sens très personnel du cinéma sur fond de violence stylisée. Il tourne ensuite *3 - 4 = Octobre / Boiling Point* (*3 - 4 × jugatsu,* 1990), *A Scene at the Sea* (*Ano natsu ichiban shizukana umi,* 1991) et surtout *Sonatine* (1993), film de *yakuza* inhabituel qui l'impose à l'étranger. Malgré un très grave accident de moto, il a pu terminer en 1994 *Ça va tout le monde ? / Getting any ? (Minna yatteruka),* une comédie loufoque qui marque un retour au ton irrévérencieux de ses sketches télévisés.
M.T.

KJAERULFF-SCHMIDT *(Palle), cinéaste danois (Esbjerg 1931).* Dès l'âge de vingt ans, il forçait l'admiration par ses mises en scène remarquables de pièces de Tennessee Williams, Beckett et Osborne. Vers la fin des années 50, ses fréquentes collaborations avec l'auteur Klaus Rifbjerg l'amenèrent à s'intéresser au cinéma et, avec *Week-End* (1962), il devait réussir une percée comme le cinéma danois n'en avait pas connu depuis longtemps. Cette peinture de jeunes couples d'une trentaine d'années marque la première réflexion authentique de la génération danoise d'après-guerre. Ce coup d'éclat est suivi par *'Deux'* (*To,* 1964) et par un sketch de la coproduction interscandinave *'4 × 4'* (l'épisode *'Manœuvres d'été'* [*Sommerkrig*]). *'Il était une fois une guerre'* (*Der var engang en krig,* 1966) propose une approche de l'occupation nazie au Danemark vue par un adolescent. Après *'l'Histoire de Barbara'* (*Historien om Barbara,* 1967), *'Dans les vertes forêts'* (*I den gronne skov,* 1968) et *'Pense à un nombre'* (*Taenk på ett tal,* 1969), Kjaerulff-Schmidt met en scène des pièces de théâtre pour la télévision, où il s'est déjà plusieurs fois illustré. Il revient au cinéma en 1984 avec *Tukuma* et en 1987 avec *Peter von Scholten.*
P.CO.

KJELLIN *(Alf), acteur et cinéaste suédois (Lund 1920 - Los Angeles, Ca., US, 1988).* C'est David O. Selznick qui remarqua ce jeune homme séduisant, d'une taille exceptionnelle et qui devait tenir des rôles de jeune premier dans les années 40. En 1949, Minnelli lui confie la vedette de *Madame Bovary* (sous le pseudonyme de Christopher Kent), mais c'est à son interprétation antérieure du jeune homme rebelle dans deux œuvres capitales d'Alf Sjöberg, *Tourments* (1944, sur un scénario de I. Bergman) et *Iris et le cœur de lieutenant* (1946), qu'il doit la célébrité. S'il ne joue que dans deux films d'Ingmar Bergman, *Cela ne se produirait pas ici* (1950) et *Jeux d'été* (1951), en revanche il incarne l'alter ego du réalisateur dans *la Femme sans visage* écrit pour Gustaf Molander (1947) par Bergman lui-même.

À Hollywood, où il s'est installé, Kjellin, qui a joué dans des productions à gros budget comme *la Nef des fous* (S. Kramer, 1965) et *Destination Zebra : station polaire* (J. Sturges, 1968), a également réalisé des séries télévisées. Il a mis en scène plusieurs longs métrages en Suède – dont *Une fille sous la pluie* (*Flickan i regnet,* 1955), *Rencontre au crépuscule* (*Möteni Skymningen,* 1957), *le Jardin des plaisirs* (*Lustgården,* 1961), sur un scénario écrit en collaboration par Bergman et Erland Josephson, et *Siska* (1962) –, aux États-Unis (*Midas Run,* 1969) et en Grande-Bretagne (*le Clan des McMasters* [*The McMasters*], 1970).
P.CO.

KLEIN *(William), cinéaste et photographe américain (New York, N. Y., 1928).* William Klein s'intéresse d'abord aux arts plastiques. Il travaille, dès son arrivée à Paris en 1949, avec Fernand Léger, réalise des peintures murales pour des architectes français et italiens et expose beaucoup en Europe. Il s'adonne ensuite à la photographie et est l'auteur des albums *New York, Rome, Moscou* et *Tōkyō.* Il est attaché à de nombreux journaux de mode, dont *Vogue* (1955-1965). Il réalise, en 1958, son premier court métrage, *Broadway by Light,* et conçoit, en tant que conseiller artistique, le style photographique de *Zazie dans le métro* de Louis Malle (1960).

Dans son œuvre filmée, William Klein demeure un témoin attentif du monde moderne. Les univers de la mode (*Qui êtes-vous Polly Maggoo ?,* id., 1966), de la politique conçue comme une vaste bande dessinée (*Mr. Freedom,* 1969) et du cadre de vie futuriste (*le Couple témoin,* 1977), sont croqués, au niveau de la fiction, de manière très stylisée. L'auteur ouvrage beaucoup les décors et compte sur leur impact visuel.

William Klein est aussi un documentariste de talent. L'Amérique est souvent questionnée. À travers elle, l'auteur s'intéresse surtout au sort des Noirs, à leurs combats et à leur culture : *Cassius le Grand* (1964), *Eldridge Cleaver, Black Panther* (1969), *Festival panafricain de la culture* (id.), *Muhammad Ali the Greatest* (1974), *The Little Richard Story* (1980). William Klein a également réalisé un document remarqué sur mai 68, *Grands Soirs et petits matins* (1968-1978), et un film sur le monde du sport : *The French* (1982). R.BA.

KLEIN-ROGGE *(Rudolf), acteur allemand (Cologne 1888 - Graz, Autriche, 1955).* Venu du théâtre, il tient un petit rôle dans *le Cabinet du Dr Caligari* (R. Wiene, 1919). Il interprète l'année suivante *Das wandernde Bild* de Fritz Lang, sur un scénario de sa femme Thea von Harbou, qui divorcera pour épouser Lang en 1924. On voit Klein-Rogge dans tous les films du réalisateur dans les sept années qui suivent. Il y incarne une volonté forcenée de puissance : un noble vénitien dans *les Trois Lumières* (1921), Mabuse assoiffé de pouvoir dans *le Docteur Mabuse* (1922), Attila dans *la Vengeance de Kriemhilde* (*les Nibelungen,* 1924), Rotwang, savant fou de *Metropolis* (1927) ou l'hypnotiseur Haghi des *Espions* (1928). Il n'abandonne pas ce registre et incarne le sinistre docteur dans *le Testament du Dr Mabuse* (1933). On le retrouve dans *Elizabeth und der Narr* (T. von Harbou, 1933), *les Deux Rois* (H. Steinhoff, 1935), *l'Empereur de Californie* (L. Trenker, 1936), *Madame Bovary* (G. Lamprecht, 1937), *Crépuscule* (V. Harlan, *id.*), *Hochzeit auf Bärenhof* (C. Froelich, 1942). Il est souvent parvenu à rendre crédibles et en tout cas saisissantes des figures guettées ou ravagées par la déraison ou la tentation du pire. J.-P.B.

KLICK *(Roland), cinéaste allemand (Hof 1939).* Avant de faire du cinéma, il erre à travers l'Europe et le Moyen-Orient, écrit de la musique, dirige un orchestre de jazz, fait des études théâtrales... En 1962-1965, il réalise trois courts métrages et travaille comme cameraman, puis tourne un moyen métrage : *Jimmy Orpheus* (1966). Ses premières œuvres participent du Jeune Cinéma allemand des années 60, en particulier *Un petit garçon* (*Bübchen – Der kleine Vampir,* 1968) et ses deux films les plus appréciés : *Deadlock* (1970) et *Supermarché* (*Supermarkt,* 1973). Son cinquième titre est une adaptation d'un best-seller de Johannes Mario Simmel, *Sois tranquille, chère patrie* (*Lieb Vaterland, magst ruhig sein,* 1976). Il est lui-même le producteur et le scénariste de ses films, et travaille pour la télévision sous le pseudonyme de Bernhard Stein. D.S.

KLIMOV *(Elem)* [*Elem Germanovič Klimov*], *cinéaste soviétique (Stalingrad* [auj. *Volgograd*] *1933).* Ingénieur aéronautique, puis diplômé de la faculté de réalisation du VGIK en 1964, il acquiert la notoriété dès son premier film, *'Soyez les bienvenus'/'Entrée interdite aux étrangers'* (*Dobro požalovat'ili postoronnim vhod vosprešččën,* 1964) : cette satire de la bureaucratie, située dans un camp de vacances pour pionniers dont le directeur encourage la délation et censure Maïakovski, suscite en haut lieu des réticences qui vont se manifester à nouveau par l'interdiction à l'encontre des *'Aventures d'un dentiste'* (*Pohoždenija zubnogo vrača,* 1965), nouvelle critique d'un système social qui tolère mal les individus d'exception. Après le succès de *'Sport, sport, sport'* (1970), document-fiction drolatique sur l'histoire des sports, il connaît de nouvelles difficultés avec *Agonia* (*Agonija,* 1975), inspiré par la figure de Raspoutine et qui sera « retenu » pendant plusieurs années. Entre-temps, il a participé avec Marlen Khoutziev et Guerman Lavrov à la finition du film laissé inachevé par Romm à sa mort, *'Malgré tout, j'ai confiance'* (*I vsë-taki ja verju,* 1974). Durement frappé par la fin tragique en 1979 de son épouse Larissa Chepitko, il lui a consacré un court métrage (*Larissa,* 1980) puis a tourné le film qu'elle s'apprêtait à diriger, et qui est l'adaptation d'un récit de Valentin Raspoutine, *Adieu Matiora,* sous le titre *les Adieux à Matiora* (*Proščanie,* 1981). En 1985, il remporte le Grand Prix du Festival de Moscou avec *Va et regarde / Requiem pour un massacre (Idi i smotri),* saisissante évocation d'un Oradour en Biélorussie en 1943. M.M.

KLINE *(Herbert), chef opérateur et cinéaste américain (Chicago, Ill., 1909).* Journaliste (dès 1931) dans des publications affiliées au John Reed Club, il s'essaie à la dramaturgie en 1934 pour le groupe progressiste New Theatre. Mais il part pour l'Espagne comme correspondant de guerre du côté républicain, et s'improvise cameraman (avec le photographe hongrois Geza Karpathi) pour tourner le matériel qui servira à la réalisation de *Heart of*

Spain (1937), reportage sur la guerre civile et première production du collectif Frontier Films. Toujours en Espagne, il réalise (avec Cartier-Bresson) *Return to Life* (1938), document sur la rééducation des blessés de guerre. En Tchécoslovaquie, il réalise *Crisis* (1938), reportage sur la crise de Munich vue de Prague ; en Pologne, *Lights out in Europe* (1940), sur l'invasion nazie. Son film le plus fameux est *le Village oublié* (*Forgotten Village,* 1941 ; scénario de Steinbeck), remarquable documentaire sur un village mexicain. Après la guerre, il poursuit dans la même ligne de témoignage social avec *My Father's House* (1947), sur Israël, et *The Kid From Cleveland* (1949). Il a également collaboré aux scénarios de *Youth Runs Wild* de Mark Robson (1944) et de *Prince of Pirates* de Sidney Salkow (1953), et tourné *The Challenge* (1976), documentaire sur l'art moderne. M.M.

KLINE *(Kevin), acteur américain (St. Louis, Mo., 1947).* Il est apparu à l'écran, sans crier gare, dans un rôle d'intellectuel caractériel et suicidaire, donnant une brillante réplique Meryl Streep, dans *le Choix de Sophie* (A. Pakula, 1982). Depuis, il n'a plus quitté la vedette. Sa prestance à la Errol Flynn (soulignée souvent par une fine moustache), son dynamisme inépuisable et une indéniable tendance au cabotinage flamboyant le rendent très sympathique. On peut trouver qu'il en fait un peu trop en macho caricatural dans *Je t'aime à te tuer* (L. Kasdan, 1990), surtout après une prestation sensiblement identique, mais plus drôle, dans *Un poisson nommé Wanda* (C. Crichton, 1988). Il peut jouer également en nuances, comme il l'a prouvé dans *les Copains d'abord* (Kasdan, 1983) ou dans *le Cri de la liberté* (R. Attenborough, 1987). Il était une des rares bonnes idées de distributions dans *Chaplin* (Attenborough, 1993), où il incarnait avec panache Douglas Fairbanks. C.V.

KLINGLER *(Werner), cinéaste allemand (Stuttgart 1903 - Berlin 1972).* Auteur de films ouvertement commerciaux, il connaît la gloire au temps du nazisme et remporte quelques succès avec, notamment, *la Fille de la steppe* (*Die barmherzige Lüge,* 1939) et *Titanic* (1943, œuvre de commande de Goebbels, commencée par Herbert Selpin). Après la guerre, il ne signe pratiquement plus que des films policiers et d'espionnage, de facture médiocre : *Razzia* (1947) ; *l'Espion de la dernière chance* (*Spion für Deutschland,* 1956) ; *Filles interdites* (*Frauenartz Dr. Bertram,* 1957) ; *les Fiancées d'Hitler* (*Liebensborn,* 1962) ; *le Secret des valises noires* (*Das Geheimnis des schwarzen Koffer,* 1963). F.LAB.

KLOPČIČ *(Matjaž), cinéaste slovène (Ljubljana, Slovénie, 1934).* Il fait des études d'architecture et devient en 1958 assistant du décorateur de cinéma Niko Matul. En 1960, il réalise son premier court métrage, *Du côté du soleil (Na sončni strani ceste),* essai poétique de cinéma-vérité suivi par deux autres courts métrages très remarqués. Après des études comme stagiaire à Stuttgart et à Paris, il débute dans le long métrage en 1966 avec *Une histoire qui n'existe pas (Zgodba, ki je ni) :* c'est la fable d'un géant en proie à la peur et qui parcourt le pays ; il y rencontre des hommes et des femmes dont il n'arrive pas à cerner la personnalité. Il dirige ensuite *Sur les ailes en papier* (*Na papirnatih avionih,* 1967), déchirante et élégiaque histoire d'amour dans des paysages enchantés. Le style littéraire et précieux de l'auteur s'affirme dans *la Fête des morts* (*Sedmina,* 1969), d'après le roman de Beno Zupančič : émouvante évocation des années de guerre vues par les yeux d'un jeune idéaliste qui va partir combattre comme partisan. L'année suivante, il crée une parabole politique sur le pouvoir, *Oxygène (Oksigen),* à la thématique insolite dans son œuvre, et, en 1972, *Fleurs en automne (Cvtje v jeseni).* Avec *la Peur* (*Strah,* 1974), il utilise un bordel de luxe fin de siècle pour décrire toute une société corrompue vouée à l'autodestruction. D'un style très différent, *le Veuvage de Karolina Zasler* (*Vdovstvo Karoline Žašler,* 1976) développe une satire féroce de la vie d'une petite communauté de province trop vite balayée par l'industrie. Avec *Tourments* (*Iskanja,* 1979), il revient à ses thèmes de la mémoire et du passé, imaginant l'aventure romantique d'un jeune clerc qui découvre en Italie la beauté de l'amour. En 1985, il signe *Héritage (Dediščina)* et en 1988, *Mon papa koulak socialiste (Moj ota, socijalisticni kulak).* Il est le talent le plus original de sa génération dans le modeste mais vivant cinéma de Slovénie. L.C.

KLÖPFER *(Eugen), acteur allemand (Rauhenstich-Talheim 1886 - Wiesbaden 1950).* Le cinéma l'accueille en 1918 après quelques années qu'il a consacrées au théâtre. Dès lors, il tourne beaucoup, et se fait remarquer dans des films de Hanns Kobe (*Torgus,* 1921), Karl Grüne (*la Rue,* 1923), Murnau, E. A. Dupont, Richard Oswald. La période nazie lui apporte les plus grands honneurs : directeur d'un des plus importants théâtres de Berlin, administrateur de la UFA, il est proclamé « acteur d'État ». Il trouve ses grands rôles dans *Pygmalion* (Erich Engel, 1935), *Liselotte von der Pfalz* (C. Froelich, *id.*), *Jugend* (V. Harlan, 1938), *Friedemann Bach* (Traugott Müller, 1941), *la Ville dorée* (Harlan, 1942). D.S.

KLOS *(Elmar), cinéaste tchèque (Brünn* [auj. *Brno*], *Autriche-Hongrie, 1910 - Prague 1993).* Après des études de droit, il choisit d'être scénariste et acteur (1926). À Prague (à partir de 1934), il se signale par ses activités de scénariste et de documentariste. En 1952, il s'associe avec Jan Kadar pour une longue et féconde collaboration (où il remplit surtout les fonctions de scénariste) marquée en particulier par le succès de *la Boutique sur la grand-rue / le Miroir aux alouettes* (*Obchod na korze,* 1965, Oscar du meilleur film étranger). Après l'exil de Kadar aux États-Unis, il s'est consacré à l'enseignement de la scénaristique puis à des travaux personnels. (→ KADAR [*Jan*].) M.M.

KLUGE *(Alexander), cinéaste allemand (Halberstadt 1932).* Étudiant en histoire et en droit, il obtient le doctorat et s'établit comme avocat en 1958. Il s'intéresse au cinéma, devient assistant auprès de Fritz Lang (expérience qu'il juge décevante) et réalise plusieurs courts métrages en 1960-1962. En 1962, il est parmi les rédacteurs du manifeste d'Oberhausen, qui annonce le renouveau du cinéma allemand. Dirigeant l'Institut für Filmgestaltung de l'université d'Ulm, ce pionnier du nouveau cinéma crée (1963) sa propre société de production et contribue (1965) à la Fondation du curatorium du jeune cinéma allemand (qui financera de nombreuses premières œuvres). Il tourne en 1965-66 son premier long métrage, *Anita G. (Abschied von Gestern),* adapté d'une nouvelle qu'il a publiée dans son recueil *Lebensläufe* (1962). Couronné à Venise, ce film, qui révèle (avec le premier Schlöndorff) l'existence d'une Nouvelle Vague en Allemagne, annonce les constantes du style de Kluge (au-delà de certaines influences godardiennes) : importance du montage, procédés de distanciation, refus de tout esthétisme, recours à la voix off et au découpage en chapitres, insertion de séquences quasi documentaires, ironie dans la narration, critique sociale fondée sur une analyse des contradictions des personnages... Une puissante personnalité s'affirme dans les films suivants : *les Artistes sous le chapiteau : perplexes* (*Die Artisten in der Zirkuskuppel : ratlos,* 1967), film d'allure nettement moins réaliste, plus symbolique, plus nonsensique aussi ; *Travaux occasionnels d'une esclave* (*Gelegenheitsarbeit einer Sklavin,* 1973), un approfondissement de la méthode d'*Anita G.* En 1974, avec *In Gefahr und grösster Not bringt der Mittelweg den Tod* (CO E. Reitz), il mêle plusieurs récits et joue avec les mythes politiques et cinématographiques. La théorie du montage qui fonde ce dernier film triomphe dans *la Patriote* (*Die Patriotin,* 1979), dont les apparences de complexité (s'agissant de l'histoire de l'Allemagne et des difficultés de la relater) ne masquent ni la lucidité ni l'humour. En 1975, il avait renoué avec une méthode de narration plus linéaire dans *Ferdinand le radical (Der starke Ferdinand),* récit mettant en cause le culte allemand de la sécurité. Alexander Kluge a réalisé douze courts métrages de 1960 à 1977 et huit longs métrages. N'ayant jamais cessé de militer pour le cinéma indépendant, il a également contribué aux essais de film collectif à contenu politique : *l'Allemagne en automne* (*Deutschland im Herbst,* 1977-78), où ses séquences annoncent *la Patriote,* et *le Candidat* (*Der Kandidat,* 1980), film-pamphlet, mais surtout réflexion sur les mœurs politiques du pays, où l'on retrouve son humour et son sens du montage. En 1983, il tourne *le Pouvoir de l'émotion (Die Macht der Gefühle),* après avoir participé à un film collectif : *Guerre et Paix (Krieg und Frieden,* avec Heinrich Böll, V. Schlöndorff, Stefan Aust et Axel Engstfeld) ; en 1986 *Vermischte nachrichten* et *l'Attaque du présent sur le temps qui reste (Der Angriff der Gegenwart auf die übrige Zeit),* un film mi-documentaire, mi-fictionnel. Il a publié de nombreux textes, dont *Anita G.* (*Lebensläufe,* nouvelles), *Stalingrad, description d'une bataille (Schlachtbeschreibung),* et des ouvrages sur la théorie du cinéma et les institutions. Depuis 1988, il se consacre à la réalisation d'émissions culturelles à la télévision. D.S.

KNEF *(Hildegard), actrice allemande (Ulm 1925).* Elle apparaît dans des films de la UFA , à la fin de la guerre, sous la direction de Harald Braun, Erich Engel et Helmut Käutner (*Unter den Brücken,* 1945), et travaille avec Boleslav Barlog au Schlosspark-Theater de Berlin. *Les assassins sont parmi nous* (1946), de Wolfgang Staudte, lui vaut son premier grand rôle : celui d'une rescapée des camps, animée d'une volonté de vivre intense et communicative. Éclairant de sa présence ce film grave et austère, elle révèle un visage, une voix, un tempérament riche de promesses qui s'épanouit, dans un autre registre, à la scène, toujours avec Barlog, et dans *Film ohne Titel* (1948), comédie d'un humour subtil sur les malheurs allemands, écrite par Helmut Kaütner et réalisée par Rudolf Jugert. Après un premier séjour à Hollywood, qui se traduit par un échec, elle est la principale interprète de *la Pécheresse* (*Die Sünderin,* W. Forst, 1951), curieux « film d'art » aux accents lawrenciens, et joue un rôle épisodique fort émouvant, aux côtés d'Oskar Werner, dans *le Traître* (1951) d'Anatole Litvak (elle modifie alors son nom en Hildegarde Neff). La consécration de son talent semble venir avec trois films à la Fox, d'autres en Allemagne, mais aussi avec *la Fête à Henriette* (J. Duvivier, 1952), *l'Homme de Berlin* (C. Reed, 1953) et, à Broadway, l'opérette *Silk Stockings* (1955), où elle reprend le rôle de Ninotschka. Pourtant, malgré l'amitié du producteur Erich Pommer et la fidélité de certains cinéastes (Forst, Jugert, Staudte), Hildegard Knef, trop souvent enfermée dans des rôles de femme inquiétante, ne parvient pas à s'imposer à l'Allemagne moralisatrice de la Restauration, qui a violemment attaqué *la Pécheresse* pour « impudeur » et « corruption de la jeunesse ». Après des moments difficiles, elle choisit d'abandonner le cinéma pour devenir chanteuse. Son retour à l'écran dans *Fedora* (1978), grâce à Billy Wilder, et dans l'*Avenir d'Émilie* (1985), grâce à Helma Sanders-Brahms, n'en est que plus remarqué. Elle a écrit une autobiographie, *À cheval donné* (1971), et un autre ouvrage assez pathétique : *le Verdict* (1975). P.H.

KNIGHT *(Shirley), actrice américaine (Goessel, Kans., 1937).* Après des études universitaires en Californie, elle entame une carrière théâtrale et cinématographique. Formée à la Pasadena Playhouse, elle débute au cinéma en 1959, sous la direction de Delbert Mann, dans *The Dark at The Top of The Stairs,* prestation qui lui vaut, l'année suivante, une première nomination à l'Oscar. Elle sera distinguée une nouvelle fois en 1962 pour sa lumineuse et lyrique interprétation du rôle d'Heavenly (au sens littéral : « céleste ») dans la superbe adaptation cinématographique par Richard Brooks de la pièce de Tennessee Williams, *Doux Oiseau de jeunesse.* Mal à l'aise à Hollywood, elle prend volontairement ses distances vers le milieu des années 60 pour se consacrer au théâtre et remporter de notables succès à Broadway. Bien qu'espacées, ses apparitions à l'écran sont toujours remarquées, en raison de la finesse de son jeu et de l'hypersensibilité de sa personnalité, qui lui permettent d'incarner, de manière inoubliable, des personnages en crise ou révélateurs d'une société en mutation et désorientée. La postérité retiendra, parmi ses rôles principaux, *Doux Oiseau de jeunesse,* mais aussi *le Métro fantôme,* d'Anthony Harvey, produit par son premier mari, Gene Persson (1967), et *les Gens de la pluie,* de Francis Ford Coppola (1969). D'un film à l'autre, avec l'âge, elle en vient à traduire merveilleusement la dégradation d'une personnalité lumineuse et pleine de santé, dérivant vers la névrose, comme par désadaptation progressive du milieu social dans lequel elle ne trouve plus son insertion. Ses apparitions épisodiques dans *le Groupe* (S. Lumet, 1966) et *Petulia* (R. Lester, 1968) sont mémorables, contrairement à sa prestation tronquée dans *Terreur sur le Britannic* (R. Lester, 1974). M.S.

KNOX *(Alexander), acteur et cinéaste britannique d'origine canadienne (Strathroy, Ontario, 1907).* Dès 1938, il entreprend aux États-Unis une ambitieuse carrière d'acteur. On le voit notamment dans *le Vaisseau fantôme* (M. Curtiz, 1941) et *Wilson* (dont il tient le rôle-titre, H. King, 1944). Il réalise *Deux G. I. en vadrouille* (*Up Front,* 1951), puis incarne le personnage du mari d'Ingrid Bergman dans *Europe 51* (R. Rossellini, 1952). Il se fixe ensuite en Grande-Bretagne. Au sein d'une filmographie très fournie, on retient surtout sa présence dans plusieurs films de Joseph

Losey : *La bête s'éveille* (1954), *les Damnés* (1961), *Modesty Blaise* (1966) et *Accident* (1967). R.L.

KOBAYASHI *(Ichizo), producteur japonais (Kofu, préf. de Yamanashi, 1873 - Ōsaka 1957).* Avant de s'intéresser au cinéma, en businessman avisé, il a l'idée de faire construire un grand centre de loisirs à Takarazuka, afin de développer l'utilisation de sa propre ligne de chemin de fer privé. Il fonde ensuite le théâtre de « l'Opéra de jeunes filles » de Takarazuka, où ne jouent que des actrices (à l'encontre du kabuki), puis, en 1936, la Cie Tōhō, fusion de PCL (Photo Chemical Laboratories) et JO (Jenkins-Osawa). Devenu une importante personnalité politique, il préside divers ministères jusqu'à la défaite, où il a maille à partir avec les Américains, puis revient à la Tōhō après 1950 : il se consacrera jusqu'à sa mort à la modernisation de l'exploitation et de l'administration du cinéma japonais. M.T.

KOBAYASHI *(Masaki), cinéaste japonais (Otaru, préf. de Hokkaidō, 1916).* Ayant étudié l'art oriental et la philosophie à l'université de Waseda, il entre aux studios de la Shōchiku en 1941, comme assistant réalisateur, mais se trouve aussitôt mobilisé et envoyé en Mandchourie. Fait prisonnier de guerre à Okinawa en 1945, il ne rentre au Japon qu'en 1946 et retourne à la Shōchiku, où il devient assistant de Kinoshita, pour qui il écrit également des scénarios. Il passe à la réalisation en 1952 avec *'la Jeunesse du fils', (Musuko no seishun),* enchaînant avec *'le Cœur sincère'* (*Magokoro,* 1953), deux mélodrames sociaux caractéristiques du style Shōchiku. Son premier film important et personnel *'la Pièce aux murs épais'* (*Kabe atsuki heya,* 1953), adapté par Kobo Abe des carnets secrets d'authentiques criminels de guerre, est bloqué par la crainte de la Shōchiku d'offusquer les autorités d'occupation américaines et ne sortira qu'en 1957. Kobayashi revient alors au mélodrame psychologique et sentimental (*'Quelque part sous le ciel immense'* [*Kono hiroi sora no dokoka ni,* 1954] ; *'les Jours magnifiques'* [*Uruwashiki saigetsu,* 1955]), avant de tourner deux films de critique sociale remarqués pour leur réalisme et leur tendance humaniste, assez proche de celle de Kurosawa : *'Je t'achèterai'* (*Anata kaimasu,* 1956) et *'Rivière noire'* (*Kuroi kawa,* 1957), où se révélait déjà Tatsuya Nakadai, qui allait devenir son acteur de prédilection. Mais ce qui va réellement faire connaître son nom en Occident, c'est sa gigantesque trilogie, *la Condition de l'homme* (*Ningen no jōken* 1959-1961), dont la première partie, *Pas de plus grand amour* (1959), obtint le prix San Giorgio à Venise en 1960. Il s'agit d'une adaptation d'un roman-fleuve à succès de Jumpei Gomikawa. Dans ce qui est considéré comme le plus long film de fiction romanesque du monde (9 h 45 de projection au total), il exprimait, à travers le personnage de l'idéaliste Kaji (Nakadai), des conceptions humanistes issues autant de son expérience de guerre personnelle que de l'œuvre transposée. Après un film de transition, *'Amour amer'/'l'Héritage'* (*Karami-ai,* 1962), Kobayashi signera un des films japonais les plus significatifs des années 60, *Harakiri* (*Seppuku,* 1963 ; prix spécial du jury à Cannes 1963), où il s'attaquait au mythe du bushido, le code moral des samouraïs, dans le Japon du XVIe siècle. Il engage ensuite ses ressources personnelles dans une luxueuse mais froide adaptation de quatre contes fantastiques de Lafcadio Hearn, *Kwaidan* (*Kaidan,* 1964 ; prix spécial du jury à Cannes 1965), qui sera pourtant un échec commercial au Japon. Il revient à la critique distanciée de l'éthique rigide des samouraïs : *Rébellion* (*Jōi-uchi,* 1967 ; prix de la Fipresci à Venise), avec Tatsuya Nakadai et Toshirō Mifune. Puis il adapte un roman de l'écrivain catholique Shusaku Endo, *'la Jeunesse du Japon'/Pavane pour un homme épuisé* (*Nippon no Seishun,* 1968), sur le conflit des générations pendant la guerre du Viêt-nam. Il subit alors les effets de la crise économique et artistique du cinéma japonais, et, malgré sa participation à la création de la société Yonki no kai (« Club des quatre chevaliers ») en 1968, avec Kurosawa, Kinoshita, Ichikawa), il ne tourne plus que des films honorables, mais décevants par rapport aux précédents : *'l'Auberge du mal'* (*Inochibonifuro,* 1970), puis *'les Fossiles'* (*Kaseki,* 1975), version cinéma d'un feuilleton télévisé, et *l'Automne embrasé* (*Moyuru aki,* 1978), médiocre histoire d'amour entre l'Iran et le Japon ! Pourtant, Masaki Kobayashi, qui, en 1983, a tourné un très long documentaire sur *les Procès de Tōkyō (Tōkyō Saiban)* et, en 1985, *'la Table vide' (Shokutaku no nai ie),* incarne le mieux, avec Kurosawa, une certaine conception humaniste et « idéaliste » du Japon d'après-guerre, avant le déferlement de la Nouvelle Vague. Des hommages ont de nouveau attiré l'attention sur son œuvre à la fin des années 80 (Tōkyō, 1988 ; La Rochelle, 1989 ; Cinémathèque française, 1990), mais ses projets restent très difficiles à produire au Japon. M.T.

KOBIEŁA *(Bogumił), acteur polonais (Katowice 1931 - Gdansk 1969).* Sorti comme Zbigniew Cybulski de l'école dramatique de Cracovie en 1953, il participe avec lui à la création du théâtre satirique Bim-Bom et du théâtre Rozmów. Il débute au cinéma dans *Trois Récits* (*Trzy opowieści,* Konrad Nalęcki, 1953), et sa verve comique fait merveille dans toute une série de petits rôles : *Une carrière* (*Kariera,* Jan Koecher, 1955), *les Trois Départs (Trzy starty,* Ewa Petelska, *id.), Eroica* (A. Munk, 1958), *les Adieux* (W. J. Has, 1958). Il est, dans *Cendres et Diamant* (A. Wajda, 1958), le minable complice de Cybulski, et les deux amis écrivent ensemble le scénario d'*Au revoir, à demain* (J. Morgenstern, 1960), inspiré de leurs souvenirs de cabaret. Dans *De la veine à revendre* (Munk, 1960), Kobiełа incarne une sorte de Švejk polonais, comiquement couard et conformiste. Il a un rôle important dans *Je serai sculpteur* (*Historia żołtej ciżemki,* Sylwester Chęciński, 1961) et retrouve Cybulski dans le *Manuscrit trouvé à Saragosse* (W. J. Has, 1965). J.-P.B.

KOCH *(Howard), scénariste américain (New York, N. Y., 1902).* Homme de théâtre et de radio (il rédigea pour Orson Welles le script de la fameuse émission *la Guerre des mondes* en 1938), auteur ou coauteur de scénarios importants (*la Lettre,* W. Wyler, 1940 ; *Sergent York,* H. Hawks, 1941 ; *Casablanca,* M. Curtiz, 1943, qui lui vaut un Oscar ; *Lettre d'une inconnue,* Max Ophuls, 1948 ; *Treizième Lettre,* O. Preminger, 1951). Il fut porté sur la « liste noire » en 1952 et ne signa de scénarios (en Grande-Bretagne) qu'à partir de 1961, après avoir collaboré sous un pseudonyme à quelques films comme *The Intimate Stranger* (1956, de Joseph Walton, alias Joseph Losey). G.L.

KOCH *(Howard W.), producteur et cinéaste américain (New York, N. Y., 1916).* Sans lien de parenté avec le précédent. Monteur très apprécié, puis producteur à la Fox et ensuite aux Artistes associés (1957), producteur exécutif de Frank Sinatra Enterprises (1965), enfin vice-président chargé de la production à la Paramount, organisateur du centenaire d'Adolph Zukor à ce titre (1973), il a par ailleurs dirigé une quinzaine de films dont deux sont excellents : *Big House USA* (1955), et surtout *la Rafale de la dernière chance* (*The Last Mile,* 1959), ultime apparition de Mickey Rooney dans son emploi de gangster survolté. Il a aussi signé le curieux *Frankenstein 1970* (1958). G.L.

KODACHROME, nom de marque de deux procédés successifs et distincts de cinéma en couleurs par synthèse soustractive proposés par la firme américaine Eastman Kodak : un procédé bichrome (1915) ; un procédé inversible trichrome (1935), le premier en date des films en couleurs « modernes ». Dans les années 40, ce second Kodachrome a été un peu employé par le cinéma professionnel. (→ COULEURS [PROCÉDÉS DE CINÉMA EN], CONTRASTE, COUCHE SENSIBLE, CONSERVATION DES FILMS.)

J.-P.F.

KODACOLOR, nom de marque de deux procédés de prise de vues en couleurs proposés par la firme américaine Eastman Kodak : un procédé cinématographique additif sur film gaufré (→ COULEURS [PROCÉDÉS DE CINÉMA EN]) ; un procédé photographique soustractif, mis au point pendant la Seconde Guerre mondiale, pour obtention de négatifs destinés à des tirages sur papier. L'Eastmancolor est voisin de ce second Kodacolor. J.-P.F.

KOERFER *(Thomas), cinéaste suisse (Berne 1944).* Il travaille avec Alexander Kluge, puis avec Fellini et, après quelques travaux pour la télévision, réalise *la Mort du directeur du cirque de puces* (*Der Tod des Flohzirkusdirektors,* 1973), où la critique de l'ordre ancien naît d'un récit original et distancié. D'autres films exigeants suivent : *l'Homme à tout faire* (*Der Gehülf,* 1976), *Alzire, ou le Nouveau Continent* (*Alzire, oder der neue Kontinent,* 1978). Vient alors une série de travaux télévisuels et des films souvent coproduits avec l'Allemagne fédérale et parfois avec la France, dont l'inspiration est parfois moins originale : *Die Leidenschaftlichen* (1982), *Cœur de braises* (*Glut,* 1984, avec

Armin Mueller-Stahl et Katharina Thalbach), *Exit Genua* (1990), *Henri le Vert* (*Der grüne Heinrich,* 1993). Il a participé au *Film du cinéma suisse* (1991), sous la direction de Freddy Buache. D.S.

KOGURE *(Michiyo), actrice japonaise (Shimonoseki 1918 - Tōkyō 1990).* Elle débute à la Shōchiku en 1938, dans des rôles de jeune maîtresse coquette. Ses premiers films importants sont *'Tête de bois'* (*Mokuseki,* H. Gosho, 1940), *'Quatre Histoires d'amour'* (*Yotsu no Koi no monogatari,* sketch de Naruse, 1947) et surtout *l'Ange ivre* (A. Kurosawa, 1948), où elle joue le rôle de la maîtresse de Toshirō Mifune. Dans les années 50, on la voit beaucoup dans des films dirigés par Shin Saburi, Hideo Ooba, ou Yoshimura, mais c'est surtout dans les films de Mizoguchi qu'elle s'impose (*'le Destin de madame Yuki',* 1950 ; *les Musiciens de Gion,* 1953 ; *la Rue de la honte,* 1956). M.T.

KOHLHAASE *(Wolfgang), scénariste allemand (Berlin 1931).* Journaliste (1947-1950), dramaturge à la DEFA (1950-1952), scénariste et écrivain, il a joué un rôle décisif dans le développement du cinéma est-allemand en tant que scénariste de bon nombre de films importants, en particulier de deux films de Gerhard Klein, *Eine berliner Romanze* (1956) et *Berlin Ecke Schönhauser* (id.), premiers jalons d'un nouveau réalisme, et surtout des quatre films de Konrad Wolf : *J'avais dix-neuf ans* (1967), *l'Homme nu sur le stade* (1974), *Maman, je suis en vie* (1977) et *Solo Sunny* (1979). Au cours des années 80, on le retrouve au générique de *Die Grünstein Variante* (B. Wicki, 1984), *Die Zeit die bleibt* (documentaire sur Konrad Wolf, 1985), *l'Effraction* (F. Beyer, 1989). En 1992, il écrit et coréalise avec Gabriele Denecke *Inge, April und May,* dont les héros sont des adolescents berlinois de 1945-1946. M.M.

KOHUT-SVELKO *(Jean-Pierre), décorateur français (Paris 1946).* Après avoir été élève à l'école des beaux-arts de Clermont-Ferrand, il vient au cinéma « par hasard ». Un hasard qui lui permet de travailler avec Serge Roullet sur *le Mur.* Sa rencontre avec François Truffaut sera déterminante. Il compose pour lui les décors de : *Une belle fille comme moi* (1972), *l'Histoire d'Adèle H* (1975), *l'Argent de poche* (id.), *l'Homme qui aimait les femmes* (1976), *la Chambre verte* (1977), *l'Amour en fuite* (1978), *le Dernier Métro* (1980), *la Femme d'à côté* (1981). Mais il a également collaboré avec Alain Corneau (*France, société anonyme,* 1973 ; *Police Python 357,* 1975 ; *la Menace,* 1977 ; *le Choix des armes,* 1981), Andrzej Żulawski (*l'Important c'est d'aimer,* 1974), Yves Robert (*Un éléphant ça trompe énormément,* 1976 ; *Nous irons tous au Paradis,* 1977 ; *Courage, fuyons,* 1979), Eric Rohmer (*Perceval le Gallois,* 1978), André Téchiné (*les Sœurs Brontë,* id. ; *Hôtel des Amériques,* 1981 ; *Rendez-vous,* 1985 ; *le Lieu du crime,* 1986), Jacques Doillon (*la Fille prodigue,* 1980), Claude Miller (*l'Effrontée,* 1985 ; *la Petite Voleuse,* 1988). J.-L.P.

KOKONOVÁ *(Nevena), actrice bulgare (Stanke Dimitrov 1938).* Elle s'est fait une belle réputation au théâtre mais, à l'écran, elle a été pendant longtemps l'ambassadrice de charme du cinéma de son pays, jouant avec fraîcheur, conviction et sincérité des héroïnes brûlées par une grande force intérieure. Elle débute à seize ans dans *'Deux Victoires'* (*Dvě pobedi,* Borislav Šaraljev, 1956) puis tourne notamment dans *'Par un soir calme'* (*V tiha večer,* Šaraljev, 1960), *Tabac* (*Tjutjun,* Nikola Korabov, 1962), *'l'Inspecteur et la nuit'* (R. Valčanov, 1963), *le Voleur de pêches* (V. Radev, 1964), *Écart* (*Otklonenije,* G. Ostrovski et T. Stojanov, 1967), *Galileo* (L. Cavani, 1969), *Affection* (*Obič,* Liudmil Stajkov, 1972), *Arbre sans racines* (H. Hristov, 1974), *'Matriarcat'* (*Matriarkat,* Liudmil Kirkov, 1976), *'C'est le tour des dames'* (*Damská volenka,* Ivan Andonov, 1980), *'les Trois Péchés mortels' (Trite smertni grjaša,* Liubomir Šarlandžjev, *id.).* J.-L.P.

KOLLER *(Xavier), cinéaste suisse (Schwyz 1944).* Ancien acteur passé à la réalisation, il fait tout d'abord des films révoltés, s'en prenant au langage cinématographique classique et à la société elle-même (*Fano Hill,* co : K. Aeschbacher, 1969 et *Hannibal,* 1972). Il s'intéresse au monde paysan dans *le Cœur glacé* (*Das gefrorene Herz,* 1979), et son approche devient plus sociale avec *Tanner le noir* (*Der schwarze Tanner,* 1986). En 1990, son *Voyage vers l'espoir (Reise der Hoffnung),* qui décrit l'odyssée tragique d'une famille turque tentant d'émigrer clandestinement en Suisse, obtient l'Oscar du meilleur film étranger et lui permet de monter un projet aux États-Unis : *Squanto - A Warrior's Tale* (1994). D.S.

KOMEDA *(Krzysztof Komeda-Trzciński,* dit *Krzysztof* ou *Christopher), compositeur polonais (Poznan 1931 - Varsovie 1969).* Il se tourne vers le jazz après des études médicales et se fait connaître aussi bien pour ses arrangements que pour sa direction de petits ensembles ou son talent de pianiste. Son premier film est *Deux Hommes et une armoire* (1958), le premier aussi de Roman Polanski, qui fera appel à lui pour les films suivants : *le Couteau dans l'eau* (1962), *Répulsion* (1965), *Cul-de-sac* (1966), *le Bal des vampires* (1967), *Rosemary's Baby* (1968) et pour plusieurs courts métrages. Il a également composé la musique d'*Au revoir, à demain* (J. Morgenstern, 1960), *les Innocents charmeurs* (A. Wajda, *id.*), *la Sentence* (*Wyrok*, J. Passendorfer, 1962), *Épilogue* (H. Carlsen, 1963), *le Pingouin* (Jerzy S. Stawiński, 1965), *les Chattes* (H. Carlsen, *id.*), *la Faim* (id., 1966), *la Barrière* (J. Skolimowski, *id.*), *le Départ* (id., 1967), *Sophie de 6 à 9* (Carlsen, *id.*), *la Mutinerie* (B. Kulik, 1969). J.-P.B.

KOMOROWSKA *(Maja), actrice polonaise (Varsovie 1937).* Découverte dans les films de Krzysztof Zanussi *la Vie de famille* (1971) et *la Chambre d'à côté* (id.), elle impose une personnalité à la fois romanesque et très proche des comédiens issus de l'Actors Studio. Son jeu « intérieur », nuancé, subtil, passionné lui permet de donner à ses personnages une grande profondeur. On la remarque dans *Si loin, si près* (1972) de Konwicki et *les Noces* (1973) de Wajda, mais surtout dans *Bilan trimestriel* (1975) de Zanussi. Désormais, elle poursuit une carrière — à la fois théâtrale et cinématographique — de premier plan, et obtient des rôles marquants dans *les Contes de Budapest* (I. Szabo, 1977), *la Spirale* (Zanussi, 1978), *les Demoiselles de Wilko* (Wajda, 1979), *les Chemins de la nuit* (Zanussi, *id.*), *l'Année du soleil tranquille* (id., 1984), *Inventaire* (id., 1989), *le Décalogue* (épis. I, K. Kiesłowski, *id.*). J.-L.P.

KONCHALOVSKY *(Andrei)* → MIKHALKOV-KONTCHALOVSKI *(Andrei).*

KONDOUROS parfois écrit **KOUNDOUROS** *(Nikos), cinéaste grec (Aghios Nikolaos, Crète, 1926).* Ce Crétois fait des études aux Beaux-Arts de Paris (peinture et sculpture), mais décide d'aborder le cinéma, comme, bien avant lui, Laskos ou Grigoriou, sans formation technique. Il tourne d'abord un sujet de Margherite Lamberakis, *la Cité magique* (*I Mayiki polis,* 1954), dans le ton du réalisme poétique à la Carné, que suivent *l'Ogre d'Athènes* (*O Drakos,* 1956), puis *'les Hors-la-loi'*, (*I Paranomi,* 1958). *'La Rivière'* (*To Potami,* 1960) est un film à sketches au montage complexe. *Les Petites Aphrodites* (*Mikres Afrodites,* 1963), inspiré de *Daphnis et Chloé,* lui vaut une renommée fugitive. L'esthétisme qui paraît le guetter s'efface dans une fresque violente et ironique sur la guerre gréco-turque et l'exode hellène : *1922* (la version de 1978 est remaniée en 1981). En 1985, il réalise *Bordello.* C.M.C.

KONWICKI *(Tadeusz), cinéaste et écrivain polonais (Nowa Wilejka, Lituanie, 1926).* Il n'a pas encore dix-huit ans lorsqu'il s'engage dans l'AK (Armée de l'Intérieur : formations de résistance polonaise organisées par Londres en 1941), où il combat jusqu'à la fin de la guerre. Il écrit en 1946 son premier roman, *les Marécages* (qui ne paraîtra qu'en 1956), s'installe à Varsovie en 1948, entre à la rédaction de l'hebdomadaire *Nowa Kultura,* signe plusieurs ouvrages réalistes-socialistes, s'intéresse au cinéma comme critique d'abord puis comme scénariste (*'Une carrière'*, J. Koecher, 1955 ; *'Crépuscule d'hiver'*, S. Lenartowicz, 1957 ; *Mère Jeanne des Anges,* J. Kawalerowicz, 1961 ; *Pharaon,* id., 1966 ; *Yovita,* J. Morgenstern, 1967). Ses débuts en tant que cinéaste avaient été remarqués à Venise : *le Dernier Jour de l'été* (*Ostatni dzień lata,* co : Jan Laskowski, 1958). L'année suivante, son roman *Un trou dans le ciel* est un événement comme le sera presque toute sa production littéraire ultérieure, laquelle lui conférera une place de premier plan dans la littérature polonaise de l'après-guerre : *la Clé des songes contemporains,* 1963 ; *l'Ascension,* 1967 ; *Béthofantôme,* 1969 ; *Rien ou rien,* 1971 ; *le Calendrier et la clepsydre,* 1976, puis *le Complexe polonais,* 1977, et *la Petite Apocalypse,* 1979 (qui, trop insolents pour être publiés dans une maison d'édition « officielle », le seront par les éditions polonaises parallèles Nowa) et *Roman de gare contem-*

porain, 1992. À cette activité littéraire intense se superpose une œuvre cinématographique qui place son auteur parmi les grands leaders de la « première génération » (Wajda, Kawalerowicz, Has, Munk, Kutz). Konwicki réalise successivement *la Toussaint* (*Zaduszki*, 1961), *Salto* (id., 1965, avec Zbigniew Cybulski), *'Un moment de paix'* (*Chwila pokoju*, épisode d'*Abitur*, id., TV), *'le Bac' (Matura*, ALL, *id.), Si loin si près* (*Jak daleko stąd jak blisko*, 1972), *la Vallée de l'Issa* (*Dolina Issy*, 1982, d'après le livre de Czesław Milósz), *Lawa* (*Opowieść o « Dziadach » Adama Mickiewicza « Lawa »*, 1989).

Konwicki se fait le mémorialiste des vicissitudes de l'histoire polonaise moderne. Marqué par le « temps du maquis », il met en situation des hommes perturbés par leur passé, tentant de s'insérer dans le courant socialiste, luttant intérieurement contre un certain sens de l'absurde. Une ironie impertinente affleure parfois sous les mots ou les images, garde-fou contre les servitudes idéologiques et la tentation de l'embourgeoisement de la pensée intellectuelle. ▲ J.-L.P.

KORCH-SABLINE *(Vladimir)* [*Vladimir Vladimirovič Korš-Sablin*], *cinéaste soviétique (Moscou 1900 - Minsk 1974).* Il est avec Vladimir Gardine, Aleksandr Faïntsimmer et Youri Taritch l'un des fondateurs du cinéma biélorusse se spécialisant dans les évocations de la révolution et de la guerre civile : *'Née dans les flammes'* (*V ogne roždennaja*, 1930) ; *'la Première Section'/'le Premier Peloton'* (*Pervyj vzvod*, 1933) ; *'les Années de feu'* (*Ognennye gody*, 1939). Mais il signe aussi une aimable comédie : *'Mon amour'* (*Moja Ljubov'*, 1940). Il poursuit sa carrière jusqu'à l'orée des années 70 : *'Konstantin Zaslonov'* (id., CO : A. Faïntsimmer, 1949) ; *'le Chant des alouettes'* (*Pojut žavoronki*, 1953) ; *'Qui rira le dernier ?'* (*Kto smeetsja poslednim ?*, 1955) ; *'les Feuilles rouges'* (*Krasnye list'ja*, 1958) ; *'les Premières Épreuves'* (*Pervye ispytanija*, 1960 et 1961 ; deux parties) ; *'Moscou-Gênes'* (*Moskva-Genuja*, CO : Alekseï Spechnev, 1964). J.-L.P.

KORDA *(Sándor Laszlo Korda,* dit *sir Alexander), cinéaste et producteur britannique d'origine hongroise (Pusztaturpaszto, près de Túrkeve, 1893 - Londres 1956).* Après des études de journalisme à Paris, l'aîné des trois frères Korda commence ce qui sera l'une des prestigieuses carrières du cinéma anglais, à Budapest, comme traducteur d'intertitres, monteur, puis réalisateur. Dès ses premiers films (*le Porte-Épée d'un officier* [*A tiszti kardbojt*], 1915 ; *Nuits blanches* [*Fehér éjszakák*], 1916), il apparaît comme l'un des meilleurs cinéastes-producteurs de son pays (il est le directeur de la Corvin-Films). De 1914 à 1919, il réalise 25 films muets hongrois, dont *l'Homme d'or* (*Az Aranyember*, 1918), considéré comme le plus important de cette période. Inquiété par la police du dictateur Horthy, Korda émigre en Autriche (1920-1922, 4 films), en Allemagne (1923-1926, 6 films), à Hollywood (1926-1930, 9 films). En 1931, il séjourne en France, où il dirige Henri Garat dans *Rive gauche* et Raimu dans *Marius*, adaptation de la célèbre pièce de Marcel Pagnol. En mission en Grande-Bretagne, alors qu'il représente les intérêts de la Paramount, il fonde la London Films Productions, avec l'image de Big-Ben à chaque générique. Ce carillon va annoncer bien des heures de gloire. Le huitième film produit par cette nouvelle compagnie, *la Vie privée d'Henry VIII* (*The Private Life of Henry VIII*, 1933), constitue un événement déterminant dans l'histoire du cinéma britannique, aussi bien par l'accueil critique qu'il rencontre que par son extraordinaire succès commercial. Après le tournage de *la Vie privée de Don Juan* (*The Private Life of Don Juan*, 1934), Korda fait construire les studios de Denham, en mai 1936, et possède ainsi les équipements les plus modernes d'Europe. À partir de cette date, il dirige six autres films : *Rembrandt* (1936), *la Conquête de l'air* (*Conquest of the Air*, 1940), *Lady Hamilton / That Hamilton Woman* (1941), *Perfect Strangers* (1945), *Un mari idéal* (*An Ideal Husband*, 1947). Il produit par ailleurs des œuvres qui restent de grandes dates dans l'histoire du cinéma britannique : *la Grande Catherine* (P. Czinner, 1934) ; *le Mouron rouge* (H. Young, 1935) ; *Bozambo* (Z. Korda, *id.*) ; *Fantôme à vendre* (R. Clair, *id.*) ; *les Nuits moscovites* (A. Asquith, *id.*) ; *Sous la robe rouge* (V. Sjöström, 1937) ; *Elephant Boy* (R. Flaherty, *id.*) ; *Chevalier sans armure* (J. Feyder, *id.*) ; *Alerte aux Indes* (Z. Korda, 1938) ; *le Divorce de lady X* (T. Whelan, *id.*) ; *les Quatre Plumes blanches* (Z. Korda, 1939) ; *le Voleur de Bagdad* (M. Powell, 1940) ; *Lydia* (J. Duvivier, 1941) ; *le Livre de la jungle* (Z. Korda, *id.*) ; *To*

Be or Not to Be (E. Lubitsch, 1942) ; *Colonel Blimp* (Powell et E. Pressburger, 1943). Il revient à Londres en 1943.

Les années d'après-guerre sont difficiles pour la London Films, sévèrement concurrencée par le nouvel empire Rank. Toutefois, Korda produit encore 45 films de 1947 à 1955, dont *Anna Karenine* (J. Duvivier, 1948), *Première Désillusion* (C. Reed, *id.*), *le Troisième Homme* (id., 1949), *les Contes d'Hoffmann* (Powell, 1951), *le Banni des îles* (Reed, *id.*), *Pleure, ô mon pays bien-aimé* (Z. Korda, 1952), *le Mur du son* (D. Lean, *id.*). Avant de mourir, le 3 janvier 1956, A. Korda venait de produire le film de son grand ami Laurence Olivier, *Richard III.* R.L.

KORDA *(Vince,* dit *Vincent), décorateur britannique d'origine hongroise (Túrkeve 1896 - Londres 1979).* Le plus jeune des frères Korda participe activement à la réussite des grands films de la London Films : *la Vie privée d'Henry VIII* (A. Korda, 1933) ; *Fantôme à vendre* (R. Clair, 1935) ; *la Vie future* (W. C. Menzies, 1936) ; *Rembrandt* (A. Korda, *id.*) ; *les Quatre Plumes blanches* (Z. Korda, 1939) ; *le Livre de la jungle* (id., 1942) ; *le Voleur de Bagdad* (M. Powell, 1940) ; *Première Désillusion* (C. Reed, 1948). R.L.

KORDA *(Zoltán), cinéaste britannique d'origine hongroise (Túrkeve 1895 - Los Angeles, Ca., 1961).* Après avoir participé à la fondation de la London Films Productions, sous la direction de son frère aîné Alexander, il devient le spécialiste des films exotiques, dont certains exaltent avec naïveté les valeurs désuètes de l'ancien Empire colonial britannique : *Bozambo* (*Sanders of the River,* 1933) ; *Elephant Boy* (co R. Flaherty, 1937) ; *Alerte aux Indes* (*The Drum,* 1938) ; *les Quatre Plumes blanches* (*The Four Feathers,* 1939) ; *le Livre de la jungle* (*The Jungle Book,* 1942) ; *Sahara* (1943) ; *Contre-attaque* (*Counter-Attack,* 1945) ; *l'Affaire Macomber* (*The Macomber Affair,* 1947) ; *Vengeance de femme* (*A Woman's Vengeance,* 1948) ; *Pleure, ô mon pays bien-aîmé* (*Cry the Beloved Country,* 1952) ; *les Quatre Plumes blanches* (*Storm over the Nile,* 1955, co T. Young). R.L.

KORENE *(Vera Koretzki,* dite *Vera), actrice française (Paris 1901).* L'activité de cette sociétaire de la Comédie-Française, sculpturale et vibrante, s'étend seulement de 1933 à 1939. Elle interprète en vedette des espionnes (*la Danseuse rouge,* Jean-Paul Paulin, 1937), des mondaines au bord de l'adultère (*Sept Hommes, une femme,* Y. Mirande, 1936 ; *Café de Paris,* G. Lacombe, 1938), le plus souvent des Slaves déchirées et pathétiques (*Au service du tsar,* P. Billon, 1936 ; *les Bateliers de la Volga,* Wladimir Strijewsky, 1936 ; *la Brigade sauvage,* M. L'Herbier, 1939). R.C.

KORNGOLD *(Erich Wolfgang), compositeur américain d'origine autrichienne (Brünn, Autriche-Hongrie* [auj. Brno, Tchécoslovaquie], *1897 - Los Angeles 1957).* Élève de Mahler et de Puccini, Korngold était déjà un des grands espoirs de la musique contemporaine, auteur du remarquable opéra *la Ville morte,* quand Hollywood l'appela. Ses collaborations théâtrales avec Max Reinhardt amenèrent celui-ci à faire appel à lui au moment de réaliser *le Songe d'une nuit d'été* (co : William Dieterle, 1935). Korngold quitta l'Allemagne, au climat politique malsain, pour la Californie. Il orchestra la musique de Mendelssohn, refusant, par respect pour le musicien, d'être crédité au générique du film. Son premier crédit fut *Capitaine Blood* (M. Curtiz, 1935). Dès lors, Korngold fut le musicien de prestige de la Warner Bros, celui que l'on réservait par exemple à Bette Davis et Errol Flynn. Aussi à l'aise dans les vigoureux ensembles martiaux (*les Aventures de Robin des Bois,* M. Curtiz et W. Keighley, 1938) que dans les mélodies sentimentales (*l'Aigle des mers,* Curtiz, 1940), il composa pour Errol Flynn des musiques que l'on découvre maintenant avec émerveillement. Peu de partitions de cinéma ont été aussi riches que *la Vie privée d'Élisabeth d'Angleterre* (Curtiz, 1939) ou *l'Aigle des mers,* que l'on peut tenir comme un chef-d'œuvre d'un type de musique encore méconnu. Dans ses partitions pour Bette Davis, on fera un sort particulier à celle de *Jalousie* (I. Rapper, 1946), où figure un sombre concerto pour violoncelle au charme insidieux et inquiétant. Par ailleurs, Korngold a composé pour les films de prestige du studio : *Crime sans châtiment* (S. Wood, 1942), qui mêle avec art une gaieté de surface à des arrière-plans angoissants et menaçants. Car ce musicien accordait à chaque commande des soins attentifs. Ce perfectionnisme a sûrement contribué à faire de lui, avec Miklos Rosza et Bernard Herrman, l'un des meilleurs musiciens accueillis à Hollywood. C.V.

KORTNER *(Fritz Nathan Kohn,* dit *Fritz), acteur autrichien (Vienne 1892 - Munich, RFA, 1970).* Il fait ses débuts sur les scènes de Vienne et se fixe en 1911 à Berlin, où il commence à travailler pour le cinéma tout en se produisant au théâtre. Il réalise lui-même deux films en 1918 et 1919. Au théâtre, son nom est lié aux expériences berlinoises des années 20, notamment sous la direction du metteur en scène Leopold Jessner. Au cinéma, sa filmographie comprend beaucoup d'œuvres mineures. Il n'en est pas moins un des meilleurs acteurs de l'époque, comme le prouvent ses plus grands rôles, dans *Satanas* (F. W. Murnau, 1920), *les Frères Karamazov* (D. Buchowetzki, 1921), *Escalier de service* (P. Leni et Jessner, 1921), *le Montreur d'ombres* (A. Robison, 1923), *les Mains d'Orlac* (R. Wiene, 1924), *Loulou* (G. W. Pabst, 1929).

Il participe à quelques petits films produits par le parti social-démocrate, tels *Im Anfang war das Wort,* réalisé par Ernö Metzner en 1928. Devenu peut-être plus sélectif vers 1929-30 (*Atlantic* [E. A. Dupont], 1929 ; *le Procureur Hallers* [Wiene], 1930), il a le rôle principal dans *Dreyfus* (R. Oswald, 1930), *Danton* (Hans Behrendt, 1931) et *les Frères Karamazov* (F. Ozep, 1931). Il réalise à nouveau deux films : une comédie, *Der brave Sünder* (1931), et une comédie musicale, *So ein Mädel vergisst man nicht* (1932).

Il quitte l'Allemagne en 1933 et passe l'essentiel de ses années d'émigration aux États-Unis. À Hollywood, où il retrouve d'autres émigrés célèbres, Homolka, Lang, Brecht, Eisler, Lorre, on ne lui offre que des seconds rôles, généralement très typés : *Quelque part dans la nuit* (J. L. Mankiewicz, 1946), *The Brasher Doubloon* (J. Brahm, 1947)...

Revenu en Allemagne en 1948, il écrit et interprète un film sur les survivances de l'antisémitisme après 1945 (*Der Ruf,* J. von Baky, 1949), puis se consacre principalement à la mise en scène théâtrale à Berlin et à Munich, et n'apparaît plus que rarement à l'écran. Il écrit quelques scénarios et réalise encore deux longs métrages cinématographiques, *Die Stadt ist voller Geheimnisse* (1955) et *Sarajevo* (id.), et un pour la télévision, *Die Sendung der Lysistrata* (1961). D.S.

KORTY *(John), cinéaste américain (Indiana 1936).* D'abord cinéaste amateur, puis réalisateur de télévision, il semble que ce soit pour le petit écran que John Korty a donné sa pleine mesure (*The People,* 1972 ; *The Autobiography of Miss Jane Pittman,* 1974). Au cinéma, il ne parvient guère à emporter l'adhésion dans l'assez vulgaire *Alex and the Gypsy* (1976) ou dans le sirupeux *Oliver's Story* (1978), suite de *Love Story.* Il réalise en 1977 un documentaire *Who Are the De Bolts ?... And Where Did They Get 19 Kids !* C.V.

KÓSA *(Ferenc), cinéaste hongrois (Nyíregyháza 1937).* En 1967, *Dix Mille Soleils* révèle Ferenc Kósa, et devient le manifeste d'un jeune cinéma hongrois qui se veut en prise directe sur une histoire nationale particulièrement ambiguë. Le scénario en avait été élaboré collectivement au sein de l'Institut Béla Balázs. Photographié en Scope noir et blanc par Sándor Sára, le film évoque trente années de la vie d'un paysan, le lyrisme de l'écriture venant équilibrer la hardiesse de l'approche sociopolitique. Marqué tant par l'œuvre de l'Ukrainien Dovjenko que par celle du Hongrois Szöts, nourri de la même culture rurale qui avait déterminé les orientations ou la musique de Bartók ou de Kodaly, Kósa était d'emblée salué comme un maître du cinéma par la critique internationale.

Ses films suivants ont quelque peu déçu. Le mélange fragile et merveilleux de précision narrative, de messianisme naïf et d'équilibre plastique qui avait soutenu *Dix Mille Soleils* ne se retrouve ni dans *Hors du temps* ni dans *Chute de neige,* deux œuvres de moraliste, qui renvoient moins à l'histoire qu'elles ne sont le lieu d'une assomption. *Portrait d'un champion,* pourtant, est un reportage polémique et humaniste de la meilleure veine. *Le Match,* au contraire, s'englue dans une reconstitution polémique de la Hongrie aux temps staliniens, en retrait sur nombre de films réalisés sur le même sujet au cours de la décennie précédente. J.-L.P.

Films ▲ : *Dix Mille Soleils* (*Tízezer nap,* 1967) ; *Jugement* (*Ítélet,* 1970) ; *Hors du temps*

(*Nincs idö*, 1973) ; *Chute de neige* (*Hószakadás*, 1974) ; *Portrait d'un champion* (*Küldetés*, 1977) ; *le Match* (*Merközes*, 1981) ; *Guernica* (1982) ; *le Droit au dernier mot* (*Az utolsó szó jogán*, *DOC*, 1987) ; *Un autre* (*A másik ember*, 1988).

KOSCINA *(Sylva), actrice yougoslave (Zagreb, Croatie, 1933 - Rome 1994).* Dès 1945, elle vit en Italie et débute avec deux rôles importants dans *le Disque rouge* (P. Germi, 1956) et dans *Guendalina* (A. Lattuada, 1957). Elle est exploitée ensuite pour son physique provocant dans de nombreux péplums et comédies, dont *Michel Strogoff* (C. Gallone, 1956), *La nonna Sabella* (D. Risi, 1957), *les Travaux d'Hercule* (*Le fatiche di Ercole*, Pietro Francisci, 1958), *Mogli pericolose* (L. Comencini, *id.*), *Femmes d'un été* (G. Franciolini, *id.*), *Les temps sont durs pour les vampires* (Steno, 1959), *Cyrano et d'Artagnan* (A. Gance, 1963), *Parlons femmes* (E. Scola, 1964), *Judex* (G. Franju, *id.*). Dans *Juliette des esprits* (F. Fellini, 1965), et surtout dans un épisode de *Une poule, un train et quelques monstres* (Risi, 1969), elle crée une élégante parodie de son personnage habituel de vamp évaporée. Ensuite, elle interprète plusieurs films érotiques et se voue aussi au théâtre de variétés. L.C.

KOSMA *(Joseph), musicien français d'origine hongroise (Budapest 1905 - La Roche-Guyon 1969). Les Feuilles mortes, Démons et merveilles, les Enfants qui s'aiment, Méfiez-vous de Paris... :* ces chansons, dont beaucoup ont été popularisées par le cinéma, suffisent à situer l'art de Joseph Kosma : dans la lignée de Maurice Jaubert, celle d'une authentique musique *populaire*, ancrée dans la réalité quotidienne et l'enrobant d'une fine pellicule de poésie, prolongement idéal des dialogues de Jacques Prévert, avec un zeste de préciosité « tzigane » qui lui appartient en propre.

Après des études au conservatoire Franz Liszt de Budapest, Joseph Kosma fut nommé chef d'orchestre assistant à l'Opéra de sa ville natale. Une bourse lui permet de partir pour Berlin en 1929 : il y subit l'influence de Brecht et de Kurt Weill. Il se fixe à Paris en 1933 (il sera naturalisé français en 1949), et met en musique des poèmes de Prévert, Apollinaire, Carco, Desnos, Queneau. L'un de ses premiers travaux pour le cinéma est la chanson de Florelle pour *le Crime de monsieur Lange* de Jean Renoir (1936), sur un texte de Prévert :

Au jour le jour
À la nuit la nuit
À la belle étoile
C'est pour ça que je vis...

Sa première partition officielle sera *Jenny* de Marcel Carné (1936). Puis il fait équipe avec Renoir, signant notamment la « symphonie du rail » de *la Bête humaine* et les arrangements de musique classique de *la Marseillaise* et de *la Règle du jeu.* Sous l'Occupation, il travaille — clandestinement — aux côtés de Maurice Thiriet pour *les Visiteurs du soir* et *les Enfants du paradis.* Après la guerre, sa production s'intensifie : *les Portes de la nuit, Voyage surprise, le Petit Soldat, les Amants de Vérone, la Bergère et le Ramoneur* (toujours sous l'égide de son ami Prévert), mais aussi *le Sang des bêtes* de Franju, *Au grand balcon* d'Henri Decoin, *Juliette ou la Clé des songes* de Carné (film qui lui vaut le prix de la meilleure partition musicale au festival de Cannes 1951), presque tous les films de Jean-Paul Le Chanois, *Grand'Rue* de Bardem, *Cela s'appelle l'aurore* de Buñuel, etc. Retour à Renoir avec la musique de scène d'*Orvet* (1955), l'air des bohémiens d'*Élena et les hommes,* la flûte de Pan du *Déjeuner sur l'herbe,* la musique dans les ténèbres du *Testament du docteur Cordelier.* Kosma est aussi l'auteur de ballets pour Roland Petit et Yvette Chauviré, d'oratorios *(les Ponts de Paris, À l'assaut du ciel)* et d'un opéra, *les Canuts,* créé à Budapest et repris à Lyon en 1964. Dédaignée de certains puristes (tel François Porcile, qui l'ignore dans son livre sur la musique de film), la « petite musique de nuit » de Joseph Kosma a marqué de son empreinte discrète une époque du cinéma français. C.B.

KOSTER *(Hermann Kosterlitz, dit Henry), cinéaste américain d'origine allemande (Berlin 1905-Camario, Ca., É.-U, 1988).* Décorateur de théâtre, critique de cinéma, scénariste (1925-1930), il émigre en France dès 1933. Après avoir dirigé quelques productions hybrides en Europe, il part pour Hollywood et a la chance de sauver Universal de la faillite en « lançant » Deanna Durbin (*Trois Jeunes Filles à la page* [*Three Smart Girls*], 1936). Après quelque dix films joués et chantés par elle (sans oublier *la Coqueluche de Paris* [*The Rage of Paris*], 1938, avec Danielle Darrieux), sa réputation est telle qu'il ne cessera plus de travailler, réussissant notamment certaines comédies : *Du burlesque à l'Opéra* (*Two Sisters From Boston,* 1946) ; *Vive Monsieur le Maire* (*The Inspector General,* 1949) ; *Harvey* (1950) ; *Mon homme Godfrey* (*My Man Godfrey,* 1957). Mais il s'est aussi essayé, dans une production peut-être trop abondante, au drame romantique : *Ma cousine Rachel* (*My Cousin Rachel,* 1953), voire au film « en costumes » : *Désirée* (1954) ; *la Maja nue / The Naked Maja / La Maja desnuda* (1959). Il a dirigé avec une remarquable compétence le premier film en CinémaScope : *la Tunique* (*The Robe,* 1953). Il demeura un bon directeur d'acteurs jusque dans la chinoiserie d'*Au rythme des tambours fleuris* (*Flower Drum Song,* 1961). Mais la catastrophe de *Dominique* (*The Singing Nun,* 1966) semble avoir clos sa carrière d'habile faiseur. G.L.

KOTCHEFF *(William Theodore Kotcheff, dit Ted), cinéaste canadien (Toronto, Ontario, 1931).* Après cinq années à la télévision canadienne, il travaille en Angleterre au théâtre et pour le petit écran, et y tourne ses premiers films. Deux veines se partagent son œuvre. Premiers succès, les études de mœurs, chroniques assez amères : *Life at the Top* (1965), *Two Gentlemen Sharing* (1969) sont couronnées par *l'Apprentissage de Duddy Kravitz* (*The Apprenticeship of Duddy Kravitz,* 1974), au Canada. La veine se prolonge, aux États-Unis, dans la comédie : *Touche pas à mon gazon* (*Fun With Dick and Jane,* 1977) et dans *North Dallas Forty* (1979). Même une plaisante œuvrette comme *la Grande Cuisine* (*Who's Killing the Great Chefs of Europe,* 1978) prouve son sens du croquis social et humain. *Réveil dans la terreur* (*Outback,* 1971) amorce la seconde veine : celle de la violence physique. Elle n'exclut pas l'intimisme dans le western : *Un colt pour une corde* (*Billy-Two-Hats,* 1973). Elle domine *Rambo* (*First Blood,* 1982), dans lequel le brio de son rendu s'allie à une réflexion sur sa nature dans la société contemporaine, et *Retour en enfer* (*Uncommon Valor,* 1984), qui décrit une opération de commando au Laos pour récupérer des soldats disparus au cours de la guerre du Viêt-nam. Il réalise ensuite *Joshua, Then and Now* (1985), *Split Image* (1986), *Scoop* (*Switching Channels,* 1988, nouvelle adaptation, après celles de Hawks et de Wilder, de la célèbre pièce de Hecht et MacArthur *The Front Page*), *Winter People* (id., 1989), *Week-End chez Bernie's* (*Week-end at Bernie's,* id.) et *Folks !* (1992). C.D.R.

KOTULLA *(Theodor), cinéaste allemand (Königshütte* [auj. *Chorzow, Pologne*] *1928).* Critique de cinéma, notamment dans la revue *Filmkritik* (1957-1968), il réalise tout d'abord des documentaires, sur Camus (*Camus und Algiers,* 1964) et sur un cinéaste qu'il admire, Robert Bresson (*Zum Beispiel Bresson,* 1966). Il réalise son premier long métrage en 1968, *Histoire d'un happy-end (Bis zum Happy End),* film elliptique sur la mauvaise conscience bourgeoise. Il produit et tourne ensuite des courts métrages et des documentaires sur la musique, puis deux autres longs métrages (dont *Sans indulgence* [*Ohne Nachsicht,* 1971]) et une adaptation du roman de Robert Merle tiré de la vie du commandant d'Auschwitz, *La mort est mon métier* (*Aus einem deutschen Leben,* 1976-77). Ce film courageux, mêlant la leçon de Bresson et celle de Brecht, accuse les conditions sociales et culturelles qui ont permis la barbarie nazie. Dans les années 80, il travaille pour la télévision et signe notamment une série en 5 épisodes : *l'Affaire Maurizius* (*Der Fall Maurizius,* 1982). Depuis *l'Agression* (*Der Angriff,* 1986), il est sollicité essentiellement par la télévision, pour laquelle il réalise des œuvres relevant d'une réflexion approfondie sur la violence et d'autres qui évoquent l'histoire ouvrière de la Ruhr.

D.S.

KOULECHOV *(Lev)* [*Lev Vladimirovič Kulešov*], *cinéaste et théoricien russe (Tambov 1899 - Moscou 1970).* L'un des pères fondateurs de la cinématographie soviétique. Il a quinze ans quand meurt son père, lequel, après avoir étudié peinture et dessin, avait dû accepter une carrière de secrétaire-dactylographe. Il s'établit alors à Moscou avec sa mère, institutrice. Il y fréquente l'École des beaux-arts. Il entre en 1916 au studio Khanjonkov comme décorateur. Il travaille à une dizaine de films et se forme auprès de l'excellent cinéaste tsariste Evguéni Bauer, le premier en Russie à tenir compte des valeurs picturales de l'image cinématographique. Pour *À la recherche du bonheur (Za sčast'e)* de Bauer (1917), il est assistant, décorateur et même acteur. Il réalisera ses deux premiers films *(le Projet de l'ingénieur Pright* et *Chant d'amour inachevé)* en

1918, avant donc la nationalisation du cinéma.

1919-20 : chef des actualités auprès de l'Armée rouge, il rassemble des matériaux pour les *Chroniques* du VFKO (Direction panrusse du cinéma). Il tourne avec Édouard Tissé, qu'il persuade de traiter le reportage dans le même esprit que la fiction – selon un plan de montage. Fin 1919 : observateur puis factotum à l'Institut technique du cinéma (le futur VGIK), il improvise une section de rattrapage pour les candidats refusés. Ses brillants résultats impressionnent si fort la direction passéiste de l'école qu'elle l'autorise à fonder son propre collectif au sein de l'Institut. De ce « laboratoire » feront partie Aleksandra Khokhlova, Leonid Obolenski, Serge Komarov, Vsevolod Poudovkine, Boris Barnet, Vladimir Foghel, A. Reikh, Mikhaïl Doller, Valeri Inkijinov. Avec ses élèves, Koulechov tourne en 1920 un « film policier révolutionnaire », *Sur le front rouge,* qui mêle séquences documentaires et séquences jouées. Dans son séminaire, qu'il conçoit à la façon des ateliers de la Renaissance, Koulechov révèle ses grands dons de pédagogue. Il unit théorie et pratique. Il met au point une doctrine et une méthode. En 1917 déjà, il a publié des textes de réflexions théoriques, insistant sur le rôle de la lumière dans la dramatisation du décor et la plastique de l'image. Dès 1918, il a défini le montage comme le propre du cinéma. Un film se construit à la table de montage. Le réalisateur en est l'unique auteur. Les plans doivent être simples, lisibles, expressifs afin de pouvoir être vite et correctement perçus par le spectateur. Le rythme est le véritable *contenu* du film ; c'est lui qui décide des réactions et des pensées du public. Bientôt Koulechov sera taxé de « formalisme techniciste », se verra injustement accusé d'indifférence au sujet et à la « commande sociale ». Son « américanisme » lui sera aussi beaucoup reproché. Or, dans le policier, le serial, le film d'action, le burlesque, Koulechov voit un antidote au divisme, à la psychologie décadente du cinéma tsariste, et la possibilité d'un art authentiquement populaire.

Par nécessité, le collectif s'adonne d'abord (jusqu'en 1923) à des « films sans pellicule » : sketches dramatiques muets, découpés en plans grâce à un jeu de rideaux, joués et enchaînés avec la rapidité d'une projection de film. Ces exercices illustrent l'importance de la stylisation du jeu comme du décor et l'utilité de répéter minutieusement un film avant son tournage. Koulechov procède de l'esprit de rationalité et d'efficacité typique du *constructivisme.* Pour lui aussi l'artiste est un constructeur, un ingénieur. Le jeu de l'acteur, « modèle vivant », doit être mécanisé, planifié, taylorisé. La biomécanique exige la supermarionnette plutôt que l'homme vivant. Les expériences de Koulechov sont célèbres. Elles établissent qu'avec le montage le cinéaste peut créer aussi bien l'expression de l'acteur (c'est l'« effet Koulechov », vérifié avec Mosjoukine) qu'un espace, qu'un corps, qu'une action imaginaires (un personnage réel sera impliqué dans des aventures auxquelles il n'a nullement participé). Sur l'exemple des formalistes, Koulechov fut tenté d'identifier la syntaxe du film à celle du langage, assimilant l'image au mot : « Avec des plans de fenêtres s'ouvrant largement, de gens qui s'y installent, d'un détachement de cavalerie, d'enfants qui courent, d'eaux qui brisent une digue, du pas cadencé des fantassins, on peut monter aussi bien la fête pour l'inauguration d'une centrale électrique que l'occupation par une armée ennemie d'une ville paisible. »

Le collectif Koulechov se disperse en 1926. Koulechov a réalisé son premier chef-d'œuvre avec lui, le second sans lui. *Dura Lex* (1926), qui reconstitue admirablement le Klondike près de Moscou, tient à la fois du *Vent* (de Sjöström) par la puissance des éléments, par son unité dramatique, et de *la Passion de Jeanne d'Arc* (de Dreyer) par son extraordinaire science du découpage et de l'interprétation. *Le Grand Consolateur* (1933) a la complexité et la subtilité d'un film de Resnais. Koulechov transpose son matériau sur trois niveaux : le réel, l'inventé, le raconté. Son et musique en assurent la continuité, la fluidité profonde, le jeu des acteurs étant réglé soit sur un métronome, soit sur le play-back. Contraint tantôt à l'inaction, tantôt à des besognes alimentaires, le plus souvent à l'enseignement (il devient directeur du VGIK en 1944), Koulechov aura été le Christophe Colomb du cinéma, payé, comme Colomb, d'ingratitude. Ce qu'ils ont découvert – l'Amérique l'un, le montage l'autre –, on n'avait en effet nul besoin d'eux pour l'exploiter. B.A.

Films ▲ : *le Projet de l'ingénieur Pright* (*Proekt inženera Prajta,* 1918) ; *Chant d'amour inachevé* (*Pesn'ljubi nedopetaja,* id., co : Vitold Polonski) ; *Chroniques* (*Hronika,* 1919-20) ; *Sur le front rouge* (*Na krasnom fronte,* 1920) ; *les Aventures extraordinaires de Mister West au pays des Bolcheviks* (*Ncobyčajnye prikljućenija Mistera Vesta v strane Bol'ševikov,* 1924) ; *le Rayon de la mort* (*Luč smerti,* 1925) ; *Dura Lex / Selon la loi* (*Po zakonu,* 1926) ; *la Journaliste* (*Zurnalistka* [*Vaša znakomaja*], 1927) ; *le Joyeux Canari* (*Veselaja kanarejka,* 1929) ; *Deux-Bouldi-Deux* (*Dva-Bul'di-Dva,* 1930) ; *Quarante Cœurs* (*Sorok Serdec,* id.) ; *Horizon* (*Gorizont,* 1933) ; *le Grand Consolateur/Encre rose* (*Velikij utešitel',* id.) ; *les Sibériens* (*Sibirjaki,* 1940) ; *Descente dans un volcan* (*Slučaj v vulkane,* 1941, consultant du réalisateur E. Chreïder) ; *le Serment de Timour* (*Kljatva Timura,* 1942) ; *Nous, de l'Oural* (*My s Urala,* 1944, co : Aleksandra Khokhlova).

KOULIDJANOV *(Lev)* [*Lev Aleksandrovič Kulidžanov*], *cinéaste soviétique (Tbilissi, Géorgie, 1924).* Élève de Guerassimov pendant ses études au VGIK – qu'il achève en 1954 –, il débute dans la réalisation avec *'les Dames'* d'après Tchekhov (*Damy,* 1955 ; co : G. Oganisian), suivi de *'Ça a commencé ainsi'* (*Èto načinalos' tak...* 1956 ; co : Y. Seguel). Il poursuit sa collaboration avec Seguel dans *la Maison où je vis* (*Dom, v kotorom ja živu,* 1957), qui obtient en URSS un franc succès populaire. Dans la même veine, il tourne *la Maison natale* (*Otčij dom,* 1959), *Quand les arbres étaient grands* (*Kogda derev'ja byli bol'šimi,* 1962) et *'le Carnet bleu'* (*Sinjaja tetrad',* 1964). Il signe en 1969 une version assez académique de *Crime et Châtiment* (*Prestuplenie i nakazanie)* puis *'Une minute dans les étoiles'* (*Zvezdnaja minuta,* 1973) et *'les Années de jeunesse de Karl Marx'* (*Karl Marks-molodye gody ;* TV , 1980). Il devient professeur à son tour au VGIK tout en assumant les fonctions de premier secrétaire de la direction de l'Union des cinéastes et député du Soviet suprême. Au début des années 90, il revient à la mise en scène et signe *'Sans peur de mourir'* (*Umirat' ne strašno,* 1991) et *'les Myosotis'*(*Nezabudki,* 1994). J.-L.P.

KOUZMINA *(Elena)* [*Elena Aleksandrovna Kuz'mina*], *actrice soviétique (Tiflis* [auj. *Tbilissi*], *Géorgie, 1909 - Moscou 1979).* Formée par le groupe des FE KS, elle débute de manière éclatante dans le rôle de la communarde de *la Nouvelle Babylone* (1929), personnage auquel elle insuffle une vérité et une dignité exemplaires. Kozintsev et Trauberg lui redonnent la vedette dans *Seule* (1931), où sa fragilité et sa ferveur font merveille dans son personnage d'institutrice en butte aux dures conditions de la vie sibérienne. Mais c'est Barnet qui lui offre son plus beau rôle dans *Okraïna* (1933), celui de la jeune provinciale, gracieuse et enjouée, amoureuse d'un prisonnier allemand, avant de lui donner une nouvelle chance dans *Au bord de la mer bleue* (1936). On peut encore apprécier son dynamisme et sa fraîcheur à plusieurs reprises sous la direction de Romm (*le Rêve,* 1943 ; *Matricule 217,* 1945 ; *la Question russe,* 1947 ; *Mission secrète,* 1950, et *Les navires attaquent les bastions,* 1953, où elle incarne une inattendue et fascinante lady Hamilton). M.M.

KOVÁCS *(András), cinéaste hongrois (Kide 1925).* Après avoir étudié à Kolozsvár (Cluj), il s'inscrit à l'Académie de théâtre et de cinéma de Budapest, puis entre dans les studios de la capitale, où, de 1951 à 1957, il dirigera le département des scénarios. Il débute dans la mise en scène en 1960 avec *'Averse' (Zápor),* puis tourne *'les Toits de Budapest'* (*Pesti hástetök,* 1961), *'Étoile d'automne'* (*Isten öszi csillaga,* 1963), *les Intraitables* (*Nehéz emberek,* 1964), lequel film emporte le prix des critiques hongrois et inaugure une façon nouvelle de « poser les problèmes avec franchise » en recourant au cinéma-vérité. Après deux courts métrages, *'Deux Portraits'* (*Két arckép,* 1965) et *'Aujourd'hui ou demain'* (*Ma vagy holnap,* id.), il signe *Jours glacés* (*Hideg napok,* 1966), qui évoque avec brio un épisode « dérangeant » de l'histoire contemporaine hongroise. Désormais, il rejoint les cinéastes « des années 60 » (bien qu'appartenant à une génération légèrement antérieure, celle de Miklós Jancsó), en participant avec eux à la flatteuse réputation que le cinéma hongrois se forge dans les festivals internationaux. Il met en scène successivement : *les Murs* (*Falák,* 1967) ; *Extase de 7 à 10* (*Extásis 7 - töl 10-ig,* DOC TV, 1969) ; *Course de relais* (*Staféta,* 1971) ; *Terre en friche* (*A magyar ugaron,* 1973) ; *les Yeux bandés* (*Bekötött szemmel,* 1975) ; *'Labyrinthe'* (*Labirintus,* 1976) ; *le Haras* (*A ménesgazda,* 1978) ; *'Un dimanche d'octobre'* (*Októberi vasárnap,* 1979) ; *'Paradis provisoire'* (*Ideiglenes* *paradicsom,* 1981), *la Comtesse rouge* (*A voros grofno,* 1985), *Arrière-Garde* (*Valahol magyarországon,* 1987). Il est également l'auteur des documentaires *les Héritiers* (*Örökösök,* 1970) et *'le Peuple et l'Art'* (*Kié a muvészet ?,* 1975), ainsi que des reportages pour la TV : *'Rencontre avec György Lukács'* (*Tálálkozás Lukács Györggyel,* 1972), *'Ma vie avec Mihály Károlyi'* (*Együtt Károlyi Mihállyal,* 1973), *À la mémoire de M. Karolyi* (*Károlyi Mihály emlékezete,* 1988), *Il était une fois une Université* (*Volt egyszer egy egyetem,* 1994). J.-L.P.

KOVACS *(Lazlo [Leslie]), chef opérateur américain d'origine hongroise (1933).* En 1956, il vient d'obtenir son diplôme de l'Académie du théâtre et du cinéma de Budapest quand le soulèvement hongrois éclate. Il filme la répression et fait passer clandestinement 30 000 pieds de documents qui serviront désormais de références d'archives. Il choisit l'exil vers les États-Unis comme son condisciple Vilmos Zsigmond. C'est sous la direction de Richard Rush qu'il fera ses premiers longs métrages (*Hells Angels on Wheels,* 1967 ; *The Savage Seven,* 1968). Il va appporter une qualité inconnue jusqu'alors dans les films bon marché, et créer un style personnel qui va devenir l'image de marque de toute une génération de cinéastes anti-establishment : longues focales, notamment pour filmer les scènes d'errance dans les grands espaces américains, mise au point alternée *(rack focus)* pour renouveler le champ-contre-champ. C'est *Easy Rider,* de Dennis Hopper, qui le fera vraiment connaître en 1969. En dépit de difficultés passagères avec les syndicats de techniciens (il est exclu de l'équipe de *M. A. S. H.*), il travaille avec les réalisateurs les plus représentatifs de la période : P. Bogdanovich (*la Cible,* 1968 ; *On s'fait la valise, docteur,* 1972 ; *la Barbe à papa,* 1973 ; *Enfin l'amour,* 1975 ; *Nickelodeon,* 1976), B. Rafelson (*Cinq Pièces faciles,* 1970 ; *The King of Marvin Gardens,* 1972), D. Hopper (*The Last Movie,* 1971), Richard Rush (*Psych-Out,* 1968 ; *Campus,* 1970), R. Altman (*That Cold Day in the Park,* 1969)... Son aptitude à recréer le chromatisme d'une époque ou d'un climat psychologique a considérablement servi des films parfois inégaux. Dans une longue liste de films qu'il a photographiés, on peut citer : *Shampoo* (H. Ashby, 1975), *New York New York* (M. Scorsese, 1977), *Rencontres du troisième type* (CO-PH avec V. Zsigmond, S. Spielberg, 1977), *F. I. S. T.* (N. Jewison, 1978), *Paradise Alley* (S. Stallone, 1978), *Heart Beat* (J. Byrum, 1980), *Frances* (G. Clifford, 1982), *Crackers* (L. Malle, 1984), *S. O. S. Fantômes* (I. Reitman, *id.*), *l'Affaire Chelsea Deardon* (id., 1986), *Mask* (P. Bogdanovich, 1985). A.-M.B.

KOZÁK *(András), acteur hongrois (Vencsellö, 1943).* Il apparaît au cours des années 60 comme le jeune comédien fétiche de Miklós Jancsó, qui lui offre des rôles de premier plan dans *Mon chemin* (1964), *les Sans-Espoir* (1965), *Rouges et blancs* (1967), *Silence et Cri* (1968), *Ah ! ça ira* (1969), *Sirocco d'hiver* (id.) et *Agnus Dei* (1971). Parmi ses autres films, citons essentiellement : *Remous* (I. Gaál, 1963) ; *Zone tempérée* (A. Kezdi-Kovács, 1970) ; *les Yeux bandés* (A. Kovács, 1975) ; *'le Match'* (F. Kósa, 1981) ; *'Jamais, nulle part, à personne'* (*Soha, sehol, senkinek,* Ferenc Téglásy, 1988) ; *Horoscope de Jésus Christ* (M. Jancsó, 1989) ; *Et pourtant...* (Kezdi-Kovács, 1991) ; *Blue Box* (*id.,* E. Káldor). J.-L.P.

KOZINTSEV *(Grigori) [Grigorij Mihajlovič Kozincev], cinéaste soviétique (Kiev 1905 - Leningrad 1973).* Dès l'âge de quatorze ans, ce jeune Ukrainien participe comme apprenti décorateur à des spectacles d'agit-prop où il fait la connaissance de Sergueï Youtkevitch ; en 1920, il part pour Leningrad, où il suit des cours de peinture à l'Académie des beaux-arts et se lie d'amitié avec Leonid Trauberg. Très influencés tous deux par les théories de Meyerhold et l'activisme poétique de Maïakovski, marqués par la découverte des films à épisodes de Feuillade et des premiers burlesques de Chaplin, ils fondent en 1921, avec Youtkevitch qui les a rejoints, la FEKS (Fabrique de l'acteur excentrique), à laquelle s'intègrent Guerassimov comme acteur et Eisenstein (très provisoirement) comme « professeur ».

Après une mise en scène théâtrale (combinant cirque, cabaret et cinéma) de *l'Hyménée* de Gogol, Kozintsev et Trauberg (qui feront équipe jusqu'en 1945) débutent dans le cinéma avec *les Aventures d'Octobrine* (*Pohoždenija Oktjabriny,* 1924), une comédie d'agit-prop dénonçant les « requins » du capitalisme occidental, qui prétendent exiger des ouvriers et des paysans russes le remboursement des dettes tsaristes ; *Michka contre Youdenitch* (*Miška protiv Judeniča,* 1925) et *la Roue du diable* (*Čertovo koleso,* 1926) sont également des comédies « excentriques ». Les deux cinéastes affinent leur style dans *le Manteau* (*Šinel',* 1926 ; d'après Gogol), *le Petit Frère* (*Bratiška,* 1927) et *SVD / Neiges sanglantes / l'Union pour la grande cause* (*SVD,* id.), sur l'insurrection des décembristes en 1825.

La Nouvelle Babylone (*Novyj Vavilon,* 1929) est une admirable et déchirante évocation de la Commune de Paris, pour laquelle le jeune Chostakovitch écrit une partition : la chute du second Empire, le siège de la capitale, la proclamation de la Commune et son écrasement par les versaillais sont racontés avec un art consommé de l'ellipse et de la métaphore en des images dont la densité plastique et la puissance suggestive valorisent le message politique fondé sur une analyse marxiste de la lutte des classes. Dans un style fort différent, qui se ressent déjà des problèmes esthétiques nouveaux posés par le parlant (le film est tourné en muet, puis sonorisé), *Seule* (*Odna,* 1931) est aussi une grande œuvre, littéralement illuminée, comme la précédente, par la présence d'Elena Kouzmina en vedette, ici dans le rôle d'une institutrice envoyée, pour son premier poste, dans un lointain village de l'Altaï et confrontée au difficile processus de la collectivisation des campagnes.

Seule marque le renoncement définitif aux principes de l'*excentrisme* au profit de ceux du réalisme, bientôt baptisé *réalisme socialiste ;* en même temps, les cinéastes passent des sujets historiques à la réalité soviétique contemporaine (évolution esquissée dans *le Petit Frère),* et abandonnent la thématique de l'individu écrasé par le système social, commune à leurs derniers films, pour une inspiration plus actuelle et plus « positive » qui va se manifester dans leur célèbre trilogie des « Maxime ». Dans *la Jeunesse de Maxime* (*Junost ' Maksima,* 1935), *le Retour de Maxime* (*Vozvraščenie Maksima,* 1937) et *Maxime à Vyborg / le Quartier de Vyborg* (*Vyborgskaja storona,* 1939), Maxime est la figure emblématique du prolétaire révolutionnaire engagé dans la lutte avant, pendant et après le triomphe de la révolution d'Octobre : ce simple ouvrier devient peu à peu un militant et un combattant exemplaire pour accéder finalement aux responsabilités officielles dans les fonctions de président de la Banque d'État. L'acteur Boris Tchirkov, découvert par les cinéastes, est encore un « typage » mais il apporte à son personnage une vitalité et un humour qui le rendent proche de la vie réelle et font de lui plus qu'un symbole.

Pendant les hostilités, Kozintsev collabore avec Lev Arnchtam à deux « ciné-recueils de guerre » (ces deux nouvelles ont pour titre *Rencontre avec Maxime* [*Vstreča s Maksimom*], 1941, et *Incident au bureau du télégraphe* [*Slučaj na telegrafe*], id.), puis réalise (à nouveau avec Trauberg), *Des gens simples* (*Prostye ljudi,* 1945), qui relate les dures conditions de vie du front intérieur dans le pays en guerre : mais le film, jugé « raté et incorrect », ne sortira qu'en 1956. Cet incident marque la fin de la collaboration des deux hommes.

Désormais seul, Kozintsev réalise des biographies filmées selon la tendance dominante de la production stalinienne (*Pirogov,* 1947 ; *Belinski* [*Belinskij*], 1951), se consacre un temps au théâtre, puis entreprend une nouvelle carrière au moment du « dégel » avec une intelligente et somptueuse adaptation de Cervantès, *Don Quichotte* (*Don Kihot,* 1957), où le grand acteur Nikolaï Tcherkassov fait merveille dans le personnage vedette. Mais ce sont surtout ses versions d'*Hamlet* (*Gamlet,* 1964) et du *Roi Lear* (*Korol Lir,* 1971) qui ramènent l'attention sur lui en attirant l'admiration du public international et les louanges des shakespeariens les plus exigeants, car il y transpose avec autant de fidélité que d'invention l'univers dramatique et psychologique de l'auteur. Tout en restituant avec une vraisemblance minutieuse le décor et l'atmosphère d'époque (avec, dans le traitement plastique, des souvenirs des principes de la FEKS), il met en valeur la pérennité des idéaux humanistes du dramaturge incarnés par d'admirables comédiens (Innokenti Smoktounovski dans le premier, Juri Jarvet dans le second).

Kozintsev a publié plusieurs ouvrages : *Notre contemporain, William Shakespeare* (1962), *l'Écran profond* (1971) et *l'Espace de la tragédie* (1973). ▲ M.M.

KOZLOVSKI *(Sergueï)* [*Sergej Vasil'evič Kozlovskij*], *décorateur soviétique (1885 - 1962).* Il est l'un des décorateurs de talent du cinéma russe (*les Millions de Privalov* de Vladimir Gardine, 1915), mais il s'impose surtout au cours des années 20 et 30, en collaborant avec Jeliaboujski (*la Cigarière du Mosselprom,* 1924), Protazanov (*Aelita,* 1924 ; *le Garçon du restaurant,* 1927 ; *le 41e,* id. ; *Don Diegue et Pélagie,* 1928 ; *la Fête de Saint Iorgen,* 1930), Poudovkine (*la Mère,* 1926 ; *la Fin de Saint-Pétersbourg,* 1927 ; *Tempête sur l'Asie,* 1929 [co : M. Aronson] ; *Un simple cas,* 1932 ; *le Déserteur,* 1933), Barnet (*la Jeune Fille au carton à chapeau,* 1927 ; *la Maison de la place Troubnaïa,* 1928 ; *Okraina,* 1933). Il signe en 1925-26 trois films comme réalisateur. J.-L.P.

KRACAUER *(Siegfried), écrivain, essayiste allemand (Francfort-sur-le-Main 1889 - New York, N. Y., 1966).* Architecte de formation, il s'oriente vers la philosophie et la sociologie à Berlin, et publie en 1922 *Soziologie als Wissenschaft.* Il recourt à cette discipline nouvelle pour analyser l'univers d'Offenbach, le roman policier, le film. Influencé par Walter Benjamin et le jeune Georg Lukács, lié à l'école de Francfort, il se fait connaître par ses chroniques cinématographiques de la *Frankfurter Zeitung,* qu'il signe de 1921 à 1933, date de l'arrivée des nazis au pouvoir et de son exil. C'est aux États-Unis, à Princeton, qu'il publie en 1947 la première édition de son ouvrage le plus connu, *From Caligari to Hitler, A Psychological History of the German Film,* qui ne sera traduit en français que tardivement (*De Caligari à Hitler,* Lausanne, 1973). Comme dans *Theory of Film* (Oxford, 1968), Kracauer écarte le gestaltisme («Gestalttheorie»), moins intéressé par l'évolution des formes que par l'analyse de la représentation du réel – et de l'imaginaire fantastique ou mythique –, car cette représentation, pense-t-il, est un miroir de l'inconscient collectif, de la «dualité de l'âme germanique», des refoulements et névroses politiques. L'intérêt de ce travail est considérable et ses attendus, fondés sur l'étude méthodique des œuvres, n'ont jamais été remis en cause. Kracauer, qui met en évidence les «prémonitions profondément enracinées qui se propagèrent dans le cinéma allemand» entre 1895 et 1933, grâce à sa connaissance précise de la production, éclaire également les procédés employés par les nazis pour faire du film un outil de propagande et falsifier l'information. *In fine,* les questions de forme se retrouvent éclairées d'un jour complémentaire, les faisant apparaître inséparables du tissu socio-historique. C.M.C.

KRAHL *(Hildegard Kolačný, dite Hilde), actrice allemande d'origine croate (Brod, Autriche-Hongrie, 1917).* Elle débute en Autriche presque simultanément au théâtre et au cinéma, avec notamment *Mädchenpensionnat* (G. von Bolvary, 1936) et devient très vite une des vedettes féminines du cinéma du IIIe Reich – et pour beaucoup la plus belle – tournant principalement comédies et drames sentimentaux : *Serenade* (W. Forst, 1937), *la Fille de la steppe* (W. Klinger, 1939), *la Double Vie de Laura Menzel* (*Das andere Ich,* W. Liebeneiner, 1941), et d'autres films de Wolfgang Liebeneiner, son mari. Ses meilleures interprétations sont sans doute celles du *Maître de poste* (G. Ucicky, 1940) et des *Comédiens* (G. W. Pabst, 1941). Toujours présente sur les scènes de théâtre allemandes après la guerre, elle tourne de nombreux films jusqu'en 1962, parmi lesquels *Liebe 47* et *Vienne, 1er avril, an 2000 (1 April 2000)* de Liebeneiner (1949 et 1952), et *Des enfants, des mères et un général* de Laszlo Benedek (1955). D.S.

KRÄLY *(Hans), scénariste américain d'origine allemande (1885 - 1950).* Collaborateur d'Urban Gad puis d'Ernst Lubitsch dès 1918 *(les Yeux de la momie),* porteur d'un certain humour berlinois, excellent constructeur de situation, dialoguiste brillant, Kräly était le compère idéal du cinéaste à la «touch» magique. Qu'il s'agisse de *la Du Barry* (1919), de *la Poupée* (id.), d'*Anne Boleyn* (1920), puis, aux États-Unis, de *Paradis défendu* (1924), de *So This Is Paris* (1926), du *Prince étudiant* (1927) ou du *Patriote* (1928), l'importance de son écriture est nette. Au parlant, il cesse sa collaboration avec le maître berlinois, car, dès le muet, il avait commencé à prendre ses distances en réussissant ses collaborations avec Clarence Brown (*l'Aigle noir,* 1925, et *Kiki,* 1926), Sidney Franklin (*Quality Street,* 1927), Lewis Milestone (*le Jardin de l'Éden,* 1928) et Jacques Feyder (*le Baiser,* 1929). Au parlant, on lui doit surtout un curieux scénario pour James Whale (*Court-Circuit,* 1933) et une bonne intrigue pour Henry Koster (*Ève a commencé* [*It Started With Eve*], 1941). Il s'est retiré en 1943. C.V.

KRAMER *(Robert), cinéaste américain (New York, N. Y., 1939).* S'il compte parmi les metteurs en scène les plus originaux du cinéma indépendant américain, Robert Kramer est aussi l'un des chantres de la contre-culture qui s'est développée aux États-Unis à la fin des années 60. Mal acceptées dans son pays, ses œuvres austères ont connu un accueil plus favorable en Europe et particulièrement en France, où il vint d'ailleurs travailler. Son premier long métrage, *In the Country* (1967), long dialogue d'un couple qui s'est retiré à la campagne pour fuir la lutte politique (contre la guerre au Viêt-nam), à laquelle l'homme ne croit plus, établit l'univers et les préoccupations de Kramer. *En marge* (*The Edge,* 1967) et *Ice* (id., 1968) évoquent les groupes engagés qui flirtent avec le terrorisme. Mais le discours politique n'est pas le seul centre d'intérêt de Kramer : il est tout aussi attentif aux rapports humains, aux sous-conversations qu'il évoque de manière oblique, elliptique, sur un ton feutré. *Milestones* (1976), évocation polyphonique d'une communauté à la campagne, film-fleuve, résume les recherches structurelles et éthiques de Kramer. Fondateur d'un groupe de cinéma indépendant, The Newsreel, Kramer a également réalisé des documentaires : *People's War* (1975) et *Scenes From the Class Struggle in Portugal* (1977). Sa fascination pour les activités clandestines se retrouve dans *Guns* (id., 1980), qu'il tourne en France tandis qu'*À toute allure* (1982), mis en scène pour l'INA et la télévision, montre sa sensibilisation aux problèmes de la jeunesse. *Notre nazi* (*Unser Nazi,* 1984) est un étonnant reportage sur le tournage du film de Thomas Harlan, *Wundkanal,* qui devient une réflexion sur la culpabilité et la recherche de la vérité. *Diesel* (1985), en revanche, également réalisé en France, marque sa rencontre (peu heureuse) avec le film policier. Il tourne ensuite au Portugal *Doc's Kingdom* (1987) et propose dans *Route One USA* (1989) sa vision très personnelle, du Canada en Floride, de l'Amérique profonde à l'aube du XXIe siècle. En 1993, de retour au Vietnam (où il avait tourné en 1969 *People's War*), il cherche à comprendre à travers diverses rencontres à Hanoi l'évolution d'un pays marqué par une guerre traumatisante dans *Point de départ (Starting Place).* Il signe en 1995 un film de fiction, *l'Avenir* (*Fear / Far / Future*).

M.C.

KRAMER *(Stanley), producteur et cinéaste américain (New York, N. Y., 1913).* D'abord producteur, vers la fin des années 40, d'une série de films engagés et très vantés à l'époque (les meilleurs sont *le Champion* [M. Robson], 1949, et *Le train sifflera trois fois* [F. Zinnemann], 1952), Stanley Kramer a abordé la mise en scène en 1955 avec *Pour que vivent les hommes (Not as a Stranger).* Plein de bonnes intentions, mais réalisant trop visiblement des films plus à cause d'un sujet brûlant qu'en raison d'une nécessité personnelle, Stanley Kramer est la meilleure preuve que de bonnes intentions ne peuvent masquer un manque d'inspiration. L'homme est sympathique et sincère, mais souvent sans talent. Au plus bas, on trouve *R. P. M.* (1970), invraisemblable salmigondis sur les révoltes étudiantes. À l'étage supérieur, il y a les films les plus légers de Kramer, qui, de temps à autre, semblent touchés par le bizarre : on peut voir *Un monde fou, fou, fou* (*It's a Mad, Mad, Mad, Mad World,* 1963), ou *l'Or noir de l'Oklahoma* (*Oklahoma Crude,* 1973) avec le sourire et sans ennui. Enfin, il y a quelques œuvres hybrides qui accrochent maladroitement l'attention, comme *la Nef des fous* (*Ship of Fools,* 1965) ou *la Théorie des dominos* (*The Domino Principle,* 1977).

En fait, si les films de Kramer ont souvent marqué des dates dans l'histoire du cinéma américain, on réalise maintenant que c'est pour des motifs tout autres que leurs qualités intrinsèques. *La Chaîne* (*The Defiant One,* 1958) avait le mérite de briser un tabou racial ; *le Dernier Rivage* (*On the Beach,* 1959) devait à Sam Leavitt quelques belles images de ville déserte figée par une explosion atomique. *Jugement à Nuremberg* (*Judgement at Nuremberg,* 1961) permettait un subtil échange d'émotion entre Spencer Tracy et Marlene Dietrich. Et *Devine qui vient dîner* (*Guess Who's Coming to Dinner,* 1967), qui enfonçait des portes ouvertes avec une belle inconscience, restera dans nos mémoires parce que Spencer Tracy encore et Katharine Hepburn savaient y déguster, comme personne, des sorbets à la fraise des bois.

C.V.

Autres films : *Orgueil et Passion* (*The Pride and the Passion,* 1957) ; *Procès de singe* (*Inherit* *the Wind,* 1960) ; *le Secret de Santa Vittoria* (*The secret of Santa Vittoria,* 1969) ; *Bless the Beasts and Children* (1971) ; *The Runner Stumbles* (1979). ▲

KRAMPF *(Günther), chef opérateur autrichien (Vienne 1899 - 1955).* Pour ses premières armes, il est assistant sur *Nosferatu le vampire* (F. W. Murnau, 1922). Rapidement promu chef opérateur, il dirige la photo d'un grand nombre de films, dont d'importantes œuvres expressionnistes. Son style est caractérisé par un goût marqué pour la pénombre. En Allemagne, il collabore notamment à *Cendrillon* (L. Berger, 1923), *les Mains d'Orlac* (R. Wiene, 1924), *Loulou* (G. W. Pabst, 1929), *la Dernière Compagnie* (K. Bernhardt, 1930), *Kühle Wampe* (S. Dudow, 1932), ainsi qu'à *Narkose* (1929), l'unique film de l'acteur Alfred Abel. En 1932, il se fixe en Grande-Bretagne et poursuit une carrière toujours fructueuse avec, par exemple, *Rome Express* (W. Forde, 1932), *The Tunnel* (M. Elvey, 1935), *Fame Is the Spur* (R. Boulting, 1947), *Portrait of Clare* (L. Comfort, 1950). F.LAB.

KRASKER *(Robert), chef opérateur britannique d'origine australienne (Perth, Australie-Occidentale, 1913 - Londres 1981).* Il débute en Angleterre comme cadreur des productions Korda et s'affirme après la guerre comme un des plus brillants chefs opérateurs de l'époque : *Henry V* (L. Olivier, 1944) ; *Brève Rencontre* (D. Lean, 1945) ; *le Troisième Homme* (C. Reed, 1949) ; *Pleure, ô mon pays bien-aimé* (Z. Korda, 1952) ; *Senso* (L. Visconti achève le film commencé par G. R. Aldo, 1954) ; *Roméo et Juliette* (R. Castellani, *id.*) ; *les Criminels* (J. Losey, 1960) ; *Billy Budd* (P. Ustinov, 1962) ; *la Chute de l'Empire romain* (A. Mann, 1964) ; *l'Obsédé* (W. Wyler, 1965). J.-P.B.

KRASNA *(Norman), scénariste et cinéaste américain (Corona, N. Y., 1909 - Los Angeles, Ca., 1984).* Fort de ses succès scéniques, il collabore avec Fritz Lang sur deux de ses premiers films américains : l'un des meilleurs (*Furie,* 1936) et l'un des plus mauvais (*Casier judiciaire,* 1938). En fait, il travaille souvent avec de bons cinéastes, comme Frank Borzage (*la Grande Ville,* 1937) ou Alfred Hitchcock (*Joies matrimoniales,* 1941). La comédie alerte et vivace lui convient mieux, comme *Jeux de mains* (M. Leisen, 1935) ou *Sa femme et sa dactylo* (C. Brown, 1936). Il aborda par trois fois la réalisation, mais sans réussite notable malgré le petit succès que se tailla, en 1943, son premier film, *Princess O'Rourke,* pour lequel il reçut un Oscar, mais au titre de scénariste. C.V.

KRASNER *(Milton), chef opérateur américain (Philadelphie, Pa., 1901 - Woodland Hills, Ca., 1988).* Assistant opérateur dès 1918, il ne s'impose qu'après la guerre : *la Femme au portrait* (F. Lang, 1944) ; *la Rue rouge* (id., 1945) ; *Nous avons gagné ce soir* (R. Wise, 1949) ; *Ève* (J. L. Mankiewicz, 1950) ; *Chérie, je me sens rajeunir* (H. Hawks, 1952) ; *Bas les masques* (R. Brooks, *id.*) ; *Sept Ans de réflexion* (B. Wilder, 1955) ; *Bus Stop* (J. Logan, 1956) ; *Doux Oiseau de jeunesse* (Brooks, 1962) ; *Pookie* (A. J. Pakula, 1969). À quoi s'ajoutent sept films de Minnelli, *Celui par qui le scandale arrive* (1960), *Un numéro du tonnerre* (1960), *les Quatre Cavaliers de l'Apocalypse* (1962), *Quinze Jours ailleurs* (id.), *Il faut marier papa* (1963), *Au revoir Charlie* (1964) et *le Chevalier des sables* (1965). J.-P.B.

KRAUSS *(Henri Kraus,* dit *Henri), acteur et cinéaste français (Paris 1866 -* id. *1935).* Dès 1908, il devient l'un des piliers du Film d'Art. Jusqu'à 1914, il apporte ainsi, dans les réalisations d'Albert Capellani *(la Tour de Nesle, Germinal, les Misérables, Quatrevingt-Treize, le Chemineau),* sa connaissance du théâtre mise au service d'un jeu robuste, plus épuré, plus concentré. Il travaille ensuite avec Antoine (*Frères corses,* 1915) et met en scène lui-même *Papa Hulin* (1917), *Marion Delorme* (1918), *le Fils de monsieur Ledoux* (1919), toujours avec un même souci de réalisme. Pendant le tournage de *Napoléon* (1925), Gance le choisit pour être un de ses assistants. En 1925, il compose avec une minutie attentive le personnage du père de *Poil de carotte* (Duvivier). Peu avant sa mort, il trace la figure sereine de Mgr Myriel (*les Misérables,* R. Bernard, 1934), après avoir paru auparavant dans *le Procureur Hallers* (R. Wiene, 1930). R.C.

KRAUSS *(Jacques Kraus,* dit *Jacques), décorateur français (Paris 1900 -* id. *1957).* Fils du comédien et réalisateur Henry Krauss, il assiste Lucien Aguettand avant de devenir chef décorateur avec *les Deux Canards* (Erich Schmidt, 1933). Il collabore surtout avec Julien Duvivier (*le*

Paquebot Tenacity, 1934 ; *Maria Chapdelaine,* id. ; *la Bandera,* 1935 ; *la Belle Équipe,* 1936 ; *Pépé le Moko,* 1937 ; *la Fin du jour,* 1939 ; *la Charrette fantôme,* 1940) et Claude Autant-Lara : *l'Affaire du courrier de Lyon* (1937), *le Mariage de Chiffon* (1942), *Douce* (1943), *Sylvie et le fantôme* (1946). Après la guerre, il décore *Caroline chérie* (Richard Pottier, 1951) et *la Fille Elisa* (Roger Richebé, 1956). J.-P.B.

KRAUSS *(Werner), acteur allemand (Gestungshausen 1884 - Vienne, Autriche, 1959).* Acteur de théâtre sur les scènes de province, il s'établit à Berlin, où il travaille avec Max Reinhardt en 1913. Il débute au cinéma en 1916 et tourne plusieurs fois sous la direction de Richard Oswald, dont le *Journal d'une fille perdue* (1918).

Il joue alors dans une série de grands films où il incarne des personnages inoubliables, qui lui confèrent, un peu schématiquement, l'image du plus grand acteur « expressionniste » des années 20 : il est le docteur dans *le Cabinet du Dr Caligari* (R. Wiene, 1919), Robespierre dans le *Danton* de Buchowetzki (1921), Iago dans *Othello* (id., 1922), Ponce Pilate dans *I. N. R. I.* (Wiene, 1923), Jack l'éventreur dans *le Cabinet des figures de cire* (P. Leni, 1924), le boucher de *la Rue sans joie* (G. W. Pabst, 1925), le professeur Mathias dans les *Mystères d'une âme* (Pabst, 1926). On peut le voir dans de nombreux autres films, dont *le Rail* (Lupu Pick, 1921), *la Terre qui flambe* (F. W. Murnau, 1922), *le Trésor* (Pabst, 1923), *l'Étudiant de Prague* (version d'Henrick Galeen, 1926), *Nana* (J. Renoir, *id.*), *la Culotte* (*Die Hose,* Hans Behrendt, 1927)...

Il tourne moins fréquemment au temps du cinéma parlant, mais quelques films réalisés sous le régime nazi, tel *le Juif Süss* (V. Harlan, 1940), où il obtient le double rôle du rabbin Loew et du secrétaire Lévy, le compromettent au point qu'il subira une interdiction professionnelle au lendemain de la guerre. Au cours de la période nazie, on peut le voir également dans *la Lutte héroïque* (H. Steinhoff, 1939), *Annelie* (J. von Baky, 1941), *Die Entlassung* (W. Liebeneiner, 1942) et *Paracelse* (Pabst, 1943). Bien qu'il se consacre d'abord au théâtre, à Vienne, puis à Berlin et Düsseldorf, il tourne encore trois films jusqu'en 1955, dont *Der fallende Stern* de Harald Braun (1950). D.S.

KREJČIK *(Jiři), cinéaste tchèque (Prague, Autriche-Hongrie, 1918).* Acteur aux studios Barrandov après l'annexion allemande, puis réalisateur de documentaires à partir de 1943. *'Une semaine dans une maison tranquille'* (*Týden v tichém domě,* 1947) marque ses débuts dans le long métrage, presque toujours sur des thèmes moraux et psychologiques, comme dans *la Conscience* (*Svědomí,* 1949) et *Condamnés à vivre/le Réveil* (*Probuzeni,* 1959). Son meilleur film, le seul qui a eu quelque retentissement à l'étranger et obtenu plusieurs prix, est *Monsieur Principe Supérieur* (*Vyšši princip,* 1960, d'après un récit de Jan Drda), qui expose le drame de conscience d'un vieux professeur déchiré entre son credo de non-violence et la nécessité de l'engagement patriotique. Représentant typique de la génération intermédiaire entre les « vétérans » et la Nouvelle Vague, Krejčik n'a pas su se renouveler, comme en témoigne la banalité de style de ses *'Jeux trompeurs de l'amour'* (*Hry lásky šalivé,* 1971), inspiré pourtant de Boccace et de Marguerite de Navarre. M.M.

Autres films : *le Village sur la frontière* (*Ves v pohraničí,* 1948) ; *la Moralité de madame Dulska* (*Morálka paní Dulské,* 1958), *'le Labyrinthe du cœur'* (*Labyrint srdce,* 1961), *'Ema la Divine'* (*Božská Ema,* 1979), *'Vendeur d'humour'* (*Prodavač humoru,* 1985).

KREUZER *(Elisabeth,* dite *Lisa), actrice allemande (Hof, Bavière, 1945).* Son nom reste lié à celui du réalisateur Wim Wenders dont elle fut la compagne et qui l'a dirigée dans quatre films dont *Alice dans les villes* (1973), *Au fil du temps* (1976) et *l'Ami américain* (1977). Comédienne sensible et émouvante, Lisa Kreuzer joue aussi au théâtre et à la télévision. Des réalisateurs étrangers la sollicitent régulièrement, mais, malheureusement, pour des rôles peu marquants, à l'exception de *Il faut tuer Birgitt Haas* (Laurent Heyneman, 1981), *Flight to Berlin* (Christoffer Petit, 1984), *Berlin-Jérusalem* (A. Gitai, 1989). A. F.

KRISTL *(Vlado), cinéaste yougoslave (Zagreb, Croatie, 1923).* D'abord peintre, il participe à l'essor du cinéma yougoslave d'animation, réalise *Peau de chagrin* (*Sagrenska koza,* 1960, CO : Ivo Vrbanić), *Don Quichotte* (*Don Kihot,* 1961) et, en 1962, *le Général (Resni clovek).* En 1963, il émigre à Munich, où il participe à l'essor du cinéma indépendant allemand. *Pauvres Gens (Arme Leute), Madeleine-Madeleine* (1963) et *la Chaussée/la Digue* (*Der Damm,* 1964) sont d'une facture traditionnelle. *Prometheus* (1965) et *Die Utopen* (1967) sont des films d'animation et de collage. Après le «grand minishow» de *Sekundenfilme* (1968), série de courts métrages pour la télévision, viennent le déconcertant *Italienisches Capriccio* (1969) et *Film oder Macht* (1970). *Obrigkeitsfilm* (1971) est, selon Dwoskin, un film «anarchiste» sur l'autorité, où l'on voit des personnages faire sans gêne «ce qu'ils veulent», et qui est ainsi à rapprocher de certains films de Warhol. Après divers travaux diffusés par la télévision malgré leur forme expérimentale, il réalise son «film d'adieu» *Tod dem Zuschauer* (1983), où il attaque le cinéma traditionnel et milite pour la fin du spectateur ordinaire. Il réalisera encore quelques courts métrages par la suite. D.N.

KRISTOFFERSON *(Kris), acteur américain (Brownsville, Tex., 1936).* Cet excellent chanteur est amené au cinéma surtout par Sam Peckinpah : dans *Pat Garrett et Billy le Kid* (1973), il est un Billy le Kid poupin et boudeur, qui laisse craindre pour son avenir d'acteur. Mais, la même année, il trouve sa pleine mesure, en artiste hippie attardé dans *les Choses de l'amour* (P. Mazursky). Sur un registre voisin, il se montre très à l'aise dans *Alice n'est plus ici* (M. Scorsese, 1975) et dans le bizarre mais bancal *Marin qui abandonna la mer* (*The Sailor Who Fell From Grace With the Sea,* Lewis John Carlino, 1976). Ses traits enfantins dissimulés souvent derrière une épaisse barbe poivre et sel, il possède une présence physique très forte, qui contraste avec celles, plus frêles, d'un Al Pacino ou d'un Robert De Niro. La meilleure preuve de son talent, il l'a donnée dans l'effarant naufrage d'*Une étoile est née* (Frank Pierson, 1976), où, envers et contre tous, il crée un personnage très attachant qui semble être son œuvre à lui. En 1985, il tourne *Wanda's Café* sous la direction d'Alan Rudolph et en 1990, *Perfume of the Cyclone* de David Irving. C.V.

KRÜGER *(Eberhard,* dit *Hardy), acteur allemand (Berlin 1928).* Il débute très jeune à l'écran, en 1943, mais c'est une dizaine d'années plus tard qu'il devient une vedette du cinéma allemand. Il tourne notamment dans *Alibi* (Alfred Weidenmann, 1955), *Liane la sauvageonne* (E. von Borsody, 1956), *Avouez, docteur Korda* (J.von Baky, 1958), *Der Rest ist Schweigen,* qui est une adaptation d'*Hamlet* (H. Käutner, 1959)... Sollicité par les studios britanniques, il travaille notamment sous la direction de Joseph Losey (*l'Enquête de l'inspecteur Morgan,* 1959). En France, il obtient un certain succès dans *Un taxi pour Tobrouk* (D. de La Patellière, 1961) et surtout dans *les Dimanches de Ville-d'Avray* de Serge Bourguignon (1962). Désormais vedette internationale, on le voit dans *Hatari !* (H. Hawks, 1962), *le Vol du Phœnix* (R. Aldrich, 1966), *le Franciscain de Bourges* (C. Autant-Lara, 1968), *la Tente rouge* (M. Kalatozov, 1971). Il se consacre ensuite essentiellement à la production et à la réalisation de films sur l'Afrique et sa faune, destinés au marché de la télévision ; et on ne le reverra à l'écran qu'épisodiquement, par exemple dans *Potato Fritz* (P. Schamoni, 1975), ou *Barry Lyndon* (S. Kubrik, *id.*). D.S.

KRUGER *(Jules), chef opérateur français (Strasbourg, Allemagne, 1891 - Clichy-la-Garenne 1959).* Technicien de talent de nombreux films, exerçant essentiellement durant la période qui a précédé la Seconde Guerre mondiale. Formé par Abel Gance, il fait preuve, avec *Napoléon* (1927), de grandes qualités esthétiques, et d'un sens de l'atmosphère qu'il affirmera tout au long de sa carrière. Fidèle à Julien Duvivier, il a collaboré à *la Bandera* (1935), *la Belle Équipe* (1936), *Pépé le Moko* (1937), *la Charrette fantôme* (1940), *Untel père et fils* (1945). On lui doit également les prises de vues de *l'Argent* (M. L'Herbier, 1929), *la Fin du monde* (A. Gance, 1931), *les Croix de bois* (R. Bernard, 1932), *les Misérables* (id., 1934), *les Perles de la couronne* (S. Guitry et Christian-Jaque, 1937), *les Inconnus dans la maison* (H. Decoin, 1942). Il a aussi travaillé en Grande-Bretagne : *Vessel of Wrath* (E. Pommer, 1938). F.LAB.

KRUGER *(Otto), acteur américain (Toledo, Ohio, 1885 - Los Angeles, Ca., 1974).* Après le classique apprentissage théâtral, il aborde le cinéma en 1923, mais doit attendre le parlant pour y travailler vraiment régulièrement. Il est alors, et reste jusqu'à la fin de sa carrière, un homme mince et élégant, entre deux âges, dont émanent noblesse et générosité, comme dans *la Passagère* (C. Brown, 1934), où il laissait Joan Crawford aimer Clark Gable et se retirait discrètement. Il a joué aussi les vieux sages, aveugles (*Cinquième Colonne,* A. Hitchcock, 1942) ou non (*le Secret magnifique,* D. Sirk, 1954), ou les canailles cyniques et immorales. Quand il se retire en 1964, après *Vierge sur canapé* (R. Quine), il est toujours le même, éternel, homme du monde plein de dignité. C.V.

KUBELKA *(Peter), cinéaste expérimental autrichien (Vienne 1934).* Un des principaux « ciné-artistes » européens de l'après-guerre, dont le rayonnement va assez tôt atteindre les États-Unis. Il commence par des études de musique et d'art à Vienne, puis de cinéma au Centro sperimentale de Rome. Son premier film, *Mosaik im Vertrauen* (1955), précède trois films « métriques », *Adebar* (1957), *Schwechater* (1958) et *Arnulf Rainer* (1958-1960), qui préfigurent le cinéma dit « structurel » de la fin des années 60 : leur structure est en effet calculée au photogramme près. *Arnulf Rainer,* alternance de photogrammes noirs ou blancs accompagnés ou non d'un son « blanc », est au cinéma ce que le carré blanc sur fond blanc de Malévitch est à la peinture.

Résultant d'un reportage de commande sur un safari en Afrique, *Unsere Afrikareise* (1961-1966) est en fait une construction musicale fondée sur les analogies et les contrastes des images et des sons.

Avec *Pause* (1977), l'œuvre de Kubelka ne dépasse pas en tout une heure. Elle a suffi à assurer la renommée d'un créateur qui, depuis 1966, donne de nombreux cours aux États-Unis et en Europe, et qui a organisé en 1976 à Paris l'exposition de films expérimentaux *Une histoire du cinéma.* Kubelka est cofondateur et codirecteur de la Cinémathèque de Vienne. D.N.

KUBRICK *(Stanley), cinéaste américain (New York, N. Y., 1928).* Il apparaît d'abord comme un héritier du film noir, dans la lignée de Lang, Siodmak ou Fuller. Le script serré, la lumière presque expressionniste de ses premiers longs métrages, et jusqu'à la singularité de l'entrepôt de mannequins où s'affrontent Jamie Smith et Frank Silvera dans *le Baiser du tueur,* justifient parfaitement l'opinion initiale qu'on se fait de Stanley Kubrick. On ne manquera pas, d'ailleurs, de découvrir, dans les œuvres à venir, des marques indubitables de cette violence expressionniste ou un peu baroque, de cette théâtralité de la mort — ne rappelons que l'assassinat de Quilty (Peter Sellers), dans *Lolita,* et les crimes d'*Orange mécanique* —, héritée peut-être d'une ascendance juive d'Europe centrale dont le cinéma américain s'est enrichi à partir de 1932. Mais Kubrick échappe très vite à l'enfermement dans un genre ; de plus, quel que soit celui auquel il se réfère — thriller, comédie de mœurs, péplum, science- (ou politique-) fiction —, il en subvertit les données et en détourne les fonctions selon les exigences de son propre imaginaire. En même temps qu'il applique à ses films une force créatrice capable de les arracher à toute orbe conventionnelle, il se libère lui-même de l'assujettissement aux grands studios. De fait, il a pratiqué un cinéma d'amateur (au niveau des moyens techniques et financiers), avec ses courts métrages, et même encore pour *le Baiser du tueur* (1955), avant d'engager une partie difficile mais sans concession avec les Majors. Il est un des premiers cinéastes américains des années 50 à avoir travaillé en marge et, à mesure que ses projets gagnaient en ambition, à avoir augmenté ses exigences. Ce qui a fini par paralyser aujourd'hui un Fleischer ou par compromettre l'indépendance (sinon la survie) d'un Coppola, Kubrick en a triomphé avec une extraordinaire obstination, un sens de la production inné (dans ses moindres détails comme dans ses plus larges perspectives). Lucas, par exemple, retiendra la leçon ; mais, ce qui ne s'apprend pas, c'est la puissance et l'originalité créatrices. On a contesté à Kubrick cette originalité, la notion même d'auteur, l'unité et l'authenticité de l'œuvre. On lui reproche ce dont on ne fait guère grief à tant d'autres : le recours à une œuvre littéraire (*Lolita,* de Nabokov ; *2001 : l'Odyssée de l'espace,* de A. C. Clark ; *Orange mécanique,* de Burgess ; *Barry Lyndon,* de Thackeray...). Mais, surtout, il déconcerte et ne s'explique pas volontiers. Il semble pourtant qu'on puisse préférer, aux professions d'intentions, la richesse des œuvres : une douzaine de films a fait que Stanley Kubrick peut être considéré aujourd'hui comme un des cinéastes majeurs de la seconde moitié du siècle, quand bien même il cesserait demain de tourner.

Redoutable joueur d'échecs (comme Nabokov), photographe quatre ans pour *Look,* il vient au cinéma en filmant la journée d'un boxeur (Walter Cartier), et vend son court métrage à la RKO, puis il tourne un reportage consacré à un prêtre du Nouveau-Mexique qui vole de paroisse en paroisse dans un Piper Cub *(Flying Padre)*. Un emprunt de 10 000 dollars lui permet de réaliser *Fear and Desire,* à peine un long métrage, épisode sanglant et ludique d'une guerre imaginaire (1953). Un nouvel emprunt assure le tournage du *Baiser du tueur*. Kubrick rencontre alors le jeune et riche James B. Harris, qui lui propose de s'associer à la production d'*Ultime Razzia*. Kubrick a vingt-cinq ans, et il n'est déjà plus un inconnu. Il a même fait preuve d'un professionnalisme qui ne tient pour négligeable aucun aspect de la création cinématographique, à commencer par la clé de tout : la production. Il travaille sur des scripts minutieusement élaborés, auxquels il collabore : *Ultime Razzia, le Baiser du tueur, les Sentiers de la gloire* et tous les titres à partir de *Dr Folamour*. La musique se voit peu à peu refuser sa trop habituelle fonction redondante (encore que l'enterrement du petit Bryan Lyndon soit une entorse à la règle) au profit d'un asynchronisme affectif ou mental, dont l'emploi du *Beau Danube bleu* dans *2001 : l'Odyssée de l'espace,* ou celui de la *Neuvième Symphonie* dans *Orange mécanique* restent significatifs. À noter encore l'attention accordée aux costumes et aux décors aussi bien qu'à l'éclairage : on pourrait écrire qu'il n'y a pas dans un film de Kubrick de lumière innocente. La prédilection pour la caméra portée, qu'il manie lui-même, n'exclut nullement l'ampleur des mouvements à la grue ni le travelling, figure de style récurrente dont les ressources ne sont jamais séparées, ni libérées d'un cadre constamment et souverainement contrôlé. Il est rare, également, qu'un cinéaste jouisse du pouvoir de supervision et de correction lui accordant le droit, après les projections initiales, de retirer les copies (encore peu nombreuses) pour resserrer le montage du film... Le contrôle dont dispose Kubrick sur son œuvre (y compris les affiches et le choix des salles) est sans doute unique dans le cinéma contemporain.

Ce pouvoir, arraché à force de volonté ou – qui sait ? – qu'il tient de la science du joueur d'échecs, permet à Stanley Kubrick d'être l'auteur, à part entière, de ses films. Et ce qui est évident, lorsqu'on revoit l'ensemble de l'œuvre, c'est que non seulement elle n'apparaît jamais comme l'illustration d'une thèse mais au contraire, dans sa diversité et sa complexité, comme une création visionnaire et pessimiste d'une rare intensité poétique. Rien de ce qui est inquiétant dans la nature humaine ne lui est étranger. L'ordre et la technologie, l'État et l'ambition, l'intuition *(Shining)* et l'amour *(Lolita)* sont destructeurs. Citons, pour mémoire et illustration, parmi les projets que chérissait Kubrick et que des obstacles divers l'ont empêché de réaliser, *la Vengeance aux deux visages,* que reprendra Marlon Brando, et une « biographie » de Napoléon. Le sentiment que Stanley Kubrick nourrit à l'égard du genre humain mérite d'être rappelé, parce qu'il se révèle lucide dans une époque où la démagogie faussement humaniste brouille les cartes, et parce qu'il corrobore fidèlement l'analyse critique de l'œuvre : « Bien qu'un certain degré d'hypocrisie existe à ce propos, chacun est fasciné par la violence. Après tout, l'homme est le tueur le plus dénué de remords qui ait jamais parcouru la Terre. L'attrait que la violence exerce sur nous révèle, en partie, qu'en notre subconscient, nous sommes très peu différents de nos primitifs ancêtres » (*Newsweek,* 1972).

De l'échappée meurtrière des soldats dans *Fear and Desire* à la folie également meurtrière de Jack Nicholson dans *Shining,* en passant par la violence ambiguë de *Full Metal Jacket* que l'auteur décrit avec la terrifiante froideur d'un entomologiste, l'individu porte la croix de ses atavismes, ou (n'est-ce pas la même ?) celle que les civilisations successives lui ont fabriquée, sur laquelle, même, il meurt deux fois, pour l'ordre et pour l'exemple : Spartacus (K. Douglas), et l'un des soldats dans *les Sentiers de la gloire* – un film qui n'a encore trouvé d'équivalent que dans celui, implacable, de Francesco Rosi, *les Hommes contre*... La mythologie de la guerre est mise à mal avec autant de sérénité sarcastique (le XVIIIe siècle faussement chatoyant de *Barry Lyndon* n'est pas loin de rejoindre dans le cynisme cruel les tueries de la guerre du Viêt-nam de *Full Metal Jacket*) que la notion, diffuse, ambivalente, de progrès *(2001 : l'Odyssée de l'espace)*. Ne se refusant ni l'ironie dans le space-opera, où, justement, la musique érode l'illusion d'une nouvelle « Belle Époque », ni le recours au burlesque, voire un retour au slapstick, l'humour éclate avec les tartes à la crème de « la guerre froide » de *Dr Folamour.* L'unicité, la transparence ne sont que des trompe-l'œil : Barry, comme Humbert Humbert, comme le capitaine Dax, rencontrent derrière chaque représentation (de la réussite sociale, de la passion, du devoir) le piège quasi imparable de son contraire. L'œuvre est semée de ratages spectaculaires ou minables : celui de Sterling Hayden qui voit, hébété, la valise du hold-up choir sur le tarmacadam, et les dollars s'envoler dans le vent des hélices, à la fin d'*Ultime Razzia ;* la souffrance répétée, humiliante, de Humbert (James Mason) ; le retour d'Alex à la case départ *(Orange mécanique),* sa révolte chue des cimes du meurtre et de la thérapie de pointe au creux du lamentable abîme habituel, où son instinct de violence va pouvoir à nouveau s'assouvir ; ratage de Jack, assassin pétrifié dont le roman n'a pas été écrit *(Shining).*

On s'est beaucoup interrogé sur la fin « ouverte » de *2001 : l'Odyssée de l'espace,* film splendide où, par parenthèse, on assiste au crime le plus étonnant, le plus futuriste de l'histoire du cinéma depuis *Planète interdite* (F. M. Wilcox, 1956) : on y voit l'intelligence créatrice condamnée à détruire sa propre création, le superordinateur devenu meurtrier. Le dévoiement n'est que le reflet de l'atavisme de l'homme : comment pallier, dans l'absolu, le rapport, œdipien, de la création à son créateur ? La vision, jamais théorisante, de Kubrick, dans ses aspects les plus baroques, telle la somptueuse démolition des valeurs du XVIIIe siècle à mesure que Ryan O'Neal progresse vers l'échec, la chute, le retour à son trou d'Irlande d'origine, ramené, éclopé, à l'état primitif des Barry, est-elle la vision démoniaque d'un monde considéré comme un enfer tantôt bouffon, tantôt sinistre ?

La singulière unité de l'œuvre, qu'enrichissent les correspondances ou les rappels d'écriture d'un film à l'autre, un extraordinaire code de représentation aux signes, aux cadrages, aux éclairages qui ne cessent en se répondant de trouver une métamorphose nouvelle, poursuit, et dans des champs toujours différents, l'homme égotiste et arrogant, imaginatif et lâche, l'homme immuable, aussi acharné destructeur qu'inlassable bâtisseur. La fin de l'aventure spatiale, « inexpliquée », peut aussi bien promettre une régénérescence de Bowman (Keir Dullea) sous les espèces du fœtus né du Père mort – au-delà de l'infini... Comme l'affranchissement de l'enfant de Spartacus, que Laughton *fait* citoyen romain... Si on évoque la régénérescence du jeune Malcolm McDowell, et la conclusion en boucle d'*Orange mécanique,* on en jugera selon sa foi. De toute manière, Kubrick, inventeur de formes, ingénieur d'images, chorégraphe de l'espace et de nos terreurs déterrées et mises à nu, a réussi à déplacer l'axe épique du cinéma et à réintroduire, par l'horreur et par la splendeur, un baroque inégalé dans la représentation de nos erreurs et de nos ambitions. C.M.C.

Films ▲ : *Day of the Fight* (CM, 1950) ; *Flying Padre* (CM, 1951) ; *Fear and Desire* (1953) ; *le Baiser du tueur* (*Killer's Kiss,* 1955) ; *Ultime Razzia* (*The Killing,* 1956) ; *les Sentiers de la gloire* (*Paths of Glory,* 1957) ; *Spartacus* (id., 1960) ; *Lolita* (id., 1962) ; *Dr Folamour* (*Dr Strangelove, or How I Learned to Stop Worrying and Love the Bomb,* 1963) ; *2001 : l'Odyssée de l'espace* (*2001 : A Space Odyssey,* 1968) ; *Orange mécanique* (*A Clockwork Orange,* 1971) ; *Barry Lindon* (id., 1975) ; *Shining* (*The Shining,* 1979) ; *Full Metal Jacket* (id., 1987).

KUČERA *(Jaroslav), chef opérateur tchèque (Prague, 1929).* Il étudie à la FAMU de Prague jusqu'en 1953, travaille avec Kachyňa et Jasný sur les documentaires que ceux-ci signent ensemble au début des années 50 puis pour Vojtech Jasný seul (*les Nuits de septembre,* 1957 ; *Désir,* 1958 ; *la Procession à la Vierge,* 1961 ; *Un jour un chat...,* 1963). Lorsque la Nouvelle Vague tchécoslovaque prend son essor, Kučera devient un opérateur très prisé : le noir et blanc du *Premier Cri* (J. Jireš, 1964), des *Diamants de la nuit* (J. Němec, *id.*) ou de *la Fête et les invités* (id., 1966) l'inspire tout autant que la couleur des films que signe Vera Chytilova (qui devient son épouse). En effet, le lyrisme naturel de Kučera sait s'acclimater au baroquisme moqueur et impertinent des *Petites Marguerites* (V. Chytilova, 1966) et aux envolées surréalistes des *Fruits du paradis* (id., 1969). Son talent reste inchangé au cours des années 70, même si les films auxquels il collabore n'ont plus tout à fait la même aura.

Il travaille avec Oldřich Lipský et surtout avec Karel Kachyňa. On le retrouve dans *Temps prolongé* de Jaromil Jireš en 1984 puis dans les *Yeux bleus* de Reinhard Hauff. J.-L.P.

KUCHAR *(Mike et George), cinéastes expérimentaux américains (New York, N. Y., 1942).* Jumeaux, ils grandissent dans le Bronx et se gavent très tôt de films hollywoodiens. Les films 8 mm qu'ils tournent dès l'âge de douze ans avec des voisins ou des amis en portent la marque, plus ironique que fascinée. *The Wet Destruction of the Atlantic Empire* (1954), *The Naked and the Nude* (1957) ou *A Tub named Desire* (1960) sont ainsi des mélos farcesques enracinés dans la vie ordinaire du Bronx. Après 1961, les deux frères font chacun leurs films. Ceux de Mike (*Sins of the Fleshapoids,* 1965 ; *Fragments ; The Didgeridoo,* 1972, etc.) sont parfois plus esthètes que ceux de George, plus fidèle, lui, à leurs premières réalisations (*A Woman Distressed,* 1962 ; *Hold me While I'm Naked,* 1966 ; *Eclipse of the Sun Virgin,* 1967 ; *Unstrap me,* 1968 ; *The Sunshine Sisters,* 1973, etc.). D.N.

KUHN *(Rodolfo), cinéaste argentin (Buenos Aires 1934 - Valle de Bravo, Mexico, Mexique, 1987).* Il débute avec le nuevo cine et présente un constat de faillite morale de toute une génération dans *Los jóvenes viejos* (1961). *Pajarito Gómez* (1965) s'attaque aux vedettes préfabriquées par une société du spectacle. Après une carrière irrégulière, il s'exile en 1976. Parmi ses autres œuvres il faut encore citer *Noche terrible* (1967), *La hora de María y el pájaro de Oro* (1976) et *El Señor Galindez* (1984). P.A.P.

KULIK *(Seymour,* dit *Buzz), cinéaste américain (New York, N. Y., 1923).* Formé au cinéma publicitaire, il réalise de très nombreux films en direct et en studio, à la télévision, où se déroule presque toute sa carrière. Après des débuts sans éclat au grand écran en 1961 avec *The Explosive Generation,* ses qualités traditionnelles, sa manière proche du documentaire et son sens des scènes d'action servent mieux le policier (*L'assassin est-il coupable ?* [*The Warning Shot*], 1967 ; *la Mutinerie* [*Riot*], 1969 ; *le Fauve* [*Shamus*], 1973) que le film historique : *Pancho Villa* (*Villa Rides,* 1968). C'est à lui que Steve McQueen confie la réalisation de son film testament : *le Chasseur* (*The Hunter,* 1980). A.G.

KUMAI *(Kei), cinéaste japonais (préfecture de Nagano 1930).* Il fait ses débuts à la Cie Nikkatsu, avec deux films à tendance sociale : *l'Affaire Teigin : la longue mort* (*Teigin jiken : shikeishu,* 1964) et *l'Archipel du Japon* (*Nippon retto,* 1965). Devenu indépendant en 1969, il réalise des films de qualité inégale dont les meilleurs sont *Bordel n°8 à Sandakan* (*Sandakan hachiban shōkan bōkyō,* 1974), *la Mer et le poison* (*Umi to dokuyaku,* 1986, d'après Shusaku Endō), *la Mort du maître de thé* (*Sen no Rikyu,* 1989, avec Toshiro Mifune), *les Passions du Mont Aso* (*Shikibu monogatari,* 1990) ; *'la Mousse lumineuse'* (*Hikarigoke,* 1992), *'le Fleuve profond'* (*Fukai kawa,* 1995). M.T.

KUMAR *(Yusuf Khan,* dit *Dilip), acteur indien (Peshawar* [auj. *Pākistān*] *1922).* Né dans une famille nombreuse de religion orthodoxe, il est conduit à l'écran par la vedette Devika Rani. Après avoir tourné *Jwar Bahta* sous la direction d'Amiya Chakravarty en 1944, il s'impose dans *Milan* (Nitin Bose, 1946) et surtout dans *Jugnu* (Shaukat Hussein Rizvi, 1947). Il devient alors une des grandes idoles de l'écran indien, le « héros tragique » conduisant au succès des films comme *Andaz* (Mehboob, 1949), *Deedar* (Bose, 1951), *Aan* (Mehboob, 1952), *Azad* (S. M. S. Naidu, 1955), *Devdas* (B. Roy, *id.*), *Mughal-e-Azam* (K. Asif, 1960), *Ganga Jumna* (Bose, 1961), *Leader* (R. Mukherjee, 1964), *Shakti* (Ramesh Sippy, 1982), *Karma* (Subhash Ghai, 1986), *Saudagar* (*id.,* 1991). Il est l'époux de l'actrice Saira banu. J.-L.P.

KUMAR *(Arun Kumar Chatterjee,* dit *Uttam), acteur indien (Calcutta 1926 - id. 1980).* Superstar du cinéma bengali pendant trente ans, il connaît son premier succès en 1952 avec *Basu Parivar,* de Nirmal Dey, et devient une vedette adulée par le public. Parmi ses nombreux films, citons : *Sharey Chuattar* (N. Dey, 1953), *Saragika* (Agragami, 1956), *Saptapadi* (Ajoy Kar, 1961), *Jotugriha* (Tapan Sinha, 1964), *le Héros* (S. Ray, 1966), *la Ménagerie* (Ray, 1967), *Amanush* (Shakti Samanta, 1974), *Jadu Bansha* (P. P. Choudhury, *id.*). J.-L.P.

KUMARI *(Majbeen Alibux,* dite *Meena), actrice indienne (Bombay 1933 -* id. *1972).* Débutant très jeune à l'écran, elle devient très rapidement une star du cinéma populaire des studios de Bombay et impose sa présence de tragédienne dans des films aimés du grand public comme *Baiju Bawra* (Vijay Bhatt, 1952), *Footpath* (Zia Sarhadi, 1953), *Parineeta* (B. Roy, *id.*), *Daera* (Kamal Amrohi, *id.*), *Chandni Chowk* (B. R. Chopra, 1954), *Azad* (S. M. S. Naidu, 1955), *Kohinoor* (S. U. Sunny, 1960), *Sahib Bibi Aur Ghulam* (Abrar Alvi, 1962) *Chitralekha* (Kidar Sharma, 1964), *Pakeezah* (K. Amrohi, 1971). J.-L.P.

KUNERT *(Joachim), cinéaste allemand (Berlin 1929).* Assistant puis réalisateur (documentaire et fiction) à la DEFA, il doit sa réputation internationale à son septième film, *les Aventures de Werner Holt* (*Die Abenteuer des Werner Holt,* 1965), solide adaptation d'un roman de Dieter Noll sur les heurs et malheurs d'un soldat de la Seconde Guerre mondiale. Malgré un style assez académique, il parvient à faire exister avec force l'univers qu'il met en scène, ce que confirment, entre autres, ses adaptations d'ouvrages d'Anna Seghers à l'écran comme à la TV : *Les morts restent jeunes* (*Die Toten bleiben jung,* 1968) ; *le Duel* (*Das Duell,* 1970) ; *le Grand Voyage d'Agathe Schweigert* (*Die grosse Reise der Agathe Schweigert,* 1972) ; *le Roseau* (*Das Schilfrohr,* 1973). M.M.

KUNG-FU → KARATÉ.

KURI *(Yoji), cinéaste d'animation japonais (Fukui 1928).* D'abord illustrateur et « cartoonist » dans de nombreux journaux et magazines, il publie son premier album en 1958. Il produit et réalise son premier dessin animé, *Fashion,* en 1960, puis fonde en 1961 sa compagnie indépendante, Kuri Jikken manga kobo, où il réalisera, par diverses techniques d'animation, toute une série de courts métrages remarqués pour leur férocité et leur sens de l'humour absurde, ayant pour sujet essentiellement la guerre des sexes : notamment *Love* (1963), *Aos* (1964), *la Chaise* (*Isu,* id.), *Samuraï* (1965), *les Œufs* et *Au fou !* (1966), *la Salle de bains* (1971), *Parodie de Breughel* (1975), *Manga* (1976), et maints autres. Il est également peintre, organisateur de « happenings », publicitaire pour la télévision, etc. M.T.

KURIHARA *(Kisaburo,* dit *Thomas), cinéaste japonais (préf. de Kanagawa 1885 - Tōkyō 1926).* Afin d'aider sa famille, dont le père a fait faillite, il s'installe très tôt aux États-Unis, et s'inscrit dans une école d'acteurs de cinéma en 1912. Après avoir été figurant à l'Universal, il entre en 1913 à l'Oriental Productions de Thomas Ince, qui lui donne son nom d'artiste (« Thomas »). Il tient alors de véritables rôles avec ses confrères Sesshu [Sessue] Hayakawa, Yutaka Abe ou Frank Tokunaga (*la Mer de feu,* 1918). Frappé de maladie, il retourne au Japon en 1920 et devient metteur en scène à la Cie Taikatsu, avec *le Club des amateurs (Amachua Kurabu),* et *la Séduction du serpent (Jasei no in),* d'après Akinari Ueda. À cause de ses problèmes de santé, il tourne relativement peu de films mais forme de nombreux élèves, dont le réalisateur Tomu Uchida et l'acteur Tokihiko Okada. Il meurt à 41 ans. M.T.

KURNITZ *(Harry), scénariste américain (Philadelphie, Ca., 1909 - Los Angeles, Ca., 1968).* Appelé à Hollywood pour adapter son roman *Fast Company* (E. Buzzell, 1938), il s'y installe et enchaîne les projets. Il obtient un énorme succès avec *See Here Private Hargrove* (W. Ruggles, 1944), comédie militaire assez fine, bien menée par Robert Walker. Il continue à faire la navette entre Broadway et Hollywood, perdant un peu son temps et son talent en comédies parfois essoufflées (*Comment voler un million de dollars ?* W. Wyler, 1966), alors que le passé avait prouvé que la noirceur ne lui réussissait pas mal (*The Web,* M. Gordon, 1947 ; *Témoin à charge,* B. Wilder, 1958). C.V.

KUROSAWA *(Akira), cinéaste japonais (Tōkyō 1910).* Dernier fils d'une famille de sept enfants issue d'une authentique lignée de samouraïs, Akira Kurosawa, encore très jeune, est marqué par le suicide d'un de ses frères, Heigo, qui consacre ainsi sa révolte contre le père. Il termine ses études secondaires, puis s'inscrit dans une école de beaux-arts de Tōkyō, l'académie Dushuka. Il y étudie surtout la peinture, classique et moderne, dont l'influence sera primordiale dans son œuvre (il dessinera d'ailleurs presque toujours les plans de ses films, notamment pour *Kagemusha* et *Ran*). Il pense alors faire une carrière de peintre, mais, en 1936, à la suite d'une annonce, il passe un concours aux studios PCL (qui allaient être absorbés par la Tōhō immédiatement après), et devient assistant réalisateur de Kajirō Yamamoto, tout en écrivant des scénarios pour d'autres réalisateurs de la Tōhō. En 1941, il travaille avec

Yamamoto pour le film *les Chevaux (Uma)*, dont il réalise lui-même certaines séquences en extérieurs. Il tourne ses premiers films en pleine guerre avec *la Légende du Grand Judo* (1943), qui, malgré certaines tendances nationalistes, fut amputé par la censure de plusieurs séquences jugées « trop sentimentales ». La séquence finale, un combat de judo à peine entrevu dans les hautes herbes battues par le vent, demeurera célèbre. Après *le Plus Beau* (1944), où l'auteur faisait preuve d'un regard personnel sur un sujet de commande (l'attitude morale d'ouvrières dans une usine d'optique de guerre), et une suite à son premier film, *la Nouvelle Légende du Grand Judo* (1945), Kurosawa adapte, avec des moyens très réduits, une pièce du répertoire kabuki et kyōgen, *'les Hommes qui marchent sur la queue du tigre'* (id.), dont les séquences de la forêt préfigurent celles de *Rashōmon*. Le premier film où Kurosawa exprime véritablement ses idées, et un sens généreux de l'humanisme, est *Je ne regrette rien de ma jeunesse / Rien à regretter de ma jeunesse* (1946), où l'actrice Setsuko Hara fait une composition remarquable en épouse fidèle aux idéaux de son mari jugé comme espion pendant la guerre : on y trouve déjà ce sens du rythme et du montage court qui marquera les films suivants. Après un mélodrame lyrique tourné dans le Tōkyō d'après-guerre, *Un merveilleux dimanche* (1947), il réalise *l'Ange ivre* (1948), où, dans les bas-fonds de Tōkyō, s'affrontent un « bon » médecin alcoolique (Takashi Shimura) et un « mauvais » gangster atteint de tuberculose (Toshirō Mifune) qu'il soigne contre sa volonté, sur fond de corruption. C'est le véritable début de la célèbre collaboration Kurosawa-Mifune, ce dernier volant la vedette à Takashi Shimura. Il le retrouvera dans presque tous les films de Kurosawa, jusqu'à *Barberousse* (1965). Dans *Chien enragé* (1949), Mifune incarne un policier cherchant à retrouver son pistolet volé, et l'on a comparé ce film au *Voleur de bicyclette* de De Sica. Mais c'est surtout pour le cinéaste l'occasion de peindre un tableau de Tōkyō après la guerre, pendant un été torride, tout en imposant sa maîtrise technique (le combat final, comme celui de *l'Ange ivre*). Mifune devient alors l'acteur fétiche de Kurosawa et atteint à la célébrité en interprétant le rôle du bandit Tajomaru dans *Rashōmon* (1950), film charnière de l'œuvre de l'auteur, qui remporte de façon inattendue le Lion d'or de la Mostra de Venise en 1951. Adapté de deux nouvelles de l'écrivain Ryunosuke Akutagawa, le film, construit en flash-back successifs, propose une vision pirandellienne du monde, où chaque personnage, y compris le mari mort, donne sa version des événements dans une affaire de viol située dans le Japon médiéval. La virtuosité de l'opérateur Kazuo Miyagawa et les audaces du montage n'y sont que les instruments d'une conception éthique résumée à la fin par un bonze reprenant espoir dans l'humanité après avoir trouvé un enfant abandonné sous la porte de Rashō (qui donne son titre original au film). En outre, le public occidental y découvrait, à part Mifune, certains des plus grands acteurs japonais de l'époque : Machiko Kyō, Masayuki Mori, et Takashi Shimura dans le rôle du bûcheron.

Après ce film, qui obtient un succès mondial (Oscar du meilleur film étranger aux États-Unis) et ouvre un temps les portes du marché occidental au cinéma japonais encore ignoré, Kurosawa obtient toute liberté pour réaliser des projets ambitieux, souvent longs et coûteux dans le contexte de l'industrie japonaise, et dont plusieurs sont devenus des « classiques » : des adaptations de littérature étrangère transposées au Japon, comme *l'Idiot* (1951, d'après le roman de Dostoïevski), *le Château de l'araignée* (1957, d'après le *Macbeth* de Shakespeare) ou *les Bas-Fonds* (id., d'après la pièce de Gorki), dans une théâtralité symbolique assumée ; mais aussi des sujets originaux exprimant une foi dans l'Homme assez caractéristique d'une époque : *Vivre* (1952, Ours d'argent à Berlin), où Takashi Shimura interprète avec conviction le rôle d'un fonctionnaire apprenant qu'il est atteint du cancer, et cherchant à donner un sens aux derniers actes de sa vie, ou *'Chroniques d'un être vivant'/Vivre dans la peur* (1955), film méconnu en Occident, où Mifune incarne un industriel hanté par l'angoisse atomique.

Mais c'est surtout grâce à ses jidai-geki (films historiques) que Kurosawa a construit sa réputation à l'Ouest : le plus célèbre est sans conteste *les Sept Samouraïs* (1954, Lion d'argent à Venise), ample fresque située dans le Japon des guerres civiles, où les paysans sont les véritables vainqueurs du combat opposant des brigands aux samouraïs qu'ils ont engagés pour les défendre. À noter que, amputé de la moitié lors de sa première sortie en France, ce film, peut-être le plus ambitieux de l'auteur, a finalement été exploité dans sa version intégrale (3 h 20) après le succès de *Kagemusha.* Dès *la Forteresse cachée* (1958), magnifique divertissement jugé parfois superficiel, les jidai-geki de Kurosawa imposent de plus en plus l'image d'un héros solitaire et supérieur, qui se joue de ses ennemis et propose un modèle éthique à ses contemporains : ainsi du personnage de Sanjuro Kuwabatake dans *Yojimbo* et la suite, *Sanjuro,* adaptée d'une œuvre de Shūgorō Yamamoto, écrivain de prédilection du cinéaste, dont il adaptera ensuite *Barberousse* et *Dodes'kaden* (1970), son premier film en couleurs. Mais l'on retrouve cette perception dans ses œuvres contemporaines plus récentes, comme *Les salauds dorment en paix* (1960) ou *Entre le ciel et l'enfer* (1963, tiré d'un thriller d'Ed McBain), où un conflit social est résolu en termes moraux.

Après 1965, Kurosawa, surnommé au Japon, non sans quelque ironie, « l'empereur du cinéma japonais », traverse la période la plus déprimante de sa vie : des projets inaboutis à Hollywood, dont le plus avancé fut *Tora, Tora, Tora* (1969, repris par Richard Fleischer), et l'échec commercial de son *Dodes'kaden,* une parabole amère sur l'envers du Japon actuel, le conduisent en 1971 à une tentative de suicide dont il réchappe cependant. Ce n'est qu'en 1973 que les Soviétiques lui proposent de tourner en URSS *Dersou Ouzala* (1975), dont le grand prix de Moscou et le succès inattendu dans plusieurs pays lui valent une nouvelle notoriété. Pourtant, il lui faudra encore l'apport des Américains (F. F. Coppola, G. Lucas et la 20th Century Fox) pour qu'il puisse mener à bien *Kagemusha* (1980), dont la somptueuse mise en scène lui vaudra une Palme d'or à Cannes. Sur le thème d'un voleur (Tatsuya Nakadai) jouant le double du seigneur Shingen Takeda au XVIe siècle, Kurosawa a signé son premier film véritablement historique, en soulignant les ambivalences du pouvoir et de sa représentation. En 1984, il tourne *Ran,* une adaptation très libre et japonisée du *Roi Lear* de Shakespeare, et, grâce à G. Lucas et S. Spielberg, met en scène avec une belle jeunesse d'inspiration en 1989-1990 *Rêves,* film-testament d'un vieil homme écartelé entre le souvenir du paradis perdu (l'innocence et la poésie de l'enfance, la simplicité harmonieuse de la nature) et l'agressivité des cauchemars (l'horreur de la guerre, la menace des catastrophes nucléaires). M.T.

Films ▲ : *la Légende du Grand Judo* (*Sugata Sanshirō,* 1943) ; *'le Plus Beau'* (*Ichiban utsukushiku,* 1944) ; *la Nouvelle Légende du Grand Judo* (*Sanchiro Sugata II, Zoku Sugata Sanshirō,* 1945) ; *les Hommes qui marchent sur la queue du tigre* (*Tora no o o fumu otokotachi,* id.) ; *'Ceux qui bâtissent l'avenir'* (*Asu o tsukuru hitobito ; CO* : Kajirō Yamamoto, Hideo Sekigawa, 1946) ; *Je ne regrette rien de ma jeunesse / Rien à regretter de ma jeunesse* (*Waga seishun ni kui nashi,* id.) ; *'Un merveilleux dimanche'* (*Subarashiki nichiyōbi,* 1947) ; *l'Ange ivre* (*Yoidore tenshi,* 1948) ; *'le Duel silencieux'* (*Shizukanaru ketto,* 1949) ; *Chien enragé* (*Norainu,* id.) ; *Scandale* (*Shubun,* 1950) ; *Rashōmon* (id., *id.*) ; *l'Idiot* (*Hakuchi,* 1951) ; *Vivre* (*Ikiru,* 1952) ; *les Sept Samouraïs* (*Shichinin no samurai,* 1954) ; *'Chronique d'un être vivant'/'Vivre dans la peur'/ 'Si les oiseaux savaient'* (*Ikimono no kiroku,* 1955) ; *le Château de l'araignée / le Trône sanglant / Macbeth* (*Kumonosu-Jō,* 1957) ; *les Bas-Fonds* (*Donzoko,* id.) ; *la Forteresse cachée* (*Kakushi toride no san akunin,* 1958) ; *Les salauds dorment en paix* (*Warui yatsu hodo yoku nemuru,* 1960) ; *Yojimbo/'le Garde du corps'* (*Yojimbo,* 1961) ; *Sanjuro* (*Tsubaki Sanjuro,* 1962) ; *Entre le ciel et l'enfer* (*Tengoku to jigoku,* 1963) ; *Barberousse* (*Akahige,* 1965) ; *Dodes'kaden* (*Dodesukaden,* 1970) ; *Dersou Ouzala / l'Aigle de la Taïga* (*Dersu Uzala,* 1975) ; *Kagemusha* (id., 1980) ; *Ran* (id., FR-JAP, 1985) ; *Rêves* (*Dreams / Konna yume o mita,* US, 1990) ; *Rhapsodie en août* (*Rhapsody in August,* 1991) ; *Madadayo* (1993).

KURYS *(Diane), cinéaste française (Lyon 1948).* Longtemps comédienne (Compagnie Renaud-Barrault), elle écrit le scénario de *Diabolo menthe,* récit quasi autobiographique sur l'éveil d'une adolescente dans les années 60, qui intéresse l'avance sur recette et la Gaumont. Sorti en 1977, le film obtient le prix Delluc et un large succès d'estime. En 1980, elle évoque mai 68 à travers l'itinéraire sentimental de jeunes absents de Paris *(Cocktail Molotov).* Plus ambitieux et plus maîtrisé, *Coup de foudre* (1983) dépeint, depuis la fin de la dernière guerre, la rencontre, l'amitié, l'évolution sociale et morale de deux jeunes femmes de milieux et de racines différents. En 1987, Diane Kurys réalise en anglais *Un homme amoureux* , en 1990, *La Baule-les-Pins* et, en 1994, *À la folie.* C.D.R.

KUSTURICA *(Emir), cinéaste yougoslave (Sarajevo 1955).* Diplômé de la faculté de cinéma de Prague (FAMU) en 1978, il réalise plusieurs courts métrages et téléfilms. Pour son premier long métrage, *Te souviens-tu de Dolly Bell* (*Sjećaš li se Dolly Bell,* 1981), il reçoit le Lion d'or de l' opera prima à la Mostra de Venise et renouvelle ce coup d'éclat avec la Palme d'or à Cannes pour *Papa est en voyage d'affaires* (*Otac na službenom putu,* 1985). Avec ces deux réussites de finesse et d'humour, il s'est imposé comme le plus brillant représentant de ce qu'on appelle le «groupe de Prague» dans le cinéma yougoslave. Il a confirmé ses dons de conteur et de styliste avec *le Temps des gitans* (*Dom za vesanje,* 1988), poème baroque où la réalité la plus cruelle côtoie un lyrisme quasi surréaliste, et dans *Arizona Dream* (1993), tourné aux États-Unis. En 1995, il remporte pour la deuxième fois la Palme d'Or du Festival de Cannes avec *Underground,* fresque inspirée et tumultueuse sur les vicissitudes politiques et les drames humains de son pays natal. M.M.

KUTLAR *(Onat), écrivain, critique et scénariste turc (Alanya 1936 - Istanbul 1995).* Il part pour la France avant de terminer ses études de droit à l'université d'Istanbul et devient un spectateur assidu de la Cinémathèque française, tout en poursuivant des études de philosophie. Il a publié ses premiers poèmes dès l'âge de seize ans. Son premier recueil de nouvelles, *Ishak,* a été couronné, en 1960, par le prix du prestigieux Institut de langue turque *(Türk Dil Kurumu).* Il s'oriente rapidement vers la critique cinématographique, fonde en 1965 la Cinémathèque turque et édite une revue de cinéma. Il a également produit de nombreux films et organisé plusieurs manifestations cinématographiques. Parmi les principaux films dont il a signé le scénario, on peut citer : *les Gamins d'Istanbul* (*Yusuf ile Kenan,* Ö. Kavur, 1978), *Hazal* (A. Özgentürk, 1979) et *Une saison à Hakkâri* (*Hakkâri'de Bir Mevsim,* E. Kıral, 1982). ME.B.

KUTZ *(Kazimierz), cinéaste polonais (Szopienice 1929).* Il s'intéresse tout d'abord à la psychologie et souhaite même devenir psychiatre. Mais il opte finalement pour le cinéma, sort diplômé de l'école de Łódź en 1954, est l'assistant de Wajda pour *Génération / Une fille a parlé* et de Kawalerowicz pour *l'Ombre.* Après avoir dirigé la seconde équipe de tournage de *Kanal* (A. Wajda, 1957), il se voit confier sa première mise en scène en 1959 : *Croix de guerre (Krzyż walecznych),* qui remporte le prix de la critique polonaise. *Personne n'appelle* (*Nikt nie wofa,* 1960) et *Panique dans un train* (*Ludzie z pociągu,* 1961), qui ont encore pour toile de fond la dernière guerre – laquelle traumatisera tous les cinéastes polonais pendant une bonne vingtaine d'années –, imposent Kutz et lui permettent de s'insérer aux côtés de Wadja, Kawalerowicz, Has, Munk et Konwicki parmi les grands espoirs de la «première génération». Après quelques essais plus ou moins concluants, *les Chevaux sauvages* (*Tarpany,* 1962), *le Silence* (*Milczenie,* 1963), *la Chaleur* (*Upał,* 1964), *Quiconque pourrait savoir...* (*Ktokolwiek wie...,* 1966), *le Saut* (*Skok,* 1969), où Kutz s'essaye à des genres très divers, il aborde le premier volet de ce qui deviendra une étonnante «trilogie silésienne» : *le Sel de la terre noire* (*Sól ziemi czarnej,* 1970). «Synthèse de plus d'un demi-siècle d'histoire d'une terre et de son peuple, de ses aspirations, de sa culture, de son caractère» selon ses propres vœux, cette trilogie (au premier film succéderont *la Perle de la couronne* [*Perla w Koronie,* 1972] et, huit ans plus tard, *les Grains du rosaire* [*Paciorki jednego różańca,* 1980]) sera un hymne humaniste, chaleureux et généreux à l'égard du peuple silésien. Kutz chanta sa contrée natale (ses deux grands-pères sont morts dans une mine, son père était cheminot) avec une simplicité et une sincérité qui n'empruntent aucun des chemins suivis par les hagiographes ou les «ouvriéristes» officiels. Au temps de la libéralisation, le festival de Gdańsk 1980 accorde son grand prix aux *Grains du rosaire.* En 1983, le cinéaste signe *Je resterai toujours à mon poste (Na strazy swej stac bede)* et en 1985, *Prenez garde mes frères arrivent (Wkrótce nadej dą bracia).* Au cours des années qui avaient séparé le deuxième et le troisième volet de sa trilogie, Kutz avait signé *la Ligne*

(*Linia,* 1975) et *De nulle part à nulle part* (*Znikąd donikąd,* id.). J.-L.P.

KUVEILLER *(Luigi), chef opérateur italien (Rome 1927).* Il débute en 1945 comme assistant opérateur et, dès 1955, il travaille comme cameraman pour le chef opérateur Aldo Tonti. En 1966, il dirige la photo de *À chacun son dû :* dans ce film et dans les suivants d'Elio Petri (*Un coin tranquille à la campagne,* 1968 ; *Enquête sur un citoyen au-dessus de tout soupçon,* 1970 ; *La classe ouvrière va au paradis,* 1971 ; *La propriété n'est plus un vol,* 1973 ; *Todo modo,* 1976), il crée une réalité violemment déformée aux couleurs voyantes. Parmi la cinquantaine de films auxquels il a participé, on se souvient particulièrement des images crues et apocalyptiques de *Fräulein Doktor* (A. Lattuada, 1969), la banlieue brumeuse d'*Un vrai crime d'amour* (L. Comencini, 1974), la Toscane glaciale de *Mes chers amis* (M. Monicelli, 1975), et surtout l'île d'Ischia ensoleillée et romantique d'*Avanti !* (B. Wilder, 1972). L.C.

Autres films : *Una spina nel cuore* (Lattuada, 1985), *Via Montenapoleone* (C. Vanzina, 1986), *Codice privato* (F. Maselli, 1988), *Scandale secret* (M. Vitti, 1990).

KWAN *(Guan Jinpeng,* dit *Stanley), cinéaste chinois (Hongkong 1957).* Il se forme à la télévision (TVB) avant de devenir assistant-réalisateur, notamment de Ann Hui. Depuis son premier film, *Femmes* (*Nüren xin,* 1985), il centre toute son œuvre sur des personnages féminins. Après *Love unto waste* (*Dixia qing,* 1986), c'est *Rouge* (*Yanzhi kou,* 1987), *Full Moon in New York* (*Sange Nürende gushi,* 1989), avec Maggie Cheung qui est aussi l'héroïne de *Centre Stage - Ruan Lingyu -* (*id.,* 1991), autour du mythe de la star légendaire des années 30, puis *Red Rose, White Rose* (*Hong meigui, bai meigui,* 1994), d'après le célèbre roman de Zhang Ailing. M.-C.Q.

KYŌ *(Machiko), actrice japonaise (Ōsaka 1924).* D'abord danseuse de music-hall au Tōkyō Nippon Gekijo, elle y est « découverte » par Masaichi Nagata, qui en fera rapidement une vedette de la Cie Daiei, et un des tout premiers sex-symbols du cinéma japonais d'après-guerre. On la remarque dans un rôle de type Lolita dans *'l'Amour d'un idiot'* (*Chijin no ai,* Keigo Kimura, 1949 ; d'après Tanizaki), mais c'est évidemment par son rôle de la femme de Masayuki Mori dans *Rashōmon* (A. Kurosawa, 1950) qu'elle se fait connaître en Occident. Suit une carrière prolifique (près de cent films) où son image de séductrice se double de celle d'une véritable actrice. Elle s'impose notamment dans *Sous des parures de soie* (Yoshimura, 1951), dans le rôle d'une geisha moderne qui lui vaut le prix d'interprétation féminine du journal Mainichi. Superstar de la Daiei, avec plus tard Ayako Wakao, elle tourne sans arrêt, mais c'est surtout par les films de Mizoguchi qu'elle atteint au sommet de son talent : *les Contes de la lune vague après la pluie* (1953), *l'Impératrice Yang-Kwei-Fei* (1955) et *la Rue de la honte* (1956), où elle incarne Mickey, la prostituée américanisée. Elle joue également dans les films à costumes présentés en Occident, notamment *la Porte de l'enfer* (T. Kinugasa, 1953), *les Contes de Genji* (K. Yoshimura, 1951), *la Belle et le Voleur* (*Bijo to tozoku,* Kimura, 1952), *la Princesse Sen* (*Sen-hime,* id., 1954), *la Légende du Grand-Bouddha* (Kinugasa, 1952). Sa réputation internationale lui permet d'être choisie dans la production américaine de Daniel Mann (*la Petite Maison de thé,* 1956), aux côtés de Marlon Brando. Par la suite, elle jouera plusieurs rôles de comédie, surtout avec Ichikawa (*l'Étrange Obsession,* 1959 ; *Bonchi,* 1960), en alternance avec des films dramatiques : *Herbes flottantes* (Y. Ozu, 1959), *Douce Sueur* (S. Toyoda, 1964), *le Visage d'un autre* (H. Teshigahara, 1966), *Nuée d'oiseaux blancs* (Y. Masumura, 1969). Elle poursuit sa carrière essentiellement au théâtre et à la télévision, depuis la faillite de la Daiei, sauf exception : *Maquillages* (*Keshō,* Kazuo Ikehiro, 1985). M.T.

KYROU *(Adonis,* dit *Ado), cinéaste français d'origine grecque (1923 - Paris 1985).* Il est l'auteur de deux essais personnels et remarqués : *le Surréalisme au cinéma* (1952) et *Amour, érotisme et cinéma* (1957). Passé à la mise en scène, il signe plusieurs courts métrages (*la Déroute, le Palais idéal, la Chevelure)* et deux longs métrages (*Bloko,* 1965 ; *le Moine,* 1972). C.D.R.

Photocomposition Maury – Malesherbes
Impression Aubin Imprimeur à Poitiers, Ligugé – L 49941
Dépôt légal : septembre 1995 – n° de série éditeur : 18708
Imprimé en France (Printed in France) 750001 – septembre 1995

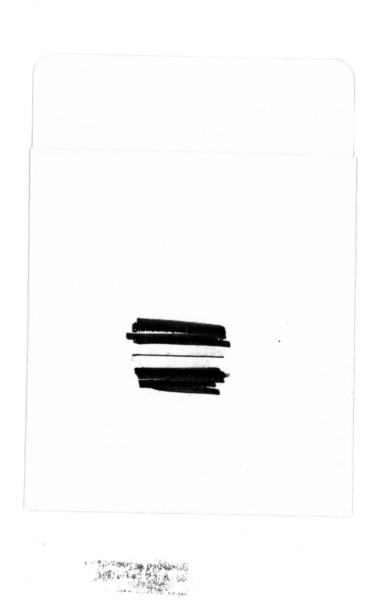